FRANK
SCHÄTZING
[LIMIT]
SCHAUPLÄTZE

LIMIT

FRANK
SCHÄTZING
[LIMIT]
ROMAN

Kiepenheuer & Witsch

Personenregister auf Seite 1305
Alle Charaktere aus LIMIT auf einen Blick

FSC
Mix
Produktgruppe aus vorbildlich
bewirtschafteten Wäldern und
anderen kontrollierten Herkünften

Zert.-Nr. SGS-COC-1940
www.fsc.org
© 1996 Forest Stewardship Council

Verlag Kiepenheuer & Witsch, FSC-DEU-0096

1. Auflage 2009

Umschlaggestaltung und Zwischentitel: buerogroll.com
Umschlagmotive: Mondmotiv © Michael Benson/Kinetikon Pictures/Corbis
Erdenmotiv © Don Hammond/Design Pics/Corbis
Autorenfoto: © Paul Schmitz
Mondkarte: Birgit Schroeter, Köln
Gesetzt aus der Stempel Garamond
Satz: Buch-Werkstatt GmbH, Bad Aibling
Druck und Bindung: GGP Media GmbH, Pößneck
ISBN 978-3-462-03704-3

Für Brigitte und Rolf,
die mir das Leben auf der Welt schenkten.

Für Christine und Clive,
die mir ein Stück vom Mond schenkten.

[
Planet Earth is blue
And there's nothing I can do

David Bowie
]

2. AUGUST 2024
[PROLOG]

EVA

I want to wake up in a city that never sleeps –

Der gute alte Frankieboy. Unerschüttert vom urbanen Wandel, solange es nach dem Aufwachen nur einen zu kippen gab.

Vic Thorn rieb sich die Augen.

In 30 Minuten würde das automatische Wecksignal die Frühschicht aus den Betten treiben. Streng genommen konnte es ihm egal sein. Als Kurzzeitbesucher war er weitgehend frei in seiner Entscheidung, wie er den Tag verbringen wollte, nur dass sich auch Gäste einem gewissen formalen Rahmenwerk anzupassen hatten. Was nicht zwangsläufig bedeutete, früh aufstehen zu müssen, doch geweckt wurde man auf jeden Fall.

If I can make it there,
I'll make it anywhere –

Thorn begann sich loszuschnallen. Weil er allzu ausgiebige Bettruhe als verwahrlosend empfand, vertraute er sich keinem anderen Automatismus an als dem eigenen, um möglichst wenig Zeit seines Lebens schlafend zu verbringen. Zumal er selbst entscheiden wollte, wer oder was ihn zurück in die Bewusstheit rief. Thorn liebte es, seine Systeme von Musik hochfahren zu lassen. Eine Aufgabe, die er vorzugsweise dem Rat Pack zukommen ließ, Frank Sinatra, Dean Martin, Joey Bishop, Sammy Davis junior, den räudigen Helden vergangener Epochen, zu denen er eine beinahe romantische Zuneigung pflegte. Dabei wäre nichts, aber auch gar nichts an diesem Ort den Gepflogenheiten des Rat Pack entgegengekommen. Selbst Dean Martins berühmt gewordene Feststellung *Ein Mann ist so lange nicht betrunken, wie er auf dem Boden liegen und sich dabei irgendwo festhalten kann* erlebte in der Schwerelosigkeit ihre physikalische Außerkraftsetzung, ganz zu schweigen davon, dass die Begeisterung des großen Trinkers, an einem Ort wie diesem nicht vom Barhocker fallen zu können, beim anschließenden Versuch, hinaus auf die Straße zu torkeln, schlagartig geendet hätte. 35 786 Kilometer über dem Erdboden warteten keine Nutten vor der Tür, sondern nur todbringender, luftleerer Raum.

Top of the list, king of the hill –

Thorn summte die Melodie mit, nuschelte ein schief klingendes *New York, New York*. Mit kaum nennenswertem Muskelzucken stieß er sich ab, entschwebte seiner Koje, ließ sich zu dem kleinen, runden Sichtfenster seiner Kabine tragen und sah nach draußen.

In der Stadt, die niemals schlief, begab sich Huros-ED-4 auf den Weg zu seinem nächsten Einsatz.

Weder kümmerte ihn die Kälte des Weltraums noch das Fehlen jeglicher Atmosphäre. Tag und Nacht, deren Aufeinanderfolge sich in solch immenser Entfernung zur Erde ohnehin mehr auf Vereinbarungen gründete als auf sinnliches Erleben, besaßen für ihn keine Gültigkeit. Sein Weckruf erfolgte in der Sprache der Programmierer. Huros-ED stand für *Humanoid Robotic System for Extravehicular Demands,* die 4 reihte ihn ein in weitere 19 seiner Art – je zwei Meter groß, Oberkörper und Kopf durchaus menschenähnlich, während die überlangen Arme im Zustand der Ruhe an die zusammengelegten Greiforgane einer Gottesanbeterin erinnerten. Bei Bedarf entfalteten sie sich zu bewundernswerter Beweglichkeit, mit Händen, die äußerst diffizile Operationen durchführen konnten. Ein zweites, kleineres Paar Arme entsprang der breiten, mit Elektronik vollgestopften Brust und diente der Assistenz. Dafür fehlten die Beine völlig. Zwar verfügte der Huros-ED über Taille und Becken, doch wo beim Menschen die Oberschenkel begannen, sprossen flexible Greifer mit Ansaugvorrichtungen, sodass er sich Halt verschaffen konnte, wo immer er gerade gebraucht wurde. Während der Pausen suchte er eine geschützte Nische auf, koppelte seine Akkus an die Stromversorgung, füllte die Tanks seiner Navigationsdüsen mit Treibstoff und ergab sich der Kontemplation der Maschine.

Inzwischen lag seine letzte Ruhephase acht Stunden zurück. Seitdem war Huros-ED-4 mit großem Roboterfleiß an den unterschiedlichsten Stellen der gigantischen Raumstation gewesen. In den Außenbezirken des Dachs, wie der dem Zenit zugewandte Teil genannt wurde, hatte er geholfen, in die Jahre gekommene Solarpaneele gegen neue auszutauschen, in der Werft Flutlichter für Dock 2 justiert, wo eines der Raumschiffe für die geplante Mars-Mission entstand. Danach hatte man ihn 100 Meter tiefer zu den wissenschaftlichen Nutzlasten beordert, die entlang der Mastausleger befestigt waren, mit der Aufgabe, die defekte Platine eines Messgeräts zur Oberflächenabtastung des Pazifischen Ozeans vor Ecuador zu entnehmen. Nach erfolgter Rekonditionierung lautete sein Auftrag nun, im Raumhafen einen der dortigen Manipulatorarme zu untersuchen, der aus unerfindlichen Gründen während eines Verladeprozesses den Dienst quittiert hatte.

Zum Raumhafen, das hieß, sich entlang der Station ein weiteres Stück abwärts sinken zu lassen, zu einem Ring von 180 Metern Durchmesser mit acht Liegeplätzen für an- und abfliegende Mondshuttles sowie acht weiteren für Evakuierungsgleiter. Vergaß man, dass die dort ankernden Schiffe Vakuum statt Wasser durchquerten, ging es auf dem Ring nicht anders zu als in Hamburg oder Rotterdam, den großen terranen Seehäfen, wozu ergo auch Kräne gehörten, riesige Roboterarme auf Schienen, Manipulatoren genannt. Einer davon hatte den Beladevorgang eines Fracht- und Personenshuttles, der in wenigen Stunden zum Mond starten sollte, mittendrin abgebrochen. Sämtliche Indikatoren sprachen gegen einen Ausfall. Der Arm hätte funktionieren müssen, blieb jedoch mit apparativer Sturheit jede Bewegung schuldig und hing stattdessen mit gespreizten Effektoren halb im Laderaum des Shuttles, halb draußen, was zur Folge hatte, dass sich der geöffnete Leib des Schiffs nicht mehr schließen ließ.

Auf vorgeschriebenen Flugbahnen bewegte sich Huros-ED-4 entlang angedockter Shuttles, Luftschleusen und Verbindungstunnel, Kugeltanks, Containern und Masten bis zu dem defekten Arm, der im ungefilterten Sonnenlicht kalt glänzte. Die Kameras hinter der Sichtblende seines Kopfes und an den Enden seiner Extremitäten schickten Bilder ins Innere der Kommandozentrale, als er dicht an die Konstruktion heranfuhr und jeden Quadratzentimeter einer eingehenden Analyse unterzog. Beständig glich er, was er sah, mit den Bildern ab, die ihm sein Datenspeicher zur Verfügung stellte, bis er den Grund für den Ausfall gefunden hatte.

Er stoppte. Jemand in seinem zentralen Steuermodul sagte »Verdammte Scheiße!«, was Huros-ED-4 zu einer raschen Rückfrage veranlasste. Obschon auf Abtastung der menschlichen Stimme programmiert, vermochte er in der Äußerung keinen sinnstiftenden Befehl zu erkennen. Die Zentrale verzichtete auf eine Wiederholung, also tat er vorerst nichts, als sich den Schaden zu besehen. In einem der Gelenke des Manipulators waren winzige Splitter verkeilt. Eine lange und tiefe Scharte verlief quer oberhalb der Gelenkstruktur, klaffend wie eine Wunde. Auf den ersten Blick schien die Elektronik intakt zu sein, ein reiner Materialschaden also, indes schwerwiegend genug, dass er den Manipulator veranlasst hatte, sich abzuschalten.

Die Zentrale wies ihn an, das Gelenk zu reinigen.

Huros-ED-4 verharrte.

Wäre er ein Mensch gewesen, hätte man sein Verhalten als unschlüssig bezeichnen können. Schließlich bat er um weitere Informationen, womit er auf seine eigene, vage Weise zum Ausdruck brachte, dass ihn die Sache überforderte. So revolutionär die Baureihe sein mochte – sensorbasierte Steuerung, Rückkopplung von Sinneseindrücken, flexibles und autonomes Handeln – , änderte sie doch nichts daran, dass Roboter Maschinen waren, die in Schablonen dachten. Er sah die Splitter und sah sie doch nicht. Wohl wusste er, dass sie da waren, nicht aber, *was* sie waren. Ebenso registrierte er den Riss, vermochte ihn allerdings mit keiner ihm bekannten Information in Übereinstimmung zu bringen. Damit existierten die defekten Stellen für ihn nicht. Als Folge war ihm schleierhaft, was genau er eigentlich reinigen sollte, also reinigte er gar nichts.

Ein Hauch Bewusstsein, und Roboter hätten ihre Existenz als wirklich sorgenfrei empfunden.

Andere sorgten sich umso mehr. Vic Thorn hatte ausgiebig geduscht, *My Way* gehört, T-Shirt, Turnschuhe und Shorts angezogen und soeben beschlossen, den Tag im Fitnessstudio zu beginnen, als ihn der Anruf aus der Zentrale erreichte.

»Sie könnten uns bei der Lösung eines Problems behilflich sein«, sagte Ed Haskin, in dessen Zuständigkeit der Raumhafen und die daran gekoppelten Systeme fielen.

»Jetzt gleich?« Thorn zögerte. »Ich wollte kurz aufs Laufband.«

»Besser gleich.«

»Was ist los?«

»Sieht so aus, als gäbe es Schwierigkeiten mit Ihrem Raumschiff.«

Thorn nagte an seiner Unterlippe. Bei der Vorstellung, sein Abflug könne sich verzögern, schrillten tausend Alarmglocken in seinem Kopf. Schlecht, ganz schlecht! Das Schiff sollte den Hafen um die Mittagszeit verlassen, mit ihm und sieben weiteren Astronauten an Bord, um die Besatzung der amerikanischen Mondbasis abzulösen, die nach sechs Monaten Trabantenexil Fieberträume von asphaltierten Straßen, tapezierten Wohnungen, Würsten, Wiesen und einem Himmel voller Farbe, Wolken und Regen heimsuchten. Obendrein war Thorn als einer der beiden Piloten für den zweieinhalbtägigen Flug vorgesehen, als Crewchef zu allem Überfluss, was erklärte, dass man ausgerechnet ihn ansprach. Und noch einen Grund gab es, warum ihm jede Verzögerung mehr als ungelegen kam –

»Was ist denn los mit der Kiste?«, fragte er betont gleichgültig. »Will sie nicht fliegen?«

»Oh, fliegen will sie schon, aber sie kann nicht. Es hat eine Panne beim Beladen gegeben. Der Manipulator ist ausgefallen und blockiert die Luken. Wir können den Frachtraum nicht schließen.«

»Ach so.« Erleichterung durchströmte Thorn. Mit einem defekten Manipulator ließ sich fertigwerden. »Und kennt ihr den Grund für den Ausfall?«

»*Debris*. Scharfer Beschuss.«

Thorn seufzte. *Space debris!* Weltraumschrott, dessen unliebsame Allgegenwart sich einer beispiellosen orbitalen Rushhour verdankte, eingeleitet in den fünfziger Jahren von den Sowjets mit ihren Sputniks. Seither zirkulierten in jeglicher Höhe die Überbleibsel Tausender Missionen: leer gebrannte Raketenstufen, ausgemusterte und vergessene Satelliten, Trümmer zahlloser Explosionen und Zusammenstöße, vom kompletten Reaktor bis hin zu winzigen Schlackebröckchen, Tröpfchen gefrorenen Kühlmittels, Schrauben und Drähtchen, Kunststoff- und Metallteilchen, Fetzen von Goldfolie und Rudimenten abgeblätterter Farbe. Die ständige Frakturierung der Bruchstücke durch immer neue Kollisionen zog deren nagetierhafte Vermehrung nach sich. Inzwischen wurde alleine das Vorhandensein von Objekten, die größer als ein Zentimeter waren, auf 900 000 geschätzt. Kaum drei Prozent davon unterlagen ständiger Beobachtung, der ominöse Rest, zuzüglich Milliarden kleinerer Partikel und Mikrometeoriten, war irgendwohin unterwegs – im Zweifel, mit der Unvermeidbarkeit, mit der Insekten an Windschutzscheiben endeten, auf einen zu.

Das Problem war, dass eine Wespe, die mit dem Impuls eines gleich großen Stückchens *Space Debris* in eine Luxuslimousine gesaust wäre, die kinetische Energie einer Handgranate entwickelt und einen Totalschaden verursacht hätte. Geschwindigkeiten gegenläufiger Objekte addierten sich im All auf vernichtende Weise. Selbst Partikel im Mikrometerbereich wirkten sich auf Dauer zerstörerisch aus, schliffen Solarpaneele blind, zersetzten die Oberflächen von Satelliten und rauten die Außenhüllen von Raumschiffen auf. Erdnaher Schrott verglühte über kurz oder lang in den oberen Schichten der Atmosphäre, allerdings nur, um durch neuen ersetzt zu werden. Mit zunehmender Höhe verlängerte sich seine Lebensdauer, und im Orbit der Raumstation verblieb er theoretisch bis in alle Ewigkeit. Einzig, dass man mehrere der gefährlichen Objekte kannte und ihre Flugbahnen Wochen und Monate im Voraus berechnen konnte, verhieß einen gewissen Trost, weil es die Astronauten befähigte, die komplette Station einfach aus dem Weg zu steuern. Das Ding, das in den Manipulator gekracht war, hatte offenbar nicht dazugehört.

»Und was kann ich tun?«, fragte Thorn.

»Na ja, Crewzeit.« Haskin lachte genervt. »Sie wissen schon, knappe Ressource. Der Roboter kriegt das alleine nicht auf die Reihe. Wir müssten zu zweit raus, aber im Augenblick hab ich nur eine Kraft verfügbar. Würden Sie einspringen?«

Thorn überlegte nicht lange. Es war von epochaler Wichtigkeit, dass er pünktlich hier wegkam, außerdem mochte er Weltraumspaziergänge.

»Alles klar«, sagte er.

»Sie gehen mit Karina Spektor raus.«

Noch besser. Er hatte Spektor am Abend zuvor im Crew-Restaurant kennengelernt, eine russischstämmige Expertin für Robotik mit hohen Wangenknochen und katzengrünen Augen, die auf seine Flirtversuche mit erfreulicher Bereitschaft zur Völkerverständigung reagiert hatte.

»Bin unterwegs!«, sagte er.

– in a city that never sleeps –

Städte pflegten Lärm zu erzeugen. Straßen, in denen die Luft von Akustik kochte. Menschen, die sich bemerkbar machten, indem sie hupten, riefen, pfiffen, schwatzten, lachten, jammerten, schrien. Geräusch als sozialer Kitt, codiert zur Kakophonie. Gitarristen, Sänger, Saxofonspieler in Hauseingängen und U-Bahn-Schächten. Krähen, Missmut äußernd, blaffende Hunde. Das Widerhallen von Baumaschinen, dröhnende Presslufthämmer, Metall auf Metall. Unerwartete, vertraute, schmeichelnde, schrille, spitze, dunkle, rätselhafte, an- und abschwellende, herannahende und entfliehende Geräusche, solche, die aufstiegen wie Gas, andere Volltreffer in Magengrube und Gehörgang. Verkehrsgrundrauschen. Der protzige Bassbariton schwerer Limousinen im Disput mit mäkeligen Mopeds, mit dem Schnurren von Elektromobilen, der Herrschsucht von Sportwagen, aufgemotzten Motorrädern, dem pumpernden Geh-mal-zur-Seite der Busse. Musik aus Boutiquen. Schrittkonzerte in Fußgängerzonen, Schlendern, Schlurfen, Stolzieren, Dahineilen, der Himmel schwingend vom Donner ferner Flugzeugturbinen, die ganze Stadt eine einzige Glocke.

Außerhalb der Weltraumstadt:

Nichts davon.

So vertraut es im Innern der Wohnmodule, Labors, Kontrollräume, Verbindungstunnel, Freizeitzonen und Restaurants lärmte, die sich auf einer Gesamthöhe von 280 Metern verteilten, so gespenstisch mutete es an, wenn man die Station erstmals zur EVA verließ, zur *Extravehicular Activity*, dem Außeneinsatz. Übergangslos war man draußen, wirklich draußen, so was von draußen wie sonst nirgendwo. Jenseits der Luftschleusen endete alle Akustik. Natürlich ertaubte man nicht zur Gänze. Sich selbst vernahm man sehr wohl, außerdem das Rauschen der im Anzug eingebauten Klimaanlage und natürlich den Sprechfunk, doch spielte sich all das im Innern des tragbaren Raumschiffs ab, in dem man steckte.

Drum herum, im Vakuum, herrschte perfekte Stille. Man erblickte die gewaltige Struktur der Station, schaute in erleuchtete Fenster, sah das eisige Strahlen der Flutlichtbatterien hoch oben, wo riesige Raumschiffe zusammengebaut wurden, die nie auf einem Planeten landen würden und nur in der Schwerelosigkeit Bestand hatten, gewahrte industrielle Betriebsamkeit, das Umherfahren und Recken der Kräne auf dem äußeren Ring und den Zubringern zum Innenbereich, beobachtete Roboter im freien Fall, lebendigen Wesen ähnlich genug, dass man geneigt war, sie nach dem Weg zu fragen – und intuitiv, überwältigt von der Schönheit der Architektur, der fernen Erde und der kalt starrenden Sterne, deren Licht von keiner Atmosphäre gestreut wurde, erwartete man eine geheimnisvolle oder pathetische Musik zu hören. Doch der Weltraum blieb stumm, seine Erhabenheit fand ihre Orchestrierung einzig im eigenen Atem.

In Gesellschaft Karina Spektors schwebte Thorn durch die Leere und Stille auf den defekten Manipulator zu. Ihre Anzüge, mit Steuerdüsen ausgestattet, ermöglichten ihnen, präzise zu navigieren. Sie glitten über die Docks des riesigen Raumhafens hinweg, der die turmartige Konstruktion der Station umspannte, breit wie eine Autobahn. Drei Mondshuttles ankerten zurzeit am Ring, zwei an Luftschleusen, Thorns Raumschiff auf Parkposition, außerdem die acht flugzeugähnlichen Evakuierungsgleiter. Im Grunde war der gesamte Ring ein einziger Rangierbahnhof, über den die Raumfahrzeuge ständig ihren Standort wechseln konnten, um die symmetrisch aufgebaute Station im Gleichgewicht zu halten.

Thorn und Spektor hatten sich vom Torus-2, dem Verteilermodul im Zentrum des Hafens, zu einer der Außenschleusen begeben, von wo es nicht weit bis zum Shuttle war. Weiß und massig, mit geöffneten Ladeluken, ruhte es im Sonnenlicht. Der erstarrte Arm des Manipulators ragte hoch darüber empor, knickte am Ellbogen jäh ab und verschwand im Frachtraum. Unmittelbar vor seiner Ankerplattform hing reglos Huros-ED-4. Den Blick unverwandt auf das blockierte Gelenk

17

gerichtet, haftete seiner Haltung etwas Missbilligendes an. Erst im letzten Moment rückte er ein Stück beiseite, damit sie den Schaden in Augenschein nehmen konnten. Natürlich resultierte sein Verhalten nicht aus kybernetischer Verschnupftheit, da ein Huros nicht einmal ansatzweise eine Vorstellung seiner selbst hatte, nur waren seine Bilder nicht mehr gefragt. Ab jetzt zählten die Eindrücke, welche die Helmkameras in die Zentrale schickten.

»Und?«, wollte Haskin wissen. »Was meint ihr?«

»Übel.« Spektor umfasste das Gestänge des Manipulators und zog sich näher heran. Thorn folgte ihr.

»Komisch«, sagte er. »Für mich sieht es so aus, als hätte irgendwas den Arm gestreift und diese Furche gerissen, aber die Elektronik scheint unbeschädigt zu sein.«

»Dann müsste er sich bewegen«, wandte Haskin ein.

»Nicht unbedingt«, sagte Spektor. Sie sprach ein slawisch aufgerautes Englisch, ziemlich erotisch, wie Thorn fand. Eigentlich schade, dass er keinen weiteren Tag bleiben konnte. »Beim Aufprall dürfte eine Menge Mikroschrott freigesetzt worden sein. Vielleicht leidet unser Freund an Verstopfung. Hat der Huros eine Umgebungsanalyse durchgeführt?«

»Leichte Kontamination. Was ist mit den Splittern? Könnten sie die Blockade ausgelöst haben?«

»Möglich. Stammen wahrscheinlich vom Arm selbst. Vielleicht hat sich auch was verzogen, und er steht unter Spannung.« Die Astronautin studierte eingehend das Gelenk. »Andererseits, das ist ein Manipulator, keine Kuchengabel. Das Objekt wird höchstens sieben oder acht Millimeter groß gewesen sein. Ich meine, es war nicht mal ein richtiger Impact, so was muss er eigentlich wegstecken können.«

»Du kennst dich ja mächtig gut aus«, meinte Thorn anerkennend.

»Kunststück«, lachte sie. »Ich beschäftige mich kaum noch mit was anderem. *Space debris* ist unser größtes Problem hier oben.«

»Und das da?« Er beugte sich vor und zeigte auf eine Stelle, wo ein winziges, helles Bröckchen herausstach: »Könnte das von einem Meteoriten stammen?«

Spektor folgte seinem ausgestreckten Zeigefinger.

»Auf jeden Fall stammt es von dem Ding, das den Arm getroffen hat. Näheres werden die Analysen ergeben.«

»Eben«, sagte Haskin. »Also beeilt euch. Ich schlage vor, ihr holt das Zeug mit dem Ethanolgebläse raus.«

»Haben wir so was denn?«, fragte Thorn.

»Der Huros hat so was«, erwiderte Spektor. »Wir können seinen linken Arm dafür benutzen, im Innern sind Tanks und an den Effektoren Düsen. Aber das müssen wir zu zweit machen, Vic. Schon mal mit einem Huros gearbeitet?«

»Nicht direkt.«

»Ich zeig's dir. Wir müssen ihn teilabschalten, um ihn als Werkzeug benutzen zu können. Das heißt, einer von uns muss helfen, ihn zu stabilisieren, während der andere –«

Im selben Moment erwachte der Manipulator zum Leben.

Der riesige Arm reckte sich aus dem Laderaum, stieß zurück, vollführte einen Schwenk, erfasste den Huros-ED und versetzte ihm einen Stoß, als sei er seiner Gesellschaft überdrüssig. Reflexartig drückte Thorn die Astronautin nach unten und aus der Kollisionszone heraus, konnte jedoch nicht verhindern, dass der Roboter ihre Schulter streifte und sie herumwirbelte. In letzter Sekunde gelang es Spektor, sich im Gestänge festzukrallen, dann prallte der Manipulator gegen Thorn, riss ihn weg von ihr und vom Ring und katapultierte ihn in den Weltraum.

Zurück! Er musste zurück!

Mit fliegenden Fingern versuchte er die Kontrolle über seine Steuerdüsen zu erlangen, gefolgt vom pirouettierenden Torso des Huros-ED, der näher und näher kam, Haskins und Spektors Schreie im Ohr. Der Unterleib des Roboters traf seinen Helm. Thorn überschlug sich und geriet in hilflose Kreiselbewegung, während er über den Rand der Ringebene geschleudert wurde und sich fürchterlich schnell von der Raumstation entfernte. Entsetzt begriff er, dass er im Bemühen, die Astronautin zu schützen, seine einzige Chance vertan hatte, sich selbst zu retten. In wilder Panik tastete er umher, fand endlich die Bedienelemente für die Steuerdüsen, zündete sie, um seine Flugbahn mit kurzen Stößen zu stabilisieren, den Kreiselkurs zu beruhigen, bekam keine Luft mehr, begriff, dass der Anzug Schaden genommen hatte, dass es aus war, schlug um sich, wollte schreien –

Sein Schrei gefror.

Vic Thorns Körper wurde hinausgetragen in die stille, endlose Nacht, und alles änderte sich in den Sekunden seines Sterbens, alles.

19.MAI 2025
[DIE INSEL]

ISLA DE LAS ESTRELLAS, PAZIFISCHER OZEAN

Die Insel war wenig mehr als ein felsiger Brocken, der äquatorialen Linie aufgereiht wie eine Perle einer Schnur. Verglichen mit anderen Inseln der Umgebung nahmen sich ihre Reize eher bescheiden aus. Im Westen stach eine recht ansehnliche Steilküste aus dem Meer, gekrönt von tropischem Regenwald, der dunkel und undurchdringlich an zerklüfteten Vulkanflanken haftete und fast ausschließlich von Insekten, Spinnen und einer bemerkenswert hässlichen Fledermausart bewohnt wurde. Rinnsale hatten sich in Spalten und Schluchten gegraben, sammelten sich zu Sturzbächen und ergossen sich donnernd in den Ozean. Zur Ostseite fiel die Landschaft terrassenförmig ab, durchsetzt von felsigen Erhebungen und weitgehend kahl. Palmenbestandene Strände suchte man vergebens. Schwarzer Basaltsand kennzeichnete die wenigen Buchten, über die das Landesinnere zugänglich war. Auf steinernen Vorposten im Brandungsgewitter sonnten sich regenbogenfarbene Eidechsen. Ihr Tagesablauf bestand darin, sich bis zu einem Meter in die Höhe zu katapultieren und nach Insekten zu schnappen, dürftiger Klimax eines ansonsten höhepunktlosen Repertoires an Naturschauspielen. Aufs Ganze gesehen hatte die Isla kaum etwas zu bieten, was es woanders nicht in schöner, größer und höher gab.

Hingegen war ihre geografische Position makellos.

Tatsächlich lag sie exakt auf der Erdmitte, wo Nord- und Südhalbkugel aneinandergrenzten, 550 Kilometer westlich von Ecuador und damit weit abseits jeglicher Flugrouten. Stürme traten in diesem Teil der Welt nicht auf. Größere Zusammenballungen von Wolken waren selten, nie zuckten Blitze. Während der ersten Jahreshälfte konnte es regnen, heftig und stundenlang, ohne dass der Wind sonderlich auffrischte. Kaum je unterschritten die Temperaturen 22 °C, meist lagen sie deutlich höher. Weil zudem unbewohnt und wirtschaftlich ohne Nutzen, hatte das ecuadorianische Parlament die Insel gegen eine erquickliche Aufbesserung des Staatshaushalts nur allzu gerne für die nächsten 40 Jahre an neue Mieter abgetreten, die sie als Erstes von Isla Leona in Isla de las Estrellas umtauften: STELLAR ISLAND, Insel der Sterne.

Im Folgenden verschwand ein Teil des Osthangs unter einer Anhäufung von Glas und Stahl, die prompt den Zorn aller Tierschützer auf sich vereinte. Allerdings blieb der Bau ohne ökologische Folgen. Geschwader lärmender Seevögel, unbeeindruckt von den Zeugnissen menschlicher Präsenz, tünchten Architektur und Fels mit ihrem Kot wie eh und je. Vorstellungen von Schönheit beschäftigten die Tiere nicht, und den Menschen stand der Sinn nach Höherem als Gabelschwanzmöwen und Sandregenpfeifern. Ohnehin waren es nicht viele, die ihren Fuß bislang auf die Insel gesetzt hatten, und alles sprach dafür, dass sie auch in Zukunft ein ziemlich exklusiver Ort bleiben würde.

Zugleich beschäftigte nichts die Fantasie der gesamten Menschheit so sehr wie diese Insel.

Sie mochte ein schroffer Haufen Vogelscheiße sein und galt dennoch als außergewöhnlichster, vielleicht hoffnungsvollster Platz der Welt. Dabei ging die eigentliche Magie von einem Objekt rund zwei Seemeilen davor aus, einer gigantischen Plattform, ruhend auf fünf haushohen Säulenpontons. Näherte man sich ihr an dunstigen Tagen, nahm man ihre Besonderheit zunächst nicht wahr. Man erblickte flache Aufbauten, Kraftwerke und Tanks, eine Landefläche für Hubschrauber, ein Terminal samt Tower, Antennen und Radioteleskopen. Die Gesamtheit des Ensembles erinnerte an einen Flughafen, nur dass nirgendwo eine Landebahn zu sehen war. Stattdessen entwuchs dem Zentrum ein zylindrischer Bau gewaltigen Ausmaßes, ein schimmernder Koloss, aus dessen Seiten Bündel von Rohrleitungen mäanderten. Erst mit zusammengekniffenen Augen erkannte man den dünnen, schwarzen Strich, der dem Zylinder entsprang und steil aufwärtsstrebte. Hingen die Wolken tief, verschluckten sie ihn nach wenigen hundert Metern, und man fragte sich unwillkürlich, was man zu Gesicht bekäme, sollte es aufklaren. Selbst, wer es besser wusste – im Prinzip also jeder, der es so weit gebracht hatte, die Hochsicherheitszone zu durchqueren –, erwartete irgendetwas zu sehen, in das der Strich mündete, einen festen Punkt, an dem die überforderte Fantasie sich aufhängen konnte.

Doch da war nichts.

Auch bei strahlendem Sonnenschein und tiefblauem Himmel ließ sich kein Ende der Linie ausmachen. Sie wurde dünner und dünner, bis sie sich in der Atmosphäre zu entmaterialisieren schien. Setzte man den Feldstecher an, verlor sie sich lediglich ein bisschen höher. Man starrte, bis die Halswirbel schmerzten, Julian Orleys legendär gewordene Bemerkung im Ohr, die Isla de las Estrellas sei das Erdgeschoss der Ewigkeit – und begann zu ahnen, was er damit gemeint hatte.

Ebenso strapazierte an diesem Tag auch Carl Hanna seinen Nacken, verrenkte sich auf dem Sitz des Helikopters, um wie blöde hinauf ins

Blau zu glotzen, während unter ihm zwei Finnwale durchs pazifische Azur pflügten. Hanna verschwendete keinen Blick daran. Als der Pilot ihn zum wiederholten Male auf die seltenen Tiere hinwies, hörte er sich murmeln, dass es nichts Uninteressanteres gäbe als das Meer.

Der Helikopter beschrieb eine Kurve und dröhnte der Plattform entgegen. Kurz verschwamm der Strich vor Hannas Augen, schien sich aufzulösen, dann stand er wieder deutlich sichtbar im Himmel, schnurgerade wie mit dem Lineal gezogen.

Im nächsten Moment hatte er sich verdoppelt.

»Es sind zwei«, bemerkte Mukesh Nair.

Der Inder strich sich das dichte schwarze Haar aus der Stirn. Sein dunkles Gesicht glühte vor Freude, die Nüstern seiner gurkenförmigen Nase blähten sich, als wolle er den Moment inhalieren.

»Natürlich sind es zwei.« Sushma, seine Frau, streckte Zeige- und Mittelfinger aus wie jemand, der einen Erstklässler vor sich hat. »Zwei Kabinen, zwei Seile.«

»Weiß ich doch, weiß ich!« Nair winkte ungeduldig ab. Sein Mund verzog sich zu einem Lächeln. Er sah Hanna an. »Was für ein Wunder! Wissen Sie, wie breit diese Seile sind?«

»Etwas über einen Meter, glaube ich.« Hanna lächelte zurück.

»Kurzzeitig waren sie weg.« Nair sah kopfschüttelnd hinaus. »Einfach verschwunden.«

»Stimmt.«

»Sie haben das auch gesehen? Und du? Sie flimmerten wie eine Fata Morgana. Hast du es auch –«

»Ja, Mukesh. Ich hab's auch gesehen.«

»Ich dachte schon, ich hätte mir das eingebildet.«

»Nein, hast du nicht«, sagte Sushma freundlich und legte ihm eine kleine, paddelförmige Hand aufs Knie. Auf Hanna wirkten die beiden wie von Fernando Botero gefertigt. Die gleiche rundliche Figur, die gleichen kurzen, wie aufgepumpt wirkenden Extremitäten.

Er schaute wieder aus dem Fenster.

Der Hubschrauber hielt gebührenden Abstand zu den Seilen, während er an der Plattform vorbeizog. Nur autorisierte Piloten der NASA oder von ORLEY ENTERPRISES durften diese Route fliegen, wenn sie Gäste zur Isla de las Estrellas brachten. Hanna versuchte einen Blick ins Innere des Zylinders zu erhaschen, wo die Seile verschwanden, doch die Entfernung war zu groß. Im nächsten Moment hatten sie die Plattform hinter sich gelassen und schwenkten auf die Isla ein. Unter ihnen huschte der Schatten der Maschine über tiefblaue Wellen.

»Diese Seile müssen doch extrem dünn sein, wenn man sie von der Seite nicht sieht«, sinnierte Nair. »Also, platt. Ich meine, flach. Sind es überhaupt Seile?« Er lachte und rang die Hände. »Wohl eher Bänder, was? Wahrscheinlich alles falsch. Mein Gott, was soll ich sagen? Ich bin auf einem Acker groß geworden. Auf einem Acker!«

Hanna nickte. Während des Fluges von Quito hierher waren sie ins Gespräch gekommen, aber auch so wusste er, dass Mukesh Nair zu Äckern eine innige Beziehung pflegte. Ein genügsamer Bauernsohn aus Hoshiarpur in Punjab, der gerne gut aß, dabei einen Straßenstand jedem Drei-Sterne-Restaurant vorzog, die Anliegen und Meinungen einfacher Leute höher einschätzte als Small Talk auf Empfängen und Vernissagen, vorzugsweise Economy Class flog und teure Kleidung so sehr begehrte wie ein Kragenbär eine Krawatte. Zugleich gehörte Mukesh Nair mit einem geschätzten Privatvermögen von 46 Milliarden Dollar zu den zehn reichsten Menschen der Welt und dachte alles andere als bäuerlich. Er hatte Agrikultur in Ludhiana und Volkswirtschaft an der Universität von Bombay studiert, war Träger des Padma Vibhushan, des zweithöchsten indischen Ordens für zivile Verdienste, und unangefochtener Marktführer, was die Versorgung der Welt mit indischem Obst und Gemüse betraf. Hanna kannte die Vita von Mister TOMATO, wie Nair allseits genannt wurde, bis ins Detail, so wie er die Lebensläufe sämtlicher Gäste studiert hatte, die zu dem Treffen anreisten.

»Jetzt schauen Sie mal, schauen Sie sich das mal an da!«, rief Nair. »Auch nicht schlecht, was?«

Hanna reckte den Kopf. Der Helikopter hielt auf den Osthang der Insel zu, sodass sie perfekte Sicht auf das STELLAR ISLAND HOTEL genossen. Wie ein gestrandeter Ozeandampfer ruhte es in den Hängen, sieben übereinandergeschichtete, stufig zurückweichende Stockwerke, die einen ausgreifenden Bug mit einem riesigen Swimmingpool überblickten. Jedes Zimmer gebot über sein eigenes Sonnendeck. Den höchsten Punkt des Gebäudes bildete eine kreisrunde Terrasse, zur Hälfte überspannt von einer gewaltigen, gläsernen Sphäre. Hanna erkannte Tische und Stühle, Liegen, Anrichten, eine Bar. Mittschiffs lag ein flach gehaltener Teil, offenbar die Lobby, im Norden begrenzt vom heckartigen Aufbau eines Hubschrauberlandeplatzes. Architektur wechselte mit Abschnitten schroffen Gesteins, als habe man versucht, ein Kreuzfahrtschiff unmittelbar vor die Insel zu beamen, und sich dabei um einige hundert Meter landeinwärts verrechnet. Hanna schätzte, dass Teile der Hotelanlage in den Berg hineingesprengt worden waren.

Ein Fußweg, unterbrochen von Treppen, schlängelte sich hinab, durchquerte ein begrüntes Plateau, dessen Gestaltung zu harmonisch wirkte, um natürlichen Ursprungs zu sein, führte weiter abwärts und mündete in einen umlaufenden Küstenpfad.

»Ein Golfplatz«, murmelte Nair verzückt. »Wie wunderbar.«

»Pardon, aber ich dachte, Sie bevorzugen es schlicht.« Und als der Inder ihn erstaunt ansah, fügte Hanna hinzu: »Laut eigener Aussage. Schlichte Restaurants. Einfache Leute. Holzklasse.«

»Da verwechseln Sie was.«

»Glaubt man den Medien, sind Sie für eine Person des öffentlichen Lebens überraschend genügsam.«

»Ach was! Ich versuche, mich aus dem sogenannten öffentlichen Leben rauszuhalten. Die Zahl der Interviews, die ich in den letzten Jahren gegeben habe, kann man an einer Hand abzählen. Wenn TOMATO eine gute Presse bekommt, bin ich zufrieden, Hauptsache, niemand versucht, mich vor eine Kamera oder ein Mikrofon zu zerren.« Nair legte die Stirn in Falten. »Im Übrigen haben Sie recht, Luxus ist nichts, was ich zum Leben brauche. Ich komme aus einem winzigen Dorf. Wie viel Geld man hat, spielt keine Rolle. Innerlich lebe ich immer noch in diesem Dorf, es hat sich lediglich ein bisschen vergrößert.«

»Um ein paar Erdteile beiderseits des Indischen Ozeans«, frotzelte Hanna. »Verstehe.«

»Na und?« Nair grinste. »Wie ich schon sagte, Sie verwechseln da was.«

»Was denn?«

»Schauen Sie, es ist ganz einfach. Die Plattform, die wir da eben überflogen haben – so was beschäftigt mich im Herzen. An diesen Seilen hängt möglicherweise das Schicksal der gesamten Menschheit. Dieses Hotel hingegen fasziniert mich in etwa so, wie einen das Theater fasziniert. Es macht Spaß, also geht man von Zeit zu Zeit hin. Nur dass die meisten Menschen, kaum dass sie zu Geld gelangen, zu glauben beginnen, das Theater sei das wahre Leben. Am liebsten würden sie auf der Bühne wohnen, sich jeden Tag aufs Neue verkleiden, eine Rolle spielen. Da fällt mir ein, kennen Sie eigentlich den Witz von dem Psychologen, der einen Löwen fangen will?«

»Nein.«

»Also, wie fängt ein Psychologe einen Löwen?«

»Keine Ahnung.«

»Ganz einfach. Er geht in die Wüste, stellt einen Käfig auf, setzt sich hinein und beschließt, drinnen sei draußen.«

Hanna grinste. Nair schüttelte sich vor Lachen.

»Verstehen Sie, so was liegt mir nicht, war nie mein Ding. Ich will in keinem Käfig sitzen und auf keiner Bühne wohnen. Trotzdem werde ich die nächsten zwei Wochen genießen, darauf können Sie wetten. Bevor es morgen losgeht, werde ich da unten eine Partie Golf spielen und es lieben! Aber nach den vierzehn Tagen gehe ich wieder nach Hause, wo man über einen Witz lacht, weil er gut ist, und nicht, weil ihn ein Reicher erzählt. Ich werde essen, was mir schmeckt, und nicht, was teuer ist. Ich werde mich mit Menschen unterhalten, weil ich sie mag, nicht, weil sie prominent sind. Viele dieser Menschen haben nicht das Geld, in meine Restaurants zu gehen, also gehe ich in ihre.«

»Kapiert«, sagte Hanna.

Nair rieb seine Nase. »Auf die Gefahr hin, Sie zu deprimieren – von Ihnen weiß ich eigentlich gar nichts.«

»Weil du den ganzen Flug über von dir geredet hast«, bemerkte Sushma tadelnd.

»Habe ich das? Sie müssen mein Mitteilungsbedürfnis entschuldigen.«

»Schon in Ordnung.« Hanna winkte ab. »Über mich gibt es nicht so viel zu erzählen. Ich arbeite eher im Stillen.«

»Investment?«

»Genau.«

»Interessant.« Nair schürzte die Lippen. »Welche Branchen?«

»Hauptsächlich Energie. Und ein bisschen was von allem.« Hanna zögerte. »Es wird Sie vielleicht interessieren, dass ich in Neu-Delhi geboren bin.«

Der Hubschrauber sank dem Heliport entgegen. Die Landefläche bot Platz für drei Maschinen seiner Größe und war mit einem fluoreszierenden Symbol gekennzeichnet, einem silbrigen O, um das ein stilisierter, orangefarbener Mond kreiste: das Firmenlogo von ORLEY ENTERPRISES. Am Rand des Heliports erkannte Hanna einheitlich gekleidete Menschen, um Reisende und Gepäck in Empfang zu nehmen. Eine schlanke Frau in einem hellen Hosenanzug löste sich von der Gruppe. Der Wind der Rotorblätter zerrte an ihrer Kleidung, ihr Haar schimmerte in der Sonne.

»Sie kommen aus Neu-Delhi?« Sushma Nair, sichtlich angetan von Hannas unerwarteter Eröffnung, rückte näher heran. »Wie lange haben Sie denn da gelebt?«

Sacht setzte die Maschine auf. Die Tür schwang zur Seite, eine Trittleiter entfaltete sich.

»Unterhalten wir uns am Pool darüber«, vertröstete sie Hanna, ließ beiden den Vortritt und folgte ihnen ohne große Eile. Nairs Lächeln gewann an Zahnschmelz. Er strahlte die Wartenden an, die Umgebung und das Leben, sog Inselluft in seine Nüstern, sagte »Ah!« und »Unglaublich!«. Kaum dass er der Frau im Hosenanzug ansichtig wurde, begann er, die Anlage in den höchsten Tönen zu lobpreisen. Sushma mischte indifferente Laute des Wohlgefallens mit hinein. Die schlanke Frau bedankte sich. Nair redete weiter, ohne Unterlass. Wie wunderbar alles sei. Wie gelungen. Hanna übte sich in Geduld, während er ihre Erscheinung auf sich wirken ließ. Ende dreißig, das aschblonde Haar zum Helm hochgesteckt, gepflegt und zugleich von jener natürlichen Anmut, die sich ihrer selbst nie ganz bewusst ist, hätte sie die Venusfalle in jedem Werbefilm für ein Kreditinstitut oder eine Kosmetikserie abgeben können. Tatsächlich leitete sie ORLEY TRAVEL, Orleys Touristik-Ableger, was sie zur zweitwichtigsten Person im größten Wirtschaftsimperium der Welt machte.

»Carl.« Sie lächelte und reichte ihm die Hand. Hanna sah in meerblaue Augen, unwirklich intensiv, die Iris dunkel umrandet. Die Augen ihres Vaters. »Schön, dass Sie unser Gast sind!«

»Danke für die Einladung.« Er erwiderte ihren Händedruck und senkte die Stimme: »Wissen Sie, ich hatte ein paar nette Bemerkungen über das Hotel vorbereitet, aber ich fürchte, mein Vorgänger hat mein ganzes Pulver in seiner eigenen Flinte verschossen.«

»Haha! Ha!« Nair schlug ihm auf die Schulter. »Tut mir leid, mein Freund, aber wir haben Bollywood! Gegen so viel Poesie und Pathos werden Sie mit Ihrem kanadischen Zedernholzcharme nie ankommen.«

»Hören Sie nicht auf ihn«, sagte Lynn, ohne den Blick abzuwenden. »Ich bin durchaus empfänglich für kanadischen Charme. Auch für die wortlose Variante.«

»Dann will ich mich mal nicht entmutigen lassen«, versprach Hanna.

»Alles andere würde ich Ihnen verübeln.«

Um sie herum waren dienstbare Geister damit befasst, Berge abgewetzt aussehender Gepäckstücke auszuladen. Hanna vermutete, dass sie den Nairs gehörten. Solide gearbeitetes, seit alttestamentarischen Zeiten in Gebrauch befindliches Zeug. Er selbst hatte nur einen kleinen Koffer und eine Reisetasche mitgenommen.

»Kommen Sie«, sagte Lynn herzlich. »Ich zeige Ihnen die Zimmer.«

Tim sah seine Schwester von der Terrasse aus mit einem indisch aussehenden Paar und einem athletisch proportionierten Mann den Heliport verlassen und zum Rezeptionsgebäude gehen. Er und Amber bewohnten ein Eckzimmer im fünften Stock, von wo sich ein perfekter Panoramablick bot. In einiger Entfernung leuchtete die Plattform in der Sonne, zu der sie am folgenden Morgen übersetzen würden. Ein weiterer Helikopter näherte sich der Insel, das Knattern der Rotoren eilte ihm voraus.

Er legte den Kopf in den Nacken.

Ein Tag von seltener, kristallener Klarheit.

Der Himmel spannte sich als tiefblaue Kuppel über das Meer. Wie zur Verzierung oder als Orientierungshilfe hing eine einzige, ausgefranste Wolke darin, scheinbar reglos. Tim musste an einen alten Film denken, den er vor Jahren gesehen hatte, eine Tragikomödie, in der ein Mann in einer Kleinstadt aufwuchs, ohne sie je verlassen zu haben. Er war dort zur Schule gegangen, hatte geheiratet, einen Job angenommen, traf sich mit Freunden, die er von Kindesbeinen an kannte – und dann, mit Mitte 30, machte er die Entdeckung, dass er der unfreiwillige Star einer Fernsehshow und die Stadt eine einzige, kolossale Fälschung war, vollgestopft mit Kameras, falschen Wänden und Bühnenlicht. Alle Einwohner außer ihm waren Schauspieler mit Verträgen auf Lebenszeit, auf *seine* Lebenszeit natürlich, und konsequenterweise erwies sich der Himmel als blau angemalte, riesige Kuppel.

Tim Orley kniff ein Auge zusammen und hielt den rechten Zeigefinger so in die Höhe, dass die Spitze den unteren Rand der Wolke zu berühren schien. Sie balancierte darauf wie ein Wattebausch.

»Willst du was trinken?«, rief Amber von drinnen.

Er antwortete nicht, sondern umspannte sein Handgelenk mit der Linken und versuchte, den Finger so ruhig wie möglich zu halten. Zuerst tat sich gar nichts. Dann, unendlich langsam, verschob sich die winzige Wolke Richtung Osten.

»Die Bar ist vollgepackt bis an den Rand. Ich nehm' ein Bitter Lemon. Was willst du?«

Sie bewegte sich. Sie würde weiterziehen. Aus unerfindlichen Gründen trug es zu Tims Beruhigung bei, dass die Wolke da oben nicht angenagelt oder aufgemalt war.

»Was?«, fragte er.

»Ich fragte, was du trinken möchtest.«

»Ja.«

»Also was?«

»Keine Ahnung.«

»Meine Güte. Ich schau mal, ob sie's haben.«

Er widmete sich wieder Lynn. Amber kam zu ihm auf die Terrasse und ließ verführerisch eine geöffnete Flasche Coca-Cola zwischen Daumen und Zeigefinger hin und her schwingen. Tim nahm sie mechanisch in Empfang, setzte sie an die Lippen und trank, ohne zu registrieren, was er in sich hineinschüttete. Seine Frau beobachtete ihn. Dann richtete sie den Blick nach unten, wo Tims Schwester samt ihrer kleinen Gefolgschaft soeben in der Rezeption verschwand.

»Ach so«, stellte sie fest.

Er schwieg.

»Du machst dir immer noch Sorgen?«

»Kennst mich doch.«

»Wozu? Lynn sieht gut aus.« Amber lehnte sich gegen das Geländer und nuckelte geräuschvoll an ihrer Limonade. »Sehr gut sogar, wenn du mich fragst.«

»Das ist es ja, was mir Sorgen macht.«

»Dass sie gut aussieht?«

»Du weißt genau, was ich meine. Sie versucht schon wieder, perfekter als perfekt zu sein.«

»Ach, Tim –«

»Du hast sie doch vorhin erlebt, oder?«

»Ich hab vor allen Dingen erlebt, dass sie hier alles im Griff hat.«

»Alles hier hat *Lynn* im Griff!«

»Schön, was soll sie deiner Meinung nach tun? Julian hat einen Haufen stinkreicher Exzentriker eingeladen, um die sie sich kümmern muss. Er hat ihnen zwei Wochen in den exklusivsten Hotels aller Zeiten versprochen, und für alle ist Lynn nun mal verantwortlich. Soll sie anfangen zu schludern, muffig und unfrisiert durch die Gegend laufen, ihre Gäste vernachlässigen, nur der Einsicht halber, dass sie ein Mensch ist?«

»Natürlich nicht.«

»Das hier ist ein Zirkus, Tim! Sie ist die Direktorin. Sie *muss* perfekt sein, andernfalls fressen sie die Löwen.«

»Das weiß ich«, sagte Tim ungeduldig. »Darum geht es nicht. Ich bemerke nur wieder dieses Gehetzte an ihr.«

»Sie schien mir nicht sonderlich gehetzt.«

»Weil sie dich täuscht. Weil sie jeden täuscht. Du weißt doch, wie gut ihr Außenministerium funktioniert.«

»Entschuldige, aber kann es sein, dass du das alles ein bisschen dramatisierst?«

»Ich dramatisiere gar nichts. Wirklich nicht. Ob es eine brillante Idee war, den ganzen Blödsinn hier überhaupt mitzumachen, sei dahingestellt, aber gut, nicht zu ändern. Du und Julian, ihr habt –«

»He!« In Ambers Augen blitzte es warnend auf. »Sag nicht wieder, wir hätten dich breitgeschlagen.«

»Was denn sonst?«

»Niemand hat dich breitgeschlagen.«

»Also, bitte! Ihr habt höllisch insistiert.«

»Und? Wie alt bist du? Fünf? Wenn du partout nicht gewollt hättest –«

»Ich wollte auch nicht. Ich bin Lynn zuliebe hier.« Tim seufzte und fuhr sich über die Augen. »Okay, okay! Sie *sieht* fantastisch aus! Sie scheint stabil zu sein. Trotzdem.«

»Tim. Sie hat dieses Hotel *gebaut!*«

»Klar.« Er nickte. »Schon klar. Und es ist super! Ehrlich.«

»Ich nehm dich ernst. Ich will nur nicht, dass du Lynn vorschiebst, weil du's mit deinem Vater nicht auf die Reihe kriegst.«

Tim schmeckte die Bitterkeit der Kränkung. Er wandte sich zu ihr um und schüttelte den Kopf.

»Das ist unfair«, sagte er leise.

Amber drehte ihre Limonadenflasche zwischen den Fingern. Eine Weile herrschte Schweigen. Dann legte sie die Arme um seinen Nacken und gab ihm einen Kuss.

»Entschuldige.«

»Schon gut.«

»Hast du noch mal mit Julian darüber gesprochen?«

»Ja, und dreimal darfst du raten. Er besteht darauf, es ginge ihr prächtig. Du sagst, sie sähe aus wie das blühende Leben. Also bin ich der Idiot.«

»Natürlich bist du das. Der liebenswerteste Idiot, der je genervt hat.«

Tim grinste schief. Er drückte Amber an sich, doch sein Blick war über die Brüstung gerichtet. Der Hubschrauber, der den Athleten und das indische Paar hergebracht hatte, zog wummernd aufs offene Meer hinaus. Dafür stand die nächste Maschine über dem Heliport und setzte zur Landung an. Unten verließ Lynn die Rezeption, um die neuen Gäste in Empfang zu nehmen. Tims Augen schweiften über das abschüssige Gelände zwischen Hotel und Klippen, den verwaisten Golfplatz, folgten dem Weg hinunter zum Küstenpfad. Verwerfungen und Schluchten hatten den Bau mehrerer kleiner Brücken erforderlich gemacht, mit dem Ergebnis, dass man die komplette Ostseite der Isla de las Estrellas bequem erwandern konnte. Er sah jemanden den Pfad entlangschlendern. Aus der Gegenrichtung spurtete eine schmale Gestalt heran, deren Körper hell in der Sonne schimmerte.

Hell wie Elfenbein.

Finn O'Keefe sah sie und blieb stehen. Die Frau lief ein sportliches Tempo. Sie war eine eigenartige Erscheinung, mit gertenschlanken Gliedmaßen, fast an der Grenze zur Anorexie, doch wohlgeformt. Ihre Haut war schneeweiß, ebenso ihre langen, fliegenden Haare. Sie trug einen knapp geschnittenen, perlmuttfarbenen Badeanzug, gleichfarbene Turnschuhe und bewegte sich mit der Geschmeidigkeit einer Gazelle. Jemand, der auf Titelseiten gehörte.

»Hallo«, sagte er.

Die Frau stoppte ihren Lauf und kam mit federnden Schritten näher.

»Hi! Und wer bist du?«

»Finn.«

»Ach, richtig. Finn O'Keefe. Auf der Leinwand siehst du irgendwie anders aus.«

»Ich sehe immer irgendwie anders aus.«

Er streckte ihr die Hand entgegen. Ihre Finger, lang und feingliedrig, drückten überraschend fest zu. Jetzt, da sie dicht vor ihm stand, konnte er sehen, dass ihre Augenbrauen und Wimpern vom gleichen schimmernden Weiß waren wie ihre Haare, während die Iris ins Violette ging. Unter der schmalen, geraden Nase wölbte sich ein sinnlich geschwungener Mund mit fast farblosen Lippen. Auf Finn O'Keefe wirkte sie wie ein attraktives Alien, dessen straffe Haut hier und da zu knittern begann. Er schätzte, dass sie die vierzig knapp überschritten hatte.

»Und wer sind Sie – bist du?«

»Heidrun«, sagte sie. »Gehörst du auch zur Reisegruppe?«

Ihr Englisch klang, als würde es durch schartige Gänge getrieben. Er versuchte, ihren Akzent einzuordnen. Deutsche sprachen meist eine Art Sägezahnenglisch, das der Skandinavier war weich und melodiös. Heidrun, beschloss er, war weder Deutsche noch Dänin oder Schwedin.

»Ja«, sagte er. »Ich bin dabei.«

»Und? Schiss?«

Er lachte. Sie schien nicht im Geringsten beeindruckt, ihn hier anzutreffen. Der strapaziösen Bewunderung unzähliger Frauen ausgesetzt, die ihren Gatten lieber im Garten oder auf Dienstreise und ihn dafür in ihrem Bett gesehen hätten, von den Männern, die ihn liebten, ganz zu schweigen, war er eigentlich unentwegt auf der Flucht.

»Offen gestanden, schon. Ein bisschen.«

»Egal. Ich auch.«

Sie strich sich die schweißnasse Mähne aus der Stirn, wandte sich um, spreizte Daumen und Zeigefinger beider Hände zu rechten Winkeln, führte die Spitzen zusammen und betrachtete die Plattform im Meer durch den so geschaffenen Rahmen. Nur wenn man sehr genau hinschaute, erkannte man den senkrechten, schwarzen Strich.

»Und was will er von dir?«, fragte sie unvermittelt.

»Wer?«

»Julian Orley.« Heidrun ließ die Hände sinken und richtete ihren violetten Blick auf ihn. »Er will doch was von jedem von uns.«

»Ach ja?«

»Tu nicht so. Andernfalls wären wir kaum hier, oder?«

»Hm.«

»Bist du reich?«

»Geht so.«

»Blöde Frage, Mann, du musst reich sein! Du bist der Gagenkönig, stimmt's? Wenn du nicht alles verjuxt hast, dürftest du einige hundert Millionen Dollar wert sein.« Sie legte neugierig den Kopf schief.

»Und? Bist du's?«

»Und du?«

»Ich?« Heidrun lachte. »Vergiss es. Ich bin Fotografin. Von dem, was ich besitze, könnte er nicht mal die Plattform neu streichen lassen. Sagen wir, er nimmt mich in Kauf. Ihm geht's um Walo.«

»Und wer ist das wieder?«

»Walo?« Sie zeigte hoch zum Hotel. »Mein Mann. Walo Ögi.«

»Sagt mir nichts.«

»Wundert mich nicht. Künstler sind unfähig, über Geld nachzudenken, und er tut nichts anderes.« Sie lächelte. »Allerdings hat er eine Menge guter Ideen, wie man es wieder ausgeben kann. Du wirst ihn mögen. Weißt du, wer außerdem noch hier ist?«

»Wer denn?«

»Evelyn Chambers.« Heidruns Lächeln bekam etwas Maliziöses. »Schätze, sie wird dich ganz schön durch die Mangel drehen. Hier kannst du ja noch vor ihr weglaufen, aber da oben –«

»Ich hab kein Problem, mit ihr zu sprechen.«

»Wetten, du hast eines?«

Heidrun drehte ihm den Rücken zu und begann den Pfad zum Hotel hinaufzusteigen. O'Keefe kam ihr nach. Tatsächlich hatte er ein sauriergroßes Problem, mit Evelyn Chambers zu sprechen, Amerikas Talklady Nummer eins. Er verabscheute Talkshows wie kaum etwas anderes auf der Welt. Schon ein Dutzend Mal, vielleicht auch öfter, hatte sie ihn zu *Chambers* eingeladen, ihrem quotengewaltigen

Seelenstriptease, der Millionen sozial depravierter Amerikaner allfreitagabendlich vor den Bildschirmen versammelte. Jedes Mal hatte er abgesagt. Hier nun, ohne Gitter dazwischen, wäre er das Filetsteak und sie die Löwin.

Schauderhaft!

Sie passierten den Golfplatz.

»Du bist ein Albino«, sagte er.

»Schlauer Finn.«

»Keine Angst, zu verbrennen? Wegen – wie nennt man das –«

»Meiner ausgeprägten Melaninstörung und meiner lichtempfindlichen Augen«, leierte sie die Antwort herunter. »Nö, kein Problem. Ich trage stark filternde Kontaktlinsen.«

»Und deine Haut?«

»Wie schmeichelhaft«, spottete sie. »Finn O'Keefe interessiert sich für meine Haut.«

»Blödsinn. Es interessiert mich wirklich.«

»Natürlich ist sie völlig unterpigmentiert. Ohne Sonnenschutzmittel würde ich in Flammen aufgehen. Also benutze ich *Moving Mirrors*.«

»*Moving Mirrors?*«

»Ein Gel, versetzt mit Nanospiegeln, die sich je nach Sonnenstand ausrichten. Ein paar Stunden kann ich mich damit im Freien aufhalten, aber es sollte natürlich nicht zur Gewohnheit werden. – Was ist, Sportsfreund, gehen wir schwimmen?«

Nachdem sie den Tag vornehmlich damit verbracht hatte, Gäste vom Heliport zum Hotel zu geleiten und den Weg dorthin zurückzugehen, um die Ankunft des nächsten Hubschraubers abzuwarten, hin und her, her und hin, wunderte sich Lynn Orley eigentlich nur noch, nicht längst eine Furche in den Boden gelaufen zu haben.

Natürlich hatte sie zwischendurch etliches mehr getan. Andrew Norrington, stellvertretender Sicherheitschef von ORLEY ENTERPRISES, hatte die Isla de las Estrellas in eine Hochsicherheitszone verwandelt, dass man sich im Hotel California wähnte: *You can check out any time you like, but you can never leave!* Lynns Vorstellungen von Sicherheit umfassten Schutz, nicht aber dessen Zurschaustellung, während Norrington argumentierte, die Security könne sich nicht wie Heinzelmännchen in den Büschen verstecken. Sie führte ins Feld, es sei schwierig genug gewesen, den Anreisenden die Omnipräsenz ihres eigenen Begleitschutzes auszureden, verwies auf Oleg Rogaschow, der nur widerwillig sein halbes Dutzend Schlagetots zu Hause gelassen habe, mit dem er üblicherweise anzurücken pflegte, und dass sich die Hälfte des Service-Personals schon jetzt aus Scharfschützen rekrutiere. Niemand wolle beim Joggen oder Golfen unentwegt auf finstere Gestalten stoßen, die den Ernstfall praktisch auf der Stirn stehen hatten. Im Übrigen hege sie große Sympathie für Waffen tragende Heinzelmännchen, die auf einen achtgaben, ohne dass man ständig über sie stolperte.

Nach zähem Ringen hatte Norrington seine Brigaden schließlich umformiert und Wege gefunden, sie der Umgebung anzupassen. Lynn wusste, dass sie ihm das Leben schwer machte, aber damit musste er zurechtkommen. Norrington war exzellent in seinem Job, hoch organisiert und verlässlich, allerdings auch Opfer jener infektiösen Paranoia, die früher oder später alle Personenschützer erfasste.

»Interessant«, sagte sie.

Neben ihr schnaubte Locatelli wie ein Pferd.

»Ja, aber sie wollten den Preis drücken! Mann, da bin ich ausgerastet. Ich hab gesagt, Moment. Moooment! Wisst ihr eigentlich, mit wem ihr es zu tun habt? Ihr Stricher! Ihr Affenhirne! Ich bin nicht vom Baum gestiegen, klar? Mich lockt man nicht mit Bananen aus dem Urwald. Entweder ihr spielt nach meinen Regeln oder ich werde –«

Und so weiter und so fort.

Lynn nickte empathisch, während sie die Neuankömmlinge zur Rezeption begleitete. Warren Locatelli war ein solches Arschloch! Und Momoka Omura erst, die blöde Schlampe an seiner Seite, keinen Deut besser. Doch solange Julian Wert darauf legte, würde sie auch einem sprechenden Mistkäfer Aufmerksamkeit zollen. Man musste ihn ja nicht zwangsläufig verstehen, um Konversation mit ihm zu treiben. Es reichte, auf Tonlage, Sprechtempo und begleitende Laute wie Grunzen, Knurren oder Lachen zu reagieren. Zerschäumte der Wortschwall, der auf einen herniederging, in Heiterkeit, stimmte man ein ins Gelächter. Prasselte er entrüstet, war man mit einem »Nicht zu fassen!« oder »Nein, wirklich?« immer auf der sicheren Seite. Erforderte die Situation kontextuelles Verstehen, hörte man eben zu. Verarschen war legitim, man durfte sich bloß nicht erwischen lassen.

In Locatellis Fall reichte der Autopilot. Sofern er nicht über Fachliches sprach, thematisierte er den Tatbestand seiner Großartigkeit, und dass alle anderen Wichser waren. Oder Stricher und Affenhirne. Je nachdem.

Wer sollte als Nächstes eintreffen?

Chuck und Aileen Donoghue.

Chucky, der Hotelmogul. Der war okay, auch wenn er entsetzliche Witze erzählte. Aileen würde wahrscheinlich sofort in die Küche rennen, um nachzusehen, ob sie das Fleisch dick genug schnitten.

Aileen: »Chucky mag dicke Steaks! Dick müssen sie sein.«

Chucky: »Ja, dick! Was Europäer unter Steaks verstehen, sind gar keine. Hey, wissen Sie, wie ich europäische Steaks nenne? Wollen Sie's wissen? Na? – Carpaccio!«

Dennoch, Chuck war in Ordnung.

Zu Lynns Bedauern verkörperte Locatelli auf Julians Schachbrett die Dame, mindestens aber einen Turm. Ihm war gelungen, was Generationen von Physikern zuvor hatte verzweifeln lassen, nämlich Solarzellen zu entwickeln, die über 60 Prozent des Sonnenlichts in Elektrizität umwandelten. Damit, und weil er zugleich ein brillanter Geschäftsmann war, hatte Locatellis Unternehmen LIGHTYEARS die Marktführerschaft auf dem Solarsektor übernommen und seinen Besitzer so reich gemacht, dass Forbes ihn unter den Milliardären der Welt auf Platz fünf führte. Momoka Omura stolzierte gelangweilt neben ihnen her, ließ ihren Blick über die Anlage schweifen und sonderte ein huldvolles »Nett« ab. Lynn stellte sich vor, ihr mit geballter Faust zwischen die Augen zu hauen, hakte sich bei ihr unter und machte ein Kompliment über ihre Haare.

»Ich wusste, dass sie dir gefallen würden«, erwiderte Omura mit hauchfeinem Lächeln.

Nein, es sieht lausig aus, dachte Lynn. Total daneben.

»Schön, dass ihr da seid«, sagte sie.

Zur gleichen Zeit sonnte sich Evelyn Chambers auf ihrer Terrasse im sechsten Stock, bemühte ihre Russischkenntnisse und sperrte die Ohren auf. Sie war der Seismograf der besseren Gesellschaft. Jedes noch so kleine Beben wurde auf ihrer persönlichen Richterskala in Nachrichtenwerte umgesetzt, und soeben bebte es ganz gewaltig.

Nebenan logierten die Rogaschows. Die Terrassen waren durch schallschluckende Sichtblenden gegeneinander abgegrenzt, dennoch vernahm sie Olympiada Rogaschowas atemloses Schluchzen, das mal näher, mal weiter weg erklang. Offenbar tigerte sie auf dem Sonnendeck hin und her, mit einem randvollen Drink in der Hand, wie gewohnt.

»Warum?«, heulte sie. »Warum schon wieder?«

Oleg Rogaschows Antwort kam dumpf und unverständlich aus dem Zimmerinneren. Was immer er gesagt hatte, ließ Olympiada in einem pyroklastischen Ausbruch explodieren.

»Du Mistkerl!«, schrie sie. »Vor meinen Augen!« Erstickte Laute, Schnappatmung. »Du hast dir nicht mal die Mühe gemacht, es heimlich zu tun!«

Rogaschow trat nach draußen.

»Du willst, dass ich Heimlichkeiten habe? In Ordnung.«

Seine Stimme war ruhig, desinteressiert und geeignet, die Umgebungstemperatur um einige Grade herabzusetzen. Chambers sah ihn vor sich. Einen mittelgroßen, unauffälligen Mann mit hellblondem, schütterem Haar und einem Fuchsgesicht, in dem die Augen ruhten wie eisige, kleine Bergseen. Chambers hatte Oleg Alexejewitsch Rogaschow im vergangenen Jahr interviewt, kurz nachdem er die Aktienmehrheit des Daimler-Konzerns erworben hatte, und einen höflichen, leisen Unternehmer kennengelernt, der bereitwillig auf alle Fragen antwortete und dabei so undurchdringlich wirkte wie eine Panzerplatte.

Sie rekapitulierte, was sie über Rogaschow wusste. Sein Vater hatte einen sowjetischen Stahlkonzern geleitet, der als Folge der Perestroika privatisiert worden war. Das damals übliche Modell sah vor, an die Arbeiter Voucher-Anteilscheine auszugeben. Vorübergehend hatte der vielzellige Organismus des Proletariats das Kommando übernommen, nur dass Anteile an einem Stahlwerk keine Familien durch den Winter brachten. Die meisten Arbeiter waren darum schnell bereit gewesen, ihre Scheine zu Geld zu machen, indem sie sie an Finanzgesellschaften oder ihre Vorgesetzten veräußerten, wofür sie nach dem Friss-oder-stirb-Prinzip eben mal einen Bruchteil des tatsächlichen Werts erhielten. Nach und nach waren so die ehemaligen Staatsbetriebe der auseinandergebrochenen Sowjetunion in die Hände von Investmentfirmen und Spekulanten gefallen. Auch der alte Rogaschow hatte zugelangt und genug Anteilscheine seiner Arbeiter aufgekauft, dass es reichte, den Konzern an sich zu reißen, womit er in die Schusslinie eines konkurrierenden Mafia-Clans geriet, unglücklicherweise im durchschlagenden Sinne des Wortes: Zwei Kugeln trafen ihn in die Brust, eine dritte bohrte sich ins Hirn. Die vierte war für seinen Sohn bestimmt gewesen, verfehlte diesen jedoch. Oleg, bis dahin eher den studentischen Zerstreuungen zugetan, hatte sein Studium umgehend abgebrochen und sich mit einem regierungsnahen Clan gegen die Mörder verbündet, was in einer nicht näher dokumentierten Schießerei gipfelte. Nachweislich hielt sich Oleg zu dieser Zeit im Ausland auf, war nach seiner Rückkehr jedoch plötzlich Vorstandsvorsitzender und gern gesehener Gast im Kreml.

Er hatte einfach auf die richtigen Leute gesetzt.

In den Folgejahren ging Rogaschow daran, den Konzern zu modernisieren, strich hohe Gewinne ein und schluckte nacheinander einen deutschen und einen englischen Stahlriesen. Er investierte in Aluminium, schloss Verträge mit der Regierung über den Ausbau des russischen Eisenbahnnetzes ab, erwarb Beteiligungen an europäischen und asiatischen Automobilkonzernen und machte ein Vermögen im rohstoffhungrigen China. Dabei war er peinlich darauf bedacht, die Interessen der Machthabenden in Moskau zu berücksichtigen. Zum Dank schien Sonne auf sein Haupt. Wladimir Putin versicherte ihn seiner Wertschätzung, Dmitri Medwedjew holte ihn als Berater an seinen Tisch. Als 2018 der Weltmarktführer ARCELORMittal in die Krise geriet, übernahm Rogaschow den angeschlagenen Stahlgiganten und setzte sich mit ROGAMITTAL an die Spitze seiner Branche.

Etwa zu dieser Zeit hatte Maxim Ginsburg, Medwedjews Nachfolger, die ohnehin erodierenden Grenzen zwischen Privatwirtschaft und Politik so nachhaltig aufgelöst, dass ihn die Presse zum »CEO der Russland AG« kürte. Rogaschow huldigte Ginsburg auf seine Weise. Eines volltrunkenen Abends nämlich erwies sich, dass Ginsburg eine Tochter hatte, Olympiada, wortkarg und von überschaubarem Reiz, die der Präsident gern verheiratet gesehen hätte, möglichst mit vermögendem Hintergrund. Irgendwie war es Olympiada gelungen, ein Studium der Politik und Wirtschaftswissenschaften hinter sich zu bringen. Jetzt saß sie als Abgeordnete im Parlament, gab ihrer Vaterliebe in Abstimmungen Ausdruck und welkte dahin, ohne geblüht zu haben. Rogaschow tat Ginsburg den Gefallen. Die Verehelichung der Privatvermögen ging mit Pomp über die Bühne, nur dass Rogaschow in der Hochzeitsnacht das Bett mied und woanders war. Von da an war er eigentlich ständig woanders, auch, als Olympiada den einzigen gemeinsamen Sohn zur Welt brachte, der einer Privatschule anvertraut und fortan selten gesehen wurde. Ginsburgs Tochter vereinsamte. Mit der Begeisterung ihres Mannes für Kampfsport, Waffen und Fußball wusste sie nichts anzufangen, noch weniger mit seinen ständigen Affären. Sie beklagte sich bei ihrem Vater. Ginsburg dachte an die 56 Milliarden Dollar, die sein Schwiegersohn auf die Waage brachte, und riet Olympiada, sich einen Liebhaber zuzulegen. Das tat sie dann auch. Er hieß Jim Beam und hatte den Vorzug, da zu sein, wenn man ihn brauchte.

Wie wollte die arme Frau bloß die nächsten vierzehn Tage überstehen?

Evelyn Chambers räkelte ihren Latinakörper. Nicht schlecht für 45, dachte sie, alles noch straff, auch wenn hier und da die unvermeidliche Muskelverfettung einsetzte und Anzeichen von Zellulitis Hintern und Oberschenkel kräuselten. Sie blinzelte in die Sonne. Das Geschrei der Seevögel erfüllte die Luft. Erst jetzt fiel ihr auf, dass am ganzen Himmel nur eine einzige Wolke zu sehen war, als habe sie sich hierher verirrt, ein Wolkenkind. Es schien sehr hoch zu schweben, doch was war Höhe? Sie würde weit über den Punkt hinaus reisen, wo Wolken überdauerten.

Oben, unten. Alles eine Frage der Perspektive.

Im Geiste ging sie die Teilnehmer der Reisegesellschaft auf mediale Verwertbarkeit durch. Acht Paare und fünf Singles, außer ihr. Einige der Anwesenden würden ihre Teilnahme nicht eben begrüßen. Finn O'Keefe etwa, der sich Talkshows verweigerte. Oder die Donoghues: Erzrepublikaner, die wenig Geschmack daran fanden, dass Amerikas mächtige Talkqueen das demokratische Lager stützte. Zwar hatte Chambers' einziger aktiver Abstecher in die Politik, 2018, als sie das Amt der Gouverneurin von New York anstrebte, triumphal begonnen und war im Desaster geendet, doch ihr Einfluss auf die öffentliche Meinung blieb ungebrochen.

Mukesh Nair? Auch einer, der ungern in Talkshows ging.

Warren Locatelli und seine japanische Frau hingegen besaßen durchaus Unterhaltungswert. Locatelli war eitel und ungehobelt, andererseits genial. Es existierte eine Biografie über ihn mit dem Titel *Was, wenn Locatelli die Welt erschaffen hätte?*, womit treffend zum Ausdruck kam, wie er sich selbst sah. Er segelte und hatte im vergangenen Jahr den America's Cup gewonnen, doch seine wahre Begeisterung galt dem Rennsport. Omura war lange Zeit als Aktreuse in unverdaulichen Leinwandexperimenten in Erscheinung getreten, bevor ihr mit dem Kunstfilmdrama *Schwarzer Lotus* ein Achtungserfolg gelang. Sie war hochnäsig und – soweit Chambers es beurteilen konnte – bar jeder Empathie.

Wer noch? Walo Ögi, Schweizer Investor, Kunstsammler. Alle erdenklichen Beteiligungen von Immobilien, Versicherungen, Airlines und Automobilen über Pepsi Cola bis hin zu Tropenholz und Fertignahrung. Gerüchten zufolge plante er im Auftrag des monegassischen Fürsten ein zweites Monaco, doch interessanter schien Chambers Heidrun Ögi, seine dritte Frau, von der es hieß, sie habe ihr Fotografie-Studium als Stripperin und Darstellerin in Pornofilmen finanziert. Ebenfalls zur Gruppe gehörten Marc Edwards, dessen Popularität sich der Entwicklung von Quantenchips verdankte, die so winzig waren, dass sie mit einem einzigen Atom schalteten, und Mimi Parker, Schöpferin intelligenter Mode, deren Stoffe mit Edwards' Chips verwoben waren. Spaßtypen, sportlich und sozial engagiert, mäßig spannend. Möglicherweise gaben die Tautous mehr her. Bernard Tautou hatte politische Ambitionen und verdiente Milliarden im Wassergeschäft, ein Thema, das mit schöner Regelmäßigkeit die Menschenrechtsorganisationen beschäftigte.

Das achte Paar schließlich kam aus Deutschland. Eva Borelius galt als ungekrönte Königin der Stammzellenforschung, ihre Lebensgefährtin, Karla Kramp, arbeitete als Chirurgin. Vorzeige-Lesben. Außerdem Miranda Winter, Ex-Model und quietschige Industriellenwitwe, sowie Rebecca Hsu, Taiwans Coco Chanel. Alle vier hatten schon bei Chambers ihr Inneres nach außen gekehrt, über Carl Hanna hingegen wusste sie nicht das Geringste.

Nachdenklich rieb sie ihren Bauch mit Sonnenöl ein.

Hanna war seltsam. Ein kanadischer Privatinvestor, 1981 als Sohn eines vermögenden britischen Diplomaten in Neu-Delhi geboren, im Alter von zehn Jahren mit seiner Familie nach British Columbia übergesiedelt, wo er später Wirtschaft studierte. Lehrjahre in Indien, Unfalltod seiner Eltern, Rückkehr nach Vancouver. Offenbar hatte er sein Erbe klug genug investiert, um nie wieder einen Finger krumm machen zu müssen, plante gerüchtehalber, in Indiens Raumfahrt zu investieren, und das war's. Die Vita eines Spekulanten. Natürlich musste nicht jeder ein Fatzke sein wie Locatelli. Aber Donoghue zum Beispiel boxte. Rogaschow war in allen möglichen Kampfsportarten ausgebildet und hatte vor wenigen Jahren Bayern München gekauft. Edwards und Parker tauchten, Borelius ritt, Kramp spielte Schach, O'Keefe konnte auf eine skandalträchtige Drogenkarriere verweisen und hatte bei irischen Zigeunern gelebt. Jeder hatte etwas vorzuweisen, das ihn als Persönlichkeit aus Fleisch und Blut auswies.

Hanna besaß Yachten.

Ursprünglich hatte statt seiner Gerald Palstein mitfliegen sollen, Leiter der Stabsabteilung von EMCO, des drittgrößten Mineralölkonzerns der Welt. Ein Freigeist, der schon vor Jahren laut über das Ende des fossilen Zeitalters nachgedacht hatte. Ihn hätte Chambers gerne kennengelernt, doch Palstein war im Monat zuvor Zielscheibe eines Attentats und so stark verletzt worden, dass er seine Teilnahme hatte absagen müssen, und Hanna war nachgerückt.

Wer war der Kerl?

Chambers beschloss, es herauszufinden, schwang die Beine über die Liege und trat an die Brüstung ihrer Terrasse. Tief unter ihr glitzerte der riesige Pool des STELLAR ISLAND HOTELS. Einige planschten bereits im türkisfarbenen Wasser, soeben gesellten sich Heidrun Ögi und Finn O'Keefe hinzu. Chambers überlegte, ob sie zu ihnen hinuntergehen sollte, doch plötzlich überkam sie Übelkeit beim Gedanken an Konversation, und sie wandte sich ab.

Immer öfter passierte ihr das. Eine Talkqueen mit Talkallergie. Sie holte sich einen Drink und wartete darauf, dass der Anfall vorüberging.

O'Keefe folgte Heidrun zur Poolbar, wo ein stattlicher Mann um die 60 mit ausholenden Armbewegungen etwas erklärte. Er genoss die Aufmerksamkeit eines sportlich aussehenden Paars, das einträchtig zuhörte, wie aus einer Kehle lachte, simultan »Ach was!«, sagte und Ahnungen daran aufkommen ließ, welche Sorte Mensch Tandems kaufte.

»Es war natürlich drastisch«, sagte der ältere Mann und lachte. »Völlig überzogen. Und genau darum war es gut!«

Seine Züge hatten etwas furchig Erhabenes, kräftige, römische Nase, gemeißeltes Kinn. Das dunkle, von Silber durchsetzte Haar war drahtig nach hinten geölt, sein Schnurrbart korrespondierte gesträubt mit fingerdicken Augenbrauen.

»Was war überzogen?«, fragte Heidrun und gab ihm einen Kuss.

»Das Musical«, sagte der Mann und richtete seinen Blick auf O'Keefe. »Und wer ist das, mein Schatz?«

Er sprach im Gegensatz zu Heidrun ein gepflegtes, fast akzentfreies Englisch. Die Besonderheit lag darin, dass er *mein Schatz* auf Deutsch sagte. Heidrun stellte sich neben ihn und legte den Kopf an seine Schulter.

»Gehst du nie ins Kino?«, sagte sie. »Das ist Finn O'Keefe.«

»Finn – O'Keefe –« Auf der hohen Stirn fanden sich die Falten zu Fragezeichen. »Tut mir leid, aber –«

»Er hat Kurt Cobain gespielt.«

»Oh! Ah! Großartig! Toll, Sie kennenzulernen. Ich bin Walo. Heidrun hat alle Ihre Filme gesehen. Ich nicht, aber an *Hyperactive* erinnere ich mich. Unglaubliche Leistung!«

»Freut mich.« O'Keefe lächelte. Er hatte nicht unbedingt Probleme damit, Leute kennenzulernen, nur dass er die Arie des gegenseitigen Bekanntmachens jedes Mal als entsetzlich anstrengend empfand. Hände zu schütteln. Jemandem, den man nie zuvor gesehen hatte, zu versichern, wie großartig es sei, ihn hier zu treffen. Ögi stellte die Blondine an seiner Seite als Mimi Parker vor, ein braun gebranntes *All American Girl* mit dunklen Brauen und perfekten Zähnen. Vermutlich

Kalifornierin, dachte O'Keefe. Kalifornien schien ein Patent auf diese nach Sonne riechende Sorte Mädchen angemeldet zu haben.

»Mimi macht unglaubliche Mode«, schwärmte Ögi. »Wenn Sie einen Pullover von ihr tragen, brauchen Sie keinen Arzt mehr.«

»Oh. Wie das?«

»Ganz einfach.« Parker wollte etwas sagen, doch Ögi kam ihr zuvor: »Er misst Ihre Körperfunktionen! Angenommen, Sie haben einen Herzinfarkt, dann schickt er Ihre Krankenakte an die nächste Klinik und ruft den Notarztwagen.«

»Aber selber operieren kann er nicht?«

»Es sind Transistoren eingewoben«, erklärte Parker ernst. »Das Kleidungsstück ist praktisch ein Computer mit Millionen Sensoren. Sie bilden Schnittstellen zum Körper des Trägers, man kann sie aber auch mit jedem externen System vernetzen.«

»Klingt kratzig.«

»Wir weben Marcs Quantenchips ein. Da kratzt nichts.«

»Bei der Gelegenheit«, sagte der blonde Mann und streckte ihm die Rechte hin. »Marc Edwards.«

»Freut mich.«

»Schauen Sie.« Parker zeigte auf ihren Badeanzug. »Alleine hier drin stecken etwa zwei Millionen Sensoren. Sie nehmen unter anderem meine Körperwärme auf und transformieren sie in Elektrizität. Natürlich gewinnt man aus einem Körperkraftwerk nur geringe Mengen verwertbarer Energie, aber es reicht, um den Anzug bei Bedarf aufzuheizen. Die Sensoren reagieren auf die Wasser- und Lufttemperatur.«

»Interessant.«

»Ich habe *Hyperactive* übrigens gesehen«, sagte Edwards. »Stimmt es, dass Sie eigens dafür Gitarre gelernt haben?«

»Klassischer Fall von Fehlinformation«, sagte Heidrun gelangweilt. »Finn ist mit Gitarre und Klavier aufgewachsen. Er hat sogar eine eigene Band.«

»Hatte.« O'Keefe hob die Hände. »Ich *hatte* eine Band. Wir kommen nur noch selten zusammen.«

»Ich fand den Film klasse«, sagte Edwards. »Sie sind einer meiner Lieblingsschauspieler.«

»Danke.«

»Sie haben toll darin gesungen. Wie hieß Ihre Band noch mal?«

The Black Sheep.

Edwards zog ein Gesicht, als fehle eine Winzigkeit, um sich der *Black Sheep* und all ihrer Hits zu erinnern. O'Keefe lächelte.

»Glauben Sie mir, Sie haben nie von uns gehört.«

»Hat er auch nicht.« Ögi legte ihm den Arm um die Schulter und senkte die Stimme. »Unter uns, mein Junge, das sind alles Kids. Jede Wette, die beiden da wissen nicht mal, wer Kurt Cobain überhaupt *war.*«

Mimi Parker sah unsicher von einem zum anderen.

»Ehrlich gesagt –«

»Ach, den hat's wirklich gegeben?«, wunderte sich Edwards.

»Eine historische Figur.« Ögi förderte eine Zigarre zutage, schnitt sie an und setzte die Spitze bedächtig in Brand. »Tragischer Held einer suizidverliebten Generation. Romantiker im Gewand des Nihilismus. Weltschmerz, latente Todessehnsucht, nichts, was man bei Schubert und Schumann nicht auch gefunden hätte. Fulminanter Abgang. Wie haben Sie sich auf die Rolle vorbereitet, Finn?«

»Nun ja –«

»Haben Sie versucht, *er* zu sein?«

»Dafür hätte er sich voller Drogen pumpen müssen«, sagte Edwards. »Dieser Cobain war doch permanent stoned.«

»Vielleicht hat er das ja«, meinte Ögi. »Haben Sie?«

O'Keefe schüttelte lachend den Kopf. Wie sollte er einer Pool-Gesellschaft in wenigen Worten erklären, wie man Kurt Cobain spielte? Oder wen auch immer.

»Heißt das nicht *method acting?*«, fragte Parker. »Der Schauspieler gibt seine Identität zugunsten der Filmfigur auf, schon Wochen und Monate vor dem Dreh. Er verordnet sich praktisch eine Art Gehirnwäsche.«

»Nein, ganz so ist es nicht. Ich arbeite anders.«

»Und wie?«

»Profaner. Es ist ein Job, verstehen Sie. Einfach ein Job.«

Parker schien enttäuscht. O'Keefe spürte Heidruns violetten Blick auf sich ruhen. Er begann sich unbehaglich zu fühlen. Jeder starrte ihn an.

»Sie sprachen eben von einem Musical«, sagte er zu Ögi, um sich aus dem Fokus des Interesses zu stehlen. »Um welches geht's denn?«

»*Nine Eleven*«, sagte Ögi. »Wir haben es vergangene Woche in New York gesehen. Waren Sie drin?«

»Noch nicht.«

»Wir überlegen, reinzugehen«, sagte Edwards.

»Tun Sie das.« Ögi sonderte Rauchzeichen ab. »Wie gesagt, drastisch! Sie hätten es in Pietät ersaufen lassen können, aber natürlich braucht der Stoff eine kraftvolle Inszenierung.«

»Das Bühnenbild soll gewaltig sein«, schwärmte Parker.
»Holografisch. Man glaubt, man säße mittendrin.«

»Ich mag die Arie von dem Polizisten und dem Mädchen. Sie wird ständig im Radio gespielt. *Bis in den Tod, mein Kind* –«

Sie begann eine Melodie zu summen. O'Keefe hoffte, sich nicht zu dem Thema äußern zu müssen. Weder hatte er *Nine Eleven* gesehen noch die Absicht, hinzugehen.

»Die Schmonzetten rechtfertigen den Besuch nicht«, schnaubte Ögi. »Klar, Jimeno und McLoughlin sind anständig besetzt, auch ihre Ehefrauen, aber hauptsächlich lohnt es sich wegen der Effekte. Wenn die Flugzeuge kommen, das glaubt ihr nicht! Und wegen dem Typ, der Osama bin Laden singt. Der ist wirklich exorbitant.«

»Bass?«

»Bariton.«

»Ich geh schwimmen«, sagte Heidrun. »Wer kommt mit? Finn?«

Danke, dachte er.

Er ging auf sein Zimmer und zog sich um. Zehn Minuten später kraulten sie im Pool um die Wette. Zweimal hintereinander wurde er von Heidrun abgehängt, erst beim dritten Mal erreichten sie gleichzeitig den Beckenrand. Sie stemmte sich hoch. Walo warf ihr eine havannaqualmende Kusshand zu, bevor er mit großer Geste fortfuhr, etwas zu erzählen. Im selben Moment betraten ein Athlet und eine kurvig gebaute Frau mit feuerrotem Schopf die Anlage.

»Kennst du den Typ?«, fragte er.

»Nö.« Heidrun verschränkte die Arme auf dem Beckenrand. »Muss eben erst gekommen sein. Vielleicht dieser kanadische Investor. Irgendwas mit H, Henna oder Hanson. Die Rothaarige hab ich schon mal gesehen, glaub ich. Weiß bloß nicht mehr, wo.«

»Die?« O'Keefe strich sich das tropfende Haar aus der Stirn. »Sie heißt Miranda Winter.«

»Ach richtig! Stand die nicht mal unter Mordverdacht?«

»Eine Weile, ja.« O'Keefe zuckte die Achseln. »Sie ist ganz witzig, wenn man sich an den Umstand gewöhnt hat, dass sie ihren Brüsten Namen gibt und ein Erbe von 13 Milliarden Dollar planlos verprasst. Keine Ahnung, ob an den Anschuldigungen was dran war. Es wurde eine Menge geschrieben. Letzten Endes kam sie frei.«

»Wo trifft man solche Vögel? Auf Partys?«

»Ich geh nicht auf Partys.«

Heidrun ließ sich tiefer ins Wasser gleiten und legte sich auf den Rücken. Ihr Haar entfaltete sich zu einer fahlen Blüte. O'Keefe musste an

Geschichten über Meerjungfrauen denken, an verführerische Wesen, die aus der Tiefe emporgestiegen waren und Seeleute unter Wasser gezogen hatten, um ihnen mit ihrem Kuss den Atem zu rauben.

»Stimmt ja. Du hasst es, im Mittelpunkt zu stehen, was?«

Er dachte darüber nach. »Eigentlich nicht.«

»Eben. Es nervt dich nur, solange zwischen dir und denen, die deine Filme sehen, nicht mindestens ein Bildschirm oder eine Absperrung ist. Du genießt den Kult, der um dich veranstaltet wird, aber noch mehr genießt du es, die Leute glauben zu machen, es sei dir egal.«

Verblüfft starrte er sie an. »Ist das dein Eindruck?«

»Als dich das *People Magazine* zum *Sexiest Man Alive* gekürt hat, hast du dir die Schlägerkappe in die Stirn gezogen und behauptet, dir sei nicht im Mindesten klar, warum Frauen bei deinem Anblick weinen.«

»Ich versteh's nicht«, sagte O'Keefe. »Ehrlich nicht.«

Heidrun lachte. »Ich auch nicht.«

Sie ließ sich unter Wasser sinken. Ihre Silhouette zerfiel in kubistische Vektoren, als sie davonschnellte. O'Keefe fragte sich einen Moment lang, ob er ihre Antwort mochte. Das Hämmern von Rotoren drang zu ihm herab. Er schaute in den Himmel und fand sich mit einer einzelnen, weißen Wolke konfrontiert.

Einsame kleine Wolke. Einsamer kleiner Finn.

Du und ich, wir verstehen uns, dachte er belustigt.

Der Rumpf eines Helikopters schob sich in sein Blickfeld, überquerte den Pool und ging tiefer.

»Da sind welche im Wasser«, stellte Karla Kramp fest. Sie sagte es mit analytischer Kühle, als referiere sie das Auftreten von Mikroben unter feuchtwarmen Bedingungen. Es klang nicht unbedingt so, als wolle sie sich hinzugesellen. Eva Borelius schaute aus dem Helikopterfenster und sah eine hellhäutige Frau über türkisfarbenen Grund gleiten.

»Vielleicht solltest du endlich schwimmen lernen.«

»Ich hab deinetwegen schon reiten gelernt«, erwiderte Kramp, ohne eine Miene zu verziehen.

»Ich weiß.« Borelius lehnte sich zurück und reckte die knochigen Glieder. »Man lernt nie aus, mein Juwel.«

Ihr gegenüber döste Bernard Tautou mit zurückgelegtem Kopf und halb offenem Mund vor sich hin. Nachdem er während der ersten halben Stunde des Fluges seinen kräftezehrenden Alltag thematisiert hatte, der sich zwischen entlegenen Wüstenquellen und intimen Abendessen im Élysée-Palast abzuspielen schien, war er hinweggedämmert und gewährte nun Einblick in die Höhlungen seiner Nase. Er war klein und schlank, mit welligem, zweifellos gefärbtem Haar, das sich an den Schläfen zu lichten begann. Sein Blick unter den schweren Augenlidern hatte etwas Träges, was durch die Länglichkeit seiner Gesichtsform ins Melancholische verstärkt wurde. Der Eindruck schwand, sobald er lachte und sich seine Brauen auf clowneske Weise hoben, und Tautou lachte viel. Er machte Komplimente und gab sich interessiert, nur um Äußerungen seiner Gesprächspartner als Sprungbrett zur Selbstreflexion zu nutzen. Jeder zweite Satz, den er an seine Frau richtete, mündete in einem fordernden *n'est-ce pas?*, wodurch sich Paulettes Funktion in der Bestätigung des Gesagten erschöpfte. Erst nachdem er eingeschlafen war, wurde die Dame lebhafter, erzählte von ihrer und seiner Freundschaft zur französischen Staatspräsidentin und wie wichtig es sei, der Menschheit Zugang zur kostbarsten aller knappen Ressourcen zu verschaffen. Sie berichtete, wie Bernard als Chef des französischen Wasserkonzerns Suez Environnement die Übernahme von Thames Water eingefädelt hatte, womit das neu entstandene Unternehmen die Führung in der globalen Wasserversorgung übernommen und die Welt gerettet habe, also quasi, wie ihr Mann die Welt gerettet habe. In ihrer Schilderung legte der wackere Bernard unermüdlich Pipelines in die Wohnviertel der Armen und Elenden, ein Schutzheiliger im Kampf gegen den Durst.

»Ist Wasser nicht eine freie Menschheitsressource?«, hatte Kramp gefragt.

»Natürlich.«

»Kann man sie dann überhaupt privatisieren?«

Paulettes Blick war unergründlich geblieben. Mit ihren Schlupflidern und dem seitlich gescheitelten Haar erinnerte sie entfernt an die junge Charlotte Rampling, ohne deren Klasse zu erreichen. Soeben vernahm sie eine Frage, die der Branche seit Jahrzehnten mit schöner Regelmäßigkeit gestellt wurde.

»Ach, wissen Sie, die Diskussion gerät gottlob aus der Mode. Ohne Privatisierung wären keine Versorgungsnetze entstanden, keine Aufbereitungsanlagen. Was nützt Ihnen der freie Zugang zu einer Ressource, die jenseits Ihrer Zugangsmöglichkeiten liegt?«

Kramp hatte nachdenklich genickt.

»Könnte man eigentlich auch Atemluft privatisieren?«

»Wie bitte? Natürlich nicht.«

»Ich will's ja nur verstehen. Suez baut also Versorgungsanlagen, zum Beispiel in –«

»Namibia.«

»Namibia. Genau. Und werden solche Bauvorhaben durch Entwicklungshilfe subventioniert?«

»Ja, sicher.«

»Und die Anlage arbeitet gewinnorientiert?«

»Das muss sie ja wohl.«

»Das heißt, Suez verbucht privat Gewinne, die mit Entwicklungshilfe subventioniert wurden?«

An diesem Punkt hatte Paulette Tautou etwas gequält dreingeschaut und Borelius leise »Aus, Karla« gesagt. Ihr war nicht danach, schon zu Beginn der Reise in Kalamitäten zu geraten, so wie meist, wenn Kramp das Seziermesser ihrer Neugier ansetzte. Danach hatten sie Belanglosigkeiten ausgetauscht und die Plattform im Meer bewundert. Genauer gesagt hatten ihre und Kramps Augen wie gebannt an der unendlichen Linie gehangen, während Paulette sie eher misstrauisch beäugte und keinerlei Anstalten machte, ihren Mann wach zu rütteln.

»Wollen Sie ihn nicht wecken?«, hatte Borelius gefragt. »Er würde das sicher gern sehen.«

»Ach nein, ich bin froh, wenn er mal schläft. Sie glauben ja nicht, wie hart er arbeitet.«

»Gleich sind wir da. Dann müssen Sie ihn sowieso wecken.«

»Er braucht jede Sekunde. Wissen Sie, ich würde ihn nur für etwas wirklich *Wichtiges* wecken.«

Etwas wirklich Wichtiges, dachte Borelius. Soso.

Nun, da der Helikopter der Landeplattform entgegensank, bequemte sich Paulette, mehrfach leise »Bernard« zu sagen, bis dieser verwirrt die Augen aufschlug und blinzelte.

»Sind wir schon da?«

»Wir landen.«

»Was?« Er fuhr hoch. »Wo ist die Plattform? Ich dachte, wir sehen die Plattform.«

»Du hast geschlafen.«

»Oh! *Merde!* Warum hast du mich nicht geweckt, *chérie?* Ich hätte liebend gerne die Plattform gesehen!«

Borelius enthielt sich jeglichen Kommentars. Kurz bevor sie aufsetzten, erhaschte sie einen Blick auf eine stattliche, schneeweiße Yacht weit draußen auf dem Meer. Dann berührten die Kufen den Grund, und die Seitentür des Helikopters schwang auf.

Auf der Yacht verließ Rebecca Hsu ihr Arbeitszimmer, durchquerte den riesigen, marmorverkleideten Salon und trat aufs Deck hinaus, während sie mit ihrer Zentrale in Taipeh telefonierte.

»Es ist vollkommen unerheblich, was der französische Vertriebsleiter will«, sagte sie unwirsch. »Wir reden von einem Duft für zwölfjährige Mädchen. *Denen* muss er gefallen, nicht *ihm*. Wenn das Zeug anfängt, *ihm* zu gefallen, haben wir einen Fehler gemacht.«

Am anderen Ende der Leitung wurde wild argumentiert. Hsu ging mit raschen Schritten ins Heck, wo der erste Offizier, der Kapitän und das Schnellboot auf sie warteten.

»Mir ist schon klar, dass die ihre eigene Kampagne wollen«, sagte sie. »Ich bin ja nicht blöde. Sie wollen immer was Eigenes. Diese Europäer sind schrecklich kompliziert. Wir haben den Duft in Deutschland, in Italien und Spanien auf den Markt gebracht, ohne jedem eine Extrawurst zu braten, und waren jedes Mal erfolgreich. Ich sehe nicht ein, warum ausgerechnet Frankreich – Wie bitte? – *Was* hat er gesagt?«

Die Information wurde wiederholt.

»Unsinn, ich liebe Frankreich!«, rief sie empört. »Sogar die Franzosen! Ich bin nur die ständige Revolte leid. Sie werden damit leben müssen, dass ich ihren geliebten Luxuskonzern gekauft habe. Ich lasse sie ja in Ruhe, solange es um Dior und so weiter geht, aber bei unseren Eigenkreationen erwarte ich bedingungslose Kooperation.«

Entnervt sah sie zur Isla de las Estrellas hinüber, die sich wie ein buckliges Seeungeheuer aus dem Pazifik hob. Keine Brise bewegte die Luft. Die See spannte sich als dunkle Folie von Horizont zu Horizont. Sie beendete das Gespräch und wandte sich den beiden livrierten Männern zu.

»Und? Haben Sie noch mal nachgefragt?«

»Es tut mir außerordentlich leid, Madame.« Der Kapitän schüttelte den Kopf. »Keine Genehmigung.«

»Mir ist absolut schleierhaft, was das soll.«

»Die Isla de las Estrellas und die Plattform dürfen von Privatschiffen nicht angelaufen werden. Entsprechendes gilt für den Luftraum. Das ganze Gebiet ist eine einzige Hochsicherheitszone. Wären nicht Sie es, müssten wir sogar auf deren Helikopter warten. Ausnahmsweise haben sie zugestimmt, dass wir Sie mit unserem eigenen Schnellboot übersetzen.«

Hsu seufzte. Sie war es gewohnt, dass Regeln für sie nicht galten. Andererseits bereitete ihr die Aussicht auf eine Fahrt mit dem Schnellboot genug Vergnügen, um nicht weiter zu insistieren.

»Ist das Gepäck an Bord?«

»Selbstverständlich, Madame. Ich hoffe, Sie haben einen angenehmen Urlaub.«

»Danke. Wie sehe ich aus?«

»Wie immer perfekt.«

Schön wär's, dachte sie. Seit sie in ihren Fünfzigern war, kämpfte sie einen aussichtslosen Kampf. Er spielte sich auf diversen Fitnessgeräten ab, in Schwimmbädern mit Gegenstromanlage, auf privaten Joggingstrecken und ihrer 140 Meter langen Yacht, die sie so hatte konstruieren lassen, dass man sie ungehindert umrunden konnte. Seit ihrer Abfahrt von Taiwan lief sie dort täglich. Mit eiserner Disziplin hatte sie sogar ihre Fresslust in den Griff bekommen, doch die Expansion ihres Körpers war nicht aufzuhalten. Wenigstens betonte das Kleid den Rest Taille, den sie sich bewahrt hatte, und war angemessen extravagant. Das Vogelnest, als das ihre Frisur in Modekreisen berühmt geworden war, befand sich in charakteristischer Unordnung, und beim Make-up machte ihr ohnehin niemand etwas vor.

Als das Schnellboot ablegte, telefonierte sie schon wieder.

»Rebecca Hsu ist im Anmarsch«, sagte Norrington über Sprechfunk.

Lynn verließ die Küche des STELLAR ISLAND HOTELS, warf einen prüfenden Blick auf die Kanapees, instruierte ihre kleine Begleittruppe und trat hinaus ins Sonnenlicht.

»Hat sie Leibwächter mitgebracht?«, wollte sie wissen.

»Nein. Dafür hat sie sich mehrfach rückversichert, ob wir allen Ernstes vorhaben, ihr die Anlegeerlaubnis zu verweigern.«

»Wie bitte? Rebecca will ihre *verdammte Yacht* bei uns parken?«

»Beruhigen Sie sich. Wir sind hart geblieben. Jetzt kommt sie mit dem Schnellboot.«

»Das ist okay. Wann trifft sie ein?«

»In etwa zehn Minuten. Falls sie unterwegs nicht über Bord geht.« Eine Vorstellung, die Norrington fröhlich zu stimmen schien. »Hier gibt's doch sicher ein paar kapitale Haie, oder? Als ich unser aller Darling zuletzt sah, war sie gut für ein Festmahl.«

»Wenn Rebecca Hsu gefressen wird, sind Sie der Nachtisch.«

»Humorvoll und entspannt wie immer«, seufzte Norrington und beendete das Gespräch.

Im Laufschritt folgte sie dem Küstenpfad, während sich ihr Geist aufspaltete und Dutzende besorgter Lynns körperlos durch die Hotelanlage spukten. Hatte sie irgendetwas übersehen? Jede der benötigten Suiten erglänzte in Makellosigkeit. Schon in der Raumausstattung waren die persönlichen Vorlieben der Gäste berücksichtigt worden, Lilien, bergeweise Litschis und Passionsfrüchte für Rebecca Hsu, Momoka Omuras favorisierter Champagner, ein Prachtband über die Geschichte des Autorennsports auf Warren Locatellis Kopfkissen, Reproduktionen asiatischer und russischer Kunst an den Wänden der Ögis, altes Blechspielzeug für Marc Edwards, die Biografie Muhammad Alis mit nie zuvor veröffentlichten Fotos zur Erbauung des guten alten Chucky, mit Schokolade aromatisierte Badeessenzen für Miranda Winter. Auch im Menü schlugen sich Vorlieben und Animositäten nieder. Lynns Sorgengespenster seufzten in den Saunen und Jacuzzis der Wellnesslandschaft, strichen eisig über den Golfplatz, verströmten sich klamm im STELLAR ISLAND DOME, dem unterirdischen Multimediacenter, fanden nichts zu bemängeln.

Was funktionieren musste, funktionierte.

Außerdem, niemand würde *sehen*, dass sie nicht rechtzeitig fertiggeworden waren. Es sei denn, die Gäste öffneten Türen, hinter denen sie nichts verloren hatten. In den meisten Zimmern lag immer noch Handwerkszeug herum, stapelten sich Zementsäcke, waren die Malerarbeiten nur zur Hälfte durchgeführt worden. Im Wissen, dass sie den offiziellen Eröffnungstermin nicht einhalten konnte, hatte Lynn allen Ehrgeiz in die Fertigstellung der benötigten Suiten gelegt. Lediglich ein Teil der Küche war in Betrieb, ausreichend, um die Gruppe zu verwöhnen, keinesfalls aber 300 Besucher, für die das Hotel eigentlich konzipiert war.

Kurz hielt sie inne und betrachtete den schimmernden, mit dem Basalt verwachsenen Ozeandampfer. Als sei ihr Verharren ein Signal, stoben Hundertschaften von Seevögeln mit hungrigen, spitzen Schreien von einer nahen Klippe auf und formierten sich zu einer schwärmenden Wolke, die landeinwärts zog. Lynn erschauderte. Sie stellte sich vor, wie die Tiere über die Anlage herfielen, sie vollschissen, zerhackten und zerkratzten und die wenigen Menschen ins Meer jagten. Sie sah Körper im Pool treiben, Blut sich mit Wasser mischen. Die Überlebenden rannten auf sie zu und schrien sie an, warum sie den Überfall nicht verhindert habe, und am lautesten von allen schrie Julian. Auch die Hotelbediensteten waren stehen geblieben. Ihre Blicke wanderten zwischen Lynn und dem Hotel hin und her, zusehends verunsichert, da ihre Anführerin plötzlich den Anschein erweckte, als schaue sie das Jüngste Gericht.

Nach einer Minute völliger Erstarrung riss sie sich los und folgte wieder dem Küstenpfad zum Hafen.

Andrew Norrington sah sie weitergehen. Von der Anhöhe oberhalb des Pools, auf der er Posten bezogen hatte, konnte er weite Teile des Ostufers überblicken. Im Hafen, einer durch Sprengungen erweiterten Naturbucht, lagen mehrere kleine Schiffe vor Anker, vornehmlich Patrouillenboote und einige Zodiacs, gekennzeichnet mit dem charakteristischen O von ORLEY ENTERPRISES. Er hätte Rebecca Hsus Yacht durchaus Platz geboten, doch nicht im Traum dachte Norrington daran, der Taiwanesin eine Sonderbehandlung zuteilwerden zu lassen. Alle anderen hatten sich vereinbarungsgemäß mit Orleys firmeneigenen Hubschraubern herfliegen lassen, warum nicht sie? Hsu konnte froh sein, überhaupt auf dem Wasserweg einreisen zu dürfen.

Während er zum Pool hinabstieg, dachte er über Julians Tochter nach. Auch wenn er Lynn nicht sonderlich mochte, empfand er Respekt vor ihrer Autorität und Kompetenz. Schon in jungen Jahren hatte sie ein Übermaß an Verantwortung auf sich nehmen müssen und es allen Neidern und Skeptikern zum Trotz geschafft, ORLEY TRAVEL an die Spitze der Touristikunternehmen zu setzen. Zweifellos gehörte das STELLAR ISLAND HOTEL zu ihren Glanzstücken, auch wenn es noch einiges daran zu tun gab, doch es verblasste gegen das OSS GRAND und das GAIA! Niemand hatte je etwas Vergleichbares gebaut. Mit Ende dreißig war Lynn damit zur Legende des Konzerns geworden, und diese beiden Hotels *waren* fertiggestellt.

Norrington legte den Kopf in den Nacken und blinzelte in die Sonne. Gedankenverloren schnippte er eine handtellergroße Spinne von seiner Schulter, betrat die Pool-Landschaft über einen von Farnen und Koniferen zugewucherten Seitenweg und ließ seinen Blick auf Patrouille gehen. Mittlerweile hatte sich fast die gesamte Reisegesellschaft am Beckenrand eingefunden. Drinks und Häppchen wurden gereicht, man machte sich lautstark miteinander bekannt. Julian hatte die Teilnehmer klug ausgewählt. Zusammengenommen war die bunt gemischte Gruppe dort mehrere hundert Milliarden Dollar wert: Weltverbesserer wie Mukesh Nair, Oligarchen vom Schlage Rogaschows und Typen wie Miranda Winter, die ihr Erbsenhirn erstmalig vor die Aufgabe gestellt sah, Geld sinnvoll zu verwenden. Sie alle gedachte Orley um einen Teil ihrer Vermögen zu erleichtern. Soeben gesellte sich Evelyn Chambers hinzu und lächelte strahlend in die Runde. Immer noch eine bemerkenswerte Erscheinung, fand Norrington. Vielleicht ein bisschen füllig geworden mit der Zeit, aber kein Vergleich zur fortschreitenden Verkugelung Rebecca Hsus.

Er ging weiter, auf alles gefasst.

»Mimi! Marc! Wie schön, euch zu sehen.«

Chambers war ihrer Abscheu Herr geworden und wieder fähig, zu kommunizieren. Mit Mimi Parker verband sie fast so etwas wie eine Freundschaft, und Marc war ein netter Kerl. Sie winkte Momoka Omura und tauschte Küsschen mit Miranda Winter, die jeden Neuankömmling mit einem alarmanlagentauglichen »Woooouuuuuhhhhhw!« begrüßte und ein schmissiges »Oh yeah!« hinterschickte. Chambers hatte Winter zuletzt mit langem, stahlblauem Haar gesehen, nun trug sie es kurz und knallrot gefärbt, was die Assoziation eines Feuermelders weckte. Die Stirn des Ex-Models zierte eine filigrane Applikation. Ihre Brüste zwängten sich unwillig in ein Kleid, das mit knapper Not die planetare Wölbung ihres Hinterns bedeckte und in der Taille so eng geschnitten war, dass man befürchten musste, Frau Winter werde demnächst in zwei Hälften zerfallen. Mit 28 Jahren die Jüngste am Platz, hatte sie so viele chirurgische Eingriffe vorzuweisen, dass alleine die Dokumentation ihrer Operationen Hunderte von Gesellschaftsreportern in Lohn und Brot hielt, von ihren Ausschweifungen, Exzessen und den Nachwehen ihres Prozesses ganz zu schweigen.

Chambers wies auf die Applikation.

»Hübsch«, sagte sie, fieberhaft bemüht, nicht der massereichen Doppelkonstellation des Winter'schen Dekolletés zu erliegen, das ihren Blick gewaltsam herabzuziehen schien. Jeder wusste, dass Chambers' sexueller Appetit gleichermaßen auf Männer wie auf Frauen gerichtet war. Das Bekanntwerden ihres Intimlebens, dass sie mit ihrem Mann und ihrer Geliebten in einer Ménage à trois lebte, hatte sie in New York die Kandidatur gekostet.

»Es ist indisch«, erwiderte Winter vergnügt. »Weil Indien in den Sternen steht, weißt du?«

»Ach ja?«

»Ja! Stell dir vor! Die Sterne sagen, wir sehen einem indischen Zeitalter entgegen. Ganz wunderbar. In Indien wird die Transformation beginnen. Die Menschheit wird sich verändern. Erst Indien, dann die ganze Welt. Es wird nie wieder Krieg geben.«

»Wer behauptet das, Schatz?«

»Olinda.«

Olinda Brannigan war eine stockfischartig vertrocknete, uralte Hollywood-Actrice aus Beverly Hills. Miranda ließ sich von ihr die Karten legen und die Zukunft vorhersagen.

»Und was sagt Olinda sonst noch?«

»Man soll nichts Chinesisches mehr kaufen. China wird untergehen.«

»Wegen des Handelsdefizits?«

»Wegen Jupiter.«

»Und was trägst du da für ein Kleid?«

»Oh, das? Süß, nicht. Dolce & Gabbana.«

»Du solltest es ausziehen.«

»Was, hier?« Winter sah sich verstohlen um und senkte die Stimme. »Jetzt?«

»Es ist chinesisch.«

»Ach, hör doch auf! Das sind Italiener, sie –«

»Es ist chinesisch, Schatz«, wiederholte Chambers genüsslich. »Rebecca Hsu hat Dolce & Gabbana im vergangenen Jahr gekauft.«

»Muss sie denn alles kaufen?« Winter wirkte einen Moment lang ehrlich betroffen. Dann gewann ihr sonniges Naturell wieder die Oberhand. »Egal. Vielleicht hat Olinda sich ja getäuscht.« Sie spreizte die Finger und schüttelte sich. »Jedenfalls freu ich mich *waaahnsinnig* auf die Reise! Ich werde die ganze Zeit über kreischen!«

Chambers zweifelte keinen Moment an der Ernsthaftigkeit dieser Drohung. Sie ließ ihren Blick schweifen und sah die Nairs, die Tautous und die Locatellis miteinander im Gespräch. Olympiada Rogaschowa gesellte sich zu der Gruppe, während Oleg Rogaschow sie erspähte, ihr zunickte und an die Bar ging. Gleich darauf kam er mit einem Glas Champagner herüber, reichte es ihr und setzte sein gewohnt sphinxhaftes Lächeln auf.

»Wir werden also auch im Weltall ihrem Urteil ausgesetzt sein«, sagte er mit stark slawischem Einschlag. »Wir werden alle sehr aufpassen müssen, was wir sagen.«

»Ich bin privat hier.« Sie zwinkerte ihm zu. »Wenn Sie mir allerdings unbedingt etwas anvertrauen wollen –«

Rogaschow lachte leise, ohne dass sich an der Eisigkeit seines Blickes etwas änderte.

»Das werde ich bestimmt, schon des Vorzugs Ihrer Gesellschaft wegen.« Er sah hinaus zu der Plattform. Die Sonne stand mittlerweile tief über dem Vulkanrücken und beschien die künstliche Insel in warmen Farben. »Haben Sie auch ein Vorbereitungstraining absolviert? Die Schwerelosigkeit ist nicht jedermanns Sache.«

»Im ORLEY SPACE Center.« Chambers trank einen Schluck. »Parabelflüge, Simulation im Tauchbecken, das ganze Programm. Und Sie?«

»Ein paar Suborbitalflüge.«

»Sind Sie aufgeregt?«

»Gespannt.«

»Sie wissen ja, was Julian mit der Veranstaltung bezweckt.«

Die Bemerkung schwebte im Raum, bereit, eingefangen zu werden. Rogaschow wandte ihr den Kopf zu.

»Und jetzt interessiert es Sie zu erfahren, was ich davon halte.«

»Sie wären nicht hier, wenn Sie nicht ernsthaft darüber nachdächten.«

»Und Sie?«

Chambers lachte.

»Vergessen Sie's. Ich bin in dieser Gesellschaft die Kirchenmaus. Auf meine Ersparnisse wird er es kaum abgesehen haben.«

»Wenn alle Kirchenmäuse Ihre Vermögenslage vorzuweisen hätten, Evelyn, würde die Welt von Mäusen regiert.«

»Reichtum ist relativ, Oleg, das muss ich Ihnen nicht erst auseinandersetzen. Julian und ich sind alte Freunde. Ich würde mir ja gerne einreden, dass dieser Umstand ihn bewogen hat, mich in die Gruppe aufzunehmen, aber natürlich ist mir klar, dass ich wichtigeres Kapital verwalte als Geld.«

»Die öffentliche Meinung.« Rogaschow nickte. »Ich an seiner Stelle hätte Sie auch eingeladen.«

»Sie hingegen *sind* reich! Fast alle hier sind reich, *richtig* reich. Wenn jeder von Ihnen nur ein Zehntel seines Vermögens in den Jackpot wirft, kann Julian einen zweiten Lift und eine zweite OSS bauen.«

»Orley wird keinem Anteilseigner gestatten, die Geschicke seines Unternehmens maßgeblich zu beeinflussen. Ich bin Russe. Wir haben unsere eigenen Programme. Warum sollte ich die amerikanische Raumfahrt unterstützen?«

»Meinen Sie das im Ernst?«

»Sagen Sie es mir.«

»Weil Sie Geschäftsmann sind. Staaten mögen Interessen haben, doch was nützt das, wenn es ihnen an Geld und Know-how mangelt? Julian Orley hat die staatliche amerikanische Raumfahrt aus der Versenkung geholt und damit zugleich ihr Ende besiegelt. Er ist jetzt der Chef. Sofern nennenswert, liegen Raumfahrtprogramme heute fast ausschließlich in privaten Händen, und Julians Vorsprung auf diesem Sektor ist astronomisch. Selbst in Moskau dürfte sich herumgesprochen haben, dass er auf nationalstaatliche Interessen pfeift. Er sucht einfach nur Leute, die ähnlich ticken.«

»Man könnte auch sagen, er pfeift auf Loyalität.«

»Julians Loyalität gilt Idealen, ob Sie's glauben oder nicht. Fakt ist, dass er sehr gut ohne die NASA zurechtkommt, die NASA aber nicht ohne ihn. Vergangenes Jahr hat er dem Weißen Haus einen Plan vorgelegt, wie ein zweiter Lift seitens der Amerikaner zu finanzieren wäre, womit er sich als Know-how-Lieferant freiwillig in eine starke Abhängigkeit begeben hätte. Aber anstatt die Gelegenheit zu nutzen, ihn an sich zu binden, zögerte der Kongress und äußerte Bedenken. Amerika hat immer noch nicht kapiert, dass es für Julian lediglich ein Investor ist.«

»Und da es aktuell an der Potenz dieses Investors zu mangeln scheint, erweitert er eben den Kreis seiner möglichen Partner.«

»Richtig. Ob Sie Russe oder Marsianer sind, ist ihm dabei schnuppe.«

»Trotzdem. Warum soll ich nicht in die Raumfahrt *meines* Landes investieren?«

»Weil Sie sich die Frage stellen müssen, ob Sie Ihr Geld einem Staat anvertrauen wollen, der zwar Ihre Heimat, technologisch aber hoffnungslos im Hintertreffen ist.«

»Die russische Raumfahrt ist ebenso privatisiert und leistungsfähig wie die amerikanische.«

»Aber ihr habt keinen Julian Orley. Und es ist auch keiner in Sicht. In Russland nicht, in Indien nicht, in China nicht. Nicht mal die Franzosen und die Deutschen haben einen. Japan tritt auf der Stelle. Wenn Sie Ihr Geld in den Versuch investieren, etwas zu erfinden, was andere längst erfunden haben, bloß um des Nationaldünkels willen, sind Sie nicht loyal, sondern sentimental.« Chambers sah ihn an. »Und Sie neigen nicht zu Sentimentalitäten. Sie halten in Russland die Spielregeln ein, das ist alles. Darüber hinaus fühlen Sie sich ebenso wenig an Ihr Land gebunden, wie Julian sich an irgendwen gebunden fühlt.«

»Was Sie so alles über mich zu wissen glauben.«

Chambers zuckte die Achseln. »Ich weiß nur, dass Julian niemandem den teuersten Trip der Welt aus reiner Menschenliebe bezahlt.«

»Und Sie?«, fragte Rogaschow einen athletisch gebauten Mann, der sich im Verlauf des Gesprächs zu ihnen gesellt hatte. »Warum sind Sie hier?«

»Wegen eines Unglücks.« Der Mann kam näher und streckte Chambers die Rechte hin. »Carl Hanna.«

»Evelyn Chambers. Sie meinen das Attentat auf Palstein?«

»Er hätte an meiner Stelle fliegen sollen. Ich weiß, ich sollte mich angesichts der Umstände nicht freuen –«

»Aber Sie sind nachgerückt und freuen sich trotzdem. Völlig in Ordnung.«

»Schön jedenfalls, Ihnen zu begegnen. Ich schaue *Chambers,* wann immer ich kann.« Sein Blick ging zum Himmel. »Werden Sie oben eine Sendung produzieren?«

»Keine Sorge, wir bleiben privat. Julian will einen Werbespot mit mir drehen, in dem ich die Schönheiten des Universums preise. Um den Weltraumtourismus anzukurbeln. Kennen Sie eigentlich Oleg Alexejewitsch Rogaschow?«

»ROGAMITTAL.« Hanna lächelte. »Natürlich. Ich glaube, wir teilen sogar eine Leidenschaft.«

»Und die wäre?«, fragte Rogaschow vorsichtig.

»Fußball.«

»Sie mögen Fußball?«

In das undurchdringliche Fuchsgesicht des Russen geriet Bewegung. Aha, dachte Chambers. Hannas Vita brach auf. Interessiert betrachtete sie den Kanadier, dessen ganzer Körper aus Muskeln zu bestehen schien, ohne das für Bodybuilder so typisch Tapsige. Haar und Bart waren millimeterkurz geschoren. Mit seinen kräftigen Brauen und dem Grübchen im Kinn hätte er in jedem Kriegsfilm mitspielen können.

Rogaschow, Fremden gegenüber eher distanziert, legte bei Fußball einen beinahe euphorischen Gestus an den Tag. Plötzlich wurden Dinge diskutiert, von denen Chambers nichts verstand. Sie empfahl sich und zog weiter. An der Bar lief sie Lynn Orley in die Arme, die sie den Nairs, Tautous und Walo Ögi vorstellte. Den schwadronierenden Schweizer mochte sie sofort. Selbstgefällig und mit einer burlesken Neigung zum Pathos behaftet, erwies er sich zugleich als weltgewandt und auf altmodische Weise zuvorkommend. Allgemein wurde über nichts anderes gesprochen als die bevorstehende Reise. Heidrun Ögis Aufmerksamkeit musste Chambers zu ihrem Entzücken nicht erst lange suchen, da diese sie freudig heranwinkte, um ihr mit diebischer Freude den gequält dreinblickenden Finn O'Keefe zu präsentieren. Chambers schaffte es, ihm im Verlauf von fünf Minuten keine einzige Frage zu stellen, und verstieg sich zu der Versicherung, das werde so bleiben.

»Für immer?«, fragte O'Keefe lauernd.

»Für die Dauer der nächsten vierzehn Tage«, räumte sie ein. »Danach versuche ich weiter mein Glück.«

Heidrun nicht anzustarren, war bei Weitem aussichtsloser, als dem Schwerefeld von Miranda Winters Brüsten zu entkommen, wogenden Landschaften der Lust zwar, in denen man schwelgen, sich aber kaum je verlieren konnte. Winter war im Großen und Ganzen ein schlichter Entwurf. Sex mit ihr, schätzte Chambers, würde dem Ausschlecken eines Honigtopfs gleichkommen, aus dem eben nie etwas anderes käme als Honig, süß und verlockend, nach einer Weile profan, irgendwann langweilig und mit der Gefahr verbunden, dass einem hinterher schlecht wurde. Heidruns pigmentloser, anorektischer Körper hingegen, ihr weißes Haar, schneeweiß überall, verhieß eine erotische Grenzerfahrung.

Chambers seufzte innerlich. In diesem Kreis konnte sie sich keinerlei Eskapaden leisten, zumal der Schweizerin auf der Stirn geschrieben stand, dass Frauen sie nicht interessierten.

Jedenfalls nicht so.

Ein Stück weiter erblickte sie Chuck Donoghues halslose Fassgestalt. Sein Kinn war befehlshaberisch vorgereckt, das dünner werdende, rötliche Haar zu einer Skulptur gefönt. Er hatte eine dröhnende Sprechattacke auf zwei Frauen gestartet, eine groß und knochig, mit rotblonden Haaren, die andere dunkel und zierlich, augenscheinlich einem Gemälde von Modigliani entsprungen. Eva Borelius und Karla Kramp. In regelmäßigen Abständen wurde Chucks Vortrag von Aileen Donoghues mütterlichem Falsett konterkariert. Rosenwangig und silbern toupiert, erwartete man sie jeden Moment losflitzen und selbst gebackenen Apfelkuchen servieren zu sehen, was sie dem Vernehmen nach mit Begeisterung tat, sofern sie Chuck nicht gerade half, das gemeinsame Hotelimperium zu leiten. Um mit Borelius zu sprechen, hätte Chambers jedoch Chucks Witzeleien in Kauf nehmen müssen, also suchte sie Lynn und fand sie im Gespräch mit einem Mann, der ihr auffallend glich. Dasselbe aschblonde Haar, meerblaue Augen, Orley-Doppelhelix. Lynn sagte gerade: »Mach dir keine Sorgen, Tim, mir ging's nie besser«, als Chambers hinzutrat.

Der Mann wandte den Kopf und musterte sie vorwurfsvoll.

»Entschuldigung.« Sie machte Anstalten zu gehen. »Ich störe.«

»Gar nicht.« Lynn hielt sie am Arm zurück. »Kennst du eigentlich schon meinen Bruder?«

»Freut mich. Wir hatten noch nicht das Vergnügen.«

»Ich gehöre nicht zur Firma«, sagte Tim steif.

Chambers erinnerte sich, dass Julians Sohn dem Konzern schon vor Jahren den Rücken gekehrt hatte. Das Verhältnis der Geschwister zueinander war innig, zwischen Tim und seinem Vater gab es Probleme, die begonnen hatten, als Tims Mutter gestorben war, im Zustand geistiger Umnachtung, wie gemunkelt wurde. Mehr hatte Lynn ihr nie verraten, nur, dass Amber, Tims Frau, die Ressentiments ihres Mannes gegen Julian nicht teilte.

»Weißt du eventuell, wo Rebecca ist?«, sagte Chambers.

»Rebecca?« Lynn zog die Brauen zusammen. »Müsste jeden Moment runterkommen. Eben hab ich sie in ihrer Suite abgeliefert.«

In Wirklichkeit war es Chambers herzlich egal, wo sich Rebecca Hsu herumtrieb und mit wem sie telefonierte. Sie hatte nur gerade das deutliche Gefühl, unerwünscht wie Gürtelrose zu sein, und suchte einen Grund, sich elegant wieder zu verdrücken.

»Und sonst? Gefällt's dir?«

»Super! – Ich hörte, Julian trifft erst übermorgen ein?«

»Er hängt in Houston fest. Unsere amerikanischen Partner machen ein bisschen Stress.«

»Ich weiß. Es spricht sich rum.«

»Aber zur Show wird er da sein.« Lynn grinste. »Du kennst ihn ja. Er liebt den großen Auftritt.«

»Es ist ja zuallererst *dein* Auftritt«, sagte Chambers. »Du hast alles fantastisch hinbekommen, Lynn. Gratuliere! Tim, Sie können stolz auf Ihre Schwester sein.«

»Danke, Evy! Vielen Dank.«

Tim Orley nickte. Chambers fühlte sich mehr denn je unwillkommen. Merkwürdig, dachte sie, eigentlich kein unsympathischer Bursche. Was ist sein Problem? Hat er eines mit mir? Wo bin ich da reingeplatzt?

»Werden Sie mit uns fliegen?«, fragte sie.

»Ich, ähm – klar, das ist Lynns große Stunde.« Er rang sich ein Lächeln ab, legte seiner Schwester den Arm um die Schulter und zog sie an sich. »Glauben Sie mir, ich bin *unendlich* stolz auf sie.«

So viel Warmherzigkeit schwang in seinen Worten mit, dass Chambers allen Grund gehabt hätte, gerührt zu sein. Nur der Unterton in Tims Stimme sagte, zieh Leine, Evelyn.

Sie ging zurück zur Party, einigermaßen ratlos.

Der Phase der Dämmerung war kurz, aber traumhaft. Die Sonne vergeudete sich in Blutrot und Rosa, bevor sie sich im Pazifik ertränkte. Innerhalb weniger Minuten brach die Dunkelheit herein. Bedingt durch die Lage des STELLAR ISLAND HOTELS am Osthang verging sie für die meisten der Anwesenden nicht im Meer, sondern rutschte hinter den vulkanischen Höhenrücken, sodass lediglich O'Keefe und die Ögis in den Genuss des ganz großen Abgangs kamen. Sie hatten die Gesellschaft verlassen und waren zur Kristallkuppel hochgefahren, von wo aus man die komplette Insel samt der unzugänglichen, regenwaldüberwucherten Westseite überblickte.

»Mein Gott«, sagte Heidrun und starrte hinaus. »Wasser auf allen Seiten.«

»Keine aufrüttelnde Erkenntnis, mein Schatz.« Ögis Stimme erklang aus der Rauchwolke seiner Zigarre. Er hatte die Gelegenheit genutzt, sich umzuziehen, und trug nun ein stahlblaues Hemd mit altmodisch hineingebundenem Halstuch.

»Wie man's nimmt, Stinker.« Heidrun drehte sich zu ihm um. »Wir stehen auf einem verdammten Stein im Pazifik.« Sie lachte. »Ist dir klar, was das heißt?«

Ögi blies eine Spiralgalaxie in die aufziehende Nacht.

»Solange die Havannas nicht zur Neige gehen, heißt es, dass wir hier gut aufgehoben sind.«

Während sie redeten, schlenderte O'Keefe ziellos umher. Die Terrasse wurde zur Hälfte von einer gewaltigen gläsernen Kuppel überspannt, der sie ihren Namen verdankte. Nur wenige Tische waren für das Dinner eingedeckt, aber Lynn hatte ihm erzählt, dass bei Hochbetrieb über 300 Leute hier Platz fanden. Er schaute nach Osten, wo die Plattform hell erleuchtet im Meer lag. Sie bot einen fantastischen Anblick. Nur die Linie wurde vom Dunkel des Himmels absorbiert.

»Vielleicht wirst du dich ja bald schon auf den verdammten Stein zurückwünschen«, sagte er.

»Ach ja?« Heidrun bleckte die Zähne. »Vielleicht halte ich dir aber auch das Händchen – Perry.«

O'Keefe grinste. Nachdem er sich viele Jahre lang mit der Konsequenz eines Lemmings in die Abgründe des nichtkommerziellen Films gestürzt und seine Rollen unter Gesichtspunkten der Unangepasstheit ausgewählt hatte, war er selbst am meisten überrascht gewesen, für die Verkörperung Kurt Cobains den Oscar zu gewinnen. *Hyperactive* geriet zum Zertifikat seines Könnens. Niemand konnte noch ignorieren, dass die Apotheose des scheuen Iren mit dem Bernsteinblick, den ebenmäßigen Zügen und den sinnlichen Lippen längst vollzogen war, in sperrigen Low- and No-Budget-Produktionen, kryptischen Autorenfilmen und verwackelten Dogma-Dramen. Das einstige Kassengift war zur Droge mutiert. Klugerweise hatte er es danach vermieden, auf Blockbuster zu schielen, und weiterhin gespielt, was ihm gefiel, nur dass es plötzlich allen gefiel. Unverändert konnten ihn aserbaidschanische Regisseure für ein Taschengeld buchen, wenn ihm der Stoff zusagte. Er kultivierte seine Herkunft und spielte James Joyce. Er engagierte sich für Obdachlose und Drogenopfer. Er tat so viel Gutes vor und hinter der Kamera, dass seine Vergangenheit ins Nebulöse entrückte: geboren in Galway, Provinz Connacht. Mutter Journalistin, Vater Operntenor. Früh Klavier und Gitarre erlernt, Theater gespielt, um seiner Schüchternheit Herr zu werden, Statistenrollen in TV-Serien und Werbefilmen. An Dublins Abbey Theatre von Nebenrollen zu Hauptrollen vorgearbeitet, mit den *Black Sheep* im O'Donoghues Pub brilliert, Lyrik und Kurzgeschichten verfasst. Gar ein Jahr bei den Tinkers gelebt, den irischen Zigeunern, aus purer romantischer Verbundenheit zum guten alten *Éire*. Als rebellischer Bauernsohn schließlich in der Fernsehserie *Mo ghrá thú* so überzeugend agiert, dass Hollywood anrief.

Hieß es, klang gut, stimmte auch irgendwie.

Dass der schüchterne Finn schon als Kind zum Ausrasten geneigt und Mitschülern die Zähne ausgeschlagen hatte, dass er als lernfaul galt und aus Entscheidungsnot, was er werden wollte, erst mal gar nichts tat, fand seltener Erwähnung. Auch nicht das Zerwürfnis mit seinen Eltern, sein maßloser Alkoholkonsum, die Drogen. An das erste Jahr bei den Tinkers fehlte ihm jede Erinnerung, weil er die meiste Zeit betrunken, high oder beides gewesen war. Nach erfolgter Sozialisierung am Abbey Theatre hatte ihm ein deutscher Produzent die Hauptrolle in der Verfilmung des Süskind-Klassikers *Das Parfum* in Aussicht gestellt, nur dass O'Keefe, während Ben Wishaw vorsprach, zugedröhnt auf einer Dubliner Hure eingeschlafen und gar nicht erst zum Termin erschienen war. Kein Wort davon, dass er sein Engagement wegen ähnlicher Eskapaden verloren hatte und aus der Serie geflogen war, gefolgt von zwei weiteren Jahren der Verwahrlosung beim fahrenden Volk, bis er sich endlich zur Versöhnung mit seinen Eltern und einer Entziehungskur hatte aufraffen können.

Erst danach setzte der Mythos ein. Von *Hyperactive* bis hin zu jenem denkwürdigen Tag im Januar 2017, da ein arbeitsloser, deutschstämmiger Drehbuchautor in Los Angeles ein 50 Jahre altes Groschenheftchen in die Finger bekam, das den Beginn eines Literaturphänomens ohne Beispiel markierte, einer galaktischen Seifenoper, die in Amerika nie gedruckt worden war und dennoch für sich beanspruchen konnte, die erfolgreichste Science-Fiction-Serie aller Zeiten zu sein. Ihr Held war ein Raumfahrer namens Perry Rhodan, den O'Keefe frohgemut spielte, wie immer, ohne sich um den Erfolg zu scheren. Er legte die Rolle so an, dass aus dem perfekten Perry ein tollkühner Trottel wurde, der in der Wüste Gobi eher aus Versehen Terrania baute, die Hauptstadt der Menschheit, um von dort in die Weiten der Milchstraße vorzustolpern.

Der Kinostart schlug alles je Dagewesene. Seitdem hatte O'Keefe in zwei weiteren Filmen den Weltraumhelden gegeben. Er hatte ein Training im ORLEY SPACE Center absolviert und an Bord einer für Parabelflüge umgebauten Boeing 727 mit seiner Übelkeit gekämpft. Bei der Gelegenheit hatte er Julian Orley kennen- und schätzen gelernt, mit dem ihn seither eine lockere Freundschaft verband, gegründet auf ihre gemeinsame Liebe zum Kino.

Vielleicht halte ich dir aber auch das Händchen –

Warum nicht, dachte O'Keefe, enthielt sich jedoch einer entsprechenden Replik, um Walo nicht zu brüskieren, auch, weil er Heidrun dringend verdächtigte, den jovialen Schweizer zu lieben. Man musste die beiden nicht näher kennen, um es zu spüren. Es äußerte sich weniger in dem, was sie zueinander sagten, als in der Art, wie sie einander ansahen und berührten. Besser, sich auf keinen Flirt einzulassen.

Vorerst.

Im Weltraum mochte alles ganz anders aussehen.

20.MAI 2025
[DAS PARADIES]

SHENZHEN, PROVINZ GUANGDONG, SÜDCHINA

Owen Jericho wusste, dass er gute Chancen hatte, heute noch ins Paradies zu kommen, und er verabscheute den Gedanken.

Andere liebten ihn. Um dorthin zu gelangen, bedurfte es ungezügelter Geilheit, der fauligen Süße fehlgeleiteter Kinderliebe, sadistischer Neigungen und eines hinreichend deformierten Egos, um jede Widerwärtigkeit, die man beging, zu sentimentalisieren. Nicht wenige, die Einlass begehrten, sahen sich als Streiter für die sexuelle Befreiung derer, an denen sie sich vergriffen. Kontrolle ging ihnen über alles. Dabei empfanden sich die meisten als normal und jene, die ihrer Selbstverwirklichung im Wege standen, als die wahren Perversen. Andere reklamierten ihr legitimes Recht, pervers zu sein, wieder andere verstanden sich als Geschäftsleute. Doch kaum einer von ihnen hätte sich die Schmach gefallen lassen, als krank und schwach bezeichnet zu werden. Erst vor Gericht bemühten sie Gutachter ihres Unvermögens, dem Ruf ihrer Natur zu widerstehen, stilisierten sich zu bemitleidenswerten Getriebenen, die des Verständnisses und der Heilung bedurften. Unerkannt hingegen, im Vollbesitz ihrer geistigen Kräfte, kehrten sie allzu gerne auf den Spielplatz ihrer verklebten Fantasie zurück, ins *Paradies der kleinen Kaiser,* das aus ihrer Warte ja auch paradiesisch war, nur eben nicht für die kleinen Kaiser selbst.

Für die war es die Hölle.

Owen Jericho zögerte. Er wusste, dass er Animal Ma ab hier nicht weiter hätte folgen dürfen. Er sah den Mann, dessen Augen von archaisch dicken Brillengläsern zu einem Ausdruck beständigen Erstaunens geweitet wurden, den Platz überqueren, Po und Hüften elliptisch schlingernd. Der Entengang verdankte sich einem Hüftleiden, das den falschen Eindruck erweckte, leichtes Spiel mit ihm zu haben. Doch Ma Liping, wie er wirklich hieß, trug seinen Beinamen nicht von ungefähr. Er galt als angriffslustig und gefährlich. Tatsächlich gab er vor, auf den Namen Animal getauft worden zu sein, ein Akt bizarren Imponiergebarens, da er zugleich so tat, als sei es ihm peinlich. Ma war außerdem gerissen. Er musste es sein, andernfalls hätte er die Behörden nicht jahrelang in den Schlaf der Überzeugung singen können, der Pädophilie abgeschworen zu haben. Als wandelnder Beweis für das gelungene Experiment der Wiedereingliederung arbeitete er der Polizei im Kampf gegen die seuchenartig grassierende Kinderpornografie in China zu, lieferte Hinweise zur Ergreifung kleiner Fische und tat augenscheinlich alles, um sozialer Ächtung zu entkommen.

Fünf Jahre Haft als Kinderschänder, pflegte er zu sagen, sind wie fünfhundert Jahre Folterkeller.

Der von Zweckbauten geprägte Vorort des infektiös wuchernden Stadtgewebes Shenzhens im Süden Chinas hatte dem aus Peking stammenden Ma einen Neustart ermöglicht. Niemand kannte ihn hier, nicht einmal den ortsansässigen Behörden lag seine Akte vor. In der Hauptstadt wusste man zwar um seinen Aufenthaltsort, doch die Verbindung hatte sich gelockert, da die Pädophilenszene in ständigem Umbau begriffen war und Ma glaubhaft anführen konnte, den Kontakt zum inneren Kreis verloren zu haben. Niemand schenkte ihm noch Beachtung, es gab anderes zu tun. Neue Abgründe gestatteten Blicke auf Welten menschlicher Niedertracht, dass einem speiübel werden konnte.

Welten wie das *Paradies der kleinen Kaiser*.

Im Morast der Überforderung, 1,4 Milliarden Individuen in all ihrer sozialen Konfliktbeladenheit zugleich zu schützen, zu kontrollieren und zu schikanieren, heuerten Chinas Behörden zunehmend Privatermittler zu ihrer Unterstützung an. Der fortschreitenden Digitalisierung geschuldet, setzten sie dabei auf Cyber-Detektive, Spezialisten für jede Art Kriminalität und ominöse Vorgänge im Netz, und Owen Jericho stand im Ruf außerordentlicher Befähigung. Sein Portfolio war makellos, was die Aufklärung von Webspionage, Phishing, Cyberterrorismus und so weiter anging. Er unterwanderte illegale Communities, infiltrierte Blogs, Chaträume und virtuelle Welten, spürte verschwundene Personen anhand ihrer digitalen Fingerabdrücke auf und beriet Unternehmen darin, sich vor elektronischen Attacken, Trojanern und Root-Kits zu schützen. In England war er einige Male mit Fällen von Kinderpornografie befasst gewesen, also hatte man ihn, als sich einem Team schockierter Ermittler die Hölle der *kleinen Kaiser* erschloss, um Schützenhilfe gebeten, angetragen durch Patrice Ho, einen hochrangigen Beamten der Shanghaier Polizei, dem Jericho freundschaftlich verbunden war. Als Ergebnis dieser Bitte stand er nun hier und beobachtete Animal Ma auf seinem Weg in die alte, leer stehende Fahrradfabrik.

Er fröstelte trotz der Hitze. Den Auftrag anzunehmen hatte erfordert, dem *Paradies der kleinen Kaiser* einen Besuch abzustatten. Eine Erfahrung, die für alle Zeit Spuren in seiner Großhirnrinde hinterlassen würde, auch wenn ihm grundsätzlich klar gewesen war, worauf er sich einließ. Kleine Kaiser, so nannten Chinesen in italienisch anmutender Vernarrtheit ihre Kinder. Doch es war unumgänglich gewesen, ins *Paradies* zu reisen, sich einzuloggen und die Holobrille aufzusetzen, um zu verstehen, nach *wem* er suchte.

Animal Ma durchschritt das Fabriktor.

Nachdem die sonst so erneuerungsfreudige Stadtplanung keine Tendenzen hatte erkennen lassen, das Ensemble schimmeliger Backsteinbauten abzureißen, waren Künstler und Freiberufler dort eingezogen, darunter ein Schwulenpärchen, das antiquierte Elektrogeräte reparierte, eine Ethno-Metal-Band, die mit einer Mando-Prog-Band um die Wette lärmte und allabendlich ein verödet daliegendes Fitnessstudio in seinen Grundfesten erschütterte, sowie Ma Liping mit seinem An- und Verkauf jedweder Ware, von der billig imitierten Ming-Vase bis hin zu mausergeplagten Singvögeln in tragbaren Bambusheimen. Allerdings schien seine Kundschaft, falls es sie überhaupt gab, geschlossen auf Reisen gegangen zu sein. Der Ermittler aus Shenzhen, mit dem Jericho zusammenarbeitete, hatte am 20. Mai mit Mas Observierung begonnen und den Mann zwei Tage lang nicht aus den Augen gelassen, war ihm von seinem Wohnort zur alten Fabrik und zurück gefolgt, hatte Fotos geschossen, jeden seiner hüftleidigen Schritte überwacht und sein Kundenaufkommen bilanziert. Demnach hatten sich während der Zeit ganze vier Personen in den An- und Verkauf verirrt, eine davon Mas Frau, eine ordinär aussehende Südchinesin schwer zu bestimmenden Alters. Die kümmerliche Frequentierung der Geschäftsräume verwunderte umso mehr, als die beiden in einem für hiesige Verhältnisse gepflegten und großzügig dimensionierten Sechs-Parteien-Haus lebten, das Ma sich von dem bisschen, was der Laden abwarf, unmöglich leisten konnte. Die Frau ging, soweit bekannt, keiner geregelten Tätigkeit nach, kreuzte mehrmals täglich im Laden auf und blieb dort längere Zeit, möglicherweise um Bürokram zu erledigen oder sich der Bedienung von Kunden zu widmen, die nicht kamen.

Bis auf jene zwei Männer.

Aus einer ganzen Reihe von Gründen war Jericho zu der Überzeugung gelangt, dass Ma, wenn nicht als einzige, so doch als treibende Kraft hinter dem *Paradies der kleinen Kaiser* steckte. Nachdem es ihm gelungen war, den Verdächtigenkreis auf eine Handvoll Kinderschänder einzugrenzen, die aktuell im Netz wüteten oder zu einem früheren Zeitpunkt dort auffällig geworden waren, hatte er sich auf Animal Ma Liping eingeschossen. Hier indes liefen seine und die Einschätzungen der Behörden auseinander. Während Jericho eine Gewitterwolke der Indizien über Shenzhen stehen sah, versammelte nach Meinung der Polizei ein Mann aus der Smoghölle Lanzhous die meisten Verdachtsmomente auf sich, mit dem Ergebnis, dass dort in diesen Stunden eine Razzia eingeleitet wurde. Für Jericho stand außer Zweifel, dass die Polizisten manches von Interesse finden würden, nur eben nicht, wonach sie suchten. Im *Paradies* herrschte das Tier, die Schlange, Animal Ma, dessen war er sicher, doch man hatte ihn angewiesen, vorerst keine weiteren Schritte zu unternehmen.

Eine Direktive, die er gründlich zu missachten gedachte.

Denn abgesehen davon, dass die Sache Mas Handschrift trug, gab Jericho der Tatbestand seiner Ehe zu denken. Nichts gegen Läuterung und Wandel, doch Ma war erwiesenermaßen homosexuell, ein schwuler Pädophiler. Ebenso fiel auf, dass die Männer, die den Laden aufsuchten, erst nach Stunden wieder zum Vorschein kamen. Drittens schien es nicht im Entferntesten so etwas wie feste Öffnungszeiten zu geben, und letztlich hätte man sich keinen besseren Platz zur Ausübung dunkler Geschäfte wünschen können als die aufgelassene Fahrradfabrik. Alle übrigen Bewohner benutzten Seitengebäude mit direktem Straßenzugang, sodass Ma als Einziger im Innenhof residierte und ihn, die wenigen hereinkleckernden Kunden außer Acht gelassen, als Einziger betrat.

Noch von Shanghai aus hatte Jericho den Ermittler beauftragt, dem Laden eine Visite abzustatten, sich umzusehen und eine Kleinigkeit zu kaufen, möglichst etwas, wovon Ma noch mehr auf Lager hatte. So kannte er den Verkaufsraum schon, als er Ma an diesem Morgen über den Platz folgte. Im Schatten der Fabrikmauer wartete er einige Minuten, schritt unter dem Tor hindurch, überquerte die staubige Fläche des Hofs, erstieg eine kurze Rampe und betrat das rappelvolle, mit Regalen und Tischen zugestellte Geschäft. Hinter der Theke hantierte sein Besitzer mit Schmuck. Ein Perlenvorhang trennte den Verkaufsbereich von einem angrenzenden Zimmer ab, über dem Durchgang prangte eine Videokamera.

»Guten Morgen.«

Ma schaute auf. Die vergrößerten Augen hinter der horngefassten Brille musterten den Besucher mit einer Mischung aus Argwohn und Interesse. Niemand, den er kannte.

»Ich hörte, Sie hätten was für jede Gelegenheit«, erklärte Jericho.

Ma zögerte. Er legte den Schmuck, angelaufenes, billiges Zeug, zur Seite und lächelte zurückhaltend.

»Wer, wenn ich mir die Frage erlauben darf, sagt das?«

»Ein Bekannter. Muss gestern hier gewesen sein. Er brauchte ein Geburtstagsgeschenk.«

»Gestern –«, sinnierte Ma.

»Er hat ein Schminkset gekauft. Art Deco. Grün, gold und schwarz. Einen Spiegel, eine Puderdose.«

»Oh ja!« Das Misstrauen wich und schuf Raum für Beflissenheit. »Eine schöne Arbeit, ich erinnere mich. War die Dame zufrieden?«

»Die beschenkte Dame war meine Frau«, sagte Jericho. »Und, ja, sie war sehr zufrieden.«

»Wie wunderbar. Was kann ich für Sie tun?«

»Erinnern Sie sich an das Design?«

»Natürlich.«

»Sie hätte gerne mehr aus der Serie. Falls es mehr gibt.«

Ma verbreitete sein Lächeln, erfreut, dienlich sein zu können, da es, wie Jericho von dem Ermittler wusste, noch eine passende Bürste und einen Kamm zu erstehen gab. In seinem eigenartig eiernden Gang kam er hinter der Theke hervor, schob eine kleine Trittleiter zu einer der Regalwände und erstieg sie. Kamm und Bürste teilten sich ein Fach ziemlich weit oben, sodass er einige Sekunden beschäftigt war, während derer Jericho seine Umgebung scannte. Der Verkaufsraum war wohl nichts anderes als das, wonach er aussah. Die Theke wandte ihm eine kitschig nachempfundene Jugendstilfront zu, dahinter baumelten elfenbeinfarbene Perlenschnüre, jenseits derer, kaum einsehbar, der zweite Raum lag, vielleicht ein Büro. Inmitten des Plunders zierte ein überraschend teuer aussehender Computer die Theke, den Bildschirm zur Wand gedreht.

Ma Liping reckte sich zu den Exponaten und sammelte sie umständlich ein. Jericho vermied es, hinter die Theke zu treten. Zu groß war die Gefahr, dass der Mann sich ausgerechnet in diesem Moment zu ihm umdrehte. Stattdessen ging er ein Stück am Tresen entlang, bis das Display als Spiegelung in einer Glasvitrine erschien. Die leuchtende Fläche war gedrittelt, ein Teil mit Schriftzeichen überzogen, die andere Hälfte in Bilder aufgeteilt, die Räume aus der Perspektive von Überwachungskameras zeigten. Ohne Details erkennen zu können, wusste Jericho, dass eine der Kameras den Verkaufsraum überblickte, weil er sich selbst in dem Fenster herumspazieren sah. Das andere Zimmer wirkte dämmrig und enthielt offenbar wenig Mobiliar.

War es das Hinterzimmer?

»Zwei sehr schöne Stücke«, sagte Ma, stieg von der Leiter herab und legte Kamm und Bürste vor ihn hin. Jericho nahm beide Teile nacheinander hoch, strich mit den Fingern kundig durch die Borsten und inspizierte die Zinken. Wozu brauchte Ma eine Kamera, die sein Hinterzimmer überwachte? Zum Hof hin ergab die Kontrolle Sinn, aber wollte er sich bei der Arbeit zusehen? Unwahrscheinlich. Gab es noch einen weiteren Zugang von außen, der in dieses Zimmer mündete?

»Eine Zinke ist kaputt«, stellte er fest.

»Antike Stücke«, log Ma. »Der Charme des Unvollkommenen.«

»Was wollen Sie dafür haben?«

Ma nannte einen unverschämt hohen Preis. Jericho machte ein nicht minder unverschämtes Gegenangebot, wie es sich geziemte. Schließlich einigten sie sich auf eine Summe, die beiden gestattete, ihr Gesicht zu wahren.

»Bei der Gelegenheit«, sagte Jericho, »fällt mir noch etwas ein.«

Antennen der Wachsamkeit entsprossen Mas Schädel.

»Sie hat eine Halskette«, fuhr er fort. »Wenn ich mich mit Schmuck nur auskennen würde. Aber ich möchte ihr gerne passende Ohrringe schenken, und, na ja, ich dachte –« Er deutete etwas hilflos auf die Auslagen in der Thekenvitrine. Sein Gegenüber entspannte sich.

»Ich könnte Ihnen einiges zeigen«, sagte Ma.

»Tja, ich fürchte, ohne die Kette bringt das nichts.« Jericho tat, als müsse er nachdenken. »Die Sache ist die, ich muss zu Terminen, aber heute Abend wäre der ideale Zeitpunkt, um sie damit zu überraschen.«

»Wenn Sie mir die Kette brächten –«

»Unmöglich, ein Zeitproblem. Das heißt, warten Sie mal. Empfangen Sie E-Mail?«

»Sicher.«

»Dann ist ja alles bestens!« Jericho gab sich erleichtert. »Ich schicke Ihnen ein Foto, Sie suchen was Passendes aus. Ich müsste es dann später nur abholen. Sie täten mir einen großen Gefallen.«

»Hm.« Ma nagte an seiner Unterlippe. »Wann kämen Sie denn ungefähr?«

»Tja, wenn ich das wüsste. Später Nachmittag? Früher Abend?«

»Auch ich muss nämlich zwischendurch weg. Sagen wir, ab sechs? Ich wäre dann noch eine gute Stunde hier.«

Dankbarkeit heuchelnd, verließ Jericho den An- und Verkauf, ging zu seinem Leihwagen zwei Straßen weiter und fuhr in eine bessere Gegend auf der Suche nach einem Schmuckgeschäft. Nach kurzer Zeit fand er eines, ließ sich Halsketten im unteren Preissegment zeigen und bat darum, eine mit seinem Handy fotografieren zu dürfen, um das

Bild, wie er sagte, seiner Gattin zur Ansicht zu schicken. Zurück im Auto schrieb er Ma eine kurze E-Mail und fügte das Foto im Anhang hinzu, nicht ohne es mit einem Trojaner gekoppelt zu haben. Sobald Ma Liping den Anhang öffnete, würde er das Spähprogramm unwissentlich auf seine Festplatte laden, von wo es deren Inhalt übermittelte. Jericho rechnete zwar nicht damit, dass Ma so dumm war, verfängliche Inhalte auf einem öffentlich zugänglichen Computer zu speichern, doch darum ging es ihm auch gar nicht.

Er fuhr zurück in die Nähe der Fabrik und wartete.

Um kurz nach eins hatte Ma den Anhang geöffnet, und sogleich begann der Trojaner zu senden. Jericho verband sein Handy mit einem ausrollbaren Bildschirm und empfing, scharf und detailreich, die Eindrücke der beiden Überwachungskameras. Sie erfassten ihre Umgebung im Weitwinkelmodus, leider ohne Ton zu liefern. Dafür erhielt er wenig später die Bestätigung, dass Kamera zwei tatsächlich das von Schnüren abgeteilte Hinterzimmer überblickte, als Ma aus dem einen Fenster verschwand und gleich im anderen wieder auftauchte, zu einem Sideboard latschte und sich an einem Teekocher zu schaffen machte.

Jericho taxierte die Einrichtung. Ein klobiger Schreibtisch mit Drehsessel und verschlissen aussehenden Stühlen davor, die jeden Besucher in bittstellerhaft hockende Position nötigten, einige windschiefe Regale, Packen geschichteten Papiers auf überforderten Pressspanböden, Ordner, Schnitzwerk und allerlei Scheußlichkeiten wie Seidenblumen und industriell gefertigte Buddhastatuen. Nichts ließ darauf schließen, dass Ma Wert auf eine persönliche Note legte. Kein Bild durchbrach die getünchte Monotonie der Wände, nirgendwo waren Anzeichen jener symbiotischen Verbundenheit zu erkennen, die es mit sich brachte, dass Eheleute einander aus Rähmchen bei der Arbeit zusahen.

Ma Liping und glücklich verheiratet? Lächerlich.

Jerichos Blick fiel auf eine schmale, geschlossene Tür, die dem Schreibtisch gegenüberlag. Interessant, doch als Ma seinen Tee abstellte und sie öffnete, erhaschte er lediglich einen Blick auf Kacheln, ein Waschbecken und ein Stück Spiegel. Keine halbe Minute später kam der Mann wieder zum Vorschein, die Hände am Hosenschlitz, und Jericho musste zur Kenntnis nehmen, dass der vermeintliche Zugang eine Toilette war.

Warum überwachte Ma dann das verdammte Zimmer? Wen hoffte oder fürchtete er hier zu sehen?

Jericho seufzte. Eine Stunde lang fasste er sich in Geduld, wurde

Zeuge, wie Ma, das Foto der Kette vor Augen, ein Sortiment mehr oder minder passenden Ohrschmucks zusammenstellte und das unverhoffte Auftauchen einer Kundin zum Anlass nahm, ihr ein Essgeschirr von bemerkenswerter Hässlichkeit anzudrehen. Er schaute Ma beim Polieren von Glaskaraffen zu und aß getrocknete Chilis aus einer Tüte, bis seine Zunge brannte. Gegen drei Uhr betrat die sogenannte Gattin den Laden. Vermeintlich unbeobachtet, im Stand ehelicher Vertrautheit, wie beide waren, hätte man erwarten sollen, sie einen Kuss, eine winzige Intimität austauschen zu sehen. Doch sie begegneten einander wie Fremde, sprachen einige Minuten lang miteinander, dann schloss Ma die Vordertür ab, drehte das Offen/Geschlossen-Schild um, und sie gingen gemeinsam ins Hinterzimmer.

Was folgte, bedurfte keines Tons.

Ma öffnete die Toilette, ließ seine Frau eintreten, äugte noch einmal wachsam in alle Richtungen und zog die Tür hinter sich zu. Jericho wartete gespannt, doch das Paar kam nicht wieder zum Vorschein. Nicht nach zwei Minuten, nicht nach fünf, auch nicht nach zehn. Erst eine halbe Stunde später stürmte Ma plötzlich heraus und in den Vorraum, wo jenseits der Eingangsverglasung eine Männergestalt sichtbar wurde. Wie gebannt starrte Jericho auf die halb offen gebliebene Toilette, versuchte in dem Spiegel Reflexionen auszumachen, doch die Stätte der Notdurft gab ihr Geheimnis nicht preis. Derweil hatte Ma den Ankömmling, einen stiernackigen, kahl geschorenen Kerl in einer Lederjacke, eingelassen, riegelte wieder ab und ging ihm voraus ins Hinterzimmer, wo beide sich auf den Abort empfahlen und darin verlustig gingen.

Erstaunlich. Entweder feierte das *Trio infernal* gern auf engem Raum, oder die Toilette war größer als gedacht.

Was trieben die drei?

Über anderthalb Stunden vergingen. Um zehn Minuten nach fünf materialisierten sich der Lederjackenträger und die Frau wieder im Büro und gingen nach vorne. Diesmal war sie es, die den Verkaufsraum entriegelte, den Glatzkopf nach draußen ließ und ihm folgte, wobei sie die Tür erneut sorgsam verschloss. Ma selbst ließ sich nicht blicken. Ab 18.00 Uhr, schätzte Jericho, würde sein Trachten auf Kunden und Umsatz gerichtet sein, explizit auf die Komplettierung von Halsschmuck durch Ohrringe, bis dahin ging der Kerl Gott weiß welchen Ungeheuerlichkeiten nach. Inzwischen glaubte er verstanden zu haben, welchem Zweck die zweite Kamera, die das Büro überwachte, diente. Darauf bedacht, dass niemand zusah, wenn er in die wundersame Welt des Aborts eintauchte, wollte Ma ebenso vermeiden, dass man ihn bei seiner Rückkehr erwartete. Wahrscheinlich lieferte die Kamera auch ein Bild in die Toilette.

Jericho hatte genug gesehen. Er musste den Mistkerl unvorbereitet erwischen, doch war Ma unvorbereitet? War er es jemals?

Rasch ließ er das Handy in seine Jacke gleiten, stieg aus und legte die wenigen Minuten bis zum Fabrikgebäude zu Fuß zurück, während er sich einen Schlachtplan zurechtlegte. Vielleicht hätte er besser daran getan, die lokalen Behörden zur Unterstützung herbeizurufen, doch sie würden sich rückversichern. Wenn sie seine Nachforschungen blockierten, konnte er ebenso gut zurück nach Shanghai fahren, und Jericho war fest entschlossen, dem Mysterium des Hinterzimmers auf den Grund zu gehen. Seine Waffe, eine ultraflache Glock, ruhte sicher verwahrt über seinem Herzen. Er hoffte, keinen Gebrauch davon machen zu müssen. Zu viele Jahre in Schweiß und Blut getauchtes Dasein lagen hinter ihm, zu viel operative Frontarbeit, in deren Verlauf er, seine Gegner oder beide notärztlich hatten behandelt werden müssen. Das Jochbein am Straßenpflaster, der Geschmack von Dreck und Hämoglobin im Mund – vorbei. Jericho wollte nicht wieder kämpfen. Er legte keinen Wert mehr auf das knöcherne Grinsen jenes Gesellen von drüben, der bislang noch an jeder Schießerei teilgenommen, jedes Haus mit ihm gestürmt, in jede Schlangengrube mit ihm vorgedrungen war, ohne auf jemandes Seite zu stehen, der immer nur erntete. Ein letztes Mal, im *Paradies der kleinen Kaiser,* würde er sich mit dem Totenköpfigen einlassen, in der Hoffnung, ihn seiner Unzuverlässigkeit zum Trotz als Verbündeten zu gewinnen.

Er betrat den Fabrikhof, überquerte ihn mit entschlossenen Schritten, erstieg die Rampe. Wie zu erwarten, wies das Schild den An- und Verkauf als geschlossen aus. Jericho schellte, lange und insistierend, gespannt, ob Ma sich aus der Toilette bequemen oder tot stellen würde. Tatsächlich teilte sich der Perlenvorhang nach dem dritten Schellen. Ma umrundete das Thekenmonstrum mit invalider Eleganz, schloss auf und heftete seinen dioptrinverzerrten Blick auf den Störenfried.

»Sicher mein Fehler«, sagte er verkniffen. »Ich dachte, ich hätte sechs Uhr gesagt, aber wahrscheinlich –«

»Haben Sie auch«, versicherte Jericho. »Tut mir leid, aber ich brauche die Ohrringe nun doch früher als ausgemacht. Bitte verzeihen Sie meine Hartnäckigkeit. Frauen.« Er breitete in einer Geste der Machtlosigkeit die Arme aus. »Sie verstehen.«

Ma lächelte gezwungen, trat beiseite und ließ ihn eintreten.

»Ich zeige Ihnen, was ich ausgesucht habe«, sagte er. »Entschuldigen Sie, dass Sie so lange warten mussten, aber –«

»Ich habe mich zu entschuldigen.«

»Nein, keineswegs. Mein Verschulden. Ich war auf der Toilette. Nun, schauen wir mal.«

Toilette? Verblüfft registrierte Jericho, dass Ma ihm soeben das Stichwort geliefert hatte.

»Es ist mir sehr unangenehm«, stammelte er. »Aber –«

Ma starrte ihn an.

»Könnte ich sie benutzen?«

»Benutzen?«

»Ihre Toilette«, fügte Jericho hinzu.

Die Hände des Mannes entwickelten krabbelndes Eigenleben, schoben Ohrringe über den fadenscheinigen Samt der Unterlage. Ein Hüsteln kroch seine Kehle empor, ein weiteres. Kleine, schleimige, aufgescheuchte Tiere. Plötzlich drängte sich Jericho die Horrorvision eines humanoid geformten Sackes auf, angefüllt mit wimmelndem, chitinösem, schillerndem Gezücht, das Ma Lipings Hülle bewegte und menschenähnliche Gestik vortäuschte.

Animal Ma.

»Sicher. Kommen Sie.«

Er hielt den Perlenvorhang auf, und Jericho betrat das Hinterzimmer. Die zweite Kamera heftete ihr dunkles Auge auf ihn.

»Ich muss allerdings –« Ma stockte. »Ich bin nicht darauf eingerichtet, wissen Sie. Wenn Sie eine Sekunde warten, ich will nur schnell für ein frisches Handtuch sorgen.« Er dirigierte Jericho zum Schreibtisch, öffnete die Toilettentür eben so weit, dass er ins Innere schlüpfen konnte. »Einen Augenblick, bitte.« Schloss sie hinter sich.

Jericho packte die Klinke und riss sie auf.

Wie im Blitzlicht erfasste er die Szenerie. Eine Toilette, tatsächlich, hoch und eng. Schemen toter Insekten im Milchglas der Deckenbeleuchtung. Die Kacheln an manchen Stellen gesprungen, schimmelnde Fugen, der Spiegel fleckig und angelaufen, rostgelber Rückstand im Waschbecken, der Ort der Verrichtung wenig mehr als ein Loch im Boden. An der Rückwand ein Hängeschränkchen, sofern von einer Wand die Rede sein konnte, weil sie halb offen stand, eine getarnte Tür, die Ma in der Eile, Jericho zu bedienen, zu schließen versäumt hatte.

Und in alldem Animal Ma Liping, der in diesem Moment nur noch aus seinen künstlich vergrößerten Augen zu bestehen schien und seiner Schuhsohle, die heransauste und schmerzhaft gegen Jerichos Brustbein prallte.

Etwas knackste. Alle Luft wurde ihm aus den Lungen gepresst. Der Tritt beförderte ihn zu Boden. Er sah den Chinesen mit gefletschten Zähnen im Türrahmen auftauchen, riss die Glock aus dem Halfter und legte an. Der andere zuckte zurück, machte kehrt. Jericho sprang auf die Beine, jedoch nicht schnell genug, um zu verhindern, dass sein Gegner in die Dunkelheit jenseits des Durchgangs entwischte. Die Rückwand schwang hin und her. Ohne innezuhalten stürmte er hindurch, stoppte am Absatz einer Treppe, zögerte. Ein eigenartiger Geruch schlug ihm entgegen, eine Mischung aus Moder und Süße. In der Tiefe verhallten Mas Schritte, dann war alles still.

Er sollte da nicht runtergehen. Was immer sich in diesem Keller verbarg, das Geheimnis der Toilette war gelöst. Ma saß in der Falle. Besser, er rief die Polizei, ließ sie den schäbigen Rest erledigen und genehmigte sich einen Drink.

Und wenn Ma *nicht* in der Falle saß?

Wie viele Ein- und Ausgänge hatte der Keller?

Jericho dachte ans *Paradies*. Verteilt über den Organismus des World Wide Web nahmen sich die Seiten der Pädophilen wie schwärende Wunden aus, an denen die Gesellschaft ohne Aussicht auf Heilung dahinsiechte. Die Perfidie, mit der die »Ware« feilgeboten wurde, suchte ihresgleichen, und gerade stieg aus dem Gewölbe etwas zu ihm empor, geisterhaft dünn. Ein Wimmern, das abrupt endete.

Dann nichts mehr.

Es war entschieden.

Die Waffe im Anschlag, stieg er langsam herab, und seltsam, mit jedem Schritt schien sich die Stille zu verdicken, ein von Moder und Fäulnis angereichertes Medium, durch das er sich bewegte, ein schallschluckender Äther. Der Gestank gewann an Intensität. Die Treppe wand sich zur Kurve, führte weiter abwärts und mündete in ein dämmriges, von einer Vielzahl gemauerter Säulen abgestütztes Gewölbe. So leise wie möglich setzte Jericho seinen Fuß auf den dunkelfleckigen Boden, verharrte und kniff die Augen zusammen. Maschendraht spannte sich zwischen einigen Säulen, andere waren durch Holzlatten miteinander verbunden, allem Anschein nach provisorisch zusammengenagelte Verschläge. Was sie enthielten, ließ sich vom Fuß der Treppe aus nicht erkennen, dafür gewahrte er am Ende der Halle etwas, das seine Aufmerksamkeit fesselte.

Ein Filmset.

Ja, genau das war es. Je mehr seine Augen sich an das Zwielicht gewöhnten, desto klarer wurde ihm, dass dort hinten Filme gedreht wurden. Phalanxen ausgeschalteter Scheinwerfer, auf Ständern und von der Decke hängend, schälten sich aus der Dunkelheit, Klappstühle, eine Kamera auf einem Stativ. Das Set schien unterteilt, manche Bereiche mit Utensilien ausgestattet, andere kahl, möglicherweise so etwas wie eine Green Box, um später virtuelle Ambiente zu unterlegen. Nach allen Seiten sichernd drang er weiter vor, erkannte Bettchen, Möbel, Spielzeug, eine künstliche Landschaft mit einem Kinderhaus, Wiesen und Bäumen, einen Seziertisch wie aus der Pathologie. Etwas am Boden wies beunruhigende Ähnlichkeit mit einer Kettensäge auf. Käfige hingen von der Decke, umstanden von Gerätschaften und einem Ding, das ein kleiner elektrischer Stuhl sein mochte, an der Wand Werkzeuge in Halterungen, nein, keine Werkzeuge, Messer, Zangen und Haken – eine Folterkammer.

Irgendwo in all dem Wahnsinn steckte Ma.

Jericho ging weiter, mit wild pochendem Herzen, einen Fuß vor den anderen setzend, als überquere er einbruchgefährdetes Eis. Gelangte auf Höhe der Verliese. Wandte den Kopf.

Ein Junge schaute ihn an.

Er war nackt und schmutzig, vielleicht fünf Jahre alt. Seine Finger hatten sich im Maschendraht verkrallt, doch seine Augen wirkten apathisch, beinahe leblos, wie man es von Menschen kannte, die sich tief in ihr Inneres zurückgezogen hatten. Jericho drehte den Kopf zur anderen Seite und sah zwei Mädchen im gegenüberliegenden Käfig, nur notdürftig bekleidet. Eines, sehr klein, lag auf dem Boden, offenbar schlafend, das andere, älter, lehnte mit dem Rücken zur Wand, ein Stofftier umklammernd. Lethargisch kehrte es ihm sein verquollenes Gesicht zu und heftete dunkle, traurige Augen auf ihn. Dann schien es zu begreifen, dass er nicht dem Personenkreis zuzurechnen war, der sich normalerweise hier aufhielt.

Sie öffnete den Mund.

Jericho schüttelte den Kopf und legte den Finger auf die Lippen. Das Mädchen nickte. Die Waffe starr von sich gestreckt, spähte er nach allen Seiten, sicherte ein ums andere Mal, wagte sich tiefer hinein in die Hölle der kleinen Kaiser. Noch mehr Kinder. Wenige nur, die ihn wahrnahmen. Den anderen, die ihre Köpfe hoben, bedeutete er zu schweigen. Von Käfig zu Käfig wurde es schlimmer. Schmutz und Verwahrlosung, Apathie, Angst. Auf einer schmuddeligen Decke lag ein Säugling. Etwas Dunkles prallte gegen ein Gitter und kläffte ihn an, sodass er instinktiv zurückwich, sich umdrehte und den Atem anhielt. Gleich vor ihm schien der süßliche Gestank seinen Ursprung zu haben. Er vernahm das Summen der Fliegen, sah etwas über den Boden flitzen –

Seine Augen weiteten sich, und ihm wurde übel.

Es war dieser kurze Moment der Unachtsamkeit, der ihn die Kontrolle kostete. Scharrende Schritte erklangen, ein Luftzug streifte seinen Nacken, dann sprang ihn jemand an, riss ihn zurück, prügelte auf ihn ein, schrie unverständliche Worte –

Eine Frau!

Jericho spannte die Muskeln, ließ mehrmals den Ellbogen nach hinten schnellen. Die Angreiferin heulte auf. Im Herumwirbeln erkannte er sie, Mas Ehefrau oder welche Rolle auch immer sie spielen mochte in diesem Albtraum, packte sie, presste sie gegen eine der Säulen und hielt ihr den Lauf der Glock an die Schläfe. Wie kam sie hierher? Er hatte sie fortgehen, aber nicht wieder auftauchen sehen. Gab es einen weiteren Zugang zum Keller? Sollte Ma ihm am Ende entwischt sein?

Nein, es war seine Schuld! Er hatte geschlampt auf dem Weg vom Wagen zur Fabrik. Versäumt, seinen Computer im Auge zu behalten. Irgendwann in dieser Zeit musste sie hierher zurückgekehrt sein, um –

Schmerz!

Ihr Absatz hatte sich in seinen Fuß gebohrt. Jericho holte aus und schlug ihr mit dem Handrücken ins Gesicht. Die Frau wand sich wie wild in seinem Griff. Er umfasste ihren Hals und drückte sie fester gegen die Säule. Sie trat nach ihm, dann gab sie überraschend jeden Widerstand auf und starrte ihn hasserfüllt an.

In ihren Augen sah er, was sie sah.

Alarmiert ließ er sie los, fuhr herum und gewahrte Ma in grotesker Haltung durch die Luft segeln, geradewegs auf sich zu, den Arm ausgestreckt, ein riesiges Messer schwingend. Die Zeit würde nicht reichen, ihn zu erschießen, um wegzulaufen, für nichts würde sie reichen bis auf –

Jericho duckte sich.

Das Messer fuhr herab, durchschnitt pfeifend die Luft und Frau Mas Kehle, aus der eine Kaskade von Blut spritzte. Ma taumelte, vom eigenen Schwung aus dem Gleichgewicht gebracht, starrte durch blutgesprenkelte Brillengläser auf seine zusammenbrechende Frau und ruderte mit den Armen. Jericho hämmerte die Glock gegen sein Handgelenk, und das Messer klirrte zu Boden. Er stieß es weg, trat Ma in den Bauch und ein weiteres Mal gegen die Schulter, als der Kinderschänder vornüberkippte. Der Mann ächzte, sackte auf alle viere. Seine Brille rutschte ihm von der Nase. Halb blind tastete er umher, rappelte sich hoch, beide Hände erhoben, die Handflächen nach außen gekehrt.

»Ich bin unbewaffnet«, gurgelte er. »Ich bin wehrlos.«

»Ich sehe einige hier, die wehrlos sind«, keuchte Jericho, die Glock auf sein Gegenüber gerichtet. »Und? Hat es ihnen was genützt?«

»Ich habe Rechte.«

»Die hatten die Kinder auch.«

»Das ist was anderes. Das können Sie nicht verstehen.«

»Das *will* ich auch nicht verstehen!«

»Sie dürfen mir nichts tun.« Ma schüttelte den Kopf. »Ich bin krank, ein kranker Mann. Sie dürfen auf keinen Kranken schießen.«

Einen Moment lang war Jericho zu verblüfft, um zu antworten. Weiterhin hielt er Ma mit der Waffe in Schach und sah, wie sich die Lippen des Mannes kräuselten.

»Sie werden nicht schießen«, sagte Ma mit einem Anflug von Selbstsicherheit.

Jericho schwieg.

»Und wissen Sie, warum nicht?« Die Lippen verzogen sich zu einem Grinsen. » Weil Sie es spüren. Auch spüren. Die Faszination. Die Schönheit. Könnten Sie fühlen, was ich fühle, Sie würden mich nicht mit einer Waffe bedrohen.«

»Ihr bringt Kinder um«, stieß Jericho heiser hervor.

»Die Gesellschaft, die Sie repräsentieren, ist so verlogen. *Sie* sind verlogen. Erbärmlich. Sie armer, kleiner Polizist in Ihrer armseligen, kleinen Welt. Ist Ihnen eigentlich klar, dass Sie Menschen wie mich beneiden? Wir haben einen Grad der Freiheit erreicht, von dem Sie nur träumen können.«

»Du Schwein.«

»Wir sind so viel weiter!«

Jericho hob die Waffe. Ma reagierte sofort. Erschrocken ließ er beide Arme in die Höhe schnellen und schüttelte wieder den Kopf.

»Nein, das dürfen Sie nicht. Ich bin krank. Sehr krank.«

»Ja, aber den Fluchtversuch hätten Sie nicht unternehmen dürfen.«

»Welchen Fluchtversuch?«

»Den gerade.«

Ma blinzelte. »Aber ich fliehe nicht.«

»Doch, Sie fliehen, Ma. Sie versuchen abzuhauen. In dieser Sekunde. Ich sehe mich darum gezwungen –«

»Nein. Nein! Das dürfen Sie ni –«

Jericho feuerte auf seine linke Kniescheibe. Ma schrie auf, knickte ein, wälzte sich am Boden und kreischte wie am Spieß. Jericho ließ die Glock sinken und hockte sich erschöpft vor ihn hin. Ihm war elend zumute. Kotzschlecht. Er war hundemüde und hatte zugleich den Eindruck, nie wieder schlafen zu können.

»Das dürfen Sie nicht!«, heulte Ma.

»Hättest halt nicht versuchen sollen abzuhauen«, murmelte Jericho. »Arschloch.«

Die Polizei brauchte geschlagene 20 Minuten, um sich in der Fabrik einzufinden, woraufhin man ihn behandelte, als stecke er mit dem Kinderschänder unter einer Decke. Er war viel zu erledigt, um sich darüber aufzuregen, ließ die Beamten lediglich wissen, sie täten im Interesse ihres beruflichen Fortkommens gut daran, eine bestimmte Nummer anzurufen. Der diensthabende Kommissar zog eine mürrische Miene, ging telefonieren, kehrte als veränderter Mensch zurück und reichte ihm das Telefon mit beinahe kindlicher Scheu.

»Man wünscht Sie zu sprechen, Herr Jericho.«

Es war Patrice Ho, sein hochrangiger Polizistenfreund aus Shanghai. Im Gegenzug für die Information, die Razzia in Lanzhou habe einen Ring Pädophiler auffliegen lassen, ohne dass eine Verbindung zum *Paradies der kleinen Kaiser* nachweisbar gewesen sei, veredelte Jericho ihm den Feierabend mit der Nachricht, das Paradies gefunden und die Schlange abserviert zu haben.

»Welche Schlange?«, fragte sein Freund verdattert.

»Vergiss es«, sagte Jericho. »Christenkram. Kannst du dafür sorgen, dass ich hier keine Wurzeln schlagen muss?«

»Du hast einen Gefallen frei.«

»Scheiß auf den Gefallen. Hol mich einfach hier raus.«

Er wünschte nichts sehnlicher, als die Fabrik und Shenzhen so schnell wie möglich zu verlassen. Plötzlich genoss er jene Ehrerbietung, die man gemeinhin nur Volkshelden und sehr populären Verbrechern entgegenbrachte, doch erst um acht ließ man ihn ziehen. Er gab den Leihwagen am Flughafen ab, nahm die nächste Maschine nach Shanghai, einen Mach-1-Nurflügler, und checkte in der Luft seine Nachrichten.

Tu Tian hatte versucht, ihn zu erreichen.

Er rief zurück.

»Ach, nichts Besonderes«, sagte Tu. »Ich wollte dir nur erzählen, dass deine Observierung erfolgreich war. Die böse Konkurrenz hat den Datenklau zugegeben. Wir hatten ein Gespräch.«

»Prima«, sagte Jericho ohne sonderlichen Enthusiasmus. »Und was ist rausgekommen bei dem Gespräch?«

»Sie haben versprochen, es zu lassen.«

»Mehr nicht?«

»Das ist doch eine ganze Menge. Ich musste ihnen meinerseits versprechen, es ebenfalls zu lassen.«

»Wie bitte?« Jericho glaubte, sich verhört zu haben. Tu Tian, dessen Unternehmen sich als von Trojanern befallen erwiesen hatte, war in seiner Entrüstung gar nicht zu bremsen gewesen. Keinen Aufwand hatte er gescheut, um das, wie er sich ausdrückte, Pack elender Schmeißfliegen und Kakerlaken, die sich anmaßten, seine Firmengeheimnisse ausspionieren zu wollen, in die Finger zu bekommen. »Du hast auch bei denen –«

»Ich wusste doch nicht, wer die sind.«

»Und was, bitte, macht das für einen Unterschied?«

»Du hast recht, keinen.« Tu lachte, formidabel gelaunt. »Kommst du übermorgen mit auf den Golfplatz? Ich lade dich ein.«

»Sehr nett von dir, Tian, aber –« Jericho fuhr sich über die Augen. »Kann ich das später entscheiden?«

»Was ist los? Schlechte Laune?«

Shanghai-Chinesen waren anders. Unmittelbarer, offener. Nachgerade italienisch, und Tu Tian war möglicherweise der italienischste Shanghai-Chinese überhaupt. Er hätte *Nessun Dorma* singen können.

»Ehrlich gesagt«, seufzte Jericho, »bin ich fix und fertig.«

»So klingst du auch«, konstatierte Tu. »Wie ein nasser Lappen. Ein Lappenmann. Als müsste man dich zum Trocknen aufhängen. Was ist los?«

Und weil der dicke Tu bei aller Egozentrik einer der wenigen Menschen war, denen Jericho Einblick in seine innere Verfassung gewährte, erzählte er ihm alles.

»Junge, Junge«, staunte Tu nach Sekunden respektvollen Schweigens. »Wie hast du das angestellt?«

»Hab ich doch gerade erzählt.«

»Nein, ich meine, wie bist du ihm auf die Schliche gekommen? Woher wusstest du überhaupt, dass er es ist?«

»Ich wusste es nicht. Es sprach einfach nur alles dafür. Ma ist eitel, weißt du. Die Webseite war mehr als ein Katalog vorproduzierter Scheußlichkeiten, wo Männer über Säuglinge herfallen und Frauen es sich von kleinen Jungs besorgen lassen, bevor sie mit dem Hackebeil auf sie losgehen. Es gab die üblichen Filme und Fotostrecken, du konntest aber auch die Holobrille aufsetzen und in 3-D dabei sein, und Verschiedenes passierte live, was diesen Typen einen besonderen Kick gibt.«

»Ekelhaft.«

»Aber vor allem gab es einen Chatroom, ein Liebhaberforum, wo sie sich austauschten und voreinander angaben. Sogar eine Art Second-Life-Ableger, in dem du dir eine virtuelle Identität zulegen konntest. Ma trat dort als Wassergeist auf, bloß, die meisten Pädos sind mit so was nicht vertraut. Sie sind eher konventionell gestrickt, außerdem quatschen sie nicht gern in Mikrofone, trotz Stimmverfremder. Lieber tippen sie ihren Bullshit nach alter Väter Sitte auf der Tastatur, und Ma hat natürlich fleißig mitgeschrieben und sich ordentlich produziert. Also kam mir die Idee, ebenfalls Beiträge dort abzusetzen.«

»Dir muss sich der Magen umgestülpt haben!«

»Ich hab einen Schalter im Hinterkopf und einen weiteren im Bauch. Meist gelingt es, wenigstens einen davon umzulegen.«

»Und vorhin im Keller?«

»Tian.« Jericho seufzte. »Wenn es mir da gelungen wäre, hätte ich dir den ganzen Mist nicht erzählt.«

»Schon gut. Weiter.«

»Also, alle möglichen Besucher der Seite sind online, und Ma, das eitle Schwein, natürlich auch. Er tarnt sich als Besucher, aber du merkst, er weiß einfach zu viel, und er entwickelt ein enormes Mitteilungsbedürfnis, sodass mir der Verdacht kommt, dass dieser Typ zumindest *einer* der Initiatoren ist, und nach einer Weile bin ich überzeugt, er *ist* es. Zuvor habe ich seine Beiträge einer semantischen Analyse unterworfen, Besonderheiten des Ausdrucks, präferierte Idiome, Grammatik, und der Computer grenzt das Feld ein, aber es bleiben immer noch rund einhundert aktenkundige Internet-Pädophile, die infrage kämen. Also lasse ich den Kerl analysieren, während er online ist und schreibt, und sein Tipprhythmus verrät ihn. So gut wie jedenfalls. Vier bleiben übrig.«

»Einer davon Ma.«

»Ja.«

»Und du bist überzeugt, er ist es.«

»Im Gegensatz zur Polizei. Die sind natürlich der Überzeugung, dass Ma es als Einziger von den vieren *nicht* ist.«

»Darum dein Alleingang. Hm.« Tu machte eine Pause. »Dein Einsatz in allen Ehren, aber hast du mir nicht kürzlich erzählt, das Angenehme am i-Profiling sei, dass man sich nur noch mit Computerviren rumprügeln muss?«

»Ich will mich auch nicht mehr prügeln«, sagte Jericho müde. »Ich will keine toten, verstümmelten und geschändeten Menschen mehr sehen, auf niemanden mehr schießen müssen, und ich will auch nicht, dass auf mich geschossen wird. Es reicht, Tian.«

»Bist du sicher?«

»Todsicher. Das war das letzte Mal.«

In seinem Zuhause, das keines mehr war angesichts einer Wand von Umzugskartons, die er im Verlauf mehrerer Wochen gepackt hatte und die sein in Utensilien konserviertes Leben auf eigenartige Weise nivellierten, als entstamme es einem Fundus und müsse in standardisierter Originalverpackung zurückgegeben werden, beschlich Jericho plötzlich die Angst, den Bogen überspannt zu haben.

Es war kurz nach zehn, als ihn das Taxi vor dem Hochhaus in Pudong absetzte, das er in wenigen Tagen verlassen würde, um seine Traumwohnung zu beziehen, doch wann immer er die Augen schloss, sah er den halb verwesten Säugling in dem Verschlag liegen, das Heer der Destruenten, die über ihn gekommen waren, um sein Fleisch zu verwerten, sah Mas Messer auf sich herabsausen, empfand wieder den Augenblick der Todesangst, ein filmisches Drama, das von nun an pausenlos zur Aufführung gelangen würde, sodass sein neues Heim seine Albtraumwohnung zu werden drohte. Einzig die Erfahrung sagte ihm, dass Gedanken ihrer Natur nach ziehende Wolken waren und alle Bilder irgendwann verblassten, doch bis dahin konnte es ein langes, quälendes Leiden sein.

Hätte er bloß den verdammten Auftrag nicht angenommen!

Falsch, schalt er sich. Im Konjunktiv lauerte wahre Verzweiflung, im Ausspinnen alternativer Handlungsstränge, die keine Alternativen waren, weil jeder nur einen einzigen Weg frei hatte. Wobei sich nicht mal sagen ließ, ob man ihn wirklich ging oder gegangen wurde, ob *man* entschied oder *es sich* entschied, was wieder die Frage nach dem Es aufwarf, du lieber Himmel! War man das Medium vorbestimmter Prozesse? Hatte er eine Wahl gehabt, den Auftrag anzunehmen? Natürlich, er hätte ihn ablehnen können, hatte er aber nicht. Wurde nicht jede Vorstellung einer Wahl damit obsolet? Hatte er eine Wahl gehabt, Joanna nach Shanghai zu folgen? Welchen Weg man einschlug, den nahm man, also gab es überhaupt keine Wahl.

Wohlfeile Erkenntnis zur bitteren Wahrheit. Vielleicht sollte er einen Ratgeber schreiben. Die Flughafenbüchereien waren voller Ratgeber. Selbst solche hatte er schon gesehen, die vor Ratgebern warnten. Wie konnte man so hellwach und zugleich so müde sein?

Gab es nicht noch etwas zu packen?

Er schaltete die Monitorwand ein, fand eine Dokumentation der BBC – im Gegensatz zum Gros der Bevölkerung konnte er die meisten ausländischen Sender problemlos empfangen, legal wie illegal – und ging auf die Suche nach einer Kiste. Zuerst bekam er kaum mit, worum es ging, dann begann ihn das Thema zu interessieren. Genau richtig. Angenehm weit weg von allem, womit er sich in den vergangenen Tagen hatte herumschlagen müssen.

»Heute vor einem Jahr«, sagte die Kommentatorin, »am 22. Mai 2024, beschäftigte eine dramatische Zuspitzung im chinesisch-amerikanischen Verhältnis die Vollversammlung der Vereinten Nationen, die bekannt werden sollte als –«

DIE MONDKRISE

Jericho holte ein Bier aus dem Kühlschrank und hockte sich auf die Kiste. Die Dokumentation behandelte das Gespenst des vergangenen Sommers, setzte jedoch zwei Jahre früher ein, 2022, wenige Monate nach Inbetriebnahme der amerikanischen Basis am Mondnordpol. Damals hatten die USA im Mare Imbrium mit dem Abbau des Edelgas-Isotops Helium-3 begonnen und eine Entwicklung in Gang gesetzt, die bis dahin eher Wirtschaftsromantiker und Science-Fiction-Autoren beschäftigt hatte. Zweifellos kam dem Mond bei der Erschließung des Sonnensystems eine besondere Rolle zu: als Sprungbrett zum Mars, als Stätte der Forschung, als teleskopisches Auge bis an die Grenzen des Universums. Rein ökonomisch betrachtet war Luna, verglichen mit Mars, billig zu haben. Man benötigte weniger Treibstoff, um hinzugelangen, war schnell da und kam schnell wieder weg. Philosophen rechtfertigten die Mondfahrt mit Verweisen auf den spirituellen Nährwert des Unterfangens, erhofften sich Gottesbeweise oder Gegenbeweise und ganz allgemein Einsicht in den Stellenwert des Homo sapiens, als bedürfe es dazu einer 360 000 Kilometer entfernten steinernen Kugel.

Zugleich schien der distanzierte Blick auf das gemeinsame, fragile Zuhause der Herausbildung friedlicher Standpunkte förderlich zu sein. Einzig die wirtschaftliche Ergiebigkeit des Trabanten war fraglich. Es gab kein Gold dort oben, keine Diamantminen, kein Öl. Doch selbst wenn, hätten die Kosten den kommerziellen Nutzen ad absurdum geführt. »Wir werden Ressourcen auf dem Mond oder Mars entdecken, die unsere Vorstellungskraft übersteigen und die Grenzen unserer Träume austesten werden«, hatte zwar George W. Bush 2004 mit Gründerväterblick verkündet, was spannend klang, naiv und nach Abenteuer, aber wer nahm schon Bush ernst. Damals verzettelte sich Amerika in Kriegen, war auf dem besten Wege, seine Wirtschaft und sein internationales Ansehen zu ruinieren. Kaum etwas hätte verfehlter anmuten können als die Vorstellungen des Wiedererweckten von einem neuen Eldorado, außerdem hatte die NASA kein Geld.

Und doch –

Aufgeschreckt durch die amerikanische Ankündigung, bis 2020 wieder Astronauten auf den Mond schicken zu wollen, verfiel alle Welt plötzlich in hektische Betriebsamkeit. Was immer auf dem Mond zu holen wäre, man wollte Amerika kein weiteres Mal das Feld überlassen, zumal es diesmal weniger um Fahnen-und-Fußspuren-Symbolik zu gehen schien als um handfeste wirtschaftliche Vormachtpolitik. Die europäische ESA bot technologische Unterstützung an. Deutschlands DLR verliebte sich in die Vorstellung einer eigenen Mondbasis. Frankreichs ESA-Zugpferd EADS präferierte eine französische Lösung. China ließ durchblicken, in wenigen Jahrzehnten werde der lunare Bergbau von entscheidender Bedeutung für die nationale Wirtschaft sein, explizit die Förderung von Helium-3. Mit dessen Abbau liebäugelten auch Roskosmos und die russische Energia Rocket and Space Corporation, die den Bau einer Mondbasis bis 2015 ankündigte, woraufhin Indien flugs eine Sonde mit dem schönen Namen Chandrayaan-1 in die polare Umlaufbahn des Trabanten entsandte, um mal zu schauen, wie es um dessen Verwertbarkeit bestellt sei. Eingedenk des deutlichen Untertons der Bush-Doktrin, den Alleingang zu wagen, trafen sich Vertreter russischer und chinesischer Raumfahrtbehörden zu Gesprächen über Joint Ventures, Japans JAXA wurde aktiv, alle hatten es ungemein eilig, Frau Luna ihre Aufwartung zu machen und sich ihrer sagenumwobenen Schätze zu versichern, als reiche es, einfach hinzufliegen, das Zeug auszubuddeln und über heimischem Territorium abzuwerfen. Eine Prognose schlug die andere an Kühnheit, bis Julian Orley klare Verhältnisse schuf.

Der reichste Mann der Welt hatte sich mit den Amerikanern eingelassen.

Das Ergebnis war, milde gesagt, einschneidend. Kaum hatte der

Wettlauf der Nationen um außerirdische Rohstoffe begonnen, war er auch schon keiner mehr, da der Sieger kraft Orleys Entscheidung feststand. Weniger aus Gründen der Sympathie, sondern weil die notorisch klamme NASA dann doch über mehr Geld und eine bessere Infrastruktur verfügte als alle anderen Raumfahrtnationen zusammengenommen. Bis auf China vielleicht. Dort hatte man während der Neunziger Ambitionen erkennen lassen, sich zu kosmischer Größe aufzuschwingen, in bescheidener Selbsteinschätzung zwar und mit einem Gesamtbudget, das eben mal ein Zehntel des amerikanischen betrug, dafür getrieben von Patriotismus und virulenten Weltmachtansprüchen. Inzwischen, nachdem ein gewisser Zheng Pang-Wang 2014 begonnen hatte, die chinesische Raumfahrt zu finanzieren, lagen Budget und Anspruch beinahe gleichauf, nur mit dem Know-how haperte es – ein Makel, dem Peking abzuhelfen gedachte.

Zheng, Hohepriester eines global agierenden Technologiekonzerns, dessen größter Ehrgeiz darin bestand, China noch vor den USA auf den Mond zu bringen und die Förderung von Helium-3 zu ermöglichen, wurde in den Medien gern auch als Orley des Ostens bezeichnet. Tatsächlich verband ihn mit dem Briten sein immenser Reichtum, außerdem gebot er über ein Heer hochklassiger Konstrukteure und Wissenschaftler. Im Folgenden arbeitete die Zheng-Group fieberhaft an der Verwirklichung eines Weltraumfahrstuhls, wohl wissend, dass Orley dasselbe tat. Während der aber sein Ziel erreichte, löste Zheng das Problem nicht. Dafür gelang der Gruppe der Bau eines Fusionsreaktors, doch wieder geriet man ins Hintertreffen, weil Orleys Modell sicherer und effizienter arbeitete. Die Partei wurde nervös. Man drängte Zheng, endlich Erfolge vorzuweisen, nötigenfalls indem er der Langnase ein Angebot unterbreite, das diese nicht ablehnen könne, also ging der alte Zheng mit Orley essen und ließ ihn wissen, Peking wünsche in naher Zukunft eine Kooperation.

Orley sagte, Peking könne ihn am Arsch lecken. Aber ob er noch eine Flasche von dem wunderbaren Tignanello mit ihm zu teilen wünsche.

Warum nicht alles teilen, fragte Zheng.

Was denn?

Na, Geld, viel Geld. Macht, Ansehen und Einfluss.

Geld habe er selber.

Ja, aber China sei hungrig und äußerst motiviert, weit mehr als das erschlaffte, übergewichtige Amerika, dem noch die Finanzkrise von 2009 in den Knochen stecke, sodass sein ganzer Gestus bis heute etwas Schlotterndes an sich habe. Frage man einen Amerikaner nach der Zukunft, würde er in 70 Prozent aller Fälle etwas zutiefst Angsteinflößendes darin erblicken, während in China jedermann frohgemut dem nächsten Tag entgegensehe.

Das sei ja schön, sagte Orley, und ob sie nicht doch lieber auf einen Ornellaia umsteigen sollten.

Es half alles nichts, und ganz gewiss war jedes Abbauvorhaben mit herkömmlicher Raketentechnologie unter wirtschaftlichen Gesichtspunkten unergiebig und dazu verdammt, die chinesische Raumfahrt ins Defizit zu stürzen. Doch mit dem Trotz aufstampfender Kinder beschloss die Partei, eben dies zu tun, der Hoffnung anvertraut, Zheng und die Geistesgrößen der China National Space Administration würden in absehbarer Zeit aus dem Quark kommen. Und weil Amerika keine Skrupel gezeigt hatte, seine Fördermaschinen auf eben jene Region des Mondes loszulassen, die nach allgemeiner geologischer Auffassung überdurchschnittlich hohe Helium-3-Vorkommen verhieß, ein Grenzgebiet des Mare Imbrium, verfrachtete man unter immensen Anstrengungen die Komponenten für eine mobile chinesische Basis und raupenkettenbetriebene Sonnenöfen eben dorthin, in direkte Nachbarschaft zum unliebsamen Konkurrenten, und begann am 2. März 2023 mit der eigenen Förderung. Amerika gab sich verwundert, dann erfreut. Man hieß China auf dem Mond herzlich willkommen, sprach von Welterbe und Völkergemeinschaft und kümmerte sich nicht weiter um das rührende Streben des Nachgekommenen, dem Mondstaub seinen mickrigen Anteil an Helium-3 abzupressen.

Bis zum 9. Mai 2024.

Beide Nationen hatten im Laufe der vorangegangenen Monate ihre Förderung sukzessive ausgeweitet. An diesem Tag fand zwischen der amerikanischen Mondbasis und Houston ein Gespräch von einiger Brisanz statt. Unmittelbar darauf erreichte die alarmierende Mitteilung das Weiße Haus, chinesische Astronauten hätten mit ihren Maschinen bewusst und in eindeutiger Absicht die Fördergrenzen überschritten und amerikanisches Gebiet annektiert. Man fühle sich provoziert und bedroht. Der chinesische Botschafter wurde einbestellt, Peking der Grenzverletzung bezichtigt und aufgefordert, den alten Zustand umgehend wiederherzustellen. Die Kommunistische Partei bat sich aus, den Sachverhalt zu prüfen, und erklärte am 11. Mai, sich keiner Schuld bewusst zu sein. Ohne offiziell ausgehandelte Grenzen könne eine Grenzverletzung gar nicht gegeben sein. Überhaupt sei Washington ja bekannt, was die Welt davon halte, dass Amerika unter Missachtung aller Klauseln des Weltraumvertrags im Allgemeinen und des Mondvertrags im Besonderen Tatsachen geschaffen habe, und wie man auf die abstruse Idee komme, einen Himmelskörper, der diesen Verträgen zufolge niemandem gehöre, mit Grenzen überziehen zu wollen? Ob man die leidige Diskussion tatsächlich ein weiteres Mal wünsche, anstatt sich mit der doch für jedermann ersichtlichen eigenen Übermacht zufriedenzugeben?

Die USA fühlten sich brüskiert. Der Mond war weit weg, niemand auf der Erde konnte so genau sagen, wer da gerade auf wessen Territorium herumspazierte, doch am 13. Mai meldete die Mondbasis die Gefangennahme des chinesischen Astronauten Hua Liwei. Der Mann habe unangemeldet auf dem Gelände der amerikanischen Förderstation herumgeschnüffelt, einer automatisierten Einrichtung, weswegen er kaum in der Absicht dort erschienen sein dürfte, bei Tee und Gebäck über das Mondwetter zu plaudern. Dass Hua zudem Kommandant der chinesischen Basis war, ein hochdekorierter Offizier, dem keine Gelegenheit gegeben wurde, seine Version der Ereignisse darzulegen, trug nicht eben zur Entschärfung der Situation bei. Peking tobte, protestierte aufs Schärfste. Im Ministerium für Staatssicherheit überbot man sich gegenseitig in der Ausmalung des Martyriums, das Hua in der abgelegenen polaren Basis zu erdulden habe, und forderte dessen sofortige Freilassung, was Washington geflissentlich ignorierte, woraufhin chinesische Verbände, nunmehr offiziell, mit bemannten Fahrzeugen und Förderrobotern auf amerikanisches Territorium vordrangen, jedenfalls wurde es so kolportiert. De facto war ein einziger unglücklicher, kleiner Roboter im Spiel, der versehentlich eine amerikanische Maschine rammte und dabei vollständig zu Klump ging. Von mehreren bemannten Fahrzeugen konnte angesichts des vereinsamt herumkurvenden chinesischen Rovers keine Rede sein, und auch die gefürchteten Verbände entpuppten sich bei genauerem Hinsehen als der rat- und planlose Rest der Basisbesatzung, zwei Frauen, die des politischen Armdrückens wegen eine Invasion vorzutäuschen hatten, während die US-Astronauten am Pol nicht verstanden, warum sie den armen Hua hatten gefangen nehmen müssen, und alles daransetzten, ihm wenigstens eine gute Zeit zu bereiten.

Das aber interessierte niemanden auf der Erde.

Stattdessen versuchten exorziert geglaubte Gespenster einander zu Tode zu erschrecken. Imperialismus kontra rote Flut. In gewisser Weise hatte die Aufregung sogar ihre Berechtigung. Tatsächlich ging es nicht im Geringsten um die paar Astronauten oder einige Quadratkilometer Terrain, sondern darum wer oben das Sagen hatte und haben würde, wenn noch mehr Nationen den Mond in Besitz zu nehmen trachteten. Washington drohte denn auch prompt mit Sanktionen, fror chinesische Konten ein, hinderte chinesische Schiffe daran, amerikanische Häfen zu verlassen, und warf den chinesischen Botschafter raus, was Peking zum Anlass nahm, mit massiven Maßnahmen gegen die amerikanische Förderung zurückzudrohen, falls Konten, Schiffe und Hua nicht umgehend freigegeben würden. Amerika beharrte auf einer Entschuldigung. Vorher werde überhaupt niemand freigelassen. Peking kündigte an, die amerikanische Station stürmen zu wollen. Verblüffenderweise stellte niemand die Frage, wie die völlig überforderten Taikonautinnen am unwegsamen, gebirgigen Nordpol eine riesige, teils unterirdische Basis einnehmen sollten, und nachdem Washington im Falle einer Erstürmung mit Militärschlägen gegen die chinesische Förderstation und chinesische Einrichtungen auf der Erde gedroht hatte, war auch niemandem mehr danach, sie zu stellen.

Die Welt begann, Angst zu empfinden.

Davon unbeeindruckt, wenn nicht sogar motiviert, schlugen die erzbeleidigten Supermächte weiter aufeinander ein. Jeder bezichtigte den anderen, die Aufrüstung des Weltraums zu betreiben und auf dem Mond Waffen stationiert zu haben, sodass die Nachrichten voll von Simulationen atomarer Auseinandersetzungen auf dem Trabanten waren, verbunden mit der Gefahr, auf der Erde ihre Fortsetzung zu finden. Während die BBC Bilder explodierender Raumstationen zeigte und es in fröhlicher Ignoranz der Physik vernehmlich krachen ließ, wurde den Besatzungen der Mondbasen untersagt, miteinander zu reden. Am Ende wusste niemand mehr, was der andere tat und worum es bei alldem eigentlich ging, außer, das Gesicht zu wahren, bis die UNO befand, jetzt sei Schluss.

Der alte Gaul der Diplomatie wurde vor den verfahrenen Karren gespannt, um ihn wieder aus dem Dreck zu ziehen. Am 22. Mai 2024 trat die Vollversammlung der Vereinten Nationen zusammen. China verwies darauf, mangels eines eigenen Weltraumfahrstuhls gar keine Waffen zum Mond transportieren zu können, was für die Amerikaner hingegen ein Leichtes sei. Ergo seien diese als Aggressoren zu betrachten, ganz klar hätten sie Waffen auf dem Mond stationiert und den Weltraumvertrag ein weiteres Mal gebrochen, aber das kenne man ja. Man selbst plane übrigens keine Bewaffnung, sehe sich aber durch die fortdauernden Provokationen gezwungen, ein bescheidenes Kontingent zur Selbstverteidigung ins Auge zu fassen. Ähnlich äußerten sich die Amerikaner. Die Aggression sei von China ausgegangen, und sollte es je zu einer amerikanischen Bewaffnung auf dem Mond kommen, dann als Folge einer völlig unnötigen Grenzverletzung.

Man habe keine Grenze verletzt.

Na fein. Man habe auch keine Waffen auf dem Mond.

Doch.

Nein.

Doch.

Der UNO-Generalsekretär verurteilte das Vorgehen der Chinesen in müder Empörung ebenso wie die Gefangennahme des chinesischen Astronauten durch die USA. Die Welt wolle Frieden. Das stimmte. Im Grunde wollten auch Peking und Washington nichts lieber als Frieden, doch das Gesicht, das Gesicht! Erst am 4. Juni 2024 lenkte China zähneknirschend ein, ohne Bezugnahme auf die Resolution der UNO, deren Macht nicht einmal mehr symbolischen Charakter zu haben schien. Die Wahrheit war, dass keine der beiden Nationen sich einen offenen Konflikt leisten konnte oder wollte. China zog sich von amerikanischem Gebiet zurück, was sich damit erledigte, dass die Taikonautinnen die zertrümmerte Fördermaschine abschleppten. Hua kam frei, ebenso die chinesischen Konten und Schiffe, und die Botschafter bezogen wieder ihre Büros. Zunächst blieb die Lage geprägt von Drohgebärden und Misstrauen. Auf politischer Ebene herrschte Eiszeit, wodurch auch die Wirtschaft zeitweise einfror. Julian Orley, der noch 2024 sein Mondhotel hatte eröffnen wollen, musste dessen Bau auf unabsehbare Zeit unterbrechen, und auf beiden Seiten litt die Helium-3-Förderung.

»Erst am 10. November 2024«, sagte die Kommentatorin mit ernster Miene, »erstmals seit Ausbruch der Streitigkeiten, kam der Dialog zwischen den USA und China anlässlich des Weltwirtschaftsgipfels in Bangkok wieder in Gang und ist seither von versöhnlichen Tönen geprägt.« Ihr Tonfall wurde dräuender, dramatischer. »Die Welt ist an einer Eskalation vorbeigekommen – wie knapp, kann niemand sagen.« Wieder milder: »Die USA sicherten den Chinesen eine stärkere Anbindung an die Infrastruktur der Mondbasis zu, neue Abkommen zur gegenseitigen Hilfeleistung im Weltraum wurden unterschrieben und bestehende erweitert, Amerikaner und Chinesen verständigten sich auf bis dahin strittige Handelsabkommen.« Positiv, optimistisch, mit Schlafen-Sie-gut-Lächeln: »Die Wogen haben sich geglättet. So ambitioniert, wie man einander an den Kragen ging, werden nun Gesten des guten Willens ausgetauscht. Aus einem ganz einfachen Grund: Die

Ökonomien können nicht ohne einander. Die Verflechtung der beiden Handelsriesen USA und China verträgt keinen Krieg, man würde auf angeblich feindlichem Gebiet nur eigenen Besitz zerstören. Halbherzig spricht man davon, künftig noch stärker zu kooperieren, während jede der beiden Weltmächte nun erst recht die Vorherrschaft auf dem Mond anstreben dürfte. Derweil buhlt die raumfahrende Welt um die Patente Julian Orleys, der in diesen Tagen mit einer illustren, verdächtig multinationalen Schar ausgewählter Gäste in den Weltraum aufgebrochen ist, vielleicht, um seine USA-exklusive Haltung zu überdenken – vielleicht aber auch, um ihnen aus der Ferne unseren kleinen, fragilen Planeten zu zeigen und sie daran zu erinnern, dass kriegerische Auseinandersetzungen für niemanden zu gewinnen sind. In diesem Sinne: Gute Nacht.«

Jericho sog den letzten Rest Schaum aus der Flasche.

Merkwürdige Rasse, die Menschheit. Flog zum Mond und schändete kleine Kinder.

Er schaltete den Fernseher aus, gab dem Karton einen Tritt und ging zu Bett in der Hoffnung, schlafen zu können.

21.MAI 2025

[DER FAHRSTUHL]

DIE HÖHLE

»Ursprünglich war der STELLAR DOME am höchsten Punkt vorgesehen, dort, wo sich jetzt die Kristallkuppel mit dem Restaurant befindet«, erklärte Lynn Orley, während sie der Gruppe voran durch die Lounge ging. »Bis wir bei der Exploration der Insel auf etwas stießen, das uns veranlasste, unsere bisherigen Pläne über den Haufen zu werfen. Der Berg lieferte eine Alternative, wie wir sie uns kaum hätten ausdenken können.«

Am Abend des dritten und letzten Tages ihres Aufenthalts auf der Isla de las Estrellas erwartete die Reisegruppe das Präludium zum großen Abenteuer. Lynn führte sie zu einem breiten, verschlossenen Durchgang an der Rückwand der Lobby.

»Niemandem dürfte entgangen sein, dass das STELLAR ISLAND HOTEL wie ein im Vulkan gestrandeter Ozeandampfer aussieht. Und *offiziell* ist dieser Vulkan erloschen.« Hier und da registrierte sie Unbehagen. Insbesondere in Momoka Omuras Fantasie schienen Lavaströme durch die Lounge zu fließen und ihr nachhaltig den Abend zu verderben. »Im Gipfel und entlang der Flanke herrschen moderate Temperaturen. Angenehm kühl, bestens geeignet, um Lebensmittel und Getränke zu lagern, Pumpen, Generatoren und Aufbereitungsanlagen dort unterzubringen, Wäscherei, Hausmeisterei und Verschiedenes mehr. Gleich hinter mir«, sie wandte den Kopf zu den Schotts, »waren Büros vorgesehen. Wir begannen, in den Fels hineinzubohren, doch schon nach wenigen Metern landeten wir in einer Verwerfung, die sich zur Höhle erweiterte, und am Ende dieser Höhle –«

Lynn legte die Handfläche auf einen Scanner, und die Türflügel glitten auseinander.

»– lag der STELLAR DOME.«

Ein abschüssiger Gang mit grob behauenen Wänden erstreckte sich jenseits des Durchgangs und knickte ab, sodass sich sein weiterer Verlauf den Blicken entzog. Lynn sah Neugierde auf den Gesichtern, Erregung und Vorfreude. Lediglich Momoka Omura schien nach der Zusicherung, nicht in flüssigem Gestein zu verglühen, das Interesse verloren zu haben und schaute angelegentlich zur Decke.

»Noch Fragen?« Lynn ließ ein geheimnisvolles Lächeln ihre Mundwinkel umspielen. »Dann mal los.«

Eine Collage aus Sounds umfing sie, die alle natürlichen Ursprungs zu sein schienen. Es knackte, hallte, wisperte und tröpfelte, zusätzlich schufen orchestrale Flächen eine der Zeit entrückte Atmosphäre. Lynns Idee, an der Emotionsschraube zu drehen, ohne ins Disneyhafte abzurutschen, entfaltete ihre Wirkung: Klänge am Rande der Wahrnehmungsgrenze, um auf subtile Weise Stimmungen zu erzeugen, was eine komplizierte technische Installation erforderlich gemacht hatte, doch das Resultat übertraf alle Erwartungen. Hinter ihnen schlossen sich die Türflügel und schnitten sie von der luftigen, komfortablen Atmosphäre der Lobby ab.

»Diesen Abschnitt haben wir selbst angelegt«, erklärte Lynn. »Gleich nach dem Knick beginnt der natürliche Teil. Das Höhlensystem durchzieht die komplette Ostflanke des Vulkans, Sie könnten stundenlang darum herumlaufen, aber wir haben es vorgezogen, die Durchgänge zu schließen. Andernfalls bestünde Gefahr, dass Sie uns im Herzen der Isla de las Estrellas verloren gehen.«

Jenseits der Biegung erweiterte sich der Korridor beträchtlich. Es wurde dunkler. Schatten huschten über schartigen Basalt wie von aufgeschreckten, fremdartigen Tieren, die sich angesichts der Horde Touristen in Sicherheit brachten. Der Hall ihrer Schritte schien der Gruppe zugleich vorauszueilen und zu folgen.

»Wie entstehen solche Höhlen?« Bernard Tautou legte den Kopf in den Nacken. »Ich hab schon einige gesehen, aber jedes Mal vergessen zu fragen.«

»Das kann alle möglichen Ursachen haben. Spannungen im Gestein, Wassereinschlüsse, Rutschungen. Vulkane sind poröse Strukturen, wenn sie erkalten, bleiben oft Hohlräume zurück. In diesem Fall handelt es sich aller Wahrscheinlichkeit nach um Abflusskanäle für Lava.«

»Na klasse«, polterte Donoghue. »Wir sind in der Gosse gelandet.«

Der Gang beschrieb eine Kurve, verengte und dehnte sich zu einem annähernd runden Raum. Entlang der Wände sah man Motive wie aus der Morgendämmerung der Menschheit, teils gemalt, teils in den Fels geritzt. Bizarres Leben glotzte die Besucher aus dem Halbschatten an, mit abgründig dunklen Augen, Hörnern und Schwänzen und helmartigen Kopfbedeckungen, denen antennenförmige Auswüchse entsprossen. Manche der Bekleidungen ließen an Raumanzüge denken. Sie erblickten Wesen, die mit komplizierten Maschinen verwachsen schienen. Ein gewaltiges, rechteckiges Relief zeigte ein menschenähnliches Geschöpf in fötaler Stellung Hebel und Schalter bedienen. Der Sound wechselte ins Unheimliche.

»Gruselig«, seufzte Miranda Winter lustvoll.

»Das will ich doch hoffen«, grinste Lynn. »Schließlich haben wir die rätselhaftesten Zeugnisse frühen menschlichen Schaffens zusammengetragen. Reproduktionen, versteht sich. Die Figuren in den gestreiften Anzügen etwa wurden in Australien entdeckt und verkörpern laut Überlieferung die beiden Blitzbrüder Yagjagbula und Yabiringl. Einige Forscher halten sie für Astronauten. Daneben der sogenannte Marsgott, im Ursprung eine sechs Meter hohe Felszeichnung aus der Sahara. Die Wesen dort links, die wie zum Gruß ihre Hände heben, fand man in Italien.«

»Und das hier?« Eva Borelius war vor dem Relief stehen geblieben und betrachtete es interessiert.

»Unser Prachtstück! Ein Maya-Artefakt. Die Grabplatte des Königs Pakal von Palenque, einer uralten Pyramidenstadt im mexikanischen Chiapas. Sie soll den Abstieg des Herrschers in die Unterwelt darstellen, symbolisiert durch den aufgerissenen Rachen einer Riesenschlange.« Lynn trat neben sie. »Was erkennen Sie denn darin?«

»Schwer zu sagen. Sieht eher aus, als säße er in einer Rakete.«

»Genau!«, rief Ögi, herbeieilend. »Und wissen Sie was? Diese Deutung ist einem Schweizer zu verdanken!«

»Ach.«

»Sie kennen Erich von Däniken nicht?«

»War das nicht so ein Fantast?« Borelius lächelte kühl. »Einer, der überall Außerirdische sah?«

»Er war ein Visionär!«, korrigierte sie Ögi. »Ein ganz Großer!«

»Entschuldigung.« Karla Kramp hüstelte. »Aber Ihr Visionär ist mit schöner Regelmäßigkeit widerlegt worden.«

»Na und?«

»Ich will nur verstehen, warum er dann ein ganz Großer ist.«

»Was meinen Sie, meine Liebe, wie oft die Bibel widerlegt wurde«, rief Ögi. »Ohne Fantasten wäre die Welt langweiliger, durchschnittlicher, muffiger. Wen schert es, ob er recht hatte! Warum muss einer immer recht haben, um groß zu sein?«

»Tut mir leid, ich bin Ärztin. Wenn ich unrecht habe, gelangen meine Patienten im Allgemeinen nicht zu der Auffassung, ich sei groß.«

»Lynn, kannst du mal rüberkommen?«, rief Evelyn Chambers. »Woher stammt das hier? Sieht aus, als ob die fliegen.«

Unterhaltungen keimten auf, Halbbildung trieb Blüten. Die Motive wurden bestaunt und diskutiert. Lynn lieferte Erklärungen und Hypothesen. Erstmals war eine Besuchergruppe in der Höhle unterwegs. Ihr Plan, die Leute mit prähistorischen Zeichnungen und Skulpturen auf das Mysterium des Kommenden einzustimmen, ging auf. Schließlich trommelte sie die Truppe zusammen und führte sie aus der Galerie in den nächsten Gangabschnitt, es wurde noch abschüssiger, noch dunkler –

Und wärmer.

»Was ist das denn für ein Getöse?«, wunderte sich Miranda Winter. »Wumm, wumm! Ist das normal?«

Tatsächlich mischte sich dumpfes Grollen in den Soundtrack, der Tiefe des Berges entspringend, und schuf eine Atmosphäre der Bedrohung. Rötliche Schwaden waberten über den Fels.

»Da ist etwas«, flüsterte Aileen Donoghue. »Irgendein Licht.«

»Mensch, Lynn«, lachte Marc Edwards. »Wo führen Sie uns hin?«

»Wir müssen doch schon ganz schön tief sein, oder?« Erstmals äußerte sich Rebecca Hsu. Seit ihrer Ankunft hatte sie unablässig telefoniert und war für niemanden ansprechbar gewesen.

»Knapp 80 Meter«, sagte Lynn. Sie schritt zügig aus, einer weiteren Biegung entgegen, in flackernden Feuerschein getaucht.

»Spannend«, bemerkte O'Keefe.

»Ach was, bloßes Theater«, erklärte Warren Locatelli von oben herab. »Wir betreten eine fremde Welt, das soll es suggerieren. Das Erdinnere, das Innere eines fremden Planeten, irgend so ein Schmus.«

»Abwarten«, sagte Lynn.

»Was soll schon groß kommen«, mühte sich Momoka Omura um Entzauberung, während dem Klang ihrer Stimme zu entnehmen war, dass wieder Lavaströme in ihrem Kopf zu fließen begannen. »Eine Höhle, noch eine Höhle. Super.«

Das Grollen und Dröhnen schwoll an.

»Also, ich finde es –«, begann Evelyn Chambers, stockte mitten im Satz und sagte: »Oh Mann!«

Sie hatten die Biegung passiert. Ein Monster aus Hitze sprang sie an. Der Gang weitete sich, überzogen von pulsierender Glut. Einige Gäste blieben abrupt stehen, andere wagten sich zögerlich vor. Zur Rechten öffnete sich der Fels und gewährte Einblick in ein riesiges, angrenzendes Gewölbe, aus dem das Donnern und Tosen mit einer Lautstärke herüberdrang, dass es die Unterhaltung übertönte. Ein gleißender See füllte die Kammer zur Hälfte, kochend und blubbernd, rotgelbe Fontänen spuckend. Basaltnadeln reckten sich aus der zähen Flut zur Kuppeldecke empor, die im Widerschein gespenstisch flackerte. Mit stiller Freude studierte Lynn Furcht, Faszination, Erstaunen, sah Heidrun Ögi sich mit erhobenen Händen gegen die Hitze abschirmen. Ihr weißes Haar, ihre Haut schienen zu lodern. Als sie unsicher näher herantrat, sah sie einen Moment lang aus, als sei sie geradewegs der Hölle entstiegen.

»Was um alles in der Welt ist das?«, fragte sie ungläubig.

»Eine Magmakammer«, erklärte Lynn seelenruhig. »Ein Depot, um den Vulkan mit Schmelze und Gasen zu speisen. Solche Kammern bilden sich, wenn flüssiges Gestein aus großer Tiefe in Schwächezonen der Erdkruste emporsteigt. Sobald der Druck in der Kammer überhandnimmt, bahnt sich die Schmelze ihren Weg nach oben, und es kommt zum Ausbruch.«

»Aber hatten Sie nicht gesagt, der Vulkan sei erloschen«, wunderte sich Mukesh Nair.

»Eigentlich erloschen, ja.«

Plötzlich redeten alle durcheinander. Es war O'Keefe, der als Erster Verdacht schöpfte. Die ganze Zeit über war er nachdenklich und in sich gekehrt am Durchlass entlanggeschlendert, auf Abstand bedacht, jetzt ging er geradewegs darauf zu.

»He, *mon ami*!«, rief Tautou. »Versengen Sie sich nicht die Haare.«

»*Pas de problem.*« O'Keefe drehte sich um und grinste. »Ich glaube kaum, dass etwas in der Art zu befürchten steht. Nicht wahr, Lynn?«

Er streckte die Rechte aus. Seine Finger berührten eine Oberfläche. Warm, aber nicht heiß. Vollkommen glatt. Er drückte die Handfläche dagegen und nickte anerkennend.

»Wann hat es in diesem Berg zuletzt so ausgesehen?«

Lynn lächelte.

»Nach Meinung der Geologen vor etwas über einhunderttausend Jahren. Allerdings nicht so weit oben. Magmakammern liegen für gewöhnlich in einer Tiefe von 25 bis 30 Kilometern, außerdem sind sie bei Weitem größer als diese da.«

»Jedenfalls die beste Holografie, die ich bislang gesehen habe.«

»Wir geben uns Mühe.«

»Eine Holografie?«, echote Sushma.

»Genauer gesagt das Zusammenspiel holografischer Projektionen mit Sound, farbigem Licht und Heizstrahlern.«

Sie trat neben O'Keefe und tippte mit dem Finger gegen die Oberfläche des Projektionsschirms, als bestünde immer noch die Möglichkeit, dass er sich irrte. »Aber es wirkt vollkommen echt!«

»Natürlich. Wir wollen Sie schließlich nicht langweilen.«

Alle betasteten nun den Bildschirm, traten ehrfürchtig zurück, gaben sich wieder der Illusion hin. Chuck Donoghue vergaß zu witzeln,

Locatelli herablassend zu schwafeln. Selbst Momoka Omura starrte in den digitalen Lavasee und wirkte beinahe beeindruckt.

»Wir sind praktisch am Ziel«, sagte Lynn. »In wenigen Sekunden werden Sie die Kammer betreten können, nur wird sie dann völlig anders aussehen. Aus ferner Vergangenheit werden Sie in die Zukunft unseres Planeten reisen, in die Zukunft der Menschheit.«

Sie tippte gegen einen im Fels verborgenen Schalter. Am Ende des Gangs entstand ein hoher, senkrechter Spalt. Gedämpftes Licht sickerte daraus hervor. Die Musik schwoll an, machtvoll und mystisch, der Einschnitt verbreiterte sich und gab den Blick frei in das dahinter liegende Gewölbe. Tatsächlich entsprach es in Aussehen und Abmessungen ziemlich genau der holografischen Darstellung, nur dass nun keine Lava darin umherschwappte. Stattdessen spannte sich kühn eine Empore über den bodenlosen Schlund. Stählerne Laufgänge führten zu übereinandergestaffelten Reihen komfortabel aussehender Sitze, die frei über dem Abgrund schwebten. Im Zentrum wölbte sich eine transparente Fläche von gut und gerne eintausend Quadratmetern. Ihr unteres Ende verlor sich in der lichtlosen Tiefe, das obere reichte bis knapp unter die Kuppeldecke, ihre Seiten spannten sich weit über die Sitzreihen hinaus.

Auf der Empore stand ein einzelner Mann.

Er war mittelgroß, leicht untersetzt und von verblüffend jugendlichem Aussehen, obschon sein Bart und das lange, über den Kragen reichende Haar stark ergraut waren und den aschblonden Ton früher Jahre nur noch erahnen ließen. Er trug T-Shirt und Sakko, Jeans und Cowboystiefel. Ringe steckten an seinen Fingern. Seine Augen blitzten übermütig, sein Grinsen strahlte wie Leuchtturmfeuer.

»Da seid ihr ja endlich«, sagte Julian Orley. »Na dann: Rock 'n' Roll!«

Tim hielt sich abseits, während er zusah, wie sein Vater die Gäste mit Handschlag oder Umarmung begrüßte, je nach Vertrautheit. Julian, der große Kommunikator, Fuchseisen der Freundlichkeit auslegend. So begeistert davon, Menschen kennenzulernen, dass er nie in Zweifel zog, ob diese Menschen auch ihn kennenlernen wollten, und genau das zog sie an. Die Physik der Begegnung kennt Anziehung und Abstoßung, doch Julians Schwerefeld zu entkommen, war praktisch unmöglich. Man wurde ihm vorgestellt und empfand wärmende Vertrautheit. Zwei, drei weitere Male, und man schwelgte in Erinnerungen an gemeinsame Zeiten, die es nie gegeben hatte. Viel tat Julian dafür nicht, er legte sich keine Bonmots zurecht, übte keine Reden vor dem

Spiegel, er ging einfach nur wie selbstverständlich davon aus, im Newton'schen Zwei-Körper-System der Planet und nicht der Trabant zu sein.

»Carl, mein Alter! Schön, dich dabeizuhaben!«

»Evelyn, du siehst fantastisch aus. Welcher Idiot hat gesagt, der *Kreis* sei die vollkommenste Form?«

»Momoka, Warren. Willkommen. Ach, danke übrigens noch für letztes Mal, ich wollte längst anrufen. Ehrlich gesagt, ich weiß kaum, wie ich nach Hause gekommen bin.«

»Olympiada Rogaschowa! Oleg Rogaschow! Ist das nicht wunderbar? In diesen Sekunden treffen wir uns zum ersten Mal, und morgen reisen wir schon gemeinsam zum Mond.«

»Chucky, mein Alter, für dich hab ich einen sauguten Witz, aber dafür müssen wir auf Seite gehen.«

»Wo ist meine Elbenkönigin? Heidrun! Endlich lerne ich deinen Mann kennen. Haben Sie den Chagall gekauft? – Klar weiß ich davon, ich kenne alle Ihre Leidenschaften. Sie schwärmt mir ja unentwegt von Ihnen vor.«

»Finn, Junge, jetzt wird's ernst. Jetzt musst du da hoch. Und das hier ist *kein* Film!«

»Eva Borelius, Karla Kramp. Auf Sie beide habe ich mich ganz besonders –«

Und so weiter, und so fort.

Für jeden fand Julian vertrauliche Worte, dann kam er zu Tim und Amber geeilt, mit einem verstohlenen Ich-hab-mich-davongeschlichen-Grinsen auf den Lippen.

»Und? Wie gefällt's euch?«

»Super«, sagte Amber und legte ihm einen Arm um die Schultern. »Die Magmakammer ist der Wahnsinn.«

»Lynns Idee.« Julian strahlte. Er war kaum fähig, den Namen seiner Tochter auszusprechen, ohne ins schluchzend Melodiöse zu verfallen. »Und das ist noch gar nichts! Wartet erst mal die Show ab.«

»Sie wird wie immer perfekt sein«, sagte Tim mit kaum verhohlenem Sarkasmus.

»Haben wir gemeinsam konzipiert, Lynn und ich.« Wie üblich tat Julian so, als habe er den bissigen Unterton nicht bemerkt. »Die Höhle ist ein Geschenk des Himmels, ich sag's euch. Die paar Sitzreihen sehen vielleicht nach nichts aus, aber wir können jetzt schon 500 zahlenden Gästen das Spektakel um die Ohren hauen, und wenn's mehr werden –«

»Ich dachte, das Hotel bietet nur 300 Gästen Platz?«

»Schon, aber praktisch könnten wir die Kapazitäten verdoppeln. Vier, fünf Decks draufsetzen auf unseren Ozeandampfer, oder Lynn baut einen zweiten. Alles kein Problem. Hauptsache, wir bekommen die Kröten für einen zusätzlichen Lift zusammen.«

»Hauptsache, du hast kein Problem.«

Julian sah Tim aus seinen hellblauen Augen an.

»Hab ich auch nicht. Ihr entschuldigt mich? Amüsiert euch, bis später. – Oh, Madame Tautou!«

Julian schoss zwischen den Besuchern hin und her, ein Lachen hier, ein Kompliment dort. Zwischendurch zog er Lynn an sich und küsste sie auf die Schläfe. Lynn lächelte. Sie wirkte stolz und glücklich. Amber nippte an ihrem Champagner.

»Du könntest ein bisschen freundlicher zu ihm sein«, sagte sie leise.

»Zu Julian?«, schnaubte Tim.

»Zu wem denn sonst?«

»Was macht es für einen Unterschied, ob ich freundlich zu ihm bin? Er sieht doch ohnehin nur sich selber.«

»Vielleicht macht es ja einen Unterschied *für mich.*«

Tim starrte sie verständnislos an.

»Was ist?« Amber hob die Brauen. »Begriffsstutzig geworden?«

»Nein, aber –«

»Offenbar doch. Dann erklär ich's dir eben anders. Ich hab keine Lust, in den nächsten zwei Wochen ständig dein langes Gesicht zu sehen, klar? Ich will diese Reise genießen, und das solltest du auch.«

»Amber –«

»Lass deine Vorbehalte hier unten.«

»Es geht nicht um Vorbehalte! Die Sache ist die, dass –«

»Es ist *immer* irgendwas.«

»Aber –«

»Kein Aber. Sitz und gib Pfötchen. Ich will ein Ja hören. Einfach nur ein simples Ja. Kriegst du das hin?«

Tim nagte an seiner Unterlippe. Dann zuckte er die Achseln. Lynn ging an ihnen vorbei, die Tautous und Donoghues im Kielwasser. Sie zwinkerte ihnen zu, senkte die Stimme und sagte hinter vorgehaltener Hand:

»Achtung, Insiderwissen. Dies ist eine vertrauliche Information nur für Familienmitglieder. Reihe acht, Plätze 32 und 33. Beste Sicht.«

»Verstanden. Ende.«

Amber hakte sich bei ihnen unter und entschwand ohne ein weiteres Wort in Richtung Auditorium. Tim zockelte ihr hinterher. Jemand gesellte sich an seine Seite.

»Sie sind Julians Sohn, nicht?«

»Ja.«

»Heidrun Ögi. Ihre Familie ist ganz schön durchgeknallt. Ich meine, kein Problem, das ist absolut okay«, fügte sie hinzu, als er die Antwort schuldig blieb. »Ich liebe Leute, die einen an der Waffel haben. Sie sind bei Weitem interessanter als der ganze Rest.«

Tim starrte sie an. Von dieser knochenbleichen Frau mit den violetten Augen und der weißen Mähne hätte er alles Mögliche erwartet, keltische Zaubersprüche, extraterrestrische Dialekte, nur nicht eine Äußerung, als klatsche jemand mit der flachen Hand in eine Pfütze.

»Aha«, brachte er heraus.

»Welche Art Irrer sind Sie denn? Sofern Sie auf Julian kommen.«

»Sie halten meinen Vater für irre?«

»Klar, er ist ein Genie. Also muss er irre sein.«

Tim schwieg. *Welche Art Irrer sind Sie denn?* Gute Frage. Nein, dachte er, was für eine idiotische Unterstellung! Ich bin definitiv der Einzige in der Familie, der nicht *irre* ist.

»Na ja –«

»Wir sehen uns.« Heidrun lächelte, entzog sich ihm mit winkenden Fingerspitzen und folgte dem jovialen Schweizer, der offenbar ihr Ehemann war. Etwas verdattert schob er sich bis zur Mitte der achten Reihe vor und ließ sich neben Amber sinken.

»Wer sind eigentlich diese Ögis?«, fragte er.

Sie schaute über die Schulter. »Der Mann mit der Albino-Frau?«

»Mhm.«

»Schillerndes Pärchen. Er steht einer Firma namens Swiss Performance vor. Sie halten Beteiligungen an allen möglichen Branchen, hauptsächlich ist er aber wohl Bauherr. Ich glaube, er hat die ersten Pontonsiedlungen für die überfluteten Gebiete Hollands konzipiert. Derzeit ist er mit Albert im Gespräch wegen Monaco zwei.«

»Monaco zwei?«

»Ja, stell dir vor! Eine riesige, navigationsfähige Insel. Kam neulich in irgendeiner Reportage. Das Ding soll ausschließlich in Schönwetterzonen kreuzen.«

»Ögi muss ähnlich bescheuert sein wie Julian.«

»Mag sein. Es heißt, er sei ein Philanthrop. Unterstützt Not leidende Künstler, Artisten und Zirkusleute, hat Bildungseinrichtungen für unterprivilegierte Jugendliche ins Leben gerufen, sponsert

Museen, spendet am laufenden Band. Letztes Jahr hat er einen beträchtlichen Teil seines Vermögens der *Bill & Melinda Gates Foundation* gestiftet.«

»Woher zum Teufel weißt du das alles?«

»Du solltest dich mehr mit der Klatschpresse beschäftigen.«

»Nicht, solange ich dich hab. – Und Heidrun?«

»Tja.« Amber lächelte wissend. »Pikant, pikant! Ögis Familie ist nicht gerade begeistert über die Liaison.«

»Klär mich auf.«

»Sie ist Fotografin. Talentiert. Knipst Promis und einfache Leute, hat Bildbände über die Rotlichtszene veröffentlicht. In ihren wilden Jahren muss sie dermaßen über die Stränge geschlagen haben, dass sie zu Hause rausflog und enterbt wurde. Daraufhin begann sie, ihr Studium als Stripperin zu finanzieren, später als Darstellerin in Edelpornos. Anfang des Jahrtausends avancierte sie zur Kultfigur der Schweizer Schickeria. Ich meine, man kann nicht gerade behaupten, dass sie unauffällig wäre.«

»Weiß Gott nicht.«

»Brav nach vorne gucken, Timmy. Mit den Pornofilmen hat sie nach dem Studium aufgehört, aber weiter gestrippt. Auf Partys, Vernissagen, einfach aus Spaß. Bei einer dieser Gelegenheiten lief ihr Walo über den Weg und hat ihre Fotografenkarriere auf Trab gebracht.«

»Weshalb sie ihn geheiratet hat.«

»Sie gilt nicht als berechnend.«

»Rührend«, sagte Tim und wollte noch etwas hinzufügen, als das Licht ausging. Übergangslos saßen sie im tintenschwarzen Unraum. Eine einzelne Geige klang auf. Zarte Musik wob Fäden in die Dunkelheit, schimmernde Linien, die sich zu kunstvollen Strukturen fanden. Zugleich begann der Raum bläulich zu leuchten, ein geheimnisvoller, dämmriger Ozean. Aus scheinbar weiter Ferne – beeindruckendes Resultat holografischer Projektionen auf die riesige, konkave Glaswand – näherte sich etwas, pulsierend und durchscheinend, ein organisches Raumschiff mit einem diffusen Kern voller fremdartiger, schattenhafter Passagiere.

»Das Leben«, sagte eine Stimme, »nahm seinen Anfang im Meer.«

Tim wandte den Kopf. Ambers Profil erstrahlte geisterhaft im blauen Licht. Verzaubert sah sie zu, wie die Zelle größer wurde und sich langsam zu drehen begann. Die Stimme erzählte von Urgewässern und chemischen Ehen, die vor Milliarden von Jahren geschlossen worden waren. Die einsame Zelle im uferlosen Blau teilte sich, immer rascher erfolgte die Teilung, immer mehr Zellen entstanden, und plötzlich wand sich etwas Langes, Schlangenartiges heran.

»Vor 600 Millionen Jahren«, sagte die Stimme, »begann das Zeitalter der komplexen, vielzelligen Lebewesen!«

Während der nächsten Minuten vollzog sich die Evolution im Zeitraffer. Der Tiefeneffekt war so überwältigend, dass Tim unwillkürlich zurückzuckte, als sich ein meterlanges Ungeheuer mit Schreddergebiss und dornenbesetzten Klauen auf ihn zu katapultierte, mit einem Schlag seines gewaltigen Schwanzes die Richtung änderte und statt seiner einen zuckenden Trilobiten verspeiste. Das kambrische Zeitalter entstand und verging vor seinen Augen, gefolgt von Ordovizium, Silur und Devon. Als habe jemand den Suchlauf einer geologischen Fernbedienung gedrückt, wimmelte Leben durchs Blau und vollzog wie im Rausch alle erdenklichen Metamorphosen. Quallen, Würmer, Lanzettfische und Krebse, Riesenskorpione, Tintenfische, Haie und Reptilien wechselten einander ab, aus einem Lurch wurde ein Saurier, das Ganze verlagerte sich an Land, ein strahlender, von Wolken durchzogener Himmel trat anstelle der Meerestiefe, die mesozoische Sonne schien auf Hadrosaurier, Brachiosaurier, Tyrannosaurier und Raptoren, bis am Horizont ein riesiger Meteorit herniederging und eine Welle der Zerstörung aussandte, die alles Leben hinwegfegte. In digitaler Vollendung raste das Inferno heran, dass den Anwesenden der Atem stockte, doch als sich der Staub legte, gab er den Blick frei auf den Siegeszug der Säugetiere, und alle saßen noch unversehrt in ihren Sitzreihen. Etwas Affenartiges hangelte sich durch sommergrüne Gehölze, richtete sich auf, verwandelte sich in einen schnatternden Frühmenschen, bewaffnete und kleidete sich, veränderte Wuchs, Haltung und Physiognomie, ritt ein Pferd, fuhr ein Auto, steuerte ein Flugzeug, schwebte winkend durch das Innere einer Raumstation und durch eine Luke nach draußen, doch anstatt im Weltall zu landen, streckte es sich zu einem Sprung und tauchte wieder ein in die Fluten des Ozeans. Erneut diffuses Blau. Der Mensch, darin schwebend, lächelte sie an, und man war versucht, zurückzulächeln.

»Man sagt, es zieht uns ins Wasser, weil wir dem Wasser entstammen und zu über 70 Prozent daraus bestehen. Und tatsächlich kehren wir immer wieder zu unseren Ursprüngen zurück. Doch liegen diese Ursprünge einzig im Meer?«

Das Blau verdichtete sich zu einer Kugel und schrumpfte zu einem winzigen Wassertropfen im schwarzen Nichts.

»Wenn wir auf die Suche nach unseren Anfängen gehen, müssen wir sehr weit zurück in die Vergangenheit schauen. Denn das Wasser, das über zwei Drittel der Erde bedeckt und aus dem wir gemacht sind –«, die Stimme legte eine bedeutungsschwangere Pause ein, »– kam aus dem Weltraum.«

Stille.

Mit ohrenbetäubendem Orchestereinsatz flog der Wassertropfen auseinander, funkelte millionenfach, und plötzlich hing alles voller Galaxien, aufgereiht wie Tautropfen auf den Fäden eines Spinnennetzes. Als säßen sie in einem Raumschiff, näherten sie sich einer einzelnen Galaxie, steuerten hinein, passierten eine Sonne und schwebten weiter, ihrem dritten Planeten entgegen, bis er als feurige Kugel vor ihnen hing, bedeckt von einem Ozean aus kochender Lava. Krachend schlugen Himmelskörper ein, während die Stimme erklärte, wie das Wasser mit Meteoriten aus den Tiefen des Alls auf die Erde gekommen sei, samt einer Vielzahl organischer Verbindungen. Sie wurden Zeuge, wie sich ein zweiter Ozean aus Wasserdampf über die Lavasee legte. Das Ganze fand seinen Höhepunkt, als ein riesiger Planetoid heranraste, unwesentlich kleiner als die junge Erde und Theia mit Namen. Die Magmakammer erbebte bei der Kollision, Trümmer flogen in alle Richtungen davon, und auch dies überstand die Erde, nunmehr an Masse und Wasser reicher und im Besitz eines Mondes, der sich aus Trümmerstücken bildete und den Planeten im Eiltempo umkreiste. Der Geschosshagel ließ nach, Ozeane und Kontinente entstanden. Neben Tim sagte Julian leise:

»Das ist natürlich Blödsinn, dass es im luftleeren Raum kracht. Lynn hätte sich lieber an die Fakten gehalten, aber ich fand, wir müssten an die Kinder denken.«

»Welche Kinder?«, flüsterte Tim zurück. Erst jetzt registrierte er, dass sein Vater auf seiner anderen Seite saß.

»Na, die Reise werden vor allem Eltern mit ihren Kindern machen! Um ihnen die Wunder des Universums zu zeigen. Die ganze Show ist auf Kinder und Jugendliche ausgerichtet. Stell dir vor, wie begeistert sie sein werden.«

»So zieht es uns nicht nur zurück ins Meer«, sagte die Stimme gerade. »Ein noch älteres Erbe lenkt unsere Blicke zu den Sternen. Wir schauen in den nächtlichen Himmel und fühlen eine irritierende Nähe, fast so etwas wie Heimweh, das wir uns kaum erklären können.«

Das imaginäre Raumschiff hatte die neu entstandene Atmosphäre des Planeten durchquert und ging auf New York hernieder. Eindrucksvoll lag die Skyline Manhattans mit dem illuminierten Freedom Tower unter einem märchenhaften Nachthimmel.

»Dabei ist die Antwort offensichtlich. Unsere eigentliche Heimat ist der Weltraum. Wir sind Inselbewohner. So wie Menschen aller Zeitalter ins Unbekannte vorgestoßen sind, um ihr Wissen und ihren Lebensraum zu erweitern, so ist auch unseren Genen die Entdeckernatur eingeschrieben. Wir schauen hinauf zu den Sternen und fragen uns, warum unserer technisierten Zivilisation nicht gelingen sollte, was schon die Nomaden der Frühzeit mit einfachsten Mitteln zuwege brachten, mit aus Tierhäuten gefertigten Booten, auf monatelangen Wanderschaften, Wind und Wetter zum Trotz, einzig angetrieben von ihrer Neugier, nie versiegendem Erfindergeist und dem Verlangen nach Erkenntnis, dem tiefen Wunsch zu verstehen.«

»Und an dieser Stelle komme ich!«, quäkte eine kleine Rakete, stapfte ins Bild und schnippte mit den Fingern.

Die wunderbare Panoramaansicht des nächtlichen New York mitsamt dem Sternenhimmel verschwand. Einige der Anwesenden lachten. Die Rakete sah tatsächlich lustig aus. Sie war silbern, dick und spitz zulaufend, ein Raumschiff wie aus einem Bilderbuch mit vier Heckflossen, auf denen sie einhermarschierte, wild fuchtelnden Armen und einem ziemlich komisch geratenen Gesicht.

»Die Kinder werden das lieben«, flüsterte Julian entrückt. »Rocky Rocket! Wir planen Comics mit dem Burschen, Trickfilme, Plüschtiere, das ganze Programm.«

Tim wollte etwas erwidern, als er seinen Vater im schwarzen Nichts neben die Rakete treten sah. Auch der virtuelle Julian Orley trug Jeans, ein offenes, weißes Hemd und silbern glitzernde Turnschuhe. An seinen Fingern funkelten die obligatorischen Ringe, als er die kleine Rakete auf Seite scheuchte.

»Du hast hier fürs Erste gar nichts zu melden«, sagte er und breitete die Arme aus. »Guten Abend, Ladies and Gentlemen, ich bin Julian Orley. Herzlich willkommen im STELLAR DOME. Lassen Sie sich mitnehmen auf eine Reise zu –«

»Ja, mit mir«, trompetete die Rakete und kam in Show-Manier, ebenfalls mit ausgebreiteten Armen und auf Knien beziehungsweise dem, was Raketen Knie nannten, in den Vordergrund gerutscht. »Ich, mit dem alles begann. Folgen Sie mir zu –«

Julian schob die Rakete zur Seite, sie stellte ihm ein Bein. Beide zankten sich, wer durch die Geschichte der Raumfahrt führen durfte, bis sie übereinkamen, es gemeinsam zu tun. Das Auditorium zeigte sich amüsiert, vor allem Chuckys raumgreifendes Lachen dröhnte bei jeder Kapriole, die Rocky Rocket schlug. Im Folgenden gab es wieder Bilder zu sehen, etwa eine aus Ziegelsteinen gemauerte Raumstation im Erdorbit, die, wie Julian zu berichten wusste, der Science-Fiction-Erzählung *Der Backstein-Mond* des englischen Geistlichen Edward Everett Hale entstammte. Rocky Rocket zauberte einen verwundert dreinblickenden Hund in die Umlaufbahn und erklärte, es handele sich um den ersten Satelliten. Die Szenerie wechselte. Man erblickte eine gigantische Kanone, deren Rohr südlich des Wendekreises in einen Berg getrieben war. Menschen in altertümlicher Kleidung bestiegen eine Art Projektil und wurden von der Kanone ins All geschossen.

»Das war 1865, acht Jahre nach Erscheinen des Backsteinmondes. Jules Verne hat in seinen Romanen *De la Terre à la Lune* und *Autour de la Lune* mit erstaunlicher Weitsicht den Beginn der bemannten Raumfahrt geschildert, auch wenn die Kanone schon aufgrund der erforderlichen Länge unmöglich zu realisieren gewesen wäre. Aber immerhin erfolgte der Abschuss des Projektils von Tampa Town in Florida, und nun überlegen Sie mal, wo die NASA heute sitzt. Leider geht im Verlauf der Geschichte irgendwann besagter Hund über Bord und umkreist das Raumschiff für kurze Zeit, der allererste Satellit.«

Rocky Rocket warf dem konsternierten Tier einen Knochen zu, den es vergebens zu schnappen suchte, mit dem Resultat, dass der Knochen nunmehr den Hund umkreiste.

»In Romanen und Erzählungen haben Menschen früh darüber spekuliert, wie man zu den Sternen reisen könnte, doch erst den Russen gelang es, einen künstlichen Himmelskörper in eine erdnahe Umlaufbahn zu schießen. Am 4. Oktober 1957 um 22.28 Uhr und 34 Sekunden brachten sie eine knapp 84 Kilo wiegende Aluminiumkugel in den Orbit, versehen mit vier Antennen, welche eine Reihe legendär gewordener Piepstöne als Radiosignal von 15 und 7,5 Meter Wellenlänge über den Erdkreis funkten: Sputnik 1 hielt die Welt in Atem!«

Während der nächsten Minuten verwandelte sich das imaginäre Raumschiff wieder in eine Zeitmaschine, weil ständig etwas Neues in den Weltraum geschossen wurde. Die Hündinnen Strelka und Belka kläfften munter an Bord von Sputnik 5. Alexei Leonow wagte sich aus seiner Kapsel und schwebte als sterngeborenes Baby an seiner Nabelschnur durchs All. Sie lernten Walentina Wladimirowna Tereschkowa kennen, die erste Frau im All, sahen Neil Armstrong am 20. Juli 1969 seine Stiefelabdrücke im Mondstaub hinterlassen und allerlei Raumstationen die Erde umkreisen. Space Shuttles und Sojus-Kapseln brachten

Güter und Besatzungen zur ISS, China startete seine erste Mondsonde. Ein erneuter Wettlauf der Nationen setzte ein, das Space Shuttle wurde eingemottet, Russland schickte eine Weiterentwicklung seines Sojus-Programms ins Rennen, zur Dauerbaustelle ISS starteten nun Ares-Raketen, das Raumschiff Orion brachte erneut Menschen zum Mond, die europäische ESA stürzte sich in die Vorbereitung eines Marsfluges, China begann mit dem Bau einer eigenen Raumstation, praktisch jeder fantasierte über die Einflussverteilung im Weltall, über Mondlandungen, Marsflüge und Vorstöße in Galaxien, *die nie zuvor ein Mensch betreten hat,* wie es bei einer Science-Fiction-Serie der frühen Jahre so schön geheißen hatte.

»Doch all diese Pläne«, erklärte Julian, »krankten an der Problematik, dass man Raumschiffe und Raumstationen nicht so konstruieren *konnte,* wie man sie idealerweise hätte konstruieren *müssen.* Was keineswegs dem Unvermögen der Konstrukteure zuzuschreiben war, sondern zwei unverrückbaren physikalischen Gegebenheiten: Luftwiderstand – und Gravitation.«

Nun hatte Rocky Rocket wieder seinen großen Auftritt, balancierend auf einer stilisierten Weltkugel, über der ein fernes, freundliches Mondgesicht hing. Der Trabant, eindeutig weiblich, mit Krater-Akne, aber hübsch, zwinkerte Rocky zu und flirtete die kleine Rakete dermaßen unverschämt an, dass sie mit erigierter Spitze Herzen in den Äther funkte. Tim rutschte tiefer in seinen Sitz und beugte sich zu Julian hinüber.

»Sehr kindgerecht«, spottete er leise.

»Wo ist das Problem?«

»Etwas phallisch, das Ganze. Ich meine, der Mond ist weiblich, Frau Luna will also gevögelt werden. Oder wie?«

»Raketen sind nun mal phallisch«, murrte Julian. »Was hätten wir deiner Meinung nach tun sollen? Einen männlichen Mond nehmen? Hättest du lieber einen schwulen Mond gehabt? Ich nicht.«

»Davon rede ich nicht.«

»Ich will keinen schwulen Mond. Niemand will einen schwulen Mond. Oder ein schwules Raumschiff, dem der Arsch glüht. Vergiss es.«

»Ich habe ja auch nicht gesagt, dass es mir nicht gefällt. Ich habe lediglich –«

»Du bist und bleibst ein Bedenkenträger.«

Streiten um des Streitens willen. Tim fragte sich, wie sie die kommenden zwei Wochen bloß gemeinsam überstehen sollten. Unterdessen packte Rocky Rocket seinen Koffer mit allem, was eine Rakete unterwegs so braucht, faltete säuberlich auch ein paar Astronauten mit hinein, verstaute das Gepäckstück in seinem Bauch, schied, Kusshände werfend, einen putzigen kleinen Feuerstrahl aus und sprang in die Höhe. Sofort entwuchsen der Erdoberfläche ein Dutzend dehnbarer Arme und zogen ihn wieder zurück. Rocky, in höchstem Maße verblüfft, versuchte es ein weiteres Mal, doch es schien unmöglich, dem Planeten zu entkommen. Hoch über ihm verfiel die notgeile Möndin in eine mittlere Depression.

»Wenn jemand in die Höhe springt, fällt er mit hundertprozentiger Gewissheit wieder zu Boden«, erklärte Julian. »Materie übt Schwerkraft aus. Je mehr Masse ein Körper auf sich vereint, desto größer ist sein Schwerefeld, mit dem er kleinere Gegenstände an sich bindet.«

Sir Isaac Newton erschien dösend unter einem Baum, bis ihm ein Apfel auf den Kopf fiel und er mit wissendem Gesicht aufsprang: »Ganz genauso«, sagte er, »verhält es sich mit der himmlischen Mechanik aller Körper. Weil ich größer als der Apfel bin, sollte man meinen, die Frucht sei meiner höchstpersönlichen Leiblichkeit erlegen. Und in der Tat übe auch ich bescheidene gravitative Kräfte aus. Doch verglichen mit der Masse des Planeten spiele ich für das schwerkraftmechanische Verhalten reifer Äpfel eine untergeordnete Rolle. Tatsächlich ist es die Gravitation unserer Erde, gegen die dies winzige Äpfelchen keine Chance hat. Je mehr Kraft ich aufböte beim Versuch, es zurück in die Höhe zu schleudern, desto höher stiege es, doch sosehr ich mich auch mühte, müsste es doch unweigerlich wieder zu Boden fallen.« Wie zum Beweis seiner Ausführungen übte sich Sir Isaac im Apfelhochwurf und wischte sich den Schweiß von der Stirn. »Man sieht, die Erde fängt den Apfel wieder ein. Wie viel Energie wäre also vonnöten, um ihn geradewegs in den Weltraum zu schleudern?«

»Danke, Sir Isaac«, sagte Julian konziliant. »Genau darum geht es. Betrachtet man die Erde als Ganzes, nimmt sich eine Rakete zu ihr nicht wesentlich imposanter aus als ein Apfel, auch wenn Raketen natürlich größer als Äpfel sind. Mit anderen Worten, es bedarf eines ungeheuren Aufwands an Energie, damit sie überhaupt starten kann. Und zusätzliche Energie, um die zweite Kraft auszugleichen, die sie beim Aufstieg abbremst, nämlich unsere Atmosphäre.«

Rocky Rocket, erschöpft vom Bemühen, seine himmlische Geliebte zu erreichen, trat zu einem riesigen Zylinder mit der Aufschrift *Treibstoff* und trank ihn leer, woraufhin er unförmig anschwoll und ihm die Augen aus den Höhlen traten. Allerdings war er nun endlich in der

Lage, einen solch gewaltigen Feuerstoß zu erzeugen, dass er abhob, kleiner wurde und nicht mehr zu sehen war.

Julian machte eine Rechnung auf. »Lässt man beiseite, dass alleine die Größe der erforderlichen Treibstofftanks für interstellare Raumschiffe ab einem gewissen Punkt zum Problem wird, kostete im 20. Jahrhundert jeder Start ein Heidengeld. Energie ist teuer. De facto belief sich der energetische Aufwand, um nur ein einziges Kilogramm auf Fluchtgeschwindigkeit zu beschleunigen und der Erdschwerkraft zu entreißen, auf durchschnittlich 50 000 US-Dollar. Ein einziges Kilogramm! Die komplette, vollgetankte Apollo-11-Rakete mit Armstrong, Aldrin und Collins an Bord wog aber fast 3000 Tonnen! Was immer man also einbaute oder mitnahm, trug dazu bei, die Kosten ins Astronomische zu treiben. Raumschiffe hinreichend gegen Meteoriten, Weltraumschrott und kosmische Strahlung zu sichern, musste als illusorisch erscheinen. Wie hätte man die schwere Panzerung nach oben schaffen sollen, wo schon jeder Schluck Trinkwasser, jeder Zentimeter Beinfreiheit die Bilanz verdarb? Schön und gut, sich ein paar Tage lang eine Sardinendose zu teilen, aber wer wollte unter solchen Bedingungen zum Mars fliegen? Dass immer mehr Menschen den Sinn des ruinösen Unterfangens in Zweifel zogen, während das Gros der Weltbevölkerung von weniger als einem Dollar täglich lebte, kam erschwerend hinzu. Aus all diesen Erwägungen heraus schienen Pläne wie die Besiedelung und wirtschaftliche Nutzbarmachung des Mondes oder Flüge zu anderen Planeten an der Wirklichkeit zu zerschellen.« Julian machte eine Pause. »Und dabei hatte die Lösung die ganze Zeit über auf dem Tisch gelegen! In Form eines Aufsatzes, verfasst von einem russischen Physiker namens Konstantin Ziolkowski im Jahre 1895, 62 Jahre vor dem Start von Sputnik 1.«

Ein alter Mann, Spinnwebhaar, Fusselbart und Nickelbrille, betrat die virtuelle Bühne mit der Grazie eines untoten Kosaken. Während er sprach, wuchs auf der Erdoberfläche ein bizarres Gitterkonstrukt empor.

»Ich dachte an einen Turm«, beschwor Ziolkowski die Zuhörer mit bebenden Händen. »Ähnlich dem Eiffelturm, nur sehr viel höher. Bis in den Weltraum sollte er reichen, ein kolossaler Fahrstuhlschacht, an dessen oberem Ende ein Kabel aufgehängt war, das bis zur Erde reichte. Mit einer solchen Vorrichtung, schien mir, müsse es möglich sein, Objekte unter Vermeidung lärmender, stinkender, platzraubender und teurer Raketen in eine stabile Erdumlaufbahn zu befördern. Während des Aufstiegs würden diese Objekte, je mehr die Erdschwerkraft nachließ, tangential beschleunigt werden, bis ihre Energie und

Geschwindigkeit ausreichten, um im Ziel, in 35 786 Kilometer Höhe, dauerhaft zu verbleiben.«

»Prima Idee«, rief Rocky Rocket, von seiner lunaren Lustreise zurückgekehrt, und umrundete den halb fertigen Turm, der unvermittelt in sich zusammenkrachte. Ziolkowski erzitterte, verblasste und gesellte sich zu seinen Ahnen.

»Tja.« Julian zuckte bedauernd die Achseln. »Genau das war die Schwachstelle an Ziolkowskis Plan. Kein Material auf der Welt schien stabil genug für ein solches Bauwerk. Unweigerlich musste der Turm unter seinem eigenen Gewicht zusammenbrechen beziehungsweise von den Kräften, die auf ihn einwirkten, auseinandergerissen werden. Erst in den fünfziger Jahren wurde die Idee wieder populär, nur dass man nun darüber nachdachte, einen Satelliten in den geostationären Orbit zu schießen und ein Seil von dort zur Erde herunterzulassen –«

»Ähm – tschuldigung«, räusperte sich Rocky Rocket.

»Ja? Was denn?«

»Ist mir peinlich, Chef, aber –« Die kleine Rakete errötete und scharrte verlegen mit ihren Stummelflossen. »Was bedeutet eigentlich geostationär genau?«

Julian lachte. »Kein Problem, Rocky. Sir Isaac, einen Apfel bitte.«

»Ich weiß schon«, sagte Newton und schleuderte einen weiteren Apfel in die Luft. Diesmal stieg die Frucht zügig empor, ohne Anstalten zu machen, wieder zurückzufallen.

»Denken wir uns die Erde und vergleichbare Körper weg, wirkt keine Schwerkraft mehr auf den Apfel ein. Gemäß dem Impuls, der seine Masse kraft Muskulatur des verehrten Sir Isaac Newton beschleunigt, wird er fliegen und fliegen, ohne je zum Stillstand zu kommen. Diesen Effekt kennen wir als Zentrifugalkraft oder Fliehkraft. Denken wir uns die Erde nun wieder hinzu, kommt die bereits erwähnte Gravitation oder Schwerkraft ins Spiel, die gewissermaßen gegen die Fliehkraft antritt. Hat sich der Apfel weit genug von der Erde entfernt, ist ihr Schwerefeld zu schwach geworden, um ihn noch einzufangen, und er wird im Weltraum verschwinden. Ist er ihr zu nahe, zieht sie ihn zu sich zurück. Der geostationäre Orbit nun, kurz GEO, liegt dort, wo Erdanziehungskraft und Zentrifugalkraft einander exakt ausgleichen, nämlich in 35 786 Kilometer Höhe. Weder kann der Apfel von dort entkommen noch zurückstürzen. Vielmehr hält er sich für alle Zeiten im GEO, solange er die Erde synchron zu ihrer Rotationsgeschwindigkeit umrundet, weshalb ein geostationäres Objekt immer über demselben Punkt zu stehen scheint.«

Die Erde rotierte vor ihren Augen. Newtons Apfel schien über dem Äquator fest zu stehen, fixiert auf eine Insel im Pazifik. Natürlich stand er nicht wirklich still, vielmehr umrundete er den Planeten mit einer Geschwindigkeit von 11 070 Stundenkilometern, während sich die Erde mit 1674 Stundenkilometern, am Äquator gemessen, unter ihm dahin drehte. Der Effekt war verblüffend. So wie das Ventil eines Fahrradreifens immer über demselben Punkt der Radnabe stand, wenn sich das Rad drehte, verblieb der Satellit wie angenagelt über der Insel.

»Der geostationäre Orbit eignet sich damit in idealer Weise für einen Weltraumaufzug. Erstens zur Einrichtung eines Obergeschosses in stabiler Lage, zweitens aufgrund der fixen Position dieses Obergeschosses. Nachdem also feststand, dass man lediglich ein 35 786 Kilometer langes Seil von dort herunterlassen und am Boden verankern musste, kam die Frage auf, welche Belastungen ein solches Seil auszuhalten hätte. Die größte Spannung würde am Schwerpunkt entstehen, also im GEO selbst, was ein Seil erforderte, das nach oben hin entweder breiter oder aber fester wurde.«

Unverzüglich spannte sich ein solches Seil zwischen der Insel und dem Satelliten, in den sich der Apfel plötzlich verwandelte. Kleine Kabinen fuhren daran auf und ab.

»In diesem Zusammenhang kam eine weitere Überlegung auf. Warum das Seil nicht über den Schwerpunkt hinaus verlängern? Wir erinnern uns: Im geostationären Orbit gleichen Schwerkraft und Fliehkraft einander aus. Jenseits dessen verschiebt sich das Verhältnis beider Kräfte zugunsten der Fliehkraft. Ein Gefährt, das von der Erde am Seil emporklettert, muss dafür nur einen winzigen Bruchteil der Energie aufwenden, die es benötigen würde, um sich per Feuerstoß in die Höhe zu katapultieren. Mit zunehmender Höhe nimmt der Einfluss der Schwerkraft zugunsten der Fliehkraft ab, wodurch es immer weniger Energie aufzuwenden braucht, bis es im geostationären Orbit praktisch gar keine mehr benötigt. Stellt man sich nun eine Verlängerung des Seils bis in eine Höhe von 143 800 Kilometer vor, könnte das Gefährt über den geostationären Orbit hinaus sausen, würde kontinuierlich beschleunigt werden und sogar noch Energie *gewinnen*. Ein perfektes Sprungbrett für interstellare Reisen, etwa zum Mars oder sonst wohin!«

Die Kabinen transportierten nun Bauteile in den Orbit, die sich zu einer Raumstation zusammenfügten. Rocky Rocket belud die Kabinen und geriet zusehends ins Schwitzen.

»So oder so lagen die Vorteile eines Weltraumaufzugs klar auf der

Hand. Um ein Kilo Nutzlast in eine Höhe von fast 36 000 Kilometer Höhe zu bringen, musste man nun nicht mehr 50 000 Dollar, sondern nur noch 200 Dollar auf den Tisch legen, außerdem konnte man den Aufzug an 365 Tagen im Jahr rund um die Uhr nutzen. Plötzlich schien es unproblematisch, gigantische Raumstationen und hinreichend gepanzerte Raumschiffe zu bauen. Die Besiedelung des Weltraums rückte in greifbare Nähe und veranlasste den britischen Science-Fiction-Autor Arthur C. Clarke zu seinem Roman *The Fountains of Paradise*, indem er den Bau solcher Weltraumfahrstühle schildert.«

»Aber warum muss man das Ding unbedingt am Äquator bauen?«, keuchte Rocky Rocket und wischte sich den Schweiß von der Raketenspitze. »Warum nicht am Nordpol oder Südpol, wo es hübsch kühl ist? Und warum mitten im blöden Meer und nicht zum Beispiel in –«, seine Augen funkelten, er vollführte ein paar Tanzschritte und schnippte mit den Fingern, »– Las Vegas?«

»Ich bin nicht sicher, ob du ernsthaft von den Pinguinen zu den Sternen starten willst«, erwiderte Julian skeptisch. »Aber es ginge auch nicht. Nur am Äquator kannst du dir die Erdrotation zunutze machen, um ein Maximum an Fliehkraft zu erzielen. Nur dort sind geostationäre Objekte möglich.« Er überlegte. Dann sagte er: »Pass auf, ich will's dir erklären. Stell dir vor, du bist ein Hammerwerfer.«

Der kleinen Rakete schien das zu gefallen. Sie warf sich in die Brust und spannte die Muskeln.

»Wo ist der Hammer?«, krähte sie. »Her damit!«

»Man nimmt schon lange keinen Hammer mehr, Dummkopf, man nennt es nur noch so. Der Hammer ist heute eine Metallkugel an einem Stahlseil.« Julian zauberte das Gerät aus dem Nichts und drückte Rocky den Griff fest in beide Hände. »Nun musst du dich mit gestreckten Armen um deine Achse drehen.«

»Wozu?«

»Um den Hammer zu beschleunigen. Lass ihn kreisen.«

»Schweres Biest«, ächzte Rocky und zerrte an dem Stahlseil. Er begann sich um sich selbst zu drehen, schneller und schneller. Das Seil straffte sich, die Kugel löste sich vom Boden und wanderte in die Horizontale.

»Kann ich ihn jetzt werfen?«, keuchte Rocky.

»Gleich. Du musst dir nun vorstellen, du wärst nicht Rocky, sondern der Planet Erde. Dein Kopf, das ist der Nordpol, deine Füße sind der Südpol. Dazwischen verläuft die Achse, um die du rotierst. Was ist demzufolge deine Leibesmitte?«

»Puh! Wie, was? Der Äquator natürlich.«

»Bravo.«

»Kann ich jetzt werfen?«

»Warte. Von deiner Leibesmitte, also vom Äquator, schwingt der Hammer nach außen, durch die Fliehkraft straff gespannt, so wie auch das Seil des Weltraumaufzugs straff gespannt sein muss.«

»Verstehe. Kann ich?«

»Moment noch! Deine Hände sind gewissermaßen unsere Pazifikinsel, die Metallkugel ist der Satellit beziehungsweise die Raumstation im geostationären Orbit. Klar?«

»Klar.«

»So. Jetzt heb mal die Arme.«

»Hä?«

»Nur zu. Heb die Arme. Dreh dich weiter, aber heb sie dabei hoch über deinen Kopf.«

Rocky folgte der Anweisung. Das Stahlseil verlor schlagartig an Spannung, und die Kugel krachte auf die kleine Rakete herab. Sie verdrehte die Augen, taumelte und ging zu Boden.

»Meinst du, du hast das Prinzip verstanden?«, fragte Julian mitfühlend.

Rocky wedelte stumm mit einer weißen Fahne.

»Dann wäre das geklärt. Praktisch jeder Punkt auf der Äquatorlinie ist für den Weltraumaufzug geeignet, allerdings muss man einiges berücksichtigen. Die Ankerstation, sozusagen das Erdgeschoss, sollte in einem Gebiet liegen, das frei von Stürmen, starken Winden und elektrischen Entladungen ist, in dem keine Flugzeuge verkehren und der Himmel überwiegend klar ist. Solche Plätze finden sich vor allem im Pazifik. Einer liegt 550 Kilometer westlich von Ecuador und ist der Ort, an dem wir uns befinden – die Isla de las Estrellas!«

Plötzlich stand Julian auf der Aussichtsterrasse des STELLAR ISLAND HOTELS. Weit draußen sah man die schwimmende Plattform und die beiden Seile, die sich aus dem Inneren des Weltraumbahnhofs ins endlose Blau erstreckten.

»Wie Sie sehen, haben wir nicht einen, sondern zwei Fahrstühle gebaut. Zwei Seile spannen sich parallel in den Orbit. Doch noch vor wenigen Jahren schien es zweifelhaft, ob wir diesen Anblick je erleben würden. Ohne die Forschungsarbeit von ORLEY ENTERPRISES hätte die Lösung wohl weitere Jahrzehnte auf sich warten lassen, und alles, was Sie hier sehen –«, Julian breitete die Arme aus, »– gäbe es nicht.«

Die Illusion verschwand. Julian schwebte in biblischer Schwärze.

»Das Problem war, ein Material zu finden, aus dem sich ein 35 786 Kilometer langes Seil weben ließ. Es musste ultraleicht sein und zugleich ultrastabil. Stahl kam dafür nicht in Frage. Alleine unter seinem Eigengewicht würde selbst das leistungsfähigste Stahlseil nach 30 bis 40 Kilometern reißen. Alle möglichen Kunststofffasern wurden in Betracht gezogen und wieder verworfen. Man träumte von Spinnenseide, immerhin ist sie viermal belastbarer als Stahl, aber auch das hätte dem Seil nicht die erforderliche Zugfestigkeit verliehen, ganz davon zu schweigen, dass man für 35 786 Kilometer verdammt viele Spinnen braucht. Frustrierend! Die Ankerstation, die Raumstation, die Kabinen, alles schien machbar. Nur am Seil drohte das Konzept zu scheitern – bis Anfang des Jahrtausends ein revolutionäres, neues Material bekannt wurde: Kohlenstoffnanoröhren.«

Eine leuchtende, dreidimensionale Gitterstruktur begann sich im Schwarz zu drehen. In ihrer Schlauchform erinnerte sie entfernt an eine Reuse, wie man sie zum Fischfang benutzte.

»Dieses Gebilde ist in Wirklichkeit einige 10 000 Male dünner als ein menschliches Haar. Eine winzige Röhre, gebaut aus Kohlenstoffatomen in wabenartiger Anordnung. Die kleinsten solcher Röhren messen weniger als einen Nanometer im Durchmesser. Ihre Dichte ist sechs Mal geringer als Stahl, was sie sehr leicht macht, gleichzeitig verfügen sie über eine Zugfestigkeit von rund 45 Gigapascal, wogegen sich Stahl mit 2 Gigapascal ausnimmt wie bröckelnder Keks. Mit den Jahren gelang es, die Röhrchen zu bündeln und Fäden daraus zu spinnen. Forscher in Cambridge erzeugten 2004 einen 100 Meter langen Faden. Dennoch schien fraglich, ob sich derartige Fäden zu größeren Strukturen verweben ließen, zumal Experimente zeigten, dass die Reißfestigkeit des Fadens gegenüber einzelnen Röhren dramatisch abnahm. Eine Art Webfehler schlich sich ein, hervorgerufen durch fehlende Kohlenstoffatome, außerdem ist Kohlenstoff der Oxidation unterworfen. Er erodiert, die Fäden brauchten also eine Beschichtung.«

Julian machte eine Pause.

»Viele Jahre hat ORLEY ENTERPRISES in die Frage investiert, wie sich dieser Fehler beheben ließe. 2012 gelang uns der Durchbruch. Nicht nur konnten wir die fehlenden Atome ersetzen, es gelang uns zudem, die Zugfestigkeit der Seile durch Querverbindungen auf 65 Gigapascal heraufzusetzen! Wir fanden Möglichkeiten, sie zu beschichten und gegen Meteoriten, Weltraumschrott, Eigenschwingungen und die zersetzende Wirkung atomaren Sauerstoffs zu sichern. Bei einer

Breite von eben mal einem Meter sind sie flacher als ein menschliches Haar, weswegen sie zu verschwinden scheinen, wenn man sie von der Seite betrachtet. In 143 000 Kilometer Entfernung, wo sie enden, haben wir sie an einen kleinen Asteroiden gekoppelt, der als Gegengewicht fungiert. Künftig werden wir auf dieser Strecke Raumschiffe in einer Weise beschleunigen, dass sie ohne nennenswerten energetischen Aufwand zum Mars oder darüber hinaus fliegen können.« Er lächelte. »Im geostationären Orbit aber haben wir eine Raumstation gebaut, wie es sie nie zuvor gegeben hat: die OSS, die ORLEY SPACE Station, binnen dreier Stunden mit dem Weltraumfahrstuhl erreichbar, Forschungsstation, Weltraumbahnhof und Werft! Sämtliche bemannten und unbemannten Transferflüge starten von dort zum Mond. Wiederum gelangt komprimiertes Helium-3 aus den lunaren Förderstellen zur OSS, wird in den Weltraumaufzug verladen und zur Erde geschickt, sodass die Vision, zehn Milliarden Menschen unbegrenzt mit sauberer und erschwinglicher Energie zu versorgen, ihrer Verwirklichung mit jedem Tag näher rückt. Man kann sagen, Helium-3 hat das Zeitalter der fossilen Brennstoffe abgelöst, denn auch die dafür erforderlichen Fusionsreaktoren wurden von ORLEY ENTERPRISES zur Marktreife entwickelt. Die Bedeutung von Öl und Gas ist dramatisch im Schwinden begriffen. Der Raubbau an unserer Heimat geht dem Ende entgegen. Kriege um Öl werden der Vergangenheit angehören. All dies wäre ohne die Entwicklung des Weltraumfahrstuhls nicht möglich gewesen, doch wir haben den Traum, den Konstantin Ziolkowski träumte, zu Ende geträumt – und ihn Wirklichkeit werden lassen!«

Im nächsten Moment war alles wieder da, die Aussichtsterrasse, die Hänge der Isla de las Estrellas, die schwimmende Plattform im Meer. Julian Orley, mit wehendem Schopf und funkelnden Augen, reckte die Arme zum Himmel, als gelte es, das elfte Gebot in Empfang zu nehmen.

»Vor 20 Jahren, als ORLEY ENTERPRISES begann, über die Konstruktion von Weltraumaufzügen nachzudenken, habe ich der Welt versprochen, ihr einen Fahrstuhl in die Zukunft zu bauen. In eine Zukunft, wie unsere Eltern und Großeltern sie sich nie zu erträumen wagten. In die beste Zukunft, die wir je hatten. Und wir haben ihn gebaut! In wenigen Tagen werden Sie damit zur OSS reisen. Sie werden die Erde als Ganzes sehen, unsere einzigartige, wunderschöne Heimat – und staunend den Blick zu den Sternen richten, zu unserer Heimat von morgen.«

Unter dramatischen Klängen, auf Säulen roten Lichts, stiegen zwei schimmernde Kabinen aus dem zylindrischen Bahnhofsgebäude der Meeresplattform und schossen in den Himmel empor. Julian legte den Kopf in den Nacken und sah ihnen nach.

»Willkommen«, sagte er, »in der Zukunft.«

ANCHORAGE, ALASKA, USA

Nicht schon wieder, dachte Gerald Palstein. Nicht zum vierten Mal derselbe Vorwurf, dieselbe Frage.

»Vielleicht wäre es klüger gewesen, Mr. Palstein, die Menschen, die Sie nun in die Arbeitslosigkeit entlassen, von vorneherein anderweitig zu beschäftigen, anstatt in suchtartiger Besessenheit von Öl die letzten intakten Ökosysteme der Erde umzugraben. War es nicht ein schwerwiegender Fehler Ihrer Abteilung, die Anlage überhaupt erst zu installieren, so als spielten Energieträger wie Helium-3 und Solarkraft keine Rolle?«

Misstrauen, Unverständnis, Häme. Die Pressekonferenz, die EMCO zur Beerdigung des Alaska-Projekts abhielt, hatte den Charakter eines Tribunals angenommen, mit ihm als Prügelknaben. Palstein versuchte, sich seine Müdigkeit nicht anmerken zu lassen.

»Wir haben aus damaliger Sicht durchaus verantwortlich gehandelt«, sagte er. »2015 war Helium-3 eine Option, die in den Sternen stand, im wortwörtlichen Sinne. Die Vereinigten Staaten von Amerika konnten ihre Energiepolitik nicht einzig auf die Möglichkeit eines technologischen Geniestreichs gründen –«

»An dem Sie jetzt partizipieren wollen«, unterbrach ihn die Journalistin. »Etwas spät, finden Sie nicht?«

»Sicher, aber vielleicht darf ich Sie auf ein paar Dinge hinweisen, von denen ich dachte, sie wären uns beiden bekannt. Zum einen stand ich der strategischen Ebene von EMCO 2015 noch nicht vor –«

»Stellvertretend schon.«

»Die finale Entscheidung, was gebaut wurde, oblag meinem Vorgänger. Dennoch haben Sie recht. Ich habe das Alaska-Projekt unterstützt, weil weder abzusehen war, ob der Weltraumfahrstuhl noch die Fusionstechnologie wie angekündigt funktionieren würden. Das Projekt lag also eindeutig im Interesse der amerikanischen Nation.«

»Wohl eher im Interesse einiger Profiteure.«

»Rekapitulieren Sie bitte die Lage. Anfang des Jahrtausends zielte unsere Energiepolitik darauf ab, uns aus der Abhängigkeit des Nahen

Ostens zu lösen. Zumal wir die Erfahrung machen mussten, dass, wer Kriege für sich entscheidet, nicht unbedingt den Frieden gewinnt. In den Irak zu gehen, war Schwachsinn. Der amerikanische Markt konnte davon bei Weitem nicht so profitieren wie erhofft. Wir hatten geplant, unsere Leute da runterzuschicken und das Ölgeschäft zu übernehmen, stattdessen sahen wir Woche für Woche amerikanische Soldaten in Särgen zurückkehren, also zögerten wir, bis andere den Kuchen unter sich aufgeteilt hatten. Nur, nachdem selbst konservative Republikaner zu dem Schluss gekommen waren, dass man sich mit George W. Bush einen brandgefährlichen Trottel eingehandelt hatte, der neben der Wirtschaft gleich auch unser Ansehen in der Welt ruiniert hatte, wollte niemand mehr so recht mit der Waffe in der Hand in den Iran.«

»Wollen Sie damit sagen, Sie bedauern, dass die Option eines weiteren Krieges vom Tisch war?«

»Natürlich nicht.« Unglaublich! Die Frau hörte einfach nicht zu. »Ich war immer vehement gegen Krieg und bin es heute auch noch. Sie müssen sich einfach nur klarmachen, in welcher Klemme die Vereinigten Staaten steckten. Asiens Rohstoffhunger, Russlands Ressourcen-Poker, unsere enttäuschende Performance im Nahen Osten, ein einziges Desaster. Dann 2015, der Umsturz in Saudi-Arabien. Brennende Sternenbanner in Riads Straßen, die ganze Folklore islamistischer Machtübernahme, nur dass wir die Typen nicht einfach rauswerfen konnten, weil China ihnen das Geld und die Waffen geliehen hatte. Eine offizielle militärische Intervention in Saudi-Arabien wäre einer Kriegserklärung an Peking gleichgekommen. Sie wissen selbst, wie es seitdem da unten aussieht. Heute mag es niemanden mehr interessieren, damals wäre es fahrlässig gewesen, uns ausschließlich auf arabisches Öl zu verlassen. Wir mussten Alternativen in Betracht ziehen. Eine davon lag im Meer, die andere in der Ausbeutung von Ölsanden und Ölschiefern, die dritte in den Ressourcen Alaskas.«

Eine weitere Journalistin meldete sich. Loreena Keowa, Umweltaktivistin mit indianischen Wurzeln und Chefreporterin von *Greenwatch*. Ihre Reportagen fanden großen Anklang im Netz. Sie war kritisch, doch Palstein wusste, dass er in ihr unter Umständen eine Verbündete hatte.

»Ich denke, niemand kann einem Unternehmen vorwerfen, dass es einen Leichnam für tot erklärt«, sagte sie. »Auch wenn es den Verlust von Arbeitsplätzen bedeutet. Ich frage mich nur, was EMCO den Menschen zu bieten hat, die jetzt ihre Jobs verlieren. Vielleicht ist es ja müßig, über verschüttete Milch zu reden, aber hat nicht die damalige

Weigerung ExxonMobils, in alternative Energien zu investieren, überhaupt erst zu der heutigen Schieflage geführt?«

»Das ist richtig.«

»Ich erinnere mich, dass Shell schon vor 20 Jahren darauf hinwies, sie seien ein Energiekonzern und kein Ölunternehmen, während ExxonMobil verlauten ließ, kein Standbein in den alternativen Energien zu brauchen. Das Ende des Ölzeitalters, wie viele es heraufdämmern sähen, sei, so wörtlich, ein *weitverbreitetes Missverständnis.*«

»Diese Einschätzung war zweifellos falsch.«

»Die Nachwehen spüren wir jetzt umso schmerzlicher. Vielleicht trifft es ja zu, dass niemand mit einem derartigen Umschwung im Energiemarkt rechnen konnte, wie er sich gerade vollzieht. Fest steht, dass EMCO nicht in der Lage ist, seine Leute in alternativen Bereichen anzusiedeln, weil es keine alternativen Bereiche gibt.«

»Genau das wollen wir ja ändern«, sagte Palstein geduldig.

»Ich weiß, dass *Sie* es ändern wollen, Gerald.« Keowa grinste schief. »Ihre Kritiker halten die geplante Beteiligung an ORLEY ENTERPRISES allerdings für Augenwischerei.«

»Falsch.« Palstein lächelte zurück. »Sehen Sie, ich will nichts entschuldigen, aber 2005 war ich bei ConocoPhillips für Bohrprojekte in Ecuador zuständig, erst 2009 wechselte ich ins strategische Management. Zu dieser Zeit wurde das amerikanische Öl- und Gasgeschäft von ExxonMobil beherrscht. Die Einschätzungen hinsichtlich der alternativen Energien lagen beiderseits des Atlantiks ziemlich weit auseinander. ExxonMobil investierte am arabischen Golf, versuchte sich in der Übernahme russischer Ölfirmen, setzte auf hohe Wachstumsraten als Ergebnis steigender Ölpreise und pfiff auf Ethik und Nachhaltigkeit. In Europa lief das anders. Royal Dutch Shell hatte schon Ende der Neunziger einen Geschäftsbereich für erneuerbare Energien ins Leben gerufen. BP packten es noch ein bisschen cleverer an, indem sie die Tiefsee erschlossen und sich Anteile an russischen Vorkommen sicherten, andererseits mit Slogans wie *Beyond Petroleum* warben und ihre Geschäftsfelder diversifizierten, wo sie nur konnten.«

Palstein wusste, dass speziell unter den jüngeren Journalisten ein bedenklicher Mangel an Informiertheit herrschte. Skizzenhaft legte er dar, wie der Prozess der Konsolidierung unmittelbar vor der Machtübernahme der saudischen Islamisten seinen Höhepunkt erreicht hatte, als Royal Dutch Shell von BP aufgesogen worden war, woraus UK Energies entstand, während in Amerika ExxonMobil mit Chevron und ConocoPhillips zu EMCO verschmolz.

»2017 übernahm ich im strategischen Management von EMCO die Position des stellvertretenden Leiters. Gleich am ersten Tag flatterte mir eine Pressemeldung auf den Tisch, wonach ORLEY ENTERPRISES der Durchbruch in der Entwicklung eines Weltraumfahrstuhls gelungen sei. Ich schlug vor, mit Julian Orley über eine Beteiligung an ORLEY ENERGY zu verhandeln. Außerdem empfahl ich, Anteile an Warren Locatellis LIGHTYEARS zu erwerben oder besser gleich das ganze Unternehmen zu kaufen. Locatellis Marktführerschaft in der Fotovoltaik ist ja nicht vom Himmel gefallen, 2015 wäre er noch zu jedem Handel bereit gewesen.«

Er sah die Zustimmung in einigen Augen. Keowa nickte.

»Ich weiß, Gerald. Sie haben versucht, den EMCO-Tanker in Richtung erneuerbare Energien zu steuern. Dass Sie mit Ihrer Branche kritisch ins Gericht gehen, ist allgemein bekannt. Ebenso aber auch, dass keiner Ihrer Vorschläge umgesetzt wurde.«

»Bedauerlicherweise nicht. Den alten Exxon-Seilschaften, die EMCO immer noch im Griff hatten, ging es einzig ums Kerngeschäft. Erst als der Ölmarkt einzubrechen begann, als die Hardliner ihren Hut nehmen mussten und der neue Vorstand mich mit der strategischen Leitung betraute, war ich handlungsfähig. Seitdem hat sich EMCO gewandelt. Seit 2020 haben wir alles darangesetzt, die Versäumnisse der Vergangenheit gutzumachen. Wir sind in die Fotovoltaik eingestiegen, in Wind- und Wasserkraft. Vielleicht hat es sich noch nicht überall herumgesprochen, aber wir sehen uns sehr wohl in der Lage, unser Personal in zukunftsstarke Unternehmenszweige umzusiedeln. Nur lässt sich über Nacht nicht reparieren, was jahrzehntelang versäumt wurde.«

Er wusste, was sie ihn als Nächstes fragen würden:

»Ist es überhaupt noch zu reparieren?«

Palstein lehnte sich zurück. Im Grunde konnte er sich die Antwort sparen. Helium-3 etablierte sich als Energieträger der Zukunft, daran gab es nichts zu rütteln. Orleys Fusionsreaktoren arbeiteten zuverlässig rund um die Uhr, die Energie- und Umweltbilanzen fielen positiv aus, der Transport des Elements vom Mond zur Erde stellte kein Problem mehr dar. Palsteins Branche hingegen war wie traumatisiert. Mit allem hatten die Ölkonzerne gerechnet – nur nicht mit dem Ende des Ölzeitalters, *ohne* dass Öl und Gas knapp geworden waren! Nicht einmal die kühnsten Visionäre von Royal Dutch Shell oder BP hatten sich einen alternativen Energieträger vorstellen können, der ihre Branche so schnell auszutrocknen drohte. Noch vor zehn Jahren hatte

UK Energies den Marktanteil alternativer Technologien für das Jahr 2050 auf 30 Prozent geschätzt, Kernkraft mit eingeschlossen. Ebenso war jedem klar gewesen, dass die meisten dieser Technologien zu massenmarkttauglichen Preisen nur von global operierenden Konzernen angeboten werden konnten. Fotovoltaik etwa hatte den Vorzug, ein schnelles Zusatzgeschäft in sonnenreichen Ländern zu ermöglichen, erforderte indes eine logistische Breitwandperformance. Wer sollte dafür infrage kommen außer den Ölmultis, die eigentlich nur für die Steigbügel sorgen mussten, um am Tag X umsatteln zu können?

Dass die meisten Konzerne nicht einmal dazu bereit gewesen waren, verdankte sich den orakelnden Prognosen, wann Öl und Gas denn nun tatsächlich versiegen würden. Unheilspropheten, nach Art der Zeugen Jehovas in ständiger Umdatierung des Weltuntergangs begriffen, hatten das Ende des Ölzeitalters in den Achtzigern für 2010 vorausgesagt, in den Neunzigern für 2030, Anfang des Jahrtausends für 2050, trotz gestiegenen Verbrauchs. Mittlerweile stand fest, dass alleine die Reserven bis 2080 reichen würden, auch wenn das Fördermaximum als überschritten galt, während die Ressourcen eine noch höhere Reichweite versprachen. Nur in einem Punkt hatten sich alle in den Armen gelegen: Billiges Öl würde es nicht mehr geben. Niemals wieder.

Aber es war billig geworden.

So dramatisch billig war es, dass die Branche sich zu fühlen begann wie der *Incredible Shrinking Man,* für den plötzlich eine simple Hausspinne zur tödlichen Bedrohung wurde. Am besten kam noch weg, wer frühzeitig in erneuerbare Energien investiert hatte. UK Energies war es gelungen, das Ruder herumzureißen, die französische Total-Gruppe hatte sich beizeiten breit genug aufgestellt, um überleben zu können, wenngleich hier wie dort der kollektive Zelltod des Personalabbaus wütete. Wenigstens galt Solartechnologie in Hocheffizienz, wie sie von Locatellis LIGHTYEARS entwickelt worden war, neben Helium-3 als zukunftssicher, und auch mit Windkraft ließ sich Geld verdienen. Hingegen zuckte der norwegische Verband Statoil Norsk Hydro in Agonie, starrten Chinas CNPC und Russlands Lukoil entgeistert in eine ölfreie Zukunft, offenbar in sträflicher Unkenntnis des legendär gewordenen Ausspruchs Ahmed al Jamanis, des früheren saudi-arabischen Ölministers: »Die Steinzeit ging nicht zu Ende, weil es an Steinen mangelte.«

Dabei war das Problem weniger, dass kein Öl mehr benötigt wurde; man brauchte es für Kunststoffe, Dünger und Kosmetika, in der Textilindustrie, in der Nahrungsmittelproduktion und der pharmazeutischen Forschung. Noch waren Orleys neuartige Fusionsreaktoren dünn gesät, fuhr das Gros der Autos mit Verbrennungsmotoren, verheizten Flugzeuge Kerosin. Vornehmlich die USA profitierten von der neuen Ressource. Die weltweite Umstellung auf eine Helium-3-basierte Energiewirtschaft würde noch Jahre in Anspruch nehmen, so viel stand fest.

Aber eben keine Jahrzehnte mehr.

Alleine, *dass* die sogenannte aneutronische Fusion von Helium-3 mit Deuterium in Reaktoren funktionierte, hatte den ohnehin kränkelnden Ölpreis ins Bodenlose stürzen lassen. Ende der ersten Dekade hatte sich erwiesen, dass Menschen eben *nicht* bereit waren, jede Summe für Öl zu zahlen; wurde es zu teuer, erwachte ihr ökologisches Gewissen, sie sparten Strom und trieben die Entwicklung alternativer Energien voran. Das Konzept der Spekulanten, den Barrelpreis durch Massenaufkäufe in die Höhe zu treiben, war nicht aufgegangen. Hinzu kam, dass die meisten Länder strategische Reserven angelegt hatten und keine neuen Käufe tätigen mussten, dass neue Fahrzeuggenerationen über Batterien mit generösen Speicherkapazitäten verfügten und umweltfreundlichen Strom an der Steckdose tankten, der dank Helium-3 bald überall auf der Welt in rauen Mengen zur Verfügung stehen würde. Ausgerechnet die Vereinigten Staaten von Amerika, seit Barack Obamas Machtübernahme tiefdunkel ergrünt, drängten auf internationale Abkommen zur Emissionsreduzierung und hatten im CO_2 den Teufel entdeckt. Wenige Jahre, nachdem der erste Helium-3-betriebene Fusionsreaktor ans Netz gegangen war, stand zudem fest, dass sich mit umweltorientiertem Denken astronomisch hohe Gewinne erzielen ließen. Im Zuge dieser Entwicklungen war EMCO im Ranking der weltgrößten Mineralölkonzerne von erster an dritte Stelle gerutscht, während die komplette Branche auf ein Mikroversum zu schrumpfen drohte. Befallen vom Knochenschwund der Ignoranz, geriet EMCO zunehmend ins Straucheln, ein King Kong vor dem Sturz, in dumpfer Gewissheit seines Scheiterns nach Halt fingernd, wo nichts verblieben war als Luft.

Jetzt hatten sie auch noch Alaska verloren.

Die Bohrvorhaben, in jahrelangem Ringen gegen die Umweltlobby erkämpft, mussten aufgegeben werden, weil die riesigen Erdgasvorkommen dort niemanden mehr interessierten. Das Murmeltier begann zu grüßen. Diese Pressekonferenz unterschied sich kaum von der, die sie wenige Wochen zuvor im kanadischen Alberta hatten abhalten müssen, wo die Ausbeutung von Ölsanden auf der Kippe stand, ein aufwendiges und umweltbelastendes Verfahren, das den Naturschützern von jeher Albdrücken beschert hatte, jedoch durchsetzbar gewesen war, solange die Welt nach Öl geschrien hatte wie der Säugling nach der Milch. Was half es, dass mancher Vertreter der kanadischen Regierung EMCOs Kummer teilte, da immerhin zwei Drittel der weltweiten Ölressourcen in solchen Sanden lagerten, alleine 180 Millionen Barrel auf kanadischem Grund und Boden? Die überwiegende Mehrheit der Kanadier war froh über das nahende Aus. In Alberta hätte der Abbau auf Dauer Flüsse und Moore, den borealen Wald, das komplette Ökosystem nachhaltig zerstört. Angesichts dessen hatte Kanada seine internationalen Verpflichtungen nicht länger einhalten können. Die Treibhausemissionen waren gestiegen, die unterzeichneten Protokolle Makulatur.

»Es wird zu reparieren sein«, sagte Palstein mit fester Stimme. »Die Verhandlungen mit ORLEY ENTERPRISES stehen unmittelbar vor dem Abschluss. Ich verspreche Ihnen, wir werden als erster Ölkonzern am Helium-3-Geschäft partizipieren, außerdem diskutieren wir mit den Strategen anderer Konzerne mögliche Allianzen.«

»Was konkret haben Sie ORLEY ENTERPRISES denn anzubieten?«, wollte ein Journalist wissen.

»Da gibt es einiges.«

Der Mann ließ nicht locker. »Das Problem der Multis ist doch, dass sie vom Fusionsgeschäft überhaupt keinen Schimmer haben. Ich meine, einige der Konzerne haben sich auf Fotovoltaik gestürzt, auf Wind- und Wasserkraft, auf Bioethanol und das ganze Zeugs, aber Fusionstechnologie und Weltraumfahrt – Sie werden entschuldigen, das liegt ja wohl weit jenseits Ihres Kompetenzhorizonts.«

Palstein lächelte.

»Ich kann Ihnen berichten, dass Julian Orley derzeit aktiv nach Investoren für einen zweiten Weltraumfahrstuhl sucht, unter anderem, um die Infrastruktur für den Transport von Helium-3 auszubauen. Natürlich reden wir über immens viel Geld. Aber wir haben dieses Geld. Die Frage ist, wie wir es einsetzen wollen. Meine Branche erleidet zurzeit einen Schock. Längst fällig, könnte man sagen, also was sollten wir Ihrer Ansicht nach tun? Jammernd zugrunde gehen? EMCO wird keine Vormachtstellung in der Solarenergie erzielen, auch wenn wir uns noch so sehr bemühen, dort Fuß zu fassen. Da sind uns andere historisch voraus. Entweder können wir also zusehen, wie uns ein Markt nach dem anderen wegbricht, bis unsere Mittel von Sozialprogrammen aufgezehrt sind. Oder wir stecken das Geld in einen zweiten Fahrstuhl und organisieren logistische Prozesse auf der Erde. Wie gesagt, die Gespräche sind praktisch abgeschlossen, die Unterzeichnung der Verträge steht unmittelbar bevor.«

»Wann wird es so weit sein?«

»Im Augenblick weilt Orley mit einer Gruppe potenzieller Investoren auf der Isla de las Estrellas. Von dort wird die Reise weitergehen zur OSS und zur Eröffnung des GAIA. Tja.« Palstein zuckte in einer Geste zwischen Wehmut und Fatalismus die Achseln. »Ich hätte dabei sein sollen. Julian Orley ist ja nicht nur unser zukünftiger Geschäftspartner, sondern auch ein persönlicher Freund. Es schmerzt mich, diese Reise nicht mit ihm zusammen antreten zu können, aber Sie wissen ja selbst, was in Kanada geschehen ist.«

Damit hatte er den Gong zur zweiten Runde geschlagen. Alle begannen durcheinanderzureden.

»Weiß man inzwischen, wer auf Sie geschossen hat?«

»Werden Sie die kommenden Wochen gesundheitlich durchhalten? Hat die Verletzung –«

»Was ist von Mutmaßungen zu halten, der Anschlag könne im Zusammenhang mit Ihrer Entscheidung, EMCO und ORLEY ENTERPRISES –«

»Stimmt es, dass ein aufgebrachter Ölarbeiter –«

»Sie haben sich durch Ihre Kritik an den Missständen in Ihrer Branche eine Menge Feinde gemacht. Wer von denen käme –«

»Wie geht es Ihnen überhaupt, Gerald?«, fragte Keowa.

»Danke, Loreena, ganz gut, den Umständen entsprechend.« Palstein hob die linke Hand, bis Ruhe einkehrte. Den rechten Arm trug er seit vier Wochen in der Schlinge. »Der Reihe nach. Ich werde alle Fragen beantworten, aber haben Sie Verständnis, wenn ich Spekulationen vorbeuge. Ich kann zurzeit nichts weiter sagen, als dass ich selber gerne wüsste, wer das getan hat. Fest steht nur, dass ich unverschämtes Glück hatte. Wäre ich auf der Treppe zum Podium nicht gestolpert, hätte das Projektil meinen Kopf getroffen. Das war keine Warnung, wie einige meinten, sondern eine verpatzte Hinrichtung. Ziel des Anschlags war zweifelsfrei mein Tod.«

»Wie schützen Sie sich im Augenblick?«

»Mit Optimismus.« Palstein lächelte. »Und einer kugelsicheren Weste, um der Wahrheit die Ehre zu geben. Aber was nützt die gegen Kopfschüsse? Soll ich mich verstecken? Nein! Peter Tschaikowsky hat gesagt: Man kann nicht aus Angst vor dem Tod auf Zehenspitzen durchs Leben gehen.«

»Anders gefragt«, sagte Keowa, »wem würde es nützen, wenn Sie von der Bildfläche verschwänden?«

»Ich weiß es nicht. Falls jemand unseren Einstieg bei ORLEY ENTERPRISES verhindern wollte, würde er damit EMCOs größte und vielleicht einzige Chance, schnell zu gesunden, zunichtemachen.«

»Vielleicht geht's ja gerade darum«, rief eine Stimme. »EMCO zu vernichten.«

»Der Markt ist zu klein geworden für die Ölkonzerne«, meldete sich ein anderer. »Eigentlich wäre ein Konzernsterben im Sinne der ökonomischen Evolution. Jemand räumt Konkurrenten aus dem Weg, um –«

»Oder jemand will über Sie Orley treffen. Wenn EMCO –«

»Wie ist die Stimmung in Ihrem eigenen Laden? Wem sind Sie auf die Füße getreten, Gerald?«

»Niemandem!« Palstein schüttelte entschieden den Kopf. »Der Vorstand hat mein Sanierungsmodell in allen Punkten abgesegnet, und ganz oben steht unser Engagement bei Orley. Mit solchen Vermutungen stochern Sie im Trüben. Sprechen Sie mit den Behörden. Die gehen jeder Spur nach.«

»Und was sagt Ihnen Ihr Gefühl?«

»Über den Täter?«

»Ja. Gibt es nicht irgendeine Überlegung, die sich aufdrängt?«

Palstein schwieg eine Weile. Dann sagte er: »Ich persönlich kann mir eigentlich nur einen Racheakt vorstellen. Jemand, der verzweifelt ist, seinen Job verloren hat, womöglich alles, und seinen Hass nun auf mich projiziert. Dafür hätte ich Verständnis. Mir ist durchaus bewusst, wo wir stehen. Viele Menschen bangen um ihre Existenz, die uns in besseren Jahren vertraut haben.« Er machte eine Pause. »Aber seien wir ehrlich, die besseren Zeiten brechen gerade erst an. Vielleicht bin ich der falsche Mann, um das zu sagen, doch eine Welt, die ihren Energiebedarf aus umweltschonenden und erneuerbaren Ressourcen decken kann, lässt die Ölwirtschaft archaisch aussehen. Ich kann nur immer wieder betonen, dass wir alles, wirklich alles daransetzen werden, EMCOs Zukunft zu sichern. Und damit die unserer Mitarbeiter!«

Eine Stunde später ruhte sich Gerald Palstein in seiner Suite aus, den rechten Arm unter dem Hinterkopf angewinkelt, die Beine von sich gestreckt, als bereite es sogar zu viel Mühe, sie übereinanderzuschlagen. Hundemüde und ausgebrannt lag er auf der Tagesdecke und starrte hinauf zum Balkenhimmel des Vier-Pfosten-Bettes. Seine Delegation logierte im *Sheraton Anchorage,* einer der feineren Adressen in dieser nicht eben mit baulichen Heldentaten gesegneten Stadt. Was es an historischer Substanz gegeben hatte, war dem Erdbeben von 1964 zum Opfer gefallen. Dem Good-Friday-Beben, wie sie es nannten. Der heftigste Schluckauf, den Seismologen je auf amerikanischem Grund verzeichnet hatten. Jetzt gab es nur noch ein wirklich schönes Gebäude, und das war ausgerechnet das Krankenhaus.

Nach einer Weile stand er auf, ging ins Bad, klatschte sich mit der freien Hand kaltes Wasser ins Gesicht und betrachtete sich im Spiegel. Ein Tropfen hing zitternd an seiner Nasenspitze. Er schnippte ihn weg. Paris, mit der er verheiratet war, erzählte gerne, sie habe sich in seine Augen verliebt, die von verschwiegenem Erdbraun waren, rehhaft groß unter dichten Wimpern, beinahe wie die einer Frau. Eine immerwährende Melancholie lag in diesem Blick. Zu schön, zu intensiv für das freundliche, aber unauffällige Gesicht drum herum. Die Stirn war hoch und glatt, den Hinterkopf umrahmte kurz geschnittenes Haar. Seit Kurzem haftete seinem schmalen Körper etwas Asketisches an, Folge mangelnden Schlafs, unregelmäßiger Ernährung und des Klinikaufenthalts, wo ihm vor vier Wochen die Kugel aus der Schulter entfernt worden war. Palstein wusste, dass er mehr hätte essen sollen, nur dass er kaum Appetit verspürte. Das meiste dessen, was ihm vorgesetzt wurde, ließ er stehen. Ein beunruhigend hartnäckiger Fall von Erschöpfung lähmte ihn, als habe ein Virus von ihm Besitz ergriffen, dem sich mit gelegentlichen Schlafpausen im Flieger nicht mehr beikommen ließ.

Er trocknete sein Gesicht, verließ das Badezimmer und trat ans Fenster. Eine blasse, kalte Sommersonne überzog das Meer mit gleißenden Schlieren. Im Norden türmten sich die schneebedeckten Gipfel der Alaskakette übereinander. Unweit des Hotels konnte er den ehemaligen Sitz von ConocoPhillips ausmachen. Jetzt prangte dort das EMCO-Logo in trotziger Selbstbehauptung gegen den längst vollzogenen Wandel. Im Gebäude der Peak Oilfield Service Company standen Büroflächen zu vermieten. UK Energies hatte im früheren BP-Hauptquartier einen Ableger ihrer Solar-Division untergebracht und den Rest an ein Touristikunternehmen vermietet, auch hier stand vieles leer. Alles ging den Bach runter. Manche Schriftzüge waren ganz verschwunden, Anadarko Oil etwa, Doyon Drilling und Marathon Oil Company. Das Land drohte seine Stellung als wirtschaftlich erfolgreichster Bundesstaat der USA einzubüßen. Seit den Siebzigern waren über 80 Prozent aller staatlichen Einnahmen aus dem Geschäft mit den fossilen Brennstoffen in den Alaska Permanent Fund geflossen, aus dem sämtliche Einwohner anteilig bedacht wurden. Einkünfte, auf die sie demnächst würden verzichten müssen. Mittelfristig blieben der Region nur ihre Metalle, der Fischfang, Holz und ein bisschen Pelzzucht. Natürlich auch Öl und Gas, aber in sehr begrenztem Umfang, zu Preisen, dass man das Zeug besser in der Erde ließ.

Die Journalisten und Aktivisten, mit denen er im Verlauf der vergangenen Stunden zu tun gehabt hatte, repräsentierten keineswegs die öffentliche Meinung, wenn sie das Ende der Ölwirtschaft bejubelten und ihm vorhielten, man hätte mit der Ausbeutung gar nicht erst anfangen dürfen. Tatsächlich stieß Helium-3 in Alaska auf ein eher gedämpftes Echo, ebenso wie sich die Begeisterung am Persischen Golf in Grenzen hielt. Die Scheichs sahen sich aufs öde Wüstendasein früherer Jahre zurückgeworfen, als sich für ihr Territorium vornehmlich Skorpione und Sandkäfer interessierten. Das Gespenst der Verarmung raubte Kuwaits, Bahrains und Katars Potentaten den Schlaf. Kaum jemand wollte noch ernsthaft nach Dubai. Peking hatte seine Unterstützung der saudi-arabischen Islamisten eingestellt, die USA schienen Nordafrika nicht mehr wahrzunehmen, im Irak zerfleischten sich Sunniten und Schiiten wie eh und je, der Iran stiftete wie gewohnt Unruhe mit seinen Nuklearprogrammen, fletschte in alle Richtungen die Zähne und suchte die Nähe zu China, das neben den USA als einzige Nation auf dem Mond Helium-3 förderte, wenn auch in verschwindend geringen Quantitäten. Weder hatten die Chinesen einen Weltraumfahrstuhl noch wussten sie, wie man einen baute. Niemand außer Amerika verfügte über so ein Ding, auf dessen Patenten Julian Orley saß wie die Henne auf der Brut, weshalb China durchweg auf herkömmliche Raketentechnologie angewiesen war, mit entsprechend defizitären Bilanzen.

Palstein sah auf die Uhr. Er musste rüber ins EMCO-Gebäude, eine Sitzung stand an. Wie üblich würde es spät werden. Er rief das Business-Center an und gab Anweisung, ihn mit dem STELLAR ISLAND HOTEL auf der Isla de las Estrellas zu verbinden. Dort war es drei Stunden später und gut 20° Celsius wärmer. Ein besserer Ort als Anchorage. Palstein wäre überall lieber gewesen als in Anchorage.

Wenigstens wollte er Julian eine gute Reise wünschen.

ISLA DE LAS ESTRELLAS, PAZIFISCHER OZEAN

So spektakulär es gewesen war, den Vulkan zu betreten, so unaufgeregt fanden sie wieder hinaus. Natürlich gab es Fluchtwege. Nachdem die Lichter angegangen waren, verließen sie die Höhle über einen nüchtern beleuchteten, schnurgeraden Korridor, der den Verdacht nahelegte, der ganze Berg bestünde letztlich doch aus Pappmaschee und Stützgerüsten. Er war breit genug, um notfalls einer Hundertschaft panischer, trampelnder und um sich schlagender Menschen ein Entkommen zu ermöglichen. Nach knapp 150 Metern mündete er in einen Seitentrakt des STELLAR ISLAND HOTELS.

Chuck Donoghue drängte sich an Julians Seite.

»Respekt«, dröhnte er. »Nicht übel.«

»Danke.«

»Und ihr habt die Höhle so vorgefunden? Na, komm! Kein bisschen nachgeholfen? Kleine Sprengladung hier und da?«

»Nur für die Fluchtwege.«

»Mordsmäßiger Glücksfall. Dir ist natürlich klar, mein Junge, dass ich das abkupfern muss. Haha! Nein, keine Angst, noch reicht's für eigene Ideen. Mein Gott, wie viele Hotels hab ich schon gebaut in meinem Leben. Wie viele Hotels!«

»32.«

»Ach wirklich?«, murmelte Donoghue verblüfft.

»Ja, und vielleicht hast du ja mal Lust, was auf dem Mond zu bauen.« Julian grinste. »Darum bist du hier, alter Mann.«

»Ach so!« Donoghue lachte noch lauter. »Und ich dachte schon, du hast mich eingeladen, weil du mich magst.«

Mit 65 Jahren war der Hotelmogul der Älteste in der Reisegesellschaft und Julian fünf Jahre voraus, der seinerseits zehn Jahre jünger aussah. Die unbedeutende Altersdifferenz hinderte Donoghue nicht daran, den reichsten Mann der Welt mit der seifigen Jovialität eines Viehbarons *mein Junge* zu nennen.

»Natürlich mag ich dich«, sagte Julian fröhlich, während sie Lynn zu den Aufzügen folgten. »Aber vornehmlich will ich dir *meine* Hotels zeigen, damit du *dein* Geld reinsteckst. – Ach, kennst du übrigens schon den von dem Mann in der Meinungsumfrage?«

»Erzähl!«

»Wird einer gefragt: Wie würden Sie entscheiden, wenn Sie zwei Möglichkeiten hätten? – A: Sie haben eine Nacht lang Sex mit Ihrer Frau. B: – B, sagt der Mann, B!«

Es war ein kleiner Scheißwitz und damit genau richtig für Chucky, der lachend zurückblieb, um ihn Aileen weiterzuerzählen. Julian brauchte sich nicht umzudrehen, um ihr Gesicht vor sich zu sehen, wenn sie in die Zitrone der Entrüstung biss. Die Donoghues herrschten über knapp drei Dutzend der imposantesten, teuersten und kitschigsten Hotels aller Zeiten, hatten diverse Spielcasinos gebaut, leiteten eine international operierende Künstleragentur, in der sich Weltstars des Varieté die Klinke in die Hand gaben, Artisten, Sänger, Tänzer und Raubtierbändiger, und natürlich konnte man auch Shows buchen, in denen alle Hüllen fielen. Doch Aileen, die gute, dicke, Kuchen backende Aileen, gefiel sich in unverfälschter Südstaatenprüderie, als tanzten nicht allabendlich Dutzende von Showgirls mit hüpfenden Brüsten über Las Vegas' Bühnen, deren Verträge ihre Unterschrift trugen. Sie legte Wert auf Gottesfurcht, ausreichende Bewaffnung, gutes Essen, gute Taten und die Todesstrafe, wenn es denn nicht anders ging, und wann ging es schon anders. Sittlichkeit setzte sie über alles. Ungeachtet dessen würde sie zum Dinner erscheinen wie frisch gewurstet, in ein peinliches Kleidchen gestopft, um sich bei jüngeren Männern Komplimente für ihr lasergestrafftes Dekolleté abzuholen. Sie würde ihren üblichen Bemutterungsfeldzug starten und den blöden Witz unter »Hihi« und »Pffffrrrrt!« weitererzählen, um anschließend für alle Drinks zu holen, und ihre andere Seite würde durchschlagen, geprägt von der ehrlich empfundenen Sorge um das Wohlergehen einer jeden Kreatur, und es ermöglichen, dass man Aileen Donoghue nicht nur ertrug, sondern sogar irgendwie mochte.

Die gläsernen Liftkabinen füllten sich mit Menschen und Geschwätz. Nach kurzer Fahrt entließen sie die Truppe auf die Aussichtsterrasse, über die sich mittlerweile der Hollywoodtraum eines Nachthimmels spannte. Eine Dame im Abendkleid, alt und schön, dirigierte mit königlicher Würde ein halbes Dutzend Kellner zu den Gästen. Champagner und Cocktails wurden gereicht, Ferngläser ausgeteilt. Ein Jazzquartett spielte *Fly me to the moon.*

»Alle da rüber«, rief Lynn fröhlich. »Zu mir! Blick nach Osten.«

Vergnügt leisteten die Gäste der Anweisung Folge. Draußen auf der Plattform waren noch mehr Lichter entflammt, leuchtende Finger griffen in den Nachthimmel. Winzig wie Ameisen sah man Menschen zwischen den Aufbauten umherlaufen. Ein großes Schiff, dem Aussehen nach ein Frachter, lag massig in ruhiger See.

»Liebe Freunde.« Julian trat vor, ein Glas in der Hand. »Ich habe euch vorhin nicht die ganze Show gezeigt. In einer anderen Version hättet ihr außerdem die OSS kennengelernt und das GAIA, aber sie ist für Besucher gedacht, die nicht den Vorzug haben werden, eure Erfahrung zu machen. Angehörige von Reisenden, die ein paar Tage auf der Insel verbringen, um danach wieder nach Hause zu fahren. Euch hingegen wollte ich den Aufzug demonstrieren. Für alles andere braucht ihr keine Filme, weil ihr es *mit eigenen Augen* sehen werdet! Die kommenden zwei Wochen werdet ihr nie vergessen, das verspreche ich euch!«

Julian entblößte sein makelloses Gebiss. Applaus kam auf, erst vereinzelt, dann schlugen alle begeistert die Handflächen gegeneinander. Miranda Winter ließ ihr »Oh Yeah!« erklingen. Lynn trat neben ihren Vater, erglühend vor Stolz.

»Bevor wir alle zum Dinner bitten, gibt es einen kleinen Vorgeschmack auf die anstehende Reise.« Sie warf einen Blick auf die Uhr. »In den nächsten Minuten werden die beiden Kabinen aus dem Orbit zurückerwartet. Beide bringen unter anderem komprimiertes Helium-3 zur Erde, mit dem sie auf der OSS beladen wurden. Ich denke, ab jetzt empfiehlt es sich, den Kopf nicht nur zum Trinken in den Nacken zu legen –«

»Auch wenn ich prinzipiell dazu rate«, sagte Julian und prostete in die Runde.

»Klar.« Lynn lachte. »Was er euch nämlich noch nicht erzählt hat, ist, dass wir den Alkoholkonsum auf der OSS drastisch einschränken werden.«

»Wie bedauerlich.« Bernard Tautou zog eine Grimasse, kippte sein Glas in einem Zug herunter und strahlte sie an. »Wir sollten also auf alle Fälle vorbauen.«

»Ich dachte, Ihre Leidenschaft ist Wasser?«, frotzelte Mukesh Nair.

»*Mais oui!* Ganz besonders, wenn es mit Alkohol versetzt ist.«

»Das Trinkgeschirr, sobald es leer, macht keine rechte Freude mehr«, deklamierte Eva Borelius mit hanseatischem Lächeln.

»*Pardon?*«

»Wilhelm Busch. Kennen Sie nicht.«

»Kann man in Schwerelosigkeit denn überhaupt einen schweren Kopf bekommen?«, fragte Olympiada Rogaschowa schüchtern, was ihren Mann dazu veranlasste, sich von ihr wegzudrehen und angestrengt zu den Sternen hinaufzuschauen. Miranda Winter schnippte mit den Fingern wie ein Schulmädchen:

»Und was ist, wenn man sich in Schwerelosigkeit übergibt?«

»Dann findet dich deine Kotze, egal wo du bist«, belehrte sie Evelyn Chambers.

»Kugelbildung«, nickte Walo Ögi und formte mit beiden Händen einen hypothetischen Ball Erbrochenes. »Die Kotze ballt sich zu einer Kugel zusammen.«

»Ich glaube eher, sie verteilt sich«, sagte Karla Kramp.

»Ja, sodass alle was davon haben.« Borelius nickte. »Schönes Thema übrigens. Vielleicht sollten wir –«

»Da!«, rief Rebecca Hsu. »Da oben!«

Alle Blicke folgten ihrer ausgestreckten Hand. Am Firmament waren zwei Lichtpünktchen in Bewegung geraten. Eine Weile schienen sie auf orbitalen Bahnen nach Südosten zu ziehen, nur dass sie dabei immer größer wurden, ein Anblick, der sich allen Sehgewohnheiten widersetzte. Eindeutig stimmte hier etwas nicht im dimensionalen Kubus, schien durcheinandergeraten zu sein. – Und dann, schlagartig, begriff jeder, dass die Körper *senkrecht* aus dem Weltraum herabsanken, in einer perfekten Vertikalen. Als stiegen die Sterne zu ihnen herab.

»Sie kommen«, flüsterte Sushma Nair andächtig.

Ferngläser wurden hochgerissen. Nach wenigen Minuten ließen sich auch ohne Vergrößerung zwei längliche, zueinander versetzte Gebilde erkennen, an Space Shuttles erinnernd, nur dass beide auf dem Heck standen und ihre Unterseiten in ausladende, tellerartige Platten mündeten. Die konisch zulaufenden Spitzen waren hell erleuchtet, Positionslichter huschten mit der Gleichmäßigkeit von Herzschlägen über die Seiten der zylindrischen Leiber. Rasend schnell näherten sich die Kabinen der Plattform, und je tiefer sie kamen, desto stärker schwang die Luft wie von riesigen Dynamos. Befriedigt registrierte Julian, dass auch sein Sohn sich der Faszination nicht zu entziehen vermochte. Ambers Augen waren geweitet wie in Erwartung von Weihnachtsgeschenken.

»Das ist wunderbar«, sagte sie leise.

»Ja.« Julian nickte. »Es ist Technik und dennoch ein Wunder. Jede hinreichend fortgeschrittene Technologie ist von Magie nicht zu unterscheiden. Hat Arthur C. Clarke gesagt. Großer Mann!«

Tim blieb stumm.

Und plötzlich verspürte Julian das säuerliche Aufstoßen unverdauten Ärgers. Er begriff einfach nicht, was mit dem Jungen los war. Dass Tim keine Lust hatte, bei ORLEY ENTERPRISES die ihm gebührende Position zu bekleiden, seine Sache. Jeder musste seinen Weg gehen, auch wenn Julian nicht wirklich nachvollziehen konnte, dass es neben einer Zukunft im Konzern andere Wege gab, aber gut, geschenkt! Bloß – *was zum Teufel* hatte er Tim eigentlich getan?

Dann ging alles sehr schnell.

Vernehmliches Luftholen der Umstehenden leitete die finale Phase ein. Vorübergehend hatte es den Anschein, als würden die Kabinen wie Geschosse in das kreisrunde Terminal einschlagen und die gesamte

Plattform ins Meer reißen, dann wurden sie abrupt langsamer, erst die eine, dann die andere, und verringerten ihre Geschwindigkeit, bis sie im Lichtkegel der Bodenstrahler beinahe gemächlich in das Rund des Weltraumbahnhofs einfuhren und nacheinander darin verschwanden. Wieder wurde applaudiert, durchbrochen von Bravo-Rufen. Heidrun trat neben Finn O'Keefe und pfiff auf zwei Fingern.

»Immer noch sicher, dass du da einsteigen willst?«, fragte er.

Sie taxierte ihn spöttisch. »Und du?«

»Klar.«

»Angeber!«

»Einer muss deinem Mann ja zur Seite stehen, wenn du anfängst, die Verkleidung von den Wänden zu kratzen.«

»Wir werden sehen, wer die Hosen voll hat.«

»Sollte ich derjenige sein«, grinste O'Keefe, »erinnere dich deines Versprechens.«

»Wann hätte ich dir irgendwas versprochen?«

»Vorhin. Du wolltest mir das Händchen halten.«

»Ach ja.« Heidruns Mundwinkel zuckten amüsiert. Einen Moment schien sie ernsthaft darüber nachzudenken. »Tut mir leid, Finn. Weißt du, ich bin langweilig und altmodisch. In meinem Film fällt die Frau vom Pferd und lässt sich vom Mann vor den Indianern retten. Und natürlich kreischt sie dabei ordentlich.«

»Schade. In solchen Filmen hab ich nie mitgespielt.«

»Sprich halt mit deinem Agenten.«

Graziös hob sie eine Hand, strich mit dem Zeigefinger sanft über seine Wange und ließ ihn stehen. O'Keefe sah ihr nach, wie sie zu Walo ging. Hinter ihm sagte eine Stimme:

»Jämmerlich, Finn. Gebaggert, versagt.«

Er drehte sich um und blickte in das schöne, arrogante Gesicht von Momoka Omura. Sie kannten sich von den unvermeidlichen Partys, die O'Keefe eigentlich mied wie Wartezimmer zur Erkältungszeit. Ging er doch mal auf eine, lief sie ihm mit ermüdender Regelmäßigkeit über den Weg, wie kürzlich beim Achtundachtzigsten von Jack Nicholson.

»Musst du nicht drehen?«, sagte er.

»Ich bin noch nicht im Massenmarkt gelandet wie du, falls du das meinst.« Sie betrachtete ihre Fingernägel. Ein maliziöses Lächeln umspielte ihre Mundwinkel. »Aber ich könnte dir Nachhilfeunterricht im Flirten geben.«

»Danke.« Er lächelte zurück. »Mit Lehrerinnen soll man nichts anfangen.«

»Nur theoretisch, du Idiot. Denkst du im Ernst, ich ließe dich ran?«

»Nicht?« Er wandte sich ab. »Das beruhigt mich.«

Omura warf den Kopf in den Nacken und schnaubte. Als zweite Frau, die ihn im Verlauf weniger Minuten stehen ließ, stolzierte sie zu Locatelli, der in Gesellschaft Marc Edwards' und Mimi Parkers lautstark über Fusionsreaktoren fachsimpelte, und hakte sich bei ihm unter. O'Keefe zuckte die Achseln und gesellte sich zu Julian, der mit Hanna, Rebecca Hsu, seiner Tochter und den Rogaschows zusammenstand.

»Aber wie kriegen Sie die Kabine da hoch?«, wollte die Taiwanesin wissen. Sie wirkte aufgedreht und unkonzentriert. »Sie wird ja kaum das Seil hinauf*schweben.*«

»Habe ich Sie nicht vorhin bei der Veranstaltung gesehen?«, fragte Rogaschow mit ironischem Unterton.

»Wir führen gerade einen neuen Duft ein«, sagte Hsu, als sei damit alles erklärt. Und tatsächlich hatte sie die halbe Show über auf das Display ihres Taschencomputers gestarrt und Marketingpläne korrigiert, während das Prinzip dargelegt worden war: Beim Start sah es so aus, als emittierten die tellerförmigen Platten am Heck der Kabinen leuchtend rote Strahlen, doch tatsächlich verhielt es sich umgekehrt. Die Unterseite der Platten war gepflastert mit fotovoltaischen Zellen, und die Strahlen entsprangen riesigen Lasern im Innern des Bahnhofs. Die beim Beschuss erzeugte Energie setzte das Antriebssystem in Gang, sechs Paar gegeneinanderdrückende Räder pro Kabine, zwischen denen sich das Band spannte. Wurde eine Seite der Räder in Gang gesetzt, drehte sich die andere automatisch in gegenläufiger Richtung mit, und der Aufzug kletterte an dem Band nach oben.

»Er wird dabei immer schneller«, erklärte Julian. »Schon nach wenigen Hundert Metern erreicht er –«

In seinem Jackett fiepte es. Er zog die Brauen zusammen und förderte sein Handy zutage.

»Was gibt's?«

»Entschuldigen Sie die Störung, Sir.« Jemand aus der Telefonzentrale. »Ein Gespräch für Sie.«

»Kann das nicht warten?«

»Es ist Gerald Palstein, Sir.«

»Oh. Aber natürlich.« Julian lächelte entschuldigend in die Runde. »Darf ich Sie kurz vernachlässigen? Rebecca, nicht weglaufen. Ich werde Ihnen das Prinzip einmal stündlich erklären, gern auch öfter, wenn ich Sie damit glücklich mache.«

Mit raschen Schritten ging er in einen kleinen Raum hinter die Bar, steckte das Handy in eine Konsole und projizierte die Darstellung auf einen größeren Bildschirm.

»Hallo, Julian«, sagte Palstein.

»Gerald. Wo um Himmels willen bist du?«

»Anchorage. Wir haben das Alaska-Projekt zu Grabe getragen. Hatte ich nicht davon erzählt?«

Der EMCO-Manager wirkte abgekämpft. Zuletzt hatten sie sich einige Wochen vor dem Attentat gesehen. Augenscheinlich rief Palstein aus einem Hotelzimmer an. Durch ein Fenster im Hintergrund erblickte man schneebedeckte Berge unter einem blassen, kalten Himmel.

»Doch«, sagte Julian. »Aber das war, bevor man auf dich geschossen hat. Musst du dir das wirklich antun?«

»Halb so wild.« Palstein winkte ab. »Ich hab ein Loch in der Schulter, nicht im Kopf. Damit kann man reisen, wenn auch nicht gerade zum Mond. Bedauerlicherweise.«

»Und wie ist es gelaufen?«

»Sagen wir, Alaska bereitet sich mit einiger Würde auf die Renaissance des Trappertums vor. Von den anwesenden Gewerkschaftsvertretern hätten die meisten gerne erledigt, was der Schütze in Kanada vermasselt hat.«

»Mach dir mal bloß keine Vorwürfe! Niemand ist so kritisch mit seiner Branche ins Gericht gegangen wie du, und ab jetzt *werden* sie dir zuhören. Hast du ihnen von der geplanten Beteiligung erzählt?«

»Die Pressemeldung ist raus. Also war es ein Thema.«

»Und? Wie wurde es aufgenommen?«

»Als Bemühen, uns neu auszurichten. Jedenfalls wird es von den meisten wohlwollend betrachtet.«

»Das ist gut! Sobald ich zurück bin, unterzeichnen wir die Verträge.«

»Andere halten es für Augenwischerei.« Palstein zögerte. »Machen wir uns nichts vor, Julian. Es ist äußerst hilfreich für uns, dass ihr uns mit ins Boot holt –«

»Für *uns* ist es hilfreich!«

»Aber es wird keine Wunder wirken. Dafür sind wir einfach zu lange auf unseren verdammten Kernkompetenzen rumgeritten. Na, Hauptsache, wir vermeiden den Konkurs. Mir ist eine Zukunft im Mittelstand jedenfalls lieber, als wenn der Gigant jetzt pleiteginge. Die Folgen wären entsetzlich. An der Talfahrt kann ich nichts ändern, aber vielleicht den Aufprall verhindern. Oder wenigstens abfedern.«

»Wenn es einem gelingt, dann dir. – Mann, Gerald! Wirklich schade, dass du nicht dabei sein kannst.«

»Nächstes Mal. Wer hat eigentlich meinen Platz eingenommen?«

»Ein kanadischer Investor namens Carl Hanna. Schon mal gehört?«

»Hanna?« Palstein runzelte die Stirn. »Offen gestanden –«

»Macht nichts. Ich kannte ihn auch nicht, bis vor wenigen Monaten. Einer von denen, die im Stillen reich geworden sind.«

»Raumfahrtinteressiert?«

»Das ist es ja, was ihn so interessant macht! Ihm muss man das Thema nicht erst schmackhaft machen. Er will auf alle Fälle in die Raumfahrt investieren. Unglücklicherweise hat er seine Jugend in Neu-Delhi verbracht und fühlt sich aus alter Verbundenheit verpflichtet, Indiens Mondprogramm zu sponsern.« Julian grinste. »Ich werde also einiges aufbieten müssen, um den Kerl zu missionieren.«

»Und der Rest der Bande?«

»Oh, bei Locatelli bin ich mir sicher, dass er mit einer achtstelligen Summe einsteigt. Schon sein Größenwahn gebietet ihm, sich im All ein Denkmal zu setzen, außerdem sind unsere Einrichtungen mit seinen Systemen ausgestattet. Eine Beteiligung wäre nur logisch. Die Donoghues und Marc Edwards haben mir unter der Hand größere Summen zugesagt, da geht es eigentlich nur noch um die Nullen hinter der Zahl. Spannend ist Walo Ögi, ein Schweizer. Lynn und ich haben seine Frau vor zwei Jahren in Zermatt kennengelernt, sie hat mich verschiedentlich fotografiert. Dann haben wir Eva Borelius mit an Bord, kennst du vielleicht, deutsche Stammzellenforschung –«

»Kann es sein, dass du einfach die Forbes-Liste abgeschrieben hast?«

»Ganz so war es nicht. Borelius Pharma wurde mir von unserem strategischen Management ans Herz gelegt, ebenso Bernard Tautou, der Wasserzar von Suez. Auch so einer, den du prima an seinem Ego packen kannst. Oder Mukesh Nair –«

»Ah, Mr. Tomato.« Palstein hob anerkennend die Brauen.

»Ja, netter Typ. Hat allerdings keine Karten in der Raumfahrt. Da hilft's erst mal wenig, dass er reich ist, also mussten wir ein paar zusätzliche Kriterien ins Spiel bringen. Etwa, der Menschheit eine lebenswertere Zukunft verschaffen zu wollen. Da stehen selbst Raumfahrtmuffel Schulter an Schulter: Nair mit Nahrung, Tautou mit Wasser, Borelius mit Medikation, ich mit Energie. Das eint uns, und schon sind sie dabei. Hinzu kommen Privatvermögende wie Finn O'Keefe, Evelyn Chambers und Miranda Winter –«

»Miranda Winter? Du meine Güte!«

»Wieso, warum nicht? Sie weiß nicht, wohin mit ihrem Geld in all ihrer Schlichtheit, also lade ich sie ein, es herauszufinden. Glaub mir, die Mischung ist perfekt. Typen wie O'Keefe, Chambers und Winter lockern die Runde ungemein auf, es wird richtig sexy dadurch, und am Ende kriege ich sie alle! Rebecca Hsu mit ihren Luxusmarken hat mit Energie wenig am Hut, dafür fährt sie auf das Thema Weltraumtourismus ab, als wär's ihre Idee gewesen. Völlig angefixt von der Vorstellung, dass Moët & Chandon künftig auch auf dem Mond getrunken wird. Hast du dir mal ihr Portfolio angesehen? Kenzo, Dior, Louis Vuitton, L'Oreal, Dolce & Gabbana, Lacroix, Hennessy, von ihren Eigenmarken ganz zu schweigen, Boom Bang und das andere Zeug. Bei uns findet sie einen Prestigemarkt wie nirgendwo sonst. Alleine über die Werbeverträge, die ich mit ihr abschließe, rechnet sich das halbe OSS GRAND.«

»Hast du nicht auch diesen Russen eingeladen? Rogaschow?«

Julian grinste. »Der ist meine ganz persönliche kleine Herausforderung. Wenn ich es schaffe, dass *er* seine Milliarden in *meine* Projekte steckt, schlage ich in der Schwerelosigkeit das Rad.«

»Moskau wird ihn kaum lassen.«

»Falsch! Sie werden ihn regelrecht dazu drängen, solange sie glauben, mit mir ins Geschäft kommen zu können.«

»Was nur der Fall wäre, wenn du ihnen einen Weltraumfahrstuhl baust. Bis dahin muss es für Rogaschow so aussehen, als flösse sein Geld über dich in die amerikanische Raumfahrt.«

»Quatsch. Es wird so aussehen, als flösse es in ein lukratives Geschäft, und genau das wird auch der Fall sein! Ich bin nicht Amerika, Gerald!«

»*Ich* weiß das. Rogaschow hingegen –«

»Der weiß das auch. So einer ist doch nicht blöde! Keine Nation der Welt ist heute noch in der Lage, seriöse Raumfahrt aus Haushaltsmitteln zu bestreiten. Glaubst du im Ernst, diese fröhliche Staatengemeinschaft, die damals in trauter Eintracht an der ISS gewerkelt hat, wäre im Multikulti-Fieber gewesen? *Bullshit!* Keiner hatte das Geld, es alleine zu tun. Es war der einzige Weg, überhaupt irgendwas hochzuschießen, ohne dass sich E. T. darüber schlappgelacht hätte. Dafür *mussten* sie an einem Strang ziehen, sich gegenseitig in die Karten gucken lassen, mit dem Ergebnis, dass kaum was ins Rollen kam! An allen Ecken und Enden fehlte es, jeder Mist wurde budgetiert, nur nicht die Raumfahrt. Erst die Privaten haben das geändert, seit Burt Rutan 2004 mit SpaceShipOne der erste kommerzielle Suborbitalflug gelang, und wer hat den damals finanziert? Etwa die Vereinigten Staaten von Amerika? Etwa die NASA?«

»Ich weiß«, seufzte Palstein. »Es war Paul Allen.«

»Eben! Paul Allen, Mitbegründer von Microsoft. Privatunternehmer haben der Politik gezeigt, wie es schneller und effizienter geht. So wie ihr, als deine Branche noch was darstellte. Ihr habt Präsidenten gemacht und Regierungen gestürzt. Jetzt sind es Leute wie ich, die den Haufen Staatsbankrotteure, Bedenkenträger und Nationalisten einfach ausbezahlen. Wir haben mehr Geld, mehr Know-how, die besseren Leute, das kreativere Klima. Ohne ORLEY ENTERPRISES gäbe es keinen Weltraumfahrstuhl, keinen Mondtourismus, die Reaktorforschung wäre nicht so weit, nichts wäre so weit. Die NASA mit ihren paar Kröten würde weiterhin jeden Furz, den sie lässt, vor irgendwelchen inkompetenten Kontrollausschüssen verantworten müssen. Wir hingegen lassen uns nicht kontrollieren, von keiner Regierung der Welt! Und warum? Weil wir keiner Regierung verpflichtet sind. Glaub mir, *dafür* ist auch Rogaschow empfänglich.«

»Trotzdem solltest du ihm nicht gleich das Benutzerhandbuch der OSS in die Hand drücken. Er könnte auf die Idee kommen, sie nachzubauen.«

Julian lachte vergnügt. Dann wurde er plötzlich ernst.

»Gibt's irgendwas Neues in Sachen Attentat?«

»Nicht wirklich.« Palstein schüttelte den Kopf. »Inzwischen sind sie sich einigermaßen sicher, von wo der Schuss abgefeuert wurde, aber so richtig hilft ihnen das auch nicht weiter. Es war halt eine öffentliche Veranstaltung. Da waren jede Menge Menschen.«

»Mir ist immer noch schleierhaft, wer ein Interesse daran haben könnte, dich zu töten. Eurer Branche geht die Luft aus. Niemand ändert das, indem er Ölmanager erschießt.«

»Menschen denken nicht rational.« Palstein lächelte. »Sonst hätten sie *dich* erschossen. Du hast den Helium-3-Transport im großen Stil ermöglicht. Dein Fahrstuhl hat meine Branche in den Keller gefahren.«

»Mich könnten Sie tausendmal erschießen, die Welt würde dennoch auf Helium-3 umgestellt.«

»Eben. Solche Taten geschehen nicht aus Berechnung, sondern aus Verzweiflung. Aus blankem Hass.«

»Unverständlich. Hass hat noch nie was zum Besseren gewendet.«

»Aber bis heute die meisten Opfer gefordert.«

»Hm, ja.« Julian schwieg und rieb sich das Kinn. »Ich bin niemand, der hasst. Hass ist mir fremd. Ich kann wütend werden! Jemanden zum

Teufel wünschen und ihn hinschicken, aber nur, wenn es einen Sinn ergibt. Hass ist etwas vollkommen Sinnloses.«

»Also werden wir den Mörder so lange nicht finden, wie wir nach dem Sinn suchen.« Palstein rückte die Schlinge zurecht, die seinen Arm hielt. »Was soll's. Eigentlich habe ich auch nur angerufen, um euch eine gute Reise zu wünschen.«

»Nächstes Mal bist du auf jeden Fall dabei! Sobald es dir besser geht.«

»Ich würde das alles sehr gerne sehen.«

»Du wirst es sehen, Mann!« Julian grinste. »Du wirst auf dem Mond spazieren gehen!«

»Also viel Glück. Zieh ihnen das Geld aus der Nase.«

»Mach's gut, Gerald. Ich melde mich bei dir. Von ganz oben.«

Palstein lächelte. »Du *bist* ganz oben.«

Julian betrachtete nachdenklich den leeren Bildschirm. Vor über einem Jahrzehnt, als die Ölbranche mit ihren Renditen und Preisanhebungen noch die Kartellämter beschäftigt hatte, war Palstein eines Tages in seinem Londoner Büro aufgetaucht, neugierig, woran dort gearbeitet wurde. Gerade hatte die Verwirklichung des Fahrstuhls einen herben Rückschlag erlitten, weil das hoffnungsvolle neue Material, aus dem das Seil gewoben werden sollte, irreparabel erscheinende Kristallbaufehler aufwies. Die Welt wusste bereits, dass im Mondstaub Unmengen eines Elements gebunden waren, das die Lösung aller Energieprobleme versprach. Ohne Plan jedoch, wie man das Zeug abbauen und zur Erde schaffen konnte, zudem in Ermangelung praxisgerechter Reaktoren, schien Helium-3 keine Rolle zu spielen. Dennoch hatte Julian an allen Fronten weitergeforscht, ignoriert von der Ölbranche, die genug damit zu tun hatte, alternative Trends wie Windkraft und Fotovoltaik auszusitzen. Kaum jemand nahm Julians Bemühungen wirklich ernst. Es schien einfach zu unwahrscheinlich, dass er Erfolg haben würde.

Palstein hingegen hatte sich alles geduldig angehört und dem Vorstand seines Unternehmens, mit ExxonMobil soeben zu EMCO verehelicht, eine Beteiligung an ORLEY ENERGY und ORLEY SPACE empfohlen. Bekanntermaßen war die Unternehmensleitung nicht darauf eingestiegen, doch Palstein hielt den Kontakt zu ORLEY ENTERPRISES, und Julian lernte den melancholischen, stets in ungewisse Ferne schauenden Mann schätzen und mögen. Auch wenn sie in all den Jahren kaum drei Wochen ihrer Zeit miteinander verbracht hatten, meist bei spontan einberufenen Mittagessen, hier und da auf einer Veranstaltung, selten in privatem Rahmen, verband sie so etwas wie eine Freund-schaft, ungeachtet der Tatsache, dass die Hartnäckigkeit des einen der Branche des anderen schlussendlich den Weg in die Bedeutungslosigkeit gewiesen hatte. In letzter Zeit war Palstein immer häufiger gezwungen, die Aufgabe oder Eindämmung von Fördervorhaben bekannt zu ge-ben, so wie aktuell in Alaska oder drei Wochen zuvor in Alberta, wo er sich Hundertschaften aufgebrachter Menschen hatte stellen müssen und prompt angeschossen worden war.

Julian wusste, dass der Manager recht behalten würde. Eine Betei-ligung an ORLEY ENTERPRISES würde EMCO nicht retten, aber viel-leicht würde sie Gerald Palstein nützen. Er stand auf, verließ den Raum hinter der Bar und ging zurück zu seinen Gästen.

»– in einer Dreiviertelstunde also hier zum Dinner«, sagte Lynn ge-rade. »Sie können bleiben, die Drinks und die Aussicht genießen oder sich frisch machen und umziehen. Sie können sogar arbeiten, wenn das Ihre Droge ist, auch dafür sind optimale Voraussetzungen geschaffen.«

»Und das verdanken Sie meiner fantastischen Tochter«, sagte Julian und legte Lynn den Arm um die Schulter. »Sie ist umwerfend. Sie hat all dies geschaffen. Für mich ist sie die Größte.«

Die Gäste applaudierten. Lynn senkte lächelnd den Kopf.

»Keine falsche Bescheidenheit«, flüsterte Julian ihr zu. »Ich bin sehr stolz auf dich. Du kannst alles. Du bist perfekt.«

Wenig später wanderte Tim den Gang des vierten Stockwerks entlang. Überall herrschte antiseptische Gepflegtheit. Unterwegs begegnete er zwei Sicherheitsleuten und einem Reinigungsroboter auf der Suche nach nicht vorhandenen oder bereits vertilgten Hinterlassenschaften einer teilbewohnten Welt. Wie die Maschine emsig summend ihrem Daseinszweck nachspürte, haftete ihr etwas zutiefst Entmutigendes an. Ein Sisyphos, der den Stein den Berg hinaufgerollt und jetzt nichts mehr zu tun zu hatte.

Vor ihrem Zimmer blieb er stehen und betätigte die Klingel. Eine Kamera schickte sein Konterfei ins Innere, dann sagte Lynns Stimme:

»Tim! Komm rein.«

Die Tür glitt zur Seite. Er betrat die Suite und sah Lynn in einem aufregenden, bodenlangen Kleid vor dem Panoramafenster auf und ab gehen und ihm den Rücken zukehren. Sie trug das Haar offen, sodass es in weichen Wellen herabfloss. Als sie ihn über die Schulter hinweg anlächelte, leuchteten ihre hellblauen Augen wie Aquamarine. Mit ra-schem Schwung drehte sie sich und präsentierte ihm ihr Dekolleté. Tim ignorierte sie, während seine Schwester so knapp an ihm vorbei starrte, dass ihr Lächeln ins Grenzfeld zur Verblödung entrückte. Er trat zu einem kugelförmigen Sessel, beugte sich herab und gab der Frau, die sich darin räkelte – notdürftig bekleidet mit einem seidenen Kimono, die Beine angewinkelt und den Kopf zurückgeworfen –, einen Kuss auf die Wange.

»Ich bin beeindruckt«, sagte er. »Wirklich.«

»Danke.« Das Ding im Abendkleid stolzierte weiter umher, drehte und wendete sich, badete sich in seinem verklärten Ego, während das Lächeln der echten Lynn begann, an den Mundwinkeln auszuleiern. Tim setzte sich auf einen Hocker und deutete auf ihr holografisches Alter Ego.

»Willst du das heute Abend anziehen?«

»Weiß ich noch nicht.« Lynn zog die Stirn kraus. »Ist vielleicht zu festlich, oder? Ich meine, für eine Pazifikinsel.«

»Merkwürdige Überlegung. Ihr habt doch schon alle Regeln gängiger Südseeromantik außer Kraft gesetzt. Es sieht toll aus, zieh es an. Oder gibt's Alternativen?«

Lynns Daumen glitt über die Fernbedienung. Übergangslos veränderte sich das Äußere ihres Avatars. Die Holo-Lynn trug nun einen arm- und schulterfreien, apricotfarbenen Catsuit, den sie mit der gleichen leeren Grazie vorführte wie zuvor das Abendkleid. Ihr Blick war auf imaginäre Bewunderer gerichtet.

»Kannst du sie so programmieren, dass sie einen ansieht?«

»Bloß nicht! Denkst du, ich will mich die ganze Zeit selber anstarren?«

Tim lachte. Sein eigener Avatar war eine Figur aus der Zeit des zweidimensionalen Animationsfilms, Wall-E, ein schrottig aussehender Roboter, dessen Liebenswürdigkeit in keinerlei Verhältnis zu seinem Äußeren stand. Tim hatte den Film als Kind gesehen und sich sofort in die Figur verliebt. Vielleicht, weil er sich in Julians Welt des Berge-Versetzens und Sterne-vom-Himmel-Holens selbst schrottig vorgekommen war.

»Guck mal«, sagte Lynn. »So?«

Die wogende Haarpracht des Avatars wich einer Hochsteckfrisur.

»Besser«, sagte Tim.

»Echt?« Lynn ließ die Schultern hängen. »Mist, ich hatte sie den ganzen Tag schon hochgesteckt. Aber du hast recht. Es sei denn –«

Der Avatar präsentierte eine eng anliegende, türkisfarbene Bluse zu einer champagnerfarbenen Hose.

»Und so?«

»Was sind das überhaupt für Klamotten?«, wollte Tim wissen.

»Mimi Kri. Die aktuelle Kollektion von Mimi Parker. Sie hat den ganzen Krempel mitgebracht, nachdem ich ihr versprechen musste, irgendwas davon zu tragen. Ihr Katalog ist mit den meisten Avatar-Programmen kompatibel.«

»Meiner könnte die Sachen also auch tragen?«

»Sofern es gelänge, sie auf Raupenketten und Baggerhände umzunähen, ja. Quatsch, Tim, es funktioniert nur bei menschlichen Avataren. Das Programm ist übrigens gnadenlos. Wenn du zu fett oder zu klein für Mimis Kreationen bist, verweigert es die Umrechnung. Das Problem ist, dass die meisten Leute ihre Ebenbilder dermaßen schönen, dass im Rechner alles passt und sie hinterher trotzdem scheiße aussehen.«

»Selber schuld.« Tim kniff die Augen zusammen. »He, dein Avatar hat ja einen viel zu kleinen Hintern! Die Hälfte von deinem. Nein, ein Drittel. Und wo ist deine Wampe? Und deine Zellulitis?«

»Idiot«, lachte Lynn. »Was willst du eigentlich hier?«

»Och, nichts.«

»Nichts? Das ist ja mal ein Grund, mich zu besuchen.«

»Na ja.« Er zögerte. »Amber meint, ich übertreibe es mit meiner Fürsorge.«

»Nein, ist schon okay.«

»Ich wollte dir vorhin nicht auf die Nerven gehen.«

»Es ist lieb, dass du dich sorgst. Ehrlich.«

»Trotzdem, vielleicht –« Er rang die Hände. »Weißt du, es ist einfach so, dass ich Julian völlige Blindheit unterstelle, was seine Umwelt angeht. Er mag ja im Raum-Zeit-Gefüge einzelne Atome aufspüren können, aber wenn du tot vor ihm im Graben liegst, wird er sich allenfalls beschweren, dass du ihm nicht richtig zuhörst.«

»Du übertreibst.«

»Deinen Zusammenbruch hat er jedenfalls nicht zur Kenntnis genommen. Erinnere dich.«

»Das ist über fünf Jahre her«, sagte Lynn sanft. »Und er hatte keine Erfahrung mit so was.«

»Blödsinn, er hat ihn geleugnet! Welcher besonderen Erfahrung bedarf es denn, einen Burnout mit Depressionen und Angstzuständen als das zu erkennen, was er ist? In Julians Welt bricht man nicht zusammen, das ist der Punkt. Er kennt nur Superhelden.«

»Vielleicht fehlt ihm das Regulativ. Nach Mutters Tod –«

»Mutters Tod liegt *zehn* Jahre zurück, Lynn. Zehn Jahre! Seit ihm aufgefallen ist, dass sie irgendwann mit atmen, reden, essen und denken aufgehört hat, vögelt er wild durch die Gegend und –«

»Das ist seine Sache. Ehrlich, Tim.«

»Ich halte ja schon die Klappe.« Er schaute zur Decke, als fänden sich dort Hinweise auf den eigentlichen Grund seiner Visite. »Tatsächlich bin ich auch nur gekommen, um dir zu sagen, dass dein Hotel fantastisch ist. Und dass ich mich auf die Reise freue.«

»Du bist lieb.«

»Im Ernst! Du hast alles im Griff. Alles großartig organisiert!« Er grinste. »Sogar die Gäste sind einigermaßen erträglich.«

»Wenn dir einer nicht passt, entsorgen wir ihn im Vakuum.« Sie rollte die Augen und sagte mit hohler, unheilvoller Stimme: »Im Weltraum hört dich keiner schreien!«

»Huh!« Tim lachte.

»Ich bin froh, dass du mitkommst«, fügte sie leise hinzu.

»Lynn, ich habe versprochen, auf dich aufzupassen, und das tue ich.« Er stand auf, beugte sich zu ihr herab und gab ihr einen weiteren Kuss. »Also bis gleich. Ach ja, und zieh die Hose mit der Bluse an. Dazu sehen die offenen Haare nämlich klasse aus.«

»*Genau das* wollte ich hören, kleiner Bruder.«

Tim ging. Lynn ließ ihren Avatar weiter modeln und Schmuck anprobieren. Traditionell waren Avatare virtuelle Assistenten, Gestalt gewordene Programme, die das tägliche Leben des vernetzten Menschen organisieren halfen und die Illusion eines Partners schufen, eines Butlers oder eines Spielkameraden. Sie verwalteten Daten, erinnerten an Termine, beschafften Informationen, navigierten durchs Web und machten Vorschläge, die dem Persönlichkeitsprofil ihres Users entgegenkamen. Ihrer Gestaltung waren keine Grenzen gesetzt, wozu auch gehörte, sich virtuell zu klonen, sei es aus purer Selbstverliebtheit oder einfach, um sich den Weg in die Boutiquen zu sparen. Nach fünf Minuten wählte Lynn Mimi Parker an. Der Avatar schrumpfte und fror ein, dafür erschien die Kalifornierin pitschnass und mit einem Handtuch um die Hüften auf der Holowand.

»Komme gerade aus der Dusche«, sagte sie entschuldigend. »Hast du was Schönes gefunden?«

»Hier«, sagte Lynn und versandte ein JPEG des Avatars, das im selben Moment auf Parkers Display zu sehen war.

»Oh, gute Wahl. Steht dir super.«

»Fein. Ich sag dem Service Bescheid. Gleich kommt einer die Sachen bei dir abholen.«

»Alles klar. Dann bis später.«

»Ja, bis später«, lächelte Lynn. »Und danke!«

Die Projektion verschwand. Zugleich erlosch Lynns Lächeln. Ihr Blick glitt ab. Mit leer gewischter Miene starrte sie vor sich hin und rekapitulierte Julians letzte Bemerkung, bevor sie die Aussichtsterrasse verlassen hatte:

Ich bin sehr stolz auf dich. Du bist die Größte. Du bist perfekt.

Perfekt.

Warum fühlte sie sich dann nicht so? Seine Bewunderung lastete auf ihr wie eine Hypothek auf einem Haus mit glanzvoller Fassade und maroden Leitungen. Seit sie die Suite betreten hatte, war sie wie auf Glas gegangen, als könne der Boden einbrechen. Sie stemmte sich hoch, eilte ins Bad und nahm zwei kleine, grüne Tabletten, die sie mit hastigen Schlucken herunterspülte. Dann überlegte sie es sich und nahm eine dritte.

Atmen, Körper spüren. Schön in den Bauch atmen.

Nachdem sie eine Weile ihr Spiegelbild angestarrt hatte, wanderte ihr Blick zu ihren Fingern. Sie umspannten den Rand des Waschbeckens, auf den Handrücken traten die Sehnen hervor. Kurz erwog sie, das Becken aus seiner Verankerung zu brechen, was ihr natürlich nicht gelingen würde, nur dass es sie davon abhalten mochte, loszuschreien.

Du bist die Größte. Du bist perfekt.

Leck mich, Julian, dachte sie.

Im selben Moment durchfuhr sie das Brennen der Scham. Mit klopfendem Herzen ließ sie sich zu Boden fallen und vollführte keuchend dreißig Liegestütze. In der Bar fand sie eine Flasche Champagner und stürzte ein Glas herunter, obwohl sie sonst kaum Alkohol zu sich nahm. Das schwarze Loch, das sich unvermittelt unter ihr aufgetan hatte, begann sich zu schließen. Sie rief den Service an, beorderte ihn zu Mimi Parkers Suite und ging unter die Dusche. Als sie eine Viertelstunde später in Bluse und Hose und mit offenem Haar den Lift betrat, wartete schon Aileen Donoghue darin und sah aus wie erwartet. Von ihren Ohrläppchen baumelten Weihnachtskugeln. Das Big Valley ihres Busens fraß ein Collier.

»Oh, Lynn, du siehst –« Aileen rang nach Worten. »Guter Gott, was soll ich sagen? Wunderschön! Ach, was bist du für ein schönes Mädchen! Lass dich umarmen. Julian ist zu Recht stolz auf dich.«

»Danke, Aileen«, lächelte Lynn, halb erdrückt.

»Und die Haare! Offen stehen sie dir ja noch viel besser. Ich meine, nicht, dass man sie immer offen tragen sollte, aber so betonen sie deine Weiblichkeit. Wenn du nur nicht – oops.«

»Ja?«

»Nichts.«

»Sag schon.«

»Ach, ihr jungen Dinger seid alle so mager!«

»Aileen, ich wiege 58 Kilo.«

»Ja, wirklich?« Eindeutig nicht die Antwort, die Aileen hören wollte. »Also gleich, wenn wir oben sind, mache ich dir erst mal einen Teller. Du musst essen, Kind! Der Mensch muss essen.«

Lynn sah sie an und stellte sich vor, ihr die Weihnachtskugeln von den Ohren zu reißen. Zipp, zapp, so schnell, dass ihre Ohrläppchen aufgeschlitzt würden und sich Nebel feiner Blutspritzer auf dem spiegelnden Glas der Aufzugkabine absetzten.

Sie entspannte sich. Die grünen Tabletten begannen zu wirken.

»Ich freu mich riesig auf morgen«, sagte sie herzlich. »Wenn's losgeht. Das wird richtig schön!«

23.MAI 2025
[DIE STATION]

ORLEY SPACE STATION OSS, GEOSTATIONÄRER ORBIT

Evelyn Chambers hatte einen Traum.

Sie befand sich in einem eigenartigen Zimmer von annähernd vier Metern Höhe und etwas über fünf Metern Tiefe, zudem sechs Meter breit. Die einzige gerade Fläche wurde von der Rückwand gebildet, Decke und Fußboden gingen stark gewölbt ineinander über, was darauf schließen ließ, dass sie sich im Innern einer elliptischen Röhre aufhielt. In deren Enden hatten die Erbauer je ein kreisrundes Schott von gut und gerne zwei Metern Durchmesser eingelassen. Beide Schotts waren verschlossen, ohne dass sie sich deswegen eingesperrt fühlte, im Gegenteil. Es verhieß die Gewissheit, sicher untergebracht zu sein.

Bei der Einrichtung des Zimmers schienen die Pläne zeitweise auf dem Kopf gestanden zu haben. Mit der Selbstverständlichkeit eines fliegenden Teppichs schwebte ein ausladendes Bett dicht über dem Boden, es gab einen Schreibtisch samt Sitzgelegenheiten, einen Computerarbeitsplatz, ein riesiges Display. Dezentes Licht illuminierte den Raum, eine mattierte Glastür verbarg Dusche, Waschbecken und WC. Das Ganze ließ an eine futuristisch gestaltete Schiffskabine denken, nur dass die bequemen, rot gepolsterten Chaiselongues unter der Decke hingen – und zwar verkehrt herum.

Am bemerkenswertesten jedoch war, dass Evelyn Chambers alle diese Eindrücke empfing, ohne auch nur mit einer Zelle ihres Körpers Kontakt zum Raum oder zu seinen Einrichtungsgegenständen zu haben. Nackt, wie sie das erlesene Zusammenspiel spanischer, indianischer und nordamerikanischer Gene geschaffen hatte, von nichts anderem umschmeichelt als frischer, auf wohlige 21 °C temperierter Luft, schwebte sie über der gewölbten, drei Meter langen Panoramascheibe der Vorderfront und betrachtete einen Sternenhimmel von solch unfassbarer Klarheit und Fülle, dass es sich nur um einen Traum handeln *konnte*. Knapp 36 000 Kilometer unter ihr schimmerte die Erde, das Werk eines Impressionisten.

Es *musste* ein Traum sein.

Doch Chambers träumte nicht.

Seit ihrer Ankunft am Vortag konnte sie nicht genug bekommen von ihrer fernen Heimat. Nichts verstellte den Blick, kein hereinragender Gittermast, keine Antenne, kein Modul, nicht einmal die zum Nadir entfliehenden Seile des Weltraumaufzugs. Leise sagte sie: »Licht aus«, und die Beleuchtung erlosch. Zwar gab es eine manuelle Fernbedienung zur Steuerung der Service-Systeme, doch um nichts in der Welt wollte sie das Risiko eingehen, ihre perfekte Position zu verändern, indem sie mit so einem Ding herumfuchtelte. Nach fünfzehn Stunden an Bord der OSS hatte sie langsam begonnen, sich an die Schwerelosigkeit zu gewöhnen, wenngleich der Verlust von oben und unten sie nachhaltig irritierte. Umso mehr überraschte es sie, nicht Opfer der berüchtigten Raumkrankheit geworden zu sein wie Olympiada Rogaschowa, die festgeschnallt auf ihrem Bett lag und wimmernd wünschte, nie geboren worden zu sein. Chambers hingegen fühlte pure Glückseligkeit, die Hochpotenz dessen, was sie in Erinnerung an Kindheitsmomente ihr Weihnachtsplätzchengefühl nannte, reine Freude zur Droge destilliert.

Sie wagte kaum zu atmen.

Still über einem Punkt zu verharren, war gar nicht so einfach, stellte sie fest. Unwillkürlich nahm man in der Schwerelosigkeit eine Art Fötalhaltung an, Chambers aber hatte die Beine gestreckt und die Arme vor der Brust gekreuzt wie ein Taucher, der über einem Riff trieb. Jede hastige Bewegung konnte zur Folge haben, dass sie sich zu drehen begann oder von der Scheibe weggetragen wurde. Jetzt, wo alles Licht erloschen und der Raum samt seiner Einrichtung in die Quasiexistenz entrückt war, wollte sie mit jeder Zelle ihres kortikalen Schaltwerks die Illusion auskosten, es sei gar keine schützende Hülle um sie herum vorhanden, dass sie vielmehr wie Kubricks Sternenkind allein und nackt über diesem wunderschönen Planeten schwebte. Und plötzlich sah sie winzige, schimmernde Kügelchen davontrudeln und begriff, dass es ihr die Tränen in die Augen getrieben hatte.

Hatte sie sich das Ganze so vorgestellt? Hatte sie sich überhaupt irgendetwas vorstellen können vor 24 Stunden, als der Helikopter über der Plattform im Meer niedergegangen war und die Reisenden

aussteigen, während die Nacht ihre Röcke rafft und ein prachtvoller Sonnenaufgang daran scheitert, Blicke auf sich zu ziehen. Aus der Ferne hat die Plattform imposant und geheimnisvoll ausgesehen und auch ein bisschen Furcht einflößend, nun übt sie eine Faszination ganz anderer Art aus, weit verbindlicher. Erstmals stellt sich das Gefühl ein, dass dies kein Disneyland ist und dass es kein Zurück mehr gibt, dass sie diese Welt bald gegen eine andere, fremdartige eintauschen werden. Es überrascht Chambers nicht, einige aus der Gruppe immer wieder zur Isla de las Estrellas hinüberschauen zu sehen. Olympiada Rogaschowa etwa, Paulette Tautou – selbst Momoka Omura wirft verstohlene Blicke auf den zerklüfteten Felsen, wo die Lichter des STELLAR ISLAND HOTELS etwas unerwartet Heimeliges ausstrahlen, als mahnten sie, den Unsinn bleiben zu lassen und nach Hause zu kommen, zu frisch gepressten Säften, Sonnenmilch und Seevogelgeschrei.

Warum wir, fragt sie sich verärgert. Warum sind es ausgerechnet die Frauen, denen beim Gedanken, den Aufzug zu besteigen, mulmig wird? Sind wir wirklich solche Angsthasen? Von der Evolution in die Rolle notorischer Bedenkenträger genötigt, weil nichts die Brut gefährden darf, während Männchen – verzichtbar, da ihrer Spermien beraubt – ruhig ins Unbekannte vorstoßen und dort krepieren dürfen? Im selben Moment fällt ihr auf, dass Chuck Donoghue unverhältnismäßig stark schwitzt, Walo Ögi deutliche Anzeichen von Nervosität erkennen lässt, sieht sie die gespannte Erwartung auf Heidrun Ögis Zügen, Miranda Winters kindliche Begeisterung, das von Intelligenz gesteuerte Interesse in Eva Borelius' Augen, und ist versöhnt mit den Umständen. Gemeinsam gehen sie auf den gewaltigen, mehrstöckigen Zylinder des Bahnhofs zu, und schlagartig wird ihr klar, warum sie sich gerade so aufgeregt hat.

Peinlich – aber sie hat selber die Hosen voll.

»Offen gestanden«, sagt Marc Edwards, der neben ihr hergeht, »ganz wohl ist mir bei der Sache nicht.«

»Ach nein?« Chambers lächelt. »Ich dachte, Sie sind Abenteurer.«

»Na ja.«

»Haben Sie jedenfalls in meiner Show erzählt. Wracktauchen, Höhlentauchen –«

»Ich glaube, das hier ist was anderes als tauchen.« Edwards betrachtet versonnen seinen rechten Zeigefinger, dessen erstes Glied fehlt. »Ganz was anderes.«

»Sie haben mir übrigens nie verraten, wie *das* passiert ist.«

»Nein? Ein Kugelfisch. Ich hab ihn geärgert, in einem Riff vor Yucatán. Wenn man sie gegen die Nase stupst, werden sie zornig, weichen zurück und blähen sich auf. Immer wieder hab ich ihn angestupst –«, Edwards piesackt einen imaginären Kugelfisch, »– bloß, da waren überall Korallen, er konnte nicht weiter zurück, also hat er beim nächsten Mal einfach das Maul aufgesperrt. Kurz war mein Finger darin verschwunden. Tja. Man sollte eben niemals versuchen, seinen Finger aus einem geschlossenen Maul zu ziehen, schon gar nicht mit Gewalt. Als ich ihn draußen hatte, stach nur noch der Knochen heraus.«

»Vor so was müssen Sie da oben schon mal keine Angst haben.«

»Nein.« Edwards lacht. »Wahrscheinlich wird es der sicherste Urlaub unseres Lebens.«

Sie betreten den Bahnhof. Er ist kreisrund und wirkt von innen noch größer, als es von außen den Anschein hat. Starke Strahler beleuchten zwei einander gegenüberliegende Aufbauten, in allen Details identisch, nur spiegelverkehrt. Im jeweiligen Zentrum spannt sich das Band aus seiner Bodenverankerung senkrecht nach oben, umstanden von drei tonnenförmigen Gebilden, dem Aussehen nach oszillierend zwischen Kanonen und Suchscheinwerfern, die Mündungen himmelwärts gerichtet. Ein doppelt mannshohes Gitter zieht sich um jede der Anordnungen. Es ist weitmaschig genug, um hindurchschlüpfen zu können, signalisiert jedoch unmissverständlich, dass man es besser bleiben lässt.

»Und wisst ihr auch, warum?«, ruft Julian blendender Laune. »Weil der unmittelbare Kontakt mit dem Band ruckzuck ein Körperteil kosten kann. Ihr müsst euch vor Augen halten, dass es bei einer Breite von über einem Meter dünner als eine Rasierklinge ist, dabei aber von unglaublicher Härte. Würde ich einen Schraubenzieher über die Außenkante ziehen, könnte ich ihn zu Spänen hobeln. Hat jemand Lust, es mit seinem Finger zu versuchen? Will jemand seinen Ehepartner loswerden?«

Chambers muss an den Ausspruch eines Journalisten denken, der einmal gesagt hat: »Julian Orley geht auf keine Bühne, die Bühne folgt ihm, wo immer er ist.« Treffend, doch die Wahrheit sieht noch etwas anders aus. Tatsächlich *traut* man dem Kerl, glaubt ihm *jedes einzelne* Wort, weil sein bloßes Selbstvertrauen ausreicht, Zweifel, Bedenken, Wenns und Abers, Neins und Vielleichts mit der Rückstandslosigkeit von Schwefelsäure zu zersetzen.

Gut 20 Meter über dem Erdboden kleben die beiden Fahrstühle mottengleich an ihren Bändern. Aus der Nähe betrachtet erinnern sie kaum noch an Space Shuttles, schon weil ihnen Leitwerk und Schwingen fehlen. Dafür dominieren die ausgreifenden, mit Solarzellen bestückten Unterseiten. Entgegen der Landung vor zwei Tagen hat sich ihr Aussehen unmerklich verändert, nachdem die Tanks mit verflüssigtem Helium-3 gegen bauchige, fensterlose Passagiermodule ausgetauscht worden sind. Stählerne Laufgänge führen von einer hochgelegenen Balustrade zu offen stehenden Einstiegsluken im Bauch der Kabinen.

»Ihre Technologie?«, fragt Ögi, der neben Locatelli geht, mit Blick auf die Sonnenkollektoren der Fahrstühle.

Locatelli reckt sich, wird ein Zentimeterchen größer. Chambers kann nicht anders, als bei seinem Anblick an den verstorbenen Muammar al-Gaddafi zu denken. Die Ähnlichkeit ist verblüffend, ebenso die Herrscherpose.

»Was denn sonst?«, sagt er herablassend. »Mit dem herkömmlichen Schrott kämen die Kisten doch keine zehn Meter hoch.«

»Ach nein?«

»Nein. Ohne LIGHTYEARS liefe hier gar nichts.«

»Wollen Sie ernsthaft behaupten, der Lift würde ohne Sie nicht funktionieren?«, lächelt Heidrun.

Locatelli taxiert sie wie eine seltene Käferart. »Was verstehen Sie denn davon?«

»Nix. Kommt mir nur so vor, als stünden Sie da mit einer elektrischen Gitarre um den Hals und würden behaupten, auf einer akustischen ließe sich nur Scheiß produzieren. Wer sind Sie noch mal?«

»Aber, *mein Schatz.*« Ögis buschiger Schnurrbart zuckt vor Belustigung. »Warren Locatelli ist der *Captain America* der alternativen Energien. Er hat die Ausbeute von Solarzellen um das Dreifache heraufgesetzt.«

»Schon gut«, murmelt die neben ihnen einherschreitende Momoka Omura. »Erwarten Sie nicht zu viel von ihr.«

Ögi zieht die Brauen hoch. »Sie werden es vielleicht nicht glauben, meine Lotusblüte, aber meine Erwartungen an Heidrun werden jeden Tag aufs Neue übertroffen.«

»Worin wohl?« Omura verzieht spöttisch die Lippen.

»Dafür reicht Ihre Fantasie nicht aus. Aber nett, dass Sie fragen.«

»Jedenfalls, mit herkömmlicher Energieausbeute würden die Dinger am Seil allenfalls nach oben *kriechen*«, sagt Locatelli, als finde das Gezänk um ihn herum nicht statt. »Wir bräuchten Tage, um anzukommen. Ich kann's Ihnen gerne erklären, wenn es Sie interessiert.«

»Würden wir das denn überhaupt verstehen?«, fragt Heidrun laut und sorgenvoll, zu Ögi gewandt.

»Ich bin mir nicht sicher, *mein Schatz.* Schau, wir sind Schweizer und in allem sehr langsam. Darum haben wir ja auch vor Jahren diesen Teilchenbeschleuniger gebaut.«

»Um schnellere Schweizer zu produzieren?«

»Genau.«

»Geht der nicht ständig kaputt?«

»Ja, eben.«

Chambers hält sich dicht hinter ihnen und saugt wie die Biene am Nektar. So was gefällt ihr. So ist es immer: Viele Paradiesvögel in einem Stall, und es fliegen die Federn.

Die Einkleidung gibt einen Vorgeschmack auf das Kommende. Alle werden in orangesilberne Overalls gehüllt, die Farben von ORLEY ENTERPRISES, dann fährt die komplette Gruppe hoch zur Empore, von der die Laufgänge zu den Fahrstühlen abgehen. Als Nächstes machen sie die Bekanntschaft eines kräftig gebauten Schwarzen, den Julian als Peter Black vorstellt.

»Leicht zu merken also«, sagt Black fröhlich und gibt jedem die Hand. »Aber nennen Sie mich einfach Peter.«

»Peter ist einer unserer beiden Piloten und Expeditionsleiter«, erklärt Julian. »Er und Nina – ah, da kommt sie ja!«

Eine blonde Frau mit Kurzhaarschnitt und einer Stupsnase voller Sommersprossen entsteigt der Luke des Fahrstuhls und gesellt sich zu ihnen. Julian legt einen Arm um ihre muskulösen Schultern. Chambers kneift die Augenlider zusammen und verwettet ihren Hintern darauf, dass Nina gelegentlich in Julians Schlafzimmer vorstellig wird.

»Darf ich vorstellen: Nina Hedegaard aus Dänemark.«

»Hey!« Nina winkt in die Runde.

»Gleiche Funktion wie Peter, Pilotin, Expeditionsleiterin. Die beiden werden euch während der nächsten zwei Wochen zur Seite stehen, wann immer es euch in unendliche Weiten zieht. Sie werden euch die schönsten Stellen unseres Trabanten zeigen und euch vor unheimlichen Weltraumwesen beschützen wie beispielsweise Chinesen. Entschuldigen Sie, Rebecca – Rotchinesen, natürlich!«

Rebecca Hsu schaut wie ertappt vom Display ihres Handys auf.

»Ich habe kein Netz«, sagt sie flehentlich.

Im Innern der Fahrstuhlkabine ist es eng. Man muss klettern. Sechs Reihen à fünf Sitze sind übereinander angeordnet, verbunden durch eine Leiter. Das Gepäck ist in den anderen Fahrstuhl geschafft worden. Evelyn Chambers sitzt zusammen mit Miranda Winter, Finn O'Keefe und den Rogaschows in einer Reihe. Sie lehnt sich zurück, streckt die Beine. An Komfort können es die Sitze mit der Königsklasse jeder Airline aufnehmen.

»Uuiiii, wie nett«, freut sich Winter. »Eine Dänin.«

»Sie mögen Dänemark?«, fragt Rogaschow mit kühler Höflichkeit, während Olympiada starr geradeaus sieht.

»Na, ich bitte Sie!« Winter reißt die Augen auf. »Ich *bin* Dänin.«

»Sie müssen meine Unkenntnis entschuldigen, ich komme aus der Stahlbranche.« Rogaschow zückt die Mundwinkel zu einem Lächeln. »Sind Sie Schauspielerin?«

»Tja. Da gehen die Meinungen wohl auseinander.« Winter lacht laut und dreckig. »Was bin ich, Evelyn?«

»Unterhaltungsfaktor?«, schlägt Chambers vor.

»Na ja, eigentlich Model. Also, ich hab ja schon alles gemacht, natürlich war ich nicht immer Model, vorher Verkäuferin an der Käsetheke und bei McDonald's für die Fritten zuständig, aber dann wurde ich entdeckt bei so einer Castingshow, und gleich von Levi's engagiert. Wegen mir gab's Autounfälle! Ich meine, eins dreiundachtzig groß, jung, hübsch und Möpse, richtige Möpse, verstehen Sie, echte Dinger. Da konnte es gar nicht ausbleiben, dass Hollywood anrief.«

O'Keefe, in seinen Sitz gelümmelt, hebt eine Braue. Olympiada Rogaschowa scheint zu der Erkenntnis gelangt zu sein, dass man die Realität nicht durch Wegsehen leugnen kann.

»Was haben Sie denn alles gespielt?«, fragt sie matt.

»Oh, meinen Durchbruch hatte ich mit *Criminal Passion,* einem erotischen Thriller.« Winter lächelt zuckrig. »Ich wurde sogar dafür ausgezeichnet, aber das muss man nicht näher thematisieren.«

»Warum? Das ist doch sehr – das ist doch großartig.«

»Ach nein, sie haben mir die Goldene Himbeere für die schlechteste Darstellerleistung gegeben.« Winter lacht und wirft die Hände in die Luft. »Was soll's? Danach kamen Komödien, aber ich hatte nicht gerade eine glückliche Hand. Es war kein Kracher dabei, und da hab ich halt angefangen zu saufen. Schlimm! Zeitweise sah ich aus wie ein Hefeteilchen mit Rosinen als Augen, bis ich eines Nachts komplett zugedröhnt den Mulholland Drive entlangschlittere und einen Obdachlosen über den Haufen fahre, du liebe Güte, der arme Mann!«

»Entsetzlich.«

»Ja, aber auch wieder nicht, weil, unter uns, er hat's überstanden und viel Geld damit gemacht. Nicht dass ich was beschönigen möchte! Aber ich schwöre, so war's, und ich hab meinen Gefängnisaufenthalt von der ersten bis zur letzten Sekunde filmen lassen, bis unter die Dusche durften sie mit. Mordsquote zur besten Sendezeit! Schon war ich wieder obenauf.« Sie seufzt. »Dann hab ich Louis kennengelernt. Louis Burger. Kennen Sie ihn?«

»Nein, ich – tut mir leid, aber –«

»Ach ja. Sie sind ja aus der Stahlbranche beziehungsweise Ihr Mann, wo man so Leute nicht kennt. – Obwohl, Louis Burger, Großindustrieller, Investmentmagnat –«

»Wirklich nicht –«

»Doch, ich glaube schon«, sagt Rogaschow nachdenklich. »Gab es da nicht einen Badeunfall?«

»Richtig. Zwei Jahre hat unser Glück nur gehalten.« Winter starrt vor sich hin. Unvermittelt schnieft sie und reibt etwas aus ihrem Augenwinkel. »Vor Miami ist es passiert. Herzinfarkt, beim Schwimmen, und jetzt stellen Sie sich vor, was seine Kinder gemacht haben, die aasigen Bälger! Also nicht unsere, wir hatten ja keine zusammen, die aus Louis' vorheriger Ehe. Gehen hin und verklagen mich! – Mich, seine Ehefrau! Ich hätte bei seinem Tod nachgeholfen, ist das zu glauben?«

»Hast du das denn?«, fragt O'Keefe unschuldig.

»Blödmann!« Einen Moment lang wirkt Winter im Innersten getroffen. »Jeder weiß, dass ich freigesprochen wurde. Was kann ich denn dafür, wenn er mir 13 Milliarden vererbt? Ich könnte nie einem Menschen was antun, keiner Fliege könnte ich etwas zuleide tun! Wissen Sie was?« Sie schaut Olympiada tief in die Augen. »Ich kann eigentlich gar nichts. – Das aber richtig gut! Hahaha! Und Sie?«

»Ich?« Olympiada wirkt überrumpelt.

»Ja. Was machen Sie?«

»Ich –« Sie schaut Hilfe suchend zu Oleg. »Wir sind –«

»Meine Frau ist Abgeordnete im russischen Parlament«, sagt Rogaschow, ohne sie anzusehen. »Sie ist eine Nichte von Maxim Ginsburg.«

»Mann! Oh, Mann! Wooaaaah! Ginsburg, huuiiiii!« Winter klatscht in die Hände, zwinkert Olympiada verschwörerisch zu, überlegt kurz und fragt herzhaft nach: »Und wer ist das?«

»Der russische Präsident«, klärt sie Rogaschow auf. »Bis letztes Jahr jedenfalls. Der neue heißt Mikhail Manin.«

»Ach ja. War der nicht schon mal dran?«

»Eher nicht«, lächelt Rogaschow. »Möglicherweise meinen Sie Putin.«

»Nein, nein, ist schon was länger her, auch was mit a und mit in hintendran.« Winter durchforstet das Kinderzimmer ihrer Bildung. »Ach, ich komme nicht drauf.«

»Solltest du vielleicht Stalin meinen?«, fragt O'Keefe lauernd.

Der Lautsprecher setzt allen Spekulationen ein Ende. Eine weiche, dunkle Frauenstimme gibt Sicherheitshinweise. Fast alles, was sie sagt, erinnert Chambers an eine ganz normale Flugzeugdurchsage. Sie schnallen sich an, das reinste Pferdegeschirr. Vor jeder Sitzreihe flammen Monitore auf und übertragen plastische Kamerabilder der Außenwelt, sodass man die Illusion von Fensterflächen hat. Man sieht das Innere des Zylinders, zunehmend erhellt durch die aufsteigende Sonne. Die Luke schließt sich, summend springen Lebenserhaltungssysteme an, dann kippen die Sitze nach hinten, sodass alle daliegen wie beim Zahnarzt.

»Sag mal, Miranda«, flüstert O'Keefe, den Kopf zu Winter gedreht. »Gibst du ihnen eigentlich immer noch Namen?«

»Wem?«, fragt sie ebenso leise zurück.

»Deinen Möpsen.«

»Ach so. Klar doch.« Ihre Hände wandeln sich zu Präsentierflächen. »Das hier ist Tick. Das da ist Trick.«

»Was ist mit Track?«

Sie sieht ihn unter gesenkten Augenlidern an.

»Für Track müssen wir uns besser kennen.«

Im selben Moment geht ein Ruck durch die Kabine, ein Zittern und Vibrieren. O'Keefe rutscht tiefer in seinen Sitz. Chambers hält den Atem an. Rogaschows Miene ist ausdruckslos, Olympiada hat die Augen geschlossen. Irgendwo lacht jemand nervös.

Was dann folgt, hat nichts, aber auch nicht das Geringste mit einem Flugzeugstart zu tun.

Der Fahrstuhl beschleunigt so schnell, dass Chambers sich vorübergehend mit dem Sitz verwachsen glaubt. Sie wird in die üppigen Polster gedrückt, bis Arme und Lehnen eins geworden scheinen. Senkrecht schießt das Gefährt aus dem Zylinder heraus. Unter ihnen, aus Sicht einer zweiten Kamera, schrumpft die Isla de las Estrellas zu einem dunklen, länglichen Brocken zusammen, mit einem türkisblauen Pünktchen darin, dem Pool. War es wirklich erst gestern, dass sie dort unten lag und mit kritischem Blick ihren Bauch betrachtete, vier überschüssige Kilo beklagend, die sie neuerdings vom Bikini in den Badeanzug nötigen, während ihr Umfeld nicht müde wird zu betonen, der Gewichtszuwachs stehe ihr gut und betone ihre Weiblichkeit? Scheiß auf vier Kilo, denkt sie. Jetzt gerade könnte sie schwören, Tonnen zu wiegen. So schwer fühlt sie sich, dass sie fürchtet, jeden Moment durch den Boden des Fahrstuhls zu krachen und zurück ins Meer zu plumpsen, einen mittelgroßen Tsunami auslösend.

Der Ozean wird zu einer gleichförmigen, fein geriffelten Fläche, frühes Sonnenlicht ergießt sich in gleißenden Lachen über den Pazifik. Mit unvorstellbarer Geschwindigkeit erklettert der Fahrstuhl das Seil. Sie rasen durch hochliegende Dunstfelder, und der Himmel wird blauer, dunkelblau, tiefblau. Eine Anzeige im Monitor lässt sie wissen, dass sie schneller als mit dreifacher, nein, vierfacher, achtfacher Schallgeschwindigkeit unterwegs sind! Die Erde rundet sich. Wolken verteilen sich im Westen, wie Eierschneeflöckchen aufs Wasser gesetzt. Die Kabine beschleunigt weiter auf zwölftausend Stundenkilometer. Dann, ganz langsam, lässt der mörderische Druck nach. Der Sitz beginnt Chambers wieder hervorzuwürgen, und sie vollzieht die Rückverwandlung vom Dinosaurier zu einem menschlichen Wesen, für das vier Kilo von Relevanz sind.

»*Ladies and Gentlemen*, willkommen an Bord von OSS Spacelift One. Wir haben nun unsere Reisegeschwindigkeit erreicht und den niedrigen Erdorbit durchquert, in dem die Internationale Raumstation ISS ihre Bahn zieht. 2023 wurde der Betrieb der ISS offiziell eingestellt, seither dient sie als Museum mit Exponaten aus der Frühzeit der Raumfahrt. Unsere Reisezeit wird etwas über drei Stunden betragen, die Voraussage für *Space Debris* ist ideal, es spricht also alles dafür, dass wir pünktlich auf der OSS, der ORLEY SPACE Station, eintreffen werden. In diesen Minuten beginnen wir mit der Durchquerung des Van-Allen-Strahlungsgürtels, eines um die Erde gelagerten Mantels aus stark geladenen Teilchen, der seine Ursache in Sonneneruptionen und kosmischer Strahlung hat. Auf der Erdoberfläche sind wir vor diesen Teilchen geschützt, oberhalb von 1000 Kilometern werden sie allerdings nicht mehr vom Erdmagnetfeld abgelenkt und strömen direkt in die Atmosphäre ein. Etwa hier, genauer gesagt in 700 Kilometern Höhe, beginnt der innere Gürtel. Er besteht im Wesentlichen aus energiereichen Protonen, mit Höchstverdichtungen zwischen 3000 und 6000 Kilometern Höhe. Der äußere Gürtel erstreckt sich von 15 000 bis in 25 000 Kilometer Höhe und wird dominiert von Elektronen.«

Chambers stellt verblüfft fest, dass der Druck völlig verschwunden ist. Nein, mehr als das! Kurzzeitig glaubt sie zu fallen, bis ihr klar wird, woher sie dieses seltsame Gefühl der Entbundenheit vom eigenen Körper kennt. Sie hat es für kurze Zeit während der Parabelflüge erlebt. Sie ist schwerelos. Im Hauptmonitor sieht sie den Sternenhimmel, Diamantstaub auf schwarzem Satin. Die Stimme aus dem Lautsprecher verfällt ins Konspirative.

»Wie einige von Ihnen vielleicht gehört haben, werden die Van-Allen-Gürtel von Kritikern der bemannten Raumfahrt wegen der dort herrschenden Strahlenkonzentration als unüberwindliches Hindernis auf dem Weg in den Weltraum angesehen. Verschwörungstheoretikern dienen sie gar als Beweis, dass der Mensch nie auf dem Mond war. Angeblich sei eine Durchquerung nur hinter zwei Meter dicken Stahlwänden möglich. – Seien Sie versichert, nichts davon trifft zu.

Tatsache ist, dass die Intensität der Strahlung stark schwankt, was mit der variierenden Sonnenaktivität einhergeht. Doch selbst unter extremen Bedingungen liegt die Dosierung, solange man von drei Millimeter dickem Aluminium umgeben ist, bei der Hälfte dessen, was die allgemeine Strahlenschutzverordnung für ein Berufsleben als zulässig erklärt. Meist beträgt sie weniger als ein Prozent davon! Um den optimalen Schutz Ihrer Gesundheit zu gewähren, sind die Passagierkabinen dieses Aufzugs entsprechend gepanzert, übrigens der Hauptgrund für den Verzicht auf Fenster. Solange Sie also nicht auf die Idee kommen, aussteigen zu wollen, garantieren wir Ihnen die völlige Unbedenklichkeit beim Durchqueren des Van-Allen-Gürtels. – Und nun genießen Sie Ihre Reise. Die Armlehnen Ihrer Sitze halten Kopfhörer und Monitore bereit. Sie haben Zugriff auf achthundert Fernsehkanäle, Videofilme, Bücher, Spiele –«

Das ganze Programm also. Nach einer Weile schweben Nina Hedegaard und Peter Black heran, verteilen Getränke in kleinen Plastikflaschen, an denen man saugen muss, um etwas herauszubekommen, Fingerfood und Erfrischungstücher.

»Nichts, was kleckern oder zerbröseln könnte«, sagt Hedegaard mit skandinavisch scharfem S. Miranda Winter erwidert etwas auf Dänisch, Hedegaard antwortet, beide grinsen. Chambers lehnt sich zurück und grinst mit, obwohl sie kein Wort verstanden hat. Ihr ist einfach nach grinsen. Sie fliegt in den Weltraum, zu Julians ferner Stadt, in der

sie sich nun fühlte, als sei sie allein mit der Erde. So tief unter ihr lag sie, so klein, dass es schien, als müsse sie nur auslangen, und der Planet würde sacht in ihre Handfläche gleiten. Nach und nach wich die Dunkelheit im Westen und ließ den Pazifik erstrahlen. China schlief, während die Berufstätigen in Nordamerika schon telefonierend in die Mittagspausen hasteten und Europa dem Feierabend entgegenrotierte. Staunend machte sie sich klar, dass zwischen ihr und der blauweißen Kugel drei weitere Erden Platz gefunden hätten, wenn auch etwas gequetscht. Fast 36 000 Kilometer über ihrer Heimat trieb die OSS im All. Allein dies strapazierte die Vorstellungskraft bis an ihre Grenzen, und doch musste man die zehnfache Strecke zurücklegen, um bis zum Mond zu gelangen.

Nach einer Weile stieß sie sich von der Fensterfläche ab und schwebte zu einem der verkehrt herum montierten Loungesessel. Etwas unelegant fand sie hinein. Streng genommen ergaben Möbel an einem Ort wie diesem nicht den geringsten Sinn. Anders als unter Wasser, dessen

Auftriebskraft die Gravitation so weit kompensierte, dass man zwar in schwebeähnliche Zustände geriet, jedoch Einflüssen wie Wasserdichte und Strömung unterworfen blieb, wirkten in der Schwerelosigkeit keinerlei Kräfte mehr auf den Körper ein. Man wog nichts, tendierte in keine Richtung, benötigte keinen Stuhl, der einen davor bewahrte, auf den Hintern zu fallen, nicht den Komfort weicher Polster, kein Bett, um sich darauf auszustrecken. Im Grunde hätte es gereicht, einfach mit angewinkelten Beinen und Unterarmen im bloßen Nichts zu verharren, nur dass schon geringste Bewegungsimpulse, ein Muskelzucken, ausreichten, den Körper abdriften zu lassen, sodass man in ständiger Gefahr war, sich im Schlaf den Schädel zu stoßen. Zudem forderten sechseinhalb Millionen Jahre genetischer Disposition, auf etwas zu liegen, selbst wenn es senkrecht stand oder unter der Decke klebte. Wobei Begriffe wie senkrecht im All keine Rolle spielten, allerdings waren Menschen Bezugssysteme gewöhnt. Untersuchungen hatten gezeigt, dass Raumfahrern eine Erde zu ihren Füßen natürlicher vorkam als eine, die über ihren Köpfen schwebte, weshalb Psychologen auf die sogenannte schwerkraftorientierte Bauweise drängten, um die Illusion eines Fußbodens zu schaffen. Auf dem Bett schnallte man sich halt fest, im Sessel tat man so, als sitze man, und am Ende fühlte man sich beinahe heimisch.

Sie streckte sich, schlug einen Purzelbaum und beschloss, frühstücken zu gehen respektive zu schweben. Die begradigte Wand, hinter der sie die Lebenserhaltungssysteme vermutete, barg einen Kleiderschrank, aus dem sie eine dunkle Dreiviertelhose und ein passendes T-Shirt wählte, außerdem fest anliegende Slipper. Sie paddelte zum Schott und sagte:

»Evelyn Chambers. Öffnen.«

Der Computer überprüfte Druck, Atmosphäre und Dichtigkeit, dann öffnete sich das Modul und gab den Blick frei auf eine mehrere Meter durchmessende Röhre. Viele Kilometer solcher Röhren erstreckten sich über die Station, verbanden die Module untereinander und mit der Zentralstruktur, schufen Verbindungs- und Fluchtwege. Alles war den Prinzipien der Redundanz unterworfen. Immer gab es mindestens zwei Möglichkeiten, ein Modul zu verlassen, jedes Computersystem fand seine Entsprechung in Spiegelsystemen, Lebenserhaltungssysteme waren in mehrfacher Ausfertigung vorhanden. Schon Monate vor der Reise hatte Chambers versucht, sich dem riesigen Bauwerk geistig zu nähern, indem sie es anhand von Modellen und Dokumentationen studierte, nur um jetzt festzustellen, dass die Fantasie vor der Wirklichkeit erblindete. In der Abgeschiedenheit der Parzelle, die sie bewohnte, vermochte sie sich den darüber aufragenden Koloss, seine Ausmaße, seine vielfach verzweigte Komplexität, kaum vorzustellen. Fest stand nur, dass sich die gute alte ISS daneben ausnahm wie Spielzeug aus einer Blisterpackung.

Sie befand sich an Bord der größten je von Menschenhand geschaffenen Struktur im All.

Einhergehend mit der Konzeption des Weltraumfahrstuhls hatten ihre Erbauer die OSS in der Senkrechten angelegt. Drei mächtige, je 280 Meter hohe Stahlmasten, gleichschenklig zueinander positioniert, bildeten das Rückgrat, an Basis und Kopfende miteinander verbunden, sodass eine Art Tunnel entstand, durch den die Seile des Aufzugs verliefen. Stockwerkartig umspannten ringförmige Elemente die Masten, Tori genannt, welche die fünf Levels der Anlage definierten. Im unteren Level lag das OSS GRAND, das Weltraumhotel. Torus-1 beherbergte gemütliche Aufenthaltsräume, eine Snack- und Kaffeebar, ein Kaminzimmer mit holografischer Feuerstelle, eine Bibliothek und einen etwas desperat anmutenden Kinderhort, den Julian dennoch trotzig auszubauen gedachte: »Weil die Kinder kommen werden, sie werden es lieben!« Tatsächlich war das OSS GRAND seit seiner Eröffnung vor zwei Jahren gut gebucht, nur dass die Familien ausblieben. Kaum jemand mochte seinen Nachwuchs dem freien Fall überantworten, was Julian mit polterndem Unverständnis quittierte: »Alles Vorurteile! Die Leute sind so dämlich. Hier oben ist es nicht gefährlicher als auf den blöden Bahamas, im Gegenteil. Hier kann dich nichts beißen, du kannst nicht ertrinken, holst dir nicht die Gelbsucht, die Einheimischen sind freundlich, also was gibt es da zu überlegen? Der Weltraum ist das *Paradies* für Kinder!«

Vielleicht lag es daran, dass Menschen zum Paradies von jeher ein gestörtes Verhältnis pflegten.

Wie ein Raubfisch schlängelte sich Chambers die Röhre entlang. Man war ungemein schnell in der Schwerelosigkeit, wenn man es drauf anlegte. Auf ihrem Weg passierte sie durchnummerierte Schleusen, dahinter Suiten ähnlich der ihren. Jeweils fünf Module bildeten eine Einheit, aufgeteilt in je zwei Wohneinheiten und so zueinander versetzt, dass alle Bewohner einen unverstellten Blick auf die Erde genossen. Rechter Hand zweigte die Verbindung zum Torus ab, Chambers aber gedachte zu frühstücken und folgte weiter dem Verlauf des Tunnels. Er mündete ins KIRK, eines der beiden spektakulärsten Module der OSS. Diskusförmig stachen sie weit über die Wohnbereiche heraus, sodass man durch den verglasten Boden die Erde sehen konnte. Das KIRK diente als Restaurant, sein nordwärts gelegenes Pendant, sinnigerweise auf den Namen PICARD getauft, alternierte zwischen Lounge, Nightclub und Multimediazentrum.

»Die Verglasung ging an die Grenze des Machbaren«, wurde Julian nicht müde zu betonen. »Ein Kampf! Das Gejammer der Konstrukteure klingt mir noch heute in den Ohren. Na und, hab ich gesagt? Seit wann scheren uns Grenzen? Astronauten haben sich immer Fenster gewünscht, schöne große Panoramafenster, nur dass die fliegenden Sardinendosen der Vergangenheit nicht die erforderlichen Wandstärken boten. Mit dem Fahrstuhl hat sich das Problem erledigt. Wir brauchen Masse? Hoch damit. Wir wollen Fenster? Bauen wir welche ein.« Und dann, wie jedes Mal, senkte er die Stimme und flüsterte beinahe ehrfürchtig: »Es so zu bauen, war Lynns Idee. Großartiges Mädchen. Sie hat den Rock 'n' Roll! Ich sag's euch.«

Die Verbindungsluke zum KIRK stand offen. Zu spät entsann sich Chambers der Tücken ihrer neu gewonnenen Freiheit, grabschte nach dem Rahmen der Schleuse, um ihren Flug abzubremsen, verfehlte ihn und schoss zappelnd hindurch, knapp an einem nicht sonderlich erschrockenen Kellner vorbei. Jemand bekam ihr Fußgelenk zu fassen.

»Willst du auf eigene Faust zum Mond fliegen?«, hörte sie eine vertraute Stimme.

Chambers stutzte. Der Mann zog sie auf Augenhöhe zu sich herunter.

Seine Augen –

Natürlich kannte sie ihn. Jeder kannte ihn. Mindestens ein Dutzend Mal hatte er in ihrer Show gesessen, dennoch konnte sie sich bis heute nicht an diese Augen gewöhnen.

»Was machst du denn hier?«, rief sie verblüfft.

»Ich bin das Abendprogramm.« Er grinste. »Und du?«

»Stimmungsaufheller für Raumfahrtmuffel. Julian und die Medien, du weißt schon.« Sie schüttelte den Kopf und lachte. »Unglaublich. Hat dich schon jemand gesehen?«

»Noch nicht. Finn ist dabei, hörte ich.«

»Ja, er war angemessen konsterniert, mir hier zu begegnen. Inzwischen ist er ganz zutraulich geworden.«

»Keine Pose ist auch eine Pose. Finn gefällt sich in der Rolle des Außenseiters. Je weniger du ihn fragst, desto mehr wird er antworten. Willst du frühstücken?«

»Gerne.«

»Prima, ich auch. Und danach?«

»Multimediazentrum. Lynn gibt uns eine Einführung in die Station. Sie haben uns aufgeteilt. Einige lassen sich den wissenschaftlichen Bereich erklären, die anderen gehen nach draußen zum Spielen.«

»Du nicht?«

»Doch, später. Sie können nur sechs Leute auf einmal mit rausnehmen. Hast du Lust, mitzukommen?«

»Lust ja, aber keine Zeit. Wir drehen ein Video in Torus-4.«

»Oh, du machst was Neues? Im Ernst?«

»Nicht weitersagen«, lächelte er und legte einen Finger an die Lippen. Seine Augen entführten sie in eine andere Galaxis. Der Mann, der vom Himmel gefallen war. »Einer muss den Seniorenmarkt ja bedienen.«

Lynn lächelte, beantwortete Fragen, lächelte.

Sie war stolz auf den Multimediaraum, so wie sie einen fiebrigen Stolz auf das gesamte OSS GRAND empfand, auf das STELLAR ISLAND HOTEL und das ferne GAIA. Zugleich machten ihr alle drei schreckliche Angst, als habe sie ein Venedig auf Streichholzfundamenten errichtet. Kaum noch vermochte sie in ihrem Wirken etwas anderes zu erkennen als dessen Anfälligkeit. Bis zur Erschöpfung arbeitete sie sich an Schreckensszenarien ab, ohne Hoffnung auf Katharsis, solange ihre schlimmsten Befürchtungen ausblieben. Eindeutig saß sie in der Falle, versuchte sich k. o. zu hauen, verfolgte sich, indem sie vor sich selbst davonlief. Je mehr Argumente sie ihren Ängsten entgegenhielt, desto monströser blähten sie sich auf, als nähre sie ein Schwarzes Loch.

Ich werde noch den Verstand verlieren, dachte sie. Genau wie Mom. Ganz sicher werde ich durchdrehen.

Lächeln. Lächeln.

»Viele sehen in der OSS einen Pilz«, sagte sie. »Oder einen Sonnenschirm, einen Baum mit flacher Krone. Einen Stehtisch. Andere erkennen eine Meduse.«

»Was ist noch mal eine Meduse, Schatz?«, fragte Aileen, als rede sie über jene Sorte modischen Schnickschnack, auf den junge Leute mangels tieferer Einsicht ihre Aufmerksamkeit richteten.

»So ein Quallending«, erwiderte Ed Haskin. »So ein Glibberschirm, und unten baumeln Tentakel dran und anderer Glibber.«

Lynn biss sich auf die Lippen. Haskin, vormals Leiter des Raumhafens und seit wenigen Monaten verantwortlich für den Gesamtbereich Technik, war nett, kompetent und leider mit dem Feingefühl eines Neandertalers ausgestattet.

»Es sind übrigens auch sehr schöne Wesen«, fügte sie hinzu.

Satellitengleich umkreisten beide ein vier Meter hohes, holografisches Modell der OSS, projiziert ins Zentrum des PICARD. In ihrem Gefolge trieben Walo Ögi, Aileen und Chuck Donoghue, Evelyn Chambers, Tim und einige neu eingetroffene französische Wissenschaftler durch den virtuellen Raum. Das PICARD war anders gestaltet als das klassischer Restaurantästhetik verpflichtete KIRK. Schwebende Inseln der Geselligkeit verteilten sich auf unterschiedlichen Ebenen, in gedämpftes Licht getaucht und überblickt von einer ausladenden Bar, die danach verlangte, von lidbalkenbewehrten Barbarellas bevölkert zu werden. Auf Knopfdruck konnte alles umgestaltet werden, sodass Tische und Sitze sich zu einem Atrium gruppierten.

»Qualle, Tisch oder Schirm, solche Assoziationen verdanken sich der Vertikalbauweise und der Symmetrie der Station«, sagte Haskin. »Man darf nicht vergessen, dass Raumstationen keine Gebäude mit festen Fundamenten sind. Tatsächlich besitzen sie überhaupt kein Fundament, sind aber der beständigen Umverteilung von Masse und allen möglichen Erschütterungen ausgesetzt, von Joggern auf Laufbändern bis zu ankoppelnden Mondshuttles. All das versetzt die Struktur in Eigenschwingung, und eine symmetrische Konstruktion ist am besten geeignet, Schwingungsenergien umzuverteilen. Die Senkrechte trägt zur Stabilisierung bei und kommt dem Prinzip des Weltraumfahrstuhls entgegen. Wie Sie sehen, ist das kleinste Trägheitsmoment zur Erde gerichtet.«

Ganz unten erkannte man den Hoteltorus mit seinen Suiten-Auslegern, darüber stachen das KIRK und das PICARD heraus. Entlang der Gittermasten stapelten sich Module mit Fitnesszentren, Personalunterkünften, Lagerräumen und Büros bis hinauf zum Torus-2, in dessen Zentrum der Weltraumfahrstuhl hielt. Ausfahrbare Gangways verbanden das bagelförmige Modul mit den Kabinen.

»Hier sind wir gestern angekommen«, erklärte Lynn. »Torus-2 dient als Rezeption des OSS GRAND, außerdem als Terminal für Passagiere und Fracht. Wie ihr seht, strahlen Korridore speichenförmig von dort ab zu einem größeren, umlaufenden Ring.« Ihre Handbewegung durchfuhr eine Gitterstruktur, die den Torus weitläufig umspannte. »Unser Raumhafen. Die flugzeugähnlichen Dinger sind Evakuierungsgleiter, die kleinen Büchsen Mondshuttles. Mit einem davon, der CHARON, werden wir morgen zum Trabanten starten.«

»Ich hätte eine Diät machen sollen«, sagte Aileen aufgeregt zu Chuck. »Wie soll ich in so was reinpassen? An meinen Hintern könnte Halley's Komet zerschellen.«

Lynn lachte.

»Oh nein, sie sind sehr geräumig. Sehr bequem. Die CHARON misst über 30 Meter in der Länge.«

»Und das da?« Ögi hatte große, kranähnliche Gebilde auf der Oberseite des Rings und entlang der Masten entdeckt. Er schwebte näher heran, geriet vorübergehend in den Projektionsstrahl und erschien als kosmisches Supermonster, im Begriff, die OSS zu attackieren.

»Manipulatoren«, sagte Haskin. »Roboterarme auf Schienen. Sie entladen die eintreffenden Cargo-Shuttles, entnehmen die Tanks mit dem verdichteten Helium-3, schaffen sie ins Innere des Torus und verankern sie in den Fahrstühlen.«

»Was genau passiert, wenn so ein Shuttle andockt?«

»Es rumst«, sagte Haskin.

»Aber hat die Station dann nicht einseitig Übergewicht? Da liegen doch nicht immer gleich viele Schiffe vor Anker.«

»Das ist kein Problem. Sämtliche Andockstellen sind frei über den Ring verschiebbar, wir können immer ein Gleichgewicht herstellen. Gut erkannt übrigens.« Haskin wirkte beeindruckt. »Sind Sie Architekt?«

»Investor. Aber ich hab Verschiedenes gebaut. Wohnungsmodule für Großstädte, man klinkt sie in vorhandene Strukturen ein oder setzt sie auf Hochhausdächer, und wenn Sie umziehen, nehmen Sie die Hütte einfach wieder mit. Die Chinesen lieben es. Hochwassertaugliche Siedlungen an der Nordsee, Sie wissen ja, Holland gerät unter Wasser, und sollen die alle nach Belgien ziehen? Die Häuser liegen an Stegen und schwimmen obenauf, wenn das Wasser steigt.«

»Er baut auch ein zweites Monaco«, sagte Chambers.

»Wozu braucht man ein zweites Monaco?«, fragte Tim.

»Weil das erste aus allen Nähten platzt«, belehrte ihn Ögi. »Die Monegassen stapeln sich die Alpen hoch, also haben Albert und ich in unserem Jules Verne geblättert. Schon mal von der Propellerinsel gehört?«

»Ist das nicht die Geschichte von dem verrückten Kapitän in diesem komischen Unterseeboot?«, fragte Donoghue.

»Nein, nein!« Einer der Franzosen wehrte ab. »Das war die Nautilus! Kapitän Nemo.«

»Quatsch! Das hab ich gesehen. Das ist von Walt Disney.«

»Nein, nein! Nicht Walt Disney! *Mon dieu!*«

»Die Propellerinsel ist ein mobiler Stadtstaat«, erklärte Ögi dem Literatur fleddernden Donoghue. »Eine schwimmende Insel. Man kann Monaco nicht endlos erweitern, auch nicht mit vorgelagerten Inseln, also kamen wir auf die Idee, ein zweites zu bauen, das durch die Südsee kreuzt.«

163

»Ein zweites Monaco?« Haskin kratzte sich den Schädel. »Also ein Schiff?«

»Kein Schiff. Eine Insel. Mit Bergen drauf und Küsten, einer putzigen Hauptstadt und einem Weinkeller für den alten Ernst August. Nur halt künstlich.«

»Und das geht?«

»Ausgerechnet *Sie* fragen mich das?« Ögi lachte und breitete die Arme aus, als wolle er die OSS an sein Herz drücken. »Wo ist das Problem?«

»Es gibt keines«, lachte Lynn. »Oder sehen *wir* aus, als hätten wir Probleme?«

Ihr Blick ruhte auf Tim. Merkte er eigentlich, was mit ihr los war? Seine schwanzwedelnde Besorgnis nervte, rührte und beschämte sie in gleichem Maße, da er allen Grund dazu hatte, besorgt zu sein seit jenem Tag, jenem schrecklichen Moment vor fünf Jahren, der ihr Leben verändern sollte, kurz vor 18.00 Uhr, und Lynn

mitten im Verkehrsstau, zehn Spuren tuckerndes, pumpendes, aufgeheiztes Blech, das sich mit der Langsamkeit eines Gletschers die M25 nach Heathrow entlangschiebt, unter einer trostlosen, kalten Februarsonne, die aus einem gelblich verhangenen Tschernobylhimmel herabglimmt, und plötzlich passiert es. Sie muss zu einer Besprechung nach Paris, sie muss immer zu irgendeiner Besprechung, aber ganz unvermittelt knipst jemand das Licht in ihrem Kopf aus, einfach so, und alles versinkt in einem Morast der Hoffnungslosigkeit. Abgrundtiefe Trauer überkommt sie, gefolgt von 10 000 Volt reiner Panik. Später kann sie nicht sagen, wie sie es bis zum Flughafen geschafft hat, doch sie fliegt nicht, hockt einfach nur im Terminal, aller Gewissheiten beraubt bis auf die eine, dass sie den Umstand ihrer Existenz keine Sekunde länger ertragen wird, weil sie mit so viel Traurigkeit und Angst nicht weiterleben möchte. Ab da setzt ihre Erinnerung aus bis zum Morgen, als sie sich angezogen auf dem Boden ihrer Penthousewohnung in Notting Hill wiederfindet, Mailbox, E-Mail und Anrufbeantworter überquellend von anderer Leute Aufregung. Sie geht hinaus auf die Terrasse, in den diagonalen, eisigen Regen, der zu fallen begonnen hat, und überlegt, ob die zwölf Stockwerke reichen werden. Dann entscheidet sie sich anders und ruft Tim an, was den Passanten einiges erspart.

Fortan, wann immer das Thema auf ihre Erkrankung kommt, bemüht Julian irgendwelche ominösen Viren und verschleppten Erkältungen, um sich und anderen plausibel zu machen, was seiner

Lichtgestalt von Tochter so fürchterlich zusetzt, dass Tim unentwegt die Worte Therapie und Psychiater im Munde führt. Ihr Zustand ist ihm schleierhaft, und was er tief im Innern ahnen mag, verdrängt er, so wie er Crystals Tod verdrängt hat. Zehn Jahre ist es her, dass Lynns und Tims Mutter in geistiger Umnachtung gestorben ist, doch Julian entwickelt ein bemerkenswertes Negierungsvermögen. Nicht, weil er traumatisiert wäre, sondern weil er tatsächlich unfähig ist, das eine mit dem anderen in Zusammenhang zu bringen.

Es sind Tim und Amber, die sie auffangen. Als sie nichts als nacktes Entsetzen empfindet über den Verlust jeder Empfindung, läuft Tim mit ihr um den Block, bei Sonne und im strömenden Regen, stundenlang, zwingt ihren Geist zurück in die Präsenz, bis sie wieder fähig ist, wenigstens Kälte und Nässe zu spüren und den metallischen Geschmack ihrer Angst auf der Zunge. Als sie glaubt, nie wieder schlafen zu können und keinen Bissen mehr herunterzukriegen, als sich Sekunden zu Ewigkeiten dehnen und alles um sie herum – Licht, Farben, Düfte, Musik – Schockwellen der Bedrohung aussenden, als jedes Hausdach, jedes Geländer, jede Brücke sie einladen, ihrem Absturz den Aufprall folgen zu lassen, als sie fürchtet, wahnsinnig zu werden wie Crystal, Amok zu laufen, Menschen zu töten, macht er ihr klar, dass kein Dämon von ihr Besitz ergriffen hat, dass keine Ungeheuer sie verfolgen, dass sie *niemandem*, auch sich nicht, etwas antun wird, und ganz allmählich beginnt sie ihm zu glauben.

Es wird besser, und Tim nervt. Drängt sie, endlich professionelle Hilfe anzunehmen, sich auf die Couch zu legen. Lynn weigert sich, spielt den Albtraum herunter. Ursachenforschung? Wozu? Nicht im Mindesten ist sie bereit, dieser elenden Phase ihres sonst so perfekten Lebens Respekt zu erweisen. Ihre Nerven haben verrückt gespielt, Überarbeitung, Synapsensalat, biochemischer Kuddelmuddel, was auch immer. Grund, sich zu schämen, nicht tiefer zu buddeln in dem Graben, aus dem sie die Karre mit vereinten Kräften gezogen haben. Warum sollte sie? Um was zu finden? Sie kann froh und dankbar sein, dass der Konzern ein Tarnnetz der Erklärungen über sie gebreitet hat: Grippe, ganz schlimme Grippe, Lungenentzündung, jetzt, wo sie wieder lächelt und Hände schüttelt. Die Krise ist ausgestanden, die kaputte Puppe repariert. Wieder sieht sie sich, wie Julian sie sieht, eine Perspektive, die ihr vorübergehend abhandengekommen ist. Wen interessiert es, ob sie sich selber mag? Julian liebt sie! Sich durch seine Augen zu sehen, löst alle Probleme. Die schale Vertrautheit der Selbstentwertung, wunderbar lässt es sich damit leben.

»– liegen die Speise- und Aufenthaltsräume für den wissenschaftlichen Betrieb«, hörte sie sich sagen.

Sie arbeitete sich weiter das Hologramm hinauf, von Torus-3 zu den Sportanlagen in Torus-4, zu Dutzenden Wohn- und Labormodulen, die Julian an private und staatliche Forschungseinrichtungen aus aller Welt vermietet hatte, NASA, ESA und Roskosmos, seine eigenen Tochterunternehmen ORLEY SPACE, ORLEY TRAVEL und ORLEY ENERGY. Mit glühenden Wangen verwies sie auf die Gemüsegärten und Nutztierzuchten in den kugelförmigen Biosphären oberhalb von Torus-4, gewährte Einblick in die Observatorien, Werkstätten, Kontroll- und Besprechungsräume des abschließenden fünften Torus, aus dessen Mitte die Seile des Fahrstuhls wieder heraus – und in die Unendlichkeit führten respektive das, was der Momentbewohner Mensch dafür hielt. Sie ergötzte sich und die anderen an der Hunderte Meter durchmessenden Scheibenwelt des Dachs mit ihren Werften, in denen Mondshuttles gewartet und interplanetare Raumschiffe gebaut wurden, Roboter in emsiger Geschäftigkeit das Vakuum durcheilten und Solarpaneele Sonnenlicht atmeten, damit die Station während der Stunden im Erdschatten vom Eingemachten zehren konnte. Lachend am Abgrund präsentierte sie die OSS, die ORLEY SPACE Station, deren Erbauer und Eigner die NASA so gerne gewesen wäre. Doch ein solches Vorhaben hätten Politiker zu verantworten gehabt, ihrer Natur nach periodische und damit flüchtige Erscheinungen, deren Selbstbild vornehmlich davon geprägt war, die Visionen und Zusagen ihrer Vorgänger infrage zu stellen. So hatte letztlich ein Privatinvestor den Traum von der Besiedelung des Weltraums weitergeträumt und ganz nebenbei die Voraussetzungen für eine erdrutschartige Veränderung im Energiesektor geschaffen, was die Frage aufwarf,

»wessen Interessen wir eigentlich subventionieren, wenn wir uns entscheiden, bei ORLEY ENTERPRISES einzusteigen.«

»Na, vorzugsweise ja wohl unsere«, sagte Locatelli. »Oder?«

»Ganz Ihrer Meinung«, erwiderte Rogaschow. »Ich wüsste nur gerne, wen ich sonst noch damit begünstige.«

»Solange es LIGHTYEARS die Marktführerschaft sichert, gehen mir die Interessen irgendwelcher Mitverdiener am Arsch vorbei, wenn ich das in geostationärer Abgeschiedenheit mal so frei äußern darf.«

»*Ryba ischtschet gde glubshe, a tschelowek gde lutsche.*« Rogaschow lächelte dünn. »Der Fisch sucht die tiefste Stelle, der Mensch die beste. Ich für meinen Teil würde etwas mehr Überblick bevorzugen.«

Locatelli schnaubte. »Den gewinnen Sie aber nicht, indem Sie sich alles von außen anschauen. Die Perspektive ergibt sich aus der Position.«

»Welche da wäre?«

»Die meines Unternehmens, was mich betrifft. Ich weiß, Sie haben Schiss, indirekt Washington und die NASA zu begünstigen, wenn Sie Julian Geld geben. Na und? Hauptsache, am Jahresende stimmt die Bilanz.«

»Ich bin mir nicht sicher, ob man das so betrachten kann«, sagte Marc Edwards, wurde sich der Substanzlosigkeit seines Einwurfs bewusst und widmete sich interessiert den Stiefelpaaren, die Hedegaard vor sie hinstellte.

»*Ich* kann es so betrachten. *Er* nicht.« Locatelli zeigte mit ausgestreckten Daumen auf den Russen und lachte breiig. »Er ist nämlich mit der Politik verheiratet.«

Finn O'Keefe wechselte einen Blick mit Heidrun Ögi. Rogaschow und Locatelli gingen ihm gehörig auf die Nerven. Sie führten Diskussionen, die seiner Meinung nach ans Ende der Reise gehörten. Vielleicht war er ja auch einfach zu unbedarft, die Natur des Schwanzwedelns in Unkenntnis des Hundes zu erörtern, jedenfalls gedachte er während der kommenden Tage nichts weiter zu tun, als sich nach Kräften zu amüsieren und folgsam das Werbefilmchen abzudrehen, das er Julian versprochen hatte: Perry Rhodan auf dem *echten* Mond, den Vorzug der *echten* Erfahrung besingend. Schon gar nichts hatte das Investorengeschwafel, wie er fand, in »EVAs Garderobe« zu suchen, im Ankleidebereich für die *Extravehicular activities.*

»Und Sie?« Locatelli starrte ihn an. »Wie sieht Hollywood die Sache?«

O'Keefe zuckte die Achseln. »Gelassen.«

»Ihr Geld will er auch.«

»Nein, er will meine Visage, damit ich reichen Säcken wie uns weismache, sie müssten unbedingt auf den Mond. Insofern haben Sie recht.« O'Keefe rieb Zeigefinger und Daumen gegeneinander. »Ich verschaffe ihm Geld. Aber nicht meines.«

»Schlauer Hund«, bemerkte Locatelli zu Rogaschow. »Wahrscheinlich kriegt er sogar noch welches dafür.«

»Kriege ich nicht.«

»Und was halten Sie *wirklich* von der Sache? Weltraumtourismus, private Mondflüge?«

O'Keefe schaute sich um. Er hatte erwartet, komplette Raumanzüge hier hängen zu sehen, zur Bewegungslosigkeit erschlaffte Astronauten, doch die steril ausgeleuchtete Sektion atmete eher die Atmosphäre einer Boutique. Zusammengelegte Overalls aller Größen, nebeneinander aufgereihte Helme, Handschuhe und Stiefel im Spalier, Segmente zur Panzerung.

»Keine Ahnung«, sagte er. »Fragen Sie mich in zwei Wochen noch mal.«

Ihre kleine Gruppe – Rogaschow, Locatelli, Edwards, Parker, Heidrun Ögi und er selbst – hatte sich um Nina Hedegaard geschart, bemüht, nicht als Folge ungeschickter Bewegungen durcheinanderzutrudeln. Stündlich beherrschte O'Keefe das Weltraumballett besser, ebenso wie Rogaschow, der sich im Wildwasser abendlicher Konversation zur Aufzählung persönlicher Interessen hatte hinreißen lassen, sodass außer Fußball nun auch seine Vorliebe für Kampfsportarten zutage lag. Überhaupt schien der Russe seinen Körper nur zu besitzen, um ihn reptilienhafter Kontrolle zu unterwerfen. Seine Empfindungen, sofern er welche hatte, lagen unter dem Eis seiner hellblauen Augen verborgen. Marc Edwards und Mimi Parker, beides passionierte Taucher, hielten sich leidlich, Heidrun mühte sich nach Kräften, während Locatellis Ungestüm Potenzial für Blessuren barg.

»Darf ich Sie bitten, näher heranzukommen?«, rief Hedegaard.

»Also, unter uns –« Mimi Parker senkte die Stimme. »Es kursieren da so Gerüchte. Keine Ahnung, ob was dran ist, aber einige orakeln, Julian ginge die Luft aus.«

»Soll heißen?«

»Er sei so gut wie pleite.«

»Das ist noch gar nichts«, flüsterte Heidrun. »Wollt ihr wissen, wem wirklich die Luft ausgeht?«

»Klar.« Parker beugte sich vor. »Raus damit.«

»Euch, ihr Labertaschen. Und zwar da draußen, wenn ihr nicht endlich aufhört, dummes Zeug zu verzapfen.«

Rogaschow betrachtete sie mit der Amüsiertheit eines Katers, der von Mäusen angeknurrt wird.

»Sie haben etwas Erfrischendes, Frau Ögi.«

Sie strahlte ihn an, als habe er sie zur Miss Moskau gekürt. Der Russe zuckte belustigt die Brauen und schwebte näher an Hedegaard heran. Heidrun folgte ihm ungelenk. Ihre Gliedmaßen schienen in der Schwerelosigkeit noch länger und sperriger geworden zu sein. Die Dänin wartete, bis alle einen Halbkreis um sie gebildet hatten, klatschte in die Hände und schickte eine Referenz ihres Zahnarztes in die Runde.

»So!« Skandinavisch scharfes S. »Ihr erster Weltraumspaziergang steht bevor. Alle aufgeregt?«

»Klar!«, riefen Edwards und Parker wie aus einem Munde.

»Bedingt«, lächelte Rogaschow. »Da wir ja jetzt Ihrer charmanten Obhut anvertraut sind.«

Locatelli blähte die Nasenflügel. Aufgeregtheit war sichtlich unter seiner Würde. Stattdessen hielt er seine eigens angeschaffte, vakuumtaugliche Kamera in die Höhe und schoss ein Foto. Hedegaard quittierte die Antworten und Reaktionen mit vergnügten Grübchen.

»Ein bisschen aufgeregt sollten Sie schon sein, denn *Extravehicular activities* gehören mit zum Anspruchsvollsten, was die bemannte Raumfahrt kennt. Immerhin begeben Sie sich ins Vakuum, außerdem werden Sie extremen Temperaturschwankungen ausgesetzt sein.«

»Ach«, wunderte sich Parker. »Ich dachte immer, im Weltraum sei es einfach nur kalt.«

»Rein physikalisch betrachtet herrscht im All überhaupt keine Temperatur. Was wir als Temperatur bezeichnen, ist das Maß der Energie, mit der sich die Moleküle eines Körpers, einer Flüssigkeit oder eines Gases bewegen. Kleines Beispiel: In kochendem Wasser rasen sie umher, in Eis sind sie beinahe bewegungslos, also erleben wir das eine als heiß und das andere als kalt. Im leeren Raum hingegen –«

»Ja ja«, murmelte Locatelli ungeduldig.

»– finden sich so gut wie gar keine Moleküle. Gibt's also auch nichts zu messen. Theoretisch landen wir so bei 0° auf der Kelvin-Skala, was -273° Celsius entspricht, dem absoluten Nullpunkt. Allerdings registrieren wir die sogenannte kosmische Hintergrundstrahlung, eine Art Nachglühen aus der Zeit des Urknalls, als das Universum noch unvorstellbar dicht und heiß war. Sie beträgt knapp 3°. Macht die Sache nicht eben wärmer. Trotzdem können Sie draußen verbrennen oder erfrieren, je nachdem.«

»Das wissen wir doch alles schon«, drängte Locatelli. »Mich interessiert eher, woher –«

»Also, *ich* weiß es nicht.« Heidrun wandte ihm den Kopf zu. »Ich *würde* es aber gerne wissen. Wie Sie sich denken können, habe ich eine Disposition zum Sonnenbrand.«

»Aber das ist doch Allgemeinbildung, was sie da erzählt!«

Heidrun starrte ihn an. Ihr Blick sagte, fick dich, Besserwisser. Hedegaard lächelte beschwichtigend.

»Also, im leeren Raum nimmt jeder Körper, ob Raumschiff, Planet oder Astronaut, die Temperatur an, die seiner Umgebung entspricht. Sie errechnet sich aus den Faktoren Sonneneinstrahlung und Rückstrahlung in den Weltraum. Darum sind Raumanzüge weiß, um möglichst viel Licht zu reflektieren, wodurch sie weniger aufgeheizt werden. Trotzdem hat man auf der sonnenzugewandten Seite von Raumanzügen schon über 120° Celsius gemessen, während auf der Schattenseite -101° Celsius herrschten.«

»Brrrr«, sagte Parker.

»Keine Bange, davon merken Sie nichts. Raumanzüge sind klimatisiert. Innen herrschen verträgliche 22° Celsius. Natürlich nur, wenn der Anzug richtig angelegt ist. Jede Nachlässigkeit kann den Tod bedeuten. Später auf dem Mond werden Sie ähnliche Bedingungen vorfinden, in den Polarregionen gibt es Krater, die mit -230° zu den kältesten Gebieten im ganzen Sonnensystem gehören! Nie fällt Licht ein. Durchschnittlich beträgt die Tagestemperatur auf der Mondoberfläche 130° Celsius, nachts geht's runter auf -160°, übrigens ein Grund, warum die Apollo-Landungen am Mondmorgen stattfanden, wenn die Sonne tief steht und es noch nicht ganz so heiß ist. Trotzdem, als Armstrong in den Schatten seiner Mondfähre trat, sank die Temperatur seines Anzugs schlagartig von 65° auf -100° Celsius, ein einziger Schritt! – Noch Fragen dazu?«

»Zum Vakuum«, sagte Rogaschow. »Es heißt, man platzt, wenn man dem luftleeren Raum schutzlos ausgesetzt wird.«

»Ist nicht ganz so dramatisch. Aber sterben würden Sie auf jeden Fall, also immer hübsch den Helm anlassen. Die meisten von Ihnen kennen noch die alten Raumanzüge, in denen man aussah wie ein Marshmallow. Dermaßen aufgepumpt, dass die Astronauten rumhüpfen mussten, weil sich die Hosenbeine nicht biegen ließen. Für Kurzzeitmissionen und gelegentliche Weltraumausflüge war das okay. In dauerhaft besiedelten Weltraumstädten, auf dem Mond oder auf dem Mars wären solche Anzugmonster unzumutbar.«

Hedegaard wies auf den Overall, den sie trug. Er war aus dickem, neoprenartigem Material und überzogen von einem Netz dunkler Linien. Hartschalen schützten Ellenbogen und Knie. Obschon sie darin aussah, als habe sie drei Taucheranzüge übereinandergezwängt, wirkte das Ganze irgendwie sexy.

»Seit Kurzem sind darum solche Anzüge im Einsatz. Biosuits, entwickelt von einer schönen Frau, Professor Dava Newman vom MIT. Hübsch, mhm?« Hedegaard drehte sich langsam um ihre Achse. »Sie werden fragen, wie der erforderliche Druck zustande kommt. Ganz einfach. Statt Gas erzeugen unzählige metallische Versteifungen, die sich nicht ausdehnen können, mechanischen Gegendruck. Nur da, wo die Haut stark bewegt wird, ist das Material flexibel gehalten, in allen anderen Regionen starr, praktisch ein Exoskelett.«

Hedegaard entnahm dem nächstgelegenen Regal eine brustkorbförmige Verschalung.

»Auf den Basisanzug passen nun alle möglichen Applikationen und Panzerungen, wie hier dieser Torsoschutz aus Karbonfaser. Ein Tornister für Lebenserhaltungssysteme wird mit Anschlussstellen am Rücken verbunden, außerdem wird Luft in den Helm gepumpt und über Rohrleitungen in Stiefel und in Handschuhe geleitet, die einzigen Bereiche, in denen wir Gasdruck unterstützend einsetzen. Die lärmende, herkömmliche Kühlung ist einer klimatisierenden Nanoschicht gewichen. Es gibt additive Verschalungen für die Gelenke, wie man sie von Ritterrüstungen kennt, nur ungleich leichter und härter. Im freien Weltraum ist man kosmischer Strahlung ausgesetzt, Mikrometeoriten fliegen umher, auf dem Mond wird Ihnen der Regolith zusetzen, der Mondstaub. Während die Beweglichkeit Ihrer Füße im leeren Raum kaum eine Rolle spielt, ist sie auf planetaren Oberflächen von entscheidender Bedeutung. Um alldem gerecht zu werden, sind Biosuits als Baukastensystem konzipiert. Dutzende Elemente lassen sich wahlweise kombinieren, schnell und mit wenigen Handgriffen. Man atmet das herkömmliche Stickstoff-Sauerstoff-Gemisch wie auf der Erde und hier an Bord, das endlose Warten in der Druckkammer entfällt.«

Sie begann, Stiefel und Handschuhe überzustreifen, koppelte den Tornister mit den Lebenserhaltungssystemen an die Rückplatte des Anzugs und verband die Anschlussstellen miteinander.

»Kinderleicht, würde Dava Newman sagen, aber Vorsicht. Versuchen Sie das hier nicht im Alleingang. Muten Sie mir nicht zu, einen von Ihnen deformiert und ausgetrocknet da draußen aufgabeln zu müssen. Alles klar? Gut! Biosuits sind pflegeleicht, in diesem Zusammenhang noch was: Wer unterwegs ein gewisses Bedürfnis verspürt – einfach laufen lassen. Ihr geschätztes Pipi wird in einer dicken Schicht Polyacrylat gebunden, niemand muss befürchten, dass es die Beine herabplätschert. Das hier –«, Hedegaard wies auf zwei Konsolen unterhalb der Handgelenke, »– sind Bedienelemente für insgesamt 16 Schubdüsen im Schulter- und Hüftbereich. Astronauten hängen nicht mehr wie Neugeborene an Nabelschnüren, sondern navigieren per Rückstoß. Die Feuerungen sind kurz, man kann sie manuell auslösen oder die Berechnung dem Computer überlassen. Letzteres ist neu. Sobald die Elektronik zu der Auffassung gelangt, dass Sie die Kontrolle verloren haben, werden Sie automatisch stabilisiert. Ihre Computer sind mit meinem vernetzt und darüber hinaus ferngesteuert, streng genommen können Sie also gar nicht verloren gehen. Hier –«, ihre Hand glitt über eine weitere Konsole entlang des Unterarms, »– finden Sie dreißig kleine Felder, jeweils mit der Option Sprechen und Empfangen. Damit entscheiden Sie, mit wem Sie kommunizieren möchten. *Talk to all* heißt, sie sprechen mit allen, *Listen to all,* Sie empfangen alle. Um Liebeserklärungen loszuwerden, wählen Sie die individuelle Verbindung und schmeißen die anderen raus.« Hedegaard grinste. »Hat jemand Bedenken, sich mir in der Unterwäsche zu präsentieren? Nicht? Dann runter mit den Klamotten! Machen wir uns ausgehfertig.«

»Und die Hühner?«, fragte Mukesh Nair.

»Eine Schnapsidee«, räumte Julian ein. »Vier sind noch übrig. Zwei legen sogar weiterhin Eier, kleine, kugelrunde Dinger mit dem Nährwert von Golfbällen. Bei den anderen hat sich die Beckenmuskulatur zu stark zurückentwickelt, um noch irgendwas nach draußen zu pressen.«

»So viel zum Thema Geburten im Weltall«, sagte Eva Borelius. »Pressen, pressen! Aber womit bloß?«

»Und die Hühnerkacke?« Das Thema schien Karla Kramp auf eigenartige Weise zu faszinieren.

»Oh, kacken tun sie mehr, als uns lieb ist«, sagte Julian. »Wir haben versucht, das Zeug abzusaugen, aber man muss aufpassen, dass man den armen Tieren nicht die Federn vom Arsch saugt. Knifflig, das Ganze. Ehrlich gesagt, ich weiß nicht, wie man Hühner in der Schwerelosigkeit züchten soll. Sie mögen das nicht. Stoßen ständig zusammen, müssen angeleint werden, wirken ratlos. Im Gegensatz zu den Fischen übrigens! Denen scheint es egal zu sein, sie leben ohnehin in einer Art Schwebezustand. Wir schauen uns die Fischzucht als Nächstes an, wenn ihr wollt.«

»Noch haben wir unser Pulver nicht verschossen«, versicherte Kay Woodthorpe, eine stämmige Frau mit der Physiognomie eines Chihuahuas und Mitarbeiterin der Forschungsgruppe für bioregenerative Systeme. »Wenn alle Stricke reißen, probieren wir es eben mit künstlicher Schwerkraft.«

»Wie wollen Sie das anstellen?«, fragte Carl Hanna. »Indem Sie die OSS in Rotation versetzen?«

»Nein.« Julian schüttelte den Kopf. »Nur das Zuchtmodul, entkoppelt und einige Kilometer weit ausgelagert. Ein Gebilde wie die OSS eignet sich nicht als Kreisel. Dazu bräuchte man ein Rad.«

»So wie in den Science-Fiction-Filmen?«

»Genau.«

»Aber das haben Sie doch hier«, wandte Tautou ein. »Kein Rad zwar, aber achssymmetrische Elemente – «

»Sie sprechen von einer Bernal-Sphäre, mein Freund. Das ist was anderes. Ein Rad, dessen Drehmoment der Rotationsgeschwindigkeit der Erde entspricht.« Julian zog die Stirn in Falten. »Stellen Sie sich einen Autoreifen vor oder einen zylindrischen Körper. Wenn er sich dreht, entstehen an der Innenwand, also gegenüber der Achse, Zentrifugalkräfte. Dort herrscht dann so was wie Schwerkraft. Wie in einem Hamsterrad können Sie eine in sich geschlossene Fläche entlanglaufen, prima Joggingstrecke übrigens, während die Schwerkraft zur Achse hin abnimmt. Im Prinzip machbar. Das Problem sind die erforderliche Größe und Stabilität einer solchen Struktur. Ein Rad von – sagen wir mal – 100 Metern Durchmesser müsste sich in 14 Sekunden einmal um sich selbst drehen, und wahrscheinlich würde die Schwerkraft an Ihren Füßen stärker auf Sie einwirken als am Kopf, weil Ihr Körper unterschiedlich stark beschleunigt wird. Außerdem, wenn man so was in Drehung versetzt – das kennen Sie vom Autofahren, wenn da ein Reifen nicht ausgewuchtet ist, schlingert das wie Hölle, und jetzt stellen Sie sich vor, eine rotierende Station beginnt zu eiern. Da laufen etliche Leute rum, wie wollen Sie dafür sorgen, dass die ständig gleichmäßig verteilt sind? Was da an Eigenschwingungen aufläuft, können Sie gar nicht mehr berechnen, allen wird speiübel, irgendwann bricht das Ding womöglich auseinander – «

»Aber ihr habt das Zeitalter der Leichtbauweise doch hinter euch gelassen«, sagte Hanna. »Mit dem Fahrstuhl könnt ihr unbegrenzt Masse in den Orbit schaffen. Baut halt eine größere, stabilere.«

»Wäre so etwas möglich?«, staunte Tautou. »So ein Ding wie in 2001?«

»Sicher.« Julian nickte. »Ich kannte Kubrick. Der Alte hatte sich das sehr genau überlegt, oder sagen wir, überlegen lassen. Ich habe immer davon geträumt, seine Station nachzubauen. Dieses gewaltige Rad, das sich zu Walzerklängen dreht und in dem man umhergehen kann. Aber es müsste riesig sein. Viele Kilometer im Durchmesser. Hoher Orbit, stark gepanzert. Sodass eine komplette Stadt reinpasst mit Wohnvierteln, Grünanlagen, vielleicht mit einem Fluss – «

»Ich finde das hier schon faszinierend genug«, sagte Sushma Nair zu ihrem Mann und drückte, erglühend vor Begeisterung, seinen Arm. »Schau dir das an, Mukesh. Spinat. Zucchini!«

Sie schwebten eine meterhohe Glaswand entlang. Dahinter kräuselte sich allerlei Grün, sprossen Triebe, baumelten Früchte.

»Eine Pionierleistung, Julian«, stimmte Mukesh zu. »Sie schaffen es, einen einfachen Bauern schwer zu beeindrucken.«

»So wie Sie die Welt beeindruckt haben«, lächelte Julian.

Nair, elender Tiefstapler, dachte Hanna.

Während ein Scherflein Entschlossener in diesen Minuten den luftleeren Raum erkundete, besichtigten er, Eva Borelius, Karla Kramp, Bernard Tautou und die Nairs unter sachkundiger Führung Julians und Kay Woodthorpes die beiden Biosphären, jene riesigen, kugelförmigen Module, in denen die Abteilung Bioregenerative Lebenserhaltungssysteme mit Agrarwirtschaft und Nutztierhaltung experimentierte. Biosphäre A vereinte auf sechs Etagen Zucchini und Chinakohl, Spinat, Tomaten, Paprika und Broccoli, ein wahres Kleinitalien an Kräutern, außerdem Kiwis und Erdbeeren, das Ganze bevölkert von einer Fauna umtriebiger Roboter, die unablässig pflanzten, düngten, zupften, schnitten und ernteten. Hanna hätte sich nicht gewundert, karbonfaserverstärkte Kaninchen mit Radioteleskopohren am Salat knabbern und bei ihrem Herannahen fluchtartig entschweben zu sehen. Er legte den Kopf in den Nacken. Eine Ebene über ihm reckten Apfelbäumchen knotige Ästchen und prunkten mit knüppelharten Früchten.

Anfangs, berichtete Woodthorpe, habe es massive Probleme gegeben. Die Vorläufer der Treibhäuser, Salatmaschinen genannt, seien wenig mehr als Standard-Racks gewesen, in denen Tomaten und Kopfsalat um die Wette wucherten. Da sich Pflanzen ebenso an der Schwerkraft orientierten wie praktisch jedes Lebewesen und ergo wüssten, wohin man sich zu recken und in welche Richtung man zu wurzeln habe, sei der Verlust des Oben und Unten mit schauerlicher Dickichtbildung einhergegangen, unglücklicherweise auf Kosten der Früchte, die inmitten der krakenartigen Wurzelmonster ein erbarmungswürdiges Guerilladasein führten. In Verwirrung gestürzt, habe selbst der Spinat nur noch holzige Ableger produziert, um sich irgendwo festzukrallen, bis jemand auf die Idee kam, die Äcker künstlichen Beben zu unterwerfen, kurzen Rütteleien, infolge derer Obst und Gemüse endlich dort Halt suchten, wo es rappelte, nämlich unten.

»Seitdem haben wir die Wucherungen unter Kontrolle, und die Qualität kann sich sehen lassen«, erklärte Woodthorpe. »Sicher, es ist und bleibt Treibhauskost. Die Erdbeeren schmecken ein bisschen wässrig, mit den Paprika kann man vielleicht nicht gerade Preise gewinnen –«

»Aber die Zucchini sind klasse«, sagte Julian.

»Ja, und der Broccoli auch, erstaunlicherweise sogar die Tomaten. Wir wissen noch nicht so ganz genau, warum das eine besser gelingt als das andere. Auf jeden Fall geben die Treibhäuser Anlass zur Hoffnung, dass wir die noch offenen Lebenserhaltungssysteme künftig werden schließen können. Auf dem Mond sind wir beinahe so weit.«

»Was meinen Sie mit schließen?«, fragte Kramp.

»So wie auf der Erde. Da geht nichts verloren. Die Erde ist ein in sich geschlossenes System, alles wird ständig prozessiert. Betrachten Sie die Raumstation einfach als kleine Kopie unseres Planeten mit entsprechend begrenzten Ressourcen an Wasser, Atemluft und Treibstoff, nur dass wir diese Ressourcen in der Vergangenheit nicht alle wiederaufbereiten konnten. Ständig war man auf Nachschub angewiesen. Das Kohlendioxid etwa ging über Bord. Heute können wir es in Reaktoren aufspalten, den frei werdenden Sauerstoff zur Atmung wieder verwenden oder mit Wasserstoff zu Wasser binden, und was an Kohlenstoff verbleibt, lässt sich mit Methan zu Treibstoff synthetisieren. Ebenso können wir Wasser in seine Bestandteile zerlegen und es von allen Verunreinigungen befreien. Nur ein bisschen *Sludge,* Abwasser, geht dabei verloren, kaum der Rede wert. Das Problem ist eher, Größe und Verbrauch der Reaktoren in ein überzeugendes Verhältnis zum Wirkungsgrad zu setzen. Also versuchen wir es mit natürlichen Regenerationsprozessen. Auch dazu dienen die Pflanzen. Unser eigener kleiner Regenwald, wenn Sie so wollen. Auf dem Mond haben wir größere Gewächshäuser, da stehen wir kurz davor, alle Kreisläufe komplett zu schließen.«

»Kein Markt also für einen Wasserversorger«, lachte Tautou.

»Nein, die OSS ist auf dem Weg zur Autarkie.«

»Hm, autark.« Kramp überlegte. »Sie könnte glatt ihre Unabhängigkeit erklären, was? Oder gleich der komplette Mond. Bei der Gelegenheit, wem gehört er eigentlich, der Mond?«

»Niemandem«, sagte Julian. »Laut Mondvertrag.«

»Interessant.« Die Brauen in Kramps Modigliani-Gesicht hoben sich, Bögen der Verwunderung, ein Oval voller Ovale. »Dafür, dass er niemandem gehört, sind eine Menge Leute dort unterwegs.«

»Stimmt. Der Vertrag muss dringend umgeschrieben werden.«

»Vielleicht so, dass der Mond jedem gehört?«

»Richtig.«

»Also denen, die zuerst oben sind. Beziehungsweise schon da sind. Amerika und China.«

»Keineswegs. Jeder kann nachkommen.«

»*Kann* denn jeder nachkommen?«, fragte sie lauernd.

»Das, liebe Karla«, lächelte Julian, »ist genau der Punkt, um den sich alles dreht.«

Finn O'Keefe suchte Halt in der Physik.

Die Ankleideprozedur hatte sich hingezogen, bis sie endlich verpackt und behelmt in der hermetischen Abgeschiedenheit der Luftschleuse hingen, einem klinisch ausgeleuchteten, leeren Raum mit gerundeten Kanten. Entlang der Wände verliefen Griffleisten, ein Display erteilte Auskünfte über Druck, Temperatur und atmosphärische Zusammensetzung. Hedegaard erklärte, die Schleuse sei um einiges größer als die anderen Ausstiege, die sich über die OSS verteilten. Nachdem Peter Black hinzugekommen war, umfasste ihre Gruppe nun acht Personen. Ein leiser werdendes, schließlich ersterbendes Zischen zeigte an, dass die Luft abgesaugt wurde, dann glitten lautlos die Außenschotts auseinander.

O'Keefe schluckte.

Im Banne frühmenschlicher Einsichten über Abgründe und Fehltritte, Ameisen im Bauch, starrte er hinaus. Vor seinen Augen erstreckte sich ein Teil des Dachs. Er wusste nicht, was er erwartet hatte, einen Austritt, einen Balkon, einen Laufsteg, ungeachtet dessen, dass nichts davon hier oben Sinn ergab. Doch die kreisrunde Ebene erwies sich als bodenlos – eine 400 Meter durchmessende, offene Struktur, umgeben von einem stählernen Ring, massiv genug, dass Eisenbahnen hätten hindurchfahren können, und bestückt mit Nutzlasten und Manipulatoren. Ein Speichenwerk tragender Konstruktionen führte vom Torus zu den äußeren Bereichen. Jenseits dessen funkelten Solarparks in der Sonne, zirkulierten Radiatoren und hingen Kugeltanks an kranartigen Auslegern. Flutlichtbatterien beschienen gewaltige Hangars, die Geburtsstätten künftiger Raumschiffe. Winzig schwebten Astronauten unter dem Bauch eines stählernen Riesen und überwachten den Einbau von Sitzreihen durch Roboterarme. Bizarre Maschinenwesen, halb Mensch, halb Insekt, durchmaßen den Raum, trugen Bauteile in Heuschreckenarmen heran, krallten sich mit segmentierten Greifzangen ins Rahmen- und Gitterwerk, führten Schweißarbeiten aus und vernieteten vorgefertigte Komponenten. Unzweifelhaft waren ihre Androidengesichter von der Figur Boba Fetts inspiriert, dem stets behelmten Auftragskiller aus *Star Wars,* was zwingend den Schluss nahelegte, dass Julian Orley an ihrer Entwicklung Anteil genommen hatte – Orley mit seiner Begeisterung für Science-Fiction-

Filme, dem es wie keinem anderen gelang, Zitate zu Innovationen zu fügen.

Jenseits der Schleuse gähnte ein Abgrund.

Fast dreihundert Meter erstreckte sich die vertikale Struktur der OSS unter O'Keefe, darunter lag die Erde in unvorstellbarer Ferne. Er zögerte, fühlte sein Herz dröhnen. Obschon er um die Irrelevanz seines Gewichts wusste, erschien es ihm als ausgemachter Wahnsinn, die Kante zu passieren, praktisch gleichbedeutend damit, sich von einem Hochhaus zu stürzen.

Physik, dachte er. Hab Vertrauen in Gottes Gesetzbuch.

Aber er glaubte nicht an Gott.

Neben ihm segelten Nina Hedegaard und Peter Black gemächlich nach draußen, wendeten und präsentierten die verspiegelten Fronten ihrer Helme. »Beim ersten Mal ist es immer eine Überwindung«, hörte er die Dänin sagen. »Aber ihr könnt nicht fallen. Versucht einfach das Nachdenken einzustellen.«

Ertappt, dachte O'Keefe.

Im nächsten Moment erhielt er einen Stoß, glitt über die Kante hinaus, auf die beiden Führer zu und an ihnen vorbei. Verblüfft schnappte er nach Luft, stemmte sich gegen die Flugbewegung, doch nichts bremste ihn ab. Auf eine Reise ohne Wiederkehr geschickt, zog er davon. Heiß durchfuhr ihn die Vorstellung, im Weltall verloren zu gehen, hinausgeschleudert zu werden ins Nichts, und er begann wild herumzufuchteln, als bewirke dies mehr, als seinen Untergang ins Lächerliche zu ziehen.

»Sieh an«, lächelte Laura Lurkin. »Das Damenprogramm.«

Amber glaubte die zersetzende Wirkung des Spotts körperlich zu spüren. Von Lynn wusste sie, dass die Fitnesstrainerin, ein bedrohlich skulpturierter Brocken Menschheit mit Ringerkreuz, Trollarmen und einlullender Stimme, Weltraumtouristen nicht sonderlich schätzte. Ihre Einstellung gründete auf der Überzeugung, Privatpersonen hätten oberhalb der gängigen Verkehrsflugrouten nichts verloren. Lurkin war eine ehemalige Navy Seal, gehärtet im Feuer geopolitischer Konflikte. Als sich Rogaschowa, Winter, Hsu, Omura und Amber wie eine Delegation bespaßungshungriger Präsidentengattinnen im Wellness-Bereich einfanden, war Lurkins erste Reaktion folgerichtig, sie zu verspotten, allerdings auf eine Weise, dass man es für Freundlichkeit, wenn nicht gar für Kumpanei halten konnte. Schließlich war sie damit betraut, Orbitalreisende fit zu halten, nicht, sie zu deprimieren.

»Du *musst* da hingehen, Amber! Bitte! Wir haben die EVA, die Führung durch den wissenschaftlichen Bereich, die Multimedia-Performance, ich wäre glücklich, wir hätten die blöden Weiber auf eine der drei Gruppen verteilen können, aber die wollen ihr Beauty-Programm durchziehen. Ich bin ja schon froh, dass uns Paulette erspart bleibt, aber –«

»Eigentlich würde ich lieber zu deiner Präsentation kommen, Lynn.«

»Ich weiß. Es tut mir leid, glaub mir! Aber jemand muss den vieren das Gefühl geben, sie seien uns ebenso willkommen wie alle anderen, die von einem Orbitaltrip mehr erwarten als Schwitzen, Peeling und Pickel ausdrücken lassen. Ich würd's ja auf mich nehmen, aber ich kann nicht!«

»Ach, Lynn. Muss das denn sein? Tim und ich –«

»Dich akzeptieren sie als Repräsentantin, als Gastgeberin.«

»Ich bin doch gar nicht die Gastgeberin.«

»Doch, in deren Augen schon. Du bist eine Orley. Bitte, Amber!« Dieses Flehen!

»Also gut, meinetwegen. Dafür bin ich heute Nachmittag beim zweiten Weltraumspaziergang dabei!«

»Oh, Amber, lass dich küssen! Du kannst zum Jupiter spazieren, schmier' dir eigenhändig die Brote! Danke! Danke!«

Nun also das Damenprogramm.

Der Wellness-Bereich umfasste zwei Module, elliptisch abgeflacht wie die Wohnröhren. Im oberen Teil gab es eine waschechte Sauna, unter Verzicht auf Holzbänke zwar, dafür mit Halteschlaufen für Hände und Füße und großzügig dimensionierten Fenstern, sowie eine Dampfsauna, deren gerundete Wände die Sterne in Form Hunderter elektrischer Lämpchen auf sich vereinten. In der Kristall-Kaverne konnte man sich durch Tröpfchen eiskalten Wassers treiben lassen, das in den Raum gesprüht und wieder abgesaugt wurde, im Ruhebereich sphärische Musik hören, lesen oder wegdösen. Ein Stockwerk darunter warteten diverse Fitnessgeräte, Massageräume und kräftige Hände auf die stressgeplagten Teilzeitastronauten.

»– unerlässlich im Weltraum!«, sagte Lurkin gerade. »Schwerelosigkeit ist eine feine Sache, aber sie birgt eine Reihe nicht zu unterschätzender Gefahren, wenn man ihr über längere Zeit ausgesetzt ist. Gewisse Veränderungen an euch werdet ihr schon bemerkt haben. Erwärmung von Kopf und Brust zum Beispiel. Unmittelbar nach Eintritt des freien Falls steigt mehr als ein halber Liter Blut aus den unteren Körperregionen in Thorax und Kopf. Ihr bekommt Apfelbäckchen und das, was Astronauten ein *puffy face* nennen, ein leicht angeschwollenes Gesicht. Netter Effekt übrigens, weil er Falten kompensiert und euch jünger aussehen lässt. Hält nur leider nicht auf Dauer. Nach eurer Rückkehr zur Erde wird die Schwerkraft am Gewebe zerren wie eh und je, also genießt den Augenblick.«

»Meine Beine frieren«, sagte Rebecca Hsu misstrauisch, in ihrem Bademantel zur Frotteekugel gebläht. »Ist das normal?«

»Ganz normal. Entsprechend der Umverteilung eurer Körpersäfte fühlen sich die Beine etwas kalt an. Daran gewöhnt man sich, ebenso wie an Schweißausbrüche und den vorübergehenden Verlust der Orientierung. Ich hörte, eine von euch hat's schlimm erwischt?«

»Madame Tautou«, nickte Miranda Winter. »Uii! Die Arme muss sich fortwährend –« Sie senkte die Stimme. »Also, es kommt auch unten raus, eigentlich überall.«

»Raumkrankheit.« Lurkin nickte. »Kein Grund, sich zu schämen, selbst erfahrene Astronauten leiden darunter. Wer hat sonst noch Symptome?«

Olympiada Rogaschowa hob zögerlich die Hand. Nach einigen Sekunden spreizte auch Momoka Omura einen Zeigefinger und winkelte ihn gleich wieder an.

»Unwesentlich«, sagte sie.

»Also, bei mir geht's so«, meinte Hsu. »Mein Gleichgewichtssinn ist etwas durcheinander. Eigentlich bin ich an Seegang gewöhnt.«

»Ich bin froh, wenn alles drinbleibt«, seufzte Rogaschowa.

Lurkin lächelte. Natürlich war sie darüber in Kenntnis gesetzt worden, dass die Frau des Oligarchen ein zerrüttungsbedingtes Alkoholproblem hatte. Streng genommen hätte Olympiada Rogaschowa gar nicht hier sein dürfen, allerdings hatte sie während des vierzehntägigen Trainingsprogramms ausschließlich Tee getrunken und alle Skeptiker Lügen gestraft. Offenbar ging es auch ohne Wodka und Champagner.

»Halb so wild, *ladies*. Spätestens übermorgen seid ihr gegen die Raumkrankheit immun. Was indes jeden betrifft, sind die physiologischen Langzeitveränderungen. In Schwerelosigkeit baut ihr Muskelmasse ab. Eure Waden schrumpfen zu *Chicken Legs*, Hühnerbeinen, Herz und Kreislauf werden über Gebühr belastet. Schon darum ist täglicher Sport oberste Pflicht eines jeden Astronauten, sprich, Ergometer, Gymnastik, Gewichtheben, alles hübsch angeschnallt natürlich. Auf Langzeitmissionen hat man zudem einen erheblichen Rückgang der Knochensubstanz festgestellt, vorwiegend im Wirbel- und Beinbereich. Bis zu zehn Prozent Kalzium verliert der Körper während eines halben Jahrs im All, Immunstörungen treten auf, die Wundheilung verlangsamt sich, alles Begleiterscheinungen, die *Perry Rhodan* schamhaft verschweigt. Ihr werdet nur wenige Tage in der Schwerelosigkeit zubringen, dennoch rate ich euch dringend, Sport zu treiben. Womit starten wir also? Rudern, Rad fahren, Joggen?«

Omura starrte Lurkin an, als hätte sie den Verstand verloren.

»Mit nichts davon. Ich will ins Dampfbad!«

»Sie kommen ja ins Dampfbad«, sagte Lurkin, als spräche sie mit einem Kind. »Aber erst legen wir eine Runde Fitness ein, klar? So ist das an Bord von Raumstationen. Der Instruktor hat das Sagen.«

»Fein.« Amber reckte sich. »Ich geh aufs Ergometer.«

»Und ich aufs Fahrrad«, rief Winter vergnügt.

»Ein Ergometer *ist* ein Fahrrad.« Omura verzog die Miene, als widerfahre ihr schlimmes Unrecht. »Kann man hier wenigstens schwimmen?«

»Klar.« Lurkin breitete ihre muskelbepackten Arme aus. »Wenn Sie einen Weg finden, Wasser bei null Gravitation im Becken zu halten, können wir darüber reden.«

»Und das da?« Hsu schaute zu einer Maschine an der Decke gleich über ihr. »Sieht aus wie ein Stepper.«

»Bingo. Trainiert Po und Oberschenkel.«

»Genau richtig.« Die Taiwanesin schälte sich aus ihrem Bademantel. »Man soll keine Gelegenheit auslassen, dem Verfall entgegenzuwirken. Es ist dramatisch genug! Mitunter scheint mir, dass ich nur noch von Thrombosenwäsche an der unkontrollierten Ausbreitung meiner selbst gehindert werde.«

Amber, die Hsu aus den Medien kannte, hob die Brauen. Unzweifelhaft hatte die Königin des Luxus in den vergangenen Jahren reichlich Speck angesetzt, doch ihre Haut wirkte glatt und prall wie bei einem Luftballon. Was hatte Lurkin noch über *Puffy faces* gesagt? Warum sollte der Effekt nur aufs Gesicht beschränkt sein? Klar, dass Oberarme in der Schwerelosigkeit nicht wabbelten, dass Brüste sich hoben, weil sie keinem Erdkern zustrebten, dass sich alles appetitlich rundete und straffte. Die ganze Rebecca Hsu wirkte irgendwie *puffy*.

»Machen Sie sich mal keine Sorgen«, sagte sie. »Sie sehen toll aus.«

»Für Ihr Alter«, fügte Omura süffisant hinzu.

Hsu klemmte sich mit Lurkins Hilfe auf den Stepper, ließ sich die Gurte anlegen und lächelte kopfüber auf Amber herab.

»Danke, aber wenn man so weit ist, dass die Paparazzi in Hubschraubern anrücken müssen, um einen ganz aufs Bild zu kriegen, sollte man der Wahrheit ins Gesicht sehen. Ich beginne mich in Götterspeise zu verwandeln. Ich vertreibe Anti-Zellulitis-Wundermittel einiger der renommiertesten Kosmetikmarken der Welt, aber wer mir auf den Arsch haut, muss eine Viertelstunde warten, bis die Wellen verebbt sind.«

Und sie begann zu treten wie der Weinbauer im Bottich, während Miranda Winter sich vor Lachen überschlug und Amber mit einstimmte. Omuras Mimik durchlief verschiedene Stadien der Menschwerdung, dann lachte auch sie. Etwas löste sich, eine tief sitzende, uneingestandene Angst, und sie kugelten gackernd und keuchend durcheinander.

Lurkin wartete mit nachsichtiger Miene, die Arme verschränkt.

»Schön, dass wir uns einig sind«, sagte sie.

»Raus mit dir.«

Heidruns Worte, gefolgt von einem Glucksen der Ausgelassenheit. Es war das Letzte, was O'Keefe vernommen hatte, bevor er aus der Schleuse driftete. Heidrun, das Miststück! Frank Poole, der unglückliche Astronaut aus *2001,* war einem paranoiden Computer zum Opfer gefallen, er einer gemeingefährlichen Schweizerin. Seine Finger umspannten die Kontrollen für die Schubdüsen. Der erste Impuls stoppte seinen Flug, ein zweiter, dazu gedacht, ihn wieder der Schleuse zuzuwenden, bewirkte, dass er sich um sich selbst zu drehen begann.

»Sehr gut«, hörte er Hedegaard sagen, als säße sie mit angelegten Feenflügeln in einer Ecke seines Helms. »Ganz schön reaktionsschnell für einen Anfänger.«

»Verarschen Sie mich bloß nicht«, knurrte er.

»Nein, im Ernst. Schaffen Sie es auch noch, die Drehbewegung zu stoppen?«

»Warum denn?«, lachte Heidrun. »Sieht doch gut aus. – Hey, Finn, du solltest dir einen Mond einfangen, der dich umkreist.«

Er rotierte im Uhrzeigersinn. Also rechts gegensteuern.

Es funktionierte. Plötzlich hing er reglos da und sah die anderen wie Treibgut aus der Schleuse trudeln. Diese neue, eng anliegende Generation von Raumanzügen hatte den Vorzug, ihre Träger nicht zu vereinheitlichen. Sie ließ erahnen, wen man vor sich hatte, obwohl Gesichter durch die verspiegelten Visiere kaum zu erkennen waren. Heidrun, gepanzert wie ein Sternenkrieger, verriet sich durch ihre anorektische Elbengestalt. Am liebsten hätte er ihr einen Tritt versetzt.

»Das zahle ich dir heim«, murmelte er, musste jedoch im selben Augenblick grinsen.

»Aber, *Perry!* Mein Held.«

Sie kicherte weiter, geriet in Schieflage und begann sich auf den Kopf zu stellen. Jemand anderer, es mochte Locatelli, Edwards oder Parker sein, schickte sich an, den Rückzug ins Schleuseninnere anzutreten. Ein Dritter vollführte rudernde Armbewegungen. Nichts davon erweckte den Anschein, freiwillig zu geschehen. Außer Hedegaard und Black ließ eigentlich nur ein Teilnehmer der Gruppe kontrolliertes Handeln erkennen, indem er einen sauberen Halbkreis beschrieb und neben den beiden Führern zur Ruhe kam. O'Keefe zweifelte keine Sekunde daran, dass es Rogaschow war, dann fanden plötzlich alle wie von Geisterhand gesteuert zueinander.

»Tückisch, was?«, lachte Black. »Im Vakuum zu navigieren ist mit nichts vergleichbar. Es gibt keine Reibung, keine Strömung, die Sie trägt, keinen Gegendruck. Einmal in Bewegung versetzt, ziehen Sie Ihre Bahn, bis ein entsprechender Gegenimpuls erfolgt oder Sie in den Einflussbereich eines Himmelskörpers geraten, der dafür sorgt, dass Sie als Sternschnuppe enden oder einen hübschen, kleinen Krater schlagen. Mit Schubdüsen umzugehen erfordert Übung, die Sie nicht haben. Darum müssen Sie ab jetzt gar nichts mehr tun. Die Fernsteuerung übernimmt. Für die Dauer der nächsten 20 Minuten setzen wir Sie auf den Leitstrahl, soll heißen, Sie können entspannt die Aussicht genießen.«

Sie setzten sich in Bewegung und flogen zügig hinaus auf die künstliche Ebene, dem halb fertigen Raumschiff entgegen. Schwerelos ruhte es zwischen den Flutlichtmasten.

»Natürlich versucht man, EVAs auf das absolut erforderliche Minimum zu begrenzen«, erklärte Hedegaard. »Inzwischen sind die Voraussagen für Sonnenstürme zuverlässig genug, um sie schon bei der Einsatzplanung zu berücksichtigen. Ohnehin geht kein Astronaut ohne Dosimeter nach draußen. Sollte es unerwartet zu Eruptionen kommen, bleibt reichlich Zeit, das Innere der Station aufzusuchen, außerdem verteilen sich Dutzende *storm shelters* über die Außenwände der OSS, gepanzerte Unterschlüpfe, falls es mal eng wird. Andererseits schützt selbst der ausgefeilteste Anzug auf Dauer nicht vor Strahlungsschäden, also setzt man zunehmend auf Roboter.«

»Die fliegenden Dinger da?«, sagte Locatelli mit wackliger Stimme und zeigte in Richtung zweier beinloser Maschinen, die in einiger Entfernung ihren Weg kreuzten. »Sehen wie verdammte Aliens aus.«

»Ja, es ist verblüffend. Nachdem sich die Wirklichkeit von der Science Fiction emanzipiert hatte, greift sie nun ihre Ideen auf. Etwa, indem man erkannt hat, dass menschenähnliche Apparate den Belangen ihrer Schöpfer in vielerlei Hinsicht entgegenkommen.«

»Die Schöpfung nach dem Ebenbild«, sagte Mimi Parker. »Wie wir's vor 6000 Jahren vom Chef gelernt haben.«

Etwas schwang in den salopp gewählten Worten mit, das O'Keefe stutzen ließ. Er beschloss, sich später Gedanken darüber zu machen. Die Gruppe flog eine ausladende Kurve und hielt auf das Raumschiff zu. Einer der Automaten hatte sich zeckengleich an der Außenhülle verankert. Seine beiden Hauptextremitäten verschwanden in einer geöffneten Klappe, wo sie offensichtlich etwas installierten, zwei kleinere Arme im Brustbereich hielten Bauteile bereit. Die Vorderseite des helmartigen Kopfes zierten schwarzglasige Sehschlitze.

»Können die Dinger denken?«, fragte Heidrun.

»Sie können rechnen«, sagte Hedegaard. »Es sind Roboter der Huros-ED-Baureihe, *Humanoid Robotic System for Extravehicular Demands.* Hochpräzise, absolut zuverlässig. Bislang hat es nur einen einzigen Zwischenfall gegeben, in den ein Huros-ED verwickelt war, allerdings ohne ihn ausgelöst zu haben. Danach hat man ihre Schaltkreise um ein Programm zur Lebensrettung erweitert. Wir setzen sie für alles Mögliche ein, Wartung, Instandhaltung und Konstruktion. Sollte es Sie ins All verschlagen, stehen die Chancen gut, von einem Huros wieder eingesammelt und wohlbehalten zurückgebracht zu werden.«

Ihr Weg führte sie senkrecht einen der Lichtmasten hinauf und über den Rücken des Raumschiffs hinweg.

»Mit den Shuttles braucht man zwei bis drei Tage bis zum Mond. Geräumige Dinger, wie Sie sehen werden, trotzdem sollten Sie sich während des Fluges spaßeshalber vorstellen, Sie seien damit zum Mars unterwegs. Sechs Monate in so einer Kiste, der blanke Horror! Menschen sind nun mal keine Maschinen, sie brauchen soziale Kontakte, Privatsphäre, Platz, Musik, gutes Essen, schönes Design, Futter für die Sinne. Darum ist das Raumschiff, das hier entsteht, mit keinem herkömmlichen Schiff vergleichbar. Im Stadium der Fertigstellung wird es von außergewöhnlicher Größe sein, hier sehen Sie das knapp 200 Meter lange Rumpfelement. Genauer gesagt sind es miteinander verkoppelte Einzelelemente, teils ausgebrannte Tanks alter Space Shuttles, teils neue, größere Module. Zusammen bilden sie den Arbeits- und Kommandobereich. Es wird Labors und Besprechungsräume geben, Treibhäuser und Aufbereitungsanlagen. Die Schlaf- und Trainingsmodule rotieren an Zentrifugalauslegern um den Rumpf, sodass dort eine schwache, künstliche Schwerkraft herrschen wird, vergleichbar der auf dem Mars. Im nächsten Schritt wird die Konstruktion durch Masten von mehreren Hundert Metern Länge nach vorne und hinten ausgebaut.«

»Mehrere Hundert Meter?«, echote Heidrun. »Mein lieber Mann! Wie lang soll das Ding denn werden?«

»Die Rede ist von einem Kilometer. Sonnenflügel und Generatoren nicht eingerechnet. Rund zwei Drittel entfallen auf den Frontmast, an dessen Spitze ein Nuklearreaktor für den Antrieb sorgen wird. Darum die eigenwillige Konstruktion. Die Habitate müssen mindestens 700 Meter von der Strahlungsquelle entfernt sein.«

»Und wann soll der Flug stattfinden?«, wollte Edwards wissen.

»Realisten peilen 2030 an. Washington hätte es gerne früher. Es findet ja nicht nur ein Wettlauf zum Mond statt. Die USA werden alles daransetzen, auch den roten Planeten –«

»– in Besitz zu nehmen«, ergänzte Rogaschow. »Schon klar. Hat Orley die komplette Werft an die Amerikaner vermietet?«

»Einen Teil«, sagte Hedegaard. »Andere Bereiche der Station sind an Amerikaner, Deutsche, Franzosen, Inder und Japaner vermietet. Auch Russen. Alle unterhalten Forschungsstationen hier oben.«

»Nur die Chinesen nicht?«

»Nein. Die nicht.«

Rogaschow ließ es dabei bewenden. Ihr Flug führte über die Werft dem Außenring mit seinen Werkstätten und Manipulatoren entgegen. Hedegaard machte sie auf die fernen Enden von Masten aufmerksam, an denen sphärische Gebilde sprossen: »Das Lage- und Bahnregelungssystem. Kugeltanks speisen die Schubdüsen, mit denen sich die Station bei Bedarf absenken, anheben oder versetzen lässt.«

»Wozu denn das?«, fragte O'Keefe. »Ich dachte, sie muss exakt in dieser Höhe verbleiben?«

»An sich ja. Andererseits, falls ein Meteorit oder besonders dicker Brocken Schrott herangesaust kommt, müssen wir ihre Bahn korrigieren können. Im Allgemeinen wissen wir so was schon Wochen im Voraus. Meist reicht eine Verlagerung in der Vertikalen, manchmal ist es sinnvoller, zur Seite hin auszuweichen.«

»Darum ist die Ankerstation auch eine schwimmende Insel!«, rief Mimi Parker. »Um sie synchron zur OSS verschieben zu können!«

»Ganz genau«, sagte Hedegaard.

»Irre! Und passiert das oft? So ein Bombardement?«

»Eher selten.«

»Und die Bahnen aller Objekte sind bekannt?«, hakte O'Keefe nach.

»Na ja.« Black zögerte. »Die der großen. Kleinzeug zieht hier natürlich millionenfach durch, ohne dass wir Kenntnis davon erlangen, Nanopartikel, Mikrometeoriten.«

»Und was ist, wenn so ein Ding meinen Anzug trifft?« Edwards
klang plötzlich, als wünsche er sich zurück ins Innere der Station.

»Dann hast du ein Loch mehr«, sagte Heidrun, »an einer hoffentlich schönen Stelle.«

»Nein, der Anzug steckt das weg. Die Panzerungen fangen Nanopartikel auf, und falls wirklich mal ein nadelstichgroßes Loch im Overall entsteht, geht man deswegen nicht gleich drauf. Das Gewebe ist
mit einer Kunststoffschicht unterfüttert, deren Molekülketten sich
schließen, sobald das Material seinen Schmelzpunkt erreicht. Und das
geschieht beim Aufprall eines Mikrometeoriten schon durch die Rei-
bungshitze. Vielleicht tragen Sie eine kleine Verwundung davon, aber
das tun Sie auch, wenn Sie in einen Seeigel treten oder ihre Katze Ihnen eins überbrät. Die Chance, einem Mikrometeoriten in die Quere
zu kommen, ist bei Weitem geringer, als von einem Hai gefressen zu
werden.«

»Wie beruhigend«, sagte Locatelli gepresst.

Die Gruppe hatte den äußeren Rand des Rings überquert und folgte
dem Verlauf eines anderen Gittermasts. O'Keefe hätte sich gerne he-
rumgedreht. Von hier aus musste man einen fantastischen Blick über
das Dach bis zum Torus haben, doch sein Anzug war das sprichwörtliche Pferd, das den Weg kannte, und ihm voraus breitete sich das
Schwingenwerk dunkel glänzender Vögel mit mythischen Spannwei-
ten aus, wachend über diesen denkwürdigen Flecken Zivilisation im
All. Jenseits der Solarpaneele, welche die Station mit Energie versorg-
ten, lag nur noch der offene Weltraum.

»Diese Abteilung dürfte Sie besonders interessieren. Es ist Ihr Werk,
Mr. Locatelli!«, sagte Black. »Mit herkömmlicher Solartechnologie hätte
man die vier- bis fünffache Menge an Kollektoren installieren müssen.«

Locatelli sagte etwas in der Art wie, das sei wahr und richtig. Dann
fügte er noch Verschiedenes hinzu. O'Keefe meinte die Vokabeln Revolution und Menschheit herauszuhören, gefolgt von einem Meien-
schein, der wohl ein Meilenstein sein sollte, wie auch immer. Aus
irgendeinem Grund vermengte sich alles zu gutturalem Porridge.

»Darauf können Sie wirklich stolz sein, Sir«, sagte Black. »Sir?«

Der Gepriesene hob beide Arme, als wolle er ein Orchester dirigieren. Silbenwürmer entrangen sich seiner Kehle.

»Ist alles in Ordnung, Sir?«

Locatelli ächzte. Dann hörte man eruptives Würgen.

»B-4, Abbruch«, sagte Hedegaard seelenruhig. »Warren Locatelli.
Ich begleite ihn zur Schleuse. Die Gruppe weiter nach Plan.«

Eines Tages, erzählte Mukesh Nair, noch während seiner Studienzeit, habe man im Dörfchen Loni Kalbhor seinen Onkel vom Seil geschnitten, mit dem er sich am Dachbalken seiner Hütte erhängt hatte. Bauernselbstmorde waren damals an der Tagesordnung, bittere Ernte der indischen Agrarkrise. Mukesh war durch brachliegende Zuckerrohrfelder gewandert und hatte sich gefragt, was man gegen die Flut der Billigimporte aus den sogenannten entwickelten Nationen unternehmen könnte, deren Landwirtschaft im Federbett großzügiger Subventionen ruhte und die Welt mit Obst und Gemüse zu Spottpreisen überschwemmte, während indische Farmer keinen Ausweg aus der Schuldenfalle sahen, als sich zu entleiben.

Damals hatte er sich bewusst gemacht, dass man die Globalisierung nicht als Prozess missverstehen durfte, den Politiker und Unternehmen nach Belieben initiierten, beschleunigten und kontrollierten. Sie war nichts, was sich an- und abstellen ließ, nicht Ursache, sondern Symptom einer Idee, die so alt war wie die Menschheit selbst, nämlich die des Austauschs von Kultur und Waren. Sie abzulehnen wäre in etwa so naiv gewesen, wie das Wetter für Missernten zu verklagen. Vom Tag an, da Menschen anderer Menschen Territorium frequentiert hatten, um Handel zu treiben oder Krieg zu führen, war es immer nur darum gegangen, sie so zu gestalten, dass man an ihr teilhatte und in möglichst großem Maße von ihr profitierte. Nair hatte begriffen, dass das Elend der Bauern keinem sinistren Pakt der Erste-Welt-Staaten in die Schuhe zu schieben war, sondern dem Unvermögen der Herrschenden in Neu-Delhi, Indiens Stärken auszuspielen. Und eine dieser Stärken – auch wenn das Land historisch wie kaum ein anderes für den Hunger in der Welt stand – lag darin, die Welt zu ernähren.

Damals hatten Nair und einige andere die Grüne Revolution eingeleitet. Er war in die Dörfer gegangen, hatte die Bauern ermutigt, von Zuckerrohr auf Chili, Tomaten, Auberginen und Zucchini umzusteigen, sie mit Saatgut und Dünger versorgt, mit neuen Technologien vertraut gemacht, ihnen billige Kredite zur Entschuldung verschafft, Mindestabnahmen zugesichert und sie am Gewinn einer Hypermarktkette beteiligt, die er unter Zuhilfenahme moderner Kühltechnik aus dem Boden gestampft und nach seinem Lieblingsgemüse TOMATO genannt hatte. Dank ausgefeilter Logistik fanden die verderblichen Waren dermaßen schnell vom Acker in die Theken der TOMATO-Märkte, dass jedes Importprodukt dagegen alt und vergammelt aussah. Verzweifelte Landwirte, eben noch vor die Wahl gestellt, als Tagelöhner in die Stadt zu gehen oder sich im Dachboden aufzuknüpfen, wurden Unternehmer. TOMATO boomte. Immer neue Filialen eröffneten, immer mehr Bauern stärkten Nairs Gefolge im aufstrebenden Indien.

»Die Bewohner unserer heißen, mikrobenverseuchten Metropolen liebten die klimatisierten, sauberen Frischemärkte von Anfang an«, sagte Nair. »Natürlich bekamen wir Konkurrenz, die ähnliche Konzepte verfolgte, teils mit Unterstützung ausländischer Konzerngiganten. Aber ich habe in meinen Wettbewerbern immer nur Verbündete gesehen. Im entscheidenden Moment waren wir den anderen eine Nasenlänge voraus.«

Mittlerweile gab es TOMATO rund um den Globus. Die meisten seiner Mitbewerber hatte Nair geschluckt. Während indische Agrarprodukte in die entlegensten Winkel der Welt exportiert wurden, hatte Nair längst ein neues Betätigungsfeld für sich entdeckt, war in die Genetik eingestiegen und hatte den chronisch überschwemmungsgefährdeten Küstenregionen seines Landes einen salzwasserresistenten Reis beschert.

»Und genau das«, sagte Julian, »ist es, was uns verbindet.«

Sie schauten einem kleinen Ernteroboter zu, der mit filigranen Greifern Kirschtomaten von den Stängeln löste und in sein Inneres saugte, bevor sie davontrudeln konnten.

»Wir werden den Weltraum in Besitz nehmen, den Mond besiedeln und den Mars. Vielleicht weniger schnell als erträumt, aber es wird geschehen, alleine schon, weil es eine Reihe vernünftiger Gründe dafür gibt. Wir stehen am Anfang eines Zeitalters, in dem die Erde nur einer von vielen möglichen Wohnorten und Industriestandorten sein wird.«

Julian machte eine Pause.

»Dennoch werden Sie, Mukesh, außerhalb des Erdkreises in absehbarer Zeit kein Vermögen mit Obst und Gemüse machen. Bis zur TOMATO-Filiale auf dem Mars ist es ein weiter Weg! Sie, Bernard, können zwar Wasser für den Mond zur Verfügung stellen – unerlässlich für jedes neue Vorhaben –, Geld werden Sie allerdings kaum damit verdienen. Was Ihre Arbeit betrifft, Eva: Langzeitaufenthalte im All, auf dem Mond und der Oberfläche anderer Planeten, all das wird die Medizin vor völlig neue Herausforderungen stellen. Dennoch wird die Forschung fürs Erste ein Zuschussgeschäft bleiben, so wie ich Amerikas Raumfahrt bezuschusse, um die Förderung der wichtigsten Ressource für eine saubere, nachhaltige Energieversorgung zu ermöglichen, wie ich die Entwicklung der erforderlichen Reaktoren bezuschusst habe. Alles Welten Verändernde, Bahnbrechende erfordert zu Anfang, Geld *auszugeben.* Du, Carl, hast ein Vermögen durch kluge Investitionen ins Öl- und Gasgeschäft gemacht, um dann auf Solartechnik umzuschwenken, doch im Weltraum lassen sich mit diesen neuen Technologien noch keine nennenswerten Umsätze erzielen. Warum solltet ihr also bei ORLEY ENTERPRISES investieren?«

Er sah sie der Reihe nach an.

»Ich sage euch, warum. Weil uns mehr verbindet als das, was wir herstellen, finanzieren und woran wir gerade forschen, nämlich die Sorge um das Wohlergehen aller. Eva, der es gelungen ist, künstliche Haut, Nerven und Herzmuskelzellen zu züchten. Geschäftsträchtig, sicher, höchst lukrativ, doch das ist nur die halbe Wahrheit, denn vor allem bedeutet es *Hoffnung* für Infarktgefährdete, Krebspatienten und Verbrennungsopfer! Hier Bernard, ein Mann, der rund um den Globus den Ärmsten der Armen Zugang zu sauberem Wasser ermöglicht. Mukesh, der Indiens Bauern eine neue Lebensperspektive eröffnet hat und die Welt ernährt. Carl, dessen Investment in erneuerbare Energien hilft, deren Durchsetzung überhaupt erst zu ermöglichen. – Und was ist mein Traum? Ihr kennt ihn. Ihr wisst, warum wir hier sind. Seit Fachleute begonnen haben, über saubere, risikofreie Fusionstechnologien nachzudenken, darüber wie man den Brennstoff der Zukunft, Helium-3, vom Mond auf die Erde schaffen kann, hänge ich der Vorstellung an, unseren Planeten mit dieser neuen, unerschöpflichen Energie zu versorgen. Viele defizitäre Jahre habe ich der Aufgabe gewidmet, Reaktoren zur Serienreife zu entwickeln und den ersten funktionierenden Weltraumfahrstuhl zu bauen, um der Menschheit ein Sprungbrett ins All zu schaffen. Und wisst ihr was?«

Er schmunzelte vergnügt und ließ einige Sekunden verstreichen.

»Der Idealismus hat sich ausgezahlt. Jetzt *will* und *werde* ich daran verdienen! Und ihr alle sollt mitverdienen! An ORLEY ENTERPRISES, der bedeutendsten Technologieschmiede der Welt. Es sind Menschen wie wir, die diesen wunderschönen Planeten 36 000 Kilometer unter uns bewegen oder anhalten. Es liegt an *uns*. Wenn wir unsere Kräfte zusammenlegen, werdet ihr vielleicht nur unbedeutend mehr Gemüse, Wasser oder Medikamente verkaufen, aber ihr werdet am größten Mischkonzern der Welt partizipieren. Morgen schon wird ORLEY ENERGY mit Fusionsreaktoren und umweltfreundlichem Strom die Weltmarktführerschaft auf dem Energiesektor einnehmen. ORLEY SPACE wird die Eroberung des Sonnensystems zum Nutzen der gesamten Menschheit mit weiteren Weltraumaufzügen und Raumstationen forcieren und gemeinsam mit ORLEY TRAVEL den Weltraumtourismus ausbauen, und glaubt mir, *alles zusammengenommen rechnet sich!* Jeder will in den Orbit, jeder will auf den Mond, auf den Mars und darüber hinaus, Menschen, Nationen. Zu Beginn des Jahrtausends dachten wir, der Traum sei ausgeträumt, dabei hat er gerade erst begonnen, meine Freunde! Doch nur die wenigsten Länder verfügen über die notwendigen Technologien, und hier liegt Orley unerreichbar weit vorne. Es sind *unsere* Technologien, die von aller Welt gebraucht werden. Und alle, ausnahmslos alle, werden den Preis bezahlen!«

»Ja«, sagte Nair ehrfürchtig. »Ja!«

Hanna lächelte und nickte.

Alle werden den Preis bezahlen –

Was immer Julian mit gewohnter Eloquenz und Überzeugungskraft vorgetragen hatte, reduzierte sich in seinen Ohren auf diesen letzten Satz. Er drückte aus, was der Rückzug der Regierenden aus den Prozessen der Globalisierung, die Verselbstständigung der Wirtschaft, die Privatisierung der Politik hinterlassen hatten: ein Vakuum, das sich mit Kaufleuten füllte. Er definierte die Zukunft als Handelsware. Auch die kommenden Tage würden daran nichts ändern, ganz im Gegenteil. Die Welt würde ein weiteres Mal verkauft werden.

Nur ganz anders, als Julian Orley es sich vorstellte.

»Bin wieder da«, zwitscherte Heidrun.

»Oh, mein Schatz!« Ögis Schnurrbart sträubte sich vor Entzücken. »Wohlbehalten und in einem Stück. Wie war es?«

»Super! Locatelli musste kotzen, als er seine Sonnenkollektoren sah.«

Sie schwebte näher und gab ihm einen Kuss. Aktion erzeugte Abstoßung. Langsam entfernte sie sich wieder, griff nach einer Sitzlehne und hangelte sich erneut heran.

»Ist Warren etwa raumkrank geworden?«, fragte Lynn.

»Ja, es war klasse!« Heidrun strahlte. »Nina hat ihn entsorgt, danach wurde es richtig nett.«

»Also ich weiß nicht.« Donoghue schürzte die Lippen. Rotwangig und aufgedunsen thronte er mit Falstaff'scher Erhabenheit im Nichts, das Haar gebauscht, als sei auf seiner Kopfhaut ein Tier verendet. »Für mich klingt das gefährlich, wenn einer in seinen Helm reihert.«

»*Du* musst ja nicht da rausgehen«, meinte Aileen spitz.

»Papperlapapp. Damit wollte ich nicht –«

»Du bist 65, Chucky. Man muss nicht alles mitmachen.«

»Ich sagte, es *klingt* gefährlich!«, polterte Donoghue. »Nicht, dass ich Angst davor hätte. Ich würde mit 100 noch da rausgehen! Apropos Alter, kennt ihr den von dem uralten Ehepaar beim Scheidungsrichter?«

»Scheidungsrichter!« Haskin entrichtete einen Vorschuss an Gelächter. »Lassen Sie hören.«

»Gehen die also zum Scheidungsrichter, und der guckt die Frau an und sagt: Meine Güte, wie alt sind Sie denn? – Och, sagt die Frau, ich bin 95. – Na, und Sie? – Der Mann überlegt: 98! – Allmächtiger, sagt der Richter, ich glaub's nicht. Warum wollen Sie sich denn in diesem Alter scheiden lassen? – Ach, wissen Sie, Hochwürden –«

Tim fletschte die Zähne. Es war kaum auszuhalten. Unerbittlich, seit zwei Stunden, zündete Chucky eine Humorrakete nach der anderen.

»– wir wollten erst warten, bis die Kinder tot sind.«

Haskin schlug einen Salto. Natürlich lachte jeder. Ganz so fürchterlich schlecht war der Witz ja auch nicht, jedenfalls nicht schlecht genug, um Tims apokalyptische Stimmung ausschließlich Donoghue anzulasten. Doch soeben sah er Lynn wie versteinert dasitzen, als sei sie ganz woanders. Ihr Blick endete wenige Zentimeter vor ihrem Gesicht. Offenkundig erfasste sie nichts von dem, was um sie herum geschah. Dann, urplötzlich, lachte sie mit.

Ich kann mich irren, dachte er. Es muss nicht heißen, dass alles wieder von vorne losgeht.

»Und was habt ihr in der Zwischenzeit so getrieben?« Heidrun schaute sich neugierig um. »Die Station am Modell bereist?«

»Ja, ich könnte sie auf der Stelle nachbauen«, prahlte Ögi. »Großartiges Bauwerk. Offen gestanden bin ich überrascht von den Sicherheitsstandards.«

»Wieso überrascht Sie das?«, fragte Lynn.

»Die Privatisierung der Raumfahrt nährt ja allgemein die Befürchtung, dass da mit der heißen Nadel gestrickt wird.«

»Wären Sie hier, wenn Sie das ernsthaft beunruhigen würde?«

»Stimmt auch wieder.« Ögi lachte. »Trotzdem. Ihr wart schnell. Außergewöhnlich schnell. Aileen und Chuck hier wissen von Bauvorschriften, Gutachten und Auflagen ein Lied zu singen –«

»Ein Lied?«, knurrte Chucky. »Opern!«

»Als wir das RED PLANET konzipierten, fanden sie, das Projekt sei unrealisierbar«, bekräftigte Aileen. »Heerscharen von Feiglingen! Eine Dekade hat es gedauert von den Skizzen bis zum Baubeginn, und selbst danach ließen sie uns nicht in Ruhe.«

Das Red Planet war Donoghues Glanzstück, ein der Marslandschaft nachempfundenes Luxusresort in Hanoi.

»Heute gilt es als Glanzstück der Statik«, triumphierte sie. »Nie hat es in einem unserer Hotels einen Vorfall gegeben! Doch was geschieht? Wann immer du was Neues planst, torkeln sie wie Zombies heran und versuchen dich aufzufressen, deinen Enthusiasmus, deine Ideen, deine dir vom Schöpfer verliehene Schaffenskraft. Man sollte meinen, über die Jahre ein Guthaben an Referenzen erwirtschaftet zu haben, aber es ist, als nähmen sie deine Lebensleistung überhaupt nicht wahr. Ihre Augen sind tot, ihre Schädel gefüllt mit Vorschriften.«

Oh Mann, dachte Tim.

»Ja, ja.« Ögi massierte nachdenklich sein Kinn. »Ich weiß sehr genau, was Sie meinen. Insofern komme ich nicht umhin, liebste Lynn, das Wasser der Skepsis in den Wein der Bewunderung zu gießen. Wie gesagt, Sie haben die Station extrem schnell realisiert. Man könnte auch sagen, verdächtig schnell, verglichen mit der kleineren ISS, die aber viel länger gedauert hat.«

»Wollen Sie dafür eine Erklärung?«

»Auf die Gefahr hin, Sie zu quälen –«

»Sie quälen mich keineswegs, Walo. Wettbewerbsdruck ist die Mutter aller Schlamperei. Nur, ORLEY SPACE *hat* keine Wettbewerber. Wir mussten niemals schneller sein als andere.«

»Hm.«

»Schnell waren wir dank perfekter Planung, sodass sich die OSS am Ende von selber baute. Weder mussten wir eine Dutzendschaft notorisch klammer Weltraumbehörden unter einen Hut bringen noch bürokratischen Treibsand durchqueren. Wir hatten nur einen einzigen Partner, die Vereinigten Staaten von Amerika, die das Lincoln-Memorial dafür verkauft hätten, sich aus der Rohstofffalle zu befreien. Unsere Vereinbarung passte auf die Rückseite einer Tankquittung. Amerika baut seine Mondbasis und liefert die Technologie für den Abbau von Helium-3, wir bringen marktfähige Reaktoren ins Spiel, ein preiswertes, schnelles Transportsystem zum Mond und, nicht zu vergessen, gewaltig viel Geld! Die Mittelbewilligung durch den Kongress, ein Durchmarsch! Großartige Perspektiven für alle! Dem einen die Monopolisierung des Reaktorgeschäfts, dem anderen die Rückkehr an die Spitze der raumfahrenden Nationen und die Lösung aller Energieprobleme. Glauben Sie mir, Walo, mit solchen Möglichkeiten vor Augen *verbietet* sich jeder andere Weg, als *schnell* zu sein.«

»Wo sie recht hat, hat sie recht!«, sagte Donoghue mit Donnerstimme. »Wann wäre es je darum gegangen, ob man was bauen *kann*? Letztlich hängt's doch immer nur am verdammten Geld.«

»Und an den Zombies«, nickte Aileen eifrig. »Überall Zombies.«

»Entschuldige.« Evelyn Chambers hob die Hand. »Du hast wahrscheinlich recht, andererseits sind wir nicht hier, um uns gegenseitig Blumen zu streuen. Es geht um Investitionen. Mein Investment in euch ist meine Glaubwürdigkeit, also sollten wir alle Karten auf den Tisch legen, was meinst du?«

Tim beobachtete seine Schwester. Eindeutig wusste sie nicht, worauf Evelyn Chambers anspielte, doch sie wirkte offen und interessiert.

»Selbstverständlich. Wovon redest du?«

»Von Pannen.«

»Welche da wären?«

»Vic Thorn.«

»Klar. Er steht auf der Agenda.« Lynn zuckte mit keiner Wimper. »Ich wollte später auf ihn zu sprechen kommen, aber wir können das vorziehen.«

»Thorn?« Donoghue runzelte die Brauen. »Wer soll das sein?«

»Keine Ahnung.« Ögi zuckte die Achseln. »Aber ich würde gerne was über Pannen hören. Schon, um mich mit den eigenen zu versöhnen.«

»Wir haben keine Geheimnisse«, sagte Haskin. »Die Nachrichten waren im vergangenen Jahr voll davon. Thorn gehörte zur ersten Langzeitbesatzung der amerikanischen Mondbasis. Er hatte herausragende Arbeit geleistet, also schlug man ihn für weitere sechs Monate vor, außerdem wurde ihm die Leitung angetragen. Er willigte ein und reiste zur OSS, um von dort weiter zur Basis zu fliegen.«

»Stimmt, jetzt kommt mir die Sache bekannt vor«, sagte Heidrun.

»Mir auch.« Walo nickte. »Gab es nicht Probleme bei einem Außeneinsatz?«

»Mit einem der Manipulatoren, um genau zu sein. Er blockierte die Ladeluken des Shuttles, der Thorns Leute zum Mond bringen sollte. Mitten in der Bewegung erstarrt, nachdem ihn ein Stück Weltraumschrott getroffen hatte. Wir schickten einen Huros los –«

»Einen was?«, fragte Aileen.

»Einen humanoiden Roboter. Er entdeckte Splitter in einem der Gelenke, die den Manipulator offenbar veranlasst hatten, sich abzuschalten.«

»Klingt doch sehr vernünftig.«

»Vorstellungen von Vernunft beschäftigen Maschinen nicht.« Haskin taxierte sie, als habe sie angeregt, Roboter nie ohne warme Socken nach draußen zu schicken. »Wir kamen überein, ihn das Gelenk reinigen zu lassen, was der Huros aber nicht konnte, darum schickten wir Thorn und eine Astronautin raus. Bloß, der Manipulator hatte sich gar nicht abgeschaltet. Er war nur vorübergehend in eine Art Elektrokoma verfallen. Plötzlich erwachte er wieder zum Leben und schleuderte Thorn in den Weltraum. Offenbar wurden dabei seine Lebenserhaltungssysteme beschädigt. Wir verloren den Kontakt zu ihm.«

»Wie schrecklich«, flüsterte Aileen, aschfahl.

»Tja.« Haskin schwieg einen Moment. »Er dürfte nicht lange gelitten haben. Möglicherweise bekam sein Visier einen Knacks ab.«

»Dürfte? Haben Sie ihn denn nicht – ?«

»Leider nein.«

»Ich dachte immer, man könnte einfach hinterher flitzen.« Aileen spreizte Daumen und Finger ihrer rechten Hand zu Flugzeugschwingen und durchpflügte die Luft. »So wie im Kino.«

»Im Kino, ja«, sagte Haskin missbilligend.

»Wir sollten aber auch erzählen, dass die neue Generation der Huros-Baureihe ihn wahrscheinlich hätte retten können«, sagte Lynn. »Außerdem wurde die Fernsteuerung der Raumanzüge weiterentwickelt. Wenigstens hätten wir Thorn zurückholen können.«

»Wenn ich mich recht erinnere«, sagte Chambers, »gab es eine Untersuchung.«

»Stimmt.« Lynn nickte. »Sie endete damit, dass wir eine japanische Firma für Robotik in Haft nahmen. Sie hatten den Manipulator konstruiert. Eindeutig ein Fall von Fremdverschulden. Thorns Tod war eine Tragödie, doch die Betreiber der OSS, also wir, wurden von jeder Schuld freigesprochen.«

»Danke, Lynn.« Chambers schaute vom einen zum anderen. »Also, mir reicht das zur Aufklärung. Oder?«

»Pioniertaten sind Opfertaten«, brummte Donoghue. »Der frühe Vogel fängt den Wurm, und manchmal wird er auch von ihm gefressen.«

»Schauen wir uns halt noch ein bisschen um«, meinte Ögi.

»Sie sind nicht überzeugt?«, fragte Lynn.

Er zögerte.

»Doch, ich denke schon.«

Und da war es! Ein kaum wahrnehmbares Entgleisen ihrer Mundwinkel, die Kernschmelze von Panik in Lynns Blick, als sie

den Sog verspürt, wie schon einmal, als sie in die Hölle hinabgerissen wurde, und sie fragt sich entsetzt, worauf sie sich bloß eingelassen hat. Vor Wochen hat es begonnen, dass sie Schwachstellen in ihrer

Arbeit zu erblicken glaubt, wo definitiv keine sind. Heilige Eide ist sie zu schwören bereit, dass Julians Raumstation die ganze alberne Menschheit überdauern wird, während sie einzig im unteren Teil alle Augenblicke etwas explodieren oder auseinanderbrechen sieht. Und warum?

Weil dieser Teil der einzige ist, den *sie* konzipiert hat und nicht Julian, der in *ihre* Verantwortung fällt!

Dabei sind dieselben Designer dort am Werk gewesen, dieselben Architekten, Ingenieure, Bautrupps. In kaum etwas unterscheiden sich die Module *ihrer* Station von den übrigen: identische Lebenserhaltungssysteme, gleiche Konstruktionsweise. Dennoch quält Lynn unentwegt die Vorstellung, sie könnten fehlerhaft sein. Je mehr Julian ihre Arbeit preist, desto tiefer frisst sich Selbstzweifel in ihr Denken. Unablässig rechnet sie mit dem Schlimmsten. Ihre sonst so löbliche Vorsicht wächst sich zu einer Paranoia ständigen Misstrauens aus, wie besessen sucht sie nach Anzeichen ihres Versagens und wird umso nervöser, je weniger sie findet. Das OSS GRAND bläht sich zum Popanz ihrer Überheblichkeit, bevor es wie eine Seifenblase zerplatzt, was hieße, Dutzende Menschen dem Tod zu überantworten. Vernietungen, Verstrebungen, Isolierungen, Ventilatoren, Elektrolysegeräte, Umwälzpumpen, Luftschleusen, Korridore, in allem erblickt sie das auseinanderstrebende Konstrukt ihrer selbst. Ihr überreizter Hypothalamus erodiert unter dem Ansturm von Adrenalin und Cortisol, sobald sie an das Hotel im Weltraum und das andere auf dem Mond nur *denkt*. Wenn Angst im theologischen Verständnis das Gegenteil von Glaube ist, die Trennung vom Göttlichen, dann ist Lynn zur Heidin schlechthin geworden. Die Angst vor der Zerstörung. Die Angst davor, zerstört zu werden. Ein und dasselbe.

Irgendwann, am Grund ihrer Verzweiflung, hat sich ihr der Teufel im Gewand eines Gedankens genähert und ihr eingeflüstert, dass sich die Angst vor der Hölle nur überwinden lässt, wenn man sich stehenden Fußes hineinbegibt. Wie entkommt man dem Kreislauf der Angst, etwas Entsetzliches *könne* geschehen? Welcher Ausweg bleibt, bevor man komplett den Verstand verliert? Wie wird man frei?

Indem es geschieht!

Die Frage ist natürlich, was von ihr bleibt, wenn sich ihr Werk als vergänglich erweist? Ist sie überhaupt mehr als eine Erfindung Julians, eine Filmfigur? Was, wenn Julian aufhört, sie zu denken, weil sie sich als nicht würdig erweist, gedacht zu werden? Droht ihr dann immerwährendes Leid? Ewige Verdammnis? Banales Vergehen? Oder *muss* sie vergehen, um strahlender denn je wiedergeboren zu werden? Wenn alles, worüber sie sich definiert und von anderen definiert wird, endet, wird sie dann endlich zum Vorschein kommen, die echte Lynn, falls es sie gibt?

»Miss Orley? Ist Ihnen nicht gut?«

»Kind, was hast du denn?« Aileens mütterliches Falsett. »Du bist ja wachsweiß.«

»Lynn?« Tim neben ihr. Der sanfte Druck seiner Finger an ihrem Oberarm. Langsam beginnen sie sich zu drehen, ein geschwisterliches Doppelgestirn.

Lynn, oh Lynn. Worauf hast du dich bloß eingelassen?

»Hey, Lynn!« Weiße, schlanke Finger streichen ihr über die Stirn, violette Augen sehen sie an. »Alles okay? Was Schlechtes geraucht?«

»Tut mir leid.« Sie blinzelt. »Ihr habt mich ertappt.«

»Wobei denn ertappt, Kind?«

Das Lächeln findet auf ihre Lippen zurück. Ein Pferd, das den Weg kennt. Tim sieht sie an, eindringlich. Will ihr sagen, dass er Bescheid weiß, aber er soll nichts sagen und sie nichts fragen! Lynn strafft sich, entkommt dem Sog. Ein Sieg für den Moment.

»Raumkrank«, sagt sie. »Blöd, was? Ich dachte, mir würde das nie passieren, aber da hab ich wohl falsch gedacht. Gerade gingen mal eben die Lichter aus.«

»Dann kann ich's ja zugeben«, grinst Ögi. »Mir ist auch flau.«

»Dir?« Heidrun starrt ihn an. »Du bist raumkrank?«

»Nun ja.«

»Warum hast du denn nichts gesagt?«

»Sei dankbar. Der Tag kommt, da sprechen meine Malaisen für mich. Geht's wieder, Lynn?«

»Ja, danke.« Lynn streift Tims Hand ab. »Planen wir den Tag.«

Ihr Bruder schaut sie unverwandt an. Klar, sagt sein Blick, du bist raumkrank. Und ich bin der Mann im Mond.

Es gelang ihm, Julian beim Verlassen seiner Suite abzufangen, eine Stunde vor dem Abendessen. Tims Vater trug ein modisch geschnittenes Hemd mit Krawatte, die unvermeidlichen Jeans und elegante Slipper mit dem Emblem von Mimi Kri.

»Du kannst dich bei ihr einkleiden, wenn du willst«, sagte er fröhlich. »Mimi hat eine Kollektion für den Aufenthalt in der Schwerelosigkeit und bei verminderter Gravitation entwickelt. Gut, was?« Er

195

drehte sich einmal um seine eigene Achse. »Faserverstärkt, da kann nichts flattern. Nicht mal der Schlips.«

»Julian, hör mal –«

»Ach, bevor ich's vergesse, für Amber hat sie auch was mitgebracht. Ein Abendkleid. Zu dumm. Ich wollte sie damit überrascht haben, aber du siehst ja, was hier los ist. Die Meute lässt mir keine ruhige Minute. Sonst alles klar, Junge?«

»Nein. Ich muss mit dir –«

»Abendkleider in der Schwerelosigkeit, überleg mal!« Julian grinste. »Ist das nicht bekloppt? Vollkommen irre! Du könntest unter alle Röcke gucken ohne diese Verstärkungen. Marilyn Monroe wäre ein Waisenkind dagegen, wie sie auf diesem Luftschacht steht und von unten der Wind kommt und alles hochbläst, du weißt schon.«

»Nein, weiß ich nicht.«

Julian runzelte die Stirn. Endlich schien er Tim im Ganzen wahrzunehmen, einen zerknitterten Overall mit einem geröteten Flecken Mimik obendrauf, die nichts Gutes verhieß.

»Den Film kennst du wahrscheinlich gar nicht, oder?«

»Vater, es ist mir scheißegal, bei wem sich der Rock hebt. Kümmere dich verdammt noch mal um deine Tochter.«

»Das tue ich. Seit sie auf der Welt ist, um genau zu sein.«

»Lynn geht es nicht gut.«

»Ach, das.« Julian schaute auf die Uhr. »Ja, sie hat's mir erzählt. Kommst du mit ins KIRK?«

»Was erzählt?«, fragte Tim verblüfft.

»Dass sie raumkrank geworden ist.« Julian lachte. »War sie bisher nämlich noch nie. Mich würde das auch wurmen!«

»Nein, warte.« Tim schüttelte ungeduldig den Kopf. »Du verstehst nicht. Lynn ist nicht raumkrank.«

»Sondern?«

»Überfordert. Am Rande eines Nervenzusammenbruchs.«

»Ich kann nachvollziehen, dass du besorgt bist, aber –«

»Sie dürfte überhaupt nicht hier sein, Vater! Sie baut ab. Herrgott, wie oft soll ich es dir noch sagen, Lynn ist am Ende. Sie wird das alles nicht durchstehen. Sie hat sich nie wirklich mit dem auseinandergesetzt, was vor fünf Jahren –«

»He!« Julian starrte ihn an. »Spinnst du? Das hier ist *ihr* Hotel.«

»Na und?«

»Es ist *ihr* Werk! Gütiger Himmel, Tim! Lynn ist CEO von ORLEY TRAVEL, sie *muss* hier sein.«

»Muss! Klar.«

»Komm mir bloß nicht auf die Tour! Hast du bei mir je irgendwas gemusst? Hab ich dich etwa daran gehindert, Lehrer zu werden und in deine verschissene Kommunalpolitik zu gehen, obschon dir bei Orley alle Türen offengestanden hätten?«

»Darum geht es hier aber nicht.«

»Darum geht's nie, was? Auch nicht darum, dass deine Schwester erfolgreicher ist als du und dir das insgeheim stinkt.«

»Ach ja?«

»Allerdings. Lynn hat überhaupt keine Probleme! Du hast welche! Du versuchst, sie als schwach hinzustellen, weil du selber nichts auf die Reihe kriegst.«

»Das ist ja wohl der größte Blödsinn, den ich –« Tim zwang sich zur Ruhe und senkte die Stimme. »Glaub meinethalben, was du willst, ist mir doch egal. Gib einfach acht auf sie! Weißt du nicht mehr, was vor fünf Jahren war?«

»Natürlich weiß ich das. Damals war sie erschöpft. Wenn *du* ihr Pensum schultern müsstest –«

»Nein, Julian, sie war nicht erschöpft. Sie war ausgebrannt! Sie war krank, psychisch krank, willst du das endlich kapieren? Schwer depressiv! Suizidgefährdet!«

Julian schaute sich um, als hätten die Wände Ohren.

»Jetzt pass mal auf, Tim«, flüsterte er. »Lynn hat hart für all das hier gearbeitet. Die Menschen bewundern und verehren sie. Das hier ist *ihre große Stunde*. Ich werde nicht zulassen, dass du ihr da reinpfuschst, bloß weil du überall Gespenster siehst.«

»Mann, du bist so was von abgehoben. Dermaßen vernagelt!«

»Nein, *du* bist vernagelt. Warum bist du überhaupt mitgekommen?«

»Um auf sie aufzupassen.«

»Oh.« Julian ließ ein höhnisches Lachen hören. »Und ich dachte schon, es hätte eine winzige Kleinigkeit mit meiner Person zu tun. Entschuldige den sentimentalen Anflug. Was soll's. Ich *werde* mit ihr reden, okay? Ich werde ihr sagen, wie großartig sie alles gemacht hat, dass es perfekt ist, dass die Welt sie auf Händen trägt. In Ordnung?«

Tim schwieg, während Julian sichtlich verdrossen Richtung Schleuse entschwebte. Von der anderen Seite her näherte sich O'Keefe.

»Hey, Tim.«

»Hallo, Finn. Geht's gut?«

»Super, danke. Kommen Sie mit ins PICARD, was trinken?«

»Nein, wir sehen uns später beim Abendessen.« Tim überlegte. »Ich brauch noch was Faserverstärktes. 'ne faserverstärkte Krawatte. Ohne Faserverstärkung hält man das hier nicht durch.«

DER ABEND

Der Mann mit den verschiedenfarbigen Augen interessierte sich sehr für die Kunst, 36 000 Kilometer über der Erde Steaks so zuzubereiten, dass sie außen brutzelnd braun und innen rosa waren, ohne dass ein einziger Tropfen Fleischsaft herauslief.

Außerdem wollte er wissen, was die Menschen zum Mars zog.

»Leben«, sagte Julian. »Wenn wir dort welches finden, ändert das unser Weltbild fundamental. Ich hätte gedacht, dass gerade dich die Vorstellung fasziniert.«

»Tut sie auch. Was sagen denn die Experten so? Gibt es Leben auf dem Mars?«

»Klar«, grinste Julian. »Spinnen.«

»Spinnen vom Mars.« Der andere grinste zurück. »Daraus müsste sich eigentlich was machen lassen.«

Wiederum interessierten sich eine Menge Leute aus der Gruppe für den Mann mit den verschiedenfarbigen Augen. Unglücklicherweise wurde Walo Ögi, sein größter Bewunderer, von Bernard Tautou und Oleg Rogaschow durch den Parcours der Wirtschaftskonversation getrieben, während Winter und Hsu in unergründlichem Einvernehmen mit Momoka Omura die therapeutische Wirkung von Luxus auf Herbstdepressionen erörterten. Warren Locatelli fehlte. Ebenso wie Paulette Tautou war er den verbündeten Kräften von Nervus vagus und diversen Neurotransmittern erlegen, die in einer als Brechzentrum bekannten Region des Hirnstamms die schwallartige Entleerung seines Magens betrieben.

Dies außer Acht gelassen, wurde es ein glanzvolles Dinner.

Die Lichter waren heruntergedimmt worden, sodass die Erde als riesiger Lampion durch den Glasboden erstrahlte. Zum ersten und einzigen Mal gab es Alkohol, Champagner aus schlanken, mit Saugstutzen versehenen Nuckelkelchen. Wie schon am Vorabend bestach das Essen durch erstaunliche Qualität. Julian hatte für die Dauer des Aufenthalts einen hochdekorierten deutschen Sternekoch einfliegen lassen, einen Schwaben namens Johannes King, der die Küche umgehend einer dreihundertprozentigen Effizienzsteigerung unterworfen hatte und

Erstaunlichkeiten wie getrüffeltes Rahmgemüse herbeizauberte, mit echten Perigord-Trüffeln natürlich, das in etlichen Versuchen auf die Tücken der Schwerelosigkeit hatte abgestimmt werden müssen.

»Weil sich nämlich Sauce, also Flüssiges oder Rahmiges, im freien Fall verselbstständigt.« Der Koch absolvierte seinen Rundflug. Er war ein quirliger Charakter von lebhafter Motorik, der sich in der Schwerelosigkeit wohlzufühlen schien wie ein Fisch im Wasser. »Es sei denn, ihre Konsistenz ist derart beschaffen, dass sie am Fleisch oder Gemüse hängen bleibt. Zu sehr eingedickt schmeckt sie nämlich auch nicht, eine Gratwanderung.«

Tautou regte an, der *Guide Michelin* müsse um das Kapitel ›Erdnahe Peripherie‹ erweitert werden. Was könne sinniger sein als die Vergabe von Sternen *hier oben?* Im Folgenden entblödete er sich nicht, die wasserdünne Analogie mit ermüdender Begeisterung jedem ins Ohr zu schütten, während nacheinander Wildpastete mit Cranberries, Filetsteaks, Kartoffelgratin und eine geschmeidige Tiramisu gereicht wurden.

»Dafür keine Zwiebeln, keine Bohnen, nichts, was bläht! Entweichende Körpergase stellen unter derart beengten Verhältnissen ein echtes Problem dar, Menschen sind schon wegen weniger handgreiflich geworden. Übrigens würde Ihnen, was Sie hier essen, auf der Erde stark überwürzt vorkommen, aber im Weltraum arbeiten die Geschmacksnerven auf Sparflamme. Ach ja, und weiterhin schön langsam essen. Jeden Bissen vorsichtig aufnehmen, mit Bedacht zum Munde führen, rasch und entschlossen einschieben, sorgfältig kauen.«

»Die Steaks waren jedenfalls das Werk Gottes!«, befand Donoghue.

»Danke.« King absolvierte eine Verbeugung, was zur Folge hatte, dass er vornüberkippte und einen Salto schlug. »Tatsächlich waren es keimfreie Synthetikprodukte aus der Molekularküche. Wir sind mächtig stolz darauf, wenn ich das sagen darf.«

Für die Dauer der nächsten zehn Minuten schwieg Donoghue, im Zustand tiefer Nachdenklichkeit.

O'Keefe nuckelte am Champagner.

Er gab sich Mühe, seine Verschnupftheit aufrechtzuerhalten. Wohl hatte er registriert, dass Heidrun neben ihm saß, besser gesagt, ihre Beine in die dafür vorgesehenen Streben verkeilt hatte. So sehr ihm das gefiel, strafte er sie mit Missachtung und plauderte ostentativ mit dem Überraschungsgast. Ihrerseits machte sie keine Anstalten, ihn anzusprechen. Erst als sämtliche Erlebnisse des Tages ausgetauscht waren und die Konversation in Fraktale ihrer selbst zerfiel, würdigte er sie einer gezischten Bemerkung:

»Was zum Teufel hast du dir heute Morgen dabei gedacht?«
Sie stutzte. »Wovon redest du?«
»Mich aus der Schleuse zu stoßen.«
»Oh.« Heidrun schwieg eine Weile. »Verstehe. Du bist sauer.«
»Nein, aber ich zweifle an deinem Verstand. Das war ziemlich gefährlich.«
»Blödsinn, Finn. Ich bin vielleicht ein Kindskopf, aber keine Irre. Nina hat mir schon gestern erzählt, dass die Anzüge ferngesteuert sind. Glaubst du im Ernst, sie überlassen Pauschalreisende, deren höchste sportliche Leistung der Freischwimmer ist, da draußen sich selbst?«
»Du wolltest mich nicht umbringen? Das beruhigt mich.«
Heidrun lächelte rätselhaft in sich hinein. »Schätze, ich wollte einfach mal sehen, wo Perry Rhodan aufhört und Finn O'Keefe anfängt.«
»Und?«
»Passenderweise spielst du ihn ja als Trottel.«
»Moment mal!«, protestierte O'Keefe. »Als heldenhaften Trottel.«
»Ja, sicher. Und du hast schnell genug die Kurve gekriegt, dass du künftig bei der Vergabe paarungswilliger Weibchen nicht aus dem Rennen bist. Zufrieden?«
Er grinste. In die entstehende Pause hinein hörte er Eva Borelius sagen: »Das ist doch keine theologische Frage, Mimi, sondern eine nach den Ursprüngen unserer Zivilisation. Warum wollen Menschen Grenzen überschreiten, was suchen sie im Weltraum? Mir ist auch manchmal danach, in den Chor der Entrüstung einzustimmen, dass Abermillionen hungern, keinen Zugang zu frischem Wasser haben –«
»Inzwischen schon«, grätschte Tautou dazwischen, nur um von einem pistolenschussartigen »Haben Sie nicht!« seitens Karla Kramp wieder auf die Plätze verwiesen zu werden.
»– während der ganze Spaß hier Unsummen verschlingt. Aber wir *müssen* forschen. Unsere ganze Kultur gründet auf Austausch und Ausbreitung. Letztlich suchen wir im Fremden uns selbst, unsere Bedeutung, unsere Zukunft, so wie Alexander von Humboldt, wie Stephen Hawking –«
»Ich wäre nicht hier, wenn ich etwas gegen die Ausbreitung der menschlichen Rasse hätte«, sagte Mimi Parker spitz.
»Es klang aber eben so.«
»Überhaupt nicht! Ich wehre mich nur gegen diesen borniertenn Ansatz, etwas ergründen zu wollen, was offensichtlich ist. Ich für meinen Teil bin hier, um zu staunen, sein Werk zu bestaunen.«
»Das Ihrer Meinung nach 6000 Jahre alt ist.«

»10000 könnten es auch sein. Wir lassen bis zu 10000 Jahre gelten, wir sind ja keine Dogmatiker.«

»Aber nicht mehr? Nicht wenigstens ein paar Milliönchen?«

»Keinesfalls. Was ich hier draußen zu finden erwarte –«

Aha, dachte O'Keefe. Wusste ich's doch. *Die Schöpfung nach dem Ebenbild, wie wir's vor 6000 Jahren vom Chef gelernt haben.* Parker vertrat die Kreationisten an Bord.

»Und was erwartest *du* hier zu finden?«, fragte er Heidrun, die gerade über etwas lachte, das Carl Hanna gesagt hatte.

»Ich?« Sie drehte den Kopf. Ihr langer, weißer Zopf schwang sacht hinter ihr her. »Ich bin nicht hier, um irgendwas zu erwarten.«

»Warum dann?«

»Weil mein Mann eingeladen wurde. Mich bekommt man in solchen Fällen dazu, ob man will oder nicht.«

»Gut, aber jetzt bist du da.«

»Hm. Trotzdem. Ich halte nicht viel von Erwartungen. Erwartungen sind Scheuklappen. Ich lass mich lieber überraschen. Bis jetzt ist es jedenfalls klasse.« Sie zögerte und rückte eine Winzigkeit näher. »Und du?«

»Nichts. Ich mache meinen Job.«

»Versteh ich nicht.«

»Was gibt's da groß zu verstehen? Ich bin hier, um meinen Job zu machen, und aus.«

»Deinen – *Job*?«

»Ja.«

»Weil du dich vor Julians Karren spannen lässt?«

»Darum bin ich hier.«

»Herrgott, Finn.« Heidrun schüttelte langsam und ungläubig den Kopf. Plötzlich beschlich ihn das peinliche Gefühl, auf die verkehrten Knöpfe gedrückt zu haben. »Du bist so ein blöder Arsch! Immer wenn ich gerade anfange, dich zu mögen –«

»Wieso? Was hab ich denn jetzt schon wieder –?«

»Dieses distanzierte Getue! Immer schön unbeeindruckt von allem, was? Schlägerkappe ins Gesicht gezogen, abseits der Wege wandelnd. Genau das meinte ich vorhin: Wer ist dieser O'Keefe?«

»Er sitzt vor dir.«

»Bullshit! Du bist einer, der eine vage Idee davon hat, wie O'Keefe sein sollte, damit ihn alle obercool finden. Ein Rebell, dessen Problem es ist, dass es eigentlich nichts gibt, wogegen er rebellieren könnte, außer vielleicht gegen Langeweile.«

»Hey!« Er beugte sich vor. »Was, verdammt noch mal, bringt dich auf die Idee, ich sei so?«

»Deine dämliche Attitüde.«

»Du hast selber gesagt –«

»Ich habe gesagt, ich hätte keine Erwartungen, was so viel heißt wie, ich bin offen für alles. Das ist eine ganze Menge. Du hingegen behauptest, für dich sei das nicht mehr als ein Job. Nach dem Motto, Julian ist lieb und der Mond ist rund, und jetzt halten wir uns alle an den Händen, bis die Kamera aus ist und ich endlich einen saufen gehen kann. Das ist lausig, Finn, unendlich wenig! Wie übersättigt bist du eigentlich? Willst du mir allen Ernstes erzählen, du bist auf die paar Kröten angewiesen, die Julian sich den Spaß kosten lässt?«

»Quatsch. Ich nehme kein Geld dafür.«

»Dann los, letzte Chance: Was treibst du hier oben? Was empfindest du beim – na, zum Beispiel beim Anblick der Erde?«

O'Keefe ließ eine Weile verstreichen, während derer er darüber nachdachte. Angestrengt starrte er durch den Glasboden nach unten. Das Problem war, dass ihm keine Antwort einfiel, die ihn überzeugt hätte. Die Erde war die Erde.

»Distanz«, sagte er schließlich.

»Distanz.« Sie schien das Wort abzuschmecken. »Und? Prima Distanz? Scheißdistanz?«

»Ach, Heidrun. Nenn es meinetwegen Attitüde, aber ich will wirklich nur meine Ruhe. Du denkst, ich bin ein gelangweilter, überheblicher Typ, dem der Spaß daran abhandengekommen ist, Streit zu suchen. Vielleicht hast du recht. Heute bin ich flauschig und kompatibel, der nette Finn. Was erwartest du?«

»Weiß nicht. Was erwartest *du*?«

»Warum interessiert dich das so sehr? Wir kennen uns doch kaum.«

»Weil du mich interessierst. – Noch.«

»Ich weiß es auch nicht. Ich weiß nur, dass es Regisseure gibt, die mit winzigen Budgets wunderbare Filme realisieren, gegen alle Widerstände. Andere spielen Musik, die kein Mensch hören will, außer ein paar Verrückten vielleicht, aber sie sind unbeirrbar in dem, was sie tun, sie brennen dafür. Manche Leute können sich kaum den Fusel leisten, der sie am Schreiben hält, aber wenn du zufällig was von ihnen im Netz findest und runterlädst, bist du eigenartig berührt, wie sich da Menschlichkeit mit Unverkäuflichkeit paart, und dir wird klar, dass große Gefühle immer im Kleinen, Intimen, Desperaten keimen. Sobald ein Orchester dazukommt, wird es Pathos. So betrachtet, kann es die schönste Frau nicht mit der erbärmlichsten Nutte aufnehmen. Kein Luxus gibt dir so sehr das Gefühl, am Leben zu sein, wie ein Kater, nachdem du mit den richtigen Typen zu viel gebechert hast, oder das Betasten deines Nasenbeins, wenn es die falschen waren. Ich wohne in den besten Hotels der Welt, aber ein nach Schimmel riechendes Hinterzimmer in einem dieser Viertel, die kein anständiger Mensch freiwillig betritt, mit jemandem darin, der einen Traum hat, berührt mich nun mal mehr als der Flug zum Mond.«

Heidrun dachte darüber nach.

»Schön, wenn man sich die Romantisierung der Armut leisten kann«, konstatierte sie.

»Ich weiß, was du meinst. Das tue ich nicht. Ich komme nicht aus kleinen Verhältnissen. Ich hab keine Botschaft, keinen sozialen Zorn, ich sitze auf keinem politischen Leitstrahl. Vielleicht herrscht da ein Mangel an Engagiertheit, aber es kommt mir nicht wirklich so vor. Wenn wir *Perry Rhodan* drehen, haben wir Spaß, keine Frage. Ich bin der Letzte, der am Zahltag Nein sagt. Ich hab inzwischen sogar Spaß daran, ein netter Kerl zu sein, ein *reicher* netter Kerl, der umsonst zum Mond fliegen darf. Ich registriere all das und denke, sieh mal an, der kleine Finn. – Dann treffe ich Frauen, die mit mir zusammen sein wollen, weil sie finden, ich sei Teil ihres Lebens. Was ja auch irgendwie zutrifft. Ich begleite sie durch dieses kleine oder meinethalben tolle Leben, immerzu bin ich bei ihnen, im Kino, in Zeitschriften, im Internet, auf Bildern. Nachts, wenn sie wach liegen, vertrauen sie mir ihre Geheimnisse an. In ihren Lebenskrisen sind meine Filme für sie *wichtig*. Sie lesen Interviews mit mir und denken bei jedem zweiten Satz, wow, der versteht mich! Der weiß genau, wie's mir geht! Wenn sie mir dann begegnen, sind sie überzeugt, einen Bekannten, einen Freund vor sich zu haben, einen Gleichgesinnten. Sie glauben, mich zu kennen, aber ich kenne sie nicht. Ich bedeute ihnen alles, sie mir nicht das Geringste. Ich war nicht dabei, als sie ihren ersten Orgasmus hatten, bloß weil mein Poster an ihrer Wand hing und sie vielleicht an mich dachten. Sie sind nicht Teil meines Lebens. Es gibt nichts, was uns verbindet.« Er machte eine Pause. »Und jetzt sag mir, wie war das, als Walo dir über den Weg lief? Was hast du gedacht? Oh Mann, interessant, jemand Neues? Wer ist das, lass es mich rausfinden?«

»Ja. So ungefähr.«

»Und er dachte dasselbe. Siehst du. Die Gnade des ersten Eindrucks. Ich hingegen treffe Unbekannte, die im Wahn leben, meine *Bekannten* zu sein. Um mich völlig aus diesem Leben zu verabschieden, müsste ich aufhören, daran teilzunehmen, aber dafür macht es wiederum zu viel Spaß. Also tanze und johle ich mit und halte Distanz.«

»So ist das mit dem Ruhm«, sagte Heidrun. Diesmal klang es nicht spöttisch, eher, als wundere sie die Aufzählung so vieler Banalitäten, aber genau das war es. Banal. Aufs Ganze gesehen gab es überhaupt nichts Banaleres als Ruhm.

»Ja«, sagte er. »So ist das.«

»Also fällt uns nichts Originelleres ein als das, was die Ärztin gerade gesagt hat. Jeder sucht in der Fremde sich selber.«

Er zögerte. Dann lächelte er sein berühmtes, scheues Lächeln.

»Vielleicht, dass man Seelenverwandte findet.«

Heidruns violette Augen ruhten in seinen, doch die Antwort blieb sie schuldig. Sie schauten einander an, eingewoben in eine seltsame, kokonartige Stimmung, die O'Keefe gleichermaßen erregte wie beunruhigte, und er spürte einen Anflug von Befangenheit. Wie es aussah, war er drauf und dran, sich in kumulierten Melaninmangel zu verknallen.

Beinahe erleichtert schreckte er hoch, als Julian in die Hände klatschte.

»Liebe Freunde, ich hatte es nicht zu hoffen gewagt.«

Stille kehrte ein.

»Und ich schwöre, ich habe ihn nicht darum gebeten. Lediglich Anweisung gegeben, eine Gitarre bereitzuhalten, *für den Fall!* Und jetzt hat er sogar seine eigene mitgebracht.«

Julian lächelte in die Runde. Sein Blick wanderte zu dem Mann mit den verschiedenfarbenen Augen.

»'69, ich war gerade drei Jahre alt, hat er im Kino *A Space Odyssey* gesehen, meinen späteren Lieblingsfilm, und seinem Macher umgehend Tribut gezollt. Fast ein Vierteljahrhundert später hatte ich meinerseits Gelegenheit, Kubrick Ehre zu erweisen, indem ich mein erstes Restaurant nach den Entwürfen seiner Raumstation gestaltete und es in Anlehnung an seinen musikalischen Epigonen hier ODDITY nannte. Kubrick lebte zu dieser Zeit in Childwickbury Manor, seinem Anwesen in der Nähe von London, das er so gut wie nie verließ. Außerdem hasste er Flugzeuge. Ich schätze, nach seinem Umzug von New York ins Vereinigte Königreich hat er nie wieder mehr Distanz zwischen sich und englischen Boden gelegt, als man springen kann. Und er galt als extrem scheu, also erwartete ich nicht, *ihn* jemals im ODDITY zu sehen. Doch zu meiner Überraschung tauchte er eines Abends dort auf, als auch David an der Bar saß. Wir unterhielten uns, und irgendwann platzte es aus mir heraus, beide mit zum Mond nehmen zu wollen, sie müssten nur Ja sagen, und wir flögen hin. Kubrick lachte, meinte, alleine der Mangel an Komfort würde ihn schrecken. Natürlich hielt er das alles für einen Witz. Ich verstieg mich zu der Behauptung, bis zur Jahrtausendwende ein Raumschiff gebaut zu haben, mit allen Annehmlichkeiten, ohne die leiseste Vorstellung natürlich, wie mir das gelingen sollte. Ich war gerade 26 geworden, produzierte Filme, führte mehr schlecht als recht Regie, versuchte mich als Schauspieler. Mit David in der Hauptrolle hatte ich eine Neuverfilmung von Fritz Langs *Frau im Mond* in die Kinos gebracht, bei Kritik und Publikum Punkte gesammelt, nun tastete ich mich ins Gastronomiefach vor. ORLEY ENTERPRISES lag in weiter, nebulöser Ferne. Allerdings war ich ein leidenschaftlicher Flieger und träumte von Weltraumreisen, die auch Kubrick faszinierten. So gelang es mir schließlich, ihm und David eine Wette aufzuschwatzen: *Wenn* es mir gelänge, bis 2000 das versprochene Raumschiff zu bauen, dann *müssten* beide mitfliegen. Falls nicht, würde ich zu einhundert Prozent Kubricks nächsten Film und Davids kommendes Album finanzieren.«

Julian kraulte seinen Bart, in die Vergangenheit entrückt.

»Leider ist Stanley vorher gestorben, und mein Leben hatte sich seit jenem Abend grundlegend geändert. Filme produzierte ich nur noch nebenbei. Aus einem kleinen Reisebüro in Soho, das ich Anfang der Neunziger übernommen hatte, war ORLEY TRAVEL entstanden. Ich besaß zwei Airlines und hatte einen aufgelassenen Studiokomplex gekauft, um die Entwicklung von Weltraumfahrzeugen und Raumstationen zu betreiben. Mit der Gründung von ORLEY SPACE stießen wir in den Technologiemarkt vor. Einige der besten Köpfe der NASA und ESA arbeiteten für uns, Experten aus Russland, Asien und Indien, deutsche Ingenieure, weil wir höhere Gehälter zahlten, bessere Forschungsbedingungen schufen, enthusiastischer, schneller und leistungsfähiger waren als ihre alten Arbeitgeber. Niemand bezweifelte mehr, dass die staatliche Raumfahrt dringend einer Frischzellenkur aus der Privatwirtschaft bedurfte, doch ich hatte mir zum Ziel gesetzt, sie *abzulösen!* Ich wollte den Anbruch des *wahren* Weltraumzeitalters einleiten, ohne das Zaudern der Bürokraten, den chronischen Geldmangel und die Abhängigkeit vom politischen Wechsel. Wir schrieben Preisgelder für junge Konstrukteure aus, ließen sie Raketenflugzeuge entwickeln, erweiterten unser touristisches Angebot um Suborbitalflüge. Mehrmals habe ich selber solche Maschinen geflogen. Vielleicht war das noch keine wirkliche Raumfahrt, aber ein fulminanter Beginn. Jeder wollte mit! Der Weltraumtourismus versprach astronomische Renditen, wenn es gelänge, die Startkosten zu reduzieren.« Er lachte leise. »Nun, ungeachtet dessen hatte ich meine Wette erst einmal verloren. 2000 war ich nicht so weit. Also bot ich David an, meine Schuld zu begleichen. Er wollte nicht. Alles, was er sagte, war: Behalte dein Geld und schenk mir ein Ticket, wenn du so weit bist. – Alles, was *ich* heute sagen kann, ist, dass sein Hiersein die OSS adelt und mich zutiefst glücklich macht. Und was immer man noch hinzufügen könnte über seine Größe, seine Bedeutung für unsere Kultur, für das Lebensgefühl von Generationen, drückt seine Musik besser aus, als es mir möglich wäre. Also halte ich jetzt meine Klappe und überlasse das Wort – Major Tom.«

Inzwischen hatte die Stille etwas Sakrales angenommen. Eine Gitarre wurde gereicht. Das Licht war während Julians Vortrag weiter gedämpft worden. Der Pazifik schimmerte wie poliert. Durch die ovalen Seitenfenster leuchtete verstreuter Zucker auf schwarzem Grund.

Später dachte O'Keefe, dass er in jenen Sekunden, als David Bowie die einleitenden Akkorde von *Space Oddity* anschlug – Fmaj7 und Em im Wechsel, erst zart und verhalten, dann machtvoll anschwellend, als nähere man sich dem geschäftigen Treiben rund um die Startrampe aus der unbeteiligten Stille des Weltraums bis zum Moment, da die Bodenkontrolle und Major Tom in ihren denkwürdigen Dialog traten –, den womöglich letzten, wenn nicht sogar einzig wirklich harmonischen Augenblick ihrer Reise erlebte. In naiver Beglücktheit vergaß er, worum es bei Orleys Unterfangen eigentlich ging: Menschen aus dem Erdkreis in eine lebensfeindliche Umwelt zu katapultieren, auf einen Trabanten, der seine Besucher zwar spiritualisiert hatte, jedoch ohne dass einer von ihnen dorthin hatte zurückkehren wollen. Deutlich fühlte er, dass jedwede Sinnsuche, indem er die Erde verließ, nur darin gipfeln würde, dass er sich alle Augenblicke nach ihr umsah, und plötzlich erschien ihm die Vorstellung, sich so weit von ihr zu entfernen, dass sie vollends außer Sicht geriet, trostlos und Angst einflößend.

And the stars look very different today –

Und als die Ballade von Tom schließlich endete und der unglückselige Major im Nichts seiner übersteigerten Erwartungen verloren gegangen war, empfand er statt der erhofften Verzauberung eine eigenartige Ernüchterung, beinahe so etwas wie Heimweh, obwohl sie doch *nur* 36 000 Kilometer von zu Hause weg waren. Der rechte Rand des Planeten hatte begonnen, sich zu verdunkeln, China lag im Abenddämmer. Er sah Heidrun mit halb geöffneten Lippen den Moment inhalieren, ihre Blicke abwechselnd auf Bowie gerichtet und auf das Sternenmeer jenseits der Seitenfenster, während die seinen wie magisch hinabgezogen wurden, und er begriff, dass die Schweizerin längst in sich angekommen war, dass sie mit Begeisterung zum Rand des Universums reisen würde, da sie ihre Heimat in sich und folglich mit sich trug, dass sie ganz sicher einen weit höheren Freiheitsgrad erreicht hatte als er, und er wünschte sich ins Obergeschoss eines Dubliner Pubs, wo ihn auf einer zerschlissenen Matratze jemand in die Arme schloss.

In dieser Nacht hatten ziemlich viele Leute dieselbe Idee.

Vielleicht lag es an Ambers Art, ihn zu trösten, nachdem er sich bei ihr über Julians Ignoranz ausgeheult hatte, dass ihr Zuspruch auch den physischen Tim erquickte, ihre Küsse, die Spannkraft ihrer Umarmung, ihre federnde, im Sportstudio kultivierte Elastizität; vielleicht, weil seine Fantasien nach so vielen Jahren ehelichen Alltags immer noch ausschließlich um seine Frau kreisten, sodass er keinen anderen Hintern liebkosen und seine Hand in kein anderes Delta gleiten lassen wollte als das ihre, was ihn für Seitensprünge in etwa so sehr qualifizierte wie eine Dampflok zum Verlassen der Gleise, und weil er sich auch in den einsamen Momenten der Selbstbespaßung niemand anderen vorstellen mochte als Amber; vielleicht, weil der goldene Schnitt ihrer Erscheinung durch kein hinzugekommenes Jahr ins Unvorteilhafte gesetzt worden war – ein Hoch auf die Gene! – und ihre Brüste im Auftrieb der Schwerelosigkeit zu jenem legendenträchtigen Stand zurückfanden, der ihn zu Anfang ihrer Beziehung glauben gemacht hatte, reife Melonen zu umklammern: vielleicht auch, weil er beim Versuch, die Verschlüsse ihres Bademantels auseinanderzufummeln, in die entgegengesetzte Ecke des Moduls getragen wurde, was ihn nur umso mehr erregte, da sie lachend in den Schwingen des geöffneten Mantels hing wie ein zum Sündenfall bereiter Engel – was immer der Grund sein mochte, jedenfalls reagierte sein Körper allen Widrigkeiten der Schwerelosigkeit zum Trotz, als da waren Blutunterversorgung des Lendenbereichs, Desorientierung und leichte Übelkeit, mit einer wahren Mondrakete von Ständer.

Er paddelte zu ihr hinüber und umklammerte ihre Oberarme. Sie vollständig aus dem Bademantel zu pellen war eines, Ambers Versuche, ihn seiner Hose und seines T-Shirts zu entledigen, scheiterten am schon bekannten Abstoßungseffekt. Immer wieder drifteten sie auseinander, bis er endlich nackt über dem Bett zappelte, hilflos der Decke zustrebend. Sie nahm seine galaktische Erektion mit sichtlichem Interesse in Augenschein, ebenso ratlos wie belustigt.

»Und was machen wir jetzt damit?«, lachte sie.

»Es muss einen Weg geben«, stellte er fest. »Menschen müssen über so was nachgedacht haben.«

»Hoffentlich. Es wäre schade drum.«

Tim stellte sich auf den Kopf und pflügte zu ihr herab. Diesmal bekam er ihre Hüften zu fassen und vergrub sein Gesicht zwischen ihren Beinen, die sie spreizte und sogleich wieder zusammenführte, bedacht, seinen Kopf zu halten. Als Folge kochte das Blut in seinen Ohren. Mit kreisender Zunge preschte er vor, nahm den winzigen Hügel unterhalb des Wäldchens ein, dessen Dichte ihm die Luft zu nehmen drohte, so sehr presste er seine Nase hinein aus Angst, wieder am entgegengesetzten Ende des Raumes zu landen, berauschte sich an der Melange ihrer Lust und kommentierte erste, wohlige Seufzer, sofern ihn sein in Schenkelfleisch gepacktes Gehör nicht trog, mit dumpfer Zustimmung. Eine Überdosis Sauerstoff schien der Kabinenluft beigemischt – oder war es Sauerstoffmangel, dass er sich plötzlich high wie ein Pennäler fühlte? Egal, egal! Fröhlich berauscht wanderte er weiter abwärts, schnaufte, grunzte, ließ engagiert die Zungenspitze fliegen. Im Moment, da sich ihm die tropische Feuchte tiefer liegender Gefilde erschloss, glaubte er eine hervorgestoßene Liebeserklärung zu vernehmen, schickte ohne innezuhalten ein »Ichichauch« nach oben und bekam Rätselhaftes zur Antwort.

»Aua! Autsch!«

Irgendwas war schiefgelaufen. Tim schaute auf. Dabei machte er den Fehler, seinen Griff zu lockern. Amber strampelte wie eine Ertrinkende, stieß ihn von sich. Hinweggetragen sah er, dass sie sich den Schädel rieb, in unmittelbarer Nachbarschaft der Schreibtischkante. Aha. Hätte er sich eigentlich denken können, dass sie im Eifer des Gefechts abdriften würden. Lektion Nummer eins: es reichte nicht, sich aneinander festzuklammern, man musste sich auch im Raum fixieren. Er konnte nicht anders, als albern zu lachen. Amber zog die Nase kraus und furchte die Brauen, da fiel sein Blick auf etwas, das Abhilfe versprach.

»Guck mal!«

»Was?« Sie krallte ihre Rechte in sein Haar und versuchte, ihn in die Nase zu beißen, mit dem Ergebnis, dass sie sich auf den Kopf stellte. Tim zuckte froschgleich zum Bett, Amber, immer noch kopfüber, mit sich ziehend.

»Anschnallen?«, schnaubte sie missbilligend. »Wie unerotisch. Ist ja wie im Auto. Wir werden uns kaum bewe –«

»Nein, Dummkopf, nicht mit den Schlafgurten. Siehst du?«

Ambers Miene hellte sich auf. Oberhalb des Bettes waren in einigem Abstand zueinander Griffe montiert.

»Warte mal. Ich glaube, dazu hab ich was gesehen.«

Sie schnellte zum Schrank, öffnete ihn, stöberte darin herum und förderte mehrere lange Bänder aus gummiartigem Material zutage. Sie waren rot, gelb und grün gemustert und mit einem Rapport bedruckt.

»*Love Belt*«, las sie vor.

»Na also«, grinste Tim. »Menschen *haben* sich Gedanken gemacht.« Erstmals, seit sie die Reise angetreten hatten, fühlte er sich unbeschwert und ausgelassen, ein Zustand, der ihm noch vor weniger als einer Stunde wie für alle Zeiten verloren erschienen war. Zwar entrückte Lynn nicht vollends in die Bedeutungslosigkeit, verzog sich jedoch in eine unbedeutende Provinz seines Cortex, die nicht mit Ambers Wohlgerüchen und dem pochenden Wunsch, sie zu vögeln, befasst war. »Sieht aus, als müssten wir dich an den Handgelenken fesseln, mein Schatz. Nein, an Händen und Füßen. Wie in den Folterkellern der heiligen Inquisition.«

Sie begann, die Bänder durch die Griffe zu ziehen.

»Ich glaube, du hast da was nicht mitgekriegt«, sagte sie. »Du bist es, der gefesselt wird.«

»Moment! Das wird ausdiskutiert.«

»Meinst du, *er* will diskutieren?«, fragte sie mit einer Kopfbewegung zu seinem kapitalen Geschlecht. »Ich glaube, er will was ganz anderes, und zwar schnell.«

Sie knotete die Gummibänder nacheinander um seine Handgelenke und machte sich kichernd und prustend an seinen Füßen zu schaffen, bis er mit ausgestreckten Extremitäten mitten im Raum hing. Neugierig winkelte er Knie und Ellbogen an und bemerkte, dass die Bänder hochelastisch waren. Er konnte sich bewegen, sogar in recht großzügigem Rahmen. Er konnte nur nicht mehr davonfliegen.

»Meinst du, das war Julians Idee?«, fragte er.

»Darauf würde ich wetten.« Amber schwebte ihm entgegen wie auf einem Leitstrahl, umfasste seine Schultern und schlang die Beine um seine Hüften. Kurz balancierte ihr Geschlecht auf seinem, eine Artistin auf der Nase eines Seelöwen.

»Ich glaube, Kopplungsmanöver gehören zu den anspruchsvollsten Manövern im Weltall«, flüsterte sie, presste sich gegen ihn, sank herab und nahm ihn in sich auf.

Ziemlich viele Leute hatten dieselbe Idee, doch nur wenigen war es vergönnt, sie umzusetzen. Auch Eva Borelius und Karla Kramp fanden die

Seile und wussten das ihre damit anzufangen, ebenso Mimi Parker und Marc Edwards. Allerdings machte Letzterem die Umverteilung von über einem halben Liter Blut aus den unteren in die oberen Körperregionen mehr zu schaffen als Tim, während Paulette Tautou ihren Bernard wahrscheinlich mit dem Kopf in die freundschaftlich vertraute Kloschüssel gehalten hätte, würde er sich ihr mit Absichten genähert haben.

Klugerweise unternahm Tautou nichts dergleichen. Vielmehr beschloss er in jener Nacht, mit Rücksicht auf Paulettes elende Verfassung, die Heimreise anzutreten.

Suite 12 war Schauplatz ähnlicher Leiden, nur dass Locatelli niemals vor etwas so Profanem wie der Raumkrankheit kapituliert hätte. Friedliche Stille herrschte in Suite 38, wo die Ögis aneinandergekuschelt lagen wie Feldmäuse im Winter. Ein Stockwerk darüber genossen Sushma und Mukesh Nair unaufgeregt das Hereinbrechen der Nacht über der Isla de las Estrellas. Aileen Donoghue, Suite 17, hatte sich Ohrstöpseln anvertraut, was Chuck Gelegenheit gab, lautstark seine Atemwege zu strapazieren.

Auf der gegenüberliegenden Seite des Torus starrte Oleg Rogaschow aus dem Fenster und Olympiada Rogaschowa vor sich hin.

»Weißt du, was ich gerne wüsste?«, murmelte sie nach einer Weile.

Er schüttelte den Kopf.

»Wie man so wird wie Miranda Winter.«

»So wird man nicht«, sagte er, ohne sich umzudrehen. »So ist man.«

»Ich meine doch nicht, wie sie aussieht«, schnaubte Olympiada. »Ich bin ja nicht blöde. Ich will wissen, wie man so unangreifbar wird. So konsequent schmerzfrei. Sie kommt mir vor wie ein wandelndes Immunsystem gegen jede Art von Problemen, die Unbekümmertheit in Person, ich – ich meine, sie gibt ihren Brüsten Namen, verstehst du!«

Rogaschow wandte langsam den Kopf.

»Niemand hindert dich.«

»Vielleicht gehört ja auch ein gewisses Maß an Dummheit dazu«, sinnierte Olympiada, als hätte sie ihn nicht gehört. »Weißt du, ich glaube nämlich schon, dass Miranda ziemlich dumm ist. Ach was, strohdumm. Ganz sicher mangelt es ihr an jeder Art Bildung, aber vielleicht ist sie damit ja im Vorteil. Vielleicht ist es ja gut, dumm zu sein, ein erstrebenswerter Zustand. Dumm und naiv und ein bisschen berechnend. Man fühlt weniger. Miranda liebt nur sich selbst, während es mir jeden Tag so vorkommt, als würde ich all meine Gefühle, all meine

Kraft in einen löchrigen Topf gießen. An jemanden wie Miranda wären deine Gemeinheiten verschwendet, Oleg, Nadelstiche in Walspeck.«

»Ich bin nicht gemein zu dir.«

»Ach nein?«

»Nein. Ich bin desinteressiert. Man beleidigt niemanden, an dem man kein Interesse hat.«

»Und das soll keine Gemeinheit sein?«

»Es ist die Wahrheit.« Rogaschow betrachtete sie flüchtig. Olympiada hatte sich in ihrem Schlafsack vergraben, gesichert durch Gurte und jedem Zugriff entzogen. Kurz ging es ihm durch den Kopf, wie es wäre, wenn der Sack am kommenden Morgen aufplatzen und einen Schmetterling freigeben würde, eine erstaunliche Leistung seiner eher retardierten Fantasie. Doch Olympiada war keine Raupe, und er hatte nicht vor, sie in ihrem Kokon anzurühren. »Als wir heirateten, war das eine strategische Maßnahme. Ich wusste es, dein Vater wusste es, und du wusstest es auch. Also hör endlich auf, dir selber leid zu tun.«

»Eines Tages wirst du stürzen, Oleg«, zischte sie. »Du wirst enden wie eine Ratte. Wie eine verdammte Ratte im Rinnstein.«

Rogaschow sah wieder aus dem Fenster, seltsam unberührt von dem sich verdunkelnden Planeten dort unten.

»Nimm dir endlich einen Liebhaber«, sagte er tonlos.

Tatsächlich hatte Miranda Winter keine Pläne, so bald schlafen zu gehen, sehr zur Freude von Rebecca Hsu, die unter dem Malus litt, nicht alleine sein zu können. Dem stand entgegen, dass sie es war. Eine arme, reiche Frau, wie sie sich einzureden pflegte, zweifach geschieden, mit drei Töchtern, von denen sie beschämend wenig zu sehen bekam. Eine, die so lange in Gesellschaft anderer rumhing, bis auch dem Letzten die Augen zufielen, um dann dank der weltumspannenden Struktur ihrer Unternehmensgruppe in alle Zeitzonen zu telefonieren, bis sie ihrerseits den Kampf gegen die Müdigkeit verlor. Den ganzen Tag über hatte sie, wann immer im straff organisierten Ablauf Lücken klafften, telefonisch Marketingpläne diskutiert, Kampagnenansätze erörtert, Käufe, Verkäufe und Beteiligungen erwogen und ihr Imperium bereist, eine Kontrollbesessene, die den Gedanken fürchtete, Ehemänner und Töchter durch ihr manisches Arbeitsverhalten überhaupt erst in die Flucht getrieben zu haben.

Mit Winter konnte man sich wenigstens über den Mangel an Ehemännern unterhalten, ohne hinterher gleich in Trübsinn zu verfallen.

Außerdem waren in Winters Kabine auf wundersame Weise einige der Nuckelkelche mit Moët & Chandon aufgetaucht, was Hsu besonders freute, da ihr die Marke seit Längerem gehörte.

Finn O'Keefe wusste nicht, was er denken und empfinden sollte, also hörte er eine Weile Musik und schlief ein.

Evelyn Chambers lag wach, soweit man von liegen sprechen konnte.

Sie verspürte nicht die mindeste Lust, sich auf dem Bett festzuschnallen wie eine tobsüchtige Irre. Eher zufällig hatte sie die Gummibänder entdeckt und begonnen, sich an den Haltegriffen nahe der Fensterfront zu verankern, um das Gefühl des freien Falls auch im Schlaf auskosten zu können. Doch als sie die Augen schloss, schien ihr Körper unter Jahrmarktgetöse beschleunigt zu werden und einem dreifachen Looping entgegenzustreben, und ihr wurde übel.

Nicht ohne Mühe beugte sie sich herab, um die Bänder wieder von ihren Fußfesseln zu lösen. Erst jetzt fiel ihr der Schriftzug auf: *Love Belt*. Schlagartig wurde ihr klar, welchem Zweck die Dinger dienten, und tiefes Bedauern überkam sie, die exorbitante Erfahrung der Schwerelosigkeit nicht angemessen krönen zu können. Interessiert fragte sie sich, ob andere es taten, dann, in kühner Erwägung, mit wem *sie selbst* es tun könnte! Ihre Gedanken huschten von Miranda Winter zu Heidrun Ögi und wieder zurück, da Heidrun nicht zur Disposition stand, Miranda allerdings mangels Neigung ebenso wenig.

Rebecca Hsu? Um Himmels willen!

Kaum heiß, fiel das Soufflé ihrer Begierde schon wieder in sich zusammen. Dabei war sie, nachdem ihre Bisexualität sie das Amt der Gouverneurin gekostet hatte, wild entschlossen gewesen, sich jetzt erst recht zu amüsieren. Immer noch war sie Amerikas beliebteste und einflussreichste Talkmasterin. Nach ihrem politischen Waterloo fühlte sie sich keinem konservativen Kodex mehr verpflichtet. Was von ihrer Ehe geblieben war, rechtfertigte kaum das Bekenntnis zur Monogamie, zumal ihr sogenannter Ehemann das gemeinsame Geld in vielfach wechselnde Bekanntschaften steckte. Nicht, dass es sie störte. Die Liebe war schon vor Jahren den Abfluss runtergegurgelt, nur dass sie bei aller Lust nicht mit jedem und nicht ständig mit jemand anderem ins Bett wollte.

Außergewöhnliche Umstände allerdings –

Finn O'Keefe? Käme auf einen Versuch an. Natürlich wäre es spaßig, gerade ihn rumzukriegen, doch der Gedanke säuerte vor sich hin.

Julian?

Eindeutig liebte er es, mit ihr zu flirten. Andererseits flirtete Julian von Berufs wegen mit jedem. Dennoch. Er war ungebunden, von der Affäre mit Nina Hedegaard abgesehen, falls die beiden überhaupt eine hatten und sie nicht Gras wachsen hörte, wo sich Beton erstreckte. Wenn sie Julians Werben nachgab, bestand wenig Gefahr, jemand anderen unglücklich zu machen, und Spaß würden sie haben, dessen war sie sicher. Vielleicht würde sich sogar mehr entspinnen. Wenn nicht, auch gut.

Kurz entschlossen wählte sie seine Suite an.

Doch niemand antwortete, der Bildschirm blieb dunkel. Und plötzlich kam sie sich vor wie eine Idiotin, ein Spatz, der zwischen Restauranttischen nach etwas suchte, was vom Teller gefallen war, und kroch eilig in ihren Schlafsack.

»Bist du sicher?«

»Ganz sicher.«

»Tautou hat mir vorhin erzählt, dass Madame ihre gemeinsame Rückkehr zur Erde wünscht. Wir hätten also was frei.« Julian saugte an seiner Flasche. »Ach, Blödsinn, vergiss die Tautous! Wir hätten auch was frei, wenn sie mitflögen. Für dich habe ich immer was frei.«

Als Einzige hockten sie noch im dämmrig beleuchteten PICARD und nuckelten alkoholfreie Cocktails. Bowie drehte nachdenklich die Flasche zwischen den Fingern.

»Danke, Julian. Wirklich nicht.«

»Warum nicht, Mensch? Es ist deine Chance, zum Mond zu reisen. Du bist der Starman, der Mann, der vom Himmel fiel, Ziggy Stardust! Wer, wenn nicht du? Du *musst* zum Mond!«

»Vor allem bin ich 78 Jahre alt.«

»Na und? Keiner merkt's. Du hast mal gesagt, du willst 300 werden. Daran gemessen bist du ein Kid.«

Bowie lachte.

»Und?«, fragte er, das Thema wechselnd. »Bekommst du dein Geld für einen zweiten Aufzug zusammen?«

»Natürlich«, brummte Julian. »Willst du wetten?«

»Keine weiteren Wetten. Was ist überhaupt mit den Chinesen? Es heißt, sie rennen dir die Bude ein mit Angeboten.«

»Offiziell tun sie nichts dergleichen, unter der Hand antichambrieren sie, was das Zeug hält. Sagt dir der Name Zheng Pang-Wang was?«

»Nicht direkt.«

»Zheng Group.«

»Ah!« Bowie zog die Brauen zusammen. »Doch, ich glaube schon. Auch so ein Technologiekonzern, richtig?«

»Zheng ist die treibende Kraft hinter Pekings Raumfahrt. Ein Privatunternehmer, der Partei verpflichtet, was auf dasselbe hinausläuft. Er lässt keine Gelegenheit aus, meine Reihen zu infiltrieren, aber meine Brandmauern stehen, also versucht er's mit Konspiration. Natürlich würden mich die Chinesen am liebsten exklusiv abwerben. Geld haben sie, mehr als die Amerikaner, nur dass ihnen die Patente für den Fahrstuhl fehlen und Hirnschmalz, um Fusionsreaktoren zu bauen, die sich nicht gleich wieder abschalten. Vor wenigen Wochen traf ich den alten Pang-Wang in Paris. Netter Typ eigentlich. Er versuchte mal wieder, mir das Geldzählen mit Stäbchen schmackhaft zu machen, und appellierte an mein kosmopolitisches Herz, weil saubere Energieversorgung schließlich im Interesse der ganzen Welt sei. Ob ich es nicht unanständig fände, Helium-3 ausschließlich durch das amerikanische Nadelöhr gefädelt zu sehen. Ich fragte ihn, was denn die Chinesen davon halten würden, wenn ich die Patente als Nächstes an Russen und Inder, Deutsche und Franzosen, Japaner und Araber verkaufen würde.«

»Ich frage mich eher, was die Amerikaner davon halten würden.«

»Die Frage stellt sich noch ein bisschen anders: Wer sitzt am längeren Hebel? Meines Erachtens bin ich das, aber natürlich würde ich vollkommen neue geopolitische Verhältnisse schaffen. Will ich das? Die meiste Zeit habe ich mit Amerika in einer Art Symbiose gelebt, zum beiderseitigen Vorteil. Neuerdings, seit der Mondkrise, gehen in Washington die Gespenster der kleinen Depression 2008 bis 2010 um. Man meint, da würde was aus dem Ruder laufen, wenn man einem einzelnen Konzern so viel Macht gäbe. Was blanker Unsinn ist, *ich* habe *denen* Macht gegeben! Macht, da oben ihre Claims abzustecken. Unter Einsatz meiner Mittel, meines Know-hows! Aber es grassiert so ein Wahn, die Konzerne stärker kontrollieren zu wollen.« Julian schnaubte. »Anstatt dass sich Regierungen um Infrastruktur, Krankenversorgung und Bildung kümmern. Sie sollen Straßen bauen, Kindergärten, Wohnungen, Altenheime, und selbst da muss ihnen die Privatwirtschaft unter die Arme greifen, also was bilden die sich eigentlich ein? Regierungen haben sich als unfähig erwiesen, globale Prozesse voranzutreiben, sie kennen nur Zank, Verzögerungen und faule Kompromisse. In ihren lächerlichen Abkommen haben sie den Umweltschutz nicht auf die Reihe gekriegt, fordern mit brüchiger Stimme Sanktionen gegen korrupte und Krieg führende Staaten, ohne dass ein Schwein zuhört, rüsten auf, blockieren gegenseitig ihre Märkte. Die Russen haben kein Geld mehr für Raumfahrtprojekte, seit Gazprom in den Seilen hängt, aber es würde immer noch reichen, um es mir und den Amerikanern zu geben und dafür den nächsten Weltraumaufzug nutzen zu dürfen. Dann hätten wir eben einen weiteren Mitspieler auf dem Mond. Ich fände das gut.«

»Aber davon hält Amerika nichts.«

»Nein, denn sie haben ja mich. Stimmt schon, zusammen brauchen wir niemand anderen, und in so einer Situation tanzt mir Washington auf der Nase herum und fordert mehr Transparenz.«

»Und was hast du jetzt vor? Die Russen ohne Amerikas Segen auf deine Seite zu ziehen?«

»Wenn Amerika nicht mit ihnen spielen will und meine Ideen weiter blockiert – du siehst ja, ich habe illuster eingeladen. Zheng hat sogar recht, nur anders, als er denkt. Tatsächlich steht es mir bis hier, dass die Förderung nicht vorankommt! Konkurrenz belebt das Geschäft. Gut, ich fände es schäbig, jetzt von den Amerikanern zu den Chinesen überzulaufen, hüben wie drüben dieselben Idioten, aber den Fahrstuhl *allen* Nationen anzubieten! – der Gedanke hat schon was.«

»Und das hast du Zheng so gesagt?«

»Ja, und er glaubte, sich verhört zu haben. *Diesen* Gesinnungswandel hatte er natürlich nicht auslösen wollen, aber da überschätzt er sich. Die Vorstellung gärt schon lange in mir. Er hat mich lediglich bestärkt.«

Bowie schwieg eine Weile.

»Dir ist klar, dass du mit dem Feuer spielst«, sagte er.

»Mit Sonnenfeuer«, sagte Julian gleichmütig. »Mit Reaktorfeuer. Ich bin Feuer gewohnt.«

»Wissen deine amerikanischen Freunde von deinen Plänen?«

»Sie dürften einiges ahnen. Ist ja kein Geheimnis, mit wem ich alles zum Mond gondele.«

»Du verstehst es, dir Feinde zu machen.«

»Ich verreise, mit wem ich will. Es ist mein Lift, meine Raumstation, mein Hotel da oben. Natürlich sind sie alles andere als glücklich. Egal. Sollen sie mir halt bessere Angebote unterbreiten und ihre Kontrollspielchen lassen.« Julian saugte geräuschvoll an seiner Flasche und fuhr sich mit der Zunge über die Lippen. »Leckeres Zeug, findest du nicht? Auf dem Mond haben wir Wein mit Alkoholersatz. Total verrückt! 1,8 Prozent, schmeckt aber nach voller Dröhnung. Bist du sicher, dass du dir das entgehen lassen willst?«

»Du lässt nicht locker, was?« Bowie lachte erneut.

»Nie«, grinste Julian.

»Aber du kommst zu spät. Versteh mich nicht falsch, ich liebe das Leben, es ist eindeutig zu kurz, alles richtig. 300 Jahre wären wunderbar, gerade in dieser Zeit! Aber ich bin – nun ja –«

»– schließlich dann doch vom Außerirdischen zum Erdling geworden«, ergänzte Julian lächelnd.

»Ich war nie etwas anderes.«

»Du warst der Mann, der vom Himmel fiel.«

»Nein. Nur einer, der seiner Kontaktschwierigkeiten in Verkleidungen Herr zu werden suchte, nach dem Motto, tut mir leid, wenn's mit der Kommunikation nicht klappt, ich komme vom Mars.« Bowie fuhr sich durchs Haar. »Weißt du, ich habe mein Leben lang mit Begeisterung aufgesaugt, woran die Welt sich entzündete, was sie elektrisierte, habe Moden und Befindlichkeiten gesammelt wie andere Leute Kunst oder Briefmarken. Nenn es Eklektizismus, darin lag vielleicht mein größtes Talent. Ich war nie wirklich ein Innovator, eher ein Sachverwalter der Gegenwart, ein Baumeister, der Lebensgefühle und Trends auf eine Weise zusammenfügte, dass die Illusion von etwas Neuem entstand. Rückblickend würde ich sagen, das war meine Art zu kommunizieren: *Hey, Leute, ich verstehe, was euch bewegt, schaut und hört her, ich habe einen Song daraus gemacht!* Etwa so. Aber ich konnte lange Zeit mit niemandem darüber reden. Ich wusste einfach nicht, wie man das macht, wie eine simple Unterhaltung funktioniert. Ich hatte Angst, Beziehungen einzugehen, war unfähig, anderen zuzuhören. Für so jemanden ist die Bühne, oder sagen wir, der Planet Kunst, die perfekte Plattform, in idealer Weise geeignet zum Monologisieren. Du erreichst jeden – niemand erreicht dich. Du bist der Messias! Ein Popanz natürlich, ein Götzenbild, aber schon darum kannst du niemanden an dich ranlassen, weil dann ja rauskäme, dass du in Wirklichkeit einfach nur schüchtern und unsicher bist. Und so wirst du mit der Zeit tatsächlich zum Außerirdischen. Du musst dir nicht mal ein Kostüm dafür anziehen, aber es hilft natürlich ungemein. Wenn du dich so unwohl mit Menschen fühlst wie ich damals, stilisierst du halt den Weltraum zu deiner Heimat, suchst Antworten bei höheren Wesen oder tust so, als wärst du selber eines.«

Julian tippte seine Flasche an, ließ sie ein Stück aufsteigen und fing sie wieder ein.

»Du klingst fürchterlich erwachsen«, sagte er.

»Ich bin fürchterlich erwachsen«, lachte Bowie, strotzend vor guter Laune. »Und es ist großartig! Glaub mir, diese ganze spirituelle Schnitzeljagd, um herauszufinden, was den Menschen mit dem Universum verbindet, warum wir geboren werden und wohin wir gehen, wenn wir sterben, was uns und unserem Tun Bedeutung verleiht, *wenn* es denn eine Bedeutung hat – ich meine, ich liebe Science-Fiction, Julian, ich liebe, was du geschaffen hast! Aber all dieses Weltraumzeugs war immer nur eine Metapher für mich. Es ging immer nur um die spirituelle Suche. Die Landkarten der Kirchen waren mir dafür zu grob gezeichnet, voller Einbahnstraßen und Sackgassen. Ich wollte mir nicht vorschreiben lassen, wie und wo ich zu suchen habe. Du kannst Gott ritualisieren oder interpretieren. Letzteres geht nicht auf vorgezeichneten Wegen, es erfordert, sich in die Büsche zu schlagen. Das habe ich getan und mir immer neue Raumanzüge geschaffen, um diesen leeren, unendlichen Kosmos zu erkunden, in dem ich mir selber zu begegnen hoffte, als Starman, Ziggy Stardust, Aladdin Sane, Major Tom. – Und dann, eines Tages, heiratest du eine wunderschöne Frau, ziehst nach New York, und plötzlich stellst du fest: Da draußen ist gar nichts, und auf der Erde ist alles. Du triffst Leute, unterhältst dich, kommunizierst, und was dir früher schwerfiel, geht mit wunderbarer Leichtigkeit vonstatten. Deine aufgeblasenen Ängste schrumpfen zu stinknormalen Sorgen, der frühe Flirt mit dem Tod, das Pathos des *Rock 'n' Roll Suicide* entpuppt sich als nicht sonderlich originelle Laune eines rat- und erfahrungslosen Jugendlichen, du wachst nicht mehr mit der Befürchtung auf, verrückt zu werden, denkst nicht mehr unentwegt über das Elend der menschlichen Existenz nach, sondern über die Zukunft deiner Kinder. Und du fragst dich, was zum Teufel du eigentlich im Weltraum wolltest! – Verstehst du? Ich bin gelandet. Noch nie hat es mir so viel Spaß gemacht, auf der Erde zu leben, unter Menschen. Bei guter Gesundheit kann ich das noch ein paar Jahre genießen. Schlimm genug, dass es nur noch zehn oder zwölf sein werden und keine 300 mehr, also freue ich mich auf jeden Augenblick. Nenn mir bitte einen einzigen Grund, warum ich jetzt, da ich endlich da unten, zu Hause, angekommen bin, zum Mond fliegen soll.«

Julian dachte darüber nach. Ihm fielen tausend Gründe ein, warum *er* zum Mond fliegen wollte, aber plötzlich kein einziger mehr, der für den alten Mann ihm gegenüber Relevanz gehabt hätte. Dabei sah Bowie alles andere als alt aus, eher, als sei er kürzlich neu geboren worden. Seine Augen schauten wissbegierig wie eh und je, aber es war nicht der Blick eines außerirdischen Beobachters, sondern der eines Erdenbewohners.

Das unterscheidet uns, dachte er. Ich war immer höchst irdisch. Immer an vorderster Front, der große Kommunikator, unerschüttert von Ängsten und Selbstzweifeln. Und dann dachte er, wie es wohl wäre, sollte er eines Tages zu dem Schluss gelangen, dass diese Weltraumoper, deren Intendant und Protagonist er war, nur dem einen Zweck gedient hatte, ihn der Erde näher zu bringen, und ob ihm diese Erkenntnis gefallen würde.

Oder war er doch nur ein egozentrisches Alien, das nicht mal verstand, was in seinen eigenen Kindern vorging. Wie hatte Tim es noch formuliert?

Mann, du bist so was von abgehoben!

Julian verzog das Gesicht. Dann lachte auch er, ohne rechtes Vergnügen, hob seine Flasche und prostete Bowie zu.

»Cheerio, alter Freund«, sagte er.

Kurz danach öffnete Amber die Augen und sah, dass die Erde verschwunden war. Angst durchfuhr sie. In der vergangenen Nacht hatte sie durchgeschlafen, und am Morgen war sie dort gewesen, zur Hälfte jedenfalls. Doch gerade sah sie nicht das Geringste von ihr.

Natürlich nicht. Die Nacht lag über der pazifischen Hälfte, und Lichter der Zivilisation ließen sich aus geostationärer Höhe nicht mehr wahrnehmen. Kein Grund zur Beunruhigung.

Sie wandte den Kopf. Neben ihr starrte Tim in die Dunkelheit.

»Was ist los, mein Held?«, flüsterte sie. »Kannst du nicht schlafen?«

»Hab ich dich geweckt?«

»Nein, bin von selber wach geworden.« Sie robbte näher an ihn heran und legte den Kopf auf seine Schulter.

»Es war schön mit dir«, sagte er leise.

»Oh, es war schön mit *dir*. Machst du dir Sorgen?«

»Ich weiß nicht. Vielleicht hat Julian ja recht. Vielleicht sehe ich Gespenster.«

»Nein, glaube ich nicht«, sagte sie nach einer Weile. »Es ist gut, dass du die Augen offen hältst. Nur, wenn du ihn weiter wie einen Feind behandelst, wird er sich auch wie einer verhalten.«

»Ich behandele ihn nicht als Feind.«

»Du bist aber auch nicht gerade ein Weltmeister in Diplomatie.«

»Nein.« Er lachte leise. »Ich weiß auch nicht, Amber. Ich hab irgendwie ein ungutes Gefühl.«

»Das ist die Schwerelosigkeit«, murmelte sie, beinahe schon wieder eingeschlafen. »Was soll denn passieren?«

Tim schwieg. Sie blinzelte, hob den Kopf und sah, dass sie sich vorhin geirrt hatte. Am rechten Rand war eine schmale, bläulichweiße Sichel zu sehen. Alles war gut. Die Erde war noch an ihrem Platz.

Schlaf ein, mein Schatz, wollte sie sagen, doch die Müdigkeit legte sich mit solcher Macht über sie, dass sie es eben noch denken konnte. Bevor sie wegdämmerte, überkam sie die Vorstellung eines schwarzen Tuchs, das sich über sie beide breitete. Dann war nichts mehr.

Carl Hanna fand keinen Schlaf, und er brauchte auch keinen. Nacheinander ließ er die Gegenstände durch seine Finger gleiten, betrachtete sie mit prüfenden Blicken, drehte, wendete und verstaute sie sorgfältig wieder: den kleinen Flakon mit Aftershave, die Flasche Duschgel und die andere mit Shampoo, Hautcremes in Tuben, Rasierschaum, verschiedene Päckchen mit Medikamenten gegen Kopfweh, Übelkeit und Magen-Darm-Beschwerden, Wattestäbchen und weiche, knetbare Ohrstöpsel, Zahnbürste und Zahncreme. Sogar Zahnseide hatte er eingepackt, auch Nagelschere und Feile, einen handlichen Spiegel, seinen elektrischen Langhaarschneider und drei Golfbälle. Zu den Anlagen der Orley Towers gehörte ein Platz, wie Lynn ihm erzählt hatte, SHEPARD'S GREEN, und Hanna spielte leidlich gut Golf, außerdem legte er Wert auf eine gepflegte Erscheinung. Ungeachtet dessen war nichts von dem Krempel, was es zu sein schien. Ebenso wenig war die Gitarre eine Gitarre und Carl Hanna derjenige, der er zu sein vorgab. Weder lautete sein Name so, noch war seine Vita etwas anderes als ein Konstrukt.

Er dachte an Vic Thorn.

Mit allem hatten sie gerechnet, nur nicht damit, dass Thorn einen Unfall haben würde. Sein Einsatz war mustergültig vorbereitet gewesen, von langer Hand geplant. Nichts hätte schiefgehen dürfen, doch dann hatte ein winziges Stückchen Space debris binnen Sekunden alles verändert.

Hanna blickte hinaus in den Weltraum.

Thorn war irgendwo da draußen. Hatte sich zum Inventar des Kosmos gesellt, ein Asteroid auf unbekannter Bahn. Viele hatten gemutmaßt, er müsse im Schwerefeld der Erde verblieben sein, was geheißen hätte, seinem Körper im Orbit zyklisch zu begegnen. Doch Thorn blieb verschwunden. Möglich, dass er eines fernen Tages in die Sonne stürzen würde. Denkbar, dass er im Umfeld eines Planeten auftauchte, der bewohnt war von einer nichtmenschlichen Intelligenz, irgendwann in ein paar Millionen Jahren, um dort großes Erstaunen auszulösen.

Er hielt einen Deoroller hoch, zog die Verschlusskappe ab, setzte sie wieder auf und steckte ihn weg.

Diesmal würde es funktionieren.

26.MAI 2025
[DER AUFTRAG]

XINTIANDI, SHANGHAI, CHINA

Chen Hongbing betrat den Raum in gebeugter Haltung, wie sie Menschen zu eigen ist, deren Wuchs in ständigem Konflikt mit Türrahmen und tief hängenden Deckenleuchten steht. Tatsächlich war er für einen Chinesen außergewöhnlich groß. Andererseits ließ sich dem Architekten, der den Shikumen erbaut hatte, kaum mangelnder Respekt vor extravaganten Körpermaßen nachsagen. Der Türsturz maß drei Meter. Weder hätte es der gekrümmten Schultern noch des vorgereckten Kinns bedurft, das in Annäherung zum Brustbein unschlüssig zu verharren schien. Trotz seiner Größe wirkte Chen eingefallen und devot. Sein Blick hatte etwas Lauerndes, wie in Erwartung von Prügel oder Schlimmerem. Auf Jericho machte er den Eindruck, als habe er ein Leben lang im Sitzen mit Stehenden gesprochen.

Falls es Chen Hongbing war.

Der Besucher berührte flüchtig den Türrahmen mit den Fingerspitzen, als wolle er sich in Erwägung eines plötzlichen Zusammenbruchs soliden Halts versichern, schaute irritiert auf die Stapel von Umzugskisten und überquerte mit der Vorsicht eines Seiltänzers die Schwelle. Weiße Mittagssonne stand im Raum, eine Skulptur aus Licht, milliardenfach gebrochen durch aufgewirbelten Staub. Chen erschien darin wie ein Gespenst und verengte die Augen. Er sah jünger aus, als Tu Tian ihn beschrieben hatte. Straff spannte sich die Haut über Wangenknochen, Stirn und Kinn; ein Gesicht, in dem sich Falten schwer einkerbten. Lediglich um die Augen verzweigte sich ein feines Makramee, eher Sprünge als Fältchen. Auf Jericho wirkten sie wie Zeugen eines gekitteten Lebens.

»*Ta chi le hen duo Ku*«, hatte Tu Tian gesagt. »Hongbing hat Bitternis gegessen, Owen, viele Jahre lang. Jeden Morgen kommt sie ihm hoch, er würgt sie runter, und eines Tages wird er dran ersticken. Hilf ihm, *xiongdi*.«

Bitternis gegessen. Selbst das Elend stand in China zum Verzehr.

Jericho schaute unschlüssig auf den Karton in seinen Händen und überlegte, ob er ihn wie geplant auf den Schreibtisch oder zurück auf den Stapel wuchten sollte. Chen kam ihm ungelegen. So früh hatte er den Mann nicht erwartet. Tu Tian hatte etwas von einer Nachmittagsvisite gesagt, und jetzt war es nicht mal zwölf. Sein Magen knurrte, Stirn und Oberlippe glänzten ölig. Je öfter er sich über Gesicht und Haare fuhr, um Staub und Schweiß zu vermischen, desto weniger glich er einem, der sich anschickte, im kostspieligen Szeneviertel Xintiandi Quartier zu beziehen. Drei Tage ohne Rasur taten das ihre. In einen klebrigen Lappen von T-Shirt gehüllt, dem man die 37° Celsius und gefühlten 99,9 Prozent Luftfeuchtigkeit eher ansah als die Farbe, die es einmal besessen hatte, seit 24 Stunden praktisch ohne Nahrung, wünschte Jericho nichts sehnlicher, als den Umzug möglichst schnell hinter sich zu bringen. Diese Kiste noch, auf einen Imbiss in die Taicang Lu, weiter auspacken, duschen, rasieren.

Das war der Plan gewesen.

Doch als er Chen im staubigen Licht dastehen sah, wusste er, dass er seinen Besucher nicht auf später vertrösten durfte. Chen war jemand, von dem man träumte, wenn man ihn fortschickte, außerdem verbot es sich schon aus Anstand gegenüber Tu Tian. Er stellte den Karton zurück auf den Stapel und setzte ein Lächeln der Kategorie B auf: herzlich, aber unverbindlich.

»Chen Hongbing, nehme ich an.«

Sein Gegenüber nickte und blickte bestürzt zwischen die Kisten und zusammengepferchten Möbelstücke. Er hüstelte. Dann trat er einen kleinen Schritt zurück.

»Ich komme zur falschen Zeit.«

»Keineswegs.«

»Es ergab sich so, ich – war in der Nähe, aber wenn es Umstände macht, kann ich auch später –«

»Es macht überhaupt keine Umstände.« Jericho sah sich um, zog einen Stuhl heran und platzierte ihn vor dem Schreibtisch. »Nehmen Sie Platz, ehrenwerter Chen, fühlen Sie sich wie zu Hause. Ich ziehe hier gerade ein, daher das Durcheinander. Kann ich Ihnen etwas anbieten?«

Kannst du nicht, dachte er, dafür hättest du einkaufen müssen, aber du bist ein Mann. Wenn Frauen umziehen, versichern sie sich eines gefüllten Kühlschranks, bevor die erste Kiste den Umzugswagen verlässt, und wenn keiner da ist, kaufen sie einen und schließen ihn an. Dann fiel ihm die halb volle Flasche Orangensaft ein. Sie stand seit gestern Morgen auf dem Fenstersims im Wohnzimmer, was nichts anderes hieß, als dass sie ein zweitägiges Dasein in der prallen Sonne geführt und sich in ihrem Inneren möglicherweise intelligentes Leben entwickelt hatte.

»Kaffee, Tee?«, fragte er trotzdem.

»Danke, vielen Dank.« Chen ließ sich auf die Stuhlkante niedersinken und widmete sich der Betrachtung seiner Knie. Falls er überhaupt in Kontakt mit der Sitzfläche geraten war, würde es physisch kaum messbar sein. »Ein paar Minuten Ihrer Zeit sind mehr, als ich unter den gegebenen Umständen erwarten kann.«

Hölzerner Stolz schwang in den Worten mit. Jericho zog einen zweiten Stuhl heran, platzierte ihn neben Chen und zögerte. Eigentlich gehörten vor den Schreibtisch zwei bequeme Sessel, beide in Sichtweite, allerdings zu unförmigen Klumpen Noppenfolie mit Gepäckband mutiert.

»Es ist mir ein Vergnügen, Ihnen helfen zu dürfen«, sagte er, während er sein Lächeln einer Verbreiterung unterzog. »Wir werden uns so viel Zeit nehmen, wie wir brauchen.«

Chen rutschte langsam auf seinem Stuhl nach hinten und ließ sich vorsichtig gegen die Lehne sinken.

»Sie sind sehr freundlich.«

»Und Sie sitzen unbequem. Entschuldigen Sie vielmals. Lassen Sie mich für bequemere Sitzgelegenheiten sorgen. Es ist zwar alles noch verpackt, aber –«

Chen hob den Kopf und blinzelte ihn an. Jericho war vorübergehend irritiert, dann begriff er: Chen sah im Grunde gut aus. In früheren Jahren musste er einer jener Männer gewesen sein, die Frauen als schön zu bezeichnen pflegten. Bis zu dem Tag, da etwas seine ebenmäßigen Züge zur Maske geschliffen hatte. Auf groteske Weise mangelte es ihm nun an Mimik, sah man vom gelegentlichen nervösen Blinzeln ab.

»Ich werde auf keinen Fall zulassen, dass Sie meinetwegen –«

»Es wäre mir eine besondere Freude.«

»Auf keinen Fall.«

»Sie müssen sowieso ausgepackt werden.«

»Das müssen sie gewiss, aber zu einem Zeitpunkt Ihrer Wahl.« Chen schüttelte den Kopf und erhob sich wieder. Seine Gelenke knackten. »Ich bitte Sie! Ich bin viel zu früh, Sie stecken mitten in der Arbeit und dürften wenig begeistert sein, mich zu sehen.«

»Aber nicht doch! Ich freue mich über Ihren Besuch.«

»Nein, ich sollte später wiederkommen.«

»Mein lieber Herr Chen, kein Moment könnte passender sein. Bitte, bleiben Sie.«

»Das kann ich Ihnen nicht zumuten. Hätte ich gewusst –«

Und so weiter, und so fort.

Theoretisch ließ sich das Spiel endlos fortsetzen. Nicht, dass einer von ihnen Zweifel hegte, was die Position des anderen anging. Chen wusste nur zu gut, dass er Jericho im unpassenden Moment erwischt hatte, woran auch gegenteilige Bekundungen nichts änderten. Jericho wiederum war klar, dass Chen auf einem Nagelbrett bequemer gesessen hätte als auf jedem seiner Küchenstühle. Die Umstände waren schuld. Chens Anwesenheit verdankte sich einem System, in dem Gefälligkeiten einander jagten wie junge Hunde, und er schämte sich in Grund und Boden, es verpatzt zu haben. Als Folge einer solchen Gefälligkeit war er nämlich hier, törichterweise zu früh gekommen und mitten in einen Umzug geplatzt, womit er dem Vermittler Schande bereitet und den Vermittelten in die unerquickliche Situation gebracht hatte, seinetwegen die Arbeit niederlegen zu müssen. Denn natürlich würde Jericho ihn nicht auf später vertrösten. Das Ritual der Höflichkeiten sah eine nach oben offene Abfolge von »Nein, doch, keineswegs, aber sicher, es wäre mir eine Ehre, auf keinen Fall, doch, nein, doch!« vor. Ein Spiel, das, wollte man es beherrschen, jahrelangen Trainings bedurfte. War man *peng you,* ein Freund im Sinne einer nützlichen Schnittstelle, wurde es anders gespielt, als wenn man *xiongdi* war, ein Vertrauter des Herzens. Gesellschaftlicher Stand, Alter und Geschlecht, Gegenstand des Gesprächs, alles war mit einzubeziehen in die Koordinaten des Anstands.

Tu Tian zum Beispiel hatte das Spiel abgekürzt, als er Jericho ziemlich unverblümt um besagten Gefallen ersucht hatte, einfach indem er ihn *xiongdi* genannt hatte. Einem Seelenverwandten gegenüber konnte man sich den diplomatischen Eiertanz sparen. Vielleicht, weil ihm an Chen wirklich etwas lag, möglicherweise auch nur, weil er die Partie Golf nicht für ein langatmiges Prozedere unterbrechen wollte, dessen Ausgang ohnehin feststand. Als er mit der Sache rausgerückt war, erstrahlte jedenfalls gerade eine dottergelbe Spätnachmittagssonne zwischen freundlich auseinandertreibenden Pluderwolken und tauchte die Umgebung in die Farben italienischer Landschaftsmalerei der Renaissance. Ein zweitägiger Regen endete, und Herr Tu, der *comme il faut* begonnen hatte mit den Worten: »Owen, ich weiß, du hast entsetzlich viel um die Ohren mit deinem Umzug, und ich würde dich normalerweise nicht behelligen –«, schaute in den Himmel, förderte die Big Bertha zutage und endete lapidar: »– aber du könntest mir einen Gefallen tun – *xiongdi.*«

Tu Tian auf dem Tomson Shanghai Pudong Golfplatz, zwei Tage zuvor, hoch konzentriert.

Was immer der Gefallen sein mag, Jericho fügt sich ins Warten. Tu ist vorübergehend auf einem anderen Planeten, holt aus zu einem kraftvollen Drive. Rhythmischer Schwung aus dem Rücken heraus, Muskeln und Gelenke in automatisierter Harmonie. Jericho ist talentiert, seit zwei Jahren gebührt ihm die Ehre, auf Shanghais besten Plätzen zu spielen, wenn Menschen wie Tu ihn dahin einladen, und wenn nicht, spielt er im renommierten, aber bezahlbaren Luchao Harbour City Club. Der Unterschied zwischen ihm und Tu Tian ist, dass der eine niemals annähernd erreichen wird, was dem anderen genetisch eingegeben scheint. Beide haben sich eher spät entschlossen, weiße Bällchen auf über 200 Stundenkilometer zu beschleunigen, um sie anschließend kleinen Löchern im Erdreich zuzuführen. Nur dass Tu am Tag, da er erstmalig einen Golfplatz betrat, eine Art Heimkehr erlebt haben muss. Sein Spiel ist erhaben über Attribute wie gekonnt und elegant. Tu hat von Anfang an gespielt, wie Neugeborene schwimmen. Er *ist* das Spiel.

Ergeben sieht Jericho zu, wie sein Freund den Ball auf eine perfekte Parabel schickt. Tu verharrt einige Sekunde in Abschlagposition, dann lässt er die Big Bertha mit hochzufriedener Miene sinken.

»Du erwähntest einen Gefallen«, sagt Jericho.

»Wie?« Tu kraust die Stirn. »Ach so, nichts Wildes. Du weißt schon.«

Er setzt sich in Bewegung und heftet sich zügig auf die Fährte seines Balles. Jericho marschiert neben ihm her. Nichts weiß er, aber er ahnt, was kommen wird.

»Was ist sein Problem?«, fragt er ins Blaue hinein. »Oder ihres?«

»Seines. Ein Freund. Sein Name ist Chen Hongbing.« Tu grinst. »Aber dieses Problem musst du für ihn nicht lösen.«

Jericho weiß um die gallige Komponente der Bemerkung. Der Name ist ein übler Scherz, über den vor allem die nicht lachen können, mit denen er getrieben wurde. Chen ist aller Wahrscheinlichkeit nach Ende der Sechziger des vergangenen Jahrhunderts geboren worden, als die Roten Garden das Land mit Terror überzogen und Neugeborene zum Ruhme der Revolution und des Großen Vorsitzenden Mao die absonderlichsten Namen erhielten: keine Seltenheit, dass jemand im Alter, da er den Urin noch nicht halten konnte, schon »Nieder mit Amerika« hieß oder »Ehre dem Vorsitzenden« oder »Langer Marsch«.

Tatsächlich war die Angst der eigentliche Namensgeber. Es galt sich zu arrangieren. Bevor die Volksbefreiungsarmee den Rotgardisten 1969 ein blutiges Ende setzte, herrschte Ungewissheit, wer in China künftig den Ton angeben würde. Drei Jahre zuvor war Mao Zedong in Peking auf dem Platz des Himmlischen Friedens gleichsam zu den Sterblichen hinabgestiegen, hatte sich einen roten Fetzen um den Ärmel wickeln lassen und sich damit symbolisch an die Spitze der Garden gestellt, eines Millionen zählenden Haufens vornehmlich pubertierender Fanatiker, entwichen aus Schulen und Universitäten, die ihre Lehrer kahl schoren, prügelten und durch die Straßen trieben wie Esel, weil jeder, der die einfachsten Dinge wusste und nicht Bauer oder Arbeiter war, als intellektuell und damit subversiv galt. Erst im Frühjahr 1969 endete der Spuk – dieser zumindest, denn die sogenannte Viererbande rasselte im Hintergrund vernehmlich mit den Ketten. Die Rotgardisten aber wanderten den Weg ihrer Opfer und fanden sich in Umerziehungslagern wieder, wodurch es nach Meinung vieler Chinesen nur noch schlimmer wurde. Jiang Qing, Maos Frau, delirierte über Kulturopern und lief sich warm für einige der schlimmsten Gräuel in Chinas Geschichte. Doch wenigstens begann sich die Namensgebung zu normalisieren.

Chen, schätzt Jericho, hat irgendwann zwischen 1966 und 1969 das Licht der Welt erblickt: eine Zeit, in der sein Name ungefähr so selten war wie Raupen im Salat. Hongbing heißt wörtlich »Roter Soldat«.

Tu schaut in die Sonne.

»Hongbing hat eine Tochter.« Es klingt, als sei alleine dieser Umstand der Geschichtsschreibung wert. Seine Augen leuchten, dann ruft er sich zur Ordnung. »Sie ist sehr hübsch und leider auch sehr leichtsinnig. Vor zwei Tagen ist sie spurlos verschwunden. Im Allgemeinen vertraut sie mir, ich bin versucht zu sagen, sie vertraut mir mehr als ihrem Vater. Nun ja. Es wäre nicht das erste Mal, dass sie verschwindet, aber früher pflegte sie sich abzumelden. Bei ihm, bei mir oder wenigstens bei einem ihrer Freunde.«

»Was sie diesmal vergessen hat.«

»Oder sie hatte keine Gelegenheit. Hongbing macht sich die fürchterlichsten Sorgen, übrigens zu Recht. Yoyo neigt dazu, die falschen Leute anzupissen. Oder sagen wir ruhig, die richtigen.«

Damit hat Tu das Problem auf seine Art umrissen. Jericho schürzt die Lippen. Ihm ist klar, was von ihm erwartet wird. Außerdem hat der Name Yoyo irgendetwas in ihm ausgelöst.

»Und ich soll das Mädchen suchen?«

»Du würdest mir einen Dienst erweisen, wenn du Chen Hongbing empfängst.« Tu erblickt freudig seinen Ball und schreitet zügiger aus. »Natürlich nur, falls du eine Möglichkeit dazu siehst.«

»Was genau hat sie denn verbrochen?«, fragt Jericho. »Yoyo, meine ich.«

Der andere tritt neben das weiße Etwas im kurz gestutzten Gras, sieht Jericho in die Augen und lächelt. Sein Blick sagt, dass er jetzt einlochen möchte. Jericho lächelt zurück.

»Sag deinem Freund, es wird mir eine Ehre sein.«

Tu nickt, als hätte er nichts anderes erwartet. Er nennt Jericho ein zweites Mal *xiongdi* und widmet seine ungeteilte Aufmerksamkeit Putter und Ball.

Chinesen der jüngeren Generation spielten das Spiel kaum noch. Ihr Tonfall hatte sich globalisiert. Wollte man etwas voneinander, kam man im Allgemeinen ohne Umschweife zur Sache. Mit Chen Hongbing verhielt es sich eindeutig anders. Sein gesamter Habitus wies ihn als Vertreter eines älteren China aus, in dem man aus tausenderlei Gründen das Gesicht verlieren konnte. Jericho war einen Moment unschlüssig, dann kam ihm ein Gedanke, wie er die Situation für Chen wieder glattbügeln konnte. Er bückte sich, kramte ein Teppichmesser aus dem Werkzeugkasten neben dem Schreibtisch und begann mit raschen Schnitten, die Noppenfolie von einem der Sessel zu lösen.

Chen hob entsetzt beide Hände.

»Ich bitte Sie! Es ist mir über alle Maßen peinlich —«

»Muss es nicht«, sagte Jericho fröhlich. »Offen gesagt, ich spekuliere auf Ihre Hilfe. Im Werkzeugkasten ist ein zweites Messer. Was halten Sie davon, wenn wir uns zusammentun und der Bude zu ein bisschen Wohnlichkeit verhelfen?«

Es war ein Überfall. Zugleich bot er Chen einen Ausweg aus dem selbst eingebrockten Schlamassel. Hilf du mir, ich helfe dir, und sei es, dass du deinen Beitrag zu meinem Umzug leistest, damit wir beide bequemer sitzen und du dein Gesicht entstauben kannst. Quid pro quo.

Chen wirkte unsicher. Er kratzte sich den Schädel, rappelte sich hoch, dann fischte er das Messer aus dem Kasten und nahm sich den anderen Sessel vor. Während er das Klebeband durchtrennte, entspannte er sich zusehends.

»Ich weiß Ihr Anerbieten wirklich sehr zu schätzen Herr Jericho. Tian hatte leider keine Gelegenheit, mir von Ihrem Umzug zu erzählen.«

Was so viel hieß wie, der Idiot hat nichts gesagt. Jericho zuckte die Achseln und zog die Folie von seinem Sessel.

»Er wusste nichts davon.«

Auch das war gelogen, aber damit hatte Tu von beiden Seiten Reputation erfahren, und sie konnten sich wichtigeren Dingen zuwenden. Nacheinander schoben sie die Sessel vor den Schreibtisch.

»Sieht doch gar nicht so schlecht aus.« Jericho grinste. »Jetzt brauchen wir eigentlich nur noch was zur Stärkung. Was meinen Sie? Ich könnte uns Kaffee holen. Unten im Haus ist eine Patisserie, die machen –«

»Bemühen Sie sich nicht«, fuhr ihm Chen dazwischen. »Die hole ich.«

Ach ja. Das Spiel.

»Auf keinen Fall!«

»Aber sicher.«

»Nein, das ist mein Vergnügen, Sie sind mein Gast.«

»Und Sie empfangen mich außer der Reihe. Wie ich schon sagte –«

»Das ist ja wohl das Mindeste, was ich für Sie tun kann. Wie möchten Sie Ihren Kaffee?«

»Wie möchten Sie *Ihren*?«

»Ganz liebenswürdig, aber –«

»Möchten Sie Muskat in Ihren Kaffee?«

Das war das Neueste: Muskat im Kaffee. Es hieß, *Starbucks* habe damit im vergangenen Winter den Konkurs verhindert. Gott und alle Welt trank neuerdings Muskatkaffee und schwor, er schmecke ausgezeichnet. Jericho fühlte sich an die Espresso-Sichuan-Welle erinnert, die wenige Jahre zuvor durchs Land gerollt war und den Genuss italienischen Kaffees in die asiatische Variante von Dantes Inferno verwandelt hatte. Einmal hatte Jericho am Tassenrand genippt und noch Tage später das Gefühl gehabt, er könne sich die Haut von den Lippen ziehen.

»Ein ganz normaler Cappuccino wäre großartig«, fügte er sich. »Die Patisserie ist gleich unten links.«

Chen nickte.

Und plötzlich lächelte auch er. Seine Gesichtshaut spannte sich, dass Jericho fürchtete, sie könnte aufreißen, aber es war ein durchaus sehenswertes, freundliches Lächeln, das sich erst in der rissigen Wüste unterhalb der Augen verlor.

»Sie heißt nicht wirklich Yoyo«, erklärte Chen, als sie Kaffee schlürfend zusammensaßen. Inzwischen lief die Klimaanlage und sorgte für einigermaßen erträgliche Temperaturen. Chen nahm eine Haltung ein, als sei damit zu rechnen, dass der weiche Ledersessel ihn im nächsten Moment wieder abwarf, doch verglichen mit dem Mann, der eine Viertelstunde zuvor unter dem Türsturz hindurchgeschlichen war, machte er einen geradezu ausgeglichenen Eindruck.

»Wie ist ihr richtiger Name?«

»Yuyun.«

»Jadewolke.« Jericho hob anerkennend die Brauen. »Eine schöne Wahl.«

»Oh, ich habe lange darüber nachgedacht! Es sollte ein leichter, frischer Name sein, voller Poesie, voller –« Chens Blick verschleierte sich und wanderte in unbestimmte Ferne.

»Harmonie«, ergänzte Jericho.

»Ja. Harmonie.«

»Warum nennt sie sich Yoyo?«

»Ich weiß es nicht.« Chen seufzte. »Ich weiß überhaupt zu wenig über sie, da liegt ja das Problem. Man versteht einen Menschen nicht, bloß weil man ihn etikettiert. Aufschrift macht keinen Inhalt. – Ich frage Sie, was sind schon Namen? Durchhalteparolen für Verlorene, bestenfalls. Dennoch hofft man auf eine Ausnahme, auf das eigene Kind, man ist wie betäubt. Als könnten Namen etwas ändern. Als hätte in einem Namen je Wahrhaftigkeit gesteckt!« Er sog geräuschvoll einen Schluck von seinem Kaffee ein.

»Und Yoyo – Yuyun ist verschwunden?«

»Bleiben wir bei Yoyo. Außer mir nennt sie kein Mensch Yuyun. Ja, ich habe sie zwei Tage lang weder gesehen noch gesprochen. Hat Tu Tian denn nichts erzählt?«

»Nur wenig.«

Aus unerfindlichen Gründen schien dieser Umstand Chen zu freuen. Dann dämmerte es Jericho. Wie hatte Tu es ausgedrückt: *Ich bin versucht zu sagen, sie vertraut mir mehr als ihrem Vater.* Was immer Tu und Chen verbinden mochte, wie eng das Band zwischen ihnen auch geknüpft war – diese Vorliebe Yoyos stand zwischen ihnen. Soeben hatte Chen wärmende Gewissheit darüber erlangt, dass diesmal auch Tu nichts wusste.

»Nun, wir waren verabredet«, fuhr er fort. »Vorgestern zum Mittagessen in der Liaoning Lu. Ich habe über eine Stunde gewartet, aber sie ist nicht erschienen. Zuerst dachte ich, es sei wegen des Streits, und dass sie immer noch verärgert ist, aber dann –«

»Sie haben sich gestritten?«

»Wir sind uns eine Weile aus dem Weg gegangen, nachdem sie mich mit den Umständen ihres Auszugs konfrontiert hatte, vor zehn Tagen, einfach so. Weder hielt sie es für nötig, meinen Rat in dieser Sache einzuholen, noch wollte sie sich von mir helfen lassen.«

»Sie waren damit nicht einverstanden?«

»Der Schritt erschien mir überhastet, und das habe ich ihr auch gesagt. In aller Deutlichkeit! Dass es nicht die geringste Veranlassung gibt. Dass sie bei mir allemal besser aufgehoben ist als in dieser Räuberhöhle, in der sie sich seit Jahren herumtreibt. Dass sie sich keinen Gefallen tut, mit diesen Typen – also, dass es nicht klug ist –« Chen starrte auf den Becher in seiner Hand. Eine Weile herrschte Schweigen. Universen aus Staub entstanden und vergingen im Sonnenlicht. Jerichos Nase juckte, aber er unterdrückte den Reiz zu niesen. Stattdessen versuchte er sich zu erinnern, wo er den Namen Yoyo Chen bereits gelesen hatte.

»Yoyo hat viele Talente«, fuhr Chen leise fort. »Vielleicht habe ich sie tatsächlich zu sehr eingegrenzt. Aber mir blieb keine Wahl. Sie erregte den Unwillen prominenter Kreise, es wurde immer gefährlicher. Schon vor fünf Jahren hat man sie – weil sie meinen Rat nicht beherzigt hatte.«

»Was hatte sie verbrochen?«

»Verbrochen? Sie hatte meine Warnungen in den Wind geschlagen.«

»Ja, ich weiß. Das ist kein Verbrechen. Weswegen hat man sie festgenommen?«

Chen blinzelte misstrauisch.

»So explizit habe ich das nicht formuliert.«

Jericho runzelte die Stirn. Er beugte sich vor, legte die Fingerspitzen aufeinander und sah Chen direkt in die Augen.

»Hören Sie. Ich will Sie keinesfalls drängen. Aber so kommen wir nicht weiter. Sie werden kaum hier sein, um mir zu erzählen, die Partei habe Yoyo einen Orden umgehängt, also reden wir Klartext. Was hat sie getan?«

»Sie hat –« Chen schien nach einer Formulierung zu suchen, in der Begriffe wie Regimekritik nicht auftauchten.

»Darf ich eine Vermutung äußern?«

Chen zögerte. Dann nickte er.

»Yoyo ist eine Dissidentin.« Jericho wusste, dass es so war. Wo zum Teufel hatte er ihren Namen gelesen? »Sie kritisiert das System, wahrscheinlich im Internet. Das tut sie seit Jahren. Verschiedentlich wurde sie damit auffällig, aber bis vorgestern lief die Sache glimpflich ab. Jetzt ist möglicherweise etwas passiert. Und Sie machen sich Sorgen, dass Yoyo verhaftet wurde.«

»Sie hat gesagt, ich sei der Letzte, der ihr deswegen Vorhaltungen machen dürfe«, flüsterte Chen. »Dabei habe ich nur versucht, sie zu schützen. Wir hatten deswegen Streit, viele Male haben wir uns gestritten, und sie hat mich angeschrien. Sie sagte, es sei aussichtslos, ich ließe niemanden an mich heran, nicht mal die eigene Tochter, und wie ausgerechnet ich – Sie sagte, ich predige wie der Hahn, der gegen das Krähen wettert.«

Jericho wartete. Chens Mimik verhärtete sich.

»Aber das sind keine Geschichten, mit denen ich Sie behelligen möchte«, schloss er. »Tatsache ist, dass ich seit zwei Tagen ohne Lebenszeichen von ihr bin.«

»Vielleicht ist alles viel harmloser, als Sie denken. Es wäre nicht das erste Mal, dass Kinder nach einem Streit verschwinden. Sie kriechen bei Freunden unter, stellen sich eine Weile tot, einfach um ihren Eltern eine Lektion zu erteilen.«

Chen schüttelte den Kopf. »Yoyo nicht. Sie würde einen Streit niemals zum Anlass nehmen, so etwas zu tun.«

»Sie sagten selbst, Sie kennen Ihre Tochter zu wenig –«

»Diesbezüglich kenne ich sie ganz gut. In vielen Dingen sind wir einander ähnlich. Yoyo hasst Kinderkram.«

»Haben Sie bei den Behörden nachgefragt?«

Chen ballte die Hände zu Fäusten. Seine Fingerknöchel traten weiß hervor, aber sein Gesicht blieb ausdruckslos. Jericho wusste, dass sie sich dem springenden Punkt näherten, dem eigentlichen Grund, warum Tu seinen Freund hergeschickt hatte.

»Sie *haben* doch nachgefragt – oder?«

»Nein, das habe ich nicht!« Chen schien die Worte zu kauen, bevor er sie ausspuckte. »Ich kann es nicht! Ich kann nicht bei den Behörden nachfragen, ohne sie möglicherweise auf Yoyos Spur zu hetzen.«

»Es ist also nicht sicher, dass man Yoyo verhaftet hat?«

»Letztes Mal wurde ich wochenlang im Unklaren darüber gelassen, auf welchem Revier man sie festhielt. Aber *dass* man sie festhielt, erfuhr ich wenige Stunden nach ihrer Festnahme. Sie müssen wissen, über die Jahre war es mir vergönnt, einige wichtige Kontakte aufzubauen. Es gibt Menschen, die bereit sind, ihren Einfluss für mich und Yoyo geltend zu machen.«

»So wie Tu Tian.«

»Er und andere. Nur darum wusste ich überhaupt, dass Yoyo in Haft saß. Bei diesen – Freunden habe ich mich erkundigt, doch sie behaupten, nichts über Yoyos Verbleib zu wissen. Es würde mich kaum erstaunen, wenn sie den Behörden erneut Gründe geliefert hätte, sie zu jagen, aber vielleicht haben die das ja noch gar nicht mitgekriegt.«

»Sie meinen, Yoyo hat einfach Angst bekommen und ist zur Sicherheit für eine Weile abgetaucht.«

Chen knetete seine Finger. Auf Jericho wirkte er wie ein gespannter Bogen. Dann seufzte er.

»Ginge ich zur Polizei«, sagte er, »könnte es geschehen, dass ich Misstrauen auf dem Acker der Unwissenheit säe. Sie würden Yoyo erneut ins Visier nehmen, ganz gleich, ob sie etwas verbrochen hat oder nicht. Jeder Anlass wäre ihnen recht. Yoyo hat es eine Weile vermieden, sie zu provozieren, mir schien, sie hätte ihre Lektion gelernt und Frieden mit der Vergangenheit geschlossen, aber –« Er sah Jericho aus matten, tiefdunklen Augen an. Diesmal zwinkerte er nicht. »Sie verstehen mein Dilemma, Herr Jericho?«

Jericho betrachtete ihn schweigend. Er lehnte sich zurück und dachte nach. Solange Chen das Thema umkreiste wie der Wolf das Feuer, kamen sie nicht recht voran. Bis jetzt beließ es sein Gast bei Andeutungen. Jericho bezweifelte, dass Chen sich dessen bewusst war. Er hatte das Hakenschlagen auf eine Weise verinnerlicht, dass es ihm vorkommen musste, als liefe er geradeaus.

»Ich will nicht in Sie dringen, Herr Chen – aber kann es sein, dass Sie der Falsche wären, um die Behörden im Zusammenhang mit staatsfeindlichen Aktionen aufzusuchen?«

»Wie meinen Sie das?«

»Ich gebe lediglich der Vermutung Ausdruck, dass man Yoyo nicht allein um ihrer selbst willen nachstellt.«

»Ich verstehe.« Chen starrte ihn an. »Sie haben recht, nicht alles in meiner Vergangenheit gereicht Yoyo zum Vorteil. Jedenfalls würde ich ihr einen schlechten Dienst erweisen, ginge ich zur Polizei. Können wir es fürs Erste dabei belassen?«

Jericho nickte.

»Sie kennen den Schwerpunkt meiner Arbeit?«, fragte er. »Hat Tian Sie ins Bild gesetzt?«

»Ja.«

»Mein Jagdrevier ist das Netz. Ich schätze, er hat mich empfohlen, weil Yoyo dort aktiv geworden ist.«

»Er schätzt Sie sehr. Er meint, Sie seien der Beste.«

»Das ehrt mich. Haben Sie ein Foto von Yoyo?«

»Oh, ich habe mehr als das! Ich habe Filme.« Er griff in sein Jackett und förderte ein Handy zutage. Es war ein älteres Modell, noch ohne die Möglichkeit der 3-D-Projektion. Chen machte sich mit dem schon vertrauten Blinzeln daran zu schaffen und drückte nacheinander ein paar Tasten, doch nichts geschah.

»Darf ich behilflich sein?«, schlug Jericho vor.

»Yoyo hat es mir geschenkt, aber ich benutze es selten.« Ein Anflug von Verlegenheit huschte über Chens Züge. Er reichte das Gerät an Jericho weiter. »Ich weiß, das ist lächerlich. Fragen Sie mich etwas über Autos. Alte Autos. Ich kenne sämtliche Modelle, aber diese Dinger hier –«

Diese Dinger, dachte Jericho, sind auch schon wieder aus der Mode, falls du es nicht mitbekommen hast.

»Sie interessieren sich für Autos?«, fragte er.

»Ich bin Experte! *Historical Beautys,* in der Beijing Donglu. Nie da gewesen? Ich leite den Technischen Kundendienst. Sie müssen mir die Freude eines Besuchs machen, wir haben letzten Monat einen silberfarbenen Rolls Royce Corniche hereinbekommen, mit Holz und roten Ledersitzen, ein Prachtstück. Er kam aus Deutschland, ein alter Mann hat ihn verkauft. Mögen Sie Autos?«

»Sie sind nützlich.«

»Darf ich fragen, was Sie fahren?«

»Einen Toyota.«

»Hybrid?«

»Brennstoffzelle.« Jericho drehte das Handy in den Fingern und warf einen Blick auf die Anschlüsse. Mit einem Adapter hätte er den Inhalt auf seine neue Holowand projizieren können, doch die würde erst gegen Abend geliefert werden. Er wählte sich in den Speicher ein.

»Darf ich?«

»Bitte. Es sind nur drei Filme darauf, alle von Yoyo.«

Jericho richtete das Gerät auf die gegenüberliegende Wand und aktivierte den integrierten Beamer. Er fokussierte das Bild auf die Größe eines gängigen Flachbildschirms, sodass es trotz des einfallenden Sonnenlichts genug Brillanz besaß, und startete die erste Abspielung.

Tu Tian hatte recht gehabt.

Nein, er hatte untertrieben! Yoyo war nicht nur hübsch, sie war von außergewöhnlicher Schönheit. Während seiner Zeit in London hatte Jericho sich mit unterschiedlichsten Theorien über das Wesen der Schönheit vertraut gemacht: Symmetrie der Gesichtszüge, Ausprägung besonderer Merkmale wie Augen oder Lippen, Proportionierung des Schädelbaus, Anteil des Kindchenschemas. In der psychologischen Verbrechensbekämpfung wurde mit solchen Studien gearbeitet, außerdem dienten sie als Grundlage, um Menschen auf die Spur zu kommen, die sich mit virtuellen Persönlichkeiten tarnten. Moderne Studien gelangten zu dem Resultat, die perfekte weibliche Schönheit weise sich durch große, rundliche Augen und eine hohe, leicht gewölbte Stirn aus, während die Nase schmal und das Kinn klein, aber markant zu sein hatten. Bearbeitete man Frauengesichter in einem Morphing-Programm und fügte ihnen einige Prozent Kindchenanteil hinzu, schnellte der Grad der Zustimmung bei Männern spontan in die Höhe. Volle Lippen schlugen schmale Münder, eng zusammenstehende Augen verloren gegen auseinanderliegende. Die perfekte Venus besaß hohe Wangenknochen, schmale, dunkle Brauen, lange Wimpern, volles, glänzendes Haar und einen gleichmäßigen Haaransatz.

Yoyo war all dies – und nichts davon.

Chen hatte sie während eines Auftritts gefilmt, in irgendeinem schlecht beleuchteten Club, flankiert von Musikern, die möglicherweise Männer waren. In diesen Tagen pflegten männliche Jugendliche einen zunehmend androgynen Stil und trugen die Haare gürtellang. Wer im Mando-Prog etwas gelten wollte, dem blieb allenfalls die Option, sich kahl scheren und die Schädeldecke applizieren zu lassen. Kurze Haare galten als indiskutabel. Ebenso gut konnten es Avatare sein, die sich da über Gitarre und Bass beugten, holografische Simulationen, wenngleich der Aufwand immens war. Nur sehr erfolgreiche Musiker leisteten sich Avatare, so wie zuletzt der amerikanische Rapper Eminem, der es mit über fünfzig noch mal hatte wissen wollen und etliche Versionen seiner selbst auf die Bühne projizieren ließ, die das Instrumentarium bedienten, tanzten und sich leider sämtlich durch höhere Beweglichkeit auswiesen als der Meister persönlich.

Doch verlor all dies – Geschlecht, Fleisch und Blut, Bits und Bytes – an Bedeutung neben der Sängerin. Yoyo hatte das Haar straff zurückgekämmt und im Nacken zu vier Zöpfen geflochten, die bei jeder Bewegung hin und her schwangen. Ihre Motorik war verschwenderisch und kraftvoll. Sie intonierte die Coverversion irgendeines uralten Shenggy-Songs. Soweit es die mäßige Aufnahmequalität des Handys erahnen ließ, verfügte sie über eine gute, wenn auch nicht bemerkenswerte Stimme. Und obwohl das schlechte Licht sie nur ungenügend in Szene setzte, sah Jericho doch genug, um zu wissen, dass sie vielleicht die schönste Frau war, die er in den 38 Jahren seines Lebens zu Gesicht bekommen hatte. Nur dass Yoyos Art, schön zu sein, sämtliche Theorien, was schön sei, über den Haufen warfen.

Das Bild wurde vorübergehend unscharf, als Chen versuchte, seine Tochter heranzuzoomen. Dann füllten Yoyos Augen den Bildschirm – ein Blick wie Samt, schmale Augenlider, Vorhänge aus Wimpern, die sich herabsenkten und schnell wieder hoben. Die Kamera wackelte, Yoyo geriet aus dem Blickfeld, dann brach die Aufnahme ab.

»Sie singt«, sagte Chen, als bedürfe es dessen. Jericho spielte den nächsten Film ab. Er zeigte Yoyo in einem Restaurant, Chen gegenübersitzend, das Haar offen. Sie blätterte in einer Speisekarte, dann bemerkte sie die Kamera und lächelte.

»Was soll das denn jetzt?«, sagte sie.

»Ich sehe dich zu selten«, antwortete Chens Stimme. »So habe ich dich wenigstens als Konserve.«

»Ah! Yoyo in der Dose.«

Sie lachte. Dabei bildeten sich unter ihren Augen zwei quer stehende Falten, die in den Schönheitsszenarien der Psychologen nicht vorkamen und die Jericho höchst aufregend fand.

»Außerdem kann ich so mit dir angeben.«

Yoyo schnitt ihrem Vater eine Grimasse. Sie begann zu schielen.

»Nicht«, sagte Chens Stimme.

Die Aufnahme endete. Der dritte Film zeigte wieder das Restaurant, offenbar zu einem späteren Zeitpunkt. Musik mischte sich in den Lärm. Im Hintergrund eilten Kellner zwischen voll besetzten Tischen hindurch. Yoyo zog an einer Zigarette und balancierte einen Drink in ihrer Rechten. Sie öffnete die Lippen und ließ einen dünnen Schwaden Rauch entweichen. Während der ganzen Aufnahme sprach sie kein einziges Wort. Ihr Blick ruhte auf ihrem Vater. Liebe lag darin und eine merkwürdige Traurigkeit, sodass Jericho sich nicht gewundert hätte, Tränen aus ihren Augen fließen zu sehen. Doch nichts dergleichen geschah. Yoyo senkte nur von Zeit zu Zeit die Lider, als wolle sie, was sie sah, mit ihren schweren Wimpern wegwischen, nippte an ihrem Drink, zog an der Zigarette und blies Rauch aus.

»Ich werde diese Aufnahmen brauchen«, sagte Jericho.

Chen stemmte sich aus seinem Sessel, den Blick weiterhin auf die nun leere Wand gerichtet, als sei dort immer noch seine Tochter zu sehen. Seine Züge schienen starrer denn je. Und doch wusste Jericho, ohne Kenntnis der Umstände, dass es Zeiten gegeben hatte, in denen dieses Gesicht von Qual verzerrt gewesen war. In London hatte er ähnliche Gesichter gesehen. Opfer. Angehörige von Opfern. Täter, die Opfer ihrer selbst wurden. Was immer Chen hatte versteinern lassen, er hoffte inständig, weit weg zu sein, sollte sich diese Starre jemals lösen. Was dann zum Vorschein käme, wollte er um nichts in der Welt sehen.

»Sie können noch mehr haben«, sagte Chen tonlos. »Yoyo lässt sich gerne fotografieren. Aber viel besser sind die Filme. Nicht diese hier. Yoyo hat für Tian Aufnahmen als virtuelle Fremdenführerin gemacht.

In hoher Auflösung, wie sie mir sagte. Tatsächlich, wenn Sie mit so einem Programm durch das Museum der Stadtplanung gehen oder durch das Auge des World Financial Centers, scheint sie leibhaftig anwesend zu sein. Ich habe einiges davon zu Hause, aber Tian kann Ihnen sicher besseres Material an die Hand geben.« Er stockte. »Vorausgesetzt natürlich – Sie erklären sich bereit, Yoyo für mich ausfindig zu machen.«

Jericho griff nach seinem Becher, betrachtete die verbliebene Pfütze erkalteten Kaffees und stellte ihn wieder zurück. Helles Sonnenlicht erfüllte das Zimmer. Er betrachtete Chen und wusste, sein Besucher würde kein zweites Mal fragen.

»Ich werde mehr brauchen als die Filme«, sagte er.

JIN MAO TOWER

Zur gleichen Zeit näherte sich eine japanische Kellnerin dem Tisch von Kenny Xin, ein Tablett mit Sushi und Sashimi vor sich her tragend. Xin, der sie aus den Augenwinkeln herannahen sah, unterließ es, sich ihr zuzuwenden. Sein Blick ruhte auf dem blaugrauen Band des Huangpu 300 Meter unter ihm. Der Fluss war um diese Zeit dicht befahren. Dschunkenartige Lastkähne, zu Ketten aneinandergekoppelt, folgten seinem Verlauf wie träge Wasserschlangen, schwere Frachter hielten auf die Docks östlich der Biegung zu. Zwischen ihnen drängten sich Fähren, Wassertaxis und Ausflugsboote auf ihrer Tour zur Yangpu-Brücke und den Kränen der Entladestellen, vorbei am idyllischen Gongqing-Park bis hin zur Mündung, wo sich die öligen Fluten des Huangpu in trübem Farbspiel mit dem Schlammwasser des Yangzi mischten und ins ostchinesische Meer verteilten.

Dem scharfen, fast spitzwinkligen Rechtsverlauf des Flusses verdankte es sich, dass Shanghais Finanz- und Wirtschaftsdistrikt Pudong wie auf einer Halbinsel dalag und Panoramablicke auf die Uferstraße Zhongshan Lu mit ihren kolonialen Banken, Clubs und Hotels gestattete: Relikte aus der Zeit nach den Opiumkriegen, als die europäischen Handelsriesen das Land unter sich aufgeteilt und begonnen hatten, ihrer Macht am Westufer des Flusses Denkmäler zu errichten. Vor über einhundert Jahren mussten diese Bauten alles Umliegende an Pracht und Größe überragt haben. Jetzt wirkten sie wie Spielzeug gegen die stalagmitische Auftürmung aus Glas, Stahl und Beton, die sich dahinter erstreckte, durchzogen von Highways, Magnetbahnen und Skytrains, umschwirrt von Flugmobilen, insektoiden Minikoptern und

Cargo-Blimps. Obwohl das Wetter ungewohnt klar war, ließ sich kein Horizont ausmachen. Shanghai löste sich im Dunst auf, diffundierte an seinen Rändern und wurde eins mit dem Himmel. Nichts ließ darauf schließen, dass es jenseits der Bebauung etwas anderes gab als noch mehr Bebauung.

Xin schaute auf all das, ohne die Frau, die das Sushi vor ihn hin stellte, der Notiznahme zu würdigen. Seine Konzentration war unteilbar, und soeben konzentrierte er sich auf die Frage, wo in dem 20-Millionen-Moloch das Mädchen stecken mochte, das er suchte. Zu Hause war sie jedenfalls nicht, dort hatte er nachgefragt. Falls dieser Student mit dem bescheuerten Namen Grand Cherokee Wang nicht gelogen hatte, bestand immerhin die Möglichkeit, ihren Aufenthaltsort einzugrenzen. An diesen Strohhalm würde er sich klammern müssen, auch wenn ihm der Bursche windig erschienen war: einer von zwei Wohngenossen Yoyos, ganz klar scharf auf das Mädchen und noch schärfer auf Geld, für das er so tat, als habe er Informationen im Angebot. Dabei hatte er eindeutig nichts gewusst.

»Yoyo wohnt noch nicht so lange hier«, hatte er gesagt. »Sie ist'n Partyhuhn.«

»Und wir sind die Hühnerköpfe«, hatte der andere gelacht, dass man sein Zäpfchen schwingen sah, um gleich einzuräumen, das sei ein zugegebenermaßen schlechter Scherz gewesen. Huhn war die chinesische Bezeichnung für Nutte, Hühnerköpfe nannte man Zuhälter. Offenbar war dem Kerl plötzlich die Vorstellung in die Glieder gefahren, was Yoyo mit ihm anstellen würde, sollte Xin sie von der kleinen Geschmacklosigkeit in Kenntnis setzen.

Ob sie Yoyo etwas ausrichten könnten?

Xin fragt zurück, wann sie Yoyo das letzte Mal gesehen haben.

Am Abend des 23. Mai. Sie hätten zusammen gekocht und einige Flaschen Bier zusammen geleert. Danach sei Yoyo auf ihr Zimmer gegangen, habe das Haus aber noch in derselben Nacht wieder verlassen.

Wann?

Spät, glaubt sich Grand Cherokee zu erinnern. So gegen zwei, drei Uhr morgens. Der andere, Zhang Li mit Namen, zuckt die Achseln. Seitdem jedenfalls hat sie keiner mehr gesehen.

Xin überlegt.

»Möglicherweise«, sagt er, »steckt eure Mitbewohnerin in Schwierigkeiten. Ich kann im Augenblick nicht näher darauf eingehen, aber ihre Familie macht sich große Sorgen.«

»Sind Sie ein Polizist?«, will Zhang wissen.

»Nein. Ich bin jemand, der geschickt wurde, um Yoyo zu helfen.«
Er schickt einen vieldeutigen Blick vom einen zum anderen. »Und außerdem autorisiert, mich für Hilfe in angemessener Weise erkenntlich
zu zeigen. Bitte sagt Yoyo, sie kann mich unter dieser Nummer jederzeit erreichen.« Xin gibt Grand Cherokee eine Karte, darauf nichts als
eine Mobilnummer. »Und falls euch noch etwas einfällt, wo ich sie finden könnte –«

»Keine Ahnung«, sagt Zhang sichtlich desinteressiert und verschwindet im Nebenzimmer.

Grand Cherokee sieht ihm nach und tritt von einem Bein aufs andere. Xin verharrt in der geöffneten Wohnungstüre, um Grand Cherokee Gelegenheit zu geben, in die Offensive zu gehen. Wie erwartet
kommt der Junge im Flüsterton zur Sache, sobald sein Kumpel außer
Sichtweite ist.

»Ich könnte was für Sie rauskriegen«, sagt er. »Kostet natürlich was.«

»Natürlich«, echot Xin mit mildem Lächeln.

»Nur um die Unkosten zu decken, Sie wissen schon. Äh – also, es
gibt da so Hinweise, wo sie sich aufhält, und ich könnte –«

Xin lässt seine Rechte ins Jackett gleiten und zieht sie zusammen mit
ein paar Geldscheinen wieder hervor.

»Wäre es eventuell möglich, einen Blick in ihr Zimmer zu werfen?«

»Das kann ich nicht machen«, sagt Grand Cherokee erschrocken.
»Das würde sie niemals –«

»Es wäre zu ihrer eigenen Sicherheit.« Xin senkt die Stimme. »Unter
uns, die Polizei könnte hier auftauchen. Ich will nicht, dass die irgendwas finden, das Yoyo belastet.«

»Ja, schon. Bloß –«

»Verstehe.« Xin macht Anstalten, die Scheine wieder einzustecken.

»Nein, warten Sie – ich –«

»Ja?«

Grand Cherokee starrt auf das Geld und versucht, Xin ohne Worte
etwas mitzuteilen. Sein Anliegen ist offensichtlich. Die Sprache der
Gier bedarf keiner Vokabeln. Xin greift erneut in die Jacke und erhöht
den Betrag. Der Junge nagt an seiner Unterlippe, dann nimmt er die
Scheine und deutet mit dem Kopf ins Innere der Wohnung.

»Letzte Tür rechts. Soll ich –«

»Danke. Ich finde mich zurecht. Und wie gesagt – sollten Sie Hinweise erhalten haben –«

»Hab ich!« Grand Cherokees Augen beginnen zu glänzen. »Muss

nur ein paar Telefonate führen. 'n paar Leute erreichen. Hey, ich bring Sie zu Yoyo, sobald da was geht! – Allerdings –«

»Ja?«

»Kann sein, dass ich hier und da 'n bisschen schmieren muss.«

»Reden wir über Vorkasse?«

»So was in der Art.«

Xin sieht die Lüge in Grand Cherokees Augen. Du weißt überhaupt nichts, denkt er, aber wenigstens besteht die Möglichkeit, dass du in deiner Gier etwas rausfindest. So oder so wirst du dich melden. Du bist einfach zu scharf darauf abzukassieren. Er drückt seinem Gegenüber zwei weitere Scheine in die Hand und geht.

Das war gestern gewesen.

Bislang hatte sich der Junge nicht gemeldet, aber Xin machte sich deswegen keine Sorgen. Irgendwann im Laufe des Nachmittags rechnete er mit dem Anruf. Er wandte sich seinem Sushi zu, ausschließlich Thunfisch, Lachs und Makrele, alles von beeindruckender Qualität. Die Küche des japanischen Restaurants im 56. Stockwerk des Jin Mao Towers ließ wenig zu wünschen übrig, sah man von Nachlässigkeiten in der Anordnung der Speisen ab. Das Restaurant gehörte zum Jin Mao Grand Hyatt, das die oberen 53 Stockwerke des einstmals höchsten Gebäudes Chinas belegte. Inzwischen war der Jin Mao Tower alleine in Shanghai dutzendfach überflügelt worden, zuerst 2008 vom benachbarten World Financial Center, auch darin ein Hyatt, doch immer noch haftete dem überalterten Ambiente das Flair des Exorbitanten an. Es spiegelte die Zeit, als China begonnen hatte, zwischen Kommunismus, Konfuzius und Kapital nach einem neuen Selbstverständnis zu suchen, und es in Reminiszenzen an die kaiserliche Vergangenheit ebenso fand wie in der Art-déco-Ästhetik des Kolonialismus. Xin gefiel das, auch wenn er sich eingestehen musste, dass man gegenüber stilvoller logierte. Was ihn hertrieb, war die Vorstellung, sein Dasein einem Konzept unterwerfen zu können, nicht geprägt von Emotionen, sondern dem kalten Einverständnis mit den Prinzipien der Ordnung, letztlich dem geheimen Formelwerk der Perfektion. 1988 war Kenny Xin geboren worden, und der Jin Mao Tower ergab sich die Acht wie der Mensch seinem Genom. Mit 88 Jahren hatte Deng Xiaoping das Design des Gebäudes freigegeben, am 28. August 1998 war die Einweihung erfolgt. 88 Stockwerke schichteten sich übereinander und bildeten eine Konstruktion, deren jedes Segment um ein Achtel schmaler war als die Basis mit ihren 16 Geschossen. 80 Meter maßen die Stahlträger, auf denen der Tower ruhte, in allem ließ sich die Acht erkennen. Bis 2015 hatte das Gebäude über 79 Aufzüge verfügt, ein Makel, dem ein zusätzlicher Personallift schließlich Abhilfe geschaffen hatte.

Natürlich blieben kleine Unschönheiten in der ansonsten mustergültigen Konzeption zu beklagen. Etwa, dass der Tower bei Sturm oder Erdbeben nur maximal 75 cm hin und her schwang. Xin fragte sich, wie die Konstrukteure einen solchen Fehler in der mathematischen Schönheit hatten übersehen können. Er war kein Architekt. Vielleicht ging es nicht anders, aber was waren fünf Zentimeter vor dem Primat der Perfektion? Gegen die kosmische Ordnung nahm sich selbst der Jin Mao Tower wie ein unaufgeräumtes Kinderzimmer aus.

Mit einem manikürten Finger schob Xin das Sushi-Tablett ein wenig von sich weg und nach links, dann platzierte er die Flasche Tsingtao Bier und das dazugehörende Glas in gleichem Abstand dahinter. So gefiel es ihm schon besser. Er war weit davon entfernt, obszönen Ordnungsprinzipien zu huldigen wie Menschen, die alles in rechte Winkel legten. Mitunter erblickte er die reinste Ordnung in der Augenscheinlichkeit des Chaos. Was konnte perfekter sein als völlige Homogenität ohne Verklumpungen darin, so wie ein absolut leerer Geist dem kosmischen Ideal und jeder Gedanke einer Verschmutzung gleichkam, es sei denn, man rief ihn bewusst herbei und schickte ihn nach Belieben wieder fort. Den Geist zu kontrollieren hieß, die Welt zu kontrollieren. Xin lächelte, während er weitere Korrekturen vornahm, die kleine Schale für die Sojasauce verrückte, die Vase mit der einzelnen Orchidee um wenige Grad drehte, die Stäbchen auseinanderbrach und parallel vor sich hin legte. War nicht auch Shanghai auf seine Weise ein wunderbares Chaos? Vielmehr eine Ordnung der Willkür, die sich nur dem geschulten Betrachter erschloss, ein geheimer Plan?

Xin schob einige Reisklümpchen auf dem Holzbrett weiter auseinander, bis ihm auch dieser Anblick zusagte.

Er begann zu essen.

XINTIANDI

Rückblickend erschien Jericho sein Leben in China als wirre Abfolge von Wagnissen und Fluchten, eingekesselt zwischen Schallschutzmauern und Baustellen, in deren Schatten er mit der Emsigkeit grabender Tiere bemüht gewesen war, sich finanziell zu verbessern. Am Ende hatte die Plackerei Wirkung gezeigt. Sein Banker begann nach Kumpel zu klingen. Dossiers über Beteiligungen an Hochseeschiffen, Wasseraufbereitungsanlagen, Einkaufszentren und Wolkenkratzern wurden ihm unterbreitet. Alle Welt schien bemüht, ihn mit den Möglichkeiten des Geldausgebens vertraut zu machen. An die Brust der besseren Gesellschaft gedrückt, respektiert und überarbeitet, hing Jericho schließlich wie Blei im Erreichten, zu erschöpft, um der Chronologie seines Nomadentums das letzte Kapitel hinzuzufügen und in eine Gegend zu ziehen, in der es sich lohnte, alt zu werden. Der Schritt war überfällig, der Gedanke indes, schon wieder die Koffer zu packen, narkotisierend, sodass er es vorzog, abends matt auf dem Sofa zu liegen, während Flutlicht und Baulärm durch die Vorhänge leckten, Spielfilme zu schauen und das Mantra des Ich-muss-hier-raus vor sich hin zu murmeln, um darüber einzuschlafen.

Es war die Zeit, da Jericho ernsthaft am Sinn seines Daseins zu zweifeln begann.

Dabei hatte er nicht gezweifelt, als Joanna ihn nach Shanghai gelockt hatte, um ihn drei Monate später sitzen zu lassen. Er hatte nicht gezweifelt, als ihm bewusst wurde, dass er weder Geld für den Rückflug besaß noch welches, um die abgebrochenen Zelte in London wieder aufzubauen. Er hatte nicht gezweifelt in seiner ersten Shanghaier Bleibe, als er auf feuchten Teppichböden gehaust und allmorgendlich versucht hatte, der Dusche ein paar Liter bräunliches Wasser abzutrotzen, während die Fenster unter dem nie abreißenden Verkehr der doppelstöckigen, am Haus entlangführenden Schnellstraße leise klirrten.

Er hatte sich einfach gesagt, es könne nur besser werden.

Und das wurde es auch.

Anfangs bot Jericho seine Dienste ausländischen Unternehmen an, die nach Shanghai gekommen waren, um hier Geschäfte zu machen. Viele fanden im fragilen Rahmen der chinesischen Gesetzgebung zum Schutz des Urheberrechts keinen Halt. Sie fühlten sich ausspioniert und bestohlen. Mit der Zeit allerdings war die Selbstbedienungsmentalität des Drachen großer Zerknirschung gewichen. Hatte China noch zu Beginn des Jahrtausends fröhlich alles plagiiert, was Hacker aus den Tiefen des globalen Ideenpools zutage förderten, verzweifelten zunehmend auch chinesische Unternehmer über der Unfähigkeit ihres Staates, Ideen zu schützen. »Es erschien uns nachahmenswert«, eine höfliche Variante von: »Natürlich haben wir's geklaut, aber wir bewundern dich dafür, es erfunden zu haben«, bekamen auch sie zu hören. Jahrelang waren die Vorwürfe der Langnasen, chinesische Firmen und Institutionen hätten ihr geistiges Eigentum gestohlen, empört zurückgewiesen oder gar nicht erst kommentiert worden, doch Jericho stellte fest, dass vor allem chinesische Firmen Bedarf an Web-Detektiven hatten. Einheimische Unternehmer reagierten begeistert auf die Tatsache, dass er während seiner Zeit bei Scotland Yard, als er geholfen hatte, die Abteilung für Cyber-Crime aufzubauen, gegen *sie* zu Felde gezogen war. Sie fanden, es könne nur von Vorteil sein, ihre Patente von jemandem schützen lassen, der es in der Vergangenheit so trefflich verstanden hatte, ihnen auf die Finger zu hauen.

Denn das Problem – ein waberndes, wucherndes, unendlich gefräßiges, faktisch unkontrollierbares Monster von Problem! – bestand darin, dass Chinas kreative Elite sich kannibalisierte, solange ein landesweit wie international akzeptiertes und durchsetzbares System zum Schutz geistiger Eigentumsrechte auf sich warten ließ. Dass der Kapitalismus, von China praktisch neu erfunden, auf Eigentumsrechten *fußte,* dass eine Wirtschaft, deren wichtigstes Kapital Know-how war, ohne den Schutz von Marken, Patenten und Urheberrechten nicht existieren konnte, war immer schon offensichtlich gewesen, hatte aber niemanden wirklich interessiert – bis zum Tag, an dem er Opfer der Umstände wurde. Den größten wirtschaftlichen Schaden durch spionierende Chinesen erlitt China inzwischen selbst. Jeder grub den Vorgarten des anderen um, bevorzugt mit elektronischen Spaten. Die Jagd vollzog sich im Global Net, und Owen Jericho gehörte zu den Jägern, die von anderen Jägern beauftragt wurden, sobald diese den Eindruck gewannen, selber gejagt zu werden.

Nachdem Jericho Teil jener Vernetzung geworden war, ohne die in China keine Gefälligkeit erwiesen und kein Handel abgeschlossen wurde, vollzog sich sein Aufstieg mit der Dynamik eines Raketenstarts. In fünf Jahren war er fünfmal umgezogen, zweimal aus freien Stücken, die anderen Male, weil das Haus, in dem er gerade wohnte, aus Gründen, die er sich nie merken konnte, abgerissen werden sollte. Er zog in bessere Viertel, breitere Straßen, schönere Häuser, rückte der Verwirklichung seines Traumes näher, eines der wieder aufgebauten Shikumen-Häuser mit ihren Steintoren und friedvollen Innenhöfen in Shanghais pulsierendem Herzen zu beziehen, und wann immer er Kompromisse eingehen musste, zweifelte er nicht daran, dass es irgendwann doch geschehen würde.

Eines Tages fragte ihn sein Banker, warum er es nicht endlich tue. Jericho erwiderte, es sei noch nicht so weit, irgendwann halt. Der Banker machte ihn mit seinem Kontostand vertraut und meinte, irgendwann sei heute. Jericho begriff, dass er vor lauter Arbeit gar nicht mitbekommen hatte, welche Möglichkeiten ihm inzwischen offenstanden, verließ die Bank und wankte wie betäubt nach Hause.

Er hatte nicht gemerkt, dass es so weit war.

Mit der Erkenntnis kamen die Zweifel. Sie behaupteten, immer schon da gewesen zu sein, nur habe er sich geweigert, sie anzusehen. Sie flüsterten: Was zum Teufel machst du eigentlich hier? Wie bist du überhaupt hierhergekommen?

Wie konnte dir das passieren?

Sie suggerierten, es sei alles umsonst gewesen, und dass die schlimmste Lage, in die ein Mensch geraten könne, darin bestehe, sein Ziel erreicht zu haben. Hoffnung blühte im Schutz der Provisorien, oft ein Leben lang. Jetzt plötzlich wurde es verbindlich. Er sollte ein Shanghaier werden, aber hatte er das je gewollt? In einer Stadt leben, in die er niemals gezogen wäre ohne Joanna?

Solange du auf dem Weg warst, sagten die Zweifel, musstest du dir über das Ziel keine Gedanken machen. Willkommen in der Verbindlichkeit.

Am Ende – er lebte in einem durchaus repräsentativen Hochhaus im Hinterland des Wirtschaftsviertels Pudong, dessen einziger Makel in der Errichtung weiterer Hochhäuser ringsum bestand, verbunden mit Lärm und einem feinen braunen Staub, der sich in Fensterritzen und Atemwege setzte – bedurfte es eines neuerlichen Rauswurfs durch die Stadtverwaltung, um ihn aus seiner Lethargie zu reißen. Zwei lächelnde Herren statteten ihm einen Besuch ab, ließen sich von ihm Tee servieren und erklärten, das Haus, in dem er wohne, müsse einem ganz und gar großartigen Neubau weichen. Auf Wunsch werde man ihm gerne einen Platz darin frei halten. Für die Dauer des kommenden Jahres allerdings sei ein weiterer Umzug unvermeidlich. Die Stadtverwaltung schätze sich darum überglücklich, Herrn Owen Jericho eine Wohnung nahe Luchao Harbour City bereitstellen zu können, nur knapp sechzig Kilometer außerhalb Shanghais – was bei einer Metropole, die im Zuge ihrer Ausbreitung andere Städte liebevoll umarme, ja nicht *wirklich* außerhalb sei. Ach ja, und in vier Wochen wolle man anfangen, wenn er also bis dahin – er wisse schon. Es sei ja nicht das erste Mal, und es täte ihnen sehr leid, eigentlich aber auch nicht.

Jericho hatte die Delegierten angestarrt, während ihn die wunderbare Gewissheit durchströmte, soeben aus einem Koma erwacht zu sein. Die Welt begann wieder zu riechen, zu schmecken, sich anzufühlen. Dankbar hatte er den verdutzten Männern die Hand geschüttelt und versichert, sie hätten ihm einen großen Dienst erwiesen, abgesehen davon könnten sie nach Luchao Harbour City schicken, wen immer sie wollten. Dann hatte er Tu Tian angerufen und unter Einhaltung aller Höflichkeiten gefragt, ob er wohl jemanden kenne, der jemanden kenne, der wisse, ob in einer belebten Ecke Shanghais ein renoviertes oder neu erbautes Shikumen-Haus frei stehe, das kurzfristig zu beziehen sei. Herr Tu, der sich rühmte, Jerichos zufriedenster Klient und außerdem ein guter Freund zu sein, war für derlei Anfragen die erste Adresse. Er leitete einen mittelgroßen Technologiekonzern, stand auf gutem Fuße mit den Stadtgewaltigen und erklärte sich mit Freuden bereit, »mal nachzuhören«.

Vierzehn Tage später unterschrieb Jericho den Mietvertrag für eine Etage in einem der schönsten Shikumen-Häuser, gelegen in einem der beliebtesten Viertel Shanghais, in Xintiandi, mit der Möglichkeit des sofortigen Bezugs. Natürlich handelte es sich um einen Neubau. Echte Shikumen-Häuser gab es schon lange nicht mehr. Die letzten hatte man kurz nach der Weltausstellung 2010 abgerissen, dennoch konnte Xintiandi als Hochburg der Shikumen-Architektur bezeichnet werden, in ähnlicher Weise, wie auch die Altstadt von Shanghai alles war, nur nicht alt.

Jericho fragte nicht, wer dafür hatte ausziehen müssen. Er hoffte, dass die Wohnung tatsächlich leer gestanden hatte, setzte seine Unterschrift auf das Dokument und hielt sich nicht weiter mit der Überlegung auf, welchen Gefallen Tu Tian im Gegenzug dafür einfordern würde. Er wusste, dass er Tu etwas schuldete. Also bereitete er seinen Umzug vor und wartete ergeben auf das, was kommen würde.

Und es kam, früher als erwartet. Es hatte die Gestalt Chen Hongbings und einen unliebsamen Auftrag zum Inhalt, um dessen Erledigung er kaum herumkam, wollte er Tu nicht beleidigen.

Kurz nachdem Chen gegangen war, installierte Jericho sein Computer-Terminal. Er wusch sein Gesicht, brachte seine zerzausten Haare notdürftig in Ordnung und streifte ein frisches T-Shirt über. Dann machte er es sich vor dem Bildschirm bequem und ließ das System eine Nummer wählen. Auf dem Schirm erschien ein doppeltes, ineinander verschmolzenes T, Signum von TU TECHNOLOGIES. Im nächsten Moment lächelte ihn eine attraktive Mittvierzigerin an. Sie saß in einem geschmackvoll ausgestatteten Raum mit Lounge-Möbeln und durchgehenden Fensterflächen, durch die man einen Blick auf Pudongs Skyline erhaschte, und trank etwas aus einer winzigen Porzellantasse. Jericho wusste, dass es Erdbeertee war. Naomi Liu starb für Erdbeertee.

»Guten Tag, Naomi.«

»Guten Tag, Owen. Wie läuft der Umzug?«

»Danke. Prächtig.«

»Das freut mich. Herr Tu erzählte, Sie bekommen eines der neuartigen großen Terminals von uns geliefert.«

»Heute Abend, hoffe ich.«

»Wie aufregend.« Sie stellte die Tasse auf einer transparenten Fläche ab, die in der Luft zu schweben schien, und schaute ihn unter gesenkten Lidern an. »Dann sehe ich Sie demnächst von Kopf bis Fuß.«

»Kein Vergleich mit der Aufregung, *Sie* zu sehen.« Jericho beugte sich vor und senkte seine Stimme. »Jeder wird schwören, Sie säßen leibhaftig bei mir zu Hause.«

»Und das reicht Ihnen?«

»Natürlich nicht.«

»Ich fürchte, doch. Es wird Ihnen reichen, und Sie werden keine Veranlassung mehr sehen, mich persönlich zu sich einzuladen. Ich denke, ich werde meinen Boss davon überzeugen müssen, Ihnen das Ding doch nicht zu liefern.«

»Kein holografisches Programm kommt Ihnen gleich, Naomi.«

»Erzählen Sie *ihm* das.« Sie wies mit einer Kopfbewegung in die Richtung, in der Tus Büro lag. »Sonst kommt er noch auf die Idee, mich durch eines zu ersetzen.«

»Ich würde augenblicklich alle Geschäftsbeziehungen abbrechen. – Bei der Gelegenheit –«

»Ja, er ist da. Machen Sie's gut. Ich stelle Sie durch.«

Jericho mochte das Ritual ihres kleinen Flirts. Naomi Liu war das Nadelöhr, durch das Beziehungen zu Tu Tian gefädelt wurden. Ihr Wohlwollen konnte sehr von Nutzen sein. Außerdem hätte Jericho keinen Moment lang gezögert, sie in seine Wohnung zu bitten, nur dass sie der Einladung kaum Folge leisten würde. Sie war glücklich verheiratet und Mutter zweier Kinder.

Kurz drehte sich wieder das schimmernde Doppel-T, dann erschien Tus klotziger Schädel auf dem Schirm. Was ihm an Haar geblieben war, konzentrierte sich auf einen Bereich oberhalb der Ohren, wo es grau und borstig abstand. Eine schmale Brille balancierte auf seiner Nase. Der linke Bügel erweckte den Anschein, als werde er von transparentem Klebeband zusammengehalten. Er hatte die Ärmel hochgerollt und schaufelte klebrig aussehende Nudeln in sich hinein, die er mit klappernden Stäbchen aus einer Pappschachtel fischte. Der große Arbeitstisch hinter ihm war vollgestellt mit Bildschirmen und Holo-

Projektoren. Dazwischen stapelten sich Festplatten, Fernbedienungen, Broschüren, Pappbecher und Reste irgendwelcher Verpackungen.

»Nein, du störst nicht«, nuschelte Tu mit vollem Mund, als hätte Jericho diesbezüglich Sorge an den Tag gelegt.

»Das sehe ich. Warst du mal in deiner Kantine? Sie kochen da frisches Essen.«

»Na und?«

»Richtiges Essen.«

»Das ist richtiges Essen. Ich hab kochendes Wasser draufgeschüttet, und es wurde Essen draus.«

»Weißt du wenigstens, was es sein soll? Steht was auf der Packung?«

»Irgendwas halt.« Tu kaute gleichmäßig weiter. Seine wulstigen Lippen bewegten sich wie kopulierende Gummischläuche. »Menschen mit deiner anarchistischen Zeitplanung werden das vielleicht nicht verstehen, aber es gibt Gründe, im Büro zu essen.«

Jericho gab es auf. Seit er Tu kannte, hatte er ihn so gut wie nie eine gesunde, wohlschmeckende Mahlzeit verzehren sehen. Es schien, als habe der Manager es sich zur Aufgabe gemacht, den Ruf der chinesischen Küche als die beste, vielseitigste und frischeste der Welt im Alleingang zu ruinieren. Er mochte ein genialer Erfinder und begnadeter Golfer sein – kulinarisch hätte sich Kublai Khan neben ihm ausgenommen wie der Vater aller Gourmets.

»Was habt ihr hier eigentlich gefeiert?«, fragte er mit Blick auf das Chaos in Tus Büro.

»Wir haben was ausprobiert.« Tu griff nach einer Wasserflasche, spülte die Nudeln in seinem Mund ordentlich durch und rülpste vernehmlich. »Holo-Cops. Auftrag der Behörde für Verkehrserziehung. Im Dunkeln funktionieren sie ganz ausgezeichnet, bloß Sonnenlicht bereitet ihnen noch Probleme. Es zersetzt sie.« Er lachte glucksend. »Wie Vampire.«

»Was will die Stadt mit holografischen Polizisten?«

Tu sah ihn erstaunt an.

»Den Verkehr regeln, was denn sonst? Letzte Woche ist wieder einer von den Echten überfahren worden, hast du nicht gelesen? Er stand mitten auf der Kreuzung Siping Lu, Dalian Xilu, als ein Möbeltransporter in ihn reinbretterte und ihn gleichmäßig über das Pflaster verteilte. Riesensauerei, schreiende Kinder, böse Briefe! Niemand regelt noch freiwillig den Verkehr.«

»Seit wann kümmert man sich bei der Polizei darum, was einer freiwillig will?«

»Gar nicht, Owen, das ist eine Frage der Ökonomie. Sie verlieren zu viele Beamte. Verkehrspolizist rangiert in der Liste der gefährlichsten Berufe mittlerweile ganz oben, die meisten würden es vorziehen, mit der Verfolgung und Ergreifung geistesgestörter Massenmörder betraut zu werden. Na ja, und man ist ja auch Mensch, ich meine, keiner will wirklich tote Polizisten. Und Holo-Cops haben kein Problem damit, wenn du sie über den Haufen fährst, sie machen dabei sogar noch Meldung. Die Projektion schickt ein Signal in den Computer, samt Automarke und Kennzeichen.«

»Interessant«, sagte Jericho. »Und wie steht's mit holografischen Fremdenführerinnen?«

»Ah!« Tu wischte die Mundwinkel an einer Serviette sauber, die augenscheinlich schon bei anderen Mahlzeiten hatte assistieren müssen. »Du hattest Besuch.«

»Ja, ich hatte Besuch.«

»Und?«

»Dein Freund ist zum Fürchten traurig. Was ist ihm passiert?«

»Sagte ich doch. Er hat Bitternis gegessen.«

»Und alles andere geht mich nichts an, schon klar. Also reden wir über seine Tochter.«

»Yoyo!« Tu strich sich den Bauch. »Mal ehrlich, ist sie nicht sensationell?«

»Das ist sie ohne Zweifel.«

Jericho war gespannt, ob Tu auf einer öffentlichen Leitung über das Mädchen sprechen würde. Zwar wurden alle Telefongespräche von den Behörden mitgeschnitten, doch praktisch kam der Überwachungsapparat mit der Auswertung kaum nach, auch wenn ausgeklügelte Programme die Mitschnitte vorselektierten. Schon Ende des vorangegangenen Jahrhunderts hatten amerikanische Geheimdienste im Rahmen ihres weltumspannenden Echelon-Programms eine Software eingesetzt, die Schlüsselwörter erkannte – mit dem Resultat, dass man bereits verhaftet werden konnte, wenn bei der Planung von Omas Geburtstag dreimal hintereinander das Wort Eisbombe fiel. Moderne Programme hingegen waren innerhalb gewisser Grenzen durchaus in der Lage, den Sinn einer Unterhaltung zu verstehen und Prioritätenlisten zu erstellen. Allerdings erwiesen sie sich immer noch als unfähig, Ironie zu erkennen. Humor und Doppelsinn blieben ihnen fremd, was die Spitzel zwang, wie in alten Zeiten selber zuzuhören, sobald Worte wie Dissident oder Tian'anmen-Massaker fielen. Erwartungsgemäß sagte Tu lediglich:

»Und jetzt willst du ein Date mit der Kleinen, was?«

Jericho grinste freudlos. Er hatte es geahnt. Es würde Schwierigkeiten geben.

»Wenn es sich einrichten lässt.«

»Na ja, das Mädchen hat so seine Ansprüche«, meinte Tu listig. »Vielleicht sollte ich dir ein paar nützliche Ratschläge zuteilwerden lassen, kleiner Owen. Bist du während der nächsten Stunden in meiner Gegend?«

»Ich habe am Bund zu tun. Um die Mittagszeit dürfte ich frei sein.«

»Ausgezeichnet! Nimm die Fähre. Das Wetter ist schön, treffen wir uns in Lujiazui Green.«

PUDONG

Lujiazui Green war ein hübscher, von Hochhäusern umstandener Park unweit des Jin Mao Towers und des WFC. Tu saß auf einer Bank am Ufer des kleinen Sees und sonnte sich. Wie üblich trug er die Sonnenbrille über seiner normalen Brille. Das zerknitterte Hemd hatte sich weitgehend aus dem Hosenbund herausgearbeitet und spannte zwischen den Knöpfen, wodurch hier und da weißlicher Bauch hervorlugte. Jericho setzte sich neben ihn und streckte die Beine aus.

»Yoyo ist eine Dissidentin«, sagte er.

Tu wandte ihm träge den Kopf zu. Hinter dem windschiefen Konstrukt aus Brille und Sonnenbrille waren seine Augen nicht zu sehen.

»Ich dachte eigentlich, das wäre dir schon auf dem Golfplatz klar geworden.«

»Davon rede ich nicht. Ich will damit sagen, dass der Fall anders liegt als üblich. Ich soll eine Dissidentin suchen, um sie zu schützen.«

»Eine ehemalige Dissidentin.«

»Ihr Vater sieht das anders. Warum hätte Yoyo untertauchen sollen, wenn nicht aus Angst? Es sei denn, man hat sie verhaftet. Du hast selbst gesagt, sie neigt dazu, die falschen Leute anzupissen. Vielleicht ist jemand in ihren Strahl geraten, der eine Nummer zu groß für sie war.«

»Und was gedenkst du zu unternehmen?«

»Du weißt genau, was ich tun werde«, schnaubte Jericho. »Natürlich werde ich Yoyo suchen.«

Tu nickte. »Das ist nobel von dir.«

»Nein, es ist selbstverständlich. Der Haken an der Sache ist nur, dass ich diesmal an den Behörden vorbeiarbeiten muss. Ich brauche also jede erdenkliche Information über Yoyo und ihr Umfeld, und dabei bin ich auf deine Hilfe angewiesen. Mein Eindruck von Chen Hongbing war, dass er äußerst ehrenwert und äußerst verschlossen ist. Vielleicht auch ein bisschen blind auf einem Auge, jedenfalls musste ich ihm die Würmer einzeln aus der Nase ziehen.«

»Was hat er dir erzählt?«

»Er hat mir Yoyos neue Adresse gegeben. Ein paar Filme und Fotos. Einen Haufen Andeutungen gemacht.«

Tu nestelte die Sonnenbrille von seiner Nase und versuchte, die andere Brille in eine halbwegs waagerechte Position zu bringen. Jericho stellte fest, dass ihn sein Eindruck nicht getrogen hatte: Der rechte Bügel war tatsächlich mit Klebeband umwickelt. Einmal mehr fragte er sich, warum Tu seine Augen nicht operieren ließ oder auf selbsttönende Kontaktlinsen umstieg. Kaum jemand trug noch Brillen, um besser sehen zu können. Sie fristeten ein Dasein als Modeartikel, und von modischen Dingen war Tu Tian in etwa so weit entfernt wie ein Neandertaler vom Atomzeitalter.

Eine Weile herrschte Schweigen. Jericho blinzelte in die Sonne und sah einem Flugzeug nach.

»Also«, sagte Tu. »Stell deine Fragen.«

»Es gibt nichts zu fragen. Erzähl mir was über Yoyo, was ich noch nicht weiß.«

»Sie heißt eigentlich Yuyun –«

»So viel hat mir Chen auch schon verraten.«

»– und gehört einer Gruppe an, die sich *Die Wächter* nennt. Das hat er dir nicht verraten, stimmt's?«

»*Die Wächter.*« Jericho pfiff leise durch die Zähne.

»Du hast davon gehört?«

»Und ob. Internet-Guerilleros. Einsatz für Menschenrechte, Aufwärmen alter Geschichten wie Tian'anmen, Attacken auf Netze der Regierung und der Industrie. Sie machen der Partei mächtig Dampf.«

»Und die ist entsprechend nervös. *Die Wächter* sind ein anderes Kaliber als unsere süße Titanmaus.«

Liu Di, die Frau, die sich Titanmaus nannte, gehörte zu den Pionieren der Internet-Dissidenten. Anfang des Jahrtausends hatte sie begonnen, im Netz kantige kleine Kommentare über die politische Elite zu veröffentlichen, noch unter dem Decknamen Edelstahlmaus. Pekings Führung begann sich über der Vorstellung zu gruseln, dass man virtuelle Personen nicht so einfach verhaften konnte wie solche aus Fleisch und Blut. Sie zeigten Präsenz, ohne präsent zu sein.

Der Chef der Pekinger Sicherheitspolizei vermerkte, die neue Bedrohung gäbe Anlass zu äußerster Besorgnis, der gesichtslose Feind sei der schlimmste, womit er die erste Generation der Netz-Dissidenten maßlos überschätzte – die meisten kamen gar nicht auf den Gedanken, ihre Identität zu tarnen, und wer es doch tat, beging früher oder später andere Fehler.

Die Edelstahlmaus etwa war in die Mausefalle gelaufen, als sie den Gründer einer neuen demokratischen Partei ihrer Unterstützung versicherte, nicht wissend, dass dieser ein auf sie angesetzter Beamter war. Daraufhin hatte man sie auf ein Polizeirevier verschleppt und ein Jahr lang ohne Gerichtsverfahren in Haft genommen. Im Folgenden jedoch lernte die Partei ihre nächste Lektion: dass man Menschen zwar hinter Mauern verschwinden lassen konnte, nicht aber im Netz. Dort erlangte Liu Dis Fall Bedeutung, machte in China die Runde und zog das Interesse der Auslandspresse auf sich. Als Folge erlangte die Welt Kenntnis von einer schüchternen, 21-jährigen Frau, die alles nicht so ernst gemeint hatte. Das also war der mächtige, gesichtslose Feind, vor dem die Partei erzitterte.

Nach ihrer Freilassung war Liu Di von Edelstahl auf ein härteres Metall umgestiegen. Titanmaus hatte dazugelernt. Sie erklärte einem Apparat den Krieg, den Mao in seinen kühnsten Träumen nicht hätte ersinnen können: Cypol, der chinesischen Internet-Polizei. Sie routete Internetforen über Auslandsserver und verfasste ihre Blogs mit Hilfe von Programmen, die verfängliche Wörter schon beim Schreiben ausfilterten. Andere folgten ihrem Beispiel, wurden immer raffinierter, und inzwischen hatte die Partei *wirklich* Anlass, sich zu sorgen. Denn während Veteraninnen wie die Titanmaus aus ihrer wahren Identität keinen Hehl machten, geisterten *Die Wächter* phantomgleich durchs Netz. Um ihnen auf die Spur zu kommen, hätte es ausgeklügelter Fallen bedurft, die Peking auch immer wieder stellte, ohne dass bislang jemand hineingetappt war.

»Bis heute hat die Partei keine Vorstellung davon, wie viele es überhaupt sind. Mal glaubt sie es mit vielen Dutzenden, mal mit Einzeltätern zu tun zu haben. Ein Krebsgeschwür jedenfalls, um unsere prachtvolle, volksgesunde Republik von innen aufzufressen.« Tu zog eine Portion Rotz hoch und spie sie vor seine Füße. »Nun weiß man ja, was aus Peking kommt, vornehmlich Gerüchte und wenig Greifbares, also wie groß ist die Organisation wirklich?«

Jericho dachte darüber nach. Er konnte sich nicht erinnern, je von der Verhaftung eines *Wächters* gehört zu haben.

»Oh, sie nehmen immer mal wieder jemanden in Haft und behaupten, er gehöre dazu!«, sagte Tu, als habe er Jerichos Gedanken gelesen. »Nun weiß ich zufällig sehr genau, dass ihnen bis heute kein einziger Zugriff gelungen ist. Unvorstellbar, was? Ich meine, sie jagen eine Armee, da müsste es doch Kriegsgefangene geben.«

»Sie jagen etwas, das aussieht wie eine Armee«, sagte Jericho.

»Du bist nah dran.«

»Die Armee existiert nicht. Es sind nur wenige, aber sie verstehen es, den Ermittlern immer wieder durchs Netz zu gehen. Also stilisiert man sie hoch. Man macht sie gefährlicher und gerissener, als sie sind, um davon abzulenken, dass es dem Staat bis heute nicht gelungen ist, eine Handvoll Hacker aus dem Verkehr zu ziehen.«

»Und was schließt du daraus?«

»Dass du für einen ehrbaren Diener Pekings verdächtig viel über einen Haufen Internet-Dissidenten weißt.« Jericho sah Tu unter zusammengezogenen Brauen an. »Kommt es mir nur so vor, oder hast du da irgendwelche Karten im Spiel?«

»Warum fragst du nicht gleich, ob ich dazugehöre?«

»Hiermit geschehen.«

»Die Antwort lautet Nein. Aber ich kann dir sagen, dass der ganze Trupp aus sechs Leuten besteht. Mehr waren sie nie.«

»Und Yoyo ist eine davon?«

»Tja.« Tu massierte seinen Nacken. »Das trifft es nicht ganz.«

»Sondern?«

»Sie ist der Kopf. Yoyo hat die *Wächter* ins Leben gerufen.«

Jericho grinste. Im Zerrspiegel des Internets war alles möglich. Die Präsenz der *Wächter* legte nahe, es mit einer größeren Gruppierung zu tun zu haben, im Zweifel fähig, Regierungsgeheimnisse auszuspionieren. Ihre Aktionen waren durchdacht, die Hintergründe bestens recherchiert. Der Eindruck eines weitverzweigten Netzwerks drängte sich auf, tatsächlich verdankte er sich einer Vielzahl von Sympathisanten, die der Gruppe weder angeschlossen waren noch Kenntnisse über ihren Aufbau besaßen. Bei genauer Betrachtung ließ sich der gesamte Aktionismus der *Wächter* auf eine kleine, verschworene Hacker-Gemeinschaft reduzieren. Allerdings –

»– müssen sie ständig auf dem neuesten Stand sein«, murmelte Jericho.

Tu stieß ihm den Ellbogen in die Rippen. »Redest du mit mir?«

»Was? Nein. Doch. Wie alt ist Yoyo noch gleich?«

»25.«

»Kein 25-jähriges Mädchen ist so gerissen, auf Dauer die Staatssicherheit auszutricksen.«

»Yoyo weist sich durch überragende Intelligenz aus.«

»Davon rede ich nicht. Der Staat hinkt den Hackern vielleicht hinterher, aber ganz so blöde sind die auch nicht. Mit herkömmlichen Methoden kommst du am *Diamond Shield* nicht vorbei, und irgendwann hast du die Internet-Polizei am Hals. Yoyo muss Zugriff auf Programme haben, mit denen sie den anderen ständig einen Schritt voraus ist.«

Tu zuckte die Achseln.

»Was bedingt, dass sie sich damit auskennt«, spann Jericho den Faden weiter. »Wer sind die anderen Mitglieder?«

»Irgendwelche Typen. Studenten wie Yoyo.«

»Und woher weißt du das alles?«

»Yoyo hat es mir erzählt.«

»Sie hat es dir erzählt.« Jericho machte eine Pause. »Aber Chen hat sie es nicht erzählt?«

»Doch, sie hat es versucht. Bloß, Chen will nichts davon wissen. Er hört ihr nicht zu, also kommt sie zu mir.«

»Warum gerade zu dir?«

»Owen, du musst nicht alles wissen –«

»Ich will es *verstehen.*«

Tu seufzte und strich sich über die Glatze.

»Sagen wir, ich helfe Yoyo, ihren Vater zu begreifen. Das ist es jedenfalls, was sie sich von mir erhofft.« Er hob einen Finger. »Und frag jetzt bloß nicht, was es da zu begreifen gibt. Das geht dich verdammt noch mal nichts an.«

»Du redest genauso in Rätseln wie Chen«, brummte Jericho übellaunig.

»Im Gegenteil. Ich erweise dir ein Übermaß an Vertrauen.«

»Dann vertrau mir weiterhin. Wenn ich Yoyo finden soll, muss ich die Namen der anderen *Wächter* kennen. Ich muss sie aufsuchen, ich muss jemanden befragen.«

»Geh einfach davon aus, dass die anderen ebenfalls untergetaucht sind.«

»Oder einkassiert wurden.«

»Kaum. Ich hatte vor Jahren Gelegenheit, einen tiefen Blick ins Räderwerk staatlicher Fürsorge zu tun, wo sie dir in den Kopf gucken und dich befallen finden von allerlei Wahnsinn. Ich kenne die Typen. Hätten sie die *Wächter* dingfest gemacht, würden sie längst lauthals damit prahlen. Es ist eine Sache, Menschen verschwinden zu lassen, aber wenn dir jemand auf der Nase rumtanzt und dich öffentlich zum Narren macht, steckst du seinen Schädel auf eine Lanze, sobald du ihn hast. Yoyo hat die Partei zu sehr geärgert. Das lassen die sich nicht bieten.«

»Wie ist Yoyo überhaupt da reingeraten?«

»Wie junge Leute in so was geraten. Sie hat sich mit *zi you* infiziert, mit Freiheit.« Tu stocherte zwischen seinen Hemdknöpfen herum und kratzte sich den Bauch. »Du lebst schon eine Reihe von Jahren hier, Owen, ich glaube, du verstehst mein Volk inzwischen ziemlich gut. Oder sagen wir, du verstehst, was du siehst. Aber ein paar Dinge bleiben dir verschlossen. Alles, was heute im Reich der Mitte vonstattengeht, ist die logische Konsequenz aus Entwicklungen und Brüchen in unserer Geschichte. – Ich weiß, das klingt wie aus dem Reiseführer. Europäer denken ständig, dieses ganze Yin-und-Yang-Getue, dieses Pochen auf Traditionen sei folkloristischer Ramsch, der darüber hinwegtäuschen soll, dass wir eine Bande raffgieriger Kopisten sind, die der Welt ihren Stempel aufdrücken wollen, unentwegt Menschenrechte verletzen und seit Mao keine Ideale mehr haben. – Aber Europa war zweitausend Jahre lang ein Topf, in den ständig Neues geworfen wurde. Ein Flickwerk aus Identitätsbefindlichkeiten im Versuch, ein Teppich zu werden. Ihr habt euch gegenseitig überrannt, euch die Sitten und Gebräuche eurer Nachbarn zu eigen gemacht, noch während ihr gegen sie kämpftet. Riesenreiche sind im Zeitraffer entstanden und vergangen. Mal waren es die Römer, mal die Franzosen, mal die Deutschen und Briten, die das Sagen hatten. Ihr sprecht vom Vereinigten Europa und redet doch in mehr Sprachen, als ihr zu verstehen in der Lage seid, und als sei das nicht genug, importiert ihr Asien, Amerika und den Balkan gleich mit. Ihr seid herzlich bemüht, der Welt euer *Vive la France, God save the Queen* und *Deutschland, einig Vaterland* als gesunden Patriotismus zu verkaufen, zugleich schlachtet ihr eure Eigenheiten unter dem Gesichtspunkt ihrer kommerziellen Verwertbarkeit aus und nicht vor dem Hintergrund ihrer jeweiligen Geschichte. Ihr könnt nicht verstehen, dass ein Volk, das sich die meiste Zeit genug war, weil es fand, die Mitte bedürfe nicht der Kenntnis ihrer Ränder, Neues nur schwer anzunehmen vermag, zumal wenn es von außen herangetragen wird.«

»Das versteht ihr meisterhaft zu überspielen«, schnaubte Jericho. »Ihr fahrt deutsche, französische und koreanische Autos, tragt italienische Schuhe, schaut amerikanische Filme, ich kenne überhaupt kein Volk, das sich in den vergangenen Jahren mehr nach außen gestülpt hat als ihr.«

»Nach außen gestülpt?« Tu lachte trocken. »Schön gesagt, Owen. Und was kommt zum Vorschein, wenn du etwas nach außen stülpst? Sein Inneres. Aber was siehst du? Was konkret stülpen wir nach außen? Doch nur, was ihr wiedererkennt. Ihr wolltet, dass wir uns öffnen? Das haben wir getan, in den Achtzigern unter Deng Xiaoping. Ihr wolltet mit uns Geschäfte machen? Ihr macht sie. Alles, was chinesische Kaiser in Jahrtausenden nicht von euch haben wollten, haben wir euch binnen weniger Jahre abgekauft, und ihr habt es uns bereitwillig *verkauft.* Nun verkaufen wir es euch zurück, und ihr *kauft* es! Obendrauf hättet ihr gerne eine ordentliche Portion authentisches China. Und auch das bekommt ihr, aber es gefällt euch nicht. Ihr regt euch maßlos darüber auf, dass wir die Menschenrechte mit Füßen treten, aber im Grunde versteht ihr nur nicht, dass jemand für seine Meinung verhaftet werden kann in einem Land, in dem man Coca-Cola trinkt. Das geht nicht in euren Kopf. Eure Ethnologen beklagen das Verschwinden der letzten Kannibalen und plädieren für den Erhalt ihrer Lebensräume, aber wehe, die Kannibalen beginnen, Geschäfte zu machen und Krawatten zu tragen. Dann wollt ihr, dass sie binnen eines Wimpernschlags auf Hühnchen und Gemüse umsteigen.«

»Tian, ich weiß beim besten Willen nicht –«

»Ist dir eigentlich klar, dass der Begriff *zi you* erst Mitte des 19. Jahrhunderts nach China exportiert wurde?«, fuhr Tu unerbittlich fort. »Fünftausend Jahre chinesischer Geschichte haben ihn nicht entstehen lassen, ebenso wenig wie *min zhu,* Demokratie, und *ren quan,* Menschenrechte. Aber was heißt *zi you*? Dir selbst folgen. Dich und deinen Standpunkt zum Ausgangspunkt aller Überlegungen zu erheben und nicht das Dogma vom Denken und Fühlen der Masse. Du magst einwerfen, die Dämonisierung des Individuums sei eine Erfindung Maos, aber das täuscht. Mao Zedong war lediglich eine entsetzliche Variante unserer uralten Furcht, wir selbst zu sein. Vielleicht die gerechte Strafe, da wir in der Überzeugung erkaltet waren, außer Chinesen gäbe es nur Barbaren. Als China sich den westlichen Mächten notgedrungen öffnete, geschah es in völliger Unkenntnis dessen, was jedes andere Volk mit Kolonialerfahrung intuitiv weiß. Wir wähnten uns als Gastgeber, während die Gäste längst Eigentümer geworden waren. Mao wollte das ändern, doch er hat nicht einfach versucht, das Rad der Geschichte zurückzudrehen, wie es später die Ayatollahs in Persien taten. Sein Bestreben zielte darauf ab, Geschichte ungeschehen zu machen und China auf dem Gipfel seiner Ignoranz zu isolieren. Das geht nicht mit denkenden, fühlenden und kritischen Menschen. Das geht nur mit Automaten. Nicht Pu Yi war unser letzter Kaiser, Mao war es, wenn du verstehst, was ich meine. Er war der grausamste von allen, er hat uns alles gestohlen, Sprache, Kultur, Identität. Er hat jedes Ideal verraten und einen Trümmerhaufen hinterlassen.«

Tu Tian machte eine Pause. Seine fleischigen Lippen zuckten. Auf seiner Glatze schimmerte der Schweiß.

»Du fragst, wie Yoyo zur Dissidentin werden konnte? Ich will es dir sagen, Owen. Weil sie nicht mit einem Trauma leben will, das meine Generation und die meiner Eltern nie wird aufarbeiten können. Aber um ihrem Volk zu einer Identität zu verhelfen, kann sie nicht den Geist der Französischen Revolution zitieren, nicht die Errichtung der spanischen Demokratie, nicht das Ende Mussolinis und Hitlers, nicht den Sturz Napoleons oder den Zusammenbruch des Römischen Reiches. Während die Geschichte Europa mit unvorstellbarer Eloquenz ausgestattet hat, um seine Ansprüche zu formulieren, fehlten uns lange Zeit die einfachsten Wörter dafür. Oh ja, China funkelt! China ist reich und schön und Shanghai das Zentrum der Welt, in dem alles erlaubt ist und nichts unmöglich. Wir haben gleichgezogen mit den Vereinigten Staaten, zwei Wirtschaftsgiganten Kopf an Kopf, wir sind dabei, Nummer eins zu werden. Doch inmitten all dieses Glanzes leben wir innerlich verarmt, und wir sind uns dieser Verarmung bewusst. Wir stülpen uns nicht nach außen, Owen, es scheint nur so. Würden wir uns nach außen stülpen, sähe man die Leere, wie bei einem Tintenfisch. Unser Vorbild ist das Ausland, weil das letzte chinesische Vorbild, das wir hatten, uns verriet. Yoyo leidet darunter, ein Kind dieser ausgehöhlten Epoche zu sein, mehr, als es sich die selbstzufriedenen Kritiker der Globalisierung und der Menschenrechtsverletzungen in Europa und Amerika je vorstellen können. Ihr seht nur unsere Verfehlungen, nicht die Schritte, die wir unternehmen. Nicht, was wir bereits geschaffen haben. Nicht die unvorstellbare Mühsal, die es bereitet, ohne moralische Hinterlassenschaft für Ideale einzutreten, sie überhaupt zu formulieren!«

Jericho blinzelte gegen das gleißende Sonnenlicht. Er hätte Tu gerne gefragt, wann man Chen Hongbing das Herz herausgerissen hatte, aber er verkniff sich jeden Kommentar. Tu schnaufte und wischte sich fahrig über den kahlen Schädel.

»Das ist es, was Menschen wie Yoyo erbittert. Wer in England auf die Straße geht und Freiheit fordert, wird allenfalls gefragt werden, wofür. In China haben wir uns der Illusion hingegeben, unser irrsinniger Aufschwung brächte die Freiheit automatisch mit sich, nur dass wir keine klare Vorstellung davon hatten, was Freiheit eigentlich ist.

Seit über zwanzig Jahren dreht sich nun alles in unserem Land um diesen Begriff, jeder preist die Freuden des individuellen Lebenswandels, doch letztlich ist nur die Freiheit gemeint mitzumachen. Über die andere Freiheit wird ungern gesprochen, weil sie die Frage impliziert, welches Recht auf Alleinherrschaft eine Kommunistische Partei hat, die nicht mehr kommunistisch ist. Aus der linken Gewaltherrschaft ist eine rechte geworden, Owen, und daraus wiederum eine ohne jeden Inhalt. Wir leben unter dem Genussdiktat, und wehe, es kommt einer und meckert, da wären ja noch die Bauern und die Wanderarbeiter und die Hinrichtungen und die wirtschaftliche Unterstützung von Schurkenstaaten und all das.«

Jericho rieb sich das Kinn.

»Ich schätze mich glücklich, dass du mich all dieser Ausführungen würdigst«, sagte er. »Aber ich wäre noch glücklicher, wenn du den Bogen zurück zu Yoyo schlagen könntest.«

»Verzeih einem alten Mann, Owen.« Tu sah ihn mit zerfurchter Miene an. »Aber ich rede die ganze Zeit über Yoyo.«

»Ohne ihre *persönlichen* Hintergründe darzustellen.«

»Owen, wie schon gesagt –«

»Ich weiß«, seufzte Jericho. Er ließ seinen Blick über die Glas- und Stahlfronten des Jin Mao Tower wandern. »Es geht mich nichts an.«

JIN MAO TOWER

Hinter einer der Fronten stand Xin und starrte hinaus auf das Dampfbad, in dem das nachmittägliche Shanghai brütete. Er hatte sich in seine geräumige Art-déco-Suite im 72. Stockwerk zurückgezogen. Zwei Seiten waren bis zum Boden verglast, doch selbst von dieser exponierten Warte aus bot sich dem Auge nichts als Architektur. Je höher man hinauf gelangte, desto mehr gingen die individuell gestalteten Wohn- und Geschäftshäuser in Gleichförmigkeit auf, als hätten Abertausende Termitenstämme nebeneinander Quartier bezogen.

Er ließ sein Handy eine abhörsichere Nummer wählen.

Jemand meldete sich. Der Bildschirm blieb schwarz.

»Was haben Sie über das Mädchen herausgefunden?«, fragte Xin, ohne Zeit an Grußfloskeln zu verschwenden.

»Wenig.« Die Stimme in seinem Ohr antwortete kaum merklich zeitversetzt. »Eigentlich hat sich nur bestätigt, was wir schon befürchtet hatten. Sie ist eine Aktivistin.«

»Bekannt?«

»Ja und Nein. Einiges in ihren Dateien lässt darauf schließen, dass wir es mit einem Mitglied einer Gruppe von Internet-Dissidenten zu tun haben, die sich *Die Wächter* nennt. Eine Gruppierung, die der Partei hauptsächlich mit Forderungen nach Demokratie lästig fällt.«

»Sie meinen, Yoyo hat nicht gezielt nach uns gesucht?«

»Das dürfte auszuschließen sein. Purer Zufall. Wir haben ihre Festplatte schneller gescannt, als sie sich ausklinken konnte, was darauf schließen lässt, dass der Angriff sie überrascht hat. Allerdings ist es uns nicht gelungen, ihren Computer zu zerstören. Sie muss über ein hocheffizientes Sicherheitssystem verfügen, und das verheißt leider nichts Gutes. Inzwischen gehen wir fest davon aus, dass sich zumindest Fragmente unserer Übertragungsdaten jetzt in Yuyuns – äh, Yoyos Computer befinden.«

»Sie wird wenig damit anfangen können«, meinte Xin geringschätzig. »Die Verschlüsselung wurde härtesten Tests unterzogen.«

»Unter anderen Umständen würde ich Ihnen recht geben. Aber so, wie Yoyos Abwehr aufgestellt ist, könnte sie über Entschlüsselungsprogramme verfügen, die über das Übliche hinausgehen. Wir hätten Sie kaum nach Shanghai gebeten, wenn wir nicht ernsthaft in Sorge wären.«

»Ich bin mindestens ebenso in Sorge wie Sie. Am meisten besorgt mich die Dürftigkeit Ihrer Informationen, wenn ich so offen sein darf.«

»Und was haben Sie Ihrerseits rausgekriegt?«, fragte die Stimme, ohne auf Xins Bemerkung einzugehen.

»Ich war in dieser Wohngemeinschaft. Zwei Mitbewohner. Einer weiß nichts, der andere tut so, als könne er mich zu ihr führen. Er will natürlich Geld.«

»Vertrauen Sie ihm?«

»Sind Sie verrückt? Ich bin gezwungen, jede Chance zu nutzen. Er wird sich melden, keine Ahnung, was dabei herauskommt.«

»Hat sie mit keinem der beiden über Verwandte gesprochen?«

»Yoyo scheint nicht gerade mitteilsam zu sein. Man hat zusammen gesoffen, dann ist sie verschwunden, in der Nacht vom 23. auf den 24. Mai, irgendwann zwischen zwei und drei Uhr.«

Eine kurze Pause entstand.

»Das könnte passen«, sagte die Stimme nachdenklich. »Um kurz vor zwei Uhr chinesischer Zeit kam der Kontakt zustande.«

»Und gleich darauf macht sie sich aus dem Staub.« Xin lächelte dünn. »Kluges Kind.«

259

»Wo waren Sie sonst noch?«

»In ihrem Zimmer. Nichts. Kein Computer. Sie hat gründlich sauber gemacht, bevor sie verschwand. Auch an der Uni keine Spur von ihr, keine Möglichkeit der Akteneinsicht. Letzteres könnte ich arrangieren, aber es wäre mir lieber, Sie kümmerten sich darum. In die Datenbank einer Universität werden Sie ja wohl reinkommen.«

»Welche Universität ist es denn?«

»Shanghai University, Shangda Lu, im Bao Shan District.«

»Kenny, ich muss Sie nicht darauf hinweisen, wie brisant die Sache ist. Also legen Sie ein bisschen Tempo vor. Wir brauchen den Computer dieses Mädchens. Unbedingt!«

»Sie bekommen ihn *und* das Mädchen«, sagte Xin und beendete die Verbindung.

Er sah wieder hinaus auf die urbane Wüste.

Der Computer. Kein Zweifel, dass Yoyo ihn bei sich trug. Xin fragte sich, was die Gründe für ihren überstürzten Aufbruch gewesen waren. Ihr musste klar geworden sein, dass man ihr Eindringen nicht nur bemerkt und einen Gegenangriff auf ihr System gestartet, sondern zugleich ihre Daten heruntergeladen hatte und somit ihre Identität kannte. Grund, sich Sorgen zu machen, nicht aber, Hals über Kopf die Flucht zu ergreifen. Etliche Netzwerke schützten sich, indem sie die Computer derer, die absichtlich oder unabsichtlich bei ihnen eindrangen, in einer Blitzattacke ausschalteten und bei der Gelegenheit gleich auch deren Daten zu sich rüberzogen. Das alleine reichte nicht. Etwas anderes hatte Yoyo befürchten lassen, ab sofort keine Minute lang mehr sicher zu sein.

Es gab nur eine einzige Erklärung.

Yoyo hatte etwas gelesen, das sie nicht hätte lesen sollen.

Was hieß, dass die Verschlüsselung vorübergehend außer Kraft gesetzt worden war. Ein Fehler im System. Ein Loch, das sich unvermutet geöffnet und ihr Einblick gewährt hatte. Falls das zutraf, konnten die Folgen in der Tat entsetzlich sein! Die Frage war, wie schnell sich das Loch wieder geschlossen hatte. Nicht schnell genug, so viel stand fest, der kurze Blick hinein hatte gereicht, um das Mädchen in die Flucht zu schlagen.

Doch wie viel wusste sie wirklich?

Er brauchte mehr als den Computer. Er musste Yoyo finden, bevor sie Gelegenheit hatte, ihr Wissen weiterzugeben. Die einzige Hoffnung hieß derzeit Grand Cherokee Wang. Eine schäbige Hoffnung, zugegeben. Doch wann wäre die Hoffnung je mehr gewesen als die armselige

Schwester der Gewissheit. Jedenfalls würde der Kerl Yoyo samt ihrem Computer verkaufen, sobald sie sich in der WG blicken ließ.

Xin runzelte die Stirn. Etwas an der Art, wie er stand, gefiel ihm nicht. Er rückte einen Schritt nach links, bis er genau zwischen zwei Fensterstreben zu stehen kam, beide Schuhspitzen gleich weit von der Bodeneinfassung des Fensters entfernt.

So war es besser.

PUDONG

»Ich kenne Yoyo seit ihrer Geburt«, sagte Tu. »Sie wuchs zu einem normalen Teenager heran, das Hirn durchweicht von romantischen Vorstellungen. Dann hatte sie ein Schlüsselerlebnis. Nichts Spektakuläres, aber ich schätze, es war eine dieser Wegkreuzungen im Leben, an denen sich entscheidet, wer du wirst. Kennst du Mian Mian?«

»Die Schriftstellerin?«

»Eben die.«

Jericho überlegte. »Muss Ewigkeiten her sein, dass ich eines ihrer Bücher gelesen habe. Sie war ein Aushängeschild der Szene, richtig? Ziemlich populär in Europa. Ich weiß noch, dass ich mich wunderte, wie sie es durch die Zensur geschafft hat.«

»Oh, ihre Bücher waren lange verboten! Inzwischen kann sie tun, was sie will. Als Shanghai sich zur Partyhauptstadt erklärte, repräsentierte sie das Spannungsfeld zwischen Gosse und Glamour, weil sie beides kannte und überzeugend darüber sprechen konnte. Heute ist sie so etwas wie die Schutzheilige der hiesigen Künstlerszene. Mitte 50, etabliert, sogar die Partei schmückt sich mit ihr. Im Sommer 2016 las sie im *Guan Di* im Fuxing-Park, kurz bevor es abgerissen wurde, aus einem neuen Roman, und Yoyo ging hin. Anschließend hatte sie Gelegenheit, mit Mian Mian zu sprechen, was in einer mehrstündigen Tour durch Clubs und Galerien gipfelte. Danach war sie wie berauscht. Du musst dir die symbolische Koinzidenz klarmachen. Mian Mian hat mit 16 zu schreiben begonnen, als unmittelbare Folge des Selbstmords ihrer besten Freundin, und Yoyo war gerade 16 geworden.«

»Und beschloss, Schriftstellerin zu werden.«

»Sie beschloss, die Welt zu verändern. Einerseits romantisch motiviert, andererseits mit bewundernswert klarem Blick für die Wirklichkeit. Etwa zu dieser Zeit begann mein eigener Aufstieg. Chen Hongbing kannte ich aus den Neunzigern, ich mochte ihn sehr, und er vertraute mir seine Tochter an, weil er glaubte, bei mir könne sie was lernen. Yoyo hatte immer schon ein Faible für Virtualität, sie lebte praktisch im Internet. Was sie besonders interessierte, war die Auflösung zwischen der tatsächlichen und der künstlichen Welt. 2018 wurde ich Vorstand von DAO IT, während Yoyo ihr Studium in Angriff nahm. Chen unterstützte sie, so gut es ging, aber sie legte Wert darauf, eigenes Geld zu verdienen. Als sie hörte, dass ich die Abteilung *Virtual Environments* übernahm, löcherte sie mich, ihr da einen Job zu verschaffen.«

»Was hat sie überhaupt studiert?«

»Journalistik, Politik und Psychologie. Das eine, um Schreiben zu lernen, das andere, um zu wissen, worüber. Und Psychologie –«

»Um ihren Vater zu begreifen.«

»Sie selbst würde es anders ausdrücken. In ihren Augen ist China ein Patient in ständiger Gefahr, dem Irrsinn zu verfallen. Also sucht sie nach Diagnosen für die Erkrankung unserer Gesellschaft. Und da kommt natürlich Chen Hongbing ins Spiel.«

»Ihr Rüstzeug hat sie bei dir erhalten«, sinnierte Jericho.

»Rüstzeug?«

»Klar. Wann hast du TU TECHNOLOGIES gegründet?«

»2020.«

»Und Yoyo war von Anfang an dabei?«

»Natürlich.« Tus Miene erhellte sich. »Ach so.«

»Sie schaut euch seit Jahren über die Schulter. Ihr entwickelt Programme für alles Mögliche.«

»Mir ist schon klar, welche Rolle wir bei den *Wächtern* spielen, ungewollt natürlich! Darüber hinaus kann ich dir versichern, dass keiner meiner Leute auch nur im Traum auf die Idee käme, eine Dissidentin technologisch aufzurüsten.«

»Chen erwähnte, man habe sie mehrmals festgenommen.«

»Eigentlich hat sie erst während des Studiums begriffen, in welchem Ausmaß die Behörden das Internet zensieren. Für jemanden, der das Netz als seinen natürlichen Lebensraum betrachtet, sind verschlossene Türen etwas enorm Frustrierendes.«

»Sie machte Bekanntschaft mit *Diamond Shield.*«

Jeder, der auf chinesischen Datenautobahnen Gas gab, fand sich vor virtuellen Straßensperren wieder. Anfang des Jahrtausends hatte die Partei in ihrer Angst, das neue Medium könne brisante Themen beleuchten, ein hochgerüstetes Programm zur Netzzensur entwickelt, *Golden Shield,* dem 2020 der *Diamond Shield* folgte. Mit seiner Hilfe wühlten sich über 150 000 Internet-Polizisten durch Chaträume, Blogs und Foren. War *Golden Shield* ein Spürhund gewesen, der noch die hintersten Winkel des Netzes nach Begriffen wie Tian'anmen-Massaker, Tibet, Studentenrevolte, Freiheit und Menschenrechte durchschnüffelte, konnte *Diamond Shield* bis zu einem gewissen Grad Sinnzusammenhänge in Texten erkennen. Damit reagierte die Partei auf sogenannte Bodyguard-Programme. Die Titanmaus etwa hatte es nach ihrer Freilassung verstanden, kritische Texte ins Netz zu setzen, in denen kein einziges Wort mehr vorkam, auf das *Golden Shield* ansprang. Dafür hatte sie sich eines Bodyguard-Programms bedient, das ihr beim Schreiben sozusagen auf die Finger schlug – tippte sie verfängliche Begriffe ein, löschte der Bodyguard diese und schützte sie vor sich selbst. Als Folge achtete *Diamond Shield* weniger auf Schlüsselwörter, sondern bilanzierte ganze Texte, verknüpfte Redewendungen und Bemerkungen, sichtete die Einträge auf Doppeldeutigkeiten und Codierungen und schlug Alarm, wenn Subversion zu vermuten stand.

Ironischerweise verdankten sich ausgerechnet diesem Zerberus epochale Fortschritte in der Hackerszene, um mit einem Minimum an Risiko ein Maximum an Kritik loszuwerden. Allerdings blockierte *Diamond Shield* auch Suchmaschinen und Seiten ausländischer Nachrichtenagenturen. Alle Welt hatte das Attentat auf Kim Jong-un und den Zusammenbruch Nordkoreas erlebt, nur im chinesischen Netz fand nichts davon statt. Die blutigen Aufstände gegen die Junta in Birma vollzogen sich zwar auf dem Planeten Erde, nicht aber auf dem Planeten China. Wer versuchte, die Seiten von Reuters oder CNN aufzurufen, musste mit Repressalien rechnen. In gleichem Maße, wie die chinesische Mauer bröckelte, gewann die Mauer, die *Diamond Shield* um das Land errichtete, an Festigkeit, und dennoch wuchs die Angst der Behörden mit jedem Tag. Nicht nur die Gemeinschaft aller chinesischen Hacker schien einen feierlichen Eid geleistet zu haben, die Diamantmauer in tausend Stücke zu zersprengen, auch Aktivisten rund um den Globus arbeiteten daran, etliche in Büros europäischer, indischer und amerikanischer Konzerne, Geheimdienste und Regierungsstellen. Die Welt befand sich im Cyberkrieg, und China als Aggressor der ersten Stunde gab das Hauptangriffsziel ab.

»Daran gemessen«, erklärte Tu, »waren Yoyos erste Schritte im Netz der reinste Kindergeburtstag. Sie nahm mit empörten Kulleraugen die Zensur aufs Korn und schrieb fett ihren Namen darunter. Sie plädierte für Meinungsfreiheit und verlangte Zugang zum Informationsbestand von Google, Alta Vista, und so weiter. Sie trat in den

Dialog mit Gleichgesinnten, die meinten, Chaträume ließen sich gegen unerwünschte Eindringlinge verriegeln wie Besenkammern.«

»War sie wirklich so naiv?«

»Anfangs schon. Klar, dass sie Hongbing imponieren wollte. Sie dachte allen Ernstes, in seinem Sinne zu handeln. Dass er stolz wäre auf seine kleine Querulantin. Doch Hongbing reagierte mit Entsetzen.«

»Er versuchte, ihre Aktivitäten zu unterbinden.«

»Yoyo war völlig perplex. Sie konnte es nicht verstehen. Chen schaltete auf stur, und ich sage dir, er kann stur sein wie ein Panzer! Je mehr Yoyo ihn drängte, seine ablehnende Haltung zu begründen, desto mehr verhärtete er sich. Sie argumentierte. Er schrie. Sie heulte, er redete nicht mit ihr. Natürlich begriff sie, dass er Angst um sie hatte, aber sie hatte ja nicht zum Sturz der Regierung aufgerufen, nur ein bisschen gemeckert.«

»Also hat sie sich dir anvertraut.«

»Sie äußerte die Vermutung, ihr Vater sei einfach nur feige. Ein Zahn, den ich ihr ohne Betäubung zog. Ich erklärte ihr, Hongbings Beweggründe besser zu verstehen als sie, was sie erst recht erbitterte. Natürlich wollte sie wissen, warum Hongbing seiner eigenen Tochter nicht traue. Ich antwortete ihr, dass sein Schweigen nicht das Geringste mit mangelndem Vertrauen zu tun habe, sondern mit Privatsphäre. – Hast du Kinder, Owen?«

»Nein.«

»Kleine Kaiser, Owen!«

Kleine Kaiser. Jericho versteifte sich. So ein Idiot! Kaum dass ihn die Bilder aus dem Gewölbe in Shenzhen mal ein paar Stunden nicht quälten, fing Tu von kleinen Kaisern an.

»Ebenso strahlend wie fordernd«, fuhr Tu fort. »Auch Yoyo. Nun, ich machte ihr klar, dass ihr Vater ein Recht auf sein eigenes Leben habe, dass der Umstand ihrer Geburt ihr nicht das Recht gebe, in die geheimen Paläste seiner Seele vorzudringen. Kinder verstehen das nicht. Sie glauben, Eltern seien eine Art Dienstleister, nur existent, um ihnen den Hintern nachzutragen, zu Anfang nützlich, dann dämlich, am Ende peinlich. Sie konterte, Hongbing sei der Urheber allen Streits, er versuche ihr Leben zu kontrollieren, und damit hatte sie dummerweise recht. Hongbing hätte ihr klarmachen müssen, was ihn so aufbrachte.«

»Aber er tat es nicht. Und? Hast du es getan?«

»Er würde niemals erlauben, dass ich mit Yoyo darüber spreche. Mit niemandem! Also habe ich Brücken gebaut. Sie wissen lassen, dass ihrem Vater einst großes Unrecht widerfahren ist, und dass niemand mehr unter seinem Schweigen leidet als er selbst. Ich bat sie, geduldig mit ihm zu sein. Mit der Zeit begann Yoyo, meine Haltung zu respektieren, sie wurde sehr nachdenklich. Von da an vertraute sie sich mir regelmäßig an, was mich ehrte, ohne dass ich mich darum gerissen hätte.«

»Und Hongbing wurde eifersüchtig.«

Tu lachte leise, ein seltsames, trauriges Lachen.

»Niemals würde er das zugeben. Was ihn und mich verbindet, geht tief, Owen. Aber natürlich gefiel es ihm nicht. Es war unausweichlich, dass sich die Fronten verhärteten. Yoyo beschloss, den Ton im Netz zu verschärfen, testete die behördlichen Reizschwellen aus. Dann wiederum schrieb sie über Alltägliches, Szene, Musik, Filme und Reisen, verfasste Gedichte und Kurzgeschichten. Ich schätze, ihr war nicht ganz klar, was sie sein wollte: eine ernst zu nehmende Journalistin, eine Dissidentin oder einfach nur ein weiteres Shanghai Baby.«

»Shanghai Baby – war das nicht auch ein Buch von –«

»Mian Mian.« Tu nickte. »Anfang des Jahrtausends nannte man so junge Shanghaier Schriftstellerinnen. Inzwischen ist der Begriff aus der Mode gekommen. Nun, du hast sie ja gesehen. Sie machte sich einen Namen in Künstlerkreisen, zog das Interesse der Intellektuellen auf sich, doch eine Schriftstellerin?« Tu schüttelte den Kopf. »Sie brächte nie einen guten Roman zustande. Dafür traue ich ihr zu, im Alleingang den Mord an John F. Kennedy aufzuklären. Sie brilliert in der Recherche, im Angriff. Die Zensoren haben das früh erkannt. Auch Hongbing weiß es. Darum hat er solche Angst, auch, weil Yoyo jemand ist, dem andere hinterherlaufen. Sie hat Charisma, sie ist glaubwürdig. Gefährliche Eigenschaften aus Sicht der Partei.«

»Wann wurde sie aktenkundig?«

»Erst mal passierte nichts. Die Behörden warteten ab. Yoyo gehörte praktisch zum Inventar meiner Firma, sie ließ ein ausgeprägtes Interesse an Holografien erkennen und ging uns bei der Entwicklung höchst spaßiger Programme zur Hand, und mit Spaß kann die Partei nicht umgehen. Sie weiß nicht, was sie davon zu halten hat. Es verunsichert sie, dass Chinesen erstmals in ihrer kulturellen Entwicklung Spaß als Wert betrachten.«

»Aristoteles hat ein Buch über das Lachen geschrieben«, sagte Jericho. »Wusstest du das?«

»Ich kenne meinen Konfuzius besser.«

»Kaum ein Buch hat der Kirche so viel Verdruss bereitet wie dieses

Traktat. Es hieß, wer lache, der lache am Ende auch über Gott, über den Papst, über den ganzen klerikalen Machtapparat.«

»Oder über die Partei. Stimmt, da ziehen sich Parallelen. Andererseits, wer Spaß hat, ist seltener zornig und weniger politisch. Insofern findet die Partei Spaß wieder gut, und Yoyo ist eigentlich ein Spaßtyp. Irgendwann verlegte sie sich aufs Singen und gründete eine dieser Mando-Prog-Bands, die jetzt überall aus dem Boden schießen. Keine Party ohne Yoyo! Wenn du in der Szene unterwegs bist, kannst du ihr praktisch nicht entkommen. Vielleicht dachte man damals, je besser sich das Mädchen amüsiert, desto weniger steht von ihr zu befürchten. Ich schätze, wenn sie Yoyo in Ruhe gelassen hätten, wäre die Rechnung sogar aufgegangen.«

Tu zog ein ehemals weißes Tuch aus den Untiefen seiner Hose und wischte sich den Schweiß von der Stirn.

»Doch eines Morgens vor fünf Jahren waren plötzlich alle ihre Blogs gesperrt und alle Einträge ihres Namens aus dem Netz gelöscht. Am selben Tag wurde sie verhaftet und auf ein Polizeirevier gebracht, wo man sie erst mal schmoren ließ. Man warf ihr vor, eine Bedrohung für die Sicherheit des Landes zu sein und das Volk zur Subversion angestachelt zu haben. Einen Monat verbrachte sie dort, ohne dass Hongbing anfangs wusste, wo man sie festhielt. Er wurde schier wahnsinnig! Die ganze Sache erinnerte auf fatale Weise an den Fall der Titanmaus. Keine Anklage, keine Verhandlung, keine Verurteilung, nichts. Yoyo wusste selbst nicht, was sie angestellt hatte. Sie hockte in ihrer Zelle zusammen mit zwei Junkies und einer Frau, die ihren Mann erstochen hatte. Die Polizisten waren freundlich zu ihr. Am Ende setzte man ihr auseinander, weshalb sie da sei. Sie habe einen befreundeten Rockmusiker in Schutz genommen, der wegen irgendwelcher Frechheiten im Knast saß. Es war lächerlich. Laut Verfassung muss der Staatsanwalt innerhalb von sechs Wochen über Verfahren oder Freispruch entscheiden. Schließlich ließ man den Fall aus Mangel an Beweisen fallen, Yoyo erhielt eine Verwarnung und durfte nach Hause gehen.«

»Überflüssig zu erwähnen, dass Hongbing ihr jede weitere kritische Betätigung im Netz untersagte«, mutmaßte Jericho.

»Womit er das Gegenteil erreichte. Das heißt, fürs Erste gab sie sich lammfromm, schrieb Artikel für Internet-Zeitungen, sogar für Parteiorgane. Nach wenigen Wochen stieß sie auf einen Fall illegaler Giftmüllverklappung im Westsee. Ein Chemieunternehmen in der Nähe von Hangzhou, damals noch in Staatsbesitz, hatte sein Zeug dahin gekarrt und versenkt, woraufhin den Anwohnern die Haare ausfielen und noch Schlimmeres passierte. Der Direktor des Unternehmens –«

»– war ein Cousin des Ministers für Arbeit und soziale Sicherheit«, rief Jericho aus. »Natürlich! Yoyo wusste das, dennoch thematisierte sie die Sache.«

Tu starrte ihn verblüfft an.

»Woher weißt du das?«

»Mir ist endlich eingefallen, woher ich Yoyos Namen kenne!« Er genoss den Moment, da sein Gehirn die Blockade aufhob und die Erinnerung freigab. »Ich habe nie ein Bild von ihr gesehen. Aber der Giftmüllskandal ist mir präsent. Er ging damals durchs Netz, illegale Verklappung. Man gab ihr zu verstehen, sie habe sich geirrt. Yoyo sagte, sie könnten sie mal, und wurde prompt verhaftet.«

»Nachdem Yoyo auf stur geschaltet hatte, bedurfte es weniger Stunden, und alle ihre Einträge im Netz waren wieder mal gelöscht. Am selben Abend stand die Sicherheitspolizei vor der Türe, und sie fand sich ein weiteres Mal in der Zelle wieder. Erneut konnte man ihr nichts vorwerfen. Ihr Fehler war, sich im Netz der Korruption verheddert zu haben. Die Staatsanwaltschaft verlangte zu wissen, was der Blödsinn solle, man habe doch im Jahr zuvor schon gegen sie ermittelt und nichts gefunden, geriet unter Druck und erhob widerwillig Anklage.«

»Ich erinnere mich. Sie musste ins Gefängnis.«

»Es hätte schlimmer kommen können. Hongbing hat ein paar Kontakte, ich habe noch bessere. Also besorgte ich Yoyo einen Anwalt, der es schaffte, ihre Haftstrafe auf sechs Monate runterzuhandeln.«

»Aber für was hat man sie überhaupt verurteilt?«

»Weitergabe von Staatsgeheimnissen, wie immer.« Tu zuckte die Achseln und lächelte säuerlich. »Die Chemiefabrik war ein Joint Venture mit einem britischen Unternehmen eingegangen, und Yoyo hatte einen der Engländer vor Ort aufgesucht, um Informationen über die Nacht-und-Nebel-Aktion zu sammeln. Das reichte. Es reichte aber auch, dass die Medien den Fall als Aufmacher brachten. Chinas Journalisten lassen sich nicht mehr so schnell einschüchtern wie noch 2005 oder 2010. Wenn einer aus ihren Reihen an den Pranger gestellt wird, heulen die Hunde, und in Fällen von Korruption ist die Partei gespalten. Die Sache schwappte ins Ausland über, *Reporter ohne Grenzen* setzte sich für Yoyo ein, der britische Premier, in Peking auf Visite, ließ am Rande bilateraler Gespräche ein paar Bemerkungen fallen. Nach drei Monaten war Yoyo wieder draußen.«

»Und der Fabrikdirektor schwamm im See, richtig? Es hieß, er habe sich umgebracht.«

»Wohl eher ein Fall von Sterbehilfe«, feixte Tu. »Die Behörden hatten nicht mit so viel öffentlichem Druck gerechnet. Notgedrungen mussten sie eine Untersuchung anberaumen. Schätze, da wären viele Namen gefallen, aber nachdem der Schurke im eigenen Abwasser trieb, konnte man ihn ja schlecht fragen, also wurden sicherheitshalber der Stellvertretende Direktor und der Werksleiter entlassen und die Ermittlungen eingestellt. 2022 nahm Yoyo ihr Studium wieder auf. Hast du ihren Namen seitdem noch mal gelesen?«

Jericho überlegte. »Nicht, dass ich wüsste.«

»Eben. Sie wurde ganz brav, solange ihr eigener Name unter den Texten stand. Berichtete über Reisen und Kulturelles, propagierte die neue chinesische Spaßkultur. Nebenher legte sie sich eine Reihe von Pseudonymen zu und schlug andere Töne an. Kommunizierte über Auslandsserver. Trat das System in den Hintern, wo sie nur konnte. Sie wurde wie –«, Tu lachte, breitete die Arme aus und machte flatternde Bewegungen, »– Batgirl! Nach außen hin Szenemaus, im Geheimen auf Rachefeldzug gegen Folter, Korruption, Todesstrafe, legalisiertes Verbrechen, Umweltsünden, die ganze Palette. Sie forderte Demokratie, eine chinesische Demokratie, wohlgemerkt! Yoyo will keinen westlichen Weg, sie wünscht, dass der hohle, verfaulte Zahn, der sich Partei nennt, dem Land gezogen wird, damit echte Werte eine Chance haben. Damit wir nicht nur als Wirtschaftsgigant gesehen werden, sondern als Vertreter einer neuen Menschlichkeit.«

»Der Herr bewahre uns vor Missionaren«, murmelte Jericho.

»Sie ist kein Missionar«, sagte Tu. »Sie ist auf der Suche nach Identität.«

»Die ihr Vater ihr nicht geben kann.«

»Möglicherweise ist Hongbing ihre Hauptantriebskraft. Vielleicht haben wir es einfach mit einem Kind zu tun, das auf den Arm will. Doch naiv ist sie nicht. Nicht mehr! Als sie die *Wächter* ins Leben rief, wusste sie sehr genau, was sie wollte. Ein Phantom-Kommando. Sie wollte eine Macht im Netz sein, die der Partei die Angst in die Knochen treibt, und dafür musste sie deren Machenschaften aufdecken und ihr Ansehen beschädigen, um das Ansehen Chinas zu retten. Gut ein Jahr hat sie gebraucht, um die *Wächter* technologisch hochzurüsten.«

Jericho sog an seiner Backe. Er wusste, dass die Unterredung beendet war. Mehr würde Tu nicht preisgeben.

»Ich brauche alle Aufzeichnungen von Yoyo, die du mir zugänglich machen kannst«, sagte er.

»Da gibt es einiges.« Tu griff neben sich, öffnete eine abgewetzte Ledertasche und entnahm ihr eine Holo-Brille und einen Holo-Stick. Der Stick war kleiner als die gängigen Modelle, die Brille von elegantem Design. »Das sind Prototypen. Sämtliche Programme, in denen wir Yoyo als virtuelle Führerin eingesetzt haben, sind darauf gespeichert. Du kannst mit ihr durch die Clubs ziehen, wenn du willst, den Jin Mao Tower und das World Financial Center besuchen, durch die Yu-Gärten streifen oder ins MOCA Shanghai gehen.« Er grinste. »Du wirst Spaß mit ihr haben. Sie hat ihre Texte selbst geschrieben. Auf dem Stick findest du außerdem ihre Personalakte, Aufzeichnungen von Gesprächen, Fotos und Filme. Mehr habe ich nicht.«

»Hübsch.« Jericho drehte den Stick zwischen den Fingern und betrachtete die Brille. »Eine Holo-Brille hab ich selber.«

»So eine nicht. Wir hatten fest damit gerechnet, dass die üblichen Verdächtigen seine Entwicklung ausspionieren würden. Aber du scheinst sie mit deiner letzten Aktion in die Flucht geschlagen zu haben. DAO IT reibt sich immer noch die blauen Flecken.«

Jericho schmunzelte. Dao IT, Tus früherer Arbeitgeber, war wenig begeistert gewesen, seinen Entwicklungsvorstand für *Virtual Environments* in die Selbstständigkeit zu verlieren. Seitdem war der Konzern mehrfach ins System von Tu Technologies eingebrochen, um Betriebsgeheimnisse herunterzuladen. Jedes Mal hatten die Hacker ihre Spuren gekonnt verwischt, sodass Jericho all seine Kunst hatte aufbieten müssen, um sie zu überführen. Tu war mit den Beweisen vor Gericht gezogen, und DAO IT hatte Bußgelder in Millionenhöhe bezahlen müssen.

»Sie haben mir übrigens ein Angebot gemacht«, sagte er wie nebenbei.

»Wer?« Tu saß plötzlich kerzengerade. »DAO?«

»Ja, weißt du, sie waren beeindruckt. Sie meinten, wenn ich es schaffe, ihnen auf die Spur zu kommen, wäre es gut, mich auf ihrer Seite zu wissen.«

Der Manager schob sein Brillenkonstrukt nach oben. Er schmatzte ein paar Mal vernehmlich und räusperte sich.

»Kein Schamgefühl, was?«

»Ich habe natürlich abgelehnt«, sagte Jericho gedehnt. Loyalität war ein kostbares Gut. »Ich dachte nur, es interessiert dich.«

»Natürlich interessiert es mich.« Tu grinste. Dann lachte er und schlug Jericho auf die Schulter. »Dann an die Arbeit – *xiongdi.*«

Grand Cherokee Wang bewegte sich zu einem unhörbaren Beat. Sein Kopf nickte mit jedem Schritt wie zur Bestätigung seiner eigenen Coolness. Mit federnden Knien, imaginäre Instrumente bespielend, tänzelte er den gläsernen Korridor entlang, schnalzte vernehmlich mit der Zunge, gestattete sich die Andeutung eines Hüftschwungs und bleckte die Zähne. Oh, wie er sich liebte! Grand Cherokee Wang, der Herr der Welt. Bevorzugt hielt er sich nachts hier auf, wenn er sich in der gläsernen Fläche spiegeln konnte, durch die man das Lichtermeer Shanghais erblickte, sodass es schien, als rage er leibhaftig daraus empor, ein Gigant! Kein Schaufenster auf der Nanjing Donglu, in dem er sich zu huldigen vergaß, seinem gut geschnittenen Gesicht mit den Goldapplikationen auf Stirn und Wangenknochen, dem schulterlangen, blauschwarzen Haar, dem weißen Lackmantel, für den es um diese Jahreszeit eigentlich zu warm war, aber egal. Wang und reflektierende Flächen, sie waren füreinander gemacht.

Er war ganz oben.

Zumindest arbeitete er ganz oben, im 97. Stockwerk des World Financial Centers, da Wangs Eltern die Finanzierung seines Studiums von seiner Bereitschaft abhängig gemacht hatten, Selbstverdientes beizusteuern. Und das tat er. Mit solcher Hingabe, dass sein Vater ernsthaft zu mutmaßen begann, sein ansonsten wenig erqicklicher Sprössling liebe die Arbeit als solche. Tatsächlich verdankte es sich den besonderen Umständen eben dieser Arbeit, dass Grand Cherokee Wang mittlerweile mehr Zeit im World Financial Center zubrachte als im Hörsaal, wo seine Anwesenheit eher erforderlich gewesen wäre. Andererseits stand außer Frage, dass es für einen angehenden Ingenieur der Elektrotechnik und des Maschinenbaus kaum einen besseren Anschauungsunterricht geben konnte als das 97. Stockwerk des World Financial Centers.

Seiner Großmutter, die Anfang des Jahrtausends und damit vor der Fertigstellung des Gebäudes erblindet war, hatte Wang die Sache so zu schildern versucht:

»An den Jin Mao Tower kannst du dich erinnern?«

»Natürlich, ich bin ja nicht blöde. Ich bin vielleicht blind, aber ich erinnere mich an alles ganz genau!«

»Dann stell dir den Flaschenöffner gleich dahinter vor. Du weißt ja, dass man ihn Flaschenöffner nennt, weil –«

»Ich weiß nur, dass man ihn so nennt.«

»Weißt du denn auch, warum?«

»Nein. Aber ich werde kaum verhindern können, dass du's mir erzählst.«

Wangs Großmutter behauptete, ihre Erblindung sei mit einer Reihe von Vorteilen einhergegangen, deren erfreulichster sei, nicht länger dem Anblick ihrer Familienmitglieder ausgesetzt zu sein.

»Also, pass auf, es ist ein schlankes Haus, mit schön geschwungenen Fassaden. Völlig glatt, keine Vorsprünge, nur Glas. Der Himmel spiegelt sich darin, die Gebäude drum herum, auch der Jin Mao Tower. Unglaublich! Fast 500 Meter hoch, 101 Stockwerke. Wie soll ich dir die Form beschreiben? Ein quadratischer Grundriss, eigentlich ein ganz normaler Turm, aber mit zunehmender Höhe flachen sich zwei Seiten ab, sodass er nach oben immer schlanker wird, und das Dach ist eine lange Kante.«

»Ich weiß gar nicht, ob ich das so genau wissen will.«

»Doch! Das musst du dir vorstellen können, damit du verstehst, was die da oben hingebaut haben. Ursprünglich war unterhalb der Kante eine kreisrunde Öffnung vorgesehen, 50 Meter im Durchmesser, aber dann hat die Partei gesagt, das geht nicht wegen der Symbolik. Rund, das erinnere an die aufgehende Sonne Japans –«

»Die japanischen Teufel!«

»Eben, also hat man eine viereckige Öffnung gebaut, 50 mal 50 Meter. Ein Loch im Himmel. Mit der eckigen Öffnung sieht der ganze Turm aus wie ein riesiger, aufrecht stehender Flaschenöffner, und als er 2008 fertig wurde, haben ihn alle so genannt, nix zu machen. Die Unterseite des Lochs ist eine Aussichtsplattform, über die sich ein gläserner Gang zieht. Oben, wo es abschließt, ist ebenfalls ein Glasdeck, sogar mit gläsernem Boden.«

»Ich würde nie da raufgehen!«

»Pass auf, jetzt der Kracher: 2020 kam jemand auf die völlig durchgeknallte Idee, in die Öffnung die höchstgelegene Achterbahn der Welt zu bauen, den *Silver Dragon*. Schon mal davon gehört?«

»Nein. Doch. Ich weiß nicht.«

»Das Loch war für eine komplette Achterbahn natürlich zu klein. Ich meine, es ist riesig, aber die hatten was Größeres im Sinn, also haben sie die Achterbahnstation in die Öffnung gebaut und die Bahn ums Haus gelegt. Du steigst vom Glaskorridor in die Wagen, und los geht's, zehn Meter über die Gebäudekante raus, in weitem Bogen um den linken Seitenpfeiler herum auf die Rückseite des Towers. Du hängst frei über Pudong, in einem halben Kilometer Höhe!«

»Was für ein Unsinn!«

»Was für ein Wahnsinn! An der Rückseite führt die Bahn steil dem Dach entgegen, umrundet den rechten Pfeiler und mündet in eine lange Waagerechte, die der Dachkante aufsitzt. Ist das nicht irre? Du fährst auf dem Dach des World Financial Centers spazieren!«

»Ich wäre vorher schon gestorben.«

»Stimmt, die meisten machen sich auf den ersten Metern voll in die Hose, aber das ist noch gar nichts. Jenseits der Kante geht's unvermittelt abwärts. In eine Steilkurve! Jetzt rast der Wagen! Und weißt du was? Er rast *geradewegs* in das Loch rein, in dieses Riesenloch, unter der Dachachse hindurch, dann wieder aufwärts, aufwärts, aufwärts, denn du bist in einem verdammten Looping, hoch übers Dach hinaus, steil wieder nach unten, rein ins Loch, um den rechten Pfeiler und zurück in die Gerade und in den Bahnhof, und das drei Runden lang. Oh Mann!«

Jedes Mal, wenn Grand Cherokee davon erzählte, wurde ihm heiß und kalt vor Begeisterung.

»Solltest du nicht eigentlich studieren?«

Sollte er? Im gläsernen Gang, hüftschwingend, die Schlange vor Augen, die sich an der Sperre drängte, alle Gesichter ihm zugewandt, einige entgleist zwischen Vorfreude und vorauseilender Panik, manche schockgefroren, andere suchtartig verklärt, empfand Grand Cherokee eine unüberbrückbare Distanz zu den Niederungen des Studiums. Die Universität lag einen halben Kilometer unter ihm. Eine Existenz in Hörsälen war seiner nicht würdig. Einzig der Umstand, dass die Paukerei ihn letztlich befähigen würde, noch Größeres zu schaffen als den *Silver Dragon*, versöhnte ihn notdürftig mit der Wirklichkeit. Er schob sich durch die Wartenden bis zur Glastür, die den Korridor vom Bahnsteig trennte, schloss auf und grinste in die Runde.

»Musste mal pinkeln«, sagte er jovial.

Einige drängten nach vorne. Manche traten einen Schritt zurück, als habe er zur Hinrichtung gebeten. Er schloss die Tür hinter sich, trat in den verglasten Nebenraum mit der Computerkonsole und weckte den Drachen. Bildschirme flammten auf, Lichter blinkten, als die Systeme hochfuhren. Mehrere Monitore zeigten die einzelnen Streckenabschnitte der Bahn. Der *Silver Dragon* war einfach zu bedienen, genau genommen idiotensicher, aber das wussten die da draußen ja nicht. Für sie war er der Magier in seiner kristallenen Kanzel. *Er* war der *Silver Dragon*! Ohne Grand Cherokee kein Ride.

Er ließ die aneinandergekoppelten Waggons ein Stück zurückfahren zu dem einzigen Stück der Strecke, das ringsum durch Gitter gesichert war. Sie schimmerten verheißungsvoll in der Sonne, kaum mehr als silberne Surfbretter auf Schienen. So gut die Passagiere durch Bügel gesichert waren, die sie in den Sitzen hielten, so offen war der Zug konzipiert. Keine Reling, um die Illusion zu vermitteln, man könne sich im Überschlag des Loopings irgendwo festhalten. Nichts, was geeignet war, den Blick in die Tiefe abzulenken. Der Drache kannte keine Gnade.

Er öffnete die Glastür. Die meisten hielten ihre Handys oder E-Tickets vor den Scanner, andere hatten im Foyer ein Ticket gekauft. Nachdem zwei Dutzend Adrenalinsüchtiger die Absperrung durchquert hatten, schloss er sie wieder. Eine verchromte Schranke schob sich zurück und gab den Weg frei zum Drachen. Grand Cherokee half den Passagieren beim Besteigen der Sitze, prüfte die Halterungen und entsandte festigende Blicke in jedes Augenpaar. Eine Touristin, skandinavischer Typ, lächelte ihn scheu an.

»Ängstlich?«, fragte er auf Englisch.

»Aufgeregt«, flüsterte sie.

Oh, wie sie Angst hatte! Wie wunderbar! Grand Cherokee beugte sich zu ihr herab.

»Wenn die Fahrt vorüber ist, zeige ich dir den Kontrollraum«, sagte er. »Willst du den Kontrollraum sehen?«

»Oh, das wäre – das wäre super.«

»Aber nur, wenn du tapfer bist.« Er grinste, schenkte ihr ein Erobererlächeln. Die blonde Frau ließ angestauten Atem entweichen und lächelte ihn dankbar an.

»Bin ich. Versprochen.«

Grand Cherokee Wang! Der Herr des Drachen.

Mit schnellen Schritten war er in der Kanzel. Seine Finger flitzten über den Computertisch. Schienensicherung entriegeln, Zug starten. So einfach war das. So schnell konnte man Menschen auf eine unvergessliche Tour zwischen Himmel und Hölle schicken. Der Drache verließ seinen Gitterkäfig und schob sich über die Plattformkante hinaus, beschleunigte, geriet aus dem Blickfeld. Grand Cherokee drehte sich um. Durch den gläsernen Korridor konnte er die weit auseinanderstehenden, mächtigen Seitenpfeiler sehen, segmentiert in Etagen von Penthouse-Größe, über sich das in schwindelerregender Höhe verlaufende Glasboden-Observatorium. Besucher bewegten sich darin wie auf Glatteis, schauten hinab auf den 50 Meter tiefer liegenden Korridor mit dem Achterbahnhof, wo sich bereits die nächsten Wagemutigen stauten. Und alle starrten den linken Turm an, hinter dem sich der Zug nun langsam wieder hervorschob, um die Schräge zu erklimmen, hinauf aufs Dach, erneut den Blicken entzogen.

Grand Cherokee warf einen Blick auf die Monitorleiste.

Die Waggons näherten sich dem Ende des Dachs. Dahinter knickte das Gleis ab. Er wartete. Es war der Moment, den er am meisten genoss, wann immer ihm sich die Gelegenheit bot, mitzufahren. Reihe eins war die beste. Der Eindruck, die Schienen endeten im Nichts. Über die Kante zu stürzen ohne jeden Halt. Das Denken des Undenkbaren, kurz bevor das Gefährt kippte und der Blick vorausraste in die abwärts führende Steilkurve, bevor das aufkochende Adrenalin jeden klaren Gedanken aus den Hirnwindungen schwemmte und die Lungen sich zum Schrei weiteten. Kopfüber stürzte man dem Bahnhof entgegen, wurde hochgeschleudert, fand sich schwerelos über dem Dach und gleich darauf wieder in rasender Abwärtsfahrt begriffen.

Die Waggons gerieten ins Blickfeld.

Fasziniert sah Grand Cherokee nach oben. Die Zeit schien sich ins Endlose zu dehnen.

Dann stürzte sich der Silberdrache in den Überschlag.

Er hörte die Schreie durch das Glas hindurch.

Welch ein Augenblick! Welch eine Demonstration der Macht über Körper und Geist, und wiederum, welch ein Triumph, den Drachen zu reiten und zu *kontrollieren!* Ein Gefühl der Unverwundbarkeit überkam Grand Cherokee. Mindestens einmal am Tag versuchte er, einen Platz in dem Gefährt zu ergattern, denn er war angstfrei, schwindelfrei, so wie er frei von Selbstzweifeln war, frei von Scham und Skrupeln, frei von der nörgeligen Stimme der Vernunft.

Frei von Vorsicht.

Während über ihm zwei Dutzend Drachenreiter ihr neurochemisches Inferno erlebten, zog er sein Handy hervor und wählte eine Nummer.

»Ich hätte einiges anzubieten«, sagte er und versuchte, die Worte ins Gelangweilte zu dehnen.

»Sie wissen, wo das Mädchen ist?«

»Schätze schon.«

»Großartig. Wirklich großartig!« Die Stimme des Mannes klang erleichtert und dankbar. Grand Cherokee verzog die Mundwinkel. Der Typ konnte noch so sehr versuchen, den lieben Onkel zu spielen, ganz sicher war er nicht hinter Yoyo her, um sie in Watte zu packen. Wahrscheinlich Geheimdienst oder Polizei. Unwichtig. Fakt war, er hatte

Geld, und er war bereit, einiges davon lockerzumachen. Dafür würde der Kerl Informationen bekommen, die Grand Cherokee gar nicht besaß, denn tatsächlich hatte er nicht den blassesten Schimmer, wo Yoyo sich aufhielt, noch wo sie sich aufhalten könnte. Ebenso wenig wusste er, wer oder was das Mädchen veranlasst hatte, unterzutauchen, nicht einmal, ob sie wirklich untergetaucht oder einfach nur unangekündigt in den Urlaub entwichen war. Sein Kenntnisstand glich seinem Kontostand, hier wie da nichts zu holen.

Andererseits, wie würde es klingen, wenn er die Wahrheit sagte:

»Yoyo arbeitet im World Financial Center bei Tu Technologies weiter unten. Ich mach oben den Bahnhofswärter für alle, die sich im freien Fall vollpissen wollen. So hab ich sie kennengelernt. Sie tauchte hier auf, weil sie den Drachen reiten wollte. Also hab ich sie reiten lassen und ihr hinterher gezeigt, wie man den Drachen steuert, und das fand sie – nun ja –«

Die Wahrheit, Grand Cherokee, die Wahrheit!

»– um einiges geiler als mich, obwohl das sonst immer funktioniert, ich meine, umsonst fahren lassen, dann ein Trip mit mir zusammen, anschließend was trinken, klar? Sie war scharf auf den Drachen, und sie suchte 'ne Bleibe, weil sie mit ihrem Alten irgendwie nicht zurechtkam, und Li und ich hatten gerade was frei. Obwohl – Li war wenig begeistert. Er findet, Mädchen stören die Chemie, gerade, wenn sie so aussehen wie Yoyo, weil dann alles Denken in den Schwanz wechselt und Freundschaften auseinandergehen, aber ich hab drauf bestanden, und Yoyo ist eingezogen. Ist keine zwei Wochen her.«

Ende der Geschichte. Vielleicht noch:

»Ich dachte, wenn Yoyo bei uns wohnt, krieg ich sie in die Kiste, aber da läuft nix. Sie ist 'n Partyhuhn, sie singt und findet alles gut, was auch ich gut finde, eigentlich unverständlich.«

Und dann noch:

»Manchmal hab ich gesehen, wie sie sich mit Typen aus den Verlierer-Vierteln rumgetrieben hat. Motorradfahrer. Könnte 'ne Gang sein. Sie haben so Sticker auf den Jacken: City Demons, glaube ich. Ja, City Demons.«

Was die einzige Information war, die den Namen verdiente.

Aber dafür würde er kaum Geld bekommen. Also wurde es Zeit, sich etwas auszudenken.

»Und wo ist sie gerade?«, wollte die Stimme im Handy wissen.

Cherokee zögerte. »Das sollten wir nicht am Telefon –«

»Wo sind Sie? Ich kann sofort losfahren.«

»Nein, nein, das schaffe ich nicht. Nicht mehr heute. Sagen wir, morgen früh. Um elf.«

»Elf ist nicht früh.« Der andere machte eine Pause. »Wenn ich das richtig verstanden habe, wollen Sie Geld verdienen, oder?«

»Das haben Sie richtig verstanden! Und *Sie* wollen was von *mir*, stimmt's? Wer macht also die Spielregeln?«

»Sie, mein Freund.« Täuschte er sich, oder hörte er den Mann leise lachen? »Trotzdem, was halten Sie von zehn?«

Grand Cherokee überlegte. Um zehn musste er die Achterbahn warten, um halb elf öffnete sie. Andererseits war es vielleicht gar nicht so dumm, alleine mit *Mister Big Money* zu sprechen. Wenn Scheine den Besitzer wechselten, sollte man die Zahl der Zuschauer gering halten, und um zehn wären sie ganz alleine, er, der Mann und der Drache.

»Geht klar.« Außerdem würde ihm bis dahin etwas eingefallen sein. »Ich sag Ihnen, wo Sie hinkommen müssen.«

»Gut.«

»Und bringen Sie ein satt gefülltes Portemonnaie mit.«

»Keine Sorge. Sie werden keine Gelegenheit zur Klage finden.«

Das klang gut.

Klang es gut? Die Waggons rasten heran und bremsten ab. Die Fahrt war zu Ende. Grand Cherokee sah 24 Paar Zitterknien entgegen. Mental richtete er sich darauf ein, die schlimmsten Fälle zu stützen.

Doch, es klang gut!

JERICHO

Yoyos Wohngemeinschaft lag in der Tibet Lu inmitten eines Viertels identisch aussehender Betontürme. Noch vor wenigen Jahren war hier ein Nachtmarkt gewesen. Geduckte Giebelhäuser hatten sich im Schatten der Wolkenkratzer aneinandergedrängt, eine Insel der Armut und des Verfalls auf knapp vier Quadratkilometern, mit unzureichender Wasserversorgung und ständig ausfallendem Strom. Händler hatten ihre Waren auf dem Gehsteig ausgebreitet, Läden und Türen geöffnet, sodass der Wohnraum zugleich die Funktion des Lagers und Verkaufsraums übernahm, oder das ganze Haus schlicht zur Straßenküche umfunktioniert. Praktisch alles stand zum Verkauf: Haushaltsartikel, Heilkräuter, Wurzeln, um die Libido zu stärken, Extrakte gegen böse Geister, Souvenirs für Touristen, die sich per Zufall hierher verirrten und Plastikbuddhas nicht von antiken unterscheiden konnten. Kessel dampften an jeder Ecke, eine Melange aus Bratfett und Brühe durchzog die Gassen. Keineswegs unangenehm, wie Jericho sich erinnerte, als er kurz nach seiner Ankunft hindurchgeschlendert war. Manches, was gegen ein paar Münzen den Besitzer wechselte, hatte ausgesprochen gut geschmeckt.

Dennoch war ein Leben erbärmlich zu nennen, wenn es Menschen zwang, sich zu zehnt eine einzige chronisch verstopfte Toilette zu teilen, sofern ihr Haus den Luxus einer Toilette überhaupt bereithielt. Folgerichtig, als die Immobiliengesellschaften und Vertreter der Baubehörde mit ihren Offerten eingefallen waren, hätte man kollektives Entzücken erwarten sollen. Von hellen Wohnungen war die Rede gewesen, von elektrischen Herden und Duschen. Doch kein Paar Augen hatte den Glanz der sanitären Verheißung gespiegelt. Weder regte sich Freude noch Widerstand. Sie hatten die Verträge unterzeichnet, einander angeschaut und gewusst, dass ihre Zeit gekommen war. Dieses Leben würde sein Ende finden, aber immerhin war es eines gewesen. Die einfachen Häuser hatten bessere Zeiten gesehen, bevor China Anfang der Neunziger auf der Wirtschaftsgeraden beschleunigt hatte. Sie waren heruntergekommen, sicher, aber mit etwas gutem Willen konnte man sie Heimat nennen.

Monate später war Jericho dorthin zurückgekehrt. Zuerst hatte er an einen Bombenangriff geglaubt. Ein Heer von Arbeitern war damit befasst gewesen, das Viertel dem Erdboden gleichzumachen. Seine anfängliche Überraschung hatte sich zu ungläubigem Erstaunen gewandelt, als ihm aufging, dass gut die Hälfte der Bewohner immer noch dort lebte und ihrer gewohnten Beschäftigung nachging, während ringsum Abrissbirnen pendelten, Mauern in sich zusammenfielen und Kipplaster tonnenweise Schutt abtransportierten.

Er hatte wissen wollen, was mit den Menschen geschehen würde, wenn das komplette Viertel verschwunden war.

»Sie ziehen um«, ließ ihn einer der Bauarbeiter wissen.

»Und wohin?«

Die Antwort war der Mann schuldig geblieben und Jericho bestürzt durch das Viertel gestrichen, während die Dunkelheit herankroch und ein amputierter Nachtmarkt in Szene gesetzt wurde, dessen Protagonisten das Zerstörungswerk hartnäckig zu leugnen schienen. Wen immer er fragte, versicherte ihm gleichmütig bis freundlich, es sei halt so, wie es sei. Nach einer Weile war Jericho zu der Überzeugung gelangt, alleine am breiten Shanghaier Dialekt könne es nicht liegen, dass er immer nur einen Satz verstand, die standardisierte Reaktion auf jegliche Art von Katastrophen und Ungerechtigkeiten. *Mei you banfa:* Da kann man nichts machen.

Nach Einbruch der Nacht wurden ein paar Leute gesprächiger. Eine rundliche ältere Dame, die köstliche kleine Klöße in Brühe zubereitete, rechnete Jericho vor, dass die Abfindung der Baubehörde bei Weitem nicht ausreiche, um eine neue Wohnung zu kaufen. Ebenso wenig reiche sie, um dauerhaft eine zu mieten. Eine zweite Frau, die dazukam, wusste zu berichten, man habe jedem der Bewohner anfangs eine weit höhere Summe geboten, aber niemand habe das Geld in versprochener Höhe erhalten. Ein junger Mann erwog, dagegen zu klagen, was die rundliche Dame mit einer matten Handbewegung abtat. Ihr Sohn habe schon viermal geklagt. Jede Klage sei abgewiesen worden, aber beim vierten Mal habe man ihn eine Woche lang in eine Zelle gesperrt und ihm hernach unter Verabreichung von Fußtritten den Weg gewiesen.

Am Ende hatte Jericho das Viertel so ratlos verlassen wie er gekommen war. Nun war er ein drittes Mal zurückgekehrt, und nichts deutete darauf hin, dass hier jemals etwas anderes gestanden hatte als Türme mit Klimaanlagen vor den Fenstern. Die Häuser waren durchnummeriert, aber in der hereinbrechenden Dämmerung verschwammen die Zahlen auf dem Untergrund. Irgendein Idiot hatte es schick gefunden, sie mit Pastell auf Pastell zu malen, riesig zwar, aber unter diffusen Lichtverhältnissen ebenso wenig zu erkennen wie Schneehasen im Schnee. Jericho machte sich nicht die Mühe, die Straßen abzumarschieren. Er zog sein Handy hervor, gab die Hausnummer ein und ließ das GPS seine Position ermitteln. Auf dem Display erschien ein Ausschnitt der Stadt aus der Satellitenperspektive. Jericho projizierte die Karte auf die nächste Hauswand. Der Beamer war stark genug, um ein brillantes Bild von zwei mal zwei Metern zu erzeugen. Quer über die Hauswand verlief die Straße, auf der er sich befand, nebst Seiten- und Parallelstraßen. Er zoomte. Ein blinkendes Signal wies seinen Standort metergenau aus, ein weiteres markierte Yoyos Adresse.

»Bitte zweiunddreißig Meter geradeaus gehen«, sagte das Handy freundlich. »Dann rechts –«

Er deaktivierte die Stimme und machte sich auf den Weg. Ihm reichte, gesehen zu haben, dass Yoyos Wohnblock gleich um die Ecke lag und schnell zu erreichen war.

Zwei Minuten später drückte er auf die Klingel.

Es war ein Überraschungsbesuch und damit eine Art Investment. Die eher geringe Chance, jemanden anzutreffen, wurde wettgemacht durch den Überrumpelungseffekt. Der Besuchte, so er denn da war, fand keine Gelegenheit, sich vorzubereiten, Dinge verschwinden zu lassen oder Lügen einzustudieren. Jerichos Recherchen zufolge waren Yoyos Wohngenossen nicht vorbestraft und auch sonst nie auffällig geworden. Der eine, Zhang Li, studierte Betriebswirtschaft und Englisch, der andere war für Maschinenbau und Elektrotechnik eingeschrieben. Seitens der Behörden wurde er als Wang Jintao geführt, nannte sich jedoch Grand Cherokee. Nichts Ungewöhnliches. In den Neunzigern hatten junge Chinesen begonnen, ihren Familiennamen westliche Namen voranzustellen, ein Brauch, der nicht immer ganz stilsicher gehandhabt wurde. In Unkenntnis ihrer eigentlichen Bedeutung konnte es schon mal geschehen, dass sich Männer nach Damenbinden und Hundefutter benannten, während es weiblicherseits keine Seltenheit war, einer Pershing Song oder White House Liang zu begegnen, und Wang hatte sich eben einen amerikanischen Geländewagen zum Vornamen erwählt. Glaubte man Tu, waren weder er noch Li dem häuslichen Typ zuzurechnen, was befürchten ließ, dass er den Weg hierher umsonst gemacht hatte. Doch als er ein zweites Mal schellte, erlebte er eine Überraschung. Ohne dass jemand die Gegensprechanlage bemühte, wurde ihm aufgedrückt. Er betrat einen kahlen, nach Kohl riechenden Flur, nahm den Aufzug in den siebten Stock und fand sich in einem weiß getünchten Gang wieder, dessen Neonbeleuchtung nervös flackerte. Ein Stück weiter wurde eine Tür geöffnet. Ein junger Mann trat nach draußen und musterte Jericho gleichgültig.

Kein Zweifel!

Metallische Applikationen zierten Stirn und Wangenknochen, gerade ganz hoch in Mode. Mit ihrem Auftreten hatte die Ära der Piercings und Tattoos geendet. Wer sich heute noch einen Ring durch die Augenbrauen oder Silber in der Zunge erlaubte, galt als peinlich. Auch die Haartracht, glatt und lang, entsprach dem Trend. Indianischer Stil, wie ihn die Mehrzahl junger Männer rund um den Globus zurzeit trug, abgesehen von den Indianern, die jede Verantwortung von sich wiesen. Ein Sprüh-Shirt arbeitete Wangs Muskulatur heraus, die Hose aus schwarzem Knautschlack erweckte den Anschein, Tag und Nacht im Einsatz zu sein. Unterm Strich sah der Bursche nicht übel aus, allerdings auch nicht richtig gut. Dem martialischen Erscheinungsbild fehlten zehn Zentimeter Körpergröße, und die Züge mochten durch Kantigkeit gefallen, ließen jedoch proportionale Eleganz vermissen.

»Sie sind?«, fragte er mit unterdrücktem Gähnen.

Jericho hielt ihm sein Handy unter die Nase und projizierte ein

3-D-Abbild seines Kopfes samt polizeilicher Registrierungsnummer auf das hochgeklappte Display.

»Owen Jericho, Webdetective.«

Wang kniff die Augen zusammen.

»Tatsächlich«, sagte er im Versuch, ironisch zu klingen. »Hätten Sie einen Moment Zeit?«

»Was liegt an?«

»Das ist die Wohnung von Chen Yuyun, richtig? Genannt Yoyo.«

»Falsch.« Der Mann schien das Wort durchzukauen, bevor er es ausspuckte. »Das ist die Wohnung von Li und mir, in der die Kleine ihre Bücher und Klamotten deponiert hat.«

»Ich dachte, sie wohnt hier?«

»Eines wollen wir mal klarstellen, ja? Es ist nicht *ihre* Wohnung. *Ich* hab ihr das Zimmer besorgt.«

»Dann müssen Sie Grand Cherokee sein.«

»Yeah!« Die Erwähnung des Vornamens bewirkte, dass sein Besitzer schlagartig ins freundliche Fach wechselte. »Sie haben von mir gehört?«

»Nur Gutes«, log Jericho. »Würden Sie mir verraten, wo Yoyo zu finden ist?«

»Wo Yoyo zu –« Grand Cherokee stockte. Aus unerfindlichen Gründen schien ihn die Frage zu verblüffen. »Das ist ja –«, murmelte er. »Na so was!«

»Ich müsste sie sprechen.«

»Geht nicht.«

»Ich weiß, Yoyo ist verschwunden«, ergänzte Jericho. »Darum bin ich hier. Ihr Vater sucht sie, und er macht sich große Sorgen. Falls Sie also etwas über ihren Verbleib wissen –«

Grand Cherokee starrte ihn an. Etwas an dem Burschen, besser gesagt an seinem Verhalten, irritierte Jericho.

»Wie gesagt«, wiederholte er. »Sollten Sie –«

»Augenblick.« Grand Cherokee hob die Hand. Einige Sekunden verharrte er so, dann glätteten sich seine Züge.

»Yoyo.« Er lächelte jovial. »Aber natürlich. Möchten Sie nicht reinkommen?«

Immer noch irritiert, betrat Jericho die schmale Diele, von der mehrere Räume abzweigten. Grand Cherokee eilte ihm voraus, öffnete die letzte Tür und wies mit einer Kopfbewegung ins Innere.

»Ich kann Ihnen ihr Zimmer zeigen.«

Allmählich sah Jericho klar. So viel Kooperation grenzte an Kalkül. Langsam betrat er das Zimmer und schaute sich um. Nichtssagend. Kaum etwas ließ darauf schließen, welche Person hier wohnte, sah man von einigen Postern ab, die populäre Vertreter der Mando-Prog-Szene zeigten. Auf einem der Bilder war Yoyo selbst zu sehen, in Bühnenpose. An einer Pinnwand über einem billigen Schreibtisch pappte ein Zettel. Jericho trat näher heran und studierte die wenigen Schriftzeichen.

»Dunkles Sesamöl«, las er. »300 Gramm Hühnchenbrust –«

Grand Cherokee ließ ein dezentes Hüsteln hören.

»Ja?« Jericho drehte sich zu ihm um.

»Ich könnte Ihnen Hinweise liefern, wo Yoyo ist.«

»Prima.«

»Na ja.« Grand Cherokee spreizte vielsagend die Finger. »Sie hat 'ne Menge erzählt, wissen Sie? Ich meine, die Kleine mag mich. War ziemlich zutraulich in den letzten Tagen.«

»Waren Sie auch zutraulich?«

»Sagen wir mal, ich hatte die Möglichkeit.«

»Und?«

»Also, wirklich, das ist schon Vertrauenssache, Mann!« Grand Cherokee rang sichtlich um Empörung. »Natürlich können wir über alles reden, aber –«

»Nein, schon gut. Wenn es Vertrauenssache ist.« Jericho ließ ihn stehen. Ein Wichtigtuer, wie er befürchtet hatte. Nacheinander zog er die Schubladen des Schreibtischs auf. Dann ging er zu dem schmalen Wandschrank neben der Tür und öffnete ihn. Jeans, ein Pulli, ein Paar Turnschuhe, die ihre besten Tage hinter sich hatten. Zwei Dosen Spray für Wegwerfkleidung. Jericho schüttelte sie. Halb voll. Offenbar hatte Yoyo in großer Eile einen Teil ihrer Habe zusammengepackt und überstürzt das Haus verlassen.

»Wann haben Sie Ihre Mitbewohnerin zum letzten Mal gesehen?«

»Zum letzten Mal?«, echote Grand Cherokee.

»Zum letzten Mal.« Jericho schaute ihn an. »Das ist der Zeitpunkt, nach dem Sie Yoyo nicht mehr gesehen haben, also wann war das?«

»Ja, also –« Grand Cherokee schien aus schwerer See aufzutauchen. »Am Abend des 23. Mai. Wir hatten 'ne kleine Party. Li ist irgendwann ins Bett, und Yoyo hing noch bei mir rum. Wir haben gequatscht und was getrunken, dann ist sie rüber zu sich. Irgendwann später höre ich sie plötzlich rumpoltern und die Schränke aufreißen. Kurz danach ist die Haustür ins Schloss gefallen.«

»Wann genau?«

»Zwischen zwei und drei, schätze ich.«

»Schätzen Sie?«

»Es war auf jeden Fall vor drei.«

Jericho durchsuchte weiterhin Yoyos Zimmer, da Grand Cherokee kein Bemühen erkennen ließ, ihn davon abzuhalten. Aus den Augenwinkeln sah er den Studenten unschlüssig herumschleichen. Jerichos Desinteresse an seiner Person schien ihn zu verwirren.

»Ich könnte Ihnen mehr erzählen«, sagte er nach einer Weile. »Falls es Sie interessiert.«

»Raus damit.«

»Morgen vielleicht.«

»Warum nicht jetzt?«

»Weil ich ein paar Leute anrufen muss, um – ich meine, mir ist schon klar, wo Yoyo rumhängt, aber vorher –« Er streckte die Arme aus und drehte die Handflächen nach oben. »Sagen wir einfach, alles hat seinen Preis.«

Das war deutlich.

Jericho beendete die Observierung und trat zurück in die Diele.

»Sofern es seinen Preis wert ist«, sagte er. »Bei der Gelegenheit, wo steckt überhaupt Ihr Mitbewohner?«

»Li? Keine Idee. Der weiß eh nichts.«

»Kommt es mir nur so vor, oder wissen Sie auch nichts?«

»Ich? Doch, schon.«

»Aber?«

»Kein Aber. Ich dachte nur, vielleicht fällt Ihnen ja was ein, wie man festsitzendes Wissen lösen kann.« Grand Cherokee grinste ihn von unten herauf an.

»Verstehe.« Jericho lächelte zurück. »Sie möchten über einen Vorschuss verhandeln.«

»Nennen wir es einen Unkostenbeitrag.«

»Und für was, Grand Cherokee, oder wie immer Sie heißen mögen? Dafür, dass Sie mich mit Ihrer blubbernden Fantasie verarschen? Sie wissen nicht das Geringste!«

Er wandte sich zum Gehen. Grand Cherokee schien bestürzt. Offenbar hatte er sich den Verlauf der Unterhaltung anders vorgestellt. Er hielt Jericho an der Schulter zurück und schüttelte den Kopf.

»Ich will niemanden abzocken, Mann!«

»Dann tun Sie's auch nicht.«

»Jetzt kommen Sie schon! So ein Studium bezahlt sich nicht von alleine! Ich krieg raus, was Sie wissen wollen.«

»Fehlanzeige. Sie haben mir nichts zu verkaufen.«

»Ich –« Der Student rang nach Worten. »Also gut. Wenn ich Ihnen was verrate, das Sie weiterbringt, hier und jetzt, vertrauen Sie mir dann? Das wäre dann *mein* Vorschuss, kapiert?«

»Ich höre.«

»Also, es gibt da eine Motorradgang, mit der sie sich öfter rumtreibt. Fährt selbst 'ne Kiste. Die *City Demons,* steht jedenfalls auf ihren Jacken.«

»Und wo finde ich die?«

»Das *war* mein Vorschuss.«

»Jetzt hören *Sie* mal zu«, sagte Jericho und spießte sein Gegenüber mit dem Zeigefinger auf. »Hier und jetzt bezahle ich für gar nichts. Denn Sie haben nichts. Nicht das Geringste. Sollten Sie allerdings, getrieben von Ihrem guten Herzen, tatsächlich Informationen beschaffen können – und damit meine ich echte Informationen! –, kommen wir unter Umständen ins Geschäft. Ist das so weit klar?«

»Klar.«

»Also wann erwarte ich Ihren Anruf?«

»Morgen Nachmittag.« Grand Cherokee zupfte an seiner Kinnspitze. »Nein, früher. Vielleicht.« Er sah Jericho durchdringend an. »Aber dann ist Zahltag, Mann!«

»Dann ist Zahltag.« Jericho klopfte ihm auf die Schulter. »In angemessener Höhe. Wollten Sie noch was sagen?«

Grand Cherokee schüttelte stumm den Kopf.

»Dann bis morgen.«

Dann bis morgen –

Wie angewurzelt stand er im Flur, als der Detektiv schon auf dem Weg nach unten war. Er hörte den Fahrstuhl im Schacht leise rattern, während seine Gedanken einander jagten.

Das war ja vielleicht ein Ding!

Nachdenklich ging er in die Küche, holte ein Bier aus dem Kühlschrank und setzte die Flasche an den Hals. Was war hier eigentlich los? Was hatte Yoyo verbrochen, dass sich plötzlich alle Welt für ihr Verschwinden interessierte? Erst dieser elegante Typ und jetzt der Detektiv. Und was noch viel wichtiger war:

Wie konnte man davon profitieren?

Ganz einfach würde es nicht werden. Grand Cherokee gab sich keiner Illusion darüber hin, dass der Pegelstand seines Wissens gegen null ging, woran die nächsten Stunden wenig ändern würden. Andererseits sollte es mit dem Teufel zugehen, wenn ihm bis zum kommenden Morgen nicht ein paar saftige Lügengeschichten einfielen. Lügen von der Art, die einem keiner nachweisen konnte, nach dem Motto: meine Informationen stammten aus erster Hand, ich weiß auch nicht, offenbar hat Yoyo den Braten gerochen, man hat uns an der Nase rumgeführt, und so weiter und so fort.

Er musste den Preis in die Höhe treiben. Die beiden gegeneinander ausspielen! Gut schon mal, dass er dem Detektiv nichts von Xins Besuch erzählt hatte. Man konnte vieles von ihm behaupten, aber kaum, dass er auf den Kopf gefallen war.

Ich bin zu ausgeschlafen für euch, dachte er.

Zählt schon mal die Scheine ab.

26.MAI 2025

[DER TRABANT]

ANKUNFT

Als hätten seit 2018 nicht Dutzende Stiefelpaare dem Mondboden das Relief menschlichen Heldentums eingeprägt, galt Eugene Cernan, Kommandant von Apollo 17, unverändert als der letzte Mensch, der den Trabanten betreten hatte. Monumentartig standen die Jahre '69 bis '72 im Landschaftsbild amerikanischer Geschichte, eine kurze, aber magische Epoche bemannter Missionen, die Nixons Bruchpilotenschaft auf surreale Weise konterkariert und damit geendet hatte, dass Cernan oben das Licht ausmachte. Er war und blieb der Letzte seines Jahrtausends. Als elfter Apollo-Astronaut hatte er im Mare Serenitatis herumspazieren und Hunderte jener kleinen Schritte tun dürfen, die Neil Armstrong als so groß für die Menschheit erachtet hatte. Sein Team sammelte mehr Mondgestein und absolvierte längere Außeneinsätze als jede andere Mannschaft zuvor. Der Kommandant selbst schaffte es, den ersten Autounfall auf einem fremden Himmelskörper zu bauen, indem er den hinteren linken Kotflügel seines Rovers zu Klump fuhr und mit dem Improvisationstalent eines Robinson Crusoe wieder zusammenflickte. Nichts davon war geeignet, das öffentliche Interesse aufzufrischen. Eine Ära endete. Cernan, die historische Chance vor Augen, sich mit einem donnernden Nachruf in Lexika und Lehrbüchern zu verewigen, fand stattdessen Worte von bemerkenswerter Ratlosigkeit.

»Den größten Teil der Heimreise«, sagte er, »verbrachten wir mit Diskussionen, welche Farbe der Mond denn nun habe.«

Allerhand. Das also sollte das Resümee aus sechs kostspieligen Landungen auf einem Hunderttausende Kilometer entfernten Gesteinsbrocken sein? Dass man nicht einmal wusste, welche Farbe er hatte?

»Ich finde ihn gelblich«, sagte Rebecca Hsu, nachdem sie eine ganze Weile schweigend aus dem kleinen Bullauge gestarrt hatte. Inzwischen zog es kaum noch jemanden zur gegenüberliegenden Fensterreihe. Von dort hatten sie während der vergangenen beiden Tage, seit dem Abdocken, ihren Heimatplaneten beständig kleiner werden sehen, ein gespenstisches Hinwegschrumpfen von Vertrautheit, um ihre Gunst auf halber Strecke paritätisch zwischen Erde und Mond aufzuteilen und endlich völlig der Faszination des Trabanten zu erliegen. Aus 10 000 Kilometern Entfernung war er immer noch als Ganzes zu sehen, scharf abgegrenzt gegen die Schwärze des umgebenden Raumes. Doch hatte sich der Gegenstand romantischer Betrachtungen zu einer Kugel von bedrohlicher Präsenz gebläht, ein Schlachtfeld, gezeichnet von Jahrmilliarden andauernden Beschusses. In völliger Lautlosigkeit, ungebrochen vom Soundtrack der Zivilisation, rasten sie der fremden Welt entgegen. Lediglich das tinnitusartige Rauschen der Lebenserhaltungssysteme deutete darauf hin, dass überhaupt so etwas wie technische Aktivität an Bord stattfand. Darüber hinaus ließ die Stille Herzschläge wie Buschtrommeln erdröhnen und das Blut in den Adern brodeln, erweckte den Körper zu geschwätziger Mitteilsamkeit über den Zustand seiner chemischen Fabriken und leitete die Gedanken an den Rand des Vorstellbaren.

Olympiada Rogaschowa paddelte heran, eine scheue Schwimmerin in der Schwerelosigkeit. Inzwischen hatten sie sich dem Trabanten auf tausend Kilometer genähert, und man sah ihn nur noch zu drei Vierteln.

»Ich kann nichts Gelbes erkennen«, murmelte sie. »Für mich ist er mausgrau.«

»Metallisch grau«, korrigierte sie Rogaschow kalt.

»Na, ich weiß nicht.« Evelyn Chambers schaute vom Nebenfenster herüber. »Metallisch?«

»Doch, schon. Sehen Sie. Oben rechts, die große, runde Stelle. Dunkel wie geschmolzenes Eisen.«

»Sie sind zu lange in der Stahlbranche, Oleg. Sie würden sogar in einem Schokoladenpudding etwas Metallisches erkennen.«

»Klar, den Löffel. Uuiiiiii!« Miranda Winter schlug einen Purzelbaum und jauchzte. Inzwischen war den meisten die Akrobatik im freien Fall langweilig geworden. Nur Winter konnte nicht genug davon bekommen und ging den anderen damit zusehends auf die Nerven. Kein Gespräch mit ihr war möglich, ohne dass sie quiekend und gackernd durch die Luft kullerte, Rippenstöße und Kinnhaken austeilend. Chambers bekam eine Ferse ins Kreuz und sagte:

»Du bist kein Karussell, Miranda. Hör endlich auf damit.«

»Ich fühle mich aber wie eines!«

»Dann lass dich generalüberholen oder aus dem Verkehr ziehen. Es ist zu eng hier drin.«

»Hey, Miranda.« O'Keefe schaute von einem Buch auf. »Warum stellst du dir nicht vor, du wärst ein Blauwal?«

»Was? Wieso denn das?«

»Blauwale tun so was nicht. Sie hängen mehr oder weniger reglos in der Gegend rum, fressen Plankton und sind zufrieden.«

»Und blasen Wasser«, ließ sich Heidrun vernehmen. »Willst du Miranda Wasser blasen sehen?«

»Warum nicht?«

»Ihr seid blöd«, stellte Winter fest. »Ich finde übrigens, er hat was Bläuliches. Der Mond, meine ich. Beinahe gespenstisch.«

»Huuu«, gruselte sich O'Keefe.

»Welche Farbe hat er denn nun?«, wollte Olympiada wissen.

»Jede und keine.« Julian Orley kam durch die Verbindungsluke geschwebt, die den Wohntrakt der CHARON vom Landemodul trennte. »Man weiß es nicht.«

»Wieso?« Rogaschow runzelte die Stirn. »Hatte man nicht genügend Zeit, um es herauszufinden?«

»Sicher. Das Problem ist, dass kein Mensch ihn bisher anders als durch getönte oder mit Filterfolie beschichtete Fenster und Visiere betrachtet hat. Dabei weist der Mond nicht mal eine besonders hohe Albedo auf –«

»Eine was?«, fragte Winter, rotierend wie ein Spanferkel.

»Rückstrahlkraft. Der Anteil des auftreffenden Lichts, den Oberflächen abstrahlen. Die Reflexionsrate von Mondgestein ist nicht besonders hoch, besonders in den Mária nicht –«

»Versteh' kein Wort.«

»In den Meeren«, erklärte Julian geduldig. »Die Gesamtheit der Mondmeere heißt Mária. Mehrzahl von Mare. Sie erscheinen dunkler als die Ringgebirge der Krater.«

»Warum wirkt der Mond dann von der Erde aus betrachtet weiß?«

»Weil er keine Atmosphäre hat. Das Sonnenlicht knallt ungefiltert auf seine Oberfläche. Ebenso ungefiltert würde es auf die ungeschützte Netzhaut eines Astronauten knallen. Die UV-Strahlung hier draußen ist weit gefährlicher für unsere Augen als auf der Erde, also sind auch die Fenster unseres Raumschiffs abgedunkelt.«

»Man hat doch jede Menge Mondgestein mit zur Erde gebracht«, sagte Rogaschow. »Welche Farbe hat es denn da?«

»Dunkelgrau. Aber das muss nicht heißen, dass der Mond als Ganzes dunkelgrau ist. Vielleicht mischt sich hier und da tatsächlich ein Schimmer Braun mit rein. Oder Gelb.«

»Genau«, sagte O'Keefe hinter seinem Buch.

»Jeder sieht ihn halt ein bisschen anders. Jedem sein Mond.« Julian gesellte sich zu Chambers. Tief unter ihnen zog ein einzelner, riesiger Krater hindurch. Flüssiges Licht schien von seinen Hängen in die umgebende Ebene zu strömen. »Bei der Gelegenheit, das da ist Copernicus.

Nach allgemeiner Auffassung der spektakulärste aller Mondkrater, entstanden vor über 800 Millionen Jahren. Misst gut 90 Kilometer im Durchmesser, mit Wällen, die jeden Bergsteiger ins Schwitzen bringen dürften, aber wirklich beeindruckend ist seine Tiefe. Seht ihr den gewaltigen Schattenwurf im Inneren? Fast vier Kilometer geht es abwärts bis zum Grund der Senke.«

»In seinem Zentrum sind Berge«, bemerkte Chambers.

»Wie ist das möglich?«, wunderte sich Olympiada. »Ich meine, mitten in einer Einschlagstelle? Müsste da nicht alles platt sein?«

Julian schwieg eine Weile.

»Stellt euch Folgendes vor«, sagte er. »Die Mondoberfläche, so wie ihr sie seht, nur ohne Copernicus. Klar? Alles still und friedlich. Noch! Denn aus den Tiefen des Alls kommt ein Brocken angerast, elf Kilometer groß, 70 Sekundenkilometer schnell, 200-fache Schallgeschwindigkeit, und da ist keine Atmosphäre, nichts, was ihn abbremsen könnte. Stellt euch weiter vor, wie dieses Ding in die Ebene kracht. Der Aufprall selbst vollzieht sich in wenigen Tausendstel Sekunden, etwa hundert Meter dringt der Meteorit in die Oberfläche ein, nicht sonderlich tief, sollte man meinen, und so ein Loch von elf Kilometern ließe sich eigentlich verschmerzen – nur, die Sache funktioniert ein bisschen anders. Das Vertrackte an Meteoriten ist nämlich, dass sie im Moment des Einschlags ihre komplette Bewegungsenergie in Wärme umsetzen. Mit anderen Worten, das Ding explodiert! Es ist weniger der Einschlag selbst als diese Explosion, die zehn bis zwanzig Mal größere Löcher reißt, als ihre Verursacher durchmessen. Millionen Tonnen Gestein werden nach allen Seiten weggesprengt, blitzartig bildet sich ein Wall rund um den Krater, doch das Ganze ist entsetzlich schnell gegangen, so ruckzuck lassen sich die verdrängten Mengen Mondbasalt nicht umschichten, also wird der Boden schockartig eingedellt und auf die Tiefe mehrerer Kilometer komprimiert. Noch während riesige Wolken ausgeworfenen Materials über der Einschlagstelle aufsteigen, federt er aber schon wieder zurück, der Meteorit hat sich ja vollständig in Hitze verwandelt und ist nicht mehr da, schnellt hoch und türmt sich zu einem Bergmassiv im Zentrum des Lochs. Gleichzeitig breiten sich die Gesteinswolken rapide aus. Einmal mehr macht sich das Fehlen einer bremsenden Atmosphäre bemerkbar, die den Radius der Expansion eindämmen würde. Stattdessen wird der Schutt endlos nach außen geschleudert, bevor er niedergeht, Hunderte von Kilometern weit, Milliarden und Abermilliarden Geschosse. Dieses Auswurfmaterial könnt ihr heute noch sehen, als

Strahlenkranz, besonders bei Vollmond. Es hat eine andere Albedo als der dunklere Basalt ringsum, scheint aus sich selbst heraus zu leuchten. Tatsächlich reflektiert es einfach nur ein bisschen mehr Sonnenlicht. So in etwa müsst ihr euch vorstellen, wie Copernicus entstanden ist. Victor Hugo sah darin übrigens ein Auge, das den Mondbetrachter anblickt.«

»Aha«, sagte Olympiada mutlos.

Julian grinste in sich hinein, schmeckte die betretene Stille, die seiner Schilderung folgte, genießerisch ab. Rings um ihn herum klatschten kosmische Bomben in Hirnwindungen und setzten kinetische Energie in Fragen um wie die, ob man bei einem ähnlichen Einschlag auf der Erde besser in den Keller oder schnell noch einen trinken ging.

»Schätze, unsere Atmosphäre würde nicht viel nützen?«, vermutete Rebecca Hsu.

»Tja.« Julian schürzte die Lippen. »Es gehen ständig Meteoriten auf die Erde nieder, täglich rund 40 Tonnen. Die meisten haben den Umfang von Sandkörnern und Kieselsteinen und verglühen. Hier und da ist was von den Ausmaßen einer Faust darunter, gelegentlich knallt Größeres in die Tundra oder ins Meer. Immerhin, 1908 explodierte ein rund 60 Meter großes Bruchstück eines Kometen über Sibirien und verwüstete ein Gebiet von der Fläche New Yorks.«

»Ich erinnere mich, davon gehört zu haben«, sagte Rogaschow trocken. »Wir haben Wald, ein paar Schafe und einen Schäfer verloren.«

»Sie hätten mehr verloren, wenn es Moskau getroffen hätte. Aber gut, im Wesentlichen ist das Universum aus dem Gröbsten raus. Brocken wie der, dem wir Copernicus verdanken, sind selten geworden.«

»Wie selten?«, fragte Heidrun gedehnt.

Julian tat, als müsse er darüber nachdenken. »Der letzte wirklich bemerkenswerte Vertreter ging wahrscheinlich vor 65 Millionen Jahren auf das Gebiet des heutigen Yucatán nieder. Die Schockwelle wanderte einmal rund um den Erdball, es folgte ein mehrjähriger Winter, dem erhebliche Bestände der damaligen Flora und Fauna erlagen, darunter leider auch fast alle Saurier.«

»Das beantwortet meine Frage nicht.«

»Du willst ernsthaft wissen, wann der nächste eintrifft?«

»Nur, um besser planen zu können.«

»Also, im statistischen Mittel kommt es alle 26 Millionen Jahre zur globalen Katastrophe. Wie katastrophal genau, hängt von der Größe des auftreffenden Körpers ab. Ein 75 Meter durchmessender Asteroid hat die Sprengkraft von 1000 Hiroshima-Bomben. Alles, was zwei

Kilometer übersteigt, kann einen weltweiten Impakt-Winter auslösen und ist geeignet, die Menschheit am Fortbestand zu hindern.«

»Demnach sind wir seit 40 Millionen Jahren überfällig«, stellte O'Keefe fest. »Wie groß war noch mal der Saurier-Killer?«

»Zehn Kilometer.«

»Danke, Julian. Gut, dass du uns von da unten weggebracht hast.«

»Und was kann man dagegen tun?«, fragte Hsu.

»Wenig. Die raumfahrenden Nationen haben es jahrelang verschlafen, sich mit dem Problem auseinanderzusetzen, sie setzen sich lieber gegenseitig eine kostspielige Phalanx Mittelstreckenraketen vor die Nase. Dabei bräuchten wir dringend ein funktionierendes Meteoritenabwehrsystem. Wenn der Hammer fällt, ist es egal, ob du Moslem, Jude, Hindu oder Christ, Atheist oder Fundamentalist bist und mit wem du dich gerade rumprügelst, nichts davon spielt dann noch eine Rolle. Patsch, und aus! Wir brauchen keine Waffen gegeneinander. Wir brauchen eine, um uns alle zu retten.«

»Sehr richtig.« Rogaschow sah ihn ausdruckslos an. Dann kam er herübergeschwebt, nahm Julian beim Arm und zog ihn ein Stück von den anderen weg.

»Aber haben Sie das nicht schon längst?«, fügte er leise hinzu. »Sind Sie nicht auch dabei, Waffen gegen Meteoriten zu entwickeln?«

»Wir haben eine Arbeitsgruppe ins Leben gerufen«, nickte Julian.

»Sie entwickeln Waffen auf der OSS?«

»Abwehrsysteme.«

»Wie beruhigend für uns alle.« Der Russe lächelte dünn. »Und natürlich ziehen Sie das im Alleingang durch, so wie alles andere auch.«

»Es ist eine Forschungsgruppe, Oleg.«

»Es heißt, das Pentagon würde sich sehr für diese Forschungsgruppe interessieren.«

»Bleiben Sie entspannt.« Julian lächelte zurück. »Ich kenne die Gerüchte. Russland wie China werfen uns mit schöner Regelmäßigkeit vor, für die Amerikaner Weltraumwaffen zu produzieren. Alles Quatsch! Woran wir forschen, dient einzig dem Fall, dass die Statistik ihr Recht fordert. Ich will verdammt noch mal schießen können, wenn so ein Ding auf Kollisionskurs geht.«

»Waffen kann man gegen alles Mögliche einsetzen, Julian. Sie haben Amerika eine Vormachtstellung im Weltraum gesichert. Sie selbst streben die Herrschaft über die Energieversorgung an, indem Sie die erforderlichen Technologien kontrollieren. Sie üben sehr viel Macht aus, und verfolgen Sie etwa keine eigenen Interessen?«

»Schauen Sie aus dem Fenster«, sagte Julian ruhig. »Sehen Sie sich das blauweiße Juwel an.«

»Ich sehe es.«

»Und? Heimweh?«

Rogaschow zögerte. »Ich tue mich schwer mit solchen Begriffen.«

»Glauben Sie es oder nicht, Oleg, aber wenn Sie diesen Trip hinter sich haben, werden Sie ein anderer Mensch sein. Sie werden erkannt haben, dass unser Planet eine zerbrechliche kleine Weihnachtskugel ist, überzogen von einer hauchdünnen Schicht atembarer, *noch* atembarer Luft. Ohne Grenzen und Nationalstaaten, nur Land, Meer und ein paar Milliarden Menschen, die sich die Kugel teilen müssen, weil sie keine andere haben. Jede Entscheidung, die nicht darauf abzielt, diesen Planeten instand zu halten, jede Aggression um einer Ressource oder einer Gottesvorstellung willen wird Sie ankotzen. Vielleicht werden Sie auf dem Gipfel irgendeines Kraters stehen und heulen, möglicherweise nur ein paar Sinnfragen stellen, doch es *wird* Sie verändern. Es gibt keinen Weg zurück, wenn man die Erde einmal aus dem Weltraum gesehen hat, aus der Entfernung des Mondes. Sie können nicht anders, als sich in sie zu verlieben. – Glauben Sie im Ernst, ich lasse zu, dass jemand meine Technologien missbraucht?«

Rogaschow schwieg eine Weile.

»Ich glaube nicht, dass Sie es zulassen *wollen*«, sagte er. »Ich frage mich eher, ob Sie eine Wahl haben.«

»Die habe ich, je mehr Freunde ich gewinne.«

»Sie sind Weltmeister darin, sich Feinde zu machen! Ich weiß, Ihnen schwebt eine Liga der außergewöhnlichen Gentlemen vor, eine Weltmacht unabhängiger Investoren, aber dafür greifen Sie massiv in nationale Belange ein. Wie passt das zusammen? Sie wollen mein Geld, also russisches Geld, andererseits mit Moskau nichts zu schaffen haben.«

»Ist es denn russisches Geld, bloß weil Sie Russe sind?«

»Man sähe es dort jedenfalls lieber, ich würde mein Vermögen in die nationale Raumfahrt investieren.«

»Viel Spaß. Lassen Sie mich wissen, wenn Sie es zu einem eigenen Weltraumfahrstuhl gebracht haben.«

»Sie trauen uns das nicht zu?«

»Sie glauben es doch selber nicht! Bei mir liegen die Patente. Trotzdem muss ich zugeben, dass ich ohne Amerika weniger weit gekommen wäre. Beide haben wir astronomische Summen in die Raumfahrt investiert. Aber Russland ist pleite. Putin hat seinen Mafiastaat damals auf Öl und Gas gegründet, das jetzt keiner mehr haben will. Ihr habt gepokert und verloren. Vergessen Sie nicht, Oleg, dass ORLEY ENTERPRISES zehnmal so groß ist wie ROGAMITTAL. Wir sind der größte Technologiekonzern der Welt, dennoch, meine Investoren und ich brauchen einander. Ihnen aber wird man in Moskau gar nichts zustecken. Es wäre vielleicht eine patriotische Geste, Russlands marode Raumfahrt zu sponsern, doch ihr Geld würde versickern. Sie würden gar nicht lange genug durchhalten, um mit mir gleichzuziehen, Ihr Staat hätte Sie vorher bis auf den letzten Tropfen ausgesaugt, ohne dass brauchbare Ergebnisse vorlägen.«

Diesmal schwieg Rogaschow noch länger. Dann lächelte er wieder.

»Moskau würde Ihnen freiere Hand lassen als Washington. Keine Lust, die Fronten zu wechseln?«

»Ich schätze wohl, das *müssen* Sie mich fragen.«

»Man hat mich gebeten, Ihre Bereitschaft auszuloten.«

»Erstens, wir sind nicht mehr im Kalten Krieg. Zweitens, Russland kann sich meine Exklusivität nicht leisten. Drittens, ich stehe auf niemandes Seite. Frage beantwortet?«

»Formulieren wir sie anders. Wären Sie unter Umständen bereit, Ihre Technologien *auch* an Russland zu verkaufen?«

»Wären Sie bereit, bei mir einzusteigen? Sie sind doch nicht hier, weil Sie Angst vor Moskau haben.«

Rogaschow strich sich über das Kinn.

»Wissen Sie was?«, sagte er. »Ich schlage vor, wir vertagen uns und machen erst mal Urlaub.«

Die CHARON war im Wesentlichen eine dreifach segmentierte, sieben Meter durchmessende und 28 Meter lange Röhre mit angekoppeltem Landemodul. Ein fliegender Omnibus, aufgeteilt in Schlafsaal und Kommandokanzel, Bistro und Salon, dem seine Schöpfer die Gnade aerodynamischer Gefälligkeit versagt hatten, weil er nie in die Verlegenheit geraten würde, eine Atmosphäre zu durchqueren. Auch die Apollo-Kapseln und der ursprünglich geplante Space Shuttle-Nachfolger ORION waren den Erwartungen designverwöhnter Kinogänger nicht unbedingt entgegengekommen, hatten aber wenigstens mit einem schick gerundeten Näschen aufwarten können, das beim Eintritt in die Thermosphäre rot zu glühen begann. Die CHARON indes verströmte den Charme eines Haushaltsgeräts. Eine Tonne in Weiß und Grau, hier glatt, dort geriffelt, zu Teilen mit Treibstoff gefüllt, zu anderen mit Astronauten und geschmückt mit dem O von ORLEY ENTERPRISES.

»Fertig machen zum Bremsmanöver«, sagte Blacks Stimme über die Lautsprecher.

Zweieinhalb Tage in einem Weltraumshuttle, mochte er noch so geräumig und die Farbgestaltung von Psychologen erarbeitet sein, ließen Assoziationen an Haftanstalten aufkommen. Die Entzauberung des Außergewöhnlichen durch Enge und Eintönigkeit schlug sich in Debatten über den Zustand des Planeten, unerwarteten Kumpaneien und offen geäußerter Abneigung nieder. Sushma und Mukesh Nair, mit dem Charisma der Bescheidenheit ausgestattet, scharten gesittete Wesen um sich, darunter Eva Borelius, Karla Kramp, Marc Edwards und Mimi Parker. Entspannte Gespräche wurden geführt, bis Parker eine Diskussion über die Frage anstrengte, ob der komplette Darwinismus nicht eine Sackgasse sei, in welche die Naturwissenschaften dank atheistischer Arroganz geraten seien und aus der sich nur vermittels kreationistischer Weltanschauung wieder herausfinden lasse. Das Leben, schloss sie, sei viel zu komplex, um zufällig in irgendeinem Urozean entstanden zu sein, und schon gar nicht vor vier Milliarden Jahren. Kramps Replik, angesichts solcher Äußerungen müsse die Komplexität einiger Anwesender infrage gestellt werden, löste heftige Reaktionen aus, in deren Verlauf Parker Schützenhilfe von Aileen Donoghue erhielt, die sich auf ein paar tausend Jahre mehr oder weniger nicht festlegen mochte, jedoch jede Verwandtschaft zwischen den Arten bestritt. Vielmehr seien sämtliche Lebewesen von Gott in einem Atemzug geschaffen worden. Kramp sagte, Parkers Abstammung vom Affen sei augenfällig. Außerdem behandele jedes der ersten beiden Kapitel im Buch Mose die Erschaffung des Menschen auf abweichende Weise, schon im Alten Testament herrsche keine Einigkeit über den Ablauf der Schöpfung, sofern man seriöse naturwissenschaftliche Erkenntnis überhaupt auf ein einziges, historisch fragwürdiges Buch gründen könne.

Unterdessen knüpften sich verschlungene Bande zwischen Rebecca Hsu, Momoka Omura, Olympiada Rogaschowa und Miranda Winter. Evelyn Chambers kam mit jedem klar, bis auf Chuck Donoghue vielleicht, der Parker im Vertrauen erzählt hatte, Chambers für gottlos zu halten, was diese sogleich an Olympiada und Amber Orley weitergab, die es ihrerseits Evelyn erzählten. Locatelli, von der Raumkrankheit gesundet, spreizte sein Gefieder, erzählte von Segel- und Motoryachten und wie er den America's Cup gewonnen habe, von seiner Liebe zum Rennsport, solarbetriebenen Boliden und der Möglichkeit, noch aus einer Zecke so viel Energie zu extrahieren, dass sie ihren Beitrag zur Weltversorgung leistete.

»Jeder Körper, auch der menschliche, ist ein Kraftwerk«, sagte er. »Und Kraftwerke liefern Wärme. Ihr alle hier seid nichts weiter als Kraftwerke, bloße Durchlauferhitzer. Ich sag's euch, Leute. Würde man alle Menschen auf der Welt zu einem einzigen, riesigen Kraftwerk zusammenschließen, könnten wir auf den Helium-3-Scheiß verzichten.«

»Und was ist mit der Seele?«, wollte Parker indigniert wissen.

»Bah, Seele!« Locatelli warf die Arme auseinander, entschwebte und stieß sich den Schädel. »Die Seele ist Software, Gnädigste. Denkendes Fleisch. Aber gäbe es eine, ich wäre der Erste, der ein Seelenkraftwerk bauen würde. Hahaha!«

»Locatelli hat spannende Sachen erzählt«, sagte Heidrun später zu Walo. »Weißt du, was du bist?«

»Was denn, mein Schatz?«

»Ein Heizofen. Komm gefälligst her und wärme mich.«

Parker und Kramp schlossen Frieden, Hanna spielte Gitarre, einte die Anwesenden auf musikalischer Ebene, gewann im unentwegt fotografierenden Locatelli einen Fan, und O'Keefe las Drehbücher. Jeder tat so, als steche ihm nicht die stündlich intensiver werdende Melange aus Schweiß, Intimgerüchen, Fürzen und Haartalg in die Nase, gegen die selbst der hoch entwickelte Duftsynthesizer an Bord vergebens ankämpfte. Raumfahrt mochte faszinierend sein, zu ihren Nachteilen gehörte, dass keiner ein Fenster aufmachen konnte, um frische Luft reinzulassen. Chambers fragte sich, wie das auf Langzeitmissionen funktionieren sollte, mit den Gerüchen und der zunehmenden Gereiztheit. Hatte nicht ein russischer Kosmonaut vor langer Zeit gesagt, alle Voraussetzungen für einen Mord seien gegeben, wenn man zwei Männer in einer engen Kabine einschließe und sie zwei Monate miteinander alleine lasse? Aber vielleicht würden sie ja andere Leute mitnehmen auf so eine Mission. Keine Individualisten, schon gar keinen Haufen durchgeknallter Superreicher und Prominenter. Peter Black jedenfalls, ihr Pilot, machte einen ausgeglichenen, man konnte sagen, fantasielosen Eindruck. Ein Teamarbeiter ohne Hang zur Extravaganz und Alarmismus.

»Bremsmanöver einleiten.«

Aus 220 Kilometern Entfernung sah man den Mond noch zur Hälfte, grandiose Details enthüllend. So rund wirkte er ob seines geringen Umfangs, dass zu befürchten stand, beim Aufsetzen keinen Halt zu finden und seitlich an ihm herabzurutschen. Nina Hedegaard flatterte herbei und half ihnen beim Anlegen der Druckanzüge, wozu auch Urinbeutel gehörten.

»Für später, wenn wir landen«, erklärte sie mit rätselhaftem Lächeln.

»Und wer sagt, dass wir dann müssen?«, trumpfte Momoka Omura auf.

»Die Physik.« Hedegaards Grübchen vertieften sich. »Ihre Blase könnte die einsetzende Schwerkraft zum Anlass nehmen, sich ohne vorherige Rücksprache zu entleeren. Wollen Sie Ihren Druckanzug durchnässen?«

Omura schaute an sich herab, als sei es schon so weit.

»Irgendwie mangelt es dem ganzen Unterfangen an Eleganz«, sagte sie und zog an, was anzuziehen war.

Hedegaard scheuchte die Mondfahrer durch die Verbindungsschleuse ins Landefahrzeug, auch dieses eine Tonne, konisch geformt und mit vier kräftigen Teleskopbeinen ausgestattet. Im Vergleich zum Wohnmodul bot es den Bewegungsradius einer Sardinendose. Die Mehrheit ließ das Prozedere des Angurtens mit dem einbalsamierten Gesichtsausdruck alter Hasen über sich ergehen, schließlich hatten sie erst vor zweieinhalb Tagen ähnlich verzurrt nebeneinandergesessen und darauf gewartet, dass sich der Shuttle mit einem imposanten Feuerstoß vom Docking Port der OSS ins All katapultieren würde. Entgegen allen Erwartungen war das Schiff jedoch langsam davongetrieben, als gelte es, sich unbemerkt aus dem Staub zu machen. Erst in gebührendem Abstand zur Weltraumstadt hatte Black die Schubdüsen gezündet, auf maximale Geschwindigkeit beschleunigt, die Triebwerke abgeschaltet, und sie waren lautlos durchs All gerast, ihrem pockennarbigen Ziel entgegen.

Mit der Ruhe war es jetzt vorbei, und alle waren froh darüber. Es tat gut, endlich anzukommen.

Wieder presste es sie gewaltsam in die Sitze, bis Black das Raumschiff 70 Kilometer über dem Mond auf 5600 Stundenkilometer abgebremst, um 180 Grad gedreht und im Orbit stabilisiert hatte. Unter ihnen zogen Krater, Gebirgsformationen und puderig graue Ebenen vorbei. Wie schon im Weltraumfahrstuhl übertrugen Kameras sämtliche Außeneindrücke auf holografische Monitore. Sie drehten eine zweistündige Ehrenrunde um den Trabanten, während derer Nina Hedegaard ihnen die Besonderheiten und Sehenswürdigkeiten der fremden Welt erklärte.

»Sie wissen ja aus dem Vorbereitungstraining, dass ein Mondtag etwas länger dauert als ein irdischer«, zischelte sie in ihrem skandinavisch gefärbten Englisch. »14 Erdtage, 18 Stunden, 22 Minuten und zwei Sekunden, um genau zu sein, und ebenso lange dauert die Mondnacht.

Die Licht-Schatten-Grenze nennen wir Terminator. Sie verschiebt sich nur äußerst langsam, soll heißen, Sie müssen nicht befürchten, beim Spaziergang plötzlich von der Dunkelheit überrascht zu werden. Aber *wenn* es dunkel wird, dann gleich richtig! Der Terminator verläuft hart, es gibt Licht oder Schatten, kein Zwielicht. In der grellen Mittagsglut verlieren die Sehenswürdigkeiten an Reiz, darum werden wir die interessantesten Plätze am Mondmorgen oder -abend besuchen, wenn die Schatten lang sind.«

Unter sich erblickten sie einen weiteren imposanten Krater, gefolgt von einer bizarr zerklüfteten Landschaft.

»Die Mondappeninen«, erklärte Hedegaard. »Das ganze Gebiet ist durchzogen von Rimae, rillenartigen Strukturen. Astronomen früherer Zeiten hielten sie für Verkehrsnetze der Seleniten. Eine fantastische Landschaft! Das breite, aufwärts gewundene Tal dort ist die Rima Hadley, sie führt durch den Sumpf der Fäulnis, lustiger Name, weil da weder ein Sumpf ist, noch fault es. Aber so ist das überall auf dem Mond, Meere, die keine Meere sind, und so weiter. Sehen Sie die zwei Berge seitlich der Rima? Der Mons Hadley, unterhalb davon der Mons Hadley Delta. Beide kennt man von Fotos, oft sieht man sie mit einem Mondrover im Vordergrund. Nicht weit davon ist Apollo 15 gelandet. Das Gestell der Landefähre befindet sich noch dort, und was die Astronauten sonst so zurückgelassen haben.«

»Was haben sie denn zurückgelassen?«, fragte Nair mit leuchtenden Augen.

»Einen Scheiß«, brummelte Locatelli.

»Warum so defätistisch?«

»Bin ich nicht. Sie haben ihre Scheiße zurückgelassen. Jeder weiß das, alles andere wäre ja bescheuert gewesen, oder? Glauben Sie mir, wo immer so ein Gestell steht, liegt Astronautenscheiße in der Gegend rum.«

Nair nickte. Selbst das schien ihn zu faszinieren. Zügig überflog das Raumschiff weitere Rillen, Berge und Krater und schließlich das Gestade des Mare Tranquillitatis. Hedegaard wies sie auf einen kleinen Krater hin, nach Moltke benannt und für seine ausgedehnten Höhlensysteme bekannt, die fließende Lava vor Urzeiten geschaffen hatte.

»Ähnliche Systeme hat man in den Wänden und Hochebenen des Kraters Peary am Nordpol vorgefunden, wo die amerikanische Mondbasis errichtet wurde. Moltke besuchen wir, wenn der Mondabend heraufdämmert und der Terminator mitten im Krater steht. Einzigartiges Schauspiel! Und dann gibt's da natürlich noch das Museum, landschaftlich zwar öde, aber Pflicht, weil –«

»Lassen Sie mich raten«, rief Ögi. »Apollo 11.«

»Richtig«, strahlte Hedegaard. »Man muss wissen, die Apollo-Missionen waren auf den schmalen, äquatorialen Gürtel angewiesen. Spektakuläre Landeplätze standen nicht zur Debatte, es ging darum, überhaupt einen Fuß auf den Mond zu setzen. Natürlich überwiegt heute der symbolische Wert des Museums. Inzwischen stoßen Sie überall auf Zeugen ehemaliger Besuche, in weit interessanteren Gegenden, aber Armstrongs Fußabdrücke – die gibt's halt nur dort.«

Der Flug führte unterhalb des Mare Crisium hindurch, des dunkelsten der Mondmeere, in dem, wie Hedegaard erklärte, die höchste je auf dem Mond gemessene Schwerkraft herrsche. Eine Weile sahen sie nichts als wild zerklüftete Landschaften und länger werdende Schatten, die sich unheilvoll in Täler und Ebenen ergossen, ausgedehnte Lachen bildeten und die Kratertöpfe füllten, bis nur noch die höchsten Ränder im Sonnenlicht lagen. Chambers fröstelte beim Gedanken, in der konturlosen Finsternis umherirren zu müssen, dann verschwanden auch die letzten der leuchtenden Inseln, und enigmatische Schwärze legte sich auf die Monitore, sickerte in Arterien und Hirnwindungen und absorbierte den Seelenfrieden.

»*The dark side of the moon*«, seufzte Walo Ögi. »Kennt die noch einer? Pink Floyd? Klasse Album.«

Lynn, die sich während der Reise weitgehend stabil gefühlt hatte, hockte im Abgrund ihrer selbst. Erneut schien aller Lebensmut aus ihr herausgesaugt zu werden. Auf der Rückseite des Mondes sah man keine Erde und leider auch gerade keine Sonne. Wenn es eine Hölle gibt, dachte sie, wird sie nicht heiß und feurig sein, sondern kalt und von nihilistischer Schwärze. Es bedurfte keiner Teufel und Dämonen, Folterbänke, Scheiterhaufen und siedenden Kessel, um sie sich vorzustellen. Die Abwesenheit des Vertrauten, der inneren wie der äußeren Welt, das Ende allen Fühlens, das war die Hölle. Sie kam völliger Erblindung gleich. Sie war das Ersterben jeder Hoffnung, das Vergehen in Angst.

Durchatmen, Körper spüren.

Sie brauchte Bewegung, sie musste hier raus und laufen, denn wer lief, brachte den erkalteten Stern in seinem Innern wieder zum Glimmen, doch sie saß angeschnallt auf ihrem Sitz, während die CHARON durch die Lichtlosigkeit raste. Wovon redete Ögi da? *The dark side of the moon*. Wer war Pink Floyd? Warum plapperte Hedegaard unentwegt dummes Zeug? Konnte nicht einer die blöde Gans zum Schweigen bringen? Ihr den Hals umdrehen, ihr die Zunge rausreißen?

»Die Rückseite des Mondes ist nicht zwangsweise dunkel«, flüsterte sie. »Er wendet der Erde nur immer dieselbe Seite zu.«

Tim neben ihr drehte den Kopf.

»Hast du was gesagt?«

»Er wendet der Erde immer nur dieselbe Seite zu. Die Rückseite sieht man nicht, aber sie liegt ebenso oft im Licht wie die Vorderseite.« Atemlos stieß sie die Worte hervor. »Die Rückseite ist nicht dunkel. Nicht zwangsläufig. Der Mond wendet der Erde nur immer –«

»Hast du Angst, Lynn?«

Tims Besorgnis. Ein Seil, das ihr zugeworfen wurde.

»Blödsinn.« Sie sog Luft in ihre Lungen. »Ich bin die Strecke schon dreimal geflogen. Man muss keine Angst haben. Gleich kommen wir wieder ins Licht.«

»– Ihnen versichern, dass Sie nicht viel verpassen«, sagte Hedegaard gerade. »Die Vorderseite ist bei Weitem interessanter. Bemerkenswerterweise gibt es auf der Rückseite so gut wie keine Mária, keine Meere. Sie ist übersät mit Kratern, ziemlich eintönig, allerdings der ideale Standort, um dort ein Weltraumteleskop zu bauen.«

»Warum gerade da?«, fragte Hanna.

»Weil die Erde für den Mond ist, was der Mond für die Erde ist, nämlich ein Lampion, der seine Oberfläche zeitweise bescheint. Selbst bei Mondmitternacht liegt die Oberfläche im fahlen Restlicht der Erde. Die Rückseite hingegen ist, wie Sie sehen, nachts so schwarz wie das umgebende Weltall. Kein Sonnen-, kein Erdlicht überstrahlt den Blick auf die Sterne. Astronomen würden liebend gerne einen Beobachtungsposten hier einrichten, aber zurzeit müssen sie sich noch mit dem Teleskop am Nordpol begnügen. Immerhin ein Kompromiss, die Sonne steht tief, und man kann auf den rückwärtig gelegenen Sternenhimmel schauen.«

Lynn griff nach Tims Hand und quetschte sie. Ihre Gedanken kreisten um Mord und Zerstörung.

»Ich weiß ja nicht, wie es dir geht«, sagte er leise. »Aber ich empfinde diese Schwärze als ziemlich bedrückend.«

Oh, kluger Tim! Gibst den Verbündeten.

»Ich auch«, sagte sie dankbar.

»Schätze, das ist normal, was?«

»Es dauert nicht lange.«

»Und wann kommen wir wieder ins Licht?«, fragte Winter im selben Moment.

»Noch eine knappe Stunde«, zischelte Hedegaard. Sssstunde sagte sie, affig, albern. Julians dämlicher, kleiner Zeitvertreib. Doch Tims Händedruck anvertraut, begann sie sich zu entspannen, und plötzlich fiel ihr ein, dass sie die Dänin eigentlich mochte. Warum reagierte sie dann mit solcher Heftigkeit, so aggressiv? Was geschieht mit mir, dachte sie.

Was geschieht bloß mit mir?

Nachdem die Mondoberfläche einstweilen nichts zu bieten hatte, übertrugen die Außenkameras Bilder des Sternenhimmels ins Innere der CHARON, und O'Keefe empfand einen unerwarteten Anflug von Vertrautheit. Noch auf der OSS hätte er stante pede zur Erde zurückkehren mögen. Nun überkam ihn eine vage Sehnsucht. Vielleicht, weil die Myriaden Lichter dort draußen dem Anblick ferner, beleuchteter Häuser und Straßen nicht unähnlich waren, weil das Wassertier Mensch seinem eigenlichen Ursprung nach ein Kind des Kosmos war, aus seinen Elementen gebildet. Die Widersprüchlichkeit seiner Empfindungen irritierte ihn, wie ein Kind, das immer auf den Arm desjenigen will, der es gerade nicht schaukelt. Er versuchte, das Denken zu unterdrücken, doch dann dachte und dachte er eine Stunde lang ohne Unterlass, was er eigentlich wollte und wohin er gehörte.

Sein Blick wanderte zu Heidrun. Zwei Reihen vor ihm lauschte sie Ögi, der ihr mit leiser Stimme etwas erzählte. O'Keefe zog die Nase kraus und starrte den Monitor an. Das Bild wechselte. Im ersten Moment wusste er nicht, was die hellen Flecken zu bedeuten hatten, dann wurde ihm klar, dass er auf sonnenbeschienene Gipfel schaute, die sich aus der Schattentinte reckten. Ein Aufatmen ging durch die CHARON. Sie flogen wieder ins Licht, dem Nordpol entgegen.

»Wir werden das Landemodul nun abkoppeln«, sagte Black. »Das Mutterschiff bleibt im Orbit, bis wir in einer Woche dort andocken. Nina hilft Ihnen, die Helme aufzusetzen. Es mag Ihnen nicht so vorkommen, aber wir fliegen noch immer mit fünffacher Schallgeschwindigkeit, also bereiten Sie sich auf die nächste Vollbremsung vor.«

»Hey, Momoka«, flüsterte O'Keefe.

Die Japanerin wandte träge den Kopf nach hinten. »Was gibt's?«

»Alles in Ordnung bei dir?«

»Klar.«

O'Keefe grinste. »Dann mach dir mal nicht in die Hose.«

Locatelli ließ ein heiseres Kumpanenlachen hören. Bevor Omura ihn zurechtweisen konnte, erschien Hedegaard und stülpte ihr den Helm über. Binnen Minuten saßen sie mit identischen Kugelköpfen da, vernahmen ein Zischen, als die Verbindungsluke zwischen Mutterschiff und Landeeinheit schloss, dann ein hohles Klonk. Das Landemodul löste sich und trieb langsam davon. Noch war von der angekündigten Vollbremsung nichts zu spüren. Die Landschaft veränderte sich erneut. Wieder wurden die Schatten länger, ein Indiz, dass sie sich der Polregion näherten. Lavaebenen wechselten mit Kratern und Gebirgsrücken. O'Keefe meinte, eine Staubwolke in weiter Ferne zu erblicken, die flach über dem Gelände stand, dann folgte der Druck, die fast schon vertraute Misshandlung von Thorax und Lungen, nur dass die Triebwerke diesmal erheblich lauter röhrten als noch vor zwei Stunden. Beunruhigt fragte er sich, ob es Probleme gab, bis ihm klar wurde, dass bislang jedes Mal die weit hinten liegenden Düsen der Wohneinheit gezündet hatten. Erstmals manövrierte das Landemodul kraft seines eigenen Antriebs unmittelbar unter ihnen.

Black macht uns Feuer unterm Arsch, dachte er.

Mit infernalischem Gegenschub drosselte die Landeeinheit weiter ihre Geschwindigkeit, während sie schnell, viel zu schnell dem Mondboden entgegenstürzte. Eine Anzeige im Bildschirm zählte Kilometer um Kilometer rückwärts. Was geschah hier? Wenn sie nicht bald langsamer wurden, würden sie ihren eigenen Krater schlagen. Er dachte an Julians Schilderung der Umwandlung kinetischer Energie in Hitze, fühlte seinen Brustkorb enger werden, versuchte sich auf den Bildschirm zu konzentrieren. Zitterten seine Augäpfel? Was hatten sie noch in den Lehrgängen erzählt? Man eignete sich nicht zum Astronauten, wenn man seine Augen nicht kontrollieren konnte, weil das Zittern der Pupillen Unschärfen und Doppelbilder erzeugte. Starr mussten sie auf die Bordinstrumente fixiert sein. Die *richtigen* Instrumente, darauf kam es an! Wie sollte man die relevanten Knöpfe drücken, wenn man sie doppelt sah?

Zitterten Blacks Augäpfel?

Im nächsten Moment schämte er sich, empfand Zorn auf sich selbst. Er war ein solcher Idiot! In der Zentrifuge des Übungsgeländes, beim Start des Fahrstuhls, beim Abbremsen im Mondorbit, jedes Mal hatten höhere Belastungen auf ihn eingewirkt. Verglichen damit war diese Landung ein Klacks. Er hätte die Ruhe selbst sein müssen, doch die Nervosität griff nach ihm mit elektrisch geladenen Fingern, und er musste sich eingestehen, dass seine Atemnot nicht dem Druck entsprang, sondern der schlichten Angst, auf dem Mond zu zerschellen.

Fünf Kilometer noch, vier.

Die zweite Anzeige klärte ihn darüber auf, dass sie stetig langsamer wurden, und er atmete auf. Umsonst die ganze Sorge. Drei Kilometer noch bis zum Aufsetzen. Ein Gebirgsrücken geriet ins Bild, ein Hochplateau, Lichter, die ein von Schutzwällen eingefasstes Landefeld segmentierten. Röhren und Kuppeln duckten sich in den Fels wie gepanzerte Asseln, die argloser Beute auflauerten, im Licht einer tief stehenden Sonne schimmerten Solarfelder, Masten und Antennen, ein tonnenförmiger Aufbau krönte einen nahe gelegenen Hügel. In größerer Entfernung waren offene, hangarartige Strukturen erkennbar, riesige Maschinen schlichen durch eine Art Tagebau. Ein Schienensystem verband die Habitate mit dem Raumhafen, mündend in eine Plattform, verzweigte sich und strebte in weitläufiger Kurve davon. O'Keefe sah Stiegen, Hebebühnen und Manipulatorarme, die auf eine Verladestelle hindeuteten, etwas Weißes eine Straße entlangfahren und auf eine Brücke zuhalten, ein Ding mit hohen, breiten Rädern, vielleicht bemannt, vielleicht ein Roboter. Die CHARON erzitterte, sank dem Boden entgegen. Kurz war eine Skyline mächtiger Türme auszumachen, große, klobige Fluggeräte dazwischen, Tanks und Container, Rätselhaftes. Ein Ding, das einer Gottesanbeterin auf Rädern glich, zockelte über das Flugfeld dahin, dessen ganzes Ausmaß nun offenbar wurde, drei bis vier Fußballplätze groß, Umland und Bauten verschwanden hinter den wallartigen Einfassungen, dann setzte ihr Raumschiff behutsam, mit federnder Eleganz auf, wippte unmerklich nach und kam zur Ruhe.

Etwas zerrte sacht an O'Keefe. Zuerst vermochte er den Effekt nicht einzuordnen, dann verblüffte ihn die Erkenntnis umso mehr, als die Erklärung derart simpel war. Schwerkraft! Erstmals seit ihrem Start von der Isla de las Estrellas, Beschleunigungs- und Bremsmanöver außer Acht gelassen, war er nicht mehr schwerelos. Er hatte wieder ein Körpergewicht, wenn auch nur ein Sechstel seines irdischen, doch es war wunderbar, etwas zu wiegen, eine Erlösung nach all den Tagen des bloßen Herumschwebens! *Hasta la vista*, Miranda, dachte er, Schluss mit der Akrobatik. Keine Purzelbäume mehr, keine Ellbogenattacken. Eine Bö aus Lärm verebbte in seinen Gehörgängen, ein synaptisches Nachglühen, da die Triebwerke längst abgeschaltet waren, nur dass er es noch nicht glauben konnte.

»Ladies and Gentlemen«, sagte Black nicht ganz ohne Pathos. »Gratuliere! Sie haben es geschafft. Nina und ich werden Ihnen nun helfen, Ihre Lebenserhaltungssysteme anzulegen, Sauerstoff, Kühlung und Druck zu regulieren und ihre Sprechfunkverbindung zu aktivieren. Danach werden wir eine Reihe von Dichtigkeitstests durchführen, das kennen Sie ja schon vom Außeneinsatz auf der OSS, und falls nicht, kein Grund zu Aufregung. Wir wachen über jeden Ihrer Schritte. Sobald die Checks abgeschlossen sind, pumpe ich die Luft aus der Kabine, und wir legen die Reihenfolge des Ausstiegs fest. Betrachten Sie es nicht als ungalant, wenn ich als Erster aussteige, es dient der Konservierung Ihres Heldentums, denn ich werde Sie beim Verlassen der CHARON filmen, außerdem erhalten wir Ihren Sprechfunk der Nachwelt. Alles klar? Willkommen auf dem Mond!«

Auf dem Mond.

Sie waren auf dem Mond.

Sie waren tatsächlich auf dem verdammten, dicken Mond gelandet, und das Sechstel Gravitation des Trabanten zog O'Keefe mit der Sanftheit einer Geliebten zu sich herab, seine Gliedmaßen, seinen Kopf, seine inneren Organe und Körpersäfte, ach ja, die Säfte, zog und zog und zog etwas aus ihm heraus, und es war draußen, bevor er die Hinterbacken zusammenkneifen konnte. Warm und fröhlich lief es in den dafür vorgesehenen Beutel, eine Freudenfontäne, ein Hoch auf die Schwerkraft, ein Gastgeschenk an den grauen, verkraterten Kerl, dessen Oberfläche sie nun für die Dauer einer Woche bewohnen durften. Er warf einen verstohlenen Blick auf Momoka Omura, als bestünde die Möglichkeit, dass sie sich umdrehen, ihm in die Augen schauen und es ihm ansehen, es *wissen* würde.

Dann zuckte er die Achseln. Wer mochte sich außerhalb der Erde nicht schon alles in die Hose gepinkelt haben? Man konnte in schlechterer Gesellschaft sein.

PEARY-BASIS, NÖRDLICHER POL

Stiefelabdrücke zu hinterlassen, gehörte zu den Privilegien der Pioniere, was dem Typus des Verwalters komfortable Optionen einräumte. Er kannte die Risiken, ohne ihnen ausgesetzt gewesen zu sein. Er war vertraut mit Naturerscheinungen, Appetit und Bewaffnung der ansässigen Flora und Fauna, wusste sich auf die Renitenz der Ureinwohner einzustellen. Seine Kenntnis verdankte sich der fiebrigen, potenziell selbstmörderischen Neugier des Entdeckertypus, der nicht anders konnte und wollte, als sein Leben auf dem schmalen Grat zwischen Triumph und Tod zu verbringen. Schon beim Vorgängermodell des Homo erectus, dessen waren sich die Anthroposophen sicher, hatte die Menschheit Tendenzen zur Aufspaltung in eine verwaltende Majorität sowie eine kleine Gruppe solcher gezeigt, die nicht still sitzen konnten. Letztere verfügten über ein spezielles Gen, bekannt als Kolumbus-Gen, Novelty-Seeking-Gene oder schlicht D4DR in verlängerter Version, codierend für die außergewöhnliche Bereitschaft, Grenzen zu überschreiten und Risiken einzugehen. Zur Kultivierung der eroberten Gebiete eignete sich der Haufen Draufgänger naturgemäß weniger. Lieber erschlossen sie weiße Flecken, ließen sich von neuartigem Getier beißen und schufen überhaupt erst die Voraussetzungen dafür, dass der konservativ veranlagte Teil nachrücken konnte. Sie waren die ewigen Scouts, denen ein Fußabdruck in Terra incognita alles galt. Umgekehrt entsprach es der Natur des Verwalters, Lehm, Sumpf, Sand, Kies, Schlick und was es sonst an amorpher Unberührtheit gab, dem Diktat geebneter Flächen zu unterwerfen, sodass Evelyn Chambers, als sie, von Ehrfurcht durchloht, die Gangway der CHARON herabschritt und erstmals Mondboden betrat, keinen bleibenden Eindruck hinterließ, sondern sich auf solidem Beton wiederfand.

Für die Dauer einer Sekunde war sie enttäuscht. Auch andere schauten reflexartig auf ihre Füße, als sei das Betreten des Mondes untrennbar mit dem Stempeln des Regoliths verbunden.

»Ihr werdet noch früh genug Abdrücke hinterlassen«, sagte Julians Stimme, in alle Helme geschaltet.

Einige lachten. Der Moment verfehlter Erwartungen verging und machte ungläubigem Erstaunen Platz. Sie tat einen zögerlichen Schritt, noch einen, federte ab – und wurde kraft ihrer Wadenmuskulatur über einen Meter in die Höhe getragen.

Unglaublich! Absolut unglaublich!

Nach über fünf Tagen in der Schwerelosigkeit spürte sie die vertraute Bürde ihres Gewichts und spürte sie doch nicht. Eher, als habe eine ominöse Comicheftchenstrahlung sie mit Superkräften ausgestattet. Überall um sie herum gerieten wilde Hopsereien in Gang. Black scharwenzelte mit seiner Kamera zwischen ihnen umher und hielt drauf.

»Wo ist das Sternenbanner?«, dröhnte Donoghue. »Ich will es in den Boden rammen!«

»Da kommen Sie 56 Jahre zu spät«, lachte Ögi. »Die Schweizer Flagge allerdings –«

»Imperialisten«, seufzte Heidrun.

»Keine Chance«, sagte Julian. »Es sei denn, ihr wollt eure Flaggen in den Boden *sprengen*.«

»Hey, seht euch das an«, rief Rebecca Hsu.

Ihre füllige Gestalt schoss über die Köpfe der anderen hinaus, windmühlenflügelartig ruderte sie mit den Armen. Wenn es Hsu war. So genau ließ sich das nicht feststellen. Durch die spiegelnden Visiere konnte man Gesichter kaum erkennen, nur der Aufdruck auf dem Brustpanzer verriet die Identität seines Trägers.

»Na los«, lachte Julian. »Traut euch!«

Chambers nahm Anlauf, vollführte eine Reihe ungelenker Sprünge, schnellte erneut in die Höhe und drehte sich trunken vor Übermut um ihre eigene Achse, wobei sie das Gleichgewicht verlor und in meditativem Sinkflug zu Boden ging. Sie konnte nicht anders, als in albernes Kichern auszubrechen, während sie weich auf ihrem Hintern landete. Entzückt blieb sie sitzen, um das surreale Schauspiel zu genießen, das sich ihr bot. Binnen Sekunden hatte sich die arrivierte Gesellschaft in eine Horde Erstklässler verwandelt, außer Rand und Band geratene Spielkameraden. Wie von selber kam sie wieder auf die Beine.

»Gut«, lobte Julian, »sehr gut. Das Bolschoi-Ballett ist ein Haufen Tölpel gegen euch, allerdings müssen wir die Leibesübungen vorübergehend unterbrechen. Es geht weiter ins Hotel, also schenkt jetzt bitte wieder Nina und Peter euer Ohr.«

Es war, als habe er auf falscher Frequenz gesendet. Mit dem Trotz zum Essen gerufener Kinder ließen sie sich bitten, kamen endlich angetröpfelt und scharten sich um ihre Reiseleiter. Das Rabaukenhafte wich dem Bild einer geheimen Bruderschaft, wie sie dort standen, Gralssucher vor dem Panorama fliegender Burgen. Chambers ließ den Blick schweifen. Von der Basis war so gut wie nichts zu sehen. Einzig die Plattform des Bahnhofs ragte wuchtig ins Innere das Landefelds hinein, errichtet auf fünfzehn Meter hohen Pfeilern, wie Hedegaard erklärte. Metallstiegen und ein offener Fahrstuhl führten zu den Gleisen, Kugeltanks stapelten sich ringsum. Zwei Manipulatoren hockten wie jurassische Vögel am Plattformrand, hummerartigen Maschinen mit mehrgelenkigen Greifern und großen Ladeflächen zugewandt. Chambers schätzte, dass ihre Aufgabe darin bestand, Frachtgut von den Manipulatoren entgegenzunehmen oder zu ihnen hinaufzureichen, je nachdem, ob Güter angeliefert oder auf die Schiene gesetzt wurden.

Sie versuchte, ihren Atem zu beruhigen. Die Enge im Landemodul war ihr zuletzt unerträglich geworden. In der Nacht zuvor hatte sie wild geträumt. Höhere Mächte hatten die CHARON mittels eines gigantischen Dosenöffners aufgebogen und ihre Insassen dem Vakuum ausgesetzt, das sich jedoch als hereingaffende Menge entfernt menschenähnlicher Kreaturen entpuppte, und sie splitternackt, nun ja, dummes Zeug, dennoch! Blaugrün schillernd hatte sich Miranda Winters Ferse in ihrer Hüfte verewigt, sie hatte die Schnauze voll. Umso mehr verblüffte es sie, wie groß das gelandete Schiff tatsächlich war, als sie es jetzt in der Weite des Flugfelds aufragen sah. Ein imposanter Turm auf kräftigen Teleskopbeinen, beinahe ein kleines Hochhaus. Weitere Raumschiffe standen über das Feld verteilt, teils mit geöffneten Luken und klaffend leerem Inneren, augenscheinlich zur Aufnahme von Frachtgut bestimmt. Einige kleinere Maschinen spreizten ihre Spinnenbeine und starrten aus gläsernen Augen vor sich hin. Chambers dachte an Insektenspray.

»Sehen Sie es den Bewohnern der Basis nach, dass niemand kommt, um Hände zu schütteln«, sagte Black. »Hier geht man nur nach draußen, wenn es unbedingt erforderlich ist. Im Gegensatz zu Ihnen verbringen die Leute sechs Monate auf dem Mond. Eine Woche kosmischer Strahlung kann Ihnen nichts anhaben, sofern Sie nicht ungeschützt in einen Sonnensturm geraten. Langzeitaufenthalte stehen auf einem anderen Blatt. Da wir die Basis erst am Tag unseres Abflugs besichtigen werden, gibt es heute also kein Empfangskomitee.«

Einer der hummerartigen Roboter setzte sich wie von Geisterhand in Bewegung, steuerte zur CHARON und entnahm ihrem Frachtraum große, weiße Container.

»Ihr Gepäck«, erklärte Hedegaard, »ist hier oben erstmals dem Vakuum ausgesetzt, aber keine Angst, die Container sind druckbeaufschlagt. Andernfalls würde sich Ihre Nachtcreme in ein Monster verwandeln und über Ihre T-Shirts herfallen. Kommen Sie.«

Es war, als ginge man unter Wasser, nur ohne den dort herrschenden Umgebungsdruck. Aufgeregt machte Chambers sich klar, keine 66 Kilo mehr zu wiegen, sondern nur noch elf, was die Versechsfachung ihrer Körperkraft verhieß. Leicht wie eine Dreijährige, stark wie Superwoman, getragen von einer Woge kindischen Glücks, folgte sie Black zum Fahrstuhl, hopste in den geräumigen Käfig und sah die Habite der Basis wieder auftauchen, als sie über den Rand der Abschirmung hinausfuhren und die Bahnhofsplattform betraten. Gleich mehrere Gleisstränge verliefen hier oben. Ein beleuchteter, leerer Zug erwartete sie, einer irdischen Magnetbahn nicht unähnlich, nur weniger windschnittig geformt, wodurch er auf eigentümliche Weise altmodisch wirkte. Wozu auch? Es gab keinen Wind hier oben. Es gab ja nicht mal Luft.

Sie schaute in die Ferne.

Überfallartig bestürmten sie Eindrücke. Große Teile der Umgebung ließen sich von hier oben überblicken. Ein Hochland. Hügel und Grate, der Scherenschnitt langer Schatten. Krater wie Becken voll schwarzer Tinte. Eine weiß gleißende, tief stehende Sonne löste die Konturen des Horizonts auf, kulissenartig stach die Landschaft gegen den Weltraum ab. Kein Dunst, keine Atmosphäre streute das Licht, alles erschien ungeachtet seiner tatsächlichen Entfernung zum Greifen nahe, scharf konturiert. Jenseits des Flugfelds wanden sich die Gleise der Magnetbahn in ein mit Schwärze ausgegossenes Tal, behaupteten sich dank der Höhe ihrer Pfeiler eine Weile gegen die Dunkelheit und wurden übergangslos von ihr verschluckt.

»Wir befinden uns hier keine 15 Kilometer vom geografischen Nordpol des Mondes entfernt«, sagte Black. »Auf einer Hochebene am nordwestlichen Rand des Kraters Peary, wo dieser an seinen Nachbarn Hermite grenzt. Die Region trägt den Beinamen ›Berge des ewigen Lichts‹. Hat jemand eine Idee, warum?«

»Erklär's einfach, Peter«, sagte Julian milde.

»Nun, Anfang der Neunziger begann man sich in besonderer Weise für die Pole zu interessieren, nachdem feststand, dass einzelne Kraterränder und Gipfel dort fortgesetzt im Sonnenlicht lagen. Das Problem einer bemannten Mondbasis war von jeher die Energieversorgung, und man wollte vermeiden, mit Kernreaktoren zu arbeiten. Schon auf der Erde gab es massenweise Initiativen dagegen, weil man fürchtete, ein Raumschiff mit so einem Reaktor an Bord könne abstürzen und auf besiedeltes Gebiet fallen. Als die Station geplant wurde, war Helium-3 noch eine vage Option, also setzte man wie gewohnt auf Sonnenenergie. Bloß, Sonnenkollektoren sind eine prima Sache, leider aber vollkommen nutzlos bei Nacht. Einige Stunden lassen sich mit Batterien überbrücken, doch die Mondnacht dauert 14 Tage, und so gerieten die Pole ins Visier. Zwar ist die Lichtausbeute hier etwas geringer als am Äquator, weil die Sonnenstrahlen extrem schräg einfallen, dafür hat man sie ununterbrochen zur Verfügung. Wenn Sie Ihren Blick auf die Anhöhen lenken, sehen Sie ganze Felder von Kollektoren, die ihre Position ständig dem Sonnenstand angleichen.«

Black machte eine Pause und ließ sie die Hügel nach den Kollektoren absuchen.

»Trotzdem stellen die Pole nicht eben die Traumposition für eine Basis dar. Extrem schräger Sonnenstand, wie schon gesagt, ziemlich weitab vom Schuss, und das Mondteleskop hätte man lieber auf der Rückseite gehabt. Kritiker bemängeln zudem, unmittelbar vor Baubeginn sei die Nutzung von Helium-3 in greifbare Nähe gerückt, sodass man die Pläne über den Haufen hätte werfen und die Basis dort bauen sollen, wo man sie am liebsten gehabt hätte, rund um die Uhr versorgt von einem Fusionsreaktor. Tatsächlich klingt es paradox, dass Helium-3 ausgerechnet auf dem Mond nicht zum Einsatz gelangt, trotzdem verfolgte man die ursprünglichen Pläne weiter. Es gibt nämlich einen anderen Grund, der für die Pole spricht. Die Temperatur. Für Mondverhältnisse ist sie hier geradezu moderat, konstante 40 bis 60 Grad in der Sonne, während sie am Äquator zur vollen Mittagszeit weit über 100 Grad beträgt. Nachts hingegen sinkt das Thermometer auf minus 180 Grad. Kein Baumaterial liebt auf Dauer solche Schwankungen, es muss sich wie verrückt ausdehnen und zusammenziehen, wird brüchig und leck. Und noch eine Überlegung begünstigte die Pole. Wo die Sonne so dicht über den Horizont dahinkroch, musste es da nicht auch Regionen geben, die *nie* von ihr beschienen wurden? Falls ja, bestand die Aussicht, dort etwas zu finden, das es auf dem Mond eigentlich nicht geben konnte: Wasser.«

»Und warum kann es das hier nicht geben?«, fragte Winter. »Warum nicht wenigstens einen Fluss oder einen kleinen See?«

»Weil es in der Sonne sofort verdampfen und in den offenen Weltraum entweichen würde. Die Mondschwerkraft reicht nicht aus, flüchtige Gase an sich zu binden, einer der Gründe, warum der Mond keine Atmosphäre hat. Nur in ewiger Dunkelheit war mit gefrorenem Wasser zu rechnen, molekular im Mondstaub gebunden, hergelangt durch Meteoriten. Das Vorhandensein solcher permanent beschatteten Abgründe konnte schnell nachgewiesen werden, Einschlaglöcher am Grund des Peary-Kraters etwa, also gleich um die Ecke. Und tatsächlich schienen Messungen das Vorhandensein von Wasser zu bestätigen, was den Aufbau einer komplexen Infrastruktur enorm begünstigt hätte. Die Alternative hieß, es von der Erde hochzuschießen, schon aus Kostengründen der reine Wahnsinn.«

»Und hat man Wasser gefunden?«, fragte Rogaschow.

»Bislang nicht. Große Mengen eingelagerten Wasserstoffs zwar, aber kein Wasser. Trotzdem wurde die Basis hier errichtet, weil sich der Transport von der Erde dank Weltraumfahrstuhl einfacher und preiswerter gestaltete als gedacht. Jetzt gelangt es in Tanks zur OSS, und ab da spielt Masse ohnehin keine Rolle mehr. Aber natürlich sucht man weiterhin fieberhaft nach Spuren von H_2O, außerdem –«, Black wies in die Ferne zu dem tonnenförmigen Gebilde, »– hat man nun doch mit dem Bau eines kleinen Helium-3-Reaktors begonnen, als Reserve für den stetig steigenden Energiebedarf der Basis.«

»Also, ehrlich gesagt«, bemerkte Momoka Omura nörgelig. »Ich hatte mir eine Mondbasis irgendwie imposanter vorgestellt.«

»Ich finde sie sehr imposant«, sagte Hanna.

»Ich auch«, rief Winter.

»Absolut«, bekräftigte Nair und lachte. »Ich kann immer noch nicht glauben, dass ich auf dem Mond bin, dass hier Menschen leben! Es ist einzigartig.«

»Wartet, bis ihr das GAIA seht«, sagte Lynn geheimnisvoll. »Wahrscheinlich wollt ihr dann gar nicht mehr weg.«

»Wenn es so aussieht wie der Haufen Plunder da unten, will ich *sofort* wieder weg«, schnaubte Omura.

»Baby«, sagte Locatelli schärfer als gewohnt. »Du beleidigst die Gastgeber.«

»Wieso? Ich habe lediglich –«

»Es gibt Gelegenheiten, da solltest selbst du mal die Klappe halten, findest du nicht?«

»Wie bitte? Halt sie doch selber!«

»Das Hotel wird dir gefallen, Momoka«, fuhr Lynn eilig dazwischen. »Sehr sogar! Und nein, es sieht *nicht* aus wie die Mondbasis.«

Chambers grinste. Von Berufs wegen erfreuten sie Kleinkriege wie diese, zumal Locatelli und seine japanische Muse üblicherweise Einigkeit an den Tag legten, wenn es darum ging, andere vor den Kopf zu stoßen. Ohnehin hatte sie vorgehabt, Locatelli in eine ihrer nächsten Sendungen zu bitten, die sie unter das Motto »Krieg der Weltenretter« zu stellen gedachte: »Wie das Aus der Ölbranche unter den Anbietern alternativer Energien Machtkämpfe schürt«. Vielleicht ließ sich die eine oder andere private Frage in den Zopf der Konversation flechten.

Bester Laune folgte sie Black.

LUNAR EXPRESS

Sie betraten den Zug über eine Druckschleuse und legten Helme und Panzerungen ab. Die Luft war wohlig temperiert, die Sitzabmessungen zur Aufnahme von Übergewicht geeignet, wie Rebecca Hsu mitleiderregend seufzte. Sie sagte es zu Amber Orley, mit der Chambers bislang kaum gesprochen hatte. Dabei war Amber zu jedermann freundlich, und auch Julians Sohn hatte sich nach anfänglicher Zurückhaltung als umgänglich erwiesen, sah man von seiner bleiernen Besorgtheit ab, was seine Schwester betraf. Sie verdarb ihm und Amber sichtlich die Laune und schien außerdem das Verhältnis zu seinem Vater zu strapazieren. Nichts von alldem war Chambers entgangen. Ihrer Ansicht nach hatte Lynn den Anflug von Raumkrankheit im PICARD simuliert. Etwas stimmte nicht mit ihr, und Chambers war entschlossen, es herauszufinden. Mukesh Nair hatte Tim in Beschlag genommen und ließ ihn wissen, wie sehr er sich des Lebens freue, also setzte sie sich neben Amber.

»Es sei denn, Sie möchten lieber neben Ihrem Mann –«

»Nein, überhaupt nicht!« Amber rückte näher. »Wir sind auf dem Mond, ist das nicht der Hammer?«

»Der Überhammer!«, bestätigte Chambers.

»Und erst das Hotel«, sagte sie mit dramatischem Augenrollen.

»Kennen Sie es denn? Bislang wurde ja ein Riesengeheimnis daraus gemacht. Keine Bilder, keine Filme –«

»In seltenen Momenten hat Verwandtschaft ihre Vorzüge. Lynn hat uns die Pläne sehen lassen.«

»Ich platze vor Neugierde! Hey, wir fahren.«

Unmerklich hatte sich der Zug in Bewegung gesetzt. Ätherische Musik durchwob den Innenraum, hauchzart und zerdehnt, als spiele das Orchester unter Drogen.

»Wunderschön«, sagte Eva Borelius hinter Chambers. »Was ist das?«

»Aram Chatschaturjan«, antwortete Rogaschow. »Adagio für Solo-Cello und Streicher aus der GAIAneh-Suite.«

»Bravo Oleg.« Julian drehte sich um. »Können Sie auch sagen, welche Aufnahme?«

»Ich schätze, es dürften die Leningrader Philharmoniker unter Gennari Roschdestwenski sein, oder nicht?«

»Mein Gott, wie gebildet.« Borelius schien völlig perplex. »Sie kennen sich aber sehr genau aus.«

»Vor allen Dingen kenne ich die Vorliebe unseres Gastgebers für einen bestimmten Film«, sagte Rogaschow ungewohnt heiter. »Sagen wir mal, ich war vorbereitet.«

»Ich wusste gar nicht, dass Sie sich so sehr für Klassik –«

»Nein«, ließ sich Olympiada vernehmen, »man traut es ihm nicht zu.«

Hoppla, dachte Chambers. Das wird ja immer besser.

Lynn postierte sich im Mittelgang.

»Vielleicht ist Ihnen aufgefallen«, sprach sie in ein kleines Mikrofon, »dass die Reihe immer dann an mir ist, etwas zu sagen, wenn es um die Annehmlichkeiten der Unterbringung geht. Vorweg, was Sie auf dieser Reise erleben, hat den Charakter einer Premiere. Sie waren die ersten

Gäste im STELLAR ISLAND HOTEL, und Sie werden die Ersten sein, die das GAIA betreten. Automatisch genießen Sie damit als Erste eine Fahrt im Lunar Express, der die knapp 1300 Kilometer bis zum Hotel in weniger als zwei Stunden zurücklegen wird. Die eigentliche Funktion des Bahnhofs, den wir gerade verlassen haben, ist allerdings die eines Umschlagplatzes. Im nordwestlichen Mare Imbrium wird Helium-3 gefördert. Über die Schiene gelangen die Tanks hierher, werden in Raumschiffe verladen und zur OSS geschickt. Der Cargo-Gleisstrang wird eine Weile parallel zu uns verlaufen und kurz, bevor wir unser Ziel erreichen, nach Westen abknicken, gut möglich also, dass wir unterwegs einem Frachtzug begegnen.«

In den Seitenfenstern blieb das Landefeld mit seinen Schutzwällen zurück. Die Magnetbahn beschleunigte, entfernte sich in einer weitläufigen Abwärtskurve von der Basis und strebte dem Schattenreich des Tals zu.

»Unsere planmäßige Ankunftszeit im Hotel beträgt 19.15 Uhr, um Ihr Gepäck müssen Sie sich nicht kümmern. Während die Roboter es auf Ihre Zimmer bringen, treffen wir uns in der Lobby, lernen die Crew kennen, besichtigen die Anlage, und im Anschluss haben Sie Gelegenheit, sich frisch zu machen. Das Dinner ist heute ausnahmsweise etwas später angesetzt, um 20.30 Uhr. Danach empfiehlt es sich, schlafen zu gehen. Die Reise war strapaziös, Sie werden müde sein, außerdem hat Neil Armstrong berichtet, in der ersten Nacht auf dem Mond außergewöhnlich gut geschlafen zu haben. Von wegen, wach liegen bei Vollmond. – Gibt es für den Moment noch Fragen?«

»Nur eine.« Donoghue hob die Hand. »Kann man einen Drink bekommen?«

»Bier, Wein, Whisky«, strahlte Lynn. »Alles alkoholfrei.«

»Ich wusste es.«

»Wird dir guttun«, sagte Aileen sehr zufrieden und tätschelte seinen Oberschenkel.

Donoghue knurrte etwas Lästerliches. Wie zur Strafe verschluckte sie die Dunkelheit. Eine Weile sah man noch die hochgelegenen Kraterränder im grellen Sonnenlicht liegen, dann verschwanden auch diese aus dem Blickfeld. Nina Hedegaard verteilte Snacks. Passend zur höllischen Finsternis wurde György Ligetis Requiem eingespielt, merklich ging es abwärts, während der Lunar Express schneller und schneller wurde. Black erklärte, dass sie in einer Schneise zwischen Peary und Hermite unterwegs seien, dann schossen sie auch schon wieder ins Sonnenlicht, an schartigen Felsformationen vorbei und einer zerklüfteten Senke entgegen. Ein weiteres Mal dunkelte es, als sie die Innenseite eines kleineren Kraters passierten. Eben noch hatte Chambers begierig Ambers Familienleben ausloten wollen, jetzt verspürte sie keinen anderen Wunsch mehr, als diese fremdartige, unberührte Landschaft zu bestaunen, das brutal Archaische ihrer Steilwände und Höhenrücken, die samtige Verschwiegenheit ihrer staubgefüllten Täler und Ebenen, die völlige Abwesenheit von Farbe. Kalt erstrahlte die Sonne auf den Rändern der Einschlaglöcher, in ihrer Glut zerrann die Zeit. Niemand mochte sich mehr unterhalten, selbst Chucky brach einen Witz kurz vor der dürftigen Pointe ab und schaute wie gebannt nach draußen, wo sich ein blauweiß glitzerndes Juwel langsam über den Horizont schob und mit jedem Kilometer, den sie südwärts strebten, an Höhe gewann – ihre Heimat, unendlich weit weg und von schmerzender Schönheit.

Hedegaard und Black schlossen eifrig Bildungslücken. Weitere Kraternamen fielen, Byrd, Gioja und Main. Die Gipfel schmolzen zu Hügeln, die Schlünde wichen lichten Ebenen. Nach Ablauf einer Stunde erreichten sie einen ausgedehnten Wall, Goldschmidt, in dessen westlichem Rand das Maul von Anaxagoras klaffte, laut Hedegaard Hinterlassenschaft eines besonders jungen Einschlags, was einige bewog, die Köpfe gen Himmel zu richten, weil jung nach gerade eben klang und nicht nach einhundert Millionen Jahren, und es wurde nervös gehüstelt und gelacht. Sie durchquerten Goldschmidt und rasten über eine Wüstenlandschaft dunklerer Färbung dahin, und Julian stand auf und gratulierte ihnen zur Durchquerung ihres ersten Mondmeeres, des Mare Frigoris.

»Und warum wird so 'ne olle Wüste Meer genannt?«, wollte Winter wissen, womit sie die höher gebildeten Mitreisenden der Peinlichkeit enthob, die Frage selbst stellen zu müssen.

»Weil man die dunklen Basaltebenen in früherer Zeit für Ozeane hielt«, sagte Julian. »Man ging davon aus, der Mond müsse ähnlich beschaffen sein wie die Erde. Als Folge glaubte man, Meere, Seen, Buchten und Sümpfe zu erkennen. Interessant in diesem Zusammenhang ist die Namensgebung, also warum zum Beispiel dieses Becken Meer der Kälte heißt. Es gibt ja auch ein Meer der Ruhe, das Mare Tranquillitatis, durch Apollo 11 in die Geschichte eingegangen, weshalb man übrigens drei winzige Krater nahe der Landestelle pflichtschuldigst Armstrong, Aldrin und Collins genannt hat, außerdem ein Meer der Stille, ein Meer der Heiterkeit, ein Wolken- und ein Regenmeer, einen Ozean der Stürme, das schäumende Meer, das Wellenmeer, und so weiter und so fort.«

»Klingt nach Wetterbericht«, sagte Hanna.

»Den Nagel auf den Kopf getroffen.« Julian grinste. »Schuld hat ein gewisser Giovanni Battista Riccioli, ein Astronom des 17. Jahrhunderts und Zeitgenosse Galileo Galileis. Sein Ehrgeiz war es, jeden Krater und jeden Gebirgszug nach einem großen Astronomen und Mathematiker zu benennen, aber dann gingen ihm die Astronomen aus, so ein Pech. Später haben Russen und Amerikaner sein System aufgegriffen. Heute findet man auf dem Mond auch Schriftsteller, Psychologen und Polarforscher verewigt, es gibt lunare Alpen, Pyrenäen und Anden. Jedenfalls, für Riccioli stand fest, dass die dunklen Ebenen Meere sein mussten. Schon Plutarch hat das geglaubt, und Galileo meinte, dass, wenn der Mond eine zweite Erde sei, seine hell leuchtenden Gegenden unzweifelhaft Landmassen und der dunklere Teil Gewässer wären. Natürlich wollte Riccioli auch seinen Mária schicke Namen geben – und dabei saß er einem gewaltigen Irrtum auf! Er meinte nämlich erkannt zu haben, dass sich das Wetter auf der Erde nach den Mondphasen richtete. Sprich, schönes Wetter bei zunehmendem Mond –«

»Abnehmender Mond, Mistwetter.«

»So ist es! Seitdem tragen die Meere in der östlichen Mondsichel Ruhe und Harmonie im Namen, während es im Westen stürmt und regnet, was das Zeug hält, und ein Meer in Nordpolnähe musste natürlich kalt sein, daher Mare Frigoris, Meer der Kälte. – Oh, schaut mal! Ich glaube, da kommt uns was entgegen.«

Chambers reckte den Hals. Zuerst sah sie nichts als endlose Fläche und den gekrümmten Verlauf der Gleise in der Ferne, dann stach es ihr in die Augen. Ein Pünktchen, das sich rasch näherte, über die Schienen heranflog, zu etwas Langgestrecktem wurde, mit leuchtenden Scheinwerfern. Während sie noch Einzelheiten auszumachen suchte, war der Güterzug bereits heran- und an ihnen vorbeigerast. Mit annähernd 1500 Stundenkilometern hatten sie einander gekreuzt, ohne dass im Geringsten etwas davon zu hören oder zu spüren gewesen wäre.

»Helium-3«, sagte Julian andächtig. »Die Zukunft.«

Und setzte sich, als gäbe es dem nichts hinzuzufügen.

Der Lunar Express drosch weiter. Kurze Zeit später zeichnete sich am Horizont ein massiver Gebirgsrücken ab, der ungewöhnlich schnell an Höhe gewann, als sei das Mare Frigoris tatsächlich ein Meer, dessen Tiefe er entstieg. Chambers erinnerte sich gehört zu haben, derlei Effekte verdankten sich der starken Krümmung des Trabanten. Black ließ sie wissen, es handele sich um den Krater Plato, ein Prachtexemplar von über einhundert Kilometern Durchmesser mit zweieinhalbtausend Meter hohen Wänden, wieder ein Schrapnellsplitter Information, der irgendwo in Chambers entzündeter Großhirnrinde stecken blieb. Geschmeidig wand sich der Lunar Express ins Mare Imbrium hinein, die angrenzende Wüstenebene. Das Gleis der Frachtverbindung zweigte wie angekündigt ab und verschwand im Westen, während sie Plato umrundeten und hinter sich ließen. Am Horizont türmten sich neue Berge auf, die Mondalpen, grell bestrahlt, von Schatten geädert. Kühn schwangen sich die Gleise in die Berglandschaft, krallten sich die Pfeiler der Magnetbahn in abschüssigen Fels. Je höher sie gelangten, desto atemberaubender gestaltete sich das Panorama, schroffe Zweitausender, kubistisch geformte Überhänge, scharf gezackte Grate. Ein letzter Blick auf den Staubteppich des Mare Imbrium, dann ging es kurvig ins Hinterland, zwischen Gipfeln und Hochebenen hindurch zum Rand eines lunaren Grand Canyon, und dort –

Chambers glaubte ihren Augen nicht zu trauen.

Ein Seufzer der Überwältigung ging durch den Zug. Kaum hörbar mischte sich das Summen des Antriebs in den von Geheimnissen schweren Bass des Zarathustra-Themas, während der Lunar Express langsamer wurde und funkelnd die ersten Fanfaren aufklangen. Strauss mochte Nietzsches Sonnenaufgang im Sinn gehabt haben, Kubrick die Transformation des menschlichen Genius zu etwas Neuem, Höheren, doch Chambers dachte im selben Augenblick an Edgar Allan Poe, dessen erzählerischen Abgrund sie in ihrer Jugend begeistert durchwandert hatte und der ihr mit einem einzigen Satz in Erinnerung geblieben war, mit dem schaurigen Abschluss seines ›Arthur Gordon Pym‹:

Doch da erhob sich auf unserer Bahn die lakenumhüllte Gestalt eines Mannes, der größer war als je ein Bewohner der Erde, und die Hautfarbe des Mannes hatte die makellose Weiße des Schnees –

Sie hielt den Atem an.

In zehn, vielleicht zwölf Kilometern Entfernung, auf der Kuppe eines Plateaus hoch über einem terrassenförmigen Vorsprung, jenseits dessen der Canyon steil abfiel, saß etwas und schaute zur Erde empor.

Ein Mensch.

Nein, es hatte die Umrisse eines Menschen. Nicht die eines Mannes, sondern die einer Frau in perfekter Proportionierung. Kopf, Gliedmaßen und Körper leuchteten hell vor dem unendlichen Sternenmeer. Bar jeder Mimik, ohne Mund, Nase und Augen, haftete ihr dennoch etwas Verträumtes, nahezu Sehnsuchtsvolles an, wie sie die Beine über den

Rand geschwungen und die Arme mit den durchgedrückten Ellbogen aufgestützt hielt, ihre ganze Hingabe dem stillen, fernen Planeten über ihr gewidmet, den sie niemals betreten würde.

Sie war mindestens zweihundert Meter hoch.

DALLAS, TEXAS, USA

Wäre Loreena Keowa nicht schon Aushängeschild von Greenwatch gewesen, man hätte sie dafür erfinden müssen.

Ihre Wurzeln waren unverkennbar. Eine hundertprozentige Tlingit, Angehörige eines Volks, dessen Lebensraum von alters her den südöstlichen Küstenstreifen Alaskas umfasste und Teile des Yukon-Territoriums und Britisch-Kolumbiens auf kanadischer Seite mit einschloss. Knapp 8000 Tlingit waren verblieben, Tendenz schwindend. Nur wenige hundert Alte beherrschten noch die melodische Na-Dené-Sprache, zunehmend allerdings auch wieder junge Leute wie Keowa, die sich im ergrünten Amerika als Bannerträger ethnischer Selbstbehauptung verstanden.

Keowa entstammte einem Raben-Clan aus Hoona, dem *Dorf auf den Klippen,* einer Tlingit-Siedlung auf Chichagof Island. Inzwischen, wenn sie nicht gerade in Vancouver weilte, dem Hauptsitz von Greenwatch, lebte sie 40 Meilen westlich von Hoona in Juneau. Ihr Gesichtsschnitt, eindeutig indianisch, trug zugleich Merkmale weißen Erbguts, obschon ihres Wissens nie ein Weißer in den Clan eingeheiratet hatte. Ohne im klassischen Sinne gut auszusehen, strahlte sie eine aufregende, leicht zu romantisierende Wildheit aus. Ihr Haar, lang und glänzend schwarz, entsprach der Vorstellung New Yorker Börsenmakler von Indianerhaar in gleicher Weise, wie ihr Stil, sich zu kleiden, allen Klischees vom edlen Wilden zuwiderlief. Ihrer Ansicht nach ließ sich Umweltschutz auch in Gucci und Armani betreiben. In der Sache deutlich, wurde sie kaum je polemisch. Ihre Reportagen galten als fundiert und schonungslos, zugleich gelang es ihr, niemanden in Bausch und Bogen zu verdammen. Ihre Gegner bezeichneten sie als wandelnde Kompromisslösung für weichgespülte Wall-Street-Ökoaktivisten, ihre Fürsprecher schätzten ihr integratives Potenzial. Was immer davon zutraf, unbestritten war, dass der Erfolg von Greenwatch maßgeblich auf Loreena Keowa gründete. In den letzten beiden Jahren hatte sich der vormals kleine Internet-Kanal an die Spitze aller ökologisch ausgerichteten TV-Sender Amerikas gesetzt und sich bemerkenswert selten korrigieren müssen – keineswegs selbstverständlich, da der Wettlauf um Erstveröffentlichungen im Internet besorgniserregende Mängel in der Recherche nach sich zog.

Typisch für Greenwatch, empfand man dort eine krude Sympathie für den EMCO-Chefstrategen Gerald Palstein, eigentlich der böse Feind. Doch Palstein vertrat grüne Positionen, und in Calgary war er zum Opfer geworden, als er etwas beendet hatte, das Umweltschützern von jeher die Zornesröte ins Gesicht trieb. Anfang des Jahrtausends hatten Konzerne wie ExxonMobil, ermuntert durch die ökoresistente Bush-Administration, ein praktisch schon aufgegebenes Geschäftsfeld wiederbelebt: die Ausbeutung von Ölsand, einer Mischung aus Sand, Wasser und Kohlenwasserstoffen von Bitumen bis Rohöl, deren größte Vorkommen unter anderem in Kanada lagerten. Alleine die Reserven in den Regionen Athabasca, Peace River und Cold Lake wurden auf 24 Milliarden Tonnen geschätzt, womit sich das Land hinter Saudi-Arabien auf Platz zwei der ölreichsten Länder schob. Das schwarze Gold aus Sand zu extrahieren, kostete allerdings das Dreifache der herkömmlichen Förderung; ein Verlustgeschäft, solange die Barrel-Preise zwischen 20 und 30 Dollar gelegen hatten. Doch der rapide Preisanstieg hatte das aufwendige Verfahren schließlich gerechtfertigt, begünstigt durch Kanadas Nähe zum immerdurstigen, für jede nichtarabische Quelle dankbaren Hauptabnehmer USA. Mit Dollarzeichen in den Augen fielen die Konzerne über die schlummernden Reserven her, was in Alberta binnen Kurzem zur völligen Zerstörung des borealen Waldes, der Moorlandschaften und der Gewässer führte. Zudem gelangten pro Barrel des solcherart gewonnenen, synthetischen Öls über 80 Kilogramm Treibhausgas in die Erdatmosphäre und vier Barrel verschmutztes Wasser in Seen und Flüsse.

Doch der Barrelpreis war abgestürzt, für alle Zeiten. Über Nacht fand der Tagebau sein Ende, ohne dass sich die Unternehmen, die ihn angezettelt hatten, in der Lage sahen, die geschädigten Ökosysteme wiederherzustellen. Was blieb, waren verwüstete Landstriche, gestiegene Krebsraten unter der Bevölkerung und Firmen wie Imperial Oil, ein Traditionsunternehmen mit Hauptsitz in Calgary, das sein Geld fast 150 Jahre lang mit der Förderung von Erdgas und Erdöl, dessen Raffinierung und zuletzt zunehmend auch mit Ölsand verdient hatte. Eben noch Speerspitze der Branche, gingen dort die Lichter aus, und Palstein in seiner Funktion als strategischer Leiter von EMCO, mit rund zwei Dritteln aller Anteile Haupteigner von Imperial Oil, musste nach Alberta reisen, um dem Management und einer schockierten Belegschaft zu verkünden, dass man sie fallen ließ.

Vielleicht, weil es im Ergebnis effizienter war, seine Wut auf einen einzelnen Mann zu richten als auf den fernen Mond, dessen Rohstoffen sich das Desaster verdankte, hatte man in Calgary auf Palstein geschossen. Die Tat eines Verzweifelten, wenigstens stellte es sich so den meisten dar.

Loreena Keowa hielt Skepsis für angezeigt.

Nicht, dass sie die Antwort gewusst hätte. Doch wie lange würde sich ein verbitterter Arbeitsloser dem Zugriff entziehen können? Das Attentat lag einen Monat zurück. Verschiedenes an der Theorie vom ausgerasteten Einzeltäter ergab keinen Sinn, und da Keowa ohnehin an einer Reportage über *Das Erbe der Ungeheuer,* die Umweltzerstörungen durch die Ölkonzerne, arbeitete, erschien es ihr sinnvoll, den Fall auf ihre Weise weiterzuverfolgen. Schon vor Helium-3 hatte Palstein auf eine alternative Ausrichtung seiner Branche gedrängt. Nachgewiesenermaßen war er nie ein Freund des Ölsandgeschäfts gewesen und auf der Pressekonferenz in Anchorage unverdient schlecht weggekommen, wie sie fand. Also hatte sie ihm ein TV-Porträt angeboten, das ihn in besserem Licht zeigen würde. Im Gegenzug erhoffte sie sich Interna über den stürzenden Riesen EMCO, mehr aber noch erregte sie die Aussicht, in bester Tradition amerikanischen Enthüllungsjournalismus zur Aufklärung des Attentats beizutragen.

Vielleicht sogar, den Fall zu lösen.

Palstein hatte eine Weile gezögert und sie schließlich eingeladen, ihn in Texas zu besuchen, wo er sich in seinem Haus am Ufer des Lavon Lake von den Folgen seiner Verletzung und dem Überbringen schlechter Nachrichten erholte – unter der Voraussetzung, dass sie zum ersten Gespräch ohne Kamerateam erschien.

»Wir werden aber Bilder brauchen«, hatte Keowa gesagt. »Wir sind ein Fernsehsender.«

»Sie werden auch welche bekommen. Sofern ich den Eindruck gewinne, dass Sie es ehrlich meinen. Auch ich kann nur ein gewisses Maß an Prügel verkraften, Loreena. Wir beschnuppern uns eine Stunde, und dann holen Sie Ihre Leute dazu. Oder auch nicht.«

Jetzt, im Taxi, das sie vom Flughafen ins Stadtzentrum von Dallas brachte, ging Keowa ein letztes Mal ihre Unterlagen durch. Kameramann und Tontechniker dösten auf dem Rücksitz vor sich hin, erschlagen von der humiden Hitze, die Texas in diesem Jahr viel zu früh befallen hatte. EMCO hatte seinen Hauptsitz im benachbarten

Irving, doch Palstein wohnte auf der anderen Seite der Stadt. Im Sheraton Dallas nahmen sie ein leichtes Mittagessen zu sich, dann erschien wie angekündigt Palsteins Fahrer, um Keowa abzuholen. Sie verließen die Stadt und durchquerten naturbelassene Peripherie, bis zur Linken die glitzernde Fläche des Sees zwischen den Bäumen sichtbar wurde. Nach dem wackeligen Flug ins Schwitzbad hiesiger Temperaturen getaucht, genoss sie die Fahrt in dem klimatisierten Elektro-Van. Nach einer Weile bog der Fahrer auf eine kleinere Straße und von dort auf einen Privatweg ab, der direkt ans Wasser und zu Palsteins Haus führte, und sie dachte, dass es in etwa dem entsprach, was sie sich vorgestellt hatte. Palstein auf einer Ranch mit Büffelhörnern und Säulenveranda, ein Ding der Unmöglichkeit! Die luftige, von Grünflächen durchbrochene Anordnung kubischer Elemente mit ihren Glasflächen, dem filigranen Stützwerk und den beinahe schwerelos erscheinenden Wänden passte weit besser zu ihm.

Der Fahrer ließ sie aussteigen. Ein kräftig gebauter Mann in Anzughose und T-Shirt kam ihr entgegen und bat sie höflich um ihren Ausweis. In Ufernähe patrouillierten zwei weitere Männer. Wie es aussah, vertraute sich Palstein Bodyguards an. Sie reichte dem Mann ihre ID-Karte, und er hielt sie gegen den Scanner seines Handys. Was der Bildschirm ihm zeigte, schien ihn zufriedenzustellen, denn er gab ihr das Dokument mit einem Lächeln zurück und bedeutete ihr, ihm zu folgen. Zügig durchquerten sie einen japanischen Garten und gelangten vorbei an einem großen Swimmingpool zu einem Bootssteg.

»Haben Sie Lust auf eine Tour?«

Palstein, an einen Poller gelehnt, erwartete sie vor einer schlanken, schneeweißen Yacht mit hohem Mast und eingerollten Segeln. Er trug Jeans und Poloshirt und sah gesünder aus als bei ihrem letzten Zusammentreffen in Anchorage. Die Schlinge um seinen Arm war verschwunden. Keowa deutete auf seine Schulter.

»Geht's wieder?«

»Danke.« Er nahm ihre Hand und schüttelte sie kurz. »Zieht nur noch ein bisschen. Hatten Sie eine gute Anreise, Shax' saani Keek'?«

Keowa lachte irritiert. »Sie kennen meinen indianischen Namen?«

»Warum nicht?«

»Kaum jemand kennt den!«

»Die Höflichkeit gebietet, sich zu informieren. Shax' saani Keek', in der Tlingit-Sprache die *jüngere Schwester der Mädchen*, richtig?«

»Ich bin beeindruckt.«

»Und ich wahrscheinlich ein alter Angeber.« Palstein lächelte.

»Also, wie wär's? Ich kann Ihnen keine Segeltour bieten, das funktioniert noch nicht mit der Schulter, aber der Außenborder funktioniert, und an Bord sind kalte Getränke.«

Unter anderen Umständen hätte Keowa Verdacht geschöpft. Doch was bei jedem anderen manipulativ gewirkt hätte, blieb bei Palstein, was es war: die Einladung eines Mannes, der gerne Boot fuhr, ihn zu begleiten.

»Schönes Haus«, sagte Keowa, nachdem sie ein Stück hinausgefahren waren. Die Hitze stand blockartig auf dem Wasser, kein Lufthauch kräuselte die Oberfläche des Sees, doch immerhin war es erträglicher als an Land. Palstein warf einen Blick zurück und schwieg eine Minute, als betrachte er sein Anwesen zum ersten Mal unter dem Gesichtspunkt, es könne schön sein.

»Der Entwurf basiert auf Mies van der Rohe. Kennen Sie ihn?«

Keowa schüttelte den Kopf.

»In meinen Augen der bedeutendste Architekt der Moderne. Ein Deutscher, großer Konstruktivist und Logiker. Sein Ziel war es, den chaotisch überbordenden Output der technischen Zivilisation in geordnete Strukturen zu überführen, wobei sein Ordnungsverständnis nicht auf Eingrenzung, sondern die Schaffung größtmöglicher Freiräume abzielte, auf einen scheinbar übergangslosen Fluss zwischen innerer und äußerer Welt.«

»Auch zwischen Vergangenheit und Zukunft?«

»Absolut! Seine Arbeit ist zeitlos, weil sie jeder Zeit gerecht wird. Van der Rohe wird nie aufhören, Architekten zu beeinflussen.«

»Sie mögen klare Strukturen.«

»Ich mag Menschen mit Überblick. Übrigens bin ich sicher, dass Sie seinen berühmtesten Ausspruch kennen: Weniger ist mehr.«

»Oh ja.« Keowa nickte. »Klar.«

»Wissen Sie, was ich denke? Wenn unser Verständnis der Welt so beschaffen wäre wie van der Rohes Werk, wir würden höhere Zusammenhänge wahrnehmen und zu anderen Schlüssen gelangen. Klarheit durch Reduktion. Erkenntnis durch Wegstreichen. Eine Mathematik des Denkens.« Er hielt inne. »Aber Sie sind nicht hier, um mit mir die Schönheit der Zahlen zu erörtern. Was möchten Sie wissen?«

»Wer hat auf Sie geschossen?«

Palstein nickte, beinahe ein bisschen enttäuscht, als habe er Originelleres erwartet.

»Die Polizei sucht einen Einzeltäter, der frustriert und zornig ist.«

»Sie teilen diese Einschätzung immer noch?«

»Ich habe *gesagt,* dass ich sie teile.«

»Würden Sie mir dann verraten, was Sie *denken?*«

Er stützte das Kinn in die Hände. »Sagen wir mal so: Wenn Sie eine Gleichung lösen wollen, bedürfen Sie der Kenntnis ihrer Variablen. Allerdings werden Sie scheitern, wenn Sie sich in eine der Variablen verlieben und ihr eine Bedeutung beimessen, die sie vielleicht nicht hat, und genau das tut meines Erachtens die Polizei. Dumm ist nur, dass ich keine bessere Antwort anzubieten habe. – Was glauben Sie denn?«

»Na ja. Da geht eine Industrie den Bach runter, Sie reisen als Totengräber durch die Gegend, erzählen den Leuten, dass sie ihren Job verlieren werden, schließen Anlagen, lassen Firmen vor die Wand fahren, auch wenn Sie in Wahrheit natürlich nicht der Totengräber, sondern der Notarzt sind.«

»Alles eine Frage der Wahrnehmung.«

»Eben. Warum also kein verzweifelter Familienvater? Es wundert mich bloß, dass so einer in vier Wochen nicht auffindbar sein soll. Der Anschlag wurde von mehreren Fernsehsendern gefilmt, man hätte jemanden sehen müssen. Jemanden, der sich verdächtig macht, eine Waffe zieht, wegrennt, irgendetwas.«

»Wussten Sie, dass es gegenüber der Tribüne, auf der anderen Seite des Platzes, einen Gebäudekomplex gibt –«

»– von dem die Polizei glaubt, dass daraus geschossen wurde. Auch, dass sich niemand erinnert, jemanden gesehen zu haben, der reinging oder nach dem Attentat wieder rauskam. Es waren Polizisten in der Nähe, überall waren welche. Finden Sie das nicht komisch? Sieht das Ganze nicht nach einer professionell durchgeführten, langfristig geplanten Aktion aus?«

»Lee Harvey Oswald hat auch aus einem Haus heraus gefeuert.«

»Moment! Von seiner Arbeitsstelle aus.«

»Aber nicht im Affekt. Er muss seine Aktion vorbereitet haben, trotzdem spricht wenig dafür, dass er ein professioneller Killer war, selbst wenn Millionen Verschwörungstheoretiker das gerne so hätten.«

»Einverstanden. Trotzdem stellt sich für mich die Frage, wer da eigentlich getroffen werden sollte.«

»Sie meinen, ob mir der Schuss als Privatperson, als Repräsentant EMCOs oder als Symbolfigur des Systems gegolten hat.«

»Sie sind nicht das Symbol des Systems, Gerald. Militante Umweltschützer würden sich jemand anderen suchen als den Einzigen, mit dem sie unter Umständen rechnen können. Vielleicht ist es ja genau umgekehrt, und Sie sind militanten *Vertretern* des Systems ein Dorn im Auge.«

»Sie hätten Gelegenheit gehabt, mir den Docht auszupusten, solange es bei EMCO noch was zu entscheiden gab«, winkte Palstein ab. »Ich lasse, wie Sie so schön sagten, Imperial Oil vor die Wand fahren und beende unser Engagement in Ölsanden. Hätte ich das vor Helium-3 getan, wäre es vielleicht sinnvoll gewesen, mich aus dem Weg zu räumen, um weiterhin im Ölschlamm buddeln zu können, aber heute? Jede unpopuläre Entscheidung, die ich fälle, fällen die Umstände für mich.«

»Gut, schauen wir uns den Privatmann Palstein an. Was ist mit Rache?«

»An mir persönlich?«

»Sind Sie jemandem auf die Füße getreten?«

»Nicht, dass ich wüsste.«

»Gar nichts? Niemandem die Frau ausgespannt? Den Job weggeschnappt?«

»Glauben Sie mir, *meinen* Job will heute keiner mehr haben, und Zeit, jemandem die Frau auszuspannen, bleibt mir nicht. Aber selbst wenn jemand persönliche Motive hätte, warum sucht er sich dann so ein schwieriges, öffentliches Terrain? Er hätte mich hier am See erledigen können. In aller Stille.«

»Sie sind gut bewacht.«

»Erst seit Calgary.«

»Vielleicht doch jemand aus Ihren eigenen Reihen? Stehen Sie für etwas, das einflussreiche Vertreter EMCOs ungeachtet der Lage um keinen Preis wollen?«

Palstein verschränkte die Finger ineinander. Er hatte den Außenborder abgestellt, und die kleine Yacht ruhte wie festgeklebt auf der spiegelnden Wasserfläche. Hinter Keowas Kopf verlor sich das gutmütige Brummen einer Hummel.

»Es gibt natürlich einige bei EMCO, die der Meinung sind, wir sollten das ganze Helium-3-Thema aussitzen«, sagte er. »Sie finden es idiotisch, bei Orley einzusteigen. Aber das ist unrealistisch. Wir gehen bankrott. Wir können nichts aussitzen.«

»Hätte Ihr Tod speziell für Imperial Oil etwas geändert?«

»Er hätte für niemanden etwas geändert. Ich hätte ein paar Verabredungen nicht wahrnehmen können.« Palstein zuckte die Achseln. »Na ja, auch so konnte ich einige nicht wahrnehmen.«

»Sie hätten mit Orley zum Mond fliegen sollen. Er hatte Sie eingeladen.«

»Um der Wahrheit die Ehre zu geben, ich hatte ihn gebeten, dabei sein zu dürfen. Ich wäre sehr gerne da hochgeflogen.« Palsteins Blick bekam etwas Verträumtes. »Außerdem sind interessante Leute dabei, vielleicht hätte ich das eine oder andere Joint Venture einfädeln können. Oleg Rogaschow zum Beispiel, 56 Milliarden Dollar schwer, weltgrößter Anbieter von Stahl. Viele versuchen mit ihm ins Geschäft zu kommen. Oder Warren Locatelli, kaum weniger wert.«

»EMCO und der Weltmarktführer für Solarzellen«, lächelte Keowa. »Macht es Sie nicht zornig, dass Ihre einst mächtige Branche jetzt um die Gunst solcher Leute buhlen muss?«

»Es macht mich zornig, dass EMCO damals nicht auf mich gehört hat. Ich wollte immer mit Locatelli zusammenarbeiten. Wir hätten LIGHTYEARS zu gegebener Zeit kaufen sollen.«

»Als Sie ihm noch was zu bieten hatten.«

»Ja.«

»Absurd, oder? Erscheint es nicht als Treppenwitz der Geschichte, dass ausgerechnet die Ölbosse, die fast ein Jahrhundert lang den Lauf der Welt bestimmt haben, nicht in der Lage waren, die Entwicklung in ihrem Sinne zu beeinflussen?«

»Dekadenz ist das Ende aller Herrschaft. Jedenfalls tut es mir leid, wenn ich Ihnen nicht mit Hintergründen über das Attentat dienen kann. Ich fürchte, Sie müssen anderswo Nachforschungen anstellen.«

Keowa schwieg. Vielleicht war es naiv gewesen, darauf zu hoffen, Palstein würde ihr in der Verschwiegenheit des Lavon Lake mit raunender Stimme Ungeheuerlichkeiten enthüllen. Dann kam ihr eine Idee.

»Noch hat EMCO Geld, richtig?«

»Durchaus.«

»Sehen Sie.« Sie lächelte triumphierend. »Also haben Sie doch eine Entscheidung getroffen, zu der es eine Alternative gäbe.«

»Welche wäre das gewesen?«

»Wenn Sie in ORLEY ENTERPRISES investieren, denken Sie doch an erhebliche Summen.«

»Sicher. Aber auch dazu gibt es nicht wirklich eine Alternative.«

»Kommt auf die Interessenlage an, würde ich sagen. Es muss ja nicht zwingend darum gehen, EMCO zu erhalten.«

»Sondern?«

»Den Laden zu schließen und das Geld anderweitig zu verwenden. Ich meine, wer könnte ein Interesse daran haben, EMCOs Niedergang zu *beschleunigen*? Vielleicht jemand, dem Sie mit Ihren Sanierungsplänen im Wege stehen?«

Palstein sah sie aus seinen melancholischen Augen an.

»Interessante Frage.«

»Überlegen Sie mal! Da sind Tausende Arbeitslose, die es als weit sinnvoller erachten würden, wenn EMCO das Geld zu ihrer sozialen Absicherung aufwendete, so lange jedenfalls, bis sie neue Jobs gefunden haben, und dann kann der Tanker ruhig sinken. Da sind Gläubiger, die ihre Kohle nicht auf den Mond geschossen sehen wollen. Da ist eine Regierung, die Sie ohne mit der Wimper zu zucken fallen gelassen hat. Warum eigentlich? EMCO hat doch Know-how.«

»Wir haben kein Know-how. Nicht auf dem Mond.«

»Ist das nicht Rohstoffförderung, was die da oben machen?«

Palstein schüttelte den Kopf. »Zuallererst ist es Raumfahrt. Zweitens lassen sich irdische Technologien auf dem Mond nicht eins zu eins umsetzen, schon gar nicht unsere. Die verminderte Schwerkraft, das Fehlen der Atmosphäre, alles stellt eigene Anforderungen. Ein paar Leute aus der Kohleförderung sind dabei, meist wurden völlig neue Verfahren entwickelt. Der Grund, warum man uns fallen lässt, ist in meinen Augen ein ganz anderer. Der Staat möchte den Helium-3-Abbau kontrollieren, zu einhundert Prozent. Also ergreift man in Washington die Gelegenheit beim Schopf, sich nicht nur aus dem Klammergriff des Nahen Ostens, sondern gleich auch aus der Abhängigkeit der Ölkonzerne zu lösen.«

»Tod dem Königsmacher«, spottete Keowa.

»Aber natürlich«, sagte Palstein beinahe heiter. »Öl hat Präsidenten gemacht, aber kein Präsident ist gerne der Hampelmann der Privatwirtschaft, es sei denn, er ist deren größter Player. Es liegt in der Natur der Sache, dass sich der König als Erstes des Königsmachers entledigt, wenn er kann, denken Sie an die russischen Verhältnisse in den Neunzigern, an Wladimir Putin – ach nein, dafür sind Sie zu jung –«

»Ich habe die russischen Verhältnisse studiert«, lächelte Keowa.

»Putin hätte der Hampelmann der Oligarchen sein sollen, aber sie hatten sich in ihm verschätzt. Typen wie der mit dem unaussprechlichen Namen –«

»Chodorkowski.«

»Richtig, einer der Raubritter aus der Jelzin-Ära. Putin kam, wenig später fand sich Chodorkowski in einem sibirischen Strafgefangenenlager wieder. Vielen ging es so.«

»In unserem Fall erledigt sich das Problem von selbst«, grinste Palstein.

»Dennoch«, insistierte Keowa. »In der großen Krise vor 16 Jahren haben Regierungen überall auf der Welt Milliardenpakete in die Hand genommen, um leckgeschlagene Banken zu retten. Von Not leidenden Geldinstituten war die Rede, als hätten die Institute und ihre Vorstände Not gelitten und nicht das Heer der Anleger, denen niemand ihre Verluste mit staatlichen Garantien ausglich. Aber die Regierungen haben den Banken geholfen. Und jetzt tun sie gar nichts. Sie lassen die Ölmultis vor die Hunde gehen. Bei allem Bemühen, sich freizuschwimmen, *das* kann nicht im Interesse Washingtons sein.«

Palstein betrachtete sie wie einen interessanten Fisch, den er unverhofft aus dem See gezogen hatte.

»Sie wollen um jeden Preis eine Story, was?«

»Wenn es eine gibt.«

»Und dafür werfen Sie Äpfel und Birnen durcheinander. Das mit den Banken war etwas ganz anderes. Banken sind die ureigenen Stützen eines Systems, das sich Kapitalismus nennt. Glauben Sie im Ernst, damals sei es um einzelne Institute oder die Protektion irgendwelcher unsympathischen Manager und Spekulanten gegangen, die sich für Leistungen belohnten, die sie nicht erbracht hatten? Es ging um den Erhalt des Systems, das die Politik überhaupt erst *trug,* um die Statik des kapitalistischen Tempels, letztlich um den Einfluss der Regierenden auf das Kapital, der über die Zeit verloren gegangen war. Machen wir uns nichts vor, Loreena, eine vergleichbare Rolle haben die Ölkonzerne nie gespielt. Sie waren immer nur *Symptome* des Systems, nie dessen Eckpfeiler. Man kann großartig auf uns verzichten. Die von uns, denen nicht beizeiten der Sprung ins alternative Fach gelungen ist, wälzen sich in Agonie. Warum sollte der Staat uns retten? Wir haben ihm nichts anzubieten. Früher wurde er von uns bezahlt, eine komfortable Situation, jetzt soll er uns *stützen?* Daran ist niemand interessiert! Der Staat schürft Helium-3, weil er die Chance sieht, selbst wieder Unternehmer zu werden. Für Amerika ergibt sich die einzigartige Gelegenheit, seine Energieversorgung staatlicherseits in die Hand zu nehmen und neue Königsmacher gar nicht erst entstehen zu lassen.«

»Was ja wohl den Tatbestand der Augenwischerei erfüllt«, sagte Keowa geringschätzig. »Nennen Sie mir ein einziges kapitalistisch fundiertes System, in dem die Machthabenden nicht automatisch das Produkt des Kapitals und damit der Privatwirtschaft sind. Die USA tauschen EMCO gegen ORLEY ENTERPRISES, das ist alles. Er bringt sie zum Mond, baut Reaktoren, damit das Zeug, das sie von dort zur Erde schaffen, tut, was es soll. Ohne die Unterstützung der Privatwirtschaft wäre das ganze Unterfangen längst nicht so weit gediehen. Und der neue Königsmacher sitzt auf seinen Patenten und diktiert seinen Partnern die Tagesordnung. Ohne ihn können sie keine weiteren Weltraumfahrstühle bauen, keine Reaktoren –«

»Julian Orley ist kein Königsmacher im klassischen Sinne. Er ist ein Alien, wenn sie so wollen. Eine außerirdische Macht. ExxonMobil, später EMCO, das waren Amerikaner, die Einfluss auf amerikanische Wahlen nahmen und im Ausland Putschisten mit Geld und Waffen belieferten. Orley hingegen versteht sich als Staat, als autonome Weltmacht. Etwas, womit die großen Konzerne immer schon geliebäugelt haben. Niemandem verpflichtet als sich selbst. Julian Orley würde niemals versuchen, einen unliebsamen amerikanischen Präsidenten zu stürzen, auch aus moralischen Erwägungen nicht. Er würde einfach die diplomatischen Verbindungen zu Washington abbrechen und seinen Botschafter einberufen.«

»Er sieht sich tatsächlich als – Staat?«

»Wundert Sie das? Julians Aufstieg war programmiert, als sich die Regierungen noch verdattert die Augen rieben und mehr Mitsprache-recht im Bankenwesen einforderten. Dass um sie herum alles privatisiert wurde, hatten sie selber forciert, jetzt sahen sie, dass ihnen der Sozialstaat durch die Lappen zu gehen drohte. Also wollte man plötzlich mehr Staat, musste einsehen, dass die Verstaatlichung des Kapitals jene Kräfte lähmt, die es mehren, und kehrte zur Tagesordnung zurück. Bequemerweise hat man die Depression von 2008 bis 2012 als Ausuferung eines ansonsten lupenreinen Systems hingestellt. Die Chance, den Kapitalismus neu zu erfinden, wurde verschenkt, und damit die, den Staat nachhaltig zu stärken.«

Palsteins Blick war abgeschweift. Sein Tonfall hatte etwas Dozierendes bekommen, analytisch, jedoch ohne Empathie.

»Damals haben die Privaten den Regierenden endgültig das Zepter aus der Hand genommen. Aus Menschen wurden menschliche Ressourcen. Während sich die Parteien der demokratisch regierten Länder gegenseitig auf die Füße traten und totalitäre Machthaber wie eh und je als Unternehmer in eigener Sache auftraten, drangen die Konzerne in jeden Bereich der sozialen Ordnung vor und errichteten das Warenhaus der modernen Gesellschaft. Sie übernahmen die Versorgung mit Wasser, Medizin und Nahrungsmitteln, privatisierten die Bildung, bauten eigene Universitäten, Krankenhäuser, Seniorenresidenzen, Friedhöfe, alles schöner, größer und besser, verglichen mit staatlichen Einrichtungen. Sie engagierten sich gegen Krieg, initiierten Hilfsprogramme für Unterprivilegierte, nahmen den Kampf gegen

Hunger, Durst, Folter, gegen globale Erwärmung, gegen Überfischung und Raubbau, gegen die Spaltung in Arm und Reich auf. In gleicher Weise begünstigten sie diese Spaltung, indem sie entschieden, wer Zugang hat und wer nicht. Die Forschung statteten sie mit großzügigen Budgets aus und unterwarfen sie ihren Zielen. Aus dem Menschheitserbe Erde wurde ein Wirtschaftserbe. Sie erschlossen jeden Winkel, jede Ressource. Zugleich bezifferten sie alles nach seinem Wert, von der Frischwasserquelle bis hin zum menschlichen Genom, verwandelten die frei zugängliche Welt in einen Katalog, versehen mit Eigentumshinweisen, Nutzungsgebühren und Zugangsberechtigungen, versahen die Schöpfung, wenn Sie mir den pathetischen Ausrutscher gestatten, mit einem Drehkreuz. Sie teilten die Menschheit in Befugte und Unbefugte. Selbst die kostenlose Bereitstellung von Bildung und Trinkwasser ist letztlich ein Angebot, das Menschen, sobald sie es annehmen, einer kommerziellen Ideologie unterwirft, der Vision einer Marke.«

»War das nicht immer schon so?«, sagte Keowa. »Dass viele belohnt werden, wenn sie den Ideen weniger folgen, und, wenn sie es nicht tun, mit Ausschluss und Strafe rechnen müssen?«

»Sie reden vom Pfauenrad der Diktaturen. Tutenchamun, Julius Cäsar, Napoleon, Hitler, Saddam Hussein.«

»Es gibt auch sanftere Formen der Diktatur.«

»Das alte Rom war eine sanfte Form«, lächelte Palstein. »Römer empfanden sich als die freiesten Menschen überhaupt. Ganz was anderes, Loreena. Ich rede von der Machtübernahme durch solche Herrscher, deren Staaten auf keiner Landkarte verzeichnet sind. Dass die Ölkonzerne den Kampf zu verlieren drohen, heißt nicht, dass der Einfluss der Konzerne auf die Politik geschrumpft wäre, im Gegenteil. Es zeugt von einer Verlagerung. Im Warenhaus Erde haben andere Abteilungsleiter an Einfluss gewonnen, insofern haben Sie vollkommen recht: Orley statt EMCO. Nur handelte EMCO im Sinne amerikanischer Interessen, weil unsere Leute in der Regierung saßen, während Orley da gar nicht erst reinwill. Das macht ihn so unberechenbar. Davor haben Regierungen Angst. – Und jetzt stellen Sie sich, die Chronik staatlichen Versagens vor Augen, die Frage, ob diese Form der Übernahme wirklich so schlecht ist.«

»Wie bitte?« Keowa legte den Kopf schief. »Das ist nicht Ihr Ernst?«

»Ich versuche Ihnen nichts zu verkaufen. Ich will, dass Sie die Sache als mathematische Gleichung betrachten, jede ihrer Variablen, ohne Abneigung, ohne Sympathie. Können Sie das?«

Keowa überlegte. Eine merkwürdige Diskussion, in die Palstein sie da verwickelt hatte. Sie war angetreten, ihn zu interviewen und zu analysieren, nun kehrte sich das Verhältnis um.

»Ich denke schon«, sagte sie.

»Und?«

»Es gibt keinen idealen Zustand. Aber es gibt Annäherungen. Viele davon hart erkämpft. Mit der Abschaffung der Sklaverei hat sich die Idee vom freien Bürger in allen Schichten der Gesellschaft durchgesetzt. Als Bürger eines demokratisch legitimierten Staatswesens ist man an Gesetze gebunden, grundsätzlich aber frei. Richtig?«

»*D'accord.*«

»Als Mitglied einer Konzerngemeinschaft ist man hingegen Eigentum. Das ist der Wandel, der sich vollzieht.«

»Auch richtig.«

»Daraus auszubrechen scheint mir mit ähnlichen Schwierigkeiten verbunden zu sein, als versuche man, das Gefüge der Naturgesetze außer Kraft zu setzen. Die Freiheit des Individuums, nur noch eine Idee. Wir bewohnen eine Kugel. Kugeln sind in sich geschlossene Systeme, keine Chance also, zu entrinnen, und die Kugel ist aufgeteilt. Im selben Moment, wo wir das alles auf diesem schönen See erörtern, wird in einer fernen Umlaufbahn der Mond aufgeteilt, die nächste Kugel. Es ist kein nichtkommerzieller Raum mehr verblieben.«

»Stimmt.«

»Tut mir leid, Gerald, ich *bin* sachlich – aber dagegen werde ich ankämpfen, bis zuletzt!«

»Ihr gutes Recht. Ich kann Sie verstehen, dennoch, denken Sie darüber nach. Man kann den Gedanken, Eigentum zu sein, hassen. Oder sich mit ihm arrangieren.« Palstein ließ ein Tau durch die Hände laufen und lächelte. Mit einem Mal wirkte er sehr entspannt, ein ruhender Buddha. »Und vielleicht ist das Arrangement ja die bessere Wahl.«

GAIA, VALLIS ALPINA, MOND

Die Sonne verlor an Gewicht.

Mit jeder Minute gingen ihrem Mantel 60 Millionen Tonnen Substanz verloren, Protonen, Elektronen, Heliumkerne sowie einige elementare Nebendarsteller, Ingredienzien jener geheimnisvollen Rezeptur des Urnebels, von dem es hieß, er habe die hauseigenen Himmelskörper hervorgebracht. Unablässig strömte der Sonnenwind ins All, lenkte Kometenschweife um, erglühte als Polarlicht am irdischen

Firmament, reinigte die interplanetaren Räume von abgelagerten Gasen und gelangte weit über Plutos Bahn bis in die Oortsche Wolke. Kosmische Hintergrundstrahlung mischte sich hinein, schwach, aber allgegenwärtig, ein lichtschneller Fluss von Geschichten über Supernovae, Neutronensterne, Schwarze Löcher und die Frühzeit des Universums.

Allen diesen Einflüssen war der Mond, seit ihn die Erde im Zuge ihrer Verehelichung mit einem Kleinplaneten namens Theia gezeugt hatte, schutzlos ausgesetzt. Beständig strich der Atem der Sonne über ihn hinweg. Kein Magnetfeld lenkte den Fluss hochenergetischer Teilchen ab, und obwohl sie nur wenige Mikrometer tief eindrangen, war der lunare Staub bis auf den Grund damit gesättigt, um- und umgepflügt von viereinhalb Milliarden Jahren Meteoritenbeschuss, der das Unterste zuoberst gekehrt hatte. Seit seiner Gestaltwerdung hatte der Trabant so viel vom solaren Plasma geschluckt, dass es reichte, eine rohstoffhungrige Menschheit auf den Plan zu rufen, die nun mithilfe von Raumschiffen und Fördermaschinen antrat, um ihm sein Erbe zu entreißen.

Manchmal stürmte es auf der Sonne.

Dann fleckte sich ihr Leib, spannten sich gewaltige Plasmabögen über die Ozeane ihrer Glut, schleuderte sie das Zigfache ihrer üblichen Strahlung in den Weltraum, und der Sonnenwind schwoll zum Orkan, der mit verdoppelter Geschwindigkeit durchs Sonnensystem raste. Während dieser Zeit empfahl es sich für Astronauten, auf die Abschirmung ihrer Unterkunft zu vertrauen und tunlichst nicht in einem Raumschiff unterwegs zu sein. Jeder ionisierte Partikel, der eine menschliche Zelle durchschlug, schädigte die Erbsubstanz auf irreparable Weise. Alle elf Jahre traten die solaren Orkane mit geballter Häufigkeit auf, 2024 erst hatten sie den Shuttle-Verkehr zeitweise lahmgelegt und die Bewohner der Mondbasen unter die Erde gezwungen. Nicht einmal Maschinen mochten die Partikelstürme, weil sie ihre Außenhaut schädigten, die gespeicherten Daten ihrer Mikrochips löschten, Fehlschaltungen verursachten und unerwünschte Kettenreaktionen in Gang setzten.

Sonnenstürme, darüber herrschte Einigkeit, bildeten das größte Risiko in der bemannten Raumfahrt.

Am 26. Mai 2025 ging der Atem der Sonne ruhig und gleichmäßig.

Wie gewohnt verströmte er sich in die Heliosphäre, erreichte Merkur, mischte sich mit venusischem und marsianischem Kohlendioxid und irdischer Luft, durchsetzte die Gashüllen Jupiters, Saturns, Uranus und Neptuns, lagerte sich auf den Oberflächen ihrer Trabanten ab und erreichte natürlich auch den Erdmond, jeder Partikel 400 Sekundenkilometer schnell. Die Teilchen prallten in den Regolith, hefteten sich an den grauen Staub, verteilten sich in Ebenen und auf Kraterwällen, und einige Billionen von ihnen kollidierten mit einer kolossalen Frau am Rande des Vallis Alpina im lunaren Norden, ohne ihre Haut durchdringen zu können, jedenfalls nicht dort, wo diese mit Mondbeton gepanzert war. Unbeeindruckt vom kosmischen Hagel saß GAIA auf ihrem Felsvorsprung, das blicklose Gesicht der Erde zugewandt.

Julians Frau im Mond:

Lynns Albtraum.

Der gestrandete Ozeandampfer am Vulkanhang der Isla de las Estrellas, das OSS GRAND, beide waren in ihrer Fantasie gereift. GAIA indes entsprang einem Traum Julians, der seine Tochter darin höchstpersönlich auf dem Mond hatte sitzen sehen, eine Lichtgestalt vor dem schwarzen, sternenbesetzten Brokat des Weltraums. Typischerweise erblickte er Lynn in metaphorischer Überhöhung, als Ideal einer sich ausbreitenden, geläuterten Menschheit, erwachte, rief sie noch vom Bett aus an und erzählte ihr von seiner Vision. Und natürlich hatte Lynn die Idee eines Hotels in Menschengestalt mit Begeisterung aufgenommen, ihren Vater beglückwünscht und versprochen, umgehend die ersten Entwürfe zu fertigen, während ihr das verklärende Moment ihrer selbst so sehr auf den Magen schlug, dass sie eine Woche lang nicht schlief, ihre Essstörungen auf einem neuen Level der Verweigerung kultivierte und anfing, kleine grüne Tabletten zu schlucken, um ihrer Versagensängste Herr zu werden, doch irgendwie schaffte sie es, den Koloss an den Rand des Vallis Alpina zu stellen, ein Riesenweib, benannt nach der mythischen Erdmutter des alten Griechenland.

GAIA.

Und das Weib war ihr gelungen! Im Wahnsinn der Realisierung verdampfte ihr letzter Rest Energie, dafür konnte sie auf ein Meisterwerk blicken. Zumindest fand jeder, dass es eines sei. Sie selbst war dessen nicht so sicher. Julians Logik zufolge hätte sie an GAIA genesen müssen, da er das Projekt als therapeutische Maßnahme gegen die Nachwehen ihrer ominösen, eben erst überstandenen Krankheit sah, deren Natur er in etwa so sehr begriff, als sei sie vorübergehend von Aliens entführt und auf einen fremden Planeten verschleppt worden. Ebenfalls typisch für Julian, hatte er sich in den Glauben verstiegen, ihrem Leiden liege ein Mangel an Herausforderungen zugrunde, ein erdrückendes Übermaß an Routine, die ihr sonst so agiles Blut eindickte. Lynn hatte ORLEY TRAVEL, den Touristikkonzern der Gruppe, über die Jahre vorbildlich geführt. Möglich, dass sie sich nach etwas Aufregendem, Neuen sehnte. Vielleicht war sie ja unterfordert. Sie verwaltete die Welt, aber war die Welt genug? Private Suborbitalflüge, bezahlte Ausflüge zur OSS, Reisen zu den kleineren Hotels in der Umlaufbahn, all das hatte Ende des zweiten Jahrzehnts noch im Verantwortungsbereich von ORLEY SPACE gelegen, streng genommen aber handelte es sich dabei um Touristik.

Und so hatte Julian beschlossen, nicht ORLEY SPACE, sondern seine Tochter mit dem größten Abenteuer in der Geschichte des Hotelbaus zu betrauen.

Was die Planung des titanischen Projekts vereinfachte, waren statische Freiheiten, da auf dem Mond alles nur den sechsten Teil seines irdischen Gewichts wog. Erschwert wurde die Arbeit durch das völlige Fehlen jeder Erfahrung im lunaren Hochbau. Große Teile der amerikanischen Mondbasis waren unterirdisch angelegt, der Rest denkbar flach. China hatte völlig auf einen festen Standort verzichtet und seinen Außenposten in verkoppelbaren, tankwagenartigen Fahrzeugen untergebracht, die unweit des Fördergebiets den Verarbeitungsmaschinen folgten. Am lunaren Südpol, auf den Kraterrändern des Aitken-Beckens, teilte sich eine kleine Station der Deutschen ein sonniges Plätzchen mit seinem französischen Äquivalent, jeweils ausgelegt für zwei Mann Besatzung, während im Oceanus Procellarum ein munteres Dingsda, emsig und automatisiert, Traumgrundstücke für eine russische Basis ausspähte, die nicht gebaut werden würde. Das Mare Serenitatis bot einem indischen Roboter Heim und Kurzweil, Japan unterhielt ein desolates, weil leer stehendes Habitat um die Ecke. Mehr bauliches Anschauungsmaterial hatte der Mond nicht zu bieten. Immerhin bewies die Hochbahn, dass aufstrebende, filigrane Konstruktionen in seinem Schwerefeld Bestand hatten, die auf der Erde schon unter ihrem eigenen Gewicht zusammengebrochen wären.

Und GAIA sollte groß werden. Keine Frühstückspension, sondern ein Monument zum Ruhme der Menschheit – und natürlich, um 200 ihrer solventesten Vertreter darin unterzubringen.

Ergeben hatte Lynn Designer und Statiker zusammengetrommelt und mit den Planungen begonnen, unter strengster Geheimhaltung. Schnell erwies sich, dass eine stehende Figur zu hoch werden würde. Alternativ skizzierte sie GAIA darum sitzend, was insbesondere Julians

Zuspruch fand, der sich sein Hotel so und nicht anders erträumt hatte. Da außer Diskussion stand, den menschlichen Körper detailgetreu nachzubilden, verschmolz das Planungsteam als Erstes die Beine der Frau zu einem massiven Komplex, als trage sie einen eng anliegenden Rock, und ließ sie in einer Spitze auslaufen. Po und Oberschenkel formten den waagerecht aufliegenden Teil des Gebäudes, das jenseits der Knie in die Schlucht abknickte, ohne Kontakt zum rückwärtigen Fels. Schon diese statische Tollkühnheit reichte, um Lynn Halt an der Toilettenschüssel suchen zu lassen, wo sie das meiste des wenigen, das sie herunterwürgte, halb verdaut wieder ausspie. Im Gegenzug erhöhte sich ihr Tablettenkonsum, doch Julian war begeistert, und die Fachleute sagten, na ja, machbar sei es.

Unnötig zu betonen, dass *machbar* Julians Lieblingswort war.

Die Herausarbeitung weiblicher Attribute verlagerte sich im Folgenden auf den Torso, im Grunde ein Hochhaus mit Kurven statt gerade gezogener Wände. Es erhielt eine Taille und die Andeutung eines Busens, um den viel gestritten wurde. Den männlichen Zeichnern gerieten die Brüste durchweg zu groß. Lynn erklärte, sich nicht mit der Statik pornostarträchtiger Titten herumschlagen zu wollen, nur um ein paar Leute mehr unterzubringen, und zensierte sie weg. Plötzlich fand sie die ganze Idee, eine Frau auf den Mond zu setzen, schrecklich borniert. Julian führte ins Feld, die Eliminierung der Oberweite lasse auf einen Mann schließen, und ob es nicht an der Zeit sei, die Menschheit von einer Frau repräsentieren zu lassen? Ein Architekt deutete an, Lynn für prüde zu halten. Lynn regte sich auf. Weder sei sie lustfeindlich noch selbst zu knapp ausgestattet, aber was bitte schön solle GAIA verkörpern? Ein Monument der Möpse? Den Expansionswillen der weiblichen Oberweite? Also gewölbt, meinte Julian. Gern an der Grenze zum Knabenhaften, konterte Lynn. Aber nicht androgyn, protestierte der Leiter des Fassadenteams. Auf gar keinen Fall ausladend, beharrte Lynn. Dann eben *dezent* gewölbt, schlug Julian vor, was noch am besten klang, bloß, was war dezent?

Eine Praktikantin eilte herbei, setzte sich wortlos an den Computer und zeichnete eine Kurve. Jeder betrachtete sie. Jedem gefiel sie. Knabenhaft, aber nicht androgyn. Die Kurve einigte alle, und der Punkt war vom Tisch.

Feminin, ohne schmal zu sein, gerieten die Schultern, mit leicht abgewinkelten, sich zum Boden hin verjüngenden Türmen, mündend in der Stilisierung aufgestützter Handflächen. Dem Torso entwuchs ein schlanker Hals, darauf ein Kopf in perfekter Proportionierung zum

Körper, haar- und gesichtslos, nichts als die edle Kontur des reinen Schädels und leicht in den Nacken gelegt, sodass GAIA die Erde im Blick hatte. Das Ganze, wie es da im Computer Gestalt annahm, bescherte Lynn Koliken und Schweißausbrüche, doch duldsam nahm sie die nächste Herausforderung an: möglichst viel Glas bei optimalem Schutz gegen Strahlung. GAIAS ›Gesicht‹, verkündete sie, solle transparent sein, da sie im Kopf Restaurants und Bars unterzubringen gedenke, der Hinterkopf hingegen, das Reich der Köche, gepanzert. Glas zog sich über den Kehlkopf und die Wölbung der Brust, in der die Suiten beheimatet waren, als Prunkstück diente ein riesiges, gotisch geschnittenes Fenster für die Bauchhöhle, vier Ebenen mit Rezeption, Casino, Tennisplätzen und Sauna einfassend, sowie eine Verglasung der Schienbeine und Sichtflächen an den Armaußenseiten. Julian bemängelte, das Riesenfenster erinnere ihn an ungeliebte Kirchgänge zu Zeiten, da er sich nicht habe wehren können. Lynn ersetzte die Spitze durch einen romanischen Bogen, und das Fenster blieb.

Alles übrige, Rückfront, Schultern, Rippenbereich, Hals, Oberschenkel und Innenarme, würde mit panzerplattendickem Gussbeton aus Regolith verkleidet sein, verstärkt durch Glasplatten mit Wasser dazwischen, um Partikel zu absorbieren und den Wärmeverlust einzudämmen. Der Beton sollte, das Einverständnis der Amerikaner vorausgesetzt, in den bestehenden Fabrikationsanlagen am Nordpol ohne Hinzufügen von Wasser durch bloßes Erhitzen gewonnen und in einem automatisierten Montagewerk zu baugerechten Komponenten gegossen werden. Mondbeton stand im Ruf, zehnmal strapazierfähiger als üblicher Beton zu sein, resistent gegen Erosion, kosmische Strahlung und Mikrometeoriten, außerdem war er billig.

GAIAS Skelett nahm Gestalt an: ein gewaltiger Hauptträger als Rückgrat, durch den alle erforderlichen Leitungen und Schächte sowie drei Hochgeschwindigkeitsaufzüge verliefen, davon abzweigend stählerne Rippen, um Außenhülle und Stockwerke zu tragen, tief ins Felsplateau getriebene Verankerungen. Kreuzverstrebungen schienen nicht nötig zu sein, bis jemandem auffiel, dass die Struktur auf weit höhere Weise belastet sein würde als ursprünglich gedacht, da das umgebende Vakuum dem Druck der künstlich erzeugten Atmosphäre im Inneren nichts entgegenzusetzen hatte. Etliche Annahmen wurden hinfällig, alle Parameter fieberhaft neu berechnet, bis die Experten das Problem für gelöst erklärten. Danach hatte sich Lynns Fundus an Untergangsfantasien um ein Hotel erweitert, das irgendwann platzte.

Doch GAIA erstrahlte.

Von innen heraus leuchtete sie und kraft starker Scheinwerfer, die ihr makelloses, schneeweiß beschichtetes Äußeres in weichem Licht badeten. Nach Jahren der Mühsal hatte Lynn es geschafft. Sie hatte Julians Traumfrau vollendet, jedenfalls zu allergrößten Teilen. Einigen der preiswerteren Zimmer mangelte es noch an Wasserversorgung und Abfallbeseitigung, eine multireligiöse Kirche dort, wo GAIAS Knie sich winkelten, bedurfte redundanter Lebenserhaltungssysteme, um den Sicherheitsstandards vollauf zu genügen, und was die Banalität eines Raumhafens anging, würden sie später vielleicht einen bauen, um Direktverbindungen zwischen GAIA und OSS zu ermöglichen. Andererseits schlug der Lunar Express jeden Direktflug. Mit ihm einzutreffen, machte eindeutig mehr Spaß, und außerdem hatten sie ja ein Flugfeld für den interlunaren Verkehr. Alles war gut.

Nur nicht in Lynns Schädel.

In ihren Albträumen war GAIA schon so oft in sich zusammengekracht, dass sie der Katastrophe inzwischen entgegenfieberte. Ein ganzer Büroraum voller Gutachten besagte, dass es nicht dazu kommen würde, doch sie wusste es besser. Der Gedanke, etwas übersehen zu haben, hatte sie in den Wahnsinn getrieben, und Wahnsinn war zerstörerisch.

Ihr seid alle nicht sicher, dachte sie und stellte die Frau vor,

»– die rund um die Uhr für Ihre Sicherheit und für Ihr Wohlbefinden sorgen wird, zusammen mit ihrem Team. Liebe Freunde, ich freue mich, Sie mit unserer Hoteldirektorin oder besser gesagt, GAIAS Managerin bekannt machen zu dürfen: Dana Lawrence.«

Planmäßig hatte der Lunar Express den hoteleigenen Bahnhof erreicht. Eine Weile waren sie am Rande der Schlucht entlanggefahren, sodass sie exorbitante Blicke auf das gegenüberliegende Bauwerk genießen konnten, hatten ihren äußeren Ausläufer überquert und sich GAIA in einer weitläufigen Kurve genähert. Unmittelbar vor dem Hotel stieg das Gelände an, ein Umstand, der die Erbauer bewogen hatte, den Schienenstrang nicht bergauf zu führen, sondern in einen Tunnel münden zu lassen, sodass der Bahnhof im Untergrund lag. 300 Meter hinter der gigantischen Figur endeten die Gleise in einer kahlen Halle. Diesmal gab es beim Ausstieg kein Vakuum zu durchschreiten. Über Gangways gelangten sie in einen breiten, druckbeaufschlagten Korridor mit Laufbändern, die geradewegs unter das Hotel führten, von dort zu den Fahrstühlen und hoch in die Lobby, eine organisch gestaltete Servicelandschaft voller Sitzinseln und eleganter Schreibtische. Hinter Aquarienscheiben glitten Fische dahin. Kokette Bäumchen in Frühlingsgrün flankierten eine geschwungene Rezeption, über deren Rund in Entsprechung des Sonnensystems holografisch animierte Planeten um ein hell leuchtendes Zentralgestirn kreisten, dessen Oberfläche Protuberanzen spie. Legte man den Kopf in den Nacken, schien sich der Raum in einem Mikado gläserner Brücken zu verlieren. Der Umstand, dass die Rezeption in GAIAS verglastem Oberbauch beheimatet war, wo sich das romanische Riesenfenster rundete, verlieh ihr etwas Kathedralenartiges. Über die Schlucht hinweg blickte man auf die sonnenbeschienene andere Seite und die Pfeiler der Hochbahn, die sich ins Hinterland entfernten. Am Himmel leuchtete heimatlich die Erde.

Dana Lawrence nickte in die Runde.

Sie hatte graugrüne, prüfend blickende Augen, ein ovales Gesicht und schulterlang geschnittenes Kupferhaar. Mit ihren hoch liegenden Wangenknochen und bogenförmigen Brauen strahlte sie britische Kühle an der Schwelle zur Unnahbarkeit aus. Selbst der sinnliche Schwung ihrer Lippen vermochte wenig daran zu ändern. Erst wenn sie ein Lächeln investierte, verflog der Eindruck, allerdings ging Lawrence nicht eben verschwenderisch damit um. Sie wusste sehr genau um ihre Erscheinung und auch, dass sie von Kompetenz und Ernsthaftigkeit geprägt war – etwas, worauf Leute, die zum Mond flogen, Wert legten.

»Danke, Lynn«, sagte sie und trat ein Stück vor. »Ich hoffe, Sie hatten eine angenehme Reise. Wie Sie vielleicht wissen, soll dieses Hotel künftig 200 Gästen und 100 Angestellten Platz bieten. Da Sie es nun eine Woche lang für sich alleine haben, waren wir so frei, den Personalbestand ein wenig herunterzufahren, ohne dass es Ihnen an etwas fehlen wird. Unsere Mitarbeiter haben Erfahrung darin, Wünsche zu erfüllen, noch bevor sie geäußert werden. Sophie Thiel –«

Sie wandte den Kopf zu einem Grüppchen um die Wette lächelnder junger Menschen, allesamt in die Farben der Orley-Gruppe gekleidet. Eine sommersprossige, mädchenhafte Frau trat vor.

»– meine rechte Hand, leitet die Hausmeisterei und sorgt für das reibungslose Funktionieren der Lebenserhaltungssysteme. Ashwini Anand –«, eine zierliche, indisch aussehende Frau mit stolzem Blick neigte den Kopf, »– verantwortet den Zimmerservice und kümmert sich zusammen mit Sophie um Technologie und Logistik. Astronauten haben in der Vergangenheit viel erdulden müssen, vor allem in kulinarischen Dingen. Der Weg vom Tubenmenü zur Sterneküche war lang, dafür haben Sie nun die Auswahl zwischen zwei vorzüglichen Restaurants unter der Leitung unseres Chefkochs Axel Kokoschka.« Ein vierschrötiger, schüchtern wirkender Mann mit Babygesicht und Vollglatze hob die Rechte und tapste von einem Fuß auf den anderen. »Ihm assistiert unser zweiter Chefkoch Michio Funaki, der unter anderem demonstrieren wird, wie man auf dem Mond fangfrisches Sushi zubereitet.«

Funaki, mager und kurz geschoren, ließ den Oberkörper vor und zurück schnellen.

»Alle vier sind Führungskräfte und haben die Schule einiger der besten Hotels und Küchen der Welt durchlaufen, darüber hinaus blicken sie auf eine zweijährige Ausbildungszeit im ORLEY SPACE Center zurück; durchaus taugliche Astronauten also, die mit den Systemen GAIAS ebenso vertraut sind wie mit den hiesigen Fortbewegungsmitteln. Künftig werden Sophie, Ashwini, Axel und Michio im mittleren Management des GAIA arbeiten, für die Dauer der nächsten Tage stehen sie ausschließlich Ihnen zur Verfügung. Gleiches gilt für mich. Bitte zögern Sie nicht, mich anzusprechen, wann immer Sie etwas auf dem Herzen haben. Es ist uns eine Ehre, Sie hier zu Gast zu haben, wir freuen uns sehr.«

Ein Lächeln, homöopathisch dosiert.

»Wenn für den Moment keine Fragen mehr sind, würde ich Ihnen gerne das Hotel zeigen. In einer Stunde, um 20.30 Uhr, erwarten wir Sie dann zum Dinner im SELENE.«

Unter der Lobby lag das Casino, ein Ballsaal mit Bühne, Cocktailbar und Spieltischen, ein Stockwerk tiefer begann GAIAS Unterbauch und die Dame in den Hüften breiter zu werden, sodass man sich zur allgemeinen Überraschung auf zwei Tennisplätzen wiederfand.

»Draußen gibt es zwei weitere«, sagte Lawrence. »Für die Hartgesottenen. Im Raumanzug zu spielen, ist kein Problem, Umstände bereiten die Bälle. Auf dem Mond fliegen sie immer gleich einige hundert Meter weit, also haben wir die Plätze eingezäunt.«

»Wie steht's mit Golf?«, wollte Edwards wissen.

»Golf auf dem Mond?«, kicherte Parker. »Den Ball findest du erst recht nicht wieder.«

»Doch«, sagte Lynn. »Wir haben's mit sendergepeilten Bällen versucht. Via LPCS. Funktioniert.«

»LP was?«

»*Lunar Positioning and Communication System.* Um den Mond kreisen zehn Satelliten, damit wir hier oben vernünftig kommunizieren und uns zurechtfinden können. Der Golfplatz liegt auf der anderen

Seite der Schlucht, Shepard's Green. Wir nennen ihn auch Platz der langen Wege.«

»Wem verdankt er seinen Namen?«, fragte Kramp.

»Dem guten alten Alan Shepard«, lachte Julian. »Ein wahrer Pionier, landete mit Apollo 14 im Hochland südlich von Copernicus. Der Mistkerl hatte tatsächlich ein paar Golfbälle mitgebracht und den Kopf eines Sechsereisens. Hat abgeschlagen und gerufen: Da fliegt er Meile um Meile um Meile –«

»Ich werde hier ganz bestimmt *nicht* Golf spielen«, sagte Aileen Donoghue entschieden.

»Halb so wild. Er ist die Bälle nicht suchen gegangen, aber sie werden kaum weiter als 200 bis 400 Meter geflogen sein. Mondgolf macht Spaß, die Kunst ist, nicht zu feste draufzuhalten.«

»Versinken die Dinger denn nicht im Staub?«

»Zu leicht«, sagte Lawrence. »Versuchen Sie es. Wir haben allerdings auch eine holografische Abschlagstelle hier im Hotel. Möchten Sie den Wellness-Bereich sehen?«

Unterhalb der Tennisplätze erstreckte sich die Saunalandschaft, doch am meisten beeindruckte der Swimmingpool in GAIAS Gesäß. Er nahm fast die gesamte Grundfläche ein. Wände und Decken simulierten den Sternenhimmel, eine holografische Erde verströmte mildes Licht, während Boden und Umgebung dem lunaren Regolith nachempfunden waren, mit schroffen Gebirgsketten am Horizont. Ein Doppelkrater bildete den Pool, groß wie ein See und umstanden von Liegen. Die Illusion, auf der Mondoberfläche zu baden, war ziemlich perfekt.

Heidrun drehte O'Keefe ihr weißes Gesicht zu und lächelte: »Und, großer Held? Wettschwimmen?«

»Jederzeit.«

»Vorsicht! Du weißt, dass ich besser bin.«

»Abwarten, wie sich das in verminderter Schwerkraft verhält«, schmunzelte Ögi. »Womöglich hänge ich euch ja ab.«

»Also, wir sollten *auf jeden Fall* ein Wettschwimmen veranstalten«, verkündete Winter mit gespreizten Fingern. »Ich liiiieeebe es, im Wasser zu sein!«

»Verstehe. Tick und Trick.« O'Keefe senkte angelegentlich den Blick. »Wasservögel.«

Nacheinander besichtigten sie die Etage mit den Konferenzräumen, die multireligiöse Kirche, ein Meditationszentrum und eine blitzblanke, vertrauenerweckende Krankenstation, dann fuhren sie in GAIAS Brustkorb. Die Gruppe war im 14. bis 16. Level untergebracht, in der äußeren Brustwölbung. Fast 50 Meter unter ihnen lag die Lobby. Von den Fahrstühlen führte der Weg zu den Suiten über die gläsernen Brücken. Weitere Brücken verliefen in den Etagen darunter, kreuz und quer, zueinander versetzt, offenbar willkürlich angeordnet. Keine besaß ein Geländer.

»Ist jemand nicht schwindelfrei?«, fragte Lawrence. Sushma Nair hob zögerlich eine Hand. Einige andere schauten verunsichert. Diesmal lächelte Lawrence eine Spur herzlicher.

»Folgendes sollten Sie wissen. Wenn Sie auf der Erde von einer zwei Meter hohen Mauer springen, erreichen Sie nach 0,6 Sekunden den Boden. In dieser Zeit haben Sie Ihren Körper auf 22 Stundenkilometer beschleunigt. Auf dem Mond dauert derselbe Sprung dreimal so lange, dafür wird ihre Endgeschwindigkeit mehr als halbiert. Sprich, Sie müssten aus einer Höhe von zwölf Metern springen, um den Effekt eines irdischen Zweimetersprungs zu erzielen, anders gesagt, auf dem Mond könnten Sie bedenkenlos aus dem vierten Stock eines gewöhnlichen Wohnhauses springen. Sie sollten also nicht immer den Lift nehmen, wenn Sie nach unten wollen. Springen Sie einfach von Brücke zu Brücke, sie liegen knapp vier Meter übereinander, ein Klacks. – Will es jemand versuchen?«

»Ich«, sagte Carl Hanna.

Sie betrachtete ihn mit ihrem prüfenden Blick. Hochgewachsen, muskulös, kontrollierte Bewegungen.

»Ganz Geschickte springen auch wieder nach oben«, fügte sie vielsagend hinzu.

Hanna grinste und betrat die nächstliegende Brücke.

»Falls sie gelogen hat«, rief er den anderen zu, »werft sie mir hinterher, okay?«

Er federte ab, getragen von Donoghues schepperndem Gelächter, fiel und kam vier Meter tiefer auf, ohne im Mindesten einzuknicken.

»Als ob man von der Bordsteinkante springt«, rief er nach oben.

Im nächsten Moment segelte O'Keefe über die Kante, gefolgt von Heidrun. Beide landeten, als hätten sie nie eine andere Art der Fortbewegung gekannt.

»Meine Güte«, sagte Aileen, »meine Güte!«, wobei sie alle der Reihe nach anblickte, ein »Meine Güte« für jeden.

»Los, Leute«, dröhnte Chucky. »Zeigt, was ihr könnt! Hoch mit euch!«

»Ihr müsst schon Platz machen.« Hanna vollführte eine scheuchende Handbewegung. Sie wichen zurück. Nachdenklich fixierte er die Kante. Wenn er die Arme über den Kopf hob, maß er knapp zwei Meter fünfzig, anderthalb Meter also, die es zu überbrücken galt.

»Wie groß bist du?«, fragte O'Keefe unsicher.

»Eins neunzig.«

»Hm.« Der Ire rieb sein Kinn. »Ich bin eins fünfundsiebzig.«

»Könnte knapp werden. Heidrun?«

»Eins achtundsiebzig. Egal. Wer's nicht schafft, gibt einen aus.«

»Vergiss es.« O'Keefe winkte ab. »Hier ist alles kostenfrei.«

»Dann eben auf der Erde. Hey, in Zürich! Alles klar? Eine Runde Geschnetzeltes in der Kronenhalle.«

»Aber für alle!«, rief Julian.

»Gut, wir springen gemeinsam«, beschied Hanna. »Rückt rüber, dass wir uns nicht gegenseitig in die Quere kommen. – Ihr da oben, zurücktreten! Fertig?«

»Ja, Meister.« Heidrun grinste. »Bereit.«

»Und hoch!«

Kraftvoll federte Hanna ab. Es ging unglaublich leicht. Mit der Gelassenheit eines Superhelden flog er der Kante entgegen, packte sie, holte neuen Schwung und landete aufrecht stehend. Neben ihm flatterte Heidrun heran, um Gleichgewicht bemüht. O'Keefes Hände drohten am Brückenrand abzurutschen, dann fand auch er mit mäßiger Eleganz hinauf.

»Tut mir leid«, sagte er. »Kronenhalle fällt flach.«

»Ihr seid trotzdem eingeladen«, rief Ögi im Tonfall eines Menschen, der die Welt umarmt. »Nie zuvor ist eine Schweizerin aus dem Stand vier Meter hoch gesprungen. Wir sehen uns in Zürich wieder!«

»Optimist«, sagte Lynn so leise, dass es nur Lawrence mitbekam.

Die Hoteldirektorin stutzte. Sie tat, als habe sie das bleiche, kleine Wort nicht gehört, dem etwas Hinterhältiges anhaftete.

Was war los mit Orleys Tochter?

»Denken Sie bitte daran«, sagte sie laut in die Runde, »auch in verminderter Schwerkraft baut Ihr Körper Muskelmasse ab. Es gibt zwei Gästefahrstühle im GAIA, E1 und E2, sowie einen Personalfahrstuhl, doch empfehlen wir, viel zu trainieren und öfter die Abkürzung über die Brücken zu nehmen. Jetzt reden wir aber erst mal wieder über Komfort und zeigen Ihnen die Zimmer.«

Hanna ließ sich von Sophie Thiel in die Geheimnisse seiner Suite einweisen. Nichts Wesentliches unterschied die Lebenserhaltungssysteme von denen der Raumstation.

»Die Temperatur ist auf 20 Grad Celsius eingestellt, aber regelbar«, erklärte Sophie Thiel mit Panoramalächeln und wies auf ein Knöpfchen neben der Tür, wobei sie so dicht an Hanna heranrückte, dass es eben noch mit ihrer Jobbeschreibung vereinbar war. »Ihre Suite verfügt über ein eigenes Wassermanagement, wunderbar steriles Wasser –«

»Das sollten Sie den Leuten nicht so verkaufen«, sagte Hanna, während er sich umsah und den libidinösen Hitzestrahl ihres Blicks in seinem Rücken spürte. Kein Zweifel, Frau Thiel mochte Muskeln. »Es klingt, als wollten Sie jemanden damit vergiften.«

»Gut, nennen wir's einfach frisch. Haha.«

Er drehte sich zu ihr um. Die Halbmonde ihrer Augen ließen kaum die Farbe erkennen, dafür schien sie über 64 blitzweiße Zähne und unerschöpfliche Ressourcen an Frohsinn zu verfügen. Sie war kein bisschen schön und doch sehr hübsch. Eine herangewachsene Pippi Langstrumpf, oder wie diese schwedische Göre gleich noch hieß. An einem Sonntagnachmittag in einem Hotel in Deutschland, während er Stunden um Stunden auf jemanden hatte warten müssen, der längst tot im Rhein trieb, war er auf den Film gestoßen und eigenartig berührt hängen geblieben. Ein verstaubter, infantiler Streifen, doch die darin gezeigte Kindheit unterschied sich so eklatant von der seinen, dass es an Science-Fiction grenzte. Er hatte nicht umschalten können. Nie zuvor hatte er einen Kinderfilm gesehen, jedenfalls nicht so einen.

Nie wieder danach hatte er einen geguckt.

Thiel demonstrierte die Lichtregelung, öffnete eine respektable Minibar und erklärte ihm, welche Nummern er zu wählen habe, falls es ihm an etwas mangele. Ihr Blick sagte, unter anderen Umständen. Hab in den besten Hotels der Welt gearbeitet. Niemals mit Gästen. Man konnte ihr nicht gerade den Vorwurf machen, dass sie sich aufdrängte. Sie war professionell und freundlich, halt nur ein offenes Buch.

Doch Hanna war nicht hier, um sich zu amüsieren.

»Wenn Sie noch etwas wünschen –«

»Nein, im Augenblick nicht. Ich komme zurecht.«

»Ach, fast hätt ich's vergessen! Unten im Kleiderschrank finden Sie Mondpantoffeln.« Sie krauste die Nase. »Uns ist noch kein besserer Name dafür eingefallen. Die Sohlen sind mit Blei versetzt, falls Sie schwerer zu sein wünschen.«

»Warum sollte ich?«

»Manche Menschen bevorzugen es, sich auf dem Mond wie auf der Erde zu bewegen.«

»Ach so! Sehr weitsichtig.«

Ihr Blick sagte, es sei denn, du gibst dir richtig viel Mühe.

»Also dann – um halb neun im SELENE.«

»Ja. Vielen Dank.«

Er wartete, bis sie gegangen war. Die Suite repräsentierte denselben schnörkellos eleganten Stil wie die Lobby. Hanna verstand nicht viel von Design, eigentlich gar nichts, doch hier waren Könner am Werk gewesen, das spürte auch er, schließlich hatte er sich für seine Rolle einiges an Kenntnis und Stilbewusstsein aneignen müssen. Außerdem mochte er klar konturierte, überschaubare Räume. Sosehr er Indien liebte, hatte er sich durch die überbordende Gemütlichkeit des landestypischen Einrichtungsstils stets belästigt gefühlt.

Sein Blick schweifte zu dem wandgroßen Fenster.

Sie hätten keinen besseren Platz für das Hotel finden können, dachte er. Das Plateau unterhalb GAIAS, über einen Fahrstuhl erreichbar, ragte mit seinen vereinsamten Tennisplätzen weit in die Schlucht hinein. Von dort musste man einen großartigen Blick auf die erleuchtete Skulptur des Hotels haben. Zur Linken, wo die Felswände zusammenrückten und die Schlucht endete, führte ein natürlich aussehender Pfad in weitem Schwung auf die andere Seite.

Was hatte Julian Orley gleich noch gesagt? Hinter den Gleisen des Lunar Express läge der Golfplatz.

Ein Golfplatz auf dem Mond!

Plötzlich durchfuhr Hanna ein Anflug von Bedrückung, nicht als derjenige hier sein zu können, für den ihn alle hielten. Er löschte die Empfindung aus, bevor sie ihn ernsthaft beschäftigen konnte, öffnete seinen silbernen Koffer, förderte seinen Computer zutage, ein schokoriegelgroßes Touchscreen-Gerät üblicher Bauart, sowie seinen Kulturbeutel, dessen Tiefen er den elektrischen Langhaarschneider entnahm. Mit routiniertem Griff zerlegte er ihn in zwei Hälften und entnahm seinem Inneren eine winzige Platine, die er dem Computer implantierte. Unmelodisch vor sich hin pfeifend schaltete er ihn ein und sah zu, wie das Programm hochlud und sich ins LPCS einklinkte.

Sekunden später setzte ihn das Gerät darüber in Kenntnis, dass er eine Nachricht erhalten hatte.

Er öffnete seinen E-Mail-Speicher. Sie kam von einem Freund und besagte, dass er die Hochzeit von Dexter und Stacey nicht vergessen solle. Unbeeindruckt vom Heiratswillen eines nicht existierenden Paars filterte er aus dem weißen Restrauschen, das der Botschaft anhing, einen Text von wenigen Zeilen Länge heraus, der nichts anderes enthielt als

die Adressen mehrerer Dutzend Internetseiten, lud ein Symbol hoch –
viele ineinander verschlungene Reptilienhälse, die einem einzigen Leib
zu entwachsen schienen – und wartete einen Moment.

Etwas entstand.

In blitzschneller Folge schoben sich Silben und Wörter ineinander.
Die eigentliche Nachricht nahm vor seinen Augen Gestalt an. Noch
während die Rekonstruktion im Gange war, wusste er, dass es Schwierigkeiten gegeben hatte. Der Text war kurz, aber dringlich:

> *Das Paket hat Schaden genommen. Es reagiert nicht mehr auf die
> Steuerung und kann den Einsatzort nicht aus eigener Kraft erreichen.
> Damit verändert sich Ihr Einsatzplan. Sie werden es reparieren oder
> den Inhalt selbst ins Ziel bringen. Falls es die Umstände erlauben,
> können Sie die Implantierung vorziehen. Handeln Sie umgehend!*

Umgehend.

Hanna starrte auf das Display. Die Konsequenz trat ihm vor Augen
wie ein ungeliebter Besucher. Umgehend hieß jetzt beziehungsweise,
sobald es irgend möglich war, ohne Aufsehen zu erregen. Es bedeutete,
dass er raus- und zurückmusste, später, wenn alle schliefen.

Zurück zur Peary-Basis.

TISCHGESPRÄCHE

Tim hatte Amber seit ihrem orbitalen Liebesflug jede Spekulation über
Lynns mentale Verfassung erspart, aus Gründen der Rücksichtnahme,
wie er sich einzureden versuchte, da seine Frau wild entschlossen war,
den Trip zu genießen, tatsächlich, weil er hinreichend mit der Aus-
fechtung eigener Dilemmata beschäftigt war. Zunehmend ertappte er
sich dabei, Vergnügen aus einer Reise zu ziehen, die er sich eigentlich vorgenommen hatte, von Herzen zu hassen: die Umstände ihres
Zustandekommens, das überheblich Julianische daran. In gleichem
Maße, wie er sich amüsierte, beschlich ihn ein pubertäres Empfinden
von Hochverrat. Korrumpierbar durch ein Ticket! Er redete sich ein,
es sei der Übermacht der Eindrücke zuzuschreiben, dass er unvermutet Anflüge von Sympathie für den alten Rattenfänger registrierte.
War er nicht mit sich übereingekommen, Julian zu verabscheuen, der
vor lauter Größenwahn nicht sah, auf wen er trat bei seinem Marsch in
die Zukunft, der seine Nächsten vernachlässigte oder zu Fetischen er-

klärte, unfähig, ihr Bedürfnis nach einem Quantum Normalität nachzuvollziehen?

Es war so hübsch einfach gewesen, ihn zu hassen.

Der Julian allerdings, den er in der Enge des Raumschiffs kennengelernt hatte, verunsicherte ihn damit, *nicht* ignorant und egoman zu sein, jedenfalls nicht hinreichend genug, um Tims vernichtendes Urteil über ihn aufrechtzuerhalten. Vielmehr ließ er Erinnerungen an Zeiten kindlicher Bewunderung aufkommen. An Crystal, seine Mutter, die bis zum Moment, da ihr Verstand erodiert war, darauf bestanden hatte, nie einen liebevolleren Menschen gekannt zu haben als seinen Vater, die ihn mit Sonnenstrahlen verglichen hatte, beglückend und leider flüchtig. Der solcherart Gehuldigte war eine Stunde vor ihrem Tod mit einem selbst gebauten Suborbitalflugzeug in die Thermosphäre entwichen, obwohl er wusste, wie kritisch ihr Zustand war. Er hatte es gewusst – und jenen entscheidenden Moment lang vergessen, dessen es bedurfte, einen Rekord zu brechen, einen Preis zu gewinnen und sich seinen Sohn zum immerwährenden Feind zu machen.

Lynn hatte Julian verziehen.

Tim nicht.

Stattdessen hatte er seine Dämonisierung betrieben. Und immer noch mochte er Julian nicht vergeben, obschon oder gerade weil er den Eckpfeiler seines Abscheus bröckeln sah. Dieses Hotel konnte nicht einzig der Logik des Profits und einem ruinösen Selbstverwirklichungstrieb entsprungen sein. Es musste mehr dahinterstecken, ein Traum, zu gewaltig, um zwischen einer Handvoll Familienmitgliedern aufgeteilt zu werden. Ob es ihm passte oder nicht, insgeheim begann er den Alten zu verstehen, seine malariahaften Schübe von Entdeckungsdrang, seine Nomadennatur, die ihn Wege finden ließ, wo andere Wände sahen, sein Bekenntnis zu den Kräften der Fortentwicklung und Erneuerung, und er empfand Eifersucht auf Julians große Geliebte, die Welt. Einhergehend mit dem Schwelbrand seines Gesinnungswandels drängte sich die Vorstellung auf, bezüglich Lynns übertrieben zu reagieren, sie vielleicht sogar – ohne dies zu beabsichtigen! – gegen Julian zu missbrauchen, indem er weniger ihr Wohl im Auge hatte als *Julians Schuld* an ihrem Leid. Er liebäugelte mit der Vorstellung, dass es ihr in Wirklichkeit ebenso gut ging, wie sie ständig behauptete, und er sich seiner versöhnlicher werdenden Haltung nicht zu schämen brauchte. Und plötzlich, beim Dinner in GAIAS Nasengegend respektive dort, wo sie ihre Nase hätte haben müssen, das Panorama der Schlucht vor Augen, wünschte er sich nichts mehr, als einfach nur Spaß haben zu dürfen, ohne die Gespenster der Vergangenheit am Tisch, die ihn wie schlechter Umgang begleiteten.

»Dir scheint's ja zu schmecken«, konstatierte Amber.

Sie saßen an einer langen Tafel im schwarzsilberblau gehaltenen SELENE und aßen Rotbarbe auf Safranrisotto. Der Fisch schmeckte, als habe man ihn eben aus dem Meer gefischt.

»Salzwasserzucht«, belehrte sie Axel Kokoschka, der Koch. »Haben große Tanks im Untergrund.«

»Ist das nicht einigermaßen kompliziert, hier oben ozeanische Verhältnisse zu schaffen?«, fragte Karla Kramp. »Ich meine, man kippt doch nicht einfach Salz ins Wasser?«

Kokoschka überlegte. »Nicht einfach so.«

»Die Salinität ist auf der Erde doch auch je nach Biotop verschieden, oder? Braucht es nicht eine spezielle Zusammensetzung, um eine Umgebung zu erzeugen, in der die Tiere überleben können? Chlorid, Sulfat, Natrium, Beimischungen von Calcium, Kalium, Jod, et cetera.«

»'n Fisch muss sich zu Hause fühlen, stimmt.«

»Ich will's ja nur verstehen. Sind nicht viele Fische auf eine permanente Strömung angewiesen, ausgewogene Sauerstoffzufuhr, geregelte Temperatur, all das?«

Kokoschka nickte nachdenklich, strich sich mit scheuem Lächeln über die Glatze, rieb ausgiebig seinen Dreitagebart, sagte: »Genau« und entwich. Kramp sah ihm verblüfft hinterher.

»Danke, dass Sie's mir erklärt haben«, rief sie.

»Kein Meister der großen Worte, was?«, grinste Tim.

Sie stach ein Stückchen Rotbarbe ab und ließ es zwischen ihren Modigliani-Lippen verschwinden.

»Wenn er es schafft, einen Fisch auf dem Mond so zuzubereiten, kann er sich meinetwegen die Zunge rausschneiden.«

Zwei Restaurants und zwei Bars teilten sich auf vier Ebenen GAIAS frontverglasten Schädel. Die Scheiben wölbten sich bis in die Schläfengegend, sodass man von überall cinemaskopische Rundumblicke genoss. SELENE und CHANG'E, die beiden Restaurants, nahmen die untere Hälfte ein, darüber lag die LUNA BAR, ganz oben der MAMA KILLA CLUB, wo unter Sternen getanzt werden konnte. Von dort führte eine gläserne Luftschleuse zum höchstgelegenen Punkt des Hotels, einer Aussichtsterrasse, die nur im Raumanzug zu betreten war, und die ein spektakuläres 360-Grad-Panorama bot. Kokoschkas Schüchternheit außer Acht gelassen, umsorgten er, Ashwini Anand, Michio Funaki und Sophie Thiel die Gruppe mit großer Zuvorkommenheit. Lynn genoss allseits Bewunderung für ihr Hotel. Über kalt werdenden Speisen gab sie bereitwillig Auskunft, parierte Fragen wortreich, aufgekratzt und sichtlich geschmeichelt. Eine ganze Weile gab es keine anderen Themen als die fremdartige Welt, die sie betreten hatten, das GAIA und die Qualität des Menüs.

Dann verlagerte sich der Fokus.

»Chang'e«, sinnierte Mukesh Nair beim Hauptgericht, getrüffeltem Rehfilet, belegt mit hauchdünnen Scheiben gerösteten Brotes, die von zerfließender Foie Gras erglänzten. »Ist das nicht ein Begriff aus der chinesischen Raumfahrt?«

»Ja und nein.« Rogaschow nahm einen Schluck alkoholreduzierten Château Palmers. »Einige Raumsonden waren so benannt, mit denen die Chinesen Anfang des Jahrtausends den Mond erkundeten. Aber eigentlich handelt es sich um eine mythologische Figur.«

»Chang'e, die Göttin des Mondes«, nickte Lynn.

»GAIA scheint nichts als Mythologie im Kopf zu haben«, lächelte Nair. »Selene war die Mondgottheit der Griechen, nicht wahr? So wie Luna die des antiken Roms –«

»Das weiß sogar ich«, freute sich Winter. »Luna und Sol, dieser Sonnenknilch. Die Götter der Ewigkeit, wisst ihr, absteigend, aufsteigend, hoch, runter, ohne Unterlass. Der eine kommt, der andere geht, wie in einer Schichtarbeiterehe.«

»Sonne und Mond. Schichtarbeiter.« Rogaschow ließ ein Lächeln spielen. »Leuchtet ein.«

»Ich interessier' mich für Götter und Astrologie! Die Sterne sagen die Zukunft voraus.« Sie beugte sich vor, Reste von Reh mit dem Doppelgestirn ihrer Brüste beschattend, die sie zur Feier des Abends in ein schimmerndes Nichts genötigt hatte. »Und wisst ihr was? Wollt ihr noch was hören?« Ihre Gabel zerteilte die Luft. »Von einigen, also von denen, die echt Ahnung hatten im alten Rom, wurde sie Noctiluca genannt, und man hat extra einen Tempel für sie beleuchtet, nachts auf dem Palatin, das ist so ein Berg in der Stadt. Ich war nämlich mal dort, ganz Rom ist voller Berge, also keine Stadt in den Bergen, versteht ihr, sondern ein Stadtgebirge, falls es einer genau wissen will.«

»Sie sollten uns öfter die Welt erklären«, sagte Nair freundlich. »Was heißt Noctiluca?«

»Leuchterin der Nacht«, schloss Winter feierlich und belohnte sich mit einem nicht gesellschaftsfähigen Schluck Rotwein.

»Und Mama Killa?«

»Irgend 'ne Mutti, denke ich. – Julian, was heißt Mama Killa?«

»Na ja, wir waren verlegen um Mondgöttinnen«, sagte Julian vergnügt, »aber Lynn hat dann doch einige ausgegraben, Ningal, die Gattin des assyrischen Mondgottes Sin, die babylonische Annit, Arabiens Kusra, Isis aus Ägypten –«

»Aber Mama Killa gefiel uns am besten«, fiel Lynn ein. »Mutter Mond, die Göttin der Inkas. Nachfahren der Hochkultur verehren sie noch heute als Beschützerin verheirateter Frauen –«

»Ach ja?« Olympiada Rogaschowa horchte auf. »Ich denke, in dieser Bar werde ich mich bevorzugt aufhalten.«

Rogaschow zuckte mit keiner Miene.

»Erstaunlich, dass Sie eine chinesische Mondgöttin in Betracht gezogen haben«, nahm Nair den Faden rasch wieder auf, bevor sich Verlegenheit breitmachen konnte.

»Wieso denn?«, fragte Julian arglos. »Haben wir etwa Vorurteile?«

»Na, Sie sind Chinas schärfster Konkurrent!«

»Nicht ich, Mukesh. Sie meinen die USA.«

»Ja, gewiss. Dennoch sehe ich an dieser Tafel Amerikaner, Kanadier, Engländer und Iren, Deutsche, Schweizer, Russen und Inder sitzen, und bis vor Kurzem hatten wir noch das Vergnügen französischer Gesellschaft. Nur erblicke ich keinen einzigen Chinesen.«

»Keine Sorge, sie sind da«, sagte Rogaschow gleichmütig. »Wenn mich nicht alles täuscht, graben sie keine tausend Kilometer südwestlich von hier fleißig den Regolith um.«

»Aber *hier* sind sie nicht.«

»Kein Chinese würde in unsere Projekte investieren«, sagte Julian. »Die wollen ihren eigenen Fahrstuhl.«

»Wollen wir den nicht alle?«, bemerkte Rogaschow.

»Ja, aber wie Sie ganz richtig festgestellt haben, fördert Peking im Unterschied zu Moskau bereits Helium-3.«

»Apropos Fahrstuhl.« Ögi häufte Gänseleber auf dunkelrotes Fleisch. »Stimmt es denn, dass sie kurz vor dem Durchbruch stehen?«

»Die Chinesen?«

»Mhm.«

»Das propagieren sie mit schöner Regelmäßigkeit.« Julian lächelte vielsagend. »Wäre es so, würde Zheng Pang-Wang nicht jede Gelegenheit wahrnehmen, mit mir Tee zu trinken.«

»Aber –«, Mukesh Nair stützte sich auf die Ellbogen und massierte seinen fleischigen Nasenrücken, »– ist es nicht auch so, dass Ihnen Ihre amerikanischen Freunde einen Flirt mit den Chinesen nachhaltig verübeln würden, speziell nach der Mondkrise im vergangenen Jahr? Will sagen, dass Sie in Ihren Entscheidungen nicht ganz so frei sind, wie Sie es vielleicht gerne wären?«

Julian spitzte die Lippen. Sein Gesicht verdüsterte sich, so wie immer, wenn er sich anschickte, seine Unabhängigkeit von aller Regierungsgewalt zu erklären. Dann breitete er mit fatalistischer Geste die Arme aus.

»Schauen Sie, was ist der Grund Ihres Hierseins? Praktisch alle Staaten, wenn sie auch noch so lautstark auf die Leistungsfähigkeit ihrer nationalen Raumfahrtprogramme pochen, würden sich amerikanischer Federführung unterwerfen, sollten entsprechende Offerten an sie ergehen. Oder sagen wir, sie würden eine Zusammenarbeit auf Augenhöhe anstreben, was nichts anderes hieße, als dass sie das Budget der NASA aufstockten und dafür Schürfrechte wahrnehmen dürften. Die Offerte kommt aber nicht, aus gutem Grund. – Jedoch gibt es eine Alternative. Man kann *mich* unterstützen, ein Angebot, das ausschließlich Privatinvestoren vorbehalten ist. Ich veräußere kein Know-how, sondern lade ein, daran zu partizipieren. Wer mitmacht, kann eine Menge verdienen, aber Formeln und Baupläne nicht weitergeben. Das ist der Grund, warum meine Partner in Washington unsere kleine Tischgesellschaft hier verschmerzen. Man weiß dort, dass keines Ihrer Länder auf absehbare Zeit in der Lage wäre, einen Fahrstuhl zu bauen, geschweige denn eine Infrastruktur zur Gewinnung von Helium-3 auf die Beine zu stellen. Es fehlt an den Grundlagen, an den Mitteln, einfach an allem. Folgerichtig können Leute wie Sie in den landeseigenen Raumfahrtprogrammen nur Geld verlieren. Washington ist darum zu glauben bereit, dass wir hier über bloße Beteiligungen sprechen. – Mit China verhält es sich jedoch anders. Peking *hat* eine Infrastruktur aufgebaut! Sie *fördern* Helium-3! Sie *haben* den Boden bereitet, nur dass ihnen ihre veraltete Technologie Grenzen setzt. Das ist ihr Dilemma. Sie sind schon viel zu weit gekommen, um sich noch an jemand anderen dranzuhängen, es ist ja lediglich der verdammte Fahrstuhl, der ihnen fehlt! Glauben Sie mir, kein Chinese, ob Politiker oder Unternehmer, würde in dieser Situation auch nur einen einzigen Yuan in meine Hände legen, es sei denn –«

»Um dich zu kaufen«, schloss Evelyn Chambers, die mehrere Gespräche gleichzeitig verfolgte. »Der Grund, warum Zheng Pang-Wang mit dir Tee trinken geht.«

»Säße heute Abend ein Chinese zwischen uns, dann definitiv nicht mit der Absicht, sich zu beteiligen. Washington würde schlussfolgern, dass ich mir Offerten für einen Know-how-Transfer unterbreiten lasse.«

»Schließen die das nicht schon aus Ihren Treffen mit Zheng?«, fragte Nair.

»Man trifft sich nun mal in dieser Branche. Auf Kongressen, Symposien. Na und? Zheng ist ein unterhaltsamer Kauz, ich mag ihn.«

»Dennoch sind Ihre Freunde nervös, oder nicht?«

»Sie sind ständig nervös.«

»Zu Recht. Wer einmal oben ist, beginnt auch zu graben.« Ögi wischte seine Schnurrbartbürste sauber und warf die Serviette neben den Teller. »Warum machen Sie's eigentlich nicht, Julian?«

»Was? Das Lager wechseln?«

»Nein, nein. Niemand spricht davon, das Lager zu wechseln. Ich meine, warum verkaufen Sie die Fahrstuhltechnologie nicht einfach an jedes Land, das scharf darauf ist, und lassen sich den Hintern vergolden? Auf dem Mond käme ein prosperierender Wettbewerb in Gang, der Ihr Reaktorgeschäft ungemein beleben würde. Sie könnten sich weltweit Anteile an der Förderung sichern, Exklusivverträge über die Belieferung mit Strom aushandeln, so wie unser abwesender Freund Tautou das Trinkwasser kontrolliert, indem er sich als Gegenleistung für Aufbereitungsanlagen und Versorgungsnetze ganze Quellen überschreiben lässt.«

»Sie würden sich eben *nicht* von einer Abhängigkeit in die nächste begeben«, spann Rogaschow den Faden weiter, »sondern alle wären abhängig von *Ihnen*.« Er prostete Julian mit leichtem Spott zu. »Ein wahrer Freund der Menschheit.«

»Und das soll funktionieren?«, mischte sich Rebecca Hsu ein.

»Warum denn nicht?«, fragte Ögi.

»Sie wollen China, Japan, Russland, Indien, Deutschland, Frankreich und wem sonst noch alles Zugang zur Fahrstuhltechnologie gewähren?«

»Bezahlten Zugang«, korrigierte sie Rogaschow.

»Schlechter Plan, Oleg. Dann dauert es nicht lange, bis sich hier oben alle die Köpfe einschlagen.«

»Der Mond ist groß.«

»Nein, der Mond ist klein. So klein, dass mein rotchinesischer Nachbar und Ihre amerikanischen Freunde, Julian, nichts Besseres im Sinn hatten, als sich dasselbe Fördergebiet auszusuchen, habe ich recht? Es bedurfte *zweier* Nationen«, sie spreizte Zeige- und Mittelfinger, »um einen Konflikt vom Zaun zu brechen, dessen Umschreibung als Mondkrise nachgerade geschmeichelt ist. Die Welt stand kurz vor einer bewaffneten Auseinandersetzung der Supermächte, und das war nicht besonders spaßig.«

»Warum sind denn beide ins selbe Gebiet gegangen?«, fragte Winter unschuldig. »Aus Versehen?«

»Nein.« Julian schüttelte den Kopf. »Weil Messungen vermuten ließen, dass im Grenzgebiet zwischen Oceanus Procellarum und Mare Imbrium außergewöhnlich hohe Konzentrationen von Helium-3 lagern, wie man sie sonst nur auf der Rückseite findet. Ähnlich stark angereichert scheint die benachbarte Bucht Sinus Iridum östlich des Juragebirges zu sein. Klar, dass jeder für sich beansprucht, dort buddeln zu wollen.«

Hsu furchte die Brauen. »Und das soll mit noch mehr Nationen anders werden?«

»Ja. Wenn man den Mond aufteilt, bevor sich das Goldgräberheer in Bewegung setzt. Aber Sie haben natürlich recht, Rebecca. Ihr habt alle recht. Ich muss zugeben, dass die Vorstellung, die Raumfahrt endlich zur Angelegenheit der Menschheit zu machen, meinen Beifall findet.«

»Durchaus verständlich«, lächelte Nair. »Sie können nur profitieren vom guten Tun.«

»Na, und wir erst«, bekräftigte Ögi.

»Ja, eine feine Sache.« Rogaschow legte sein Besteck aus der Hand. »Es gibt dabei lediglich ein Problem, Julian.«

»Welches?«

»Einen solchen Gesinnungswandel zu überleben.«

HANNA

Kleine, lauwarme Schokoladenkuchen gaben ihr flüssiges Inneres preis, das dunkel und schwer in bunte Fruchtpürees vordrang. Gegen 22.00 Uhr legte sich bleierne Müdigkeit über die Tafel. Julian verkündete, der kommende Morgen diene dem Ausschlafen, anschließend könne jeder nach Herzenslust die Annehmlichkeiten des Hotels auf sich wirken lassen oder die nähere Umgebung erkunden. Größere Ausflüge stünden erst für den übernächsten Tag zu erwarten. Dana Lawrence zog Erkundigungen ein, ob alles recht gewesen sei. Alle spendeten großes Lob, auch Hanna.

»Und ich glaub immer noch nicht, dass Cobain den Kids heute was sagen würde, wenn wir den Film nicht gemacht hätten«, beharrte

O'Keefe im Fahrstuhl. »Sieh dir doch an, wo Grunge gelandet ist. Schublade schlechte Musik. Keiner interessiert sich noch für Typen wie ihn. Die Kids hören lieber das artifizielle Zeug, The Week that was, Ipanema Party, Overload –«

»Du hast doch selber mit deiner Band Grunge gespielt«, sagte Hanna.

»Ja, und aufgegeben. Mein Gott, ich war zehn, glaube ich, als Cobain starb. Frage mich, was ich mit dem am Hut hatte.«

»Na hör mal! Du hast ihn verkörpert.«

»Man verkörpert auch Napoleon und versucht deswegen nicht gleich, Europa zu überrennen. Zu allen Zeiten denken die Leute, die Helden ihrer Zeit seien wichtig. *Wichtig!* In der Popmusik gibt's ständig *wichtige* Alben, die zwanzig Jahre später kein Schwein mehr kennt.«

»Große Musik bleibt.«

»Bullshit. Wer kennt noch Prince? Wer kennt Axl Rose? Keith Richards, von dem man eigentlich nur noch weiß, dass er der mittelmäßige Gitarrist einer ewig gleich klingenden Schrammelband war. Glaub mir, Popgötter werden überschätzt. Alle Stars werden überschätzt. Grundsätzlich. Wir gehen nicht in die Geschichte ein, wir gehen einfach nur ein. Es sei denn, du bringst dich um oder wirst erschossen.«

»Und warum beziehen sich dann heute alle auf die Siebziger und Achtziger? Wenn das stimmen würde, was du sagst –«

»Okay, ist gerade in Mode.«

»Schon lange.«

»Na und? In zehn Jahren läuft 'ne andere Sau durchs Dorf. Nucleosis beispielsweise, so was kommt gerade, zwei Frauen und ein Computer, und der Computer komponiert das halbe Zeug.«

»Computer gab's immer schon.«

»Aber nicht als Komponisten. Ich sage dir, die Stars von übermorgen sind Maschinen.«

»Quatsch. Hat man vor 25 Jahren auch behauptet. Und was kam? Singer-Songwriting. Handgemachte Musik stirbt nicht aus.«

»Na ja. Vielleicht sind wir ja einfach zu alt. – Gute Nacht.«

»Nacht, Finn.«

Hanna überquerte die Brücke zu seiner Suite und trat ein. Im Verlauf des Abends war er artig den Tischgesprächen gefolgt, ohne sich in komplexe Erörterungen einzumischen. Eine Weile hatte er versucht, Eva Borelius' Leidenschaft für Pferde zu teilen, und sie schließlich auf das Terrain der Musik gelenkt, nur um sich im Sumpfland deutscher Romantik wiederzufinden, von der er erst recht nichts verstand. O'Keefe rettete ihn mit Betrachtungen über den komatösen Zustand des Britpop Ende der Neunziger, über Mando-Prog und Psychabilly, genau das Richtige, wenn man im Kopf woanders war, und Hanna war ganz woanders. Alle würden bald schlafen gehen, so viel stand fest. Im Raumschiff hatte man sie darauf vorbereitet, dass die Tage in der Schwerelosigkeit, die Strapazen der Landung, die körperliche Umstellung und die Flut neuer Eindrücke ihren Tribut fordern würden. In Höhe des Bettes war der Schlafraum durch eine Schicht Mondbeton geschützt, sodass in spätestens einer Stunde niemand mehr einen Blick nach draußen tun würde, und das Personal wohnte eh im Untergrund.

Also warten.

Er legte sich auf die lächerlich dünne Matratze, die gleichwohl ausreichte, um seine hiesigen 16 Kilo Körpergewicht angenehm abzufedern, verschränkte die Hände hinter dem Kopf und schloss für einen Moment die Augen. Wenn er hier liegen blieb, würde er einschlafen, außerdem hatte er noch genug zu tun, bevor er aufbrach. Leise pfeifend ging er zurück in den Wohnraum und streifte das Futteral von der Gitarre. Seine Finger schlugen einen kurzen Flamenco, dann drehte er das Instrument auf den Knien um, betastete die Ränder, drückte hierhin und dorthin, zog den Halteknopf für den Tragegurt heraus und hob den kompletten Boden ab.

Eine dünne, in Form des Corpus gehaltene Platte war darauf befestigt, holzfarben und mit einem Netz haarfeiner Linien bedeckt. Orleys Sicherheitsdienst hatte sein Gepäck nicht untersucht, wie es bei regulären Touristen der Fall gewesen wäre, sondern nur einige höfliche Fragen gestellt. Schon gar nicht hatte jemand bezweifelt, dass seine Gitarre eine Gitarre war. Julians Gäste waren über jeden Verdacht erhaben, dennoch hatte die Organisation keinerlei Risiko eingehen wollen, sodass eine Durchleuchtung lediglich ergeben hätte, dass dieses Instrument über einen dickeren Boden verfügte als üblich. Und auch das wäre nur einem Experten aufgefallen, der deswegen immer noch nicht gewusst hätte, dass es sich um zwei übereinanderliegende Böden handelte und der innere aus einem speziellen, extrem widerstandsfähigen Kunststoff bestand.

Mit beiden Daumen begann er, Teile aus der Platte zu drücken. Sie lösten sich mit leisem Knacken und fielen zu Boden, wo sie wie Komponenten eines Intelligenztests herumlagen. Als Nächstes löste er den Gitarrenhals vom Rumpf und ließ eine 40 Zentimeter lange Röhre herausgleiten, die er in zwei gleich lange Abschnitte zerlegte, wobei eine Vielzahl kleinerer Röhrchen zutage trat und sich über den Fußboden verteilte. Hanna schob sie auf einen Haufen zusammen, öffnete seinen

Koffer und leerte den Inhalt des Kulturbeutels vor sich aus. Duschgel, Shampoo und die knetbaren Ohrenstöpsel platzierte er in Griffweite, zog die Kappe von einer der beiden Tuben mit Feuchtigkeitscreme, drückte einen wasserklaren Strang des Inhalts auf eines der Bauteile und presste ein anderes rechtwinklig dagegen. Augenblicklich gingen Creme und Kunststoff eine chemische Verbindung ein. Hanna wusste, dass er sich jetzt nicht den geringsten Fehler leisten durfte, da die Montage nicht rückgängig zu machen war. Er arbeitete konzentriert, ohne Eile, schraubte einen der Golfbälle auseinander, entnahm ihm winzige elektronische Komponenten, fügte weitere Teile zusammen und arbeitete sie mit ein. Nach wenigen Minuten hielt er eine flache Konstruktion in Händen, aus der ein Stück Rohr stach wie der Lauf einer Pistole, und nichts anderes war sie. Seltsam archaisch sah sie aus. Sie besaß einen Griff, allerdings einen Kippschalter anstelle des Abzugs. Aus den verbliebenen Elementen baute Hanna ein identisches Modell, unterzog beide Waffen einer eingehenden Überprüfung und nahm Teil zwei seiner Arbeit in Angriff.

Dafür zerlegte er weitere Utensilien aus seinem Kulturbeutel und fügte sie in neuer Anordnung zusammen, bis er 20 Projektile gefertigt hatte, jedes aus Kammern bestehend, die separat befüllt werden konnten. Mit äußerster Vorsicht verteilte er kleine Mengen des Duschgels in die linken und Shampoo in die rechten Hälften und versiegelte die Kammern. Die kurzen Hülsen aus dem Gitarrenhals versah er im Innern mit je einem Stückchen knetbarer Ohrstöpsel und kleinen Gallertdragees, die er einer Arzneimittelpackung gegen Magen-Darm-Beschwerden entnahm. Als Letztes verschloss er die Hülsen mit den Projektilen, führte fünf davon in den Griff der zuerst gebauten Waffe ein und weitere fünf in die zweite. Danach setzte er den Boden wieder auf den Gitarrenkorpus, befestigte fachgerecht den Hals, sammelte die verbliebenen Abfälle der Kunststoffplatte ein, verstaute sie zuunterst in seinem Koffer, packte Tuben und Fläschchen zurück in den Kulturbeutel und hielt inne, als die Reihe am Aftershave war.

Ach ja.

Versonnen betrachtete er die Flasche. Dann hob er den Verschluss ab, hielt sie vor seinen Kehlkopf und drückte kurz und kräftig auf den Zerstäuber.

Das Aftershave war ein Aftershave.

Niemand begegnete ihm, als er die Suite verließ.

Er trug Raumanzug, Rüstung und Überlebensrucksack, den Helm

hatte er unter den Arm geklemmt. Eine der geladenen Waffen schmiegte sich an seinen Oberschenkel, versteckt in einer Tasche von der Beschaffenheit seines Anzugs, sodass sie niemandem auffallen würde. Außerdem führte er fünf lose Patronen mit sich. Zwar glaubte er kaum, im Laufe der Nacht Gebrauch von der Pistole machen zu müssen. Lief alles wie vorgesehen, würde er gar nicht erst gezwungen sein, sie einzusetzen, doch die Erfahrung lehrte, dass sich Fehler mit der Impertinenz von Ungeziefer in die sauberste Planung einschlichen. Irgendwann mochte ihm die Waffe wertvolle Dienste leisten. Von nun an würde sie ihn ständig begleiten.

GAIAS entvölkerter Leib verbreitete die Atmosphäre eines Monuments, das seine Erbauer überdauert hatte. Tief unten lag die verödete Lobby. Er wartete, bis die Flügeltüren von E2 auseinanderglitten, betrat die Kabine und drückte Level 01. Der Lift stürzte dem Untergrund entgegen. Im Kellergeschoss stieg er aus und folgte den Beschilderungen zu dem breiten Korridor, den sie vor wenigen Stunden passiert hatten, auch dieser leer, in kaltes, weißes Licht getaucht, erfüllt von monotonem Summen. Hanna bestieg eines der Laufbänder. Es setzte sich in Bewegung, passierte die Schleusen, die hoch zur Mondoberfläche führten, den torbreiten Durchgang zur Garage, wie das unterirdisch angelegte Landefeld des Hotels genannt wurde, sodann eine Abzweigung, über die man in einen schmalen, zwei Kilometer langen Tunnel gelangte, der geradewegs zu einem kleinen Helium-3-Reaktor führte, der GAIA während der Mondnacht mit Energie versorgte. Am Ende des Korridors verließ er das Laufband und schaute durch eines der Fenster in die Bahnhofshalle. Der Lunar Express ruhte auf seiner Schiene, über Gangways mit dem Korridor verbunden. Er betrat das Innere des Zuges und ging zwischen den leeren Sitzen hindurch bis in die Kanzel. Der Bordcomputer war aktiviert, das Display erleuchtet. Hanna tippte einen Code ein und wartete die Autorisierung ab. Dann drehte er sich um, nahm in der ersten Sitzreihe Platz und streckte die Beine aus.

Nichts von alledem hätte er tun können, wäre er einfach nur ein regulärer Gast gewesen. Doch Ebola hatte alles für ihn vorbereitet. Ebola sorgte dafür, dass es auf dem Mond keine Hindernisse für Carl Hanna gab, keine verschlossenen Türen, keine gesperrten Bereiche.

Langsam setzte sich der Lunar Express in Bewegung.

Im Laufe seines 44-jährigen Lebens war Hanna mit sich übereingekommen, die Dinge voneinander zu trennen. In Indien hatte er an einer Reihe verdeckter Operationen teilgenommen, die ihn kaum als Freund des Landes qualifiziert hätten, wäre er jemals enttarnt worden. Zur gleichen Zeit baute er einen einheimischen Freundeskreis auf und lebte mit indischen Frauen zusammen. Er schädigte die Interessen seiner Gastgeber, untergrub die wirtschaftliche und militärische Autonomie des Vielvölkerstaats, doch anstatt wie manche seiner Kollegen in billigen Bars, zwielichtigen Etablissements oder teuren Clubs mit Lizenz zum Alkoholausschank herumzuhängen, Kokospalmschnaps und Whisky in sich hineinzukippen und die Gastgeber mit rassistischen Bemerkungen zu überziehen, sobald niemand hinhörte, war er auf Integration bedacht, mietete eine hübsche, kleine Wohnung in einem innerstädtischen Viertel Neu-Delhis und entwickelte eine Leidenschaft für Currys und Gewürzmärkte. Von Natur aus niemand, der übermäßig schnell Freundschaften schloss, wuchsen ihm Kultur und Menschen über die Jahre dennoch ans Herz, sodass er vorübergehend mit der Vorstellung liebäugelte, sich ganz am Yamuna niederzulassen. Sofern er nicht gerade seinem Job nachging, der betrügerisches Geschick und ein Höchstmaß an Verlogenheit erforderte, versuchte er, ein ganz normales Leben zu führen, getreu der Landesdevise *Satyameva Jayate:* Allein die Wahrheit siegt. Die Janusköpfigkeit seiner Existenz belastete ihn nicht, sondern half ihm, Hanna, den Bürger, von Hanna, dem Lügner konsequent abzukoppeln, sodass sie einander niemals im Wege standen.

Auch jetzt, seine Aufgabe vor Augen, genoss er die Fahrt, erfreute sich an der endlosen Weite des Mare Imbrium, am Spiel der Schatten um Plato, an der bedrohlichen Schroffheit des näher rückenden Polgebirges, am rapiden Aufstieg. Wieder umfing ihn die Dunkelheit der beschatteten Krater, während der Zug die Schneise zwischen Peary und Hermite emporraste, der amerikanischen Mondbasis entgegen, 700 Stundenkilometer schnell.

Dann, unvermittelt, wurde er langsamer.

Und hielt.

Einsam hing der Lunar Express in einer Bergflanke, mitten im Niemandsland der polaren Kraterregion, keine 50 Kilometer von der Basis entfernt. Hanna stand auf und ging in den mittleren Teil des Zuges, wo Spinde den Durchgang säumten, mit Rollläden verschlossen. Einen davon schob er hoch und erkundete mit raschem Blick den Baukasten dahinter, studierte die Montageanleitung an der Rückwand, wuchtete eine ovale Plattform mit ausklappbaren Teleskopstützen heraus, acht kleine Kugeltanks, schwenkbare Düsen an Auslegern, zwei geladene Akkus sowie eine massive, in Griffe mündende Stange, zwischen denen ein Display erglänzte. Der Zusammenbau ging einfach vonstatten, schließlich war der Grasshopper für Notfälle entwickelt worden, wozu gehörte, dass die Reiseleiter ausfielen und die Fahrgäste auf sich selbst gestellt waren. Fertig montiert, ruhend auf seinen Federbeinen, bot er zwei Astronauten Platz, deren vorderer die Steuerung bediente. Hanna bugsierte ihn zur Luftschleuse, ging zurück zu den Spinden, förderte einen Werkzeugkasten und ein Messgerät zutage und verstaute beides in einer Bodenklappe des Grasshoppers. Dann setzte er seinen Helm auf und ließ den Anzug die üblichen Selbsttests durchführen, bevor er das Absaugen der Luft einleitete. Nach wenigen Sekunden öffnete sich das Außenschott. Er bestieg den Hopper, zog seinen Computer hervor, befestigte ihn seitlich der Armaturen und öffnete die Außenluke.

Das Gerät nahm die Peilung vor.

Gespannt gab er dem Grasshopper die Koordinaten ein. Das LPCS gestattete ihm, das Paket zu orten. Erleichtert registrierte er, dass es noch kommunizierte, ansonsten wäre jede Chance dahin gewesen, es in der zerklüfteten Einöde zu finden. Die elektronischen Systeme funktionierten, also musste die Mechanik das Problem sein. Mit einem Feuerstoß hob der Grasshopper ab und beschleunigte. Um nicht an Höhe zu verlieren, musste er ständig Gegenschub erzeugen, während die schwenkbaren Düsen der Richtungsänderung dienten. Flugmaschinen vom Format eines Grasshoppers waren naturgemäß auf einen limitierten Aktionsradius beschränkt, doch wirkte sich das Fehlen tragender Luftschichten auch positiv aus, da keine atmosphärische Reibung den einmal entwickelten Schub bremste. Bei Spitzengeschwindigkeiten von 80 Stundenkilometern gestatteten die kleinen Kugeltanks erstaunliche Reichweiten.

Das Signal erreichte ihn aus knapp sechs Kilometer Entfernung. Im Schatten der Kraterwand war er so gut wie blind und ganz auf die fahlen Lichtkegel seiner Bordscheinwerfer angewiesen. Wie im Versuch, ihn abzuhängen, jagten sie ihm voraus. Einzig die Radarsysteme des Hoppers bewahrten ihn vor Kollisionen mit Felsvorsprüngen und Überhängen. In beträchtlicher Entfernung fügte sich die hell beschienene Tiefebene ans scharf konturierte Schwarz des Bergschattens, hoch oben tupfte blendendes Sonnenlicht den Kraterkamm. Der Schienenstrang des Lunar Express hatte sich längst zwischen Felskämmen hindurch ins benachbarte Tal geschwungen, zu jener sanft ansteigenden Ebene, die geradewegs zum Höhenrücken des Peary führte, wohin das Paket längst aus eigener Kraft hätte unterwegs sein sollen, doch sein Signal rief Hanna in die entgegengesetzte Richtung, tiefer in den Kraterkessel hinein.

Er drosselte den Gegenschub. Der Grasshopper verlor an Höhe, seine Lichtfinger ertasteten furchigen Fels. Ringsum türmten sich kantige Brocken, gespenstische Hinweise darauf, dass hier vor nicht langer Zeit eine Lawine zu Tale gedonnert, nein, in völliger Lautlosigkeit niedergegangen war, dann wurde das Gelände flacher, und der Peilsender ließ ihn wissen, er habe sein Ziel erreicht. Wenige Meter noch.

Hanna aktivierte die Bremsdüsen und hielt in den Lichtkegeln Ausschau nach einem Landeplatz. Offenbar hatte er den Fuß der Kraterwand noch nicht erreicht. Nach wie vor war der Untergrund zu abschüssig und zerklüftet, um den Grasshopper sicher aufsetzen zu können. Als er endlich ein halbwegs ebenes Plateau gefunden hatte, sah er sich gezwungen, anderthalb Kilometer rutschend und springend zurückzulegen, in ständiger Gefahr, das Gleichgewicht zu verlieren und sich an den messerscharfen Felsbrocken ringsum den Anzug aufzuschneiden. Verloren irrlichterte der Schein seiner Helmleuchte über Ansammlungen farblosen Schutts. Mehrmals geriet er ins Straucheln. Puderiger, ultrafeiner Mondstaub stieg auf, statisch aufgeladenes Zeug, das hartnäckig an seinen Beinen haftete. Kiesel sprangen vor ihm davon, auf unheimliche Weise belebt, dann brach das Gelände einfach weg, und das Licht verlor sich in konturloser Schwärze. Er blieb stehen, schaltete die Helmbeleuchtung aus, hielt seine Augen weit geöffnet und wartete.

Der Eindruck war überwältigend.

Das milliardenfache Funkeln der Milchstraße über ihm. Keinerlei Verschmutzung durch künstliches Licht. Nur der ferne Grasshopper mit seiner Positionsleuchte in seinem Rücken, ein Pünktchen. Hanna war so allein auf dem Mond, wie man nur allein sein konnte. Nichts, was er je erlebt hatte, kam dieser Erfahrung gleich, sodass er vorübergehend seinen Auftrag vergaß. Was immer den Menschen vom Erfahrbaren trennte, verschwamm und löste sich auf. Er wurde körperlos, eins mit der nichtdualen Welt. Alles war Hanna, alles ruhte in ihm, und er war in allem. Er erinnerte sich eines Sadhus, eines Mönchs, der ihm vor Jahren erklärt hatte, er könne nach Belieben den Indischen Ozean mit einem einzigen Schluck austrinken, eine Äußerung kryptischen Charakters, wie Hanna damals gefunden hatte, und nun stand er hier – stand er überhaupt noch? – und sog das Universum in sich auf.

Er wartete.

Nach einer Weile erwies sich, worauf er gehofft hatte, dass nämlich die Dunkelheit weniger undurchdringlich war als befürchtet. Photonen waren darin unterwegs, abgestrahlt vom erleuchteten gegenüberliegenden Kraterwall, dessen Saum ein Stück über die Ebene lugte. Wie auf einem Foto im Entwicklerbad konturierte sich sein Umfeld, mehr ahn- als sichtbar, doch es reichte, um den vermeintlichen Abhang zu seinen Füßen als Trichter zu entlarven, der sich mit wenigen Schritten umrunden ließ. Er schaltete das Licht wieder ein. Die Verzauberung endete. Ernüchtert trabte er los und hielt die Anzeige seines Computerdisplays im Auge, so konzentriert, dass er das Objekt erst sah, als er so gut wie hineingelaufen war.

Ein Gestänge, wuchtig und ausgreifend!

Hanna taumelte, ließ Werkzeugkasten und Messgerät fallen. Was war das? Die Peilung lag mindestens 300 Meter daneben! Das Ding hätte ihm fast sein Visier zerschmettert. Fluchend begann er es zu umrunden. Wenig später wusste er, dass den Peilsender keine Schuld traf. Der Schrotthaufen war nicht von Interesse. Ein vierfüßiges, mit ausgebrannten Tanks bestücktes Gestell, das auf der Seite lag, teilweise verschüttet. Seine Aufgabe hatte darin bestanden, den Behälter zum Pol zu bringen, den die Organisation als Paket bezeichnete und der das Signal aussandte.

Doch das Paket war nicht hier.

Es musste noch weiter unten liegen.

Als er es schließlich fand, verkeilt zwischen Felsbrocken, bot es einen jämmerlichen Anblick. Teile der Seitenverkleidung hatten sich geöffnet, Beine und Düsen an Auslegern sprossen aus dem Inneren hervor, teils verbogen, teils abgebrochen. Treibstofftanks hingen wie fette Insekteneier am Unterbauch. Offenbar hatte das Paket wie vorgesehen begonnen, sein Innenleben zu entfalten, um den Weg zum Bestimmungsort anzutreten, als etwas Unvorhergesehenes geschehen war.

Und plötzlich wusste Hanna auch, was.

Sein Blick wanderte zu den hellen Gebirgskuppen. Er hatte keinerlei Zweifel, dass die Landeeinheit von vornherein zu nahe am Kraterrand niedergegangen war. An sich nicht problematisch. Die Planer hatten Intoleranzen mit einkalkuliert, wozu auch gehörte, dass Gestell und Paket in den Krater stürzten. Die Mechanik sollte so lange geschützt bleiben, bis die Sensoren einen stabilen Stand oder eine sonst wie abgeschlossene Landung vermeldeten. Danach war vorgesehen, dass sich das Paket vom Untergestell löste, seine Gliedmaßen, sobald es still lag, entfaltete und sich davonmachte. Augenscheinlich war die Meldung auch erfolgt, nur dass im Moment der Entfaltung Teile des Hangs abgerutscht waren und das Gebilde mit sich gerissen hatten. Im Gesteinshagel waren die Extremitäten zertrümmert worden, und das Paket hatte seine Manövrierfähigkeit eingebüßt.

Ein Beben?

Möglich. Der Mond war längst kein so ruhiger Platz wie gedacht. Entgegen landläufiger Meinung kam es häufig zu Erdstößen. Spannungen, ausgelöst durch die enormen Temperaturschwankungen, entluden sich in heftigen Zuckungen, noch in großen Tiefen zerrten die Kräfte von Sonne und Erde am Mondgestein, weswegen die Bauweise des GAIA Erschütterungen von über 5 auf der Richterskala zu kompensieren vermochte. Einzig, um nichts unversucht zu lassen, machte sich Hanna an den lädierten Achsen und Düsen zu schaffen. Nach 20 Minuten des Biegens und Schweißens musste er einsehen, dass der Schaden nicht zu beheben war. Der Verlust der Spinnenbeine wäre zu verschmerzen gewesen, dass aber eine der Düsen teilweise abgerissen und eine andere gar nicht erst aufzufinden war, schuf unerfreuliche Tatsachen.

Künstlerpech, dachte Hanna. Zuerst Thorns Unfall, und dann so was. All das hier wäre seine Aufgabe gewesen. Vor einem Jahr schon hätte er die Patenschaft über das Paket übernehmen sollen, doch Thorns Leichnam bereiste das Universum.

In Erwartung weiterer unangenehmer Überraschungen entriegelte er die Verschlussklappen im Rücken, öffnete den Behälter und leuchtete ins Innere, doch da schien alles unversehrt zu sein. Hanna atmete auf. Die Fracht zu verlieren hätte das Ende bedeutet, alles andere war einfach nur lästig. Er nahm das Messgerät zur Hand und verifizierte die Schnittstellen. Intakt. Nichts hatte Schaden genommen.

Vorsichtig förderte er den Inhalt zutage.

Dann musste er das Paket eben selbst seinem Bestimmungsort zuführen. Auch gut. Die Fläche des Grasshoppers bot genug Platz. Kurz erwog er, seine Auftraggeber zu informieren, doch die Zeit lief ihm davon. Ohnehin gab es keine Alternative. Er musste handeln. Es empfahl sich, zurück im Hotel zu sein, bevor sich die anderen den Schlaf aus den Augen rieben.

Es empfahl sich, nie weg gewesen zu sein.

27.MAI 2025
[SPIELE]

XINTIANDI, SHANGHAI, CHINA

Jericho fand sich auf der Couch wieder, neben zwei Flaschen und einem Glas, in dem Reste von Rotwein antrockneten, sowie zwei aufgerissenen Tüten Mango-Chips. Vorübergehend wusste er nicht, wo er war. Er stemmte sich hoch, eine Prozedur, die erst im zweiten Anlauf gelang und die Frage aufbrachte, was der vollgesogene Schwamm in seinem Kopf zu suchen hatte. Dann erinnerte er sich seines Glücks. Zugleich machte sich das unbestimmte Empfinden eines Verlustes breit. Etwas fehlte, das über die Jahre die Vertrautheit von Herzschlägen angenommen hatte.

Lärm.

Nie wieder würde er vom Dröhnen heranwachsender Hochhäuser erwachen. Kein sechsspuriger Frühverkehr würde mehr durch seine Gehörgänge brausen, bevor die Sonne aufging. Ab heute residierte er in Xintiandi, wo zwar Horden von Touristen herumstrichen, mit denen sich jedoch prächtig auskommen ließ. Im Allgemeinen erschienen sie nicht vor zehn Uhr morgens und verzogen sich spätnachmittags verschwitzt und mit schmerzenden Füßen in ihre Hotels, um Kräfte für den abendlichen Restaurantbesuch zu sammeln. Abends bevölkerten vornehmlich Shanghaier die Bistros, Cafés und Clubs, Boutiquen und Kinos des Viertels. Von der einen wie der anderen Invasion bekam man in Jerichos neuem Domizil nicht viel mit. Das war der Vorzug eines Shikumen-Hauses. Draußen mochten Dinosaurier durch die Straßen getrieben werden, im Innern herrschten Frieden und Stille.

Er rieb sich die Augen. Von Wohnen konnte noch nicht wirklich die Rede sein. Weiterhin verteilten sich unausgepackte Kisten über die Flucht des Lofts. Immerhin hatte er es so weit gebracht, das neue Media-Terminal zu installieren. Tus Kundendienst hatte es am Vorabend geliefert, repräsentiert durch zwei freundliche Helfer, die das Ding die Treppen hinaufgewuchtet und geschickt ins Ambiente integriert hatten, sodass man es nun übersah. Unmittelbar danach hatte Jericho zu seinem Überraschungsbesuch bei Yoyo aufbrechen müssen. Erst nach seiner Rückkehr war er dazu gekommen, das neue Spielzeug angemessen zu würdigen und bei dieser Gelegenheit seine erste Nacht in Xintiandi zu feiern. Ausgiebig, wie die beiden Flaschen bekundeten, in der Gesellschaft Animal Ma Lipings und geschundener Kinder in Käfigen. Er fragte sich, ob Joanna sich hier wohlgefühlt hätte und entschied, sich dieses Gedankenabenteuer nicht auch noch zuzumuten.

Schön, wenn man sich selbst genug war.

Er ging duschen und fuhr seine Systeme hoch. Am liebsten hätte er im Handstreich die restlichen Kisten ausgepackt, doch bewohnten seit gestern neben all den Gespenstern auch Tu Tian und Chen Hongbing seinen Hinterkopf und drängten auf Fortschritte bei der Suche nach Yoyo. Ergeben beschloss er, der Sache Vorrang einzuräumen. Er rasierte sich, wählte eine leichte Hose und ein Jackettshirt, lud eines der Programme, die Tu ihm gebrannt hatte, auf den Datenbügel seiner neuen Holobrille und verließ das Haus.

Die nächste Stunde würde er in Yoyos Gesellschaft verbringen.

Praktischerweise verlief eine der Führungen durch das französische Viertel, ein Kolonialrelikt aus dem 19. Jahrhundert. Es grenzte unmittelbar an Xintiandi, lediglich durch eine dreistöckige Stadtautobahn davon getrennt. Nachdem er sie unterquert hatte und wieder ins Sonnenlicht emporgestiegen war, ging er die geschäftige Fuxing Zhong Lu entlang und aktivierte die Spracherkennung des Programms.

»Starten«, sagte er.

Unmittelbar geschah gar nichts. Durch die transparente Fläche der Brille erschien die Welt in vertrauten Farben und Formen. Menschen schlichen, schlenderten oder hasteten umher. Geschäftsleute kommunizierten mit ihren Handys, überquerten, den Blick auf Displays gerichtet und drahtlose Empfänger im Ohr, die Straße und brachten das Kunststück fertig, nicht überfahren zu werden. Elegante Frauen betraten oder verließen plaudernd und telefonierend die umliegenden Edelboutiquen, weniger gut angezogene strömten in japanische und amerikanische Kaufhäuser. Gruppen von Touristen fotografierten, was immer sie für authentische Zeugen der Kolonialepoche hielten. Zwischen Kleinwagen, Mini-Vans und Limousinen drängten Dutzende identisch aussehender CODs, *cars on demand,* auf ihrem Weg zum Speedway, Elektroroller und Hybrid-Cruiser schlängelten sich durch Lücken, die sich schon schlossen, bevor sie sich richtig aufgetan hatten. Fahrräder mit klappernden Schutzblechen lieferten sich Rennen mit futuristischen Antigrav-Skates. City-Busse und Transporter krochen durchs Gewühl, eine Formation Skymobile der Polizei zogen über die Fuxing Zhong Lu dahin, ein Stück weiter stieg ein Krankentransporter auf, drehte sich in der Luft und flog nach Westen. Blitzende Privatmaschinen und Sky-Bikes schossen, getragen vom Luftleitsystem, am Himmel entlang. Überall dröhnte, zischte und hupte es, erklang

Musik, schmetterten Werbeslogans und Nachrichten aus den allgegenwärtigen Videowänden.

Ein ruhiger Tag in einem beschaulichen Viertel.

Das Doppel-T von Tu Technologies erschien vor Jerichos Augen. Die Projektionstechnik des Systems erzeugte auf der Netzhaut die Illusion, das Zeichen schwebe dreidimensional in mehreren Metern Entfernung über dem Boden. Dann verschwand es, und der Computer im Brillenbügel projizierte Yoyo auf die Fuxing Zhong Lu.

Es war verblüffend.

Jericho hatte schon viele holografische Projektionen gesehen. Die Brille, eine gebogene Scheibe aus Glasfaser, fungierte wie ein 3-D-Kino, das man auf der Nase spazieren trug. Mit den frühen, klobigen Sichtgeräten der Virtual Reality hatte das Ganze nichts mehr zu tun. Vielmehr addierte der Computer Gegenstände und Personen ins natürliche Umfeld, einfach indem er sie auf der Sichtscheibe der Brille erzeugte. Man sah jemanden, der physisch nicht anwesend war. Dabei konnte es sich um leibhaftige oder künstliche Personen handeln, je nach Programmierung mal näher, mal weiter entfernt. In elektronisch erzeugten Umfeldern waren sie von real anwesenden Menschen kaum zu unterscheiden. Die Probleme begannen in der wirklichen Welt, wenn der Computer Bewegungen und Reaktionen der Avatare mit Echtzeit-Realität kombinieren musste. Gegen komplexe, bewegliche Hintergründe wirkten sie durchscheinend. Vollends ging die Illusion verloren, sobald reale Menschen den Raum durchquerten, an dem sich der Avatar augenscheinlich befand. Sie gingen einfach durch ihn hindurch. Fröhlich drauflosschwatzende virtuelle Kumpane fanden nichts dabei, während ihres Vortrags von Schwerlastern durchquert zu werden. Vollführte man schnelle Kopfbewegungen, schwebten sie geisterhaft hinterher. Unablässig musste das System die reale Umgebung hochrechnen und mit dem Programm synchronisieren, um Schein und Sein miteinander in Einklang zu bringen, ein bislang zum Scheitern verurteiltes Vorhaben.

Yoyo allerdings erschien einen simulierten Meter neben Jericho auf dem Gehsteig, ohne die phantomhaften Merkmale anderer Avatare erkennen zu lassen. Sie trug einen eng anliegenden, himbeerfarbenen Catsuit, dezente Applikationen, hatte das Haar zu einem doppelten Pferdeschwanz zusammengebunden und helles Make-up aufgelegt.

»Guten Morgen, Herr Jericho«, sagte sie und lächelte.

Hinter ihr eilten Fußgänger vorbei. Yoyo verdeckte sie. Nichts an ihr wirkte transparent, nirgendwo ließen sich Unschärfen ausmachen. Sie trat vor ihn hin und sah ihm geradewegs in die Augen.

»Wollen wir uns das französische Viertel ansehen?« Der Brillenbügel leitete den Klang ihrer Stimme über den Schläfenknochen in
Jerichos Ohr.

»Etwas lauter«, sagte er.

»Gerne«, erklang Yoyos Stimme, nun eine Spur kräftiger. »Wollen
wir uns das französische Viertel ansehen? Das Wetter ist perfekt, keine
Wolke am Himmel.«

Stimmte das? Jericho legte den Kopf in den Nacken. Es stimmte.

»Das wäre schön.«

»Es ist mir ein Vergnügen. Ich heiße Yoyo.« Sie zögerte und bedachte ihn mit einem Augenaufschlag zwischen Koketterie und Verlegenheit. »Darf ich Sie Owen nennen?«

»Kein Problem.«

Faszinierend. Das Programm hatte sich automatisch mit seinem ID-
Code verbunden. Es erkannte ihn, rechnete zudem die Tageszeit in die
korrekte Grußformel um und analysierte in einem gleich die Wetterlage. Schon jetzt hatten die Leute bei Tu Technologies alles getoppt,
was Jericho an Vergleichbarem kannte.

»Kommen Sie«, sagte Yoyo fröhlich.

Beinahe erleichtert stellte er fest, dass sie ihm nicht mehr so überirdisch schön erschien wie am Vortag. In Fleisch und Blut, lachend,
sprechend und gestikulierend, ging das Entrückte verloren, das er auf
Chens verwackelten Videos zu sehen geglaubt hatte. Was blieb, reichte
dennoch, um veraltete Herzschrittmacher aus dem Takt zu bringen.

Moment mal. Fleisch und Blut?

Bits und Bytes!

Es war ganz und gar erstaunlich. Sogar den korrekten Schatten-
stand rechnete der Computer mit ein, als Yoyo vor ihm herging. Er
fragte sich nicht länger, wie das Programm das machte, sondern konzentrierte sich auf ihren Gang, ihre Gestik, ihre Mimik. Seine Führerin
bog links ab, gesellte sich an seine Seite und richtete den Blick abwechselnd auf ihn und die Straße.

»Die Si Nan Lu vereint ganz unterschiedliche Baustile, darunter
solche aus Frankreich, Deutschland und Spanien. 2018 wurden bis auf
wenige Ausnahmen die letzten Originalgebäude abgerissen und neu
errichtet. Nach den ursprünglichen Plänen, versteht sich. Jetzt ist alles
noch viel schöner und noch viel originaler.« Yoyo lächelte ein Mona-
Lisa-Lächeln. »Ursprünglich residierten hier bedeutende Funktionäre
der Nationalisten und Kommunisten. Niemand konnte dem großzügigen Charme des Viertels widerstehen, jeder wollte in die Si Nan Lu.

Auch Zhou Enlai hat hier eine Weile Hof gehalten. Die schöne, dreigeschossige Gartenvilla links von uns war sein Domizil. Der Stil wird
allgemein als französisch bezeichnet, tatsächlich mischen sich hier Elemente des Art-déco mit chinesischen Einflüssen. Die Villa ist eines der
wenigen Häuser, die dem Erneuerungsfimmel der Partei bis heute entgehen konnten.«

Jericho stutzte. War das durch die Zensur gekommen?

Dann fiel ihm ein, dass Tu von einem Prototypen gesprochen hatte.
Also würde der Text modifiziert werden. Er fragte sich, wessen Idee
die Unkorrektheit gewesen war. Hatte Tu sich den Spaß ausgedacht,
oder hatte Yoyo ihn darauf gebracht?

»Kann man die Villa besichtigen?«, fragte er.

»Wir können uns die Villa von innen ansehen«, bestätigte Yoyo.
»Das Interieur ist weitgehend unverändert. Zhou pflegte einen spar-
tanischen Lebensstil, schließlich war er dem Proletariat verpflichtet.
Vielleicht hatte er auch einfach kein Interesse daran, dass der Große
Vorsitzende ihm die Möbel zurechtrückte.«

Jericho musste grinsen.

»Ich würde lieber weitergehen.«

»Alles klar, Owen. Lassen wir die Vergangenheit ruhen.«

Während der nächsten Minuten kommentierte Yoyo die Umgebung
ohne Doppeldeutigkeiten. Nach zweimaligem Abbiegen fanden sie
sich in einem lebhaften Gässchen voller Cafés, Galerien, Ateliers und
pittoresker Läden wieder, die Kunstgewerbe verkauften. Jericho war
oft hier. Er liebte das Viertel mit seinen Holzbänken und Palmen und
den hübsch renovierten Shikumen-Häusern, deren Fenster Blumen-
kästen zierten.

»Die Taikang Lu Art Street war bis vor zwanzig Jahren ein Geheim-
tipp in der Kunstszene«, erklärte Yoyo. »1998 wurde eine ehemalige
Fabrik für Süßigkeiten zur International Artists Factory ausgebaut.
Werbeagenturen und Designer zogen ein, bekannte Künstler eröffneten
ihre Ateliers, darunter renommierte Vertreter wie Huang Yongzheng,
Er Dongqiang und Chen Yifei. Dennoch stand das Viertel lange Zeit im
Schatten der Moganshan Lu nördlich des Suszhou Kanals, wo sich etablierte Kunst, Underground und Avantgarde zusammengefunden hatten
und den Shanghaier Markt beherrschten. Erst 2015, mit dem Bau der
Taikang Art Foundation, änderten sich die Einflussverhältnisse. Es ist
der Komplex dort vorne. Im Volksmund nennt man ihn ›Die Qualle‹.«

Yoyo wies auf eine gewaltige Glaskuppel, die trotz ihrer Größe erstaunlich luftig und filigran wirkte. Das Gebäude war den Prinzipien

der Bionik unterworfen und orientierte sich am Körperbau großer Medusen.

»Was war dort vorher?«, fragte Jericho.

»Ursprünglich stieß die Taikang Lu Art Street auf einen wirklich schönen Fisch- und Amphibienmarkt.«

»Und wo ist der hin?«

»Der Fischmarkt wurde abgerissen. Die Partei hat einen großen Radiergummi, mit dem sie Geschichte rückstandslos entfernen kann. Jetzt befindet sich dort die Taikang Art Foundation.«

»Kann man die Ateliers besichtigen?«

»Die Ateliers kann man besichtigen. Haben Sie Lust?«

Yoyo ging ihm voraus. Die Taikang Lu Art Street füllte sich allmählich mit Touristen. Es wurde eng, doch Yoyo erschien kompakt und echt, als sie sich durch die Menschen schlängelte. Genau genommen, dachte Jericho, sogar um einiges echter als die anderen.

Er stutzte.

Hatten ihm seine Augen einen Streich gespielt? Er konzentrierte sich ganz auf Yoyo. Eine Gruppe Japaner näherte sich, Schulter an Schulter, auf Kollisionskurs, blind für entgegenkommende Menschen. Ihm war aufgefallen, dass der Computer Yoyo ausweichen ließ, wann immer sich eine Gelegenheit bot, doch die Gruppe verstopfte die Straße zu beiden Seiten. Ihr blieb nur, zurückzuweichen oder sich hindurchzuquetschen. Japaner wie Chinesen fanden nichts dabei, sich den Weg frei zu rempeln, also schätzte Jericho, dass die leibhaftige Yoyo von ihren Ellbogen Gebrauch gemacht hätte. Doch Avatare hatten keine Ellbogen. Zumindest keine, die sich in den Rippen anderer bemerkbar machten.

Gespannt sah er zu, wie sie weiterging. Im nächsten Moment hatte sie die Gruppe passiert, ohne dass der Eindruck entstanden war, jemand wäre durch sie hindurchmarschiert. Vielmehr schien sich einer der Japaner für die Dauer eines Augenblicks in Luft aufgelöst zu haben, um sie passieren zu lassen.

Irritiert nahm Jericho die Brille ab.

Nichts hatte sich verändert, sah man davon ab, dass Yoyo verschwunden war. Er setzte sie wieder auf, kämpfte sich durch die Gruppe hindurch und sah Yoyo ein Stück weiter auf der Straße stehen. Sie schaute zu ihm herüber und winkte.

»Wo bleiben Sie denn? Kommen Sie!«

Jericho lief ein paar Schritte. Yoyo wartete, bis er auf ihrer Höhe war, und setzte sich wieder in Bewegung. Unglaublich! Wie funktionierte die Nummer? Er würde es kaum verstehen ohne Erklärung, also konzentrierte er sich darauf, das Programm in die Enge zu treiben. Rein faktisch hatten die Programmierer gute Arbeit geleistet. Die Führung war korrekt recherchiert und anschaulich aufgebaut. Bis jetzt hatte alles gestimmt, was Yoyo ihm erzählt hatte.

»Yoyo –«, begann er.

»Ja?« Ihr Blick signalisierte freundliches Interesse.

»Wie lange haben Sie den Job schon?«

»Diese Route ist ganz neu«, antwortete sie ausweichend.

»Also noch nicht lange?«

»Nein.«

»Und was machen Sie heute Abend?«

Sie blieb stehen und schenkte ihm ein zuckersüßes Lächeln.

»Ist das ein Angebot?«

»Ich würde Sie gerne zum Essen einladen.«

»Tut mir leid, wenn ich passe, aber ich habe einen virtuellen Magen.«

»Möchten Sie mit mir tanzen gehen?«

»Das würde ich sehr gerne tun.«

»Prima. Wo gehen wir hin?«

»Ich sagte, ich würde.« Sie zwinkerte ihm zu. »Leider kann ich nicht.«

»Darf ich Sie was anderes fragen?«

»Nur zu.«

»Gehen Sie mit mir ins Bett?«

Sie verharrte einen Moment. Das Lächeln wich einem Ausdruck spöttischer Amüsiertheit.

»Sie wären enttäuscht.«

»Warum?«

»Weil ich gar nicht existiere.«

»Zieh dich aus, Yoyo.«

»Ich kann etwas anderes anziehen.« Das Lächeln kehrte zurück. »Möchten Sie, dass ich etwas anderes anziehe?«

»Ich will mit dir schlafen.«

»Sie wären enttäuscht.«

»Ich will Sex mit dir.«

»Mach's dir selber, Owen.«

Aha.

Es war definitiv nicht die offizielle Version.

»Kann man die Ateliers besichtigen?«, wiederholte er seine Frage von vorhin.

»Die Ateliers kann man besichtigen. Haben Sie Lust?«

»Wer hat dich programmiert, Yoyo?«

»Ich wurde programmiert von Tu Technologies.«

»Bist du ein Mensch?«

»Ich bin ein Mensch.«

»Ich hasse dich, Yoyo.«

»Das tut mir sehr leid.« Sie machte eine Pause. »Möchten Sie die Führung fortsetzen?«

»Du bist eine hässliche, blöde Gans.«

»Ich bemühe mich, Sie zufriedenzustellen. Ihr Ton ist nicht angemessen.«

»Entschuldigung.«

»Keine Ursache. Wahrscheinlich war es mein Fehler.«

»Matschkuh.«

»Arschloch.«

WORLD FINANCIAL CENTER

»Yoyo ist ziemlich gefragt, was?«

Grand Cherokee zwinkerte Xin vertraulich zu, während seine Finger über die glatte Oberfläche der Steuerkonsole huschten. Nacheinander ließ er den Computer die Systeme des *Silver Dragon* durchchecken. Der Tag versprach ideal für Drachenritte zu werden, sonnig und klar, sodass man trotz der allgegenwärtigen Decke aus Smog noch weit entfernte Gebäude wie das Shanghai Regent oder das Portman Ritz Carlton erkennen konnte. Die Fassaden der Hochhäuser spiegelten frühes Licht. Kleine Sonnen entstanden und vergingen auf den Karossen kurvender Skymobile, die über den Huangpu geflogen kamen. So wie Shanghai im Hinterland zur vagen Idee einer Stadt verschwamm, reihten sich am gegenüberliegenden Ufer die Kolonialpaläste des Bund, der altehrwürdigen Prachtstraße umso klarer und in kräftigen Farben aneinander.

Grand Cherokee hatte Xin in der Sky Lobby abgeholt und während der Aufzugfahrt unentwegt davon geredet, welch besondere Ehre es sei, das Reich des Drachen zu dieser Zeit betreten zu dürfen. Dabei sei die Bahn als solche, wie er Xin erklärte, nicht mal sonderlich aufregend, also was den eigentlichen Verlauf der Strecke anginge: Kaum Inversionen, eben mal ein klassischer Vertikallooping, eingeleitet und gefolgt von je einer Heartline Roll, gut, damit immerhin drei Zero G Points, in denen man Momente völliger Schwerelosigkeit erlebe, im

Grunde aber unterer Standard. Vielmehr, führte er aus, während sie den verlassenen Glaskorridor durchquerten, liege der Reiz in der Geschwindigkeit, kombiniert mit dem Umstand, einen halben Kilometer über dem Erdboden dahinzurasen. Dieses Wunderwerk der Adrenalinförderung, monologisierte er weiter beim Aufschließen und Betreten des Kontrollraums, sei einzigartig in der Welt, es zu bedienen ebenso Nervensache wie darin zu fahren, weshalb es einer starken Persönlichkeit bedürfe, den Drachen zu zähmen.

»Interessant«, hatte Xin gesagt. »Zeigen Sie doch mal. Was genau müssen Sie tun?«

An dieser Stelle hatte Grand Cherokee innegehalten. Gewohnt, im Zerrspiegel der Wirklichkeit sein vergrößertes Ego zu erblicken, war selbst ihm die letzte Bemerkung plötzlich unangenehm. Tatsächlich gab es nichts Einfacheres, als die Bahn zu bedienen. Jeder Idiot, der drei Felder auf einem Display berühren konnte, war dazu in der Lage. Etwas umständlich hatte er sich der Selbstironie bezichtigt und Xin die Schaltelemente erklärt. Dass es im Grunde lediglich die Sicherheitssperren aufzuheben gelte, was natürlich die Kenntnis des Codes voraussetzte.

»Es sind drei«, hatte er Xin erklärt. »Ich gebe sie jetzt nacheinander ein – so – und den zweiten – den dritten – fertig. Das System ist bereit. Wenn ich nun das obere rechte Feld aktiviere, entriegele ich die Bahn, mit dem darunter starte ich das Katapult, und den Rest erledigt das Programm. Ganz unten ist der Notstopp. Haben wir allerdings noch nie gebraucht.«

»Und wozu ist das da gut?« Xin wies auf ein Menü am oberen Bildschirmrand.

»Das ist der Check Assistant. Bevor ich die Bahn zur Fahrt freigebe, lasse ich den Computer eine Reihe von Parametern durchgehen. Mechanische Systeme, Programme.«

»Wirklich einfach.«

»Einfach und genial.«

»Fast bedauerlich, dass wir keine Gelegenheit zu einer Fahrt finden werden, aber meine Zeit ist knapp. Ich würde also gerne –«

»Im Prinzip könnten Sie einsteigen«, sagte Grand Cherokee und begann mit dem Check. »Ich würde Ihren Hintern schon auf Touren bringen, dass Sie ihn von Ihrem Kopf nicht mehr unterscheiden können. Aber das hätte ich als Sonderfahrt anmelden müssen.«

»Macht nichts. Reden wir über Yoyo.«

An dieser Stelle hatte Grand Cherokee seinen Besucher angegrinst und den kleinen Spruch abgelassen, wonach Yoyo wohl sehr gefragt sei. Er wollte noch etwas hinzufügen, schwieg jedoch. In den Zügen seines Gegenübers war eine Veränderung vorgegangen. Neugier lag jetzt darin, die sich nicht einzig auf Yoyos Verbleib richtete, sondern auf Grand Cherokee selbst.

»Wer interessiert sich denn noch für sie?«, fragte Xin.

»Keine Ahnung.« Grand Cherokee zuckte die Achseln. Sollte er seinen Trumpf jetzt schon ausspielen? Eigentlich hatte er Xin mit dem Detektiv unter Druck setzen wollen, aber vielleicht war es besser, ihn zappeln zu lassen. »Sie haben das gesagt.«

»Was gesagt.«

»Yoyo brauche Schutz, weil irgendwer hinter ihr her sei.«

»Das stimmt.« Xin betrachtete die Fingerspitzen seiner rechten Hand. Grand Cherokee fiel auf, dass sie perfekt manikürt waren. Wie poliert wirkten die Nägel, alle exakt auf die gleiche Länge gefeilt, mit perlmuttfarbenen Halbmonden. »Und Sie wollten Informationen beschaffen, Wang. Mit Leuten telefonieren, irgendwas. Mich zu Yoyo bringen. In meiner Erinnerung wechselt Geld den Besitzer. Also was haben Sie für mich?«

Affektiertes Arschloch, dachte Grand Cherokee. Tatsächlich hatte er sich eine Geschichte zurechtgelegt in der vergangenen Nacht. Sie basierte auf einer Bemerkung Yoyos, wonach ihr das Partyleben manchmal auf die Nerven gehe und sie dann für ein Wochenende nach Hangzhou und zum Westsee fahre. Sagte nicht eines dieser dämlichen Sprichwörter, die seine Großmutter beständig im Munde führte, Hangzhou sei das Pendant des Himmels auf Erden? Dort, hatte Grand Cherokee beschlossen, sei Yoyo zu finden, irgendwo in einem romantischen kleinen Hotel am Westsee, und das Hotel könnte heißen –

Halt, zu konkret durfte er nicht werden. Rund um den Westsee wimmelte es von Unterkünften aller Kategorien. Zur Sicherheit hatte er im Internet nachgesehen und etliche gefunden, die Bäume und Pflanzen im Namen trugen. Das gefiel ihm. Yoyos Ort der Kontemplation würde ein Hotel mit einem floralen Namen sein! Irgendwas Blumiges, nur dass sich sein erfundener Informant leider nicht genau erinnern konnte. Mehr ließ sich für die paar Scheinchen nicht herausfinden, immerhin, das sei ja schon was, oder nicht? Bei dem Gedanken, wie Xin die 170 Kilometer hinaus zum Westsee fuhr, um jedes Hotel, das nach Grünzeug klang, abzuklappern, hatte Grand Cherokee laut auflachen müssen, zumal er den Detektiv ebenfalls dorthin zu schicken gedachte. Ohne es zu merken, würden die beiden Deppen einander fortgesetzt über den Weg laufen. Für mehr Geld würde es dann noch die Motorrad-Clique geben, eine ganz andere Spur, weil sich die *City Demons* mit dem Westsee schlecht in Verbindung bringen ließen. Andererseits, ein Motorrad-Trip aufs Land? Warum nicht?

Xin war in die Betrachtung seiner Fingernägel vertieft. Grand Cherokee überlegte. Gleich danach würde er dasselbe Märchen Jericho erzählen, auf die Gefahr hin, dass der Detektiv weniger freigiebig war.

Und es gab noch eine Möglichkeit.

»Wissen Sie«, sagte er langsam und so gleichgültig wie möglich, »ich habe mir die Sache durch den Kopf gehen lassen.« Er beendete den Check des *Silver Dragon* und sah Xin an. »Und ich finde, Yoyos Aufenthaltsort sollte Ihnen ein bisschen mehr wert sein.«

Xin wirkte nicht sonderlich überrascht. Eher, als überkomme ihn die Müdigkeit später Einsicht.

»Wie viel?«, fragte er.

»Das Zehnfache.«

Erschrocken über seine eigene Dreistigkeit, fühlte Grand Cherokee sein Herz heftiger schlagen. Falls Xin *das* schluckte –

Moment mal. Es ging ja noch viel besser!

»Das Zehnfache«, wiederholte er, »und ein neues Treffen.«

Xins Gesichtsausdruck versteinerte.

»Was soll das jetzt?«

Was es soll, dachte Grand Cherokee? Ganz einfach, du lackierter Affe. Mit dieser Summe werde ich zu Jericho laufen und ihn vor die Wahl stellen. Entweder er legt noch mehr drauf und bekommt die Geschichte exklusiv, oder er lehnt ab, und du bekommst sie. Aber erst, nachdem ich mit Jericho gesprochen habe. Und wenn Jericho den zwanzigfachen Preis hingeblättert hat, versuchen wir es bei dir mit der dreißigfachen Summe.

»Ja oder nein?«, fragte er.

Xins Mundwinkel zogen sich kaum sichtbar nach oben. »Aus welchem Film haben Sie das, Wang?«

»Dafür muss ich mir keine Filme ansehen. Sie sind hinter Yoyo her, warum, ist mir scheißegal. Was ich viel interessanter finde, ist, dass offenbar auch die Bullen was von ihr wollen. Fazit: Ein Bulle sind Sie schon mal nicht. Soll heißen, Sie können mir nichts. Sie müssen nehmen, was Sie kriegen und –«, er beugte sich vor und bleckte die Zähne, »wann Sie es kriegen.«

Xin sah mit eingefrorenem Lächeln auf ihn herab. Dann wanderte sein Blick zur Kontrollkonsole.

»Wissen Sie, was ich hasse?«, sagte er.

»Mich?«, lachte Grand Cherokee.

»Sie sind Ungeziefer, Wang, Hass würde Sie nur aufwerten. Nein, es sind Flecken. Ihre fettigen Finger haben unschöne Spuren auf dem Display hinterlassen.«

»Na und?«

»Wischen Sie sie ab.«

»Ich soll was?«

»Wischen Sie die Fettflecke ab.«

»Sag mal, du Stück Designerscheiße, was bildest du dir eigentlich –«

Etwas Merkwürdiges geschah, wie Grand Cherokee es noch nie erlebt hatte. Es ging blitzschnell. Als es vorbei war, lag er vor der Konsole auf dem Boden, und seine Nase fühlte sich an, als sei eine Granate darin hochgegangen. Bunte Blitze zuckten vor seinen Augen.

»Zum Saubermachen eignet sich Ihr Gesicht eher weniger«, sagte Xin, langte herunter und zog Grand Cherokee wie ein Puppe wieder auf die Füße. »Oh, Sie sehen beschissen aus. Was ist mit Ihrer Nase passiert? Wollen wir uns unterhalten?«

Grand Cherokee taumelte und stützte sich auf der Konsole ab. Mit der anderen Hand betastete er sein Gesicht. Die Stirnapplikation fiel ihm in die Handfläche. Sie war voller Blut. Fassungslos sah er Xin an.

Dann holte er wutentbrannt aus.

Xin bohrte ihm gelassen den Zeigefinger ins Brustbein.

Es war, als habe jemand den unteren Teil von Grand Cherokees Körper von allen Systemen abgekoppelt. Er fiel auf die Knie, während flammender Schmerz seine Brust durchschoss. Sein Mund öffnete sich, um erstickte Laute herauszulassen. Xin ging in die Hocke und stützte ihn mit der Rechten ab, bevor er umfallen konnte.

»Das lässt gleich nach«, sagte er. »Ich weiß, vorübergehend hat man den Eindruck, nie wieder sprechen zu können. Das täuscht. Allgemein ist die Prozedur der Mitteilsamkeit sogar zuträglich. Was wollten Sie noch sagen?«

Grand Cherokee keuchte. Seine Lippen formten ein Wort.

»Yoyo?« Xin nickte. »Ein guter Anfang. Geben Sie sich Mühe, Wang, und vor allen Dingen«, er packte ihn unter den Achseln und stemmte ihn hoch, »kommen Sie auf die Beine.«

»Yoyo ist –«, japste Grand Cherokee.

»Wo?«

»In Hangzhou.«

»Hangzhou!« Xin hob die Brauen. »Allerhand. Sollten Sie tatsächlich etwas wissen? Wo in Hangzhou?«

»In – einem Hotel.«

»Name.«

»Keine Ahnung.« Grand Cherokee sog seine Lungen gierig voll Luft. Xin hatte recht gehabt. Der Schmerz verflog, aber deshalb fühlte er sich kein bisschen besser. »Irgendwas mit Blumen.«

»Seien Sie nicht so kompliziert«, sagte Xin milde. »Irgendwas mit Blumen ist ungefähr so konkret wie irgendwo in China.«

»Es kann auch was mit Bäumen gewesen sein«, schrillte es aus Grand Cherokee heraus. »Mein Informant sagte, was Florales.«

»In Hangzhou?«

»Am Westsee.«

»Wo am Westsee? Auf der Seite der Stadt?«

»Ja, ja!«

»Also am Westufer?«

»Genau.«

»Ah! Möglicherweise in der Nähe des Su-Dammes?«

»Des – ich glaube schon.« Grand Cherokee schöpfte Hoffnung. »Wahrscheinlich. Ja, er hat so was gesagt.«

»Aber die Stadt liegt am Ostufer.«

»V – vielleicht hab ich nicht richtig hingehört.« Die Hoffnung machte sich davon.

»Aber in der Nähe des Su-Dammes? Oder des Bai-Dammes?«

Bai-Damm? Su-Damm? Es wurde immer komplizierter. Wo lagen noch mal die Dämme? So genau hatte sich Grand Cherokee die Sache nicht überlegt. Wer rechnete denn mit derlei Fragen?

»Weiß nicht«, sagte er matt.

»Ich denke, Ihr Informant –«

»Ich weiß es aber nicht!«

Xin sah ihn tadelnd an. Dann gruben sich seine Finger in Grand Cherokees Nierengegend.

Der Effekt war unbeschreiblich. Grand Cherokee öffnete und schloss in rascher Folge den Mund wie ein Fisch, der seinem Element entrissen wurde, während sich seine Augen zu Kugeln weiteten. Xin stützte ihn eisern ab, sodass er nicht in sich zusammenbrechen konnte. Aus der Perspektive der Überwachungskamera standen sie beieinander wie alte Freunde.

»Also?«

»Ich weiß es nicht«, wimmerte Grand Cherokee, während sich ein Teil von ihm abspaltete und interessiert zur Kenntnis nahm, dass Schmerz von orangeroter Farbe war. »Wirklich nicht.«

»Was wissen Sie überhaupt?«

Grand Cherokee hob zitternd den Blick. Unmissverständlich stand in Xins Augen zu lesen, was mit ihm geschehen würde, wenn er noch eine einzige falsche Antwort gäbe.

»Nichts«, flüsterte er.

Xin lachte abfällig, schüttelte den Kopf und ließ ihn los.

»Wollen Sie das Geld zurück?«, wisperte Grand Cherokee und krümmte sich in Erinnerung des Schmerzes, der seinen Körper geschüttelt hatte.

Xin schürzte die Lippen. Er sah hinaus auf die schimmernde Stadt.

»Mir geht eine Bemerkung nicht aus dem Kopf«, sagte er.

Grand Cherokee glotzte ihn an und wartete. Der abgespaltene Teil seines Selbst wies darauf hin, dass in fünfzehn Minuten die ersten Besucher hereingelassen würden und es wahrscheinlich voll würde, weil das Wetter ausnehmend schön war.

»Sie sagten: Yoyo ist ziemlich gefragt. Ich glaube, so haben Sie sich ausgedrückt, richtig?«

Fünfzehn Minuten noch.

»Nun, Sie könnten Boden wettmachen, Wang. Sagen Sie diesmal die Wahrheit. Wer hat noch nach ihr gefragt?«

»Ein Detektiv«, murmelte Grand Cherokee.

»Wie interessant. Wann war das?«

»Gestern Abend. Ich hab ihm Yoyos Zimmer gezeigt. Er stellte dieselben Fragen wie Sie.«

»Und Sie gaben dieselben Antworten. Dass Sie was rausfinden könnten, und dass es eine Kleinigkeit koste.«

Grand Cherokee nickte schwermütig. Wenn Xin mit der Information zu Owen Jericho ging, konnte er das Geld des Detektivs in den Wind schießen. In vorauseilendem Gehorsam zog er Jerichos Visitenkarte hervor und reichte sie Xin, der sie mit beiden Händen nahm, aufmerksam betrachtete und einsteckte.

»Sonst noch was?«

Klar. Er hätte Xin von der Motorrad-Gang erzählen können. Die einzige Spur, die möglicherweise tatsächlich zu Yoyo führte. Doch den Gefallen würde er dem Mistkerl nicht erweisen.

»Fick dich«, sagte er stattdessen.

»Also nichts.«

Xin wirkte nachdenklich. Er trat aus der offenen Tür des Kontrollraums in den Bereich zwischen Schranke und Bahnsteig. Grand Cherokee würdigte er keines weiteren Blickes, als habe dieser aufgehört zu existieren. Was in diesem Augenblick vielleicht das Beste gewesen wäre. Solange aufhören zu existieren, bis der Bastard die Etage verlassen hätte. Sich nicht mucksen, auf Mäuseformat zusammenschnurren, weniger werden als ein Fingerabdruck auf einem Computerdisplay. All dies war dem abgespaltenen Grand Cherokee Wang so klar wie nur irgendwas auf der Welt, also sprach er eine wohlmeinende Warnung aus, die der von Hass vernebelte Wang ignorierte. Stattdessen schlurfte er Xin hinterher und überlegte, wie er seine Würde zurückgewinnen könnte, die Würde des Drachenwächters, um die es gerade jämmerlich bestellt war. Sie brutales Arschloch? Dass er brutal war, durfte Xin bewusst sein, und Arschloch war ein zu kleines Wort. Überhaupt schätzte Grand Cherokee, dass Beleidigungen an Xin abperlten.

Wie konnte er den Mistkerl auflaufen lassen?

Und während Grand Cherokee, der Abgespaltene, noch Ausschau hielt nach einem Mauseloch, in dem man sich verkriechen könnte, hörte er Grand Cherokee, das Großmaul, sagen:

»Wieg dich mal bloß nicht in Sicherheit, du blöde Sau!«

Xin, der im Begriff war, die Schranke zu durchqueren, hielt inne.

»Als Erstes rufe ich Jericho an«, bellte Grand Cherokee. »Und gleich danach die Bullen. Wer wird sich wohl mehr für dich interessieren, he? Sieh bloß zu, dass du rauskommst, am besten raus aus Shanghai, raus aus China. Flieg zum Mond, vielleicht haben sie da oben was für dich frei, denn hier unten mach ich dich fertig, das kann ich dir versichern!«

Xin drehte sich langsam zu ihm um.

»Sie dummer Idiot«, sagte er. Es klang beinahe mitfühlend.

»Ich werde –«, schnappte Grand Cherokee, und dann dämmerte ihm, dass er wahrscheinlich soeben den größten Fehler seines Lebens begangen hatte. Xin kam gemächlich auf ihn zu. Er sah nicht aus wie jemand, der weitere Diskussionen in Betracht zog.

Grand Cherokee wich zurück.

»Der Bereich ist videoüberwacht«, sagte er, um einen warnenden Unterton bemüht, der mittendrin ins Panische kippte.

»Sie haben recht«, nickte Xin. »Ich sollte mich beeilen.«

Grand Cherokees Magen krampfte sich zusammen. Er vollführte einen Sprung nach hinten und versuchte die Lage einzuschätzen. Sein Gegner stand zwischen ihm und dem Durchgang zum Glaskorridor. Kein Weg führte an ihm vorbei, und gleich hinter Grand Cherokee erstreckte sich die Kante der Plattform, jenseits der die Bahn in ihren Schienen ruhte. Der Bereich, in dem die Fahrgäste zu- oder ausstiegen, war zum Abgrund hin durch eine transparente Wand geschützt, rechts und links davon schwang sich das Gleis ins Leere.

Xins Blick ließ keine Missverständnisse aufkommen.

Mit einem Satz war Grand Cherokee auf dem mittleren Waggon. Sein Blick wanderte zum Kopf des Drachen. Die einzelnen Wagen waren nichts weiter als Plattformen mit aufmontierten Sitzen, deren Lehnen an gewaltige Schuppen oder Flügel erinnerten, was dem Gefährt entfernt das Aussehen eines silbernen Reptils gab. Nur ganz vorne gab es so etwas wie einen Aufbau, die Andeutung eines lang gezogenen Schädels. Dort war eine separate Steuereinheit untergebracht, mit der man den Zug zur Not ein Stück manövrieren konnte. Nicht gerade durch den Looping, aber die geraden Gleisabschnitte entlang.

Wo die Bahn die Seitenpfeiler des Gebäudes umlief, unmittelbar bevor sie sich hochschraubte, führte je ein Übergang vom Gleis ins Gebäude. Im Innern der Pfeiler waren technische Anlagen und Lagerräume untergebracht. Die stählernen Brücken mündeten in den Glasfronten der Pfeiler und dienten im Bedarfsfall der Evakuierung, falls etwas den Zug daran hinderte, in den Bahnhof einzufahren. Man gelangte in ein separates Treppenhaus und zu einem Lift, beide vom Glaskorridor nicht zu erreichen.

All dies rekapitulierte Grand Cherokee, während er in Lauerstellung verharrte, womit er seinen zweiten Fehler beging, weil er Zeit verlor, anstatt umgehend zu handeln. Xin federte ab und kam zwischen ihm und dem Drachenkopf zu stehen. Nur zwei Sitzreihen trennten die beiden voneinander, und Grand Cherokee begriff, dass seine Chance, die Steuereinheit zu erreichen, vertan war. Er erwog, zurück auf den Bahnsteig zu springen, doch es war offensichtlich, dass Xin ihm dann sofort im Nacken säße. Wahrscheinlich würde er es nicht einmal bis zur Schranke schaffen.

Xin kam näher. Er hangelte sich zwischen den Sitzreihen hindurch, so schnell, dass Grand Cherokee das Nachdenken einstellte und ans Ende des Zuges floh. Ein kurzes Stück weiter endete die Verglasung des Bahnhofs. Dort strebte das Gleis weg von der Gebäudefront, schwang sich ein gutes Stück hinaus und beschrieb nach rund 25 Metern die Kurve, die hinter den Pfeiler führte.

»Ganz dumme Idee«, sagte Xin im Näherkommen.

Grand Cherokee starrte hinaus auf das Gleis, dann wieder auf Xin. Er hatte längst begriffen, dass er zu weit gegangen war, und dass der Typ vorhatte, ihn umzubringen. Verdammte Yoyo! Dämliches Aas, ihm das hier einzubrocken.

Falsch, konstatierte der abgespaltene Grand Cherokee, selber dämlich. Schon mal auf die Idee gekommen, durch die bloße Luft zu kriechen? Und als das Großmaul die Antwort schuldig blieb, fügte die distanzierte Stimme hinzu: Du hast einen gewaltigen Vorteil. Du bist schwindelfrei.

Xin auch?

Mit der Gewissheit, dass ihm große Höhen nichts ausmachten, wich schlagartig die Lähmung aus Grand Cherokees Gliedern. Zu allem entschlossen, setzte er einen Fuß auf das Gleis, tat einen Schritt, noch einen. Einen halben Kilometer unter sich sah er den begrünten Vorplatz des World Financial Center, durchzogen von Gehwegen. Über die doppelstöckige Shiji Dadao, die vom Fluss ins Hinterland von Pudong führte, bewegten sich Autos wie Ameisen. Die Sonne brannte durch die gewaltige Öffnung des Turms auf ihn herab, als er die schützende Verglasung des Bahnhofs verließ und Meter für Meter dem Gleisverlauf folgte. Warme Böen zerrten an ihm. Zu seiner Linken entfernte sich die Glasfassade des Turms mit jedem Schritt, genauer gesagt er sich von ihr. Rechts konnte er auf das Dach des Jin Mao Towers blicken. Dahinter und um ihn herum gruppierten sich die Geschäftshäuser Pudongs, bog sich das schimmernde Band des Huangpu, breitete sich Shanghai über die Grenze des Vorstellbaren hinweg aus.

Mit wild klopfendem Herzen hielt er inne und wandte den Kopf. Xin stand am Ende des Zugs und starrte ihn an.

Er folgte ihm nicht.

Der Arsch hatte keinen Mumm!

Grand Cherokee machte einen weiteren Schritt und rutschte zwischen zwei Querstreben hindurch.

Sein Herzschlag setzte aus. Wie eine fallende Katze streckte er alle viere von sich, bekam den Schienenstrang zu fassen und baumelte einen entsetzlichen Moment lang über dem Abgrund, ehe es ihm mit aller Kraft gelang, sich wieder hochzuziehen. Stoßweise atmend versuchte er, sich aufzurichten. Er befand sich auf halbem Weg zwischen dem Bahnhof und dem Kurvenverlauf, und das Gleis begann sich zu schrägen. Wind knatterte in seinem Mantel, der sich als denkbar ungeeignet erwies, um in 500 Meter Höhe spazieren zu gehen.

Keuchend sah er sich ein weiteres Mal um.

Xin war verschwunden.

Vorwärts, dachte er. Wie weit noch bis zum Übergang? 25, 30 Meter? Höchstens. Also los! Beweg dich, sieh zu, dass du die Kurve kriegst. Bring dich in Sicherheit. Uninteressant, was mit Xin war.

Neuen Mut schöpfend, balancierte er los, wieder Herr seiner Sinne, als das Geräusch an seine Ohren drang.

Das Geräusch.

Es lag zwischen Summen und Rattern, eingeleitet von einem satten, metallischen Klonk. Es entfernte sich in Gegenrichtung. Es ließ Grand Cherokee das Blut in den Adern gefrieren, obwohl er damit vertraut war, weil er es mehrfach am Tag hörte, wann immer er hier oben Dienst tat.

Xin hatte den Drachen geweckt.

Er hatte die Bahn gestartet!

Ein Angstschrei entrang sich ihm, wurde von den warmen Böen zerrissen und über Pudong verteilt. Wimmernd hangelte er sich vorwärts, so schnell es ihm möglich war. Sein Gehör signalisierte ihm, dass die Bahn eben hinter dem nördlichen Pfeiler verschwand, dann sah er sie in der Aussparung die Schräge erklimmen. Noch war der Drache langsam unterwegs, aber auf dem Dach würde er schneller werden, und dann –

Wie von Sinnen kroch er vorwärts, in den Schatten des Südpfeilers. Der Schienenstrang kippte zusehends, sodass ihm keine Wahl blieb, als sich auf allen Vieren vorwärtszubewegen.

Zu langsam. Zu langsam!

Dein Herz wird noch zerreißen vor Angst, dachte Grand Cherokee, der Teilnahmslose. Vielleicht versuchst du es mal mit Fluchen.

Es half.

Mit sich überschlagender Stimme schrie er Verwünschungen in den tiefblauen Himmel, packte das warme Metall der Schiene und hüpfte mehr voran, als dass er kroch. Der Strang hatte zu beben begonnen. Zweimal drohte er das Gleichgewicht zu verlieren und aus der Kurve zu kippen, doch jedes Mal fing er sich und arbeitete sich verbissen weiter vor. Hoch über ihm signalisierte ein hohles Pfeifen, dass die Waggons den Scheitelpunkt erreicht hatten und nunmehr in die Dachgerade gingen, und immer noch hatte er sein Ziel nicht erreicht. Im Versuch, einen Blick auf den Drachen zu erhaschen, sah er nur sich selbst als Spiegelung in den Fensterfronten des Pfeilers, verdammt gutes Kino, irgendwie. Im Grunde hätte er sich prächtig amüsieren müssen, nur dass die Frage nach dem Happy End nicht geklärt war und der Drache soeben das Katapult passierte.

Der Strang begann heftig zu vibrieren. Grand Cherokee hangelte sich weiter, mantrahaft ein ersticktes »Bitte!« hervorstoßend, »Bitte, bitte, bitte –« im Rhythmus des schwingenden Gleises.

»Bitte –« – Raddanngg – »Bitte –« – Raddanngg –

Er umrundete den Pfeiler. Keine zehn Meter vor sich sah er die stählerne Brücke von den Schienen zur Hauswand führen.

Der Drache kippte über die Dachkante.

»Bitte –«

Mit ohrenbetäubendem Donner stürzte sich der Zug in die Tiefe, schraubte sich in den Looping und raste darin empor. Die gesamte Konstruktion geriet in Bewegung. Vor Grand Cherokees Augen schien das Gleis hin- und herzutanzen. Er richtete sich auf, schaffte es, mehrere Querstreben zu überspringen und trotz der Schräglage des Stranges das Gleichgewicht zu halten.

Fünf Meter. Vier.

Der Drache raste den Looping herab –

Drei Meter.

– schoss um die Kurve –

Zwei.

– flog heran.

Im Augenblick, da der Zug die Abzweigung zum Übergang passierte, vollbrachte Grand Cherokee eine schier übermenschliche Leistung. Mit wildem Geheul stieß er sich ab und setzte zu einem gewaltigen Luftsprung an. Unter ihm sauste der spitze Bug des Frontwagens hindurch. Er breitete die Arme aus, um an einem der Sitze Halt zu finden, bekam etwas zu fassen, verlor den Kontakt. Sein Körper prallte gegen die Rückenlehne der nachfolgenden Sitzbank, wurde hochgeschleudert, pirouettierte und schien für die Dauer eines Augenblicks dem tiefblauen Himmel zuzustreben, als habe er beschlossen, sich in den Weltraum zu verfügen.

Dann fiel er.

Das Letzte, was Grand Cherokee Wang durch den Kopf ging, war, dass er es immerhin versucht hatte.

Dass er gar nicht so schlecht gewesen war.

Xin legte den Kopf in den Nacken. Hoch über sich sah er Menschen das Glasobservatorium betreten. Auch der Korridor würde gleich öffnen. Zeit, sich davonzumachen. Er wusste, wie es in Überwachungszentralen von Hochhäusern zuging und dass während der vergangenen Viertelstunde kaum jemand einen Blick auf die Monitore geworfen hatte. Doch selbst wenn, hätte er nicht viel zu sehen bekommen. Wangs zweimalige Bekanntschaft mit dem Boden des Kontrollraums außer Acht gelassen, hatten sie die meiste Zeit eng beieinandergestanden. Zwei, die sich vertraut unterhielten.

Jetzt allerdings hatte er den Drachen in Bewegung gesetzt. Vor der üblichen Zeit. Das fiel auf. Er musste hier raus.

Xin zögerte.

Dann wischte er rasch mit dem Ärmel seine Fingerabdrücke vom Display, hielt inne und polierte auch die Stellen, an denen Grand Cherokees Schmierfinger gewütet hatten. Andernfalls stand zu befürchten, dass ihn die Flecken bis in den Schlaf verfolgen würden. Gewisse Dinge neigten dazu, sich in Xins Schädel festzusetzen wie Blutegel. Endlich eilte er den Korridor entlang und verließ ihn auf dem Weg, den sie gekommen waren. Im Fahrstuhl zog er die Perücke vom Schädel, setzte die Brille ab, rupfte den Schnurrbart von der Oberlippe und wendete sein Jackett. Es war eigens für ihn gefertigt und so beschaffen, dass man es von beiden Seiten tragen konnte. Aus der grauen wurde eine sandfarbene Jacke, in die er Perücke, Bart und Brille stopfte. Er entschied, in der Sky Lobby des 28. Stockwerks den Fahrstuhl zu wechseln, fuhr ins Basement, durchquerte die Shopping Mall und trat hinaus ins helle Sonnenlicht. Draußen sah er Leute zur Südseite des Gebäudes laufen. Rufe wurden laut. Jemand schrie etwas von einem Selbstmörder.

Selbstmord? Auch gut.

Während Xin unter den Bäumen der Parkanlage schneller ging, zog er die Visitenkarte des Privatdetektivs hervor.

27.MAI 2025

[PHANTOME]

Julians Verstand war ein Generator außergewöhnlicher Ideen, den er sich rühmte, nach Belieben ein- und ausschalten zu können. Wollten ungelöste Probleme mit unter die Bettdecke, beschloss er einzuschlafen und ruhte in komatöser Verzauberung, kaum dass sein Kopf das Kissen berührte. Schlaf war der Eckpfeiler seiner mentalen und körperlichen Gesundheit, und auf dem Mond hatte er bisher noch jedes Mal vorzüglich geschlafen.

Nur in dieser Nacht nicht.

Mit der Wiederkehr von Karussellpferden ging ihm das Gespräch beim Abendessen durch den Kopf, genauer gesagt Walo Ögis Bemerkung, warum er Washington nicht einfach die Ehe aufkündigte und den Basar seiner Technologien für eröffnet erklärte, um weltweit jedermann Zugang zu gewähren. In der Tat war es ein Unterschied, das *beste* Angebot anzunehmen oder *alle* Angebote. Es war sogar ein moralischer Unterschied. Einseitige Begünstigung, wo es doch um das Wohl von zehn Milliarden Menschen ging, auch wenn nicht jeder von denen umgehend einen Weltraumfahrstuhl im Vorgarten errichten würde, konnte ihm als heimtückisch und gewinnlerisch ausgelegt werden – ihm, der wie kein anderer seine unternehmerische Autonomie verfocht und auf Festreden schöne Dinge über globale Verantwortung und den Unfug des Kräftemessens von sich gab.

Was Julian in dieser Nacht wach hielt, war der Umstand, in seinen geheimen Überlegungen zum wiederholten Male bestätigt worden zu sein. Zumal, und das stand der Moral ja keinesfalls im Wege, der allgemeine Zugang zu seinen Patenten nicht nur die Ökonomisierung des Mondes vorantreiben, sondern gleich auch bessere Geschäfte generieren würde. Der Schweizer hatte es auf den Punkt gebracht: Würden drei oder vier Nationen mehr über einen Fahrstuhl verfügen und auf dem Mond Helium-3 fördern, wäre die weltweite Umstellung auf aneutronische Fusion binnen weniger Jahre vollzogen. ORLEY ENTERPRISES, explizit ORLEY SPACE, könnte den Fahrstuhlbau weniger solventer Länder mitfinanzieren, was ORLEY ENERGY Gelegenheit gäbe, Exklusivrechte an deren Stromversorgung zu erwerben. Das Reaktorgeschäft würde profitieren, ORLEY ENERGY zum größten Strom-Provider des Planeten werden. Dass Washington darüber alles andere als glücklich wäre, gut, damit musste man zurechtkommen.

Doch es verhielt sich noch ein bisschen anders.

Mehrfach hatte Zheng Pang-Wang versucht, ihn mit Peking zu verkuppeln, was Julian strikt abgelehnt hatte, bis ihm während eines gemeinsamen Mittagessens beim Londoner Nobelchinesen HAKKASAN schlagartig klar geworden war, dass er seine amerikanischen Partner ja nur so lange betrog, wie er mit nur *einer* anderen Partei ins Bett ging. Seine Dienste *jedem* anzubieten, war hingegen nichts anderes, als *jedem* Menschen in *jedem* Land der Welt einen Toyota oder einen Big Mac zu offerieren. Washington würde das natürlich anders sehen. Man würde argumentieren, ein Abkommen auf Gegenseitigkeit geschlossen zu haben, in dem – exemplarisch auf Fast Food bezogen – das Fleisch von ihm, das Brötchen staatlicherseits beigesteuert würde, da keiner ohne den anderen handlungsfähig gewesen wäre.

In einem Anfall von Mitteilsamkeit hatte er Zheng an seinen Gedanken teilhaben lassen.

Dem alten Mann waren beinahe die Stäbchen aus der Hand gefallen.

»Nein, nein, mein ehrenwerter Freund! Man kann eine Ehefrau und eine Konkubine haben. Was will die Konkubine daran ändern, dass man schon verheiratet ist? Nichts. Sie wird sich daran erfreuen, das angenehme Leben der Ehefrau zu teilen, aber ihre Begeisterung schwände schnell beim Gedanken an noch mehr Konkubinen. China hat zu viel investiert. Wir sehen mit Bedauern, wenngleich Respekt, dass Sie sich der Ehefrau verbunden fühlen, doch wenn plötzlich überall Fahrstühle aus dem Boden sprießen würden und jeder auf dem Mond seinen Claim absteckte, wäre das ein ungleich größeres Problem. Peking wäre sehr besorgt.«

Sehr besorgt.

Es gibt dabei lediglich ein Problem, Julian. – Einen solchen Gesinnungswandel zu überleben.

Rogaschows Bemerkung hatte ihn geärgert, weil es ihm einmal mehr die Arroganz der Regierenden und ihrer Organe vor Augen führte. Nutzloses Pack. Was war das für eine Globalisierung, in der die Akteure keinerlei Ambitionen erkennen ließen, einander in die Karten schauen zu lassen, und man sich mit dem Phantom der eigenen Ermordung herumschlagen musste für den Fall, dass man den Kuchen gerecht aufteilte? Je länger er darüber nachdachte, desto heftiger fluteten chemische Wachmacher seinen Thalamus, bis er um kurz nach fünf keine Lust mehr hatte, Laken und Decke zu zerwühlen. Er stellte sich unter die Dusche und beschloss, den bemerkenswerten Umstand seiner Schlaflosigkeit zu nutzen, indem er einen Spaziergang entlang der Schlucht unternahm. Tatsächlich war er hundemüde, sein Körper jedenfalls war es, dennoch ging er ins Wohnzimmer, streifte Shorts und T-Shirt über, gähnte und schlüpfte in leichte Slipper.

Als er den Kopf hob, kam es ihm vor, als habe er am linken Fensterrand eine Bewegung gesehen, einen dahinhuschenden Reflex.

Er starrte hinaus auf die Schlucht.

Da war nichts.

Unschlüssig verharrte er, zuckte die Achseln und verließ die Suite. Niemand zu sehen. Wie auch? Alle lagen im Zustand tiefer Erschöpfung. Er trat zum Spind mit den Raumanzügen und begann sich anzukleiden, zwängte sich in die enge, stahlverstärkte Montur, legte Brustpanzer und Tornister an, klemmte den Helm unter den Arm und fuhr ins Kellergeschoss.

Als er den Korridor betrat, glaubte er einen Moment lang zu halluzinieren.

Aus Richtung des Bahnhofs kam ihm ein Astronaut entgegen.

Julian blinzelte. Der andere näherte sich rasch über das Laufband. Weißes Licht überstrahlte seine Silhouette. Plötzlich hatte er die verrückte Empfindung, in eine gespiegelte Welt zu schauen und sich selbst am anderen Ende des Gangs zu erblicken, dann fanden die ovale Schädelform mit dem kurz geschorenen Haar, das kräftige Kinn und die dunklen Augen zu einem vertrauten Gesicht zusammen.

»Carl«, rief er verblüfft.

Hanna schien nicht weniger überrascht.

»Was machst du denn hier?« Er verließ das Band und kam langsam auf Julian zu. Dieser hob irritiert die Brauen und schaute sich um, als könnten weitere Frühaufsteher aus den Wänden kommen.

»Dasselbe frage ich dich.«

»Tja, offen gestanden –« Hannas Blick bekam etwas Ertapptes, sein Lächeln verrutschte ins Dümmliche. »Ich –«

»Sag bloß nicht, du warst draußen!«

»War ich nicht.« Hanna hob beide Hände. »Ehrlich nicht.«

»Aber du wolltest.«

»Hm.«

»Jetzt sag schon.«

»Na ja, auf einen Sprung. Auf die andere Seite der Schlucht, um mir das GAIA von drüben anzusehen.«

»Ganz alleine?«

»Natürlich ganz alleine!« Hannas Schuljungenmiene verwandelte sich zurück in die eines erwachsenen Mannes. »Du kennst mich doch. Ich bin nicht der Typ für acht Stunden Schlaf, vielleicht auch nicht ausreichend sozialisiert für Gruppenreisen, jedenfalls, ich lag da im Bett und dachte plötzlich, wie es wohl wäre, der einzige Mensch auf dem Mond zu sein. Wie sich das anfühlen würde, ganz alleine da draußen rumzuspazieren, ohne die anderen. Mir vorzustellen, dass niemand hier ist außer mir.«

»Schnapsidee.«

»Könnte aber von dir sein.« Hanna verdrehte die Augen. »Komm, hab dich nicht so. Ich meine, wir werden die nächsten Tage ständig im Pulk unterwegs sein, oder? Und das ist okay, wirklich. Ich mag die anderen, ich büxe schon nicht aus. Aber ich wollte es eben wissen.«

Julian durchkämmte mit den Fingerspitzen seinen Bart.

»Scheint wirklich, als müsste ich mir keine Sorgen machen«, grinste er. »Du hast dich ja schon verlaufen, bevor du überhaupt einen Fuß nach draußen setzen konntest.«

»Ja, blöd, was?« Hanna lachte. »Ich hab vergessen, wo die verdammten Schleusen sind! Ich weiß, ihr habt sie uns gezeigt, aber –«

»Hier. Gleich hier vorne.«

Hanna wandte den Kopf.

»Na toll«, sagte er betreten. »Steht auch noch dick und fett dran.«

»Schöner Einzelgänger«, spottete Julian. »Ich hatte übrigens tatsächlich dasselbe vor wie du.«

»Was denn, ganz alleine nach draußen?«

»Nein, Idiot, mit jeder Menge praktischer Erfahrung, die dir fehlt. Das ist keine von deinen Joggingstrecken! Es ist gefährlich.«

»Klar. Das Leben an sich ist gefährlich.«

»Im Ernst.«

»Quatsch, Julian, ich kenne mich mit dem Anzug aus! Ich hatte eine EVA auf der OSS, eine auf dem Hinflug, alles gefährlicher, als hier ein bisschen Regolith platt zu treten.«

»Schon richtig, nur –« Nur, dass ich mich ebenso rausgeschlichen habe wie du, dachte Julian. »Die Bestimmungen schreiben nun mal vor, dass keiner ohne Begleitung rausgeht, kein Tourist jedenfalls.«

»Na wunderbar«, sagte Hanna munter. »Jetzt sind wir zu zweit. Es sei denn, du möchtest lieber alleine sein.«

»Unsinn.« Julian lachte. Er ging zur Schleuse und ließ das Innenschott auffahren. »Du hast dich erwischen lassen, jetzt *musst* du mir Gesellschaft leisten, ob du willst oder nicht.«

Hanna folgte ihm. Die Schleuse war ausgelegt für 20 Personen, sodass sie etwas verloren darin herumstanden, während ihre Anzüge die Selbsttests durchliefen. Fassungslos verschliss er sich an der Frage, wie hoch die rechnerische Wahrscheinlichkeit dieses Zusammentreffens war. Wenn es zutraf, dass der Mensch nur eines von unzähligen Paralleluniversen bewohnte, in denen jede mögliche Entwicklung der Wirklichkeit ihren Lauf nahm, von annähernd identisch bis stark abweichend, in denen es intelligente Saurier gab und Hitler den Krieg gewonnen hatte, warum musste er dann ausgerechnet dasjenige bewohnen, in dem Julian exakt zur gleichen Zeit im Korridor aufkreuzte wie er? Warum nicht zehn Minuten später, was ihm Gelegenheit gegeben hätte, ungesehen zurück in seine Suite zu gelangen? Trost verhieß einzig, dass er es in anderen Wirklichkeiten noch ungünstiger hätte antreffen können, wenn nämlich Julian Zeuge seines Eintreffens mit dem Lunar Express geworden wäre. Davon allerdings schien dieser nichts mitbekommen zu haben.

Er würde noch besser aufpassen, noch wachsamer sein müssen.

Er und Ebola.

XINTIANDI, SHANGHAI, CHINA

»Interessant, dein Programm«, sagte Jericho.

»Ah!« Tu wirkte vergnügt. »Ich hatte mich schon gefragt, wann du anrufst. Welches hast du ausprobiert?«

»Französisches Viertel. Das willst du doch nicht allen Ernstes in Umlauf bringen, oder?«

»Den Pfeffer haben wir rausgenommen.« Tu grinste. »Wie schon gesagt, ein Prototyp. Strikt intern, also untersteh dich, damit hausieren zu gehen. Ich dachte, du könntest ein bisschen Spaß vertragen, außerdem wolltest du Yoyo kennenlernen.«

»War das ihre Idee? Die Seitenhiebe gegen die Partei.«

»Der komplette Text ist von Yoyo. Es sind Probeaufnahmen, sie hat weitgehend improvisiert. Hast du mal versucht, sie anzubaggern?«

»Klar. Angebaggert und beschimpft.«

Tu kicherte. »Beeindruckend, was?«

»Ein bisschen Variantenreichtum in der Replik könnte nicht schaden. Ansonsten sehr gelungen.«

»Die marktfähige Version arbeitet auf der Basis künstlicher Intelligenz. Sie kann ohne Zeitverzögerung jede Reaktion generieren. Dafür mussten wir Yoyo nicht mal mehr filmen. O-Töne brauchten wir ebenso wenig. Der Synthesizer kann ihre Stimme simulieren, ihre Lippenbewegungen, ihre Gestik, einfach alles. Deine Version ist noch stark vereinfacht, dafür hattest du Yoyo pur.«

»Eines musst du mir erklären.«

»Solange du es nicht an DAO verkaufst.«

Idiot, dachte Jericho, behielt es aber für sich.

»Du weißt, dass ich das niemals täte«, sagte er stattdessen.

»War nur'n Witz.« Tu stocherte in seinen Zähnen herum, förderte etwas kleines Grünes zum Vorschein und schnippte es weg. Jericho versuchte, nicht hinzusehen. Dennoch war es unvermeidlich, dass sein Blick zu der Stelle wanderte, wo das Rudiment gelandet war. Seine Irritation verdankte sich dem Umstand, dass Tu auf seiner neuen Multimediawand nicht nur lebensgroß, sondern in perfekter räumlicher Modulation erschien, sodass es aussah, als habe sich Jerichos Loft vorübergehend um einen Raum erweitert. Es hätte ihn nicht gewundert, den beiläufig entsorgten Essensrest auf seinem Parkett zu erblicken. Eindeutig stand das Vergnügen, Tu dreidimensional zu erleben, in keinem Verhältnis zur Erscheinung Naomi Lius.

Sie hatte wirklich schöne Beine.

»Owen?«

Jerichos Augenlider flatterten. »Mir ist aufgefallen, dass Yoyos Präsenz in Menschenmengen verblüffend stabil ist. Wie macht ihr das?«

»Firmengeheimnis«, flötete Tu.

»Erklär's mir. Ich sehe mich sonst gezwungen, meinen Augenarzt aufzusuchen.«

»Mit deinen Augen ist alles in Ordnung.«

»Offenbar nicht. Ich meine, die Brille ist durchsichtig wie ein stinknormales Fenster. Ich sehe dadurch die Realität. Dein Programm kann was hinzuprojizieren, nicht aber die Wirklichkeit verändern.«

»Macht es das denn?«, grinste Tu.

»Du weißt genau, was es macht. Es lässt Menschen vorübergehend verschwinden.«

»Ist dir nie die Idee gekommen, dass die Realität auch nur eine Projektion ist?«

»Geht's weniger kryptisch?«

»Sagen wir mal, wir könnten die Glasfläche auch weglassen.«

»Und Yoyo würde trotzdem erscheinen?«

»Bingo.«

»Aber auf welchem Medium?«

»Sie würde erscheinen, weil nichts von dem, was du siehst, bloße Realität *ist*. In Bügeln und Rahmen der Brille verbergen sich winzige Kameras, die dem Computer ein Abbild der wirklichen Welt liefern, damit er weiß, wie und wo er Yoyo einzufügen hat. Was du vielleicht übersehen hast, sind die Projektoren im Brilleninnenrand.«

»Ich weiß, dass Yoyo auf das Brillenglas projiziert wird.«

»Nein, das wird sie eben nicht.« Tus Körper erbebte unter verhaltenem Gelächter. »Das Glas ist überflüssig. Die Kameras erstellen ein Komplettbild, bestehend aus deiner Umgebung plus Yoyo. Und dieses Bild wird direkt auf deine Netzhaut projiziert.«

Jericho starrte Tu an.

»Du meinst, nichts von dem, was ich gesehen habe –«

»Oh, du hast durchaus die wirkliche Welt gesehen. Aber nicht aus erster Hand. Du siehst, was die Kameras filmen, und der Film ist manipulierbar. In Echtzeit, versteht sich. Wir können den Himmel rosa machen, Menschen verschwinden oder ihnen Hörner wachsen lassen. Wir verwandeln deine Augen in Kinoleinwände.«

»Unglaublich.«

Tu zuckte die Achseln. »Es sind Anwendungen der virtuellen Realität, die Sinn ergeben. Wusstest du, dass der Großteil aller Erblindungen auf eine Trübung der Linse zurückzuführen ist? Die Netzhaut darunter ist in Ordnung, und wir projizieren die sichtbare Welt direkt auf die Netzhaut. Wir machen Blinde wieder sehend. Das ist der ganze Trick.«

»Verstehe.« Jericho rieb sich das Kinn. »Und Yoyo hat daran mitgearbeitet.«

»Genau.«

»Du bringst ihr ziemlich viel Vertrauen entgegen.«

»Sie ist gut. Sie steckt voller guter Ideen. Eine Ideenfabrik.«

»Eine Praktikantin!«

»Unerheblich.«

»Nicht für mich. Ich muss wissen, mit wem ich es zu tun habe, Tian. Wie ausgebufft ist das Mädchen wirklich? Ist sie tatsächlich nur eine –« Dissidentin, hatte er sagen wollen. Dummer Fehler. *Diamond Shield* hätte den Begriff augenblicklich aus dem Gespräch herausgefiltert und seiner Akte zuaddiert.

»Yoyo kennt sich aus«, erklärte Tu knapp. »Ich habe nie behauptet, dass es einfach sein würde, sie zu finden.«

»Nein«, sagte Jericho mehr zu sich selbst. »Hast du nicht.«

»Kopf hoch. Dafür ist mir noch was eingefallen.«

»Und?«

»Yoyo scheint Freunde bei einer Motorrad-Gang zu haben. Mir hat sie die Typen nicht vorgestellt, aber ich erinnere mich, dass auf ihren Jacken *City Demons* steht. Vielleicht bringt dich das weiter.«

»Weiß ich schon, danke. Yoyo hat nicht zufällig erwähnt, wo die ihr Quartier haben?«

»Schätze, das musst du selber rausfinden.«

»Na schön. Sollten dir weitere Lichter aufgehen –«

»Setze ich dich in Kenntnis. Warte mal.« Von jenseits der Projektion erklang Naomi Lius Stimme. Tu erhob sich und verschwand aus Jerichos Blickfeld. Jericho hörte beide in gedämpftem Tonfall miteinander reden, dann kehrte er zurück.

»Entschuldige, Owen, aber es sieht so aus, als hätten wir einen Selbstmörder.« Er zögerte. »Oder ein Unfallopfer.«

»Was ist passiert?«

»Schreckliche Sache. Jemand ist zu Tode gestürzt. Die Achterbahn war in Betrieb, außerplanmäßig. Offenbar hat die Person dort oben gearbeitet. Ich melde mich wieder, okay?«

»Okay.«

Sie beendeten das Gespräch. Jericho blieb nachdenklich vor der leeren Wand sitzen. Etwas an Tus Bemerkung beunruhigte ihn. Er fragte sich, was der Grund dafür war. Allerorten stürzten sich Menschen von Hochhäusern. China verzeichnete die höchste Selbstmordrate der Welt, noch vor Japan, und Hochhäuser boten mithin die preiswerteste, effektivste Möglichkeit, aus dem Leben zu scheiden.

Es ging nicht um den Selbstmord.

Worum dann?

Er förderte den Stick zutage, den Tu ihm gegeben hatte, legte ihn auf die Oberfläche der Arbeitskonsole und ließ den Computer Yoyos virtuelle Fremdenführungen, ihre Personalakte, Gesprächsprotokolle und Dokumente herunterladen. Die Akte enthielt zudem ihren Gen-Code, Stimmen- und Augenscan, Fingerabdrücke und Blutgruppe. Anhand der Führungen konnte er sich mit Motorik, Mimik und Sprechmodus vertraut machen, aus den Dokumenten und Gesprächsaufzeichnungen ließen sich häufig benutzte Ausdrücke und Redewendungen, Umschreibungen und Satzstellungen extrahieren. Damit war er im Besitz eines brauchbaren Persönlichkeitsprofils. Ein Steckbrief, mit dem sich arbeiten ließ.

Doch womöglich sollte er mit dem anfangen, was er *nicht* hatte.

Er ging online und schickte den Computer auf die Suche nach den *City Demons*. Er präsentierte ihm einen australischen Football Club in

New South Wales, einen weiteren in Neuseeland, einen Basketballverein aus Dodge City, Kansas, sowie eine vietnamesische Gothic Band.

Keine Dämonen in Shanghai.

Nachdem er den Suchmodus erweitert und ihn instruiert hatte, Schreibfehler zu berücksichtigen, erzielte er einen Treffer. Zwei Mitglieder eines Biker-Clubs namens *City Damons* hatten sich im *Club dkd* in der Huaihai Zhong Lu eine Schlägerei mit einem halben Dutzend betrunkener Nordkoreaner geliefert, die dort das Hohelied ihres ermordeten Führers gesungen hatten. Die Biker waren mit einer Verwarnung davongekommen, was sich dem Umstand verdankte, dass die chinesische Führung Kim Jong-un posthum zur Persona non grata erklärt hatte, um der Stimmungslage im wiedervereinigten Korea Tribut zu zollen. Aus vielerlei Gründen war Peking bemüht, jede nostalgische Verklärung des nordkoreanischen Totalitarismus im Keim zu ersticken.

City Damons. Mit a.

Als Nächstes fand der Computer einen Blog, in dem Shanghais Hip-Hop-Szene den Vorfall im *Club dkd* aufgriff und das couragierte Vorgehen zweier Mitglieder der *City Demons* mit e thematisierte, die den nordkoreanischen Teufeln unter Einsatz von Leib und Leben den Weg nach draußen gewiesen hätten. Ein Link führte zu einem Biker-Forum, das Jericho in der Hoffnung durchstöberte, mehr über die *Demons* zu erfahren. Dort bestätigte sich sein Verdacht, dass die Beiträge von den *City Demons* selbst ins Netz gestellt worden waren. Das Forum erwies sich als Werbeplattform einer Werkstatt für E-Bikes und Hybrid-Bikes namens *Demon Point*, dessen Besitzer mit an Sicherheit grenzender Wahrscheinlichkeit den *City Demons* angehörte.

Und das war interessant.

Denn die Werkstatt lag am Rande von Quyu: einer Parallelwelt, in der kaum jemand einen eigenen Computer oder Netzanschluss besaß, andererseits an jeder Ecke ein schwarzes Loch namens *Cyber Planet* zu finden war, das Jugendliche absorbierte und nie wieder ausspuckte. Eine Welt unter der Regentschaft mehrerer Subklans der Triaden, die mal paktierten, meist rivalisierten und Einigkeit nur in der Ausübung aller vorstellbaren Verbrechen bekundeten. Eine Welt komplexer Hierarchien, außerhalb derer niemand ihrer Bewohner etwas galt. Eine Welt, die täglich Heerscharen billiger Fabrikarbeiter und unqualifizierter Hilfskräfte in bessere Viertel entsandte, um sie abends wieder einzusaugen, die wenig Sehenswertes zu bieten hatte und dennoch Vertreter besserer Kreise magisch anzog, weil sie ihnen etwas offerierte, das im runderneuerten Shanghai sonst nirgendwo mehr zu finden war: das faszinierende, vielfarbige Schillern menschlicher Fäulnis.

Quyu, die *Zone*, die vergessene Welt. Der perfekte Ort, wenn man spurlos verschwinden wollte.

Die kleine Motorradwerkstatt lag nicht direkt in Quyu, aber nahe genug dran, um als Ein- oder Ausfalltor zu fungieren. Jericho seufzte. Er sah sich zu einem Schritt gezwungen, der ihm nicht gefiel. Immer mal wieder, so wie neulich, arbeitete er mit Shanghais Polizei zusammen. Man pflegte gute Beziehungen. Ob die Beamten ihm bei seinen eigenen Fällen halfen, hing davon ab, ob sie in der Spionage- oder Korruptionsaffäre, die Jericho gerade untersuchte, Karten hatten oder nicht. Schulter an Schulter stand man hingegen im Kampf gegen Monster wie Animal Ma Liping. Nicht erst, seit er den Kinderschänder hatte hochgehen lassen, erfreute er sich in Behördenkreisen steigenden Respekts. Im Rahmen gemeinsamer Besäufnisse hatten Beamte durchscheinen lassen, ihn bei Bedarf mit Informationen versorgen zu wollen, und seit dem Albtraum in Shenzhen war ihm Patrice Ho, sein hochrangiger Freund bei der Polizei, einen größeren Gefallen schuldig, explizit bezogen auf Einblick in polizeiliche Datenbanken. Nur zu gerne hätte Jericho die Gefälligkeit nun eingefordert, doch wenn Yoyo tatsächlich von den Behörden gesucht wurde, war daran kein Denken.

Und das bedeutete, dass er sich hineinhacken musste.

Zweimal hatte er es gewagt. Zweimal war es gelungen.

Damals hatte er sich geschworen, es kein drittes Mal zu versuchen. Er wusste, was ihm blühte, sollte man ihm auf die Schliche kommen. Nachdem sich Peking 2007 in europäische und amerikanische Regierungsnetze gehackt hatte, war der Westen zum Gegenangriff übergegangen, unterstützt durch russische und arabische Hacker, die in eigener Sache mitmischten. Inzwischen fürchtete China kaum etwas mehr als Cyberattacken. Entsprechend fand, wer chinesische Systeme infiltrierte, keine Gnade.

Mit widerstreitenden Gefühlen machte er sich an die Arbeit.

Kurze Zeit später besaß er Zugriff auf diverse Archive. Nahezu jeder Bereich der Stadt war mit Scannern versehen, die sich in Hauswänden, Ampeln und Schildern verbargen, in Türgriffen und Klingelschildern, in Werbetafeln, Etiketten und Spiegeln, Armaturen und Haushaltsgeräten. Sie lasen die Netzhaut, erfassten biometrische Daten, analysierten Gang und Gestik, zeichneten Stimmen und Geräusche auf. Während das Lauschsystem nach dem amerikanischen Vorbild der NSA schon vor Jahrzehnten perfektioniert worden war, stellte die Netzhaut-analyse ein vergleichsweise neues Phänomen dar. Auf viele Meter Entfernung erkannten Scanner die individuelle Struktur der menschlichen Iris und wiesen die Daten ihrem Besitzer zu. Mikroskopisch kleine Richtmikrofone filterten Frequenzen aus dem Lärmpegel einer belebten Kreuzung heraus, bis man Personen in aller Klarheit sprechen hörte. In der Auswertung lag die eigentliche Kunst der Überwachung. Das System erkannte gesuchte Menschen anhand ihrer Bewegungsmuster, erkannte ihr Gesicht, selbst wenn sie künstliche Bärte anklebten. Ein einziger Blick Yoyos in einen der allgegenwärtigen Scanner genügte zur Identifizierung ihrer Netzhaut, die erstmals bei ihrer Geburt datentechnisch erfasst worden war, ein weiteres Mal bei der Einschulung, dann, als sie sich an der Uni eingeschrieben hatte, schließlich bei ihrer Verhaftung und bei ihrer Entlassung.

Jerichos Computer begann zu rechnen.

Er analysierte jedes Zucken in Yoyos Augenwinkeln, tauchte ein in die kristalline Struktur ihrer Iris, maß den Grad, mit dem ihre Mundwinkel sich hoben, wenn sie lächelte, erstellte Studien der Bewegungsmuster in ihren Haaren, wenn der Wind hindurchfuhr, skalierte ihren Hüftschwung, die Spreizung ihrer Finger im Moment des Arme-Schlenkerns, die Stellung des Handgelenks, wenn sie auf etwas zeigte, ihre durchschnittliche Schrittlänge. Yoyo verwandelte sich in ein Geschöpf aus Gleichungen, einen Algorithmus, den Jericho in die phantomhafte Welt der behördlichen Überwachungsarchive entsandte in der Hoffnung, dort seiner Entsprechung zu begegnen. Den Suchzeitraum schränkte er auf die Zeit unmittelbar nach ihrem Verschwinden ein, dennoch meldete das System mehr als zweitausend Übereinstimmungen. Er lud die gestohlenen Daten auf seine Festplatte, speicherte sie unter *Yoyofiles* und klinkte sich schleunigst aus. Sein Eingreifen war unbemerkt geblieben. Zeit, mit der Auswertung zu beginnen.

Halt, ein Stein im Puzzle fehlte. So unwahrscheinlich es sein mochte, hatte dieser Student mit dem abenteuerlichen Namen möglicherweise doch etwas zu bieten. Wie nannte sich der Kerl noch? Grand Cherokee Wang.

Grand Cherokee –

Im selben Moment traf Jericho der Blitz der Erkenntnis.

Wang, hatte er bei seinen Recherchen herausgefunden, ging einem Nebenjob im World Financial Center nach, in dem auch Tus Firma saß.

Er bediente den *Silver Dragon* –

Und der *Silver Dragon* war eine Achterbahn!

Die Achterbahn war in Betrieb, außerplanmäßig. Offenbar hat die Person dort oben gearbeitet.

Jericho starrte vor sich hin. Sein Gespür sagte ihm, dass der Student weder freiwillig gesprungen war noch einen Unfall gehabt hatte. Wang war tot, weil er etwas über Yoyo wusste. Nein, nicht darum! Weil er den *Anschein* erweckt hatte, etwas über Yoyo zu wissen.

Damit erschien der Fall in völlig neuem Licht.

Er durchmaß sein riesiges Loft, ging in den Küchenbereich und sagte: »Tee. Lady Grey. Eine Tasse, doppelt Zucker, normal Milch.«

Während die Maschine das Gewünschte zubereitete, ging er durch, was er wusste. Vielleicht sah er Gespenster, doch seine Gabe, Muster zu erkennen und Zusammenhänge herzustellen, wo andere bloße Bruchstücke erblickten, hatte ihn selten getrogen. Fest stand, außer ihm war noch jemand hinter Yoyo her. An sich keine neue Erkenntnis. Sowohl Chen als auch Tu hatten die Vermutung geäußert, Yoyo sei auf der Flucht. Beide hatten sich allerdings skeptisch gezeigt, dass sie von der Polizei gejagt wurde, auch wenn Yoyo genau das glauben mochte. Dieses Mal hatten sie keine Beamten abgeholt wie zweimal zuvor, vielmehr war sie bei Nacht und Nebel untergetaucht. Warum? Die Entscheidung schien überhastet gefallen zu sein. Etwas musste Yoyos Befürchtung geweckt haben, während der nächsten Minuten oder Stunden Besuch von Leuten zu erhalten, die es nicht gut mit ihr meinten. Was also hatte sie getan, *bevor* sie das Weite suchte?

War sie gewarnt worden?

Von wem? *Vor* wem? Sofern Wang die Wahrheit gesagt hatte, war sie zum fraglichen Zeitpunkt alleine gewesen, also konnte sie einen Anruf erhalten haben: Sieh zu, dass du wegkommst. Oder eine E-Mail. Vielleicht aber auch nichts davon. Möglicherweise hatte sie etwas entdeckt, in den Nachrichten, im Netz, das ihr Angst gemacht hatte.

Die Küche ließ ihn mit schüchternem Piepsen wissen, der Tee sei fertig. Jericho griff nach dem Becher, verbrannte sich die Hand, fluchte und nahm einen winzigen Schluck. Er beschloss, den Technischen Kundendienst anzuweisen, die Maschine umzuprogrammieren. Doppelt Zucker war zu süß, einfach Zucker nicht süß genug. Nachdenklich ging er zurück in den Arbeitsbereich. Shanghais Polizisten waren nicht zimperlich, aber sie pflegten Verdächtige selten vom Dach zu werfen. Eher hätte sich Grand Cherokee Wang auf einer Wache wiedergefunden. Der Junge hatte pokern wollen. Ein Abzocker, der nichts zu verkaufen gehabt hatte, nur dass er mit seiner Tour an den Falschen geraten war.

Wem zum Teufel war Yoyo da auf die Füße getreten?

»Breaking News«, sagte er. »Shanghai. World Financial Center.«

Auf der Wand gruppierten sich Headlines und Bilder. Jericho blies in seinen Tee und bat den Computer, ihm die letzte Meldung vorzulesen.

»Vom Shanghai World Financial Center in Pudong ist heute Morgen gegen 10.50 Uhr Ortszeit ein Mann in den Tod gestürzt«, sagte eine angenehm dunkel klingende, weibliche Stimme. »Ersten Erkenntnissen zufolge handelt es sich dabei um einen Mitarbeiter des Hauses, der für die Wartung und Bedienung des *Silver Dragon* zuständig war, der höchstgelegenen Achterbahn der Welt. Zum Zeitpunkt des Vorfalls war die Bahn außerplanmäßig in Betrieb. Die Staatsanwaltschaft hat Ermittlungen gegen den Betreiber aufgenommen. Ob es sich um einen Unfall oder Selbstmord handelt, konnte bislang nicht geklärt werden, doch spricht alles für –«

»Nur die Filmberichte zeigen«, sagte Jericho.

Ein Videofenster öffnete sich. Eine junge Chinesin hatte sich in Höhe des Jin Mao Towers vor laufender Kamera postiert, sodass man den unteren Teil des World Financial Centers sehen konnte. Unter der Schicht nachlässig aufgeschminkter Betroffenheit erglühte sie vor Freude, dass ihr irgendein Trottel mit seinem Ableben vorübergehend aus dem Sommerloch half.

»Noch völlig unklar ist, warum die Achterbahn ohne Passagiere und außerhalb der regulären Betriebszeiten überhaupt fuhr«, sagte sie, in jedes Wort tiefe Geheimnisse legend. »Aufschluss könnte das Video eines Augenzeugen geben, der die Bahn zufällig filmte, als das Unglück geschah. Wenn es denn ein Unglück war. Über die Identität des Toten gibt es derzeit noch keine –«

»Das Video des Augenzeugen«, unterbrach Jericho. »Identität des Toten.«

»Das Video ist leider nicht verfügbar.« Der Computer schaffte es, einen Anflug von Bedauern durchklingen zu lassen. Jericho hatte das Emotionslevel des Systems auf 20 Prozent eingestellt. Damit klang die Stimme nicht mechanisch, sondern menschlich und warm. Außerdem befleißigte sich der Computer einer gewissen Verbindlichkeit. »Über die Identität des Toten liegen zwei Meldungen vor.«

»Bitte vorlesen.«

»Shanghai Satellite schreibt: Bei dem Toten handelt es sich offenbar um einen Mann namens Wang Jintao. Wang ist Student an –«

»Die andere Meldung.«

»Die Nachrichtenagentur Xinhua schreibt: Der Tote wurde eindeutig identifiziert als Wang Jintao. Wang, der sich auch Grand Cherokee nannte, studierte –«

»Meldungen über die genauen Umstände seines Todes.«

Es gab jede Menge Meldungen, wie sich herausstellte, ohne dass sich jemand festlegen mochte. Dennoch fügten sie sich zu einem interessanten Bild. Fest stand, dass jemand den *Silver Dragon* zehn Minuten zu früh von der Kette gelassen hatte, noch vor Eintreffen der Fahrgäste. Grand Cherokees Aufgabe hatte darin bestanden, das System zu warten und sich um die Vormittagsbesucher zu kümmern, was konkret hieß, abzukassieren und die Bahn zu starten. Außer ihm hätte sich zum fraglichen Zeitpunkt niemand dort oben aufhalten dürfen, allerdings gab es Hinweise darauf, dass möglicherweise doch jemand da gewesen war. Zwei Mitarbeiter aus der Sky Lobby wollten gesehen haben, wie Wang einen Mann in Empfang nahm und mit ihm in einem der Aufzüge verschwand. Zusätzliche Hinweise schien das Video des Amateurfilmers zu liefern, demzufolge sich Wang, während die Bahn bereits fuhr, auf den Schienen herumgetrieben hatte.

Was zum Teufel hatte Wang da gemacht?

Möglich, dass er die Bahn unabsichtlich gestartet hatte, mutmaßte ein kurzer Artikel des *Shanghai Satellite*. Selbstmord erschien einleuchtender. Andererseits, warum sollte ein Selbstmörder ein Gleis entlangbalancieren, wenn er einfach aus dem offenen Bahnhof hätte springen können? Zumal, wie ein weiterer Artikel vermeldete, immer mehr darauf hindeutete, dass Wang gar nicht gesprungen, sondern von dem heranrasenden Zug über den Haufen gefahren worden war.

Doch ein Unfall? Jedenfalls sprach niemand von Mord, nur von einem möglichen Fremdverschulden war hier und da die Rede.

Zwei Minuten später war Jericho schlauer. Xinhua meldete, die Aufzeichnungen der Überwachungskameras lägen nun vor. Wang habe sich in Begleitung eines hochgewachsenen Mannes befunden, der die Etage unmittelbar nach dem Absturz verließ. Offenbar habe es Streit zwischen beiden gegeben, definitiv sei Wang ungesichert über die Schienen gelaufen und in Höhe des Südpfeilers mit der Bahn kollidiert.

Jericho trank seinen Tee aus und dachte nach.

Warum hatte der Junge sterben müssen?

Wer war sein Mörder?

»Computer«, sagte er. »Öffne *Yoyofiles*.«

Mehr als zweitausend Übereinstimmungen. Wo sollte er anfangen? Er beschloss, den Übereinstimmungsgraduenten mit 95 Prozent anzusetzen, woraufhin 117 Files verblieben, auf denen das Überwachungssystem Yoyo zu erkennen glaubte.

Er befahl, direkte Augenkontakte zu selektieren.

Es gab nur einen, in unmittelbarer Nähe von Yoyos Wohnblock, erfolgt um 02.47 Uhr. Jericho vermochte nicht zu sagen, wo genau sich der Scanner befand, aber er vermutete ihn in einem Straßenschild. In einer separaten Datei waren die exakten Koordinaten vermerkt. Ohne jeden Zweifel war die Frau auf der gegenüberliegenden Straßenseite Yoyo. Sie saß auf einem Motorrad ohne Kennzeichen und hielt den Kopf gesenkt, beide Hände um einen Helm geschlossen. Unmittelbar bevor sie ihn aufsetzte, hob sie den Blick und schaute direkt in den Scanner, dann klappte sie ein spiegelndes Visier herunter und raste davon.

»Erwischt«, murmelte Jericho. »Computer, lass den Film zurücklaufen.«

Yoyo nahm den Helm schwungvoll wieder ab.

»Stop.«

Sie sah ihm direkt in die Augen.

»Vergrößern auf 230 Prozent.«

Die neuartige Wand gestattete es, Yoyo in Lebensgröße zu projizieren. So wie sie auf ihrer Maschine saß, plastisch in dreidimensionaler Umgebung, war es, als habe sich in seinem Loft ein Tor zur Nacht aufgetan. Er hatte den Vergrößerungsfaktor gut eingeschätzt. Yoyo manifestierte sich allenfalls drei oder vier Zentimeter größer, als sie tatsächlich war, und das Bild blieb gestochen scharf. Ein System, das über eine Straße hinweg die Struktur einer Iris erkannte, hatte nicht von ungefähr den Spitznamen Porenzähler. Jericho wusste, dass dieser Blick vorerst das Letzte sein würde, was er von Yoyo zu sehen bekam, also versuchte er, darin zu lesen.

Du hast Angst, dachte Jericho. Aber du verbirgst sie gut.

Außerdem bist du zu allem entschlossen.

Er trat zurück. Yoyo trug helle Jeans, kniehohe Stiefel, ein bedrucktes T-Shirt, das ihr bis über die Hüften reichte, und eine kurze, geblähte Jacke aus Knautschlack, die aussah, als entstamme sie einer der Sprühdosen, die er in ihrem Zimmer gefunden hatte. Der größte Teil der Schrift auf dem Shirt lag im Schatten oder unter dem Knautschlack, nur weniges schaute heraus, wo die Jacke auseinanderfiel. Er würde sich später damit beschäftigen.

»Such diese Person im Ordner *Yoyofiles*«, sagte er. »Übereinstimmung 90 Prozent.«

Sofort erhielt er die Antwort: 76 Übereinstimmungen. Er überlegte, ob er sich all diese Überwachungsfilme zeigen lassen sollte, stattdessen wies er den Computer an, die Koordinaten der Aufnahmen auf einen Stadtplan von Shanghai zu übertragen. Einen Wimpernschlag später erschien der Plan auf der Wand, versehen mit Yoyos Route, dem Weg, den sie in der Nacht ihres Verschwindens genommen hatte. Die letzte Aufnahme war schräg gegenüber dem *Demon Point* erfolgt, der kleinen Werkstatt für Hybrid- und E-Bikes. Von da an verlor sich ihre Spur.

Sie war in der vergessenen Welt.

Dass Yoyo Chancen hatte, in Quyu unentdeckt zu bleiben, verdankte sich dem Umstand, dass es dort kaum Überwachungssysteme gab. Dennoch war Quyu kein Slum im klassischen Sinne, nicht gleichzusetzen mit den wuchernden Wundrändern, die Kalkutta, Mexico City oder Bombay umgaben und infektiös aufs Land übergriffen. Shanghai als Global City vom Range New Yorks brauchte Quyu in gleichem Maße wie der Big Apple die Bronx, was zur Folge hatte, dass die Stadt die Gegend in Ruhe ließ. Weder fiel sie mit Bulldozern dort ein noch führte sie Razzien durch. In den Jahren nach dem Millennium hatte man die Altstädte und Elendsviertel der Innenbezirke Shanghais systematisch abgerissen, bis die Gebiete frei von authentischer Geschichte dalagen. Wo der Außenbezirk Boashan an diesen inneren Kern grenzte, war Quyu herangewachsen, und man hatte es wachsen lassen, so wie man das Entstehen einer Wildnis zuließ, um sich das Geld für den Gärtner zu sparen. Nordwestlich des Huangpu markierte Quyu nunmehr den Übergang zu Arealen provisorischer Siedlungen, Rudimenten von Dörfern, verfallenen Kleinstadtzentren und aufgelassenen Industriegebieten – ein Moloch, der mit jedem Jahr weiter um sich griff und den letzten Rest einer Region verschluckte, die einmal als ländlich gegolten hatte.

Im Innern autark, von außen bewacht wie ein Gefängnis, bot Quyu eines der erstaunlichsten Beispiele für die Urbanisierung von Armut im 21. Jahrhundert. Die Bevölkerung setzte sich zusammen aus Menschen, die ihre ursprünglichen Viertel im Herzen Shanghais hatten verlassen müssen und hierher umgesiedelt worden waren, Bewohnern ehemaliger, von Quyu absorbierter Gemeinden, Migranten aus armen Provinzen, angelockt von den Verheißungen der Globalopolis und mit befristeter Aufenthaltsgenehmigung, die nie jemand kontrollierte, Heerscharen illegaler, behördlich inexistenter Arbeiter. Jeder in Quyu war arm, einige allerdings weniger arm als andere. Das meiste Geld wurde im Drogenhandel und in der Vergnügungsbranche verdient, die vornehmlich Prostitution umfasste. Eine in jeder Hinsicht informelle Gesellschaft bevölkerte Quyu, durchweg ohne Krankenversicherung, ohne Anspruch auf Altersversorgung oder Arbeitslosenunterstützung. Dennoch mehr als ein Volk von Bettlern.

Denn die meisten hatten ja Arbeit. Sie standen an Fließbändern und auf Baugerüsten, hielten Parks und Straßen sauber, lieferten Waren aus und reinigten die Wohnungen der Begüterten. Wie Geister erschienen sie in der registrierten Welt, machten ihren Job und entmaterialisierten sich, sobald sie nicht mehr gebraucht wurden. Sie waren arm, weil jeder, der in Quyu lebte, binnen 24 Stunden ersetzt werden konnte. Sie blieben es, weil sie der Definition des greisen Bill Gates zufolge Teil einer Weltgesellschaft waren, die sich in Vernetzte und Nichtvernetzte aufspaltete, und in Quyu war niemand vernetzt, selbst wenn er ein Handy oder einen Computer besaß. Vernetzt zu sein hieß, das globale Hochgeschwindigkeitsspiel mitzuspielen und keine Sekunde in seiner Aufmerksamkeit nachzulassen. Es hieß, relevante von irrelevanter Information zu separieren und dadurch Vorteile zu erringen, die man einbüßte, sobald man vom Netz abgeschnitten war. Es erforderte, in jeder Sekunde besser, schneller, preiswerter, innovativer und flexibler zu sein als die Konkurrenz, im Bedarfsfall seinen Wohnort zu wechseln oder seinen Job.

Es hieß, zum Spiel zugelassen zu werden.

Die Zukunft, hatte Gates gesagt, wird die Zukunft der Vernetzten sein. Nichtvernetzte Gesellschaften hatten demzufolge keine Zukunft. Individuen, die nicht vernetzt waren, glichen Spinnen, die keine Fäden produzierten. Nichts blieb für sie hängen. Sie mussten verhungern.

Offiziell war in Quyu noch niemand verhungert. Auch wenn Chinas Machthaber am blinden Fleck litten, sobald es um Slums oder Slum-ähnliche Viertel ging, ließen sie den Hungertod auf Shanghais Straßen nicht so einfach zu. Weniger aus Menschenliebe, sondern weil es sich im Weltfinanzzentrum Shanghai schlicht verbat. Andererseits hatten offizielle Stellungnahmen zum Thema Quyu nicht den geringsten Wert. Was sollte es Offizielles zu berichten geben aus einem Stadtteil, dessen Demografie im Dunkel lag, der als unregierbar und unkontrollierbar galt und sich auf undurchschaubare Weise selbst verwaltete, auf dessen Gebiet sich die Polizei kaum blicken ließ, während sie seine Ränder regelrecht befestigt hatte? Man wusste, es gab eine Infrastruktur, es gab Behausungen, einige menschenwürdig, andere kaum mehr als triefende Löcher. Trinkwasser war knapp, der Strom fiel regelmäßig aus, durchweg mangelte es an sanitären Einrichtungen. Es gab Ärzte und Ambulanzen in Quyu, Krankenhäuser, Schulen und Kindergärten, Imbissstuben, Teestuben, Kneipen, Kinos und Kioske und Straßenmärkte, wie sie aus dem regulären Shanghai fast zur Gänze verschwunden waren. Wie genau das Leben in Quyu verlief, wusste man hingegen nicht. In Quyu begangene Verbrechen wurden kaum verfolgt, auch dies Ausdruck der stillschweigenden Übereinkunft, das Viertel sich selbst zu überlassen und es von der Dynamik der Fortschrittsgesellschaft abzukoppeln. Weder förderte man die Bewohner noch zog man sie zur Rechenschaft, sofern sie sich nicht außerhalb ihres angestammten Lebensraumes vergingen. Wo es keine Zukunft gab, existierte ebenso wenig eine Vergangenheit, zumindest keine, derer man sich rühmen oder auf die man gründen konnte. Als nicht Vernetzter lebte man außerhalb der Zeit, in den dunklen Regionen eines Universums, dessen leuchtende Zentren durch mehrstöckige Autobahnen und Skytrains untereinander verbunden waren. Zwar führten die kürzesten Wege vom Zentrum Shanghais zu den luxuriösen Trabantenstädten durch Viertel wie Quyu, nur dass man die vergessene Welt dafür nicht durchqueren und zur Kenntnis nehmen musste. Man *überquerte* sie, so wie man einen Sumpf überquerte.

Eine Zeit lang hatte Shanghais Bezirksverwaltung bei der Pekinger Führung die Frage aufgeworfen, ob von Quyu ein Aufstand ausgehen könne. Niemand bezweifelte, dass dort Terroristen und Verbrecher Unterschlupf fanden. Allerdings stand der Forderung, das Gebiet strenger staatlicher Kontrolle zu unterwerfen, die Skepsis gegenüber, ob sich eine Flickengesellschaft aus ehemaligen Bauern, Fließbandarbeiterinnen, Dienstboten und Bauarbeitern je zu so etwas wie einer Proletarierrevolte zusammenfinden würde. Terror im großen Stil war eher im bürgerlichen Lager zu erwarten, wo man Zugriff auf Datenautobahnen und Hightech jeder Art hatte. Konventionelle Verbrecher hingegen würden sich in Quyu umso wohler fühlen, je weniger Gefahr ihnen dort drohte. Wann hatte sich die Mafia schon zum Klassenkampf aufgerafft? Am Ende setzte sich die Einsicht durch, dass jeder Verbrecher in Quyu einer weniger außerhalb Xaxus war, was eine klare Empfehlung Pekings zur Folge hatte:

Vergesst Quyu.

Die Welt, in die Yoyo eingetaucht war, gehörte damit zu den neuen weißen Flecken auf der Landkarte der Verstädterung. Jericho fragte sich, ob je einer in Quyu auf den Gedanken gekommen war, dass es auch eine Form der Diskriminierung war, *nicht* überwacht zu werden.

Wohl kaum.

Den Abend hatte er damit verbracht, im Netz nach Texten zu suchen, die Yoyo seit ihrem Verschwinden verfasst haben mochte. Dabei bediente er sich der gleichen Technologie wie *Diamond Shield* auf seiner fiebrigen Suche nach Dissidenten oder amerikanische Geheimdienste im Hamsterrad des Antiterrorkampfes, und wie er sie selbst gegen Ma Liping eingesetzt hatte. Tipprhythmen auf Computertastaturen nahmen es an Einzigartigkeit durchaus mit Fingerabdrücken auf. Ein Verdächtiger ließ sich im selben Moment identifizieren, da er zu schreiben begann und seinen Text einem Browser anvertraute. Noch interessanter waren die Fortschritte in der *Social Network Analysis:* Wortschatz, favorisierte Metaphern, alles hinterließ grammatische und semantische Spuren. Wenige Hundert Worte reichten dem Computer, um mit fast einhundertprozentiger Sicherheit auf den Verfasser zu schließen. Vor allem aber: Das System fügte nicht blind Worte zusammen, es erkannte Sinnzusammenhänge. In gewisser Weise verstand es damit, was der Verfasser zum Ausdruck bringen wollte. Es entwickelte eine unbewusste Intelligenz und die Fähigkeit, ganze Netzwerke aufzuspüren, weltumspannende Strukturen des Terrors und des organisierten Verbrechens, in denen Neonazis, Bombenleger, Rassisten und Hooligans, die Tausende Kilometer voneinander entfernt lebten und sich im wahren Leben gegenseitig die Knochen gebrochen hätten, in virtueller Eintracht zusammenfanden.

Was half, Anschläge zu verhindern, Pädophilen auf die Spur zu kommen und Wirtschaftsspionage aufzudecken, hatte sich für Dissidenten und Menschenrechtler indes zum Albtraum entwickelt. Es verwunderte kaum, dass gerade repressive Systeme ein ausgeprägtes Interesse an den Methoden der *Social Network Analysis* entwickelten. Dennoch war es Yoyo gelungen, die Analyseprogramme der Staatssicherheit auszutricksen, bis sie vor wenigen Tagen aufgeflogen und identifiziert worden war. *Falls* es sich so verhielt. Wenigstens musste Yoyo es angenommen haben, was ihre heillose Flucht erklärte.

Unverständlich blieb, *wie* sie es hatte merken können.

Jericho gähnte.

Er war hundemüde. Die ganze Nacht über hatte er den Computer nach Spuren und Indizien suchen lassen. Ihm war klar, dass Yoyo sich so schnell nicht würde finden lassen. Jahrelang hatte sich die Internetpolizei an ihr die Zähne ausgebissen. Vermutlich konnte sie die Algorithmen der Analyseprogramme rauf und runter singen, bei Tu Technologies saß sie zudem im Jadetempel der Erkenntnis. Einigermaßen ratlos fragte er sich, wie er etwas schaffen sollte, das bis vor

Kurzem nicht einmal dem Staat gelungen war, doch er hatte einen unschätzbaren Vorteil auf seiner Seite.

Er wusste um Yoyos Identität als *Wächter*.

Während der Computer ihren virtuellen Schatten jagte, hatte Jericho die restlichen Kisten ausgepackt und das Loft in etwas verwandelt, das einer Wohnung recht nahekam. Als schließlich die Möbel standen, die Bilder an den Wänden hingen und seine Kleider im Schrank, als alles eingeräumt und an seinem Platz war und die *Trois Gymnopédies* von Erik Satie leise durch Raum und Zeit perlten, fühlte er sich erstmals seit Tagen wieder beglückt und frei von den Bildern aus Shenzhen, und auch an Yoyo hatte er vorübergehend jedes Interesse verloren.

Owen Jericho, eingewoben in Musik und Selbstzufriedenheit.

»Übereinstimmung«, meldet der Computer.

Störend.

So störend, dass er spontan beschließt, das Verbindlichkeitslevel des Programms um 30 Prozent heraufzusetzen. Wenigstens klingt der Computer nun so, dass man bereit wäre, ihm einen Kaffee oder ein Glas Wein anzubieten.

»Es gibt da einen Eintrag in einem Blog, der auf Yoyo schließen lässt«, sagt die warme, weibliche Stimme, beinahe ein Mensch. »Sie hat einen kurzen Text auf *Brilliant Shit* veröffentlicht, einem Forum für Mando-Prog. Soll ich ihn vorlesen?«

»Bist du überzeugt, dass es Yoyo ist?«

»Fast überzeugt. Sie versteht sich zu tarnen. Ich schätze, Yoyo arbeitet mit Verzerrern. Was meinst du?«

Ohne Verbindlichkeitsregelung klänge dieselbe Aussage so:

»Übereinstimmung 84,7 Prozent. Wahrscheinlichkeit Verzerrereinsatz 90,2 Prozent.«

»Ich halte es für ziemlich wahrscheinlich, dass sie mit Verzerrern arbeitet«, bestätigt Jericho.

Verzerrer sind Programme, die den persönlichen Stil des Verfassers nachträglich verändern. Sie erfreuen sich wachsender Beliebtheit. Manche transkribieren Texte in die Stilistik großer Schriftsteller und Lyriker, sodass, was man in aller Unbekümmertheit absondert, den Empfänger in der Ausdrucksweise Thomas Manns, Ernest Hemingways oder Jonathan Franzens erreicht. Andere Programme imitieren Politiker. Kritisch wird es, wenn Hacker mit sinistren Absichten die Profile anderer, meist ahnungsloser User cracken und sich ihres Stils bedienen. Viele Dissidenten im Netz arbeiten jedoch mit Verzerrern, die Korrekturen per Zufallsgenerator vornehmen und sich dabei einer Vielfalt von Alltagsstilen bedienen. Entscheidend ist, dass der Sinn der Aussage erhalten bleibt.

Und genau hier liegt die Schwäche der meisten Programme.

»Elemente des Eintrags sind stilistisch nicht homogen«, sagt der Computer. »Das bestätigt deine Theorie, Owen.«

Nett, der Gebrauch des Vornamens. Höflich auch, es als *seine* Theorie darzustellen, als hätte nicht der Computer die Verzerrer ins Spiel gebracht. 50 Prozent Verbindlichkeit sind weiß Gott genug. 80 Prozent, und der Computer würde ihm in den Arsch kriechen. Jericho zögert. Eigentlich hat er keine Lust mehr, die Maschine mit Computer anzusprechen. Wie könnte man das Mädchen nennen? Vielleicht –

Er programmiert ihr einen Vornamen ein.

»Diane?«

»Ja, Owen.«

Wunderbar. Diane gefällt ihm. Diane ist die neue Frau an seiner Seite.

»Bitte lies die Meldung vor.«

»Gerne. *Hi alle. Bin seit ein paar Tagen wieder in unserer Galaxis. Hatte echt Stress die letzten Tage, ist irgendjemand sauer auf mich? Ich konnte nix dafür, wirklich nicht. Ging alles so rasch. Scheiße. So schnell gerät man in Vergessenheit. Fehlt nur noch, dass mich die alten Dämonen wieder heimsuchen. Na ja, ich schreib halt fleißig neue Songs. Falls aus der Band einer fragt: Wir treten auf, sobald ich ein paar wohlklingende Lyrics am Start habe. Let's Prog!*«

Einmal mehr fragt sich Jericho, wie das Programm aus derartigem Wirrwarr auf den Verfasser schließen kann, aber die Erfahrung lehrt, dass noch weniger ausreicht. Nun, er muss das nicht verstehen. Er ist User, kein Programmierer.

»Gib mir eine Analyse«, sagt er. Eigentlich ist es ganz gemütlich geworden mit Satie und der samtweichen Stimme.

»Gerne, Owen.«

Das heißt, dieses »Gerne« muss er loswerden. Es erinnert ihn an HAL 6000 aus *Space Odyssey*. Jeder sprechende Computer seit Erfindung des Navigationssystems eifert dem durchgeknallten HAL nach.

»Der Text soll rotzig klingen«, sagt der Computer. »Stilbrüche entstehen jedoch durch die Vokabeln *rasch* und *wohlklingende. Die alten Dämonen wieder heimsuchen* wirkt gestelzt, ich denke, der Verzerrer hatte darauf keinen Einfluss. Alles andere sind Kleinigkeiten, *Lyrics am Start* ist zum Beispiel nicht im Stil der Sätze zwei und drei.«

»Was sagt dir der Inhalt?«

»Schwierig. Ich hätte ein paar Vorschläge für dich. Erstens, *Galaxis*. Das kann salopp gemeint sein oder als Synonym für etwas stehen.«

»Zum Beispiel.«

»Wahrscheinlich für einen Ort.«

»Weiter.«

»*Dämonen*. Du hast bereits nach Dämonen gesucht. Ich vermute, Yoyo bezieht sich auf die *City Demons* oder *City Damons*.«

»Ich bin der gleichen Ansicht. Die *Damons* waren übrigens ein Schlag ins Wasser. Noch was Auffälliges?«

Der Computer zögert. Ein Verbindlichkeitszögern.

»Ich weiß zu wenig über Yoyo. Zu den übrigen Formulierungen und Begriffen könnte ich dir rund 380 000 Deutungen anbieten.«

»Lass mal stecken«, murmelt Jericho.

»Ich fürchte, das habe ich nicht verstanden.«

»Macht nichts. Bitte suche in Shanghai nach dem Begriff Galaxis in Verbindung mit einer Örtlichkeit.«

Diesmal zögert der Computer nicht. »Keine Einträge.«

»Gut. Lokalisiere, von wo der Text abgeschickt wurde.«

»Gerne.« Der Computer nennt ihm die Koordinaten. Jericho ist verblüfft. Er hat nicht erwartet, dass der Weg der Nachricht so einfach zu rekonstruieren ist. Man sollte annehmen, dass Yoyo um mehr Ecken herum kommuniziert.

»Bist du ganz sicher, dass es kein zwischengeschalteter Browser ist, den du gefunden hast?«

»Zu einhundert Prozent sicher, Owen. Die Nachricht ist von dort abgeschickt worden, am Morgen des 24. Mai um 6.24 Uhr Ortszeit.«

Jericho nickt. Das ist gut. Das ist sehr gut!

Damit wird seine Hoffnung zur Gewissheit.

VERGESSENE WELT

Als Jericho das COD über die Huaihai Dong Lu in Richtung Hochtrasse lenkte, fasste er seine Schlussfolgerungen der vergangenen Nacht noch einmal zusammen.

Hi alle. Bin seit ein paar Tagen wieder in unserer Galaxis.

Konnte heißen, bin seit einigen Tagen wieder in Quyu. Einleuchtend. Weniger, warum Yoyo Quyu als Galaxis bezeichnete. Eher stand zu vermuten, dass sie einen bestimmten Platz in Quyu meinte.

Hatte echt Stress die letzten Tage, ist irgendjemand sauer auf mich?
Stress: Klar.

Und warum sollte jemand sauer sein? Auch das war relativ einfach zu beantworten. Yoyo stellte damit keine Frage, sie gab eine Information. Dass jemand sie aufgespürt hatte, dass von diesem Jemand Gefahr ausging und sie nicht sicher war, mit wem sie es zu tun hatte.

Ich konnte nix dafür, wirklich nicht. Ging alles so rasch. Scheiße.

Schwierig. Sie hatte überstürzt die Flucht ergriffen. Aber was bedeutete der erste Teil? Wofür konnte sie nichts?

So schnell gerät man in Vergessenheit.

Simpel. Quyu, die vergessene Welt. Beinahe unoriginell. Yoyo musste es sehr eilig gehabt haben, die Nachricht abzusondern.

Fehlt nur noch, dass mich die alten Dämonen wieder heimsuchen.

Noch simpler: City Demons, ihr wisst, wo ich bin.

Na ja, ich schreib halt fleißig neue Songs. Falls aus der Band einer fragt: Wir treten auf, sobald ich ein paar wohlklingende Lyrics am Start habe. Let's Prog!«

Sollte heißen, ich versuche, die Probleme so schnell wie möglich in den Griff zu bekommen. Bis dahin tauchen wir ab.

Und wer ist *wir*?

Die *Wächter*.

Quer zu Jericho verlief die Stadtautobahn. Eine achtspurige Straße mit einem Verkehrsaufkommen, das für 16 Spuren gereicht hätte, überspannt von einer mehrgeschossigen Hochtrasse. Autos, Busse und Transporter krochen durch den Vormittag wie durch Aspik. Zu Hunderttausenden fielen Pendler aus den Satellitenstädten in die City ein, Taxifahrer brüteten dumpf vor sich hin. Nicht einmal Biker fanden Gelegenheit, sich hindurchzuschlängeln. Alle trugen Mundschutz, dennoch hätte man erwarten sollen, sie blau anlaufen und aus dem Sattel kippen zu sehen. Obwohl nirgendwo auf der Welt so viele Fahrzeuge mit Brennstoffzellen, Wasserstoffmotoren und Elektroantrieben im Einsatz waren wie in chinesischen Metropolen, lastete eine Decke aus Abgasen über der Stadt.

Hoch über allem verlief eine besondere Trasse. Sie ruhte auf schlanken Teleskopbeinen, war erst vor wenigen Jahren in Betrieb genommen worden und ausschließlich CODs vorbehalten. Inzwischen verbanden COD-Trassen sämtliche wichtigen Punkte der Stadt und führten bis hinaus zu den Trabantenstädten und ans Meer, manche in Schwindel erregenden Höhen. Jericho fädelte sich in die steile Auffahrt ein, wartete, bis sich sein Fahrzeug in die Schiene einklinkte, und gab die Zielkoordinaten ein. Von jetzt an brauchte er das COD nicht mehr zu steuern, was er im Übrigen auch nicht gekonnt hätte. Sobald CODs Teile des Systems geworden waren, spielte der Fahrer keine Rolle mehr.

In einer Reihe identischer Fahrzeuge erklomm Jerichos COD die Schräge. Auf Höhe der Trasse sah er unzählige der kabinenartigen Gefährte mit über 300 Stundenkilometern dahinrasen, silbern aufblitzend in der hoch stehenden Sonne. Eine Etage darunter war hingegen jede Fortbewegung zum Erliegen gekommen.

Er lehnte sich zurück.

Die Fahrzeuge, die sich über die Außenspur näherten, bremsten gerade so viel ab, dass es reichte, um eine exakt bemessene Lücke zu schaffen, in die sich sein Gefährt einfädelte. Jericho liebte den Moment der rapiden Beschleunigung, als das COD Fahrt aufnahm. Kurz wurde er in die Rückenlehne gepresst, dann hatte es seine Reisegeschwindigkeit erreicht. Sein Handy ließ ihn wissen, er habe eine Computermitteilung erhalten. Das Display scannte seine Iris. Eine zusätzliche Stimmautorisierung war unnötig, doch Jericho bewegte sich gern auf doppeltem Boden.

»Owen Jericho«, sagte er.

»Guten Morgen, Owen.«

»Hallo, Diane.«

»Ich habe den Schriftzug auf Yoyos T-Shirt analysiert. Möchtest du das Ergebnis sehen?«

Damit hatte er den Computer beauftragt, bevor er losgefahren war. Er verband sein Handy mit der Schnittstelle im Armaturenbrett des Wagens.

»Wie lautet er?«

»Es ist offenbar ein Symbol.«

Auf dem Monitor des COD erschien ein großes A. Zumindest vermutete Jericho, dass es ein A sein sollte. Der mittlere Balken fehlte, dafür umspannte ein ausgefranster, elliptischer Ring den Winkel. Darunter waren vier Buchstaben zu lesen: NDRO.

»Hast du das Symbol im Netz abgeglichen?«

»Ja. Was du siehst, ist das Ergebnis der Bildbearbeitung. Eine Annäherung von hoher Wahrscheinlichkeit. Im Datenbestand taucht das Symbol nirgendwo auf. Bei den Buchstaben könnte es sich um eine Abkürzung handeln oder um das Fragment eines Wortes. Ich habe NDRO mehrfach als Abkürzung gefunden, jedoch nicht in China.«

»Auf welches Wort tippst du?«

»Meine Favoriten sind: androgyn, Android, Andromeda.«

»Danke, Diane.« Jericho überlegte. »Kannst du nachsehen, ob ich das Schlafzimmerfenster offen gelassen habe?«

»Es ist offen.«

»Bitte schließe es.«

»Wird gemacht, Owen.«

Das COD wies ihn darauf hin, dass es die Trasse in wenigen Sekunden verlassen werde. Nur vier Minuten hatte es für die knapp zwanzig Kilometer gebraucht. Jericho entnahm das Handy der Schnittstelle. Das COD wurde langsamer, scherte aus und fädelte sich in die Schlange der Fahrzeuge ein, die unmittelbar vor Quyu das Netz verließen. Relativ zügig gelangte er über den Zubringer nach unten und auf die Hauptstraße. Auch hier, weit außerhalb der City, floss der Verkehr zäh dahin, doch wenigstens ging es voran. Quyu war von der Stadt durch eine mehrspurige Autobahn abgetrennt. Herausführende Straßen wurden dank Sperren zu Nadelöhren gebündelt, alle in unmittelbarer Nähe von Polizeiwachen. Zudem gab es Militärkasernen im Osten und im Westen. Allerdings konnten sich die wenigsten Menschen in Quyu ein Auto oder die Benutzung eines CODs leisten, sodass U-Bahn-Linien und Trolley-Busse das Viertel mit der Stadt verbanden.

Die Werkstatt der City Demons lag knapp außerhalb Xaxus in einem historischen Teil, keine zwei Kilometer westlich von hier. Es war eines der letzten wirklich alten Viertel. Vormals ein Dorf oder eine ländliche Kleinstadt, würde es früher oder später Phalanxen moderner, anonymer Häuser weichen müssen. Nachdem die Innenstadt komplett umgestaltet war, machten sich die Planer nun über die Peripherie her.

Nur Quyu würde wie immer unangetastet bleiben.

So schnell er über die COD-Trasse hergelangt war, so quälend lange brauchte er, um das Viertel zu erreichen. Es handelte sich um eine typische Siedlung alter Prägung. Ein- bis dreigeschossige Steinbauten mit dunkelroten und schwarzen Giebeln entlang belebter Straßen, von denen etliche Gässchen und Innenhöfe abzweigten. Offene Läden und Imbissbuden duckten sich unter farbigen Markisen, Wäscheleinen spannten sich von Haus zu Haus. Die Werkstatt *Demon Point* nahm das Erdgeschoss eines rußig verfärbten Hauses ein, dessen erster Stock von lückenhaften Holzbalkonen umlaufen wurde. Die Fenster ließen einige Scheiben vermissen, andere waren angelaufen.

Jericho parkte das COD in einem Seitenweg und schlenderte zur Werkstatt hinüber. Mehrere schöne Hybrid- und E-Bikes reihten sich vor weniger ansehnlichen Exemplaren auf. Niemand war zu sehen, dann trat ein magerer Junge in Shorts und ausgeleiertem, ölverschmiertem T-Shirt aus einem winzigen Büro und machte sich mit Lappen und Politur an einem der E-Bikes zu schaffen.

»Guten Tag«, sagte Jericho.

Der Junge sah kurz auf und widmete sich wieder seiner Arbeit. Jericho ging neben ihm in die Hocke.

»Sehr schönes Bike.«

»Mhm.«

»Ich seh dich polieren. Bist du einer von denen, die den Nordkoreanern im *Club dkd* die Fresse poliert haben?«

Der Junge grinste und wienerte weiter.

»Das war Daxiong.«

»Hat er gut gemacht.«

»Er hat den Wichsern gesagt, sie sollen das Maul halten. Obwohl sie in der Überzahl waren. Hat gesagt, dass er keinen Bock auf ihre Faschistenscheiße hat.«

»Ich hoffe, er hatte dadurch keinen Ärger.«

»Bisschen schon.« Erst jetzt schien der Junge zu kapieren, dass jemand, den er gar nicht kannte, ein Gespräch mit ihm in Gang gesetzt hatte. Er ließ den Lappen sinken und sah Jericho misstrauisch an. »Wer sind Sie überhaupt?«

»Ach, ich wollte eigentlich nach Quyu. Purer Zufall, dass ich eure Werkstatt hier sah. Und nachdem ich den Eintrag im Blog gelesen hatte – Na ja, ich dachte, wenn ich schon mal hier bin –«

»Interesse an 'nem Bike?«

Jericho erhob sich. Sein Blick folgte der ausgestreckten Hand des Jungen. Im hinteren Teil der Werkstatt war ein stattlicher Elektro-Chopper aufgebockt. Das Hinterrad fehlte.

»Warum nicht?« Er trat zu der Maschine und bewunderte sie nach Kräften. »Trage mich schon seit Jahren mit dem Gedanken, einen Chopper anzuschaffen. Lithium-Aluminium-Batterien?«

»Klar. Macht 280 Sachen.«

»Reichweite?«

»400 Kilometer. Mindestens. Sind Sie aus der Innenstadt?«

»Mhm.«

»Die Hölle für Autos. Sie sollten sich das überlegen.«

»Sicher.« Jericho zog sein Handy hervor. »Leider kenne ich mich hier oben kaum aus. Ich soll jemanden treffen, aber du weißt ja, wie das in Quyu so ist mit Adressen. Vielleicht kannst du mir weiterhelfen.«

Der Junge zuckte die Achseln. Jericho projizierte das A mit dem verwaschenen Ring auf die Rückwand der Werkstatt. Die Augen des Jungen verrieten, dass er es kannte.

»Da wollen Sie hin?«

»Ist es weit?«

»Nicht wirklich. Sie müssen nur –«

»Halt die Klappe«, sagte jemand hinter ihnen.

Jericho drehte sich um und starrte auf eine Brust, die irgendwo im Südosten begann und weiter im Nordosten endete. Hoch oberhalb der Brust musste etwas sein, womit das Ding dachte. Er legte den Kopf in den Nacken und gewahrte eine rasierte Kugel mit derart stark geschlitzten Augen, dass selbst einem Chinesen Zweifel kommen mussten, ob man damit sehen konnte. Eine bläuliche Kinnapplikation erinnerte an einen Pharaonenbart. Die offene Lederjacke gab den Blick frei auf den Schriftzug *City Demons.*

»Schon gut.« Der Junge schickte einen unsicheren Blick nach oben. »Er hat ja nur gefragt, wo –«

»Was?«

»Alles okay.« Jericho lächelte. »Ich wollte wissen, ob –«

»Was? Was wollen Sie wissen?«

Das Gebirge machte keine Anstalten, sich zu ihm herunterzuneigen, was die Konversation erheblich vereinfacht hätte. Jericho trat einen Schritt zurück und richtete den Beamer wieder auf die Wand.

»Tut mir leid, wenn ich ungelegen komme. Ich suche eine Adresse.«

»Eine Adresse?« Sein Gegenüber drehte den massigen Schädel und richtete seine Sehschlitze auf die Projektion.

»Ich meine, ist es überhaupt eine Adresse?«, fragte Jericho. »Ich besitze lediglich –«

»Von wem haben Sie das?«

»Von jemandem, der wenig Zeit hatte, mir den Weg zu erklären. Jemand aus Quyu. Ich will ihm helfen.«

»Wobei?«

»Soziale Probleme.«

»Gibt es irgendjemanden in Quyu, der die nicht hat?«

»Eben.« Jericho beschloss, sich die Behandlung nicht länger bieten zu lassen. »Was ist nun? Ich möchte die Person ungern warten lassen.«

»Außerdem interessiert er sich für den Chopper!«, fügte der Junge in einem Tonfall hinzu, als habe er die Maschine bereits für eine horrende Summe an Jericho verhökert.

Das Gebirge schürzte die Lippen.

Dann lächelte es.

Die Abweisung schmolz förmlich aus den Gesichtszügen heraus und machte breitester Freundlichkeit Platz. Eine riesige Pranke durcheilte das Universum und landete klatschend auf Jerichos Schulter.

»Warum haben Sie das nicht gleich gesagt?«

Das Eis war gebrochen. Die plötzliche Herzlichkeit fand ihren Niederschlag allerdings nicht in Auskünften, sondern einer detaillierten Beschreibung sämtlicher Vorzüge, die der Chopper angeblich hatte, um in der Nennung einer exorbitanten Summe zu gipfeln. Dabei brachte der Unhold das Kunststück fertig, das fehlende Hinterrad extra zu berechnen.

Jericho nickte und nickte. Am Ende schüttelte er den Kopf.

»Nicht?«, wunderte sich der Riese.

»Nicht für den Preis.«

»Gut. Nennen Sie Ihren.«

»Ich schlage was anderes vor. Ein A mit Fransengürtel und vier ominösen Buchstaben darunter. Sie erinnern sich? Ich fahre hin, ich komme zurück. Danach handeln wir.«

Der Riese produzierte Falten auf seiner Stirn. Denkfalten, wie Jericho vermutete. Dann beschrieb er ihm eine Route, die einmal quer durch Quyu zu führen schien.

Wie hatte sich der Junge eben noch ausgedrückt? Nicht wirklich weit?

»Und was bedeuten die Buchstaben?«

»NDRO?« Der Riese lachte. »Ihr Bekannter muss wirklich sehr in Eile gewesen sein. Es heißt Andromeda.«

»Ah!«

»Und ist ein Veranstaltungsort für Live-Konzerte.«

»Danke.«

»Ihr Verhältnis zu Quyu scheint ungetrübt von jeder Sachkenntnis zu sein, wenn ich mir die Bemerkung erlauben darf.«

Jericho hob unwillkürlich die Brauen. So viel Raffinesse im Satzbau hätte er dem Gebirge mit der Denkbeule gar nicht zugetraut.

»Ich weiß tatsächlich wenig darüber.«

»Dann passen Sie auf sich auf.«

»Geht klar. Wir sehen uns später, um – Wie heißen Sie eigentlich?«

Ein Grinsen spaltete den rasierten Schädel.

»Daxiong. Ganz einfach Daxiong.«

Aha. Sechs Koreaner, die Prügel bezogen hatten. Allmählich klärte sich die Sachlage.

Jericho war nie zuvor in Quyu gewesen. Er hatte keine Vorstellung davon, was ihn erwartete, als er unter der Autobahn hindurchfuhr. Doch eigentlich geschah gar nichts. Quyu wies keinen definierten Anfang auf, jedenfalls nicht dieser Teil. Es begann einfach irgendwie. Mit Reihen flacher Häuschen ähnlich denen, die er gerade verlassen hatte. Kaum Geschäfte, dafür Straßenhändler dicht an dicht, die auf Laken und Teppichen ausgebreitet hatten, was verwertbar schien und nicht weglaufen konnte. Eine Frau in einem windschiefen Rattansessel, dösend im Schatten eines notdürftig gespannten Baldachins, vor sich einen Korb mit Auberginen. Ein Käufer, der zwei davon nahm, ihr das Geld hinlegte und weiterging, ohne sie zu wecken. Alte Leute im Gespräch, manche im Pyjama, andere mit freiem Oberkörper. Geschiebe und Gedränge auf bröckelnden Gehsteigen. Quer über den Weg gespannt das wehende Banner trocknender Wäsche, Kittel und Hemden, deren Ärmel einander zuwinkten, wann immer sich der Wind zwischen den Fassaden fing. Murmeln, Schwatzen und Schreien, melodisch, drohend, schrill und dunkel, zur Kakofonie gewoben. Die sägende Allgegenwart billiger Bikes, quietschende, klappernde Fahrräder, der Widerhall von Hammerschlägen und Bohrmaschinen. Geräusche der Instandhaltung, notdürftige Konservierung von Verfall. Einige Händler erspähten Jerichos blonden Schopf, sprangen auf die Füße und entsandten, ihre Handtaschen, Uhren und Skulpturen schwenkend, ein gellendes »looka, looka!« über die Straße, das er geflissentlich überhörte, bemüht, niemanden zu überrollen. In Shanghai, den inneren Bezirken Shanghais, war Verkehr mit Krieg gleichzusetzen. Schwerlaster jagten Busse, Busse hielten auf Autos zu, diese auf Zweiräder, und alle zusammen hatten sich der Ausrottung des Fußgängers verschrieben. In Quyu ging es weniger aggressiv zu, was im Resultat keine Verbesserung brachte. Man fuhr keine Attacken, sondern ignorierte den anderen komplett. Menschen, die eben noch um Hühner oder Haushaltsgeräte feilschten, sprangen unvermittelt auf die Fahrbahn oder standen in Grüppchen darauf herum, Wetter, Lebensmittelpreise und den Gesundheitszustand der Familie erörternd.

Mit jedem Straßenzug sah Jericho weniger Händler, die auf Touristen eingerichtet waren. Die angebotenen Waren wurden ärmlicher. So wie die Zahl der Autos zurückging, nahm die der Fußgänger und Radfahrer zu, und das Gewühl lichtete sich. Immer öfter erblickte er nun zur Hälfte weggerissene Wohnhäuser, deren fehlende Wände notdürftig durch Pappe und Wellblech ersetzt worden waren, sämtlich bewohnt. Dazwischen häufte sich der Schutt von Jahren. Wie hingewürfelt erschien am Straßenrand eine Ansammlung grauer und mattblauer Modulbauten, vor denen arthritische Bäume verkümmerten, Autos wild abgestellt, der Zeit entstammend, da Deng Xiaoping jenes Wunder ausgerufen hatte, das in diesem Teil Chinas nie vollbracht worden war.

Mit einem Mal wurde es dunkel um ihn herum.

Je tiefer Jericho ins Herz von Quyu vordrang, desto unstrukturierter präsentierte es sich. Jede erdenkliche Architektur schien hier auf den Müll geworfen worden zu sein. Hochhäuser, im Bau aufgegeben, wechselten mit maroden Flachbauten und mehrgeschossigen Silos, deren Hässlichkeit noch unterstrichen wurde durch die verbliebenen Reste abblätternder Farbe. Es war der hilflose Versuch, das Unbewohnbare wohnlich zu gestalten, was Jericho am meisten berührte. Fast folkloristisch nahm sich der Wildwuchs selbst gezimmerter Verschläge aus, meist kaum mehr als in den Boden gerammte und von Planen überspannte Pfosten. Hier herrschte wenigstens Leben, die Silos hingegen erweckten den Anschein postatomarer Grüfte.

Inmitten einer Wüste aus Abfall hielt er an und schaute Kindern und Frauen zu, die Karren mit Abfall beluden, der ihnen verwertbar erschien. Ganze Areale wirkten, als seien einstmals intakte Stadtteile im Bombenhagel pulverisiert worden. Er versuchte sich zu erinnern, was er über Gegenden wie diese wusste. Eine Zahl, irgendwo aufgeschnappt, geisterte durch sein Hirn. 2025 lebten weltweit anderthalb Milliarden Menschen in Slums. 20 Jahre zuvor waren es eine Milliarde gewesen. Jedes Jahr kamen 20 bis 30 Millionen hinzu. Wer im Slum landete, hatte sich durch bizarre Hierarchien zu kämpfen, auf deren unterster Stufe man Müll sammelte und daraus Dinge herstellte, die sich verkaufen oder eintauschen ließen. Daxiongs Beschreibung zufolge würde er noch mindestens eine Stunde brauchen bis zum *Andromeda*. Er fuhr weiter, dachte an das Viertel, in das es ihn vor Jahren verschlagen hatte, kurz bevor es abgerissen worden und der Siedlung gewichen war, in der Yoyo nun wohnte. Damals hatte er nicht verstehen können, warum die Bewohner so an ihren Ruinen hingen. Begriffen hatte er nur, dass ihnen keine Wahl blieb, doch einigen hatten Angebote vorgelegen, sie außerhalb Shanghais in vergleichsweise luxuriösen Appartements unterzubringen, mit fließendem Wasser, Toiletten und Bädern, Aufzügen und Strom.

»Hier existieren wir«, war die lächelnde Antwort gewesen. »Da draußen sind wir Geister.«

412

Erst später war ihm klar geworden, dass sich der Grad menschlicher Verelendung nicht am Zustand der Häuser bemaß, die man bewohnte. Mangel an Trinkwasser, überquellende Kloaken, verstopfte Abwasserrohre, all das verdiente Einträge im Buch der Hölle. Doch solange die Menschen auf der Straße lebten, begegneten sie einander. Sie verkauften ihre Waren dort. Sie kochten für die Arbeiter, die selbst keine Gelegenheit fanden, Mahlzeiten zuzubereiten. Alleine die Bereitstellung von Essen beschäftigte und sättigte Millionen Familien, eine Lebensgrundlage, die sich nur auf ebener Erde erwirtschaften ließ, ebenso wie der soziale Zusammenhalt Sache der Straße war. Menschen traten vor ihre Türen und begannen Gespräche. Das Leben auf Bodenhöhe, die offene Struktur der Häuser, all das vermittelte Trost und Wärme. Im zehnten Stock eines Wohnblocks kam niemand vorbei, um etwas zu kaufen, und wer vor die Tür ging, schaute auf eine Wand.

Der Weg führte eine Anhöhe hinauf. Von hier oben überblickte man alle Richtungen, soweit es die schmutzig braune Decke aus Smog gestattete. Das COD war klimatisiert, dennoch vermeinte Jericho das Sengen der Sonne auf der Haut zu spüren. Ringsum bot sich das schon vertraute Bild. Hütten, Wohnbatterien, mehr oder weniger verfallen, schief stehende Strommasten mit durchhängenden Leitungen, Schutt und Schmutz.

Sollte er weiterfahren?

Ratlos ließ er das Handy seine Position ermitteln. Es projizierte ihn mitten ins Niemandsland. Nicht kartografiert. Erst als er den Ausschnitt vergrößerte, bildete es gnädig ein paar Hauptstraßen ab, die Quyu durchzogen, sofern die Daten noch aktuell waren.

In all dem Elend sollte Yoyo stecken?

Er gab die geografische Position ein, von der aus der Eintrag in *Brilliant Shit* verschickt worden war. Der Computer verwies auf eine Stelle in nicht weiter Entfernung vom *Demon Point*, nahe der Autobahn.

In entgegengesetzter Richtung.

Fluchend wendete er, wich knapp einem Karren aus, den mehrere Jugendliche über den Weg schoben, handelte sich Beschimpfungen ein und fuhr im Eiltempo zurück. Nach einer Weile nahm der Verkehr wieder zu. Er ließ die Gegend, die er zu Beginn durchquert hatte, links liegen, verhedderte sich in einem Gewirr aus Gassen, irrte durch ein Viertel, in dem vornehmlich Kleidung genäht und verkauft wurde, erspähte eine Durchfahrt zwischen überlaufenen Ständen und gelangte auf eine breite, von Mauern gesäumte Straße, an denen erstaunlich gepflegt wirkende Häuser lagen. Es wimmelte von Menschen und Fahrzeugen aller Art. Imbissstände, Fast-Food-Ketten, Geschäfte und Stände beherrschten das Bild. Mehrfach passierte er Filialen von *Cyber Planet*. Das Ganze mutete wie eine bedrückende Variante der legendären Londoner Camden Town an zu Zeiten, als dort noch Subkultur entstanden war, was rund dreißig Jahre zurücklag. In den Hauseingängen lehnten Prostituierte. Gruppen von Männern, die eindeutig keiner friedvollen Beschäftigung nachgingen, saßen vor Cafés und Wok-Küchen oder strichen mit kontrollierenden Blicken umher. Jerichos COD wurde prüfend in Augenschein genommen.

Dem Computer zufolge lag das Ziel schon sehr nahe, doch es war wie verhext. Immer wieder verfuhr er sich. Jeder Versuch, zurück auf die Hauptstraße zu gelangen, führte ihn nur tiefer in diese verquere Welt, die augenscheinlich von Triaden beherrscht wurde und in der vermutlich die Slum-Bosse wohnten, die Fürsten des Verfalls. Zweimal wurde er von Männern gestoppt, versuchte man ihn aus dem Wagen zu holen, aus welchen Gründen auch immer. Endlich fand er eine Abkürzung, und plötzlich lag das Viertel hinter ihm. Die ferne, klotzige Silhouette eines Stahlwerks geriet in Sicht. Über planiertes Gebiet fuhr er auf einen gigantischen, rostbraunen Komplex mit Schornsteinen zu. Eine Gruppe Motorradfahrer überholte ihn, zog an ihm vorbei und verschwand jenseits der Umfriedung. Jericho folgte ihnen. Die Straße führte auf ein Gelände, offenbar eine Art Szenetreffpunkt. Überall parkten Bikes, saßen Jugendliche zusammen, rauchten und tranken. Musik dröhnte über den Platz. Kneipen und Clubs waren in leer stehende Werkshallen gezogen, Bordelle und Sexshops. Der unvermeidliche *Cyber Planet* beherrschte eine komplette Seite des Innenhofs, umflankt von Ständen, die handgefertigte Applikationen anboten, ein anderer Laden verhökerte gebrauchte Musikinstrumente. Dem *Cyber Planet* gegenüber lag ein zweigeschossiger Backsteinkomplex. Ein Transporter parkte vor dem geöffneten Eingang, aus dem martialisch aussehende Gestalten technisches Gerät ins Innere trugen.

Jericho glaubte seinen Augen nicht zu trauen.

Über dem Eingang prangte in doppelter Mannshöhe ein großes A. Darunter stand in klotzigen Lettern ein einziges Wort:

ANDROMEDA

Mit quietschenden Reifen hielt er vor dem Transporter, sprang heraus und trat einige Schritte zurück. Schlagartig wurde ihm klar, was es mit dem ausgefransten Ring auf sich hatte, der den Querstrich des A ersetzte. Diane hatte aus dem Bildmaterial, das ihm zur Verfügung stand, das Beste herausgeholt, doch erst im Original ergab das Ganze Sinn. Der Ring war die Darstellung einer Galaxie, und Andromeda, besser gesagt, der Andromedanebel, war eine Spiralgalaxie im Sternbild Andromeda.

Hi alle. Bin seit ein paar Tagen wieder in unserer Galaxis.

Yoyo war hier!

Oder auch nicht. Nicht mehr. Daxiong hatte ihn in die Irre geschickt, damit sie Zeit fand, zu verschwinden. Er fluchte und blinzelte in die Sonne. Der Smog verschmierte ihr Licht zu einem flächigen Gleißen, das in die Augen stach. Übellaunig verriegelte er das COD und betrat die dämmrige Welt des ANDROMEDA. Na wenn schon! Chen Hongbing hatte befürchtet, seine Tochter sitze ohne offizielle Anschuldigung auf irgendeiner Polizeiwache fest. Diese Sorge immerhin konnte Jericho ihm nehmen. Hingegen hatte ihm Chen nicht den Auftrag erteilt, jedenfalls nicht explizit. Er konnte nach Hause fahren. Sein Job war gemacht.

Wenigstens *sprach* alles dafür, dass er Yoyos Spur gefunden hatte.

Um sie gleich wieder zu verlieren.

Schon ärgerlich.

Er schaute sich um. Ein geräumiges Foyer. Später am Abend würden hier Eintrittskarten, Getränke und Zigaretten verkauft werden. Die Wand gegenüber der Kasse verschwand unter Plakaten, Veranstaltungshinweisen, Wandzeitungen und einem Pinboard, überwuchert von Zetteln. Offenbar eine Art Kontaktbörse. Jericho trat näher heran. Vornehmlich wurden Jobs und Mitfahrgelegenheiten gesucht, Übernachtungsmöglichkeiten, Instrumente und Software. Gebrauchte und geklaute Artikel aller Art waren im Angebot, außerdem Partner – für eine Nacht, für länger, mit besonderen Vorlieben. Was der eine suchte, bot der andere an. Das meiste war handschriftlich verfasst, ein ungewöhnliches Bild. Er betrat den eigentlichen Konzertbereich, eine schmucklose Halle mit hohen Fenstern, die alle zum Platz hin lagen. Die meisten der Scheiben waren blind oder verfärbt, sodass trotz des grellen Sonnenlichts wenig Helligkeit einfiel. Hier und da ersetzten Pappen fehlendes Glas. Das hintere Ende wurde von einer Bühne eingenommen, deren Ausmaße zwei Symphonieorchestern Platz geboten hätten. Beiderseits stapelten sich Boxen. Zwei Männer auf Leitern richteten Spots ein, andere trugen Equipment an ihm vorbei. Entlang der fensterlosen Längswand führte eine Stahltreppe auf eine Balustrade.

Jericho dachte an Chen Hongbing und die Not in seinen Augen.

Er schuldete Tu mehr als eine Vermutung.

Zwei Männer schoben einen gewaltigen Rollkoffer an ihm vorbei. Einer der beiden klappte den Deckel hoch und entnahm dem Koffer Mikrofonstative, die er zur Bühne hochreichte. Der andere ging zurück in Richtung Foyer, verharrte, drehte den Kopf und starrte Jericho an.

»Kann ich helfen?«, fragte er, was dem Klang nach hieß, er möge sich trollen.

»Wer spielt heute Abend?«

»Die *Pink Asses.*«

»Mir ist das ANDROMEDA empfohlen worden«, sagte Jericho. »Es heißt, hier fänden einige der besten Konzerte Shanghais statt.«

»Möglich.«

»Die *Pink Asses* kenne ich nicht. Lohnt es sich?«

Der Mann betrachtete ihn abschätzig. Er war muskulös und attraktiv, mit ebenmäßigen, fast androgynen Gesichtszügen und schulterlangem Haar. Das orangerote T-Shirt über der Knautschlackhose saß wie eine zweite Haut, offenbar der Sprühdose entstammend. Weder trug er die in der Szene obligatorischen Applikationen noch sonstigen Schmuck.

»Kommt drauf an, was Sie mögen.«

»Alles, was gut ist.«

»Mando-Prog?«

»Zum Beispiel.«

»Dann sind Sie hier falsch.« Der Mann grinste. »Die Musik klingt ganz genauso wie der Name der Band.«

»Nach rosa Ärschen?«

»Nach wundgefickten Ärschen, Erstgeborener. Beiderlei Geschlechts. *Ass Metal,* nie gehört? Wollen Sie immer noch kommen?«

Jericho lächelte. »Mal sehen.«

Der andere rollte die Augen und ging nach draußen.

Jericho fühlte sich einen Moment lang hilflos. Hätte er den Kerl etwa nach Yoyo fragen sollen? Man konnte leicht paranoid werden an Orten wie diesem. Jeder hier schien Teil einer Schattenarmee zu sein mit dem Auftrag, seinesgleichen die Neugier an Yoyo auszutreiben.

»Blödsinn«, murmelte er. »Sie ist eine Dissidentin, nicht die Königin von Quyu.«

Tu hatte von sechs Aktivisten gesprochen. Sechs, und nicht sechzig. Yoyos Eintrag legte den Schluss nahe, dass alle sechs den *City Demons* angehörten. Darüber hinaus mochte sie im ANDROMEDA ihre Helfer haben. Ganz sicher wussten die meisten Menschen hier weder, wer Yoyo war, noch, dass sie sich auf dem Gelände versteckte. Das eigentliche Problem war, dass Bewohner solcher Viertel wie Quyu grundsätzlich keine Bereitschaft zeigten, auf Fragen zu antworten.

Während er zusah, wie Kabel verlegt und Instrumente auf die Bühne gehievt wurden, bilanzierte er seine Möglichkeiten. Daxiong hatte Yoyo gewarnt, dass sich jemand für das ANDROMEDA interessiere. Er musste glauben, Jericho verlöre im Hinterland von Quyu soeben den letzten Rest Orientierung, ausgeschaltet für die Dauer der nächsten Stunden. Yoyo würde derselben Auffassung sein.

Noch spielte die Zeit für ihn.

Er ließ den Blick schweifen. Der Bühnenraum wurde von einer Art Alkoven überspannt, zwei Fenster, die vormals die Halle überblickt hatten, waren zugemauert worden. Um ihn herum gingen die Arbeiten stetig voran. Niemand interessierte sich für ihn. Ohne Hast erstieg er die Metalltreppe und trat auf die Balustrade. Sie endete an einer grau gestrichenen Tür. Er drückte die Klinke herunter. Fast hatte er damit gerechnet, sie verschlossen zu finden, doch lautlos schwang sie ins Innere und gab den Blick frei auf einen dämmrigen Flur. Rasch trat er ein, durchschritt einen Durchgang zur Rechten und fand sich in einem von Neonröhren erleuchteten Raum wieder, mit einem einzigen Fenster, das den Vorplatz überblickte.

Er war direkt über der Bühne.

Obwohl kaum möbliert, abweisend und kalt, haftete dem Raum etwas unbestimmt Belebtes an, typisch für Stätten, die erst unmittelbar zuvor verlassen worden waren. Energetisches Nachglühen, unbewusste Erinnerung, gespeichert in Molekülen, berührte Gegenstände, ausgeatmete Luft. Er trat zu einem Tisch, umstellt von Resopalstühlen mit angerosteten Beinen, darunter ein Papierkorb, zur Hälfte voll. Einige offene Regale, Matratzen auf dem Fußboden, nur eine benutzt, den zerwühlten Decken und dem Kopfkissen zufolge. Laptops in den Regalen, ein Drucker, Stapel teils bedruckten Papiers, haufenweise Comics, Magazine und Bücher. Als Prunkstück eine prähistorische Stereoanlage, Radio, Plattenspieler. Schallplatten reihten sich die Wand entlang, augenscheinlich Exemplare aus der Zeit, als CDs nur

417

begrenzt in Umlauf waren, die auch gerade vom Markt verschwanden. Dafür gab es in der Ära der Downloads wieder Platten zu kaufen, neue Schallplatten von neuen Bands.

Doch einige waren alt, wie Jericho feststellte, als er in die Hocke ging. Er fächerte die Hüllen auseinander und las die Namen auf den Covers. Zwischen Vertretern chinesischer Popmusik und Avantgarde wie *Top Floor Circus, Shen Yin Sui Pian, SondTOY* und *Dead J* fanden sich Werke von *Genesis, Van der Graaf Generator, King Crimson, Magma* und *Jethro Tull*. Kaum etwas fehlte aus der Zeit der Sechziger und Siebziger, als der Progressive Rock erfunden worden war. In den Achtzigern auf verlorenem Posten gegen Punk und New Wave, in den Neunzigern siech, im ersten Jahrzehnt des neuen Jahrtausends scheintot, verdankte er seine Wiederauferstehung nicht den Europäern, sondern chinesischen DJs, die um 2020 begonnen hatten, ihn mit tanzbaren Beats zu kombinieren. Seitdem boomte Mando-Prog, wie die flirrende Mischung aus konzertantem Rock, Dancefloor und Peking-Oper genannt wurde, schossen täglich neue Bands aus dem Boden. Populäre Künstler, *Zhong Tong Xi, thirdparty, IN3* und *B6*, gewannen den komplexen Konzeptalben der Prog-Ära völlig neue Hörerlebnisse ab, die heimischen Superstars Mu Ma und Zuo Xiao Zu Zhou organisierten All-Star-Projekte mit hochbetagten Herren wie Peter Hammill, Robert Fripp, Ian Anderson und Christian Vander, die Clubs und Konzerthallen füllten.

Yoyos Musik.

Ein omnipräsentes Summen kitzelte Jerichos Trommelfell. Er schaute auf, erblickte einen Kühlschrank weiter hinten im Raum, ging hinüber und öffnete ihn. Zur Hälfte gefüllt mit Lebensmitteln, größtenteils unangebrochenes Fast Food. Volle und halb volle Flaschen, Wasser, Saft, Bier, eine Flasche chinesischen Whiskys. Er sog die kalte, herausströmende Luft ein. Der Kühlschrank knackte. Ein Windhauch streifte seinen Hinterkopf.

Jericho erstarrte.

Es war nicht der Kühlschrank, der geknackt hatte.

Im nächsten Moment flog er quer durch den Raum und landete mit dumpfem Klatschen auf einer der Matratzen. Der Aufprall trieb ihm die Luft aus der Lunge. Blitzschnell rollte er sich zur Seite und zog die Knie an. Der Angreifer stürzte sich auf ihn. Jericho stieß ihm die Füße entgegen. Der Mann sprang zurück, packte seine Knöchel und schleuderte ihn herum, sodass er auf dem Bauch zu liegen kam. Er versuchte sich hochzustemmen, spürte, wie sich der andere auf ihn warf, und schlug blindlings nach hinten in der Hoffnung, etwas zu treffen, das empfänglich für Schmerzen war.

»Ganz ruhig«, sagte eine Stimme, die ihm bekannt vorkam. »Oder die Matratze ist das Letzte, was du in deinem Leben siehst.«

Jericho wand sich. Sein Gesicht wurde tief in die muffige Polsterung gedrückt. Plötzlich bekam er keine Luft mehr. Panik elektrisierte seinen Kopf und seinen Unterleib. Er griff wild in alle Richtungen und strampelte mit den Beinen, doch der Mann presste ihn unerbittlich weiter in die Matratze.

»Haben wir uns verstanden?«

»Mmmm«, machte Jericho.

»Ist das ein Ja?«

»MMMMMM!«

Sein Peiniger nahm die Hand von seinem Hinterkopf. Im nächsten Moment war das Gewicht auf seinen Schultern verschwunden. Nach Atem ringend rollte Jericho sich auf den Rücken. Über ihn beugte sich der gut aussehende Bursche, mit dem er vorhin in der Halle gesprochen hatte, und lächelte messerdünn auf ihn herab.

»Hier oben spielen die *Pink Asses* nicht, Erstgeborener.«

»Würde ich ihnen auch nicht empfehlen.«

»Was haben Sie hier zu suchen?«

Immerhin. Man wurde wieder gesiezt. Jericho setzte sich auf und wies auf das schäbige Mobiliar ringsum.

»Wissen Sie, ich liebe Luxus. Ich wollte meinen Urlaub –«

»Aufgepasst, Freundchen. Ich will nichts hören, was mich verärgern könnte.«

»Kann ich Ihnen was zeigen?«

»Versuchen Sie's.«

»Auf meinem Computer.« Jericho machte eine Pause. »Ich will damit sagen, ich muss in meine Jacke greifen und ein technisches Gerät zum Vorschein bringen. Sie könnten es für eine Waffe halten und unüberlegte Dinge tun.«

Der Bursche starrte ihn an. Dann grinste er.

»Was immer ich tue, seien Sie versichert, ich werde mich blendend dabei unterhalten.«

Jericho lud Yoyos Bild auf den Computer und projizierte es auf die gegenüberliegende Wand.

»Schon mal gesehen?«

»Was wollen Sie von ihr?«

»Das sage ich Ihnen, wenn Sie meine Frage beantwortet haben.«

»Sie sind ganz schön frech, kleiner Mann.«

»Mein Name ist Jericho«, sagte Jericho geduldig. »Owen Jericho, Privatdetektiv. Ein Meter achtundsiebzig, also kommen Sie mir nicht so. Und lassen Sie das Affentheater, ich kann mich nicht konzentrieren, wenn jemand versucht, mich umzubringen. Also, kennen Sie das Mädchen, ja oder nein?«

Der Mann zögerte.

»Was wollen Sie von Yoyo?«

»Danke.« Jericho schaltete die Projektion aus. »Yoyos Vater, Chen Hongbing, hat mich beauftragt. Er macht sich Sorgen. Um genau zu sein, er verzehrt sich vor Sorge.«

»Und was bringt Sie auf die Idee, seine Tochter sei hier?«

»Unter anderem Ihr zuvorkommendes Verhalten. Bei der Gelegenheit, mit wem habe ich eigentlich das Vergnügen?«

»Ich stelle hier die Fragen, Freundchen.«

»Schon gut.« Jericho hob die Hände. »Ein Vorschlag zur Güte. Ich sage Ihnen die Wahrheit, dafür langweilen Sie mich nicht mit Krimidialogen. Können wir uns darauf einigen?«

»Hm.«

»Sie heißen Hm?«

»Mein Name ist Bide. Zhao Bide.«

»Danke. Yoyo wohnt hier, richtig?«

»Wohnen wäre zu viel gesagt.«

»Schon klar. Sehen Sie, Chen Hongbing hat Angst. Yoyo hat sich seit Tagen nicht gemeldet, ist nicht zu einer Verabredung erschienen, er ist außer sich. Mein Auftrag lautet, sie zu finden.«

»Um was zu tun?«

»Um gar nichts zu tun.« Jericho zuckte die Achseln. »Na ja, ich werde ihr ans Herz legen, ihren Vater anzurufen. Arbeiten Sie hier?«

»Im weitesten Sinne.«

»Gehören Sie zu den *City Demons*?«

»Zu den –« In Zhaos Augen flackerte so etwas wie Irritation auf. »Nein, wie kommen Sie darauf?«

»Es wäre naheliegend, meinen Sie nicht?«

»Sehe ich so aus?«

»Keine Ahnung.«

»Eben. Sie haben keine Ahnung.«

»Im Moment denke ich, dass Yoyo unter den *City Demons* ihre engsten Vertrauten hat.«

Zhao betrachtete ihn misstrauisch.

»Überprüfen Sie meine Angaben«, fügte Jericho hinzu. »Im Internet finden Sie alles über mich, was Sie wissen müssen. Ich will Yoyo nichts Böses. Ich bin kein Polizist, nicht vom Geheimdienst, niemand, vor dem sie Angst haben müsste.«

Zhao kratzte sich hinter dem Ohr. Er wirkte ratlos. Dann fasste er Jericho am Oberarm und schob ihn zur Tür.

»Gehen wir was trinken, kleiner Jericho. Sollte ich herausfinden, dass Sie mich verarschen, lasse ich Sie in Quyu begraben. Und zwar lebendig, damit das klar ist.«

Gegenüber der Halle setzten sie sich vor ein Café in die Sonne. Ein Mädchen, dessen rasierter Schädel auf eine Weise mit Applikationen bestückt war, dass man sie für einen Cyborg hätte halten können, brachte auf Zhaos Anweisung zwei Flaschen eiskaltes Bier.

Sie tranken. Eine Weile herrschte Schweigen.

»Yoyo zu finden wird nicht einfach sein«, sagte Zhao schließlich. Er nahm einen langen Zug aus der Flasche und rülpste vernehmlich. »Nicht nur ihr Vater hat sie aus den Augen verloren. Wir auch.«

»Wer ist wir?«

»Wir halt. Yoyos Freunde.« Zhao sah ihn an. »Was wissen Sie über das Mädchen? Wie viel hat man Ihnen gesagt?«

»Ich weiß, dass Sie auf der Flucht ist.«

»Wissen Sie auch, warum?«

»Nanu?« Jericho hob die Brauen. »Sollten Sie mir etwa vertrauen?«

»Ich weiß es nicht.«

»Und ich weiß nicht, ob ich *Ihnen* vertrauen kann, Zhao. Nur, dass wir so nicht weiterkommen.«

Zhao schien darüber nachzudenken.

»Ihr Wissen gegen meines«, schlug er vor.

»Sie fangen an.«

»Na schön. Yoyo ist eine Dissidentin. Sie hat die Partei in den letzten Jahren ordentlich geärgert.«

»Stimmt.«

»Als Teil einer Gruppe, die sich *Die Wächter* nennt. Regimekritik, Einforderung von Menschenrechten, Cyberterrorismus. Lauter sympathische Standpunkte. Bis vor Kurzem ist sie damit durchgekommen.«

»Auch richtig.«

»Sie sind dran.«

»In der Nacht zum 25. Mai hat Yoyo überstürzt ihre Wohngemeinschaft verlassen und ist nach Quyu geflohen.« Jericho nahm einen

421

Schluck, setzte die Flasche ab und wischte sich den Mund. »Über die Gründe kann ich nur spekulieren, aber ich schätze, sie hat im Netz etwas entdeckt, das ihr Angst einflößte.«

»Bis hierhin korrekt.«

»Sie wurde aufgespürt. Oder glaubt es zumindest. Bei ihren Vorstrafen muss ihre größte Sorge sein, enttarnt zu werden. Wahrscheinlich hat sie erwartet, noch in derselben Nacht Besuch von der Polizei oder vom Geheimdienst zu erhalten.«

»Quyu ist ihr Rückzugsgebiet«, sagte Zhao. »Praktisch ohne Überwachung, keine Scanner, keine Polizei. Eine Terra incognita.«

»Ihr erster Anlaufpunkt ist die Werkstatt der *City Demons*. Nur dass es dort auf Dauer nicht sicher genug ist. Also quartiert sie sich wie schon öfter im ANDROMEDA ein.«

»Woraus haben Sie geschlossen, dass sie im ANDROMEDA ist?«

»Weil sie von dort eine Nachricht an ihre Freunde verschickt hat.«

»Die Sie gelesen haben?«

»Sie hat mich hergeführt.«

Zhao kniff misstrauisch die Augen zusammen.

»Wie sind Sie in den Besitz dieser Nachricht gelangt? So was schafft im Allgemeinen nur die Staatssicherheit.«

»Ganz ruhig, kleiner Zhao.« Jericho lächelte. »Kryptografie gehört zu meinem Job. Ich bin Cyber-Detective, vornehmlich mit der Aufklärung von Wirtschaftsspionage und Urheberrechtsverletzungen befasst.«

»Und wie ist Yoyos Vater an Sie geraten?«

»Das geht Sie nun wirklich nichts an.« Jericho ließ kaltes Bier durch seine Kehle gurgeln. »Sie sagten, Yoyo sei schon wieder verloren gegangen.«

»Sieht so aus. Sie sollte hier sein.«

»Wann ist sie verschwunden?«

»Irgendwann im Laufe des Tages. Möglich, dass sie nur ein bisschen durch die Gegend streift. Vielleicht machen wir uns unnötig Sorgen, aber eigentlich pflegt sie sich abzumelden.«

Jericho drehte die Flasche zwischen Daumen und Zeigefinger. Er fragte sich, wie er in der Sache weiter vorgehen sollte. Zhao Bide bestätigte seine Vermutungen. Yoyo war hier gewesen, doch alleine damit konnte er Chen Hongbing nicht beruhigen. Der Mann wollte Gewissheit.

»Vielleicht müssen wir uns tatsächlich keine Sorgen machen«, sagte er. »Die *City Demons* haben ihr mein Kommen angekündigt. Diesmal dürfte Yoyos Verschwinden mit mir zusammenhängen.«

»Verstehe.« Zhao wies mit seiner Flasche auf Jerichos silbernes COD, das vor dem ANDROMEDA die Sonne reflektierte. »Zumal Sie für hiesige Verhältnisse etwas auffällig reisen. CODs verirren sich selten nach Quyu.«

»Offensichtlich.«

»Vielleicht ist Yoyo aber auch vor dem anderen abgehauen.«

Jericho runzelte die Stirn. »Welcher andere?«

Zhaos Hand wanderte weiter nach rechts. Jericho folgte der Bewegung und sah am Ende der Halle ein zweites COD parken. Verblüfft fragte er sich, ob es schon bei seinem Eintreffen dort gestanden hatte. Er war abgelenkt gewesen: die Überraschung, das ANDROMEDA gefunden zu haben, verbunden mit der Erkenntnis, Daxiong auf den Leim gegangen zu sein. Er stand auf und schirmte die Augen mit der Handfläche ab. Niemand saß in dem anderen Fahrzeug, soweit er sehen konnte.

Ein Zufall?

»Ist Ihnen jemand gefolgt?«, fragte Zhao.

Jericho schüttelte den Kopf.

»Ich bin durch halb Quyu geirrt, bevor ich herkam. Da war kein COD hinter mir.«

»Sind Sie sicher?«

Jericho schwieg. Er wusste nur zu gut, wie man jemandem unentdeckt folgte. Wer immer das Fahrzeug dort abgestellt hatte, konnte sich schon in Xintiandi an seine Fersen geheftet haben.

Auch Zhao erhob sich.

»Ich werde Sie überprüfen, Jericho«, sagte er. »Aber mein Glaube an das Gute und Edle sagt mir, Sie sind sauber. Offenbar teilen wir die Sorge um Yoyos Wohlbefinden, also schlage ich eine befristete Zusammenarbeit vor.« Er zog einen Stift hervor, kritzelte etwas auf einen Fetzen Papier und reichte ihn Jericho herüber. »Meine Handynummer. Sie geben mir dafür Ihre. Wir versuchen gemeinsam, sie zu finden.«

Jericho nickte. Er programmierte die Nummer ein und revanchierte sich mit einer Karte. Zhao blieb undurchsichtig, aber im Augenblick war sein Vorschlag das Beste, was er hatte.

»Wir sollten uns einen Plan überlegen«, sagte er.

»Der Plan ist unsere gegenseitige Verpflichtung zur Offenheit. Sobald wir etwas hören oder sehen, werden wir einander informieren.«

Jericho zögerte. »Darf ich Sie noch was Persönliches fragen?«

»Sofern Sie nicht erwarten, dass ich antworte.«

»Wie stehen Sie zu Yoyo?«

»Sie hat hier Freunde. Ich bin einer davon.«

»Mir ist bewusst, dass sie Freunde hat. Ich meine explizit, in welcher Verbindung *Sie* zu ihr stehen. Sie sind kein *City Demon*. Sie wissen, dass sie zu den *Wächtern* gehört, was nicht heißen muss, dass Sie dazugehören.«

Zhao leerte seine Flasche und rülpste erneut.

»In Quyu gehören alle irgendwie zusammen«, sagte er gleichmütig.

»Mann, Zhao.« Jericho schüttelte den Kopf. »Antworten Sie oder lassen Sie es bleiben, aber kommen Sie mir nicht mit Slum-Romantik.«

Zhao sah ihn an.

»Kennen Sie Yoyo persönlich?«

»Nur von Aufnahmen.«

»Wer sie persönlich kennt, hat zwei Möglichkeiten. Er verliebt sich oder kühlt seine Gefühle herunter. Da sie sich nicht in mich verlieben will, arbeite ich an der zweiten Lösung, aber ich werde sie ganz bestimmt niemals hängen lassen.«

Jericho nickte und fragte nicht weiter nach. Sein Blick wanderte wieder zu dem zweiten Fahrzeug.

»Ich will mich noch mal im ANDROMEDA umsehen«, sagte er.

»Wozu?«

»Vielleicht finde ich was, das uns weiterhelfen könnte.«

»Meinetwegen. Wenn es Ärger gibt, haben Sie die Erlaubnis dazu nicht von mir.« Er schlug Jericho auf die Schulter und ging über den Platz zu dem rostigen Lieferwagen. Jericho sah ihn mit einem der Roadies sprechen und gestikulieren. Es hatte den Anschein, als diskutierten sie die Anordnung des Bühnenlichts. Dann wuchteten sie gemeinsam einen weiteren Rollkoffer aus dem Wagen. Jericho wartete eine Minute und folgte ihnen ins Innere. Als er den Zuschauerraum betrat, wurde dort eben der Platz für den Toningenieur eingerichtet. Niemand war auf der Balustrade. Er stieg die Stahltreppe empor, schlüpfte durch die graue Tür, zog ein Paar steriler Wegwerfhandschuhe an und betrat ein zweites Mal an diesem Tag Yoyos schäbiges Reich. Als Erstes platzierte er eine Wanze unter einem der Regalböden. Dann sichtete er im Schnelldurchgang die gestapelten Ausdrucke, Zeitschriften und Bücher. Nichts lieferte Hinweise auf Yoyos Verbleib. Der überwiegende Teil drehte sich um Musik, Mode, Design und die Shanghaier Szene, Politik, virtuelle Ambiente und Robotik. Fachliteratur, die Yoyo möglicherweise las, um sich für ihre Arbeit bei Tu Technologies auf dem Laufenden zu halten. Er trat zum Arbeitstisch und durchwühlte den Papierkorb: zerrissene und zusammengeknüllte Verpackungen, an denen Reste von Lebensmitteln klebten. Jericho strich sie glatt. Mehrere trugen den Aufdruck *Wongs World,* ein unbeholfen gestaltetes Logo nebst Schriftzug. Eine Weltkugel schwamm in einer Schale mit Sauce und etwas, das wohl Gemüse darstellen sollte. Sie hatte ein Gesicht und wirkte sichtlich deprimiert.

Jericho schoss Fotos und verließ den Raum.

Als er die stählerne Treppe herunterstieg, schaute Zhao kurz zu ihm herüber und wandte sich wieder dem Mischpult zu. Jericho ging wortlos an ihm vorbei nach draußen. Im Foyer fiel sein Blick auf ein Plakat der Pink Asses. Nicht zu fassen. Sie warben tatsächlich mit dem Begriff *Ass Metal* und versprachen, dieser Sound gehe *direkt in den Arsch.*

Er war einigermaßen sicher, dass er *das* nicht hören wollte.

Während er sein COD entriegelte, sondierte er die Umgebung. Immer noch parkte das zweite Fahrzeug ein Stück entfernt. Jemand hatte sich an seine Fersen geheftet, anderes anzunehmen wäre naiv gewesen. Wahrscheinlich wurde er in diesen Sekunden beobachtet.

Ein Student, der versprach, Informationen über Yoyos Verbleib zu liefern, in den Tod gestürzt, nachdem ihn seine eigene Achterbahn über den Haufen gefahren hatte. Ein COD, das auftauchte, unmittelbar nachdem er im ANDROMEDA eingetroffen war. Yoyos erneute Selbstauflösung. Wie viele Zufälle musste man bemühen, bevor sich die pelzige Trockenheit der Angst auf die Zunge legte? Yoyo war keinen Hirngespinsten aufgesessen. Sie hatte allen Grund, sich zu verstecken, und es war keineswegs ausgemacht, wer sie jagte. Die Regierung, vertreten durch Polizei und Geheimdienste, würde vor Mord nicht zurückschrecken, wenn es die Umstände erforderten. Doch welche Umstände konnten die Partei zwingen, so weit zu gehen? Yoyo mochte sich den Rang einer Staatsfeindin erschrieben haben, sie dafür umzubringen hätte nicht dem Stil eines Regimes entsprochen, das Dissidenten inzwischen wegschloss, statt sie wie zu Maos Zeiten totzuschlagen.

Oder hatte Yoyo ein ganz anderes Ungeheuer geweckt, das sich an keine Spielregeln hielt?

Fest stand, wer immer sie jagte, nahm nun auch Jericho ins Visier. Zu spät, den Fall niederzulegen. Er startete das COD und wählte eine Nummer. Nach dreimaligem Klingeln meldete sich Zhaos Stimme.

»Ich verschwinde von hier«, sagte Jericho. »Sie könnten sich derweil schon mal um unsere neue Partnerschaft verdient machen.«

»Was soll ich tun?«, fragte Zhao.

»Haben Sie ein Auge auf das zweite COD.«

»In Ordnung. Ich melde mich.«

Kenny Xin sah ihn losfahren.

Das Schicksal war eine treulose Geliebte. Von der erhabenen Warte des World Financial Centers hatte sie ihn hierher geführt, mitten ins Schwarze unter dem Fingernagel der Weltwirtschaftsmacht Nummer eins. Immer wieder passierte ihm das. Kaum wähnte er sich den Armen der syphilitischen Hure namens Menschheit entronnen, glaubte ihr nichts mehr zu schulden, ihren fauligen Atem nie wieder ertragen zu müssen, zwang sie ihn zurück auf ihr schäbiges Lager. Schon in Afrika hatte er ihren widerwärtigen Anblick ertragen, sich von ihr berühren lassen müssen, bis er fürchtete, an allen Stellen seines Körpers infiziert zu sein und sich in schwärenden, eitrigen Brei zu verwandeln. Nun war er in Quyu gelandet, und wieder grinste ihn dieselbe entstellte Fratze an, ohne dass er den Blick abwenden konnte. Schwindel überkam ihn, wie jedes Mal, wenn der Ekel sich seiner bemächtigte. Die Welt schien in Schieflage zu geraten, sodass es ihn wunderte, die Häuser nicht rutschen und die Menschen durcheinanderpurzeln zu sehen.

Er presste Daumen und Zeigefinger gegen sein Nasenbein, bis er wieder klar denken konnte.

Der Detektiv war verschwunden. Sein COD zu verwanzen, wäre ein Leichtes gewesen, doch Xin hegte keinen Zweifel, dass Jericho Quyu fürs Erste verlassen und das Fahrzeug bald wieder abgeben würde. Er brauchte ihm nicht länger zu folgen. Jericho konnte ihm nicht entgehen. Sein Blick wanderte über den Platz, und er entledigte sich seines Abscheus, indem er ihn nach allen Seiten verströmte. Wie er die Menschen in Quyu hasste! Wie er die miserabel ernährten, ewig kranken, mutlosen Kreaturen in Afrika gehasst hatte! Nicht, weil er persönlich etwas gegen sie hatte. Sie waren Unbekannte, die Statistiken bevölkerten. Er hasste sie, weil sie arm waren. So sehr hasste Xin ihre Armut, dass es schmerzte, sie leben zu sehen.

Höchste Zeit, von hier wegzukommen.

JERICHO

Er steuerte eben den Zubringer zur Hochgeschwindigkeitsstrasse an, als er einen Anruf bekam. Das Display blieb dunkel.

»Ihr Verfolger hat das Gelände verlassen«, ließ ihn Zhao wissen.

Unwillkürlich schaute Jericho in den Rückspiegel. Dämliche Idee. Auf der Trasse waren ausschließlich CODs unterwegs, von identischer Farbe und Form.

»Bislang hab ich niemanden gesehen«, sagte er. »Zumindest kann er mir nicht unmittelbar gefolgt sein.«

»Nein, er hat eine Weile gewartet.«

»Können Sie ihn beschreiben?«

»Ein Chinese.«

»Ach was.«

»Ungefähr meine Größe. Elegante Erscheinung. Jemand, der eindeutig nicht nach Quyu gehört.« Zhao machte eine Pause. »Da waren Sie schon glaubwürdiger.«

Jericho meinte ihn grinsen zu sehen. Das COD beschleunigte.

»Ich habe Yoyos Papierkorb durchforstet«, sagte er, ohne auf Zhaos Bemerkung einzugehen. »Sie scheint sich in einem Laden zu verköstigen, der *Wongs World* heißt. Schon mal gehört?«

»Könnte sein. Ein Schnellimbiss?«

»Möglich. Vielleicht auch ein Supermarkt.«

»Finde ich raus. Kann ich Sie heute Abend erreichen?«

»Ich bin immer erreichbar.«

»Das dachte ich mir. Sie sehen nicht aus wie einer, auf den zu Hause jemand wartet.«

»He, Augenblick mal!«, fuhr Jericho auf. »Woher wollen Sie –«

»Bis später.«

Blödmann!

Jericho starrte in eine rote Wolke aus Zorn, doch sie zersetzte sich rasch. An ihre Stelle trat ein Empfinden von Ohnmacht und Ausgeliefertsein. Das Schlimme war, dass Zhao recht hatte. Niemand wartete auf ihn, schon seit Jahren nicht. Der Mann mochte ein Flegel sein, aber er hatte die Wahrheit gesprochen. Dabei war Jerichos Typ durchaus gefragt. Sportlich, blond und mit leuchtend blauen Augen, wurde er gemeinhin für einen Skandinavier gehalten, und die standen bei chinesischen Frauen hoch im Kurs. Ebenso war ihm bewusst, dass er den Mann, der aus dem Spiegel zurücksah, kaum je eines Blickes würdigte. Seine Kleidung war mit dem Attribut zweckmäßig hinreichend beschrieben. Er pflegte sich eben so sehr, dass er nicht ungepflegt wirkte. Alle drei Tage schabte er Kinn und Wangen ab, alle drei Monate ließ er sich bei seinem Friseur blicken, um das Unkraut zurückzustutzen, wie er es ausdrückte, kaufte T-Shirts im Dutzend, ohne sich zu fragen, ob sie ihm standen. Im Grunde war der dicke, kahle Tu Tian in der Kultivierung seiner Unkultur spannender.

Als ihn die Trasse nahe Xintiandi wieder ausspuckte, war seine Wut abgestandener Niedergeschlagenheit gewichen. Er versuchte sich sein neues Zuhause vorzustellen, doch der Trost blieb aus. Xintiandi schien weiter entfernt denn je, ein Vergnügungsviertel, in das er nicht gehörte, weil Vergnügtheit seinem Wesen abging und andere kein Vergnügen aus ihm zogen.

Da war sie wieder, die Stigmatisierung.

Dabei hatte er sie überwunden geglaubt. Wenn ihn Joanna eines gelehrt hatte, dann, dass er nicht mehr der Junge aus seiner Schulzeit war, der mit achtzehn noch ausgesehen hatte wie fünfzehn. Der nie eine Freundin haben würde, weil seine Mitschülerinnen samt und sonders auf andere Typen abfuhren. Was nicht *ganz* zutraf. Als verständnisvollen Freund hatten sie ihn sehr wohl geschätzt, eine perfide Umschreibung für Mülleimer, wie er fand. Tränenerstickt hatten sie ihn mit Beziehungsdetails gefoltert, ihm ihren Liebeskummer anvertraut, lauter therapeutische Sitzungen, an deren Ende sie Jericho wissen ließen, ihn wie einen Bruder zu lieben, da er gottlob der einzige Junge auf dem Planeten sei, der nichts von ihnen wolle.

Mit gebrochenem Herzen hatte er Seelen geflickt und ein einziges Mal mehr gewagt, bei einer stupsnasigen Brünetten, die gerade von ihrem älteren Freund, einem notorischen Fremdgänger, verlassen worden war. Genauer gesagt hatte er das Mädchen zum Essen eingeladen und versucht, ein bisschen mit ihr zu flirten. Zwei Stunden lang hatte es ganz ausgezeichnet geklappt, allerdings nur, weil die Stupsnasige gar nicht mitbekam, dass es ein Flirt sein sollte. Selbst als er seine Hand auf ihre legte, hielt sie ihn noch für drollig. Dann erst dämmerte ihr, dass den Mülleimer Bedürfnisse plagten, und sie hatte das Restaurant verlassen, ohne je wieder ein Wort mit ihm zu wechseln. Owen Jericho hatte zwanzig werden müssen, bis sich die Tochter eines walisischen Wirts erbarmte, ihn zu entjungfern. Hübsch war sie nicht gewesen, nur durch ähnliche Höllen gegangen wie er, was verbunden mit einigen Pints gezapften Lagers die erforderlichen Voraussetzungen schuf.

Danach war es besser gelaufen, bald sogar richtig gut, und er hatte Rache genommen an dem verachtenswürdigen Weichei, das hartnäckig behauptete, Owen Jericho zu sein. Mit Joannas Hilfe hatte er den Jungen begraben, dummerweise lebendig, nicht ahnend, dass ausgerechnet sie ihn wiederauferstehen lassen würde. In Shanghai, wo sich die Welt neu erfand, war der Zombie seinem Grab entstiegen, um seinerseits Rache an ihm zu nehmen. Es war der Junge in seinen Augen, der die Frauen verscheuchte. Er machte ihnen Angst. Er machte *ihm* Angst.

Übellaunig steuerte er sein Gefährt zum nächstgelegenen COD-Point und koppelte es wieder ans Stromnetz. Der Computer berechnete, was er zu zahlen hatte, buchte den Betrag ab, als er sein Handy gegen die Schnittstelle hielt, und Jericho stieg aus. Er musste herausfinden, warum Grand Cherokee Wang hatte sterben müssen. Mitten auf der Straße blieb er stehen und rief Tu Tian an. Mit Naomi Liu wechselte er nur wenige Worte. Offenbar spürte sie seine schlechte Laune, schenkte ihm ein aufmunterndes Lächeln und stellte ihn durch.

»Ich habe das Mädchen gefunden«, sagte er ohne Einleitung.

Tu hob die Brauen. »Das ging aber schnell.« Fast schwang so etwas wie Ehrfurcht in seiner Stimme mit. Dann fiel ihm Jerichos säuerlicher Gesichtsausdruck auf. »Und wo liegt das Problem? Falls wir mit einem Problem auskommen.«

»Sie ist mir durch die Lappen gegangen.«

»Ah.« Tu schnalzte mit der Zunge. »Nun gut. Du wirst dein Bestes gegeben haben, kleiner Owen.«

»Ich würde die Einzelheiten ungern am Telefon erörtern. Sollen wir ein Treffen mit Chen Hongbing vereinbaren, oder möchtest du vorher in Kenntnis gesetzt werden?«

»Sie ist seine Tochter«, sagte Tu diplomatisch.

»Ich weiß. Ich will offen sein. Lieber würde ich zuerst mit dir reden.«

Tu wirkte befriedigt, als habe er genau darauf gehofft. »Ich denke, wir tun das eine, ohne das andere zu lassen«, sagte er großzügig. »Aber es wäre sicherlich weise, wenn du mich an deinen Überlegungen teilhaben ließest. Wann kannst du da sein?«

»In einer Viertelstunde, wenn die Zufahrt zur Trasse nicht verstopft ist. Was anderes, Tian. Der Bursche, der heute Morgen bei euch vom Dach gefallen ist –«

»Ja, schlimme Sache.«

»Was weißt du darüber?«

»Die Umstände seines Todes sind, gelinde gesagt, merkwürdig.« Tus Augen funkelten. Er wirkte weniger betroffen denn fasziniert. »Der Kerl ist auf den Gleisen spazieren gegangen, in fast 500 Meter Höhe! Ich frage dich, ist das normal für einen Studenten, der sich ein paar Yuan nebenbei verdienen will? Was hat er da gemacht?«

»Ich hörte, es gibt ein Video.«

»Das Video eines Augenzeugen, richtig. Es kam in den Nachrichten.«

»Die haben es freigegeben?«

»Ja, aber du siehst nicht sonderlich viel darauf. Nur, dass dieser – wie hieß er noch – Grand Chevrolet oder so da oben rumklettert wie ein Affe und versucht, über die Waggons zu springen.«

»Grand Cherokee. Er heißt Grand Cherokee Wang.« Jericho massierte seinen Nasenrücken. »Tian, ich muss dich um einen Gefallen bitten. In den Nachrichten hieß es, die Überwachungskameras im Obergeschoss des World Financial Centers zeigten Wang in Begleitung eines Mannes. Offenbar hatten sie Streit. Ich müsste einen Blick auf diese Bänder werfen und –«, Jericho stockte, »– möglichst auch auf Wang.«

Tu starrte ihn an. »Wie bitte?«

»Na ja, genauer gesagt –«

»Wie stellst du dir das vor, Owen? Hast du sie noch alle? Soll ich im Leichenschauhaus anrufen und sagen, hey, wie geht's denn immer so, könnt ihr mal Herrn Wang ausrollen, ein Freund von mir steht auf zermatschte Körper?«

»Seine Sachen will ich sehen, Tian. Was er in den Taschen hatte. Sein Handy beispielsweise.«

»Wie soll ich an sein Handy kommen?«

»Du kennst halb Shanghai.«

»Aber niemanden im Leichenschauhaus!« Tu schnaufte und schob seine lädierte Brille nach oben, die sich während des Gesprächs stetig den Nasenrücken heruntergearbeitet hatte. Seine fleischigen Wangen zitterten. »Und was die Bänder aus der Überwachungskamera betrifft, da mach dir bloß keine Hoffnungen.«

»Wieso? Die Aufnahmen sollten auf der Festplatte des Systems gespeichert sein.«

»Ich bin aber nicht autorisiert, sie anzusehen. Ich bin Mieter hier, nicht der Besitzer. Außerdem, wenn die Polizei ermittelt, wird es sich bei den Aufnahmen um Beweismaterial handeln. Du hast doch selbst Kontakte bei der Polizei.«

»Es wäre in diesem Fall unklug, sie zu strapazieren.«

»Warum?«

»Erklär ich dir später.«

»Ich weiß nicht, ob ich dir helfen kann.«

»Ja oder Nein?«

»Unfassbar!«, schnappte Tu. »Wie redest du überhaupt mit einem Chinesen? Wir kennen kein Ja oder Nein. Chinesen hassen Verbindlichkeit, das solltest du mittlerweile begriffen haben, Langnase.«

»Ich weiß. Ihr bevorzugt ein definitives Vielleicht.«

Tu versuchte, entrüstet auszusehen. Dann grinste er und schüttelte den Kopf. »Ich muss verrückt sein. Aber gut. Ich werde tun, was in meiner Macht steht. Bin wirklich neugierig, was dich an diesem Flugkünstler so sehr interessiert.«

Während der wenigen Minuten, die das Gespräch gedauert hatte, war der Verkehr in der nahe gelegenen Yan'an Donglu dramatisch angeschwollen. Auch die parallel verlaufende Huaihai Donglu litt an koronarer Verstopfung. Zweimal täglich ereilte das Innenstadtgebiet zwischen Huangpu und Luwan der Infarkt. Illusorisch, den eigenen Wagen zu nehmen, doch als Jericho zum COD-Point zurückkehrte, musste er mit ansehen, wie jemand das letzte freie Fahrzeug auslöste. Das war das Problem mit den CODs. Einerseits gab es zu wenige, andererseits war jedes, das nicht auf einer Hochgeschwindigkeitstrasse unterwegs war, ein Auto zu viel auf Shanghais Straßen.

Jerichos Laune sank auf den Nullpunkt. Als er noch in Pudong gewohnt hatte, war es einfacher gewesen, Tu zu besuchen. Er ging bis zur Huangpi Nanlu Metro-Station und stieg in den hell erleuchteten Untergrund hinab, wo sich Hunderte Menschen von stoisch dreinblickenden Drückern in die überfüllte Linie 1 quetschen ließen. Kaum dass die Waggontüren zuglitten, bereute er es bitter, die anderthalb Kilometer zum Flussufer nicht zu Fuß zurückgelegt und eine Fähre genommen zu haben. Offenbar musste er noch Verschiedenes lernen, was sein neues Viertel betraf. Nie zuvor hatte er so zentral gewohnt. Überhaupt konnte er sich nicht erinnern, je um diese Zeit eine U-Bahn bestiegen zu haben. Noch weniger konnte er sich vorstellen, es jemals wieder zu tun.

Der Zug beschleunigte, ohne dass einer der Fahrgäste schwankte. Fast alle Männer um ihn herum hielten beide Arme in die Höhe gereckt, sodass man ihre Hände sehen konnte. Die Sitte verdankte sich der Angst, sexueller Übergriffe bezichtigt zu werden. Wo zwölf Menschen auf einem Quadratmeter zusammenstanden, war es unmöglich zu sagen, wem man den Griff in den Schritt verdankte. Vergewaltigungen in vollbesetzten Zügen gehörten zur Tagesordnung, meist hatte das Opfer nicht mal die Chance, sich umzudrehen. Nachdem zunehmend Männer belästigt wurden, folgten neuerdings auch Frauen der Sitte des Händehebens. Eine Fahrt mit der Metro war stummes Leiden, und am schlimmsten litten die Kinder in der Melange aus Textilmuff, Schweiß und Genitalgeruch, die ihre Köpfe umwehte.

Jericho war unmittelbar hinter den Türen eingeklemmt worden. Folgerichtig beförderte ihn der Druck der Masse beim nächsten Halt als Ersten auf den Bahnsteig. Kurz zog er in Erwägung, bis zur Haltestelle Houchezhan weiterzufahren, wo die Magnetschwebebahn Maglev verkehrte. Sie verband den küstennahen Pudong Airport mit der Stadt Suzhou im Westen, führte unmittelbar am World Financial Center vorbei und bot erquicklichen Luxus zu exorbitanten Beförderungsgeldern, weswegen sie meist halb leer dahinraste. Binnen einer Minute wäre er am Ziel, nur dass die Fahrt bis zur Maglev-Station ebenso lange dauern würde, als wenn er mit der Metro weiter nach Pudong führe. Nichts wäre gewonnen. Im gleichen Moment schob ihn der Menschenbrei aufs Laufband zur Linie 2, und er fügte sich, getröstet von der Gewissheit, dass der Typ, der ihm das COD vor der Nase weggeschnappt hatte, bis jetzt keine hundert Meter weit gekommen sein durfte.

Als er in Pudong aus dem klimatisierten Untergrund kroch, fühlte er sich von einem heißen Lappen erschlagen. Die Sonne hing als unfreundlicher Fleck inmitten schlieriger Hochbewölkung. Langsam zog es sich zu. Sein Blick wanderte zum World Financial Center, das seitlich versetzt hinter dem Jin Mao Tower aufragte. Dort oben war Grand Cherokee Wang entlangbalanciert? Unvorstellbar! Entweder er war verrückt geworden, oder die Umstände hatten ihm keine Wahl gelassen. Er loggte sich ins Internet ein und lud das Amateurvideo auf sein Handy. Die Aufnahme war verwackelt, aber scharf und stark herangezoomt. Sie zeigte eine winzige Gestalt auf dem Gleis.

»Diane«, sagte er.

»Hallo, Owen. Was kann ich für dich tun?«

»Bearbeite das geöffnete Video. Hol alles an Tiefenschärfe und Brillanz heraus, was geht. Standbilder alle drei Sekunden.«

»In Ordnung, Owen.«

Er ging hinüber zum Flaschenöffner, durchquerte die Shopping Mall und fuhr in die Sky Lobby.

TU TECHNOLOGIES

Tus Unternehmen belegte die Stockwerke 74 bis 77, darüber lag das Hotel, gekrönt vom Observatorium und der Achterbahn. Eine Dame lächelte Jericho warmherzig an und wünschte ihm einen guten Morgen. Jeder kannte sie. Ihr Name war Gong Qing, Chinas neuer weiblicher Superstar, die vergangenes Jahr einen Oscar gewonnen und anderes zu tun hatte, als zu kontrollieren, wer bei Tu Technologies ein- und ausging. Tus Mitarbeiter pflegten den Gruß zu erwidern und an Gong Qing vorüberzugehen, Besucher wurden nach ihrem Namen gefragt und gebeten, ihre Hand auf die ausgestreckte Rechte der Schauspielerin zu legen. Auch dies tat Jericho. Kurz fühlte er die Kühle der transparenten Projektionsfläche für Gong Quings 3-D-Simulation. Das System erfasste seine Fingerabdrücke und die Linien seiner Handfläche, scannte seine Iris und speicherte seine Stimme. Gong Qing stellte fest, dass er bereits gespeichert war, und vermied es, ihn nach seinem Namen zu fragen. Stattdessen huschte freudiges Erkennen über ihre Züge.

»Danke, Herr Jericho. Es ist eine Freude, Sie wiederzusehen. Zu wem möchten Sie bitte?«

»Ich habe einen Termin mit Tu Tian«, sagte Jericho.

»Fahren Sie ins 77. Stockwerk. Naomi Liu erwartet Sie.«

Im Fahrstuhl zollte Jericho seinem Freund Tu stillen Respekt für das Kunststück, alle drei Monate eine andere prominente Persönlichkeit für dieses Prozedere gewinnen zu können. Er fragte sich, wie viel Tu der Schauspielerin dafür bezahlt hatte, verließ den Lift und betrat einen riesigen Raum, der die komplette Etage einnahm. Alle vier Stockwerke, in denen Tu Technologies residierte, waren so gestaltet. Weder gab es territoriale Arbeitsplätze noch leblose Flure. Die Mitarbeiter nomadisierten in einer multiplen Arbeitslandschaft, assistiert von containerförmigen Lavo-Bots, lautlos dahingleitenden Robotern, die in ihrem Inneren Computer mit Schnittstellen und Stauraum für persönliches Arbeitsmaterial bargen. Jeder Mitarbeiter verfügte über seinen persönlichen Lavo-Bot, den er morgens am Empfang abholte und mit dem er, je nach Aufgabe, von Arbeitsplatz zu Arbeitsplatz zog, um dort anzudocken. Es gab offene und abgeschirmte Plätze, Teamplätze für Brainstormings und verglaste Büros, die schalldicht waren und deren Glas sich bei Bedarf verdunkeln ließ. Im Zentrum jeder Etage lag eine Freizeitinsel mit Sofas, Bar und Küche als Reminiszenz an die zentrale Feuerstelle, um die sich Urmenschen vor Millionen von Jahren geschart hatten.

Wir geben unseren Mitarbeitern nicht einfach Arbeit, pflegte Tu zu sagen. Wir bieten ihnen eine Heimat.

Naomi Liu saß, flankiert von einem konisch gewölbten, zwei Meter hohen Bildschirm, an ihrem Schreibtisch. Schirm wie Tischplatte waren transparent. Dokumente, Diagramme und Filme geisterten darüber hinweg, die Naomi mit den Fingerspitzen öffnete, schloss oder kraft ihrer Stimme dirigierte. Als sie Jericho erblickte, entblößte sie perlweiße Zähne zu einem Lächeln.

»Und? Zufrieden mit Ihrer neuen Holowand?«

»Leider nein, Naomi. Die Holografie liefert Ihren Duft nicht mit.«

»Wie elegant Sie übertreiben.«

»Keineswegs. Meine Sinne sind geschärfter als die der meisten anderen Menschen. Vergessen Sie nicht, ich bin Detektiv.«

»Dann können Sie mir sicher auch sagen, welches Parfüm ich heute aufgelegt habe.«

Sie schaute ihn halb erwartungsvoll, halb spöttisch an. Jericho machte sich gar nicht erst die Mühe, eine Marke zu nennen. Für ihn rochen Parfums allesamt nach pulverisierten, in Alkohol gelösten Blumen.

»Das beste«, sagte er.

»Für diese Antwort dürfen Sie zum Chef. Er ist im Gebirge.«

Das Gebirge war eine amorphe Sitzlandschaft im hinteren Teil des Raumes, deren Elemente sich der Körperstruktur anpassten und in ständigem Eigenleben begriffen waren. Man konnte sich hineinwerfen, sie erklettern oder darauf herumlümmeln. Zugleich sorgte eine Füllung aus Nanorobotern dafür, dass sich die Form des Gebildes und damit die Körperhaltung derer, die ihre Kuhle hineingesessen hatten, fortlaufend veränderte. Experten vertraten die Auffassung, es denke sich kreativer, wenn man öfter die Position wechsele. Die Praxis gab ihnen recht. Die meisten bahnbrechenden Ideen von Tu Technologies waren in der wogenden Dynamik des Gebirges entstanden.

Tu thronte zusammen mit zwei Projektleitern ganz oben, wo er sich ausnahm wie ein dickes, stolzes Kind. Als er Jericho erspähte, brach er die Unterredung ab, rutschte nach unten und stemmte sich ächzend hoch, abstruse Versuche unternehmend, seine hoffnungslos verknitterten Hosenbeine glatt zu streichen. Jericho sah geduldig zu. Er war sicher, dass die Hose bereits am Morgen so ausgesehen hatte.

»Ein Bügeleisen würde Wunder tun«, sagte er.

»Warum?« Tu zuckte die Achseln. »Geht doch.«

»Bist du nicht ein bisschen zu alt für die Kletterei?«

»Ach ja?«

»Du bist mit der Eleganz einer Lawine zu Tale gefahren, wenn ich das feststellen darf. Deine Bandscheibe –«

»Meine Bandscheibe geht dich einen Kehricht an. Komm mit.«

Tu führte Jericho in eines der verglasten Büros und verschloss es hinter sich. Dann betätigte er einen Schalter, woraufhin sich das Glas verdunkelte und die Decke zu leuchten begann. Nach wenigen Sekunden waren die Wände undurchsichtig. Sie nahmen an dem ovalen Besprechungstisch Platz, und Tu setzte eine erwartungsvolle Miene auf.

»Also, was hast du?«

»Ich glaube nicht, dass Yoyo von den Behörden gesucht wird«, sagte Jericho. »Zumindest nicht von den regulären Sicherheitsorganen.«

»Ist sie auf freiem Fuß?«

»Schätze schon. Sie ist in Quyu untergetaucht.«

Zu seiner Überraschung nickte Tu, als habe er nichts anderes erwartet. Jericho erzählte ihm, was sich seit ihrem letzten Gespräch ereignet hatte. Anschließend saß Tu eine Weile schweigend da.

»Und was vermutest du hinsichtlich des toten Studenten?«, fragte er.

»Mein Gefühl sagt mir, dass er umgebracht wurde.«

»Dein Gefühl in allen Ehren.«

»Er war Yoyos Mitbewohner, Tian. Er wollte mir Geld aus den Rippen leiern für Informationen, die er wahrscheinlich gar nicht besaß. Vielleicht hat er das gleiche Spiel mit jemand anderem abgezogen, der weniger nachsichtig mit ihm umgegangen ist. Oder er wusste tatsächlich was und wurde aus dem Weg geräumt, bevor er es weitererzählen konnte.«

»Dir zum Beispiel.«

»Mir zum Beispiel.« Jericho nagte an seiner Unterlippe. »Gut, es ist eine Theorie. Aber für mich klingt sie plausibel. Yoyo macht sich aus dem Staub, ihr Mitbewohner orakelt über ihren Verbleib, will Geld und fällt vom Dach. Was die Frage aufwirft, wer da nachgeholfen hat. Die Polizei? Nie im Leben! Sie hätten den Burschen in die Mangel genommen, nicht über die Planke gejagt. Abgesehen davon, dass sie nur einen einzigen Grund hätte, bei Yoyo aufzukreuzen, nämlich den Tatbestand ihrer Enttarnung. Aber hat sich bei dir ein einziger Polizist blicken lassen?«

Tu schüttelte den Kopf.

»Sie wären gekommen, darauf kannst du Gift nehmen«, sagte Jericho. »Yoyo arbeitet bei dir. Sie hätten bei Chen vor der Tür gestanden und Yoyos Mitbewohner ausgequetscht. Nichts davon ist geschehen. Sie muss jemand anderem auf die Füße getreten sein. Jemandem, der weniger zimperlich vorgeht.«

Tu schürzte die Lippen. »Hongbing und ich könnten eine Nachricht in dieses komische Forum stellen, in dem sie geschrieben hat. Wir teilen ihr darin mit –«

»Vergiss es. Yoyo bedarf keiner Kontaktaufnahme durch euch.«

»Ich verstehe das nicht. Warum hat sie nicht wenigstens Hongbing eine Nachricht zukommen lassen?«

»Weil sie Angst hat, ihn mit reinzuziehen. Im Augenblick dürfte sich ihr ganzes Denken darauf konzentrieren, wie viel sie riskieren kann, ohne sich *und andere* zu gefährden. Woher soll sie wissen, ob Chen oder du überwacht werden? Also stellt sie sich tot und versucht, an Informationen zu gelangen. In Quyu war sie vorläufig in Sicherheit, aber dann wurde sie gewarnt, dass ich zu ihr unterwegs wäre. Inzwischen weiß sie, dass ich dort war. Auch, dass mir jemand gefolgt ist.

435

Damit hat sich das ANDROMEDA als Versteck erst mal erledigt. So sang- und klanglos, wie sie ihre Wohnung verlassen hat, ist sie auch von dort wieder verschwunden.«

»Dieser Zhao Bide«, sagte Tu nachdenklich. »Welche Rolle spielt er deiner Meinung nach?«

»Keine Ahnung. Er half bei der Vorbereitung des Konzerts. Schätze, er hat irgendwas mit dem ANDROMEDA zu tun.«

»Ein *City Demon*?«

»Er sagt, nein.«

»Andererseits weiß er, dass Yoyo ein *Wächter* ist.«

»Ja, aber mein Eindruck war, dass er ihre Botschaft, die sie in *Brilliant Shit* abgesondert hat, gar nicht kannte. Ihn einzuordnen fällt schwer. Definitiv sind einige *Wächter* zugleich *City Demons*. Aber nicht alle *City Demons* sind *Wächter*. Wiederum gibt es Leute, die Yoyo helfen, ohne zum einen oder anderen Verein zu gehören. So wie Zhao.«

»Und du glaubst, er genießt ihr Vertrauen?«

»Er buhlt sehr darum, wie es aussieht. Allerdings hat sie ihm nicht verraten, wohin sie diesmal geflohen ist.«

»Mich und Chen hat sie ebenso wenig informiert.«

»Auch wieder wahr. Nur bringt uns das alles nicht weiter.« Jericho sah Tu vorwurfsvoll an. »Und das weißt du genau.«

Tu erwiderte den Blick gleichmütig.

»Worauf willst du hinaus?«

»Mit jeder Flucht verkleinert Yoyo den Kreis derer, die sie in ihre Schritte mit einbezieht. Aber einige muss es geben, die immer Bescheid wissen.«

»Und?«

»Und ich frage mich bei allem gebotenen Respekt, ob du mir vielleicht einiges verschweigst.«

Tu legte die Fingerspitzen aufeinander.

»Du denkst, ich kenne die übrigen *Wächter*?«

»Ich denke, du versuchst Yoyo ebenso zu schützen wie dich selbst. Nehmen wir an, dass du meine Hilfe streng genommen gar nicht gebraucht hättest. Dennoch betraust du mich mit den Nachforschungen, um nicht selbst aktiv werden zu müssen. Niemand soll auf die Idee kommen, Tu Tian interessiere sich über Gebühr für den Verbleib einer Dissidentin. Chen Hongbing hingegen ist Yoyos Vater, er kann problemlos einen Detektiv aufsuchen.«

Jericho wartete, ob Tu dazu Stellung beziehen würde, doch der nestelte lediglich die windschiefe Brille von seiner Nase und begann sie an einem Hemdzipfel blank zu putzen.

»Nehmen wir weiter an«, fuhr Jericho fort, »du weißt, wohin Yoyo sich verkrümelt, wenn es Ärger gibt. Und nun kommt Chen Hongbing in seiner ganzen Ahnungslosigkeit und bittet dich um Hilfe. Sollst du ihm etwa erzählen, was seine Tochter im Netz so treibt, und dass du davon weißt? Mehr noch, dass du ihre Aktivitäten billigst und ihren Aufenthaltsort kennst? Er würde durchdrehen, also verweist du ihn an mich und lieferst mir nebenbei den entscheidenden Hinweis. Die *City Demons*. Von denen sprach übrigens auch Grand Cherokee Wang. Tatsächlich hast du mir damit verraten, wo ich nachsehen soll. Dein Plan war einfach: Ich finde das Mädchen, du wirst nach draußen nicht auffällig, musst Chen gegenüber nicht die Hosen runterlassen, der Vater hat Gewissheit über den Verbleib seiner Tochter, und der väterliche Freund kann ruhig schlafen.«

Tu sah kurz auf und polierte weiterhin schweigend seine Brille.

»Allerdings wusstest und weißt du nicht, wer Yoyos Feinde sind und worum es bei der ganzen Sache überhaupt geht. Das hat dich beunruhigt. Jetzt, nachdem Yoyo das ANDROMEDA verlassen hat, tappst auch du im Dunkeln. Die Dinge haben sich kompliziert. Inzwischen bist du ebenso ratlos und besorgt wie Chen, außerdem ist jemand tot.«

Die Brille wurde angehaucht und wieder dem Hemd überantwortet.

»Das heißt, von jetzt an brauchst du mich *wirklich*.« Jericho lehnte sich vor. »Und zwar für *echte* Ermittlungsarbeit.«

Hauchen, putzen.

»Aber dafür muss ich ermitteln *können!*«

Mit einem trockenen Knacken zerbrach der von Klebeband umwickelte Bügel. Tu stieß einen unterdrückten Fluch aus, räusperte sich geräuschvoll und versuchte, die Brille wieder auf seinem Nasenrücken zu platzieren. Sie balancierte darauf wie ein aus der Spur geratener Wagen kurz vor dem Absturz von einer Felsklippe.

»Einen Optiker könnte ich dir auch empfehlen«, setzte Jericho trocken hinzu. »Aber zuvor musst du mir sagen, was du bislang verschwiegen hast. Andernfalls kann ich euch nicht helfen.«

Andernfalls, schoss es ihm durch den Kopf, könnte ich selbst bald vom Dach fallen.

Tu pfefferte den Bügel auf die Tischplatte.

»Ich wusste schon, warum ich dich beauftragt habe. Es wird dir bloß nichts nützen, wenn ich dir die Namen der anderen fünf *Wächter* verrate. Sie dürften ebenfalls untergetaucht sein.«

»Erstens habe ich eine Spur. Zweitens einen Verbündeten.«

»Zhao Bide?«

»Auch wenn er kein *City Demon* ist, wird er ihre Gesichter kennen. Ich brauche Namen und Fotos.«

»Fotos, das wird dauern.« Tu stocherte in seinem Ohr. »Die Namen bekommst du. Einen hast du übrigens schon kennengelernt.«

»So?« Jericho hob die Brauen. »Wen?«

»Sein Spitzname ist Daxiong: *Großer Bär.*«

»Das Gebirge mit der Denkbeule?« Er versuchte sich Daxiong mit einem politischen Bewusstsein vorzustellen, mit einem Intellekt, der ihn befähigte, die Partei in Aufruhr zu versetzen. »Das kann ich kaum glauben. Ich war überzeugt, sein Motorrad hätte einen höheren IQ als er.«

»Das denken viele«, versetzte Tu. »Manche halten mich auch für einen übergewichtigen, alten Penner, der keinen Optiker kennt und Dreck aus der Dose frisst. Glaubst du im Ernst, Yoyo ist dir entwischt, weil der große Bär so dämlich wäre? Er hat dich in die Hölle geschickt, und du bist brav hingefahren.«

Jericho musste zugeben, dass das stimmte.

»Jedenfalls weißt du nun, warum ich meine Kontakte nicht strapazieren will«, sagte er. »Die Polizei würde sich einigermaßen wundern. Inzwischen dürften sie wissen, dass Wang Yoyos Wohngenosse war. Sie werden Nachforschungen anstellen und herausfinden, dass ich das Mädchen suche. Dann machen sie ihre Gleichung auf: Ein toter, womöglich ermordeter Student, eine vorbestrafte Regimekritikerin, ein Detektiv, der nach dem einen fragt und der anderen auf den Fersen ist. Die sollen keine Querverbindungen herstellen, Tian, ich will unauffällig ermitteln. Am Ende bringe ich sie noch auf die Idee, sich näher mit Yoyo zu beschäftigen.«

»Verstehe.« Tus Finger glitten über die Tischplatte, und die gegenüberliegende Wand verwandelte sich in einen Bildschirm. »Dann schau dir das mal an.«

Aus der Perspektive von zwei Überwachungskameras sah man den Glaskorridor mit dem Zugang zum Achterbahnhof.

»Wie bist du so schnell an die Aufnahmen gekommen?«, wunderte sich Jericho.

»Dein Wunsch war mir Befehl.« Tu kicherte. »Die Polizei hatte ein elektronisches Siegel vorgeschaltet, aber so was stellt für uns kein Problem dar. Unser eigenes Überwachungsnetz ist an das hausinterne gekoppelt, außerdem haben wir uns schon in ganz andere Systeme gehackt. Schwierigkeiten hätte es nur gegeben, wenn sie eine Hochsicherheitssperre eingezogen hätten.«

Jericho überlegte. Elektronische Versiegelungen waren üblich. Dass die ermittelnden Behörden darauf verzichteten, verriet einiges darüber, wie sie den Fall einstuften. Ein weiteres Indiz, dass die Polizei Yoyo gar nicht auf dem Schirm hatte.

Im Glaskorridor erschienen zwei Männer. Der kleinere, der voranging, trug langes Haar, modische Kleidung und Applikationen auf Stirn und Wangenknochen. Eindeutig Grand Cherokee Wang. Ihm folgte ein hochgewachsener, schlanker Mann in einem gut geschnittenen Anzug. Mit seinem ölig zurückgekämmten Haar, dem schmalen Schnurrbart und der getönten Brille hatte er etwas Dandyhaftes. Jericho sah an den Drehungen seines Kopfes, dass er im Gehen den kompletten Gang scannte und sein Blick für Sekundenbruchteile auf den Kameras ruhte.

»Schlaues Kerlchen«, murmelte er.

Die beiden gingen bis zur Korridormitte und verschwanden aus dem Blickwinkel der einen Kamera. Die andere zeigte, wie sie gemeinsam den Glaskasten mit dem Kontrollpult betraten.

»Sie unterhalten sich.« Tu schaltete auf schnellen Vorlauf. »Es geschieht nichts Aufregendes.«

Jericho sah zu, wie Grand Cherokee im Zeitraffer gestikulierte und dem anderen offenbar die Funktionsweise des Kontrollpults erklärte. Dann schien sich ein Gespräch zu entwickeln.

»Jetzt pass auf«, sagte Tu.

Der Film lief wieder in Originalgeschwindigkeit. Unverändert standen die Männer beisammen. Grand Cherokee machte einen Schritt auf den Hochgewachsenen zu, der seinerseits den Arm ausstreckte.

Im nächsten Moment knickte der Student ein, schlug mit dem Gesicht auf die Konsolenkante und stürzte zu Boden. Sein Gegenüber packte zu und stellte ihn wieder auf die Beine. Grand Cherokee taumelte. Der Fremde hielt ihn fest. Bei flüchtiger Betrachtung musste es so aussehen, als stütze er einen Freund, der einen plötzlichen Schwächeanfall erlitten hatte. Einige Sekunden vergingen, dann fiel Grand Cherokee erneut auf die Knie. Der Große ging neben ihm in die Hocke und redete auf ihn ein. Grand Cherokee krümmte sich, rappelte sich hoch. Nach einer Weile verließ der hochgewachsene Mann den Kontrollraum, allerdings nur, um innezuhalten und zurückzukehren. Erstmals seit Betreten des Korridors wandte er der Kamera wieder sein Gesicht zu.

»Stop«, sagte Jericho. »Kannst du ihn vergrößern?«

»Kein Problem.« Tu zoomte Oberkörper und Gesicht heran, bis sie den Bildschirm ausfüllten. Jericho kniff die Augen zusammen. Der Mann sah aus wie Ryuichi Sakamoto als japanischer Besatzer in Bertoluccis *Der letzte Kaiser.*

»Erinnert er dich an jemanden?«, fragte Tu.

Jericho zögerte. Die Ähnlichkeit mit dem japanischen Schauspieler und Komponisten war frappierend. Zugleich beschlich ihn das Gefühl, sich zu verrennen. Der Film war uralt und Sakamoto weit über 70.

»Nicht wirklich. Schick mir das Foto auf den Rechner.«

Tu ließ die Aufnahme weiterlaufen. Grand Cherokee Wang verließ den Kontrollraum und wich vor dem Fremden zurück. Beide gerieten eine Weile außer Sicht, dann war der Hochgewachsene wieder zu sehen. Er betrat den Kontrollraum und machte sich am Steuerpult zu schaffen.

»Ich frage mich gerade, ob der Wachdienst nicht darauf hätte reagieren müssen«, meinte Tu.

»Auf was?«, fragte Jericho.

»Wie, auf was?«, Tu starrte ihn an. »Auf das, was du da siehst!«

»Wonach sieht es denn aus?«

»Irgendwas ist zwischen den beiden doch vorgefallen, oder?«

»Ist es das?« Jericho lehnte sich zurück. »Abgesehen davon, dass Wang zweimal zu Boden geht, ist gar nichts vorgefallen. Vielleicht ist er bekifft oder besoffen oder fühlt sich nicht gut. Unser öliger Freund hilft ihm auf die Beine, das ist alles. Außerdem hat der Wachdienst einhundert Stockwerke zu kontrollieren, du weißt doch, wie so was läuft. Die starren nicht unentwegt auf Monitore. – Gibt es eigentlich Außenkameras?«

»Ja, aber die übertragen nur in den Kontrollraum des *Silver Dragon.*«

»Das heißt, wir können nicht –«

»*Die* können nicht«, sagte Tu. »Wir schon.«

Soeben verließ der Hochgewachsene den Kontrollraum, durchquerte den Korridor und verschwand im angrenzenden Gebäudeteil. Tu startete eine weitere Aufnahme. Der Bildschirm unterteilte sich in acht Einzelbilder, die zusammengenommen den Gleisverlauf des *Silver Dragon* abbildeten. Eine der Kameras zeigte Grand Cherokee, wie er am Ende des letzten Waggons stand und mehrfach hinter sich schaute.

Dann trat er hinaus auf das Gleis.

»Einfrieren«, rief Jericho. »Ich will sein Gesicht sehen.«

Kein Zweifel, Grand Cherokees Züge waren in Panik verzerrt. Jericho fühlte eine Mischung aus Faszination und Grauen.

»Wo will er bloß hin?«

»Unüberlegt ist seine Aktion nicht«, sagte Tu gedämpft, als könne er den verzweifelten Mann auf dem Achterbahngleis durch lautes Reden zu Fall bringen. Der *Silver Dragon* verließ unterdessen den Bahnhof und wurde über die Bildschirme weitergereicht. »Ums Haus rum existiert eine Verbindung zwischen Gleis und Gebäude. Mit etwas Glück kann er es dorthin schaffen.«

»Er schafft es aber nicht«, sagte Jericho.

Tu schüttelte stumm den Kopf. Entsetzt sahen sie zu, wie Grand Cherokee starb. Eine Weile sagte keiner ein Wort, bis Jericho sich räusperte.

»Die Zeitcodes«, sagte er. »Wenn du sie vergleichst, besteht kein Zweifel, dass der Fremde den *Silver Dragon* gestartet hat. Und noch etwas fällt auf. Wir sehen nur zweimal sein Gesicht, beide Male undeutlich. Darüber hinaus hat er es verstanden, der Kamera immer den Rücken zuzukehren.«

»Und was schließt du daraus?«, fragte Tu heiser.

Jericho sah ihn an.

»Es tut mir leid«, sagte er. »Aber du und Chen – ihr werdet euch mit dem Gedanken vertraut machen müssen, dass Yoyo einen professionellen Killer am Hals hat.«

Nein, dachte er, falsch. Nicht nur Yoyo.

Ich auch.

Tu Technologies gehörte zu den wenigen Unternehmen in Shanghai, die über eine Flotte privater Skymobiles verfügten. 2016 war das World Financial Center nachträglich mit einem Hangar für Flugautos ausgerüstet worden, oberhalb der Büros im 78. Stockwerk. Er bot zwei Dutzend Maschinen Platz, die Hälfte davon im Besitz der Eignergesellschaft, vornehmlich wuchtige Senkrechtstarter für Evakuierungen. Seit islamistische Terroristen vor knapp einem Vierteljahrhundert zwei Passagierflugzeuge in die Zwillingstürme des New Yorker World Trade Centers gelenkt hatten, war das Interesse an Flugmobilen mit jedem Jahr stärker geworden und hatte zur Entwicklung unterschiedlicher Typen geführt. Fast alle neu erbauten Superhochhäuser Chinas wurden inzwischen mit Flugdecks ausgestattet. Sieben Maschinen gehörten dem Hyatt, vier elegant geformte Shuttles mit schwenkbaren Turbinen, zwei Sky-Bikes und ein hubschrauberähnlicher Gyrokopter. Tus Flotte umfasste zwei Gyrokopter und den *Silver Surfer*, einen ultraflachen, schimmernden Senkrechtstarter. Vergangenes Jahr war Jericho in den Genuss einiger Flugstunden gekommen, als Gegenleistung für einen Job, den er nicht berechnet hatte, was ihn in die Lage versetzte, die sündhaft teure Konstruktion zu steuern. Jetzt saß Tu auf dem Pilotensitz. Er wollte Chen Hongbing einen Besuch abstatten und anschließend Geschäftstermine in Dongtan City wahrnehmen, einem Trabanten Shanghais auf der Yangtse-Insel Chongming, der den Rekord als umweltfreundlichste Stadt der Welt hielt. Tu Technologies hatte eine virtuelle Wasserstraße für die von Kanälen durchzogene Metropole entwickelt, einen gläsernen Tunnel, der die Illusion vermittelte, durch die Zeit der drei Reiche zu fahren, eine wegen ihrer Ergiebigkeit an Geschichten beliebte Epoche zwischen Han-Dynastie und Jin-Dynastie.

»Wir sind nun mal die größte Dreckschleuder der Welt«, erklärte Tu zum Thema Dongtan. »Niemand verpestet den Planeten so nachhaltig wie China, nicht mal die Vereinigten Staaten von Amerika. Andererseits findest du nirgendwo eine derartige Konsequenz in der Umsetzung alternativer Konzepte wie hier. Was immer wir unternehmen, scheint zwanghafter Radikalisierung unterworfen zu sein. Das ist es, was wir heute unter Yin und Yang verstehen: die Auslotung von Extremen.«

Der riesige Hangar war hell erleuchtet. Gestrandeten Walen gleich ruhten die hauseigenen Senkrechtstarter nebeneinander. Während Tu seine Flunder über die Startbahn steuerte, schob sich die verglaste Front des Hangars auseinander. Er kippte die vier Turbinen des Gefährts in die Horizontale und beschleunigte. Ein Aufheulen flutete die Halle, dann schoss der *Silver Surfer* über die Gebäudekante hinaus und fiel dem Huangpu entgegen. Zweihundert Meter über dem Erdboden fing Tu die Maschine ab und steuerte sie in einer weitläufigen Kurve über den Fluss.

»Ich werde Hongbing eine entschärfte Version vorsetzen«, sagte er. »Dass Yoyo nicht von der Polizei gesucht wird, es aber möglicherweise glaubt. Und dass sie noch in Quyu ist.«

»*Falls* sie noch in Quyu ist«, gab Jericho zu bedenken.

»Wie auch immer. Was willst du als Nächstes tun?«

»Das Netz durchstöbern in der Hoffnung, dass Yoyo eine weitere Nachricht abgesetzt hat. Eine Imbisskette namens *Wongs World* unter die Lupe nehmen.«

»Nie gehört.«

»Gibt's wahrscheinlich nur in Quyu. Yoyos Papierkorb quoll über von *Wongs World* Verpackungen. Drittens brauche ich Informationen über die aktuellen Projekte der *Wächter*. Und zwar lückenlos«, fügte er mit einem Seitenblick hinzu. »Keine kosmetischen Korrekturen, keine verdeckten Karten.«

Tu erweckte den Eindruck eines Ballons, dem man die Luft herausgelassen hatte. Erstmals, seit Jericho ihn kannte, wirkte er ratlos. Die Brille hing invalid auf seiner Nase.

»Was ich weiß, werde ich sagen«, versicherte er mit Büßerstimme.

»Das ist gut.« Jericho tippte auf seinen Nasenrücken. »Sag mal, kannst du damit eigentlich was sehen?«

Der Chinese öffnete wortlos ein Fach in der Mittelkonsole, entnahm ihm eine identisch aussehende Brille, setzte sie auf und warf die alte hinter sich. Jericho verwandte einen Augenblick des Grübelns auf die Frage, ob seine Sinne ihm einen Streich gespielt hatten. Lagerte da tatsächlich ein Dutzend weiterer Brillen?

»Warum flickst du Wegwerfbrillen mit Klebeband?«, fragte er.

»Wieso? Die war doch noch in Ordnung.«

»Sie war keineswegs – ach egal. Was Hongbing angeht, meine ich schon, dass er irgendwann die ganze Wahrheit erfahren muss. Oder? Er ist immerhin Yoyos Vater. Er hat ein Recht darauf.«

»Aber nicht jetzt.« Tu überflog den Bund, ließ den *Silver Surfer* weiter absacken und zog nach Süden. »Hongbing ist ein rohes Ei, man muss sehr genau überlegen, wie weit man bei ihm geht. Was anderes: die Angelegenheit mit Grand Rokokos Überresten, oder wie der Kerl hieß – also, ich halte es für aussichtslos, an seine Sachen zu gelangen, werde es aber zum Gegenstand weiterer Überlegungen machen. Du bist vor allem an seinem Handy interessiert, richtig?«

»Ich will wissen, mit wem er nach Yoyos Verschwinden telefoniert hat.«

»Gut, ich tue, was ich kann. Wo soll ich dich absetzen?«

»Zu Hause.«

Tu drosselte die Geschwindigkeit und steuerte den Skyport Luwan an, der nur wenige Gehminuten von Xintiandi entfernt lag. So weit man blicken konnte, staute sich der Verkehr in den Straßen, nur auf den COD-Trassen rasten die Kabinen dahin. Seine Finger berührten das holografische Feld mit den Navigationsinstrumenten, und die Turbinen kippten in die Vertikale. Wie in einem Fahrstuhl sanken sie nach unten. Jericho sah aus dem Seitenfenster. Am Rand des Start- und Landefelds parkten zwei städtische Gyrokopter, beide als Krankentransporter ausgewiesen. Ein weiterer hob gerade ab, stieg beängstigend dicht vor ihnen empor und dröhnte mit vollem Schub Richtung

Huangpu. Jericho spürte ein Vibrieren in der Leistengegend, zog sein Handy hervor, sah, dass jemand versuchte, ihn zu erreichen, und schaltete auf Empfang.

»Na, kleiner Jericho.«

»Zhao Bide.« Jericho schnalzte mit der Zunge. »Mein neuer Freund und Vertrauter. Was kann ich für Sie tun?«

»Haben Sie keine Sehnsucht nach Quyu?«

»Machen Sie mir welche.«

»Die Krabben-Baozi in *Wongs World* sind ausgezeichnet.«

»Ah. Sie haben den Laden gefunden.«

»Ich kannte ihn sogar. Hatte nur vergessen, wie er heißt. Er liegt im, sagen wir mal, zivilisierten Teil Xaxus. Sie müssten eigentlich dran vorbeigefahren sein. Eine Art Straßenmarkt mit Überdachung. Riesengroß.«

»Gut. Schau ich mir an.«

»Langsam, Herr Detektiv. Es sind zwei Märkte. Die Filiale liegt einen Block weiter.«

»Eine dritte gibt es nicht?«

»Nur die beiden.«

Der *Silver Surfer* kam federnd zum Stehen. Tu drosselte die Motoren.

»Bis sieben werde ich im ANDROMEDA gebraucht«, sagte Zhao. »Wenigstens so lange, bis es die *Pink Asses* auf die Bühne geschafft haben, was nicht immer ganz einfach ist. Danach habe ich frei.«

Jericho überlegte. »Gut. Beziehen wir Posten. Jeder von uns hält eine der Filialen im Auge. Wäre ja möglich, dass Yoyo und ihre Freunde noch auftauchen.«

»Und was springt dabei raus?«

»Aber, aber, kleiner Zhao!«, entsetzte sich Jericho. »Sind das die Worte eines besorgten Liebenden?«

»Es sind die Worte eines Liebenden aus Quyu, Sie elender Idealist. Was ist nun? Wollen Sie meine Hilfe oder nicht?«

»Wie viel?«

Zhao nannte ihm eine Summe. Jericho handelte ihn auf die Hälfte runter, weil es sich so gehörte.

»Und wo treffen wir uns?«, fragte er.

»Am ANDROMEDA. Um halb acht.«

»Ihnen ist hoffentlich klar, dass es der langweiligste Job der Welt ist«, sagte Jericho. »Still sitzen und glotzen, ohne dabei einzuschlafen.«

»Zerbrechen Sie sich nicht meinen Kopf.«

»Ganz bestimmt nicht. Bis später.«

Tu sah ihn von der Seite her an.

»Du bist sicher, dass du dem Kerl trauen kannst?«, fragte er. »Vielleicht macht er sich wichtig. Vielleicht will er nur Geld.«

»Vielleicht ist der Papst ein Heide.« Jericho zuckte die Schultern. »Ich kann mit Zhao Bide wenig verkehrt machen. Er soll die Augen aufsperren, nichts weiter.«

»Du musst es wissen. Bleib erreichbar für den Fall, dass ich das Handy unseres abgestürzten Grand Sheraton finde. Irgendwo zwischen Milz und Leber.«

QUYU

Als Jericho erneut in die Vergessene Welt fuhr, floss der Verkehr mit der Konsistenz von Honig dahin. Zügig für das Empfinden eines Shanghaiers. Es verhieß eine pünktliche Heimkehr, ein warmes Abendessen und zerknitterte Kinder, die wach gehalten wurden, damit Mama und Papa sie gemeinsam ins Bett bringen konnten.

Für einen Mitteleuropäer hingegen, der längere Phasen zügigen Fortkommens gewohnt war, gehörte jede Minute auf Shanghais Straßen zu den verstörenden Erfahrungen des Daseins. Statistiker behaupteten, ein gewöhnlicher Autofahrer verbringe sechs Monate seiner urbanen Existenz ununterbrochen vor roten Ampeln. Das war gar nichts, verglichen mit Erhebungen über das Verstreichen von Lebenszeit in Shanghaier Staus. Nachdem CODs für einen Besuch in Quyu nicht taugten, weil sie dort auffielen wie geflügelte Frösche und Yoyos Misstrauen wecken würden, blieb Jericho nichts anderes übrig, als seinen eigenen Wagen aus der Tiefgarage zu holen. Am Nachmittag hatte er Diane im Netz auf die Suche nach Zhao Bide geschickt, ohne Ergebnis. Niemand dieses Namens war verzeichnet. Quyu existierte nicht und ebenso wenig seine Bewohner.

Dafür tauchten die übrigen fünf *Wächter* brav in den Listen der Universitäten auf.

Yoyo selbst hatte nach ihrem Eintrag bei *Brilliant Shit* keine neuen Spuren hinterlassen. Einmal mehr fragte sich Jericho, wer einer lästigen, aber nicht wirklich brandgefährlichen Dissidentin einen professionellen Killer auf den Hals schickte. Ließ man die Polizei außer Acht, kamen staatliche Elemente durchaus infrage. Die Partei war von Geheimdiensten durchzogen wie der Gorgonzola vom Schimmel. Niemand, vermutlich nicht mal die höchsten Kader, kannte das ganze Ausmaß der

Verflechtung. Vor diesem Hintergrund konturierte sich eine verdeckte Operation, deren Ziel darin bestand, die Verbreitung einer Information zu verhindern, an die Yoyo niemals hätte gelangen dürfen.

Was mehr erforderte, als das Mädchen zu töten.

Denn falls ihr verbotenes Wissen dem Netz entstammte, war es mit einiger Wahrscheinlichkeit auf ihrem Computer gespeichert. Ein Umstand, der Yoyos Überlebenschancen nicht eben verbesserte, ihre Ermordung jedoch erschwerte. Solange der Verbleib des Geräts unklar war, konnte man sie nicht einfach auf offener Straße abknallen. Der Killer musste in den Besitz des Computers gelangen, mehr noch, in Erfahrung bringen, an wen sie ihr Wissen weitergegeben hatte. Seine Aufgabe war die eines Epidemologen: das Virus eindämmen, die Infizierten zusammentreiben, sie eliminieren, schließlich die Erstträgerin ausschalten.

Fragte sich, wo der Epidemologe in diesen Sekunden war.

Jericho hatte erwartet, verfolgt zu werden. Am Morgen noch war der Killer in einem COD unterwegs gewesen. Inzwischen konnte er wie Jericho das Fahrzeug gewechselt haben. Zhaos Beschreibung des Mannes deckte sich mit den Videoaufnahmen aus dem World Financial Center, doch Jericho bezweifelte, dass der Fremde sich ihm zeigen würde. Andererseits wusste der Kerl nicht, dass Jericho sein Gesicht gesehen hatte, wähnte sich unentdeckt und wurde vielleicht leichtsinnig. Was immer zutraf, er musste aufpassen, mit seiner Suche nach Yoyo nicht zu erfolgreich zu sein und sie ans Messer zu liefern.

Zwei Kilometer vor Quyu schickte ihm Tu die versprochenen Fotos. Sie zeigten außer »Daxiong« Guan Guo zwei Mädchen namens »Maggie« Xiao Meiqi und Yin Ziyi und die männlichen *Wächter* Tony Sung und Jin Jia Wei. Zusammen mit den Videostandbildern, die Grand Cherokees Mörder zeigten, bildeten sie die Grundlage seiner Suche. Holobrillen und Scanner, die er mit sich führte, würden unentwegt auf die Daten zurückgreifen können und jede Übereinstimmung sofort anzeigen. Leider waren die Standbilder von schlechter Qualität und ließen kaum darauf hoffen, dass der Computer den Killer im Gewühl erkannte. Doch Jericho war fest entschlossen, alle Register zu ziehen. Alleine mit den Scannern verfügten Zhao und er über ein halbes Dutzend zuverlässiger Spürhunde, die anschlagen würden, sobald es Yoyo oder einen der Ihren nach *Wongs World* gelüstete.

Er nahm die Ausfahrt nach Quyu und hielt am Straßenrand, um die Wagenfarbe zu wechseln. Magnetfelder änderten binnen Sekunden die Nanostruktur der Lackpartikel. Die Sonderausstattung hatte er sich ein paar Yuan kosten lassen, sodass sein Toyota nun die Wandlungsfähigkeit eines Chamäleons besaß. Während er mit einem Klienten telefonierte, verdunkelte sich das elegante Silberblau zu einem schmuddeligen, von glanzlosen Stellen durchzogenen Graubraun. Die Frontpartie erweckte den Anschein, schlecht nachlackiert worden zu sein. Dunkle Flecken verunzierten die Fahrertür und schufen die Illusion von Beulen, an deren Rändern der Lack blätterte. Über dem linken hinteren Radkasten erschien ein schartiger Kratzer. Als Jericho die Grenze passierte, die das Reich der Geister von der Welt der Lebenden trennte, befand sich sein Wagen in beklagenswertem Zustand – genau richtig, um in den Straßen Xaxus nicht weiter aufzufallen.

Zhao hatte ihm die Route zum größeren der *Wong*-Märkte beschrieben. Als er dort eintraf, herrschte immer noch Hochbetrieb. Mittlerweile sah er diesen Teil Xaxus mit anderen Augen. Der weitgehend intakte Eindruck und das geschäftige Treiben täuschten darüber hinweg, dass hier eine Bruchstelle der Gesellschaft verlief, jenseits derer die Nichtvernetzten unter dem Diktat rivalisierender Triaden lebten, deren Anführer das Terrain kontrollierten. Im Schatten des stillgelegten Stahlwerks, dem das Viertel seine Existenz ursprünglich verdankte, florierte der Drogenhandel, wurde Geld gewaschen, grassierte die Prostitution, betäubte man sich im *Cyber Planet* mit virtuellen Wunderdrogen. Hingegen zeigten die Triaden an den ausgedehnten Steppen des Elends, die Jericho am Morgen durchfahren hatte, kaum Interesse. So war Quyu am ehrlichsten dort, wo es am ärmsten war, und arm blieb, wer versuchte, ehrlich zu sein.

Wongs World beanspruchte ein Gebiet von Häuserblockgröße und präsentierte sich als Patchwork aus dampfenden Garküchen, Konservenbergen in riesigen Regalwänden, gestapelten Käfigen mit keckernden, zischenden und winselnden Tieren, windschiefen Wettständen sowie abgehängten Buden, in denen man sich Trips, Geschlechtskrankheiten oder Spielschulden einhandeln konnte. Jericho hegte keinerlei Zweifel, dass bei *Wong* auch Waffen verschoben wurden. Es herrschte unvorstellbare Enge. Ein Hornissenschwarm aus Wortfetzen und Gelächter tobte über dem Markt, durchdrungen vom Scheppern chinesischer Schlagermusik aus überforderten Boxen. Während er noch nach Zhao Ausschau hielt, löste sich dieser aus dem Gewühl und kam über die Straße geschlendert. Jericho ließ das Fenster herunter und winkte ihn heran. Zhao trug Jeans, die schon bessere Tage gesehen hatten, und eine fadenscheinige Windjacke, wirkte dennoch auf unbestimmte Weise gepflegt. Sein Haar fiel seidig nach hinten, als er den Kopf in den Nacken legte und Bier aus einer von Kälte beperlten Dose trank.

Über die Schulter hatte er einen verschlissenen Rucksack geschwungen. Ohne Eile näherte er sich Jerichos Fahrzeug und beugte sich zu ihm herab.

»Nicht ganz Ihre Welt, was?«

»Ich bin schon in anderen Höllen gewesen«, sagte Jericho und deutete mit einer Kopfbewegung ins Innere des Toyota. »Los, steigen Sie ein. Ich will Ihnen was zeigen.«

Zhao umrundete den Wagen, öffnete die Beifahrertür und ließ sich auf den Sitz fallen. Für die Dauer eines Augenblicks erstrahlte sein Profil im Licht eines Sonnenstrahls, der sich durch das quellende Wolkengebräu kämpfte. Jericho sah ihn an und fragte sich, warum jemand mit seinem Aussehen nicht längst in der Modebranche oder beim Film gelandet war. Oder *hatte* er Zhao schon in der Modebranche gesehen? Im Fernsehen? In einem Magazin? Plötzlich erschien es ihm so. Zhao, ein ehemaliges Model, abgerutscht und aufgeschlagen in Quyu.

Erste Regentropfen zerplatzten an der Windschutzscheibe.

»Alles okay?«, fragte Zhao.

»Und bei Ihnen?«

»Die Jungs sind auf der Bühne. Hässliche Karre übrigens, die Sie da fahren. Vario-Lack?«

Jericho war überrascht. »Sie kennen sich aus.«

»Ein bisschen. Keine Angst. Die Illusion ist perfekt.« Zhao beugte sich vor und wischte mit dem Handballen einen Fleck von den Armaturen. »Jeder fällt drauf rein, solange er nicht einsteigt und das blitzblanke Innenleben erblickt.«

»Beschreiben Sie mir den anderen Markt.«

»Knapp halb so groß wie dieser. Keine Hühner, keine Hühnerköpfe.«

Jericho griff hinter sich und reichte Zhao eine der Holobrillen. »Schon mal so was getragen?«

»Klar.« Zhao nickte hinüber zur Filiale von *Cyber Planet.* »Da drin trägt jeder so ein Ding. Wissen Sie, wie man die Läden hier nennt?«

»Die *Cyber Planets?* Nein.«

»Leichenhallen. Wer reingeht, ist praktisch tot. Ich meine, er atmet, aber sein Dasein reduziert sich auf grundlegende Körperfunktionen. Irgendwann tragen sie dich raus, weil du tatsächlich gestorben bist. Im *Cyber Planet* sterben immer Leute.«

»Wie oft waren *Sie* schon da drin?«

»Einige Male.«

»Sie kommen mir nicht sehr tot vor.«

Zhao sah ihn unter gesenkten Augenlidern an. »Ich bin über jede Sucht erhaben, kleiner Jericho. Erklären Sie mir die dämliche Brille.«

»Sie nimmt einen biometrischen Abgleich vor. 180-Grad-Panorama-Scan. Ich habe Fotos von Yoyo und fünf weiteren *Wächtern* auf den Speicher geladen. Sollte einer der sechs in den Erfassungsbereich geraten, färbt die Brille ihn rot ein und sendet Ihnen ein akustisches Hallihallo. Laut genug, um Sie zu wecken, falls Ihnen unter der Last der Verantwortung die Augen zufallen. Der Regler am linken Bügel verspiegelt zudem die Außenfläche, wenn Sie wollen.« Jericho packte Zhao die Brille auf den Schoß und hielt ihm einen der Scanner unter die Nase. »Drei von den Dingern habe ich mit Ihrer Brille synchronisiert. Sie können sie anbringen, wo immer Sie wollen, aber möglichst so, dass sie Bereiche erfassen, die Sie selbst nicht einsehen können. Hier ist der Knopf zum Scharfmachen, mit dem aktivieren Sie den Haftmechanismus. Sie senden direkt in Ihre Brille, außerdem erscheinen die Aufnahmen der Scanner am unteren Sichtrand.«

»Ich bin beeindruckt«, sagte Zhao und sah aus, als sei er es tatsächlich. »Und wie kommunizieren wir?«

»Per Handy. Wissen Sie schon, wo Sie Stellung beziehen?«

»Gegenüber meiner Filiale liegt auch ein *Cyber Planet.* Schöne große Fenster zum Rausgucken.«

Jerichos Blick wanderte zum *Cyber Planet* an der Ecke.

»Gute Idee«, murmelte er.

»Natürlich. Quartieren Sie sich ein, bezahlen Sie für 24 Stunden, das ist bequemer, als im Auto zu hocken. Wenn Sie mit der Brille auf der Nase am Fenster sitzen, wird jeder denken, Sie vögeln gerade eine Hure vom Mars mit vier Titten. Es gibt Snacks und Drinks, nur bedingt genießbar. Sie sollten wirklich mal diese Krabben-Baozis probieren, Mann. Das Essen in *Wongs World* ist gut und billig.«

»Haben Sie Verwandte da?«, fragte Jericho spöttisch.

»Nein, aber Geschmacksnerven. Hätten Sie was dagegen, mich auf meinen Posten zu fahren?«

Jericho startete den Wagen und ließ sich von Zhao zu dessen *Wong*-Filiale dirigieren. Auf der Fahrt passierten sie Teestuben und eine japanische Nudelbar, vor der Männer Karten und Chinaschach spielten oder gestikulierend aufeinander einredeten, viele davon mit nacktem Oberkörper und kahl geschorenen Köpfen.

»Die Herren Xaxus«, sagte Zhao geringschätzig. »Sie teilen den Tag unter sich auf.«

»Keine Ambitionen, sich ein Stück abzusäbeln?«

»Wie kommen Sie denn darauf?«

»Was bleibt für jemanden wie Sie, nachdem die den Tag unter sich aufgeteilt haben?«

»Ist doch egal.« Zhao zuckte die Achseln. »Ich helfe bekifften Idioten auf die Bühne und wieder runter. Auch eine Aufgabe.«

»Verstehe ich nicht.«

»Was gibt es daran nicht zu verstehen?«

»Ich begreife nicht, was jemand wie Sie in Quyu tut. Sie könnten woanders leben.«

»Meinen Sie?« Zhao schüttelte den Kopf. »Niemand hier kann woanders leben. Niemand *will*, dass wir woanders leben.«

»Quyu ist kein Gefängnis.«

»Quyu ist ein Konzept, Jericho. Zwei Drittel der Menschheit leben heute in Städten, das Land ist entvölkert. Irgendwann werden alle Städte ineinander übergehen. Sie sind wie Karzinome, krankes, wucherndes Gewebe, nur die Kerne sind gesund, eingebettet in Wüsten der Verwahrlosung. Die Kerne sind Heiligtümer, Tempel der Höherentwicklung. Dort leben Menschen, wirkliche Menschen. Typen wie Sie. Der Rest ist Viehzeug, sprechendes Getier, das sich in der lächerlichen Vorstellung suhlt, von einem Gott geliebt zu werden. Schauen Sie sich um. Die Leute hier vegetieren auf dem Niveau von Baumbewohnern, sie vermehren sich, vertilgen die Ressourcen des Planeten, bringen einander um oder verrecken an irgendwelchen Krankheiten. Sie sind der Ausschuss der Schöpfung. Der misslungene Teil des Experiments.«

»Dessen Teil auch Sie sind, richtig? Oder habe ich irgendwas falsch verstanden?«

»Ach, Jericho.« Zhao lächelte selbstgefällig. »Das Universum hat seine hell leuchtenden Zentren, und warum? Weil dazwischen Dunkelheit herrscht. Haben Sie jemals sagen hören, man müsse die Dunkelheit des Universums erhellen? Es ist unmöglich. Jeder Versuch, die Menschheit als Ganzes mit Wohlstand auszustatten, scheitert, er führt lediglich dazu, dass es allen schlechter geht. Das Höhere darf sich dem Niederen nicht angleichen, es muss sich abgrenzen, um zu strahlen. Es gibt keine Menschheit, Jericho, nicht im Sinne einer homogenen Spezies. Es gibt Gewinner und Verlierer, Vernetzte und Nichtvernetzte, solche auf der hellen und die meisten auf der dunklen Seite. Die Spaltung ist vollzogen. Niemand will die Xaxus dieser Welt integrieren, ihre Grenzen auflösen. – Da vorne müssen Sie übrigens links abbiegen.«

Jericho schwieg. Der Toyota rumpelte eine breite, schlecht befestigte Straße entlang, gesäumt von Werkshallen und schmutzigen Backsteinhäusern. Wo *Wongs World* und die Filiale des *Cyber Planet* einander gegenüberlagen, öffnete sie sich zu einer staubigen Freifläche und gab den Blick auf das dahinterliegende Gelände des Stahlwerks frei. Wie ein Mahnmal ragte der riesige Hochofen daraus empor.

»Ich werde nicht schlau aus Ihnen, Zhao. Wer sind Sie eigentlich?«

»Was glauben Sie denn?«

»Ich weiß es nicht.« Jericho sah ihn an. »Sie scheinen ein Faible für Yoyo zu haben, aber wenn es darum geht, sie zu finden, lassen Sie sich von mir bezahlen wie irgendein Stricher. Sie leben hier und verabscheuen Ihre eigenen Leute. Irgendwie passen Sie nicht nach Quyu.«

»Sehr tröstlich«, höhnte Zhao. »Etwa so, als ob Sie einer Hämorride versichern, sie sei zu gut für das Arschloch, an dem sie wächst.«

»Sind Sie in Quyu geboren oder hierher geraten?«

»Letzteres.«

»Dann können Sie auch wieder gehen.«

»Wohin?«

»Tja.« Jericho überlegte. »Es gibt schon Möglichkeiten. Schauen wir mal, wie sich unsere befristete Partnerschaft entwickelt.«

Zhao legte den Kopf schräg und hob eine Braue.

»Habe ich das richtig verstanden? Bieten Sie mir einen Job an?«

»Ich beschäftige keine festen Mitarbeiter, aber ich stelle Teams zusammen je nach Aufgabenlage. Definitiv sind Sie intelligent, Zhao. Ihr Überraschungsangriff im ANDROMEDA hat mir imponiert, Sie sind in guter körperlicher Verfassung. Ich kann nicht gerade behaupten, dass Sie mir sympathisch wären, aber wir müssen ja nicht gleich heiraten. Kann sein, dass ich Sie von Zeit zu Zeit brauche.«

Zhaos Augen verengten sich.

Dann lächelte er.

Im selben Moment wurde Jericho von einem Déjà-vu ereilt. Er sah das Vertraute im Fremden. Wie ein Tropfen dunkler Tinktur in klarer Flüssigkeit breitete es sich aus, schnell und nach allen Seiten, sodass er schon im nächsten Moment nicht mehr zu sagen vermochte, worauf sich der Eindruck bezog. Alles um ihn herum schien einer seit Langem bekannten Auflösung zuzustreben, wie in einem Film, den er gesehen hatte, ohne sich des Endes entsinnen zu können. Nein, kein Film, eher ein Traum, eine Illusion. Ein Spiegelbild im Wasser, das man zerstörte im Bemühen, es festzuhalten.

Quyu. Der Markt. Zhao an seiner Seite.

»Alles in Ordnung?«, fragte Zhao erneut.

»Ja.« Jericho rieb sich die Augen. »Wir sollten keine Zeit verlieren. Fangen wir an.«

»Warum ziehen Sie den Job nicht mit einem Ihrer Teams durch?«

»Weil der Job darin besteht, eine Dissidentin zu schützen, deren Identität außer einer Handvoll Eingeweihter niemand kennt. Je weniger Leute sich mit Yoyo befassen, desto besser.«

»Soll das heißen, Sie haben mit niemandem außer mir über das Mädchen gesprochen?«

»Doch. Ich war bei ihren Mitbewohnern.«

»Und?«

»Nicht sehr ergiebig. Kennen Sie die beiden?«

»Vom Sehen. Yoyo sagt, sie wissen nichts von ihrem Doppelleben. Der eine hat kein Interesse an ihr, der andere grämt sich darüber, dass sie keines an ihm hat. Er neigt dazu, sich wichtigzumachen.«

»Sie meinen Grand Cherokee Wang?«

»Ich glaube, so heißt er. Lachhafter Name. Typ Schaumschläger. Was haben die beiden denn erzählt?«

»Nichts.« Jericho machte eine Pause. »Was Wang betrifft, der kann nichts mehr erzählen. Er ist tot.«

»So?« Zhao runzelte die Stirn. »Als ich ihn letztes Mal sah, wirkte er äußerst lebendig. Er prahlte mit irgendeiner Achterbahn herum, die ihm gehört.«

»Nichts gehörte ihm.« Jericho starrte hinaus auf das Marktgedränge. »Ich will Ihnen nichts vormachen, Zhao. Was wir hier tun, kann gefährlich werden. Für alle Beteiligten. Yoyo scheint sich mit Leuten angelegt zu haben, die über Leichen gehen. Wang musste deswegen sterben. Ich dachte, Sie sollten das wissen.«

»Hm. Na ja.«

»Sind Sie immer noch bereit, mitzumachen?«

Zhao ließ einen Augenblick verstreichen. Plötzlich wirkte er verlegen.

»Hören Sie, wegen des Geldes –«

»Schon okay.«

»Nein, ich will nicht, dass Sie einen falschen Eindruck bekommen. Ich würde Ihnen auch helfen, wenn nichts dabei rausspränge. Es ist nur – ich brauche die Kohle, das ist alles. Ich meine, Sie haben die Typen am Straßenrand gesehen, oder?«

»Die den Tag unter sich aufteilen?«

»Es wäre leicht, da mitzumachen. Irgendwas fällt immer an. Die meisten hier leben davon, denen die Stiefel zu lecken. Verstehen Sie?«

»Ich schätze schon.«

»Sie tun das alles hier auch nicht unentgeltlich, oder?«

»Hören Sie, Zhao, Sie müssen sich für nichts entschul –«

»Ich entschuldige mich nicht. Ich stelle nur einiges richtig.« Zhao verstaute Brille und Scanner in seinem Rucksack. »Wie lange wollen Sie die Observierung eigentlich durchziehen?«

»So lange wie nötig. Ich hab schon mal drei Wochen vor einer einzigen Haustür verbracht.«

»Was, und die Dame hat sie nicht reingebeten?« Zhao öffnete die Tür. »Na, irgendwie passt es.«

»Was meinen Sie?«

Zhao zuckte die Achseln. »Hat Ihnen schon mal jemand gesagt, dass Sie wie der einsamste Mensch der Welt aussehen? Nicht? Machen Sie's gut, Erstgeborener!«

Auf Jerichos Zungenspitze sammelten sich tausend Antworten, doch leider keine einzige, die von Souveränität gezeugt hätte. Er sah zu, wie Zhao ohne Eile hinüber zu *Wongs World* schlenderte, wendete und fuhr zurück zu seiner Filiale, wo er den Toyota so platzierte, dass der Scanner unterhalb des Innenspiegels einen Teil des Marktes erfasste. Dann stieg er aus, umrundete das Gelände zu Fuß und entschied sich für zwei Häuser, deren Lage ihm geeignet erschien. Jedes bot ausreichend Möglichkeiten zur Unterbringung der anderen Scanner. Einen arretierte er unter einem bröckeligen Fenstersims, einen weiteren in einem Riss. Die Geräte, schwarz glänzende Kugeln von Erbsengröße, sondierten selbsttätig ihre Umgebung und fuhren winzige Teleskopstützen aus, mit denen sie sich ins Gestein stemmten.

Wongs World war umstellt.

Ein Windstoß fuhr durch die maroden Canyons der Triadenstadt, zerrte an Markisen, Kleidung und Nerven. Mittlerweile war es unerträglich schwül geworden, der Himmel ein Leichentuch. Weiterhin klatschten einzelne, fette Tropfen hernieder, Vorboten der Sintflut, die sich im fernen Donnergrollen ankündigte. Läden knallten. Jericho setzte seine Brille auf und betrat das Foyer des *Cyber Planet*.

Im Prinzip sahen alle Filialen der Kette gleich aus. Man wurde empfangen von standardisierten Automaten in Reihenhausmanier mit Schlitzen für Bargeld und elektronischen Schnittstellen zur Fernabbuchung. Nach Zahlung erfolgte die Registrierung, und man erlangte Zugang zum Allerheiligsten. Zwei Wachleute schwatzten hinter einem Tresen und schenkten den Monitoren keinen Blick. Viele der Gäste waren Stammkunden, wie es aussah. Sie hielten sich nicht lange an den

Automaten auf, sondern schauten in Augenscanner, warteten, bis sich die Türen aus Panzerglas öffneten, und betraten den dahinter liegenden Bereich mit dem tastenden Schritt spät Erblindeter.

Dort reihten sich Spielkonsolen und transparente Liegen aneinander, ausgestattet mit Holobrillen. Eine Empore bot Platz für zwei Dutzend Full-Motion-Suits, ineinander gelagerte Ringe von drei Metern Durchmesser, in die man sich, mit einem Sensoranzug bekleidet, einspannen lassen konnte, um völlige Bewegungsfreiheit zu genießen. Weiter hinten ging es zu abschließbaren Einzelkabinen, Toiletten, Duschen und Schlafwaben. Die Rückwand des riesigen Raumes wurde eingenommen von einer Art Supermarkt mit Bar. Bodentiefe Fensterfronten gewährten Blicke auf die Straße und den Markt. Sah man von den Wachleuten im Foyer ab, gab es kein Personal. Alles war automatisiert. Theoretisch musste man den *Cyber Planet* nie wieder verlassen, vorausgesetzt, man war bereit, sich für den Rest seines Lebens mit Fast Food und Softdrinks zu begnügen. Die Kette lockte mit Pauschalangeboten von bis zu einem Jahr, in denen man nichts anderes zu tun hatte, als mit einer Brille bekleidet virtuelle Welten zu durchwandern, sei es als passiver Beobachter oder aktiver Gestalter. Man träumte, albträumte, lebte und starb.

Jericho zahlte für 24 Stunden. Gut die Hälfte der Liegen war besetzt, als er den Raum betrat, die meisten entlang der Fensterfront. Aus unerfindlichen Gründen suchte das Gros der Besucher die Nähe zur Straße, auch wenn sie durch Brillen und Kopfhörer völlig von der Außenwelt abgeschnitten waren. Jericho erspähte einen freien Platz, von wo aus er *Wongs World* und die Kreuzung überblickte, an der sein Wagen parkte, streckte sich aus und tippte gegen den Bügel seiner Brille. Die Außenfront verspiegelte sich. Er klemmte den Fernempfänger seines Handys ins Ohr und bereitete sich auf eine lange Nacht vor.

Oder auch mehrere.

Vielleicht war Yoyo ja längst über alle Berge, und er und Zhao hockten wie Idioten in einer Tankstelle für Albträume.

Er gähnte.

Mit einem Mal war es, als werde das Licht aus den Straßen gesogen. Die Gewitterfront stülpte sich über Quyu und entließ Ströme pechschwarzen Wassers. Binnen Sekunden schwamm Unrat in den Straßen, rannten Menschen wild durcheinander, die Schultern hochgezogen, als nütze das gegen die völlige Durchnässung. Die Bombardements kurz aufeinanderfolgender, heftiger Donnerschläge rückten näher. Jericho blickte in einen von Elektrizität gespaltenen Himmel.

Der Vorgeschmack des Untergangs.

Nach Ablauf einer Stunde war alles vorbei, während derer sich die Straße vorübergehend in die Miniaturausgabe des Yangtse verwandelt und gestauter Abfall eine niedliche Entsprechung des Drei-Schluchten-Damms gebildet hatte. Ebenso schnell, wie es gekommen war, zog das Gewitter weiter. Die Brühe floss ab, durchweichte Exponate der Wegwerfgesellschaft und ertrunkene Ratten hinterlassend, die von aufsteigendem Wasserdampf theatralisch in Szene gesetzt wurden. Eine weitere Stunde später hatte ein dunkelrot glühender Ball den Kampf gegen die Wolken gewonnen und verschwendete sein Feuer an Straßen ohne Touristen. *Wongs World* erhielt Zulauf von blassen Gestalten, Frauen lugten aus Zelten und Verschlägen, die schale Verheißung der Nacht, oder postierten sich spärlich bekleidet an der Kreuzung.

Gegen elf stöhnte ein junger Mann auf der Liege neben Jericho auf, riss sich die Brille von den Augen, stemmte sich hoch und erbrach einen Schwall wasserdünner Kotze zwischen seine Beine. Die Selbstreinigungssysteme der Liege sprangen summend an, saugten das Zeug weg und fluteten ihre Oberfläche mit Desinfektionsmitteln.

Jericho fragte, ob er etwas tun könne.

Der Junge, kaum älter als sechzehn, bedachte ihn mit einer genuschelten Verwünschung und wankte zur Bar. Sein Körper war ausgemergelt, sein Blick nicht länger auf die Präsenz der Dinge gerichtet. Nach einer Weile kehrte er zurück, etwas kauend, von dem er wahrscheinlich kaum wusste, was genau es war. Jericho drängte es, ihn mit dem Tatbestand seiner Dehydrierung vertraut zu machen und ihm eine Flasche Wasser zu spendieren, die der Junge ihm zum Dank vermutlich ins Gesicht schütten würde. Wenn überhaupt etwas in seinen Augen verblieben war, dann die glimmende Aggressivität derer, die um den Verlust ihrer letzten Illusionen fürchten.

Keiner der Scanner sandte das erlösende Signal.

MONTES ALPES, MOND

Südöstlich des Kessels, der den Beginn des Vallis Alpina markierte, erstreckte sich eine Reihe markanter Gipfel bis hinunter zum Promotorium Agassiz, einem gebirgigen Kap am Rande des Mare Imbrium. In ihrer Gesamtheit erinnerte die Formation mehr an die aufgeworfenen Ränder irdischer Subduktionszonen als an mondübliche Ringgebirge. Erst aus großer Höhe offenbarte sich die unheimliche Wahrheit, dass nämlich das Mare Imbrium, so wie alle Mária, selbst ein Krater enormen Ausmaßes war, entstanden in der Frühzeit des Trabanten vor über drei Milliarden Jahren, als dessen Mantel unter der gerade erstarrenden Oberfläche noch flüssig gewesen war. Verheerende Einschläge hatten die junge Kruste aufgerissen, Lava war aus dem Inneren emporgestiegen, in die Becken gelaufen und hatte jene dunklen Basaltebenen geschaffen, aus denen Astronomen wie Riccioli auf das Vorhandensein lunarer Meere schlossen. In Wirklichkeit markierte die komplette, 250 Kilometer lange Alpenkette eben mal den zehnten Teil eines derart kolossalen Ringwalls, dass Kratergiganten vom Format eines Clavius, Copernicus oder Ptolemaeus daneben zu bloßer Pockennarbigkeit zusammenschrumpften.

Die gewaltigste aller alpinen Kumulationen war der Mons Blanc. Mit gut dreieinhalbtausend Metern Höhe verfehlte er sein irdisches Pendant, was seiner titanischen Natur jedoch keinen Abbruch tat. Nicht nur erschloss sich von seinen Höhenrücken aus die desperate Weite des südwestlichen Mare Imbrium, auch fühlte man sich den Sternen hier oben noch ein wenig näher, beinahe so, als müsse man nun endlich auch von *ihnen* bemerkt und auf angemessene Weise begrüßt werden.

Und tatsächlich, sie grüßten. Als nämlich Julian in plötzlicher, unerklärlicher Erwartung, die Glutspur einer Sternschnuppe zu sehen, den Blick zur Cassiopeia hob, antwortete ihm der Himmel, indem er seine Milliarden teilnahmslos starrender Augen vorübergehend die Plätze tauschen und sich zur Essenz eines kosmischen Tadels zusammenfinden ließ, zu einem einzelnen, deutlich lesbaren Wort: IDIOT! Im Subtext, es gibt keine Sternschnuppe ohne Atmosphäre, allenfalls das Sonnenlicht durcheilende Asteroiden, also was soll's bitte schön sein, und diesmal gefälligst *präzise* ausdrücken!

Julian verharrte. Natürlich formte der Himmel das Wort nur sehr kurz, sodass weder Mimi Parker, Marc Edwards, Eva Borelius noch Karla Kramp es wahrnahmen, ebenso wenig Nina Hedegaard, die ihre kleine Gemeinschaft von Bergsteigern anführte – sofern die Bezwingung einiger Hundert Meter moderat ansteigenden Geländes die Bezeichnung Bergsteigen rechtfertigte. In Sichtweite ruhte die KALLISTO, die sie die 40 Kilometer vom Hotel hierher gebracht hatte, bis unterhalb des Gipfels; ein klobiges, für drei Dutzend Passagiere dimensioniertes Düsenshuttle von geblähter Hummelhaftigkeit. Julian wusste, dass Generationen künftiger Touristen vom Design der Mondfahrzeuge enttäuscht sein würden. Aber es gab nicht den geringsten Grund für Aerodynamik im Vakuum, es sei denn –

Man baute sie trotzdem aerodynamisch. Einfach so.

Der Gedanke besaß Potenzial für einen Flirt, doch Julian flirtete nicht. Sternschnuppen blockierten sein Denken, obwohl ihn die blöden Dinger nicht mal sonderlich interessierten. Was hatte ihn dann veranlasst, an sie zu denken? *Hatte* er überhaupt an sie gedacht oder eher an huschende Lichterscheinungen im Allgemeinen? Durchs Hirn huschend, dem stetig zirkulierenden Teilchenfluss seiner Gedanken entspringend, Ausdruck eines komplexeren Ganzen. Er spürte dem Bild nach, verfolgte es über den Tagesverlauf zurück bis in die frühen Morgenstunden, verdichtete es, zwang es in Koordinaten, gab ihm Platz in Raum und Zeit: sehr früher Morgen, kurz vor Verlassen seiner Suite, ein Aufblicken, ein Aufblitzen –

Mit einem Mal erinnerte er sich.

Ein Lichtreflex am äußeren linken Rand des Fensters, das die zur Schlucht gelegene Wand des Wohnraums einnahm. Ein Huschen von rechts nach links, sternschnuppen*artig*, vielleicht musste man aber auch einfach nur sehr müde und unausgeschlafen sein, um nicht seine wahre Natur zu erkennen. Und weiß Gott, er *war* müde gewesen! Doch Julians Geist glich einem Filmarchiv, keine Szene ging verloren. Rückblickend erkannte er, dass die Erscheinung weder virtueller Natur noch seiner Fantasie zuzuschreiben, sondern höchst realen Ursprungs gewesen war, dass er also tatsächlich etwas gesehen hatte, und zwar auf der gegenüberliegenden Seite des Tals, in Höhe der Magnetbahnschienen, *ziemlich genau sogar* in Höhe der Schienen, dort, wo sich das Gleis nach Norden schwang –

Dass er den Lunar Express gesehen hatte.

Verblüfft blieb er stehen.

»– viel bizarrere Formen, als man es von der Erde gewohnt ist«, erklärte Nina Hedegaard soeben und trat zu einer basaltenen, kubistisch verkeilten Auftürmung. »Der Grund dafür ist, dass kein Wind den Fels abschleift und darum nichts erodiert. Dadurch entstehen –«

Er hatte den Zug gesehen! Mehr ein Nachbild, doch nichts anderes konnte es gewesen sein, und er war in Richtung GAIA unterwegs gewesen.

Zum Hotel.

»Interessant, was Völker im Mond schon alles gesehen haben«, sagte Borelius gerade. »Wussten Sie, dass viele pazifische Stammeskulturen den dicken Brocken noch heute als großen Befruchter verehren?«

»Als Befruchter?« Hedegaard lachte. »Nicht der fidelste Einzeller würde hier überleben.«

»Ich hätte eher auf die Sonne getippt«, sagte Mimi Parker. Eine gewisse Missbilligung für alle nativen Kulturen durchsetzte ihren Tonfall, weil ihre Vertreter nicht gleich als anständige Christenmenschen zur Welt gekommen waren. »Die Sonne als Lebensspenderin, meine ich.«

»In tropischen Regionen fällt es schwer, sie so zu sehen«, erwiderte Borelius. »Oder in der Wüste. Sie brennt erbarmungslos auf dich runter, zwölf Monate ohne Unterlass, versengt Ernten, trocknet Flüsse aus, tötet Menschen und Vieh, während Skorpione, Moskitos und das ganze giftige Kroppzeug prächtig gedeihen. Aber der Mond bringt Kühle und Frische. Das bisschen flüchtige Feuchtigkeit vom Tag kondensiert zu Tau, man kann ausruhen und schlafen –«

»Miteinander schlafen«, ergänzte Kramp.

»Genau. Bei den Maori beispielsweise kam dem Mann lediglich die Aufgabe zu, die weibliche Vagina so lange mit seinem Penis offen zu halten, bis die Mondstrahlen eindringen konnten. Nicht der Mann schwängerte die Frau, sondern der Mond.«

»Sieh mal an. Die alte Sau.«

»Mein Gott, Karla, wie ungnädig«, lachte Edwards. »Ich denke doch, das steht in keinem Widerspruch zur unbefleckten Empfängnis.«

»Also, ich bitte dich!«, echauffierte sich Parker. »Vielleicht eine primitive Version davon.«

»Warum denn primitiv?«, fragte Kramp lauernd.

»Finden Sie das nicht primitiv?«

»Dass der Mond Frauen schwängert? Doch. Ebenso primitiv wie den Gedanken, dass ein ominöser Geist auf Erden rumferkelt und das Resultat als unbefleckte Empfängnis verkauft.«

»Das ist ja wohl nicht zu vergleichen!«

»Wieso nicht?«

»Weil – na, weil es halt nicht zu vergleichen ist. Hier primitiver Aberglaube, dort –«

»Ich will es ja nur verstehen.«

»Also, bei aller Toleranz, wollen Sie ernsthaft bezweifeln –«

Augenblick. *Der* Lunar Express? War es denn überhaupt der, mit dem sie gekommen waren? Es gab ja noch einen zweiten, am Pol geparkt, der erst zum Einsatz gelangen sollte, wenn das Touristenaufkommen die Kapazitäten des einen überstieg. War jemand mit dem Ersatzzug eingetroffen, morgens um Viertel nach fünf?

Und warum wusste er dann nichts davon?

Hatte vielleicht Hanna etwas gesehen?

»Dahinten müsste doch irgendwo Plato liegen«, sagte Edwards, um Deeskalation bemüht. »Ist die Krümmung zu stark?«

»Noch anders«, sagte Hedegaard. »Man würde den oberen Kraterrand von hier erkennen, nur liegt die uns zugewandte Flanke zurzeit im Schatten. Schwarz vor schwarz. Aber wenn Sie sich umdrehen, können Sie in nordöstlicher Richtung das Vallis Alpina ausmachen.«

»Oh ja! Fantastisch.«

»Ganz schön lang«, sagte Parker.

»134 Kilometer. Ein halber Grand Canyon. Kommen Sie noch ein paar Schritte weiter. Hier rauf. Schauen Sie.«

»Wohin?«

»Folgen Sie meinem ausgestreckten Finger. Das helle Pünktchen.«

»Hey! Ist das etwa –«

»Tatsächlich«, rief Edwards. »Unser Hotel!«

»Was? Wo?«

»Da.«

»Wenn man's nicht wüsste –«

»Ehrlich gesagt, ich sehe nur Sonne und Schatten.«

»Nein, da ist was!«

Durcheinandergerede, Durcheinander im Kopf. Es konnte nur der zweite Zug gewesen sein. Bei näherer Betrachtung nicht mal verwunderlich. Lynn und Dana Lawrence kümmerten sich um alles. Das Hotel war ihre Domäne, was wusste er schon? Vielleicht waren in der Nacht Lebensmittel, Sauerstoff und Treibstoff eingetroffen. Er war Gast wie die anderen auch, er konnte sich glücklich schätzen, dass alles so reibungslos funktionierte. Stolz sein! Stolz auf Lynn, egal, welches Menetekel Tim in seiner Verbissenheit an die Wand malte. Lächerlich, der Junge! Baute jemand, der überfordert war, Hotels wie GAIA?

Oder war Lynn ein weiterer Reflex auf seiner Netzhaut, dessen wahre Natur sich ihm entzog?

Unglaublich! Jetzt fing er selber schon so an.

»Julian?«

»Was?«

»Ich habe vorgeschlagen, dass wir zurückfliegen.« Hedegaards süßes Verschwörerlächeln hinter der Helmscheibe klang in jedem Wort durch. »Marc und Mimi wollen vor dem Abendessen noch mal auf den Tennisplatz, außerdem haben wir dann ausreichend Gelegenheit, uns frisch zu machen.«

Uns frisch zu machen. Hübsche Codierung. Seine Rechte hob sich mechanisch, um seinen Bart zu kraulen, und polierte stattdessen den unteren Rand seines Visiers.

»Ja, sicher. Gehen wir.«

»Vielleicht haben Sie mich schon in spektakuläreren Szenen gesehen. Und sie für echt gehalten, auch wenn Ihr Verstand Ihnen sagte, dass das alles gar nicht echt sein *kann*. Doch eben das ist der Job des Illusionisten, Ihren Verstand auszutricksen. Und glauben Sie mir – moderne Tricktechnik kann *jede* Illusion erzeugen.«

O'Keefe breitete die Arme aus, während er langsam weiterging.

»Aber Illusionen können keine *Gefühle* erzeugen, wie ich sie in diesem Moment empfinde. Denn was Sie hier sehen, ist *kein* Trick! Sondern der mit Abstand aufregendste Platz, an dem ich je war, ungleich spektakulärer als jeder Film.«

Er blieb stehen und wandte sich der Kamera zu, mit der erstrahlenden GAIA im Hintergrund.

»Früher, wenn Sie zum Mond fliegen wollten, mussten Sie sich einem Kinosessel anvertrauen. Heute können Sie erleben, was ich erlebe. Die Erde sehen, in einen so wunderbaren Sternenhimmel gebettet, als schaue man bis an den Rand des Universums. Ich könnte stundenlang versuchen, Ihnen meine Empfindungen zu schildern, doch ich«, er lächelte, »bin *nur* Perry Rhodan. Lassen Sie es mich darum mit den Worten Edward D. Mitchells ausdrücken, der als sechster Mensch den Trabenten betrat, im Februar 1971: – *Und plötzlich taucht hinter dem Horizont des Mondes in langen, zeitlupenartigen Momenten von grenzenloser Majestät ein funkelndes, blauweißes Juwel auf, eine helle, zarte, himmelblaue Kugel, umgeben von langsam wirbelnden weißen Schleiern. Allmählich steigt sie wie eine kleine Perle aus einem tiefen Meer empor, unergründlich und geheimnisvoll. Du brauchst eine kleine Weile, um ganz zu begreifen, dass es die Erde ist, unsere Heimat. – Ein Anblick, der mich für alle Zeiten verändert hat.«*

»Danke«, rief Lynn. »Das war super!«

»Ich weiß nicht.« O'Keefe schüttelte den Kopf. Die banale Erkenntnis brach sich Bahn, dass Kopfschütteln in Raumanzügen keinen verständigungsfördernden Effekt hatte, da sich der Helm nicht mitschüttelte. Peter Black kontrollierte auf dem Display seiner Standkamera die Ausbeute. Deutlich erkannte man O'Keefes Gesicht durch die geschlossene Sichtblende. Er hatte den goldbedampften UV-Filter hochgeschoben, da sich die Umgebung sonst darin gespiegelt hätte. Trotz seiner beschichteten Kontaktlinsen würde er so nicht lange im

Freien herumlaufen können. Schon gar nicht empfahl es sich, in die Sonne zu schauen.

»Doch, ganz prima«, bestätigte Black.

»Ich finde, das Zitat ist zu lang«, sagte O'Keefe. »Viel zu lang. Die reinste Predigt, ich wär' fast eingepennt.«

»Es ist sakral.«

»Nein, es ist einfach nur lang, nichts weiter.«

»Wir schneiden Aufnahmen von der Erde dazwischen«, sagte Lynn. »Aber wenn du willst, drehen wir eine Alternative. Es gibt ein anderes Zitat von James Lovell: *Die Menschen auf der Erde begreifen nicht, was sie besitzen. Vielleicht, weil nicht viele von ihnen die Gelegenheit haben, sie zu verlassen und dann zurückzukehren.*«

»Lovell geht nicht«, beschied Black. »Er hat den Mond nie betreten.«

»Ist das so wichtig?«, fragte O'Keefe.

»Ja, und noch aus einem anderen Grund. Er war Kommandant von Apollo 13. Erinnert sich einer? *Houston, wir haben ein Problem.* Lovell und seine Leute wären beinahe draufgegangen.«

»Hat Cernan nicht was Kluges gesagt?«, forschte Lynn nach. »Der konnte doch ganz manierlich quatschen.«

»Fällt mir aktuell nichts ein.«

»Armstrong?«

»*Es ist ein kleiner Schritt für –*«

»Vergiss es. Aldrin?«

Black dachte nach. »Ja, sogar was Kurzes: *Wer auf dem Mond gewesen ist, für den gibt es auf der Erde keine Ziele mehr.*«

»Klingt irgendwie fatalistisch«, nörgelte O'Keefe.

»Was ist mit den Affen?«, mischte sich Heidruns Stimme ein. O'Keefe sah sie den Hügel herunterkommen, hinter dem Shepard's Green lag. Selbst gepanzert und gesichtslos war ihre Elbengestalt unverkennbar.

»Welche Affen?«, lachte Lynn etwas schrill.

»Haben sie nicht irgendwann mal Affen hochgeschickt? Was haben die denn gesagt?«

»Ich glaube, die haben Russisch gesprochen«, sagte Black.

»Was tust du eigentlich hier?« O'Keefe grinste. »Keine Lust mehr auf Golf?«

»Ich hatte noch nie Lust auf Golf«, verkündete Heidrun. »Ich wollte nur zusehen, wie Walo beim Schwungholen in den Dreck fällt.«

»Das sage ich ihm.«

»Das weiß er. Hast du nicht geprahlt, mich im Schwimmen zu schlagen, Großmaul? Du hättest die Gelegenheit dazu.«

»Was, jetzt?«

Statt einer Antwort winkte sie ihm und hüpfte auf Gazellenbeinen davon.

»Wir müssen drehen«, rief er ihr nach, was ebenso überflüssig war wie Kopfschütteln, da die Funkverbindung so lange konstant blieb, wie Sichtverbindung bestand.

»Ich lad dich ein, wenn du gewinnst«, säuselte sie, eine kleine, weiße Schlange in seinem Ohr. »Zu Rösti und Geschnetzeltem.«

»He, Finn?« Lynn.

»Mhm?«

»Ich finde, wir sollten Schluss machen.« Täuschte er sich, oder klang sie nervös? Schon während des ganzen Drehs hatte sie einen angespannten Eindruck gemacht. »Ich finde das Zitat von Mitchell wirklich passend.«

O'Keefe sah Heidrun den Weg auf die andere Seite der Schlucht einschlagen.

»Ja«, sagte er nachdenklich. »Ich eigentlich auch.«

Nina Hedegaard machte sich frisch, und Julian gleich mit. Er lag auf dem Rücken, während sie ihn wie einen Joystick führte. Wesentlich mehr, als ihre Hinterbacken zu umfangen und durch gelegentliches Zusammenziehen seiner eigenen Gegendruck aufzubauen, musste er dabei nicht tun – *normalerweise* nicht, da ihr braun gebrannter, goldflaumiger Körper seit Kurzem nur noch neuneinhalb Kilo wog und Tendenzen zeigte, bei jedem beherzten Vorstoß davonzuhopsen. Augenscheinlich erforderte die Inbesitznahme der strategisch entscheidenden Millimeter auf dem Mond fundamentale Kenntnisse angewandter Mechanik: wo genau man hinzupacken, welchen Beitrag die Muskulatur zu leisten hatte, Bizeps, Trizeps, pectoralis major – Hüftknochen scharniergleich umspannen, fest an sich pressen, in einem delikat berechneten Winkel nach hinten wegdrücken, gleich wieder kommen lassen, alles entmutigend kompliziert. Irgendwann hatten sie den Bogen raus, doch Julian fand sich nicht recht bei der Sache. Während ihr Becken zeitlupenartig einem G-Punkt-Tornado der Stärke fünf entgegenkreiste, dachte er idiotisches Zeug. Etwa, welche Folgen Sex direkt auf dem Mond haben würde, wenn in Neuseeland schon ein paar vorwitzige Strahlen ausgereicht hatten, kleine Maori zu zeugen. Standen Zehnlinge zu erwarten? Würde Nina wie eine Termitenkönigin in GAIAS stalagmitischer Abgeschiedenheit hocken, mit monströs angeschwollenem Unterleib, und alle vier Sekunden ein Menschenkind ins Leben entlassen, oder würde sie einfach nur platzen?

Er starrte auf das schimmernde, sorgfältig getrimmte Wäldchen und sah winzige Züge hindurchfahren, Reflexe auf gesponnenem Gold, während sein eigener Lunar Express wacker die Kessel heizte. Hedegaard begann dänische Worte zu stöhnen, für gewöhnlich ein gutes Zeichen, nur dass es heute irgendwie kryptisch in seinen Ohren klang, als solle er auf dem Altar ihres Verlangens geopfert werden, möglichst rasch einen Julian oder eine Juliane zur Welt zu bringen und Miss Orley zu werden, und er begann sich unwohl zu fühlen. Sie war 28 Jahre jünger als er. Er hatte sie bislang nicht gefragt, was *sie* sich von alldem versprach, schon weil er in den wenigen privaten Momenten ihres Zusammenseins keine Fragen mit der Schnelligkeit hatte stellen können, mit der sie aus den Kleidern gesprungen waren, doch irgendwann würde er sie fragen müssen. Vor allen Dingen würde er *sich* fragen müssen. Was viel schlimmer war, denn die Antwort kannte er jetzt schon, und sie war nicht die eines sechzigjährigen Mannes.

Er versuchte es herauszuzögern, kam.

Der Höhepunkt gipfelte in einer kurzzeitigen Auslöschung alles Gedachten, fegte seine Hirnwindungen frei und kräftigte die Gewissheit, dass alt immer noch zwanzig Jahre älter war als er. Einen Moment lang fühlte er sich gebadet in purem, köstlichem Jetzt. Nina kuschelte sich an ihn, und sofort keimte sein Argwohn wieder auf. Als sei der Sex nur die lustvoll formulierte Präambel zu stapelweise Kleingedrucktem gewesen, ein prächtiges Portal, durch das man stehenden Fußes ins Kinderzimmer gelangte, ein perfides Überrumpelungsmanöver. Ratlos betrachtete er den blonden Schopf auf seiner Brust. Nicht, dass er sie fortwünschte. Eigentlich wollte er nicht, dass sie ging. Es hätte schon gereicht, dass sie sich einfach in die Astronautin zurückverwandelte, deren Job es war, seine Gäste zu unterhalten, ohne dieses feuchte Versprechen in ihren Augen, ihn *nie wieder* allein zu lassen, ab jetzt *immer* für ihn da zu sein, ein *Leben* lang! Mit spitzen Fingern kraulte er das flaumige Gefieder ihres Nackens, peinlich berührt von sich selbst.

»Ich müsste mal in die Zentrale«, murmelte er.

Unwirsche, dumpfe Laute stellten sein Ansinnen infrage.

»Na ja, in zehn Minuten«, räumte er ein. »Duschen wir?«

Im Badezimmer setzte sich der allgegenwärtige Luxus der Ausstattung fort. Einem generös geschwungenen Düsenkranz entsprang tropisch warmer Regen, Wassertropfen so leicht, dass sie eher herniederschwebten als fielen. Hedegaard bestand darauf, ihn einzuseifen, und investierte ein Übermaß an Schaum auf kleiner, wenngleich expandierender Fläche. Seine Sorge, vereinnahmt zu werden, machte neuerlicher Erregung Platz, die Duschkabine prunkte mit Geräumigkeit und allerlei praktischen Haltegriffen, Hedegaard drängte sich an ihn und er sich in sie, und – zack! – waren wieder dreißig Minuten vergangen.

»Ich muss aber jetzt wirklich«, sagte er ins Frotteehandtuch.

»Sehen wir uns später noch?«, fragte sie. »Nach dem Dinner?«

Er hatte Frottee in den Augen, Frottee in den Ohren. Er hörte sie nicht, jedenfalls nicht laut genug, und als er nachfragen wollte, telefonierte sie mit Peter Black wegen irgendwas Technischem. Rasch schlüpfte er in Jeans und T-Shirt, drückte ihr einen Kuss auf und entwischte, bevor sie das Gespräch beenden konnte.

Sekunden später betrat er den Kontrollraum und fand Lynn in gedämpfter Unterhaltung mit Dana Lawrence. Ashwini Anand programmierte auf einer dreidimensionalen Karte Routen für den kommenden Tag. Die Hälfte des Raumes wurde von einer holografischen Wand beherrscht, deren Sichtfenster die öffentlichen Bereiche des Hotels aus der Perspektive von Überwachungskameras abbildeten. Lediglich die Suiten unterlagen keiner Beobachtung. Im Pool planschten Heidrun, Finn und Miranda um die Wette, beobachtet von Olympiada Rogaschowa, deren Mann im Fitnessstudio mit Evelyn Chambers einen Wettstreit im Stemmen kolossaler Gewichte vom Zaun gebrochen hatte. Die Außenkameras zeigten Marc Edwards und Mimi Parker beim Tennis, jedenfalls vermutete Julian, dass es Marc und Mimi waren, während die Golfer jenseits der Schlucht soeben den Heimweg antraten.

»Alles in Ordnung bei euch?«, fragte er betont munter.

»Bestens.« Lynn lächelte. Julian fiel auf, dass sie irgendwie kalkig aussah, als werde sie als Einzige im Raum von einer anderen Lichtquelle beschienen. »Wie war euer Ausflug?«

»Streitbar. Mimi und Karla haben die Paarungsgewohnheiten höherer Wesen debattiert. Wir brauchen ein Teleskop auf dem Mons Blanc.«

»Um ihnen dabei zuzusehen?«, fragte Lawrence ohne Anzeichen von Belustigung.

»Quatsch, um das Hotel besser sehen zu können. Oh Mann! Ich dachte, hier oben fallen sich alle vor Ergriffenheit in die Arme, stattdessen hauen sie sich den Heiligen Geist um die Ohren.« Sein Blick wanderte zu dem Fenster, das den Bahnhof zeigte. »Ist der Zug schon wieder weg?«, fragte er beiläufig.

»Welcher Zug?«

»Der Lunar Express. Der LE-2, meine ich, der letzte Nacht gekommen ist. Ist er schon wieder abgefahren?«

Lawrence starrte ihn an, als habe er ihr einen Haufen Silben vor die Füße geworfen und sie aufgefordert, daraus einen Satz zu basteln.

»Der LE-2 ist nicht gekommen.«

»Nicht?«

Anand drehte sich um und lächelte: »Nein. Das war der LE-1, mit dem Sie gestern eingetroffen sind.«

»Das weiß ich. Und wo ist der gewesen? Zwischenzeitlich?«

»Zwischenzeitlich?«

»Wovon redest du eigentlich?«, fragte Lynn.

»Na, von –« Julian stockte. Auf dem Bildausschnitt war tatsächlich nur ein Zug zu sehen. Eine dunkle Ahnung beschlich ihn, dass es genau *der* Lunar Express war, der sie hergebracht hatte. Was im Umkehrschluss bedeutete –

»Heute Morgen ist doch ein Zug hier eingelaufen«, beharrte er trotzig.

Seine Tochter und Lawrence wechselten einen raschen Blick.

»Welcher denn?«, fragte Lawrence, als ginge sie über Glas.

»Na, der da.« Julian zeigte ungeduldig auf den Bildschirm.

Schweigen.

»Bestimmt nicht«, versuchte es Anand erneut. »Der LE-1 hat den Bahnhof seit seiner Ankunft nicht mehr verlassen.«

»Ich hab ihn aber gesehen.«

»Julian –«, begann Lynn.

»Als ich aus dem Fenster schaute!«

»Dad, du kannst ihn nicht gesehen haben!«

Hätte sie ihn wissen lassen, den Zug vorübergehend an eine Dutzendschaft Aliens ausgeliehen zu haben, er wäre weniger beunruhigt gewesen. Noch vor Stunden hatte er alles einer Sinnestäuschung zuschreiben wollen. Jetzt nicht mehr.

»Der Reihe nach«, seufzte er. »Heute Morgen habe ich Carl Hanna getroffen, okay? Um halb sechs im Korridor, und da –«

»Was, bitte schön, hast du um halb sechs im Korridor gemacht?«

»Das ist doch jetzt egal! Zuvor jedenfalls –«

Hanna? Genau, Hanna! Er musste Hanna fragen. Vielleicht hatte der ja den ominösen Zug gesehen. Schließlich war er noch vor ihm unten gewesen, exakt zu der Zeit, als –

Moment mal. Hanna war ihm vom Bahnhof entgegengekommen.

»Nein«, sagte er zu sich selbst. »Nein, nein.«

»Nein?« Lynn legte den Kopf schief. »Was, nein?«

Verrückt! Völlig absurd. Warum sollte Hanna geheime Spritztouren mit dem Lunar Express unternehmen?

»Kann es sein, dass du geträumt hast?«, hakte sie nach. »Halluziniert?«

»Ich war wach.«

»Schön, du warst wach. Um noch mal darauf zurückzukommen, was du um halb sechs –«

»Senile Bettflucht! Herrgott, ich war spazieren.«

Sein Blick suchte die Monitorwand ab. Wo war der Kanadier? Da, im Mama Killa Club. Lümmelte sich, Cocktails schlürfend, auf einem Diwan, in Gesellschaft der Donoghues, Nairs und Locatellis.

»Vielleicht hat Julian ja recht«, sagte Dana Lawrence nachdenklich. »Vielleicht haben wir tatsächlich was übersehen.«

»Quatsch, Dana, nein.« Lynn schüttelte den Kopf. »Wir wissen beide, dass kein Zug fuhr. Ashwini weiß es auch.«

»Wissen wir es wirklich?«

»Nichts wurde geliefert, niemand ist irgendwohin gefahren.«

»Das können wir schnell rausfinden.« Lawrence trat zur Monitorwand und öffnete ein Menü. »Wir müssen uns nur die Aufzeichnungen ansehen.«

»Lächerlich. Absolut lächerlich!« Lynns Mimik verspannte sich. »Dafür müssen wir uns keine Aufzeichnungen ansehen.«

»Ich weiß beim besten Willen nicht, warum du dich so dagegen sperrst«, wunderte sich Julian. »Lass uns doch einen Blick darauf werfen. Das hätten wir gleich tun sollen.«

»Dad, wir haben hier alles im Griff.«

»Wie man's nimmt«, sagte Lawrence. »Tatsächlich ist es an *mir*, hier alles im Griff zu haben, nicht wahr, Lynn? Dafür haben Sie mich eingestellt. Ich trage die Hauptverantwortung für die Sicherheit Ihres Hotels und das Wohlbefinden Ihrer Gäste, und Magnetbahnen, die sich selbstständig machen, stehen dazu in Opposition.«

Lynn zuckte die Achseln. Lawrence wartete einen Augenblick, dann gab sie mit huschenden Fingern Befehle ein. Ein weiteres Fenster öffnete sich, zeigte das Innere der Bahnhofshalle. Der Zeitcode wies den 27. Mai 2025 aus, 05:00 Uhr morgens.

»Sollen wir noch weiter zurückgehen?«

»Nein.« Julian schüttelte den Kopf. »Es war zwischen Viertel nach fünf und halb sechs.«

Lawrence nickte und ließ die Aufzeichnung im Zeitraffer ablaufen.

Nichts geschah. Weder verließ der LE-1 die Halle, noch fuhr der LE-2 ein. Gütiger Himmel, dachte Julian, Lynn hat recht. Ich halluziniere. Er suchte ihren Blick, und sie wich aus, sichtlich gekränkt, dass er ihr nicht einfach geglaubt hatte.

»Tja«, murmelte er. »Na ja. – Tut mir leid.«

»Keine Ursache«, sagte Lawrence ernst. »Hätte ja sein können.«

»Hätte es eben nicht«, knurrte Lynn. Als sie ihn endlich ansah, flackerten ihre Pupillen vor Wut. »Bist du dir eigentlich sicher, dass du deinen blöden Spaziergang nicht auch geträumt hast? Vielleicht warst du ja gar nicht im Korridor. Vielleicht warst du einfach *im Bett.*«

»Wie gesagt, es tut mir leid.« Verdattert fragte er sich, was sie so gegen ihn aufbrachte. Er hatte doch nur sichergehen wollen. »Vergessen wir's einfach, ich hab mich geirrt.«

Statt einer Antwort trat sie vor die Monitorwand, gab eine Reihe von Befehlen ein und öffnete eine weitere Aufzeichnung. Lawrence schaute mit verschränkten Armen zu, während Ashwini Anand so tat, als sei sie gar nicht vorhanden. Julian erkannte den unterirdischen Korridor, 05:20 Uhr.

»Das ist nun wirklich nicht nötig«, zischte er.

»Nicht?« Lynn hob die Brauen. »Wieso denn nicht? Du wolltest doch sichergehen.«

Sie startete die Aufzeichnung, bevor er ein weiteres Mal protestieren konnte. Nach wenigen Sekunden erschien Carl Hanna und bestieg eines der Laufbänder. Er näherte sich dem Ende des Korridors, schaute durchs Fenster in die Bahnhofshalle und verschwand in einer der Gangways, die zum Zug führten, nur um Sekunden später wieder zum Vorschein zu kommen und sich zurückfahren zu lassen. Fast zeitgleich trat Julian aus dem Fahrstuhl.

»Glückwunsch«, sagte Lynn eisig. »Du hast die Wahrheit gesagt.«

»Lynn –«

Sie strich das aschblonde Haar aus der Stirn und wandte sich ihm zu. Hinter der Wut in ihrem Blick glaubte er noch etwas anderes zu erkennen. Angst, dachte Julian. Mein Gott, sie hat Angst! Dann, unvermittelt, lächelte seine Tochter, und das Lächeln schien ihre Wut so vollständig zu tilgen, als kenne sie im Leben nichts als Freundlichkeit und Vergebung. Mit einem Hüftschwung kam sie zu ihm herüber, gab ihm einen schmatzenden Kuss auf die Wange und boxte ihn in die Rippen.

»Lass mich wissen, wenn ein Ufo gelandet ist«, grinste sie und verließ die Zentrale.

Julian starrte ihr hinterher. »Werde ich«, murmelte er.

Und plötzlich kam ihm der gespenstische Gedanke, dass seine Tochter eine Schauspielerin war.

Dennoch!

In einem Akt kindischen Beharrens begab er sich in den Mama Killa Club, dessen Tanzfläche unter der ewigen Lightshow des Sternenhimmels geheimnisvoll illuminiert war. Michio Funaki mixte Cocktails hinter der Bar. Bei seinem Anblick schoss Warren Locatelli hoch und prostete ihm mit wilder Geste zu.

»Julian! Das war der geilste Urlaubstag, den ich je hatte!«

»Beeindruckend, wirklich.« Aileen Donoghue lachte in glockenhellem Sopran. »Auch wenn man Golf ganz neu erlernen muss.«

»Golf, Bullenscheiße!« Locatelli drückte Julian an seine Brust und zog ihn zur Sitzgruppe. »Carl und ich sind mit diesen Mondbuggys rumgeknallt, der absolute Wahnsinn! Du musst hier oben eine Rennstrecke bauen, so ein richtig verficktes *Le Mans de la Lune!*«

»Dabei hat er nicht mal gewonnen«, kicherte Momoka Omura. »Er hat seinen Buggy fast plattgefahren.«

»Er hat vor allem *mich* fast plattgefahren«, sagte Rebecca Hsu und verfügte eine einzelne Erdnuss zwischen ihre Lippen. »Warrens Gesellschaft ist inspirierend, ganz besonders, wenn man über Mondbestattungen nachdenkt.«

»Wir hatten einen wunderschönen Tag«, lächelte Sushma Nair. »Setzen Sie sich doch zu uns.«

»Sofort.« Julian lächelte. »Eine Minute. Carl, hast du eben mal Zeit?«

»Klar.« Hanna schwang die Beine von seinem Diwan.

»Geh mir bloß nicht verloren«, lachte Locatelli. Seit Neuestem hingen er und Hanna ständig zusammen. Geschwätzigkeit und Schweigsamkeit, seltsam irgendwie, doch offenbar entwickelte sich da eine Freundschaft. Sie gingen an die Bar, wo Julian den kompliziertesten Cocktail bestellte, den die Karte hergab, einen Alpha Centauri.

»Hör zu, ich komme mir irgendwie dämlich vor.« Er wartete, bis Funaki beschäftigt war, und senkte die Stimme. »Aber ich muss dich was fragen. Als wir uns heute Morgen im Korridor begegnet sind, da kamst du doch hinten vom Bahnhof.«

Hanna nickte.

»Und?«, fragte Julian.

»Was und?«

»Hast du mal reingeschaut?«

»In die Bahnhofshalle? Einmal. Durchs Fenster.« Hanna überlegte.

»Danach bin ich in eine der Gangways. Du weißt ja, ich war etwas vernagelt bei meiner Suche nach den Ausgängen.«

»Und hast du – hast du irgendwas in der Halle gesehen?«

»Worauf willst du eigentlich hinaus?«

»Ich meine, der Zug, war er da? Ist er abgefahren, fuhr er ein?«

»Was, der Lunar Express? Nein.«

»Parkte also einfach nur da.«

»Genau.«

»Und da bist du dir hundertprozentig sicher?«

»Ich hab nichts anderes gesehen.« »Wieso kommst du dir dann dämlich vor?«

»Weil – ach, das gehört eigentlich nicht hierher.« Und schon erzählte er Hanna die ganze Geschichte, einfach aus dem Bedürfnis heraus, sie loszuwerden.

»Vielleicht war's einer von diesen Blitzen, die wir hier alle sehen«, sagte Hanna.

Julian wusste, worauf er anspielte. Hochenergetische Teilchen, Protonen und schwere Atomkerne, durchdrangen gelegentlich die Panzerung von Raumschiffen und Raumstationen, reagierten mit Atomen in der Netzhaut und lösten kurze Lichtblitze aus, die auf der Retina wahrgenommen wurden, allerdings nur bei geschlossenen Augen. Mit der Zeit gewöhnte man sich daran, bis es einem kaum noch auffiel. Hinter der Regolithpanzerung des Schlafzimmers traten sie praktisch nicht auf. Im Wohnraum allerdings –

Funaki stellte den Cocktail vor ihn hin. Julian starrte auf das Glas, ohne es richtig wahrzunehmen.

»Ja, vielleicht.«

»Du hast dich eben geirrt«, sagte Hanna. »Wenn du meinen Rat willst, solltest du bei Lynn Abbitte leisten und die Sache vergessen.«

Doch Julian konnte sie nicht vergessen. Irgendetwas stimmte nicht, passte nicht ins Bild. Er *wusste genau,* dass er etwas gesehen hatte, nicht nur den Zug. Etwas Subtileres beschäftigte ihn, eine entscheidende Kleinigkeit, die bewies, dass er nicht fantasierte. Es gab noch einen zweiten inneren Film, der alles erklären würde, wenn es ihm nur gelänge, ihn seinem Unterbewusstsein zu entreißen und ihn sich anzuschauen, ganz genau hinzuschauen, um zu begreifen, was er bereits gesehen und nur nicht kapiert hatte, ob ihm die Erklärung nun gefallen würde oder nicht.

Er *musste* sich erinnern.

Erinnere dich!

Loreena Keowa war irritiert. Noch am Tag der Bootsfahrt hatte Palstein zugestimmt, das Filmteam nachkommen zu lassen, und eine Performance kraftvoller O-Töne abgeliefert, ohne dass sich bei ihr jenes Gefühl von Vertrautheit einstellen wollte, wie sie es sonst zu Gesprächspartnern entwickelte. Inzwischen wusste sie, dass Palstein die kristalline Ästhetik der Zahlen liebte, mit deren Hilfe er alles und jedes, sich selbst eingeschlossen, einer Proportionierung der reinen Vernunft unterwarf, ohne es deswegen im persönlichen Umgang an Emotionalität fehlen zu lassen. Er schätzte die Klangmathematik eines Johann Sebastian Bach, den fraktalen Minimalismus Steve Reichs, war andererseits fasziniert von der Auflösung aller Strukturen und erzählerischen Bögen in der Musik György Ligetis. Er besaß einen Steinway-Flügel, spielte gut, wenn auch etwas mechanisch, allerdings keine Klassik, wie Keowa erwartet hätte, sondern Beatles, Burt Bacharach, Billy Joel und Elvis Costello. Er besaß Drucke von Mondrian, aber auch ein wild verzweifeltes Original von Pollock, das aussah, als habe sein Schöpfer die Leinwand mit Farbe angeschrien.

Gespannt auf Palsteins Frau, hatte Keowa schließlich die Hand einer huldvollen Erscheinung geschüttelt, die sie augenblicklich vereinnahmte, eine Viertelstunde lang durch selbst angelegte japanische Gärten schleppte und mitunter ohne ersichtlichen Grund glockenhell auflachte. Frau Palstein war Architektin, wie sie erfuhr, und hatte den größten Teil der Anlage entworfen. Bestrebt, sich die Währung ihrer neu erworbenen Bildung im Small Talk verzinsen zu lassen, fragte Keowa sie nach Mies van der Rohe und erntete ein geheimnisvolles Lächeln. Plötzlich behandelte Frau Palstein sie wie eine Verschworene. Van der Rohe, oh ja! Ob sie zum Abendessen bleiben wolle? Noch während sie erwog, zuzusagen, schellte das Telefon der Dame, die daraufhin in einem Gespräch über Migräne verloren ging und Keowa darüber so vollständig vergaß, dass sie sich ihren Weg zurück ins Haus suchte und, weil Palstein keine ähnliche Einladung aussprach, ohne Abendessen abreiste.

Danach, in Juneau, hatte sie sich eingestanden, dass sie den Ölmanager mochte, seine Freundlichkeit, seine guten Manieren, seinen melancholischen Blick, unter dem sie sich seltsam entblößt fühlte, sodass er ihr zugleich ein wenig unheimlich war – und doch blieb ihr der Mann auf eigentümliche Weise fremd. Anstatt sich ihrer Reportage zu widmen, hatte sie sich in die Recherche gestürzt, war von Texas zuerst nach Calgary, Alberta geflogen und dort unangemeldet der Polizei ins Revier geschneit. Mit ihrem Indianergesicht und ihrem eigenartigen Charme schaffte sie es immerhin bis ins Büro des Lieutenant, der versprach, man werde sie zu gegebener Zeit über Fortschritte bei den Ermittlungen in Kenntnis setzen. Keowa fuhr ihre Antennen für Nichtgesagtes aus und konstatierte, dass es keine Fortschritte gab, bedankte sich, nahm den nächsten Flug zurück nach Juneau und wies ihre Redaktion von unterwegs an, ihr sämtliches Filmmaterial über den Zwischenfall in Calgary zusammenzustellen. Nach der Landung beorderte sie einen Praktikanten in ihr Büro und erklärte ihm, wonach sie zu suchen hätten.

»Mir ist klar«, sagte sie, »dass die Polizei alle Aufnahmen hundertmal gesichtet und analysiert hat. Also sehen wir sie uns weitere hundert Male an. Oder zweihundert Mal, wenn es hilft.«

Sie breitete einige Ausdrucke auf ihrem Schreibtisch aus, die den Platz vor dem Hauptsitz von Imperial Oil zeigten. Zum Zeitpunkt des Attentats hatte der gegenüberliegende Gebäudekomplex bereits monatelang leer gestanden, nachdem ein Unternehmen für Tagebau-Technologie kläglich darin verendet war.

»Die Polizei schlussfolgert aus einer ganzen Reihe von Gründen, dass der Schuss aus dem mittleren der drei Gebäude abgefeuert wurde, die übrigens alle untereinander verbunden sind. Wahrscheinlich aus einem der oberen Stockwerke. Der Komplex verfügt über Vorder-, Seiten- und Hintereingänge, es gibt also etliche Möglichkeiten, hineinund wieder hinauszugelangen.«

»Du glaubst im Ernst, wir entdecken etwas, das den Bullen entgangen ist?«

»Sei Optimist«, sagte Keowa. »Erwache und lache.«

»Ich hab das Material vorgesichtet, Loreena. Fast alle Kameras waren auf die Menge und die Tribüne gerichtet. Erst nach dem Attentat sind einige so schlau gewesen, auf den Komplex rüberzuschwenken, aber du siehst niemanden rauskommen.«

»Wer sagt denn, dass wir uns auf den Komplex konzentrieren? Das macht schon die Polizei. Ich will, dass wir uns die Menge auf dem Platz vornehmen.«

»Du meinst, der Killer ist von dort ins Haus gegangen?«

»Ich meine, du bist ein kleiner Chauvinist. Es könnte auch eine Killerin gewesen sein, oder?«

»'ne Killerschlampe?«, kicherte der Praktikant.

»Mach weiter so, und du lernst eine kennen. Nimm dir jede einzelne

Figur auf dem Platz vor. Ich will wissen, ob jemand vor, während und nach dem Anschlag das Gebäude gefilmt hat.«

»Oh Mann! Die reinste Sklavenarbeit.«

»Heul nicht. Schmeiß dich ran. Ich nehme mir Youtube, Myspace, Smallworld und so weiter vor.«

Nachdem der Praktikant mit der Sichtung begonnen hatte, war sie darangegangen, eine Liste aller signifikanten Entscheidungen zusammenzustellen, die Palstein während der letzten sechs Monate getroffen oder vertreten hatte. Ebenso protokollierte sie seinen Widerstand gegen die Interessen anderer. Sie loggte sich in Foren und Blogs ein, verfolgte die Internet-Diskussion über die Schließungen, Befriedigung auf der einen, hilflose Wut auf der anderen Seite, verbunden mit dem Wunsch, den Ölleuten die Fresse zu polieren, sie am besten gleich an die Wand zu stellen, doch keiner dieser Einträge legte den Verdacht nahe, dass ihr Urheber mit dem Anschlag in Verbindung stand. Die Menschen im Umfeld des Tagebaus waren verbittert, andererseits froh, dass die Sache ihr Ende fand, besonders in den indianischen Gemeinden. Ihr fiel auf, dass die Chinesen sich während der vergangenen zwei Jahrzehnte sehr für kanadische Ölsande interessiert und eine Menge Geld in den Tagebau gesteckt hatten, das ihnen nun verloren ging, und dass sie ungeachtet der Helium-3-Revolution immer noch, wenn auch in schwindendem Maße, auf Öl und Gas angewiesen waren. Andererseits gab es inzwischen so viel billiges Öl zu kaufen, dass alles andere sinnvoller erschien, als es ausgerechnet im unrentabelsten aller Verfahren zu gewinnen. Als sie schließlich in den frühen Morgenstunden keine weitere Pressemitteilung und kein weiteres Posting mehr fand, legte sie eine Akte über ORLEY ENTERPRISES an, genauer gesagt über Palsteins angestrebte Beteiligung bei ORLEY ENERGY und ORLEY SPACE.

Und dabei kam ihr mit einem Mal ein Gedanke.

Hundemüde ging sie daran, die frisch geschlüpfte Theorie mit Argumenten hochzupäppeln. So besonders neu war sie eigentlich gar nicht: Jemand versuchte, Palsteins Engagement bei Orley zu unterminieren. Nur dass sie plötzlich die glasklare Gewissheit hatte, der Sinn des Anschlags habe darin bestanden, Palstein an seiner Reise zum Mond zu hindern.

Wenn das zutraf –

Nur, aus welchen Gründen? Was hätte Palstein dort mit Julian Orley zu besprechen gehabt, das sie nicht auch auf der Erde hätten klären können? Oder ging es um andere, die er dort hätte treffen sollen?

Sie brauchte die Liste der Teilnehmer.

Ihre Augen brannten. Palstein hatte nicht zum Mond fliegen sollen. Der Gedanke haftete. Setzte sich in wirren Träumen fort, wie der Schlaf in Bürostühlen sie mit sich bringt, erzeugte in ihrem bedenklich abgeknickten Schädel Visionen von Menschen in Raumanzügen, die aus Designerhäusern aufeinander feuerten, und sie mittendrin.

»Hey, Loreena.«

»Auf dem Mond ist Mies van der Rohe sehr beliebt«, murmelte sie.

»Wer ist mies?« Jemand lachte. Sie hatte Blödsinn erzählt. Blinzelnd und mit steifen Gliedern kam sie zu sich. Der Praktikant lehnte an der Schreibtischkante und sah so zufrieden aus wie Kater Sylvester, nachdem er Tweety verspeist hatte.

»Mist«, murmelte sie. »Ich bin eingeschlafen.«

»Ja, du hängst da wie hingeschlachtet. Fehlt nur der Messergriff, der aus deiner Brust ragt. Komm zu dir, Pocahontas, geh dir mit 'ner Tasse Kaffee durchs Gesicht. Wir haben was! Ich glaube, wir haben *wirklich* was!«

28.MAI 2025
[FEINDBERÜHRUNG]

QUYU, SHANGHAI, CHINA

Gegen ein Uhr hatte Jericho sein viertes Telefonat mit Zhao geführt, der gerade eine Massenkeilerei beobachtete und ihm versicherte, sich prächtig zu amüsieren.

Netz-Junkies kamen und gingen. Manche wechselten in die Schlafwaben. Fast ausschließlich Männer bevölkerten den *Cyber Planet*, Frauen bildeten eine verschwindende Minderheit, und die meisten davon waren alt. Halbwegs gesund erschienen Jericho nur die User der Full-Motion-Suits und Laufbänder, die gezwungenermaßen so etwas wie Körpereinsatz bei der Erkundung virtueller Universen zeigten. Viele von ihnen verbrachten ihre Zeit in Parallelwelten wie Second Life und Future Earth oder im Evolutionarium, wo sie als Tiere agieren konnten, vom Dinosaurier bis hin zur Bakterie. Einige der Liegenden bewegten ihre mit Sensoren bestückten Hände, zeichneten kryptische Muster in die leere Luft, ein Indiz, dass sie um eine aktive Rolle bemüht waren. Die überwiegende Mehrheit rührte keinen Finger. Sie hatten das Endstadium erreicht, degradiert zu Beobachtern ihres eigenen, zerdehnten Exitus.

Seltsamerweise übte die Atmosphäre eine kathartische Wirkung auf Jericho aus, in der Zhaos Schmähungen rückstandslos vergingen. Die Netz-Zombies schienen sich gleichsam aufzuraffen, ließen ihn wissen, es bedürfe lediglich einer unbedeutenden Willensanstrengung, um den Status seiner Einsamkeit zu beenden, zeigten mit dürren Fingern auf ihn, beschuldigten ihn, mit der Tristesse zu liebäugeln, sich in der Vergangenheit eingemauert und seine Misere selbst herbeigeführt zu haben, schickten ihn zurück ins Leben, das bis jetzt gar nicht *so* schlecht gewesen war, wie er begriff. Er fasste tausend Entschlüsse, Seifenblasen, auf deren Oberfläche die Zukunft irisierte. Auf eigentümliche Weise spendete der *Cyber Planet* Trost. Wie inszeniert rief dann auch noch Zhao an und behauptete, einfach nur wissen zu wollen, wie es Jericho gehe.

Es gehe ihm gut, behauptete Jericho zurück.

Und wieder wartete er. Hinreichend damit vertraut, stoisch auf einen Fleck zu starren, begann ihn das Kommen und Gehen auf dem Markt zu langweilen. Leute aßen und tranken, feilschten, hingen herum, paarten sich, lachten oder gerieten in Streit. Die Nacht gehörte den Gangstern, hier überführten sie die Beute des Tages zurück in den

Kreislauf der Gier, friedlich, wie es schien. Er begann Zhao um die Prügelei zu beneiden, beschloss, sich eine Weile ganz auf die Scanner zu verlassen, verband die Holobrille mit seinem Handy und loggte sich in Second Life ein. Der Markt verschwand und wich einem Boulevard mit Bistros, Geschäften und einem Kino. Über den Touchscreen des Handys steuerte Jericho seinen Avatar über die Straße. In dieser Welt war er dunkelhäutig, trug langes, schwarzes Haar und hieß Juan Narciso Ucañan, ein Name, den er vor Jahren in irgendeinem Katastrophenthriller gelesen hatte. An einem Tisch in der Sonne saßen drei gut aussehende junge Frauen, alle mit transparenten Flügeln und filigranen Antennen über den Augen.

»Hallo«, sagte er zu einer von ihnen.

Sie schaute auf und strahlte ihn an. Jerichos Avatar war eine Meisterleistung der Programmierung und selbst für gehobene Second Life-Ansprüche außergewöhnlich gut aussehend.

»Ich heiße Juan«, sagte er. »Ich bin neu hier.«

»Inara«, sagte sie. »Inara Gold.«

»Du siehst toll aus, Inara. Hast du Lust, was total Cooles zu erleben?«

Der Avatar, der sich Inara nannte, zögerte. Dieses Zögern war typisch für die Frau, die sich dahinter verbarg. »Ich bin mit meinen Freundinnen hier«, sagte sie ausweichend.

»Also, ich hätte jede Menge Lust«, sagte eine von ihnen.

»Ich auch«, lachte die andere.

»Gut, unternehmen wir was zu viert.« Jericho Juan setzte ein breites Grinsen auf. »Aber erst muss ich was mit der Schönsten von euch besprechen. Mit Inara.«

»Warum mit mir?«

»Weil ich eine Überraschung für dich habe.« Er wies auf einen freien Stuhl. »Darf ich mich zu dir setzen?«

Sie nickte. Ihre großen, goldenen Augen sahen ihn unverwandt an. Er beugte sich vor und senkte die Stimme.

»Können wir kurz ungestört sein, wunderschöne Inara? Nur wir beide?«

»An mir soll's nicht liegen, Süßer.«

»Wir hauen ja schon ab«, sagte eine der Freundinnen und erhob sich. Die andere ließ eine Schlangenzunge zwischen den Zähnen hervorschießen, fischte ein Insekt aus der Luft, verschluckte es und zischte beleidigt. Beide breiteten ihre Flügel aus und verzogen sich hinter eine rosa Wolkenfront. Inara setzte sich in Positur und streckte ihren Brustkorb raus. Der Stoff des ohnehin knappen Tops, das sie trug, begann durchsichtig zu werden.

»Ich liebe Überraschungen«, säuselte sie.

»Es ist auch eine – Emma.«

Emma Deng war dermaßen überrascht, dass ihr vorübergehend die Kontrolle über ihre Kleidung abhandenkam. Das Top verschwand ganz und entblößte perfekt geformte Brüste. Im nächsten Moment färbte sich ihr Oberkörper schwarz.

»Nicht abhauen, Emma«, sagte Jericho schnell. »Es wäre ein Fehler.«

»Wer sind Sie?«, zischte die Frau, die sich Inara nannte.

»Tut nichts zur Sache.« Sein Avatar schlug die Beine übereinander. »Du hast zwei Millionen Yuan unterschlagen und Firmengeheimnisse an Microsoft weitergegeben. Mehr Probleme auf einmal kann man sich gar nicht aufhalsen.«

»Wie – wie haben Sie mich gefunden?«

»Das war nicht schwer. Deine Vorlieben, deine Semantik –«

»Meine was?«

»Vergiss es. Ich bin darauf spezialisiert, Menschen im Netz aufzustöbern, das ist alles. Inzwischen bist du lange genug auf Sendung, dass ich dich lokalisieren konnte.«

Das war gelogen, aber Jericho wusste, dass Emma Deng nicht über die nötige Kenntnis verfügte, um seine Lüge zu durchschauen. Ein raffiniertes kleines Mädchen, das den Umstand ihres Intimverhältnisses zum Seniorpartner des Unternehmens, in dem sie arbeitete, für jahrelange Betrügereien genutzt hatte.

»Wenn ich will«, fuhr Jericho fort, »steht in zehn Minuten die Polizei vor deiner Tür. Du kannst dich davonmachen, aber sie werden dich finden, so wie ich dich gefunden habe. Früher oder später erwischen wir dich, also rate ich dir, zuzuhören.«

Die Frau erstarrte. Äußerlich hatte sie mit der echten Emma Deng ebenso wenig gemeinsam wie Owen Jericho mit Juan Narciso Ucañan. Legte man ihr psychologisches Profil zugrunde, lag die Wahrscheinlichkeit, dass Emma sich für einen Körper wie den von Inara Gold entschied, bei fast einhundert Prozent. Jericho war ausgesprochen zufrieden mit sich.

»Ich höre«, presste sie hervor.

»Nun, der ehrenwerte Li Shiling ist gewillt, dir zu vergeben. Das ist die Nachricht, die ich dir überbringen soll.«

Emma stieß ein lautes Lachen aus.

»Du willst mich doch verarschen.«

»Keineswegs.«

»Mann, ich bin vielleicht blöde, aber so blöde auch wieder nicht. Shiling wird mich in der Hölle rösten.«

»Es wäre ihm nicht zu verdenken.«

»Na klasse.«

»Andererseits scheint Herr Li die Annehmlichkeiten deiner Gesellschaft zu vermissen. Insbesondere in der Lendengegend ist ihm seit deinem Verschwinden etwas fad.«

Inara Golds schönes Gesicht spiegelte unverhohlenen Hass wider. Jericho vermutete, dass Emma vor einem Ganzkörperscanner saß, der ihre Mimik und Gestik in Echtzeit auf den Avatar umrechnete.

»Was hat die alte Sau sonst noch gesagt?«, fauchte sie.

»Das willst du nicht hören.«

»Doch. Ich will wissen, worauf ich mich einlasse.«

»Ein erfrischendes Bad im Huangpu vielleicht, mit Blei an den Füßen? Ich meine, sauer ist er! Im zweitbesten Fall übergibt er dich den Behörden. Aber lieber wäre ihm laut wörtlicher Bekundung, wenn du ihm weiterhin einen bläst.«

»Shiling ist ekelhaft.«

»So schlimm scheint's nicht gewesen zu sein.«

»Er hat mich dazu gezwungen!«

»Wozu? Ihn um zwei Millionen zu erleichtern? Konstruktionspläne an die Konkurrenz zu verhökern? Ihn anzugraben, um sein Vertrauen zu gewinnen?«

Emma sah zur Seite. »Und was will er?«

»Nichts Besonderes. Du sollst ihn heiraten.«

»Scheiße.«

»Mag sein«, sagte Jericho gelassen. »Es ist auch Scheiße im Huangpu. Die Wasserqualität hat extrem nachgelassen. Herr Li erwartet deinen Anruf unter der dir bekannten Nummer, und er will ein lautes, vernehmlich artikuliertes Ja hören. Was meinst du, siehst du dich dazu imstande? Was soll ich ihm ausrichten?«

»Scheiße. Scheiße!«

»Er will was anderes hören.«

Inzwischen hatte Diane über den zuständigen Server Emmas Standort ermittelt. Sie saß in einer Wohnung in Hongkong. Weit weg, aber nicht weit genug. Nirgendwo wäre sie weit genug weg, es sei denn, sie würde das Sonnensystem verlassen.

»Vielleicht kauft er dir in Hongkong ja ein Appartement«, fügte er versöhnlich hinzu.

Emma gab auf.

»Okay«, sagte sie piepsig.

»Herr Li ist jederzeit für dich zu sprechen. Spätestens in einer Stunde möchte ich einen erfreuten Anruf von ihm erhalten, andernfalls sehe ich mich gezwungen, zur Jagd auf dich zu blasen.« Jericho machte eine Pause. »Nimm's nicht persönlich, Emma. Ich lebe von so was.«

»Ja«, flüsterte sie. »Wir sind alle Nutten.«

»Du sagst es.«

Er beendete die Verbindung und verließ Second Life. Das Sichtfenster der Brille klärte sich. Auf dem Markt trieben sich die letzten Freier herum. Die meisten Stände hatten geschlossen. Jericho blendete die Zeit ein.

Vier Uhr morgens.

»Diane«, sagte er in sein Handy.

»Hallo, Owen. Du bist noch wach?«

Jericho lächelte. Die Anteilnahme eines Computers hatte etwas für sich, wenn er mit Dianes Stimme sprach. Er sah sich um. Die meisten Liegen waren verlassen. Hier und da arbeiteten Reinigungssysteme. Selbst Junkies entwickelten Gefühle für Tageszeiten.

»Weck mich um sieben, Diane.«

»Gerne, Owen. Ach, Owen?«

»Ja?«

»Gerade empfange ich eine Nachricht für dich.«

»Kannst du sie vorlesen?«

»Zhao Bide schreibt: *Will Sie nicht wecken, falls Ihnen unter der Last der Verantwortung die Augen zugefallen sein sollten. Angenehme Träume. Wenn alles vorbei ist, gehen wir einen heben.*«

Jericho schmunzelte.

»Schreib zurück, dass – nein, schreib gar nichts zurück. Ich hau mich aufs Ohr.«

»Kann ich noch etwas für dich tun?«

»Danke, Diane.«

»Bis später, Owen. Schlaf gut.«

Bis später, Owen.

Später, Owen.

Owen –

Später und später und später, ohne dass sie zurückkommt. Er liegt auf seinem Bett und wartet. Auf dem Bett in dem schmuddeligen Zimmer, das er so inständig hofft, zusammen mit ihr verlassen zu können.

481

Aber Joanna kommt nicht zurück.

Stattdessen beginnen fette, wanzenähnliche Kreaturen an der Bettdecke heraufzukriechen – Gebogene Krallen in Baumwollfaser – Das Knacken segmentierter Beine – Alarmglocken – tastende Fühler, die seine Fußsohlen berühren – Alarm – Alarm –

Wach auf, Owen!

Wach auf!

»Owen?«

Er schreckte hoch, sein Körper ein einziger Herzschlag.

»Owen?«

Frühes Tageslicht stach in seine Augen.

»Wie spät?«, murmelte er.

»Es ist sechs Uhr 25«, sagte Diane. »Entschuldige, wenn ich dich vorzeitig wecke. Ich habe einen Anruf mit Priorität A für dich.«

Yoyo, schoss es ihm durch den Kopf.

Nein, die Scanner arbeiteten unabhängig von Diane, sie hätten ihn mit einem nervtötenden Geräusch gemartert, das unmöglich zu überhören war. Außerdem hätte er rot sehen müssen. Doch unter den Menschen, die den Markt langsam wieder bevölkerten, war kein *Wächter* zu erblicken.

»Durchstellen«, sagte er matt.

»Was ist los? Schläfst du noch?«

Tus Quadratschädel grinste ihm entgegen. Hinter ihm erwachte die Serengeti zum Leben. Oder was Ähnliches, jedenfalls waren Giraffen und Elefanten in der Landschaft unterwegs. Über pastellenen Bergen hing eine leuchtende Orange. Jericho rappelte sich hoch. Vereinzeltes Schnarchen drang durch den *Cyber Planet*. Lediglich eine junge Frau saß mit untereinandergeschlagenen Beinen auf ihrer Pritsche, einen Kaffee in der Rechten. Kein Junkie-Typ. Jericho vermutete, dass sie auf einen Kurzbesuch hier war, um die Frühnachrichten zu sehen.

»Bin in Quyu«, sagte er, ein Gähnen unterdrückend.

»Ich dachte nur. Wegen deiner Empfangsdame. Schöne Stimme, aber normalerweise gehst du selber ran.«

»Diane ist –«

»Du nennst deinen Computer Diane?«, fragte Tu interessiert.

»Es mangelt mir an Personal, Tian. Du hast Naomi. Es gab mal eine Fernsehserie, da konferierte ein FBI-Agent fortlaufend mit einer Sekretärin, die man aber niemals zu Gesicht bekam –«

»Und die hieß Diane?«

482

»Mhm.«

»Nett«, sagte Tu. »Was spricht gegen eine echte Sekretärin?«

»Und wo soll ich die unterbringen?«

»Wenn sie hübsch ist, in deinem Bett. Du bist doch neuerdings etabliert, mein Junge. Bewohnst ein Loft in Xintiandi. Es wird Zeit, dass du in deinem neuen Leben ankommst.«

»Danke. Bin ich.«

»Du verkehrst mit Leuten, die auf Dauer kein Verständnis für Einsiedler aufbringen.«

»Sonst noch was, Reverend?« Jericho schwang sich von der Liege, ging zur Bar und wählte einen Cappuccino. »Willst du gar nicht wissen, wie weit wir mit unserer Suche sind?«

»Ihr habt nichts.«

»Wie kommst du denn darauf?«

»Wenn ihr was hättet, würdest du es mir längst unter die Nase reiben.«

»Dein Anruf hat Priorität A. Warum eigentlich?«

»Weil ich mich rühmen kann, dein bester Mitarbeiter zu sein«, kicherte Tu. »Du wolltest doch wissen, mit wem dieser Dingsda Wang vor seinem Tod telefoniert hat.«

Der Kaffee rann gurgelnd in den Pappbecher.

»Soll das heißen – ?«

»Ja, soll es. Ich schicke dir seinen Telefonverkehr rüber. Alle Gespräche, die er seit dem 26. Mai geführt hat. Du darfst mir huldigen.«

»Wie hast du das gemacht?«

»Ganz bestimmt nicht, indem ich seine Überreste durchwühlt habe. Das Glück will es, dass ich mit den Vorständen zweier Provider Golf spiele. Bei einem war der Junge angemeldet. Mein Bekannter war so freundlich, mir die Daten zuzuspielen, ohne Fragen zu stellen.«

»Mensch, Tian!« Jericho blies in seinen Kaffee. »Dafür schuldest du ihm jetzt wohl alle Gefälligkeiten der Welt, oder?«

»Keineswegs«, sagte Tu gelangweilt. »Er schuldete *mir* was.«

»Gut. Sehr gut.«

»Wie geht's jetzt weiter?«

»Diane checkt fortlaufend das Netz nach verräterischen Texten, Zhao und ich behalten die Märkte im Auge. Wenn im Verlauf der nächsten paar Stunden niemand auftaucht, muss ich erwägen, den Kreis der Ermittler zu erweitern und Fotos herumzuzeigen. Mir wäre es lieber, wir könnten das vermeiden.« Jericho machte eine Pause. »Wie ist überhaupt dein Gespräch mit Chen Hongbing verlaufen?«

»Na ja. Er sorgt sich.«

»Beruhigt es ihn nicht wenigstens, dass sie auf freiem Fuß ist?«

»Hongbing hat das Sorgenmachen zur Kunstform erhoben. Aber er vertraut dir.«

Hinter Tu schwang sich ein großer Raubvogel in die Lüfte. Eine Giraffe kam ziemlich nah heran.

»Sag mal, wo bist du eigentlich?«

»Wo soll ich schon sein?« Tu grinste. »Im Büro natürlich.«

»Und wo gibst du vor, zu sein?«

»In Südafrika. Hübsch, was? Ist aus der Kollektion für den Herbst. Wir bieten zwölf Environments an. Die Software rechnet dein Bild ins Ambiente ein, sobald du telefonierst, und passt dich der Umgebung an. Hast du bemerkt, dass mir die Sonne auf die Glatze scheint?«

»Und die anderen Environments?«

»Ganz toll ist der Mond!«, strahlte Tu. »Im Hintergrund die amerikanische Mondbasis und Raumschiffe, die landen. Das Programm verpasst dir einen Raumanzug. Man kann dein Gesicht durch das Visier des Helms sehen. Die Stimme wird ein bisschen verzerrt, so im Stil der Mondlandungen des letzten Jahrhunderts.«

»Ein großer Schritt für die Menschheit«, frotzelte Jericho.

»Lass mich wissen, wenn es Neuigkeiten gibt.«

»Mach ich.«

Jericho nahm einen Schluck von seinem Kaffee. Dünn und bitter. Er brauchte dringend frische Luft. Während er das Foyer durchquerte, ließ Diane ihn wissen, ein Datenpaket von Tu erhalten und an ihn weitergeleitet zu haben. Er trat hinaus auf die Straße, das Display im Blick. Nummern, Tage und Uhrzeiten wurden sichtbar. Wangs Telefonverkehr. Diane glich die eintreffenden Daten mit bereits vorhandenen ab. Natürlich erwartete Jericho keine Übereinstimmungen.

Doch sie ließ ihn wissen, es gäbe eine.

Er runzelte die Brauen. Am Vorabend seines Todes hatte Grand Cherokee Wang eine Nummer gewählt, die auch in Jerichos Verzeichnis vorkam. Diane ordnete sie dem Teilnehmer zu, unter dem er sie abgespeichert hatte, sodass kein Zweifel bestand, mit wem der Student am Mittag des 26. Mai telefoniert hatte.

Jericho starrte auf den Namen.

Plötzlich schwante ihm, dass er einen gewaltigen Fehler begangen hatte.

STAHLWERK

Er hatte sich für die unmittelbare Konfrontation entschieden, was ihn zwang, seinen Standort vorübergehend zu verlassen. Nachdem er einen weiteren Scanner neben der Eingangstür des *Cyber Planet* verankert hatte, fuhr Jericho los. Sollten die Späher eine der Zielpersonen erfassen, könnte er binnen weniger Minuten wieder dort sein.

Noch waren die Straßen leer, sodass er gut durchkam. Hinter einem rußschwarzen Gebäude stellte er den Toyota ab, rückte seine Holobrille zurecht und näherte sich *Wongs World* zu Fuß. Die Glasfront des hiesigen *Cyber Planet* spiegelte das beginnende Markttreiben. Eindeutig war diese Wong-Filiale weniger heruntergekommen als die andere. Wie Zhao es beschrieben hatte, fehlten die Verschläge für die Prostituierten und Betreiber von Glücksspielen, alles schien ausschließlich der Zubereitung von Essen und dem Verkauf von Lebensmitteln zu dienen. In Körben und Schütten wurden Gemüse, Kräuter und Gewürze feilgeboten. Eine Frau fischte für eine Kundin mit Hilfe eines Stockgalgens eine Schlange aus einem Korb, die in heftige Zuckungen verfiel, als die Verkäuferin ihr routiniert den Leib aufschnitt und die Haut abzog. Jericho wandte sich ab und sog den Geruch frischer Wan Tans und Baozis ein. Der Stand war gut besucht. Zwei junge Männer mit feucht glänzenden Oberkörpern, in Dampf gehüllt, der aus gewaltigen Töpfen aufstieg, schwangen ihre Kellen, reichten Schalen mit Brühe und knusprige, mit Krabben oder Schweinefleisch gefüllte Teigtaschen über die Theke. Jericho ging weiter, die Missfallensbekundungen seines Magens ignorierend. Essen konnte er später. Er überquerte die Straße, betrat den *Cyber Planet* und ließ den Blick schweifen. Zhao war nicht zu sehen. Schlafkojen gab es keine, allenfalls konnte er die Toilette aufgesucht haben. Jericho wartete zehn Minuten, doch Zhao tauchte nicht auf.

Er trat wieder nach draußen.

Und plötzlich sah er sie.

Es waren zwei. Beide schlenderten zum Wan-Tan-Stand und schauten dabei unbeabsichtigt in seine Richtung. Ihre Umrisse erglühten rot auf dem Glas der Holobrille. Der Junge trug Jeans und T-Shirt, das Mädchen einen Minirock, für den sie zehn Kilo zu viel auf die Waage brachte, sowie eine Motorradjacke, auf der das klotzige Logo der *City Demons* prangte. Bepackt mit *Wongs World*-Papiertüten ließen sie die verschwitzten Wan-Tan-Köche großzügige Portionen Brühe in verschließbare Plastikschalen füllen, die sie schwatzend und lachend in

Empfang nahmen und in den Tüten verstauten. Beide schienen sorglos und guter Dinge. Sie unterhielten sich eine Weile mit anderen Kunden und gingen weiter.

Sie kauften Frühstück für eine halbe Kompanie.

Jericho folgte ihnen, während ihn der Computer mit Details versorgte, indem er auf Tus Datenbestand zurückgriff. Das Mädchen hieß Xiao Meiqi, genannt Maggie, Studentin der Informatik. Der Name des Jungen war Jin Jia Wei, Studium der Elektrotechnik. Tu zufolge gehörten sie zu Yoyos innerem Zirkel. Mit Daxiong kannte Jericho damit schon vier der sechs Dissidenten von Angesicht, und ganz sicher würden die beiden den Inhalt der Tüten nicht im Alleingang niedermachen.

Er schob sich näher heran und hielt zugleich Ausschau nach Zhao. Maggie Xiao und Jin Jia Wei ließen sich Thermoskannen mit Tee abfüllen, erstanden Zigaretten und kleine Kuchen mit einer Paste aus Nüssen, Honig und roten Bohnen, die Yoyo, wie Jericho sich entsann, liebte, dann überquerten sie die Straße. Im Moment, da er ihre geparkten E-Bikes auf der gegenüberliegenden Seite sah, wusste er, dass es keinen Zweck hatte, die beiden weiter zu Fuß zu verfolgen. Er machte kehrt, startete den Toyota und steuerte ihn zwischen Passanten und Radfahrern hindurch. Die Straße war zu breit für Wäscheleinen, nichts nahm ihm die Sicht, sodass er in wenigen Kilometern Entfernung die Silhouette des Hochofens emporragen sah. Jin und Maggie preschten auf ihren Bikes darauf zu. Sekunden später hatte auch Jericho das Marktgewühl hinter sich gelassen und eine staubige Freifläche vor Augen, jenseits derer sich die Anlage des alten Stahlwerks erstreckte. Die Bikes zogen wolkige Spuren. Er vermied es, den zweien in gerader Linie zu folgen, sondern lenkte den Toyota in den Schatten einer Reihe niedriger Containerbauten.

Yoyo steckte irgendwo in der riesigen Industrieruine, dessen war er sicher.

Gespannt sah er zu, wie die Bikes Kurs auf den Hochofen nahmen, der im Gegenlicht der Morgendämmerung einer Abschussrampe für Raumschiffe ähnelte, im Stil, wie sie Jules Verne vorgeschwebt haben mochte. Ein tonnenförmiger, sich nach oben verjüngender Zylinder von gut und gerne 50 Metern Höhe, ummantelt von einer tragenden Konstruktion aus Stahl, die den Schmelzbehälter eben noch erahnen ließ. Gerüstebenen, Brücken und begehbare Bühnen, durch Stiegen und Streben miteinander verbunden, schier überquellend vor Pumpen, Aggregaten, Scheinwerfern, Leitungen und anderen Gerätschaften. Vom Boden führte ein Fließband steil hinauf zur Einfüllschleuse des Ofens. Ein Rohr gewaltigen Ausmaßes reckte sich darüber in den Himmel, knickte jäh ab und mündete in eine Art überdimensionalen Kochtopf, verbunden mit drei gewaltigen, aufrecht stehenden Tanks. Alles in dieser Welt schien organisch verwachsen und ineinander verschlungen zu sein. Was dem Austausch von Gasen und Flüssigkeiten gedient haben mochte, Kabelstränge, Pipelines und Leitungen, erweckte den Eindruck hoffnungslos verheddertem Gedärms, als habe sich das Innere der kolossalen Maschinerie nach außen gestülpt.

Unmittelbar vor dem Ofen wuchs ein Gitterturm aus dem Boden, etwa halb so hoch. Wie hingehext thronte ein Häuschen mit Giebeldach und Fenstern auf seiner Spitze, durch eine Plattform mit der Ofenkonstruktion verbunden. Offenbar hatte es in früheren Zeiten als Steuerzentrale gedient. Im Gegensatz zu den anderen Gebäuden im Umkreis waren seine Fenster intakt. Jin und Maggie steuerten ihre Maschinen in einen angrenzenden Flachbau, kamen wenige Augenblicke später, ihre *Wong*-Tüten balancierend, wieder zum Vorschein und begannen, die Zickzackstiege des Turms zu ersteigen. Jericho verlangsamte seine Geschwindigkeit, stoppte und heftete den Blick auf die ehemalige Zentrale.

War Yoyo dort oben?

Im selben Moment gewahrte er aus dem Augenwinkel, wie sich etwas vom Markt her näherte und auf der Freifläche zum Stehen kam. Er wandte den Kopf und sah einen Mann auf einem Motorrad sitzen. Nein, kein Motorrad. Eher, als habe man eine Rennmaschine, einen Schwertwal und ein Düsentriebwerk zu etwas zusammengemixt, dessen Zweck sich dem Betrachter nicht sofort erschloss. Bullig, mit breitem Sattel, geschlossenen Seitenverkleidungen und abgeflachter Windschutzscheibe, gähnte, wo das Vorderrad hätte sein müssen, ein Loch. Silbrige Speichen blitzten darin auf, offenbar eine Turbine. Seitlich des Lenkers und des Sozius entsprangen schwenkbare Düsen. Augenscheinlich glitt das Ding auf seinem glatten Bauch und zwei nach hinten weisenden, spitz zulaufenden Flossen dahin. Erst bei näherer Betrachtung fiel auf, dass dem Bauch ein Bugrad entwuchs und die Flossen in eingelagerten Kugeln endeten, dank derer es auf glattem Untergrund eine gewisse Fahrtüchtigkeit an den Tag legte. Doch der eigentliche Zweck der Maschine war ein anderer. Vor Jahren, als die ersten Modelle zur Serienreife gelangten, hatte Jericho eine Lizenz dafür erworben, um schließlich vor der ruinösen Anschaffung zurückzuschrecken. Sie waren teuer, die Dinger. Zu teuer für Owen Jericho.

Viel zu teuer für jemanden aus Quyu.

Warum saß dann Zhao auf dem Ding?

Zhao Bide, der zum Hochofen hinüberstarrte und Jin und Maggie beim Erklimmen der Stiegen zusah, ohne Jericho im Schatten der Gebäude zu bemerken. Der sich entgegen allen Absprachen nicht gemeldet hatte, obwohl er zwei *Wächtern* auf den Fersen war, die ihn mit einiger Sicherheit zu Yoyo führen würden. Dessen Nummer Grand Cherokee Wang am Vorabend seines Todes gewählt hatte, um sich eine Minute lang mit ihm zu unterhalten, wie Tus Daten belegten.

Wang hatte Zhao angerufen.

Warum?

Von Unruhe elektrisiert, war Jericho hergefahren, um Zhao zur Rede zu stellen, der sich in diesen Sekunden vorbeugte und mit dem Jackenärmel etwas von den Armaturen wischte – so wie er das Display in Jerichos Wagen poliert hatte.

Alles passte zusammen.

Cherokee Wangs Mörder, unmittelbar vor seiner Flucht aus dem World Financial Center. Im eleganten Maßanzug, mit getönter Brille, falschem Schnurrbart und Perücke, die seine ebenmäßigen Züge vorübergehend in das Antlitz Ryuichi Sakamotos verwandeln, beugt er sich vor und wischt über die Steuerkonsole des *Silver Dragon*. Doch Jericho hat nicht richtig hingesehen, denn tatsächlich erinnert er ihn weder an einen japanischen Popstar noch an ein Model, sondern die ganze Zeit über an –

Zhao Bide.

Er hat den Killer auf Yoyos Fährte gelenkt.

Im Augenblick, als er das Gaspedal durchtritt, startet Zhao sein Airbike. Turbinenlärm fegt über den Platz. Die Maschine stellt ihre Düsen senkrecht, balanciert einen Moment lang auf den Spitzen ihrer Flossen und schießt steil nach oben, und Jericho wird klar, dass kaum noch Chancen bestehen, Yoyo zu retten.

Wie lächerlich einfach alles gewesen war.

Wie qualvoll zugleich.

Kaum dass er sich seines Abscheus zu erwehren gewusst hatte in den vergangenen Stunden, die ihn das Schicksal nach Quyu gezwungen hatte, einmal mehr den Beweis vor Augen, dass die Erhabenheit der menschlichen Rasse ein Fiebertraum religiös infizierter Darwinisten war, ein tragischer, zur Korrektur bestimmter Irrtum. Der bloße Ekel hatte ihn getrieben, gegenüber Jericho vom Ausschuss der Schöpfung zu sprechen, vom misslungenen Teil des Experiments, ein Leichtsinn!

Was Zhao mit knapper Not in Sarkasmus umgewandelt hatte, spiegelte indes Kenny Xins aufrichtige Empörung wider. Der überwiegende Teil seiner Spezies war ein parasitäres Gewimmel, eine Schande für jeden Schöpfer, wenn es denn einen gegeben hätte. Nur wenige, die gleich empfanden, hatten ihrer Einsicht Konsequenzen folgen lassen wie dieser Römer, der seine Stadt niedergebrannt hatte, auch wenn es hieß, er habe den Moment durch seinen Gesang nachhaltig ruiniert. Das reinigende Feuer allerdings hätte Xin gerne gesehen, in dem die Fratze der Armut Blasen warf und verkohlte, mehr noch:

Er hätte das Feuer *sein wollen!*

Nüchtern betrachtet, gebührte einem Schandfleck wie Quyu nichts, als eingeäschert zu werden. Anderthalb Milliarden Menschen lebten weltweit in Slums. Anderthalb Milliarden, an die das Leben vergeudet war, die kostbare Luft atmeten und wertvolle Ressourcen vertilgten, ohne etwas anderes zu produzieren als noch mehr Armut, noch mehr Hunger, noch mehr Auswurf. Anderthalb Milliarden, an denen die Welt erstickte. Quyu wäre ein Anfang, immerhin.

Doch Xin hatte gelernt, seine Emotionen zu zügeln. Sich unabhängig zu erklären vom Diktat der Empfindungen. Auf furiose Weise hatte er sich neu erschaffen, sich immunisiert und gereinigt. So nachhaltig, dass er nie wieder gezwungen wäre, sich die Haut vom Leibe zu reiben im Bemühen, den Dreck loszuwerden, die Fäden ziehenden Umstände seiner Geburt, die klebrigfeuchten Hinterlassenschaften der täglichen Übergriffe, den Schorf der Verzweiflung. Er hatte gewusst, dass er zugrunde gehen müsste, sollte es ihm nicht gelingen, sich zu reinigen, und dass der eigene Tod, der Pissegeruch der Kapitulation, keine Erlösung verhieß.

Also hatte er gehandelt.

Mitunter, nachts, erlebte er den Tag aufs Neue, immer wieder. Das Strafgericht der Flammen. Spürte die Hitze auf seinen Wangen, sah sich den klebrigen Kadaver seiner selbst begraben, empfand die lichte Verwunderung über seinen wunderbaren, neu geborenen Körper, die wilde Freude angesichts der ungeheuren Macht, die ihm von nun an zur Verfügung stehen würde. Er war frei. Frei zu tun, was ihm beliebte. Frei, in jede gewünschte Haut zu schlüpfen, so wie in die Zhao Bides.

Wie lächerlich einfach, sich an Jericho zu hängen, den Mann in seine Dienste zu nehmen. Grand Cherokee Wang mochte ein Idiot gewesen sein, für die Karte des Detektivs schuldete Xin ihm stummen Dank. Jericho hatte ihn nach Quyu geführt, ins ANDROMEDA, wo Xin beschlossen hatte, das Spiel auf die Spitze zu treiben. Keine Perücke diesmal, keine falschen Nasen und Bärte, lediglich passende Kleidung, den Standard-Outfits entnommen, die er mit sich führte. Vielleicht hatte er nicht abgerissen genug ausgesehen, die Applikationen vermissen lassen, doch die Roadies hatten nicht gefremdelt. Sie waren einfach dankbar gewesen, dass sich jemand erbot, ihnen mit den sperrigen Containern zu helfen, und hatten ihm binnen weniger Minuten alle Informationen geliefert, derer es bedurfte, um Jericho zu täuschen: *Ass Metal*. Die *Pink Asses*. Wie hätte der Detektiv anders gekonnt, als Xin für einen der Ihren zu halten?

Jericho war die Maus gewesen, er war die Katze. Hatte seinen Plan aus der Improvisation geboren. Angriff, Waffenstillstand, zwei Bier, ein Pakt. Von Hydra mit genügend Wissen über das Mädchen ausgestattet, um den Detektiv zu beeindrucken. Manche Replik hatte er schuldig bleiben müssen. Jerichos Frage etwa, ob er ein *City Demon* sei, war herangeflogen wie ein angeschnittener Ball. Nichts hatte er über eine Organisation dieses Namens gewusst. So vieles hatte er nicht gewusst, worauf der ahnungslose Detektiv ihn freundlicherweise hingewiesen hatte, etwa, wo Yoyo und ihre *Wächter* bevorzugt einkauften. Die Lage der *Wong*-Märkte zu ermitteln, Sache einer Viertelstunde. Zhao Bide war ein loyaler Partner, er half nach Kräften, wozu auch gehörte, Jericho auf den Verfolger aufmerksam zu machen, der er selber war.

Den Nachmittag hatte er im Hyatt zugebracht, lange und ausgiebig geduscht, um den Gestank Xaxus wenigstens für die Dauer einiger Stunden loszuwerden. Eine Benachrichtigung hatte vorgelegen, dass die angeforderten Profis eingetroffen seien und drei Airbikes bereitstünden, ganz so wie er es verlangt hatte. Er hatte die beiden Männer vorgeschickt und war ihnen am Abend ohne Hast gefolgt, zurück in den Dreck, um Jericho dort in Empfang zu nehmen.

Owen Jericho und er. Sie waren ein gutes Team gewesen.

Inzwischen, da die Scanner das Auftauchen Maggie Xiao Meiqis und Jin Jia Weis gemeldet hatten, wurde es Zeit, die Partnerschaft aufzukündigen. Sollte Jericho im *Cyber Planet* versauern. Das Airbike stieg höher, bis Xin das Stahlwerk in seiner ganzen, gewaltigen Verlassenheit überblicken konnte. Nur vereinzelt waren Menschen zu sehen, Obdachlose und Banden, die in den Werkshallen Unterschlupf gefunden hatten. Ein kleiner Trupp Motorradfahrer zog über die Savannen der Schlackenfelder dahin, näherte sich. Derweil hatten sich Xiao Meiqi und Jin Jia Wei im Treppengestänge emporgearbeitet und die Plattform erklommen, auf der die ehemalige Steuerzentrale des Hochofens ruhte. Das Mädchen verschwand im Inneren, während Jia Wei sich umdrehte und auf den Platz hinaussah.

Sein Blick wanderte zum Himmel.

Xin sprach ins Mikro, erteilte Anweisungen. Dann schwenkte er die Düsen des Airbikes in die Waagerechte.

Über Jin Jia Wei ließ sich sagen, dass er faul und aufsässig war und wenig Interesse an seinem Studium zeigte. Dafür war er ein begnadeter Hacker. Nicht mehr und nicht weniger. Weder teilte er Yoyos hochfliegende Pläne noch hinterfragte er sie, weil sie ihn tatsächlich nicht interessierten. Es war ihr Wille, die Welt zu verbessern? Auch gut. Spaßiger jedenfalls, als in Hörsälen vor sich hin zu schimmeln, außerdem war Jia Wei verknallt in sie, wie eigentlich jeder. Als Chefideologin fand Yoyo hübsch idiotische Gründe, in fremde Netzwerke einzubrechen, bevorzugt in die der Partei, außerdem lieferte sie das Equipment gleich mit. Für Jia Wei fungierte sie damit als Tante aus dem Spielzeugladen, mit ihm als Glückspilz, der all die schönen Sachen ausprobieren durfte, die sie anschleppte. Sie hatte die Ideen, und er die Tricks in petto. Wie nannte man so was noch gleich? Eine Symbiose?

Irgend so was.

Positiv ließ sich vermerken, dass er Yoyo niemals verraten hätte. Schon aus Eigeninteresse nicht, immerhin stand und fiel die Gruppe mit ihr und ihrem von Tu Technologies reich gefüllten Zauberkasten. Dafür war er sogar bereit, ihre Probleme zu seinen zu machen, zumal er sich für die angespannte Lage ein bisschen verantwortlich fühlte. Schließlich hatte *er* ihr zu dieser todsicheren, superraffinierten Sache geraten, mit der sie ja auch erfolgreich gewesen war, zu erfolgreich leider. Nun plagten Yoyo schlafraubende Sorgen, also hatte Jia Wei die vergangenen zwei Tage herauszufinden versucht, was in besagter Nacht eigentlich schiefgelaufen war. Und etwas gefunden, eine schier unglaubliche Koinzidenz von Ereignissen. Als er nun, gehüllt in eine Wolke aus Wan-Tan-Düften, die *Wongs* Tüten entstiegen, über den Platz schaute, nahm er sich vor, gleich nach dem Frühstück mit Yoyo darüber zu reden. Maggies Plappern drang aus der Zentrale, die ihnen als Hauptquartier diente, nachdem es im ANDROMEDA nicht mehr sicher war, fröhlich schnatterte sie in ihr Handy und trommelte den Rest der Gruppe zusammen.

»Frühstück«, krähte sie.

Frühstück, genau. Das war es, was er jetzt brauchte.

Doch mit einem Mal schienen seine Füße wie festgewachsen. Von seiner erhöhten Warte aus konnte er bis zur weit ausgelagerten Kokerei sehen, deren Löschturm trist in den morgendlichen Himmel ragte. Das Werksgelände war riesig. Klammerartig umschloss es die alte Stahlarbeitersiedlung. Er fragte sich, wo dieses neue Geräusch herkam, das er in dieser Gegend bislang noch nicht vernommen hatte, ein entferntes Fauchen, als brenne die Luft über *Wongs World*.

Er kniff die Augen zusammen.

Links vom Löschturm hing etwas am Himmel.

Jin Jia Wei brauchte eine Sekunde, um zu begreifen, dass es der Urheber des Fauchens war. Im nächsten Moment erkannte er, *was* es war. Und obschon er nie jemanden hatte sagen hören, zu seinen herausragenden Eigenschaften zähle die Intuition, spürte er die Gefahr wie in Wellen von dem Ding ausgehen.

Niemand besaß ein Airbike in Quyu.

Er wich zurück. Zwischen *Wongs World* und dem *Cyber Planet* sah er zwei weitere der bulligen Maschinen auftauchen und dicht über dem Boden dahingleiten. Zugleich schlitterte ein Wagen hinter den umliegenden Containerbauten hervor und hielt auf den Hochofen zu. Das Airbike schien sich aufzublähen, eine Sinnestäuschung, hervorgerufen durch die hohe Geschwindigkeit, mit der es sich näherte.

»Yoyo!«, schrie er.

Gleich einem fetten, fliegenden Fisch schoss die Maschine heran. Sonnenreflexe huschten über die abgeflachte Windschutzscheibe und blitzten im Schwungrad der Turbine auf, als der Pilot sein Gewicht verlagerte und das Bike in eine Kurve zwang. Jia Wei stolperte rückwärts ins Innere, die Tüten umklammert, während das Fauchen anschwoll und das Turbinenmaul sich zu dehnen begann, als wolle es ihn in sein rotierendes Schreddergebiss saugen. Im nächsten Augenblick sank das Airbike herab, Maggies und Yoyos Stimmen in einer Lärmwoge hinwegfegend, berührte den Plattformboden, und er sah etwas in der Hand des Piloten aufblitzen –

Xin schoss.

Die Munition pflügte durch den Jungen und die Tüten in seinen Armen. Jia Weis Gesicht explodierte, Flaschen barsten, heiße Suppe, Cola und Kaffee, Blut, Hirnmasse, Wan Tans und Knochensplitter spritzten wild durcheinander. Noch während der aufgeplatzte Körper nach hinten kippte, war Xin aus dem Sattel gesprungen und hatte die Schwelle des Gebäudes übertreten.

Sein Blick erfasste das Innere im Bruchteil einer Sekunde, sondierte, kategorisierte, unterteilte in erhaltenswert, überflüssig, interessant und vernachlässigbar. Steuerpulte mit abgeschalteten Monitoren, blind vor Staub, deuteten auf ein ehemaliges Kontrollzentrum hin, ausgestattet mit Mess- und Regeltechnik zur Überwachung der Hochofenanlage. Ebenso offensichtlich war, welchem Zweck der Raum nun diente. In der Mitte waren Tische zusammengeschoben worden, mit hochmodernen Geräten darauf, transparenten Displays, Computern und Tastaturen. Pritschen an der rückwärtigen Wand zeugten davon, dass die Zentrale bewohnt war oder gelegentlich als Übernachtungsmöglichkeit genutzt wurde.

Er schwenkte die Waffe. Das dicke Mädchen reckte die Hände, Xiao Meiqi, oder hieß sie Maggie? Egal. Ihr Mund stand weit offen, die Augäpfel schienen die Höhlen verlassen zu wollen, was sie ziemlich hässlich machte. Xin schoss sie mit der Beiläufigkeit nieder, mit der Machthabende weniger bedeutenden Leuten die Hand schüttelten, fegte, was sie an Tüten auf dem Tisch abgestellt hatte, mit dem Lauf seiner Waffe beiseite und richtete die Mündung auf Yoyo.

Kein Laut kam von ihren Lippen.

Neugierig legte er den Kopf schief und betrachtete sie.

Er wusste nicht, was er erwartet hatte. Menschen zeigten Angst und Entsetzen auf unterschiedliche Weise. Jin Jia Wei etwa hatte in seiner letzten Lebenssekunde ausgesehen, als könne man die Angst förmlich aus ihm herauswringen. Meiqis Angst wiederum hatte ihn an Edvard Munch erinnert, *Der Schrei,* ein Zerrbild ihrer selbst. Es gab Menschen, die im Leiden noch Würde und Ansehnlichkeit wahrten. Meiqi hatte nicht dazu gehört. Kaum jemand gehörte dazu.

Yoyo hingegen starrte ihn einfach nur an.

Sie musste aufgesprungen sein im Moment, da Jia Wei ihren Namen gerufen hatte, was ihre geduckte, katzenartige Haltung erklärte. Ihre Augen waren geweitet, doch ihr Gesicht wirkte merkwürdig ausdruckslos, ebenmäßig, *beinahe* perfekt, hätte nicht ein Schatten um ihre Mundwinkel den Eindruck leicht ins Gewöhnliche gezogen. Dennoch war sie schöner als die meisten Frauen, die Xin in seinem Leben gesehen hatte. Er fragte sich, wie viel Zuwendung ihre Schönheit verkraften mochte. Fast bedauerlich, dass ihnen keine Zeit dazu bleiben würde.

Dann sah er, wie Yoyos Hände zu zittern begannen.

Ihr Widerstand brach.

Er zog einen Stuhl heran, nahm darauf Platz und ließ die Waffe sinken.

»Ich habe drei Fragen an dich«, sagte er.

Yoyo schwieg. Xin ließ einige Sekunden verstreichen, wartete darauf, sie kollabieren zu sehen, doch außer, dass sie zitterte, veränderte sich nichts an ihrer Haltung. Unverändert starrte sie ihn an.

»Auf alle drei Fragen erwarte ich eine schnelle und ehrliche Antwort«, fuhr er fort. »Also keine Ausflüchte.« Er lächelte, so wie man Frauen anlächelt, deren Gunst man durch Offenheit zu gewinnen trachtet. Ebenso gut hätten sie in einer schicken Bar sitzen können oder in einem gemütlichen Restaurant. Ihm fiel auf, dass er sich in Yoyos Gesellschaft ausgesprochen wohlfühlte. Vielleicht blieb ja doch noch ein wenig gemeinsame Zeit.

»Danach«, sagte er freundlich, »schauen wir weiter.«

Jericho sah nichts als Staub, aufgewirbelt von seinem eigenen Wagen, als er mit quietschenden Reifen unterhalb des Gitterturms zum Stehen kam. Er riss die Glock aus der Halterung, stieß die Tür auf und schlitterte zur Treppe. Sie war aus Stahl wie die gesamte Konstruktion und leitete das Geräusch seiner Schritte vernehmlich weiter.

Bonggg, bonggg!

Er fluchte unterdrückt. Zwei Stufen auf einmal nehmend, versuchte er auf Zehenspitzen zu laufen, glitt aus und stieß sich schmerzhaft das Knie auf dem Treppengitter.

Idiot! Sein einziger Vorteil war, dass Zhao ihn nicht gesehen hatte.

Im selben Moment krachten oben Schüsse. Jericho hastete weiter. Je näher er dem Podest kam, desto prominenter drang das Fauchen des Airbikes an sein Ohr. Zhao hatte es nicht für nötig befunden, den Motor abzustellen. Gut so. Das Bike würde ihn übertönen. Er wandte den Kopf und sah unter sich Bewegung auf dem Platz. Motorradfahrer. Ohne ihnen Beachtung zu schenken, nahm er die letzten Stufen, hielt inne und lugte über den Treppenabsatz.

Gleich vor ihm parkte das Airbike. Die Tür zur Zentrale stand offen. Er sprang auf die Plattform, huschte zum Gebäude, verharrte dicht neben dem Rahmen, Rücken zur Wand, Waffe auf Augenhöhe. Zhaos Stimme war zu hören, freundlich und aufmunternd:

»Erstens, wie viel weißt du? Zweitens, wem hast du davon erzählt? Und auch die dritte Frage ist ganz einfach zu beantworten.« Spannungspause. »Es ist die Preisfrage, Yoyo. Sie lautet: Wo – ist – dein – Computer?«

Sie lebte. Gut.

Weniger gut war, dass er den Killer nicht sehen konnte und ergo nicht wusste, in welche Richtung er gerade schaute. Sein Blick erwanderte die Fassade. Kurz vor der Hausecke fiel ihm ein kleines Fenster auf. Geduckt schlich er hin und spähte ins Innere.

Yoyo verharrte stehend hinter einem Tisch voller Computer. Von Zhao sah er nur Beine, eine Hand und den klobigen Lauf seiner Waffe. Eindeutig saß er Yoyo zugewandt, was bedeutete, dass er der Tür den Rücken zukehrte. Das Fenster war einen Spaltbreit geöffnet, sodass Jericho hören konnte, wie Zhao sagte:

»Das kann doch nicht so schwer sein, oder?«

Yoyo schüttelte stumm den Kopf.

»Also?«

Keine Reaktion. Zhao seufzte.

»Gut, ich könnte vergessen haben, die Spielregeln zu erklären. Es geht so: Ich frage, du antwortest. Noch besser, du händigst mir das Ding einfach aus.« Der Lauf der Waffe senkte sich. »Mehr hast du nicht zu tun. Okay? Solltest du die Antwort schuldig bleiben, schieße ich dir den linken Fuß ab.«

Jericho hatte genug gesehen. Er war mit wenigen Sätzen an der Tür, sprang ins Innere und richtete die Waffe auf Zhaos Hinterkopf.

»Sitzen bleiben! Hände nach oben. Keine Heldentaten.«

Sein Blick erfasste die Szenerie. Zu seinen Füßen lag der Körper des Jungen, zerfetzt, als wären Sprengsätze in Kopf und Brust hochgegangen. Wenige Meter weiter hockte Maggie. Sie hielt den Kopf gesenkt, in stumme Betrachtung ihrer Bauchdecke versunken, aus der erstaunliche Mengen Gedärm drängten. Fußboden, Stühle und Tisch waren rot bespritzt. Entgeistert fragte sich Jericho, womit Zhao geschossen hatte.

»Flechettes.«

»Was?«

»Pfeilmunition«, wiederholte Zhao in aller Seelenruhe, als hätte Jericho seine Frage laut gestellt. »Metal Storm, 50 winzige Wolfram-Karbit-Pfeile pro Schuss, fünfeinhalbtausend Stundenkilometer schnell. Durchschlagen Stahlplatten. Man kann geteilter Auffassung darüber sein. Sicher ein Übermaß an Sauerei, andererseits –«

»Schnauze! Hände nach oben.«

Mit quälender Langsamkeit kam Zhao der Aufforderung nach. Jericho fühlte, wie es ihm den Atem abschnürte. Er kam sich hilflos und lächerlich vor. Yoyos Unterlippe bebte, das Maskenhafte verließ sie, der Schock brach sich Bahn. Zugleich gewahrte er das Flackern der Hoffnung in ihren Augen. Und noch etwas, als braue sich in ihrem Kopf ein Plan zusammen –

Ihr Körper spannte sich.

»Nicht«, sagte Jericho warnend in ihre Richtung. »Kein Chaos. Erst müssen wir das Schwein da unter Kontrolle bringen.«

Zhao lachte gellend auf.

»Und wie willst du das anstellen? So wie im ANDROMEDA?«

»Halts Maul.«

»Ich hätte dich umbringen können.«

»Leg die Waffe auf den Boden.«

»Du schuldest mir ein bisschen Respekt, kleiner Jericho.«

»Ich sagte, Waffe auf den Boden!«

»Warum fährst du nicht einfach nach Hause und vergisst die ganze Angelegenheit? Ich würde –«

Es gab einen trockenen Knall. Wenige Zentimeter neben Zhao drang Jerichos Kugel in die Tischplatte ein. Der Killer seufzte. Langsam drehte er den Kopf, sodass sein Profil sichtbar wurde. Ein winziger Sender steckte an seinem Ohr.

»Wirklich, Owen, du übertreibst.«

»Zum letzten Mal!«

»Ist ja gut.« Zhao zuckte die Achseln. »Ich lege sie auf den Boden, ja?«

»Nein.«

»Was dann, jetzt doch nicht?«

»Lass sie *fallen*.«

»Aber –«

»Lass sie einfach von deinen Knien gleiten. Hände oben lassen. Dann trittst du sie zu mir rüber.«

»Du machst einen Fehler, Owen.«

»Ich *habe* einen Fehler gemacht. Los jetzt, oder ich schieße dir *deinen* linken Fuß ab.«

Zhao lächelte dünn. Die Waffe schepperte zu Boden. Er stieß sie mit der Stiefelspitze an, sodass sie ein Stück in Jerichos Richtung rutschte und auf halber Distanz liegen blieb.

»Erschieß ihn«, sagte Yoyo heiser.

Jericho sah sie an.

»Das wäre keine –«

»Erschieß ihn!« Tränen schossen aus Yoyos Augen. Ihre Züge verzerrten sich vor Abscheu und Wut. »Erschieß ihn, ersch –«

»Nein!« Jericho schüttelte heftig den Kopf. »Wenn wir rausfinden wollen, für wen er arbeitet, müssen wir ihn –«

Er redete weiter, aber seine Stimme ging unter im Fauchen und Heulen des Airbikes.

Es war lauter geworden. Warum?

Yoyo schrie auf und wich zurück. Ein dumpfer Schlag ließ den Fußboden erzittern, als vor der Zentrale etwas aufsetzte. Das war nicht Zhaos Bike. Da waren noch mehr solcher Maschinen.

Zhao grinste.

Einen lähmenden Moment lang wusste Jericho nicht, was er tun sollte. Würde er sich umdrehen, wäre der Killer binnen einer Sekunde wieder im Besitz seiner Pistole. Doch er musste wissen, was da draußen vor sich ging.

Und dann begriff er.

Der Sender an Zhaos Ohr! Seine Stimme war die ganze Zeit übertragen worden. Er hatte Verstärkung herbeigerufen. Zhao erhob sich von seinem Stuhl, die Finger um die Lehne gekrallt. Jericho hob die Glock. Sein Gegner verharrte, geduckt wie ein Raubtier vor dem Sprung.

»Fallen lassen«, sagte eine tiefe Stimme hinter ihm.

»Ich würde tun, was er sagt, kleiner Owen.«

»Vorher erschieße ich dich«, sagte Jericho.

»Dann schieß.« Zhaos dunkle Augen ruhten auf ihm, schienen ihn in sich hineinzusaugen. Langsam begann er sich aufzurichten. »Es sind übrigens zwei, und du verdankst es einzig und alleine mir, dass du überhaupt noch am Leben bist.«

Hinter Jericho erklangen Schritte. Eine Hand langte über seine Schulter, griff nach seiner Waffe. Jericho ließ sie sich widerstandslos aus den Fingern nehmen. Sein Blick suchte den Yoyos. Sie drückte sich gegen das alte Steuerpult, ihre Pupillen zitterten.

Eine Faust stieß ihn vorwärts.

Zhao nahm ihn in Empfang, holte aus und schlug ihm mit der flachen Hand ins Gesicht. Sein Kopf flog zur Seite. Der nächste Schlag traf seinen Solarplexus und presste ihm die Luft aus den Rippen. Würgend ging er in die Knie. Jetzt konnte er die beiden Männer sehen, einen dicklichen, bärtigen Asiaten, der auf Yoyo angelegt hatte, der andere hager, blond und mit slawischem Einschlag. Beide trugen Pistolen vom gleichen Typ wie ihr Anführer. Zhao lachte leise. Er strich sich das seidige, schwarze Haar aus der Stirn und richtete sich zu voller Größe auf. Gemessenen Schrittes begann er um Jericho herumzugehen.

»Meine Herren«, sagte er. »Sie erleben den Triumph des Kleinhirns über den Bauch. Das Primat der Planung. Nur so ist es zu erklären, dass ein Mann, der mich praktisch in seiner Gewalt hatte, nun zu unseren Füßen kauert. Ein Detektiv, wohlgemerkt. Ein Profi.« Das letzte

Wort spuckte er Jericho vor die Füße. »Dennoch ist uns sein Besuch willkommen. Wir haben nun die Möglichkeit, noch mehr in Erfahrung zu bringen. Wir können Herrn Jericho beispielsweise fragen, was er *mich* eigentlich fragen wollte.«

Zhaos Rechte schnellte vor, griff in Jerichos Schopf, riss ihn hoch und zu sich heran, sodass er den warmen Atem des Killers auf seinem Gesicht spüren konnte.

»Die Frage nach dem Auftraggeber. Immer wieder interessant. Unser Gast dürfte nämlich kaum von allein auf die Idee gekommen sein, die kleine Yoyo zu suchen. Wer ist also *dein* Auftraggeber? Stimmt doch, Owen, oder? Jemand hat das Stöckchen geworfen. Hol das Stöckchen, Owen! Finde Yoyo. Wuff! – Gibt es da vielleicht noch jemanden, um den ich mich kümmern sollte?«

Jericho lachte, obwohl die Situation alles andere als komisch war.

»Sieh bloß zu, dass du dich nicht verzettelst.«

»Du hast ja so recht.« Zhao schnaubte, stieß ihn beiseite und näherte sich Yoyo, die nun keinen Versuch mehr unternahm, ihre Angst zu verbergen. Ihre Unterlippe bebte, feuchte Striemen glänzten auf ihren Wangen. »Widmen wir uns also unserer sympathischen Weltverbesserin und bitten sie um Mithilfe bei der Beantwortung bereits gestellter Fragen. Wo – ist – dein – Computer?«

Yoyo wich zurück. Erneut ging eine Veränderung in ihren Zügen vor, als habe sie soeben eine überraschende Entdeckung gemacht. Zhao verharrte, offenbar irritiert. Im selben Moment vernahm Jericho ein leises, metallisches Klicken.

»Gar nichts wirst du tun«, sagte eine Stimme.

Zhao fuhr herum. Zwei junge Männer und eine Frau in Motorradjacken hatten den Raum betreten, Schnellfeuerwaffen im Anschlag, ihn und seine beiden Helfer im Visier, die ihrerseits mit ausgestreckten Armen auf die Neuankömmlinge zielten. Einer davon war ein Hüne mit tonnenförmigem Brustkorb, Gorillaarmen und einer rasierten Halbkugel als Schädel. Eine blaue, kunstvoll gearbeitete Applikation verlängerte seine Kinnspitze, ein künstlicher Pharaonenbart. Jericho stockte der Atem. Daxiong hatte ihn aufs Übelste in die Irre geführt, doch niemanden hätte er in diesem Augenblick lieber hier gesehen.

Sechs Koreaner, die allesamt Prügel bezogen hatten –

Daxiongs Sehschlitze richteten sich auf Yoyo.

»Komm hier rüber«, dröhnte er. »Ihr anderen bleibt, wo –«

Seine Stimme erstarb. Erst jetzt schien der Riese wahrzunehmen, was in der Zentrale vorgefallen war. Sein Blick wanderte vom zerfetzten Leichnam Jia Weis zu Maggies grotesk verkrümmtem Körper. Die Sehschlitze weiteten sich unmerklich.

»Die haben sie umgebracht«, wimmerte das Mädchen an seiner Seite. Alle Farbe war aus ihrem Gesicht gewichen.

»Scheiße«, fluchte der andere Junge. »Oh, Scheiße!«

Jerichos Gedanken hetzten einander wie Hunde. Tausend Szenarien fluteten sein Vorstellungsvermögen. Die Killer, die *City Demons*, jeder zielte auf jeden, während Zhao in lauernde Starre verfallen war und Yoyos Blick von einem zum anderen wanderte. Niemand wagte sich zu bewegen aus Angst, das fragile Gleichgewicht zu stören, was unweigerlich im Desaster enden musste.

Es war Yoyo, die den Bann brach. Langsam ging sie an Zhao vorbei hinüber zu Daxiong. Zhao rührte sich nicht. Nur seine Augen folgten ihr.

»Stopp.«

Er sagte es leise, nicht mehr als ein Zischen, dennoch übertönte es das Fauchen der Airbikes, das hundeartige Keuchen der anderen, das Hämmern in Jerichos Schädel, und Yoyo blieb stehen.

»Nein, komm rüber«, rief Daxiong. »Hör nicht auf –«

»Ihr werdet das nicht überleben.« Zhaos Stimme schlängelte sich heran. »Ihr könnt uns nicht alle töten, also versucht es erst gar nicht. Gebt uns, was wir haben wollen, sagt uns, was wir hören wollen, und wir verschwinden. Niemandem wird etwas passieren.«

»So wie Jia Wei?«, weinte das Mädchen mit der Waffe. »So wie Maggie?«

»Das war unverm – nein, nicht!«

Sie hatte die Waffe eine Winzigkeit geschwenkt, der dicke Asiate den Lauf seiner Pistole herumgerissen und auf ihren Kopf gerichtet. Daxiong und der andere *City Demon* reagierten ähnlich. Die Kinnladen des Blonden mahlten. Zhao hob beschwörend die Hand.

»Es ist genug Blut vergossen worden! – Yoyo, hör zu, du hast etwas gesehen, das du nicht hättest sehen dürfen. Ein Zufall, dummer Zufall, aber wir können das Problem aus der Welt schaffen. Ich will deinen Computer, ich muss wissen, wem du dich anvertraut hast. Niemand muss mehr sterben, ich verspreche es. Überleben gegen Stillschweigen.«

Du lügst, dachte Jericho. Jedes deiner Worte ist der reine Betrug.

Yoyo drehte sich unschlüssig zu Zhao um, blickte in das schöne Gesicht des Teufels.

»Ja, gut, Yoyo, gut so!« Er nickte. »Ich gebe euch mein Wort, dass niemandem etwas geschehen wird, solange ihr kooperiert.«

»Scheiße!«, schrie der Junge neben Daxiong. »Das ist doch alles ge-
quirlte Scheiße! Die werden uns abknallen, sobald –«

»Nimm dich in Acht!«, brüllte der Blonde.

»Kenny, das bringt nichts.« Der Dicke bebte vor Nervosität. »Wir
sollten die kaltmachen.«

»Fette Sau! Vorher machen wir dich –«

»Schnauze!«

»Ein Wort noch! Ein Wort, und ich werde –«

»Aufhören! Hört alle auf!«

Augen zuckten hin und her, Finger spannten sich um Abzüge. Als
habe sich der Raum mit einem entzündlichen Gas gefüllt, dachte Jericho,
und nun fieberte jeder dem Schnappen des Feuerzeugs entgegen. Doch
Zhaos Autorität hielt alle in Schach. Die Explosion blieb aus. Noch.

»Bitte – gib – mir – den – Computer.«

Yoyo wischte sich mit der Hand übers Gesicht, verschmierte Tränen
und Rotz. »Lässt du uns dann laufen?«

»Beantworte meine Fragen und gib mir deinen Computer.«

»Ich habe dein Wort?«

»Ja. Dann lassen wir euch laufen.«

»Du versprichst, dass Daxiong und Ziyi und – und Tony nichts geschehen wird? Und – dem da?«

Wie fürsorglich, dachte Jericho.

»Hör nicht auf ihn«, sagte er. »Zhao wird –«

»Ich habe niemals mein Wort gebrochen«, unterbrach ihn Zhao,
ohne Notiz von ihm zu nehmen. Es klang freundlich und aufrichtig.
»Schau, ich bin dafür ausgebildet, Menschen zu töten. Wie jeder andere Polizist auch, wie jeder Soldat, jeder Agent. Die nationale Sicherheit ist ein höheres Gut als einzelne Menschenleben, das verstehst du
bestimmt. Aber meine Versprechen halte ich.«

»Wenn du ihm den Computer gibst, bringt er uns alle um«, stellte
Jericho fest. Er sagte es so nüchtern wie möglich. »Ich bin dein Freund.
Dein Vater schickt mich.«

»Er lügt.« Zhaos Stimme schmeichelte sich heran. »Weißt du was?
Ihn solltest du weit mehr fürchten als mich. Er treibt ein perfides Spiel
mit dir, jedes seiner Worte ist gelogen.«

»Er wird dich töten«, sagte Jericho.

»Das soll er mal versuchen«, schnaubte der Junge, dessen Name also
Tony war. Er reckte angriffslustig das Kinn vor, doch seine Stimme und
seine ausgestreckte Waffe zitterten unmerklich. Ziyi, das Mädchen, begann haltlos zu schluchzen.

»Gib ihm endlich den Scheißcomputer!«

»Tu es nicht«, sagte Jericho eindringlich. »Solange er nicht weiß, wo dein Computer ist, *muss* er uns am Leben lassen.«

»Schnauze!«, fuhr Daxiong ihn an.

»Gib ihm endlich den verdammten Computer!«, schrie Ziyi.

Yoyo trat zum Tisch. Ihre Finger schwebten über einem Gerät, kaum größer als ein Schokoriegel, gekoppelt an Tastatur und Bildschirm.

»Du machst einen Fehler«, sagte Jericho mutlos. Alle Kraft strömte aus seinen Gliedern. »Er wird dich töten.«

Zhao sah ihn an.

»So wie du Grand Cherokee Wang getötet hast, Jericho?«

»Ich habe – was??«

Yoyo hielt inne.

»Blödsinn!« Jericho schüttelte den Kopf. »Er lügt. Er hat –«

»Halt endlich das Maul«, schrie der dicke Asiate, riss seine Waffe herum und richtete sie auf Jericho, der mit verblüffender Klarheit jeden einzelnen Schweißtropfen auf der Stirn des Killers wahrnahm, dicht an dicht, glitzernd wie Noppenfolie.

Daxiong legte auf den Asiaten an. Zhaos Augen weiteten sich.

»Nein!«, schrie er.

Das Feuerzeug zündete.

Jericho sah Tony die Waffe hochziehen, dann knallte es zweimal kurz hintereinander, und der Dicke klappte zusammen. Alles geschah gleichzeitig. Mit ohrenbetäubendem Knall entlud sich die Pistole des Blonden und schoss Tony das halbe Gesicht weg. Er kippte vornüber und nahm Daxiong die Sicht, während Ziyi spitze Schreie von sich gab und Yoyo in Richtung Tür stürmte. Zhao versuchte sie zu packen, verfehlte sie und schlug der Länge nach hin. Jericho hechtete nach der Waffe am Boden. Er bekam den Lauf zu fassen, doch Zhao war schneller, während Ziyi wild um sich feuerte und den Blonden hinter dem Tisch in Deckung zwang.

Er duckte sich.

Daxiong preschte vor, rutschte in Jia Weis Blut aus und knallte mit dem Hinterkopf auf die Dielen, Jericho mit sich reißend. Eine Garbe pflügte den Boden neben ihm auf. Er robbte weg von dem bewusstlosen Hünen und sah Ziyi wie eine Rachegöttin über Tonys Leiche steigen, schreiend und ziellos feuernd. Im nächsten Moment spritzte eine hellrote Fontäne dort, wo ihr rechter Arm gewesen war. Das Krachen aus Zhaos Pistole hallte nach, während er nach draußen rannte. Ziyi schwankte. Mit glasigem Blick drehte sie sich um ihre Achse, einen Ausdruck gelinder Überraschung in ihren Zügen, und verspritzte ihr pumpendes Blut gegen den Blonden, verteilte es in seinen Augen. Der Mann hob schützend die Hand, versuchte, ihrem sterbenden Körper auszuweichen, verlor das Gleichgewicht.

Jericho sprang auf. Zu seinen Füßen zuckte Ziyis abgetrennter Arm, und plötzlich überkam ihn die Vision einer Theateraufführung. Dankbar gewahrte er etwas in sich beiseitetreten und kapitulieren. Eine Maschine übernahm das Kommando über sein Denken und seine Motorik, deren ganzer Ehrgeiz sich darin erschöpfte, zu funktionieren. Er bückte sich, nestelte die Waffe aus den erschlafften Fingern, richtete die Mündung auf den gestrauchelten Killer und drückte ab.

Leer.

Mit einem Aufschrei schleuderte der Blonde das tote Mädchen von sich, tastete nach seiner Pistole und entlud sein Magazin in die Luft, geblendet von Ziyis Blut. Jericho wirbelte aus der Schusslinie und zog ihm die Waffe über den Schädel. Ohne ihn eines weiteren Blickes zu würdigen, setzte er mit großen Sprüngen über die dahingestreckten Körper und hastete ins Freie.

Kurz haderte Xin damit, wie einfach alles hätte gewesen sein können. Das Mädchen aufgespürt, mitsamt ihrem Computer. Zu wissen, welcher es war. Ihr zu entlocken, um wen er sich noch zu kümmern hatte, eine Sache weniger Minuten. Xin war sicher, dass Yoyo für Schmerzen äußerst empfänglich war. Sie hätte ihm schnell verraten, was er wissen musste.

Der Job könnte erledigt sein.

Stattdessen war wie aus dem Hut gezaubert Owen Jericho aufgetaucht. Xin hatte nicht die mindeste Ahnung, was den Detektiv hergetrieben hatte. War seine Tarnung nicht perfekt gewesen? Uninteressant für den Moment. Dunkel und massig ragte der Hochofen vor ihm auf. Zwischen Yoyo und der Stiege unten parkten zwei Airbikes. Von Verwirrung geleitet, hatte sie sich wohl einen Augenblick zu lange mit der Frage beschäftigt, welcher Weg der kürzere sei, und da war Xin auch schon hinaus auf die Empore gestürmt und hatte sie vom Treppenabsatz weggedrängt. Der Gitterturm bot damit keine Möglichkeit mehr zur Flucht. Also war sie über die Brücke geflohen, die Zentrale und Hochofen miteinander verband, auf die andere Seite, mitten hinein in den Dschungel aus Laufgängen, Gerätschaften und Rohren, die den Schmelzbehälter umwucherten.

Ohne besondere Eile kam er ihr nach. Jede der Gerüstebenen des Ofens war mit der nächsthöheren durch Stiegen verbunden, doch nach unten hin blockierte zusammengebrochenes Stützwerk den Weg. Auch Yoyo war ihr Fehler mittlerweile klar geworden. Sie schaute abwechselnd zu Xin und in die Höhe, während sie sich langsam rückwärts schob. Seine Siegesgewissheit kehrte zurück. Er blieb stehen.

»Ich wollte das nicht«, rief er.

Yoyos Züge verschwammen. Einen Moment lang glaubte er, sie wieder in Tränen ausbrechen zu sehen.

»Ich hatte sowieso nie vor, dir das Ding zu geben«, schrie sie.

»Yoyo, es tut mir leid!«

»Dann verpiss dich!«

»Habe *ich* etwa mein Wort gebrochen?« Er legte alle Gekränktheit, derer er fähig war, in seine Worte. »Habe ich das?«

»Leck mich!«

»Warum vertraust du mir nicht?«

»Wer dir vertraut, ist tot!«

»*Deine* Leute haben angefangen, Yoyo. Sei doch vernünftig, ich will nur mit dir reden.«

Yoyo schaute hinter sich, nach oben, heftete ihren Blick wieder auf Xin. Fast hatte sie die Stiege erreicht, die ins nächsthöhere Level führte. Er legte die Pistole vor sich hin und zeigte ihr beide Handflächen.

»Keine Gewalt mehr, Yoyo. Kein Blutvergießen. Ich schwöre es.«

Sie zögerte.

Komm schon, dachte er. Du kannst nicht nach unten. Du sitzt in der Falle, kleine Maus. Dumme, kleine Maus.

Doch die Maus erschien ihm plötzlich alles andere als hilflos. Irritiert fragte er sich, wer hier eigentlich wem Theater vorspielte. Das Mädchen stand unter Schock, sicher, doch wie sie sich der Stiege näherte, erinnerte sie in nichts mehr an die tränenüberströmte Yoyo, die noch vor einer Minute bereit gewesen war, ihm ihren Computer zu überlassen. In ihrer katzenhaften Art, sich zu bewegen, erkannte er seine eigene über Jahre geschulte Wachsamkeit, deren Erwerb auf Zähigkeit, Misstrauen, Überlebenswillen und Verschlagenheit gründete.

Yoyo war stärker, als er angenommen hatte.

Im Moment, da sie auf die Stiege sprang, wusste er, dass jede weitere Diplomatie Zeitvergeudung wäre. Falls es überhaupt je eine Chance gegeben hatte, das Mädchen zu beschwatzen, war sie vertan.

Er nahm seine Waffe auf.

Hinter ihm schwoll das Heulen einer Turbine an. Xin fuhr herum und sah Jericho im Sattel eines der Airbikes sitzen, im Bemühen, das Gefährt zu starten. Blitzschnell erwog er seine Optionen, doch Yoyo hatte Vorrang. Er ignorierte den Detektiv und hastete der Fliehenden hinterher, deren Schritte den Laufgang über ihm erzittern ließen, sah ihre Silhouette durch die Gitterstreben davonschnellen. Mit wenigen Sätzen war er oben, fand sich in einem Hohlweg aus Verstrebungen und Rohrleitungen wieder, erhaschte einen Blick auf fliegende Haare, als Yoyo hinter einem rostigen Pfeiler verschwand, dann hämmerten ihre Schritte dem nächsthöheren Stockwerk entgegen.

Allmählich begann sie, lästig zu werden. Höchste Zeit, die Sache zu beenden.

Er jagte ihr hinterher, Stockwerk um Stockwerk, bis er sie dort hatte, wo es kein Weiterkommen mehr gab. Wenige Meter über ihr verjüngte sich der Ofen und mündete in eine Schleuse, über die zu früherer Zeit Koks und Erze eingefüllt worden waren. Darüber erhob sich ein kantiger, verwinkelter Aufbau, gipfelnd in dem gewaltigen Abluftgestänge, das die Konstruktion schon von Weitem kennzeichnete. Senkrechte Gerüste führten zum höchsten Punkt, bis in schätzungsweise 70 Meter Höhe. Ab da hatte man nur noch freien Himmel über sich. Kein Entkommen war mehr möglich, es sei denn, man traute sich zu, rund 20 Meter über ein steil abwärtsführendes Rohr zu balancieren und weitere zehn Meter tief auf den riesigen, kochtopfartigen Tank zu springen, in dem es endete.

Er lauschte. Überraschend still war es hier oben, als seien der ferne, diffuse Großstadtlärm und die Geräuschkulisse Xaxus ein Meer, das unter ihm wogte. Irgendwo in der Stratosphäre sangen die Turbinen großer Flugzeuge.

Xin legte den Kopf in den Nacken. Yoyo war verschwunden.

Dann sah er sie klettern.

Wie ein Affe hing sie in den Streben, zog sich höher hinauf, und er begriff, dass es sehr wohl eine Fluchtmöglichkeit gab. An die Schleuse grenzte ein Förderband. Von der Ofenspitze erstreckte es sich bis zum Boden, steil, aber begehbar.

Verdammte Göre.

Brauchte er sie überhaupt noch lebend? Sie hatte ihre Hand nach dem Computer ausgestreckt, es gab keinerlei Zweifel, welcher es war. Das Gerät befand sich noch in der Zentrale, nur dass er nicht wusste, mit wem sie alles über die Sache gesprochen hatte.

Fluchend machte er sich an den Aufstieg.

Lautes Fauchen näherte sich ihm. Eine Hand ins Gitter geklammert, die andere um die Waffe geschlossen, wandte er den Kopf.

Das Airbike schoss direkt auf ihn zu.

Jericho hatte die erste Maschine abgewürgt. Dieses Modell war neu und gegenüber dem Vorgänger stark verändert. Die Kontrollen erstrahlten auf einer Benutzeroberfläche, es gab keine mechanischen Elemente mehr. Er rutschte aus dem Sattel, sprang auf das zweite, laufende Airbike und tastete sich über den Touchscreen. Diesmal hatte er mehr Glück. Die Maschine reagierte, allerdings mit der Heftigkeit eines angestochenen Bullen, bockte und versuchte ihn abzuwerfen. Seine Hände umspannten die Griffe. Früher hatten sie waagerecht gestanden, jetzt bogen sie sich aufwärts und ließen sich in alle Richtungen drehen. Das Bike geriet in heftige Kreiselbewegung. Wie bei einem Spielautomaten blinkten die Anzeigen. Auf gut Glück berührte Jericho zwei davon, und die Karussellfahrt endete, dafür wurde er auf die Vorderfront der Zentrale zugetragen, verlagerte unmittelbar vor der Kollision sein Körpergewicht und flog eine ausgedehnte 180-Grad-Kurve. Sein Blick suchte die Umgebung ab.

Von Yoyo oder Zhao keine Spur.

Allmählich glaubte er den Bogen rauszuhaben. Er ließ die Maschine steigen, wobei er versäumte, die Düsen synchron zu schwenken, was ihn gleich wieder in die Bredouille brachte, weil sich das Bike nun raketengleich in den Himmel schraubte. Unaufhaltsam fühlte er sich aus dem Sattel rutschen, mühte sich mit fliegenden Fingern, den Fehler zu korrigieren, erlangte die Kontrolle zurück, flog eine weitere Kurve, den Hochofen im Auge.

Da waren sie!

Yoyo hatte es bis zur Schleuse geschafft, wo das Förderband abzweigte, gefolgt von Zhao, der keine zwei Meter unter ihr im Gerüst hing. Jericho zwang die Maschine abwärts in der Hoffnung, sie werde so reagieren wie erwünscht. Er sah den Killer zusammenzucken und den Kopf zwischen die Schultern ziehen. Keinen halben Meter von ihm entfernt riss Jericho das Airbike herum, beschrieb einen Kreis und hielt erneut auf den Ofen zu. Yoyo vollführte an der Kante des Förderbandes die anmutige Interpretation völliger Ratlosigkeit. Warum, begriff er im Moment, da er das Band überflog. Wo Rollen und Verstrebungen hätten sein müssen, war ein Teil der Konstruktion einfach weggebrochen. Über weite Distanz erstreckten sich nur noch die Seitengestänge. Nach unten zu gelangen, hätte professionelle Seiltänzer-erfahrung erfordert.

Yoyo saß in der Falle.

Lautstark verwünschte er sich. Warum hatte er dem Blonden nicht die Pistole abgenommen? Überall in der Zentrale hatten Waffen herumgelegen. Aufgebracht sah er zu, wie sich Zhaos Kopf und Schultern über den Rand schoben. Mit einem Satz war der Killer auf der Schleuse. Yoyo wich zurück, ging auf alle viere und umfasste das Gestänge des Förderbandes. Behände ließ sie sich daran herunter, bis ihre Füße eine parallel verlaufende, tiefer gelegene Stange berührten, suchte nach halbwegs festem Stand, begann sich abwärtszuhangeln, Meter für Meter –

Glitt aus.

Voller Entsetzen sah Jericho sie fallen. Ein Ruck ging durch ihren Körper. In letzter Sekunde hatten sich ihre Finger um die Stange geschlossen, auf der sie eben noch gestanden hatte, doch nun zappelte sie über einem Abgrund von gut und gerne 70 Metern Tiefe.

Zhao starrte auf sie herab.

Dann verließ er die Deckung des Gerüstaufbaus.

»Böser Fehler«, knurrte Jericho. »Ganz böser Fehler!«

Mittlerweile feuerten seine Nebennieren beträchtliche Salven von Adrenalin, das Herzschlag und Blutdruck auf Heldentatenniveau peitschte. Mit jeder Sekunde gehorchte ihm die Maschine besser. Getragen von einer Woge des Zorns und der Euphorie ließ er das Airbike vorschnellen und nahm Zhao ins Visier, der im selben Moment in die Hocke ging und Anstalten machte, zu Yoyo herunterzuklettern.

Der Killer sah ihn kommen.

Verblüfft hielt er inne. Das Bike schoss über das Förderband weg. Jeder andere wäre in die Tiefe gefegt worden, doch Zhao schaffte es mit einem Pirouettensprung zurück auf den Schleusenrand. Seine Waffe polterte in die Tiefe. Jericho drehte das Bike und sah den Blonden aus der Zentrale taumeln und eines der verbliebenen Airbikes besteigen. Keine Zeit, sich auch noch um den zu kümmern. Seine Finger zuckten hierhin und dorthin. Wo auf dem Display – nein, falsch, das machte man mit den Griffen, oder? Er musste lediglich den rechten Griff ein winziges bisschen nach unten –

Zu viel.

Wie ein Stein sackte das Bike nach unten. Fluchend fing er es auf, stieg höher, gab Gas und drosselte seine Geschwindigkeit gleich wieder, bis er mit fauchenden Düsen direkt unter der wild strampelnden Yoyo hing.

»Spring!«, schrie er.

Sie blickte zu ihm herab, das Gesicht vor Anstrengung verzerrt, während ihre Finger Millimeter für Millimeter abglitten. Windstöße erfassten das Bike und trugen es davon. Das Gestänge erzitterte, als Zhao graziös vom Rand der Schleuse sprang und auf der unteren Stange zu stehen kam. Offenbar kannte der Killer keine Höhenangst und keinen Schwindel. Seine Rechte fuhr herab, um ihr Handgelenk zu packen. Jericho korrigierte seine Position, und das Bike trudelte unter Yoyo hindurch.

»Spring endlich! Spring!«

Ihr rechter Fuß traf seine Schläfe, dass ihm Hören und Sehen verging. Jetzt war er wieder unter ihr, schaute hoch. Sah, wie Zhaos Finger sich streckten, ihre Knöchel berührten.

Yoyo ließ los.

Es war ungefähr so, als stürze ein Sack Zement auf ihn herab. Hatte er sich eingebildet, sie würde elegant auf dem Sozius landen, wurde er eines Besseren belehrt. Yoyo verkrallte sich in seine Jacke, rutschte ab und hing an ihm wie ein Gorilla am Reifen. Mit beiden Händen zog er sie zu sich hoch, während das Bike dem Erdboden entgegenstürzte.

Sie schrie etwas. Es klang wie *Vielleicht.*

Vielleicht?

Der Turbinenlärm steigerte sich zu einem Heulen. Yoyos Finger waren überall, in seiner Kleidung, seinem Haar, seinem Gesicht. Die staubige Ebene raste auf sie zu, sie würden zerschellen.

Doch sie zerschellten nicht, starben nicht. Offenbar hatte er irgendetwas richtig gemacht, denn im selben Moment, als ihre Hände sich um seine Schultern schlossen und sie ihren Oberkörper gegen seinen Rücken presste, schoss das Bike unvermittelt wieder nach oben.

»Vielleicht –«

Die Worte wurden von Böen zerfetzt. Linker Hand näherte sich der Blonde, sein Gesicht eine Maske geronnenen Blutes, aus der helle Augen hasserfüllt zu ihnen herüberstarrten.

»Was?«, schrie er.

»Vielleicht«, schrie sie zurück, »lernst du nächstes Mal *vorher,* wie man das Ding fliegt, Blödmann!«

Daxiong trieb zur Oberfläche.

Sein erster Impuls war, Maggie um einen Cappuccino zu bitten, mit reichlich Zucker und Schaum natürlich. Deshalb waren sie schließlich hier. Um gemeinsam zu frühstücken, seit Yoyo das ANDROMEDA wieder zu ihrer Sommerresidenz ernannt hatte, wie Daxiong es scherzhaft ausdrückte, nur dass es aktuell klüger erschien, ein Weilchen im Stahlwerk unterzutauchen.

Den Kaffee brachte Maggie immer nur für ihn mit. Die anderen, Tony, Yoyo, sie selbst, Ziyi und Jia Wei bevorzugten Tee, wie es sich für Chinesen geziemte. Brav aßen sie Wan Tans und Baozis zum Frühstück, verzehrten Schweinebauch und Nudeln in Brühe, schlangen halb rohe Shrimps in sich hinein, das ganze Programm, während sein Herz aus unerfindlichen Gründen für die *Grande Nation* schlug und dem buttrig warmen Duft frisch gebackener Croissants zugetan war. Inzwischen liebäugelte er sogar mit der Möglichkeit, französische Gene in sich zu tragen, was jeder, der ihm ins Gesicht sah, energisch bestritt. Daxiong war so mongolisch, wie ein Mongole nur sein konnte, außerdem wurde Yoyo nicht müde, dem – wie sie sagte – authentischen China jenen Spaßextrakt abzupressen, der keiner westlichen Kulturexporte bedurfte. Daxiong ließ sie reden. Für ihn begann der Tag mit einem ordentlichen Milchschaumschnurrbart. Maggie hatte angerufen und »Frühstück!« in den Hörer gekräht, und Ziyi hatte geschrien und geweint.

Warum eigentlich?

Ach ja, er hatte geträumt. Etwas Schreckliches! Warum träumte man so was? Er, Ziyi und Tony waren rübergefahren zum Hochofen, Maggies Ruf folgend, als zwei dieser fliegenden Motorräder, die zu teuer waren, als dass einer von ihnen sich so ein Ding hätte leisten können, auf der Plattform der Zentrale niedergegangen waren, wo schon ein drittes stand. Verwunderlich. Im Näherkommen hatte er versucht, Maggie zu erreichen, um sie zu fragen, was das für Typen waren, doch sie meldete sich nicht. Also hatten sie beschlossen, die Waffen aus den Satteltaschen mitzunehmen, nur für alle Fälle.

Komischer Traum. Sie feierten eine Party.

Alle hatten Spaß, aber Jia Wei konnte nicht richtig mitmachen, weil nicht mehr viel von ihm übrig war, und Maggie hatte Bauchweh. Tony fehlte die Hälfte des Gesichts, ach je, das schien überhaupt der Grund dafür zu sein, warum Ziyi zu schreien begonnen hatte, jetzt fügte sich alles, und was waren das eigentlich für Leute?

Daxiong schlug die Augen auf.

Xin barst vor Wut.

Mit der Behändigkeit eines Baumaffen sprang er über die Gerüste, Streben und Stiegen zurück nach unten. Sein Airbike stand noch auf der Plattform, mit laufendem Antrieb. Weit unten rang der Detektiv mit der gekaperten Maschine, drauf und dran, sich und Yoyo in den Tod zu reißen.

Jericho, die Zecke!

Krepiert schon, dachte Xin. Ich habe den Computer, Yoyo. Mit wem wirst du schon gesprochen haben außer deinen paar Freunden hier, und die sind tot. Ich brauche dich nicht länger.

Dann sah er, wie Jericho die Kontrolle über die Maschine zurückerlangte, an Höhe gewann, sich vom Hochofen entfernte –

Und abgedrängt wurde.

Der Blonde!

Xin begann mit beiden Armen zu winken.

»Mach sie alle!«, schrie er. »Erledige das Pack!«

Er wusste nicht, ob der Blonde ihn gehört hatte. Schwungvoll setzte er über die Brüstung des Laufgangs, landete mit knallenden Sohlen auf dem Stahl der Plattform und rannte zu seinem Bike. Die Turbine lief. Hatte Jericho daran herumgefummelt? Vor seinen Augen entfernten sich die beiden Bikes mit hoher Geschwindigkeit und er tauchte ein in die verschachtelte Welt des Stahlwerks. Er stellte die Düsen senkrecht. Die Maschine fauchte und vibrierte.

»Komm schon!«, schrie er.

Langsam hob das Airbike ab, als etwas so dicht an seinem Schädel vorbeipfiff, dass er den Luftzug spürte. Er wendete die Maschine in der Luft und sah den kahlköpfigen Riesen aus der Zentrale stürmen, in jeder Hand eine Waffe, aus beiden Rohren feuernd. Xin attackierte ihn im Sturzflug. Der Hüne warf sich zu Boden. Mit verächtlichem Schnauben zog er das Airbike wieder nach oben und flog den anderen hinterher.

Daxiong stemmte sich hoch. Sein Herz raste, die Sonne brannte auf ihn herab. Über den flirrenden Schlackefeldern gewannen die kleiner werdenden Airbikes rasch an Distanz, dennoch war unverkennbar, dass eine der Maschinen die andere bedrängte und zur Landung zu zwingen versuchte.

Einer der Killer lag tot in der Zentrale. Wer steuerte das fliehende Bike?

Yoyo?

Noch während er darüber nachdachte, polterte er die Zickzacktreppe herab. Außer ihm und möglicherweise Yoyo hatte kein *Wächter* das Massaker überlebt. Die übrigen *City Demons* wussten nichts von der Doppelexistenz der sechs, auch wenn sie Verschiedenes ahnen mochten. Yoyo und er hatten die *Demons* seinerzeit als Tarnung ins Leben gerufen. Ein Motorradverein erregte keinen Verdacht, galt nicht als intellektuell und subversiv. Man konnte sich ohne Probleme treffen, zumal in Quyu. Drei weitere Mitglieder waren im vergangenen Jahr hinzugekommen. Vielleicht, dachte Daxiong, während er seine drei Zentner auf sein Motorrad wuchtete, war der Zeitpunkt gekommen, sie einzuweihen. Genau genommen blieb ihm nicht mal eine Wahl. Wen immer sie zum Gegner hatten, fest stand, dass die *Wächter* aufgeflogen waren.

Im Losfahren wählte er eine Nummer.

Es schellte. Zu lange, viel zu lange. Dann meldete sich die Stimme des Jungen.

»Wo warst du, verdammt noch mal?«, schnauzte Daxiong.

Lau Ye gähnte und redete gleichzeitig.

Dann fragte er etwas.

»Frag nicht, Ye«, schnaufte Daxiong ins Handy. »Trommel Xiao-Tong und Mak zusammen. Sofort! Fahrt zum Hochofen und räumt die Zentrale aus, alles, was ihr findet, Computer, Displays.«

Der Junge stotterte etwas, dem Daxiong entnahm, dass er nicht wusste, wo die anderen waren.

»Dann finde sie!«, schrie er. »Ich erklär's dir später. – Was? – Nein, bringt das Zeug nicht ins ANDROMEDA, auch nicht in die Werkstatt. – Dann denk dir was aus. Irgendeinen Ort, mit dem man uns nicht in Verbindung bringt. Ach, und Ye –« Er schluckte. »Ihr werdet Leichen finden. Reißt euch zusammen, hörst du?«

Er beendete das Gespräch, bevor Ye doch noch Fragen stellte.

Jerichos Maschine erhielt einen Schlag, als das Airbike des Blonden gegen die Karosse prallte. Immer wieder hatte er versucht, den Luftraum über der Stahlarbeitersiedlung anzusteuern. Jedes Mal zwang ihn der Blonde zurück, starrte wild zu ihnen hinüber und versuchte, sie ins Visier zu nehmen. Unter ihnen raste die Mondlandschaft der Schlackenfelder dahin. Erneut versuchte Jericho einen Ausfall nach links. Der Blonde beschleunigte und drängte ihn in die Gegenrichtung.

»Wo willst du eigentlich hin?«, gellte Yoyos Stimme in seinen Ohren.

»Wir hängen ihn ab!«

»Du hast keine Chance auf freiem Feld! Lock ihn in die Anlage.«

Das Airbike des Blonden schoss nach oben und stieß unvermittelt auf sie herab. Jericho sah den Fischbauch der Maschine dicht über sich und ging tiefer. Knapp über dem Erdboden eierten sie dahin.

»Pass doch auf!«, schnauzte Yoyo.

»Ich weiß, was ich tue!« Zorn kochte in ihm hoch, doch tatsächlich war er sich keineswegs sicher, was er tun sollte. Unmittelbar vor ihnen wuchs ein gewaltiger Schornstein aus dem Boden.

»Rechts!«, kreischte Yoyo. »Nach rechts!«

Die Maschine des Blonden drückte sie weiter nach unten. Das Bike schrammte über eingetrocknete Schlacke, begann zu hopsen, geriet in heftiges Schlingern, dann waren sie um den Schornstein herum, nur um sich vor einer hangargroßen Halle wiederzufinden. Kein Weg führte an dem Gebäude vorbei, keiner darüber hinweg. Sie waren zu nah, viel zu nah. Keine Chance, auszuweichen, abzudrehen, sie vor der Kollision zu bewahren.

Doch! Das Hallentor stand einen Spaltbreit offen.

Unmittelbar vor dem drohenden Aufprall verzog Jericho die Maschine und schoss hindurch.

Lau Ye hetzte durch die dämmrige Konzerthalle des ANDROMEDA. Er lief, so schnell ihn seine schmächtigen Beine trugen.

Stell keine Fragen. Frag nicht.

Er war einiges von Daxiong gewohnt in dieser Hinsicht, und er hatte sich niemals beklagt. Lau Ye war Novize im Orden der *City Demons*, als Letzter hinzugekommen und bei Weitem der Jüngste. Er respektierte Daxiong und Yoyo, Ziyi und Maggie, Tony und Jia Wei. Ebenso respektierte er Ma Mak und Hui Xiao-Tong, obwohl auch sie erst nachträglich in den Club aufgenommen worden waren. Nachträglich insofern, als die anderen den Verein gemeinsam ins Leben gerufen hatten, mit Daxiong als Begründer und Yoyo in der Rolle der Vizepräsidentin.

Doch Ye war nicht blind.

Kurz nach Stilllegung des Stahlwerks in der Siedlung geboren, ohne Schulbildung, dafür umso intimer vertraut mit Xaxus Eigentümlichkeiten und denen seiner Bewohner, hatte er von Anfang an nicht geglaubt, dass die *Demons* bloß ein Motorradclub waren. Auch Daxiong stammte aus Quyu, galt jedoch als Grenzgänger zwischen der Welt der Vernetzten und Netzlosen. Niemand bezweifelte, dass er eines schönen Morgens auf der anderen Seite aufwachen, sich die Augen reiben, mit einem schicken Wagen in ein klimatisiertes Hochhaus fahren und dort einer gut bezahlten Tätigkeit nachgehen würde. Yoyo hingegen, Maggie, Ziyi, Tony und Jia Wei gehörten ebenso wenig nach Quyu wie ein Streichquartett ins ANDROMEDA. In der alten Steuerzentrale hatten sie eine Art *Cyber Planet* für Privilegierte eingerichtet, und

Yoyo hatte all die superteuren Computer vollgepackt mit geilen Spielen, doch sie war keine von ihnen. Sie ging auf die Uni. Jeder von denen ging auf die Uni, um etwas zu studieren, das Eltern gemeinhin als sinnvoll erachteten.

Na ja. Nicht seine.

Lau Yes Eltern kümmerten sich nicht groß um ihn. Mit seinen sechzehn Jahren hätte er ebenso gut auf dem Mond leben können. Die Arbeit in Daxiongs Werkstatt und die *City Demons* waren alles, was er hatte, und er liebte es, dazuzugehören. Darum fragte er auch nicht. Fragte nicht, ob seine Wenigkeit, Xiao-Tong und Mak eventuell nur dazu dienten, ein konspiratives Studentenclübchen slumtauglich zu tarnen. Fragte nicht, was die sechs während der vielen Treffen in der Zentrale veranstalteten, wenn er, Xiao-Tong und Mak nicht zugegen waren. Bis vor wenigen Tagen, als Yoyo völlig abgehetzt in der Werkstatt aufgekreuzt war. Da hatte er Daxiong dann doch gefragt.

Die Antwort war vertraut ausgefallen.

»Frag nicht.«

»Ich will nur wissen, ob ich was tun kann.«

»Yoyo hat Ärger. Am besten, du bleibst vorübergehend in der Werkstatt und meidest die Zentrale.«

»Was für Ärger hat sie denn?«

»Frag nicht.«

Frag nicht. Bloß, drei Tage später war dieser Typ mit den blonden Haaren und den blauen Augen aufgetaucht, über den Daxiong später gesagt hatte, er sähe aus wie ein – Skanavier? Skandinavier! Ye hatte sich mit dem Mann unterhalten und erfahren, dass er ins ANDROMEDA wollte.

»Cool«, hatte er später zu Daxiong gesagt. »Den hast du ja vielleicht ins Unkraut geschickt. Warum eigentlich?«

»Frag –«

»Doch. Ich frage.«

Daxiong hatte sich die Glatze gerieben und das Kinn, in seinen Ohren gestochert, an seinem falschen Bart gezupft und endlich geknurrt:

»Kann sein, dass wir unliebsamen Besuch bekommen. Miese Typen.«

»Solche wie der vorhin.«

»Genau.«

»Und was wollen die von uns? Ich meine, was wollen die von *euch*? Was habt ihr gemacht, ihr – sechs?«

Daxiong hatte ihn lange angesehen.

»Wenn ich dir demnächst was anvertraue, kleiner Ye, wirst du dann die Klappe halten und es niemandem weitererzählen?«

»Okay.«

»Auch nicht Mak oder Xiao-Tong?«

»O – okay.«

»Habe ich dein Wort?«

»Natürlich. Ähm – worum geht's denn?«

»Frag nicht.«

Doch selbst an jenem denkwürdigen Tag hatte die Standardabfuhr nicht so verzweifelt und zornig geklungen wie gerade eben. Was Ye seit Langem schon vermutet hatte, schien sich zu bestätigen. Die sechs pflegten verschwörerische Rituale. Er zitterte an allen Gliedern, als er den Innenraum durchquerte, der nach dem gestrigen Konzert noch völlig verwüstet und kaum passierbar war vor lauter Essensresten, Flaschen, Kippen und Drogenbesteck. Alkohol, kalter Rauch und Pisse formierten sich zu einem Generalangriff auf seine Chemorezeptoren. Mak und Xiao-Tong waren seit vier Wochen zusammen und ebenso auf dem Konzert gewesen wie er. Anschließend hatten sie es ordentlich krachen lassen. Erst gegen Morgen war Ye zugedröhnt in Yoyos verlassene Sommerresidenz über der Bühne gekrochen. Auch jetzt noch fühlte sich sein Schädel an wie ein Aquarium, in dem bei jeder Bewegung das Wasser umherschwappte, doch Daxiong vertraute ihm.

Ihr werdet Leichen finden –

Etwas Schreckliches musste geschehen sein. Ye ahnte, wo die beiden anderen zu finden sein würden. Ma Mak schlief zusammen mit ihren Eltern und Geschwistern in der Ruine eines halb abgerissenen Hauses am Rande der Siedlung. Die Familie teilte sich einen einzigen Raum, während Hui Xiao-Tong alleine in einem höhlenartigen Verschlag ganz in der Nähe hauste. Dort würde er sie aufstöbern.

Er taumelte ins grelle Licht hinaus, kniff die Augen zusammen und lief über den Platz zu seinem Motorrad.

Im Innern der Halle war es dämmrig, ein Raum von kolossalen Ausmaßen, die Decke zwischen 20 und 30 Meter hoch, genietete Wände, Stahlträger. Große Gestelle ließen darauf schließen, dass hier früher gegossener Stahl gelagert hatte.

Hinter ihnen krachten Schüsse. Ihr Echo wurde von Wänden und Decken zurückgeworfen, akustische Querschläger.

»Pass verdammt noch mal auf, wo du hinfliegst«, schrie Yoyo.

Jericho wandte den Kopf und sah den Blonden aufholen.

»Geh tiefer!«

Ihr Verfolger näherte sich. Erneut peitschten Schüsse durch die Halle. Mit heulender Turbine jagten sie zwischen den Gestellen hindurch der rückwärtigen Hallenwand entgegen, auch dort ein Tor, deckenhoch, das erfreulicherweise offen stand. Jenseits davon gähnte ein weiterer Raum, noch dunkler als dieser.

Etwas vom Aussehen eines Krans schälte sich aus der Düsternis.

»Vorsicht!«

»Wenn du nicht endlich die Klappe hältst –«

»Höher! Höher!«

Jericho gehorchte. Das Airbike hüpfte in einer halsbrecherischen Parabel über den Kran hinweg. Plötzlich war er zu hoch unter der Decke. Kurzerhand schwenkte er die Düsen in Gegenrichtung. Die Maschine stellte sich quer, schoss abwärts und begann sich in rasendem Tempo um sich selbst zu drehen. Kreiselnd wirbelten sie in die nächste Halle. Jericho erhaschte einen Blick auf den Verfolger, sah ihn knapp unter dem Torsturz hindurchziehen und in einen kontrollierten Sturzflug übergehen, dann lenkte der Blonde sein Bike gegen ihres und rammte sie von der Seite, doch was dazu gedacht war, sie aus der Bahn zu werfen, hatte den gegenteiligen Effekt. Wie durch ein Wunder stabilisierte sich die Maschine. Plötzlich fanden sie sich im Geradeausflug wieder, der Wand bedenklich nahe. Jericho kniff die Augen zusammen. Diese Halle erschien ihm noch größer und höher als die vorherige. Hunderte hintereinandergelagerter Rollen verliefen über dem Boden, offenbar eine Art Förderband, das zu einer hoch aufragenden Konstruktion führte. Düster und klotzig mutete sie an wie eine Druckerpresse, nur dass hier wohl Bücher für Zyklopen gefertigt worden waren.

Ein Walzwerk, schoss es Jericho durch den Kopf. Das Ding war ein Walzgerüst, um glühende Eisenblöcke zu Blechen zu zerquetschen. Was man so alles wusste!

Wieder stieß der Blonde herab, versuchte sie gegen die Wand zu drücken. Jericho schaute zu ihm herüber. In dem blutbespritzten Gesicht blitzte ein triumphierendes Grinsen.

Ihm platzte der Kragen.

»Yoyo?«

»Was ist?«

»Festhalten!«

Im Moment, da sie sich an ihn presste, riss er das Steuer herum und versetzte dem angreifenden Bike einen mächtigen Hieb mit dem

Rumpf. Yoyo schrie auf. Splitter der zerberstenden Windschutzscheibe spritzen nach allen Seiten hinweg. Das Bike des Killers wurde zur Seite geschleudert, seine Waffe verschwand in der Dunkelheit. Jericho ließ ihm keine Atempause, rammte sein Bike ein weiteres Mal, während sie Seite an Seite auf die Walze zurasten.

»Und mit ganz herzlichen Grüßen«, schrie er, »das noch!«

Der dritte Stoß traf das Heck des Blonden. Sein Bike überschlug sich in der Luft, wirbelte auf die Walze zu. Jericho zog an ihm vorbei, sah den Killer mit fuchtelnden Armen um Kontrolle und Gleichgewicht kämpfen, legte sich in die Kurve. Knapp umflogen sie den Koloss, doch das hässliche Geräusch des Aufpralls blieb aus. Stattdessen knallte es mehrmals heftig hintereinander. Jericho starrte in den Rückspiegel. Unglaublich! Irgendwie war es dem Kerl gelungen, der Kollision zu entgehen und sein Bike auf Grund zu setzen. Wie ein Stein auf der Oberfläche eines Sees hüpfte es über die Rollen des Förderbandes dahin, kippte und warf seinen Reiter ab.

Der nächste Torschlund öffnete sich vor ihren Augen.

»Yoyo«, rief er nach hinten. »Wie zum Teufel finden wir hier wieder raus?«

»Gar nicht.« Ihr ausgestreckter Arm zeigte an ihm vorbei in die Dunkelheit. »Wenn du da durch bist, kommst du direkt in die Hölle.«

Xin scherte sich nicht um den einzelnen Motorradfahrer in seinem hilflosen Bemühen, ihm zu folgen. Der Kerl war lächerlich. Riesig, tapsig, ein Witz. Sollte er ruhig sein Magazin in die Luft entleeren. Zu gegebener Zeit würde er sich wünschen, nie geboren zu sein.

Er hielt Ausschau nach den Airbikes.

Sie waren verschwunden.

Ratlos kreiste er über dem Werk, doch es schien, als habe der Himmel die beiden Maschinen verschluckt. Das Letzte, was er von ihnen gesehen hatte, war, wie sie einen Gebäudekomplex umflogen, hinter dem ein einzelner, großer Schornstein aufragte.

Dort verlor sich ihre Spur.

Das verschnupfte Gequengel des Motorrads drang zu ihm nach oben. Er spielte mit dem Gedanken, dem Riesen ein paar Granaten auf die Glatze zu werfen. Sein Zeigefinger tippte gegen eine Stelle seitlich der Armaturen, und sogleich fuhr oberhalb seines rechten Knies eine Abdeckung zurück. Dahinter lag ein beachtliches Waffenarsenal. Xin inspizierte den Inhalt des Fachs auf der gegenüberliegenden Seite. Alles vorhanden, Handgranaten, Maschinenpistole. Behutsam, fast zärtlich glitten seine Finger über den Griff des M-79-Werfers mit den Spreng-brand-Geschossen. Alle drei Airbikes verfügten über die gleiche Be-waffnung.

Jericho also auch.

Er schob den Gedanken beiseite und warf einen Blick auf den Hö-henmesser. 188 Meter über null. Mit verringertem Schub setzte er seine Suche fort. So schnell verschluckte der Himmel niemanden.

Hätte nicht ein Teil des Dachs offen gestanden, wäre es stockdunkel gewesen. So aber stachen Lanzen weißen Tageslichts schräg ins Innere und meißelten bizarre Details aus den Wänden, vergitterte Laufgänge, Stiegen, Balkone, Terrassen, Rohre, Kabel, segmentierte und genietete Panzerungen, gewaltige, offen stehende Schotts.

Jericho bremste das Airbike unterhalb des Lichteinfalls ab. Leise fauchend schwebte es in der von Eisen, Rost und ranzigem Schmierfett geschwängerten Luft.

Er legte den Kopf in den Nacken.

»Vergiss es«, rief Yoyo. Das Echo ihrer Stimme floh über Wände und Decken und fing sich zwischen den Aufbauten. »Überall Gitter da oben. Wir passen nirgendwo durch.«

Jericho fluchte und ließ den Blick schweifen. Er hätte kaum zu sa-gen vermocht, ob dieser Raum noch größer war als die zuvor durch-flogenen, auf jeden Fall wirkte er monumental, nahezu wagnerianisch in seinen Ausmaßen, ein Nibelheim des Industriezeitalters. Meter-dicke Stahlträger zogen sich über die Decke, offene Gondeln hingen daran herab, in massiven Scharnieren verankert und groß genug, dass sein Toyota in jeder davon Platz gefunden hätte. Dem Dunkel des De-ckengewölbes entwuchs eine Röhre von gut drei Metern Durchmesser, führte schräg abwärts und endete auf halber Höhe der Halle. Weitere der gondelähnlichen Gebilde verteilten sich über den Boden, entlang der Wände stapelten sich Container.

Yoyo hatte recht. Dem Ensemble haftete etwas Höllisches an. Eine erkaltete Hölle. Noch unter dem Eindruck seiner unvermuteten Kenntnis über das Walzwerk versuchte sich Jericho zu erinnern, was es mit diesem Ort auf sich hatte. Stahl wurde hier gekocht, in kolos-salen Behältern, Konverter genannt. Unmittelbar unter ihnen klaff-ten ihre schräg gestellten, runden Mäuler, Einstiegsluken ins Herz des Vulkans, Schlünde, die normalerweise rot und gelb von siedendem Erz erstrahlten. Jetzt lagen sie schwarz und geheimnisvoll da, drei an der Zahl.

Eine erloschene Welt.

Von jenseits des Durchgangs drang das Fauchen des anderen Airbikes herüber, veränderte sich, wurde heller.

Es näherte sich.

»He, was ist damit?« Yoyo beugte sich vor und zeigte auf eine der gähnenden Konverteröffnungen. »Darin kann er uns nicht finden.«

Jericho antwortete nicht. Das Bike hätte ohne Weiteres in einen der Konverter gepasst, mitsamt ihnen beiden. Der Schlund war groß genug dafür, der Behälter bauchig und mehrere Meter tief. Dennoch behagte ihm der Gedanke nicht, dort unten möglicherweise in der Falle zu sitzen. Er ließ die Maschine höher steigen, der Decke entgegen.

»Hättest du uns bloß nicht hergebracht«, maulte Yoyo.

»Hättest du bloß deinen Computer mitgenommen«, knurrte Jericho zurück. »Dann wären wir nicht zum Abschuss freigegeben.«

Zwischen zwei Stahlträgern, dicht unterhalb der Decke, spannte sich eine fahrbare Bühne. Von dort ließ sich der größte Teil der Halle überblicken. Tief unter ihnen gähnten die Konverter, voneinander abgeteilt durch große, gepanzerte Schotts. Sonnenstrahlen strichen über ihr Bike, erkundeten seine Form, ließen es los. Mit äußerster Konzentration hantierte Jericho an der Steuerung, und die Düsen erzeugten ein wenig Gegenschub, eben genug, dass sich die Maschine langsam rückwärts über den Bühnenrand schob.

»Er kommt«, zischte Yoyo.

Ein Lichtkegel stahl sich von nebenan in die Halle. Der Blonde hatte das Frontlicht eingeschaltet. Lautlos setzte Jericho das Airbike auf die Bühne und drosselte den Motor. Das Fauchen erstarb zu einem verhaltenen Summen. Fast empfand er so etwas wie Stolz über seine navigatorischen Fähigkeiten. Im Lärmen seiner eigenen Maschine würde der Blonde sie nicht hören, zudem verschluckte sie da oben das Dämmerlicht. Wie ein fettes, lauerndes Insekt klebten sie unter der Decke.

»Im Übrigen *habe* ich meinen Computer mitgenommen«, flüsterte Yoyo.

Jericho wandte sich verblüfft zu ihr um.

»Ich dachte –«

»Das *war* nicht mein Computer. Ich wollte nur, dass er es glaubt. Meinen trage ich am Gürtel.«

Er hob die Hand und bedeutete ihr zu schweigen. Tief unten tauchte ihr Verfolger auf, schwebte langsam unter ihnen hindurch. Sein Bike fauchte leise, ein kräftiger Finger kalten, weißen Lichts ertastete die

Umgebung. Jericho beugte sich vor. Der Blonde drehte den Kopf nach allen Seiten, schaute zur Decke, ohne sie zu sehen, spähte zwischen die Container. In seiner Rechten lag schwer die Waffe.

Hatte er die nicht verloren?

Jericho stutzte. Äußerst unwahrscheinlich, dass der Mann nach dem Crash auf die Suche nach der Pistole gegangen war. Die Wucht ihres Zusammenpralls hatte sie weit ins Dunkel der Walzhalle geschleudert. Es gab nur eine Erklärung. Sein Bike war mit weiteren Waffen ausgestattet, und was für dieses Bike galt –

Rechts und links des Tanks, dachte er. Nur hier war Platz, unmittelbar vor seinen Beinen.

Seine Finger strichen über die Verkleidungen.

Kein Zweifel, da waren Depots, Hohlräume unter den Abdeckungen. Aber wie bekam man sie auf?

Unter ihnen kurvte der Killer durch die Halle. Das Auge aus Licht schaute zwischen Aufbauten und Container, glitt über Laufgänge und Balkone. Erst jetzt fiel Jericho auf, dass sich im rückwärtigen Teil des Gewölbes ein tunnelartiger Schacht auftat, auf den ihr Verfolger zusteuerte. Schienen führten heraus und mündeten ins Innere der Halle. Der Blonde stoppte das Bike und warf einen Blick hinein. Er schien unschlüssig, ob er eindringen sollte, bevor er nicht die ganze Halle abgesucht hatte, dann wendete er und stieg höher.

Er kam zu ihnen herauf.

Pläne jagten einander in Jerichos Kopf. In wenigen Sekunden würde der Killer sie auf ihrer exponierten Warte entdecken. Wie besessen suchte er die Abdeckungen und Armaturen nach einer Möglichkeit ab, die Waffenfächer zu öffnen. Das Fauchen näherte sich. Im Nacken spürte er Yoyos warmen Atem, reckte den Hals und riskierte einen Blick. Der Blonde war ins obere Drittel der Halle vorgedrungen.

Kein Meter mehr, und er würde sie erblicken.

Doch er stieg nicht höher.

Stattdessen wanderte sein Blick abwärts und fixierte die Mäuler der Konverter. Ihm zugewandt, mit gerundeten Lippen, schienen sie ihn in ihr Inneres saugen zu wollen, und Jericho wurde klar, was er dachte. Reglos stand das Bike über einem der Schlünde. Tintenschwärze herrschte im Innern des Stahlkochtopfs, unmöglich zu erkennen, ob sich jemand darin verbarg. Der Blonde griff in ein Fach, förderte etwas Längliches daraus zutage und warf es ab, dann beschleunigte er und brachte sich aus der Gefahrenzone.

Eine Sekunde verstrich.

518

Eine zweite, dritte.

Inferno.

Mit ohrenbetäubendem Krachen ging die Granate hoch. Eine meterhohe Feuersäule schoss aus dem Konverter, als sich der Druck der Explosion durch die Öffnung entlud, tauchte die Halle in glutrotes Licht, verwirbelte. Rauch blähte sich nach allen Seiten. Jericho verzog das Gesicht, so schmerzhaft hallte es in seinen Ohren nach.

Das Grollen der Detonation pflanzte sich fort, entwich durch die Lichtschlitze im Dach der Konverterhalle, deren Scheiben schon vor Langem zu Bruch gegangen waren, versetzte die Luftmoleküle über dem Werkskomplex in Schwingung, durcheilte den Himmel.

Daxiong hörte es am Boden.

Xin vernahm es zweihundert Meter über ihm.

Etwas war in die Luft geflogen. Wo genau, vermochte er nicht zu sagen, doch er war sicher, dass es in einer der Hallen gekracht hatte, die sich westlich des Hochofens aneinanderreihten.

Daxiong hingegen zweifelte nicht, dass die Detonation ihren Ursprung in der Konverterhalle hatte.

Er riss das Motorrad herum, Schotter aufspritzend, und im selben Moment stieß Xin wie ein Falke vom Himmel herab.

»Jetzt kommt schon, verdammt noch mal!«

Lau Ye war aufrichtig empört. Er hüpfte in Xiao-Tongs Verschlag von einem Bein aufs andere und sah zu, wie seine Freunde in Hosen und Shirts schlüpften, als berge der Vorgang des Ankleidens unkalkulierbare Risiken. Ma Mak legte die Stoik eines Zombies an den Tag, nicht im Mindesten verlegen, dass der kleine Ye sie und Xiao-Tong nackt vorgefunden hatte, in einer Position, die keinen Zweifel daran ließ, über welcher Tätigkeit sie eingeschlafen waren. Xiao-Tong zwinkerte heftig, bemüht, winzige Lebewesen aus seinen Augenwinkeln zu verscheuchen.

»Los jetzt!« Ye ballte die Fäuste, machte Schritte ins Nirgendwo. »Ich hab Daxiong versprochen, dass wir uns beeilen.«

Zweistimmiges Grunzen erklang, doch wenigstens brachten die beiden es fertig, ihm hinterherzuschlurfen. Draußen, im frühen Sonnenlicht, krümmten sie sich wie Vampire.

»Brauch'n Tee«, murmelte Mak.

»Brauch'n Fick«, grinste Xiao-Tong und griff ihr an den Hintern. Sie schüttelte ihn ab und quälte sich auf ihr Motorrad.

»Du hast sie nicht mehr alle.«

»Ihr habt sie beide nicht mehr alle«, meinte Ye und gab Xiao-Tong einen Stoß, der immerhin bewirkte, dass der Kerl ein Bein über den Sattel schwang. Weit hatten sie es nicht. Wenige Häuser die Straße hoch lag *Wongs World*, dahinter zeichnete sich im Frühdunst die Silhouette des Hochofens ab. Xiao-Tong wies mit schwächlicher Geste zum Markt.

»Können wir nich' wenigstens vorher noch was –«

»Nein«, beschied Ye. »Reißt euch zusammen. Die Party ist gelaufen.«

Das klang gut und sehr erwachsen, fand er. Hätte von Daxiong stammen können, jedenfalls schien es mächtigen Eindruck auf Xiao-Tong und Mak zu machen. Widerspruchslos ließen sie ihre Maschinen an und folgten ihm die Straße hinauf. Mit jedem Meter, den sie sich dem Hochofen näherten, verkrampften sich Yes Eingeweide mehr, und schreckliche Angst nahm von ihm Besitz.

Daxiong hatte etwas von Leichen gesagt.

Er vermied es, Xiao-Tong und Mak davon in Kenntnis zu setzen. Nicht jetzt. Vorerst war er heilfroh, sie überhaupt wach bekommen zu haben.

Jericho hielt den Atem an.

Der Blonde hatte das Airbike über den zweiten Konverter gesteuert, womit er ihnen ein gutes Stück näher gekommen war. Wieder holte er eine Granate hervor, betätigte den Abzug, schleuderte sie ins Innere des Behälters und ging auf Distanz. Es krachte, der Konverter spuckte Feuer und Rauch.

»Lass uns abhauen«, flüsterte Yoyo in sein Ohr.

»Dann hat er uns«, flüsterte Jericho zurück. »Noch mal entkommen wir ihm nicht.«

Sie konnten nicht ewig fliehen. Irgendwie mussten sie den Blonden erledigen, zumal Jericho keinen Zweifel daran hegte, dass sie es früher oder später auch noch mit Zhao zu tun bekämen. Falls der Bursche überhaupt so hieß. Einer der Killer hatte ihn Kenny genannt.

Kenny Zhao Bide?

Sein Blick huschte umher. Gleich unter ihnen gähnte das Maul des dritten Konverters, weit aufgesperrt, als erwarte der Stahlkochtopf, gefüttert zu werden. Ein Saurierjunges, dachte Jericho. So kam ihm der Kessel vor. Kleine Vögel hockten mit aufgesperrten Schnäbeln im Nest, verlangten heißhungrig nach Würmern und Käfern, und was waren Vögel anderes als miniaturisierte, gefiederte Saurier? Der hier war riesig. Mit Appetit auf Größeres. Auf Menschen.

Im nächsten Moment schob sich das Bike des Blonden heran und nahm ihm die Sicht auf den Konverter. Die Maschine hing genau über dem Kessel, so nah, dass Jericho mit gestrecktem Arm den Kopf des Killers hätte berühren können. Ein Blick zur Decke reichte, und der Blonde würde sie sehen, doch er schien nur Augen für den Schlund zu haben, in dessen Tiefe er die Fliehenden vermutete.

Er beugte sich vor, griff in sein Waffenarsenal, zog eine weitere Handgranate hervor.

»Gut festhalten«, sagte Jericho so leise wie möglich. Yoyo drückte seinen Oberarm zum Zeichen, dass sie verstanden hatte.

Der Blonde zog den Ring aus der Granate.

Jericho drehte auf.

Das Airbike tat einen Satz nach vorne und fuhr auf den Killer herab. Einen Herzschlag lang sah Jericho den Mann wie im Blitz einer Kamera, den Arm mit der scharfen Granate zum Wurf erhoben, den Kopf in den Nacken gelegt, die Augen vor Verblüffung geweitet, erstarrt.

Dann prallten sie gegen ihn.

Beide Turbinen heulten auf. Jericho erhöhte den Schub. Unerbittlich drückte er das gegnerische Bike auf den Konverter zu, riss die Steuerung herum und floh zurück in die Höhe. Die Maschine des Blonden stürzte weiter ab, überschlug sich, knallte auf den Rand der Öffnung, wurde in die Höhe geschleudert und rasselte, ihren Reiter mit sich reißend, in den lichtlosen Schlund des Kessels. Hohles Poltern und Scheppern folgte ihnen auf ihrem Weg nach oben. Verzweifelt bemüht, wegzukommen von der Hölle, die gleich losbrechen würde, prügelte Jericho den Antrieb zur Höchstleistung, entsandte Stoßgebete zur Hallendecke –

Dann erfolgte die Detonation.

Ein Dämon erhob sich aus den Tiefen des Stahlkochtopfs, reckte sich brüllend darüber hinaus und breitete glühende Schwingen aus. Sein heißer Atem packte Jericho und Yoyo und schleuderte das Bike durch die Luft. Sie wurden in die Höhe gerissen, drehten sich und fielen. Eine rasche Folge kanonenschussartiger Explosionen übertönte ihre Schreie, als das komplette Waffenarsenal des Blonden der Reihe nach hochging. Der Vulkan spuckte Feuer in alle Richtungen, setzte im Nu die halbe Anlage in Brand, während sie dem Boden entgegentrudelten und Jericho wild an den Steuerhebeln zog. Das Bike ging in einen Looping, schrammte an einer Säule entlang und legte eine Bruchlandung auf einer Empore hin. Die Luft blieb ihm weg. Yoyo schrie auf, brach ihm fast die Rippen aus Angst, abgeworfen zu werden.

Funken schlagend rasten sie über die Empore dahin, einer Wand entgegen. Er bremste, gab Gegenschub. Die Maschine verfiel in heftiges Schlingern, änderte ihren Kurs und schepperte gegen eine Brüstung, wo sie kurz aufrecht verharrte, als habe er sie ordnungsgemäß dort abgestellt, ächzte und umkippte.

Jericho fiel auf den Rücken. Neben ihm wälzte sich Yoyo und stemmte sich hoch. Ihr linker Oberschenkel gab ein unschönes Bild ab, die Hose in Fetzen, die Haut darunter aufgerissen und blutig. Jericho kroch auf allen vieren zur Brüstung, griff ins Gitter und kam unsicher auf die Beine. Ringsum brannte es lichterloh. Teeriger Rauch wälzte sich zur Decke und begann die Halle einzunebeln.

Sie mussten hier raus.

Neben ihm knickte Yoyo ein und stöhnte vor Schmerzen. Er half ihr hoch, während er in die dichter werdende Wand aus Rauch starrte. Was war das? Etwas Diffuses entstand in den kochenden Wolken, sie hellten sich auf. Zuerst dachte er an einen weiteren Brandherd, doch das Licht war weiß, breitete sich gleichmäßig aus, gewann an Intensität.

Der fischartige Rumpf eines Airbikes schob sich aus dem Rauch.

Es war Zhao.

Ye versuchte, gegen das Zittern seiner Knie anzukämpfen, als er den Fuß auf die unterste Stufe der Zickzackstiege setzte. Sein Blick erwanderte den Gitterturm bis zur Plattform, auf der die Zentrale ruhte. Mit einem Mal fürchtete er das, was er dort zu sehen bekäme, so sehr, dass seine Beine den Dienst zu versagen drohten.

Er schaute sich um.

Unterhalb des Gerüsts parkte quer ein unansehnlicher Wagen, ein Toyota, etwas weiter zwei Motorräder. Das wunderte ihn. Für gewöhnlich fuhren sie die Maschinen ins angrenzende, leer stehende Gebäude, bevor sie nach oben gingen.

Er konnte den Blick nicht von den Motorrädern nehmen.

Eines davon gehörte Tony. Und das andere? Er war nicht sicher, doch ihm schien, als sei es das von Ziyi.

Tony – Ziyi –

Was erwartete sie dort oben?

Mak trottete, Xiao-Tong wie einen Schatten im Gefolge, die Stiege hinauf. Ye räusperte sich.

»Wartet mal, ich muss euch –«

»Häng hier nicht rum«, brummte sie. »Jetzt hast du uns schon aus der Kiste geschmissen –«

»Völlig indiskutable Uhrzeit«, schimpfte Xiao-Tong.

»– also komm auch.«

Ye rang die Hände. Er wusste nicht, was er tun sollte. Es war höchste Zeit, ihnen zu sagen, dass Daxiong von Toten gesprochen hatte. Dass etwas Schreckliches in der Zentrale passiert war. Doch seine Zunge klebte am Gaumen, sein Hals fühlte sich wund an beim Schlucken. Er öffnete die Lippen, produzierte ein Krächzen.

»Ich komme.«

Daxiong war nicht durch die Walzhalle gefahren. Es gab eine Abkürzung, wenigstens hoffte er, dass sie noch passierbar war. Züge hatten auf dem Werksgelände verkehrt, Rangierlokomotiven mit torpedoförmigen Waggons, die nach Anstich des Hochofens mit flüssigem Roheisen befüllt worden waren. Von dort hatten sie ihr 1400 Grad heißes Frachtgut bis zur Konverterhalle gefahren, wo das Eisen in riesige Pfannen und aus diesen in die Stahlkochtöpfe gefüllt worden war.

Daxiong folgte den Schienen. Sie führten gut zwei Kilometer über freies Feld und verschwanden in einem Tunnel, mehr einer überdachten Durchfahrt, die geradewegs in die Konverterhalle mündete. Neuerliches Krachen erklang von dort. Daxiong gab Vollgas, geriet mit dem Vorderrad in eine der Schienen, rutschte weg. Das Motorrad warf ihn ab. Auf dem Hosenboden schlitterte er hinterher, fassungslos über seine eigene Dummheit, sprang auf die Füße, fluchte. Die Sache war glimpflich ausgegangen, doch der Unfall hatte ihn Zeit gekostet.

Sein Blick suchte den Himmel ab.

Nirgendwo eine Spur von einem Airbike. Er richtete das umgekippte Motorrad auf und versuchte es zu starten. Nach mehreren Versuchen und ermunternden Worten, deren häufigstes *Merde!* war, sprang die Maschine endlich an, und Daxiong tauchte ein ins Dunkel der Durchfahrt. Was er sah, war wenig ermutigend. Eine Rangierlok ruhte breit und behäbig auf einem der beiden parallel verlaufenden Gleise, das andere wurde von aneinandergekoppelten Torpedowagen in Beschlag genommen. Rechts und links davon würde er kaum vorbeikommen, einzig der Raum zwischen den Zügen wies die erforderliche Breite auf, wurde jedoch von etwas blockiert.

Er hätte durch das Walzwerk fahren sollen!

Notgedrungen hielt er an, stieg ab und lief zu der Blockade, die sich als verdrehtes Metallgestänge entpuppte. Mit dem ganzen Gewicht seiner drei Zentner stemmte er sich dagegen und versuchte es anzuheben. Weiter hinten konnte er die dämmrige Öffnung sehen, jenseits derer die Halle lag. Er war keine zwanzig Meter von dort entfernt.

Er musste es schaffen hineinzugelangen.

Im selben Moment krachte es ein drittes Mal, salvenartig, weit lauter als zuvor. Der Durchgang erglühte, etwas Brennendes flog hinein und knallte zu Boden. Weitere Detonationen folgten. Wie besessen rüttelte Daxiong an dem Gestänge, bis es sich knirschend zu lösen begann. Schwer war das Ding nicht, nur hoffnungslos verkeilt. Er spannte die Muskeln. Drüben musste die Hölle losgebrochen sein, Flammen loderten auf. Daxiong schnaufte, zog und zerrte, drückte und schob, und mit einem Mal gab das Gestänge nach und verdrehte sich ein kleines Stück seitwärts.

Immerhin. Der Spalt reichte knapp für die Durchfahrt.

Xin hielt eine Hand vor Mund und Nase, während er das Airbike durch die Schwaden steuerte. Beißender Rauch brachte seine Augen zum Tränen. Was um alles in der Welt hatte der Blonde hier veranstaltet? Hoffentlich hatte es sich wenigstens gelohnt. Im undurchdringlichen Schwarz sah er Feuer schwären. Seine Rechte umfasste den Griff der Maschinenpistole in ihrer Halterung, ließ sie wieder los.

Erst musste er aus der Suppe rausfinden.

Der Rauch lichtete sich und gab den Blick frei auf die Halle. In allen Ecken brannte es. Keine Menschenseele weit und breit, nur ein umgestürztes Airbike hing in der Brüstung einer Empore, zerbeult und geschwärzt. Die Windschutzscheibe fehlte. Xin steuerte darauf zu, als rollender Donner die Halle erbeben ließ. Unmittelbar hinter ihm schoss eine Feuersäule in die Luft, die Druckwelle erfasste seine Maschine, rüttelte sie durch. Er stieg auf und gewahrte am rückwärtigen Ende der Halle eine Bewegung.

Dröhnend schoss etwas aus der Wand heraus. Der Motorradfahrer. Der glatzköpfige Riese.

Xin riss die Waffe aus der Halterung.

Eine fettigschwarze Wolke quoll heran und hüllte ihn ein, heiß und erstickend. Er hielt den Atem an, ließ das Bike weiter aufsteigen, doch die Wolke gab ihn nicht frei. Natürlich nicht! Rauch trieb nach oben. Was war er bloß für ein Idiot! Geblendet und orientierungslos ließ er die Maschine wieder absinken. Nicht einmal mehr die Leuchtanzeigen der Armaturen waren zu erkennen. Auf gut Glück steuerte er nach rechts und prallte gegen etwas, zog den Lenker herum.

Weiter nach unten. Er musste hinab.

Um ihn herum röchelten die kleineren Feuer, tauchten sein Airbike in flackerndes Rot. Von irgendwoher glaubte er, Stimmen zu hören, nahm langsam, um weitere Kollisionen zu vermeiden, Vorwärtsfahrt auf und schaffte es heraus aus der Wolke. Zwischen züngelnden Flammen und Rauchfahnen sah er das Motorrad.

Auf dem Sozius saß Yoyo.

Xin schrie auf vor Wut. Das Motorrad verschwand in dem breiten, niedrigen Durchgang, aus dem es hervorgekommen war. Mit fauchenden Düsen schoss er den beiden hinterher, folgte ihnen in den Tunnel. Das Motorrad jagte zwischen zwei Zügen hindurch. Er versuchte, den Platz abzuschätzen, der ihm blieb, Airbikes waren um einiges breiter als Motorräder, doch wenn er achtgab, würde er hindurchpassen.

Als er eben anlegte, um dem Mädchen in den Rücken zu schießen, sah er etwas, das den Weg versperrte.

Stangen. Verbogen, verkeilt.

Außer sich musste er mit ansehen, wie Yoyo und der Riese die Köpfe einzogen und es knapp unter dem Gebilde hindurchschafften. Ihn hingegen würde das Ding aufspießen. Keine Chance. Sein Bike war zu breit, zu hoch. Er schwenkte die Düsen in Gegenrichtung, bremste ab, doch der Schwung der Beschleunigung trug ihn weiter auf das Gestänge zu. Einen Moment lang empfand Xin das lähmende Gefühl völliger Hilflosigkeit, riss das Bike herum, stellte es quer, was zur Folge hatte, dass es an den Zügen entlangschrammte, doch endlich verringerte sich seine Geschwindigkeit. Metall kreischte über Metall, als er rapide langsamer wurde.

Er hielt den Atem an.

Das Airbike stoppte, nur Zentimeter von dem Gestänge entfernt.

Kochend vor Wut starrte er hindurch. Weiter hinten fiel Tageslicht ein, dort wo die Durchfahrt endete. Das Motorrad schickte ihm einen meckernden Gruß aus seinem Elektromotor und verschwand aus seinem Blickfeld. Am Rande der Selbstbeherrschung wuchtete Xin das Airbike herum, flog zurück in die Halle, stürzte sich in den Rauch, preschte durch das Walzwerk und die Lagerhalle zurück nach draußen. Über den Schlackenhalden drehte er eine weiträumige Kurve, dankbar für die frische Luft, öffnete die Abdeckung der zweiten Waffenkammer und langte hinein. Als er die Hand wieder herauszog, lag etwas Schweres, Langes in seinem Arm.

Mit Höchstgeschwindigkeit hielt er auf den Hochofen zu.

Jericho spuckte und hustete. Der Rauch wälzte sich in jeden Winkel. Ein weiteres Gefecht in dieser Hölle konnte er unmöglich verkraften. Wenn er nicht augenblicklich hier herauskam, wäre ohnehin alles zu spät. Wenige Minuten noch, und er konnte ebenso gut hier liegen bleiben und seine Lungen mit Teer füllen, bis sie die Farbe von Lakritz angenommen hätten.

Inständig hoffte er, dass Yoyo es geschafft hatte. Alles war unwirklich schnell gegangen. Ihre Flucht unter den Schutz der Empore. Zhaos Maschine. Dann plötzlich Daxiong. Der Killer musste ihn gesehen haben, doch etwas hatte ihn davon abgehalten, sofort zu reagieren, Feuer vielleicht, quellender Rauch. Die Zeit hatte ausgereicht, dass sie zu Daxiong herüberlaufen konnten, der seine Maschine umgehend stoppte und mit laufendem Motor verharrte. In den Augenschlitzen des Hünen war Ratlosigkeit aufgeflackert, wie er sie beide auf seinem schmalen Sozius unterbringen sollte.

»Geh, Yoyo«, hatte Jericho gesagt.

»Ich kann dich doch nicht –«

»Geh, verdammt noch mal! Halt keine Volksreden, hau endlich ab! Ich komme klar.«

Sie hatte ihn angesehen, rußgeschwärzt, zerzaust und vom Schock gezeichnet, zugleich Wut und Entschlossenheit im Blick. Und mit einem Mal hatte er jene seltsame Traurigkeit an ihr wahrgenommen, die ihm von Chens Aufnahmen her bekannt war. Dann war Yoyo auf Daxiongs Sozius gesprungen, und Zhao hatte die beiden entdeckt.

Jericho klammerte sich an die Hoffnung, dass sie dem Killer entwischt waren. Die Sicht wurde zunehmend schlechter. Den Ärmel vor Mund und Nase gepresst, hangelte er sich hoch zur Empore und inspizierte das Airbike. Übel zugerichtet, doch die Schäden schienen eher kosmetischer Natur zu sein. Er hoffte, dass die Steuerung nicht beschädigt war, bückte sich und wuchtete die Maschine hoch.

Sein Blick fiel auf etwas Kleines.

Es lag neben dem Airbike auf dem Boden, ein flaches, silbrig glänzendes Ding. Verwundert griff er danach, betrachtete es, drehte es hin und her –

Yoyos Computer!

Sie musste ihn hier verloren haben. Beim Sturz von dem Bike.

Er hatte Yoyos Computer gefunden!

Schnell ließ er das Gerät in seine Jacke gleiten, schwang sich auf den Sattel und startete die Maschine. Das vertraute Fauchen erklang.

Nichts wie raus hier.

Es war noch schlimmer gekommen, als er befürchtet hatte. Ma Mak hatte sich umgehend erbrochen, Xiao-Tong schrie abwechselnd Verwünschungen und die Namen der Toten und erweckte den Eindruck, als sei er für nichts anderes mehr zu gebrauchen.

Ye weinte.

Er wusste, dass er diese Bilder nie mehr loswerden würde. Nie wieder in seinem ganzen Leben.

Frag nicht.

»Wir müssen das Zeug zusammenpacken«, schniefte er.

»Ich kann nicht«, heulte Mak.

»Wir haben es Daxiong versprochen. Es hat was mit der Sache hier zu tun. Alles muss raus.« Er begann, Rechner von ihren Schnittstellen zu lösen und Displays abzubauen. Xiao-Tong glotzte ihn wie betäubt an.

»Was ist hier bloß passiert?«, flüsterte er.

»Weiß nich'.«

»Wo ist Yoyo?«

»Keine Ahnung. Hilfst du mir jetzt?«

Mak wischte sich über den Mund, ergriff eine Tastatur und koppelte sie ab. Endlich packte auch Xiao-Tong mit an. Sie verstauten die Gerätschaften in Kartons und schafften sie hinaus auf die Empore. Die Leichen berührten sie nicht, versuchten sie nicht anzusehen, nicht durch die noch feuchten Blutlachen zu gehen, ein Ding der Unmöglichkeit. Alles war voller Blut, der Raum, der Tisch, die Bildschirme, einfach alles. Mak umfasste einen Karton, hob ihn hoch und stellte ihn wieder ab. Ye sah ihre Schultern zucken. Ihr Kopf pendelte hin und her, negierte uhrwerkartig die Tatsachen. Er streichelte ihren Rücken, nahm ihr den Karton aus den Händen und zog ihn durch Tonys Blut – oder war es das Jia Weis oder Ziyis? – nach draußen.

Einen Moment hielt er inne, verschnaufte und schaute zum Himmel.

Was war das?

Von jenseits der Hallen näherte sich etwas aus der Luft. Es war schnell und kam zügig näher. Helles Fauchen eilte ihm voraus. Ein Fluggerät. Wie ein Motorrad, nur ohne Räder. Jemand saß im Sattel und steuerte das Ding, steuerte es geradewegs auf die Zentrale zu –

Ye blinzelte, schirmte die Augen mit der Hand gegen die Sonne ab.

Daxiong?

Allmählich konnte er Einzelheiten ausmachen. Nicht, wer die Maschine flog, aber dass der Fahrer oder Pilot oder wie immer man so jemanden nannte, etwas Längliches hielt, das kurz in der Sonne aufblitzte –

»Hey«, rief er. »Kommt euch das mal anseh –«

Etwas löste sich von dem fliegenden Motorrad und schoss mit der Geschwindigkeit einer Rakete heran.

Es *war* eine Rakete.

»– hen«, flüsterte er.

Sein letzter Gedanke war, dass er das alles nur träumte. Dass es gar nicht geschah, weil es nicht geschehen konnte, nicht durfte.

Frag nicht.

Xin drehte ab.

Das kleine Haus auf dem Gerüst schien sich kurz aufzublähen, als hole es tief Luft. Dann flog der Vorderteil in einer feurigen Wolke auseinander und schleuderte Trümmer in alle Richtungen. Krachend schlugen sie in die Aufbauten des Hochofens, in die Fassaden der angrenzenden Gebäude, auf den Vorplatz. Xin legte sich in die Kurve und feuerte weitere Granaten in die Rückfront. Was an Seitenwänden verblieben war, zerbarst, das Dach kollabierte. Wie Streichhölzer knickten die Verstrebungen des Gitterturms weg, auf denen die Plattform mit der wild lodernden Ruine ruhte. Langsam geriet sie ins Rutschen, während es brennende Teile regnete, brach in der Mitte auseinander und prasselte Funken sprühend durch den Gitterturm nach unten.

Jähe Befriedigung durchfuhr Xin, als er im Geschosshagel Jerichos Toyota erkannte. Dann war von dem Wagen nichts mehr zu sehen. Die Bestandteile der alten Zentrale verteilten sich über den Erdboden, bis nur noch Reste der Gitterkonstruktion aufragten, ein Scheiterhaufen, Fanal der exorzierenden Kraft schwerer Bewaffnung.

Jericho fühlte sein Herz kalt und klamm in seiner Brust, als er aus dem Dunkel der Lagerhalle schoss. Er sah Menschen über die Schlackenfelder laufen und durcheinanderschreien, angelockt vom Brüllen des Feuers, dessen schwarze, vom Funkenflug gesprenkelte Rauchsäule sich weit über den Ofen erhob und nach der blassen, frühen Sonne griff.

War Yoyo in dem Gebäude gewesen? Waren sie und Daxiong dorthin zurückgekehrt? Hatte Zhao sie am Ende doch noch erwischt?

Nein, Zhao, Kenny oder wie immer er hieß, musste das Gebäude aus einem anderen Grund zerstört haben. Weil Yoyo ihn in dem Glauben gelassen hatte, ihr Computer befinde sich dort. Er hatte den Großteil der *Wächter* ausgelöscht und nun auch deren Treffpunkt mitsamt aller darin befindlichen Elektronik, die Organisation enthauptet, jene getötet, denen Yoyo sich anvertraut haben mochte.

Inständig hoffte er, dass ihr Vorsprung ausgereicht hatte, Zhao zu entkommen.

Er flog näher heran. Das Airbike ließ sich schwieriger steuern als vor dem Crash in der Konverterhalle. Möglicherweise war eine der Düsen verzogen und ließ sich nicht präzise justieren. Bemüht, die Schräglage der Maschine auszugleichen, begriff er nicht gleich, was er da eigentlich sah. Skizzenhaft entstand das Bild seines Wagens in seiner Erinnerung, abgestellt unter dem Gitterturm. Erst als er dem Feuer nahe genug war, dass ihn die Hitze zum Abdrehen zwang, ereilte ihn die Gewissheit, dass am Grunde der Flammensäule sein Toyota verkohlte.

Angst, Erschöpfung, alles wurde hinweggefegt von einer Welle des Zorns. Unbändige Wut erfasste ihn. Fieberhaft suchte er nach dem Mechanismus, der die Seitenfächer öffnete, um Zhao mit seinen eigenen Waffen vom Himmel zu schießen. Doch nichts öffnete sich, und Zhao war nirgendwo auszumachen.

Der Platz füllte sich mit Menschen. Von überall her kamen sie, zu Fuß, auf Fahrrädern und Bikes. *Wongs World* ergoss sich in Richtung Hochofen, selbst der *Cyber Planet* öffnete seine Türen und entließ blässliche, von der Wirklichkeit überforderte Gestalten.

Es half alles nichts. Unter solchen Umständen war sogar damit zu rechnen, dass sich die Polizei der vergessenen Welt erinnerte. Jericho stieg höher. Er bemerkte, dass verschiedentlich auf ihn gezeigt wurde, gab Schub und zog über die Siedlung hinweg.

Xin sah das Airbike kleiner werden.

Ein gutes Stück vom Geschehen entfernt thronte er auf der Spitze eines Schornsteins wie ein Bussard. Kurz hatte er erwogen, auch Jericho mit einem gezielten Schuss zu erledigen, doch der Detektiv mochte sich noch als nützlich erweisen. Xin ließ ihn ziehen. Yoyo war wichtiger. Weit konnte sie nicht gekommen sein, dennoch würde er sich mit dem Gedanken anfreunden müssen, das Mädchen fürs Erste verloren zu haben. Er entschied, wenigstens so lange hierzubleiben und nach ihr Ausschau zu halten, bis die Ordnungskräfte auftauchten.

Ungeachtet seiner Niederlage empfing er in dieser Sekunde ein deutliches Bild des Universums. Existenzen, die bläschengleich entstanden und zerplatzten, wogender Schaum des Werdens und Vergehens, Kenny Xin indes unvergänglich, die Mitte, der Punkt, in dem sich alle

Linien kreuzten. Die Vorstellung beruhigte ihn. Er hatte Chaos und Vernichtung gesät zum Ausgleich höherer Bilanzen. Die Reste des Gitterturms gesellten sich zu den brennenden Trümmern am Boden, im Westen schlugen die Flammen hoch aus der Konverterhalle. Geringere als er hätten von Zerstörung gesprochen, doch Xin erblickte nichts als Harmonie. Das Feuer entfaltete seine reinigende Wirkung, heilte die Welt vom infektiösen Befall der Armut, brannte den Eiter aus dem Organismus der Megalopolis.

Zugleich rekapitulierte er mit buchhalterischer Gewissenhaftigkeit seinen Auftrag, übersetzt in die Sprache des Geldes. Denn Xin hatte gelernt, auf dem Ozean seiner Gedanken sicher zu navigieren. Ganz ohne Zweifel war er verrückt, wie seine Familie immer behauptet hatte, nur dass er um seinen Wahnsinn wusste. Von all den Dingen, die er an sich liebte, erfüllte ihn dies mit besonderem Stolz, Analytiker seiner selbst zu sein, distanziert feststellen zu können: Er war ein lupenreiner Psychopath. Welch ungeheure Macht diese Erkenntnis barg! Zu *wissen*, wer er war. In ein und derselben Sekunde *alles* sein zu können, Künstler, Sadist, Empath, höheres Wesen, stinknormaler Durchschnitt. Jetzt gerade hatte der Karrierist den Vorsitz über das Gremium seiner Persönlichkeiten übernommen, der das Vertragliche regelte und eine Villa am Meer, durchsummt von der Geschäftigkeit dienstbarer Geister, einer Existenz als Mittelpunkt des Universums vorzog. Es war dieser bodenständige, berechenbare Xin, der sein verrücktes, pyromanes Alter Ego in die Schranken wies und zur Effizienz anleitete.

Er war so viele. So vieles.

Hoch oben auf seinem Schornstein begann Xin, der Planer, sich zu fragen, was er tun musste, damit Yoyo sich freiwillig bei ihm einfand.

JERICHO

Eine Weile steuerte er das Bike unter der Hochtrasse der Stadtautobahn hindurch, die Quyu von der wirklichen Welt trennte. Zu seinen Füßen strebte der Verkehr lärmend nach Westen, konterkariert vom Wummern und Dröhnen, das die dahinrasenden CODs auf der Trasse über ihm verursachten. Er war gefangen in einem Sandwich aus Lärm. Als jenseits der Pfeilerbögen zwei Flugmobile der Polizei mit heulenden Sirenen heranjagten, schlug er sich zwischen die stalagmitenhafte Ansammlung sandfarbener Hochhäuser, kennzeichnend für die urbane Steppe rings um die innerstädtischen Viertel Shanghais, und folgte dem Verlauf der Hauptstraße nach Hongkou. Dabei versuchte er so tief wie möglich im Häusercanyon zu bleiben. Vermutlich unterschritt er die zulässige Mindestflughöhe auf sträfliche Weise, nur dass ihm das ramponierte Airbike nicht geheuer war. Er verspürte wenig Lust, hoch über den Dächern den Ausfall der Turbine zu erleben. Bemüht, den Linksdrall des Gefährts auszugleichen, wand er sich zwischen Fassaden, Trassenpfeilern, Ampelgestängen, Stromleitungen und Hochbeschilderungen hindurch, den Blick abwechselnd nach vorne, in die Rückspiegel und zum Himmel gerichtet in Erwartung Zhaos. Erst als er Hongkou durchquert und das Bike auf den Fluss hinausgeflogen hatte, begann er zu glauben, den Killer abgeschüttelt zu haben. Falls Zhao ihm überhaupt hatte folgen *wollen*. Er tauchte ein in die belebten Geschäftsstraßen hinter der Kolonialfassade des Bund, landete westlich des Huaihai-Parks und ließ die Maschine bis zur Xintiandi-Tiefgarage rollen. Das linke Hinterrad klemmte und schleifte vernehmlich über den Asphalt. Kurz überlegte er, wo er sie abstellen sollte, bis ihn die schmerzliche Erkenntnis einholte, was mit seinem Wagen geschehen war.

Immerhin hatte er jetzt Platz für das Ding.

Das Schleifen des defekten Rades hallte zänkisch von den Wänden der Zufahrt wider, als er das Airbike auf den für ihn reservierten Platz lenkte. Er versuchte, seine Wut über den Verlust des Wagens hintanzustellen und Yoyos Wohlergehen Priorität einzuräumen. In einer Anwandlung von Selbstlosigkeit erweiterte er seine Sorge auf Daxiong, während er das Parkgeschoss durcheilte, hoffend, niemand werde ihm begegnen mit seinem rußgeschwärzten Gesicht, doch auch der Lift war unbevölkert. Gleichmäßiges Licht lag auf den Wänden der Kabine, freundlich summte das Aggregat. Als er endlich die Tür seines Lofts hinter sich zuknallte, hatte ihn niemand zu Gesicht bekommen.

Stoßartig ließ er die Luft entweichen und fuhr sich mit den Händen über Gesicht und Haare.

Er schloss die Augen.

Sofort sah er die Leichen, den Jungen mit dem weggeschossenen Gesicht, das sterbende, sich drehende Mädchen, aus dessen zerfetzter Schulterarterie hellrote Fontänen schossen, ihren abgetrennten Arm, sah sich die Waffe aus ihren verkrallten Fingern lösen – was war los, was lief schief? Hatte er nicht ein friedliches Leben führen wollen? Jetzt das. Innerhalb weniger Tage. Geschändete Kinder, verstümmelte

Jugendliche, er selbst mehr tot als lebendig. Realität? Ein Traum, ein Film?

Ein Film, genau. Dazu Popcorn und was Kaltes. Zurücklehnen. Was wurde als Nächstes gezeigt? Teil zwei, Quyu, die Rückkehr?

Die Eindrücke schnappten nach ihm wie tollwütige Köter. Er durfte das alles nicht an sich heranlassen. Nichts davon würde er je wieder loswerden, die Bilder gehörten von Stund an zum Repertoire durchwachter Nächte, doch jetzt musste er nachdenken. Gedanken aufeinanderschichten wie Klötzchen. Einen Plan fassen.

Schuhe, T-Shirt und Hose achtlos im Raum verteilend, ging er ins Bad, drehte das Wasser auf, wusch Ruß und Blut von der Haut, zog Bilanz. Yoyo und Daxiong waren entkommen. Eine Hypothese, zugegeben, vorübergehend in den Stand des Faktischen erhoben, aber von irgendetwas musste er schließlich ausgehen. Zweitens, Yoyo hatte ihren Computer retten können, in dessen Besitz er nun war. Natürlich wäre Zhao nicht so naiv zu glauben, die Daten befänden sich ausschließlich im Speicher dieses einen, kleinen Geräts. Die Zerstörung der Zentrale war kein Akt bloßer Willkür gewesen, sie hatte dem Zweck gedient, die Infrastruktur der Gruppe zu zerstören und möglichst jedes weitere Gerät, auf das Yoyo die Daten überspielt hatte. Andererseits mochte Yoyos Bluff den gewünschten Effekt erzielt haben, als sie Zhao suggerierte, *ihren* Computer in der Zentrale zurückgelassen zu haben. Er musste glauben, zumindest dieses Problem gelöst zu haben.

Was würde er als Nächstes unternehmen?

Die Antwort lag auf der Hand. Natürlich würde er sich fragen, was ihn seit Tagen unablässig beschäftigte: wem Yoyo von ihrer Entdeckung erzählt hatte, und wer davon noch lebte.

Ich weiß davon, dachte er, während die heißen Wasserstrahlen seinen Nacken massierten. Nein, falsch! Ich weiß, *dass* sie etwas herausgefunden hat, nicht was. Zhao wiederum weiß, dass ich *nichts* weiß. Hübsch sokratisch. Ich bin nicht wirklich ein Mitwisser, nur Zeuge einiger unerfreulicher Begebenheiten.

Nur? Es reichte für Platz zwei auf Zhaos Abschussliste.

Andererseits, wie hoch lag die Wahrscheinlichkeit, dass Zhao vorhatte, auch ihn zu töten? Sehr hoch, realistisch betrachtet, doch erst mal mochte er darauf hoffen, dass Jericho, der vertrauensselige Schussel, ihn ein weiteres Mal zu Yoyo führen würde.

Jericho hielt inne, das Haupthaar eine Skulptur aus Schaum.

Warum war Zhao ihm dann nicht hierher gefolgt?

Ganz einfach. Weil Yoyo tatsächlich hatte entkommen können!

Zhao vermutete sie unverändert in Quyu. Er hatte es vorgezogen, die Suche nach ihr fortzusetzen, abgesehen davon brauchte er Jericho nicht zu folgen, schließlich wusste er, wo er ihn finden würde.

Dennoch. Zeit gewonnen.

Wie viel?

Er spülte den Schaum aus den Haaren. Schwarze Rinnsale liefen an Brust und Armen herunter, als trete immer neuer Dreck aus seinen Poren zutage. Brennender Schmerz kündete von etlichen Abschürfungen, die er sich beim Crash in der Konverterhalle zugezogen hatte. Er fragte sich, wie es Yoyo gerade ging. Unzweifelhaft traumatisiert, wenngleich ihr Mundwerk weniger vom Schock betroffen schien und mit tröstlicher Verlässlichkeit Verbalinjurien produzierte, Indiz für mentale Unversehrtheit oder zumindest eine gewisse Resistenz. Das Mädchen, schätzte er, war zäh wie Haifischleder.

Er stellte das Wasser ab.

Früher oder später würde Zhao hier auftauchen. Nicht auszuschließen, dass er bereits auf dem Weg war. Er fingerte nach einem Handtuch, lief, sich abrubbelnd, durch die sonnengeflutete Weite seines Lofts, das er schon wieder würde verlassen müssen, kaum dass er eingezogen war, schlüpfte in frische Kleidung, brachte notdürftig sein Haar in Ordnung. Was nun folgte, war die mehrfach durchexerzierte Flucht des Gesamtkonzepts Owen Jericho, bestehend aus ihm selbst und Diane samt ihrer maschinellen Extremitäten. Er entkoppelte den Festspeicher, eine tragbare Einheit von der Größe eines Schuhkartons, und verstaute ihn samt Tastatur, einer zusammenklappbaren Touchscreen-Oberfläche und einem transparenten 20-Zoll-Display in einem Rucksack. Hinzu packte er seine ID-Card, Geld, sein zweites Handy, eine kleine Festplatte für Backups, Yoyos Computer, Kopfhörer und Tus Holobrille. Er stopfte Unterwäsche und T-Shirts mit hinein, eine zweite Hose, Slipper, Rasierzeug, Stifte und Papier. Was im Loft verblieb, waren Bedienpult und Großbildschirm, etliches an Hardware und diverse eingebaute Speicherplätze, die ohne Diane allesamt nutzlos waren wie Prothesen ohne Träger. Wer immer hier eindrang, würde kein Bit und kein Byte mehr vorfinden, Jerichos Arbeit nicht rekonstruieren können. Die Wohnung war gewissermaßen datenrein.

Ohne sich noch einmal umzudrehen, ging er nach draußen.

In der Tiefgarage packte er den Rucksack auf den Sozius des Airbikes und untersuchte die verzogene Düse. Mit beiden Händen zwang er sie zurück in ihre Arretierung. Das Ergebnis fiel nicht überzeugend aus, wenigstens aber ließ sie sich wieder justieren. Anschließend fummelte er an der Heckflosse herum, lenkte das Bike die Auffahrt hoch und nahm mit grimmiger Befriedigung das Ausbleiben des Schleifgeräuschs zur Kenntnis. Das Kugelrad drehte sich wieder. Er hatte den Wagen gegen ein Airbike eingetauscht, nicht freiwillig, aber immerhin ein Tausch.

Draußen vergoss die Sonne ihr Licht wie phosphoreszierende Milch. Jericho kniff die Augen zusammen, aber Zhao war nirgendwo zu sehen.

Wohin jetzt?

Weit würde er nicht fahren müssen. In einer Stadt wie Shanghai lag das beste Versteck gleich um die Ecke. Anstatt die notorisch überfüllte Huaihai Donglu anzusteuern, gelangte er über weniger stark befahrene Gässchen, die Xintiandi mit den Yu-Gärten verbanden, in die Liuhekou Lu, lange Zeit gerühmt als authentischer Restbestand jenes Shanghai, das die Vorstellung unverbesserlicher Kolonialromantiker beschäftigte. Doch was war schon authentisch im Wandel der Jahrhunderte? Nur, was existiere, lehrte die Partei. Hier hatte eine Markthalle gestanden, gesprenkelt von Blumenständen, widerhallend vom Keckern allerlei Getiers, Hühner, die Köpfe ruckend ihre Frische und Verzehrfertigkeit bekundeten, Grillen, die sich mit zuckenden Beinen an den Wänden von Einmachgläsern abarbeiteten und ihren Besitzern, deren Leben nicht wesentlich anders verlief, Trost spendeten. Vor drei Jahren dann hatte die Halle einem ansehnlichen Shikumen-Komplex weichen müssen, durchsetzt von Bistros, Internet-Cafés, Boutiquen und Galerien. Schräg gegenüber behaupteten sich ein paar letzte Marktstände mit der Trotzigkeit alter Herren, die mitten auf der Fahrbahn stehen bleiben und herannahenden Autos mit dem Stock drohen, bis freundliche Mitbürger sie auf die andere Seite geleiten und der absoluten Zwecklosigkeit ihres Tuns versichern. Noch waren auch sie ein Stück authentisches Shanghai. Morgen würden sie verschwunden sein, um neuer Authentizität Platz zu machen.

Jericho stellte das Bike im zweiten Untergeschoss der Tiefgarage des Komplexes ab und verzog sich in den hinteren Winkel eines Bistros, wo er Kaffee bestellte. Obwohl kein bisschen hungrig, ließ er sich Käse und Baguette bringen, biss hinein, verteilte Krümel auf T-Shirt und Hose und registrierte einigermaßen befriedigt, dass ihm nicht alles gleich wieder hochkam.

Wie weit würde Zhao gehen?

Die vorläufige Bilanz war um einiges bitterer als der Kaffee, den er lustlos herunterstürzte. Kein Auto mehr. Kein Loft, weil vorübergehend unbewohnbar. Im Visier eines Killers, mit dem Rücken zur Wand. Weglaufen indiskutabel. Zum Handeln getrieben, nur dass er sich nicht handlungsfähig fühlte. Kein Weg führte zurück in die Normalität, bis vielleicht auf den der Kognition. Verstehen, worum es in dem ganzen Drama überhaupt ging. Herausfinden, wer Zhao beauftragt hatte.

Jericho starrte vor sich hin.

Moment mal! *So* handlungsunfähig war er gar nicht. Zhao mochte ihn in die Defensive gezwungen haben, aber er besaß etwas, wovon der Killer nichts wusste. Seine Geheimwaffe, den Schlüssel zu allem.

Yoyos Computer.

Er *musste* herausfinden, was sie herausgefunden hatte.

Dann würde er sie ein weiteres Mal ausfindig machen, um sie ihrem Vater zurückzubringen. Chen Hongbing. War es ratsam, ihn anzurufen? Den Kontakt hatte Tu Tian hergestellt, doch faktisch war Chen sein Auftraggeber. Der Mann hatte ein Recht darauf, informiert zu werden, nur, was sollte er ihm sagen? Alles klar, Yoyo wohlauf? Nein, ehrenwerter Chen, nicht die Polizei ist hinter ihr her, nur ein durchgeknallter Killer mit einem Faible für Explosivgeschosse, aber keine Angst, sie hat noch beide Arme und Beine und das komplette Gesicht, haha! Wo sie ist? Na, auf der Flucht! Ich übrigens auch, schönen Tag noch.

Was *konnte* er sagen, ohne dass der Mann an seinem eigenen Elend verging?

Und wenn er doch die Polizei einschaltete? Er würde den Beamten natürlich Hintergründe liefern müssen, auch über Yoyo. Was die Gefahr barg, dass sie dadurch überhaupt erst auf das Mädchen aufmerksam wurden. Sie würden fragen, welche Rolle sie in dem Gemetzel gespielt hatte, ihre Daten einsehen, feststellen, dass sie aktenkundig war, sogar vorbestraft. Unmöglich. Die Polizei schied aus, auch wenn Zhao nie im Leben ein Polizist war, ungeachtet dessen, was er in der Zentrale zu Yoyo gesagt hatte:

Ich bin dafür ausgebildet, Menschen zu töten. Wie jeder andere Polizist auch, wie jeder Soldat, jeder Agent.

Jeder Agent?

Die nationale Sicherheit ist ein höheres Gut als einzelne Menschenleben.

Der Geheimdienst allerdings hatte schon ganz andere Sachen in die Luft gesprengt. Zumal, wenn es um Fragen der nationalen Sicherheit ging. Zhao konnte geblufft haben, aber was, wenn er tatsächlich mit behördlichem Segen vorging?

Doch Tu anrufen?

Ineffizient, das eine wie das andere. Jericho zwang sich zur Klarheit. Zuerst Diane aktivieren. Er schaute sich um. Das Bistro war zu zwei Dritteln besetzt, die Tische um ihn herum frei. Vereinzelt schrieben junge Leute in ihre Laptops oder telefonierten. Er stellte Tastatur und Bildschirm vor sich hin und verband beides mit dem Hauptspeicher im Rucksack. Dann klemmte er die Sprechfunkverbindung ins Ohr und koppelte das System mit Yoyos Computer. Ein Symbol erschien, ein geduckter Wolf, der drohend die Lefzen hochzog. Darunter erschienen die Buchstaben:

Ich lade dich zum Essen ein.

Schon klar, dachte Jericho.

»Hallo, Diane«, sagte er leise.

»Hallo, Owen.« Dianes samtweiches Timbre. Der Trost der Maschine. »Wie ist es dir ergangen?«

»Beschissen.«

»Das tut mir leid.« Wie aufrichtig das klang. Gut, wenigstens war es nicht *unaufrichtig.* »Kann ich helfen?«

Du könntest aus Fleisch und Blut sein, dachte Jericho.

»Bitte öffne das Format *Ich lade dich zum Essen ein.* Zugangsdaten findest du in *YOYOFILES.*«

Knapp zwei Sekunden lang herrschte Stille. Dann sagte Diane:

»Das Format ist vierfach gesichert. Drei Tools konnte ich erfolgreich anwenden. Die vierte Zugangsberechtigung fehlt.«

»Welche Tools haben funktioniert?«

»Iris, Stimme und Fingerabdruck. Alle Chen Yuyun zugeordnet.«

»Welches fehlt?«

»Ein Passwort, wie es aussieht. Soll ich dechiffrieren?«

»Tu das. Hast du eine Ahnung, wie lange du für die Entschlüsselung brauchen wirst?«

»Leider nein. Zurzeit kann ich nur mutmaßen, dass die Codierung mehrere Wörter umfasst. Oder ein ungewöhnlich langes. Kann ich sonst noch etwas für dich tun?«

»Geh online«, sagte Jericho. »Das wär's. Bis später, Diane.«

»Bis später, Owen.«

Er loggte sich in *Brilliant Shit* ein. Wenn seine Vermutung stimmte, wurde der Blog von den *Wächtern* als toter Briefkasten genutzt und regelmäßig kontrolliert.

Jericho an Dämon, schrieb er. *Ich habe deinen Computer.* Er fügte seine Telefonnummer und eine E-Mail-Adresse hinzu, blieb eingeloggt und speicherte den Blog als Icon. Sobald jemand darin eine Nachricht absonderte, würde Diane ihn umgehend in Kenntnis setzen. Mittlerweile fühlte er sich etwas besser. Er biss in sein Baguette, goss Kaffee nach und beschloss, Tu zu kontaktieren.

Ein Anruf ging für ihn ein.

Jericho starrte auf das Display. Kein Bild, keine Nummer.

Yoyo? So schnell?

»Hallo, Owen«, sagte eine wohlvertraute Stimme.

»Zhao.« Alles in Jericho zog sich zu einem Klumpen zusammen. Er ließ eine Pause verstreichen und mühte sich, gelassen zu klingen. »Oder sollte ich besser sagen, Kenny?«

»Kenny?«

»Stell dich nicht dümmer als du bist! Hat das fette Arschloch dich nicht so genannt, bevor es den Löffel abgab?«

»Ach, richtig.« Der andere lachte leise. »Also meinetwegen – Kenny.«

»Kenny wer? Kenny Zhao Bide?«

»Kenny ist okay.«

»Gut, Kenny.« Jericho atmete tief durch. »Dann wasch dir mal die Ohren. Yoyo ist dir durch die Lappen gegangen. Ich bin dir entwischt. Du wirst keinen Schritt weiterkommen, solange einer von uns Grund hat, sich von dir bedroht zu fühlen.«

Im Kopfhörer war ein Seufzen der Resignation zu vernehmen.

»Ich bedrohe niemanden.«

»Doch. Du erschießt Leute und jagst Häuser in die Luft.«

»Man muss den Tatsachen ins Auge sehen, Owen. Ihr habt einen respektablen Kampf geliefert, du und das Mädchen. Bewundernswert, nur leider nicht besonders schlau. Hätte Yoyo kooperiert, könnten alle noch leben.«

»Lächerlich.«

»Es waren ihre Leute, die mit der Ballerei angefangen haben.«

»Keineswegs. Sie haben geballert, weil du Xiao Meiqi und Jin Jia Wei umgebracht hattest.«

»Das war unumgänglich.«

»Ach ja?«

»Yoyo hätte sonst wohl kaum mit mir geredet. Später habe ich alles darangesetzt, weiteres Blutvergießen zu vermeiden.«

»Was willst du, Kenny?«

»Was werde ich schon wollen? Yoyo natürlich.«

»Um was zu tun?«

»Um sie zu fragen, was sie weiß und wem sie davon erzählt hat.«

»Du –«

»Ganz ruhig!«, kam ihm Kenny zuvor. »Mir ist nicht daran gelegen, noch mehr Menschen umzubringen. Bloß, ich stehe unter einem gewissen Druck, verstehst du? Erfolgsdruck. Das ist die Zeit, in der wir leben, alle wollen ständig Resultate sehen, also was würdest du an meiner Stelle tun? Unverrichteter Dinge abziehen?«

»Du hast genügend Dinge verrichtet. Du hast Yoyos Computer zerstört, die komplette Infrastruktur der *Wächter*. Glaubst du im Ernst, von denen will sich noch einer mit dir anlegen?«

»Owen«, sagte Kenny im Tonfall des Lehrers, der sich genötigt sieht, alles dreimal zu erklären. »Ich weiß gar nichts. Nicht, ob ich Yoyos Infrastruktur vernichtet habe, auf wie viele Maschinen sie die Daten überspielt hat, ob alle in der Zentrale verbrannt sind, wem sie sich anvertraut hat. Was ist mit diesem Motorrad fahrenden Riesenbaby? Was ist mit dir? Hat sie dir nichts verraten?«

»So kommen wir nicht weiter. Wo bist du überhaupt?«

Kenny ließ einen Augenblick verstreichen.

»Schöne Wohnung. Wie ich sehe, hast du aufgeräumt.«

Jericho lächelte säuerlich. Eine krude Befriedigung erfasste ihn, recht behalten und sich beizeiten vom Acker gemacht zu haben.

»Im Kühlschrank findest du ein kaltes Bier«, sagte er. »Nimm es und verschwinde.«

»Das kann ich nicht, Owen.«

»Warum nicht?«

»Hast du nicht ebenso wie ich Aufträge zu erledigen? Bist du nicht gewohnt, die Dinge zu Ende zu bringen?«

»Ich sag's dir noch mal –«

»Stell dir das Inferno vor, wenn die Flammen auf andere Teile des Gebäudes übergreifen sollten.«

Jerichos Mund trocknete schlagartig ein.

»Welche Flammen?«

»Die aus deiner Wohnung.« Kennys Stimme war zu einem Flüstern herabgesunken, und plötzlich erinnerte er Jericho an eine Schlange. Eine riesige, sprechende Schlange, in den Körper eines Menschen gestopft. »Ich denke an die Leute, und natürlich auch an dich. Ich meine, alles hier sieht neu und teuer aus, wahrscheinlich steckt dein ganzes Erspartes darin. Wäre es nicht furchtbar, das alles auf einen Schlag zu verlieren, nur eines Anflugs von Korrektheit halber, aus Solidarität zu einem aufsässigen Mädchen?«

Jericho schwieg.

»Kannst du dich jetzt besser in meine Lage hineinversetzen?«

Tausend Kränkungen sammelten sich auf Jerichos Zungenspitze. Stattdessen sagte er so ruhig wie möglich:

»Ja. Ich schätze schon.«

»Da fällt mir ein Stein vom Herzen. Wirklich! Ich meine, wir waren kein schlechtes Team, Owen. Unsere Interessen differieren marginal, aber im Grunde wollen wir doch beide dasselbe.«

»Und nun?«

»Sag mir einfach, wo Yoyo ist.«

»Ich weiß es nicht.«

Kenny schien darüber nachzudenken.

»Gut. Ich glaube dir. Also wirst du sie für mich ausfindig machen müssen.«

Ausfindig machen –

Großer Gott! Was war er doch für ein verdammter Idiot! Er wusste nicht, über welche Möglichkeiten der Killer verfügte, doch ohne Zweifel diente alles, was er sagte, dazu, das Gespräch in die Länge zu ziehen. Kenny versuchte, ihn *ausfindig* zu machen. Ihn zu orten.

Ohne zu zögern kappte Jericho die Verbindung.

Keine Minute später empfing er eine Sprachaufzeichnung.

»Ich gebe dir zwei Stunden Zeit«, zischte Kenny. »Keine Minute mehr. Dann will ich etwas hören, das mich zufriedenstellt, andernfalls sehe ich mich zu einer *Kernsanierung* gezwungen.«

Zwei Stunden.

Was sollte Jericho in zwei Stunden erreichen?

Hastig packte er Display und Tastatur zurück in den Rucksack, legte einen Geldschein auf den Tisch und verließ das Bistro, ohne hinter sich zu schauen. Mit langen Schritten strebte er dem Fahrstuhl entgegen, fuhr in die Tiefgarage, bestieg das Bike und lenkte es hinaus auf die Liuhekou Lu. Dort startete er es und steuerte die Maschine zum Fluss. Während des kurzen Fluges schwebte ein klobiger Krankentransporter unter ihm, groß genug, dass man auf ihm hätte landen und huckepack reisen können. In der Ferne sah er eine Armada unbemannter Löschdrohnen dem Hinterland Pudongs zustreben. Private Flugmobile kreuzten seinen Weg, über dem Huangpu dümpelten Ausflugszeppeline. Einen Moment lang erwog er, zum WFC zu fliegen und Tu aufzusuchen, doch dazu war es zu früh. Er würde Ruhe brauchen für das, was er vorhatte, außerdem musste er irgendwo unterkommen, solange Kenny ihn der Nestwärme Xintiandis beraubte.

Und er wusste auch, wo.

Die Prachtbauten des Bund wurden von einem der eigenwilligsten Hotels Shanghais überragt. Wie eine riesige Lotosblüte, Chinas Symbol für Wachstum und Wohlstand, öffnete sich das Dach des *Westin Shanghai Bund Center* zum Himmel. Manche fühlten sich an eine Agave erinnert, andere erkannten einen überdimensionalen Polypen, der seine Tentakel ausstreckte, um Vögel und Flugmobile aus der Luft zu filtern. Jericho sah darin lediglich ein Refugium, dessen Geschäftsführer im selben Golfclub spielte wie er und Tu Tian. Eine beiläufige Bekanntschaft ohne den Bonus der Vertrautheit, doch Tu mochte den Mann und pflegte Geschäftspartner bei ihm unterzubringen, denen ein Aufenthalt im WFC und im Jin Mao Tower zu ambitioniert erschien. Auch Jericho war in den Genuss von Sonderkonditionen gekommen, eine Gunst, die er bislang nie genutzt hatte. Jetzt, da er wenig Lust verspürte, von Bistro zu Bistro zu nomadisieren, beschloss er, davon Gebrauch zu machen. Nachdem er das Bike vor dem Haupteingang gelandet hatte, betrat er die Lobby und fragte nach einem Einzelzimmer. Die ins Ambiente integrierten Kameras scannten ihn und leiteten eine entsprechende Information an die Rezeptionistin weiter. Sie begrüßte ihn lächelnd mit Namen, ein Zeichen, dass er schon gespeichert war, und bat ihn, sein Handy auf den Touchscreen zu legen. Der Hotelcomputer glich Jerichos ID mit dem Datenbestand ab, autorisierte die Buchung und lud die erforderlichen Zugangscodes auf Jerichos Speicher.

»Sollen wir Ihren Wagen in die Tiefgarage bringen?«, fragte die Frau und brachte das Kunststück fertig, lächelnd zu sprechen, ohne dass ihre Lippen einander berührten.

»Ich bin mit einem Airbike hier«, sagte Jericho.

»Wir haben ein Flugdeck, wie Sie sicher wissen«, sagte das an den Fixpunkten der Mundwinkel aufgehängte Lächeln. »Möchten Sie, dass wir das Bike für Sie parken?«

»Nein, das übernehme ich selbst.« Er grinste. »Offen gestanden, ich kann jede Flugstunde brauchen.«

»Oh, verstehe.« Das Lächeln wechselte von routinierter Höflichkeit zu routinierter Herzlichkeit. »Kommen Sie heil oben an. Nicht vergessen, die Hotelfassade hält mehr aus als Sie.«

»Ich werde es berücksichtigen.«

Er verließ die Lobby und ließ das Bike entlang der verglasten Außenwand in die Höhe steigen, in stetiger Gesellschaft seines Spiegelbildes. Erstmals wurde ihm dabei bewusst, dass er keinen Helm trug, wie es die Vorschriften für Airbikes verlangten. Ein Grund mehr, sich von der Polizei fernzuhalten. Fanden die heraus, dass die Maschine nicht auf ihn zugelassen war, würde er mit Erklärungen gar nicht mehr nachkommen.

Das Parkdeck stand offen und war kaum besetzt, sah man von den hoteleigenen Shuttles ab. Kaum eine Zukunftsprognose des 20. Jahrhunderts war ohne leitstrahlgestützte städtische Individualluftfahrt ausgekommen, in der ganze Levels voller Flugmobile das Stadtbild prägten, doch der Bestand beschränkte sich auf staatliche und städtische Institutionen, einige exklusive Taxiunternehmen und Millionäre vom Schlage Tu Tians. Rein infrastrukturell gab es natürlich etliche Gründe, den Bodenverkehr durch eine luftgestützte Variante zu entlasten, nur dass all diesen Erwägungen ein wahrer Godzilla von Gegenargument zuwiderstand: der Verbrauch. Um der Schwerkraft entgegenzuwirken, bedurfte es leistungsstarker Turbinen und jeder Menge Energie. Die sparsame Alternative, der Gyrokopter, schraubte sich wie ein Hubschrauber per Rotorkraft in die Höhe, barg allerdings den Nachteil allzu ausladender Rotorblätter. Bilanziell stand der Aufwand, Autos zum Fliegen zu bringen, in keinerlei Verhältnis zum Effekt, und auch Airbikes, wenngleich sparsamer und erschwinglicher, stellten nicht wirklich eine Ausnahme dar. Sie waren immer noch teuer genug, dass Jericho sich fragte, wer es sich leisten konnte, einen Killer gleich mit dreien davon auszustatten, noch dazu Spezialanfertigungen. Die chronisch Not leidende Polizei? Kaum. Geheimdienste? Schon eher. Das Militär?

War Kenny Soldat? Steckte die Armee dahinter?

Den Rucksack geschultert, fuhr Jericho mit dem Lift zu seinem Stockwerk und hielt sein Handy gegen die Schnittstelle neben der Zimmertür. Sie schwang auf und gab den Blick auf das dahinterliegende Zimmer frei. Überladen und bieder, war sein erster Eindruck. Alles in ausgezeichnetem Zustand, stilistisch allerdings gestrandet. Jericho kümmerte es nicht. Innerhalb weniger Minuten hatte er Diane aus ihrem Rucksack befreit und vernetzt. Damit war dieses Zimmer nun auch seine neue Detektei.

Würde Kenny das Loft in Brand setzen?

Jericho massierte seine Schläfen. Es hätte ihn nicht gewundert, andererseits bezweifelte er, dass der Killer in Xintiandi warten würde, bis er sich meldete. Kenny würde auf eigene Faust versuchen, Yoyo dingfest zu machen, wohl wissend, dass Jericho nicht automatisch zur Kollaboration bereit war, bloß weil er mit Streichhölzern wedelte.

»Diane?«

»Ich bin hier, Owen.«

»Was macht die Suche nach dem Passwort?«

Die Frage war idiotisch. Solange Diane ihrerseits keinen Erfolg vermeldete, konnte er sich Fragen nach dem Fortgang sparen. Doch mit dem Computer zu sprechen gab ihm das Gefühl, Herr eines kleinen Teams zu sein, das alles unternahm, was in seiner Macht stand.

»Du wirst der Erste sein, der es erfährt«, sagte Diane.

Jericho stutzte. War das Humor? Nicht übel. Er legte sich auf das riesige, schreiend gelb couvrierte Bett und fühlte sich entsetzlich müde und nutzlos. Owen Jericho, Cyber-Detective. Zum Totlachen. Er hatte Yoyo finden sollen und ihr stattdessen einen Psychopathen auf den Hals gehetzt. Wie um alles in der Welt sollte er das Tu erklären, geschweige denn Chen Hongbing?

»Owen?«

»Diane?«

»Gerade setzt jemand einen Beitrag in *Brilliant Shit* ab.«

Jericho setzte sich ruckartig auf.

»Lies vor.«

Im ersten Moment war er enttäuscht. Es war eine Koordinatenangabe, ohne Absender oder ein einziges schmückendes Wort. Uhrzeit, Eingabecode, nichts weiter.

Eine Adresse in Second Life.

Stammte sie von Yoyo?

Mit Blei in Kopf und Armen stemmte er sich hoch, trat zu dem kleinen Schreibtisch, auf dem er Tastatur und Bildschirm platziert hatte, und nahm den kurzen Text in Augenschein. Am Ende fand er einen einzelnen Buchstaben, den er wohl überhört hatte.

Ein D.

Demon.

Jericho warf einen Blick auf die Uhr. Kurz nach elf. Um Punkt zwölf erwartete Yoyo ihn in der Virtualität. Vorausgesetzt, die Nachricht stammte tatsächlich von ihr und war kein weiterer Versuch Kennys, ihn zu orten. Hatte er dem Killer die Adresse des Blogs verraten? Nicht, soweit er sich erinnerte. So gerissen konnte Kenny gar nicht sein, dass er plötzlich auch in *Brilliant Shit* aufkreuzte, dennoch war Vorsicht angezeigt. Jericho beschloss, kein Risiko einzugehen. Ab sofort würde jede Online-Kommunikation über den Anonymisierer laufen.

Er legte sich zurück aufs Bett und starrte an die Decke.

Nichts gab es, das er tun konnte.

Nach wenigen Minuten legte sich eine Flaute über die aufgepeitschte See seiner Nerven. Er dämmerte weg, doch es war kein erholsamer Schlaf, in den er sank. Dicht unter der Oberfläche des Bewusstseins suchten ihn Bilder kriechender Torsos heim, die keine Menschen waren, sondern gescheiterte Entwürfe menschlicher Wesen, grotesk verformt und unvollständig, mit Blut und Schleim überzogen wie Neugeborene. Er sah Kreaturen ohne Beine, die Gesichter nichts als glatte, glänzende Flächen, vertikal gespalten von obszön zuckenden rosa Öffnungen. Halb verkohlte Klumpen staksten spinnengleich auf einem Dutzend Armen oder mehr heran. Im Schorf formlosen Gewebes öffneten sich unvermittelt Augen und Münder. Etwas Blindes, Gestrecktes wand sich ihm entgegen und ließ eine knotige Zunge zwischen reißzahnbewehrten Kiefern hervorschnellen, und doch verspürte Jericho keine Furcht, nur eine lastende Traurigkeit, da er wusste, dass alle diese Monstrositäten in einem anderen Leben wohlgestaltet gewesen waren wie er selbst.

Dann fiel er und fand sich auf einem Bett wieder, doch es war ein anderes Bett als das, auf dem er sich ausgestreckt hatte. Dunkel und feucht, beschienen von kränklichem Mondlicht, das durch ein ungeputztes Fenster hereinfiel und die Trostlosigkeit des nahezu kahlen Raums konturierte, in den es ihn verschlagen hatte, schien es eine merkwürdige Macht über ihn auszuüben. Luzide träumend war ihm klar, dass er eigentlich in seinem komfortablen, bieder eingerichteten Zimmer hätte liegen müssen, doch es gelang ihm nicht, sich aufzurichten und seine Augen zu öffnen. Wie magnetisch war er an die modernde Matratze gefesselt, gebettet in trockene, unheimliche Stille.

Und mitten in diese Stille hinein vernahm er plötzlich das Klacken chitingepanzerter Beine.

Gezackte Füße kratzten an den Rändern der Bettdecke, verhakten sich im Gewebe und zogen fette, segmentierte Körper zu ihm hoch. Eine Woge der Angst überspülte ihn. Sein Entsetzen verdankte sich weniger der Frage, was die gepanzerten Wesen mit ihm anstellen würden, als vielmehr der fürchterlichsten aller Erkenntnisse, dass nämlich eine perfide Laune ihn zurück in die Vergangenheit geschleudert hatte, in eine Phase seines Lebens, die er längst überwunden geglaubt hatte.

Sein gesellschaftlicher Aufstieg in Shanghai, der Frieden, den er mit Joanna geschlossen hatte, die Ankunft in Xintiandi, alles entpuppte sich als Fantasie, als der *eigentliche* Traum, aus dem ihn die unsichtbaren Insekten nun mit ihrem Rascheln und Knacken weckten.

Tatsächlich war er der Hölle nie entkommen.

Nah bei ihm begann jemand zu wimmern, in hohen, singenden Tönen. Alles versank in Dunkelheit, weil sich der Tatbestand seiner geschlossenen Augen gegen die Vision des schrecklichen Zimmers durchzusetzen begann. Sein Geist fand zurück in die Wirklichkeit, nur dass sein Körper nichts davon mitbekommen zu haben schien. Er reagierte auf keinerlei Bemühung, ihn zu bewegen. Jericho begann mit der unheimlichen Starre zu ringen, indem er dieses Wimmern produzierte, echte Laute, die jeder, der im Raum gewesen wäre, ebenso hätte hören können wie er selbst, und endlich, unter Aufbietung aller Kräfte, gelang es ihm, den kleinen Finger seiner linken Hand zu bewegen. Inzwischen war er ganz und gar wach. Geschichten fielen ihm ein von Menschen, die – scheinbar verstorben – zu Grabe getragen worden waren, während sie tatsächlich jeden Moment in kristallener Klarheit wahrnahmen, ohne die geringste Möglichkeit, sich bemerkbar zu machen, und er wimmerte noch lauter in seiner Panik und Verzweiflung.

Es war Diane, die ihn rettete.

»Owen, ich habe Yoyos Passwort geknackt.«

Ein Zucken ging durch seinen paralysierten Körper. Jericho fuhr hoch. Die Stimme des Computers hatte den Bann gelöst, Traumbilder gurgelten in den Abfluss des Vergessens. Er atmete einige Male tief durch, bevor er fragte:

»Wie lautet es?«

»Friss mich, und ich fresse dich von innen.«

Mein Gott, Yoyo, dachte er. Wie theatralisch. Zugleich war er dankbar, dass sie den Zugangscode offenbar in einer Anwandlung von Rebellenromantik gewählt hatte, anstatt sich für die sicherere Variante einer zufälligen Reihe aus Buchstaben und Zahlen zu entscheiden, die weit schwerer zu entschlüsseln war.

»Lade den Inhalt herunter«, sagte er.

»Schon geschehen.«

»In *YOYOFILES* speichern.«

»Gerne.«

Jericho seufzte. Wie konnte er Diane bloß das verdammte *Gerne* abgewöhnen? So sehr er ihre Stimme, ihren Tonfall mochte, störte ihn das

Wort mit jedem Mal mehr. Es hatte etwas Serviles, das er verabscheute. Er rieb sich die Augen und hockte sich auf die Kante des Schreibtischstuhls, die Augen auf den Monitor geheftet.

»Diane?«

»Ja, Owen?«

»Kannst du – ich meine, wäre es möglich, dass du die Vokabel *Gerne* aus deinem Wortschatz streichst?«

»Was meinst du explizit? *Gerne?* Oder *Die Vokabel Gerne?*«

»Gerne.«

»Ich kann dir anbieten, das Wort zu unterdrücken.«

»Großartige Idee. Mach das!«

Fast erwartete er, dass der Computer seinem Wunsch mit einem weiteren *Gerne* nachkam, aber Diane sagte nur samtweich:

»Erledigt.«

»Gut.« Und wie erschütternd einfach. Warum war er nicht längst auf die Idee gekommen? »Zeige mir alle Downloads in *YOYOFILES* vom Mai dieses Jahres, sortiert nach der Uhrzeit.«

Eine kurze Liste erschien auf dem Bildschirm, rund zwei Dutzend Eingänge umfassend. Jericho überflog sie und konzentrierte sein Augenmerk auf die Zeit unmittelbar vor Yoyos Flucht.

Da war etwas.

Schlagartig verflog seine Müdigkeit. Rund eine halbe Stunde, bevor Yoyo die Wohngemeinschaft verlassen hatte, waren Daten auf ihren Computer transferiert worden, zwei Dateien unterschiedlichen Formats. Er wies Diane an, eine davon zu öffnen. Sie entpuppte sich als schimmerndes Symbol ineinander verschlungener Linien. Es pulsierte, als atme es. Jericho sah genauer hin.

Schlangen?

Tatsächlich erinnerte es an ein Schlangennest. Schlangen, die sich zu einer Art Reptilienauge verbanden. Es schien im Zentrum eines Körpers zu ruhen, dem die Schlangenleiber entwuchsen: ein einziges, surreal anmutendes Wesen, das in Jericho Assoziationen an Schulbesuche auslöste.

Wo krochen in der Mythologie überall Schlangen herum?

Er nahm die zweite Datei in Augenschein.

friends-of-iceland.com
en-medio-de-la-suiza.es
Brainlab.de/Quantengravitationstheorie/Planck/uni-kassel/32241/
html

statt
Vanessacraig.com
Hoteconomics.com
Littlewonder.at

Jericho massierte sein Kinn.

Man musste nicht besonders intelligent sein, um zu verstehen, was damit gemeint war. Drei Webseiten sollten ausgetauscht werden. Er fragte sich, wie Yoyo an die Daten gekommen war. Nacheinander ließ er Diane die drei zuoberst stehenden Seiten öffnen, durchweg für jedermann zugängliche und unverfängliche Adressen. *friends-of-iceland* war ein Blog. Schottischstämmige Auswanderer nach Island tauschten darin Erfahrungen aus, gaben Neuankömmlingen und solchen, die sich mit dem Gedanken der Immigration trugen, nützliche Tipps und stellten Fotos ins Netz. Auch *en-medio-de-la-suiza* war den Reizen des Auslands gewidmet. In Spanien erstellt, bot die Seite reichlich Anschauungsmaterial über die Schweiz, dargelegt in 3-D-Filmen. Jericho schaute sich einige davon an. Sie waren aus einem Flugzeug oder Helikopter heraus gedreht worden. In niedriger Höhe überflog er Zürich, Landschaften des Kantons Uri und pittoreske Ansammlungen von Häusern und Scheunen, die wie hingewürfelt um einen gewundenen Flusslauf lagen.

Brainlab.de/Quantengravitationstheorie/Planck/uni-kassel/32241/ html schließlich kam aus Deutschland und bestand aus eng gesetzten Zeilen, die auf zwölf Seiten ein Phänomen behandelten, das die Physik als Quantenschaum bezeichnete. Es beschrieb, was passierte, wenn man die Quantentheorie und die Allgemeine Relativitätstheorie auf die sogenannte Planck-Länge anwendete, wobei man blubbernde Raumzeitbläschen und zugleich ein wissenschaftliches Dilemma erhielt, weil das Blubbern die Berechnungen der Allgemeinen Relativität außer Kraft setzte. Der Text wies einen bemerkenswerten Mangel an Absätzen auf und war eindeutig für Leute geschrieben, deren Vorstellung von Ekstase eine mit Formeln vollgekritzelte Schiefertafel war.

Schottland, Spanien, Deutschland. Die Freuden Islands. Die Schönheit der Schweiz. Quantenphysik.

Kaum geeignet, Furcht und Entsetzen auszulösen.

Neugierig lud er die Webseiten, die ausgetauscht werden sollten, hoch. Vanessa Craig entpuppte sich als Studentin der Agrarwissenschaften aus Dallas, Texas, die ein paar Monate Austauschaufenthalt in Russland verbrachte und in ihrem Online-Tagebuch wenig Mitreißendes über eine kleine Universitätsstadt in der Nähe Moskaus zu berichten wusste. Sie hatte Heimweh, Liebeskummer und beklagte die niedrigen Temperaturen, denen die russische Seele ihre angeborene Wehmut verdanke. Hinter *Hoteconomics* verbarg sich ein amerikanischer Wirtschaftsticker, *Littlewonder* war ein österreichisches Portal für handgemachtes Spielzeug, spezialisiert auf die Bedürfnisse von Kindern im Vorschulalter.

Was sollte das alles? Was hatten Reiseberichte, Spielzeug, Quantenphysik, die Weltwirtschaft und die Aufzeichnungen einer unentwegt frierenden Amerikanerin gemeinsam?

Nichts.

Und damit exakt, was die Qualität toter Briefkästen ausmachte. Man ging vorbei, schaute sie an, ohne im Mindesten den Verdacht zu hegen, sie könnten etwas anderes enthalten als das, was sie nun mal enthielten. Yoyo musste die Gemeinsamkeiten gefunden haben. Das, was man nicht sah, was aber vorhanden war. Ein weiteres Mal öffnete Jericho die spanische Adresse mit den Filmaufnahmen aus der Schweiz, tippte auf das Schlangensymbol und zog es auf die Seite.

Nichts geschah. Wie von Gummibändern gezogen huschte es zurück in den leeren Raum des Displays.

»Komisch«, murmelte Jericho. »Ich hätte schwören können –«

Dass es eine Maske ist.

Eine Maske, um verborgene Inhalte im scheinbar harmlosen Kontext der Seiten freizulegen. Ein Decodierungsprogramm. Erneut zog er es auf die spanische Webseite, wieder entglitt es.

»Na schön, Freunde Islands. Mal sehen, was ihr zu bieten habt.«

Und diesmal geschah es.

Im Moment, da er das Schlangensymbol auf den Blog zog, öffnete sich ein zusätzliches Fenster. Es enthielt wenige, scheinbar zusammenhanglose Worte, doch sein Instinkt hatte ihn nicht getrogen:

Jan in Geschäftsadresse: Oranienburger Straße 50, unverändert ein dass er von ob so Aussage Umsturzes Regierung vom Zeitpunkt Donner zu Es ist

»Ich wusste es! Ich wusste es!«

Jericho ballte die Fäuste. Die Erregung des Ermittlers brach sich Bahn. Das Schlangensymbol war ein Schlüssel. Wer immer in den Seiten Botschaften untergebracht hatte, verwendete einen speziellen Algorithmus, und die Parameter dieses Algorithmus steckten in der Maske.

Er öffnete die Seite mit dem Beitrag über Quantenschaum und wiederholte die Prozedur. Das Fragment ergänzte sich um weitere Worte:

Jan in Andre betreibt Geschäftsadresse: Oranienburger Straße 50, 10117 Berlin. unverändert ein hohes, dass er Kenntnis von ob von So oder so würde Aussage Umsturzes chinesische Regierung hat vom Zeitpunkt der und der Donner zu liquidieren. Es ist

Es ist? Was auch immer es war. *Das hier* eignete sich weit eher, um jemanden zu alarmieren, der im Fokus staatlicher Überwachung stand! Was sich vordergründig wie blanker Dadaismus ausnahm, war in Wirklichkeit Teil einer umfangreicheren Nachricht, deren Wortlaut sich auf eine unbekannte Zahl von Briefkästen verteilte.

Jericho überlegte. Tote Briefkästen gab es so lange, wie Staaten und Institutionen einander hinterherspionierten und Agenten es vermeiden mussten, zusammen gesehen zu werden. In Zeiten des Kalten Krieges hatten sie das Rückgrat der Nachrichtenübermittlung gebildet. Nahezu alles kam infrage, Mülleimer, Astlöcher, Ritzen im Mauerwerk, öffentlich ausliegende Telefonbücher, Zeitschriften in Wartezimmern, Vasen und Zuckerdosen in Restaurants, Spülkästen öffentlicher Toiletten. Der Briefkasten war ein für jedermann zugänglicher Ort, an dem man etwas hinterlegte, das im Zweifel jeder sah, aber nur Eingeweihte als Nachricht erkannten. Sender und Empfänger einigten sich auf einen Zeitraum, der Sender deponierte, was er zu übermitteln gedachte – Dokumente, Mikrofilme, Lösegeldforderungen, journalistisch brisantes Material –, hinterließ an einer vereinbarten Stelle ein Zeichen, dass etwas im Briefkasten wartete, und machte sich davon. Wenig später erschien der Empfänger, entnahm die Sendung, hinterließ seinerseits ein Zeichen, dass sie abgeholt worden war, und ging ebenfalls seiner Wege. Das System hatte Bestand gehabt, solange man auf den physischen Austausch von Hardware angewiesen war. Seit im Internet verschlüsselte Nachrichten übertragen wurden, waren sie aus der Mode gekommen und den Fällen vorbehalten, da das Weiterzuleitende beim besten Willen nicht durch ein Glasfaserkabel passen wollte.

So wenigstens stellte es sich dar.

Tatsächlich feierte der tote Briefkasten eine beispiellose Renaissance, insbesondere dort, wo elektronische Verschlüsselung verboten oder mit der Auflage verbunden war, bei der Netzpolizei einen Zweitschlüssel zu hinterlegen. Die neuen toten Briefkästen waren harmlose

Dateien und Webseiten, die jedermann aufrufen konnte. Was sie enthielten, war unerheblich, solange sich der Inhalt für die Übertragung der Botschaft eignete. Ein Satz, bestehend aus zwölf Wörtern, konnte in zwölf Teile zerlegt und auf zwölf Webseiten verteilt werden. Wort eins, *Der, Die* oder *Das,* mochte in der zweiten Zeile irgendeines Reiseberichts vorkommen, Wort zwei in der sechsten Zeile des dritten Absatzes eines wissenschaftlichen Fachartikels, Wort drei in den ungefilterten Ergüssen eines Teenagers, und wo ein Wort partout nicht auftauchen wollte, zerlegte man es eben in einzelne Buchstaben, die immer vorkamen.

Allerdings konnte niemand etwas mit den Dateien anfangen, solange er nicht im Besitz eines Schlüssels war, der die Wörter oder Buchstaben aus ihrem Kontext herauslöste und zu neuem, geheimem Sinn verband, einer Maske, ähnlich wie es sie früher gegeben hatte, als sich der Bibel oder den Werken Tolstois die erstaunlichsten Inhalte entlocken ließen, einfach indem man eine an verschiedenen Stellen ausgestanzte Pappe über eine bestimmte Seite legte. Was in den Aussparungen zu lesen stand, ergab die Nachricht. In der Welt des World Wide Web war diese Maske ein Programm. Teile eines solchen Programms hatten ihren Weg offenbar auf Yoyos Rechner gefunden, nebst dem Hinweis, dass drei tote Briefkästen durch drei andere ersetzt worden waren. Jericho hatte keine Vorstellung davon, wie viele Briefkästen insgesamt im Spiel waren. Es mochten Dutzende, Hunderte sein. Eindeutig bedurfte es weiterer Adressen, damit sich der Sinn der Nachricht erschloss, dennoch begann Jericho zu verstehen, warum Yoyo zu der Überzeugung gelangt sein musste, in ein Wespennest gestochen zu haben.

Jan in Andre betreibt Geschäftsadresse: Oranienburger Straße 50, 10117 Berlin.

Um wen ging es? Jemanden, der Jan oder Andre hieß, vielleicht auch um eine Frau – *Jan in:* Janine? Konnte man eine Geschäftsadresse betreiben? Unglückliche Wortwahl. Etwas fehlte, die Adresse allerdings schien vollständig zu sein.

unverändert ein hohes, dass er Kenntnis von ob von So oder so

Etwas dauerte an, und jemand wusste davon.

dass er Kenntnis von

Er? Doch keine Frau? *Jan in Andre.* War das ein zusammenhängender Name? Jetzt der brisante Teil:

würde Aussage Umsturzes chinesische Regierung

Hier mussten Yoyo die Augen übergegangen sein. Die chinesische Regierung, in einem Atemzug genannt mit dem Faktum eines Umsturzes. Eine Person, die *Kenntnis* davon hatte, möglicherweise zum Leidwesen der Umstürzler. Wer oder was sollte gestürzt werden? Die Regierung in Peking? Gab es Umsturzpläne in der Volksversammlung, in Kreisen des Militärs, im Ausland? Schwer vorstellbar. Eher denkbar, dass sich die Aussage auf einen Umsturz in einem anderen Land bezog, und dass die chinesische Regierung darin verwickelt war. Auf einen Umsturz, der erfolgt oder gescheitert war, oder aber noch bevorstand.

War da jemand, der Pekings Rolle auffliegen lassen konnte?

hat vom Zeitpunkt der und der Donner zu liquidieren. Es ist Kauderwelsch, bis auf ein Wort: Liquidieren. Den Donner liquidieren? Waren Donner und Blitz gemeint? Kaum. Wie überall in dem Fragment fehlten auch hier entscheidende Passagen. Der Text mochte durch wenige Worte zu komplettieren sein, ebenso gut konnte er Hunderte Seiten umfassen, und alles, was Jericho gerade herauszulesen meinte, erwies sich als irrig. Falls aber nicht, wurde hier ein Mord vermeldet, angekündigt oder wenigstens empfohlen.

Er studierte die letzte Zeile ein weiteres Mal.

Zeitpunkt

Es ging um einen Ablauf. Einen Ablauf, der gefährdet war? Yoyo musste das Puzzle in gleicher Weise zusammengesetzt haben wie er, war zu ähnlichen Schlussfolgerungen gelangt und gleich darauf untergetaucht, als sei der Teufel hinter ihr her. Als solchen konnte man die chinesische Staatssicherheit durchaus betrachten. Dennoch ergab ihre Flucht keinen rechten Sinn. Seit Jahren beschäftigte sie sich mit brisantem Material. Das Fragment hätte ihre Neugier wecken, ihre Begeisterung entfachen müssen, stattdessen hatte es sie in Panik versetzt.

Hatte es das? Oder war sie enthusiasmiert nach Quyu geeilt, um dort die *Wächter* zusammenzutrommeln und im Schutz der Zentrale Hintergründe zu recherchieren?

Nein, das war abwegig. Sie hätte ihren Vater nicht ohne Nachricht gelassen. Nur einen Grund konnte es dafür geben, dass sie nämlich fürchtete, ihn und sich selbst durch eine allzu direkte Kontaktaufnahme zu gefährden. Weil sie davon ausging, überwacht zu werden. Mehr noch! In jener Nacht musste sie Anlass zur Sorge gehabt haben, dass ihre Gegner binnen weniger Minuten vor der Türe stehen würden, weil sie in ihre geheimen Nachrichtenkanäle eingebrochen und bemerkt worden war.

Sie hatten Yoyo detektiert.

Jericho rief sich ihren Beitrag aus *Brilliant Shit* in Erinnerung, ließ Diane den Text laden und las ihn erneut:

»Hi alle. Bin seit ein paar Tagen wieder in unserer Galaxis. Hatte echt Stress die letzten Tage, ist irgendjemand sauer auf mich? Ich konnte nix dafür, wirklich nicht. Ging alles so rasch. Scheiße. So schnell gerät man in Vergessenheit. Fehlt nur noch, dass mich die alten Dämonen wieder heimsuchen. Na ja, ich schreib halt fleißig neue Songs. Falls aus der Band einer fragt: Wir treten auf, sobald ich ein paar wohlklingende Lyrics am Start habe. Let's Prog!«

Niemand, der triumphierte, schrieb so. Es war der Hilferuf eines Menschen, dem die Kontrolle entglitt. Im Moment, da sie die Webadressen und die Maske geladen hatte, musste ihr klar geworden sein, dass man sie geortet hatte. *Das* war der Grund für ihren überstürzten Aufbruch.

Wieder studierte er das Fragment.

»Diane, suche Oranienburger Straße 50, 10117 Berlin.«

Die Antwort kam postwendend. Jericho schaute auf die Uhr. Zwei Minuten vor zwölf. Er verband die Holobrille mit dem Computer, loggte sich ein und wählte die von Yoyo angegebenen Koordinaten.

DIE ZWEITE WELT

Seit Mitte des vergangenen Jahrzehnts, als sich Second Life nach dem zu erwartenden Zusammenbruch neu strukturiert hatte, gab es keinen zentralen Knotenpunkt mehr, ebenso wenig wie die Raumzeit einen realen Mittelpunkt kannte, sondern nur Beobachterposten in unendlich hoher Zahl, deren jeder die *Illusion* des Mittelpunktes schuf, etwa so, wie ein Erdbewohner seinen Standort als fix und das große Ganze als etwas empfand, das um ihn herum rotierte, sich von ihm fort- oder auf ihn zubewegte. Nicht anders fühlte ein Astronaut auf dem Mond und jedes Lebewesen im Universum, wo immer es sich aufhielt. Im realen Universum war die Gesamtheit aller Teilchen vernetzt, wodurch jedes Teilchen dessen relative Mitte einnehmen konnte.

In ähnlicher Weise hatte sich Second Life zu einem Peer-to-Peer-Netzwerk gewandelt, einem quasi-unendlichen, dezentralisierten und selbstorganisierenden System, in dem jeder Server – gleich einem Planeten – einen Knotenpunkt bildete, der über beliebig viele Schnittstellen mit jedem anderen Knotenpunkt verbunden war. Jeder Teilnehmer war automatisch Gastgeber und Nutzer der Welten anderer. Wie viele Planeten Second Life umfasste, wer sie bewohnte oder kontrollierte, war unbekannt. Natürlich gab es Verzeichnisse, kybernetische Karten, bekannte Reiserouten und Protokolle, die es ermöglichten, sich im virtuellen Universum überhaupt erst zu verwirklichen, ebenso wie das äußere Universum physikalischen Randbedingungen unterworfen war. Im Rahmen dieser Standards reisten Avatare zu jedem Ort im Web, der ihnen bekannt war und zu dem sie Zugang erhielten. Nur gab es eben niemanden mehr, dem *alles* bekannt war.

Jericho hätte erwartet, an einem solchen unbekannten Ort zu landen, doch Yoyos Koordinaten führten zu einem öffentlichen Knoten. Nahezu jede Metropole der echten Welt war mittlerweile virtuell nachgebaut worden, also reiste er von Shanghai nach Shanghai, um sich auf dem People's Square wiederzufinden, jedenfalls einer annähernd identischen Kopie. Im Unterschied zum wirklichen Shanghai gab es keine Verkehrsstaus und jenseits der Stadtgrenzen keine Gegenden wie Quyu. Dafür tauchten unentwegt neue Bauwerke auf, blieben eine Weile, veränderten sich oder verschwanden mit der Geschwindigkeit eines Mausklicks.

Erbauer und Eigner von Cyber-Shanghai war die chinesische Regierung, finanziert wurde es sowohl von chinesischen wie ausländischen Konzernen. Die Partei unterhielt zudem ein zweites Peking, ein zweites Hongkong und ein virtuelles Chongqing. Wie alle Netzmetropolen, die realen Vorbildern nachempfunden waren, lag der Reiz der Darstellung im Verhältnis von Authentizität und Überhöhung. Es verwunderte kaum, dass mehr Amerikaner in Cyber-Shanghai lebten als Chinesen und der überwiegende Teil chinesisch aussehender Avatare Bots waren, als lebende Wesen getarnte Maschinen. Wiederum hatten etliche Chinesen ihre Zweitwohnsitze in Cyber-New-York, im virtuellen Paris oder Berlin. Franzosen und Spanier lebten bevorzugt in Marrakesch, Istanbul und Bagdad, Deutsche und Iren liebten Rom, Briten zog es nach Neu-Delhi und Kapstadt und Inder nach London. Wer davon träumte, in New York zu leben und es sich nicht leisten konnte, fand im Netz einen erschwinglichen, durchaus authentischen Big Apple, nur wilder, fortschrittlicher und noch ein wenig faszinierender als das Original. Wer im virtuellen Paris Geschäfte machte, suchte nicht die Abschottung, sondern war an möglichst vielen Schnittstellen zur realen Welt interessiert. BMW, Mercedes-Benz und andere Autohersteller verkauften in Cyber-Städten keine Fantasiekonstrukte, sondern Prototypen dessen, was sie tatsächlich zu bauen gedachten.

Im Grunde waren Netzmetropolen nichts anderes als kolossale Testlabors, in denen niemand etwas dabei fand, statt per Schiff mit dem

Raumschiff einzureisen, solange die Freiheitsstatue nur da stand, wo sie hingehörte. Die Eigner, also die jeweiligen Länder, schlugen hier ein weiteres Kapitel der Globalisierung auf, vor allem aber modellierten sie die Welt der Menschen auf eigentümliche Weise neu. Zwar gab es auch im virtuellen New York Verbrechen und Terrorismus, wurden Gebäude durch Datenattacken gesprengt, Avatare sexuell belästigt, kannte man Raubüberfälle, Einbrüche, Körperverletzung und Vergewaltigung, konnte man eingesperrt oder verbannt werden. Nur eines gab es nicht:

Armut.

Es war keineswegs das idealisierte Abbild der Gesellschaft, das im Netz entstand. Man konnte hier krank werden. Hacker schleusten Cyberseuchen ein und streuten Viren. Man konnte einen Unfall haben oder einfach schlecht drauf sein, süchtig werden. In Zeiten hauchdünner Sensorhäute, in die man schlüpfte, um die Illusion der perfekten Grafik auch körperlich zu spüren, war Cybersex Haupteinnahme- und Ausgabequelle zugleich. Die Spielsucht grassierte, Avatare litten an Phobien wie Platzangst, Klaustrophobie, Agoraphobie und Arachnophobie. Nur von Überbevölkerung war weit und breit nichts zu spüren. Die Armen als Ursache allen Übels waren identifiziert und aus der menschlichen Wahrnehmung entfernt worden. Die Vernetzten leisteten sich ein Mumbai oder Rio de Janeiro, das unablässig wuchs, nur dass keine Verelendung damit einherging, weil Bits und Bytes eine Ressource waren, die es im Überfluss gab. Selbst Naturkatastrophen hatten die Cyber-Metropolen schon heimgesucht – wer in Tokio wohnte, erwartete eben von Zeit zu Zeit ein authentisches kleines Erdbeben.

Doch Slums gab es nicht.

Die Darstellung der Welt, wie sie sein könnte, wurde zur Welt selbst, mit allen Licht- und Schattenseiten des wahren Daseins – und erbrachte den Beweis, wer am globalen Missstand schuld war. Nicht der Kapitalismus, nicht die Industriegesellschaften, die angeblich nicht teilen wollten. Mit der Unerbittlichkeit der Empirik identifizierte das virtuelle Experiment jene als Schuldige, die von allem am wenigsten hatten. Das Heer der Armen in Quyu, in den brasilianischen Favelas, den türkischen Gecekondular, den Megaslums von Mumbai und Nairobi, Milliarden Menschen, die von weniger als einem Dollar am Tag zu leben hatten – im Cyberspace waren sie nicht isoliert und weggesperrt, nicht instrumentalisiert im Klassenkampf, nicht Gegenstand von Dritte-Welt-Gipfeln, Entwicklungshilfe, Gewissensbissen und Leugnung, nicht einmal Hassobjekt.

Sie waren einfach nicht vorhanden.

Und plötzlich lief alles reibungslos. Wo also lag das Problem? Wer verschuldete den Platzmangel, den Raubbau, die Umweltverschmutzung, da das virtuelle Universum ohne Armut doch so wunderbar funktionierte? Es waren die Armen. Zwecklos, die Unmöglichkeit des Vergleichs zwischen beiden Systemen, dem kohlenstoff- und speicherbasierten, zu betonen. Mit dem naiven Zynismus des Philosophen, der als Wurzel allen menschlichen Übels die Überbevölkerung benennt und sich die Ohren zuhält, sobald über Konsequenzen gesprochen wird, wiesen Vertreter der Netzgemeinschaft darauf hin, hier gäbe es nun mal keine Armen. Nicht, weil jemand Zuwendungen eingestellt, Slums niedergewalzt oder gar Millionen umgebracht hatte. Sie waren einfach niemals aufgetaucht. Second Life zeigte, wie die Welt ohne sie aussah, und definitiv sah sie um einiges besser aus, *honi soit qui mal y pense*.

Natürlich gab es im virtuellen Shanghai auch verschiedenes andere nicht. Keinen Smog zum Beispiel, was Jericho jedes Mal aufs Neue irritierte. Eben weil die Simulation den menschlichen Sehgewohnheiten Rechnung trug, veränderte das Fehlen der immerwährenden Dunstglocke den Gesamteindruck vollständig.

Er schaute sich um und wartete.

Avatare und Bots aller Art waren unterwegs, viele flogen oder schwebten über dem Erdboden dahin. Kaum jemand ging. An sich erfreute sich das Gehen in Second Life einiger Beliebtheit, allerdings eher auf kurzen Strecken. Nur in ländlich programmierten Welten stieß man auf Wanderer, die stundenlang zu Fuß unterwegs waren. Bis über die höchsten Gebäude hinaus herrschte zügig fließender Verkehr. Auch hierin unterschied sich das programmierte Shanghai vom echten. Im Netz war auch die Vision einer luftgestützten Infrastruktur Wirklichkeit geworden.

Eine Gruppe außerirdischer Einwanderer bewegte sich gestikulierend und lärmend auf das Shanghai Art Museum zu. In letzter Zeit tauchten zunehmend Reptiloide aus dem Sternbild des Sirius auf. Niemand wusste so recht, wer sie steuerte. Sie galten als rätselhaft und ungehobelt, trieben allerdings erfolgreich Handel mit neuartigen Technologien zur Steigerung der sensitiven Empfindsamkeit. Cyber-Shanghai unterlag vollständig der staatlichen Sicherheit, die mit Mühe und unter Einsatz etlicher Bots die riesige Netzmetropole unter Kontrolle hielt. Möglicherweise waren die Reptiloiden einfach nur ein paar Hacker, die geduldet wurden, vielleicht auch getarnte Beamte von Cypol.

Außerirdische tummelten sich mittlerweile in allen Netzmetropolen, was die Möglichkeiten des Handels enorm erweiterte. In der Regel verbargen sich dahinter Software-Unternehmen, die dem Umstand Rechnung trugen, dass virtuelle Universen immer neue Reize bieten mussten. Die astralen Lichtgestalten vom Aldebaran etwa, mit denen man vorübergehend verschmelzen konnte, um in den Genuss unerhörter Klangerlebnisse zu gelangen, waren mittlerweile enttarnt worden als Repräsentanten von IBM.

Jericho fragte sich, in welcher Gestalt Yoyo erscheinen würde.

Nach knapp einer Minute erblickte er eine französisch aussehende, zierliche Frau mit großen, dunklen Augen und schwarzem Pagenschnitt über den Platz auf sich zukommen. Sie trug einen smaragdgrünen Hosenanzug und Schuhe mit Pfennigabsätzen. Auf Jericho wirkte sie wie eine Figur aus einem Hollywoodfilm der Sechziger, in dem Französinnen so aussahen, wie amerikanische Regisseure sie sich vorstellten. Jericho, der mehrere Identitäten in Second Life innehatte, war als er selbst erschienen, sodass die Frau ihn sofort erkannte. Dicht vor ihm blieb sie stehen, schaute ihn ernst an und streckte die geöffnete Rechte nach ihm aus.

»Yoyo?«, fragte er.

Sie legte den Finger auf die Lippen, ergriff seine Hand und zog ihn mit sich. Vor einem der Blumenrabatte nahe des Metroeingangs blieb sie stehen, ließ ihn los und öffnete eine winzige Handtasche. Der Kopf einer Eidechse, smaragdgrün wie ihr Outfit, lugte daraus hervor. Kurz hefteten sich die goldenen Augen des Geschöpfs auf Jericho. Dann schnellte der schlanke Leib in die Höhe, landete auf dem Boden zu ihren Füßen und schlängelte sich dem Blumenteppich entgegen, wo die Echse innehielt und sich zu ihnen umsah, als wolle sie sich vergewissern, dass sie ihr folgten.

Im nächsten Moment schwebte eine transparente Kugel von annähernd drei Metern Durchmesser dicht über ihr. Die Echse drehte sich und ließ eine gespaltene Zunge hervorschießen.

»Augenblick«, sagte er. »Bevor wir –«

Die Frau zog ihn zu sich heran und gab ihm einen Stoß. Der Schwung beförderte ihn geradewegs ins Innere der Kugel. Er sank in einen Sitz, der eben noch nicht da gewesen war, soweit er sich erinnerte, zumindest hatte die Kugel von außen vollkommen leer gewirkt. Sie sprang ihm nach, nahm neben ihm Platz und schlug die Beine übereinander. Durch den transparenten Boden sah Jericho die Eidechse zu ihnen hinaufschauen.

Dann war sie verschwunden. An ihrer Stelle hatte sich ein beleuchteter und augenscheinlich bodenloser Schacht geöffnet.

»'ast du einen schtarken Maggen?« Die Frau lächelte. Sie klang dermaßen französisch, dass es jeden echten Franzosen gegraust hätte beim Gedanken, so zu sprechen.

Jericho zuckte die Achseln. »Kommt immer drauf an, was –«

»Gut.«

Wie ein Stein stürzte die Kugel in den Schacht.

Die Illusion war so real, dass Jerichos Haut-, Muskel- und Hirngefäße schlagartig kontrahierten und seine Nebennieren stoßweise Adrenalin in die Blutbahn pumpten. Puls und Herzschlag beschleunigten sich. Einen Moment lang war er tatsächlich froh, seinen Magen nicht mit einem ausgiebigen Frühstück belastet zu haben. Rasend schnell ging es abwärts.

»Mach 'alt die Augen dsu, wenn du's nischt ärträgst«, zwitscherte seine Begleiterin, als habe er eine Beschwerde geäußert. Jericho sah sie an. Sie lächelte immer noch, ein boshaftes Lächeln, wie er fand.

»Danke, mir gefällt's.«

Der Überraschungseffekt war verflogen. Ab jetzt konnte er wählen, welcher Empfindung er den Vorzug gab. In einem Hotelzimmer zu sitzen und einen gut gemachten Film anzusehen, oder all dies tatsächlich zu erleben. Mit einer Sensorhaut bekleidet wäre die Wahl schwergefallen, fast unmöglich. Die Häute hoben jede Distanz zur künstlichen Welt auf, während er nur Brille und Handschuhe trug. Seine übrige Ausstattung war in Xintiandi verblieben.

»Mansche lassen sich eine Spridse gäben«, sagte die Französin gleichmütig. »Warsdu schon mallin einem Tank?«

Jericho nickte. In den Großfilialen von *Cyber Planet,* die von besser gestellten Kunden besucht wurden, gab es mit Kochsalzlösung gefüllte Tanks, in denen man, mit einer Sensorhaut bekleidet, schwerelos schwebte. Die Augen waren hinter einer 3-D-Brille geschützt, die Luftzufuhr erfolgte über winzige Schläuche, die man kaum spürte. Bedingungen, unter denen man Virtualität auf eine Weise erlebte, dass einem die Wirklichkeit hinterher schäbig vorkam, künstlich und belastend.

»Eine winzige Spridse«, fuhr die Frau fort, »in die Augänwinkel. Das lähmd die Lider. Die Augen wärden befeuschtet, abär du kannsd sie nischt mähr schlissen. Du mussd alles mit ansehen. *C'est pour les masochistes.*«

Es ist bei Weitem schlimmer, alles mit anzu*hören,* dachte Jericho.

Zum Beispiel deinen saublöden Akzent. Er fragte sich, woher er die Frau kannte. Definitiv war sie irgendeinem alten Film entsprungen.

»Wo geht's überhaupt hin, Yoyo?«, fragte er, obwohl er es ahnte. Diese Verbindung war ein Schlupfloch, sie führte aus der überwachten Welt des kybernetischen Shanghai hinaus in eine Region, die den Internet-Polizisten wahrscheinlich unbekannt war. Lichter jagten vorbei, ein irres Flackern. Die Kugel begann sich zu drehen. Jericho schaute zwischen seinen Füßen durch den transparenten Boden und sah kein Ende des Schachts, nur, dass er sich zu verbreitern schien.

»Yo Yo?« Sie stieß ein glockenhelles Lachen aus. »Isch bin nischt Yo Yo. *Le voilà!*«

Im nächsten Moment schwebten sie unter einem pulsierenden Sternenhimmel. Vor ihren Augen drehte sich langsam ein schimmerndes Gebilde, das einer Spiralgalaxie glich und doch etwas völlig anderes sein konnte. Auf Jericho machte es den Eindruck von etwas Lebendigem. Er beugte sich vor, doch ihr Aufenthalt in dem majestätischen Kontinuum währte nur Sekunden, dann schossen sie mitten hinein in eine Röhre aus Licht.

Und schwebten erneut.

Diesmal wusste er, dass sie ihr Ziel erreicht hatten.

»Bäeindruggt?«, fragte die Frau.

Jericho schwieg. Kilometertief unter ihnen erstreckte sich ein grenzenloser blaugrüner Ozean. Winzige Wolken zogen dicht über der Oberfläche dahin, die Rücken rosa und orange gesprenkelt. Die Kugel sank auf etwas Großes zu, das hoch über den Wolken dahintrieb, etwas mit einem Berg und bewaldeten Hängen, Wasserfällen, Wiesen und Stränden. Jericho erblickte Schwärme geflügelter Wesen. Kolossale Tiere weideten an den Ufern eines glitzernden Flusslaufs, der sich schlangengleich um den vulkanischen Gipfel wand und ins Meer mündete –

Nein, nicht mündete.

Fiel!

In einer Fahne aus Gischt stürzte das Wasser über den Rand der fliegenden Insel und verteilte sich im Blaugrün des Ozeans. Je näher sie ihr kamen, desto mehr erschien sie Jericho wie ein gigantisches UFO. Er legte den Kopf in den Nacken und sah zwei Sonnen am Himmel erstrahlen, eine weißes Licht emittierend, die andere umkränzt von einer fremdartigen, türkisen Aura. Ihr Gefährt fiel schneller, bremste ab und folgte dem Verlauf des Flusses. Kurz erhaschte Jericho einen Blick auf die riesigen Tiere – sie glichen nichts, was er je zuvor gesehen hatte.

Dann schossen sie über sanft gewellte Wiesen dahin, jenseits derer das Gelände zu einem schneeweißen Strand abfiel.

»Du wirst wieder abge'olt«, sagte die Französin und vollführte eine kurze Handbewegung. Die Kugel verschwand ebenso wie sie selbst, und Jericho fand sich im Sand hockend.

»Ich bin hier«, sagte Yoyo.

Er hob den Kopf und sah sie auf sich zukommen, barfuß, den schlanken Körper in eine kurze, glänzende Tunika gehüllt. Ihr Avatar war das perfekte Abbild ihrer selbst, was ihn irgendwie erleichterte. Nach der abstrusen Irma-La-Douce-Kopie hatte er schon befürchtet –

Das war es! Die Französin hatte ihn an eine Filmfigur erinnert, und jetzt wusste er endlich auch, an wen. Sie war das hundertprozentige Abbild von Shirley McLaine in ihrer Rolle als Irma La Douce. Ein uralter Streifen, 60 oder 70 Jahre alt. Dass Jericho sie überhaupt kannte, verdankte sich seiner Leidenschaft für das Kino des 20. Jahrhunderts.

Yoyo betrachtete ihn eine Weile schweigend. Dann sagte sie:

»Ist das wahr mit Grand Cherokee?«

»Was?«

»Dass du ihn umgebracht hast.«

Jericho schüttelte den Kopf.

»Wahr ist nur, dass er tot ist. Umgebracht hat ihn Kenny.«

»Kenny?«

»Der Mann, der auch deine Freunde ermordet hat.«

»Ich weiß nicht, ob ich dir trauen kann.« Sie trat neben ihn und heftete ihre dunklen Augen auf ihn. »Du hast mich im Stahlwerk gerettet, aber das muss nichts heißen, oder?«

»Nein«, gab er zu. »Nicht unbedingt.«

Sie nickte. »Gehen wir ein bisschen.«

Jericho schaute sich um. Er wusste nicht, was er von alldem zu halten hatte. Ein Stück abseits landeten filigran gebaute Geschöpfe, die keine Vögel waren und auch keine Insekten. Am ehesten erinnerten sie ihn an fliegende Pflanzen. Er riss sich los von ihrem Anblick, und gemeinsam schlenderten sie den Strand entlang.

»Wir haben den Ozean so vorgefunden, als wir im Netz nach sicheren Verstecken Ausschau hielten«, erklärte Yoyo. »Purer Zufall. Vielleicht hätten wir direkt mit der Zentrale herziehen sollen, aber ich war im Zweifel, ob wir hier wirklich ungestört sind.«

»Ihr habt diese Welt nicht programmiert?«, fragte Jericho.

»Die Insel schon. Alles andere war da. Ozean, Himmel und Wolken, komische Tiere im Wasser, die manchmal bis dicht unter die Oberfläche kommen. Die beiden Sonnen gehen auf und unter, etwas zeitversetzt. Es gibt auch Land. Bis jetzt haben wir nur welches in der Ferne gesehen.«

»Jemand muss das alles geschaffen haben.«

»Meinst du?«

»Es gibt einen Server, auf dem die Daten liegen.«

»Wir konnten ihn bisher nicht lokalisieren. Ich glaube eher, da ist ein ganzes Netz am Werk.«

»Womöglich ein Regierungsnetz«, gab Jericho zu bedenken.

»Kaum.«

»Wie kannst du da sicher sein? Ich meine, was soll das? Wer hat ein Interesse daran, so eine Welt zu erschaffen? Zu welchem Zweck?«

»Zum Selbstzweck vielleicht?« Sie zuckte die Achseln. »Heute ist keiner mehr in der Lage, Second Life ganzheitlich zu erfassen. In den letzten Jahren sind Tools in unüberschaubarer Zahl erzeugt und permanent modifiziert worden. Jeder baut seine eigene Welt. Das meiste ist Schrott, anderes von unglaublicher Brillanz. Hier kommst du rein, da nicht. Allgemein gilt die Verbindlichkeit des Protokolls, damit jeder sehen kann, was der andere sieht, aber ich glaube, nicht einmal das trifft noch zu. In manchen Regionen herrschen völlig fremdartige Algorithmen.«

Jericho war bis dicht an den Rand getreten. Wo Wasser den Strand hätte überspielen müssen, fiel das Gestade schwindelerregend ab. Tief unter ihnen brach sich das Licht der Sonnen auf der geriffelten Oberfläche des Ozeans.

»Du meinst, diese Welt wurde von Bots geschaffen?«

»Ich gehöre nicht zu den Weichbirnen, die sich aus Speicherplätzen eine neue Religion basteln.« Yoyo trat neben ihn. »Was ich aber glaube, ist, dass die künstliche Intelligenz beginnt, das Web in einer Weise zu durchdringen, wie es sich seine Schöpfer nicht vorstellen konnten. Computer erschaffen Computer. Second Life hat ein Stadium erreicht, in dem es sich aus eigenen Impulsen weiter entwickelt. Anpassung und Auslese, verstehst du? Niemand kann sagen, wann das begonnen hat, und schon gar nicht, wo es endet. Was sich vollzieht, ist die konsequente Fortführung der Evolution mit anderen Mitteln. Kybernetischer Darwinismus.«

»Wie seid ihr hierher gelangt?«

»Sag ich doch. Zufall. Wir suchten ein abhörsicheres Eckchen. Ich fand es archaisch, wie Wanderarbeiter im ANDROMEDA oder im Stahlwerk zu hocken, wo uns die Schweine von Cypol jederzeit die

Türe eintreten können. Gut, auch im Netz treten sie dir die Türe ein. Verschlüsselst du, bist du erledigt, ebenso gut kannst du sie einladen, dich zu verhaften. Kommuniziert haben wir über Blogs, mit Verzerrern und Anonymisierern. Trotzdem, das war's noch nicht. Also dachte ich, verziehen wir uns nach Second Life. Da suchen sie zwar auch wie die Irren, aber sie wissen nicht, wonach. Ihre ganzen Ontologien und Taxonomien funktionieren hier nicht.«

Jericho nickte. Second Life eignete sich hervorragend als Unterschlupf, wenn man der staatlichen Überwachung entkommen wollte. Virtuelle Welten waren weit komplexer aufgebaut und schwieriger zu kontrollieren als simple Blogs oder Chatrooms. Es machte einen Unterschied, Textbausteine in einen verdächtigen Kontext zu setzen oder aus Mimik, Gestik, Aussehen und Umfeld virtueller Personen auf Konspiration und zweifelhafte Gesinnung zu schließen. In Second Life konnte alles und jeder ein Code sein, Freund oder Feind.

Es war nur logisch, dass keine Behörde Chinas so viele Mitarbeiter auf sich vereinte wie die staatliche Internet-Überwachung. Cypol versuchte, jeden Bereich des virtuellen Kosmos zu durchdringen, was ihr natürlich ebenso wenig gelang wie die flächendeckende Infiltrierung der Bevölkerung durch die reguläre Polizei in der wirklichen Welt. Um Abermillionen User unter Beobachtung zu halten, mangelte es ihr trotz ihres gewaltigen Apparats an menschlichem Personal. Folgerichtig setzte Cypol auf Verunsicherung. Längst nicht jeder in Second Life war ein Agent der Regierung, konnte es aber sein: die alerte Geschäftsfrau, der freundliche Banker, die Stripperin, der willige Sexpartner, das Alien und der geflügelte Drache, der Roboter und der DJ, letztlich ein Baum, eine Gitarre oder ein ganzes Gebäude. Als zusätzliche Konsequenz aus der chronischen Personalknappheit arbeitete die Regierung mit Heerscharen von Bots, Avataren, die nicht von Menschen gesteuert wurden, sondern von Maschinen, die vorgaben, Menschen zu sein.

Mittlerweile gab es ausgesprochen raffinierte Bot-Programme. Hin und wieder, im Zuge seiner Second Life Missionen, ließ Jericho Diane virtuelle Gestalt annehmen, und sie erschien als winzige, flatternde Elfe, weiß, androgyn, mit insektenartigen, schwarzen Augen und transparenten Libellenflügeln. Ebenso gut hätte sie als verführerische Frau auftreten und echten Kerlen den Kopf verdrehen können, die nicht merkten, dass sie einen Computer anflirteten. In solchen Momenten wurde Diane zum Bot, dem man nur per Touring-Test auf die Spur kommen konnte, ein Verfahren, dem auch 2025 keine Maschine gewachsen war. Jeder konnte den Test durchführen. Es galt, eine Maschine so lange in einen Dialog zu verstricken, bis sie ihre kognitiven Beschränkungen offenbarte und sich als raffiniertes, aber letztlich strohdummes Programm outete.

Hierin lag das Problem der Bot-Agenten. Ohne echte Intelligenz und Abstrahierungsvermögen waren sie kaum in der Lage, Verhalten und Aussehen virtueller Personen als Codes zu entlarven. Kein Wunder, dass Yoyo und ihre *Wächter* ihr Augenmerk auf Second Life gerichtet hatten, da sich die dezentrale Struktur des Peer-to-Peer-Netzwerks in idealer Weise zur Einrichtung versteckter Räume eignete, Versender und Adressaten von Daten nicht eindeutig zu ermitteln waren und die Anzahl der Welten ins Uferlose strebte. Faktisch waren lediglich noch die Reiserouten der Daten zwischen den Servern zu rekonstruieren. Die Server selbst arbeiteten vielfach mit elektronischen Türstehern. Wer einen Server besuchte und eingelassen wurde, unterlag der Kontrolle des jeweiligen Webmasters, hingegen konnten Besucher des Servers einander nicht kontrollieren, solange sie nicht über die erforderliche Autorisierung verfügten.

Webmaster von Cyber-Shanghai war Peking. Hätte Jericho in der virtuellen Metropole über eine Detektei verfügt, wäre er Mieter der chinesischen Regierung gewesen, was hieß, dass die Behörden an seine Türe klopfen und seine elektronische Bude kraft eines Durchsuchungsbefehls auf den Kopf stellen durften (wofür sie zwar einen richterlichen Beschluss benötigten, den man in China aber gern nachreichte). Alleine das war der Grund, warum Jericho nie erwogen hatte, sich mit einem Büro dort niederzulassen.

Er schaute hinaus auf die blaugrüne Weite.

Konnte es sein, dass diese Welt tatsächlich von einem Bot-Netzwerk erschaffen worden war? Falls Computer so etwas wie ästhetische Ansprüche entwickelten, waren sie denen menschlicher Wesen wohl nachempfunden und zugleich auf irritierende Weise fremdartig.

»Und ist die Insel sicher?«

Yoyo nickte. »Wir hatten den Cyberspace an allen möglichen Stellen angebohrt, um unseren eigenen Planeten zu bauen, und zwar so, dass nicht jeder hingelangen kann. Jia Wei –«, sie stockte, »– hat simultan Millionen Möglichkeiten rechnen lassen. Dazu gehörte, das Protokoll zu modifizieren. Nicht wesentlich, nur eben so, dass Unkundige im Datensalat landen, wenn sie keinen entsprechenden Schlüssel haben. Keine Ahnung, wie viele Varianten wir ausprobiert haben, wir haben sie zufällig generiert, weil wir dachten, die Idee sei neu. Stattdessen landeten wir hier.«

»Und das Protokoll ist –«

»Eine kleine grüne Eidechse.«

Yoyo lächelte. Es war das gleiche traurige Lächeln, das er schon von Chen Hongbings Aufnahme kannte.

»Natürlich protokolliert der Server von Cyber-Shanghai den Eingriff, aber ohne Alarm zu schlagen. Er registriert nicht, dass sich für kurze Zeit ein elektronisches Wurmloch öffnet, durch das man in eine Art Paralleluniversum entwischt. Für ihn geschieht nicht mehr, als dass jemand eine Tür aufmacht und wieder schließt.«

»Ich dachte mir so was.« Jericho nickte. »Und wer ist dann Irma La Douce? Ein Bot?«

»Hey!« Yoyo hob überrascht die Brauen. »Du kennst Irma La Douce?«

»Natürlich.«

»Ach du Schande! Ich hatte nicht die leiseste Ahnung, wer das ist, als Daxiong damit ankam.«

»Ein Film. Ein hübscher Film.«

»Ein Film über ein französisches Hühnchen.«

»Er repräsentiert vielleicht nicht unbedingt die ruhmreiche chinesische Kultur«, sagte Jericho milde. »Aber es gibt noch was anderes, stell dir vor. Der Avatar ist Shirley McLaine übrigens perfekt nachempfunden.«

»Das – ähm – war eine Schauspielerin, richtig? Eine Französin.«

»Amerikanerin.«

Yoyo schien darüber nachzudenken. Dann lachte sie unvermittelt auf.

»Oh, das wird Daxiong wurmen. Er denkt, er kennt sich so toll aus.«

»Mit Filmen?«

»Ach was. Daxiong hat einen Frankreichfimmel. Als hätten wir nicht genug eigene Kultur. Er kann dich einen ganzen Tag lang vollquatschen mit – ist ja auch egal.«

Sie wandte sich ab und fuhr sich über die Augen. Jericho ließ sie in Ruhe. Als sie sich wieder zu ihm umdrehte, sah er den verschmierten Rest einer Träne auf ihrer Wange.

»Du hast meinen Computer«, sagte sie. »Also, was willst du? Was willst du überhaupt von mir?«

»Nichts«, sagte Jericho.

»Aber?«

»Dein Vater schickt mich. Er hat schreckliche Angst um dich.«

»Glaub ja nicht, das wäre mir egal«, sagte sie angriffslustig.

»Glaube ich nicht.« Er schüttelte den Kopf. »Ich weiß, dass du ihm keinen Kummer bereiten wolltest. Du dachtest, deine Kommunikation wird überwacht, und wenn du ihn anrufst oder ihm eine E-Mail schickst, werden sie sich auf ihn stürzen und ihn in die Mangel nehmen. Habe ich recht?«

Sie starrte düster vor sich hin.

»Mit Blogs und virtuellen Welten kennt Hongbing sich nicht aus«, fuhr Jericho fort. »Er ist schon glücklich, ein vorsintflutliches Handy bedienen zu können. Darüber hinaus betäubt er sich mit der Vorstellung, seine Tochter habe ihre Lektion gelernt. Er weiß nicht, was du treibst. Oder sagen wir, er ahnt es und will es nicht wissen. Definitiv hat er keinen Schimmer, dass Tu Tian dich deckt.«

»Tian!«, rief Yoyo. »Er hat dich beauftragt, stimmt's?«

»Er hat deinen Vater an mich verwiesen.«

»Klar, weil Hongbing niemals – aber warum hat er nicht –«

»Warum er dir keine Nachricht ins ANDROMEDA geschickt hat? Obschon er wusste, wo du untergekrochen warst? Ich meine, vom Hochofen hast du ihm nie was erzählt, also wurde er schließlich nervös –«

»Woher kennst du Tian?«

»Er ist mein Freund. Und, wenn ich tippen darf, eine Art inoffizielles Mitglied der *Wächter*. Zumindest hat er euch nach Kräften unterstützt. Das Zeug in der Zentrale stammte doch von ihm, oder? Tian war ebenso ein Dissident, wie ihr es heute seid.«

»Wie wir es waren.«

Ach richtig, dachte Jericho. Was für ein elendes Thema. Egal was sie besprachen, immer wieder würden sie dort enden.

»Tian brauchte mir keine Nachricht zu schicken«, sagte Yoyo. »Er wusste, das würde nichts ändern.«

»Eben. Aber es änderte was, als Hongbing auf die Idee kam, nach dir suchen zu lassen. Ein riskantes Unterfangen. Dein Vater mag es vorziehen, den Blinden zu spielen, aber dass er die Polizei nicht hinzuziehen konnte, war ihm schon klar. Ich schätze, insgeheim weiß er, dass du im Hinterhof der Partei die Mülltonnen durchstöberst. Also fragte er Tu Tian, wie man ihn halt fragt mit seinen Verbindungen, und auch, weil er zähneknirschend akzeptiert hat, dass Tian dir möglicherweise nähersteht als dein eigener –«

»Das ist nicht wahr«, fuhr ihn Yoyo an. »Du erzählst Schwachsinn!«

»Für ihn stellt es sich aber so –«

»Das geht dich nichts an! Gar nichts an, klar? Halt dich aus meinem Privatleben raus.«

Jericho neigte den Kopf.

»Sehr wohl, Prinzessin. So weit möglich. Also, was sollte Tian machen? Hongbing auf die Schulter klopfen und sagen, kein Grund zur Besorgnis? Ich weiß was, was du nicht weißt? Aber gut, dein Privatleben ist mir heilig, auch wenn es mich meinen Wagen und möglicherweise meine Wohnung gekostet hat, die demnächst in Flammen aufgehen könnte. Du verursachst eine Menge Stress, Yoyo.«

Eine Zornesfalte stand steil zwischen ihren Brauen. Sie öffnete den Mund, doch Jericho schnitt ihr mit einer Geste das Wort ab.

»Heb's dir für später auf.«

»Aber –«

»Wir können nicht ewig auf deiner Insel die Zeit verplaudern. Lass uns Pläne machen, wie wir aus dem Schlamassel rauskommen.«

»Wir?«

»Du hörst einfach nicht zu, was?« Jericho bleckte die Zähne. »Ich stecke genauso mit drin, also reib dir die Augen, Fräulein! Du hast deine Freunde verloren. Warum, glaubst du, ist das alles passiert? Weil du ein bisschen Staub aufgewirbelt hast? Die Partei ist es gewohnt, in Dissidentenkacke zu treten. Dafür schleifen sie dich vielleicht in den Knast, aber sie schicken niemanden wie Kenny.«

Ihre Augen füllten sich mit Tränen.

»Ich konnte doch nicht –«

Jericho biss sich auf die Lippen. Er war drauf und dran, einen Fehler zu machen. Yoyo die Schuld am Tod der anderen zuzuschanzen, war ebenso unfair wie dumm.

»Es tut mir leid«, sagte er schnell.

Sie schniefte, ging einen Schritt hierhin, einen nach dort, zerteilte mit bebenden Händen die Luft.

»Vielleicht hätte ich – ich hätte –«

»Nein, schon gut. Du kannst nichts dafür.«

»Wäre ich bloß nicht auf diese bescheuerte Idee gekommen!«

»Erzähl mir davon. Was hast du gemacht?«

»Nichts wäre passiert. Es ist meine Schuld, ich –«

»Ist es nicht.«

»Doch!«

»Nein, Yoyo, du kannst nichts dafür. Erzähl mir, was du gemacht hast. Was ist in der Nacht geschehen?«

»Ich hab das alles nicht gewollt.« Ihre Lippen bebten. »Ich bin schuld, dass sie tot sind. Alle sind tot.«

»Yoyo –«

Sie schlug die Hände vors Gesicht. Jericho trat hinzu, ergriff sanft ihre Handgelenke und versuchte sie herunterzuziehen. Sie riss sich los und stolperte von ihm weg.

Hinter ihm ertönte ein tiefes, kehliges Knurren.

Was war das jetzt wieder? Langsam drehte er sich um und schaute in die goldenen Augen eines riesigen Bären.

Sehr eindrucksvoll, dachte er.

»Daxiong?«

Der Bär bleckte die Zähne. Jericho rührte sich nicht. Das Vieh war gut und gerne so groß wie ein mittleres Pony. Natürlich drohte ihm von der Simulation keine Gefahr, nur wusste er nicht, welche Impulse von den Handschuhen ausgingen. Sie sorgten für haptische Empfindungen, stimulierten also die Nerven. Würden sie auch Schmerz weiterleiten, falls das Untier auf die Idee kam, seine Finger anzuknabbern?

»Ist schon okay.« Yoyo war neben ihn getreten. Sie kraulte das Fell des riesigen Tiers, dann schaute sie Jericho an. Ihre Stimme war wieder ruhig, beinahe ausdruckslos.

»In besagter Nacht haben wir was ausprobiert«, sagte sie. »Einen Weg, Nachrichten zu verschicken.«

»Via E-Mail?«

»Ja. Das Ganze war meine Idee. Jia Wei lieferte die Methode.«

Sie versetzte dem Bär einen Klaps auf die Schnauze. Er senkte den Kopf. Im nächsten Moment war er verschwunden.

»Es gibt eine Reihe von Aktivisten weltweit, mit denen wir in Kontakt stehen«, fuhr sie fort. »Ohne sie kämen wir nicht an relevante Informationen. Natürlich verbietet es sich, offen in Washington anzufragen, welche Sauereien dein Land gerade ausheckt, und ich bin als Dissidentin registriert, klar?«

»Klar.«

»Also, Second Life ist der eine Weg, Cypol auszutricksen. Immer mit 'ner Menge Aufwand verbunden. Gut für Treffen wie unseres, aber ich wollte was Schnelles, Umkompliziertes, einfach um mal eben ein Foto oder ein paar Zeilen durchzuschleusen.« Yoyo starrte auf die Stelle, wo der Bär gestanden hatte. »Und Mails sind ständig unterwegs. Brave, unverdächtige Mails, in denen nichts steht, wovor sich das Politbüro gruselt. Also haben wir versucht, auf fremde Züge zu springen.«

»Parasiten-Mails?«

»Huckepack, Parasiten, blinde Passagiere – wie immer man es nennen will. Jia Wei und ich haben ein Protokoll geschrieben, mit dem man Nachrichten in Weißes Rauschen verschlüsseln und wieder decodieren kann, wir haben es bei Daxiong und mir implementiert und beschlossen, einen Test durchzuführen.«

Allmählich dämmerte Jericho, was in jener Nacht geschehen war. Die Grundidee war geeignet, selbst ausgebuffte Überwachungsprofis zu täuschen. Im Grunde basierte sie auf dem Einmaleins des E-Mail-Verkehrs, wonach Mails zuallererst ein Haufen Daten waren, kleine Reisende, die befördert werden wollten. Also wurden sie in Datenpäckchen gepfercht wie Passagiere in Eisenbahnwaggons, und ebenso wie Waggons besaßen diese Päckchen eine standardisierte Länge. War ein Waggon voll, kam der nächste dran, bis die komplette Nachricht Platz gefunden hatte und verschickt werden konnte, mit der Webadresse des Empfängers als Lokomotive vorne dran.

Meist allerdings führte die Unterschiedlichkeit der Datenmengen dazu, dass der letzte Waggon nur teilweise besetzt war. Der Hinweis *end of message* definierte, wo die Nachricht endete, doch weil ein Päckchen nur im Ganzen verschickt werden konnte, blieb meist etwas datenfreier Raum übrig, sogenanntes Weißes Rauschen. Im Moment des Eintreffens las der Empfänger-Computer die offiziellen Daten der Nachricht aus, schnitt den Rest ab und warf ihn weg. Niemand kam auf die Idee, im Weißen Rauschen nach weiteren Inhalten zu suchen, weil dort nichts zu finden wäre.

Hier setzte die Idee an. Wer immer sie zum ersten Mal gehabt hatte, sie war und blieb genial. Eine geheime Botschaft wurde so codiert, dass sie wie Weißes Rauschen aussah, sodann gegen das echte Weiße Rauschen getauscht und wie ein blinder Passagier mit auf den Weg geschickt. Nur ein Problem galt es dabei zu lösen. Man musste die Nachricht selbst verschicken, oder aber Zugriff auf den Rechner des Absenders haben. Zwar sprach nichts dagegen, blinde Passagiere in eigenen Zügen reisen zu lassen. Wer allerdings einmal auffällig geworden war, dessen E-Mail-Verkehr oblag ständiger Beobachtung. Organe wie Cypol mochten überfordert sein, dumm waren sie nicht, also stand zu befürchten, dass sie vielleicht doch im Weißen Rauschen nachschauen würden.

Aber es gab eine Lösung, nämlich, den E-Mail-Verkehr anderer zu nutzen. Zwei Dissidenten, die einander eine konspirative Botschaft zukommen lassen wollten, brauchten dafür jeder einen Router oder illegalen Bahnhof, um durcheilende Datenzüge zu stoppen, und natürlich mussten sie sich auf denselben Zug einigen. Das konnten die Geburtstagsglückwünsche des Herrn Huang aus Shenzen an seinen in Peking lebenden Neffen Yi sein, beides wohlbeleumundete Bürger, über die von Staats wegen nur Gutes zu berichten war. Herr Huang also schickte die Glückwünsche ab, ohne zu ahnen, dass sein Zug gleich darauf Zwischenstation bei Dissident eins machte, der das Weiße Rauschen entnahm, gegen die getarnte Botschaft austauschte und den Zug wieder losschickte. Bevor dieser jedoch Yi erreichte, wurde er ein weiteres Mal angehalten, diesmal von Dissident zwei, der die Botschaft entnahm, entschlüsselte, wieder durch echtes Weißes Rauschen ersetzte, und nun endlich ging es zum Neffen nach Peking, der von Herrn Huangs Wertschätzung in Kenntnis gesetzt wurde, ohne dass einer der beiden ahnte, welchem Zweck sie gedient hatten. Das Ganze weckte Assoziationen an ahnungslose Touristen, denen am Flughafen Drogen ins Gepäck geschmuggelt und zu Hause unbemerkt wieder entnommen wurden, mit dem signifikanten Unterschied, dass die Drogen während des Transports nicht Aussehen und Beschaffenheit der eingepackten Unterhosen annahmen.

»Natürlich waren wir nicht so naiv anzunehmen, wir hätten den Trick erfunden«, sagte Yoyo. »Trotzdem ist alles wahrscheinlicher, als ausgerechnet eine Mail zu erwischen, in der schon jemand sitzt.«

»Und wessen offizielle Mail hast du abgefangen?«

»Kam von irgendeiner Behörde.« Yoyo zuckte die Achseln. »Ministerium für Energie oder so.«

»Woher genau?«

»Warte mal – es war – war –« Sie zog die Stirn kraus und setzte eine trotzige Miene auf. »Okay, ich weiß es nicht.«

»Wie bitte?« Jericho sah sie ungläubig an. »Du weißt nicht, wer –«

»Herrgott, es ging doch lediglich um einen Test! Einfach mal sehen, ob ich reinkomme!«

»Und was hast du geschrieben?«

»Irgendwas halt.«

»Komm schon! Was?«

»Ich hab –« Sie schien den Satz mehrfach zu kauen, bevor sie ihn Jericho vor die Füße spuckte: »*Catch me if you can.*«

»*Catch me if you can?*«

»Rede ich mongolisch? Jahaa!«

»Warum denn das?«

»Warum denn das?«, äffte sie ihn nach. »Ist doch egal. Weil ich's cool fand, darum.«

»Sehr cool. Bei einem Test –«

»Oh Mann!« Sie verdrehte die Augen. »Es – sollte – keiner – lesen!«

Jericho seufzte und schüttelte den Kopf.

»Na gut. Und weiter?«

»Das Protokoll war auf Echtzeit ausgelegt. Mail stoppen, Rauschen entnehmen, eigene Nachricht reinschreiben, verschlüsseln, weiterleiten, alles simultan. – Also, ich schreibe und merke im selben Moment, da ist schon was drin! Dass ich gar kein Weißes Rauschen entnommen habe, sondern irgendwelches geheimnisvolles Zeugs.«

»Weil jemand das Gleiche versuchte wie du.«

»Ja.«

Jericho nickte. Fairerweise musste er zugeben, dass Yoyo diese Entwicklung nicht hatte voraussehen können.

»Aber da war die Mail schon wieder unterwegs«, sagte er. »Und zwar zu dem, für den das geheimnisvolle Zeugs bestimmt war. Bloß dass es nie dort ankam, weil du es entnommen und ausgetauscht hattest.«

»Unwissentlich.«

»Egal. Stell dir das mal vor. Die warten auf eine komplexe, geheime Information. Stattdessen lesen sie: *Catch me if you can.*« Jericho konnte nicht anders. Er hob die Hände und klatschte vernehmlich Beifall. »Bravo, Yoyo. Hübsche kleine Provokation. Meinen Glückwunsch.«

»Ach, fick dich! Natürlich haben sie sofort kapiert, dass jemand eingebrochen war.«

»Und waren vorbereitet.«

»Ja, im Gegensatz zu mir.« Sie zog eine säuerliche Miene. »Ich meine, ich weiß nicht, ob sie explizit mit *so was* gerechnet haben, aber ihre Abwehr steht, das muss man ihnen lassen. Irgend so ein Wachhundprogramm hat sofort losgekläfft: Wuff! In der definierten Route ist ein zusätzlicher Knotenpunkt aufgetaucht, der gehört da nicht hin. Grrrr, wo sind unsere Daten?«

»Und hat dich zurückverfolgt.«

»Zurückverfolgt?« Yoyo lachte kurz und schneidend auf. »Sie haben mich angegriffen! Die haben meinen Rechner attackiert, ich weiß nicht wie, es war absolut beängstigend! Während ich noch staune, was mir da ins Netz gegangen ist, sehe ich, wie sie beginnen, meine Daten runterzuladen. So schnell konnte ich gar nicht offline gehen, wie die mich filzten. Die wussten sofort, wer ich war – und *wo* ich war!«

»Soll das heißen, du bist ohne Anonymisierer –«

»Ich bin ja nicht blöde«, fauchte sie. »Natürlich benutze ich Anonymisierer. Aber wenn du was vollkommen Neues implementierst und damit rumspielst, bist du gezwungen, dein System kurzzeitig zu öffnen. Die Schutztools auf der unteren Ebene würden dir sonst dazwischenfunken, dafür sind sie ja da.«

»Also hast du Verschiedenes abgeschaltet.«

»Das Risiko musste ich eingehen.« Sie funkelte ihn zornig an. »Ich musste sichergehen, dass wir so arbeiten können.«

»Na, jetzt weißt du's.«

»Schön, Mister Superschlau.« Sie verschränkte die Arme. »Wie wärst du vorgegangen?«

»Nacheinander«, sagte Jericho. »Erst den Anhang entnehmen, auf Tretminen überprüfen. Dann mein eigenes Ding reinsetzen. Mir die Option offenlassen, alles rückgängig zu machen, bevor ich's losschicke. – Und vor allem nicht irgendwelche selbstgefälligen Sprüche reinschreiben, und wenn du's tausendmal als Rauschen verschlüsselst.«

»Was nützt ein Datentransfer, der keinen Sinn ergibt?«

»Wir reden von einem Test. Solange du nicht definitiv weißt, ob dein Datentransfer sicher ist, darfst du allenfalls klingen wie ein Übertragungsfehler. Sie hätten sich vielleicht gewundert, wo ihre Nachricht geblieben ist, aber sie wären nicht gleich auf die Idee gekommen, dass jemand ihre Kommunikation anzapft.«

Sie starrte ihn an, als erwäge sie, ihm an die Gurgel zu gehen. Dann breitete sie die Arme aus und ließ sie kraftlos herunterfallen.

»Okay, es war ein Fehler!«

»Ein Riesenfehler.«

»Konnte ich denn ahnen, unter Milliarden und Abermilliarden Mails ausgerechnet auf eine zu stoßen, die schon infiltriert ist?«

Jericho betrachtete sie. Kurz war seine Wut aufgelodert, weniger über den Fehler selbst als darüber, dass er jemandem mit Yoyos Erfahrung unterlaufen war. Sie hatte mit ihrer Selbstgefälligkeit nicht nur ihr eigenes Leben aufs Spiel gesetzt. Fast ihre komplette Gruppe war umgebracht worden, und Jericho fühlte sich auch nicht eben sicher. Dann verrauchte sein Zorn. Er sah die Mischung aus Angst und Betroffenheit in ihrer Miene und schüttelte den Kopf.

»Nein. Konntest du nicht.«

»Also wen hab ich da am Hals?«

»Wir, Yoyo, wenn du gestattest. Falls ich mich und meine Probleme in Erinnerung bringen darf.«

Sie drehte den Kopf weg, schaute aufs Meer hinaus und wieder zu ihm.

»Okay. Wir.«

»Ohne Zweifel jemanden mit Macht. Leute mit Geld und Einfluss, technisch hochgerüstet. Offen gestanden bezweifle ich, dass ihre Kommunikation noch im Versuchsstadium begriffen ist. Du hast was ausprobiert. Die machen das schon seit geraumer Weile so. Zufällig benutzt ihr dasselbe Protokoll, was euch jeweils in die Lage versetzt hat, die Daten des anderen zu lesen. Ab da wird's spekulativ, aber ich glaube außerdem, dass sie einflussreich genug sind, um nicht auf E-Mails anderer Leute angewiesen zu sein.«

»Du meinst – «

»Nehmen wir an, sie verschicken Mails von eigenen Servern. Ganz offiziell. Sie sitzen in öffentlichen Institutionen, können den ein- und ausgehenden Traffic kontrollieren und nach Belieben alles Mögliche mit reinpacken.«

»Klingt nach hohen Kadern.«

»Du denkst, es ist die Partei?«

»Wer sonst? Alle Aktionen der *Wächter* richten – richteten sich gegen die Partei. Und machen wir uns nichts vor, die *Wächter* sind – waren – «

»– ein anderes Wort für Yoyo.«

»Ich war der Kopf. Zusammen mit Daxiong.«

»Ich weiß. Früher hast du öffentlich gestänkert, was dir Staatsgewahrsam einbrachte. Seitdem suchst du nach Wegen, dich zu schützen. Second Life, Parasiten-Mails. Dabei brichst du, ohne es zu wollen, in einen geheimen Datentransfer ein, und deine schlimmsten Befürchtungen werden wahr. Da steht was von Umsturz und Liquidation, die chinesische Regierung wird erwähnt, alles klingt meterbreit nach illegalen Machenschaften deiner geliebten Partei, und im nächsten Moment haben sie dich aufgespürt.«

»Was hättest du an meiner Stelle getan?«

»Na was wohl?« Jericho lachte freudlos. »Ich wäre abgehauen, ebenso wie du.«

»Das ist ja mal tröstlich.« Sie zögerte. »Also hast du – warst du auf meinem Computer?«

»Ja.«

Jericho erwartete einen neuerlichen Wutausbruch, aber sie seufzte nur und schaute hinaus auf den Ozean.

»Keine Angst«, sagte er. »Ich hab nicht rumgeschnüffelt. Nur versucht, Klarheit in die ganze Angelegenheit zu bringen.«

»Konntest du was mit der dritten Webseite anfangen?«

»Die Schweiz-Filme?«

»Mhm.«

»Bisher nicht. Aber es muss was drauf sein. Entweder braucht man eine separate Maske, oder wir haben etwas übersehen. Im Moment glaube ich, dass es um einen Umsturz geht, in den die chinesische Regierung verwickelt war oder sein wird, außerdem, dass jemand zu viel weiß und seine Liquidierung erwogen wird.«

»Jemand mit Namen Jan oder Andre.«

»Eher Andre. Hast du mal die Adresse in Berlin recherchiert?«

»Ja.«

»Interessant, nicht wahr? *Donner zu liquidieren.* Und ein Andre Donner betreibt unter der angegebenen Adresse ein Restaurant für südafrikanische Spezialitäten.«

»Das Muntu. So weit war ich auch schon.«

»Aber was sagt uns das?«, sinnierte Jericho. »Läuft Andre Donner Gefahr, liquidiert zu werden? Ich meine, was weiß ein Berliner Gastronom über die Verwicklungen Pekings in irgendwelche Umsturzpläne? Und was ist mit dem zweiten Mann?«

»Jan?«

»Ja. Ist er der Killer?«

Beziehungsweise, ist Jan identisch mit Kenny, dachte Jericho, behielt den Gedanken aber für sich. Seine Fantasie schlug Blasen. Im Grunde war das Textfragment zu verstümmelt, um überhaupt irgendwelche Schlüsse ziehen zu können.

»Es ist ein afrikanisches Restaurant«, sagte Yoyo nachdenklich. »Und es existiert noch nicht sehr lange.«

Jericho sah sie verwundert an.

»Na ja, ich hatte mehr Zeit, mich damit zu beschäftigen«, fügte sie rasch hinzu. »Es gibt Kritiken im Netz. Donner hat das Muntu im Dezember 2024 eröffnet –«

»Vor einem halben Jahr erst?«

»Eben. Über ihn selbst findet man kaum Informationen. Ein Holländer, der eine Weile in Kapstadt gelebt hat, vielleicht dort geboren wurde. Das war's schon. Aber die Afrika-Verbindung ist insofern interessant –«

»Als man in Afrika mit Umstürzen vertraut ist.« Jericho nickte. »Das heißt, wir müssen die jüngere Chronologie aller dubiosen bis gewaltsamen Regierungswechsel unter die Lupe nehmen. Interessanter Ansatz. Bloß, Südafrika fällt flach. Die sind seit geraumer Zeit stabil.«

Sie schwiegen eine Weile.

»Du wolltest wissen, mit wem wir es zu tun haben«, sagte er schließlich. »Für Umstürze brauchst du Geld und Einfluss, politisch wie wirtschaftlich. Vor allem aber musst du über eine fähige und gewaltbereite Exekutive verfügen. Nun, diese Leute haben es geschafft, dir binnen kürzester Zeit einen Profi samt Verstärkung auf den Hals zu hetzen. Ausgestattet wie eine Armee. Nehmen wir also an, dahinter stehen bestimmte Kreise der Regierung. Dann kann ich dich in einer Hinsicht, glaube ich, beruhigen.«

Yoyo hob die Brauen.

»Sie haben keinerlei Interesse an Dissidenten«, schloss Jericho. »Was du treibst, ist denen völlig egal. Sie würden jeden zur Strecke bringen, der ihnen im Wege steht.«

»Sehr beruhigend«, höhnte Yoyo. »Dafür gebieten sie über Heerscharen von Polizisten, die mir zu gegebener Zeit das wohlige Gefühl vermitteln werden, mich nicht wegen meiner Dissidententätigkeit abzuknallen. Danke, Jericho. Endlich kann ich wieder ruhig schlafen.«

Er ließ seinen Blick den Strand erwandern. Schimmernd im doppelten Sonnenlicht, schien er auf eigentümliche Weise lebendig. Muster bildeten sich spontan im Sand und verschwammen gleich wieder. Einige der blütenartigen Geschöpfe breiteten ihre Schwingen aus, durchscheinend und geädert wie Blätter. Wolken goldenen Staubes quollen darunter hervor und wurden über die Kante der Insel getragen, wo sie sich im Wind verteilten. Es war eine Welt von beunruhigender Schönheit, die Yoyo und Daxiong da programmiert hatten.

»Gut«, sagte er. »Ich schlage ein paar Dinge vor. Erstens brauche ich deine Erlaubnis, dass ich deine Daten auf meinen Rechner laden darf. Soweit ich es überblicken kann, sind alle deine Backup-Systeme zerstört.«

»Bis auf eines.«

»Ich weiß. Darf ich fragen, an welchem Rechner du gerade hängst?«

Sie nagte an ihren Lippen und schaute sich um, als sei dort jemand, mit dem sie sich beraten müsse.

»Bei Daxiong«, sagte sie widerstrebend.

»Wo? In der Werkstatt?«

»Ja. Er wohnt da.«

»Gleich nach dem Treffen werdet ihr von dort verschwinden.«

»Daxiongs Keller ist gesichert, wir –«

»Kenny schießt mit Raketen«, unterbrach sie Jericho schroff, »da ist gar nichts gesichert. Die Werkstatt ist als *Demon Point* eingetragen, unter dem Namen *City Demons*. Es wird lediglich eine Frage der Zeit sein, bis Kenny dort aufkreuzt oder jemanden schickt. Ist Daxiong im Besitz einer vollständigen Kopie deiner Daten?«

»Nein.«

»Dann lass mich sie runterladen.«

»Okay.«

Jericho dachte nach, zählte die Punkte an seinen Fingern ab. »Zweitens, wir gehen der Afrikaspur nach. Drittens, wir versuchen, die spanische Webseite mit den Schweizfilmen zu knacken. Beides meine Aufgabe. Diane verfügt über entsprechende Programme, sie –«

»Diane?«

»Meine – mein –« Plötzlich fühlte er Verlegenheit aufsteigen. »Egal. Viertens, was haben alle sechs Seiten, die drei gültigen wie die ungültigen, gemeinsam?«

»Ist doch klar.« Yoyo sah ihn verständnislos an. »Sie enthalten beziehungsweise enthielten –«

»Und daraus folgt?«

»Hey! Kannst du mal aufhören, wie ein verdammter Oberlehrer zu klingen?«

»Jemand muss sie kontrollieren«, fuhr Jericho ungerührt fort. »So, dass die Maske jederzeit passt. Inhaltlich scheint es keine Verbindung zu geben, sämtliche Seiten sind öffentlich zugänglich und in verschiedenen Ländern eingetragen. Dennoch, wer initiiert sie? Wenn es uns gelingt, einen gemeinsamen Initiator zu finden, können wir vielleicht in Erfahrung bringen, welche Seiten er sonst noch kontrolliert. Je mehr Seiten wir finden, auf die unsere Maske passt, desto mehr werden wir entschlüsseln.«

»Auf so was bin ich nicht eingerichtet. Und Tian auch nicht.«

»Aber ich.« Jericho sog seine Lungen voll. Kurz bildete er sich ein, es sei die klare Luft des Ozeanplaneten, die seine Kapillaren durchströmte, doch er atmete nur, was die Klimaanlage in sein Zimmer blies. Mit jedem Wort fühlte er Kraft und Entschlossenheit zurückkehren. Die Gewissheit, Kenny und seinen Hintermännern nicht schutzlos ausgeliefert zu sein, flutete sein Bewusstsein wie eine leuchtende Substanz. »Fünftens, wir nehmen an, dass Andre Donner ebenso auf der Abschussliste steht wie wir. Ergo haben wir gleich zwei Gründe, mit ihm in Kontakt zu treten. Um mehr in eigener Sache herauszufinden, und um ihn zu warnen.«

»Falls er einer Warnung bedarf.«

»Wir haben ja nichts zu verlieren. Oder?«

»Nein.«

»Also dann.« Er zögerte. »Yoyo, ich will nicht ständig darauf zurückkommen, aber wem hast du sonst noch alles von deiner Entdeckung erzählt? Ich meine, wer von denen –«

»Wer noch am Leben ist?«, fragte sie bitter.

Jericho schwieg.

»Nur noch Daxiong«, sagte sie. »Und du.«

Sie ging in die Hocke und ließ perlmuttfarbenen Sand durch ihre Finger rieseln. Die dünnen Bäche formten sich am Boden zu rätselhaften Mustern, bevor sie flirrend vergingen. Dann hob sie den Kopf.

»Ich will meinen Vater anrufen.«

Jericho nickte. »Das wäre mein nächster Vorschlag gewesen.«

Im Stillen fragte er sich, ob es nicht sinnvoller wäre, zuerst Kontakt mit Tu aufzunehmen. Doch diese Entscheidung oblag einzig dem Mädchen zu seinen Füßen, das sich nun langsam wieder aufrichtete und ihn aus ihren schönen, traurigen Augen ansah.

»Soll ich dich alleine lassen?«, fragte er.

»Nein.« Sie zog höchst undamenhaft die Nase hoch und drehte ihm den Rücken zu. »Es ist vielleicht besser, wenn du dabei bist.«

Die Finger ihrer rechten Hand zerteilten das Nichts, zeichneten etwas hinein. Im nächsten Moment erschien ein dunkles Feld in der bloßen Luft. Ein Freizeichen erklang, von geradezu absurder Profanität und fehl am Platz in dieser fremdartigen Welt.

»Er hat den Bildmodus nicht aktiviert«, sagte sie, als gelte es, Hongbing in seiner Rückständigkeit zu entschuldigen.

»Ich weiß, sein altes Handy. Du hast es ihm geschenkt.«

»Ein Wunder, dass er es überhaupt benutzt«, schnaubte sie. Es klingelte weiter. »Eigentlich müsste er im Autohaus sein. Wenn er nicht ran geht, werde ich da anru –«

Das Freizeichen hörte auf. Leises Rauschen erklang, durchsetzt mit Nebengeräuschen. Niemand sprach.

Yoyo sah sich unsicher zu Jericho um.

»Vater?«, flüsterte sie.

Die Antwort kam leise. Unheilvoll schlich sie heran, eine fette, träge Schlange, die sich aufrichtet, um ihr nächstes Opfer in Augenschein zu nehmen.

»Ich bin nicht dein Vater, Yoyo.«

Jericho wusste nicht, was geschehen würde. Yoyo war angeschlagen, ihre Freunde waren tot. Sie hatte Bilder zu verarbeiten, wie sie nur in Albträumen zu ertragen waren, deren Schrecken sich im Morgenlicht zersetzte. Aus diesem Albtraum aber gab es kein Erwachen – wie Gift sickerte Kennys Stimme in die Idylle der Insel. Doch als Yoyo sprach, schwang nichts als unterdrückte Wut in ihren Worten mit.

»Wo ist mein Vater?«

Kenny ließ sich mit der Antwort Zeit, viel Zeit. Yoyo schwieg ihrerseits in frostiger Erwartung, und so schwiegen beide, eine stumme Kraftprobe.

»Ich habe ihm für heute freigegeben«, sagte er schließlich. Er krönte die Bemerkung mit einem leisen, selbstgefälligen Lachen.

»Das ist keine Antwort auf meine Frage.«

»Niemand hat gesagt, dass du Fragen stellen sollst.«

»Geht es ihm gut?«

»Sehr gut. Er ruht sich aus.«

Die Art, wie Kenny ›sehr gut‹ sagte, war geeignet, das genaue Gegenteil anzunehmen. Yoyo ballte die Fäuste.

»Pass auf, du krankes Schwein. Ich will auf der Stelle mit meinem Vater reden, hörst du? Danach stellst du meinethalben deine Forderungen, aber erst kommst du mit einem Lebenszeichen rüber, oder du kannst dich mit dir selber weiter unterhalten. War das einigermaßen verständlich?«

Kenny ließ es eine Weile in der Leitung rauschen.

»Yoyo, mein Jademädchen«, seufzte er. »Offenbar fußt dein Weltbild auf einer Reihe von Missverständnissen. In Geschichten wie dieser sind die Rollen anders verteilt. Jedes deiner Worte, das nicht meinen unbedingten Beifall findet, wird Hongbing zum Schmerz gereichen. Das kranke Schwein lasse ich dir durchgehen.« Er kicherte. »Vielleicht hast du ja sogar recht damit.«

Eitel wie ein Pfau, dachte Jericho. Kenny mochte ein ziemlich exotisches Exemplar für einen Auftragskiller sein, umso mehr entsprach er dem Bild des psychopathischen Serientäters. Narzisstisch, verliebt ins eigene Wort, liebevoll mit seiner Unverträglichkeit kokettierend.

»Ein Lebenszeichen«, beharrte Yoyo.

Mit einem Mal wandelte sich das schwarze Rechteck. Kennys Gesicht füllte es fast vollständig aus. Wie ein Flaschengeist schwebte er über dem perlmuttweißen Strand. Dann verschwand er aus dem Blickwinkel der Kamera, und ein Zimmer wurde sichtbar, mit Fenstern an der Rückfront, durch die helles Tageslicht einfiel. Dunkel konturierten sich Möbel, ein Stuhl, auf dem jemand saß. Davor, dreibeinig und wuchtig, etwas Schwarzes.

»Vater«, flüsterte Yoyo.

»Sagen Sie doch bitte etwas, ehrenwerter Chen«, war Kennys Stimme zu vernehmen.

Chen Hongbing verharrte so reglos auf seinem Stuhl, als sei er damit verwachsen. Im Gegenlicht war sein Gesicht kaum zu erkennen. Als er sprach, klang es, als trete jemand in trockenes Laub.

»Yoyo. Geht es dir gut?«

»Vater«, schrie sie. »Es wird alles gut, alles wird gut!«

»Es – tut mir so leid.«

»Nein, mir tut es leid. Mir!« Im nächsten Moment schossen ihr die Tränen in die Augen. Mit sichtbarer Willensanstrengung zwang sie sich zur Ruhe. Kenny geriet wieder ins Blickfeld

»Miserable Qualität, dieses Handy«, sagte er. »Ich fürchte, dein Vater hat dich kaum hören können. Du solltest ihn vielleicht besuchen kommen, was meinst du?«

»Wenn du ihm irgendetwas –«, begann Yoyo mit wackeliger Stimme.

»Was ich tue, liegt einzig bei dir«, versetzte Kenny kühl. »Gerade hat er es ganz bequem, nur seine Bewegungsfreiheit ist ein bisschen eingeschränkt. Er sitzt im Scanner eines automatischen Gewehrs. Sprechen und zwinkern kann er. Sollte ihm der Sinn danach stehen, plötzlich aufzuspringen oder nur den Arm zu heben, geht die Waffe los. Leider auch, wenn er versucht, sich zu kratzen. Vielleicht doch nicht so komfortabel.«

»Bitte tu ihm nicht weh«, schluchzte Yoyo.

»Ich habe kein Interesse daran, jemandem wehzutun, ob du es glaubst oder nicht. Also komm her, und komm schnell.« Kenny machte eine Pause. Als er weiterredete, war das Schlangenhafte aus seinem Tonfall gewichen. Plötzlich klang er wieder freundlich, fast kumpelhaft, so wie Zhao Bide gesprochen hatte. »Dein Vater hat mein Wort, dass dir nichts geschehen wird, solltest du kooperieren. Dazu gehört, mir die Namen all derer zu nennen, die von der abgefangenen Nachricht wissen oder ihren Inhalt kennen. Außerdem händigst du mir jeden, wirklich *jeden* Datenspeicher aus, auf dem ein Download der Nachricht existiert.«

»Du hast meinen Computer zerstört«, sagte Yoyo.

»Ich habe etwas zerstört, ja. Aber habe ich *alles* zerstört?«

»Nicht widersprechen«, flüsterte Jericho Yoyo zu.

Sie schwieg.

»Siehst du.« Kenny lächelte, als sehe er seine Annahme bestätigt. »Mach dir keine Sorgen, ich halte mein Wort. Und bring den kahl geschorenen Riesen mit, du weißt schon. Ihr werdet beide durch die Vordertüre eintreten, es ist offen.« Er hielt inne. Etwas schien ihm durch den Kopf zu gehen, dann fragte er: »Hat eigentlich dieser Owen Jericho mit dir Kontakt aufgenommen?«

»Jericho?«, echote Yoyo.

»Der Detektiv?«

Jericho hatte sich von Anfang an hinter das Sichtfeld des Handys gestellt, sodass er die Szenerie in Chens Wohnung spiegelverkehrt erblickte, jedoch von Kenny nicht gesehen werden konnte. Er gab Yoyo ein Zeichen und schüttelte heftig mit dem Kopf.

»Keine Ahnung, wo der Idiot ist«, sagte sie verächtlich.

»Warum so harsch?« Kenny zog verwundert die Brauen hoch. »Er hat dich gerettet.«

»Der will mich doch genauso verarschen wie du, oder nicht? Du hast gesagt, er hätte Grand Cherokee umgebracht.«

Belustigung umspielte Kennys Lippen.

»Ja. Sicher. Also, wann kannst du hier sein?«

»So schnell es geht«, schniefte Yoyo. »Kommt auf den Verkehr an. In einer Viertelstunde? Ist das in Ordnung?«

»Völlig in Ordnung. Du und Daxiong. Unbewaffnet. Sehe ich eine Waffe, stirbt Chen. Kommt noch jemand zur Tür herein, stirbt er. Versucht einer das automatische Gewehr außer Gefecht zu setzen, geht es los. Sobald alles geklärt ist, werden wir zusammen das Haus verlassen. Ach ja, sollte draußen Verstärkung warten oder irgendjemand den Helden spielen, stirbt Chen ebenfalls. Er kann seinen Stuhl erst wieder verlassen, wenn ich die Automatik deaktiviert habe.«

Die Verbindung riss ab.

Von ferne drangen die fremdartigen Rufe großer Tiere herüber. Ein Windstoß fuhr in die Büsche, die den Strand zur Wiese hin begrenzten, und ließ rosa Blütendolden auf und nieder tanzen.

»Dieses Schwein«, presste Yoyo hervor. »Dieses verdammte –«

»Was auch immer, allmächtig ist er nicht.«

»Ach nein?«, schrie sie ihn an. »Du hast doch gesehen, was los ist! Glaubst du im Ernst, er lässt *ihn* leben? *Mich* leben?«

»Yoyo –«

»Was soll ich denn machen?« Sie wich zurück. Ihre Unterlippe bebte. Sie schüttelte den Kopf, während Tränen über ihre Wangen liefen. »Was soll ich denn bloß machen? Was soll ich machen?«

»Hey«, sagte er. »Wir holen ihn da raus. Ich versprech's dir. Niemand wird sterben, hörst du?«

»Und wie willst du das anstellen?«

Jericho begann auf und ab zu gehen. Ganz genau wusste er das auch noch nicht. Bruchstückhaft begann ein Plan in seinem Kopf Gestalt anzunehmen. Ein irrwitziges Unterfangen, das von einer ganzen Reihe unterschiedlichster Faktoren abhängig war. Die Fensterfront hinter

Chen Hongbing spielte dabei eine Rolle und das erbeutete Airbike. Außerdem musste er mit Tu Tian sprechen.

»Vergiss es«, sagte Yoyo atemlos. »Gehen wir.«

»Warte.«

»Ich kann aber nicht warten! Ich muss zu meinem Vater. Hauen wir hier ab.« Sie streckte die Rechte nach ihm aus.

»Gleich, Yoyo –«

»Jetzt!«

»Nur eine Minute. Ich –« Er nagte an seiner Unterlippe. »Ich weiß jetzt, wie wir es machen. Ich weiß es!«

HONGKOU

Das Haus in der Siping Lu mit der Nummer 1276 war im eintönigen Pastell etlicher Wohnblocks gehalten, die man Anfang des Jahrtausends im Shanghaier Viertel Hongkou errichtet hatte. Bei trüber Witterung schien es im Himmel zu verschwinden. Wie zur Konterkarierung durchbrachen aufdringlich grün getönte Scheiben die Fassade, ein weiteres Stilmittel jener Epoche, durch das selbst Wolkenkratzern etwas Billiges und Spielzeugartiges anhaftete.

Im Gegensatz zu den Hochhäusern eine Straße weiter begnügte sich Nummer 1276 mit sechs Stockwerken, verfügte über großzügig bemessene Balkone und prunkte zudem mit der Andeutung eines Pagodendachs. Beiderseits der Balkone klebten die schmutzigweißen Kästen der Klimaanlagen im Verputz. Ein zerfetztes Transparent flatterte unlustig im Wind, auf dem die Hausbewohner den sofortigen Baustopp des *Maglev* forderten, einer weiteren Trasse, die unmittelbar vor ihrer Haustüre vorbeiführen würde und deren Stützpfeiler schon die Straße überragten. Ließ man das klägliche Zeugnis des Aufbegehrens außer Acht, unterschied sich das Gebäude in nichts von Nummer 1274 oder 1278.

Im vierten Stock der Nummer 1276 lebte Chen Hongbing.

Die Wohnung umfasste auf 38 Quadratmetern einen Wohnraum mit Schrankwand, Essecke und Schlafcouch, ein weiteres Schlafzimmer, ein winziges Bad und eine nur unwesentlich größere, zum Esstisch hin offene Küche. Die Diele fehlte, stattdessen verdeckte ein Paravent die Eingangstür seitlich und schuf so ein bisschen Intimität.

Bis vor Kurzem jedenfalls.

Nun lehnte er zusammengeklappt an der Wand, sodass der Eingangsbereich zur Gänze überschaubar war. Xin hatte es sich auf dem Schlafsofa bequem gemacht, abseits des Stuhls, auf dessen Kante Chen Hongbing saß wie in Kontemplation versunken, groß, eckig, kerzengerade. Seine Schläfen glänzten im Licht, das durch die rückwärtige Fensterfront einfiel und sich in winzigen Schweißtropfen brach, die seine straffe Haut bedeckten. Xin wog die Fernbedienung zur Steuerung des automatischen Gewehrs in seiner Hand, einen federleichten, flachen Bildschirm. Er hatte dem alten Mann erklärt, jede hektische Bewegung würde seinen Tod zur Folge haben. Tatsächlich war die Automatik noch gar nicht aktiviert. Xin wollte nicht das Risiko eingehen, dass der Alte vor lauter Nervosität sein eigenes Ableben herbeiführte.

»Vielleicht sollten Sie mich als Geisel nehmen«, sagte Chen in die Stille hinein.

Xin gähnte. »Habe ich das nicht schon?«

»Ich meine, ich – könnte mich für längere Zeit in Ihre Gewalt begeben. So lange, bis Sie in Yoyo kein Risiko mehr sehen.«

»Und was wäre damit gewonnen?«

»Meine Tochter würde überleben«, antwortete Chen heiser. Es sah merkwürdig aus, wie er bar jeder Gestik Worte von sich gab, bemüht, selbst die Lippenbewegungen auf das Nötigste zu reduzieren.

Xin tat, als müsse er darüber nachdenken.

»Nein. Sie wird überleben, sofern sie mich überzeugt.«

»Ich bitte Sie einzig um das Leben meiner Tochter.« Chen atmete flach. »Alles andere ist mir gleich.«

»Das ehrt Sie«, sagte Xin. »Es rückt Sie in die Nähe von Märtyrern.«

Plötzlich meinte er den Alten lächeln zu sehen. Unmerklich nur, doch Xin hatte einen Blick für derlei Kleinigkeiten.

»Was erheitert Sie so?«

»Dass Sie die Sachlage verkennen. Sie glauben, mich töten zu können, aber es ist nicht viel übrig, das man töten kann. Sie kommen zu spät. Ich bin bereits gestorben.«

Xin setzte zu einer Antwort an, dann betrachtete er den Mann mit neuem Interesse. Im Allgemeinen legte er wenig Wert auf den Privatkram anderer Leute, zumal wenn ihre Minuten gezählt waren. Plötzlich jedoch drängte es ihn zu wissen, was Chen damit gemeint hatte. Er stand auf und trat hinter das Stativ mit dem Gewehr, sodass die Waffe geradewegs seinem Bauch zu entwachsen schien.

»Das müssen Sie mir erklären.«

»Ich glaube nicht, dass es Sie interessieren wird«, sagte Chen. Er hob den Blick, und seine Augen waren wie zwei Wunden. Mit einem

Mal hatte Xin das Gefühl, in den mageren Körper hineinschauen zu können und den schwarzen Spiegel eines Sees unter einem mondlosen Himmel zu erblicken. Tief am Grund erspürte er altes Leiden, Selbsthass und Ekel, vernahm er Schreien und Flehen, Rasseln und schlagende Türen, das Stöhnen der Resignation, dessen fades Echo sich fortpflanzte in endlosen, fensterlosen Gängen. Man hatte versucht, Chen zu brechen, viele Jahre lang. Xin wusste es, ohne es zu wissen. Mühelos erkannte er den Punkt der Zusammenziehung, konnte an Stellen rühren, wo Menschen am meisten verwundbar waren, so wie ein einziger Blick in die Augen des Detektivs gereicht hatte, um dessen Einsamkeit zu erkennen.

»Sie waren im Gefängnis«, sagte er.

»Nicht direkt.«

Xin stutzte. Sollte er sich geirrt haben?

»Auf alle Fälle waren Sie Ihrer Freiheit beraubt.«

»Freiheit?« Chen erzeugte einen Laut zwischen Röcheln und Seufzen. »Was ist das? Sind Sie in diesem Augenblick freier als ich, da ich auf diesem Stuhl sitze und Sie vor mir stehen? Gibt Ihnen das Ding, das Sie auf mich gerichtet haben, Freiheit? Verlieren Sie Ihre Freiheit, wenn man Sie einschließt?«

Xin schürzte die Lippen. »Erklären *Sie* es mir.«

»Das muss Ihnen niemand erklären«, knarzte Chen. »Sie wissen es selbst am besten.«

»Was?«

»Dass jeder, der einen anderen bedroht, Angst hat. Wer eine Waffe auf einen anderen richtet, hat Angst.«

»*Ich* habe also Angst?«, lachte Xin.

»Ja«, erwiderte Chen lapidar. »Repression gründet immer auf Angst. Angst vor der Meinung Andersdenkender. Angst vor Entlarvung. Angst vor Machtverlust, Zurückweisung, Bedeutungslosigkeit. Je mehr Waffen Sie einsetzen, je höhere Mauern Sie bauen, je ausgeklügelter Sie foltern, desto mehr demonstrieren Sie nur Ihre Ohnmacht. – Erinnern Sie sich an Tian'anmen? An das, was auf dem Platz des Himmlischen Friedens geschah?«

»Die Studentenunruhen?«

»Ich weiß nicht, wie alt Sie sind. Wahrscheinlich waren Sie noch ein Kind, als das geschah. Junge Menschen, die friedlich für etwas eintraten, um dessen tiefere Bedeutung sich schon ganz andere bemüht hatten: Freiheit. – Und demgegenüber ein Staat, nahezu paralysiert, bis in die Grundfesten erschüttert, sodass man am Ende Panzer schickte und alles im Chaos versank. Wer, glauben Sie, hatte damals die größere Angst? Die Studenten? Oder die Partei?«

»Ich war fünf Jahre alt«, sagte Xin, erstaunt, dass er sich hier mit einer Geisel unterhielt, als säßen sie zusammen in einem Teehaus. »Woher zum Teufel soll ich das wissen?«

»Sie wissen es. Sie richten gerade eine Waffe auf mich.«

»Stimmt. Ich schätze also, *Sie* sind es, der eine *Scheißangst* haben sollte, alter Mann!«

»Ja, nicht wahr?« Wieder verzerrte ein gespenstisches Lächeln Chens Züge. »Und doch habe ich nur Angst um das Leben meiner Tochter. Und was mich außerdem ängstigt, ist, alles falsch angefasst zu haben. Geschwiegen zu haben, wo ich hätte reden sollen. Das ist alles. Ihre Waffe da kann mich nicht ängstigen. Meine inneren Dämonen sind Ihrem lächerlichen Gewehr in jeder Hinsicht überlegen. – Sie aber fürchten sich. Sie fürchten sich vor dem, was übrig bliebe, würde man Sie Ihrer Waffen und sonstigen Attribute der Macht berauben. Sie fürchten sich davor, zurückzufallen.«

Xin starrte den Alten an.

»Es gibt keinen Rückfall, haben Sie das nie begriffen? Es gibt nur das Vorwärtsschreiten in der Zeit. Nur ein permanentes Jetzt. Die Vergangenheit ist kalte Asche.«

»Da stimme ich Ihnen zu. Mit einem Unterschied. Das, *was* den Menschen zerstört, ist kalte Asche. Die Folgen der Zerstörung hingegen bleiben.«

»Auch davon kann man sich reinigen.«

»Reinigen?« Ratlosigkeit flackerte in Chens Blick. »Wovon?«

»Von dem, was war. Wenn Sie es den Flammen überantworten. Wenn Sie es *verbrennen!* Das Feuer reinigt Ihre Seele, verstehen Sie? Sodass Sie ein zweites Mal geboren werden.«

Chens wunder Blick bohrte sich in seinen.

»Sprechen Sie von Rache?«

»Rache?« Xin bleckte die Zähne. »Rache macht einen Gegner nur größer, gibt ihm Bedeutung. Ich rede von der völligen Auslöschung! Davon, die eigene Geschichte zu überwinden. Das, was Sie gequält hat, ihre – Dämonen!«

»Sie meinen, man kann die Dämonen verbrennen?«

»Natürlich kann man das!« Wie dumm musste man sein, um diese elementare Gewissheit zu leugnen? Das ganze Universum, alles Sein, alles Werden, gründete auf Vergänglichkeit.

»Aber was«, sagte Chen nach einer Weile des Nachdenkens, »wenn

Sie die Feststellung machen, dass es gar keine Geister gibt? Keine Dämonen. Dass sich Ihnen die Vergangenheit lediglich wie ein Abbild eingeprägt hat und die Geister Teil Ihrer selbst sind. Versuchen Sie dann nicht, sich selbst auszulöschen? Ist Ihre Reinigung dann nicht Selbstverstümmelung?«

Xin senkte die Augenlider. Das Gespräch nahm eine Wendung, die ihn faszinierte.

»Was haben *Sie* verbrannt?«, fragte Chen.

Er überlegte, wie er es Chen erklären sollte, damit dieser Xins Größe begriff. Doch plötzlich hörte er etwas. Schritte im Flur.

»Ein andermal, ehrenwerter Chen«, flüsterte er.

Rasch ging er zurück zum Sofa und aktivierte die Automatik. Nun war es so weit. Jede falsche Bewegung Chens, und sein Körper würde zerfetzt werden. Die Schritte näherten sich.

Dann schwang die Türe auf und

Yoyo sah ihren Vater auf seinem Stuhl hocken, der Mündung des Gewehrs zugewandt. Er regte sich nicht, nur seine Augäpfel drehten sich langsam in ihre Richtung. Sie spürte die Anspannung in Daxiongs mächtigem Körper neben sich und trat ein, den kleinen Computer mit der Rechten umklammernd. Im Hintergrund erhob sich der Killer von der Kante des Sofas. Auch er hielt etwas in der Hand, glänzend und flach.

»Hallo, Yoyo«, zischte er. »Wie schön, dich wiederzusehen.«

»Vater«, sagte sie, ohne ihn einer Antwort zu würdigen. »Geht es dir gut?«

Chen Hongbing versuchte sich an einem schiefen Grinsen. »Den Umständen entsprechend, würde ich sagen.«

»Es geht ihm gut, solange du dich an unsere Vereinbarung hältst«, präzisierte Kenny. »Die Automatik ist aktiviert. Jede Bewegung Chens wird ihn töten.« Er hielt die Fernbedienung in die Höhe. »Natürlich kann ich der Automatik auch vorgreifen. Was immer ihr also vorhattet, vergesst es.«

»Und wie geht's nun weiter?«, knurrte Daxiong.

»Erst mal macht ihr hinter euch zu.«

Daxiong gab der Türe einen Stoß. Lautlos schwang sie ins Schloss. »Und jetzt?«

Kenny drehte ihnen den Rücken zu und warf einen Blick aus der rückwärtigen Fensterfront. Er schien es nicht besonders eilig zu haben. Yoyo fröstelte und hielt den Computer in die Höhe.

»Du wolltest *das* hier haben«, sagte sie.

Der Killer schaute noch einen Moment nach draußen. Dann wandte er sich zu ihnen um.

»Dein einziges Backup?«

»Sagen wir erst mal ja.«

»Ja oder nein?«

Allmählich wurde Yoyo nervös, doch sie versuchte, sich nichts anmerken zu lassen. Irgendetwas musste schiefgegangen sein. Warum dauerte das so lange? Wo blieb Jericho?

»Also?« Kenny nickte ihr aufmunternd zu. »Ich höre.«

»Nein. Vorher müssen wir Verschiedenes klären.«

»Ich meine mich zu erinnern, dass wir alles klar besprochen hätten.« Sie schüttelte den Kopf. »Noch ist gar nichts klar. Welche Garantie haben wir, dass du uns leben lässt?«

Kenny lächelte wie jemand, der die erwartete Enttäuschung erlebte. »Erspar uns das, Yoyo. Wir sind nicht hier, um zu verhandeln.«

»Stimmt«, schnaubte Daxiong. »Weißt du, was ich vielmehr glaube? Sobald du hast, was du willst, legst du uns um.«

»Ganz genau«, nickte Yoyo. »Also warum sollen wir dir irgendwas erzählen, wenn du uns ohnehin tötest? Vielleicht nehmen wir ja ein paar Geheimnisse mit ins Grab.«

»Ich hatte dir mein Wort gegeben«, sagte Kenny sehr leise. »Das muss dir genügen.«

»Dein Wort war heute Morgen nicht viel wert.«

»Aber wir können das Spiel auch anders spielen«, fuhr er fort, ohne auf ihre Bemerkung einzugehen. »Es muss ja nicht gleich jemand sterben. Schau deinen Vater an, Yoyo. Er ist ein tapferer Mann, der den Tod nicht fürchtet. Er nötigt mir Bewunderung ab. Ich frage mich, wie viel Schmerzen er wohl ertragen kann.«

Hongbing ließ ein ächzendes Lachen hören. »Sie würden sich wundern«, sagte er.

Der Killer grinste.

»Fahr endlich deinen Computer hoch. Lade die entschlüsselte Datei auf den Bildschirm und wirf ihn zu mir rüber. Du hast keine Optionen mehr, Yoyo. Nur deinen Glauben.«

Jericho, dachte sie, verdammt. Was ist los? Wir können den Mistkerl nicht länger hinhalten.

Wo bist du?

Jericho fluchte.

Bis eben war alles glattgegangen. Beinahe zu glatt. Während Yoyo und Daxiong sich auf dem Weg zu Chen machten, hatte er mit Tu gesprochen und es geschafft, die Waffenkammern des Airbikes aufzubrechen. Er hatte ein Schnellfeuergewehr mit hoher Durchschlagskraft und Laserautomatik gewählt, das schwer und sicher in der Hand lag, die Turbine gestartet und die Maschine ohne Probleme zum vereinbarten Treffpunkt geflogen.

Unweit der Hausnummer 1276 waren sie für die Dauer einer kurzen Lagebesprechung zusammengekommen.

»Es ist das achte Haus in der Reihe.« Yoyo zeigt die Straße entlang. »Die Hinterhöfe sind alle gleich, mit Wiesen und Bäumen und einem Weg, der sie verbindet. Es ist die linke Fensterseite, vierter Stock.«

»Gut«, nickt Jericho.

»Hast du meinen Computer mitgebracht?«

»Ja. Daxiong seinen auch?«

»Hier.« Der Riese drückt ihm einen etwas veraltet aussehenden Computer in die Hand. Jericho überspielt ihm das entschlüsselte Textfragment.

»Kann ich meinen jetzt wiederhaben?«, fragt Yoyo.

»Natürlich.« Jericho steckt ihr Gerät wieder ein. »Wenn das hier vorbei ist. So lange ist er bei mir sicherer. Kenny darf keine Gelegenheit erhalten, ihn dir abzunehmen.«

Sie sagt nichts, was er als Zeichen des Einverständnisses deutet. Er schaut von ihr zu Daxiong und wieder zurück.

»Alles klar?«

»So weit ja.«

»In genau fünf Minuten betretet ihr die Wohnung.«

»Okay.«

»Gleich darauf bin ich da und nehme ihn in die Zange. Noch Fragen?«

Beide schütteln stumm den Kopf.

»Gut.«

In fünf Minuten.

Das war jetzt! Und er stand immer noch an der Straßenecke, weil das Airbike plötzlich das Verhalten einer Diva an den Tag legte, die nicht auftreten wollte, so gut man ihr auch zuredete.

»Komm schon«, schimpfte er.

Dieser Teil Hongkous war eine reine Wohngegend und die Siping Lu eine mehrspurige Zubringerstraße. Geschäfte gab es kaum, ebenso wenig wie Restaurants. Entsprechend verödet lagen die Bürgersteige da, zumal die meisten Chinesen auch knapp 40 Jahre nach Deng Xiaopings legendärer Öffnung zum Westen keinen rechten Geschmack am Flanieren fanden, wie es Franzosen, Deutsche und Italiener taten. Der Verkehr floss zügig dahin, überspannt von Fußgängerbrücken in regelmäßigen Abständen. Weil die meisten Pendler seit den frühen Morgenstunden an ihren Arbeitsplätzen weilten, hielt sich das Fahrzeugaufkommen einigermaßen in Grenzen. Dem Mittelstreifen, der die Fahrbahnen trennte, entwuchsen die massiven Pfeiler der künftigen Maglev-Trasse und warfen lange, bedrohliche Schatten. Ein kleiner Park mit Rasen, Teich und Wäldchen nahm die gegenüberliegende Straßenseite ein, ältere Leute, der Zeit entrückt, übten sich dort in Qi Gong. Es war, als betrachte man zwei Filme, die mit unterschiedlicher Geschwindigkeit abliefen. Vor der Kulisse des Zeitlupenballetts erschienen die Autos schneller, als sie eigentlich fuhren. Niemand beachtete Jericho in seiner vernehmlichen Auseinandersetzung mit dem Airbike, die darin gipfelte, dass er redete und die Maschine schwieg.

Die Sekunden flogen dahin.

Schließlich unterbrach er seinen Monolog und versetzte dem Gefährt einen Tritt gegen die Seite, den die Kunststoffverschalung so geräuschlos wegsteckte, dass es einer Kränkung gleichkam. Fieberhaft ging er die Alternativen durch. Dabei probierte er weiter mechanisch, das Airbike zu starten, sodass er immer noch grübelte, als sich die Rotoren der Turbine plötzlich gegeneinander zu drehen begannen und das typische Fauchen die Frequenzleiter erklomm, höher und höher, bis es endlich zum Flug einlud, als habe es niemals ein Problem gegeben.

»Gut«, sagte Yoyo. »Du hast gewonnen.«

Sie ging in die Hocke und ließ den kleinen Computer über den Fußboden in Kennys Richtung gleiten. Als sie wieder hochkam, traf ihr Blick den Hongbings. Er schien sie um Verzeihung zu bitten, dass er zur Lösung ihrer Probleme nicht mehr beitragen konnte, als paralysiert dazusitzen. Tatsächlich verwehrte ihm Kennys perfide Konstruktion sogar, sich auf den Mann zu stürzen, der seine Tochter bedrohte. Er würde keinen Meter weit kommen. Nichts wäre gewonnen.

»Du kannst nichts dafür«, sagte sie. Und dann, im Vertrauen darauf, dass Jericho doch noch aufkreuzte, fügte sie hinzu: »Was immer passiert, Vater, beweg dich nicht vom Fleck, hörst du? Keinen Millimeter.«

»Rührend.« Kenny lächelte. »Man möchte brechen.«

Er hob den Computer auf und schaute kurz auf den Bildschirm. Dann warf er Yoyo einen abschätzigen Blick zu.

»Ziemlich betagtes Modell, mhm?«

Sie zuckte die Achseln.

»Bist du sicher, dass du mir das richtige Gerät ausgehändigt hast?«

»Ist für Backups.«

»Also gut, Teil zwei. Wer weiß noch alles von deinem kleinen Ausflug in verbotene Gefilde?«

»Daxiong«, sagte Yoyo, auf ihn deutend. »Und Shi Wanxing.«

Daxiong warf ihr einen überraschten Blick zu. Nicht nur Kenny würde sich in diesem Moment fragen, wer Shi Wanxing war. Tatsächlich hatte sie den Namen spontan erfunden in der Hoffnung, dass Daxiong den Bluff kapierte und mitspielte. Jetzt, wo der Killer ihren Computer an sich genommen hatte beziehungsweise das, was er dafür hielt, waren sie praktisch tot. Sie musste versuchen, ihn hinzuhalten.

»Wanxing?« Kennys Augen verengten sich. »Wer ist das?«

»Er –«, begann Yoyo.

»Maul halten.« Kenny machte eine Kopfbewegung zu Daxiong. »Ich habe ihn gefragt.«

Daxiong ließ eine Sekunde des Schweigens verstreichen, die sich zu einer Ewigkeit zu dehnen schien. Dann sagte er mit vorgerecktem Pharaonenbart:

»Shi Wanxing ist außer uns beiden der Letzte, den du nicht abgeknallt hast. Der letzte überlebende *Wächter*. Ich wusste nicht, dass Yoyo ihn ins Vertrauen gezogen hat.«

Kenny runzelte misstrauisch die Brauen. »Sie scheint es bis gerade selber nicht gewusst zu haben.«

»Wir sind hinsichtlich Wanxings geteilter Meinung«, brummte Daxiong. »Yoyo hält aus unerfindlichen Gründen große Stücke auf ihn. Ich wollte ihn überhaupt nicht in der Gruppe haben. Er ist einer, der zu viel quatscht.«

Donnerwetter, dachte Yoyo.

»Wanxing ist ein hervorragender Kryptoanalytiker«, gab sie in trotzigem Tonfall zurück.

»Darum musstest du ihm nicht gleich alles überspielen«, maulte Daxiong.

»Wieso nicht? Er sollte die Seite mit den Schweizfilmen entschlüsseln.«

»Und? Hat er das?«

»Keine Ahnung.«

»Gar nichts hat er nämlich!«

»Hey, Daxiong!«, fuhr ihn Yoyo an. »Worum geht's hier eigentlich? Doch nur darum, dass du ihn nicht leiden kannst.«

»Er ist ein Klatschweib.«

»Ich vertraue ihm!«

»Man kann ihm aber nicht vertrauen.«

»Wanxing klatscht nicht.«

»Froschkacke!«, erboste sich Daxiong. »Er tut überhaupt nichts anderes!«

Kenny legte den Kopf schief. Er schien nicht recht zu wissen, was er von dem Streit zu halten hatte.

»Wenn Wanxing mit irgendjemandem darüber gesprochen hat, dann, weil er zusätzliche Tools brauchte«, bellte Yoyo. »Nachdem *du* es ja nicht auf die Reihe gebracht hast!«

»Sag ich doch.«

»Was?«

»Dass jetzt auch Sara und Zheiying im Besitz dieser beschissenen Nachricht sind.«

»Was? Warum denn gerade die?«

»Warum? Bist du blind? Weil er scharf ist auf Sara.«

»Bist du doch selber!«

»Hey«, sagte Kenny.

»Du hast sie ja wohl nicht mehr alle«, schnauzte Daxiong sie an. »Wollen wir mal über dein Verhältnis zu Zheiying reden? Wie du dich zum Affen machst, bloß weil er –«

»Hey!«, schrie Kenny und feuerte Daxiong seinen Computer vor die Füße. »Was soll das alles? Wollt ihr mich verarschen? Wer ist Wanxing, wer sind die anderen? Wer weiß alles von der Sache? Macht endlich das Maul auf, oder ich schieße den Alten in Stücke!«

Yoyo öffnete den Mund und schloss ihn wieder. Sie konnte nicht aufhören, den Killer anzustarren, der gerade einiges zu begreifen schien. Dass sie blufften, ihn hinhielten. Dass sie tatsächlich an ihm vorbeistarrte, auf den Urheber des Fauchens, das Kenny nicht wahrgenommen hatte, weil er sich von der inszenierten Auseinandersetzung hatte ablenken lassen. Kenny, die Bombe, die es zu entschärfen galt, wie in den alten Filmen. Nur noch wenige Sekunden. Das Zählwerk läuft gegen null, ein halbes Dutzend Drähte, alle von derselben Farbe, aber nur einer, den du durchschneiden darfst.

»Du bist im Visier«, sagte sie ruhig.

Xin schaute auf seine Fernbedienung. Das Display zeigte ihm, was der Scanner des automatischen Gewehrs sah: Chen Hongbing, in seinen Sitz gedrückt. Einen Teil der Fensterfront. Eine dunkle Kontur am Bildrand.

Hinter ihm war etwas aufgetaucht.

»Wenn mein Vater stirbt, bist du tot«, sagte Yoyo. »Wenn du uns angreifst oder fliehst, auch. Also hör zu. Vor dem Fenster schwebt in diesem Moment eines deiner Airbikes. Owen Jericho sitzt darauf und hält irgendwas auf dich gerichtet. Ich kenn mich da nicht so aus, aber der Größe nach würde ich sagen, das er *dich* damit in Stücke schießen kann, also versuch, dein Temperament im Zaum zu halten.«

Buchhalterisch ordnete Xin seine Gedanken und Empfindungen. Ärgern würde er sich später. Er zweifelte nicht daran, dass Yoyo die Wahrheit sagte. Würde Chen in dieser Sekunde sterben, stürbe auch er. Das Mädchen und ihr riesiger Freund waren unbewaffnet, er hingegen trug eine Waffe im Hosenbund – nicht wirklich ein Vorteil, denn bis er sie gezogen hätte, wäre er ebenfalls tot.

»Was soll ich tun?«, fragte er ruhig.

»Stell die Automatik ab. Das Gewehr da. Ich will, dass mein Vater aufsteht und zu uns rüberkommt.«

»In Ordnung. Ich muss dafür die Fernbedienung benutzen. Ich muss sie berühren, okay?«

»Wenn das einer von deinen Tricks ist –«, dröhnte Daxiong.

»Ich bin kein Selbstmörder. Es ist nur eine Fernbedienung.«

»Mach schon«, nickte Yoyo.

Xin tippte auf den Touchscreen und schaltete die Automatik aus. Das Gewehr war nicht länger auf Chen Hongbings Bewegungen programmiert. Es unterlag wieder ganz seiner Kontrolle.

»Einen Moment noch.« Nacheinander tippte er Schwenkwinkel, Drehgeschwindigkeit und Feuerfrequenz ein. »Alles klar. Stehen Sie auf, ehrenwerter Chen. Gehen Sie zu Ihrer Tochter.«

Chen Hongbing schien zu zögern.

Dann schnellte er von seinem Stuhl und zur Seite.

Xin ließ sich fallen und drückte auf *Start*.

Höhlenbewohner, Savannenläufer, sie alle hatten bis ins 21. Jahrhundert überlebt. Sie sahen das Rascheln im Gras, hörten, was der Wind herantrug, waren auf erstaunliche Weise befähigt, eine Vielzahl von Reizen simultan zu verarbeiten und intuitiv zu bewerten. Manche Menschen schöpften mehr aus dem archaischen Erbe als andere, und einige hatten die in sechs Millionen Jahren Menschheitsgeschichte herausgebildeten Instinkte auf außergewöhnliche Weise bewahrt.

Zu ihnen gehörte Owen Jericho.

Er hatte das Bike mit gedrosseltem Schub bis vor die Fensterfront gesteuert, das Schnellfeuergewehr im Arm, sodass der rote Laserpunkt auf Kennys Rücken ruhte. Libellengleich hing er dort, wohl wissend, dass der Killer das Fauchen der Düsen längst gehört haben musste, doch Kenny hatte keine Anstalten gemacht, sich umzudrehen. Auf einen Angriff aus dieser Richtung war er nicht vorbereitet. Sie hatten ihn in der Zange.

Yoyo sagte etwas und zeigte auf ihren Vater.

Der Laserpunkt zitterte zwischen Kennys Schulterblättern. Chens aufgeschossener, magerer Körper spannte sich, der Killer winkelte die Arme an. Möglicherweise hielt er etwas in der linken Hand, das er mit der rechten bediente.

Dann geschah es – und Jerichos archaisches Erbe übernahm. Seine Wahrnehmung beschleunigte sich so rapide, dass die Welt dem Stillstand zuzustreben schien und alle Frequenzen unter die Hörgrenze absanken. Nur dumpfes Wummern zeugte von zerdehnten Prozessen. Wie schwerelos geworden, verlor Chen langsam den Kontakt zum Stuhl, gewann Zentimeter um Zentimeter Abstand zur Sitzfläche, das linke Bein in den Boden gestemmt, das rechte angewinkelt, während er seitwärts kippte. Es war die Studie eines Sprungs, und noch ehe sie richtig begonnen hatte, reagierte Kenny darauf, indem er Ansätze erkennen ließ, sich zu Boden zu werfen. Jericho registrierte all dies, Chens Flucht und Kennys Sprung, stellte intuitiv Zusammenhänge her und lenkte sein Augenmerk auf das ferngesteuerte Gewehr. Noch bevor es sich auf dem Stativ zu drehen begann, wusste er, dass genau dies geschehen würde. Chen floh, weil Kenny den Fokus der Automatik von ihm genommen hatte. Der Killer brachte sich nicht vor Jerichos Waffe in Sicherheit, sondern vor seiner eigenen, die er in diesen Sekunden fernsteuerte und in die Fensterscheibe feuern ließ.

Derselbe evolutionäre Algorithmus, dem Jäger vor Millionen Jahren den rettenden Sprung verdankt hatten, gebot Jericho, aufzusteigen, bevor die Kanone das erste Geschoss ausspuckte. Als es die Mündung verließ, hatte sich seine Position bereits verändert.

Dann ging alles umso schneller.

Die Waffe auf dem Stativ schwenkte herum und feuerte in kurzer Frequenz, drehte sich weiter. Alle Scheiben zerbarsten. Die Garbe erfasste Jerichos Bike, doch es war ihm gelungen, die Maschine so weit in die Höhe zu ziehen, dass er selbst nicht getroffen wurde. Zwei der Geschosse schlugen in die rotierenden Räder der Turbine. Ein Laut ertönte wie von einer zerspringenden Glocke. Das Airbike erhielt einen fürchterlichen Schlag.

Senkrecht stürzte es in die Tiefe.

»Runter!«, schrie Daxiong.

Er hechtete los. Drei Zentner setzten sich in Bewegung, allerdings bestand fast alles an Daxiongs kolossalem Leib aus Muskeln, sodass er es schaffte, Yoyo einen Stoß zu versetzen und mit wenigen Sätzen Chen Hongbing zu erreichen, während die Waffe ihm folgte. Geschosse bohrten sich mit ohrenbetäubendem Krachen in Wand und Mobiliar. Aus klaffenden Löchern spritzten Holz, Glas und Verputz. Daxiong sah Yoyo fallen. Mit einer Frequenz von acht Schuss pro Sekunde zerfetzte das Gewehr die Wohnungstür, vor der sie eben noch gestanden hatte, drehte sich weiter, ihm hinterher auf seinem atemlosen Wettlauf. Er prallte gegen Hongbing und riss ihn zu Boden.

Über ihren Köpfen platzte die Wand auf.

Jericho fiel.

Scheinbar zusammenhanglose Faktoren korrelierten auf erstaunliche Weise, darunter die Konstruktionsprinzipien fliegender Maschinen, die Auswirkungen schwerer Ballistik und die Ambitionen des städtischen Grünflächenamts. Tokio etwa als Sinnbild eines Volkes, das allzeit im Zustand extremer Beengung gelebt hatte, war auf jedem Quadratmeter dem bewohnbaren Raum verpflichtet, weshalb man dort kaum je einen Baum sah. Shanghai dagegen protzte mit Parks und Straßenbepflanzung, was die Lebensqualität enorm heraufsetzte und nebenbei geeignet war, den Aufprall eines aus zwölf Meter Höhe abstürzenden Airbikes merklich abzumildern. Vom feuchtwarmen Klima begünstigt, waren die Birken im Hinterland der Siping Lu üppig gewuchert. Das Bike krachte in eine dicht belaubte Baumkrone und warf Jericho ab. Er stürzte ins Geäst, das seinen Fall mit zunehmender Dichte bremste, grapschte umher, fiel weiter, ausgepeitscht von Zweigen und verdroschen von dicker werdenden Ästen, bis er einen davon zu fassen bekam und zappelnd daran baumelte, vier bis fünf Meter über dem Hof.

Zu hoch für einen Sprung.

Wo war das Airbike?

Brechen und Splittern kündete davon, dass er die Maschine auf seinem Sturz überholt hatte. Sie wütete hoch über ihm. Er legte den Kopf in den Nacken und sah etwas heranfliegen, versuchte auszuweichen, zu spät. Ein Ast prallte gegen seine Stirn.

Als sich sein Blick wieder klärte, stürzte das Airbike geradewegs auf ihn zu.

Xin rollte herum.

Vor seinen Augen ballten sich dichte Wolken aus Mörtelstaub. Nahe der zersplitterten Tür sah er Yoyo auf Ellbogen zu ihrem Vater kriechen. Währenddessen hatte das rotierende Gewehr seine erste Runde vollendet und ging Feuer spuckend in die zweite.

»Yoyo, raus!«, hörte er Daxiong schreien. »Raus hier!«

»Vater!«

Xin wartete, bis der Beschuss über ihn hinweggezogen war, sprang auf und ließ den Zeigefinger über den Touchscreen der Fernbedienung gleiten, stoppte die Waffe, zog den Finger nach unten und nach rechts, und das Gewehr folgte seinen Bewegungen, senkte den Lauf und spuckte eine Garbe dorthin, wo Chen und der Riese gerade wieder auf die Beine kamen. Die Projektile verfehlten beide um Haaresbreite. Geduckt stolperten sie in den Nebenraum. Xin feuerte in die Wand, doch das Mauerwerk hatte schon den ersten Beschuss überstanden.

Egal. Nebenan saßen sie in der Falle.

Gelassen ließ er das Gewehr einen Schwenk nach links vollführen. Im Stakkato hämmerte die Waffe ihre Ladung in den Beton, pflügte durch ein halb zerschossenes Regal und brachte es vollends zum Einsturz. Krater reihten sich dicht an dicht, eine Schneise der Zerstörung, die sich fortpflanzte zu dem Mädchen am Boden.

Yoyo starrte ihn an. In Panik versuchte sie, auf die Beine zu kommen, doch sie war lächerlich langsam. Ihre Augen weiteten sich, als sie begriff, dass sie nun sterben würde.

»Bye bye, Yoyo«, zischte er.

Turbinenmaul voran, brach das Airbike durchs Geäst, als wolle es Jericho zugleich erschlagen und verschlingen.

Er *musste* springen!

Das Splittern und Krachen endete. Keinen halben Meter über ihm hatte sich der Rumpf der Maschine verkeilt und war scheppernd zum Stillstand gekommen. Borke, Blätter und kleine Äste rieselten auf ihn herab. Er schaute in die zerborstenen Rotoren der Turbine, hangelte sich Richtung Stamm und erblickte einen dünneren Ast unter sich, auf den er seine Füße stellen konnte.

Beunruhigend dünn, bei näherem Hinsehen.

Zu dünn.

Wieder prasselte es über ihm.

Er hatte keine Wahl, ließ sich fallen, kam auf, fühlte das Holz unter seinem Gewicht nachgeben und schlang die Arme um den Stamm.

Xin hörte den Schrei, doch er kam nicht von Yoyo, sondern von dem Riesen, der unvermittelt aus dem Nebenraum stürmte, sich mit der Wucht einer Abrissbirne gegen das Stativ warf und es zu Fall brachte. Die Einschläge änderten ihre Richtung und wanderten zur Decke, wo sie faustgroße Brocken Gestein herausschlugen. Xin tippte auf *Stop* und zog seine Handfeuerwaffe. Er sah Hongbing zu Yoyo laufen, die aufsprang und den Rest der zersplitterten Wohnungstür aufriss.

Im Moment, da er auf sie zielte, riss Daxiong ihm die Beine weg.

Xin prallte auf den Rücken, rollte blitzschnell zur Seite. Wo er gelegen hatte, krachte Daxiong zu Boden. Er hob die Pistole, doch der Hüne stieß sich mit erstaunlicher Behändigkeit ab und schlug sie ihm aus der Hand. Xin versetzte ihm einen Tritt dorthin, wo die schrankbreite Brust ans Kinn grenzte und ergo so etwas wie ein Kehlkopf sein musste. Daxiongs kunstvoll gearbeiteter Pharaonenbart zersplitterte. Der Riese taumelte und ließ ein ersticktes Röcheln vernehmen. Mit einem Hechtsprung war Xin bei der Pistole, bekam ihren Griff zu fassen, fühlte sich gepackt und wie ein Kind in die Höhe gehoben. Nach allen Seiten austretend, versuchte er sich aus dem Klammergriff zu befreien. Lange hatte die Wirkung des Tritts nicht vorgehalten. Daxiongs Pranken umklammerten ihn wie Schraubstöcke, während er ihn zur Fensterfront trug.

Es war offensichtlich, was er vorhatte.

Auf gut Glück bog Xin den Arm nach hinten und feuerte. Ein unterdrückter Schmerzenslaut ließ ihn vermuten, dass er getroffen hatte, was Daxiong jedoch nicht daran hinderte, ihn höher zu heben und mit einem gewaltigen Schwung durch eines der Fenster zu befördern. Viel Glas war nicht mehr in dem Rahmen. Unter anderen Umständen hätte der Stoß seinen sicheren Tod zur Folge gehabt, doch die Verletzung hatte den Hünen einen Teil seiner Kraft gekostet. Xin spreizte Arme und Beine wie eine Katze, suchte nach Halt und bekam eine Strebe zu fassen, die im Geschosshagel nicht zersplittert war. Sein Körper schwang nach außen. Einen Moment lang schaute er auf das grüne Meer der Blätter unter sich, spannte die Muskeln, um wieder ins Innere zu gelangen, sah Daxiongs Faust heranfliegen und rutschte ab.

Er fiel.

Ein kurzes Stück.

Den klobigen Kasten der Klimaanlage sehen und zupacken, war eines. Ein Ruck ging durch Xins Körper, seine Hände krallten sich um den Kasten, der knirschend in Schieflage geriet. Tief unter ihm krachte, splitterte und prasselte es, als wüte in den Baumkronen ein riesiges Tier.

Jericho? Der Detektiv war an der gleichen Stelle abgestürzt.

Uninteressant. Er musste zurück in die Wohnung gelangen. Unter Einsatz aller Kräfte zog er sich hoch, stemmte die Füße ins Mauerwerk und machte sich an den Aufstieg.

Verzweifelt klammerte sich Jericho an den Stamm. Seine Füße glitten ab. Keine Borke, um sich hineinzukrallen. Knapp drei Meter über dem Erdboden beschloss er loszulassen, stieß sich ab, landete auf beiden Füßen, verlor die Balance, fiel auf den Rücken und sah das Airbike auf sich zustürzen.

Motorrad fällt aus Baum und erschlägt Detektiv.

Es gab Schlagzeilen, die wollte man sich nicht gedruckt vorstellen.

Mit aller Kraft katapultierte er sich zur Seite. Neben ihm schlug das Airbike mit solcher Wucht auf, dass er befürchtete, die Waffenarsenale gingen hoch, doch wenigstens diese Katastrophe blieb ihm erspart. Das Bike lag auf der Seite, zwei Düsen und ein Teil der Verschalung waren abgeplatzt. Damit hatte es jede Tauglichkeit als Fluggerät eingebüßt. Er blickte nach oben, doch die Baumkronen erlaubten keinen Blick auf Chens Wohnung. Als er zur Hauswand stolperte, meinte er, oben einen Fuß über dem Fenstersims verschwinden zu sehen, und kniff die Augen zusammen.

Der Fuß war weg.

Er schaute sich um, entdeckte eine Hintertür, drückte die Klinke und fand sie offen. Dahinter lag dunkel der Flur. Kühle Luft wehte ihm entgegen. Er schlüpfte hinein und brauchte einen Moment zur Orientierung, sah den Flur weiter vorne abknicken und folgte seinem Verlauf. Nach wenigen Stufen fand er sich neben dem Fahrstuhlschacht wieder. Vor ihm erstreckte sich die Flucht des Entrees bis zur Haustür. Heftiges Poltern erklang aus dem Treppenhaus. Jemand kam heruntergestürmt wie ein Elefant. Jericho zuckte zurück, blieb in der Deckung des Liftschachts und wartete, wer in der Halle auftauchen würde.

Es war Daxiong. Der Riese stolperte gegen die Wand und stützte sich ab. Über dem rechten Schulterblatt war seine Jacke aufgeschlitzt und voller Blut. Mit wenigen Schritten war Jericho neben ihm.

»Was ist los? Wo sind Yoyo und Chen?«

Daxiong fuhr herum, die Faust zum Schlag erhoben. Dann erkannte er Jericho, ließ ihn stehen und taumelte zur Haustür.

»Draußen«, schnaufte er.

»Und Kenny?«

»Draußen.«

Seine Knie knickten ein. Jericho fasste ihn unter den Armen.

»Stütz dich auf«, keuchte er.

»Bin zu schwer.«

»Unsinn. Ich hab schon ganz andere Babys als dich geschaukelt. Was heißt draußen?«

Daxiong krallte eine seiner Pranken in Jerichos Schulter und verlagerte sein Gewicht auf ihn. Natürlich war er zu schwer. Viel zu schwer. Ungefähr so, als schleppe man einen mittelgroßen Dinosaurier mit sich herum. Jericho zog die Türe auf, und gemeinsam wankten sie ins Sonnenlicht.

»Hab ihn rausgeworfen«, keuchte Daxiong. »Aus dem Fenster geworfen. Verdammter Drecкskerl.«

»Ich glaube, der Dreckskerl ist wieder reingekrochen.« Jericho schaute sich rasch um. In loser Folge waren Autofahrer und Biker unterwegs.

»Sie müssen hier irgendwo – da!«

Zwischen den Fahrzeugen winkte ihnen Yoyo von der anderen Straßenseite aus zu. Sie saß im Sattel eines der beiden Motorräder, mit denen sie und Daxiong hergekommen waren. Neben ihr trat Chen Hongbing nervös von einem Bein aufs andere. Yoyo deutete auf das zweite Motorrad und rief etwas.

»Genau«, knurrte Daxiong. Er nahm die Hand von Jerichos Schulter und stapfte wackelig los. »Hauen wir ab.«

Die pagodenartige Dachkonstruktion des Hauses war im mittleren Bereich abgeplattet. Dem Flachdach entwuchs der Schacht des Treppenhauses. Xin hatte sein Airbike daneben abgestellt und war von dort in den vierten Stock hinabgestiegen, nun stürmte er zurück ins Freie, das Gewehr im Anschlag, dessen Arretierung er in aller Hast gelöst hatte, aus unzähligen Schnittwunden blutend. Er lief zur Dachkante. Die Pagode fiel flach zu seinen Füßen ab und verdeckte den größten Teil der Straße, doch konnte er die ins Nichts greifenden Finger der Trassenstützen und die gegenüberliegende Seite mit dem Park erkennen.

Neben einer Fußgängerbrücke sah er Yoyo und ihren Vater.

Er nahm sie ins Visier und stellte fest, dass das Magazin leer geschossen war. Mit einem Wutschrei schleuderte er das Gewehr von sich, rannte zu seinem Airbike, saß auf, startete es und steuerte die Maschine senkrecht in die Höhe, bis er die Straße in ihrer ganzen Breite überblicken konnte. Dort liefen Jericho und Daxiong. Sie hatten den Mittelstreifen überquert und etwas über die Hälfte der Brücke zurückgelegt. Unter ihnen brandete der Verkehr hindurch. Aus der Luft wirkten sie wie Mäuse in einem Laborparcours, eine etwas pfotenlahm, wie es schien.

Der Riese. Er *hatte* ihn getroffen.

Xin langte aus, griff in die Waffenkammer und förderte eine handliche Maschinenpistole zutage. Mit aufheulenden Düsen stürzte er sich nach unten.

Jericho sah ihn kommen. Er riss Daxiong, der in verkrümmter Haltung vor ihm herlief, am Jackenärmel zurück und zeigte nach oben.

»Scheiße«, keuchte Daxiong. Er hob beide Arme, um die anderen auf das Bike aufmerksam zu machen, stöhnte auf. Sein Gesicht verzerrte sich vor Schmerz. Doch Yoyo erkannte auch so, was auf sie zukam. Sie sprang von ihrem Motorrad und begann aus Leibeskräften in Richtung Park zu laufen, Hongbing im Gefolge.

»Daxiong«, schrie Jericho. »Wir müssen zurück.«

»Nein!«

»Wir schaffen es nicht bis rüber.«

Er gab dem Riesen einen Stoß und schob ihn dorthin, wo der Hochweg den Mittelstreifen der Fahrbahn überquerte. Die Brücke grenzte an eine der gewaltigen Pfeilerkonstruktionen, auf denen die Schiene des Maglev verlaufen sollte. In regelmäßigen Abständen führten Sprossen daran herab. Jericho schwang sich über die Brüstung und kletterte nach unten. Er hoffte, Daxiong würde die Kraft aufbringen, ihm zu folgen. Er konnte den Kerl unmöglich nach unten tragen.

Das Airbike schoss über die Fußgängerbrücke hinweg. Lautstark schlugen Geschosse ein. Daxiong verlor den Halt und landete unsanft im Gras des Mittelstreifens. Jericho lief zu dem Gestürzten, der sich aufsetzte und ein Gebrüll anstimmte, das den Autolärm mühelos übertönte. Zu Jerichos Erleichterung schrie Daxiong nicht vor Schmerzen, sondern stieß eine Kaskade von Flüchen und Verwünschungen aus, die allesamt Kennys langsames und qualvolles Ableben zum Inhalt hatten.

»Hoch mit dir«, fuhr Jericho ihn an.

»Ich kann nicht!«

»Doch, kannst du. Ich bin nicht empfänglich für Walstrandungen.«
Daxiong richtete seine Sehschlitze auf ihn.
»Ich reiß ihm den Magen raus«, schrie er. »Und die Därme! Erst den
Dickdarm, dann den Zwölffinger –«
»Was immer du willst. Hoch jetzt!«

Xin legte sich in die Kurve und zielte auf Yoyo.

Im nächsten Moment waren sie unter den verschwenderisch blü-
henden Dächern der Bäume verschwunden, die den Park umstanden.
Er ging tiefer und fegte über die Wiese auf die Qi-Gong-Gruppe zu.
Aufrechten Kopfes, mit abgesunkenen Schultern, Ober- und Unter-
körper im Einklang, breiteten die alten Leute ihre Arme aus, drehten
die Handflächen und führten sie langsam nach oben, dehnten die Glieder, reckten die Arme, bis es den Anschein hatte, als bewahrten sie den
Himmel davor, in die Siping Lu zu stürzen. Zwischen Platanen und
Trauerweiden sah er die Fliehenden auftauchen und schoss, riss klaffende Wunden ins Holz. Die ersten Mitglieder der Gruppe gerieten aus
dem Gleichklang. Sie vergaßen die Finger zu verschränken, versäum-
ten das langsame Ausatmen, drehten die Köpfe.

Im nächsten Moment stoben sie auseinander, als das Airbike zwischen ihnen hindurchfegte.

Xin bremste die Maschine ab und steuerte auf das Wäldchen zu, in
dem Yoyo und ihr Vater verschwunden waren. Keine Spur von ihnen.
Er zog die Nase des Airbikes nach oben und gewann rasch an Höhe.
Möglicherweise wollten sie den geeigneten Moment abpassen und auf
der anderen Seite wieder herauslaufen, um ihre Motorräder zu erreichen. Mit fauchenden Düsen hielt er auf die beiden Maschinen zu. Als
stromgetriebene Fahrzeuge konnten sie nicht explodieren, doch nach
ausgiebigem Beschuss wäre keine davon mehr zu gebrauchen.

Auf dem Mittelstreifen sah er eine Bewegung. Ah! Jericho und der
Koloss, der versucht hatte, ihn aus dem Fenster zu werfen.

Auch gut.

»Er kommt!«
Daxiong nickte schwach. Sie warteten bis zum letzten Augenblick,
dann flüchteten sie hinter den Trassenpfeiler, als die ersten Geschosse
das Gras durchpflügten und in den Beton schlugen. Das Airbike raste
an ihnen vorbei und beschrieb eine rasche Drehung.

»Zur anderen Seite.«
Erneut brachten sie sich in Deckung. Auf diese Weise würden sie

Kenny vielleicht eine Zeit lang standhalten. Immer hinter den Teil der Säule flüchten, der gerade Schutz bot.

Wenigstens hoffte Jericho, dass es so funktionierte.

Neben ihm lehnte Daxiong, schweißnass, mit rasselndem Atem. Sein Gesicht, sein ganzer Schädel war beunruhigend fahl geworden.

»Lange halte ich das nicht mehr durch«, keuchte er.

»Musst du auch nicht«, sagte Jericho, doch seine Angst wuchs, der letzte Teil seines Plans könne aus irgendeinem Grund nicht so aufgehen wie erhofft. Seine Augen suchten den Himmel ab. Beiderseits dröhnten in lockerer Folge Fahrzeuge vorbei. Das Fauchen der Turbine entfernte sich. Einen Moment lang gab er sich der Illusion hin, der Killer habe aufgegeben. Dann sah er das Airbike hoch über ihnen und begriff, was Kenny vorhatte. War er hoch genug, würde ihnen der Pfeiler nicht mehr viel nützen. Sie mochten das Ding umrunden wie die Hasen, früher oder später würden sie getroffen werden.

»– und den Blinddarm, falls er ihn noch hat«, krächzte Daxiong.

»Den reiß ich ihm auch raus. Oder zuerst den Blinddarm und anschließend –«

Vor ihren Füßen spritzten Gras und Erdreich hoch. Jericho umrundete die Säule. Daxiong taumelte hinterdrein, kaum noch fähig, sich auf den Beinen zu halten.

»Geht's?«, fragte Jericho.

»Der Hurensohn hat mich irgendwo am Rücken erwischt«, murmelte Daxiong. Er hustete und sackte in sich zusammen. »Ich glaube, ich werde –«

»Daxiong! Verdammt noch mal! Du darfst jetzt nicht schlappmachen. Hörst du? Nicht ohnmächtig werden!«

»Ich – versuch's ja – ich –«

»Da! Schau!«

In der Ferne war etwas am Himmel aufgetaucht, flach und silbrig. Es sank herab und kam sehr schnell näher.

»Daxiong«, schrie Jericho. »Wir sind gerettet!«

Der Riese lächelte. »Das ist ja schön«, sagte er verträumt und kippte zur Seite.

Xin hatte seine Aufmerksamkeit kurzzeitig auf das Wäldchen gelenkt, sodass er die schimmernde Flunder erst sah, als es beinahe zu spät war. Binnen Sekunden wuchs sie zu bedrohlicher Größe an, ohne dass der Pilot Anstalten erkennen ließ, auszuweichen. Er stutzte, dann wurde ihm klar, dass der Neuankömmling das Ziel verfolgte, ihn in Grund

und Boden zu rammen. Verblüfft hob er den Arm und gab ein paar Schüsse ab, die das Gefährt mit einem eleganten Schlenker ins Nichts gehen ließ, um gleich wieder frontal auf ihn zuzuhalten.

Wer immer die Maschine steuerte, war ein Meister der Navigation.

Wie einen Stein ließ er das Airbike absacken und fing es unmittelbar über dem Verkehr auf. Der silberne Diskus ging in den Sturzflug über. Xin wendete, zog über das Wäldchen und den künstlichen See, flog haarscharfe Kurven und unvermutete Manöver, ohne den Verfolger jedoch abschütteln zu können. Der silberne Diskus jagte ihn über den Park zurück zur Straße, dann drehte er plötzlich ab und stieß steil in den Himmel. Xin schaute ihm verwirrt hinterher, drosselte die Geschwindigkeit und hielt das Airbike dicht über dem Verkehrsstrom in der Schwebe.

Die fremde Maschine entfernte sich.

Fluchend entsann er sich seiner Aufgabe. Es war erniedrigend! Yoyo und der alte Chen hingen irgendwo zwischen den Büschen und sahen alles mit an, eine Vorstellung, die seinen Zorn ins Unermessliche steigerte. Er würde den Granatwerfer einsetzen und den kompletten Wald in Flammen schießen, aber zuerst mussten Jericho und Daxiong dran glauben. Noch war keine Polizei aufgetaucht. Die Waffe im Anschlag, hielt er auf den Pfeiler zu, hinter dem die beiden Idioten Schutz suchten, als er den silbernen Diskus zurückkommen und erneut Kurs auf ihn nehmen sah.

Xin steckte die Waffe weg. Unter ihm schwängerten vorsintflutliche Autos die Luft mit Abgasen und Straßenstaub. Er kochte vor Wut. Ein weiteres Mal würde er sich nicht jagen lassen. Er würde den Kerl vom Himmel holen. Seine Finger schlossen sich um den Griff des Raketenwerfers, aber der steckte fest. Wie von Sinnen rüttelte er daran, senkte den Blick, ließ einen Moment lang jede Aufmerksamkeit fahren.

Lautes Hupen näherte sich.

Schwoll an.

Irritiert hob er den Kopf.

Die Fassade eines herandröhnenden Schwertransporters, anwachsend, riesig. Das Airbike war abgesackt, während er mit dem Werfer gekämpft hatte. Entsetzt sah er den Fahrer hinter der Windschutzscheibe gestikulieren und schreien, riss die Maschine hoch und schaffte es mit knapper Not, der Dachkante des Führerhauses zu entgehen, nur um den Diskus über sich hinwegschießen zu sehen, so dicht, dass die Druckwelle das Airbike erfasste und wie ein Blatt herumwirbelte. In hohem Bogen flog er aus dem Sattel und landete auf dem Rücken. Der

Aufprall presste ihm die Luft aus den Lungen. Instinktiv riss er die Arme hoch, doch kein Fahrzeug folgte nach, um ihn zu überrollen. Er lag auf etwas Festem und zugleich Nachgiebigen. Um Atem ringend stützte er sich auf und erblickte rostige Planken ringsum, die dem Haufen Halt verliehen, in dem er sich wälzte.

Nein. Keine Planken. Eine Karosserie. Fassungslos griff Xin in die Masse und ließ sie durch seine Finger rieseln.

Sand.

Er war in Sand gefallen.

Mit einem Wutschrei kam er auf die Beine, sah Häuser, Masten und Ampeln an sich vorbeiziehen, verlor das Gleichgewicht und landete wieder im Dreck, als der riesige Lastwagen, in dessen Kippe er gestürzt war, abbog, die Geschwindigkeit erhöhte und ihn aus Hongkou herausfuhr, weg von Daxiong, Jericho, Yoyo, Chen und der Siping Lu.

Auf der inneren der beiden Fahrspuren, die nach Westen führten, begann sich der Verkehr zu stauen. Das Airbike war auf den Mittelstreifen gestürzt und hatte dabei Teile seiner Verkleidung auf die Fahrbahn geschleudert, was einige Fahrer zu kühnen Bremsmanövern genötigt hatte. Dass es nicht zu Auffahrunfällen kam, verdankte sich der Pflichteinführung der Pre-Safe-Sensorik, auf die auch alte Modelle hatten umrüsten müssen. Radarsysteme mit CMOS-Kameras analysierten unentwegt den Abstand und bremsten den Wagen selbsttätig ab, falls der Vordermann abrupt und überraschend zum Stehen kam. Nur fliegende Objekte stellten die Sensorik offenbar vor Probleme.

Der *Silver Surfer* war unterdessen im Park niedergegangen. Jericho spähte zwischen den Autos hindurch und sah, wie sich die Flügeltüren des Gefährts hoben und eine vertraute, beleibte Gestalt heraussprang. Dann erblickte er noch jemanden, und sein Herz schlug höher vor Freude.

Yoyo und Chen kamen aus dem Wäldchen gelaufen.

»Daxiong!« Er beugte sich zu dem Riesen herab und tätschelte ihm die Wange. »Aufstehen. Hoch mit dir.«

Daxiong murmelte etwas Unfreundliches. Jericho holte aus, versetzte ihm zwei schallende Ohrfeigen und sprang zurück für den Fall, dass er die Reflexe des Hünen unterschätzt hatte. Doch viel geschah nicht, außer dass Daxiong sich aufsetzte, seufzte und Anstalten machte, wieder zurückzusinken. Jericho ergriff seinen Arm und hielt ihn mit äußerster Kraftanstrengung einige Sekunden fest, dann entglitt ihm der gewaltige Körper.

»Daxiong, verdammt!«

Er durfte nicht zulassen, dass der Verletzte ins Koma fiel. Nicht hier. Weitere Ohrfeigen waren vonnöten. Diesmal hatte er mehr Erfolg.

»Bist du bescheuert?«, fuhr Daxiong ihn an.

Jericho deutete auf die Sprossen im Pfeiler, die hinauf zur Fußgängerbrücke führte. »Gleich kannst du dich schlafen legen. Erst müssen wir da hoch.«

Daxiong stützte sich auf den linken Arm, klappte zusammen, versuchte es ein weiteres Mal und kam auf die Beine. Er tat Jericho unendlich leid. Im Kino liefen die Opfer von Schusswunden noch stundenlang mopsfidel durch die Gegend und vollbrachten Heldenhaftes, aber die Realität sah anders aus. Die Wunde auf Daxiongs Rücken mochte ein Streifschuss sein, doch alleine der Schock, verursacht durch die Geschwindigkeit der Pfeilprojektile, reichte, um einem Menschen die Besinnung zu rauben. Daxiong hatte viel Blut verloren, außerdem musste die Wunde stark schmerzen.

Sein Blick wanderte die Leiter hoch. Mittlerweile war sein Gesicht wachsweiß geworden.

»Ich komm da nicht rauf, Owen«, flüsterte er.

Jericho ließ den Atem entweichen. Daxiong hatte recht. Eigentlich fühlte er sich selbst nicht ganz standfest. Er schätzte die Breite des Mittelstreifens ab – eben ausreichend, befand er – und zog sein Handy hervor. Nach zweimaligem Klingeln hatte er Tu in der Leitung. Jericho konnte ihn drüben im Park sehen, während Yoyo und Chen ins Flugmobil kletterten.

»Tian?«

Wie sehr seine Stimme plötzlich zitterte. Überhaupt hatte alles an ihm und um ihn herum zu zittern begonnen.

»Meine Güte, Owen!«, trompete Tu. »Was ist los? Wir warten auf euch.«

»Tut mir leid.« Er schluckte. »Du warst großartig, aber ich fürchte, die größte Herausforderung steht dir noch bevor.«

»Was? Welche denn?«

»Präzisionslandung. Mittelstreifen. Bis gleich, alter Freund.«

Tus *Silver Surfer* war als Doppelsitzer mit Notsitz konzipiert. Unter dem vereinten Gewicht von fünf Personen, deren zwei massiv übergewichtig waren, büßte er einiges an Manövrierfähigkeit ein. Es wurde entsetzlich eng. Sie verfrachteten Daxiong auf den Beifahrersitz und quetschten sich dahinter zusammen. Hoffnungslos überbelegt, hob der

Silver Surfer mit der Eleganz einer gichtkranken Ente ab. Jericho wunderte sich, dass er überhaupt noch flog. Tu steuerte die Maschine über die gleichförmigen, rotbraunen Dächer der Wohnsiedlungen Hongkous, überquerte den Huangpu und hielt aufs Nordufer des Finanzdistrikts zu. In Sichtweite zur Yangpu-Brücke lag die parkähnliche Anlage des *Pudong International Medical Centers,* eine Ansammlung federleicht wirkender Glaskokons, gebettet in schmucke Gärten mit künstlichen Seen, Bambushainen und verschwiegenen Pavillons. Die renommierte Privatklinik war erst vor wenigen Jahren errichtet worden. Sie repräsentierte die neue Bodenverbundenheit Shanghais, in deren Stadtplanung die Einsicht gedieh, dass es sich mit Bauwerken ähnlich verhielt wie mit dem Hals des Brachiosaurus, dessen Länge zwar spektakulären Ausblicken dienlich sein mochte, ansonsten aber nur Probleme mit sich brachte. Das ultimative Exponat architektonischen Phalluswahns, der Nakheel-Tower, ragte denn auch halb fertig aus dem bankrottgegangenen Dubai wie zur Bestätigung der Binsenweisheit, dass noch lange nicht der Größte ist, wer den Längsten hat. 1400 Meter hatte das Monstrum messen sollen. Nach etwas über einem Kilometer waren die Arbeiten eingestellt worden, die Himmelsstürmer an der Banalität ihres Konzepts gescheitert, war die *casa erecta* reif für die Aufnahme ins Buch fehlgeleiteter Entwicklungen. Gebilde wie die ineinander verwobenen Zellen des *Pudong International Medical Centers* entsprachen weit eher den Anforderungen einer Metropole, die sich als gigantischer urbaner Einzeller verstand, dessen Stoffwechsel auf neuronaler Vernetzung gründete statt auf der Ausbildung rekordverdächtiger Extremitäten.

»Ich kenne da jemanden.«

Wie immer, wenn in Shanghai Neues entstand, pflegte Tu auch im *Medical Center* Vertrautheit mit den wirkenden Kräften, explizit mit dem Leiter der Chirurgie. Nachdem sie Daxiong eingeliefert hatten, führten beide Männer ein zurückgezogenes Gespräch. Am Ende stand die Versicherung, Daxiongs Verletzung zu behandeln, ohne die Umstände ihres Entstehens zu hinterfragen. Der Riese musste genäht werden und sich mit dem Gedanken an eine schmucke Narbe vertraut machen. Vor allen Dingen würde er eine Weile Schmerzen haben.

»Aber auch dagegen kann man was machen«, verabschiedete sie der Chirurg und lächelte beruhigend in die Runde. »Heute kann man schließlich gegen alles was machen.«

In Privatkliniken, fügte sein Blick hinzu.

Jericho hätte ihn gerne gefragt, was er gegen Yoyos Schmerz über den Verlust ihrer Freunde empfahl, gegen die alte Seelenqual Chen Hongbings und gegen seine eigenen inneren Filme, doch er beließ es dabei, Daxiong die Hand zu drücken und alles Gute zu wünschen. Der Hüne betrachtete ihn ausdruckslos. Dann ließ er seine Hand los, streckte den rechten Arm aus und drückte ihn an sich. Jericho ächzte. Wenn es das war, was Daxiong mit aufgerissenem Rücken zustande brachte, wollte er lieber nicht wissen, zu welchen Liebesbekundungen der Mann im Zustand körperlicher Unversehrtheit fähig war.

»Bist gar nicht so übel«, sagte Daxiong.

»Schon okay.« Jericho grinste. »Sei nett zu den Schwestern.«

»Und du gibst auf Yoyo acht, bis ich raus bin.«

»Mach ich.«

»Also dann bis heute Abend.«

Jericho glaubte, sich verhört zu haben. Daxiong drehte den Kopf zur Seite, als sei jede weitere Diskussion über den Zeitpunkt seiner Entlassung reine Zeitverschwendung.

»Lass mal«, sagte Yoyo im Hinausgehen. »Ich bin ja schon froh, dass er nicht gleich wieder mitkommen wollte.«

»Und jetzt?«, fragte Chen Hongbing, als sie zurück zum *Silver Surfer* trotteten. Es war das erste Mal, dass er überhaupt sprach, seit sie den Park verlassen hatten. Seine mimische Verarmung, welcher Hölle auch immer er sie zu verdanken hatte, ließ ihn seltsam unbeteiligt, fast desinteressiert erscheinen.

»Ich schätze, ich muss dir einiges erklären.« Yoyo senkte den Kopf. »Nur – vielleicht nicht gerade jetzt.«

Chen hob in einer Geste der Hilflosigkeit die Hände.

»Ich verstehe das alles nicht.« Sein Blick wanderte zu Jericho. »Sie haben doch –«

»Ich habe sie gefunden«, nickte Jericho. »Ganz wie Sie wollten.«

»Jaaa«, sagte Chen gedehnt. Er schien zu überlegen, ob es wirklich *das* war, was er gewollt hatte.

»Es tut mir leid, was geschehen ist.«

»Nein, nein. Ich muss Ihnen dankbar sein!«

Das klang wieder ganz nach dem Mann, der zwei Tage zuvor – war es wirklich erst zwei Tage her? – sein Büro betreten und dabei fast über seine eigene Förmlichkeit gestolpert wäre. Unterschwellig allerdings schwang die Frage mit, wie jemand ernsthaft Dank dafür erwarten konnte, mit einem simplen Suchauftrag losgezogen und mit den apokalyptischen Reitern im Gefolge zurückgekehrt zu sein.

Jericho schwieg. Chen schwieg zurück. Yoyo hatte irgendetwas Interessantes am Himmel entdeckt. Tu tigerte eine Weile zwischen Farnen, Bambus und Schwarzkiefern umher und entließ einen Strom von Anweisungen in sein Handy.

»So«, verkündete er, als er zurückkam.

»Was heißt so?«, fragte Jericho.

»So heißt, dass jemand ins *Westin* unterwegs ist, um deinen Computer und deine übrigen Siebensachen abzuholen und zu mir zu bringen, wo du nämlich bis auf Weiteres wohnen wirst.«

»Ah. Gut.«

»Außerdem habe ich zwei Leute abgestellt, um dein Loft in Xintiandi im Auge zu behalten. Zwei weitere sind unterwegs in die Siping Lu. Aufräumen und aufpassen.« Er räusperte sich und legte Chen den Arm um die Schultern. »Wir werden uns natürlich der Frage widmen müssen, lieber Hongbing, was wir der Polizei erzählen, wenn sie kommt, um den Zustand deines Wohnzimmers zu thematisieren.«

»Das heißt, wir fliegen zu dir?«, schlussfolgerte Yoyo.

Tu blickte in die Runde. » Hat jemand eine bessere Idee?«

Schweigen.

»Jemand, der lieber zu Hause übernachten möchte? Nicht? Dann bitte.«

Leise summend lüftete der *Silver Surfer* seine Flügeltüren.

»Am höchsten stehen die, die weise sind«, flüsterte Jericho und kletterte ergeben auf den Rücksitz.

Tu warf ihm einen strafenden Blick zu.

»Weise *geboren* sind«, sagte er. »Schlag dir den Konfuzius aus dem Kopf. Den kann ich besser als du. Langnase!«

Ohne Daxiong, der gewichtsmäßig für zwei Personen durchging, gewann die Flugmaschine rasch an Höhe. Tu bewohnte eine Villa in einer *Gated Area,* einer festungsartig bewachten Anlage im Hinterland Pudongs, umrahmt von parkartigen Grünflächen. Sie landeten direkt vor dem Haupthaus, schälten sich aus den Polstern und erstiegen eine Treppe, die zu einem Flügelportal führte.

Eine der Türen öffnete sich. Eine attraktive Chinesin mit rötlich getönten Haaren erschien darin. Sie war das komplette Gegenteil von Yoyo. Weniger schön, dafür eleganter in ihrer Erscheinung und auf unbestimmte Weise erotischer. Ein Mensch, dessen Biografie keine Brüche kannte, der es gewohnt war, dass sich die Welt im Moment seines Erscheinens um ihn zu drehen begann. Tu begrüßte sie mit einer Umarmung und marschierte ins Innere. Jericho folgte ihm. Die Frau lächelte und küsste ihn flüchtig auf beide Wangen.

»Hallo, Owen«, sagte sie mit volltönender Stimme.

Jericho erwiderte ihr Lächeln.

»Hallo, Joanna.«

PUDONG

Tu hatte Joanna im Vorfeld instruiert, Chen ihrer geballten Fürsorge zu unterwerfen, sobald sie einträfen. Tatsächlich wollte er, dass sie ihn eine Weile ablenkte, was Joanna voller Tatendrang in Angriff nahm. Mit derselben Kompromisslosigkeit, mit der man einen Einkaufswagen vor sich herschiebt, bugsierte sie den verwirrten Chen in die palastartige Küche, verlangte zu wissen, welchen Tee er trinke, ob ihm nach Sauna, nach einem Bad sei oder lieber nach einer heißen Dusche, wo es ihn schmerze, was überhaupt passiert sei, im Eisschrank sei kaltes Hühnchen, ach, er wisse nicht, wie es dazu habe kommen können, plötzlich habe der Kerl mit der Knarre im Zimmer gestanden, ach du Schande, wie der denn reingekommen sei, oh, überall Schrammen, so was kann sich entzünden, stillhalten, keine Widerrede, und so weiter, und so fort. Natürlich wusste sie selbst nicht das Geringste. Doch Joanna wäre nicht Joanna gewesen, wenn das ein Problem dargestellt hätte. Generös verströmte sie die Aromen ihres Optimismus und badete Chen in Zuversicht, bis dieser zu glauben bereit war, alles werde gut, einzig weil sie es sagte. Nie zuvor hatte Jericho einen Menschen kennengelernt, der mit solcher Überzeugungskraft das Gute heraufbeschwor ohne den blassesten Schimmer, wo es herkommen sollte. Joanna bluffte, was das Zeug hielt. In ihrer Welt wedelte der Schwanz mit dem Hund. Vermutlich kam Chen gerade zu der Überzeugung, er führe ein Gespräch, mehr noch, er habe es begonnen. Joanna konnte einen Mann auf eine Weise vor sich hertreiben, dass er zu schwören bereit war, sie folge ihm.

»Also was sollen wir tun?«, zischte Tu.

»Die Polizei verständigen«, sagte Jericho knapp. »Bevor die ihrerseits anrücken.«

»Du willst in die Offensive gehen?«

»Was denn sonst? Dieser Irre hat das halbe Stahlwerk in Brand geschossen. Sie werden nicht lange brauchen, um in Quyu Leichen zu finden und Augenzeugen. In der Siping Lu sieht es aus wie nach einem Bombenangriff – ist doch so, Yoyo – ?«

»Richtig.«

»– und im Hinterhof verrottet ein abgestürztes Airbike, knallvoll mit schwerer Bewaffnung. Ein weiteres hat den Verkehr lahmgelegt. Daraus häkeln die sich was zusammen.«

»Aber was?«

»Ich schwöre dir, es dauert keine paar Stunden, dann wollen sie wissen, was dein Freund Hongbing mit dem Massaker in Quyu zu tun hat. Ruckzuck kommen sie auf Yoyo. Ich meine, die Sache im Stahlwerk sieht aus wie ein Vernichtungsfeldzug gegen die *City Demons*, oder? Und Yoyo gehört zu der Truppe.«

»Was ist mit dir?«, fragte Yoyo. »Meinst du, auf dich kommen sie auch?«

»Na hör mal. Mein Wagen ist in Quyu verbrannt.«

»Und den können sie identifizieren.« Tu schürzte die Lippen. »Außerdem, die Siping Lu wird von Scannern überwacht. Das heißt, sie haben Aufnahmen. Wie ihr euch trefft, wie Yoyo und Daxiong das Haus betreten, wie dieser – dieser –«

»Kenny.«

»– dieser Kenny euch vor sich hertreibt –«

»Nix euch«, sagte Jericho. »Benutze die richtigen Pronomina. Du bist ebenso zu sehen in deinem himmlischen Zorn. Und wer arbeitet in deiner Firma, um sein Studium zu finanzieren?«

»Yoyo, die Dreckschleuder«, schnaubte Yoyo.

»Ja, mein Kind, deine Vergangenheit leuchtet«, konstatierte Tu und kratzte seinen kahlen Schädel. Mit seiner neuen Brille sah er beinahe zivilisiert aus. »Also was erzählen wir denen? Yoyo, in aller Unschuld, hat Kenny belauscht, wie er mit jemandem –«

»Vergiss es«, fuhr ihm Yoyo dazwischen. »Soll ich der Polizei erzählen, ich sei im Besitz geheimer Informationen? Mit meiner Vita? Wenn das fliegende Arschloch von der Regierung ist, kann ich mich gleich selbst verhaften und abführen. Ach was, erschießen!«

»Ich glaube nicht, dass die Polizei mit drinsteckt«, sagte Jericho.

»Ja, du weißt aber auch nicht, was passiert, wenn sie mich in die Finger bekommen.«

»Augenblick.« Tu schüttelte energisch den Kopf. »Seien wir realistisch. Gerade unterstellen wir dem Polizeiapparat Shanghais die Kombinationsgabe eines Quantencomputers. *So* schnell werden sie das alles auch wieder nicht zusammenpuzzeln.«

»Wir müssen sie trotzdem verständigen«, sagte Jericho.

»Aber vielleicht nicht sofort.«

»Doch. Wenn jemand deine Wohnung zertrümmert und du meldest

es nicht, sieht das komisch aus. Unmittelbar zuvor tauchen auch noch Yoyo, Daxiong und ich auf, und ich fliege genauso eine Maschine wie Kenny.«

»Also gut, wie wär's damit: Jemand überfällt einen Motorradclub in Quyu und richtet ein Gemetzel an. Er hat Helfer, alle kommen mit Flugmaschinen. Was die nicht wissen, ist, dass Yoyo gerade Besuch von einem Freund der Familie hat, Owen nämlich, und der macht den Kerlen Dampf, klar? Beide erbeuten so ein Airbike, können fliehen. Wenig später erhält Yoyo einen Anruf von Hongbing, der ihr erzählt, jemand versuche, in seine Wohnung zu gelangen.«

»Quatsch!« Yoyo schüttelte den Kopf. »Du rufst doch nicht deine Tochter an, wenn einer bei dir einbrechen will.«

»Gut, dann –«

»Doch. Kenny hat dir gedroht, deine Familie auszulöschen«, schlug Jericho vor. »Also rufst du deinen Vater an. Der geht nicht ran, darum statten wir ihm einen Besuch ab und mobilisieren gleich auch Hongbings besten Freund, nämlich Tian.«

»Und wir haben keine Ahnung, was die Typen wollen?«, fragte Yoyo skeptisch. »Das soll einer glauben?«

»So ist es.«

»Oh Mann. Was für eine Räuberpistole.«

»Hauptsache, wir halten dich aus der Sache raus«, sagte Tu. »Kein Dissidentenhintergrund, keine *Wächter*.« Er bedachte Yoyo mit einem strafenden Blick. »In diesem Zusammenhang, du hättest mir ruhig erzählen können, dass ihr im Hochofen rumhängt. Ich wusste lediglich vom ANDROMEDA.«

»Tut mir leid. Du solltest nicht so tief mit reingezogen werden.«

»Warum nicht? Ich habe deiner Wadenbeißertruppe die Infrastruktur geliefert. Tiefer kann man gar nicht drinstecken.« Tu seufzte. »Aber egal. Punkt zwei der Tagesordnung. Was erzählen wir Hongbing?«

Yoyo zögerte. »Dasselbe?«

»Wie bitte?«, blaffte Jericho sie an.

»Na ja, ich dachte –«

»Du willst deinem Vater weismachen, das alles wäre die Tat irgendeines Durchgeknallten?« Plötzlich war er zornig auf sie. Er sah Chen Hongbing mit all seinem Kummer, der ein weiteres Mal hinters Licht geführt werden sollte.

»Owen.« Yoyo hob die Hände. »Es ist toll, was du für uns getan hast, aber das geht dich nun wirklich nichts an.«

»Dein Vater verdient eine Erklärung!«

»Ich bin nicht sicher, ob er scharf darauf ist.«

»Eben. Du bist dir nicht sicher. Mein Gott, man hat ihn als Geisel genommen, vor eine Waffe gesetzt, seine Tochter bedroht, seine Wohnung zerstört, du *musst* ihm die Wahrheit sagen! Alles andere wäre feige.«

»Halt dich da raus!«

»Yoyo«, sagte Tu leise. Es klang wie *Sitz* oder *Platz*.

»Was?«, schnauzte sie. »Was denn? Es geht ihn nichts an! Du hast selber gesagt, dass es ein Fehler wäre, Vater damit zu belasten.«

»Die Umstände haben sich geändert. Owen hat recht.«

»Ach richtig.« Yoyo verzog spöttisch das Gesicht. »Er ist ja neuerdings ein Freund der Familie.«

»Nein. Er hat schlicht und einfach recht.«

»Wieso denn? Was weiß Owen schon von meinem Vater?«

»Und was weißt du von ihm?«, fragte Jericho angriffslustig.

Yoyo blitzte ihn an. Offenbar hatte er den Finger tief in die Wunde gelegt.

»Hongbing ist verbittert, verkrustet, introvertiert«, sagte Tu. »Aber ich kenne ihn! Ich warte auf den Tag, an dem die Kruste aufbricht, und ich weiß nicht, ob ich ihn herbeisehnen oder fürchten soll. Er hat Jahre seines Lebens in entsetzlicher Ohnmacht zubringen müssen. Bislang gab es keinen Grund, ihm unter die Nase zu reiben, dass du Chinas meistgesuchte Dissidentin bist, doch das hat sich gerade geändert. Nach dem heutigen Vormittag weiß er verdammt genau, dass du ihm einiges zu erzählen hast.«

Yoyo schüttelte unglücklich den Kopf.

»Er wird mich hassen.«

»Eher wird er mich dafür hassen, dir geholfen zu haben, und nicht mal das glaube ich. Du darfst ihn nicht weiter anlügen, Yoyo. Es wäre das Schlimmste für ihn, wenn du ihm nicht mehr vertraust. Damit enthebst du ihn seiner –«, Tu schien nach Worten zu ringen, »– seiner Bedeutung als Vater.«

»Bedeutung als Vater?«, echote Yoyo, als habe sie sich verhört.

»Ja. Jeder Mensch braucht eine Bedeutung. Auch Hongbing hat etwas Bedeutsames tun wollen, vor langer Zeit, und wurde dafür bestraft. Ihm hat man seine Bedeutung genommen.«

»Und nun straft er mich.«

»Dich zu bestrafen ist das Letzte, was er will.«

Yoyo starrte ihn an.

»Er hat aber nie mit mir über sein Leben gesprochen, Tian! Nie!

Niemals Vertrauen *zu mir* gehabt. Meinst du, das ist keine Strafe? Welche Bedeutung hatte *ich* denn? Klar, er macht sich Sorgen, von morgens bis abends, am liebsten würde er mich einsperren vor lauter Sorge, aber wozu? Was will er von mir, wenn er schon nicht mit mir redet?«

»Er schämt sich«, sagte Tu leise.

»Für was? Ich bin's leid! Ich hab einen – einen Zombie zum Vater!«

»So darfst du nicht reden.«

»Nicht? Wie wäre es dann, wenn *er mir* mal was erklärt?«

»Das wird er wohl müssen«, nickte Tu.

»Oh, danke! Wann?«

»Fürs Erste bist du am Zug.«

»Warum denn ich schon wieder?«, explodierte Yoyo. »Warum nicht er?«

»Weil du gerade in der Position bist, ihm die Hand zu reichen.«

»Komm mir nicht mit diesem Pathos«, schrie sie. »Meine Freunde sind tot, und er wäre auch fast umgebracht worden. Ich bin allenfalls in der Position der Überforderung.«

»Das sind wir alle«, mischte sich Jericho ein, dem es zu bunt wurde. »Also löst eure Probleme, aber löst sie irgendwoanders. Tian, was schätzt du, wann mein Computer hier sein wird?«

»In wenigen Minuten«, sagte Tu, dankbar für den Themenwechsel.

»Gut. Ich nehme mir die Schweizfilme noch mal vor. Kann ich dein Büro benutzen?«

»Natürlich.« Tu zögerte, dann zuckte er ergeben die Achseln. »Ich werde dann mal die Polizei verständigen. Oder?«

»Mach das.«

»Stehen wir alle für eine Vernehmung zur Verfügung?«

»Verstecken bringt nichts, andernfalls statten sie uns Privatbesuche ab.« Jericho runzelte die Brauen. »Überhaupt dürften sie damit schon angefangen haben. Das erste Opfer in Kennys schmutzigem Spiel war Grand Cherokee Wang.« Er sah Yoyo an. »Dein Wohngenosse. Sie werden mit Fragen regelrecht über dich herfallen.«

»Sollen sie doch«, sagte Yoyo grimmig. »Sollen sie ruhig versuchen, mich zu fressen.«

»Friss mich, und ich fresse dich von innen.«

»Gut gelernt«, schnaubte Yoyo, drehte sich um und ging zur Küche.

Jericho war heilfroh, Diane wiederzuhaben. Ohne sich viel davon zu versprechen, überprüfte er die drei Webseiten, die laut Protokoll ausgetauscht werden sollten, und wurde enttäuscht. Die Maske förderte nichts zutage. Offenbar waren sie tatsächlich aus dem Verkehr gezogen worden.

Blieben die Schweizfilme und eine Vermutung.

Er gab Diane eine Reihe von Anweisungen. Sie ließ ihn mit programmierter Verbindlichkeit wissen, die Auswertung werde etwas Zeit in Anspruch nehmen, was nichts anderes hieß, als dass sie fünf Minuten oder fünf Jahre dauern konnte. Diesbezüglich hatte der Computer keinen Plan. Ebenso gut hätte man Alexander Fleming fragen können, wie lange er für die Entdeckung des Penicillins brauchen würde. Da es dreidimensionale Filme waren, hatte Diane zudem keine Datenflächen, sondern Datenkuben zu durchforsten, was die Arbeit in die Länge zu ziehen drohte.

Joanna brachte ihm Tee und englisches Gebäck.

Seit vier Jahren waren sie jetzt getrennt, und immer noch wusste Jericho nicht recht, wie er der Frau begegnen sollte, die ihn nach Shanghai gelockt und dort sitzen gelassen hatte. Zumindest empfand er es so, dass Joanna ihn abserviert hatte, um stattdessen einen Partizipanten des chinesischen Booms zu ehelichen, der augenscheinlich nicht im Mindesten den Vorstellungen entsprach, die man sich von einem Mann an ihrer Seite machte. Doch ausgerechnet dieser Mann war Jerichos engster Freund geworden: Eine von Joanna initiierte Freundschaft, die im Kokon geschäftlicher Beziehungen herangewachsen war, sodass weder Tu noch Jericho wirklich etwas davon mitbekommen hatten. Es war Joanna gewesen, die beide auf den Umstand ihrer tieferen Verbundenheit hatte hinweisen müssen, um ihm gesondert mit auf den Weg zu geben, dass er endlich aufhören solle, sich in jedermanns Schuld zu wähnen.

»Tue ich nicht«, hatte er geantwortet und sie dabei so verständnislos angesehen, als habe sie ihm nahegelegt, künftig nicht mehr auf allen vieren zur Arbeit zu laufen.

Tatsächlich wusste Jericho sehr genau, was sie meinte. Natürlich hatte sie es überspitzt formuliert, ihrem Naturell geschuldet, denn Joanna schlug ins andere Extrem: Sie empfand so gut wie niemals Schuld. Man mochte ihr deswegen Selbstgerechtigkeit vorwerfen, doch war sie weit davon entfernt, amoralisch zu handeln. Es mangelte ihr einfach am Schuldsein, in das Kinder hineingeboren werden. Vom Tag an, da man das Licht der Welt erblickte, fand man sich im Zustand des Ermahnt-, Belehrt- und Ertapptwerdens und notorisch Unrechthabens, war man Urteilen unterworfen und Korrekturen ausgesetzt, die allesamt darauf abzielten, aus einem fehlerhaften Menschen einen besseren zu machen. Der Grad der Verbesserung bemaß sich daran, wie sehr man nach den Vorstellungen anderer schlug, ein Experiment, das nur scheitern konnte. Meist scheiterte es für alle Beteiligten. Begleitet von guten Wünschen und stummen Vorwürfen begab man sich schließlich auf seinen eigenen Weg und vergaß, dem Kind in sich Absolution zu erteilen, das gewohnt war, für Alleingänge gescholten zu werden. Den Kreuzgang des »Ich muss, ich sollte, ich darf nicht« durcheilend, gelangte man nie irgendwo anders als dorthin, wo man vor langer Zeit losgelaufen war, ganz gleich, wie alt man dabei wurde. Ein Leben lang sah man sich durch die Augen anderer, maß sich an den Maßstäben anderer, bewertete sich am Wertekanon anderer, verurteilte sich mit der Empörung anderer, und nie genügte man.

Nie genügte man sich selbst.

Das war es, was Joanna meinte. Sie selbst hatte ein bemerkenswertes Talent entwickelt, sich aus den Verstrickungen ihrer Kindheit zu lösen. Ihr Blick auf die Dinge war unverstellt, seziermesserscharf, ihr Handeln konsequent. Sie hatte alles Recht der Welt für sich in Anspruch genommen, sich von Jericho zu trennen. Sie hatte gewusst, dass ihm das Auseinanderbrechen ihrer Beziehung Schmerzen zufügen würde, doch waren solche Schmerzen in Joannas Welt ebenso wenig Resultat schuldhaften Handelns wie Zahnschmerzen. Sie hatte ihn nicht bestohlen, nicht öffentlich gedemütigt, nicht konsequent belogen. Was sie nach Ansicht anderer hätte tun oder lassen sollen, belastete sie nicht. Der einzige Mensch, dessen Blick sie standzuhalten wünschte, war der ihres Gegenübers im Spiegel.

»Wie geht's dir?«, fragte Jericho.

»Na, wie schon?« Joanna ließ sich in einen der Freischwinger fallen, die Tus Büro bevölkerten. »In heller Aufregung.«

Eigentlich sah sie nicht sonderlich aufgeregt aus. Eher interessiert und ein bisschen besorgt. Jericho trank seinen Tee.

»Hat Tian dir erzählt, was passiert ist?«

»Er hat mich zwischen Tür und Angel ins Bild gesetzt, also kenne ich jetzt *seine* Version.« Joanna nahm einen Keks und knabberte versonnen daran herum. »Die von Hongbing kenne ich natürlich auch. Schauerlich. Als Nächstes wollte ich Yoyo interviewen, aber die ficht gerade ihren leidigen Vater-Tochter-Konflikt aus.«

Jericho zögerte. »Weißt du eigentlich, worum es dabei geht?«

»Ich bin ja nicht blöde.« Sie wies mit dem Daumen zur Tür. »Ich weiß auch, dass Tian mit von der Partie ist.«

»Kein Problem für dich?«

»Seine Sache. Er muss wissen, was er tut. Ich persönlich bin da beschämend ambitionslos, wie du weißt. Ich gäbe keine überzeugende Dissidentin ab. Aber ich kann ihn verstehen. Seine Gründe leuchten mir ein, also hat er meine unbedingte Unterstützung.«

Jericho schwieg. Es war offenkundig, dass nicht nur Chen Hongbing in seiner Vergangenheit Bitternis gegessen hatte. Tus gesellschaftliche Stellung ließ auf alles Mögliche schließen, nur nicht darauf, dass er gemeinsame Sache mit einer Dissidententruppe machte. Etwas weit Zurückliegendes musste sein Handeln lenken.

»Vielleicht erzählt er dir ja mal davon«, fügte Joanna hinzu und aß einen weiteren Keks. »Jedenfalls, ihr habt gejagt. Ich komme, um zu sammeln. Da Yoyo indisponiert ist, sammle ich bei dir.«

Jericho erzählte ihr in kurzen Zügen, was sich seit Chens Besuch in Xintiandi zugetragen hatte. Joanna unterbrach ihn nicht, sah man von den gelegentlichen Ahs, Mms und Ohs ab, die in China der Höflichkeit halber geäußert werden, um den anderen seiner Aufmerksamkeit zu versichern. Während des Berichts verschlang sie außerdem sämtliche Kekse und trank den meisten Tee. Jericho war es recht. Er verspürte immer noch keinerlei Appetit. Nachdem er geendet hatte, war es eine Weile still im Zimmer.

»Klingt, als hättet ihr ein längerfristiges Problem«, sagte sie schließlich.

»Ja.«

»Tian auch?« Es klang wie *Ich auch?*. Jericho war drauf und dran, ihr zu sagen, dass das eigene Wohlergehen ihre geringste Sorge sein sollte, aber vielleicht hatte er auch etwas heraushören wollen, das Joanna gar nicht gemeint hatte.

»Das kannst du dir selbst ausrechnen«, sagte er. »Allerdings wird sich selbst Kenny mit dem Gedanken anfreunden müssen, es vermasselt zu haben. Inzwischen könnten wir Gott weiß wen ins Vertrauen gezogen haben. Die Gelegenheit, alle Mitwisser auszuschalten, hat er verpasst.«

»Du meinst, er wird nicht weiter versuchen, Yoyo zu schaden?«

Jericho presste die Finger gegen die Nasenwurzel. Ein leichter Anflug von Kopfschmerz machte sich bemerkbar.

»Schwer einzuschätzen«, sagte er.

»Inwiefern?«

»Glaub mir, ich habe Psychopathen reinsten Wassers kennengelernt, die ihre Opfer folterten, filettierten, eindosten, verdursten ließen, dieses und jenes abschnitten, was du dir nur vorstellen kannst.

Solche Typen werden ausschließlich von Obsessionen geleitet. Dann gibt's die Profikiller.«

»Die das Angenehme mit dem Nützlichen verbinden.«

»Hauptsächlich sehen sie es als Job. Es bringt Geld. Sie bauen keine emotionale Bindung zu ihren Opfern auf, sondern machen ihre Arbeit. Kenny hat den Job vergeigt. Ärgerlich für ihn, dennoch sollte man erwarten, dass er uns fortan in Ruhe lässt und sich anderen Aufgaben zuwendet.«

»Aber du glaubst nicht daran?«

»Er ist ein Profi *und* ein Psycho.« Jericho ließ den Zeigefinger über seiner Schläfe kreisen. »Und bei solchen Typen hängen die Bilder schief.«

»Soll heißen?«

»Jemand wie Kenny könnte sich beleidigt fühlen, weil wir nicht alle wunschgemäß abgekratzt sind. Er findet vielleicht, wir hätten uns nicht wehren dürfen. Möglich, dass er Frieden gibt. Ebenso gut möglich, dass er mein Loft in Brand steckt oder euer Haus, uns auflauert und uns abknallt, einfach weil er sauer ist.«

»Du verstehst es wie gewohnt, Optimismus zu verbreiten.«

Jericho sah sie finster an. »Das ist ja wohl *dein* Job.«

Er wusste, dass es unfair war, so etwas zu sagen, doch sie hatte es aus ihm herausgekitzelt. Eine schäbige, kleine Gemeinheit mit spitzen Zähnen und fadenscheinigem Fell, die heranwuselte, aus dem Hinterhalt zubiss und kichernd verreckte.

»Idiot.«

»Tut mir leid«, sagte er.

»Muss es nicht.«

Sie stand auf und fuhr ihm übers Haar. Auf eigenartige Weise fühlte sich Jericho von ihrer Geste zugleich getröstet und gedemütigt. Auf Tus Computerkonsole leuchtete ein Display auf. Der Wachdienst ließ verlauten, die Polizei sei eingetroffen und wünsche Herrn Tu nebst anderen Anwesenden zu den Vorfällen in Quyu und Hongkou zu befragen.

Die Befragung verlief in der Art, wie Befragungen bei besser gestellten Personen zu verlaufen pflegten. Eine ermittelnde Beamtin, Assistenten im Gefolge, legte große Höflichkeit an den Tag, versicherte alle Anwesenden ihrer ausdrücklichen Anteilnahme und nannte die Vorfälle in raschem Wechsel ›entsetzlich‹ und ›verabscheuenswert‹, Herrn Tu ein ›verdientes Mitglied der Gesellschaft‹, Chen und Yoyo ›heldenhaft‹ und Jericho einen ›geschätzten Freund der Behörden‹. Dazwischen warf sie Fragen wie Zirkusmesser. Definitiv glaubte sie die Geschichte an genau den Stellen nicht, an denen sie auch nicht stimmte, etwa hinsichtlich Kennys Motivation. Ihr Blick spiegelte die Freundlichkeit des Schlachters, der den Schweinen gut zuredete, während er sie im Geiste tranchierte.

Chen wirkte noch hohlwangiger als sonst. Tus Gesicht wies Anflüge von Purpur auf, Yoyo trug verbissenen Trotz zur Schau. Offenbar hatte das Eintreffen der Polizei sie aus einer hitzigen Diskussion gerissen. Jericho fiel auf, dass die Kommissarin das emotionale Klima aufs Grad genau maß, ohne es vorerst zu kommentieren. Erst im Verlauf der Einzelvernehmungen wurde sie deutlicher. Sie war eine Frau mittleren Alters mit glatt gebürstetem Haar und intelligenten Augen hinter einer altmodisch anmutenden Brille mit kleinen Gläsern und dicken Bügeln. Jericho wusste es besser. Das Ding war ein *MindReader*, ein tragbarer Computer, der sein Gegenüber filmte, dessen Mimik durch einen Verstärker laufen ließ und das Resultat in Echtzeit auf die Brillengläser übertrug. Ein winziges süffisantes Lächeln trat auf diese Weise überdeutlich in Erscheinung. Ein nervöses Lidzucken geriet zum mimischen Beben. Verräterische Signale im Mienenspiel, die normalerweise niemandem auffielen, wurden lesbar. Jericho vermutete, dass sie zudem einen *Interpreter* zugeschaltet hatte, der Färbung, Akzentuierung und Fluss seiner Stimme dramatisierte. Der Effekt war verblüffend. Schaltete man *MindReader* und *Interpreter* zu, sprachen Vernommene plötzlich wie schlechte Schauspieler und wurden zu grimassierenden Grobmotorikern, ganz gleich, wie gut sie sich unter Kontrolle zu haben glaubten.

Auch Jericho hatte schon mit beiden Programmen gearbeitet. Nur sehr erfahrene Ermittler setzten sie ein. Es erforderte jahrelange Übung, die feinen Diskrepanzen zwischen Mimik, Tonfall und Inhalt einer Aussage richtig zu deuten. Er ließ sich nicht anmerken, dass er das Gerät erkannt hatte, erzählte stoisch seine Version der Vorfälle und parierte Frage um Frage:

»Sie sind tatsächlich nur ein Freund der Familie?«

»Und es gab keinen besonderen Grund, warum Sie gerade heute im Stahlwerk waren?«

»Diese Typen sind zeitgleich mit Ihnen im Stahlwerk eingetroffen, und Sie wollen mir erzählen, das sei bloßer Zufall?«

»Hatten Sie vielleicht einen Auftrag in Quyu?«

»Sie finden es nicht seltsam, dass Grand Cherokee Wang ermordet wird, einen Tag, nachdem Sie ihn aufgesucht haben?«

»Sie wissen, dass Chen Yuyun wegen Agitation und Weitergabe von Staatsgeheimnissen im Gefängnis war?«

»Wissen Sie denn, dass Tu Tian nicht immer im Sinne des chinesischen Staates und unserer berechtigten Sorge um dessen innere Stabilität gehandelt hat?«

»Was ist Ihnen über das Leben Chen Hongbings bekannt?«

»Ich soll Ihnen ernsthaft glauben, dass keiner von Ihnen – obwohl die Taten eindeutig auf ein von langer Hand geplantes Vorgehen schließen lassen! – auch nur den blassesten Schimmer hat, wer dieser Kenny ist und was er will?«

»Noch einmal: Welchen Auftrag hatten Sie, nach Quyu zu fahren?«

Und so weiter und so fort.

Schließlich gab sie auf, lehnte sich zurück und nahm die Brille ab. Sie lächelte, aber ihr Blick säbelte winzige Stückchen aus ihm heraus.

»Sie sind seit viereinhalb Jahren in Shanghai«, stellte sie fest. »Nach allem, was ich höre, genießen Sie einen ausgezeichneten Ruf als Ermittler.«

»Das ehrt mich.«

»Wie gehen die Geschäfte denn so?«

»Ich kann mich nicht beklagen.«

»Das freut mich zu hören.« Sie legte die Fingerspitzen aufeinander. »Seien Sie versichert, man schätzt Sie in meinen Kreisen. Sie haben mehrfach erfolgreich mit uns zusammengearbeitet und jedes Mal ein hohes Maß an Kooperationsbereitschaft an den Tag gelegt. Einer der Gründe, warum man Ihre Aufenthaltsgenehmigung hier gerne verlängern, weiter verlängern –«, ihre rechte Hand machte wellenförmige Bewegungen in eine vage Zukunft, »– und immer wieder verlängern würde. Eben weil unser Verhältnis vom Geist der Gegenseitigkeit getragen wird. Verstehen Sie, was ich meine?«

»Sie haben es präzise formuliert.«

»Gut. Nachdem das geklärt ist, würde ich Ihnen gerne eine informelle Frage stellen.«

»Wenn ich sie beantworten kann.«

»Ich bin sicher, dass Sie das können.« Sie beugte sich vor und senkte vertraulich die Stimme. »Ich würde gerne wissen, was Sie von alldem hielten, wenn Sie an meiner statt hier säßen. Sie verfügen über Erfahrung, Intuition, einen guten Riecher. Was würden Sie denken?«

Jericho beschloss, ihr nicht auf den Leim zu gehen.

»Ich würde ein bisschen mehr Druck ausüben.«

»Oh.« Sie wirkte überrascht, als habe er sie eingeladen, ihn mit brennenden Zigaretten zu foltern.

»Druck auf mein Team«, setzte er hinzu. »Damit sie alle Energie darauf verwenden, den Mann in die Finger zu bekommen, der für die Übergriffe verantwortlich ist, und seine Hintergründe zu durchleuchten, statt der kruden Idee aufzusitzen, aus Opfern Täter zu machen und mit Abschiebung zu drohen. Reicht Ihnen meine Antwort?«

»Ich nehme sie zur Kenntnis.«

Auf Jericho wirkte sie nicht im Mindesten verunsichert. Eindeutig zweifelte sie den Wahrheitsgehalt seiner Aussage an, allerdings wusste sie ebenso gut, dass sie nichts gegen ihn in der Hand hatte. Eher machte er sich Sorgen um die anderen. Praktisch jeder außer ihm schien auf die eine oder andere Weise mit dem Gesetz in Konflikt geraten zu sein, was polizeilicher Willkür Tür und Tor öffnete.

»Ich möchte noch einmal meinem Mitgefühl Ausdruck verleihen«, sagte sie mit veränderter Stimme. »Sie mussten vieles erdulden. Wir werden alles daransetzen, die Verantwortlichen zur Rechenschaft zu ziehen.«

Jericho nickte. »Lassen Sie mich wissen, wenn ich helfen kann.«

Sie stand auf und reichte ihm die Hand.

»Seien Sie gewiss, das werde ich.«

»Und?«

Tu hatte den Raum betreten. Inzwischen war es später Nachmittag geworden. Der Himmel hatte sich bedeckt, leichter Nieselregen ging auf Pudong hernieder. Die Ermittler waren abgezogen.

»Nichts Neues.« Jericho reckte die Glieder. »Diane verlustiert sich mit den Schweizfilmen. Nebenher versuchen wir, die sechs Webseiten auf einen gemeinsamen Betreiber zurückzuführen. Bis jetzt deutet nichts darauf hin, dass es einen gibt, aber das muss nichts heißen.«

»Das meine ich nicht.« Tu zog einen Stuhl heran und ließ sich schnaufend darauf nieder. Jericho stellte fest, dass seine Hemdsärmel unterschiedlich hoch aufgekrempelt waren. »Wie lief die Vernehmung?«

»Wie schon? Sie hat kein Wort geglaubt.«

»Mir auch nicht.« Auf unerfindliche Weise schien dieser Umstand Tu mit Zufriedenheit zu erfüllen. »Und Yoyo glaubt sie ebenso wenig. Nur Hongbing scheint sie mit Samtpfoten angefasst zu haben.«

»Natürlich«, murmelte Jericho.

Schon im Moment, da Chen sein Büro in Xintiandi betreten hatte, war ihm etwas schwer Definierbares aufgefallen, etwas in Chens

Augen, in diesem straff gespannten Gesicht, das den Eindruck entstehen ließ, als habe man seine Seele gehäutet. Jetzt wurde ihm klar, was er gesehen hatte, und auch die Frau musste es erkannt haben. Es war unvorstellbar, dass dieser Mann log. Nichts in Chens Zügen war geeignet, eine Lüge darin unterzubringen. Damit war er seiner Umwelt schutzlos ausgeliefert. Er konnte die Unwahrheit nicht ertragen, weder von sich noch von anderen.

»Tian –«, druckste er.

»Mhm?«

»Möglicherweise gibt es ein Problem hinsichtlich unseres weiteren Vorgehens. Versteh mich nicht falsch, es ist nicht –« Er rang nach Worten.

»Was denn? Raus damit.«

»Ich weiß zu wenig über dich.«

Tu schwieg.

»Zu wenig über dich und Chen Hongbing. Klar, es geht mich nichts an. Nur – um zu beurteilen, welche Gefahr euch von den Behörden droht, müsste ich mir – na ja – ich müsste mir ein Bild machen, aber –«

Tu kniff die Lippen zusammen. »Verstehe.«

»Nein, ich glaube nicht, dass du verstehst«, sagte Jericho. »Du denkst, ich bin neugierig. Falsch. Es ist mir wirklich vollkommen egal, oder nein, nicht egal. Ich achte dein Schweigen. Es geht mich nichts an, was in deiner oder Chens Vergangenheit vorgefallen ist. Aber dann musst *du* mir sagen, wie wir weiter vorgehen sollen. Du kannst eher einschätzen –«

»Nein, schon gut«, brummte Tu.

»Es ist deine Sache. Ich respektiere –«

»Nein, du hast recht.«

»Auf gar keinen Fall will ich rücksichtslos –«

»Genug, *xiongdi*.« Tu schlug ihm auf die Schulter. »Rücksichtnahme ist der Eckpfeiler deines Wesens, das musst du mir nicht erst auseinanderlegen. Ohnehin denke ich oft darüber nach, unsere Freundschaft mit einer kleinen Lebensbeichte zu vertiefen.« Sein Blick wanderte zur Tür. Irgendwo in den Weiten des Hauses rangen Yoyo und ihr Vater mit Vergangenheit und Zukunft. »Ich fürchte nur, dass ich zurück in den Ring muss.«

»Um zu schlichten?«

»Um einzustecken. Yoyo und ich haben beschlossen, reinen Tisch zu machen. Am Ende dieses Tages wird Hongbing im Besitz der ganzen Wahrheit sein.«

»Wie schmeckt sie ihm bis jetzt?«

»Hätten wir ihm Eselsscheiße vorgesetzt, würde er größeren Appetit entwickeln.« Tu rülpste. »Aber ich mache mir keine ernsthaften Sorgen. Die Frage ist, wie lange er in seinem Zorn zu brutzeln gedenkt. Früher oder später muss er einsehen, dass man kein Vertrauen gewinnt, indem man seinem Kind längst fällige Antworten verweigert. Er wird Yoyo seinerseits die Wahrheit sagen müssen.« Tu seufzte. »Was dann geschieht, weiß ich allerdings nicht. Es ist ja keineswegs so, dass Hongbing ernsthaft glaubt, ein Teil seines Lebens habe nicht stattgefunden. Er bringt es einfach nicht über sich, einem Menschen davon zu erzählen, den er liebt. Weil er sich schämt. Er ist halt eine alte Krabbe. Und erklär mal einer Krabbe, sie soll ihren Panzer ablegen.«

»Er wäre die erste Krabbe, die ohne Panzer laufen kann.«

»Oh, wenn sie jung sind, legen sie ihn öfter ab. Sie häuten sich, um wachsen zu können. Ein gefährliches Unterfangen, weil der neue Panzer in den ersten Stunden noch ganz weich ist. Während dieser Zeit sind sie äußerst verletzlich, leichte Beute, ohne jeden Schutz. Andererseits würde es ihnen sonst zu eng in sich selbst.« Tu stand auf. »Wie gesagt, Hongbing ist eine verdammt alte Krabbe, aber ihm ist definitiv zu eng in seiner Haut. Ich denke, er braucht noch eine weitere Häutung, um nicht eines Tages unter dem Druck seines Inneren in tausend Splitter zu zerbersten.«

Einen Moment lang ruhte seine Rechte auf Jerichos Schulter. Dann verließ er den Raum.

Der frühe Abend brach herein, muffig und feucht.

Diane rechnete.

Jericho stromerte durchs Haus und besuchte Joanna in ihrem Atelier, einem gläsernen Pagodentempel am Ufer des künstlichen Sees, der das Grundstück zentrierte. Es wunderte ihn nicht, sie an einem ihrer großformatigen Porträts arbeiten zu sehen. Joanna hielt wenig davon, händeringend durchs Haus zu laufen, solange ihre Hände anderweitig Verwendung fanden. Sie hatte starke Tageslichtleuchten zugeschaltet und verlieh zwei Szeneschönheiten Tiefe und Kontur, die sich Arm in Arm vor einem Spiegel räkelten und aussahen, als hätten sie drei Tage und drei Nächte durchgetanzt.

Tu hatte den Wachdienst rund um seine Villa verstärkt und war ins Büro geflogen, nachdem Chen zornesrot in den Gästezimmern des ersten Stockwerks verschwunden war. In der Eingangshalle lief ihm Yoyo über den Weg. Sie wirkte verheult und wedelte bei seinem Anblick mit den Händen, wie um ihm zu bedeuten, dass er ja keine Fragen zu stellen habe. Im Moment, da sie die Freitreppe ersteigen wollte, wurde auf der Balustrade ihr Vater sichtbar, sturmgleich einer Toilette zustrebend, was Yoyo reichte, fluchtartig die Richtung zu wechseln und in den Garten abzuwandern, aus dem Jericho gerade kam.

Mit einem Mal fühlte er sich fürchterlich deplatziert.

Tus Butler sah ihn herumstehen und beeilte sich, seine Wünsche entgegenzunehmen. Jericho schlug heiße Lavendelbäder und Thaimassagen aus, orderte Tee und verspürte unerwartet Appetit auf die Sorte Gebäck, die Joanna ihm Stunden zuvor gebracht hatte, um es ihm unter der Nase wegzufuttern. Der Butler bot an, den Salon für ihn herzurichten. Jericho nickte in Ermangelung einer besseren Idee, lief zweimal im Kreis und merkte, wie sich zum Gefühl der Deplatziertheit das treibsandartige Empfinden von Hilflosigkeit gesellte. Nachdem er den Morgen im Schleudergang durchlebt hatte, kam es ihm nun so vor, als kaue die Welt lustlos auf ihm herum, kurz davor, ihn in die Ecke zu spucken.

Irgendetwas musste geschehen.

Und es geschah.

»Owen? Hier ist Diane.«

Er fühlte den Stromstoß der Erregung, zog das Handy hervor und sprach atemlos hinein: »Ja, Diane? Was gibt's?«

»Ich habe etwas in den Filmen gefunden, das dich interessieren wird. Ein Wasserzeichen. Es gibt einen Film im Film.«

Oh Diane!, dachte Jericho. Ich könnte dich küssen. Wenn du nur halb so gut aussehen würdest, wie du klingst, würde ich dich sogar heiraten, aber du bist nur ein verdammter Rechenautomat. Egal. Mach mich glücklich!

»Warte«, rief er, als bestünde das Risiko, sie könne es sich anders überlegen und das Haus verlassen. »Ich komme!«

Yoyo hätte sich gerne eingeredet, das Schlimmste überwunden zu haben, aber sie fühlte sich, als stünde es ihr in dreifacher Potenz bevor. Hongbing hatte geschrien und getobt. Über eine Stunde hatten sie debattiert. Als Folge lagen ihre Augen schmerzend im Salz vergossener Tränen, als habe sie nie etwas anderes gesehen als Elend und innere Not. Sie fühlte sich schuldig an allem. An dem Massaker im Stahlwerk, an der Zerstörung der Wohnung, an der Verzweiflung ihres Vaters, letztlich daran, dass Hongbing sie nicht liebte. Kaum entstanden, ging dieser letzte Gedanke sinistre Allianzen mit allen möglichen Formen der Selbstabscheu ein und gebar neue Schuld, nämlich, Hongbing damit unrecht zu tun. Natürlich hatte er sie geliebt, was denn sonst? Wie tief konnte man sinken, dem eigenen Vater etwas anderes zu unterstellen als Vaterliebe, allein dafür verdiente sie, nicht geliebt zu werden, und Hongbing hatte die Konsequenz gezogen und aufgehört, sie zu lieben, was also beklagte sie sich? Sie war schuld, dass die Maske seines Gesichts nicht geschmolzen, sondern geborsten war.

Sie hatte alle enttäuscht.

Eine Weile hing sie maulfaul in Joannas Atelier herum und sah zu, wie Tians schöne Frau fiebrigen Glanz in erschöpfte Teenageraugen zauberte, ein letztes Aufglimmen von Energie kurz vor dem Abschalten aller Systeme. Auf monströsen zweieinhalb mal vier Metern bildete sie Pigment gewordene Unbeschwertheit ab, zwei Zierfische im Flachwasser ihrer Befindlichkeiten, deren einzige Sorge darin bestand, wie man es schaffte, bis zur nächsten Party nicht vor Langeweile einzugehen. Als Yoyo klar wurde, dass die schlimmsten Gemetzel im Leben der beiden Grazien wohl jene waren, die sie in den Herzen pubertierender Bengel angerichtet hatten, weinte sie wieder ein bisschen.

Wahrscheinlich tat sie auch diesen Mädchen unrecht. War sie denn besser? Keinen Exzess ausgelassen in den vergangenen Jahren. Der Augenblick, da man verging wie der schrumpfende, hellrote Punkt im Schwarz eines verkohlten Dochts, damit war sie vertraut. Unentwegt hatte sie gegen Hongbings Traurigkeit angesungen, angetanzt, angeraucht und angevögelt, ohne ein einziges Mal mit dieser wohltuenden Leere im Blick abzuschlaffen wie die Prinzessinnen der Nacht dort auf Joannas Tableau. Jedes Mal war ihr letzter Gedanke gewesen, dass es ein bisschen wie Sterben und die Exzesse das Sterben nicht wert waren, dass sie viel lieber zu Hause gesessen und zugehört hätte, was ihr Vater über die Zeit vor ihrer Geburt zu erzählen hatte, nur dass Hongbing nichts erzählte.

Mit Schwung schuf Joanna Wimpern, drückte Brocken von Mascara hinein und verteilte Krümel verschwemmten Make-ups in Augenwinkel und auf Wangenknochen. Yoyo sah schwermütig zu. Sie mochte Joannas Koketterie mit der Gesellschaft, deren buntes Gefieder sie trug. Wie China sich amüsiere, sagte Joanna, könne man gar nicht groß genug darstellen, schließlich sei China ein großes Land, also erklärte sie ihren gefiederten Freunden, wann immer sie kamen, um ihre Schnäbel zu wetzen und am Champagner zu nippen, dass Mangel an Inhalt auf kleinen Formaten nicht darstellbar sei. Das klang witzig und weiterverwendbar, hübsch unverständlich nach Kunst. Pompös feierte sie die Schönheit des Nichtigen und das Nichtige im Schönen, verkaufte ihren Bewunderern etwas, worauf sie schauen konnten, und verschwieg, dass es Spiegel waren.

»Nicht vergessen«, pflegte sie mit dem charmantesten Joanna-Lächeln zu sagen. »Ich bin mit auf dem Bild. Auf jedem. Auch auf Ihrem.«

Yoyo beneidete Joanna. Sie neidete ihr den Egoismus, von dem sie sich durchs Leben treiben ließ, ohne sich blaue Flecken zu holen. Sie neidete ihr die Fähigkeit, desinteressiert zu sein, und die Unbekümmertheit, es zu zeigen. Selbst war sie an allem interessiert. Zwanghaft betroffen. Konnte das gut gehen? Sicher, die *Wächter* hatten einiges zuwege gebracht. Auf ihren Druck waren inhaftierte Journalisten freigekommen, korrupte Beamte ihrer Funktion enthoben und Umweltskandale aufgeklärt worden. Während Joanna ihre Finger manikürte, war Yoyo vollauf damit beschäftigt, ihre in jedermanns Wunden zu legen und nicht müde zu werden, Chinas Recht auf eine eigene Spaßkultur einzufordern, was ihr mitunter den Ruf einbrachte, Nationalistin zu sein. Auch gut. Sie war eine Spaßkultur predigende, liberale Nationalistin, die sich vom Unrecht der Welt die Laune verderben ließ. Super! Was konnte man noch alles sein? Einiges würde sich sicher noch finden, solange es nur verhieß, nicht Chen Yuyun sein zu müssen.

Joanna verstrich Farbe und war nur Joanna. Selbstbezogen, sorglos und reich. Alles, was Yoyo aus tiefstem Herzen verabscheute und zugleich ersehnte. Jemand, der Halt bot. Jemand, der nicht auf Seite ging, weil er gewohnt war, niemals auf Seite zu gehen.

Wieder weinte sie.

Nach einer Weile war Yoyos Vorrat an Tränen erschöpft. Joanna reinigte Pinsel in Terpentin. Über den gläsernen Flächen des Pagodendachs arbeitete sich der Himmel durch alle Skalierungen von Grau, den Abend vorbereitend.

»Und? Wie ist es gelaufen? Gut?«

Yoyo schniefte und schüttelte den Kopf.

»Es kann nur gut gelaufen sein«, beschied Joanna. »Ihr habt euch angeschrien, und du hast geheult. Das ist gut.«

»Findest du?«

Joanna wandte ihr den Kopf zu und lächelte.

»Es ist auf alle Fälle besser, als seine eigene Zunge runterzuschlucken und sich nachts mit den Wänden zu unterhalten.«

»Ich hätte ihn nicht so belügen dürfen«, sagte Yoyo und hustete, die

Atemwege verschleimt vom ausgiebigen Weinen. »Ich habe ihm wehgetan. Du hättest ihn sehen sollen.«

»Unsinn, Schätzchen. Du hast ihm nicht wehgetan. Du hast ihm die
Wahrheit gesagt.«

»Das meine ich ja.«

»Nein, du verwechselst da was. Du tust, als wäre jedes offene Wort,
das du äußerst, ein moralischer Eklat. Wer die Wahrheit sagt, ist einer
von den Guten. Wie sie ankommt, steht auf einem anderen Blatt, aber
dafür gibt es Psychiater. Du kannst deinem Vater nun mal nicht helfen,
die Kröte zu schlucken.«

»Ich weiß ehrlich gesagt nicht, was ich überhaupt tun soll.«

»Aber ich.« Joanna streckte nacheinander ihre schlanken Finger aus.
»Lass dir ein Bad ein, geh an den Sandsack, geh shoppen. Gib Geld aus.
Viel Geld.«

Yoyo rieb ihre Ellbogen. »Ich bin nicht du, Joanna.«

»Keiner hat vorgeschlagen, dass du gleich einen Rolls-Royce kaufst.
Ich will, dass du die Prinzipien von Ursache und Wirkung verstehst.
Die Wahrheit ist etwas Gutes, zumal wenn angenehm. Ist sie unange-
nehm, stärkt sie die Abwehrkräfte.«

»Hat sie auch Owens Abwehrkräfte gestärkt?«

Joanna hielt einen dicken Pinsel gegen das Licht und fächerte die
Borsten mit dem Fingernagel auf.

»Tian hat mir erzählt, dass ihr zusammen wart«, fügte Yoyo rasch
hinzu. »Bevor du ihn geheiratet hast.«

»Ja, wir waren zusammen.«

»Okay. Wir können das Thema wechseln.«

»Keineswegs.« Sie legte den Pinsel beiseite und schenkte ihr ein
strahlendes Lächeln. »Wir hatten eine schöne Zeit.«

»Warum habt ihr euch dann getrennt? Er ist doch sehr nett.«

Komisch, dass sie das sagte. Fand sie Owen Jericho nett? Bislang
war er nur in Verbindung mit Schusswaffen, Tod und schwerer Körperverletzung in Erscheinung getreten. Andererseits hatte er ihr das
Leben gerettet. Fand man jemanden nett, weil er einem das Leben
rettete?

»Partnerschaft ist ein jederzeit kündbarer Vertrag, mein Schatz«,
sagte Joanna und nahm sich den zweiten Pinsel vor. »Ohne Fristen.
Du quittierst den Beischlaf nicht sechs Wochen zum Quartal. Wenn es
nicht mehr funktioniert, musst du gehen.«

»Und was hat nicht funktioniert?«

»Alles. Der Owen, der mit nach Shanghai gekommen war, besaß

keine Ähnlichkeit mehr mit dem, den ich in London kennengelernt hatte.«

»Du warst in London?«

»Wird das ein Interview?« Joanna zog die Augenbrauen hoch. »Dann hätte ich es später gern zur Autorisierung vorgelegt.«

»Nein, es interessiert mich wirklich. Ich meine, wir kennen uns noch nicht so lange, oder? Tian und du, ihr seid gerade mal – wie viele Jahre zusammen?«

»Vier.«

»Eben, wir hatten nie viel Gelegenheit, miteinander zu reden.«

»So von Frau zu Frau, meinst du?«

»Nein, Quatsch, ich meine, Tian kenne ich ewig, mein ganzes Leben lang, aber von dir –«

»Von mir weißt du nichts.« Joanna verzog spöttisch die Mundwinkel. »Und jetzt machst du dir Sorgen um den guten Tian, weil du dir nicht vorstellen kannst, was eine schöne und verhätschelte Frau von einem kahlköpfigen, schlampigen, übergewichtigen alten Sack will, der zwar Geld wie Heu hat, aber seine Brillenbügel klebt und den Hosenboden in den Kniekehlen trägt.«

»Das habe ich nicht gesagt«, erwiderte Yoyo zornig.

»Aber gedacht. Und Owen hat es auch gedacht. Gut, ich erzähle dir die Geschichte. Sie ist ein Lehrstück über die Ökonomie der Liebe. Sie beginnt in London, wohin ich 2017 zog, um englische Literatur, abendländische Kunst und Malerei zu studieren. Etwas, wozu man entweder verrückt, Idealist oder von Haus aus reich sein muss. Mein Vater war Pan Zemin –«

»Der Umweltminister?«

»Vizeumweltminister.«

»Hey!«, rief Yoyo. »Wir haben deinen Vater immer bewundert!«

»Das würde ihn freuen.«

»Er hat eine Menge Probleme offen angesprochen.« Wärmende Begeisterung flutete Yoyo. »Verdammt mutig. Und sein Betreiben, mehr Geld in die Solarforschung zu stecken, um die Energieausbeute zu steigern –«

»Ja, in sehr hohem Maße der Allgemeinheit zuträglich«, erwiderte Joanna trocken. »Es hat sich auch gar nicht störend ausgewirkt, dass eines der Unternehmen, die den Durchbruch erzielten, ihm gehörte. Ich sagte ja, verrückt, idealistisch oder von Haus aus reich. In London war die chinesische Gemeinschaft zu der Zeit längst aus der Gerrard Street herausgewachsen. Es gab eine Menge guter Clubs in Soho, die von Chinesen und Europäern besucht wurden. In einem davon lernte ich Owen kennen. Das war 2019, und er gefiel mir. Oh, er gefiel mir sogar sehr!«

»Ja, er sieht gut aus.«

»Sagen wir, leidlich. Das Großartige an ihm war weniger sein Aussehen, als dass er keine Angst vor mir hatte. Entsetzlich, alle hatten immer gleich Angst vor mir, dabei mag ich Verlierer – zum Frühstück.« Sie lächelte maliziös und quirlte einen weiteren Pinsel durch Terpentin. »Aber Owen schien beschlossen zu haben, sich weder von meinem unbestreitbar blendenden Aussehen noch vom Umstand meiner finanziellen Unabhängigkeit beeindrucken zu lassen, und er schaffte es zwei Stunden lang, mir nicht unentwegt auf die Titten zu gucken. Das hatte was. Außerdem respektierte er meine Intelligenz, indem er mir widersprach. Er war Cyber-Cop bei New Scotland Yard, wo sie dich nicht gerade in Gold aufwiegen, aber Geld interessierte mich nicht. Owen hätte unter der London Bridge schlafen können, ich hätte mich dazugelegt.« Sie hielt inne. »Oder sagen wir, ich hätte sie gekauft und mich dazugelegt. Wir waren sehr verliebt.«

»Wie konnte das kaputtgehen?«

»Ja, wie?« Joanna kreierte ein wohlklingendes kleines Seufzen. »2020 erlitt mein Vater einen Gehirnschlag und war so rücksichtsvoll, nicht mehr aufzuwachen. Er hinterließ ein respektables Vermögen, eine in Duldsamkeit erprobte Ehefrau, die sein Ableben ebenso widerspruchslos ertrug, wie sie ihn ertragen hatte, außerdem drei Kinder, deren ältestes ich bin. Mama war einsam, und ich dachte, mit dem Anteil, der mir so unverhofft zugeflossen war, musst du in London nicht weiter die Hörsäle verstopfen. Also beschloss ich zurückzukehren. Ich fragte Owen, was er davon hielte, wenn wir nach Shanghai zögen, und er sagte, ohne lange nachzudenken, klar, ziehen wir nach Shanghai. – Und weißt du, das war komisch.«

»Wieso? Das war doch genau, was du wolltest.«

»Schon, aber er hatte nicht den geringsten Einwand. Immerhin waren wir gerade mal ein halbes Jahr zusammen. Aber gut, das ist halt die Crux. Tun Männer, was du ihnen sagst, machen sie sich verdächtig, opponieren sie, machen sie sich lächerlich. Ich dachte, es ist, weil er mich so sehr liebt, was ja an sich gut war, denn solange er mich liebte, würde er immer nur sich betrügen und nicht mich. Aber damals begann ich mich schon zu fragen, wer von uns beiden mehr liebte.«

»Und er liebte dich zu sehr.«

»Nein, er liebte sich zu wenig. Das wurde mir aber erst klar, als wir in Shanghai angekommen waren. Anfangs lief alles prima. Er kannte sich aus, mochte die Stadt, war etliche Male da gewesen im Zuge bilateraler Ermittlungsarbeit. Bei New Scotland Yard galt er als eine Art Haus-Sinologe, außerdem musst du wissen, dass Owen Sprachen nicht wie andere Leute mühsam erlernen muss, sondern sie einfach schluckt und in wohlgesetzten Formulierungen wieder zum Vorschein bringt. Ich schlug ihm vor, einen Job beim Shanghai Department for Cybercrime anzunehmen, weil die ihn da schon kannten und schätzten –«

»Cypol«, schnaubte Yoyo.

»Ja, deine Freunde. Wir bezogen eine Wohnung in Pudong und nahmen uns vor, ein Leben lang glücklich zu sein. Und dort fing es an. Kleinigkeiten. Sein Blick begann zu flackern, wenn er mit mir sprach. Er hofierte mich. Klar, wir lebten in *meinem* Land, es waren *meine* Leute, die wir trafen, darunter Politiker, Intellektuelle und allerlei Repräsentanten des öffentlichen Lebens, jeder von denen hofierte mich. In meinen Kreisen ist Größe das Resultat der Erniedrigung anderer, doch Owens Knie wurden weicher und weicher. Sein wunderbares Selbstbewusstsein schmolz dahin wie Butter in der Sonne, er schien zu degenerieren und wieder Pickel zu kriegen, und irgendwann fragte er mich ganz zaghaft, ob ich ihn liebe. Ich war vollkommen platt! Ungefähr so, als hätte er bei strahlend blauem Himmel gefragt, ob die Sonne scheint.«

»Vielleicht fand er, dass du ihn nicht mehr so liebtest wie früher.«

»Umgekehrt, mein Schatz. Die Zweifel kamen mit dem Zweifler. Owen hatte nicht den mindesten Grund, mir zu misstrauen, auch wenn er das wahrscheinlich so sah. Er hatte aufgehört, *sich* zu vertrauen, das war's! Verlieben kannst du dich nur auf Augenhöhe, aber wenn dein Partner vor dir einknickt, bist du gezwungen, auf ihn herabzuschauen.«

»Wurde er eifersüchtig?«

»Eifersucht, die Sucht der Unansehnlichen. Nichts macht dich kleiner und hässlicher.« Joanna trat zu einem offenen Magazin, in dem Dutzende Tuben nebeneinanderlagen. »Ja, wurde er. Irgendeine alte Unsicherheit hatte von ihm Besitz ergriffen. Unsere Beziehung geriet aus dem Gleichgewicht. Ich bin ein positiver Mensch, Schätzchen, ich kann überhaupt nur positiv sein, sodass Owen sich neben mir zusehends ausnahm wie eine Topfpflanze, der man das Wasser verweigerte. Mein Optimismus ließ ihn verdorren. Je schlechter er sich fühlte, desto mehr genoss ich mein Leben, von seiner Warte aus betrachtet. Völliger Blödsinn natürlich! Ich hatte das Leben schon immer genossen, nur vorher mit ihm zusammen.« Sie zog eine Tube Zinnober hervor und drückte ein wenig davon auf eine Palette. »Also verließ ich ihn, damit er endlich zu sich selbst finden konnte.«

»Sehr rücksichtsvoll«, höhnte Yoyo.

»Schon klar, wie du das siehst.« Joanna hielt einen Augenblick inne. »Aber du irrst dich. Ich hätte mit ihm alt werden können. Doch Owen hatte den Glauben verloren. Die Welt ist eine Illusion, alles ist Illusion, per se die Liebe. Wenn du aufhörst, an sie zu glauben, verschwindet sie. Wenn du aufhörst zu fühlen, wird die Sonne ein Klumpen und Blumen werden Gestrüpp. Das ist die ganze Geschichte.«

Yoyo trottete zu einem Schemel und ließ sich darauf nieder.

»Weißt du was?«, sagte sie. »Er tut mir leid.«

»Wer?«

»Na, Owen!«

»Tz, tz.« Joanna schüttelte missbilligend den Kopf. »Wie unanständig, ich hätte erwartet, dass du ihm etwas mehr Respekt entgegenbringst. Owen ist talentiert, intelligent, charmant, sieht gut aus. Er könnte alles sein, was er will. Jeder weiß, dass es so ist. Nur er nicht.«

»Eine Weile hat er es wohl geglaubt. Damals in London.«

»Ja, weil er vor lauter Überraschung, dass es mit uns klappte, vorübergehend vergaß, dieser erbärmliche kleine Stinker zu sein.«

Yoyo starrte sie an. »Sag mal, bist du eigentlich herzlos, oder gefällst du dir in der Rolle?«

»Ich bin ehrlich und gefalle mir darin, nicht kitschig zu sein. Was willst du? Sentimentalitäten? Dann geh ins Kino.«

»Schon gut. Wie lief's weiter?«

»Natürlich zog er auf der Stelle aus. Ich bot ihm an, ihn zu unterstützen, aber das lehnte er ab. Nach wenigen Monaten schmiss er den Job, nur, weil *ich* ihm den besorgt hatte.«

»Warum ist er nicht zurück nach England gegangen?«

»Das musst du ihn selbst fragen.«

»Ihr habt nie darüber gesprochen?«

»Doch schon, wir hielten Kontakt. Funkstille herrschte nur wenige Wochen lang, eine Zeit, während derer ich mich in Tian verliebte, den ich von Partys her kannte. Als Owen erfuhr, dass wir liiert waren, klappte sein Weltbild total zusammen.« Joanna sah Yoyo an. »Dabei ist es mir egal, wie alt, dick oder kahl ein Mann ist. Nichts davon zählt. Tian ist authentisch, aufrecht und geradeheraus, Gott weiß, wie ich das schätze! Ein Kämpfer, ein Fels. Geistreich, gebildet, liberal –«

»Reich«, ergänzte Yoyo.

»Reich bin ich selbst. Natürlich fand ich es toll, dass Tian die Herausforderung suchte, von Erfolg zu Erfolg eilte. Doch eigentlich kann er nichts, was Owen nicht auch könnte. Nur, dass Tians Dasein von einem nahezu unerschütterlichen Glauben an sich selbst geprägt ist. Er findet sich schön, und das macht ihn schön. Dafür liebe ich ihn.«

Joannas Erzählung hatte begonnen, eine wohltuend betäubende Wirkung auf Yoyo zu entfalten. Ihr schien es plötzlich, als könne sie besser durchatmen, wenn von den Problemen anderer Leute die Rede war. Überhaupt tat es gut zu wissen, dass andere Probleme *hatten*. Eigentlich hätten sie ruhig noch ein bisschen größer sein dürfen, um den Blick auf den Vormittag zu verstellen.

»Und wie ging es weiter mit Owen?«, wollte sie wissen.

Joanna widmete sich dem öligen Strang auf ihrer Palette und rührte ihn mit einem spitzen Pinsel zur Creme.

»Frag ihn«, sagte sie, ohne aufzuschauen. »Meine Geschichte habe ich erzählt. Für seine bin ich nicht zuständig.«

Yoyo rutschte unschlüssig auf ihrem Platz hin und her. Joannas unerwartete Einsilbigkeit gefiel ihr nicht. Sie beschloss zu insistieren, als Tu das Atelier betrat.

»Hier bist du!«, teilte er Yoyo mit, als müsse er sie davon in Kenntnis setzen, wo sie sich befand.

»Gibt's was?«, fragte sie.

»Ja, Owen war fleißig. Komm mit ins Büro, es sieht so aus, als hätte er Verschiedenes rausgefunden.«

Yoyo erhob sich und sah zu Joanna hinüber. »Kommst du auch mit?«

Joanna lächelte. Von der Spitze des Pinsels tropfte Zinnober wie edles, altes Blut.

»Nein, Schätzchen. Geh ruhig. Ich würde nur dumme Fragen stellen.«

Um 19 Uhr 20 versenkten sich Tu, Jericho und Yoyo in die Schönheiten der Schweizer Bergwelt. Auf Tus Multimediawand lief großformatig ein 3-D-Film. Zu sehen war eine Gondel, die einem pittoresken Städtchen entsprang und über Schluchten und Tannenwälder einer schmucken Alm zustrebte. Ein flaches, edel gestaltetes Bauwerk kam in Sicht. Der spanische Kommentator pries es als eines der ersten Designerhotels der Alpen, lobte die Zimmer für den Komfort und die Küche für die Knödel, um sodann eine Gruppe Wanderer beim Überqueren einer Wiese zu begleiten. Kühe trotteten neugierig näher. Eine hübsche Großstädterin sah ihr Herannahen mit Skepsis, wurde schneller und begann talwärts zu laufen, wo zwei Esel grau und müde aus ihrem Verschlag schlurften und sie wieder den Kühen entgegentrieben. Einige der Wanderer lachten. Die nächste Szene zeigte einen Bauer, der eine Kuh in den Arsch trat.

»Hier oben sind die Sitten zum Teil noch ziemlich rau und ursprünglich«, erklärte der spanische Kommentator im Tonfall eines Verhaltensforschers, der gerade entdeckt, dass Schimpansen doch nicht so intelligent sind.

»Toll«, sagte Yoyo.

Weder sie noch Tu verstanden Spanisch, was allerdings keine Rolle spielte. Jericho ließ den Film unerbittlich weiterlaufen und fieberte seinem großen Moment entgegen.

»Ich brauche euch ja nicht zu erklären, wie so ein Streifen aufgebaut ist«, sagte er. »Und Wasserzeichen kennt ihr. Also –«

»Entschuldigung«, sagte jemand von der Türe her.

Sie drehten die Köpfe. Chen Hongbing war eingetreten. Er verharrte, kam unsicher einen Schritt näher und straffte sich.

»Ich möchte nicht stören. Ich wollte nur –«

»Hongbing.« Tu eilte zu seinem Freund und legte ihm den Arm um die Schulter. »Wie schön, dass du gekommen bist.«

»Na ja.« Hongbing räusperte sich. »Ich dachte, wir geben denen Saures, nicht wahr? Weniger meinetwegen, sondern –« Er trat neben Yoyo, sah sie an und wieder weg, schaute sich um, massierte seine Kinnspitze und fuchtelte unentschlossen mit den Händen. Yoyo blickte irritiert zu ihm hoch. »Also, ich kenne es leider nicht«, sagte er.

»Was, bitte?«, fragte Jericho vorsichtig. Chen wies mit vager Geste auf den laufenden Film.

»Den Aufbau. Wie so was aufgebaut ist. Ein, äh – Wasserzeichen.« Er räusperte sich erneut. »Aber ich will nicht den Verkehr aufhalten, keine Sorge. Ich wollte nur dabei sein.«

»Du hältst den Verkehr nicht auf, Vater«, sagte Yoyo leise.

Chen zog die Nase hoch, entließ eine ganze Kaskade von Räusperlauten und brummte etwas Unverständliches. Dann nahm er Yoyos Hand, drückte sie kurz und fest und ließ sie wieder los.

Yoyos Augen begannen zu leuchten.

»Kein Problem, ehrenwerter Chen«, sagte Jericho. »Haben die anderen Sie mit unserem Wissensstand vertraut gemacht?«

»Chen, einfach Chen. Ja, ich kenne diese – diese verstümmelte Nachricht.«

»Gut. Viel mehr hatten wir bis vorhin noch nicht. Nur eine Ahnung, dass außerdem etwas in den Filmen stecken musste.« Er überlegte, wie er Chen die Sache begreiflich machen sollte. Der Mann war technisch von rührender Unbedarftheit. »Sehen Sie, es ist so: Jeder Datenstrom ist aus Datenpaketen aufgebaut. Am besten stellen Sie sich einen Bienenschwarm vor, einige Millionen Bienen unterschiedlicher Färbung, die sich auf immer neue Weise anordnen, sodass vor Ihren Augen bewegte Bilder entstehen. Und jetzt stellen Sie sich weiter vor, einige dieser Bienen sind codiert. Was Ihnen als Betrachter nicht auffällt. Sobald Sie jedoch im Besitz eines speziellen Algorithmus sind –«

»Algorithmus?«

»Eine Maske, ein Entschlüsselungsverfahren. Damit blenden Sie alle nicht codierten Bienen aus. Nur die codierten bleiben übrig. Und plötzlich erkennen Sie, dass die auch etwas darstellen. Sie sehen einen Film im Film. Man bezeichnet das als elektronisches Wasserzeichen. Neu ist das Verfahren nicht. Anfang des Jahrtausends, als die Unterhaltungsindustrie den Kampf gegen die Raubkopierer aufnahm, codierte man auf diese Weise Filme und Songs. Es reichte, eine Kleinigkeit im Frequenzspektrum eines Songs zu verändern. Menschliche Ohren nahmen den Unterschied nicht wahr, aber der Computer konnte die Herkunft der CD ermitteln.« Er machte eine Pause. »Der Unterschied zu heute ist folgender: Das alte Internet bildete Datenströme zweidimensional ab. Unser heutiges Internet ist für dreidimensionale Inhalte ausgelegt. Solche Datenströme muss man sich kubisch vorstellen, was erheblich bessere Möglichkeiten zur Unterbringung komplexer Wasserzeichen eröffnet. Allerdings erschwert es im gleichen Maße die Decodierung.«

»Und Sie haben ein solches Wasserzeichen decodiert?«, fragte Chen ehrfürchtig.

»Ja. Das heißt, Diane – äh, mein Computer – hat einen Weg gefunden, es sichtbar zu machen.«

Inzwischen hatte die Gruppe der Wanderer wacker ein Hochplateau erklommen. Die hübsche Großstädterin näherte sich einem Schaf. Das Schaf rührte sich nicht von der Stelle und starrte die Frau an, was diese zum Anlass nahm, es großräumig zu umrunden.

»Spann uns nicht auf die Folter«, sagte Yoyo.

»Schon gut.« Jericho schaute wieder auf die Wand. »Diane, starte den Film erneut. Decodiert und komprimiert, maximale Darstellung.«

Die Bergwelt verschwand. An ihre Stelle rückten Aufnahmen einer Autofahrt, aus dem Innenraum gefilmt. Es ging eine holperige Straße entlang. Zu beiden Seiten erstreckte sich hügeliges Ackerland, durchbrochen von Büschen und gelegentlich einem Baum. Vereinzelt sah man Hütten, meist in erbärmlichem Zustand. Der Himmel war verquollen von Wolken. Wo das Gelände anstieg und sich bewaldete, kündeten graue Schraffuren von Regengüssen.

Ein gutes Stück vor dem Wagen fuhr ein Laster und wirbelte Staub auf. Auf der Ladefläche saßen mehrere Schwarze, die meisten nur mit Shorts bekleidet. Sie wirkten teilnahmslos, soweit man das auf die Entfernung und durch den Straßendreck hindurch beurteilen konnte. Dann schwenkte die Kamera auf den Fahrer, einen aschblonden Mann mit Sonnenbrille, Schnurrbart und kräftiger Kinnpartie.

Derjenige, der die Kamera hielt, sagte etwas Unverständliches. Der Blonde schaute kurz herüber und grinste.

»Klar doch«, sagte er auf spanisch. »Zum Ruhme des Präsidenten.«

Beide lachten.

Das Bild wechselte. Derselbe Mann saß, mit Khakihemd und hellem Jackett bekleidet, in Gesellschaft Uniformierter an einem langen Tisch, nunmehr ohne Sonnenbrille. Die Kamera zoomte ihn heran. Augenbrauen und Wimpern waren hell wie sein Haupthaar, die Augen wasserblau, eines davon starr, ein Glasauge möglicherweise. Dann ging die Kamera in die Totale und erfasste den Tisch in seiner ganzen Länge. Zwei chinesisch aussehende Männer in Anzug und Krawatte präsentierten irgendwelche Charts. Adressat ihrer Ausführungen schien eine bullige Gestalt am Kopfende des Tisches zu sein, kahlköpfig, stiernackig und schwarz wie poliertes Ebenholz. Er trug einen schlichten Drillich. Die Uniformen der übrigen Teilnehmer, ebenfalls Schwarze, wirkten formeller, dunkel mit rotgoldenen Epauletten und allerlei Orden, doch eindeutig war der Bullige Nukleus des Ganzen, während der Blonde die Rolle des Beobachters einzunehmen schien.

Auch diese Unterhaltung fand auf Spanisch statt. Der wortführende Chinese beherrschte es fließend, allerdings mit grauenhaftem Akzent. Offenbar ging es um den Bau einer Gasverflüssigungsanlage, was dem Bulligen beifälliges Kopfnicken entlockte. Zwischendurch bat der Chinese seinen Kollegen auf Chinesisch um einige Unterlagen und tat dies mit leichtem Pekinger Akzent.

Wieder zoomte die Kamera auf den blonden Mann. Er machte sich Notizen und folgte weiter dem Vortrag.

Streifen und Wirbel huschten über die Multimediawand. Jemand versuchte zu fokussieren. Eine Straße geriet ins Bild, städtisch, voller Autos. Auf der gegenüberliegenden Seite trat jemand aus einem verglasten Gebäude, über dessen Fassade holografische Werbefilme geisterten. Die Kamera holte die Person heran, geriet dabei mehrfach in die Unschärfe, erfasste Kopf und Oberkörper. Hochgewachsen, glatt rasiert, das Haar dunkel getönt, war der Blonde auf den ersten Blick nicht wiederzuerkennen. Er schaute sich um und ging die Straße herunter. Wieder flackerte die Kamera, holte ihn erneut ins Bild, in der Sonne sitzend, ein Magazin durchblätternd. Zwischendurch nippte er an einer Tasse, schaute plötzlich auf, und der Film endete.

»Das war's«, sagte Jericho.

Eine Weile herrschte Schweigen. Dann sagte Yoyo:

»Hier geht's um chinesische Interessen in Afrika, oder? Ich meine, diese Konferenz, das war eindeutig.«

»Kann sein. Kam dir einer von denen bekannt vor?«

Yoyo zögerte. »Den Stiernackigen hab ich schon mal gesehen.«

»Und die Chinesen?«

»Sehen aus wie irgendwelche Konzerntypen. Worum ging's da noch? Gasverflüssigung? Ölmanager, würde ich sagen. Sinopec oder Petrochina.«

»Aber du kennst keinen von denen?«

»Nein.«

»Sonst noch Wortmeldungen?«

Er schaute in die Runde. Tu schien etwas äußern zu wollen, schüttelte aber den Kopf.

»Gut. Vorweg, viel Zeit hatte ich nicht, den Film auszuwerten, aber einiges kann ich euch anbieten. Meiner Ansicht nach geht es in den Aufnahmen einzig und alleine um den Blonden. Zweimal sehen wir ihn in einem afrikanischen Land, wo er eine öffentliche Position zu bekleiden scheint, später dann, äußerlich verändert, in einer Stadt irgendwo auf der Welt. Er hat seine Haare dunkel gefärbt und den Schnurrbart abrasiert. Schlussfolgerungen?«

»Zwei«, sagte Yoyo. »Entweder er ist in geheimer Mission unterwegs, oder er musste untertauchen.«

»Sehr gut. Fragen wir uns weiter – «

»Owen.« Tu setzte ein mildes Lächeln auf. »Kannst du nicht einfach zur Sache kommen?«

»Pardon.« Jericho hob entschuldigend die Hände. »Also, ich habe Diane angewiesen, das Netz nach diesem Mann zu durchforsten, und sie hat ihn gefunden.« Er legte eine dramatische Pause ein, ob es Tu nun passte oder nicht. »Unser Freund heißt Jan Kees Vogelaar.«

Yoyo starrte ihn an. »Wir haben einen Jan in dem Textfragment!«

»Eben. Und damit gleich zwei Männer, die in Verbindung mit den Vorfällen der letzten Tage stehen. Zum einen Andre Donner, über den wir eigentlich nur wissen, dass er ein afrikanisches Restaurant in Berlin betreibt, aber immerhin. Des Weiteren Jan Kees Vogelaar, Söldner-Ass und persönlicher Sicherheitsberater eines gewissen Juan Alfonso Nguema Mayé, falls euch das was sagt.«

»Mayé«, echote Tu. »Warte mal. Wo hab ich –«

»In den Nachrichten. Juan Mayé war von 2017 bis 2024 Präsident und alleiniger Machthaber Äquatorialguineas.« Jericho machte eine Pause. »Bis man ihn aus dem Amt bombte.«

»Richtig«, murmelte Tu. »Schau an! Da hätten wir ja unseren Umsturz.«

»Möglicherweise. Nehmen wir also an, es geht gar nicht um Pläne, die Kommunistische Partei zu stürzen, oder ähnliche Science-Fiction. Dann hat der Umsturz, von dem in unserem Textfragment die Rede ist, längst stattgefunden. Letzten Juli, um genau zu sein. Und zwar unter *Beteiligung* der chinesischen Regierung!«

Chen hob die Hand. »Wo liegt überhaupt Äquatorialguinea?«

»In Westafrika«, klärte ihn Yoyo auf. »Ein fieser kleiner Küstenstaat mit mächtig viel Öl. Und der Kerl mit dem Stiernacken –«

»– ist Mayé«, bestätigte Jericho. »Besser gesagt, er war es. Sein Ehrgeiz, an der Macht zu bleiben, ist ihm nicht gut bekommen. Sie haben ihn und seine gesamte Clique in die Luft gesprengt. Keiner hat überlebt. Die Sache ging '24 durch die Medien.«

»Ich erinnere mich. Wir wollten damals über Äquatorialguinea recherchieren. Als wir uns noch für Außenpolitik interessierten.«

»Warum eigentlich nicht mehr?«

Yoyo zuckte die Achseln. »Was willst du machen, wenn sich der Dreck vor deiner Haustür stapelt? Du gehst durch die Straßen und siehst die Wanderarbeiter wie eh und je auf der Baustelle schlafen, wo sie auch vögeln, gebären und verrecken. Du siehst die Illegalen ohne Papiere, ohne Arbeitsgenehmigung, ohne Krankenversicherung. Den Unrat in Quyu. Die Schlangen vor den Beschwerdeämtern, die Schlägertrupps, die nachts anrücken und dich durchbläuen, bis du vergessen hast, worüber du dich eigentlich beschweren wolltest. Zugleich verkündet *Reporter ohne Grenzen*, die Situation der Meinungsfreiheit in China habe sich nachweislich verbessert. Ich weiß, es klingt zynisch, aber irgendwann werden dir die Probleme ausgebeuteter Afrikaner so egal wie Rotz im Gully.«

Chen senkte peinlich berührt den Blick.

»Bleiben wir erst mal bei Vogelaar«, beschied Tu. »Was kannst du uns noch über ihn sagen?«

Jericho projizierte ein Chart auf die Wand. »Ich hab ihn durchleuchtet, so gut es ging. 1962 in Südafrika geboren als Sohn holländischstämmiger Einwanderer, Wehrdienst, Studium an der Militärakademie. 1983, mit 21 Jahren, heuert er als Unteroffizier bei der berüchtigten Koevoet an.«

»Nie gehört«, sagte Yoyo.

»Koevoet war eine paramilitärische Einheit der südafrikanischen Polizei zur Bekämpfung der SWAPO, einer Guerillatruppe, die für die Unabhängigkeit Südwestafrikas stritt, dem heutigen Namibia. Damals weigerte sich die Südafrikanische Union trotz UN-Resolution, die Provinz rauszurücken, und baute stattdessen Koevoet auf, übrigens das niederländische Wort für Brecheisen. Ein ziemlich harter Haufen. Vornehmlich einheimische Stammeskrieger und Fährtenleser. Nur die Offiziere waren weiß. Sie jagten die SWAPO-Rebellen in Panzerwagen und töteten mehrere Tausend Menschen. Man sagt ihnen Folter und Vergewaltigung nach. Vogelaar brachte es bis zum Offizier, doch Ende der Achtziger hatte sich der Verein erledigt und wurde aufgelöst.«

»Woher weißt du das alles?«, staunte Tu.

»Ich habe nachgesehen. Ich wollte einfach wissen, mit wem wir es zu tun haben. Ganz interessant übrigens. Koevoet stellt eine der Ursachen für das südafrikanische Söldnerproblem dar, immerhin umfasste die Truppe 3000 Mann, die nach dem Ende der Apartheid erst mal arbeitslos waren. Die meisten kamen in privaten Söldnerfirmen unter. Vogelaar auch. Nach der Zerschlagung von Koevoet Ende der Achtziger verlegte er sich auf Waffenhandel, arbeitete als Militärberater in Krisengebieten und ging 1995 zu *Executive Outcomes,* einem privat geführten Sicherheitsunternehmen und Auffangbecken für die halbe ehemalige Militärelite. Als Vogelaar dazustieß, spielte der Laden schon eine führende Rolle im weltweiten Söldnergewerbe, nachdem man sich anfangs damit begnügt hatte, den ANC zu unterwandern. Mitte der Neunziger war *Executive Outcomes* perfekt vernetzt. Ein Geflecht aus Militärdienstleistern, Öl- und Bergbaufirmen, das lukrative Auftragskriege führte und sich gerne von der Petroleumindustrie bezahlen ließ. In Somalia beendeten sie im Interesse amerikanischer Ölkonzerne den Bürgerkrieg, in Sierra Leone eroberten sie Diamantminen zurück, die in die Hände von Rebellen gefallen waren. Vogelaar baute dort exzellente Kontakte auf. Vier Jahre später wechselte er zum *Outcomes*-Ableger *Sandline International,* aber die machten eher durch fehlgeschlagene Operationen von sich reden und stellten 2004 alle Aktivitäten ein. Schließlich gründete er *Mamba,* seine eigene

Sicherheitsfirma. Die operierte vornehmlich in Nigeria und in Kenia. Und in Kenia verliert sich dann auch seine Spur, irgendwann während der Unruhen nach den Wahlen 2007.« Jericho spreizte entschuldigend die Finger. »Oder sagen wir, ich habe sie verloren. 2017 taucht er jedenfalls wieder auf, an der Seite Mayés, dessen Sicherheitsapparat er fortan leitet.«

»Ein Loch von zehn Jahren«, konstatierte Tu.

»Hat Mayé sich nicht selbst an die Macht geputscht?«, fragte Yoyo. »Vogelaar könnte ihm dabei geholfen haben.«

»Kann sein.« Tu verzog das Gesicht. »Afrika und seine Königsmorde. Messer in allen Rücken. Irgendwann geht der Überblick verloren. Mich wundert, dass sie selbst noch durchblicken.«

Chen räusperte sich. »Darf ich dazu etwas, ähm – beitragen?«

»Aber Hongbing! Unsere Ohren sind Trichter. Schütte dich aus.«

»Nun ja.« Chen sah Jericho an. »Sie sagten, die komplette Clique dieses Mayé sei bei dem Umsturz ums Leben gekommen, richtig?«

»Richtig.«

»Ich übersetze Clique im weitesten Sinne mit Regierung.«

»Auch richtig.«

»Ein Putsch ohne Tote dürfte die Ausnahme sein.« Plötzlich wirkte Chen aufgeräumt und analytisch. »Oder sagen wir, wo Waffen ins Spiel geraten, sind Kollateralschäden Programm. Wenn aber die komplette Regierungsclique ums Leben kommt – dann kann man kaum noch von einem Kollateralschaden sprechen, oder?«

»Worauf wollen Sie hinaus?«

»Dass es bei dem Umsturz weniger darum ging, Mayé und seine Leute aus dem Amt zu jagen, als sie auszulöschen. Jeden Einzelnen von ihnen. Es war von Anfang an geplant, so sieht das für mich aus. Das war nicht einfach nur ein Putsch. Das war initiierter Massenmord.«

»Oh, Vater«, seufzte Yoyo leise. »Was hättest du für einen *Wächter* abgegeben.«

»Hongbing hat recht«, sagte Tu schnell, bevor Chen sich an Yoyos Bemerkung verschlucken konnte. »Und da wir schon so frohgemut im Nebel stochern, ohne rot zu werden, dürfen wir gleich auch das Allerschlimmste annehmen. Der Drache hat gespeist. Unser Land hat diese Gräuel vollbracht oder wenigstens dabei geholfen.« Er legte das Doppelkinn in die Rechte, wo es barock ruhte. »Andererseits, welchen Grund sollte Peking haben, eine komplette westafrikanische Kleptokratie auszulöschen?«

Yoyo riss ungläubig die Augen auf.

»Das traust du denen nicht zu? Hey, was ist los mit dir?«

»Glätte dein Gemüt, mein Kind, ich traue denen alles zu. Ich wüsste nur gerne, warum.«

»Dieser –« Chens Rechte vollführte vage Greifbewegungen. »Wie hieß er noch, der Söldner?«

»Vogelaar. Jan Kees Vogelaar.«

»Also, der müsste es wissen.«

»Stimmt, er –«

Alle sahen einander an.

Und plötzlich dämmerte es Jericho.

Natürlich! Wenn Chen recht behielt und die Mayé-Regierung Opfer eines Mordanschlags geworden war, konnte das nur zwei Gründe haben. Zum einen, der Volkszorn hatte sich entladen. Nicht zum ersten Mal hatte ein empörter Mob seine ehemaligen Peiniger gelyncht, allerdings geschah so etwas meist spontan, außerdem differierten die Hinrichtungsarten: Zerstückeln per Machete, ein brennender Autoreifen um den Hals, zu Tode knüppeln. Viel hatte Jericho in der kurzen Zeit nicht über die Verhältnisse in dem krisengebeutelten westafrikanischen Staat herausfinden können, allerdings schien Mayés Sturz eher Resultat einer blitzsauber geplanten, simultan durchgeführten Operation gewesen zu sein. Innerhalb weniger Stunden war der Spuk vorbei, waren alle Mitglieder des engeren Kreises um den Diktator tot gewesen. So, als wäre es darum gegangen, den ganzen Apparat zum Schweigen zu bringen. Mayé und sechs seiner Minister waren in der Explosion einer ferngelenkten Rakete verglüht, weitere zehn Minister und Generäle erschossen worden.

Einer indes war entkommen. Jan Kees Vogelaar.

Warum? Hatte Vogelaar ein doppeltes Spiel gespielt? Ein Putsch dieses Kalibers war nur möglich mit Verbindungen nach innen. War Mayés Sicherheitschef ein Verräter? Gesetzt den Fall, dies traf zu, dann –

»– ist Andre Donner ein Zeuge«, murmelte Jericho.

»Wie bitte?«, fragte Tu.

Jericho starrte ins Nichts.

– *Donner zu liquidieren* –

»Könntest du uns eventuell an deinen Gedanken teilhaben lassen?«, schlug Yoyo vor.

»Donner zu liquidieren«, sagte Jericho. Er sah sie der Reihe nach an. »Ich weiß, es ist kühn, aus den paar Textfetzen so etwas herauslesen zu wollen. Aber dieser Teil scheint mir unmissverständlich. Keine Ahnung, wer Donner ist, doch nehmen wir an, er kennt die wahren Hintergründe des Putsches. Er weiß, wer die Drahtzieher sind. Dann –«

– unverändert ein hohes –

Ein hohes was? Risiko? Bestand unverändert ein Risiko, dass Donner, nachdem er untergetaucht war, sein Wissen preisgeben könnte?

– dass er Kenntnis von –

– würde Aussage Umsturzes chinesische Regierung –

»Dann?«, wiederholte Yoyo.

»Pass auf!«, rief Jericho aufgeregt. »Nehmen wir an, Donner weiß, dass die chinesische Regierung in den Putsch verwickelt war. Und auch, warum. Er kann fliehen. Wahrscheinlich heißt er in Äquatorialguinea noch gar nicht Donner, er sitzt irgendwo in der – in der Regierung? Ja, in der Regierung! Oder er ist ein hoher Militär, ein General oder was, egal. Wer immer er ist, er braucht eine neue Identität. Also wird er zu Donner, Andre Donner. Hätten wir Fotos der damaligen Machthaber und eines von ihm, wir würden ihn wiedererkennen! Er geht nach Berlin, weit weg, und baut sich eine neue Existenz auf, ein neues Leben. Neue Papiere, neue Vita.«

»Eröffnet ein Restaurant«, sagte Tu. »Und wird aufgespürt.«

»Ja. Vogelaar hat den Auftrag, die zeitgleiche Liquidierung des Mayé-Clans zu koordinieren. Einer geht ihm durch die Lappen, jemand, der alles verderben könnte. Denk an den Aufwand, den sie betreiben, um Yoyo auszuschalten, bloß weil sie ein bisschen kryptisches Zeug abgefangen hat. Vogelaars Hintermänner machen sich Sorgen. Solange Donner am Leben ist, kann er sich immer noch entschließen, alles auffliegen zu lassen.«

»Etwa, dass ein ausländisches Regime den Wechsel herbeigeführt hat.«

»Was ja nichts Neues ist«, sagte Jericho. »Allein, wo die CIA überall nachgeholfen hat: 1962, Putschversuch in Kuba. Anfang der Siebziger, Chile. 2018, Umsturz in Nordkorea. Niemand bezweifelt, dass Washington beim Attentat auf Kim Jong-un die Finger im Spiel hatte. Wiederum gibt es Stimmen, die China bezichtigen, 2015 in Saudi-Arabien nachgeholfen zu haben, warum also nicht auch in Westafrika?«

»Verstehe. Und jetzt ist Vogelaar in Berlin eingetroffen, um den wundersamerweise wiedergefundenen Donner auszuschalten.« Tu kratzte sich ausgiebig den Nacken. »In der Tat, das ist kühn.«

»Aber denkbar.« Chen hüstelte. »Was mich betrifft, mir leuchtet das irgendwie ein.«

»Also doch«, flüsterte Yoyo.

»Was?«, fragte Jericho.

»Na was schon?«, blaffte sie. »Wie ich gesagt hab! Es ist die Regierung, ich hab die Partei am Hals!«

»Ja«, sagte Jericho müde. »Sieht wohl so aus.«

Sie legte das Gesicht in die Hände. »Wir müssten mehr über dieses Land wissen. Mehr über Vogelaar, mehr über Donner. Je mehr wir wissen, desto besser können wir uns verteidigen. Andernfalls kann ich meine Sachen packen. Und ihr auch. Tut mir leid.«

Tu betrachtete seine Fingernägel, drehte und wendete sie.

»Gute Idee«, sagte er.

Yoyo hob das Gesicht aus dem Grab ihrer Hände. »Was?«

»Deine Sachen zu packen. Das Land zu verlassen. Gute Idee. Genau das werden wir tun.«

»Ich versteh' nicht ganz.«

»Was gibt es da zu verstehen? Wir suchen diesen Donner auf. Der Mann schwebt in Lebensgefahr! Wir werden ihn warnen, er sagt uns im Gegenzug, was wir wissen müssen.«

»Du willst –« Jericho glaubte, sich verhört zu haben. »Tian, der Mann lebt in Berlin. Das ist in Deutschland!«

»Falls sie uns überhaupt rauslassen«, sagte Yoyo.

»Langsam.« Tu hob die Hände. »Ihr habt mehr Bedenken als ein Stachelschwein vor dem Beischlaf. Als hätte ich vor, in gestrecktem Galopp über die Grenze zu fliehen! Überlegt mal, eben hatten wir die Polizei im Haus. Glaubt ihr ernsthaft, wir säßen noch hier, wenn die uns hätten einsacken wollen? – Nein, wir werden ganz offiziell ein bisschen verreisen. In meinem Privatjet, wenn ich die Einladung aussprechen darf.«

»Und wann willst du fliegen?«

»Nach Mitternacht.«

Jericho starrte ihn an, dann Yoyo, dann Chen.

»Sollten wir nicht vielleicht –«

»Geht leider nicht früher«, sagte Tu entschuldigend. »Da ist noch ein Essen, das ich beim besten Willen nicht verschieben kann. In einer Stunde.«

»Sollten wir Donner nicht erst mal anrufen? Woher willst du wissen, ob er überhaupt in Berlin ist? Vielleicht ist er verreist. Hat sich abgesetzt.«

»Du willst ihn am Telefon warnen?«

»Ich finde nur –«

»Lausige Idee, Owen. Stell dir vor, er geht ran und glaubt dir. Dann sind wir ihn los. So schnell, wie der untertaucht, hast du nicht Atem geholt, um Fragen zu stellen. Außerdem, was willst du sonst tun? In Pudong sitzt du nur meine Polster platt.«

»Wir sollen nach Berlin?«, krächzte Hongbing. »Mitten in der Nacht?«

»Ich hab Betten an Bord.«

»Aber –«

»Du fliegst sowieso nicht mit. Nur die schnelle Eingreiftruppe: Owen, Yoyo und ich.«

»Warum denn nicht ich?«, fragte Chen, plötzlich empört.

»Zu strapaziös. Nein, keine Widerrede! Eine kleine, agile Truppe ist genau richtig für so was. Flink und beweglich. Joanna badet dich derweil in Tee und krault dir die Zehen.«

Jericho stellte sich Tu beim Versuch vor, agil und beweglich zu sein.

»Und wenn wir Donner nicht antreffen?«, wollte er wissen.

»Warten wir auf ihn.«

»Was, wenn er nicht kommt.«

»Fliegen wir wieder zurück.«

»Und wer«, fragte er, von dunklen Ahnungen getrieben, »ist der Pilot?«

Tu hob die Brauen. »Na, wer schon? Ich.«

Wenige Kilometer weiter und etliche Meter höher schaute Xin auf die abendliche Stadt.

Nachdem ein Stau den verdammten Kipplaster endlich auf Schritttempo heruntergezwungen hatte, war er abgesprungen, hatte die Metro nach Pudong genommen, da weit und breit kein freies COD zu ergattern gewesen war, die letzten paar hundert Meter zum Jin Mao Tower im Laufschritt zurückgelegt und wie von Sinnen die Halle durchquert, um dort einem überfallartigen Hunger auf Süßes zu erliegen. Im Foyer protzte eine Schokoladenboutique mit Pralinés zum Preis gehobenen Modeschmucks. Xin erstand eine Packung, die er während der Fahrt nach oben zur Hälfte plünderte. Schokolade, hatte er festgestellt, half ihm beim Denken. In seiner Suite angekommen, warf er die Kleidung von sich, eilte in das riesige Marmorbad, drehte die Dusche auf und rubbelte sich beinahe die Haut vom Fleisch im Bemühen, den Dreck Xaxus und den Makel seiner Niederlage abzuwaschen.

Yoyo war ihm erneut entwischt, und dieses Mal hatte er nicht die geringste Ahnung, wo sie untergekommen sein mochte. Bei Jericho meldete sich nur der Anrufbeantworter. Von einer Woge des Hasses getragen erwog Xin, die Detektei in die Luft zu sprengen. Dann verwarf er den Gedanken. Rachsucht konnte er sich in seiner derzeitigen Situation kaum leisten, im Übrigen mangelte es ihm nach dem Desaster in Hongkou an passender Bewaffnung. Zudem, auch das war ihm klar, gab es keinen wirklichen Grund, jemanden dafür zu bestrafen, dass er sein gottgegebenes Recht auf Verteidigung in Anspruch genommen hatte.

Gereinigt, in einen Kokon aus Frottee gehüllt und der Stadt wohltuend entrückt, versuchte Xin, Ordnung in den Hornissenschwarm seiner Gedanken zu bringen. Als Erstes sammelte er die herumliegenden Kleidungsstücke ein und verfrachtete sie in den Wäschesack. Dann warf er einen Blick in die verwüstete Pralinenschachtel. Gewohnt, den Verzehr jeglicher Speisen einem Masterplan zu unterwerfen, der vorsah, die Symmetrie des Gebotenen so lange wie möglich zu erhalten, schauderte Xin vor dem, was er angerichtet hatte. Meist aß er von außen nach innen. Nichts wurde über Gebühr dezimiert, das Verhältnis der Bestandteile zueinander blieb immer gewahrt. Undenkbar, nur eine Seite der Packung leer zu fressen! Doch genau das hatte er getan. Wie ein Tier, wie eine dieser denaturierten Kreaturen in Quyu war er darüber hergefallen.

Er warf sich in den ausladenden Sessel vor der Glaswand und sah zu, wie die Dämmerung Shanghai kuvertierte. Die Stadt sprenkelte sich mit vielfarbigem Licht, trotz des lausigen Wetters ein beeindruckendes Schauspiel, doch Xin sah nur den Verrat an seinen ästhetischen Prinzipien. Jericho, Yoyo, Yoyo, Jericho. Die Verfehlungen in der Schachtel bedurften der Korrektur. Wo war Yoyo? Wo war der Detektiv? Wer hatte das silberne Flugmobil gesteuert? Die Schachtel, die Schachtel! Solange er dort nicht Ordnung geschaffen hatte, würde er geradewegs in den Wahnsinn driften. Er begann die restlichen Pralinen nach Rorschach-Manier umzusortieren, immer aufs Neue, bis eine Achse die Schachtel durchlief, ein stabiles, ordnendes Element, zu dessen beiden Seiten sich die verbliebenen Pralinés spiegelten. Danach war ihm wohler, und er zog Bilanz. Yoyo und dem Detektiv zu folgen ergab nicht länger Sinn. In wenigen Tagen würde ohnehin alles gelaufen sein, dann mochten sie reden. Sie waren nicht länger wichtig. Priorität hatte die Operation. Nur einer konnte dem Plan jetzt noch gefährlich werden. Xin fragte sich, welche Schlüsse Jericho aus dem Fragment jener Botschaft zog, die er selbst, Kenny Xin, an die Köpfe der Hydra geschickt hatte, nachdem er das Berliner Restaurant eines gewissen Andre Donner aufgespürt und umgehend dessen Liquidierung empfohlen hatte. Unglücklicherweise hatte er der Mail ein modifiziertes Entschlüsselungsprogramm angehängt, eine verbesserte, schnellere Version. Alle paar Monate waren die Schlüssel gegen neue ausgetauscht worden. Dass Yoyo ausgerechnet diese E-Mail abgefangen hatte, war größtmögliches Pech.

Und nicht zu ändern.

Andre Donner. Hübscher Name, hübscher Versuch.

Er wählte eine Nummer auf seinem Handy.

»Hydra«, sagte er.

»Haben Sie das Problem gelöst?«

Wie immer ging ihre Unterhaltung codiert übers Netz. Xin berichtete in knappen Worten, was geschehen war. Sein Gesprächspartner schwieg eine Weile. Dann sagte er:

»Das ist Mist, Kenny. Nichts, worauf Sie stolz sein können.«

»Ich schlage vor, Sie fassen sich an Ihre eigene Nase«, erwiderte Xin übellaunig. »Hätten Sie einen Algorithmus implementiert, der sicher ist, wären wir gar nicht erst in die Situation gekommen.«

»Er *ist* sicher. Außerdem steht das hier nicht zur Debatte.«

»Zur Debatte steht, was ich für debattierenswert halte.«

»Sie nehmen sich viel heraus.«

»Ach ja?« Xin lachte schallend. »Sie sind mein Kontaktmann, schon vergessen? Ein besseres Diktafon. Wenn ich Vorträge hören will, rufe ich *ihn* an.«

Der andere räusperte sich indigniert. »Was also schlagen Sie vor?«

»Was ich bereits vorgeschlagen habe. Unser Freund in Berlin muss weg. Alles andere wäre unverantwortlich. Immerhin stand die Adresse des Restaurants in der verdammten E-Mail. Wenn Jericho auf die Idee kommt, sich mit ihm in Verbindung zu setzen, haben wir *wirklich* ein Problem!«

»Sie wollen nach Berlin?«

»So bald wie möglich. *Das* werde ich keinem anderen überlassen.«

»Warten Sie.« Die Leitung war vorübergehend tot. Dann meldete sich die Stimme wieder. »Wir buchen Sie für den Nachtflug ein.«

»Was ist mit Verstärkung vor Ort?«

»Schon unterwegs. Der Spezialist, Ihrem Wunsche vorauseilend. Gehen Sie diesmal schonender mit Personal und Equipment um.«

Xin kräuselte verächtlich die Lippen. »Machen Sie sich bloß keine Gedanken.«

»Nein, ich bin ja nur das Diktafon«, sagte die Stimme eisig. »Aber *er* macht sich welche. Also *erledigen* Sie diesen Job.«

CALGARY, ALBERTA, KANADA

Am 21. April waren Sid Bruford und zwei Freunde zu der Veranstaltung in Calgary gepilgert, auf welcher EMCO eine Zukunft zu skizzieren gedachte, die keine mehr war. Niemand gab sich noch Illusionen darüber hin, Gerald Palstein werde etwas anderes verkünden als das Aus der Ölsandförderung in Alberta, sodass sich nun alle Hoffnungen auf Strategien zur Sanierung, Konsolidierung oder wenigstens ein Konzept zur sozialen Absicherung richteten. Im Vertrauen darauf standen sie hier, und auch, weil es sich irgendwie gehörte, seiner eigenen Beerdigung beizuwohnen.

Der Platz, ein quadratischer Park vor dem Firmensitz des Unternehmens, füllte sich langsam aber stetig mit Menschen. Wie zur Verhöhnung ihrer Misere schien eine strohgelbe Sonne aus stahlblauem Himmel auf die Menge herab und erzeugte Temperaturen des Aufbruchs und der Zuversicht. Bruford, unwillig, sich der allgemeinen Verbitterung zu überlassen, hatte beschlossen, das Beste aus der Situation zu machen. Zum Totentanz gehörte, Fatalismus in Selbstvertrauen umzumünzen, sich mit den erforderlichen Kontingenten Bier einzudecken und Handgreiflichkeiten möglichst zu vermeiden. Sie sprachen eine Weile über Baseball und hielten sich im Hintergrund, wo die Luft weniger schweißgesättigt war. Bruford schwenkte sein Handy und filmte, um etwas von der Stimmung ringsum einzufangen, als zwei erfreulich leicht bekleidete Mädchen ins Objektiv gerieten, die ihn bemerkten und kichernd zu posieren begannen. Hinter ihnen erstreckte sich ein Komplex aus leer stehenden Gebäuden, Sitz einer pleitegegangenen Firma für Bohrtechnologie, wie er sich zu erinnern glaubte. Die Mädchen mochten ihn, das war so sicher wie die Schließung von Imperial Oil, seine hübschen, fast italienisch anmutenden Gesichtszüge, die Skulptur seines Körpers, die ihm Ansporn war, auch bei frostigen Temperaturen wenig mehr als Shorts und Muscle Shirt zu tragen. Er hielt drauf und lachte. Die beiden flachsten. Nach wenigen Minuten widmete er sich wieder seinen Freunden, doch als er sich ein weiteres Mal umdrehte, stellte er fest, dass die Mädchen nun ihrerseits ihn filmten. Geschmeichelt machte er sich für die beiden zum Affen, zog Grimassen, stolzierte umher, auch seine Freunde fühlten sich animiert. Keiner benahm sich sonderlich erwachsen oder wie jemand, dem gerade die Existenzgrundlage entzogen wurde. Die Mädchen begannen, unterbrochen von Lachanfällen, eine Szene aus einem Hollywood-Streifen nachzuspielen, die Jungs bemühten ihr pantomimisches Repertoire, ausgelassen riefen sie einander die Lösungen zu. Der Tag versprach lustiger zu werden als erwartet, außerdem fand Bruford, wann immer er sich mit seinem Spiegelbild ins Vernehmen setzte, dass er im Filmgeschäft ohnehin besser aufgehoben wäre als im Tagebau von Cold Lake. Vielleicht würde er EMCO eines Tages noch dankbar sein. Auf Ikarusflügeln schwang sich seine Laune zur Aprilsonne hinauf, sodass er beinahe verpasste, wie der kleine, glatzköpfige Ölmanager das Podium erstieg.

Jemand tippte ihm auf die Schulter. Es gehe los. Bruford wandte den Kopf, eben rechtzeitig, um Palstein stolpern zu sehen. Der Mann fing sich, wankte und brach zusammen. Sicherheitsleute stürzten herbei, bildeten einen Wall zur skandierenden Menge. Bruford reckte den Hals. Herzattacke, Kreislaufkollaps, Gehirnschlag? Er schob sich nach vorne, während er das Handy mit der Rechten über die Köpfe der aufgeregten Menschenmenge hielt. Das war ein Anschlag gewesen, ganz klar! Hatte man so was nicht zur Genüge in Filmen gesehen? Das Stolpern, ein Missgeschick. Dann aber hatte etwas den Manager herumgerissen, bevor er zu Boden gegangen war. Ein Schuss, was sonst! Jemand musste auf Palstein geschossen haben, nur so konnte es sein!

Was Bruford nicht wusste, war, dass ihn beim Filmen der Mädchen, zwanzig Minuten zuvor, eine der Fernsehkameras erfasst hatte, verwischt und unscharf, für die Dauer weniger Sekunden. Die Polizisten hatten ihn bei der Analyse des Sendematerials schlicht übersehen.

Nicht so die Leute von Greenwatch.

Immer noch konnte er kaum glauben, dass sie ihn anhand des Ausschnitts aufgespürt hatten, mit Hilfe der Schneeballtaktik, wie Loreena Keowa, die wangenknochige, nicht sonderlich hübsche und dennoch irgendwie schweißtreibend aufregende Indianerin ihm erklärt hatte. Schnell waren sie bei Greenwatch zu dem Schluss gelangt, die Männer neben ihm müssten seine Kumpels sein, besser zu erkennen als er, und dann hatte einer der beiden etwas zu einem alten Mann in der Reihe vor ihnen gesagt, zu Jack Alles-im-Arsch-Becker natürlich, das wusste er noch genau, weil der ihm anschließend mit seiner Larmoyanz auf den Sack gegangen war. Im Gegensatz zu den anderen war Becker, der an jenem Tag seinen Imperial-Oil-Overall getragen hatte, scharf abgelichtet gewesen, und Keowa verfügte offenbar über Kontakte ins Personalwesen der Firma. Sie hatte ihn identifiziert, angerufen und ihm die Aufnahme gezeigt, woraufhin Was-krieg-ich-dafür-Becker zuerst Brufords Kumpel und diese dann Bruford beim Namen genannt hatten.

Und da saß er nun. Unheimlich, die Welt! Jeder konnte zurückverfolgt werden. Andererseits hätte es Schlimmeres geben können, als neben Keowa in ihrem geliehenen Dodge zu sitzen, um 50 kanadische Dollar reicher, und ihr dabei zuzusehen, wie sie seine verwackelten Videos auf ihren Computer lud. Keowa in ihren schicken Klamotten, die so gar nicht zu einer Ökotante passen wollten. Etliches ging ihm durch den Kopf. Ob er nicht mehr hätte verlangen sollen. Was Greenwatch mit den Filmen vorhatte. Warum Indianerhaar so sehr glänzte, und was er mit seinem anstellen musste, damit es ebenso glänzte, wegen der Karriere in Hollywood.

»Sollten wir nich' besser zur Polizei gehen?«, hörte er sich vorschlagen. Eine Frage mit Potenzial, wie er fand. Keowa starrte ihr Display an, auf den Überspielvorgang konzentriert.

»Seien Sie versichert, das werden wir«, murmelte sie.

»Ja, aber wann?«

»Ist doch egal, wann«, nölte Keowas Begleiter vom Rücksitz.

»Ich weiß nich'.« Er schüttelte den Kopf, erzeugte einen Ausdruck aufrichtiger Sorge, schauspielerisches Talent halt, er hatte es immer gewusst, dazu war er geschaffen. »Ich will in nichts reingezogen werden. Wär' eigentlich unsere Pflicht, oder?«

»Warum haben Sie's dann nicht getan?«

»Bin nich' drauf gekommen. Aber jetzt, wo wir drüber reden –«

»Ja, Sie haben natürlich recht, wir sollten den Handel überdenken.« Keowa wandte ihm den Kopf zu. »Wissen wir denn überhaupt, ob das Material 50 Dollar wert ist? Vielleicht ist ja gar nichts darauf zu sehen.«

Bruford zögerte. »Das wär dann aber euer Problem.«

»Vielleicht ist es aber auch 100 Dollar wert, oder?« Sie hob eine Augenbraue. »Könnte das sein, Sid? Vorausgesetzt, jemand hört auf, Fragen zu stellen und sich Gedanken über die Polizei zu machen.«

Bruford verkniff sich ein Grinsen. Genauso hatte es laufen sollen.

»Doch«, sagte er nachdenklich. »Könnte schon sein.«

Sie griff in ihr Jackett und förderte so behände einen zweiten Fünfziger daraus zutage, als habe sie mit dieser Entwicklung gerechnet. Bruford nahm ihn und gesellte ihn dem anderen zu.

»Scheint 'n Nest in Ihrer Jacke zu sein«, sagte er.

»Nein, Sid, es waren nur zwei. Und vielleicht wollen die wieder zurück, wenn ich zu der Überzeugung gelange, Ihnen nicht trauen zu können.«

»Dann hol ich mir halt was anderes.« Jetzt grinste er doch. »Sie haben 'ne Menge, was gut ist, zweimal in der Jacke.«

Keowa ließ den Blick ihrer gewaltbereiten Vorfahren auf ihm ruhen.

»Okay«, brummte er. »Tut mir leid.«

»Kein Problem. Hat uns gefreut.«

Er verstand. Achselzuckend öffnete er die Beifahrertüre.

»Ach, noch was, Sid, für den Fall, dass Sie in einem plötzlichen Fieber der Gesetzestreue doch die Polizei einschalten möchten: Das Geld in Ihrer Tasche erfüllt den Tatbestand der Zurückhaltung von Beweismitteln. Zum Zwecke Ihrer persönlichen Bereicherung. Das ist strafbar, verstehen Sie?«

Bruford stutzte. Ein Gefühl tiefer Kränkung erfasste ihn. Schon mit einem Bein auf dem Gehweg, beugte er sich zu ihr zurück.

»Wollen Sie mir etwa drohen?«

»Jetzt passen Sie mal auf, Sid –«

»Nein, passen *Sie* auf! Mein Job is' futsch. Ich versuch', rauszuholen, was geht, aber wenn ein Handel steht, dann steht er! Klar? Ich hab vielleicht 'n loses Maul, aber das heißt nich', dass ich deswegen Leute bescheiße. Also leckt mich und packt euch an die eigene Nase.«

»Schwätzer«, sagte der Praktikant geringschätzig, als Bruford, ohne sich ein weiteres Mal nach ihnen umzusehen, die Straße herunterging. »Für weitere hundert Dollar würde er seine Großmutter verscherbeln.«

Keowa sah ihm nach.

»Nein, er hat recht. Wir haben ihn beleidigt. Wenn hier einer dubioses Verhalten an den Tag legt, dann wir.«

»Sag mal, in diesem Zusammenhang – sollten wir das Material nicht wirklich besser den Bullen übergeben?«

Keowa zögerte. Sie hasste die Vorstellung, etwas Unrechtmäßiges zu tun, doch sie war Journalistin, und Journalisten lebten vom Vorsprung. Ohne zu antworten verband sie ihren Computer mit dem Bordsystem. Der Dodge, den sie am Flughafen übernommen hatte, besaß ein großflächiges Display.

»Komm nach vorne«, sagte sie. »Schauen wir erst mal, was der gute Sid so zu bieten hat.«

»Katze im Sack«, meinte der Praktikant.

»Manchmal muss man was wagen.«

Sie sahen verwackelte Schwenks, eine Menschenmenge, Imbissbuden, den Firmensitz von Imperial Oil, ein Podium. Dann Brufords Kumpel, die breit in die Kamera grinsten. Anfangs hatte Bruford nach vorne gefilmt, jetzt begann er sich zu drehen. Zwei junge Frauen gerieten ins Bild, bemerkten, dass sie aufgenommen wurden, und machten Faxen.

»Die haben Spaß«, lachte der Praktikant. »Scharf, die beiden. Vor allem die Blonde.«

»He. Du sollst den Hintergrund im Auge behalten.«

»Ich kann beides.«

»Ach ja. Männer und Multitasking.«

Sie verfielen in Schweigen. Bruford hatte eine Menge Speicherplatz auf das Divertissement der beiden Provinzschönheiten verwendet, in dessen Verlauf Leute durchs Bild spazierten, drei Polizisten erschienen, zwei davon wieder abzockelten, während einer im Schatten des Gebäudes Posten bezog. Die Mädchen verrenkten sich in einer ungelenken Performance, deren Sinn sich Keowa nicht gleich erschloss, bis der Praktikant durch die Zähne pfiff.

»Gar nicht so übel! Erkennst du's?«

»Nein.«

»Das ist aus *Alien Speedmaster 7*!«

»Aus was?«

»Du kennst *Alien Speedmaster* nicht?« Seine Verblüffung schien keine Grenzen zu kennen. »Gehst du nie ins Kino?«

»Wahrscheinlich in andere Filme als du.«

»Bildungslücke. Schau, was sie jetzt machen! Ich glaube, sie spielen die Szene aus *Death Chat* nach, weißt du, wo diese kleinen, intelligenten Tiere auf die Frau mit dem künstlichen Arm losgehen und –«

»Nein, weiß ich nicht.«

Die Mädchen bogen sich vor Lachen. Entmutigend. Die Hälfte des Materials hatten sie schon gesichtet, ohne dass mehr geboten wurde als pubertäres Gehabe.

»Was machen sie denn jetzt?«, rätselte der Praktikant.

»Würdest du einfach das Gebäude im Auge behalten?«

»Das sieht aus wie –«

»*Bitte!*«

»Nein, warte! Ich glaube, das ist aus dieser Liebesschnulze, die vergangenes Jahr so gehypt wurde. Ziemlich käsig, wenn du mich fragst. Dieser Typ spielte da mit, so ein Lustgreis, kennst du. Gott, wie heißt er noch? Sag schon!«

»Absolut keine Ahnung.«

»Na, der alte Sack, der letztens den Ehren-Oscar für sein Lebenswerk bekommen hat!«

»Richard Gere?«

»Ja, genau! Gere! Der spielt darin den Großvater von –«

»Scht!« Keowa brachte ihn mit einer Handbewegung zum Schweigen. »Sieh mal.«

Aus einem Seiteneingang des mittleren Gebäudes kamen zwei Männer in Freizeitkleidung, durchtrainiert wirkende Typen, schlenderten zu dem patrouillierenden Polizisten und sprachen ihn an. Beide trugen Sonnenbrillen.

»Sehen nicht aus wie Ölarbeiter.«

»Nein.« Keowa beugte sich vor, während sie überlegte, was das Déjàvu auslöste. Mehrmals ließ sie die Aufnahme zurücklaufen, zoomte die Gesichter heran. Im nächsten Moment trat eine schlanke, mit einem Hosenanzug bekleidete Frau aus dem Gebäude und bezog neben dem Eingang Stellung. Der Polizist zeigte auf etwas, die Männer folgten seiner ausgestreckten Hand, einer hielt ihm etwas unter die Nase, das ein Stadtplan sein mochte, das Gespräch nahm seinen Fortgang. Im Hintergrund näherte sich ein Fettwanst mit langen, schwarzen Haaren, lenkte seine Schritte zu dem offen stehenden Seiteneingang und schlurfte ins Innere.

»Sieh mal einer an«, flüsterte Keowa.

Wenig später schüttelten die durchtrainierten Männer dem Polizisten die Hand und gingen ihrer Wege. Die Frau im Hosenanzug lehnte sich mit verschränkten Armen an einen Baum, Brufords Aufnahme sprang. Es folgten Sequenzen, auf denen wieder die Mädchen ihr Unwesen trieben, ohne dass sich im unmittelbaren Umfeld des Gebäudes noch etwas tat, dann sah man die Menschenmenge und das Podium. Uniformierte und Zivilisten drängten sich darauf, alles war in hektischer Betriebsamkeit begriffen. Bilder, die offenbar gleich nach dem Attentat entstanden waren.

»Der Typ, der im Haus verschwunden ist –«, sagte der Praktikant.

»Kann irgendwer sein. Der Hausmeister, der Installateur, irgendein Penner.« Keowa hielt inne. »Falls aber nicht –«

»Hätten wir eben den Killer gesehen.«

»Ja. Den Mann, der auf Gerald Palstein geschossen hat.«

Sie tauschten einen Blick wie zwei Wissenschaftler, die soeben ein unbekanntes, wahrscheinlich tödliches Virus entdeckt hatten und am Abgrund des Schreckens den Nobelpreis funkeln sahen. Keowa isolierte ein Standbild von dem Fettleibigen, vergrößerte es, verband ihren Computer mit der Basisstation in Juneau und lud den *Magnifier* hoch, ein Programm, das noch aus dem körnigsten, unschärfsten Material Erstaunliches zutage förderte. Binnen Sekunden gewannen die verwischten Züge an Kontur, trennten sich Strähnen fettig herabhängenden Haars von weißlicher Haut, korrespondierte ein fransiger Schnurrbart mit kargem Kinngestrüpp.

»Sieht asiatisch aus«, sagte der Praktikant.

Ein Chinese, schoss es Keowa durch den Kopf. China engagierte sich im kanadischen Ölsandgeschäft. Hatten sie nicht sogar Lizenzen erworben? Andererseits, was sollte der Tod eines EMCO-Mannes daran ändern, dass Alberta verloren war? Oder war Imperial Oil in chinesischer Hand? Dann aber hätte ihnen auch EMCO gehören müssen. Nein, das ergab keinen Sinn. Und schon gar nicht, Palstein zu töten. Wie er es selbst ausgedrückt hatte: *Jede unpopuläre Entscheidung, die ich fälle, fällen die Umstände für mich, außerdem bin ich nur der strategische Leiter.*

Sie strich sich übers Kinn.

Alleine die Sequenz mit dem Fettleibigen würde einen Beitrag rechtfertigen, selbst wenn der Kerl sich als harmlos erweisen sollte. Mit dem Effekt allerdings, die Polizei der Lächerlichkeit preiszugeben. Greenwatchs Pulver wäre verschossen. Ein kurzer Triumph, der sie ihren entscheidenden Vorsprung in den Ermittlungen kosten würde. Die Chance, den Fall im Alleingang zu lösen, wäre vertan.

Vielleicht, dachte Keowa, solltest du dich zufriedengeben.

Unschlüssig ließ sie den Film zurück laufen bis zum Moment, da die Männer mit den Sonnenbrillen dem Polizisten ein Gespräch aufnötigten. Sie zoomte die Köpfe heran und ließ den *Magnifier* seine Arbeit tun, aus der Unschärfe Details herausarbeiten, die dem tatsächlichen Aussehen mit hoher Wahrscheinlichkeit nahekamen. Doch auch danach blieb der Polizist ein Fremder, irgendein Polizist halt. Dafür kam ihr der größere der beiden Männer bekannt vor. Sehr bekannt sogar.

Der Computer teilte ihr mit, die Redaktion in Vancouver wünsche sie zu sprechen. Das Gesicht Sinas, Redakteurin für Gesellschaft und Vermischtes, erschien auf dem Display.

»Du wolltest doch wissen, ob seit Jahresbeginn noch andere Führungskräfte aus der Ölbranche zu Schaden gekommen sind.«

»Ja, richtig.«

»Bingo. Drei. Zum einen Umar al-Hamid.«

»Der Außenminister der OPEC?«

»Korrekt. Ist im Januar vom Pferd gefallen und hat sich das Bein gebrochen. Inzwischen wieder wohlauf. Dem Gaul werden Verbindungen ins islamistische Lager nachgesagt. Haha. War ein Witz. Des Weiteren, Prokofi Pawlowitsch Kiseljow –«

»Wer um Himmels willen ist das denn?«

»Ehemaliger Projektleiter von Gazprom, Westsibirien. Im März verstorben, Autounfall, eigenes Verschulden. Der Mann war 94 Jahre alt und halb blind. So viel für dieses Jahr.«

»Du hast von dreien gesprochen.«

»Ich habe mir erlaubt, noch weiter zurückzugehen. Und da taucht ein Dritter auf. Natürlich kommt ständig jemand zu Schaden, einer wird krank, ein anderer stirbt, hier und da ein Selbstmord, nichts Ungewöhnliches. Bis auf den Fall von Alejandro Ruiz, strategischer Vize von Repsol.«

»Repsol? Sind die nicht '22 von ENI übernommen worden?«

»Wurde erwogen, hat aber nie stattgefunden. Ruiz jedenfalls war oder ist eine ziemliche wichtige Figur im strategischen Management.«

»Was denn nun? War oder ist?«

»Eben da liegt das Problem. Man weiß nicht, ob man ihn noch unter die Lebenden rechnen soll. Er ist verschwunden. Vor drei Jahren auf einer Inspektionsreise durch Peru.«

»Einfach so?«

»Über Nacht. Nie wieder aufgetaucht, futsch. Verschollen in Lima.«

»Was weißt du sonst über ihn?«

»Nicht viel, aber wenn du willst, kann ich das ändern.«

»Tu das. Und danke.«

Alejandro Ruiz –

Repsol war ein spanisch-argentinischer Konzern, das Schlusslicht der Branchen-Top-Ten. Zwischen den Spaniern und EMCO gab es nicht allzu viele Berührungspunkte. Lief sie Gefahr, sich zu verzetteln? Spielte es eine Rolle, dass 2022 ein spanischer Ölstratege in Lima verloren gegangen war?

Palstein war ebenfalls Stratege.

Ihre Gedanken oszillierten zwischen dieser neuen Information und Brufords Filmaufnahmen, versuchten, sich in einem Sinn zu verhaken, Seilschaften der Logik zu knüpfen.

Und plötzlich wusste sie, wer der Mann mit der Sonnenbrille war.

»Doch! Ich schwör's dir.«

Sie saßen in einem kleinen Café an der 5 Avenue Southwest, wenige Häuserblocks vom Firmensitz der Imperial Oil Limited entfernt. Keowa trank ihren dritten Cappuccino, der Praktikant nuckelte an einer Diät-Cola und schlang ein Furcht einflößendes Frühstück in sich hinein, bestehend aus Porridge, Bratkartoffeln, Rührei, Bacon, Pfannkuchen und etlichem mehr. Keowas analytischer Geist konnte nicht anders, als sich zu fragen, wozu einer bei dieser neutronensternhaften Kalorienverdichtung Diät-Cola trank. Fasziniert beobachtete sie, wie ein von Ahornsirup durchtränkter Löffel warmer Grütze dem Kreis der Verwertung zugeführt wurde.

»Der *Magnifier* kann ja nicht zaubern«, sagte der Praktikant. »Richtig scharf ist das Bild nicht geworden.«

»Es ist aber gerade mal zwei Tage her, dass ich den Kerl gesehen habe, und er stand *so* dicht vor mir.« Sie hielt eine Hand vors Gesicht. Durch das Gitter ihrer Finger sah sie ein Würstchen verschwinden. »*So dicht!*«

»Das lässt befürchten, dass du ihn geküsst hast.«

»Blödsinn. Er wollte meine ID-Karte sehen. Als wär Palsteins Zuhause das Pentagon.«

Der Praktikant legte den Löffel neben sich und krauste die Stirn.

»An sich ja nichts Ungewöhnliches, wenn seine Sicherheitsleute nach dem Rechten schauen.«

»Haben sie das? Haben sie nach dem Rechten geschaut? Was hatten die überhaupt in dem Haus verloren?«

»Wie schon gesagt.« Er nahm den Löffel wieder auf. »Nach dem Rechten gesch –«

»Deine Synapsen sind mit Cholesterin verklebt!«, sagte sie zornig. »Klar, dass Sicherheitsleute um ihn herum waren, auch Polizei, ich meine, er hat ja nicht gerade Weihnachtsgeschenke im Sack gehabt. Aber würdest du deine private Leibgarde in ein leeres, gegenüberliegendes Haus schicken? Palstein ist doch nicht Kennedy. Wie hoch ist die Wahrscheinlichkeit, dass jemand von dort auf ihn feuert?«

Die Antwort ging im Kampf mit einem überdimensionierten Stück Pfannkuchen verloren.

»Nehmen wir an, der Asiate war irgendein harmloser Typ«, fuhr sie fort, »der vielleicht einfach nur eine Toilette gesucht hat. Dann haben Palsteins Leute ihn entweder übersehen, oder es hat sie nicht interessiert, dass er da reinging. Beides unwahrscheinlich.«

»Die zwei Typen haben sich mit dem Polizisten unterhalten. Die konnten ihn gar nicht sehen.«

»Und die Frau?«

»Bist du denn sicher, dass sie zu denen gehörte?«

»Sie kam unmittelbar nach ihnen raus. Außerdem sehen die Typen von der Security alle gleich aus. Angenommen also, der Chinese ist unser Killer.«

»Wieso Chinese?«

»Asiate. Egal.« Sie beugte sich vor. »Überleg doch mal, Mensch, drei Sicherheitsleute! Einer steht unweit des Eingangs. Zwei andere quatschen mit einem Polizisten, nur wenige Meter entfernt. Und keiner will die massiv übergewichtige Erscheinung wahrgenommen haben, die ein Haus betritt, das sie bewachen sollen?«

»Vielleicht war der Chine – der Asiate ja auch ein Sicherheitsmann. Hat Palstein dir nicht erzählt, er nehme den Sicherheitsdienst erst seit Calgary in Anspruch? Das wundert mich viel mehr.«

»Nein, hat er nicht.« Sie schwenkte ihre Tasse, mischte Espresso mit Schaum. »Nur, dass sie seit Calgary *sein Haus* bewachen.«

»Tja. Hätte sich besser mal jemand anderen genommen.«

Keowa starrte in ihr Schaum-Espresso-Gemisch.

Hätte sich besser –

»Verdammt, du hast recht.«

»Logisch«, sagte der Praktikant, Reste von Porridge zusammenkratzend. »Mit was denn?«

»Er kann ihnen nicht trauen.«

»Weil sie Flaschen sind. Zu doof, um –«

»Nein, sind sie nicht.« Unglaublich! Warum kam sie erst jetzt darauf? Die Sicherheitsleute hatten den Killer *passieren* lassen! Im Wissen darum, wer er war! Mehr noch, sie hatten den Polizisten abgelenkt und die Umgebung im Auge behalten, um sicherzustellen, dass niemand ihn daran hinderte, das Haus zu betreten.

»Du lieber Himmel«, flüsterte sie.

DALLAS, TEXAS, USA

»Es ist noch nicht lange her, da galt als entscheidend für die geopolitische Rolle einer Nation, wie gut sie in der Lage wäre, ihren Bedarf an den fossilen Ressourcen zu sichern. Auch unter dieser Prämisse sah man China mittelfristig die Wirtschaftsnationen anführen, die USA weit abgeschlagen auf Platz 2, gefolgt von Indien.«

Gerald Palsteins Gastdozentur an der UT Dallas, einer staatlichen Universität im Vorort Richardson, hatte rund 600 Studenten auf den Plan gerufen, die meisten angehende Manager, Wirtschaftswissenschaftler und Informatiker. Das Interesse war groß, was sich Palsteins Medienwirksamkeit ebenso verdankte wie dem Umstand, dass er ein cinemaskopes Panorama des Scheiterns entwarf, in dem eine Titanic der Energiewirtschaft einen Eisberg namens Helium-3 rammte.

»Russlands Rolle zu dieser Zeit war die einer Großmacht, was Öl und Gas betraf. Man sprach auch von Gazprom als Waffe. Keiner hat diese Waffe im Kampf um die geostrategische Rolle Russlands so gekonnt eingesetzt wie der damalige Präsident des Landes Wladimir Putin. Kennt einer von Ihnen noch seinen Spitznamen?«

»Gasputin«, rief eine junge Frau aus der vorderen Reihe. Allgemeines Gelächter. Palstein hob anerkennend die Brauen.

»Sehr gut. Die Amerikaner haben damals mit Sorge gesehen, dass China in Sachen Energiebedarf offen mit Russland flirtete und außerdem seine Kontakte zur OPEC ausbaute. Der gefiel das natürlich. Sie war schon lange nicht mehr so hofiert worden und erhoffte sich nun eine Renaissance ihres einstigen Status. Also gingen die Ölnationen am Golf dazu über, ihr Geld auf Konten der Industrial and Commercial Bank of China, in der Türkei und sogar in Indien anzulegen statt in amerikanischen Instituten, und China begann, seine Öllieferungen aus dem Iran anstelle von Dollars in Euro zu begleichen. Das Kräftegleichgewicht verlagerte sich, mithin der Grund für Amerikas Bestreben, sich aus der Abhängigkeit östlicher Öllieferanten zu lösen. 2006 waren Vertreter Saudi-Arabiens nach Peking gereist, um diverse Abkommen zu unterzeichnen. Auch Kuwait buhlte um China, weil man dort befürchtete, Boden an Russland zu verlieren. All das wusste China zu instrumentalisieren. Wir wollen keine Hassbilder bemühen, dennoch kann man sich das energiehungrige China im ersten Jahrzehnt unseres Jahrtausends wie einen Kraken vorstellen, dessen Arme sich lautlos und weitgehend unbemerkt in die angestammten Förderregionen der westlichen Ölmultis entrollten. Im Weißen Haus entwickelte man Szenarien für den Fall, radikale Kräfte könnten die saudische Herrscherdynastie stürzen, und alle fußten auf der Überlegung, dass China darin verwickelt wäre und am Ende chinesische Atomraketen in der saudischen Wüste stationiert würden. Diese Angst war, wie wir heute wissen, nicht ganz unbegründet. *Definitiv* hat der Sturz des Hauses Saud mit verdeckter chinesischer Beteiligung stattgefunden. Und ganz sicher hätte der Konflikt zwischen islamistischen und monarchistischen Kräften letztlich zum Flächenbrand und zur offenen Auseinandersetzung zwischen China und Amerika geführt, hätte das heraufdämmernde Potenzial von Helium-3 Washingtons Interessen nicht in eine andere Richtung gelenkt.«

Palstein tupfte Schweiß von seiner Stirn. Es war heiß in dem Hörsaal. Er wünschte sich an Bord eines Schiffes, auf seinen See oder besser noch hinaus aufs Meer, wo belebende Winde bliesen.

»Man kann Folgendes annehmen: Hätten Öl und Gas weiterhin die dominante Rolle gespielt, sähe die Welt heute ein bisschen anders aus. China hätte die USA möglicherweise überholt, anstatt gleichzuziehen. Chinesen, Russen und Golfstaaten würden in der Energiepolitik paktieren. Der Iran, seit wenigen Jahren im Besitz von Atombomben, hätte mehr Macht inne als es heute trotz seiner nuklearen Bewaffnung der Fall ist, und wahrscheinlich hätte er stärkeren Druck auf Neu-Delhi ausgeübt, das schon 2006 gemeinsam mit Teheran eine Pipeline ins Auge gefasst hatte, durch die kaspisches Öl nach Indien fließen sollte. Diese Pipeline sollte am Roten Meer enden, wodurch das Öl nicht nach Israel hätte fließen können, weshalb die Vereinigten Staaten dagegen waren. Für Indien keine einfache Lage. Eine Zusammenarbeit mit dem Iran drohte Amerika zu erzürnen, Konzessionen an Washington den Iran zu verärgern. Um dieser Zwickmühle zu entgehen, haben die Inder damals erwogen, eine dritte Kraft mit einzubeziehen, die als integratives Element hätte wirken können, da sie gute Kontakte sowohl zu China als auch zum Iran unterhielten. So kamen die Russen in Gestalt von Gazprom wieder ins Spiel, die ihrerseits jede Chance zur Stärkung ihres Staats wahrnahmen, etwa indem sie Nachbarstaaten den Gashahn zudrehten und sie damit erpressten. Erkennen Sie die Blockbildung, die sich da ankündigte? Russland, China, Indien, OPEC – das konnte nicht im Interesse Washingtons sein. In dieser Situation setzte George W. Bushs Nachfolger, Barack Obama, auf Diplomatie. Er versuchte, die Beziehungen zu Russland zu verbessern und dem Iran den Wind aus den Segeln zu nehmen, eine kluge Strategie, die in Ansätzen aufging. Aber natürlich wäre auch Obama notfalls gezwungen gewesen, die Energieversorgung der USA mit aggressiven Mitteln zu sichern, hätte der technologische Vorsprung, den Washington durch seine Zusammenarbeit mit ORLEY ENTERPRISES erzielte, den Amerikanern nicht völlig neue Möglichkeiten eröffnet, wie beispielsweise –«

Eine Mitarbeiterin des UTD-Sekretariats betrat den Hörsaal, kam mit schnellen Schritten zu ihm herüber und drückte ihm einen Zettel in die Hand. Palstein lächelte ins Auditorium.

»Entschuldigen Sie mich eine Sekunde. – Was gibt's?«, fragte er leise.

»Jemand will Sie am Telefon sprechen, eine Miss –«

»Kann das nicht zwanzig Minuten warten? Ich bin mitten im Vortrag.«

»Sie sagt, es sei dringend. *Sehr* dringend!«

»Wie war noch der Name?«

»Keowa. Loreena Keowa, eine Journalistin. Ich wollte sie ja auf später vertrösten, aber –«

Palstein überlegte. »Nein, ist schon gut. Danke.«

Er entschuldigte sich ein weiteres Mal, verließ das Auditorium, trat auf den Gang hinaus und wählte Keowas Nummer.

»Shax' saani Keek'«, sagte er, als ihr Gesicht auf dem Bildschirm seines Handys erschien. »Wie geht es Ihnen?«

»Ich weiß, ich störe.«

»Offen gesagt, ja. Eine Minute, dann muss ich wieder meiner Fürsorgepflicht nachkommen, was die Herausbildung künftiger Eliten betrifft. Was kann ich für Sie tun?«

»Ich hoffe, ich kann etwas für *Sie* tun, Gerald. Dazu brauche ich allerdings ein paar Minuten mehr Ihrer Zeit.«

»Ungünstig gerade.«

»In *Ihrem* Interesse.«

»Hm.« Er sah durch die Fenster hinaus auf den sonnenbeschienenen Campus. »Na schön. Geben Sie mir eine Viertelstunde, um meinen Vortrag zu Ende zu halten. Ich melde mich gleich im Anschluss.«

»Stellen Sie sicher, dass keiner mithört.«

Zwanzig Minuten später rief er sie von einer abseits gelegenen Bank im Schatten einer Kastanie an, mit Blick auf das Universitätsgelände. Zwei seiner Sicherheitsleute patrouillierten in Sichtweite. Überall eilten Studenten einer ungewissen Zukunft entgegen.

»Sie machen es ja ganz schön spannend«, sagte er.

»Haben wir eine Abmachung auf Gegenseitigkeit?«

»Was meinen Sie?«

»Wir helfen einander«, sagte Keowa. »Ich bekomme Informationen, Sie bekommen den Schützen.«

»Wie bitte? Haben Sie denn was?«

»Unsere Abmachung steht?«

»Hm.« Jetzt wurde er wirklich neugierig. »Gut. Sagen wir, sie steht.«

»In Ordnung. Ich schicke Ihnen jetzt ein paar Bilder auf ihr Handy. Öffnen Sie sie, während wir telefonieren.«

Sein Gerät bestätigte den Eingang einer Multimedia-Mitteilung. Nacheinander lud er die Bilder hoch. Sie zeigten zwei Männer mit Sonnenbrillen sowie eine Frau.

»Wen davon kennen Sie?«

»Alle«, sagte er. »Sie arbeiten für mich. Security. Einem müssten Sie begegnet sein, draußen am Lavon Lake. Lars Gudmundsson. Er hat die Kommandogewalt inne.«

»Stimmt, ich bin ihm begegnet. Haben Sie die drei am 21. April beauftragt, das leer stehende Gebäude zu bewachen, aus dem mutmaßlich auf Sie geschossen wurde?«

»Das wäre zu viel gesagt.« Palstein zögerte. »Sie sollten einfach die Gegend im Auge behalten. Offen gesagt, ich war nicht mal sicher, ob ich sie wirklich mitbringen soll. Man kommt sich so aufgeplustert vor mit privater Security, so entsetzlich wichtig. Aber es hatte hier und da Drohungen gegen EMCO gegeben, auch gegen mich –«

»Drohungen?«

»Ach, dummes Zeug. Nichts, was man hätte ernst nehmen müssen. Aufgebrachte Menschen mit Existenzangst.«

»Gerald, haben die Chinesen irgendwelche Karten bei EMCO?«

»Die Chinesen?«

»Ja.«

»Nicht wirklich. Das heißt, es hat immer wieder Versuche gegeben, Tochtergesellschaften von uns zu übernehmen. EMCO selbst ist – war ein zu dicker Brocken für sie. Und natürlich haben sie ordentlich in unseren Revieren gewildert.«

»Kanadische Ölsande?«

»Auch.«

»Gut. Ich schicke Ihnen ein weiteres Foto.«

Diesmal erschien ein asiatisches Gesicht auf dem Display. Lange, ungepflegte Haare, fransiger Bart.

»Nein«, sagte er.

»Nie gesehen?«

»Nicht, dass ich wüsste. Wenn Sie mir jetzt verraten würden –«

»Sofort. Hören Sie, Gerald, dieser Mann hat kurz vor Ihrem Auftritt das leer stehende Gebäude betreten. Auch Ihre Security war in dem Haus. Aus unserer Sicht besteht so gut wie kein Zweifel, dass Gudmundssons Leute den Asiaten nicht nur passieren ließen, sondern zudem dafür Sorge trugen, dass er passieren *konnte*.«

Palstein starrte weiterhin das Foto an und schwieg.

»Sind Sie ganz sicher, dass Sie ihn nie zuvor gesehen haben?«, insistierte Keowa.

»Jedenfalls nicht bewusst. An so jemanden müsste ich mich erinnern.«

»Könnte er zu Ihren Leuten gehören?«

»Zu meinen Leuten?«

»Ich meine, kennen Sie Ihre Bewacher alle persönlich, oder werden die von Gudmundsson –«

»Unsinn! Ich kenne jeden Einzelnen, wo denken Sie hin? Außerdem sind es gar nicht so viele. Fünf insgesamt.«

»Denen Sie trauen.«

»Natürlich. Sie werden von uns bezahlt, außerdem steht eine renommierte Agentur für Personenschutz dahinter, mit der EMCO seit Jahren zusammenarbeitet.«

»Dann haben Sie jetzt möglicherweise ein Problem. *Sofern* dieser Asiate wirklich der Mann ist, der auf Sie geschossen hat, spricht einiges dafür, dass Ihre eigenen Leute mit drinstecken. – Ich muss Ihnen noch eine Frage stellen, entschuldigen Sie das Stakkato.«

»Nein, schon gut.«

»Sagt Ihnen der Name Alejandro Ruiz was?«

»Ruiz?« Palstein schwieg einige Sekunden. »Warten Sie mal. Irgendwas löst das bei mir aus.«

»Ich helfe nach. Repsol. Strategisches Management.«

»Repsol – ja, ich glaube – doch, sicher, Ruiz. Wir saßen mal im selben Flieger. Ist eine Weile her.«

»Was wissen Sie über ihn?«

»So gut wie nichts. Mein Gott, Loreena, wir reden hier nicht von einer Kleinfamilie, die Ölbranche ist unübersichtlich, da arbeiten zigtausend Menschen. Übrigens immer noch.«

»Ruiz scheint ein wichtiger Mann gewesen zu sein.«

»Gewesen zu sein?«

»Er ist verschwunden. Vor drei Jahren in Lima.«

»Unter welchen Umständen?«

»Während einer Dienstreise. Sehen Sie, mich interessierte, ob der Anschlag von Calgary irgendwo in der Vergangenheit seine Entsprechung findet. Ob es vielleicht weniger um Sie persönlich ging als um etwas, das Sie repräsentieren. Also habe ich mir Ruiz' Akte zusammenstellen lassen. Glücklich verheiratet, zwei gesunde Kinder, keine Schulden. Dafür Gegner im eigenen Lager, denen er zu liberal, zu umweltbewusst war, ein Moralist – Spitzname Ruiz *El Verde*. Beispielsweise hat er sich gegen die Ölsandförderung ausgesprochen und darauf gedrängt, stattdessen mehr in der Tiefsee zu explorieren. Nun brauche ich Ihnen nicht zu erzählen, dass die Konzerne kostenintensive Explorationsvorhaben in Zeiten billigen Öls immer gescheut haben, und vor drei Jahren war der Niedergang bereits im vollen Gange. Ruiz hat Repsol darum gedrängt, stärker in die alternativen Energien einzusteigen. Erinnert Sie das an Sie selber?«

Unfassbar, dachte Palstein.

»Alles kann Zufall sein«, fuhr Keowa fort. »Ruiz' Verschwinden. Chinas Engagement im Ölsandgeschäft. Der Asiate, sogar, dass Ihre Leute ihn das Haus haben betreten lassen. Vielleicht ist er ja harmlos und ich sehe Gespenster, aber Gefühl und Verstand sagen mir, dass wir auf der richtigen Spur sind.«

»Und was soll ich jetzt tun, Ihrer Meinung nach?«

»Misstrauen Sie Gudmundsson und seinen Leuten. Falls sich alles als Irrtum rausstellen sollte, bin ich die Erste, die zu Kreuze kriecht. Bis dahin: Denken Sie nach! Über Ruiz. Über kritische Schnittmengen mit China. Über Fallgruben in Ihrem eigenen Laden, und noch was – erwägen Sie, wem es nützen könnte, dass Sie *nicht* mit zum Mond geflogen sind. Sie können mich anrufen, wir können uns treffen, jederzeit. Versuchen Sie, herauszufinden, wer der Asiate auf dem Foto ist, vielleicht taucht er in EMCOs internen Datenbanken auf. Investieren Sie in persönliche Sicherheit, werfen Sie meinetwegen Gudmundsson und sein Team raus, aber schalten Sie nicht die Polizei ein. Das ist das Einzige, worum ich Sie bitte.«

»Na, Sie sind gut!«

»Vorerst nicht.«

»Das könnten Beweismittel sein!«

»Gerald«, sagte Keowa eindringlich. »Ich verspreche Ihnen, ich werde nichts unternehmen, was Ihre Sicherheit gefährdet, und auch die Polizei nicht außen vor lassen. Nur für den Moment. Ich brauche einen gewissen Vorsprung, um die Story exklusiv bringen zu können.«

»Ist Ihnen eigentlich klar, was Sie mir da erzählen? Was Sie von mir verlangen?«

»Wir haben eine Abmachung, Gerald. Möglicherweise habe ich Ihren Attentäter gefunden, das ist mehr, als die Polizei in vier Wochen zustande gebracht hat. Geben Sie mir Zeit. Bitte. Wir arbeiten unter Hochdruck an der Sache. Ich liefere Ihnen die Schweine auf dem Silbertablett.«

Palstein schwieg eine Weile. Dann seufzte er.

»Gut«, sagte er. »Tun Sie, was Sie für richtig halten.«

29.MAI 2025
[DER SÖLDNER]

NACHTFLUG

Eines musste man Teodoro Obiang Nguema Mbasogo lassen. Seit seiner Machtübernahme im August 1979 hatte sich die Menschenrechtslage in Äquatorialguinea sichtlich gebessert. Fortan gab es entlang der Autobahnstrecke zum Flughafen keine Massenkreuzigungen mehr, und die Schädel Oppositioneller wurden nicht länger öffentlich aufgespießt.

»Ein wahrer Wohltäter«, spottete Yoyo.

»Aber nicht der Erste«, sagte Jericho. »Schon mal von Fernão do Pó gehört?«

Mit zweifacher Schallgeschwindigkeit Berlin zustrebend, reisten sie rückwärts in der Zeit, aus dem heraufdämmernden Shanghaier Morgen in die Berliner Nacht, aus dem Jahr 2025 in die Anfänge eines Kontinents, auf dem traditionell alles schiefzugehen pflegte, was nur schiefgehen konnte: Afrika, die ungeliebte Wiege der Menschheit, gezeichnet von schnurgeraden Grenzen, die seine uralten Sehnen und Nerven durchtrennten und Länder von bizarrer Geometrie schufen, deren kleinstes flickengleich am westlichen Rand lag und dessen Geschichte sich las wie die Chronik einer fortgesetzten Vergewaltigung.

»Fernão do Pó? Wer zum Teufel soll das sein?«

»Auch ein Wohltäter. Gewissermaßen.«

Da Tu es sich nicht nehmen ließ, seinen Firmenjet selbst zu fliegen, hatten Jericho und Yoyo die luxuriöse, zwölfsitzige Passagierkabine für sich alleine. An zwei Monitoren, unterstützt von Diane, machten sie sich mit Äquatorialguinea vertraut in der Hoffnung, Antworten auf die Fragen der letzten beiden Tage zu finden. Mit jeder Information, die der Computer zutage förderte, gestaltete sich das Bild nur umso verwirrender, doch ließen sich die Ereignisse in Äquatorialguinea offenbar nur verstehen, wenn man seine Entwicklung von Anfang an betrachtete. Und angefangen, wirklich angefangen, hatte es mit

Fernão do Pó.

Mit träger See. Windstille. Mit Vorhängen aus Regen, die sich über der Küstenlinie bauschen.

Schweiß und Regenwasser mischen sich auf der Haut, dass man sich vorkommt wie in Dampf gesotten. Orchestriert vom Geschrei kleiner Seevögel werden Boote zu Wasser gelassen. Ruderer, pullend, ein Mann aufrecht im Bug. Das Ufer rückt näher, Vegetation konturiert sich im triefenden Grau. Der Mann betritt das Gestade, schaut sich um. Einmal mehr beginnt die Transformation von Gegend in staatsartiges Gebiet mit einem Portugiesen.

1469 ankern do Pós Karavellen unterhalb des afrikanischen Ellbogens, dort, wo sich der Kontinent dramatisch verjüngt. Der Entdecker, legitimer Nachfolger Heinrichs des Seefahrers, betritt eine Insel und nennt sie ihrer Schönheit halber Formosa. Bantus leben hier, das kleine Volk der Bubi. Sie empfangen die Besucher freundlich, nicht ahnend, dass ihr Reich soeben den Besitzer gewechselt hat. Tatsächlich sind sie vom Moment an, da do Pó seine Stiefelabdrücke im Sand hinterlässt, Untertanen ihrer Majestät Alfons V. von Portugal, dem Papst Nikolaus wenige Jahre zuvor das gesamte afrikanische Eiland nebst Handelsmonopol und alleinigen Schifffahrtsrechten überantwortet hat. Zumindest glaubt der Papst in trautem Irrtum mit der abendländischen Christenheit, Afrika sei eine Insel. Do Pó liefert Gegenbeweise. Afrika, erfährt man, sei vielmehr ein Kontinent mit einer langen und fruchtbaren Küstenlinie, zudem besiedelt von dunkelhäutigen Menschen, die augenscheinlich wenig zu tun hätten und dringend der Christianisierung bedürften. Dies wieder korrespondiert in idealer Weise mit dem Kern der päpstlichen Bulle, wonach Ungläubige in die Sklaverei zu überführen seien – eine Empfehlung, der Alfons und seine Seefahrer nur zu gerne nachkommen.

Der Tag, als do Pó eintrifft, verändert alles. Und letztlich nichts. Wäre nicht er gekommen, dann ein anderer. Früher oder später. Viele folgen ihm nach, 300 Jahre lang blüht der Sklavenhandel, dann tauscht die portugiesische Krone ihren afrikanischen Territorialbesitz gegen Kolonien in Brasilien ein, und die Bantu wechseln ihren Herrn. Der neue Besitzer heißt Spanien. Briten, Franzosen und Deutsche beginnen mitzumischen, alle prügeln sich um die Gebiete von Kap Santa Clara bis hinauf zum Nigerdelta –

»Und versuchen, die einheimischen Völker zu unterwerfen. Was begünstigt wird durch die Uneinigkeit der Bantu, genauer gesagt durch die wachsende Rivalität zwischen Bubi und Fang.«

»Fang?«, grinste Yoyo. »Fang Bubi?«

»Gar nicht lustig«, sagte Jericho. »Afrikas Trauma.«

»Ja, ich weiß. Die Kolonialisten haben an alles gedacht, nur nicht an ethnische Verwurzelungen. Siehe Ruanda, Hutu und Tutsi –«

»Okay.« Jericho massierte seinen Nasenrücken. »Tun wir andererseits nicht so, als wäre das eine rein afrikanische Erfindung.«

»Nein, gerade ihr Europäer müsst da ganz stillhalten.«

»Wieso gerade wir?«

Yoyo machte runde Augen. »Na hör mal! Alleine die Serben und das Kosovo. 17 Jahre nach der Unabhängigkeit immer noch keine Ruhe! Dann die Basken. Die Schotten und Waliser. Nordirland.«

Jericho hörte mit verschränkten Armen zu.

»Taiwan«, sagte er. »Tibet.«

»Das ist –«

»Was anderes? Bloß weil man euch besser nicht darauf anspricht?«

»Blödsinn«, sagte Yoyo verärgert. »Taiwan gehört zu Festlandchina, darum ist es was anderes.«

»Mit dieser Meinung steht ihr alleine da. Es ist auch niemand begeistert, dass ihr den Taiwanesen allenthalben mit Atomraketen droht.«

»Na schön, Klugscheißer.« Yoyo beugte sich vor. »Was wäre denn, wenn plötzlich – sagen wir, Texas, sagen wir, die Cowboys, wenn die plötzlich ihre Unabhängigkeit erklären würden?«

»Das ist nun wirklich was anderes«, seufzte Jericho.

»Ach so. Was anderes.«

»Ja. Und was Tibet betrifft –«

»Heute Tibet, morgen Xinjiang, dann die innere Mongolei, Guanxi, Hongkong – warum kapiert ihr Europäer nicht, dass die Ein-China-Politik der *Sicherheit* dient? Unser Riesenreich würde ins Chaos stürzen, wenn wir zuließen, dass es auseinanderbricht. Wir *müssen* China zusammenhalten!«

»Mit Gewalt.«

»Gewalt ist der falsche Weg. Da haben wir unsere Hausaufgaben nicht gemacht.«

»Und zwar gar nicht!« Jericho schüttelte den Kopf. »Irgendwie werde ich nicht schlau aus dir. Du bist es doch, die so vehement hinter den Menschenrechten her ist. Dachte ich jedenfalls.«

»Stimmt ja auch.«

»Aber?«

»Kein aber. Ich bin Nationalistin.«

»Hm.«

»Das kriegst du natürlich nicht auf die Reihe, was? Dass so was geht. Menschenrechte und Nationalismus.«

Jericho breitete ergeben die Hände aus. »Ich lerne gern dazu.«

»Dann lern. Ich bin keine Faschistin, keine Rassistin, nichts in der Art. Aber ich meine durchaus, dass China ein großartiges Land mit einer großartigen Kultur –«

»Auf der ihr selber rumgetrampelt seid.«

»Pass mal auf, Owen, was Grundsätzliches. *Ihr, euch, du, deine Leute* – lass das! Als die Roten Garden Lehrer an Bäume hängten, war ich noch nicht mal in der Planung. Erzähl mir lieber, wie es mit Bubi Fang weitergeht, falls das überhaupt von Belang ist.«

»Fang«, erklärte Jericho geduldig. »Die Bubi lebten auf der Insel. Mit der Küste hatten sie wenig am Hut, bis Spanien Festland und Inseln zur Republik Äquatorialguinea vereinte. Und auf dem Festland dominierten die Fang, ein anderer Bantu-Stamm, zahlenmäßig den Bubi weit überlegen und wenig begeistert davon, über Nacht in einen Topf mit ihnen geworfen zu werden. 1964 entlässt Spanien das Land in die völlige Autonomie, soll heißen, man umzäunt zwei Parteien, die nicht miteinander konnten, mit einer Staatsgrenze und überlässt sie sich selbst. Was nur schiefgehen kann.«

Yoyo sah ihn aus ihren dunklen Augen an.

Und plötzlich lächelte sie. So unerwartet und unpassend erstrahlte dieses Lächeln, dass er nicht anders konnte als irritiert zurückzustarren.

»Ich wollte dir übrigens noch danken«, sagte sie.

»Danken?«

»Du hast mir das Leben gerettet.«

Jericho zögerte. Die ganze Zeit über, da er so tapfer die Suppe mit auslöffelte, die Yoyo sich eingebrockt hatte, hatte er diesen Dank innerlich eingefordert. Nun fühlte er sich überrumpelt.

»Keine Ursache«, sagte er lahm. »Es ergab sich so.«

»Owen –«

»Ich hatte keine Wahl. Hätte ich gewusst –«

»Nein, Owen, nicht.« Sie schüttelte den Kopf. »Sag was Nettes.«

»Was Nettes? Bei all dem Ärger, den du verursacht –«

»Hey.« Sie langte aus. Ihre schlanken Finger umfassten seine Hand und drückten fest zu. »Sag mir was Nettes. Jetzt sofort!«

Sie kam ihm näher, und etwas veränderte sich. Bislang hatte er nur Yoyos Schönheit gesehen und die kleinen Mängel darin. Jetzt durchfuhren ihn Wellen von beunruhigender Intensität. So wie Joanna ihr erotisches Potenzial beherrschte und regelte wie die Lautstärke an einem Radio, konnte Yoyo nicht anders, als verschwenderisch zu brennen, unablässig, ein heller, heißer Stern. Und plötzlich stellte er fest, dass er alles unternehmen würde, damit dieser Stern nicht erkaltete. Er hasste die Vorstellung, dass Yoyo sich zerstörte. Er wollte sie lachen sehen.

»Na ja.« Er räusperte sich. »Jederzeit.«

»Jederzeit was?«

»Jederzeit wieder. Wenn du gerettet werden musst, lass es mich wissen. Ich bin da.« Erneutes Räuspern. »Und jetzt –«

»Danke, Owen. Danke.«

»– weiter mit Mayé. Ab wann wird's interessant für uns?«

Sie ließ seine Hand los und sank zurück in ihren Sitz.

»Schwer zu sagen. Ziemlich verfahrene Geschichte. Ich schätze, um die Verhältnisse im Land zu verstehen, müssen wir mit der Unabhängigkeit beginnen. Mit dem Wechsel zu –«

Papa Macías.

Im Oktober 1968 herrscht am Golf von Guinea dasselbe feuchtschwüle Klima wie an jedem anderen Tag des Jahres auch. Manchmal regnet es, dann brüten Land, Inseln und Meer im Sonnenschein, der die Strände zum Glitzern und jede Tatkraft zum Erliegen bringt. Die Hauptstadt, auf der Insel gelegen und wenig mehr als eine Ansammlung verschimmelnder Kolonialbauten mit Hütten drum herum, erlebt den Einzug des ersten Staatspräsidenten der unabhängigen Republik Äquatorialguinea, vom Volk in einer denkwürdigen Abstimmung gewählt. Francisco Macías Nguema aus dem Stamm der Fang verspricht Gerechtigkeit und Sozialismus und drängt die verbliebenen spanischen Truppen zum Abzug, was ohnehin vereinbart war, nur dass man sich das Ende irgendwie versöhnlicher vorgestellt hat. Doch ›Papa‹, wie sich der Präsident in Liebe zu den Seinen nennt, ist gewohnt, hier und da kräftig zu frühstücken. Hirn und Hoden seiner Feinde, entsetzen sich die abservierten Kolonialisten, pflege der Mann zu sich zu nehmen, ein Kannibale. Von so jemandem ist kein tränenreicher Abschied zu erwarten.

Und doch wird es genau das.

Ein Meer von Tränen, ein Meer von Blut.

Die junge Republik wird geschändet, kaum dass sie geboren ist. Niemand hier war auf so etwas Exotisches wie Marktwirtschaft vorbereitet, aber wenigstens gibt es einen florierenden Handel mit Kakao und tropischen Hölzern. Macías indes, in glühender Bewunderung zu marxistisch-leninistisch fundierter Willkür entbrannt, interessieren andere Dinge. Kaum dass die letzten Einheiten der Guardia Civil das Feld geräumt haben, zeigt sich, was vom Hoden essenden Papa und seiner *Partido Unico Nacional* zu erwarten ist. Die Armee zementiert Macías' Anspruch auf gottgleiche Alleinherrschaft mit Knüppeln, Schusswaffen und Macheten auf eine Weise, dass die verbliebenen europäischen Zivilisten in heilloser Flucht das Land verlassen. Sämtliche Ämter werden von Mitgliedern seines Esangui-Clans bekleidet, eines

Unterstammes der Fang. Dass die Insel, der attraktivste Teil des Landes, Regierungssitz und wirtschaftliches Zentrum, Bubi-Land ist, war den zahlenmäßig überlegenen Fang längst schon ein Dorn im Auge. Macías schürt den Hass. Immerhin hat er den Anstand, die Verfassung offiziell außer Kraft zu setzen, bevor er sie bricht.

Dann bekommen die Bubi seine väterliche Fürsorge zu spüren.

Mehr als 50 000 Menschen werden abgeschlachtet, eingekerkert, zu Tode gefoltert, darunter alle Oppositionellen. Wer kann, flieht ins Ausland. Weil Papa niemandem traut, schon gar nicht seiner eigenen Familie, geraten auch die Fang ins präsidiale Visier. Über ein Drittel der Bevölkerung wird ins Exil getrieben oder verschwindet in Lagern, dafür treiben sich Hundertschaften kubanischer Militärberater im Land herum, schließlich ist Moskau ein verlässlicher Freund. Mitte der Siebziger hat Papa es geschafft, die einheimische Wirtschaft so konsequent zu vernichten, dass er nigerianische Arbeiter ins Land holen muss, die allerdings schnell das Weite suchen. Kurzerhand führt der Landesvater Zwangsarbeit für alle ein und löst damit eine weitere Massenflucht aus. Sämtliche Schulen werden geschlossen, was Papa nicht daran hindert, sich *Großmeister der Volksbildung, Wissenschaft und traditionellen Kultur* zu nennen. Im Wahn seiner Göttlichkeit verriegelt und verrammelt er zudem alle Kirchen, ruft den Atheismus aus und müht sich um Wiederbelebung magischer Rituale. Der Kontinent steht in diktatorischer Blüte. Man nennt Macías in einem Atemzug mit Jean-Bédel Bokassa, der sich soeben hat krönen lassen und unumstößlichen Glaubens ist, der 13. Apostel Jesu zu sein, man vergleicht ihn mit Idi Amin und dem Kambodschaner Pol Pot.

»Tatsächlich war er ein noch größerer Verbrecher als Mayé«, sagte Yoyo. »Aber keinen hat's gekümmert. Papa hatte nichts, was das Kümmern gelohnt hätte. Als braver Patriot benannte er alles, was noch keinen afrikanischen Namen hatte, um, und seitdem heißt das Festland Mbini, die Insel Bioko und die darauf liegende Hauptstadt Malabo. Übrigens habe ich nach Mayés Stammeszugehörigkeit suchen lassen. Er ist ein Fang.«

»Und was passierte mit diesem famosen Papa?«

Yoyo schnippte mit den Fingern. »Weggeputscht.«

»Irgendwelche ausländischen Hintermänner?«

»Offenbar nicht. Papas Familiensinn lief aus dem Ruder, er fing an, engste Verwandte hinrichten zu lassen. Seine eigene Frau floh bei Nacht und Nebel über die Grenze. Niemand aus seinem Clan war mehr sicher, und einem wurde es schließlich zu bunt.«

1979 wird in Äquatorialguinea gesungen und getanzt.

Ein Mann in einfacher Uniform lehnt im Eingangsbereich eines Gewölbes, über dessen Wände und Decke glühende Geister huschen, erzeugt vom prasselnden Feuer in der Raumesmitte. Er ist die personifizierte Unauffälligkeit. Von Zeit zu Zeit gibt er leise Anweisungen, und die Wachen helfen den Tanzenden, die seit Stunden in grotesker Ausgelassenheit um das Feuer hopsen und Loblieder auf Papa singen, mit glühenden Schürhaken auf die Sprünge. Es riecht nach Fäulnis und verbranntem Fleisch. Moskitos schwirren umher. In den dämmrigen Winkeln und entlang der Wände spiegelt sich die Szenerie in den Augen der Ratten. Wer über den Zenit der Erschöpfung kippt, wird hochgezerrt, blutig geprügelt und nach draußen geschleift. So ziemlich jeder, abgesehen von den Uniformierten, ist unterernährt und dehydriert, viele weisen Spuren von Misshandlungen auf, einigen stehen Gelbfieber und Malaria in die ausgemergelten Gesichter geschrieben.

Black Beach Party. Ein fast normaler Tag im Black Beach Prison, Malabos berüchtigtem Gefängnis, gegen das sich Amerikas Devil's Island ausnimmt wie ein Lungenkurort.

Der Mann sieht noch eine Weile zu, dann verlässt er den Totentanz voller Sorge. Sein Name ist Teodoro Obiang Nguema Mbasogo, Neffe des Präsidenten, Kommandant der Nationalgarde und Direktor der Anstalt. Ihm obliegen Inszenierungen wie diese, auf die Papa größten Wert legt – so wie der Präsident auch seine Geburtstage gerne mit Erschießungen Gefangener im Stadion von Malabo begeht, derweil in voller Lautstärke *Those were the days, my friend* erklingt. Doch Obiangs Sorge gilt nicht den Gefangenen, deren meiste die schäbige, parkhausähnliche Festung ohnehin nie wieder verlassen werden. Er fürchtet um sein eigenes Leben, und er hat allen Grund dazu. Jeder aus Papas Clan muss in diesen Tagen damit rechnen, der Paranoia des Präsidenten unversehens zum Opfer zu fallen und zu den Klängen von Mary Hopkins in die ewigen Regenwälder einzugehen.

Auch Obiang hat Angst.

Dabei ist sein Familiensinn dem des rabiaten Oheims gar nicht so unähnlich. Macías' Sippenangst als Resultat eben jener Begünstigungspolitik, die den kompletten Regierungsapparat verschwippschwägert hat, sitzt auch ihm tief in den Knochen. Papa bekommt das zu spüren, als Obiang zum Staatsstreich bläst und das *einzigartige Wunder* aus dem Amt jagt. Hals über Kopf flieht der Entmachtete in den Dschungel, nicht ohne zuvor die restlichen Landesdevisen verbrannt zu haben. Über 100 Millionen Dollar, in seiner Villa gelagert, gehen in

Flammen auf, buchstäblich das letzte Geld. Als Obiangs Schergen den entkräfteten Macías zwischen Riesenfarnen und Affenscheiße aufspüren, ist Äquatorialguinea blank wie ein gescheuerter Tresen. Man karrt den Mann nach Malabo, spielt ihm *Those were the days* vor und überantwortet ihn per Gewehrkugel den Geistern seiner Vorfahren, was marokkanische Soldaten erledigen – seine eigenen Leute fürchten die Zauberkraft des Kannibalen.

Der Oberste Militärrat übernimmt die Regierungsgeschäfte. Nach Art aller frisch Inthronisierten macht Obiang wohlklingende Versprechungen ans Volk, ruft eine parlamentarische Demokratie aus und lässt Ende der Achtziger tatsächlich Wahlen zu. Sämtliche Kandidaten werden von ihm vorgeschlagen. Obiang obsiegt, nicht zuletzt, weil seine *Partido Democrático du Guinea Ecuatorial* außer Konkurrenz antritt, deren Vertreter gerade im Black Beach Prison eine große Party feiern. Die Regierung erneuert sich wie ein Eidechsenschwanz, dasselbe Blut, dieselben Gene. Esangui-Fang eben. Family Business. Wer Kritik übt, tanzt bald singend ums Feuer, nur der Text hat sich geändert. Gar so schlimm wie Papa wütet Obiang nicht, vielmehr müht er sich um die Wiederherstellung des Vertrauens im Ausland, knüpft zarte Bande ans nachhaltig brüskierte Spanien und lässt die Sowjets wissen, nicht länger ihr Freund zu sein. Äquatorialguinea sieht wieder mehr nach Staat aus als nach subtropischem Dachau. Geld kommt ins Land. Annabón, Biokos Schwesterinsel, ist groß und schön, ideal für Atommüll, dessen Lagerung sich die Erste Welt einiges kosten lässt. Zwar leben auf Annabón Menschen, fortan aber weniger lang. Raubfischerei, Waffenschmuggel, Drogenhandel, Kinderarbeit, Obiang zieht alle Register und verwandelt den grünen Flicken am Golf von Guinea in ein hübsches, kleines Gangsterparadies.

Ausländische Kreditgeber machen Druck. Demokratie muss her. Widerwillig akzeptiert Obiang Oppositionsparteien, immerhin ist er trotz Ausschöpfung aller kriminellen Talente immer noch mit 250 Millionen Dollar in den Miesen, da geschieht etwas Unfassbares, das die Zukunft über Nacht in völlig neuem Glanz erstrahlen lässt. Es geschieht vor Bioko, dann vor der Festlandküste. Es geschieht und lässt den Präsidenten ehrfürchtig die Lippen runden, exakt so rund, wie man sie formen muss, um ein ganz bestimmtes Wort auszusprechen.

»Öl.«

»Genau«, sagte Jericho. »Die ersten Lagerstätten werden Anfang der Neunziger detektiert, und jetzt geht der Run los. Die Konzerne geben sich am Golf die Klinke in die Hand. Keiner fragt mehr nach Menschenrechten. Förderlizenzen geben den besseren Gesprächsstoff ab.«

»Und Obiang kassiert.«

»Und räumt auf, weil's gerade günstig ist.« Jericho deutete mit einladender Geste auf seinen Bildschirm. »Wenn du die Liste der Verhafteten und Ermordeten sehen willst –«

»Lass mal.«

»Bis auf Spanien, muss man sagen. Madrid erregt sich öffentlich über Menschenrechtsverletzungen.«

»Respekt.«

»Nein, Frust. Einige Oppositionelle haben in Spanien Unterschlupf gefunden und wettern gegen Obiangs Clan, also ist der zurückhaltend mit der Vergabe von Lizenzen an spanische Gesellschaften. Die spanische Regierung reagiert sauer und friert demonstrativ die Entwicklungshilfe ein. Irgendwie rührend, weil Mobil wenig später vor Malabo ein weiteres Ölfeld erschließt und das Wirtschaftswachstum Äquatorialguineas um 40 Prozent in die Höhe schnellt. Dann geht's Schlag auf Schlag: Funde vor Bioko, vor Mbini, Bauboom in Malabo, Ölstädte wie Luba und Bata entstehen, Obiang hat keine politischen Gegner mehr. Er ist der Ölprinz. Seine Wiederwahl Mitte der Neunziger gerät zur Farce. Der einzige ernst zu nehmende Konkurrent, Severo Moto von der Fortschrittspartei, wird wegen Hochverrats zu 100 Jahren Haft verurteilt und entwischt mit knapper Not nach Spanien.«

»Interessant.« Yoyo sah ihn nachdenklich an. »Und wer hält die meisten Lizenzen?«

»Amerika.«

»Was ist mit China?«

»Nicht zu dieser Zeit.« Jericho schüttelte den Kopf. »Die US-Konzerne machen das Rennen. Sie sind die schnellsten und nötigen Obiang unverschämte Verträge auf, bloß dass der vom Geschäft wenig versteht und alles unterzeichnet, was man ihm vorlegt. Das ethnische Durcheinander, Fang und Bubi, erreicht einen neuen Höhepunkt. Auf dem Festland sind die Bubi praktisch nicht vertreten, dafür mehrheitlich auf Bioko, vor dessen Küste plötzlich das Öl sprudelt. Vorher waren alle arm, theoretisch müssten jetzt alle reich sein, bloß, Obiang wirtschaftet in die eigene Tasche. 1998 gehen die Proteste los. Die Bubi haben eine Bewegung gegründet, Ziel ist die Unabhängigkeit Biokos, was Obiang auf keinen Fall zulassen darf.«

»Sowjetische Truppen haben schon wegen geringerer Anlässe den Panzer aus der Garage geholt.«

»Chinesische Truppen –«

»– auch.« Yoyo rollte die Augen. »Ist ja gut. Wie reagiert Obiang?«

»Gar nicht. Verweigert alle Gespräche. Es kommt zu Angriffen auf Polizeistationen und Militärbasen durch radikale Bubi. Sie sind verzweifelt, Bürger zweiter Klasse, das kriegen sie täglich zu spüren. Was nicht heißt, dass es den meisten Fang wesentlich besser erginge. Aber die Bubi trifft es am härtesten. Dabei wäre genug Geld da, dass sich jeder eine Villa in den Dschungel stellen könnte. Andererseits –«

»– gibt es in jedem Himmel eine Hölle«, sagen die Menschen in Malabo Anfang des Jahrtausends, und sie meinen damit, dass sich der Himmel zur Hölle in ähnlicher Weise ausnimmt wie ein Goldbarren, der auf einem Meer von Scheiße schwimmt.

Unmittelbar vor dem Boom steht Äquatorialguinea auf der Liste der ärmsten Länder ganz oben. In Bioko bricht der Kakaoexport zusammen, entlang der Küste verschwinden sämtliche Kaffeeplantagen unter der geselligen Präsenz allerlei Unkrauts. Edelhölzer versprechen Gewinn, also fällt man Abachi und Bongossi und schaut den Stämmen beim Herumliegen zu, weil keine Maschinen da sind, um sie wegzuschaffen, von Transportwegen ganz zu schweigen. Malaria, die Herrin des Dschungel, hat sich mit dem handlungsresistenten Gesundheitswesen zur Senkung der allgemeinen Lebenserwartung auf 49 Jahre verschworen, unterstützt durch eine aufstrebende junge Seuche namens Aids. Landesweit blüht außer Farnen, Orchideen und Bromelien eigentlich nur die Korruption.

Vier Jahre später verzeichnet der schwitzige Flecken in Afrikas Achselhöhle ein jährliches BIP-Wachstum von 24 Prozent. Öl und Dollars fließen, an den Lebensbedingungen ändert sich wenig. Obiang hegt den Verdacht, man habe ihn bei den Verhandlungen der Lizenzverträge über den Tisch gezogen. Selbst die Vollstreckung von Haft- und Todesstrafen an populären Bubi-Führern trägt kaum zur Besserung seiner Laune bei. Man kann nicht eben sagen, dass der Präsident darben muss, er wird reich, während Schwarzafrika an HIV zugrunde geht, schließt Handelsabkommen mit Nigeria zur gemeinsamen Ölförderung und nimmt die Ausbeutung der Erdgasvorkommen in Angriff. Bloß, andere Diktatoren haben lukrativere Deals abgeschlossen. 2002, im Vorjahr der Wahlen, werden Dutzende angeblicher Putschisten festgenommen, darunter sämtliche Oppositionsführer, was den Urnengang auf wundersame Weise beeinflusst. Niemand, der klaren Verstandes ist, hat Obiangs Wiederwahl angezweifelt – dass aber der Kandidat

103 Prozent aller Stimmen auf sich vereint, verblüfft selbst hartgesottene Analysten. Durch Erfahrung und Volksentscheid gekräftigt, vergibt Obiang Lizenzen zu höheren Konditionen, und endlich stimmt die Kasse. Teodorin, ältester Sohn und Forstminister, kann zwischen Hollywood, Manhattan und Paris umherjetten, Bentleys, Lamborghinis und Luxusvillen im Dutzend kaufen und auf Champagnerpartys von der Zeit träumen, da sein Erzeuger den Kampf gegen die Prostata verliert und die Präsidentschaft auf ihn übergeht.

Diesem hilft unterdessen die Washingtoner Riggs Bank, in aller Stille 35 Millionen Dollar aus der Staatskasse auf private Konten umzuschichten. Als die Sache auffliegt, gibt sich der Präsident beleidigt, wenngleich nicht sonderlich beeindruckt. Im »Kuwait Afrikas«, wie Äquatorialguinea mittlerweile genannt wird, lässt sich mit einem ramponierten Ruf gut leben. Das Land rangiert unter den bedeutendsten Ölproduzenten Afrikas und verzeichnet das größte Wirtschaftswachstum der Welt. Fast liebevoll pflegt der Diktator seinen Ruf, kulinarisch nach dem Onkel zu schlagen und der kross gebratenen Leber eines Oppositionellen nicht abgeneigt zu sein, wenn der Wein stimmt. Alles Theater, doch die Wirkung ist enorm. Menschenrechtsorganisationen widmen ihm Artikel des Abscheus, zu Hause wagt niemand mehr, sich mit Obiang anzulegen. Die Vorstellung, in Black Beach mürbe geklopft und anschließend verspeist zu werden, hat wenig Erhebendes.

Anderswo ist man frei von solchem Ekel. George W. Bush, Afrika sonst eher wenig zugetan, da voller Seuchen, fliegenübersäter Hungernder und giftigem Getier, korrigiert seine Wahrnehmung. Nachhaltig verstimmt über die Attacken des 11. September, strebt er die Unabhängigkeit vom Öl des Nahen Ostens an, schließlich sollen alleine in Westafrika über 100 Milliarden Barrel besten Erdöls lagern. Bis 2015 will Bush 25 Prozent des amerikanischen Bedarfs von dort decken. Während Amnesty International vor lauter Horrormeldungen den Überblick verliert, lädt er Obiang und andere afrikanische Kleptokraten zu einem verschämten Frühstück ins Weiße Haus. Condoleezza Rice tritt derweil vor die Presse und findet offene Worte der Verbundenheit: Obiang sei »ein guter Freund«, dessen Engagement für Menschenrechte man schätze. Fotos werden geschossen. Der gute Freund lächelt bescheiden, Frau Rice lächelt mit. Jenseits der Kameras lächeln die Manager von Exxon, Chevron, Amerada Hess, Total und Marathon Oil. 2004 liegt die Ölförderung Äquatorialguineas zur Gänze in US-amerikanischer Hand, 700 Millionen Dollar überweisen die Konzerne jährlich direkt auf Obiangs Konten in Washington.

Merkwürdig.

Denn wer in diesen Tagen Malabo besucht, sieht nichts davon. Immer noch führt die einzige asphaltierte Straße des Landes, die vierspurige *Carretera des Aeropuerto,* vom Flughafen bis unmittelbar vors Zentrum mit seinen Kolonialbauten. Die Altstadt, teils renoviert, teils bröckelnd, ist durchsetzt von Bordellen mit Barbetrieb. Vor dem Regierungspalast, klimatisiert und hässlich, parken fette Geländewagen. Das einzige Hotel versprüht den Charme einer Notunterkunft. Nirgendwo existiert eine Schule, die den Namen verdient hätte. Es gibt keine regelmäßig erscheinende Tageszeitung, kein Lächeln auf den Gesichtern, kein offenes Wort. Hier und da lehnen Gerüste aneinander wie Betrunkene, Bauherren sind die Obiangs, fertiggebaut wird kaum etwas, abgesehen von den Villen der Kleptokratie. Die allerdings sind neu, Monumente monströser Geschmacklosigkeit, ebenso wie Lagerhäuser und Quartiere für ausländische Ölarbeiter über Nacht aus dem Boden schießen. Als sei es ihr peinlich, duckt sich die amerikanische Botschaft zwischen umstehenden Wohnhäusern, während ein Stück weiter, jenseits des abgeriegelten Exxon-Geländes, umso eindrucksvoller die chinesische Botschaft prunkt.

»Also haben sie zu der Zeit angefangen, Obiang zu hofieren«, sagte Yoyo. »Obwohl fast alles in amerikanischer Hand war.«

»Sie haben's zumindest versucht«, sagte Jericho. »Anfangs wenig erfolgreich. Obiangs neuer Freundeskreis umfasste ja nicht nur die Bush-Dynastie. Auch die EU-Kommission rollte fleißig den roten Teppich für ihn aus, ganz besonders die Franzosen. Religionsverbot, Folter, was soll's. Dass die einzige Menschenrechtsorganisation des Landes von der Regierung kontrolliert wird, ebenso wie Radio und Fernsehen, schnuppe. Dass zwei Drittel der Bevölkerung von weniger als zwei Dollar am Tag leben, *mei you banfa,* da kann man nix machen. Die Region ist von vitalem Interesse, wer zu spät kommt, den bestraft das Leben, und die Chinesen haben sich halt verspätet.«

»Und wie hat die Landesbevölkerung auf die Ölarbeiter reagiert?«

»Gar nicht. Die wurden ohne Umschweife auf hermetisch abgeschottetes Firmengelände geflogen. Marathon hat damals unweit von Malabo eine eigene Stadt gebaut, rund um eine Gasverflüssigungsanlage, zeitweise lebten da über 4000 Leute. Eine streng gesicherte Green Zone mit eigenem Stromnetz, eigener Wasserversorgung, Restaurants, Geschäften und Kinos. – Weißt du, wie die Arbeiter sie genannt haben? Pleasantville.«

»Hübsch.«

»Sehr hübsch. Wenn dir ein Diktator die Erlaubnis gibt, seine Bodenschätze auszuräubern, während sein eigenes Volk vor lauter Hunger Affen schlachtet, willst du dich bei denen nicht unbedingt blicken lassen. Und *die* wollen dich noch viel weniger sehen. Abgesehen davon, dass sie gar nicht in die Verlegenheit kommen, weil die Konzerne Selbstversorger sind. Die einheimische Privatwirtschaft hat nix davon, dass einige Kilometer weiter Tausende Amerikaner hocken. Die meisten Ölarbeiter verbrachten Monate in solchen Gettos oder auf ihrer Plattform, vögelten Aids-freie Mädchen aus Kamerun, fraßen haufenweise Malariatabletten und sahen zu, dass sie nach Hause kamen, ohne Landesberührung gehabt zu haben. Niemand wollte Kontakte. Hauptsache, Obiang saß fest im Sattel, und damit die amerikanische Ölindustrie.«

»Irgendwas muss aber schiefgegangen sein. Für die Amis, meine ich. Zu Mayés Zeiten sind sie praktisch weg vom Fenster.«

»Es ging auch schief«, nickte Jericho. »2004 begann der Abstieg. Aber schuld war eigentlich ein Engländer. Mark Thatcher.«

»Nie gehört.«

»Sohn von Maggie Thatcher.«

»Erst recht nie gehört.«

»Egal. Ich schätze, unsere Geschichte und die des ganzen Ärgers, der über uns hereingebrochen ist, nimmt ihren eigentlichen Anfang nach dem Wonga-Coup.«

»Nach dem was?«

»Nach dem –«

Wonga-Coup. Bantu-Sprache. Wonga gleich Geld, Kohle, Mäuse, Penunze. Coup für Putsch. Flapsige Umschreibung für einen der dämlichsten Umsturzversuche aller Zeiten.

Im März 2004 landet eine klappernde Boeing prähistorischer Bauart auf dem Flughafen von Harare in Simbabwe, vollgepackt mit Söldnern aus Südafrika, Angola und Namibia. Geplant ist, Waffen und Munition an Bord zu nehmen, nach Malabo weiterzufliegen und dort zu einem Grüppchen Kämpfer zu stoßen, das im Vorfeld eingeschleust wurde. Alle zusammen sollen im Handstreich die Regierung stürzen, Obiang niederschießen oder in sein eigenes Gefängnis werfen, Hauptsache Machtwechsel. Im nahe gelegenen Mali ist tags zuvor wie durch ein Wunder Severo Moto aus seinem Madrider Exil eingetroffen, der Führer der oppositionellen Fortschrittspartei, der Malabo binnen einer Stunde erreichen und sich von dankbaren Menschen die Füße küssen lassen könnte.

Doch es kommt anders. Südafrikanische Geheimdienste – wachsam gegenüber den arbeitslos gewordenen Schergen der Apartheid – haben Wind von der Sache bekommen und Obiang gewarnt. Zeitgleich wird die Regierung Simbabwes von der Ankunft eines Haufens Traumtänzer in Kenntnis gesetzt, die meinen, unter Abfeuerung ausgemusterter Kalaschnikows Geschichte schreiben zu können. Hüben wie drüben schnappt die Falle zu, alle werden verhaftet, flugs zu Gefängnisstrafen verurteilt, und das war's.

Oder wäre es gewesen.

Denn dummerweise – für die Hintermänner – plaudern die Befragten mit Aussicht auf Strafminderung aus dem Nähkästchen der Verschwiegenheit. Und so kommt's knüppeldick. Einer der Anführer des glücklosen Kommandos ist Simon Mann, ein ehemaliger britischer Offizier und langjähriger Leiter der privaten Söldnerfirmen *Executive Outcomes* und *Sandline International,* in deren Netzwerk sich auch ein gewisser Jan Kees Vogelaar tummelt. Mann, inhaftiert in Simbabwe, weiß zu erzählen, hinter der ganze Angelegenheit stecke ein windiger Ölmanager mit britischem Pass namens Eli Calil, vor allem aber Sir Mark Thatcher, Sohn der britischen Premierministerin, der erkleckliche Summen für die Durchführung des Unternehmens bereitgestellt habe. Das alleine reicht, Obiang Äußerungen zu entlocken wie, Simon Mann und Thatcher unter den Augen aller braven Äquatorialguineer sodomieren zu wollen, bevor sie bei lebendigem Leibe gehäutet würden. Er lässt durchblicken, Teile der Thatcher'schen Anatomie seinem Koch zu überantworten, vorausgesetzt, man bekomme ihn in die Finger. Während Sir Mark eilig hinter Mamas Rock verschwindet, droht Simon Mann die Auslieferung. Dies und die Aussicht auf Tanzstunden in Black Beach und Schlimmeres tragen ungemein zur Lockerung seiner Zunge bei – und schon kommt's raus.

Thatcher ist nur der Strohmann.

Die eigentlichen Finanziers sind britische Ölkonzerne, die ganze Creme der Branche. Es hat ihnen nicht gefallen, dass der sprudelnde Reichtum unter amerikanischen Firmen aufgeteilt wird und man bei Obiang keinen Fuß in die Tür bekommt. Nichts für ungut, aber da habe man halt Verschiedenes ändern wollen. Severo Moto war ausersehen, die Umverteilung des Kuchens vorzunehmen, ein Marionettenpräsident, der im Vorfeld unter anderem versprochen hatte, auch spanische Ölfirmen zu begünstigen.

Und dann lässt Simon Mann die eigentliche Bombe platzen: Alle haben davon gewusst!

Die CIA. Der britische MI6. Der spanische Geheimdienst. Sie alle haben es gewusst – und mitgeholfen. Sogar spanische Kriegsschiffe sollen in Richtung Äquatorialguinea unterwegs gewesen sein, Kolonialismus in der Endlosschleife. Obiang ist entsetzt. Selbst sein Frühstücksfreund aus Washington ist ihm in den Rücken gefallen. Nicht länger willens, ihn zu stabilisieren, war Bush bereit, im Interesse einer Marionettenregierung Anteile an die Engländer und die Spanier abzutreten und dafür günstigere Förderkonditionen auszuhandeln. Obiang zürnt der ganzen elenden Bande – und beschließt, ihre Vorstellungen insoweit zu erfüllen, als er die Schürfrechte tatsächlich neu aufteilt. Nur ganz anders, als es sich die Globalstrategen vorgestellt haben. Amerikanische Firmen fliegen raus, dafür bekommen südafrikanische den Zuschlag. Die Beziehungen zu José Maria Aznar, Severo Motos Kumpel und Gastgeber für 40000 Exil-Äquatorialguineer, werden eingefroren. Frankreich hingegen soll geholfen haben, den Putsch zu vereiteln, entsprechend wohlgefällig schaut Obiang auf die Grande Nation.

Und war da nicht die ganze Zeit schon jemand in den Startlöchern für die Zeit nach dem amerikanischen Alleingang?

»China kommt ins Spiel.«

»Auf Katzenpfoten. Erst mal scheint Obiang nämlich bereit, zu vergeben und zu vergessen. Aznar ist inzwischen abgewählt worden, mit Spanien kann man wieder reden, also fährt er die Charmeoffensive. Umgekehrt versucht sich Washington in diplomatischer Wiedergutmachung. Wettgrinsen mit Condoleezza Rice, neue Verträge, all das. 2008 pumpen die Konzerne jährlich 500000 Barrel aus dem Meer vor *Obiangs own country*, das Land verzeichnet das höchste Pro-Kopf-Einkommen Afrikas. Analysten gehen davon aus, dass in Äquatorialguinea mehr Öl lagert als in Kuwait. Ein Gutteil davon fließt in die USA, ein bisschen was nach Frankreich, Italien und Spanien, aber der eigentliche Gewinner –«

»– ist China.«

»Genau! Sie haben mit Amerika gleichgezogen. In aller Stille.«

»Schon klar.« Yoyo sah ihn an, die Lider auf halbmast. Auch Jericho fühlte sich eigenartig entrückt. Der Schlafmangel und das Schwimmen des Jets bei zweifacher Schallgeschwindigkeit begannen ihre narkotisierende Wirkung zu entfalten. »Und Obiang?«

»Immer noch sauer. Supersauer! Ihm ist natürlich klar, dass hochrangige Mitglieder seiner Regierung von den Absichten der Putschisten gewusst haben. So einen Coup schaffst du nur mit Unterstützung von innen. Also rollen Köpfe, und fortan traut er niemandem mehr. Legt sich eine marokkanische Leibgarde zu aus Angst vor den eigenen Leuten. Zugleich lässt er sich in bizarrer Weise hofieren. Wenn die Bosse von Exxon eintreffen, müssen sie seine Minister und Generäle mit Excelentissímo anreden. Einstige Sklaven treffen auf ehemalige Sklavenhändler, jeder verabscheut jeden. Die Vorstände der Ölfirmen hassen es, sich mit den Buschpotentaten an einen Tisch setzen zu müssen, und tun es trotzdem, weil beide Seiten überreichlich davon profitieren.«

»Und das Land liegt immer noch am Boden.«

»Mit Vorteilen für die Fang, aber als Ganzes ist die Wirtschaft degeneriert. Gut, in den Slums parken ein paar Geländewagen mehr, jeder hat mindestens ein Handy, dafür sind fließendes Wasser und Strom Mangelware. Das Land erliegt dem Fluch des Rohstoffs. Wer will noch arbeiten oder sich weiterbilden, wo die Dollars wie von selbst auf die Konten fließen. Der Reichtum verwandelt die einen in Raubtiere und die anderen in Zombies. Bush erklärt, den Meeresboden vor Malabo bis 2030 leer pumpen zu wollen, und verspricht Obiang, ihn künftig mit Menschenrechten und Umsturzplänen in Frieden zu lassen und angemessen zu entlohnen.«

»Klingt doch eigentlich gut. Ich meine, für Obiang.«

»Ja, er hätte sich damit zufriedengeben können. Hat er aber nicht. Denn der gute Obiang –«

ist ein Elefant. Nachtragend. Misstrauisch. Wie Elefanten ihrer Natur nach sind. Er kann nicht vergessen, dass Bush, die Briten und die Spanier ihn reinlegen wollten. Die Kolben seiner geschmierten Machtmaschinerie heben und senken sich in fröhlichem Auf und Ab, alles läuft bestens, glanzvolle Wiederwahl 2009. Solch immenser Reichtum, dass Mindermengen davon endlich auch auf die mittleren und unteren Schichten überschwappen, genug, um jedes revolutionäre Gedankengut bis auf Weiteres zu anästhetisieren, doch Obiang sinnt auf Rache.

Ironischerweise ist es ausgerechnet der Regierungswechsel in Washington, der die Wende einleitet. In gewisser Weise hatte man sich auf Bush ja doch verlassen können, der es an Moral in gleicher Weise mangeln ließ, wie er sie in seinen Reden zu strapazieren pflegte. Barack Obama hingegen, Hohepriester des *Change,* graust sich über der Vorstellung, hinter verschlossenen Türen mit Kannibalen Frühstückseier zu köpfen. Emsig bemüht, Amerikas ramponiertes Ansehen in der

Welt wiederherzustellen, holt er Begriffe wie Demokratie und Menschenrechte aus der Kloake des Bush'schen Sprachgebrauchs, hört der UN artig zu, wenn von Sanktionen gegen Schurkenregimes die Rede ist, und nervt Obiang mit humanitären Forderungen.

Im Fanfarengeschmetter gewandelter amerikanischer Rhetorik fällt es wohl nur Obiang selber auf, dass auf São Tomé und Príncipe über Nacht zwei starrend bewaffnete US-Militärbasen entstanden sind, direkt vor seiner Nase. Auch rund um diesen kleinen Inselstaat wird Öl vermutet. Inzwischen liefern sich China und die USA ein offenes Rennen auf dem Ressourcenmarkt. Die Schätze der Erde scheinen einzig dafür bestimmt, zwischen den beiden Wirtschaftsgiganten aufgeteilt zu werden. Offiziell sollen die Stützpunkte den reibungslosen Öl- und Gastransport im Golf von Guinea sichern, doch Obiang wittert Verrat. Sein Sturz würde den Amerikanern manches erleichtern. Und sie *werden* seinen Sturz forcieren, solange er weiter mit jeder Hure ins Bett geht, anstatt eine zu heiraten.

Obiang schaut nach Osten.

2010 ist Peking zum größten Geldgeber Afrikas aufgestiegen, noch vor der Weltbank. Der Präsident macht zwei geostrategische Gleichungen auf. Die erste lautet: Von China geht die geringste Gefahr eines Putsches gegen ihn aus, solange er die Chinesen im Rohstoffpoker begünstigt. Die zweite besagt, dass von Peking die größte Gefahr eines Umsturzes ausgeht, wenn er es nicht tut, also vergibt er weitere Lizenzen an China, und in Washington schrillen die Alarmglocken. Unverändert sucht man dort die Nähe zu Staaten, die etwas haben, das man selber gerne hätte. US-Repräsentanten reisen zu mauscheligen Treffen unter den triefenden Himmel Malabos. Nach außen hin lupenreiner Kosmopolit, versichert Obiang die amerikanischen Freunde seiner ungeminderten Wertschätzung, während er hintenrum Verträge außer Kraft setzt, Schürfrechte willkürlich umverteilt, Lizenzgebühren anhebt und Stimmung gegen die westlichen ›Ausbeuter‹ macht. Übergriffe auf US-Einrichtungen, Inhaftierungen und Ausweisungen amerikanischer Arbeiter sind die Folge. Washington sieht sich genötigt, Obiang mit Sanktionen und Isolation zu drohen, das Klima verschlechtert sich rapide.

Dann, im Vollrausch seiner Macht, überspannt Obiang den Bogen. Verschnupft über den Ausbau der amerikanischen Militärstützpunkte, lässt er Marathons Ölstadt »Pleasantville« bei Nacht und Nebel angreifen. Es kommt zu einer regelrechten Schlacht auf der Landspitze Punta Europa, mit Toten auf beiden Seiten. Der Präsident dementiert wie immer jede Beteiligung, äußert tiefe Bestürzung und verspricht, die Schuldigen wie einst sein Onkel entlang der Autobahn ans Kreuz nageln zu wollen. Dabei begeht er den Fehler, die Schuld den Bubi in die Schuhe zu schieben, ein Funken, der in ein Benzinlager fliegt. Vor lauter Geostrategie ist Obiang nämlich entgangen, dass der ethnische Konflikt die Schwelle der Kontrollierbarkeit längst überschritten hat. Die Bubi setzen sich gegen die Anschuldigungen zur Wehr, attackieren Fang des Esangui-Clans, werden von Obiangs Paramilitärs zusammengeschossen, doch diesmal greift seine Einschüchterungstaktik nicht wie gewohnt. Marathon-Leute haben den Leichnam eines gefallenen Angreifers als Offizier der äquatorialguineischen Armee identifiziert, ein linientreuer Fang, noch dazu mit Obiang verschwägert. Washington schließt militärische Schritte nicht aus. Demonstrativ lässt Obiang Amerikaner verhaften und beschuldigt Obama, seinen Sturz zu betreiben, was Bubi-Politiker ermutigt, Signale an Washington zu entsenden. Severo Moto, glückloser Beinahepräsident, der in seinem spanischen Exil kaum mehr zu tun hat, als auf dem Knorpel des Scheiterns herumzukauen, vermittelt die Einzelheiten: Gelänge es, Malabo, die Hauptstadt, unter Kontrolle zu bringen – und nur dann! –, sei einem Putsch Aussicht auf Erfolg beschieden. Die Herzen der Bubi schlügen für Amerika. Eine neue Gleichung wird aufgemacht: Amerika plus Bubi gleich Putsch gleich China raus und Amerika rein. Natürlich lehnen die USA einen Umsturz offiziell ab, doch der Graben ist gezogen.

Obiang wird nervös.

Er versucht, die Fang hinter sich zu vereinen, wobei ihn die späte Rache seiner Versäumnisse ereilt. Den meisten Fang ging es unter seinem Regiment nicht besser als den Bubi. Sie sind unzufrieden und zerstritten. Insbesondere der Herrscherclan erweist sich als Hort shakespeare'schen Intrigantentums. Verschanzt hinter seiner marokkanischen Garde, übersieht der Präsident, dass Amerika im Stillen begonnen hat, Fang- und Bubi-Führer zu kaufen und zum Händedruck zu nötigen. China bietet mit. Das äquatorialguineische Parlament steht zum Gebot, ein Sotheby's der Korruption. Die verstreuten Bubi-Parteien im In- und Ausland finden sich zu wackeligen Bündnissen. Obiang reagiert mit Terror, bürgerkriegsähnliche Zustände erschüttern das Land und ziehen das Interesse der Weltpresse auf sich. Die USA lassen den Ölprinz endgültig fallen. Er soll Neuwahlen zustimmen oder am besten gleich zurückzutreten. Außer sich vor Wut droht Obiang den Bubi mit dem Genozid, lässt verlauten, viele gebratene Lebern essen zu wollen, doch der Widerstand ist kaum mehr einzudämmen.

Um das Maß der Verwirrung vollzumachen, schlagen sich unerwartet Fang-Clans aus dem wenig begünstigten Hinterland auf die Seite der Bubi. Obiang schreit nach Kampfhubschraubern, Peking zögert. Die Politik der Nichteinmischung, wichtigster Eckpfeiler chinesischer Außenpolitik, verträgt keine militärische Intervention. Zeitgleich strebt die UN-Versammlung Resolutionen gegen Äquatorialguinea an. China legt sein Veto ein, die EU fordert Obiangs Rücktritt. Kamerun will vermitteln, doch beiderseits des Atlantiks herrscht Einigkeit: Obiangs Zeit ist um. Der Kerl muss weg. Irgendwie.

2015, ein Jahr vor Ablauf seiner Amtszeit, geschwächt von Politik und Prostata, knickt der Diktator schließlich ein. Im staatlichen Fernsehen ist ein müder, alter Mann zu sehen, der die Kadavrierung seiner Gesundheit schildert, weshalb er seinem geliebten Volk nicht länger in gewohnt verlässlicher Weise dienen könne. Ergo, zum Wohle Äquatorialguineas, lege er sein Amt fortan in jüngere Hände, und zwar – und zwar – und zwar –

Der Dramaturgie des Schmierenstücks folgend müsste nun Obiangs ältester Sohn Teodorin in präsidialem Ornat aus dem Vorhang stürmen, doch der ist im Bermuda-Dreieck des Jetset vorausschauend auf Tauchstation gegangen. Ohnehin sähe die Mehrheit seiner Onkel und Vettern lieber Obiangs Zweitgeborenen Gabriel an der Macht, der die Ölgeschäfte leitet. Zwischen Teodorinern und Gabrielisten kommt es zum Zwist. Die USA – erbitterter Gegner Teodorins, da dieser vor Jahren herumtrompetet hat, sämtliche Ölverträge zu Amerikas Ungunsten neu aushandeln zu wollen – streuen Gerüchte, wonach Teodorin Gabriels Ermordung plane. Plötzlich scheint niemand so recht das Ruder übernehmen zu wollen. Obiang, angewidert vom Hautgout der Feigheit, entschließt sich kurzerhand zur Nominierung eines Übergangskandidaten, der die Regierungsgeschäfte für die Dauer des verbleibenden Amtsjahres weiterführen und dann faire Wahlen durchführen soll unter Zulassung aller Parteien und Kandidaten. Der Auserkorene ist Oberbefehlshaber der Streitkräfte, ein Cousin Obiangs, dessen ordensschwere Brust von loyalen Diensten kündet, unter anderem von der Abwendung mehrerer Attentats- und Putschversuche sowie der Inhaftierung und Folterung etlicher Bubi und Fang. Es ist

Brigadegeneral Juan Alfonso Nguema Mayé. Massig und glatzköpfig, mit breitem, einnehmenden Lächeln. Mayé, der in Berlin einen Laden für Öltanker betreibt und genüsslich Yoyos Augäpfel verschlingt, während Jan Kees Vogelaar –

»Owen.«

Mayé verwandelt sich in Kenny, kommt näher, schwarz gegen eine Wand aus Flammen, hebt einen Arm, und Jericho sieht, dass er Yoyos augenlosen Schädel schwenkt.

Gib mir deinen Computer, sagt er.

Gib mir –

»Owen, wach auf.«

Jemand rüttelte ihn an der Schulter. Yoyos Stimme kuschelte sich in sein Ohr. Er sog ihren Duft in sich hinein und öffnete die Augen. Hinter ihr stand Tu und grinste auf ihn herab.

»Was ist los?« Jericho wies mit dem Daumen zum Cockpit. »Solltest du nicht vorne sitzen?«

»Autopilot, *xiongdi*«, sagte Tu. »Segensreiche Erfindung. Ich musste dich vorübergehend ersetzen, willst du hören, wie es mit Mayé weiterging?«

»Ähm –«

»Könnte als Ja durchgehen«, flüsterte Yoyo, zu Tu gewandt. »Was meinst du, hat er Ja gesagt?«

»Klingt eher, als ob er Kaffee will. Möchtest du einen Kaffee, Owen?«

»Hm?«

»Ob du einen Kaffee willst.«

»Ich – nein, keinen Kaffee.«

»Ganz schön weggetreten, unser Üwerangskaddidaaah«, raunte Yoyo konspirativ.

Tu gluckste. »Üüüwerangskaddidaaah«, wiederholte er, untermalt von Yoyos melodischem Kichern. Beide schienen sich unanständig gut zu amüsieren, mit ihm als Quell aller Heiterkeit. Missmutig schaute Jericho aus dem Fenster in die Nacht und wieder zurück.

»Wie lange war ich denn weg?«

»Och, gut eine Stunde.«

»Tu mir leid, ich wollte nicht –«

Yoyo starrte ihn an. Sie versuchte, sich ernst zu halten, dann brachen Tu und sie gleichzeitig in ein lautes Gelächter aus. Wie blödsinnig gackerten sie um die Wette, nervös und atemlos.

»He! Was ist so komisch?«

»Nichts.« Japsen, Lachen.

»Offenbar doch.«

»Nein, nichts, Owen, wirklich nicht. Es ist nur, weil –«

»Weil was?«

Höhenkoller, dachte er. Beginnende Hysterie. Man wusste von Menschen, die nach traumatisierenden Erlebnissen aus dem Lachen nicht mehr rauskamen. Erstaunlicherweise, obschon er nicht die geringste Ahnung hatte, worum es ging, verspürte er eine schmerzliche Sehnsucht, mitzulachen, egal worüber. Gar nicht gut, dachte er. Wir drehen noch alle durch.

»Also?«

»Na ja.« Yoyo zog die Nase hoch und wischte sich die Augenwinkel. »Zu blöd aber auch, Owen. Du bist mir mitten im Satz verloren gegangen, weißt du. Dein letztes Wort war –«

»Was?«

»Schätze, es sollte Übergangskandidat heißen. Du hast gesagt, Obiang hätte einen – einen Üüüüwerangs –«

Tu gab meckernde Laute von sich.

»– kaddidaaah –«

»Ihr habt sie ja nicht mehr alle.«

»Komm, Owen, das ist lustig«, grunzte Tu. »Das ist *wirklich lustig*!«

»Was denn, verdammt noch mal?«

»Du bist mitten im Satz eingeschlafen«, kicherte Yoyo. »Dein Kopf fiel so komisch nach vorn, dein Unterkiefer ist runtergeklappt, etwa so –«

Geduldig wartete Jericho, bis die Imitation seiner Entwürdigung ihren geifernden Abschluss gefunden hatte. Tu tupfte sich den Schweiß von der Glatze. In Momenten wie diesen schienen englischer und chinesischer Humor Galaxien auseinanderzuliegen, doch plötzlich stellte er fest, dass er selber lachte. Irgendwie tat es gut. Als ob jemand in seinem Innern die Möbel gerade rückte und ordentlich durchlüftete.

»Also schön.« Tu schlug ihm auf die Schulter. »Ich geh wieder nach vorne. Yoyo erzählt dir den Rest. Danach können wir Schlüsse ziehen.«

»Und wo waren wir stehen geblieben«, fragte Jericho.

»Beim Üwerangskaddi –«, zwitscherte Yoyo.

»Aus jetzt.«

»Ehrlich, im Ernst. Bei General Mayé.«

Natürlich. Obiang hatte seinen obersten Heerführer zum Nachfolger ernannt. Mayé sollte die verbleibende Amtszeit des scheidenden Präsidenten zur Vorbereitung demokratischer Wahlen nutzen, jedoch traut niemand dem Brigadegeneral. Mayé gilt als Hardliner und Marionette Obiangs. Ohne Zweifel wird es Wahlen geben, als deren Ergebnis entweder Mayé selbst oder einer der Präsidentensöhne die Macht an sich reißen wird. Definitiv keine Option, an der irgendjemandem gelegen sein könnte.

Außer Peking.

Was dann geschieht, kommt sowohl für Obiang als auch für Mayé dermaßen überraschend, dass sie noch Wochen später glauben, schlecht geträumt zu haben. Am Tag der Amtsübergabe stürmt eine kühn zusammengeschmiedete Allianz aus Bubi und Fang, darunter Angehörige der Streitkräfte, in einer konzertierten Aktion sämtliche Polizeiwachen Malabos sowie den Regierungssitz, nimmt den Diktator und seinen designierten Nachfolger gefangen, fährt beide zur kamerunischen Grenze und wirft sie ohne Umschweife aus dem Land. Amerikas Investment hat sich ausgezahlt, praktisch jede Schlüsselposition in Kreisen der Regierung ist gekauft, und dies sogar noch zu Obiangs Gunsten, weil Washington sich für die logistische und strategische Unterstützung des Putsches jegliche Anfälle von Lynchjustiz verbeten hat.

Für die Dauer weniger Stunden scheint das Land führerlos.

Dann entsteigt Severo Motos Nachfolger einer spanischen Verkehrsmaschine, ein studierter Ökonom namens Juan Aristide Ndongo vom Stamm der Bubi, der einst wegen Regimekritik mehrere Jahre im Black Beach hat logieren müssen und schon darum das Vertrauen großer Teile der Bevölkerung auf sich vereint. Ndongo gilt als klug, freundlich und schwach, der ideale *manchurian candidate*. Fang und Bubi haben sich im Vorfeld mit den USA, Großbritannien und Spanien auf ihn verständigt, in Erwartung, den braven Ndongo nach Belieben gängeln zu können, doch der verblüfft mit eigenen Visionen. Der raschen Auflösung des Parlaments folgt die ebenso rasche Bildung einer neuen Regierung, in der Bubi wie Fang gleichermaßen vertreten sind. Ndongo verspricht die Inangriffnahme der längst fälligen Infrastruktur, die Schaffung eines pulsierenden Bildungswesens, die Wiederbelebung der Wirtschaft, Gesundheit und Wohlstand für alle. Vor allem aber wettert er gegen den chinesischen Vampirkapitalismus, der Äquatorialguinea im Verein mit Obiangs Rücksichtslosigkeit zugrunde gerichtet habe, kündigt Pekings Lizenzverträge und setzt die amerikanischen wieder in Kraft, in weiser Voraussicht Spanier, Briten, Franzosen und Deutsche mit bedenkend.

Doch die Realität holt Ndongo ein wie ein Rudel Hunde. Im selben Maße, wie er seine Pläne in die Tat umzusetzen versucht, zieht er sich den Widerwillen der Fang-Elite zu, die nicht mit seinem politischen Überlebenswillen gerechnet hat. Er legt die Öleinnahmen in Treuhandfonds an, statt sie auf private Konten zu transferieren, womit er das Geld dem Zugriff der Korruption entzieht. Er baut wie versprochen Straßen und Krankenhäuser, bringt den Holzhandel in Schwung, lockert die Zensur. Damit provoziert er den Hass alter Obiang-Seilschaften, die sich zwar haben kaufen lassen, ohne jedoch in Betracht zu ziehen, der predigende Bubi-Politiker könne sich an der Spitze behaupten. Im ersten Jahr nach dem Machtwechsel sind die Hardliner in die Opposition entrückt. Was immer Ndongo gelingt, nährt ihre Abscheu, also suchen sie ihn zu sabotieren, wo es nur geht, prangern sein Unvermögen an, ethnische Ressentiments aus der Welt zu schaffen, und schüren eben diese. Ndongo sei ein zweiter Obiang, der die Fang benachteilige, eine Marionette der USA. Viele mutig in Angriff genommene Projekte geraten ins Stocken. Aids wuchert, die Kriminalität grassiert, letzthin erweist sich Ndongos Parlament als ebenso korrupt wie das seines Vorgängers, während der Präsident, trotzig auf den Krücken der Legalität einherhumpelnd, den Anschluss verliert.

Im zweiten Jahr unter Ndongo initiieren radikale Esangui-Fang Anschläge auf amerikanische und europäische Öleinrichtungen. Bubi und Fang gehen einander an die Gurgel wie eh und je, terroristische Zellen hintertreiben jeden Versuch einer politischen Stabilisierung, Ndongos Konstrukt einer besseren Welt bricht klappernd in sich zusammen. Seinen Gegnern ist er zu weit gegangen, seinen Freunden nicht weit genug. In einem schmerzlichen Akt der Selbstverleugnung schlägt Ndongo schärfere Töne an, führt Massenverhaftungen durch und verspielt über Nacht, was sein einziges Kapital war: Rechtschaffenheit.

Mayé läuft sich in Kamerun warm.

»Nach außen«, sagte Yoyo, »stellt es sich so dar: Obiang, krank und verbittert, hängt im Nachbarland rum und drängt Mayé, Ndongo bei der nächsten sich bietenden Gelegenheit aus dem Amt zu jagen. Dem Willen des Alten zufolge soll Mayé aber nicht selber regieren, sondern lediglich für Teodorin und Gabriel den Boden bereiten, die einander beim Gedanken an Ndongo schluchzend in die Arme gesunken sind. Von Rivalität keine Rede mehr. Das Land ist destabilisiert, Ndongo ist fällig. Mayé müsste eigentlich nur noch einreisen und Buh! machen, abgesehen davon, dass er natürlich nicht einreisen darf.«

»Da Putschisten aber kein Visum brauchen –«

»– willigt er ein und leiert die Sache an. Bekannt ist, dass Mayé im Vorfeld Kontakt zu einer privaten Söldnerfirma aufgenommen hat, zur *African Protection Services,* kurz APS. Und die«, Yoyo machte eine Pause, während derer ein kleiner Tusch zu erklingen schien, »sollte uns interessieren!«

»Lass mich raten. Vogelaar taucht wieder auf.«

Yoyo lächelte selbstzufrieden. »Ich habe die fehlenden Jahre gefunden. Sagt dir der Name *ArmorGroup* irgendwas?«

»Kenne ich. Londoner Sicherheitsriese.«

»2008 nahm die *ArmorGroup* ein Mandat in Kenia wahr. In der Zeit kam es zur Abspaltung eines kleineren Unternehmens, *Armed African Services*. Vogelaars *Mamba* operierte gerade im selben Krisengebiet. Man lief sich über den Weg, vielleicht kam der eine mal zum anderen rüber und lieh sich ein bisschen Munition, kurz, sie fanden Geschmack aneinander und gründeten 2010 die APS, mit Vogelaar in der Chefetage. Alles klar?«

»Klar. Mayé hat Ndongo mit Hilfe der APS gestürzt. Aber wer hat die APS damals bezahlt?«

»Das ist es ja gerade. Mayés Kurs war *extrem* chinafreundlich.«

»Du meinst –«

»Ich meine, wir sind die ganze Zeit davon ausgegangen, dass es sich bei dem Umsturzversuch, von dem im Textfragment die Rede ist, um den vom vergangenen Jahr handelt. Dabei hätte Peking 2017 weit mehr Grund gehabt, die Strippen zu ziehen.«

Jericho überlegte. Er versuchte sich zu erinnern, wer in Malabo derzeit das Sagen hatte. Je länger er darüber nachdachte, desto sicherer war er, dass Ndongo seinen alten Platz wieder eingenommen hatte.

»Und wie ist Mayés Putsch verlaufen?«

»Reibungslos. Ndongo war vorsorglich außer Landes. Überhaupt schien niemand sonderlich überrascht. Kaum Widerstand, keine Toten. Den eigentlichen Schock erlebte Obiang. Mayé ließ sämtliche Oppositionellen verhaften, darunter Obiangs engste Vertraute, Teodoriner, Gabrielisten –«

»Weil er gar nicht vorhatte, die Macht abzutreten.«

»Bingo.«

»Und Vogelaar wurde sein Sicherheitschef.«

»*Jep.*«

»Gibt es Beweise, dass China in den Putsch verwickelt war?«

»Owen, wo lebst du?«, tadelte Yoyo. »Beweise gibt's nie. Andererseits muss man verblödet sein, um darüber hinwegzusehen, dass unmittelbar nach dem Putsch das Aus für Exxon, Marathon und so weiter kam, während die chinesische Sinopec plötzlich in äquatorialguineischem Öl schwamm. Dann Mayés Reden: Man schulde historischen Dank, China sei immer ein Bruder gewesen, bla bla bla. Unterm Strich hat er dem Ausverkauf seines Landes an China rückhaltlos zugestimmt.«

Jericho nickte. Yoyo hatte zweifellos recht: Mayé war mit chinesischer Hilfe an die Macht gelangt und hatte seine Protegés vereinbarungsgemäß bedacht. Nur, warum hätten die ihn dann später umbringen sollen?

»Und wenn es gar nicht die Chinesen waren«, sagte Yoyo, als hätte sie seine Gedanken erraten. »Ich meine, vergangenes Jahr.«

»Wer dann?«

»Fällt das so schwer zu erraten? Mayé scheute keine Gelegenheit, die Amerikaner zu brüskieren. Er ließ ihre Repräsentanten verhaften, brach alle Verträge, begünstigte Terroranschläge gegen amerikanische Einrichtungen, auch wenn er auf diplomatischem Parkett alles rundheraus abstritt. Es reichte immerhin, dass Washington ihm mit Sanktionen und Einmarsch drohte.«

»Klingt nach Säbelgerassel.«

»Eben das ist die Frage.«

»Und weiter? Der Typ hat sieben Jahre regiert. Was ist in der Zeit alles passiert?«

»Er hat die Hand aufgehalten. Der Wirtschaft den Rest gegeben. Oppositionelle verschwinden lassen, gefoltert, erschossen, geköpft, was weiß ich. Nach kurzer Zeit fanden alle, gegen Mayé habe sich Obiang wie ein Wohltäter ausgenommen, aber jetzt hatten sie ihn am Hals. Nur mit Kannibalismus, Zauberei und dem ganzen magischen Spuk hatte Mayé wenig am Hut, dafür entwickelte er einen gepflegten Größenwahn. Baute Wolkenkratzer, die keiner bezog, aber egal, Hauptsache Skyline. Plante ein äquatorialguineisches Las Vegas, wollte eine Oper im Meer errichten. Vollends ging es mit ihm durch, als er verkündete, Äquatorialguinea steige zur Weltraumnation auf, zwecks dessen er allen Ernstes eine Abschussrampe errichtete, mitten im Dschungel.«

»Warte mal –« Schwach dämmerte Jericho, seinerzeit etwas darüber gelesen zu haben. Ein afrikanischer Diktator, der eine Raketenabschussbasis errichtet und herumposaunt hatte, sein Land werde Astronauten auf den Mond schicken. »War das nicht –«

»2022«, sagte Yoyo. »Zwei Jahre vor seinem Sturz.«

»Und was ist aus der Sache geworden?«

»Siehst du irgendwelche Afrikaner im Weltraum?«

»Nein.«

»Eben. Das heißt, einmal hat er tatsächlich was hochgeschossen. Einen Nachrichtensatelliten.«

»Wozu, um Himmels willen, brauchte Mayé einen Nachrichtensatelliten?«

Yoyo ließ den Finger über ihrer Schläfe kreisen. »Weil er nicht ganz dicht war, Owen. Warum lassen Männer ihre Schwänze verlängern? Lauter kleine Raketenabschussbasen. Das Ganze geriet aber zur Lachnummer, weil der Satellit wenige Wochen nach dem Launch ausfiel –«

»Aber gelauncht wurde er.«

»Sogar problemlos.«

»Und weiter?«

»Nichts weiter. Zwei Jahre später wurde Mayé liquidiert, und Ndongo kehrte zurück.« Yoyo lehnte sich zurück. Ihre ganze Körperhaltung drückte Feierabend aus. »Darüber müsstest du mehr wissen als ich. Das war der Teil, den du recherchiert hattest.«

»Über Ndongo weiß ich nicht viel.«

»Na ja.« Yoyo spreizte die Finger. »Wenn du rauskriegen willst, wer diesmal die Zeche gezahlt hat, musst du Ndongos Ölpolitik unter die Lupe nehmen. Keine Ahnung, ob er China ebenso treu ergeben ist wie Mayé.«

»Definitiv nicht.«

»Woher willst du das wissen?«

»Du hast selber gesagt, er hätte China auf das Heftigste attackiert. Ich glaube, darüber besteht kein Zweifel. Ndongo ist von den USA installiert und von den Chinesen demontiert worden.«

»Und wer hat dann Mayé demontiert?«

Jericho nagte an seiner Unterlippe.

Aussage Umsturzes chinesische Regierung –.

»Irgendwas an dieser Geschichte ergibt keinen Sinn«, sagte er. »In dem Textfragment geht es um einen Umsturz, in den China verwickelt ist, aber es kann nicht der Umsturz von 2017 gemeint sein. Zum einen, das ist acht Jahre her. Ohnehin ahnt jeder, dass Peking darin verwickelt war, warum sollten sie uns deswegen jagen? Zum anderen geht es explizit um Donner und Vogelaar. Vogelaar taucht aber erst im Zusammenhang mit Mayé auf.«

»Oder wurde damals von Peking eingesetzt. Eine Art Bewacher Mayés. Ein Spitzel.«

»Und Donner?«

»Erinnere dich, das war nicht einfach ein Putsch letztes Jahr. Das war eine Hinrichtung. Ein konzertierter Versuch, Zeugen zu beseitigen. Mayé muss etwas gewusst haben, besser gesagt, er und sein Stab. Etwas von solcher Brisanz, dass man ihn dafür umgebracht hat.«

»Etwas über China.«

»Warum sonst sollten die Chinesen jemanden aus dem Weg räumen, den sie selbst inthronisiert haben. Vielleicht war Mayé untragbar geworden. Und Donner gehörte zu seinem Stab.«

»Und Vogelaar war derjenige, der den Kontakt zu Peking hielt. Als Sicherheitschef war er Mayé am nächsten. Er empfiehlt, Mayés Regime zu enthaupten.«

»Was auch gelingt. Bis auf Donner.«

»Der entkommt.«

»Und Vogelaar soll ihn nun finden und Mayé hinterherschicken. Deswegen jagen sie uns. Weil wir wissen, dass Donners Deckung aufgeflogen ist. Weil wir schneller sein könnten als Vogelaar. Weil wir Donner warnen könnten.«

»Und Kenny?«

»Ist möglicherweise Vogelaars chinesischer Kontaktmann.«

Jerichos Hirn pochte. Wenn das, was sie sich da zusammenfabulierten, zutraf, hing Donners Leben an einem seidenen Faden.

Er nagte an seiner Unterlippe.

Nein, da musste noch mehr sein. Es ging nicht einzig darum, dass sie den Mordanschlag auf Donner verhinderten. Sicher, auch das mochte eine Rolle spielen. Der eigentliche Grund für die brutale Hetzjagd der letzten 24 Stunden war jedoch ein anderer. Jemand befürchtete, dass sie herausfinden könnten, *was Donner wusste.*

Er starrte hinaus in die Nacht und hoffte, dass sie nicht zu spät kamen.

BERLIN, DEUTSCHLAND

Glühende Schaltkreise. Schimmelgespinste auf schwarzem Grund. Kolonien milliardenfach ineinander verwobener Tiefseeorganismen, die neuronale Landschaft eines unendlich ausgreifenden Hirns, geronnener Kosmos. Nachts und aus großer Höhe gesehen, ließ die Welt annähernd jede Interpretation zu außer der, dass Teile ihrer Oberfläche einfach nur von Straßenlaternen, Leuchtreklamen, Autos und Zimmerlampen illuminiert wurden, von übermüdeten Taxifahrern und Schichtarbeitern, der immerwährenden Suche nach Zerstreuung und Sorgen, die sich in Schlaflosigkeit und zur Unzeit beleuchteten Wohnungen niederschlugen. Was wie eine codierte Botschaft an das Auge eines außerirdischen Beobachters anmutete, lautete tatsächlich: Ja, wir *sind* allein im Universum, jeder für sich und alle zusammen, und in den lichtlosen Wüsten sind wir auch zu finden, nur unterentwickelt, arm und von allem abgeschnitten.

Jericho starrte unentschlossen aus dem Fenster des Jets. Yoyo war in ihrem Sitz eingedöst, der Jet in den Landeanflug übergegangen. Tu liebte es nicht, am Steuerknüppel Konversation zu treiben. Mit sich allein, hatte Jericho eine Weile versucht, dem Netz Informationen über Ndongos aktuelle Amtszeit abzutrotzen, doch das Medieninteresse an Äquatorialguinea schien mit Mayés Abgang erloschen zu sein. Plötzlich verspürte er einen zehrenden Mangel an Motivation. Yoyos leises, melodisches Schnarchen hatte etwas Monologisierendes. Hin und wieder hob sich ihr Brustkorb, zuckte sie zusammen, rollten die Augäpfel unter den Lidern. Jericho betrachtete sie. Der irritierende Moment der Intimität, den sie geteilt hatten, schien nie stattgefunden zu haben.

Er wandte den Kopf und ließ seinen Blick über das dichter werdende Lichtgespinst schweifen. In zehn Kilometern Höhe hatte er nagende Einsamkeit empfunden, der Erde zu weit entrückt, dem Himmel nicht nahe genug. Nun war er dankbar um jeden Meter, den die Maschine dem Boden entgegensank, mit dem Effekt, dass sich die fremdartigen Muster wieder zu gewohnten Bildern fügten. Gebäude, Straßen und Plätze erzeugten die Illusion von Vertrautheit. Jericho war verschiedene Male in Berlin gewesen. Er sprach gut Deutsch, nicht perfekt, weil er sich nie die Mühe gemacht hatte, es zu erlernen, dafür akzentfrei. Sobald er daran ging, eine Sprache diszipliniert zu büffeln, beherrschte er sie binnen weniger Wochen, bloßes Hinhören reichte immerhin zur Verständigung.

Er hoffte inständig, Andre Donner lebend anzutreffen.

Um 04.15 Uhr landeten sie auf dem Flughafen Berlin Brandenburg. Tu zog los, um einen Leihwagen zu organisieren. Als er zurückkam, schwenkte er verdrossen einen Audi-Stick.

»Ich hätte eine andere Marke vorgezogen«, maulte er, als sie die Neonwüste des Parkdecks auf der Suche nach ihrem Fahrzeug durchquerten. Jericho trottete ihm hinterher, den Rucksack geschultert, eine schlurfende und chloroformiert dreinblickende Yoyo an seiner Seite, die kaum wach zu bekommen war. Außer Diane und einiger Hardware führte er nichts mit sich. Tu hatte es abgelehnt, ihn vor dem Abflug noch einmal nach Xintiandi zu bringen, um das Nötigste zu packen. Auch Yoyo hatte nicht in ihre Wohnung zurückkehren dürfen, sich zu Protesten verstiegen und Tu auf die Palme gebracht.

»Keine Diskussion!«, hatte er sie angeraunzt. »Kenny und Konsorten könnten auf euch warten. Entweder machen sie euch an Ort und Stelle fertig oder folgen euch bis zu mir.«

»Dann schick halt einen deiner Leute vorbei.«

»Dem werden sie ebenso folgen.«

»Oder lass mich einfach –«

»Vergiss es.«

»Mann! Ich kann doch nicht tagelang in denselben stinkenden Klamotten rumlaufen! Und Owen bestimmt auch nicht, oder? Oder, Owen?«

»Lass deine erbärmlichen Kumpaneien. Ich sagte, nein! Berlin ist eine zivilisierte Stadt. Nach allem, was ich höre, gibt es da Socken, Unterhosen, Wasser aus der Leitung und sogar elektrisches Licht.«

Elektrisches Licht gab es, so viel stand fest. Darüber hinaus schienen eine heiße Dusche oder der Duft frischer Wäsche in dem öden, mit Autos vollgestopften Hangar Lichtjahre entfernt zu sein. Tu eilte an Dutzenden identisch aussehender Blech- und Kunstfasergesichtern vorbei, seine prall gepackte Reisetasche schwenkend, nötigte sie zum Stechschritt und erspähte endlich die dunkle, verschwiegene Limousine.

»Der Wagen ist doch in Ordnung«, wagte Jericho einzuwenden.

»Ich hätte eine chinesische Marke bevorzugt.«

»Wovon redest du? Du fährst keine chinesische Marke. Nicht mal in China.«

»Komisch«, sagte Tu, während der Wagen die Daten aus dem Computerstick las und brav seine Türen öffnete. »So ein großartiger Ermittler, aber in mancherlei Beziehung will mir scheinen, du kommst geradewegs aus der Steinzeit. Ich fahre einen Jaguar, und Jaguar ist eine chinesische Marke.«

»Seit wann?«

»Seit drei Jahren. Wir haben sie von den Indern gekauft, so wie wir Bentley von den Deutschen gekauft haben. Einen Bentley hätte ich natürlich auch genommen.«

»Warum nicht gleich einen Rolls?«

»Indiskutabel! Rolls-Royce ist indisch.«

»Ihr seid ja nicht ganz dicht«, gähnte Yoyo und legte sich quer über die Rückbank.

»Hör mal«, sagte Jericho, während er auf den Beifahrersitz glitt. »Das sind alles keine chinesischen Marken, bloß weil ihr sie gekauft habt. Es sind englische Marken. Die Leute kaufen so was, weil sie englische Autos mögen, und genau darum kaufst du sie auch.«

»Aber gehören –«

»– tun sie den Chinesen, schon klar. Manchmal kommt mir die ganze Globalisierung vor wie ein einziges Missverständnis.«

»Ach komm, Owen! Wirklich!«

»Im Ernst.«

»Derartige Sprüche hatten schon vor 20 Jahren keinen Biss mehr.« Tu steuerte den Wagen im Slalom durch Gänge, deren Gleichförmigkeit nur von dem Umstand übertroffen wurde, dass es unendlich viele von ihnen zu geben schien. »Sag mir lieber, ob ihr noch was von Interesse gefunden habt?«

Jericho erzählte ihm in kurzen Zügen von Ndongos ergebnislosen Versuchen, das Land zu reformieren und die Vereinigten Staaten wieder ins Geschäft zu bringen, vom erneuten Putsch Mayés, Pekings offensichtlicher Verwicklung darin und Mayés China-Politik. Er erwähnte den beginnenden Größenwahn des Diktators, sein gescheitertes Weltraumprogramm und seine blutige Entmachtung.

»Offiziell sind Mayé und seine Clique einer Bubi-Revolte zum Opfer gefallen, die von einflussreichen Kreisen der Fang unterstützt wurden«, sagte er. »Was plausibel wäre. Obiang steckte jedenfalls nicht dahinter. Er privatisiert seit seiner Vertreibung in Kamerun und kämpft dort sein letztes Gefecht gegen den Krebs, wie man hört.«

»Die Söhne waren's auch nicht?«

»Nein.«

»Tja.« Tu schnalzte mit der Zunge. »Es gibt überraschend wenige Informationen über das vergangene Jahr da unten, was?«

Jericho betrachtete ihn abschätzend. »Kommt es mir nur so vor, oder weißt du irgendetwas, das ich wissen sollte?«

»*Oída ouk eidós*«, sagte Tu unschuldig.

»Das ist aber nicht von Konfuzius.«

»Nein, stell dir vor! Es ist von Platon, Verteidigungsrede des Sokrates: Ich weiß, dass ich nicht weiß.«

»Angeber.«

»Keineswegs. Es trifft exakt, was ich meine. Tatsächlich weiß ich, dass es eine Erklärung für das abgeflaute Interesse an Äquatorialguinea gibt, nur komme ich gerade nicht drauf. Dabei ist es was Offensichtliches. Etwas, das klar zutage liegt.«

»Erklärt es auch, warum über die Beteiligung des Auslands kaum öffentlich spekuliert wurde?«

»Frag mich das, wenn es mir eingefallen ist.«

Jericho hörte eine Weile dem Navigationssystem zu.

»Schau, das Problem ist, dass der Putsch ohne ausländische Hilfe nicht hätte durchgezogen werden können«, sagte er. »Eindeutig wurde Mayé von den Chinesen installiert, also sollte man meinen, dass Amerika ihn gestürzt hat. Unser Textfragment sagt aber was anderes, dass China nämlich auch hier seine Finger im Spiel hatte. Wenn das zutrifft, war der gefügige Diener vielleicht am Ende nicht gefügig genug.«

»Du meinst, er wollte Pekings Wünschen nicht länger nachkommen?«

»Yoyo und ich neigen der Ansicht zu, dass er und sein innerer Kreis China sogar hätten gefährlich werden können.«

»Was erklären würde, warum die Chinesen ihn zuerst aufbauen und ihn dann umbringen«, schlussfolgerte Tu.

»Und zwar unter Inkaufnahme erheblicher Nachteile.«

»Inwiefern?«

»Öl. Gas. Ndongo war nie ein Freund Pekings.«

Tu öffnete den Mund. Einen Moment sah er so aus, als habe er etwas von großer Tragweite begriffen. Dann klappte sein Unterkiefer wieder nach oben. Jericho hob eine Braue.

»Du wolltest was sagen?«

»Später.«

Sie schwiegen. Yoyo war auf dem Rücksitz wieder eingeschlafen. Als sie endlich auf der Stadtautobahn waren, dämmerte der Morgen herauf und der Verkehr wurde dichter. Das Navigationssystem erteilte gedämpfte Anweisungen. Sie näherten sich Berlin Mitte, wurden zum Potsdamer Platz geleitet und hatten um 5.30 Uhr geräumige Zimmer im frisch renovierten Hyatt bezogen. Eine Stunde später saßen sie beim Frühstück. Das Angebot war überreichlich. Yoyo hatte ihre Müdigkeit überwunden und schaufelte gewaltige Mengen Rührei mit Speck in sich hinein, Tu, weniger wählerisch, arbeitete sich einfach diagonal durch das Angebot und schaffte es, geräucherten Fisch mit Schokoladencreme zu etwas so Grauenvollem zu verehelichen, dass Jericho den Blick abwenden musste. Wie immer schien der Manager nicht zu registrieren, was er überhaupt aß. Geräuschvoll verdünnte er die Melange mit grünem Tee und gab sich Betrachtungen hin.

»Müde könnt ihr ja nicht mehr sein«, sinnierte er. »Geschlafen habt ihr ausreichend in Shanghai, also –«

»Ich habe kein Auge zugetan«, knurrte Yoyo. »Erst vorhin im Flieger.«

»Ging mir ähnlich«, gestand Jericho. »Immer, wenn ich dachte, ich schlafe ein, fiel ich in ein elektrisches Feld.«

»Mann, das ist es!« Yoyo riss die Augen auf und drückte reflexartig seine Hand. »Ganz genau so fühlt es sich an! Als ob dir jemand einen Stromstoß verpasst.«

»Ja, man zuckt zusammen –«

»Und schon bist du wieder wach! Die ganze Nacht lang.«

»Interessant.« Tu sah sie der Reihe nach an und schüttelte den Kopf. »Also, ich hab die kleine Depression 2010 verkraftet, die Yuan-Krise 2018, die Rezession vor zwei Jahren – ich habe mir von nichts den Schlaf rauben lassen.«

»Ach ja?«, sagte Yoyo gedehnt. »Hat man auch deine Freunde vor deinen Augen abgeschlachtet und dich anschließend beinahe zu Tode gehetzt?«

Tu legte den Kopf schief.

»Du glaubst also, du bist der einzige Mensch, der andere hat sterben sehen?«

»Keine Ahnung.«

»Eben.«

»Keine Ahnung, was *du* gesehen hast.«

»Wenn du keine Ahnung hast –«

»Nein, hab ich nicht!«, fauchte Yoyo. »Und weißt du, warum nicht? Weil du und mein Vater auf eurer elenden Vergangenheit brütet! Mir doch egal, was ihr erlebt habt. Maggie, Tony, Jia Wei und Ziyi sind vor *meinen* Augen in Fetzen geschossen worden. Xiao-Tong, Mak und Ye sind ebenfalls tot. Von Grand Cherokee will ich gar nicht erst anfangen, und dass mein Vater, Daxiong und Owen noch leben, grenzt an ein Wunder. Ich habe mir also gestattet, schlecht zu schlafen. Sonst noch kluge Sprüche?«

»Du solltest deine Gefühlsausbrüche –«

»Nein, *du* solltest!« Yoyo fuchtelte wild in der Luft herum. »Hongbing, sag deinem Kind die Wahrheit, du musst ihr Vertrauen schenken, du kannst nicht länger schweigen, bla bla bla. Oh Mann, du bist der Meister des Blabla, Tian, du bist ja *sooo* verständnisvoll und konstruktiv! Aber selber immer schön bedeckt halten, was?«

»Wenn ich kurz mal –«, begann Jericho.

»Du bist nämlich nicht besser als Hongbing, weißt du das?«

»He!« Jericho beugte sich vor. »Keine Ahnung, aus welchen Gründen *ihr* nach Berlin gekommen seid, aber ich will Andre Donner finden, klar? Also regelt euren Knatsch woanders.«

»Sag *ihm* das.«

Tu knetete verdrossen seine Hände. Er schlürfte Tee, biss ein Stück von einer Wurst ab, stopfte den Rest hinterher, knüllte seine Serviette zusammen und warf sie achtlos auf den Teller. Offenbar war er bei Weitem nicht so unangreifbar, wie er sich gerne gab. Eine Weile herrschte beleidigtes Schweigen.

»Also schön. Meinetwegen haut euch aufs Ohr. Aber irgendwann im Verlauf des Vormittags wäre es geraten, dass ihr euch mit dem Nötigsten eindeckt, Unterwäsche, T-Shirts, Kosmetik, was auch immer. Vielleicht sind wir ja morgen um die Zeit schon wieder zu Hause, vielleicht aber auch nicht. Schräg gegenüber ist eine Shopping Mall. Dreht eure Runde. Danach werden wir dem Muntu einen Besuch abstatten. Hat der Laden mittags eigentlich geöffnet?«

»Von zwölf bis zwei. Laut Webseite.«

»Gut.«

»Ich weiß nicht.« Jericho zerzupfte unschlüssig ein Croissant. »Wir sollten da nicht alle auf einmal aufkreuzen.«

»Warum nicht?«

»Wir wollen Donner schließlich warnen, nicht in die Flucht schlagen. Ein europäisch aussehender Typ, ein chinesisches Mädchen, okay. Das kann in einer Metropole als stinknormales Paar durchgehen. Ein weiterer Chinese, und Donner könnte misstrauisch werden.«

»Findest du? Berlin ist voller Chinesen.«

»Gehen sie in afrikanische Restaurants?«

»Ich bitte dich! Wir sind das weltoffenste Volk der Welt.«

»Ihr seid so weltoffen wie ein Staubsauger«, sagte Jericho. »Ihr verleibt euch alles ein, was nicht angeschraubt und fest genietet ist, aber gastronomisch seid ihr Ignoranten geblieben.«

»Du verwechselst uns mit Japanern.«

»Keineswegs. Japaner sind kulinarische Faschisten. Ihr seid Ignoranten.«

»Bei McDonald's sieht man das garantiert anders.«

»Ach komm!« Jericho musste lachen. Mit Tu übers Essen zu diskutieren, war in etwa so absurd wie einem Hai die Vorzüge des Vegetarismus zu erläutern. »Im Ausland geht ihr immer nur in chinesische Restaurants, oder? Ich meine ja auch nur, dass der Mann, der jetzt Donner heißt, mit Chinesen schlechte Erfahrungen gemacht hat, sofern unsere Theorien zutreffen. Er wird gesucht. Die Organisation, der Vogelaar und Kenny angehören, will ihn umbringen.«

»Hm.« Tu spitzte die Lippen. »Vielleicht hast du recht.«

»Klar hat er recht«, sagte Yoyo zu ihrem Teller.

»Also schön, ihr fahrt ins Muntu. Ich halte die Stellung.«

»Du könntest dich in der Zwischenzeit mit Diane vergnügen«,

schlug Jericho vor. »Versuch, mehr über die Umstände von Mayés Sturz in Erfahrung zu bringen. Und über Ndongo. Was treibt der Mann, was sind seine Interessen, wer protegiert ihn? Warum erfährt man nichts mehr aus Äquatorialguinea?«

»Ich glaube, ich weiß es schon.«

Jericho horchte auf. Selbst Yoyo schien ihren Anfall von Gekränktheit überwunden zu haben und setzte eine erwartungsvolle Miene auf. Tu massierte mit gespreizten Fingern das Erdenrund seines Bauches.

»Und?«

»Später«, Tu erhob sich. »Ihr habt zu tun, ich habe zu tun. Schlaft euch aus. Danach könnt ihr mein Konto plündern gehen.«

Jericho hätte es vorgezogen, Donner gleich nach der Landung aufzusuchen und notfalls aus dem Bett zu schellen, doch nirgendwo war eine Privatadresse verzeichnet. Er wies den Hotelcomputer an, ihn um 10.00 Uhr zu wecken. Einmal mehr fürchtete er die Albtraumrevue der vergangenen Nacht zu erleben, unterbrochen von Phasen, in denen er seinen Augendeckel von innen anstarrte, stattdessen schlief er zwei Stunden lang tief und traumlos und erwachte in besserer Stimmung und voller Tatendrang. Auch Yoyo wirkte aufgeräumter. Sie schlenderten durch die Mall, erstanden Unterwäsche, Shirts und Zahnbürsten und kommentierten den Alltag um sie herum. Yoyo kaufte mehrere Flaschen Sprühkleidung. Es war heiß und sonnig in Berlin, sodass sie außer den paar Sachen nicht viel brauchten. Jericho vermied es, sie auf ihr Privatleben anzusprechen. Er wusste nicht recht, wie er mit dem Mädchen umgehen sollte, da es zur Abwechslung mal nichts zu recherchieren und vor nichts zu fliehen gab. Yoyo legte eine nahezu brüskierende Unbekümmertheit an den Tag, indem sie in knappen Oberteilen vor ihm herumtänzelte, ihn alle paar Minuten anfasste, hierhin und dorthin zog und ihm dabei so nahe kam, dass sich als einzige Erklärung ihr völliges sexuelles Desinteresse an seiner Person aufdrängte.

Genauso ist es, pflichtete der pickelige Junge aus dem Halbschatten der Schulhofecke bei, dem Trost von *Radiohead*, *Keane* und *Oasis* anvertraut. So sind die Weiber, weil du für sie ein Ding bist und nichts, was Begierden äußern oder Absichten hegen könnte. Ein Zellkonglomerat, das einzig ins Leben gespuckt wurde, um Kumpel zu sein. Eher würden sie der erotischen Anziehungskraft ihres Teddybären erliegen, als auf die Idee zu kommen, dass du dich in sie verlieben könntest.

Leck mich, sagte Jericho. Schwuchtel.

Danach verzog sich das eiternde, von Bartrudimenten begraste Gespenst, und er gewann zunehmend Geschmack an Yoyos Gesellschaft. Dennoch war er froh, als der Zeiger gegen zwölf rückte und es Zeit wurde, in die Oranienburger Straße zu fahren. Das Muntu lag im Erdgeschoss eines schön sanierten Altbaus wenige hundert Meter vom Ufer der Spree entfernt, wo die Museumsinsel wie ein gestrandeter Riesenwal das Wasser teilte. Beinahe wären sie daran vorbeigelaufen – das winzige Restaurant zwängte sich lauernd zwischen eine Buchhandlung für Erweckungsliteratur und eine Filiale der Bank of Beijing, als wollte es vorbeieilende Passanten aus dem Hinterhalt anspringen. Tür und Fenster waren überspannt von einem rissigen Holzpaneel, auf dem in archaisch anmutenden Lettern MUNTU zu lesen stand, mit der Unterzeile *Zauber westafrikanischer Küche.*

»Hübsch«, sagte Yoyo und trat ein.

Jericho schaute sich um. Ockerfarbene und bananengelbe Wände, an den Fußleisten blau abgesetzt. Batikgemusterte Tischdecken, über denen Papierleuchten hingen wie riesige, glimmende Runkelrüben. Holzsäulen und Deckenbalken bemalt und mit Schnitzereien verziert. Die Stirnseite des quadratischen Raums wurde von einer rustikal gestalteten Bar dominiert, links davon führten folkloristisch gemusterte Flügeltüren in die Küche. Kriegerskulpturen, Speere, Schilde und Masken, wie man sie in vergleichbaren Etablissements vorfand, suchte man hier vergebens, ein wohltuender Mangel, der auf Authentizität schließen ließ.

Nur wenige Plätze waren besetzt. Yoyo steuerte einen Tisch nahe der Bar an. Aus dem Halbschatten hinter dem Tresen löste sich eine Erscheinung und kam zu ihnen herüber. Die Frau mochte Anfang 40 sein, möglicherweise älter. Bei Afrikanerinnen stellte sich die Faltenbildung erst spät ein, was die Schätzung erschwerte. Ihr eng anliegendes Kleid war in kräftigen, erdigen Farben gehalten, aus einer Explosion von Rastalocken entfaltete sich ein passender Kopfputz. Sie war sehr dunkel und ziemlich attraktiv, mit einem Lachen, das den Kompromiss des Lächelns nicht zu kennen schien.

»Ich heiß' Nyela«, sagte sie in gutturalem Deutsch. »Wollt ihr was trinken?«

Yoyo blickte irritiert zu Jericho. Er setzte einen imaginären Becher an die Lippen.

»Ach so«, sagte Yoyo. »Cola.«

»Wie langweilig.« Augenblicklich wechselte Nyela ins Englische. »Schon mal Palmwein probiert? Gegorener Palmensaft aus Blütenkolben.«

Ohne eine Zustimmung abzuwarten, verschwand sie hinter der Bar, kehrte mit zwei Bechern eines milchigen Getränks zurück und legte englische Speisekarten vor sie hin.

»Das Straußenfilet ist aus. Bin gleich wieder da.«

Jericho nahm einen Schluck. Der Wein schmeckte gut, kühl und etwas säuerlich. Yoyos Augen folgten Nyela zum Nebentisch.

»Und jetzt?«

»Bestellen wir was.«

»Warum fragst du sie nicht nach Donner? Ich dachte, es eilt.«

»Tut es auch.« Jericho beugte sich vor. »Ich find's bloß keine so gute Idee, gleich mit der Türe ins Haus zu fallen. An seiner Stelle wäre ich misstrauisch, wenn jemand ohne Grund nach mir fragen würde.«

»Wir fragen aber nicht grundlos.«

»Und was willst du ihm ausrichten lassen? Dass er liquidiert werden soll? Dann geht er uns durch die Lappen.«

»Irgendwann *müssen* wir nach ihm fragen.«

»Tun wir ja auch.«

»Na schön, du bist der Boss.« Yoyo schlug ihre Karte auf. »Wonach ist dir denn heute, Boss? Ragout von der Kudu-Antilope vielleicht? Affenpimmel mit lebend gehäuteten Fröschen?«

»Sei nicht albern.« Jericho ließ seinen Blick über Vorspeisen und Hauptgerichte wandern. »Klingt doch alles sehr gut. Jolof-Reis zum Beispiel. Kenn ich aus London.«

»Nie gegessen.«

»Nur Mut«, spottete Jericho. »Was meinst du, was Europäer in Sichuan zu erdulden haben.«

»Na, ich weiß nicht. Adalu. Akara. Dodo.« Ihre Pupillen zuckten hin und her. »Mann, das sind vielleicht Namen. Wie wär's mit Nunu, Owen? Schönes Nunu.«

Jericho stutzte. »Du stehst auch auf der Karte.«

»Hä?«

»Efo-Yoyo-Stew!« Er lachte laut auf. »Jetzt ist ja wohl klar, was du bestellst.«

»Bist du bescheuert? Was soll denn das sein?« Sie runzelte die Brauen und las: »Spinatsauce mit Krabben und Hähnchen und – Ishu? Was zum Teufel ist Ishu?«

»Yamsknödel.« Die schwarze Frau war wieder an ihren Tisch getreten. »Kein Fest ohne Yams.«

»Was ist Yams?«

»Eine Wurzel. Die Königin aller Wurzeln! Die Frauen kochen sie und zerstoßen sie dann in Mörsern. Gibt ordentlich Muskeln.« Nyela lachte tief und melodisch und präsentierte einen wohlgeformten Bizeps. »Männer sind zu faul dafür. Wahrscheinlich auch zu dumm, entschuldige, mein Freund.« Ihre Hand grub sich vertraulich in Jerichos Schulter. Ein würziger Duft ging von ihr aus, eine raue Verführung.

»Wissen Sie was?«, sagte Jericho gut gelaunt. »Stellen Sie uns einfach was zusammen.«

»Schon mal kein dummer Mann«, beschied Nyela und zwinkerte Yoyo zu. »Lässt die Frauen entscheiden.«

Sie verschwand in der Küche. Kaum zehn Minuten später brachte sie zwei von Speisen überbordende Tabletts angeschleppt.

»*Paradise is here*«, sang sie.

Yoyo, das Gesicht ein Relief des Misstrauens, sah zu, wie Nyela Tellerchen und Schälchen vor ihnen abstellte.

»Ceesbaar, Pfannkuchen aus Plaintain, Kochbananen. – Akara, frittierte Klößchen mit Shrimps. – Samosas, Teigtaschen mit Hackfleisch. – Das da sind Moyinmoyin, Bohnenkuchen mit Krabben und Putenfleisch. Daneben Efo-Egusi, Spinat mit Melonenkernen, Rind und Stockfisch. – Hier, Nunu, aus Hirse und Joghurt. – Dann noch Adalu, Bohnen-Bananen-Eintopf mit Fisch. Brochetten, kleine Fleischspieße. Dodo, in Erdnussöl gebraten, und – Tapiocapudding!«

»Ah«, machte Yoyo.

Jericho streckte die Finger aus und probierte in rascher Folge Akara, Samosas und Moyinmoyin.

»Köstlich«, rief er, bevor Nyela wieder entwischen konnte. »Wie kommt es, dass ich das Muntu nicht kenne?«

Nyela zögerte. Sie erspähte eine gehobene Hand am Nebentisch, entschuldigte sich, nahm Bestellungen auf, gab sie an die Küche weiter und kehrte zu ihnen zurück.

»Ganz einfach«, sagte sie. »Wir haben erst vor einem halben Jahr aufgemacht.«

Jericho stopfte sich den Mund voll Nunu, während Yoyo zaghaft an einem Fleischspießchen knabberte. »Und wo waren Sie vorher?«

»Afrika. Kamerun.«

»Sie sprechen hervorragend Englisch.«

»Geht so. Deutsch ist viel schwerer. Komische Sprache.«

»Ist Kamerun nicht französisch?«, fragte Yoyo.

»Afrikanisch«, sagte Nyela mit einem Gesichtsausdruck, als hätte Yoyo gerade einen guten Witz gerissen. »Kamerun *war* mal französisch. Zu größten Teilen jedenfalls. Man spricht Bantu, Kotoko und Shuwa, französisch, englisch, Camfranglais.«

»Und Sie sind es, die all diese wunderbaren Dinge kocht?«, fragte Jericho.

»Das meiste.«

»Nyela, Sie sind eine Göttin.«

Nyela lachte so laut, dass die Papierleuchte erzitterte.

»Ist der immer so charmant?«, wollte sie wissen. »So ein charmanter Lügner?«

Yoyo blieb die Antwort schuldig und hustete. Eben schien ihr aufgefallen zu sein, dass die Schärfe der Pfannkuchen mit heimtückischer Verzögerung zuschlug. Jericho nahm einen Schluck Palmwein.

»Gut, Nyela, wir haben ein bisschen Theater gespielt. Tatsächlich ist uns das Muntu empfohlen worden. Ganz zufällig sind wir also nicht hier. Wir würden Sie gerne in einen Gastronomieführer aufnehmen. Wären Sie interessiert?«

»Was für ein Führer?«

»Ein virtueller Stadtführer«, sagte Yoyo, die sich wieder gefangen hatte und mit leuchtenden Augen auf Jerichos Idee einstieg. »Man kann Ihr Restaurant darin dreidimensional erleben, indem man eine Holobrille aufzieht. Kennen Sie sich mit Holografie aus?«

Nyela schüttelte den Kopf, sichtlich amüsiert. »Ich verstehe was von Juristerei, Kind. Ich hab in Jaunde Jura studiert.«

»Sie müssen sich das so vorstellen. Wir produzieren ein begehbares Abbild des Restaurants als Computerprogramm. Mit der nötigen Ausrüstung können Ihnen die Leute dann in die Töpfe gucken. Aber es gibt auch eine schlichtere Variante. Einen Eintrag ins Internet.«

»Kapier' ich nicht, klingt aber gut.«

»Sind Sie dabei?«

»Klar.«

»Dann müssen wir eigentlich nur noch die Formalitäten hinter uns bringen«, sagte Jericho. »Wenn ich recht informiert bin, sind Sie nicht die Besitzerin?«

»Das Muntu gehört meinem Mann.«

»Andre Donner?«

»Ja.«

»Ach, *Sie* sind Frau Donner?« Er hob in gespieltem Begreifen die Brauen. »Darf ich fragen – Ihr Mann – ich meine, Donner ist kein afrikanischer Name –«

»Burisch. Andre stammt aus Südafrika.«

»Nein, was für eine Liebesgeschichte!«, rief Yoyo entzückt. »Südafrika und Kamerun.«

»Na, und ihr zwei?«, grinste Nyela. »Was ist eure Geschichte?«
Jericho wollte etwas erwidern. Yoyos Finger kamen flink wie ein
Eichhörnchen anspaziert und legten sich über seine.
»Shanghai und London«, flüsterte sie glücklich.
»Auch nicht schlecht«, freute sich Nyela. »Ich sage dir was, Kind.
Liebe ist eine Sprache, die jeder versteht. Man braucht gar keine andere
mehr zu sprechen.«
»Wir –«, begann Jericho.
»– lieben uns und arbeiten zusammen«, lächelte Yoyo. »Genau wie
Sie und Ihr Mann. Es ist einfach wunderbar!«
Jericho meinte, Streicher aufspielen zu hören. Er wusste nicht, wie
er seine Hand zurückziehen sollte, ohne sich gegenteiliger Meinung
verdächtig zu machen. Nyela schaute vom einen zum anderen, sichtlich gerührt.
»Und wo habt ihr euch kennengelernt?«
»In Shanghai.« Yoyo kicherte. »Ich war seine Fremdenführerin. Genauer gesagt, er hatte so eine Brille auf, so ein Holo-Dings. Owen hat
sich in meine Holografie verliebt, ist das nicht süß? Danach hat er alles darangesetzt, mich kennenzulernen. Erst wollte ich nicht, aber –«
»Verrückt.«
»Ja, und Sie? Wo haben Sie sich getroffen? Südafrika? Oder ist er
nach Äquatori –«
»Entschuldige, wenn ich dich unterbreche«, fuhr ihr Jericho dazwi-
schen. »Aber du weißt, wir haben noch einiges vor. Also, Nyela, wir
müssen, um den Eintrag vorzubereiten, mit Ihrem Mann sprechen. Das
gebietet die Vorschrift. Vielleicht ist er ja da?«
Nyela sah ihn nachdenklich aus ihren leuchtend weißen Augen an.
Dann zeigte sie auf den Tapiocapudding.
»Schon probiert?«
»Noch nicht.«
»Dann kommt ihr vorläufig sowieso nirgendwohin.« Ihr Grinsen
bestrahlte den Raum. »Nicht, bevor ihr alles aufgegessen habt.«
»Kein Problem«, säuselte Yoyo. »Owen liebt afrikanische Küche.
Nicht wahr, Püppchen?«
Jericho glaubte, sich verhört zu haben.
»Ich nenne ihn manchmal Püppchen«, vertraute sich Yoyo der un-
geniert interessierten Nyela an. »Wenn wir ganz unter uns sind.«
»So wie jetzt?«
»Ja, so wie jetzt. Was ist, Püppchen, bleiben wir noch ein bisschen?«
Jericho starrte sie an. »Sicher, Krötensack. Wenn du meinst.«

Yoyos Lächeln überzog sich mit Frost. Ihre Finger traten den Rückzug an. Jericho registrierte es mit einer Mischung aus Bedauern und Erleichterung.

»Andre ist übrigens nicht hier«, sagte Nyela. »Wie lange bleiben Sie denn noch in Berlin?«

»Nicht lange. Unser Flieger geht ziemlich früh.« Jericho kratzte sich am Hinterkopf. »Es gibt nicht zufällig eine Möglichkeit, ihn kurzfristig zu treffen? Heute Abend zum Beispiel?«

»Eigentlich haben wir heute Abend geschlossen. Andererseits –« Nyela legte einen Finger auf ihre Lippen. »Okay, warten Sie. Bin gleich wieder da.«

Sie verschwand durch die Schwingtür.

»Hast du mich eben Krötensack genannt?«, fragte Yoyo leise.

»Mehr noch. Ich hab's sogar so gemeint.«

»Oh. Danke.«

»Keine Ursache – Püppchen.«

»Wieso?«, protestierte sie. »Das war nett! Ich hab was Nettes gesagt, und du –«

»Sei froh, dass mir nichts Schlimmeres rausgerutscht ist.«

»He, Owen, was soll das?« Zwischen Yoyos Brauen bildete sich eine steile Falte. »Ich dachte, du verstehst Spaß.«

»Du hast dich verplappert, du blöde Nuss! Du wolltest Äquatorialguinea sagen.«

»Wollte ich nicht.«

»Ich hab's doch gehört.«

»Sie aber nicht.« Yoyo verdrehte die Augen. »Okay, tut mir leid, reg dich ab. Allenfalls hat sie Äquator verstanden. Stimmt ja auch, oder? Kamerun liegt auf dem Äquator.«

»*Gabun* liegt auf dem Äquator.«

»Blöder Besserwisser.«

»Kröte.«

»Arsch!«

»Haben wir eine Beziehungskrise?«, spottete Jericho. »Wir sollten den Bogen nicht überspannen, Liebling, sonst können wir gleich wieder gehen.«

»Ich hab den Bogen also überspannt? Weil ich nett zu dir war?«

»Blödsinn. Weil du nicht aufgepasst hast.«

Er wusste, dass er zu schroff reagierte, doch seine Wut kochte über. Yoyo sah verdrossen zur Seite. Sie schwiegen noch immer, als Nyela wieder an ihren Tisch trat.

»Schade«, sagte sie. »Andre ist offenbar unterwegs. Nicht erreichbar. Aber er müsste sich in den nächsten Stunden bei mir melden. Können Sie mir Ihre Nummer geben? Ich rufe Sie an.«

»Klar.« Jericho schrieb seine Handynummer auf eine Papierserviette. »Ich lasse das Telefon eingeschaltet.«

»Wir möchten gerne in diesen Führer.« Nyela lachte ihr kehliges, afrikanisches Lachen. »Auch wenn ich von Holobrillen nix verstehe.«

»Wir nehmen Sie rein«, lächelte Jericho. »Mit oder ohne Brille.«

»Restaurantführer. Tolle Idee!«

Yoyo hampelte schiefmäulig hinter ihm her, als sie das Muntu verließen. Das Mittagslicht war von kristallener Klarheit, ein heißer Berliner Frühsommertag, der Himmel ein umgedrehter, blitzblauer Swimmingpool. Jericho hatte keinen Blick dafür. Er überquerte die Straße, marschierte in den Schatten der gegenüberliegenden Gebäudereihe und blieb so plötzlich stehen, dass Yoyo fast in ihn hineingelaufen wäre. Er drehte sich um und fixierte das Restaurant.

»Sie hat nichts gemerkt«, versicherte Yoyo. »Bestimmt nicht.«

Jericho antwortete nicht. Er starrte nachdenklich zum Muntu hinüber. Yoyo trat auf der Stelle, baute sich vor ihm auf und wedelte mit der Hand vor seinen Augen herum.

»Alles klar, Owen? Jemand zu Hause?«

Er rieb seinen Nasenrücken. Dann schaute er auf die Uhr.

»Gut, du musst nicht mit mir reden«, flötete sie. »Wir könnten uns schreiben. Ja, das ist gut! Du könntest alles auf kleine Zettel schreiben und sie jemandem geben, der sie mir gibt. Und ich –«

»Du kannst dich nützlich machen.«

»Oh, menschliche Laute!« Yoyo verbeugte sich vor einem imaginären Publikum. »Ladies and Gentlemen, die Sensation ist perfekt. Dieser Mann hat gesprochen. Voller Stolz präsentieren wir Ihnen –«

»Du wirst Nyela beschatten.«

»Wie bitte?«

»Keine Ahnung, ob sie deinen Ausrutscher registriert hat, aber eines kaufe ich ihr nicht ab: dass sie Donner nicht erreicht haben will.«

»Wieso?«

»Sie war zu lange in der Küche.«

»Du meinst, Donners Misstrauen wäre geweckt, wenn jemand sein Restaurant in einen Führer aufnehmen will?«

»Du hast doch selber gesagt, tolle Idee.« Jericho funkelte sie an. »Die Ironie war deutlich genug.«

»Kannst du mal aufhören, sauer zu sein?«

»Es gibt zwei Möglichkeiten. Entweder sie hat es geschluckt. Dann muss *er* es noch lange nicht schlucken. Insofern egal, welches Märchen wir aufgetischt haben. Donner wird grundsätzlich misstrauisch sein, allem und jedem gegenüber. Möglichkeit zwei, sie glaubt uns kein Wort. So oder so muss er rausfinden, wer wir sind, was wir von ihm wollen, was wir zu erzählen haben. Er muss sich Gewissheit verschaffen. Ich schätze, die beiden haben vorhin telefoniert. Wenn Nyela das Restaurant verlässt, kann es also sein, dass sie ihn trifft. – Andere Variante, er taucht hier auf.«

»Wozu?«

»Um rechtzeitig da zu sein, bevor ihn jemand in seinem eigenen Laden überraschen kann. Vielleicht auch nur, um Zwiebeln zu schneiden. Weil er zu tun hat. Was weiß ich.«

»Soll heißen, du überwachst das Restaurant.«

Jericho nickte. »Ist dir die Kamera aufgefallen?«, fragte er, um einen freundlicheren Tonfall bemüht.

»Welche Kamera?«

»Über der Bar war eine Kamera installiert. Sie hat nicht wie eine ausgesehen, aber ich kenne die Dinger. Das Muntu wird überwacht. Vielleicht will Donner sich die Aufnahmen ansehen, bevor er einem Treffen zustimmt.«

»Was ist, wenn nichts davon eintrifft? Wenn du dich irrst?«

»Dann warten wir, bis Nyela uns anruft. Oder dich zur Privatwohnung der Donners führt.«

»Ich meine, wenn er gar nicht misstrauisch *ist*. Wenn er uns wirklich wegen des Gastronomieführers treffen will, bloß erst heute Abend. Verspielen wir nicht gerade die Chance, ihn *rechtzeitig* zu warnen? Müssten wir Nyela nicht die Wahrheit sagen?«

»Mit dem Ergebnis, dass er sich absetzt? Eigentlich sind wir nicht hergekommen, um ihm das Leben zu retten, sondern um etwas von ihm zu *erfahren*. Dafür müssen wir ihn *treffen!*«

»Das weiß ich selber«, versetzte Yoyo ärgerlich. »Aber wenn er tot ist, kann er uns nichts mehr erzählen.«

»Yoyo, verdammt noch mal, du hast ja recht! Nur, was sollen wir tun? Irgendein Risiko müssen wir eingehen. Und, glaub mir, er *ist* misstrauisch! Vielleicht misstraut er sogar Nyela.«

»Seiner eigenen Frau?«

»Ja, seiner Frau. Traust du ihr?«

»Na schön«, murmelte Yoyo. »Spiele ich halt Nelés Schatten.«

»Mach das. Ruf an, wann immer dir irgendwas auffällt.«

»Möglich, dass ich den Wagen brauche.«

Jericho sah sich um und erspähte ein Starbucks. Den Audi hatten sie wenige Meter weiter geparkt, in Sichtweite des Muntu.

»Kein Problem. Wir setzen uns da rein, trinken Kaffee und behalten den Laden im Auge. Wenn sie geht, folgst du ihr. Zu Fuß, mit dem Wagen, je nachdem, was nötig ist. Ich halte die Stellung.«

»Wir wissen nicht mal, wie Donner aussieht.«

»Weiß, schätze ich. Burischer Name, Südafrika –«

»Toll«, sagte Yoyo. »Das engt den Kreis beträchtlich ein.«

»Ich kann ihn gern wieder erweitern. Falls Donner einer Mischehe entstammt. Er wäre nicht der erste Schwarze am Kap, der einen weißen Nachnamen trägt.«

»Du verstehst es wirklich, Menschen Mut zu machen.«

»Ja, dafür bin ich gefürchtet.«

Jericho hatte sich die Gesichter der anderen Gäste eingeprägt. Nachdem er und Yoyo den Laden verlassen hatten, waren drei weitere Pärchen hineingegangen, außerdem ein einzelner, älterer Mann in Begleitung seines unablässig kläffenden Alter Ego. Im Folgenden sahen sie zu, wie sich das Muntu nach und nach wieder leerte. Mann und Hund gingen als Letzte, danach war Jericho sicher, dass sich kein weiterer Gast mehr dort aufhielt. Die Zeit zog sich dahin. Yoyo trank Tee in rauen Mengen. Um kurz nach drei trat ein dunkelhäutiger Mann auf die Straße, kettete ein Fahrrad los und strampelte von dannen. Offenbar jemand vom Küchenpersonal, vielleicht Nelés Hilfskoch.

»Und das ist nun dein Job?«, fragte sie, wobei sie es schaffte, nicht verächtlich zu klingen. »Stundenlang Leute observieren?«

»Die meiste Zeit bin ich im Netz.«

»Toll. Und was tust du da?«

»Leute observieren.«

»Mann, ist das öde.« Sie zog einen tropfenden Teebeutel aus ihrem Becher. »Eine einzige, öde Warterei.«

»Da bin ich ganz und gar nicht deiner Meinung. Man hat jede Menge Spaß und reichlich Abwechslung. Mitunter schießt jemand ein Stahlwerk in Brand. Es gibt hübsche kleine Verfolgungsjagden, man rettet Menschen und fliegt unversehens um die halbe Welt. Ist dein Leben um so vieles aufregender?«

In Erwartung ihrer Missbilligung schaute er weiter zum Fenster hinaus, doch Yoyo schien ernsthaft darüber nachzudenken.

»Nein«, sagte sie. »Ist es nicht. Aber geselliger.«

»Auch Gesellschaft kann einen fertigmachen«, sagte Jericho und schnitt ihr mit einer Handbewegung das Wort ab. Soeben verließ Nyela das Muntu. Sie hatte die farbenfrohe Folklore ihres Kleides gegen Jeans und T-Shirt eingetauscht.

»Dein Einsatz«, sagte er.

Yoyo ließ ihren Teebeutel fallen, raffte Autoschlüssel und Handy an sich und lief nach draußen. Jericho sah zu, wie sie den Audi startete. Nyela entfernte sich mit ausgreifenden Schritten und verschwand um eine Hausecke. Der Wagen folgte ihr langsam. Jericho hoffte, dass Yoyo sich nicht allzu auffällig verhielt. Er hatte versucht, ihr in kurzen Zügen die Grundregeln einer dezenten Observierung begreiflich zu machen, wozu auch gehörte, dem Objekt der Beobachtung nicht mit der Stoßstange in die Kniekehlen zu fahren.

Schon zehn Minuten später meldete sie sich.

»Zwei Straßen weiter liegt ein Parkhaus. Nyela hat es gerade verlassen.«

»Was fährt sie?«

»Einen Nissan OneOne. SolarHybrid.«

Ein kleines, wendiges Stadtauto, konzipiert für hohe Verkehrsdichte, das seine Bodenfläche verringern konnte, indem es den Radstand verkürzte. Dagegen war der Audi ein schwerfälliges Monstrum, nur auf Schnellstraßen überlegen.

»Bleib an ihr dran«, sagte er. »Gib mir Nachricht, wenn was passiert.«

Danach rief er Tu an und brachte ihn auf den neuesten Stand.

»Und wie läuft's bei dir?«

»Macht Spaß mit Diane«, sagte Tu. »Hübsches Programm. Nicht mehr ganz auf der Höhe, aber wir unterhalten uns prächtig.«

»Das Programm ist *ganz* neu«, protestierte Jericho.

»Ganz neu ist, was noch nicht gebaut wurde«, belehrte ihn Tu.

»Komm zur Sache.«

»Also, hinsichtlich Ndongos: Er scheint sich um mehr Ausgewogenheit zu bemühen als während seiner ersten Amtszeit, widersteht dem chinesischen Einfluss, diesmal jedoch, ohne Peking zu brüskieren. Seine Sympathien gehören eindeutig Washington und der EU. Andererseits hat er Anfang des Jahres verlauten lassen, die Interessenlage sämtlicher Länder gleichermaßen berücksichtigen zu wollen, solange diese nicht Züge wirtschaftlicher Annexion erkennen lassen, und der Sinopec ein paar Brocken rübergeschoben. Darüber hinaus ist er nach Kräften bemüht, den Saustall aufzuräumen, den Mayé hinterlassen hat.«

»Klingt weniger nach Marionette als früher.«

»Stimmt. Und weißt du auch, warum? Wir wissen es alle! Sie haben Öl da unten und Gas. Beides in rauen Mengen. Antworten auf Fragen, die keiner mehr stellt. Da liegt das Problem, und es scheint auch Mayés Problem geworden zu sein. Verstehst du?«

»Helium-3?«

»Was denn sonst?«

Aber natürlich! Jeder wusste es. Nur dass man allzu schnell aus den Augen verlor, wer von der veränderten Situation betroffen war, die das Mondgeschäft mit sich brachte.

»Anfang 2020 war klar, dass Helium-3 die fossilen Brennstoffe verdrängen würde«, sagte Tu. »Die Vereinigten Staaten setzten alles auf diese eine Karte. Auf die Entwicklung des Weltraumlifts, den Ausbau der Infrastruktur auf dem Mond, auf die kommerzielle Förderung von Helium-3, auf Julian Orley. Der wiederum arbeitete fieberhaft an seinen Fusionsreaktoren. Damals haben Orley und die USA eine gewaltige Blase erzeugt. Es hätte entsetzlich schiefgehen können, wäre sie geplatzt. Der größte Konzern aller Zeiten wäre wie eine Splitterbombe auseinandergeflogen, die USA mit ihrer einseitigen Ausrichtung auf den Mond hätten schmerzliche Rückschläge im fossilen Poker hinnehmen müssen, Millionen und Abermillionen Menschen hätten ihr Geld verloren. Afrika könnte weiter im Reichtum schwimmen, die leidigen Bürgerkriege aus den Öleinnahmen bestreiten und den reichen Nationen Bedingungen diktieren. Erinnere dich, 2019, der Barrelpreis.«

»Da war er noch mal oben.«

»Ein letztes Mal. Denn wir wissen, es *hat* funktioniert! Orley und die USA haben ihren Lift gebaut, vor allem als Erste gebaut! Ich hab's noch mal minutiös recherchiert, Owen. Am 1. August 2022 wurde die Mondbasis in Betrieb genommen, wenige Tage darauf die amerikanische Förderstation. Zwei Wochen später begann offiziell der Abbau von Helium-3. Anderthalb Monate später, am 5. Oktober, geht der erste Orley-Reaktor ans Netz und erfüllt alle Erwartungen. Das Fusionszeitalter hat begonnen, Helium-3 ist die Energiequelle der Zukunft. Im Dezember liegt der Barrelpreis bei 120 Dollar, im darauffolgenden Februar sinkt er auf 76 Dollar, und im März zieht China nach und schickt seinerseits die ersten Helium-3-Lieferungen zur Erde, wenngleich mit konventioneller Raketentechnologie und in verschwindend geringen Mengen. Dennoch, die zwei rohstoffhungrigsten Nationen sind auf dem Mond. Andere hecheln hinterher, Indien, Japan, die Europäer, wie besessen bemüht, ihren Claim abzustecken. Nicht, dass

Öl keine Rolle mehr spielt, aber die Abhängigkeit schwindet. Sommer 2023, 55 Dollar pro Barrel. Herbst, 42 Dollar. Selbst das war mal viel, doch es geht weiter nach unten. Man sollte erwarten, dass fleißig gekauft wird, so billig kriegt man's nie wieder, doch Fehlanzeige. Die wichtigen Verbrauchernationen haben ihre Vorräte beizeiten angelegt. Niemand sieht Bedarf nach weiteren Depots, im Automobilsektor entwickelt sich Strom zur seriösen Option. Die Rohstoffe exportierenden Länder, die ausschließlich auf die Einnahmen aus dem Öl- und Gasgeschäft gesetzt und dabei ihre einheimische Wirtschaft vernachlässigt haben, bekommen den Ressourcenfluch mit ganzer Härte zu spüren, gerade in Afrika. Potentaten wie Obiang oder Mayé sehen das Ende heraufdämmern. Jetzt rächt es sich, dass sie ihre Länder haben zu Tode melken lassen. Sie machen nicht länger die Spielregeln. Ihre Kumpels aus Übersee, die man jahrzehntelang so herrlich gegeneinander ausspielen konnte, haben die Buckelei satt, und jetzt verlieren sie zu allem Überfluss auch noch das Interesse an Öl! – Das, mein Freund, ist der Grund, warum Washingtons Empörung in Sachen Mayé mit der Zeit immer einstudierter klang. Für China ist es beschlossene Sache, mit Amerika gleichzuziehen und sich aus der fossilen Fessel zu befreien. Also was macht der Mann in seinem Wahn?«

»Du willst doch nicht im Ernst behaupten, dass Mayé sein idiotisches Weltraumprogramm gestartet hat, um auf dem Mond zu landen und Helium-3 zu fördern.«

»Doch. Genau das.«

»Tian, ich bitte dich. Das war ein Irrer. Der Folterknecht eines Landes, dessen technologischer Standard in der mühsamen Aufrechterhaltung eines funktionierenden Stromnetzes gipfelte.«

»Sicher. Aber er hat es gesagt.«

»Dass er auf den Mond will? – Mayé?«

»Hat er gesagt. Diane hat entsprechende Zitate von ihm aufgestöbert. Klar war er ein Schwachkopf. Andererseits haben Experten der Rampe Funktionsfähigkeit attestiert. Immerhin hat er damit einen Nachrichtensatelliten in den Orbit befördert.«

»Der ausfiel.«

»Trotzdem. Der Abschuss hat geklappt.«

»Wie hat er die Rampe überhaupt finanziert?«

»Schätze, er hat den Staatshaushalt dafür verwendet. Krankenhäuser schließen lassen, was weiß ich. Interessant ist, dass Mayés Sturz definitiv nicht aus dem Interesse anderer Länder an seinem Öl erfolgte. Was also hat Peking derart geängstigt, dass sie sich genötigt sahen, die herrschende Clique eines wirtschaftlich wie politisch uninteressant gewordenen Ländchens im Westen Afrikas bis auf den letzten Mann zu beseitigen? Diese Frage vor Augen, habe ich weitergesucht – und etwas gefunden.«

»Lass hören.«

»28. Juni 2024, einen Monat vor seinem Tod, geißelt Mayé im staatlichen Fernsehen die Ausbeutermentalität der Ersten Welt und richtet explizit Vorwürfe an die Adresse Pekings. China habe Afrika fallen lassen wie eine heiße Kartoffel, versprochenes Geld träfe nicht ein, überhaupt sei man dort verantwortlich für das Verdorren des kompletten Kontinents.«

»Mayé, der Anwalt Afrikas?«

»Ja, lächerlich, was? Im Verlauf seiner Äußerungen ist ihm dann allerdings was rausgerutscht, was er wohl besser runtergeschluckt hätte. Sollte Peking seinen Verpflichtungen nicht nachkommen, sähe er sich gezwungen, mit Informationen hausieren zu gehen, die China international belasten würden. Er hat der Partei ganz offen gedroht.« Tu machte eine Pause. »Einen Monat später konnte er nichts mehr erzählen.«

»Und er hat keinerlei Andeutung gemacht, worum es dabei ging?«

»Indirekt schon. Sein Land werde sich von niemandem unterkriegen lassen. Insbesondere werde man das Weltraumprogramm ausbauen und einen weiteren Satelliten hochschießen, und gewisse Zeitgenossen wären gut beraten, ihn dabei nach Kräften zu unterstützen, andernfalls gäbe es ein böses Erwachen.«

Jericho stutzte. »Was hatte China mit Mayés Weltraumprogramm zu schaffen?«

»Offiziell nichts. Allerdings kann sich der Dümmste an seinen zehn Fingern abzählen, dass niemand in Äquatorialguinea imstande gewesen wäre, so was zu bauen. Ich meine, physisch vielleicht schon, aber nicht, es zu konstruieren. Mayé hatte lediglich die Idee zu dem Vorhaben. Er hat mit seinen Millionen gewinkt, und sie kamen von überall her: Ingenieure, Konstrukteure, Physiker. Aus aller Welt, Franzosen, Deutsche, Russen, Amerikaner, Inder. Schaut man allerdings genauer hin, fällt ein Name ganz besonders auf – Zheng Pang-Wang.«

»Die Zheng Group?«, rief Jericho überrascht.

»Genau die. Große Teile der Konstruktion lagen in Zhengs Händen.«

»Soweit ich weiß, ist Zheng massiv ins chinesische Raumfahrtprogramm eingebunden.«

»Raumfahrt und Reaktortechnik. Nicht alleine, dass Zheng Pang-

Wang einer der zehn reichsten Menschen der Welt ist und enormen Einfluss auf die chinesische Politik ausübt, er scheint auch beschlossen zu haben, das asiatische Pendant zu Julian Orley zu werden. Die Kader setzen allergrößte Hoffnungen in ihn. Sie erwarten, dass er ihnen früher oder später einen eigenen Weltraumlift und einen funktionierenden Fusionsreaktor baut. Bis jetzt ist er beides schuldig geblieben. Es geht das Gerücht, dass er weit größere Anstrengungen darauf verwendet, ORLEY ENTERPRISES zu infiltrieren und auszuspionieren. Auf offiziellem Parkett versucht er, Orley für eine Fusion zu gewinnen. Es heißt sogar, Orley und Zheng mögen einander, aber das muss nichts besagen.«

Jericho überlegte.

»Mayés Mörder haben schnell gehandelt, findest du nicht?«

»Verdächtig schnell, wenn du mich fragst.«

»Ndongo aus dem Hut zu zaubern, dann die Logistik des Anschlags. So was planst du nicht in vier Wochen.«

»Ich bin deiner Meinung. Der Coup war vorbereitet für den Fall, dass Mayé aus der Rolle fällt.«

»Was er dann ja auch –«

»Entschuldige, Owen«, sagte Dianes Stimme. »Kann ich dich stören?«

»Was gibt es, Diane?«

»Ich habe einen Anruf mit Priorität A für dich. Yoyo Chen Yuyun.«

»Kein Problem«, sagte Tu. »Ich habe mein Pulver ohnehin verschossen. Halt mich auf dem Laufenden, ja?«

»Mach ich. Stell sie durch, Diane.«

»Owen?« Yoyos Stimme, eingebettet in Straßengeräusche. »Nyela ist in der Innenstadt ausgestiegen. Ich bin ihr ein Stück gefolgt, sie hat sich die Schaufenster angesehen und zwischendurch telefoniert. Schien mir nicht sonderlich aufgeregt oder besorgt. Vor zwei Minuten hat sie sich mit einem Mann getroffen, beide sitzen vor einem Café in der Sonne.«

»Was tun sie?«

»Quatschen. Was trinken. Der Typ ist, ich würde sagen, ein hellhäutiger Schwarzer. Schätzungsweise um die 50. Du hast doch Fotos gesehen mit Mayé und seinem Stab. War so einer dabei?«

»Es gibt nicht so viele Fotos. Schon gar keines mit seinem kompletten Stab drauf. Man sieht immer mal jemanden neben ihm, außerdem kannst du die Liste seiner Minister abrufen, die bei dem Anschlag ums Leben kamen.« Jericho versuchte sich die Bilder in Erinnerung zu rufen. »Von denen war keiner hellhäutig. Glaube ich.«

»Was soll ich tun?«

»Bleib weiter dran. Wie gehen die beiden miteinander um?«

»Nett. Küsschen zur Begrüßung, Umarmung. Nichts Wildes.«

»Kannst du sagen, wo du ungefähr bist?«

»Zweimal sind wir über diesen Fluss gefahren, Sprii, Spraa, Spree, kurz hintereinander. Das Café liegt in einem alten Bahnhof, einer aus Backsteinen mit Rundbögen, aber schick renoviert. – Warte mal.«

Yoyo marschierte die Backsteinfassade entlang und hielt nach einer Beschriftung Ausschau, nach einem Straßenschild oder wenigstens dem Namen des Bahnhofs. Zahlreiche Menschen strömten von der hoch gelegenen Trasse nach unten. Dem schönen Wetter geschuldet, befand sich der Vorplatz in belagerungsähnlichem Zustand, Jugendliche und Touristen trieben die Umsätze der zahlreichen Kneipen, Bars, Bistros und Restaurants in die Höhe. Offenbar hatte Nyela sie in eines der angesagten Viertel der Stadt geführt. Yoyo gefiel es hier. Ein bisschen erinnerte es an Xintiandi.

»Schon gut«, sagte Jericho. »Ich glaube, ich weiß, wo du bist. Du musst über die Museumsinsel gefahren sein.«

»Gleich kann ich's dir sagen.«

»Egal.«

Yoyo erspähte ein weißes S auf grünem Grund. Daneben stand in hellgrünen Lettern etwas geschrieben. Sie öffnete die Lippen und zögerte. Wie sprach man ein s, ein c und ein h hintereinander aus?

»Hacke – s – cher – Ma –«

»Hackescher Markt?«

»Ja. So könnte es heißen.«

»Alles klar. Behalte die beiden weiter im Auge. Wenn sich hier nichts mehr tut, stoße ich zu dir.«

»Okay.«

Sie beendete die Verbindung und drehte sich um. Der Bahnhof schied ein größeres Kontingent Fahrgäste aus, deren meiste ihrer verlorenen Zeit hinterherzurennen schienen. Der schwatzende Rest zerstreute sich zwischen den Klappstühlen und Tischen der Außengastronomie auf der Suche nach freien Plätzen. Unvermittelt starrte Yoyo auf eine Phalanx aus Rücken, fuhr die Ellbogen aus und drängte sich vor. Ein Kellner kurvte kampfjetartig heran und machte Anstalten, sie über den Haufen zu rennen. Mit einem Satz gelang ihr die Flucht hinter ein grüngelbes Bäumchen. Vollgekritzelte Schiefertafeln verstellten den Blick. Sie lief weiter auf den Platz hinaus, wo die Bestuhlung endete, und näherte sich von dort dem Café, unter dessen ausladender, blauweiß gestreifter Markise Nyela und der hellhäutige Schwarze saßen.

Sitzen sollten.

Yoyos Herz überschlug sich. Sie rannte ins Innere. Niemand zu sehen. Wieder hinaus. Keine Nyela, kein Begleiter.

»Scheiße«, murmelte sie. »Scheiße, Scheiße, Scheiße!«

Davon tauchten sie nicht wieder auf, also hastete sie die Hauptstraße zurück, dorthin, wo Nyela der Rushhour einen Parkplatz abgetrotzt hatte und sie selbst mit dem Audi im absoluten Halteverbot stand.

Der Nissan war weg.

Physisch und seelisch in Auflösung begriffen, lief sie weiter, entsandte flehentliche Blicke in alle Richtungen, Straße rauf, Straße runter, bat das Schicksal um Gnade, um es im nächsten Augenblick zu verfluchen, und gab schließlich auf, außer Atem und mit stechenden Seiten. Es half alles nichts. Sie hatte es vermasselt. Eines lausigen Schildes wegen. Bloß weil sie Jericho unbedingt hatte wissen lassen wollen, wo sie war.

Wie sollte sie ihm *das* beibringen?

Ein hellhäutiger Schwarzer um die 50. Jericho versuchte sich den Mann vorzustellen. Vom Alter her konnte er zu Nyela passen.

Andre Donner?

Unschlüssig schaute er zum Muntu hinüber. Nichts tat sich dort. Die Lichter waren gelöscht, soweit man das durch die spiegelnde Scheibe beurteilen konnte. Nach einigen Minuten zog er sein Handy hervor, loggte sich in Dianes Datenbank ein und lud die Fotos von Mayé, die sie im Netz gefunden hatten.

Fast alle entstammten Online-Artikeln über den Umsturz. Wellen geschlagen hatte die Sache eigentlich nur in westafrikanischen Medien, wo aus Anlass des Putsches üppig bebilderte Biografien des toten Diktators erschienen waren: Mayé, der ein Wasserwerk besichtigte. Mayé, der eine Militärparade abnahm. Mayé beim Redenschwingen, beim Streicheln von Kinderköpfen, flankiert von Ölarbeitern auf einer Plattform. Ein Mann, der geradezu aus dem Bild quoll vor physischer Präsenz und Selbstverliebtheit. Wer es geschafft hatte, mit ihm aufs Foto zu finden, erschien seltsam unscharf und bedeutungslos, halb verdeckt, nebensächlich. Anhand der Bildunterschriften erkannte Jericho Minister und Generäle wieder, die bei dem Putsch gestorben waren. Die übrigen Abgelichteten blieben namenlos. Was sie einte, war die für äquatoriale Gegenden typische dunkle bis sehr dunkle Hautfarbe.

Jericho lud den Film, der Mayé zusammen mit Vogelaar, verschiedenen Ministern, Repräsentanten der Armee und den beiden chinesischen Managern am Konferenztisch zeigte, zoomte Gesichter heran, studierte den Hintergrund. Ein Uniformierter, der zwei Plätze hinter Vogelaar saß und dem chinesischen Vortrag mit arrogant gelangweilter Miene folgte, mochte als hellhäutig durchgehen, möglicherweise verdankte sich der Effekt aber auch nur einem Deckenstrahler.

War einer von denen Donner?

Er schaute auf und stutzte.

Die Eingangstüre des Muntu stand offen.

Nein, sie schwang zu! Hinter der Scheibe wurde ein hochgewachsener Schatten sichtbar und löste sich zwischen den Spiegelungen der gegenüberliegenden Gebäude auf. Jericho unterdrückte einen Fluch. Während er sich dem idiotischen Unterfangen gewidmet hatte, zwischen lauter Fremden einen Mann zu erkennen, von dem er gar nicht wusste, wie er aussah, war drüben jemand hineingegangen. *Falls* er tatsächlich hineingegangen war und die Tür nicht von innen geöffnet hatte. Hastig schob er seinen Stuhl zurück, verstaute sein Handy und trat nach draußen.

War es Donner, den er gesehen hatte?

Er überquerte die Straße, legte die Hände als schützende Halbschalen um seine Augen und schaute durch das kleine Fenster ins Innere. Der Raum lag im Dunkeln. Niemand zu sehen. Lediglich hinter den kleinen Fenstern in den Flügeltüren, die zur Küche führten, flackerte es bläulich wie von einer defekten Notbeleuchtung.

Hatten ihm seine Sinne einen Streich gespielt?

Ausgeschlossen.

Er drückte gegen die Tür. Kühle, abgestandene Restaurantluft wehte ihm entgegen. Rasch ließ er seinen Blick über die straff gezogenen Tischdecken, die reglosen Farne und das Relief der Bar wandern. Von jenseits der Flügeltüren hörte er eine Maschine anspringen, ein Kühlaggregat möglicherweise. Er verharrte und lauschte. Keine weiteren Geräusche. Nichts, was darauf schließen ließ, dass sich außer ihm noch jemand hier aufhielt.

Doch wohin sollte der Mann verschwunden sein?

Seine Rechte legte sich mechanisch auf den Griff der Glock. Sie ruhte schmal und verschwiegen an ihrem Platz. Auch wenn er gekommen war, um Donner zu warnen, ließ sich nicht vorhersagen, wie der Mann auf seinen Besuch reagieren würde. Mit leisen Schritten lief er zur Bar und schaute hinter den verzierten Tresen. Niemand. Hinter den Flügeltüren zuckte eisig der Lichtschein. Er ging zurück in die Mitte des Raumes, wandte den Kopf zum Perlenvorhang, hinter dem die Toiletten lagen, vermeinte, einige der Schnüre sacht schwingen zu sehen, schaute genauer hin. Wie ertappte Kinder erstarrten sie zur Reglosigkeit.

Er blinzelte.

Nichts bewegte sich da. Gar nichts. Dennoch trat er näher heran und lugte durch das Perlengitter in einen kurzen, düsteren Gang.

»Andre Donner?«

Er hatte keine Antwort erwartet, und er bekam auch keine. Die linke Tür führte, soweit er sehen konnte, zur Herrentoilette, ihr gegenüber lag das Pendant. Am Ende des Gangs befand sich eine weitere Tür mit der Aufschrift ›Privat‹. Er schob eine Hand zwischen die Schnüre, die zu murmelndem Leben erwachten, erweiterte den Spalt, zögerte. Vielleicht sollte er die Inspektion der Toiletten und der Privaträume auf später verlegen. Sein Blick schweifte zurück zu den Flügeltüren, und im selben Moment endete das Summen des Aggregats. Ganz deutlich hörte er nun –

Nichts.

Mit dem Gesang der Maschine hatte er sich wohler gefühlt.

»Andre Donner?«

Trockene Stille antwortete ihm. Selbst die Straßengeräusche schienen sich auf der Schwelle zu stauen. Langsam ging er auf die Flügeltüren zu und spähte durch eines der winzigen Fenster. Viel war nicht zu sehen. Eine kleine Welt in Chrom und Kachelweiß, stroboskopartig zerhackt von einer defekten Leuchtstoffröhre. Der archaische Leib eines Gasherds mit schwärzlichen Aufsätzen, überdacht von einer angelaufenen Wandhaube. Die Ecke eines Arbeitstischs. In einem Regal stapelten sich Bräter und Töpfe.

Er trat ein.

So klein war die Küche gar nicht. Überraschend geräumig für ein Restaurant wie das Muntu, drei Seiten eingenommen von Wandborden, Regalen, Kühlschränken, Spültisch, Backofen und Mikrowelle. Entlang der vierten Wand zogen sich Abstellflächen und Gestänge dahin, behängt mit Stielkasserollen, Pfannen, Suppenkellen und Spitzsieben. Ein länglicher Arbeitstisch beherrschte die Mitte des Raumes, in Herdnähe okkupiert von zwei riesigen Töpfen, Schüsseln voll klein geschnittenem Gemüse unter Klarsichtfolie und verschlossenen Styroporkisten. Wie als Gegengewicht thronte eine gewaltige Aufschnittmaschine am entgegengesetzten Ende. Es roch nach Brühe, erstarrtem Bratfett, Desinfektionsmitteln und der eisigen Süße tauenden Fleischs. Letzteres ruhte halb abgedeckt auf einem Backblech, fahlbraun im pulsierenden Licht, überzogen von schillernden Häuten, mit herausstehendem Knochen. Es sah aus wie der Hinterlauf eines großen Tiers. Kudu-Antilope, dachte Jericho. Er hatte kein Bild dieser Rasse vor Augen, doch er war sicher, den Lauf einer Antilope zu erblicken. Plötzlich stellte er sich die weißlichen Sehnen und Bänder unter dem Fell eines lebendigen Wesens vor, eine Meisterleistung der Evolution, die das Tier zu stupenden Sprüngen befähigte, ein hoch entwickelter Fluchtmechanismus und letztlich nutzlos gegen das kleinste und schnellste aller Raubtiere, die Gewehrkugel. Wachsam näherte er sich dem Herd. Zunehmend erweckte das bläuliche Flackern Assoziationen an eine Insektenvernichtungsmaschinerie, jedes Aufblitzen den Tod protokollierend, verschmorende Flügel und Beinchen, Facettenaugen, unbeeindruckt starrend, bevor sie in der elektrischen Hitze aufkochten und zerplatzten. In die kristallene Stille hinein vernahm er nun auch das Summen der Leuchte, ihr stolperndes Klicken, wenn sie ansprang und wieder erlosch, wie ein fremdartiger Code. Sein Blick erfasste eine Kasserolle auf dem Herd. Der Inhalt fesselte seine Aufmerksamkeit. Er schaute hinein. Etwas ringelte sich darin, das zu leben und sich zu winden schien im Puls der Leuchte, eine kopflose, zusammengerollte Schlange.

Jericho starrte sie an.

Plötzlich hatte er den Eindruck, die Temperatur sei um einige Grade abgefallen. Druck legte sich auf seine Brust, als umschlössen Finger sein Herz, um es zum Stillstand zu bringen. Seine Nackenhaare richteten sich auf. Er spürte den fremden Atem hinter sich und wusste, dass er nicht länger alleine in der Küche war. Lautlos hatte sich der andere herangepirscht, aus dem Nichts manifestiert, ein Profi, ein Meister der Tarnung.

Jericho fuhr herum.

Der Mann war um einiges größer als er, dunkelhaarig, mit kräftiger Kinnpartie und hellen, durchdringenden Augen. In einem früheren Leben hatte er einen Schnurrbart getragen und war aschblond gewesen, wovon nur noch die hellen Wimpern und Augenbrauen zeugten, doch Jericho erkannte ihn sofort. Er war mit den Gesichtern des Mannes vertraut, erst vor wenigen Minuten hatte er sie wieder gesehen, auf dem Display seines Handys.

Jan Kees Vogelaar.

Aufgeschreckte Gedanken, schwarmartig: Vogelaar, der auf Donner wartete, um ihn zu töten. Ihn schon getötet hatte. Leichen in Kühltruhen. Er selbst in denkbar ungünstiger Position, sein Gegner viel zu dicht. Bodenloser Leichtsinn, die Küche betreten zu haben. Die gespenstische Wirkung flackernden Neons. Die Waffe in Vogelaars Hand, auf seine Bauchdecke zielend. Diskutieren oder kämpfen? Das Versagen der Ratio. Reflexe.

Er duckte sich und führte einen Schlag gegen Vogelaars Handgelenk. Ein Schuss löste sich aus der Waffe, fuhr dröhnend in den Unterbau des Herdes. Im Hochkommen rammte er seinen Schädel gegen die Kinnspitze des anderen, sah den Mann taumeln, packte die Kasserolle und schleuderte sie ihm entgegen. Ein zuckendes Alien peitschte daraus hervor, der gehäutete Leib der Schlange. Sie klatschte Vogelaar ins Gesicht, die Kasserolle streifte seine Stirn. Mit aller Kraft trat Jericho nach der Hand mit der Waffe. Sie schepperte zu Boden, schlitterte unter den Arbeitstisch. Er fingerte nach der Glock, umspannte den Griff und prallte zurück, wie von einem Rammbock getroffen. Vogelaar hatte sich gefangen, eine blitzschnelle Drehung um seine eigene Achse beschrieben, das rechte Bein hochgerissen und ihm einen Tritt gegen die Brust verpasst.

Alle Luft wich aus seinen Lungen. Hilflos knallte er gegen den Herd. Einem Derwisch gleich wirbelte Vogelaar heran. Der nächste Tritt traf seine Schulter, ein weiterer sein Knie. Mit einem Aufschrei ging er zu Boden. Der große Mann beugte sich über ihn, packte seinen Unterarm und schlug ihn mehrmals hintereinander hart gegen die Herdkante. Jerichos Finger zuckten, öffneten sich. Irgendwie schaffte er es, die Glock festzuhalten und seine Linke in Vogelaars Solarplexus zu versenken, doch die Wirkung war gleich null. Sein Gegner traktierte seinen Unterarm aufs Neue. Stechender Schmerz durchfuhr ihn. Diesmal flog die Pistole in hohem Bogen davon. Wie von Sinnen schlug er mit der freien Hand auf Vogelaars Rippen, in seine Nierengegend, fühlte, wie der Griff um seinen Arm sich lockerte, kam frei, robbte seitwärts.

Wo war die Glock?

Da lag sie! Keinen halben Meter entfernt.

Er warf sich nach vorn. Vogelaar war schneller, zog Jericho hoch und schleuderte ihn gegen einen der Riesentöpfe. Reflexartig versuchte er sich daran festzuhalten, knickte ein, als Vogelaar ihn in die Kniekehlen trat, und riss den Topf im Fallen mit sich herunter. Ein Sturzbach fettiger Brühe ergoss sich über ihn, es hagelte Knochen, Gemüse und Fleisch. Besudelt und durchnässt wälzte er sich auf dem Küchenboden, sah den anderen über sich gebeugt, die zur Kralle gebogene Hand herabfahren, packte den leeren Topf mit beiden Händen und rammte ihn so heftig er konnte gegen Vogelaars Schienbeine.

Der Südafrikaner stieß einen unterdrücken Schmerzenslaut aus, wankte. Wie ein Lurch glitt Jericho durch die Lache, kam schlitternd auf die Beine, ergriff eine Schale mit klein geschnittenen Tomaten und warf sie Vogelaar entgegen, ließ eine weitere folgen, Obstsalat, der Schwerkraft enthoben, Mango, Ananas und Kiwi im freien Fall. Für Sekunden war sein Widersacher mit Ausweichmanövern beschäftigt, Zeit genug, um einen Meter Distanz zu gewinnen, dann griff der Hüne wieder an. Jericho floh um den Arbeitstisch, packte ins Gestänge eines mehrstöckigen Regals, spannte die Muskeln. Im Kippen entleerte es seinen Inhalt, schepperten Töpfe, Bleche, Schalen und Siebe, Pfannen, Kasserollen und Besteckschubladen zu Boden. Vogelaar sprang vor der Lawine zurück. Im Nu war die Hälfte der Küche blockiert. Nur ein Weg führte jetzt noch nach draußen, entlang der gegenüberliegenden Seite des Arbeitstischs.

Doch Vogelaar war den Schwingtüren näher.

Idiot, schalt sich Jericho. Du hast dich in die Falle manövriert.

Der Südafrikaner fletschte höhnisch die Zähne. Er schien das Gleiche zu denken, mit dem Unterschied, dass Jerichos Lage ihn sichtlich erheiterte. Einander belauernd verharrten sie, jeder ›sein‹ Kopfende des Tisches umklammernd. Erstmals bot sich die Gelegenheit, den Mann im Zucken der Neonröhre genauer zu betrachten. Zugleich förderte Jerichos Kurzzeitgedächtnis das Geburtsjahr des ehemaligen Söldners zutage, und plötzlich wurde ihm bewusst, dass sein Gegner die sechzig längst überschritten hatte. Eine Kampfmaschine im Rentenalter, gegen die das Privileg der Jugend zur Farce verkümmerte. Vogelaar schien nicht im Mindesten erschöpft, während er selbst wie eine Dampflok keuchte. Er sah die Augen des anderen aufleuchten, das Flackern der Neonröhre reflektieren, dann, übergangslos, wurde es dunkel.

Die Röhre hatte den Geist aufgegeben. Vogelaar erlosch zum Scherenschnitt, eine schwarze Masse, aus der sich leises, triumphierendes Lachen löste. Jericho verengte die Augen. Nur durch die Scharten in den Flügeltüren fiel noch Licht herein, eben ausreichend, um den einzig verbliebenen Fluchtweg zu überblicken. Wie ein Krebs schlich er aus dem Schutz seiner Deckung heraus. Als spiegele sie seine Bewegungen, geriet auch die Silhouette des Südafrikaners in Bewegung. Illusorisch. Er würde nicht schnell genug bei den Türen sein. Vielleicht empfahl sich ein bisschen Konversation.

»He, lassen wir den Quatsch, okay?«
Schweigen.
»Das führt nirgendwohin. Wir sollten reden.«
Dieses verzagte Tremolo in seiner Stimme! Gar nicht gut. Jericho atmete tief durch und versuchte es erneut.
»Hier liegt irgendein Missverständnis vor.« Schon besser. »Ich bin nicht Ihr Feind.«
»Für wie blöd hältst du mich eigentlich?«
Eine Antwort, immerhin, wenngleich heiser und drohend und kaum vom Willen zur Verständigung getragen. Die Silhouette kam näher. Jericho wich zurück, tastete hinter sich, bekam etwas Schartiges, Schweres zu fassen, schloss die Finger darum in der Hoffnung, es möge sich als Waffe eignen.
Mit trockenem Knall sprang die Leuchte wieder an.
Vogelaar stürmte heran, ein Küchenmesser von beängstigender Länge schwingend, und Jericho hatte ein lähmendes Déjà-vu. Shenzhen. Ma Liping, das Paradies der kleinen Kaiser. In letzter Sekunde riss er hoch, was er da in der Hand hielt. Das Messer teilte den Rettich in zwei Hälften, durchfuhr zischend die Luft, verfehlte ihn um Haaresbreite. Jericho stolperte rückwärts. Der Hüne trieb ihn vor sich her und um den Tisch herum, dem umgekippten Regal entgegen. Auf gut Glück griff er in den Haufen Küchenutensilien, der sich daraus ergossen hatte, erwischte ein Backblech und hielt es wie einen Schild vor sich. Klingenstahl kreischte über Aluminium. Lange würde er Vogelaars wütende Attacken nicht abwehren können, also packte er das Blech mit beiden Händen und ging seinerseits zum Angriff über, schwang es wild hin und her und landete einen vernehmlichen Treffer. Vogelaar taumelte. Jericho warf ihm das Blech an den Kopf, ließ sich fallen, rollte sich unter dem Tisch hindurch auf die andere Seite, sprang auf die Füße, begann zu rennen. Vogelaar würde um den Tisch herum müssen –
Vogelaar setzte *über* den Tisch.
Zentimeter vor der Flügeltür fühlte er sich gepackt und mit solcher Vehemenz zurückgerissen, dass seine Füße den Halt verloren. Mühelos wirbelte Vogelaar ihn herum und stieß ihn nach unten. Er knallte auf etwas Hartes, dass ihm Hören und Sehen verging, dann begriff er, dass der Südafrikaner seinen Kopf auf den Schlitten der Aufschnittmaschine gedrückt hielt. Im nächsten Moment begann das Messer hörbar zu rotieren. Jericho zappelte, versuchte freizukommen. Vogelaar drehte ihm den Arm auf den Rücken, bis es knackte. Immer schneller drehte sich die Klinge.

»Wer bist du?«

»Owen Jericho«, keuchte er, das Herz im Hals. »Restaurantkritiker.«

»Und was willst du hier?«

»Nichts, gar nichts. Zu Donner, mit Donner reden –«

»Andre Donner?«

»Ja. Ja!«

»Wegen einer Restaurantkritik?«

»Ja, verdammt!«

»Mit einer Knarre?«

»Ich –«

»Falsche Antwort.« Der Südafrikaner presste seinen Kopf gegen das Metall und schob ihn der rasenden Klinge entgegen. »Und eine falsche Antwort kostet ein Ohr.«

»Nein!«

Jericho heulte auf. Glühender Schmerz durchschoss seine Ohrmuschel. In panischer Angst trat er um sich und vernahm einen dumpfen Schlag. Der Druck auf sein Schultergelenk ließ unvermittelt nach. Vogelaar sackte über ihm zusammen. Mit einem Ruck stemmte er sich hoch, sah seinen Peiniger torkeln und rammte ihm den Ellbogen ins Gesicht. Der andere verkrallte sich in seinen Gürtel, kippte weg. Jericho hielt sich an der Tischkante fest, um nicht mit zu Boden gerissen zu werden. Etwas Großes, Dunkles landete auf Vogelaars Hinterkopf. Der Mann brach zusammen und rührte sich nicht mehr.

Yoyo starrte ihn an, den Knochen der gefrorenen Antilopenkeule mit beiden Händen umklammernd.

»Mein Gott, Owen! Wer ist das Arschloch?«

Benommen tastete Jericho nach seinem Ohr, fühlte rohes, aufgerissenes Fleisch. Als er seine Finger betrachtete, waren sie rot von Blut.

»Jan Kees Vogelaar«, murmelte er.

»Verdammt! Und Donner?«

»Keine Ahnung.« Er sog die Lungen voll Luft. Dann ging er neben dem reglosen Körper in die Hocke. »Schnell, wir müssen ihn umdrehen.«

Yoyo warf die Keule beiseite und half ihm, ohne Fragen zu stellen. Mit vereinten Anstrengungen rollten sie Vogelaar auf den Rücken.

»Du blutest«, sagte sie beiläufig.

»Ich weiß.« Er öffnete Vogelaars Gürtelschnalle und zog den Gürtel aus den Schlaufen. »Ist von dem Ohr noch was übrig?«

»Schwer zu sagen. Es sieht nicht mehr wirklich nach Ohr aus.«

»Hab's befürchtet. Zurück auf den Bauch.«

Dieselbe schweißtreibende Prozedur. Er bog Vogelaars Unterarme nach hinten und schnürte sie fest mit dem Gürtel zusammen. Der Bewusstlose atmete schwer und stöhnte auf. Seine Finger zuckten.

»Notfalls ziehst du ihm noch eine über«, sagte Jericho und sah sich um. »Wir bugsieren ihn zu dem Kühlschrank da drüben. Der neben der Mikrowelle.«

Gemeinsam fassten sie den schweren Körper unter die Arme, schleiften ihn über die Fliesen und stemmten ihn hoch. Vogelaar wog an die einhundert Kilo, außerdem ließen Stöhnen und Blinzeln darauf schließen, dass er kurz davorstand, sein Bewusstsein wiederzuerlangen. Hastig ließ Jericho seinen eigenen Gürtel aus den Schlaufen schnellen und fesselte ihn damit an den Kühlschrankgriff. Aufrecht sitzend und mit baumelndem Kopf hatte der Südafrikaner nun etwas von einem Märtyrer. Das Flackern der Neonröhre wich konstanter, steriler Helligkeit. Yoyo hatte den Lichtschalter gefunden. Jericho kroch über den Küchenboden, erspähte seine Glock und die Pistole seines Gegners und nahm beide an sich.

»Bastarde«, kam es von Vogelaar, als spucke er Rotz in die Gosse.

Jericho reichte Yoyo die Pistole und richtete seine Glock auf den Gefesselten.

»Du solltest dir deine Wortwahl sehr genau überlegen. Ich könnte gekränkt sein. Ich könnte zum Beispiel darüber nachdenken, dass mein Ohr schmerzt, und wem ich das zu verdanken habe.«

Der Südafrikaner starrte ihn hasserfüllt an. Plötzlich begann er wie ein Berserker an seinen Fesseln zu zerren. Der Kühlschrank ruckte einen Zentimeter nach vorne. Jericho entsicherte die Glock und presste sie seitlich gegen Vogelaars Nasenflügel.

»Falsche Reaktion«, sagte er.

»Leck mich!«

»Und eine falsche Reaktion kostet die Nasenspitze. Willst du ohne Nase durch die Welt laufen, Vogelaar? Willst du aussehen wie ein Idiot?«

Vogelaars Kinnladen mahlten, doch er stellte seine Befreiungsversuche ein. Offenbar setzte ihm die Vorstellung einer nasenlosen Existenz mehr zu als der drohende Verlust seines Lebens.

»Wozu überhaupt der ganze Aufwand?«, fragte er mürrisch. »Du wirst mich doch sowieso erschießen.«

»Warum glaubst du das?«

»Warum?« Vogelaar lachte ungläubig auf. »Mann, spar dir die Tour.« Sein gesundes Auge wanderte zu Yoyo. Das Glasauge starrte weiter geradeaus. »Was seid ihr überhaupt für komische Vögel? Ich hätte nicht gedacht, dass Kenny es sich nehmen lässt, den Job selbst durchzuziehen.«

In Jerichos Kopf griffen Zahnrädchen ineinander, fuhren Schaltkreise hoch, nahm die Abteilung für erstaunliche Entwicklungen und Unverständliches ihre Arbeit auf.

»Du kennst Kenny?«

Vogelaar zwinkerte verwirrt. »Natürlich kenne ich ihn.«

»Jetzt hör mal zu«, sagte Jericho und ging in die Hocke. »Wir haben ein Dokument vorliegen, zwar nur bruchstückhaft, aber man muss schon ein ziemlicher Hornochse sein, um nicht zu begreifen, dass du hier bist, um Andre Donner auszuschalten. Also der Reihe nach. Fangen wir mit Donner an, klar? Wo ist er?«

Etwas in Vogelaars Blick veränderte sich. Seine Wut wich reinster, vollkommener Verblüffung.

»Du irrst dich«, sagte er. »Man muss ein ziemlicher Hornochse sein, um das zu glauben.«

»Wo zum Teufel ist Andre Donner?«

»Sag mal, bist du eigentlich komplett bescheuert, oder was? Ich –«

»Zum letzten Mal!«, schrie Jericho. »Wo ist er?«

»Schau doch hin«, schrie der Mann am Kühlschrank zurück. »Mach die Augen auf.«

Tja, sagte der Leiter der Abteilung für erstaunliche Entwicklungen und Unverständliches, da haben wir ja mal wieder fein um die Ecke gedacht.

»Ich verstehe nicht –«

»Er sitzt vor dir! Ich – *bin* – Andre – Donner!«

SÖLDNER

Die Kriege der Neuzeit, explizit der Erste und der Zweite Weltkrieg, gelten als zwischenstaatliche Konflikte, auf Basis des Kriegsvölkerrechts beschlossen und von landeseigenen Streitkräften exekutiert. In großen Teilen der Welt führte dies zu der irrigen Auffassung, Soldaten seien immer schon bewaffnete Beamte gewesen, die auch dann noch Geld verdienten, wenn es niemanden anzugreifen und nichts zu verteidigen gab. Unvorstellbar, dass Divisionen der US Army, der Royal Air Force, der *forces armées* oder der Bundeswehr plündernd und vergewaltigend durchs eigene Land zogen. Tatsächlich schien die Einführung der allgemeinen Wehrpflicht das Ende jener Kräfte einzuläuten, die den Krieg bis dahin maßgeblich geprägt hatten. König Davids Krether und Plether, die griechischen Hopliten in Persiens Heer, die marodierenden

Horden spätmittelalterlicher Brabanzonen und Armagnaken, Schweizer Reisläufer, Landsknechte im Dreißigjährigen Krieg und Privatarmeen im kolonialistischen Afrika, sie alle hatten sich in den Dienst des jeweils besten Angebots gestellt. Sie wurden fürs Kämpfen bezahlt und nicht dafür, Kasernen zu bewohnen.

Im 20. Jahrhundert, mit dem Rückzug der Kolonialmächte, lockte es viele Söldner in die Unabhängigkeitswirren Afrikas, wo Verfolgung und Vertreibung, Putsch und Völkermord unter den neuen, ethnisch zerstrittenen Machthabern an der Tagesordnung waren. Offiziell zur Nichteinmischung verdonnert, sicherte der Westen seine Interessen nun mit Hilfe privater Truppen, etwa um der Etablierung des Kommunismus auf afrikanischem Boden entgegenzuwirken. Nicht anders operierten die Kommunisten. Staaten wie Südafrika legten sich zudem paramilitärische Sondereinheiten wie Koevoet zu und verschafften den Auftragskämpfern lukrative Dauerjobs. Das Auslaufmodell Söldner schien seine Nische im Umfeld der Diktatoren und Rebellen gefunden zu haben.

Dann änderte sich alles.

Mit einem Seufzer der Geschichte zerfiel das Sowjetimperium, sang- und klanglos, banal, unwiederbringlich. Ostdeutschland hörte auf zu existieren. Londons Einlenken stellte die IRA infrage, am Kap endete die Apartheid, der Kalte Krieg wurde für überwunden erklärt, Großbritannien und die USA reduzierten ihre Streitkräfte, politische Wechsel in Südamerika zogen die Diskreditierung Tausender Armeeangehöriger nach sich. Weltweit verloren Soldaten, Polizisten, Geheimdienstler, Widerstandskämpfer und Terroristen ihre Jobs und ihre Daseinsberechtigung. Ganz neu war das nicht. Jahre zuvor schon hatten arbeitslose Veteranen des Vietnamkriegs in den USA private Militär- und Sicherheitsdienste gegründet, die immer dort einsprangen, wo Washington sich nicht erwischen lassen durfte. Für die CIA hatten diese Firmen unliebsame Machthaber aus dem Amt gejagt, Waffen und Drogen verschoben und ganz nebenbei den Verteidigungshaushalt entlastet. Nun aber kollabierte der Markt unter einem Überangebot ausgebildeter Kämpfer, die im Zeitalter eines Nelson Mandela und russisch-amerikanischer Kumpaneien um die letzten Krisengebiete bangen mussten. Die verbliebenen Despoten mochten sich noch so sehr mühen, die Menschenrechte zu verletzen, es reichte einfach nicht für alle.

Und wieder hebt sich der Vorhang zu einem neuen Akt.

Es treten auf: Saddam Hussein, überheblich und gefräßig, sowie

Slobodan Milošević, delirierend vor Nationalismus. Perfekte Antagonisten einer ansonsten friedliebenden Menschheit, die flugs übereinkommt, Krieg als Fortführung der Politik mit anderen Mitteln wieder zuzulassen. Dummerweise hat man sich im Versöhnungstaumel einiger Soldaten zu viel entledigt. Schon marschieren die Söldner wieder mit. Legitimiert von den Vereinten Nationen polieren sie ihr angekratztes Image auf, helfen, den Irren vom Golf und das Ungeheuer vom Balkan zu besiegen und den Frieden zu sichern, und eines Tages fliegen zwei Passagierjets in die Twin Towers und lassen die letzten Reste pazifistischen Gedankenguts gleich mit in Flammen aufgehen. Herzhaft bemüht, die Achse des Bösen in die Knie zu zwingen, beschert George W. Bush, größter politischer Bankrotteur der amerikanischen Geschichte, den USA Tausende toter GIs und ein mondkratergroßes Finanzloch. Praktisch alle verbündeten Staaten müssen lernen, wie entsetzlich teuer Kriege sind und wie viel teurer es ist, den Frieden zu gewinnen, zumal unter Einsatz regulärer Armeen. Da andererseits die Führbarkeit von Kriegen nicht mehr zur Debatte steht, ergeht Auftrag um Auftrag an die effizient und verschwiegen arbeitenden privaten Sicherheitsfirmen.

Passend dazu avanciert Afrika mit seinen Rohstoffen zum Spielbrett der Globalisierung. Längst verheilt geglaubte Wunden platzen auf, Petrodollars spalten ganze Nationen, und an allem zerren die gravitativen Kräfte des Ostens und des Westens. Somalia wird zum Inbegriff für Blut und Tränen. Millionen Menschen sterben während des Bürgerkriegs in der Demokratischen Republik Kongo. Kaum vom Gerangel zwischen Regierung und Volksbefreiungsarmee genesen, taumelt der Sudan in den Darfur-Konflikt, dessen Sog das gesamte zentrale Afrika erfasst. Tschads Diktator investiert – mit stillschweigendem französischem Beistand – Abermillionen an Ölgeldern in Waffenkäufe und destabilisiert die Region auf seine Weise. An der Elfenbeinküste schlagen sich die Parteien des Nordens und des Südens die Köpfe ein, im ölreichen Südnigeria grassiert die Gewalt, Senegal, Kongo-Brazzaville, Burundi und Uganda verzeichnen heftigste Ausschläge auf der Skala menschlicher Verwerfungen. Selbst vermeintlich gefestigte Nationen wie Kenia versinken kurzzeitig im Chaos. Fast alles, was hatte gut werden sollen, wird schlimmer.

Nur für Leute wie Jan Kees Vogelaar wird es besser.

Anfang des Jahrtausends hat seine *Mamba* in Darfur die Friedenstruppe der Afrikanischen Union unterstützt, den Zulauf arabischstämmiger Sudanesen ins Lager der Guerilla unterbunden und lukrative

Mandate in Kenia und Nigeria wahrgenommen. Nach Gründung der *African Protection Services* kann Vogelaar seine Aktivitäten auf weitere Krisengebiete ausdehnen. APS entwickelt sich für Afrika in ähnlicher Weise wie vordem *Blackwater* für den Irak. Bis 2016 hat sich die Unternehmensgruppe zudem einen Namen in der Sicherung von Ölanlagen und Transportwegen für Rohstoffe gemacht, in der Verhandlungsführung mit Geiselnehmern und der Exploration exotischer Standorte für westliche, asiatische und multinationale Konzerne, die zunehmend Geschmack an der Vorstellung privater Armeen in Firmendiensten finden.

Doch das Geschäft bleibt mühsam, und Vogelaar wird es leid, immer aufs Neue das Banner zu wechseln. Nach Jahren der Instabilität an allen Fronten beginnt er sich nach etwas Dauerhaftem und Solidem zu sehnen, nach dem einen, ultimativen Auftrag.

Und der Auftrag kommt.

»Er kam in Gestalt Kenny Xins«, sagte Vogelaar. »Beziehungsweise Kennys Firma, die mir die Zukunft praktisch auf dem goldenen Tablett präsentierte.«

»Xin«, echote Yoyo. »Nicht unbedingt ein Name, der zu ihm passt.«

Jericho wusste, was sie meinte. Xin war das chinesische Wort für Herz.

»Und wer verbarg sich hinter der Firma?«, fragte er.

»Damals noch der chinesische Geheimdienst.« Der Südafrikaner rieb seine von Gürtelstriemen gezeichneten Handgelenke. »Später kamen mir da allerdings meine Zweifel.«

Nachdem Jericho sich hatte erweichen lassen, Vogelaar loszubinden, saßen sie nun im Restaurant. Zuvor war er auf die Toilette gerannt und hatte sein Ohr in Augenschein genommen. Es sah fürchterlich aus, in Karmesin getaucht, das streifig den Hals hinab und in den Ausschnitt seines T-Shirts gelaufen war, wo es krustig erstarrte. Blutig, durchnässt von Fleischbrühe und behaftet mit Resten zerquetschten Wurzelgemüses, bot er einen erbärmlichen Anblick. Nachdem er das Blut abgewaschen hatte, sah alles schon weniger schlimm aus. De facto hatte er den Verlust eines carpacciodünnen Stücks Ohrmuschel zu beklagen, nicht eben ein van Gogh'sches Problem. Yoyo, von Vogelaar zum kücheneigenen Verbandskasten dirigiert, hatte ihn schließlich verbunden, wobei er zu spüren vermeinte, dass ihre Finger gewisse, nicht unmittelbar zur Aufgabe gehörende Zuwendungen an ihm verrichteten. Wäre er ein Hund gewesen, hätte man von Kraulen sprechen können, doch er war kein Hund, und Yoyo machte wahrscheinlich einfach nur ihren

Job. Vogelaar hatte ihnen dabei zugesehen und plötzlich sehr müde gewirkt, als hätte er Jahre an Schlaf aufzuholen.

»Wenn ihr nicht hier seid, um mich zu erledigen, wozu dann, in Teufels Namen?«

»Um dich zu warnen, du blöder Wichser«, erklärt Yoyo ihm freundlich.

»Vor wem?«

»Vor denen, die es vorhaben!«

Jericho zieht sein Handy hervor, projiziert wortlos das Textfragment und anschließend den Film an die Wand, der Vogelaar in Afrika zeigte.

»Woher habt ihr das?«

»Wissen wir nicht. Ist uns ins Netz gegangen, aber seitdem versucht dein Freund Kenny, uns umzubringen.«

»Mein Freund Kenny.« Vogelaar stößt ein Geräusch zwischen Lachen und Grunzen aus. »Jetzt mal Tacheles, ihr seid doch nicht gekommen, weil euch ernsthaft was an meinem Überleben liegt.«

»Natürlich nicht. Schon gar nicht nach der Wurstschneidemaschine.«

»Konnte ich ahnen, wer du bist?«

»Du hättest fragen können.«

»Fragen? Hast du sie noch alle? Du bist in meine Küche eingedrungen und hast mich angegriffen!«

»Nachdem du deine Waffe –«

»Herrgott, was hätte ich denn machen sollen? Was hättest du an meiner Stelle getan? Nyela ruft mich an und erzählt mir, zwei Clowns säßen im Restaurant und gäben sich als Gastronomiekritiker aus.«

»Siehst du?« Yoyo, triumphierend! »Ich hab's dir doch gleich –«

»*Das* war aber gar nicht das Problem, Kleines! Du warst das Problem. Dein Ausrutscher. Niemand hier weiß was von Äquatorialguinea, Nyela ist Kamerunerin und ich südafrikanischer Bure. Die Donners waren nie in Äquatorialguinea.«

Yoyo, betreten.

»Hast du dir die Filme aus der Überwachungskamera angesehen?«, will Jericho wissen.

»Oh, die Kamera ist dir aufgefallen?«

»Ich bin Detektiv.«

»Natürlich hab ich sie mir angesehen. Ich bin auf alles vorbereitet, Junge. Eigentlich hatte ich gehofft, für den Rest meines Lebens hier Ruhe zu finden. Neue Identität, neuer Wohnort. Aber Kenny gibt nicht auf. Der Bastard hat noch niemals aufgegeben.«

»Meinst du, der Text stammt von ihm?«

»Ich meine, dass du mir umgehend die Fesseln abnehmen solltest, oder du kannst dir alles Weitere selbst zusammenreimen.«

Also hatte er Vogelaar mit Unbehagen losgebunden, während Yoyo den Südafrikaner in Schach hielt. Doch alles, was der tat, war, nach nebenan zu gehen, Palmwein, Rum und Cola auf den Tisch zu stellen und sich ihre Geschichte anzuhören, während er einen Zigarillo nach dem anderen seiner Einäscherung zuführte.

»Was war das für ein Deal, den dir Kenny anbot?« Jericho stürzte ein Glas Rum herunter, das er mehr als verdient zu haben meinte.

»Eine Art zweiter Wonga-Coup.«

»Kein gutes Omen.«

»Ja, aber die Vorzeichen hatten sich geändert. Ndongo war nicht Obiang, bei Weitem nicht so abgesichert. Praktisch alle Schlüsselstellungen seiner Regierung waren von den USA und Großbritannien gekauft worden. Bloß, Geld gibt auf die Dauer keinen guten Mörtel ab. Ständig musst du nachschmieren, sonst kracht dir die Bude überm Kopf zusammen. Außerdem war Ndongo ein Bubi. Die Fang hatten sich nur auf ihn eingelassen, weil es ihnen zuletzt genauso schlecht gegangen war und es unter Mayé noch schlimmer zu werden drohte. Damals operierte die *APS* entlang der gesamten afrikanischen Westküste. In Kamerun schützten wir Ölanlagen gegen den Widerstand. In Jaunde lernte ich übrigens Nyela kennen, die erste Frau, die in mir den Wunsch weckte, so was wie Ordnung in mein Leben zu bringen.«

»Heißt sie wirklich Nyela?«, fragte Yoyo.

»Bist du verrückt?«, schnaubte Vogelaar. »Niemand heißt, wie er heißt, wenn sein Leben auf dem Spiel steht. Jedenfalls, eines schönen Tages komme ich in mein Büro, und da sitzt Kenny, um mir die Interessen der Chinesen darzulegen.« Vogelaar paffte und hüllte sich in Rauch. »Er hatte so eine komische Art, zwischen den Termini zu wechseln, was seine Auftraggeber anging. Mal sprach er von der Kommunistischen Partei, dann vom Geheimdienst, dann wieder klang es, als sei er auf Betreiben der staatlichen Ölgesellschaft da. Als ich mir etwas mehr Klarheit ausbat, wollte er wissen, wo meiner Meinung nach der Unterschied zwischen Regierungen und Konzernen läge. Ich dachte darüber nach und fand keinen. Genau genommen habe ich in über 40 Jahren keinen gefunden.«

»Und Kenny schlug einen Putsch vor.«

»Die Chinesen waren einigermaßen angesäuert, was die amerikanische Präsenz im Golf von Guinea anging. Wir reden immerhin von der

Zeit vor Helium-3, die Gegend war pures Gold wert. Außerdem fanden sie, dass ihnen zustand, was Washington seit eh und je für sich in Anspruch nahm. Ich versuchte Kenny klarzumachen, dass es was anderes ist, Regierungen gegen Guerilleros zu schützen, als sie zu stürzen. Ich erzählte ihm vom Wonga-Coup, von Simon Mann, der dafür in Black Beach schmorte, und wie Mark Thatcher sich seinerzeit zum Affen machte. Er konterte mit Informationen über den Sturz des saudi-arabischen Königshauses im Jahr zuvor, dass mir Hören und Sehen verging. Uns allen war natürlich klar gewesen, dass China die saudischen Islamisten unterstützt hatte, aber wenn zutraf, was Kenny da zum Besten gab, hatte Peking in Riad mehr getan als nur ein bisschen nachgeholfen. Glaub mir, ich erkenne Schaumschläger zehn Meilen gegen den Wind. Kenny war keiner von denen. Er sagte die Wahrheit, also beschloss ich, ihm weiter zuzuhören.«

»Schätze, er stand in bestem Einvernehmen mit Mayé.«

»Sie redeten miteinander. 2016 operierte Kenny noch im zweiten Glied, aber ich wusste sofort, dass der Kerl demnächst an exponierter Stelle auftauchen würde.« Vogelaar lachte leise. »Wenn man ihn kennenlernt, hält man ihn tatsächlich für nett. Aber er ist es nicht. Er ist am gefährlichsten, wenn er den Netten gibt.«

»Kann man in dem Geschäft überhaupt nett sein?«, fragte Yoyo.

»Sicher. Warum nicht?«

»Na ja, Söldner zum Beispiel.« Sie legte die Fingerspitzen aufeinander. »Ich meine, sind die nicht alle mehr oder weniger – hm – Rassisten?«

Mein Gott, Yoyo, dachte Jericho, was soll das denn jetzt? Vogelaar wandte ihr langsam den Kopf zu und ließ Rauch aus seinen Mundwinkeln quellen. Er sah aus wie ein großes, dampfendes Tier.

»Sprich dich ruhig aus.«

»Koevoet. Apartheid. Reicht das?«

»Ich war ein professioneller Rassist, Mädchen, wenn du mich meinst. Gib mir Geld, und ich hasse die Schwarzen. Gib mir mehr Geld, und ich hasse die Weißen. Echte Rassisten versauen die Party. Im Übrigen findest du solche Typen auch in der Armee.«

»Bloß, ihr seid käuflich. Im Gegensatz zu regulären –«

»Wir sind käuflich, stimmt, aber wir verraten niemanden. Und weißt du, warum? Weil wir auf niemandes Seite stehen. Unsere Loyalität gilt einzig dem Vertrag.«

»Aber wenn ihr –«

»Wir *können* überhaupt keinen Verrat begehen.«

»Das sehe ich anders.«

Jericho rutschte unbehaglich auf seinem Stuhl hin und her. Was trieb Yoyo, Vogelaar ausgerechnet jetzt auf den Scheiterhaufen ihrer Empörung zu nötigen? Er öffnete den Mund, da huschte ein Anflug von Einsicht über ihre Züge. Mit plötzlicher Ergebenheit schlürfte sie ihre Cola und fragte:

»Und wer hat nun zu wem Kontakt aufgenommen? Mayé zu den Chinesen? Oder umgekehrt?«

Vogelaar betrachtete sie unschlüssig. Dann zuckte er die Achseln und goss sich ein randvolles Glas Rum ein.

»Deine Leute sind auf Mayé zugekommen, soviel ich weiß.«

»Du meinst, die Chinesen«, korrigierte ihn Yoyo.

»*Deine* Leute«, wiederholte Vogelaar unbarmherzig. »Sie kamen und rannten offene Türen ein. Der Punkt war ja, dass Obiang sich mit Mayé dramatisch verschätzt hatte. Er hatte jemanden gewollt, den er aus dem Hintergrund dirigieren konnte, doch da war er an den Falschen geraten. Ohne Helium-3 säße Mayé wohl immer noch in Malabo.«

»Letztlich war er dann doch eine Marionette.«

»Schon, aber eine der Chinesen, der Hanswurst einer zahlenden Weltmacht. Das ist was anderes, als sich von einem krebskranken Ex-Potentaten gängeln zu lassen. Als Kenny bei mir aufkreuzte, hatte er die Branche durchleuchtet und fand, wir seien am besten geeignet. Ich hörte mir die Sache also in Ruhe an – und lehnte ab.«

»Warum denn das?«, wunderte sich Jericho.

»Damit er von seinem hohen Ross runterkam. Er war natürlich enttäuscht. Und beunruhigt, weil er die Hose ziemlich weit runtergelassen hatte. Dann erklärte ich ihm, dass ich vielleicht doch eine Möglichkeit sähe. Aber dafür müsste er mehr in die Waagschale werfen als die Beauftragung für einen Putsch. Ich ließ ihn wissen, dass ich die Grabenkriege leid wäre, dieses ständige Feilschen um Jobs, mich andererseits in irgendeiner Villa zu Tode langweilen würde. Mir schwebte eher so was wie der Unruhestand vor.«

»Ein Posten in Mayés Regierung. Ziemlich ungewöhnliches Anliegen für einen Söldner.«

»Kenny verstand mich. Wenige Tage später trafen wir Mayé, der mich zwei Stunden lang volljammerte mit seiner beschissenen Familie, und wem er alles Versprechungen habe machen müssen. Da sei unmöglich auch noch ein Posten für mich drin! Stundenlang ließ er mich zappeln, dann schwenkte er auf Kumpel um, auf den bärenlieben Onkel Mayé, und zog das Kaninchen aus dem Zylinder.«

»Und bot dir den Posten des Sicherheitschefs an.«

»Der Witz ist, es war Kennys Idee gewesen. Aber er hatte sie dem Alten so lange einmassiert, bis der glaubte, es wäre seine. Damit stand der Deal. Der Rest war ein Kinderspiel. Ich kümmerte mich um die Logistik, stellte Kommandos zusammen, organisierte Waffen und Helikopter, das übliche Brimborium, und den Rest kennt ihr. Die Chinesen legten Wert darauf, dass die Sache unblutig über die Bühne ging und Ndongo ungeschoren das Land verlassen konnte, und auch das kriegten wir hin.«

»Letztes Jahr war Peking weniger zimperlich.«

»Letztes Jahr stand auch mehr auf dem Spiel. 2017 ging es nur um eine Korrektur der Machtverhältnisse.«

»Nur ist gut.«

»Ach was! Jeder wusste, dass kluge Journalisten früher oder später kluge Artikel schreiben würden. Alleine die Umverteilung der Förderlizenzen, ich meine, Pekings Rolle lag offen zutage. Na und? So was sind die Leute gewohnt, lancierte Regierungswechsel. Tote allerdings, weniger gut. Zumal, wenn du bemüht bist, dein Image aufzupolieren. Die Partei hatte den olympischen Spießrutenlauf von 2008 nicht vergessen. Auch darum ist das Haus Saud 2015 so glimpflich davongekommen, als die Islamisten Riad einnahmen. Es war Pekings Bedingung dafür, dass sie den Spaß finanzierten. – Jedenfalls, wir zogen in Malabo ein, Mayé quetschte seinen dicken Hintern in den Regierungssessel, ich baute *EcuaSec* auf, den äquatorialguineischen Geheimdienst, ließ geschlossen die Opposition verhaften, und das war's.«

»Und schlecht wurde dir nie?«, fragte Yoyo.

»Schlecht?« Vogelaar setzte das Glas an die Lippen. »Mir ist nur einmal schlecht geworden. Von verdorbenem Thunfisch.«

Jericho sandte ihr einen Messerwurf von Blick zu. »Und weiter?«

»Kurz nachdem wir Mayé ins Amt gehievt hatten, fiel Kenny erwartungsgemäß die Treppe rauf und kehrte mit erweiterten Befugnissen zurück. Äquatorialguinea wurde sein Spielplatz. Alle paar Wochen residierte er in der Lobby des *Paraíso*, eines Hotels für Ölarbeiter, wo er sich von den Nutten verwöhnen ließ und meine Berichte entgegennahm. Wir hatten in Kamerun vereinbart, dass ich Mayé im Auge behalten sollte –«

»Das war also der Deal.«

»Was denn sonst? Ich sagte ja, es war Kennys Idee. Keiner kam Mayé so nah wie ich. Er akzeptierte mich als Vertrauten.«

»Der zugleich sein Aufpasser war.«

»Für den Fall, dass uns der Dicke von der Leine gehen sollte. Natürlich wurde auch ich überwacht. Kennys Prinzip, so baut er seine Seilschaften auf: Jeder sieht jedem auf die Finger. Aber ich hatte immer schon ein paar Augen mehr als andere.«

»Aus Glas«, höhnte Yoyo.

»Mit dem gesunden sehe ich mehr als du mit zweien«, versetzte Vogelaar. »Ich fand schnell heraus, wo die Maulwürfe saßen, die Kenny mir in den Vorgarten gesetzt hatte. Halb *EcuaSec* war durchsucht. Natürlich ließ ich mir nichts anmerken. Vielmehr begann ich, meinerseits Kenny zu observieren. Ich wollte mehr über ihn und seine Hintermänner in Erfahrung bringen.«

»Ich weiß nur, dass er komplett irre ist.«

»Sagen wir mal, er liebt die Extreme. Ich fand heraus, dass er drei Jahre in London gelebt hatte, dem chinesischen Militärattaché zugeteilt, und zwei weitere in Washington, Schwerpunkt Konspiration. Offiziell gehörte er zum *Zhong Chan Er Bu,* zum militärischen Nachrichtendienst, zweite Abteilung des Generalstabs der Volksbefreiungsarmee. Leider erwiesen sich meine Kontakte dorthin als dürftig, dafür kannte ich ein paar Leute im fünften Büro des *Guojia Anquan Bu,* im Ministerium für Staatssicherheit, die schon mit Kenny zusammengearbeitet hatten. Ihnen zufolge besaß er besondere analytische Fähigkeiten und großes psychologisches Gespür. Außerdem war vermerkt, dass er in Dingen der Sabotage und der Auftragstötung mit einer gewissen – nun ja, Kompromisslosigkeit vorging.«

»Anders gesagt, unser Freund war ein Killer.«

»Für sich betrachtet kein Grund zur Aufregung. Wäre da nicht noch was anderes mitgeschwungen.«

Vogelaar legte eine Pause ein, um einen weiteren Zigarillo in Brand zu setzen. Er tat es betont langsam und umständlich, wechselte vom gesprochenen Wort zu Rauchzeichen und gab sich eine Weile der Betrachtung seiner inneren Filme hin.

»Sie fanden, er habe etwas Monströses an sich«, fuhr er fort. »Was sich mit meinen Empfindungen deckte, ohne dass ich zu sagen vermochte, warum. Also bemühte ich mich, Kennys Weg weiter zurückzuverfolgen. Ich fand den zu erwartenden Militärdienst, ein Studium, Pilotenausbildung, Waffenkunde, alles ganz regulär. Ich wollte schon aufgeben, da stieß ich auf eine Sondereinheit mit dem schönen Namen Yü Shen –«

»Na klasse«, sagte Yoyo.

»Yü Shen?« Jericho runzelte die Stirn. »Kommt mir bekannt vor. Hat irgendwas mit der ewigen Verdammnis zu tun, oder?«

»Yü Shen ist der Höllengott«, erklärte ihm Yoyo. »Eine taoistische Figur, basierend auf der altchinesischen Vorstellung, dass die Hölle in zehn Reiche aufgeteilt ist, deren jedes von einem Höllenkönig regiert wird, tief im Inneren der Erde. Der Höllengott ist die oberste Instanz. Vor ihm und seinen Höllenrichtern müssen sich die Toten verantworten.«

»Das heißt, jeder kommt in die Hölle?«

»Erst mal ja. Und jeder vor ein besonderes Gericht, entsprechend seiner Taten. Die Guten werden zurück an die Oberfläche geschickt und in einer höheren Inkarnation wiedergeboren. Die Bösen werden auch wiedergeboren, nachdem sie ihre Höllenstrafe abgesessen haben, aber als Tiere.«

Jericho sah Vogelaar an.

»Als was ist Kenny Xin wiedergeboren worden?«

»Gute Frage. Als Bestie in Menschengestalt?«

»Und was war er vorher?«

Vogelaar saugte an seinem Zigarillo.

»Ich habe versucht, Informationen über Yü Shen zu sammeln. Schwieriges Unterfangen. Offiziell existiert die Abteilung nämlich nicht, tatsächlich ist sie mit dem Höllengericht durchaus vergleichbar. Sie rekrutiert ihre Mitglieder aus Gefängnissen, psychiatrischen Anstalten und Kliniken für Hirnforschung. Man kann auch sagen, sie sucht nach dem Bösen. Nach Hochbegabten, deren psychischer Defekt die Hemmschwelle so weit herabgesetzt hat, dass sie normalerweise weggeschlossen würden. Bei Yü Shen hingegen bekommen sie eine zweite Chance. Nicht, dass man dort bessere Menschen aus ihnen machen will, eher geht es darum, wie sich das Böse instrumentalisieren lässt. Sie führen Tests durch. Alles mögliche Zeugs, Dinge, die ihr nicht wissen wollt. Nach Ablauf eines Jahres entscheiden sie, ob du in Freiheit wiedergeboren wirst, etwa beim Militär oder Geheimdienst, oder dein Leben in der Hölle der Anstalt beschließt.«

»Klingt nach einer Armee von Schlächtern«, sagte Yoyo angewidert.

»Nicht unbedingt. Einige Yü-Shen-Absolventen haben erstaunliche Karrieren gemacht.«

»Und Kenny?«

»Als Yü Shen ihn aufspürte, war er gerade 15 geworden und saß in einer Anstalt für geistesgestörte jugendliche Straftäter. Das meiste davor bleibt im Dunkel. Offenbar wuchs er in bitterer Armut auf, im hintersten Winkel einer informellen Siedlung, wo sich nicht mal Wanderarbeiter blicken ließen. Vater, Mutter, zwei Geschwister. Über die näheren Umstände weiß ich nichts. Nur, dass er eines Nachts, im Alter von zehn Jahren, als alle schliefen, zwei Kanister Benzin im Wellblechverschlag seiner Familie ausgoss. Dann blockierte er sämtliche Fluchtwege mit Barrikaden, die er in wochenlanger Arbeit aus Müll gefertigt hatte, verhakte sie so ineinander, dass niemand herauskam, und setzte alles in Brand.«

Yoyo starrte ihn an.

»Und seine – ?«

»Verbrannt.«

»Die ganze Familie?«

»Alle. Es war purer Zufall, dass irgendein Hirnklempner Wind von der Sache bekam und den Jungen mitnahm. Er attestierte überragende Intelligenz und eine ausgeprägte Klarheit des Denkens. Der Junge stritt nichts ab, beschönigte nichts, nur dass er mit keinem Wort darauf einging, warum er die Tat begangen hatte. Vier Jahre lang reichte man ihn in Fachkreisen weiter, versuchte die Ursache seines Handelns zu ergründen, bis schließlich Yü Shen auf ihn aufmerksam wurde.«

»Und die haben ihn auf die Menschheit losgelassen!«

»Er galt als gesund.«

»Gesund?«

»In dem Sinne, dass er die Kontrolle über sich hatte. Sie fanden nichts. Keine Geisteskrankheit jedenfalls, wie sie in Büchern steht. Lediglich ein bizarres Verlangen nach höherer Ordnung, eine Faszination für Symmetrie. Klassische Symptome von Zwanghaftigkeit, aber insgesamt nichts, was ihn zum Irren abgestempelt hätte. Er war einfach nur – böse.«

Eine Weile herrschte beklommenes Schweigen. Jericho rekapitulierte, was er über Xin wusste. Seine Liebe zur Inszenierung, die unheimliche Fähigkeit, anderen in die Köpfe zu schauen. Vogelaar hatte recht. Kenny *war* böse. Und doch kam es ihm vor, als sei das noch nicht die ganze Wahrheit. Zugleich schien seinem Handeln ein dunkler Kodex zugrunde zu liegen, dem er folgte und sich verpflichtet fühlte.

»Nun, einstweilen hatte ich keinen Grund, Kenny zu misstrauen. Alles lief wie geschmiert. Peking hielt sich ans Bekenntnis zur Nichteinmischung, Mayé genoss den Status eines autonomen Herrschers. Öl floss gegen Geld. Dann kam der Niedergang. Alle Welt sprach von Helium-3, jeder wollte nur noch auf den Mond. Das Interesse an den fossilen Ressourcen ließ sukzessive nach, und Mayé konnte nichts daran ändern. Rein gar nichts. Weder durch Hinrichtungen noch Tobsuchtsanfälle.« Vogelaar schnippte Asche von seinem Zigarillo. »Nun ja. Am 30. April 2022 rief er mich in sein Büro. Als ich eintrat, saß da schon Kenny in Begleitung einiger Männer und Frauen, die er uns als Vertreter des chinesischen Luft- und Raumfahrtministeriums vorstellte.«

»Ich weiß, was sie wollten!« Yoyo schnippte mit den Fingern wie auf der Schulbank. »Sie schlugen vor, eine Rampe zu bauen.«

Jericho stutzte. »Es war also gar nicht Mayés Idee.«

»Nein, war es nicht. Natürlich wollte er wissen, wozu. Sie sagten, um einen Satelliten ins All zu schießen. Er fragte, was für einen Satelliten. Sie sagten, na, einen Satelliten halt, egal, was für einen. Willst du einen Satelliten? Einen eigenen, äquatorialguineischen Nachrichtensatelliten? Kannst du haben. Uns geht es nur um den Abschuss, und dass keiner erfährt, wer dahintersteckt.«

»Aber warum?«, fragte Jericho entgeistert. »Welchen Vorteil konnte es haben, chinesische Satelliten von afrikanischem Boden aus hochzuschießen?«

»Hat uns natürlich auch interessiert. Das ist so, sagten sie: Es gibt einen Weltraumvertrag, der irgendwann in den Sechzigern auf Betreiben der Vereinten Nationen beschlossen und von der Mehrheit aller Staaten unterzeichnet und ratifiziert wurde. Gegenstand ist, wem der Weltraum gehört, was man da darf und was nicht, wer es erlauben und wer es verbieten kann. Teil des Vertrags ist eine Haftungsklausel, später in einem gesonderten Übereinkommen konkretisiert, die sämtliche Ansprüche bei Unfällen mit künstlichen Himmelskörpern regelt. Beispiel: Wenn dir ein Meteorit in den Garten fällt und deine Hühner erschlägt, kannst du nix machen. Wenn es aber kein Meteorit ist, sondern ein Satellit mit Nuklearreaktor, und er fällt nicht auf deine Hühner, sondern mitten in die Berliner Innenstadt, entstehen Sachschäden in astronomischer Höhe, von den Toten und Verwundeten und der nach oben schnellenden Krebsrate ganz zu schweigen. Wer kommt nun dafür auf?«

»Die Verursacher?«

»Richtig. Die Staaten, und zwar in unbegrenzter Höhe, laut Vertrag. Kann Deutschland beweisen, dass es sich um einen chinesischen Satelliten handelte, muss China blechen. Entscheidend ist immer, von wessen Territorium etwas hochgeschossen wurde. Je mehr Zeug eine Nation also hochschießt, desto höher das Risiko, irgendwann zahlen zu müssen. Darum, so die Delegierten, verhandle man nun mit Staaten, die es China erlaubten, auf ihrem Territorium Abschussrampen zu errichten und diese der Welt als Eigenmaßnahme zu verkaufen.«

»Aber damit sind diese Staaten haftbar!«

»Typen wie Mayé haben kein Problem damit, ihr Volk in den Ruin zu treiben. Die Millionen aus dem Ölgeschäft hatte er längst auf privaten Konten gebunkert, ebenso wie Obiang früher. Ihn interessierte einzig, was für ihn dabei heraussprünge. Also nannte Kenny eine Summe. Es war exorbitant viel. Mayé versuchte, gelassen zu bleiben, während er sich unter seinem Tropenholzschreibtisch vor Freude bepisste.«

»Kam ihm das Ganze nicht völlig absurd vor?«

»Die Delegation argumentierte, Peking schließe solche Händel zur Risikominimierung ab. Die Gefahr eines Absturzes sei verschwindend gering, das Ganze ziviler Natur, es ginge lediglich um die Erprobung eines neuen, experimentellen Antriebs. Alles, was Mayé zu tun habe, sei, sich als Vater der äquatorialguineischen Raumfahrt dickezutun und lebenslanges Stillschweigen über die Hintermänner zu garantieren. Dafür sei man bereit, ihm seinen Satelliten zu spendieren.«

»Was für ein Idiot«, konstatierte Yoyo.

»Na ja, überleg mal. Äquatorialguinea, das erste afrikanische Land mit eigener Raumfahrt.«

»Aber beim Bau der Rampe«, sagte Jericho. »Fiel es nicht auf, dass da lauter Chinesen rumliefen?«

»So war's ja nicht. Offiziell gab es eine Ausschreibung. Mayé ließ die Welt wissen, in die Raumfahrt einsteigen zu wollen, lud Fachleute ins Land, und natürlich kamen auch Chinesen dazu. Das Ganze war perfekt organisiert. Am Ende arbeiteten Russen, Koreaner, Franzosen und Deutsche an der Rampe mit, ohne zu merken, nach wessen Pfeife sie eigentlich tanzten.«

»Und die Zheng Group?«

»Ah!« Vogelaar hob anerkennend die Brauen. »Ihr habt euch schlaugemacht. Stimmt, große Teile der Konstruktion wurden von Zheng entwickelt. Sie hatten immer ein Team vor Ort. Im Dezember fingen sie an, knapp ein Jahr später stand das Ding, und am 15. April 2024 wurde in einer feierlichen Zeremonie Mayés erster und einziger Nachrichtensatellit in den Orbit geschossen.«

»Er muss schier geplatzt sein vor Stolz.«

»Mayé war vernarrt in das Ding. Ein Modell davon hing in seinem Büro, es fuhr in einer Schiene die Decke entlang und umkreiste ihn an seinem Schreibtisch, die Sonne Äquatorialguineas.«

»Bloß nicht sehr lange.«

»Keine drei Wochen. Erst zeitweiliger Ausfall, dann Funkstille. Klar, dass das die Runde machte. Mayé erntete Häme und Gelächter. Nicht, dass er unbedingt einen Satelliten brauchte, er war ja auch vorher ganz prima ohne ausgekommen. Aber er hatte sich auf internationales Parkett begeben, hatte tanzen wollen und war böse ausgerutscht. Bis auf die Knochen hatte er sich blamiert, selbst die Bubi in Black Beach wälzten sich vor Lachen in ihren Zellen. Mayé schäumte vor Wut, schrie nach Kenny, der ihm mitteilen ließ, man habe andere Sorgen. Was im Übrigen zutraf. Chinesen und Amerikaner drohten einander gerade mit Militärschlägen, jeder bezichtigte den anderen, auf dem Mond Waffen stationiert zu haben. Ich riet Mayé zur Zurückhaltung, aber er gab keine Ruhe. Schließlich, Anfang Juni, als sich die Mondkrise gerade entschärfte, reiste Kenny zu Gesprächen nach Malabo. Mayé spielte den wilden Mann. Er forderte umgehend einen neuen Satelliten – und dann machte er einen Fehler. Er deutete an, dass hinter dem Launch ja wohl mehr gesteckt habe als die Erprobung eines experimentellen Antriebs.«

Jericho beugte sich vor. »Was hat er damit gemeint?«

Vogelaar blies Rauch in vergangene Zeiten.

»Das, was er von mir wusste. Was ich herausgefunden hatte. Über das ganze Projekt.«

»Du hattest also auch darüber Nachforschungen anstellen lassen?«

»Natürlich. Ich hatte den Bau der Rampe und den Abschuss genauer im Auge gehabt, als Kenny lieb sein konnte, aber so, dass er nichts davon merkte. Dabei stieß ich auf Ungereimtheiten. Ich berichtete Mayé davon und schärfte ihm ein, es für sich zu behalten, doch der Vollidiot hatte nichts Besseres zu tun, als Kenny zu drohen.«

»Wie hat Kenny darauf reagiert?«

»Nett. Und das gefiel mir nicht. Er sagte, Mayé solle sich keine Sorgen machen, man werde sich schon irgendwie einigen.«

»Klingt nach einer angekündigten Exekution.«

»Genauso kam es mir vor. Nun, das Porzellan war zerschlagen. Half also nur, die ganze Wahrheit herauszufinden, um den Druck auf Kenny so weit zu erhöhen, dass er uns nicht einfach abservieren konnte. Und ich kam tatsächlich dahinter. Als Kenny das nächste Mal aufkreuzte, empfing ihn Mayé im Kreis seiner wichtigsten Minister und Militärs. Wir konfrontierten ihn mit den Tatsachen. Er schwieg. Lange. Sehr lange. Dann fragte er, ob wir uns darüber im Klaren wären, dass wir mit unserem Leben spielten.«

»Der Anfang vom Ende.«

»Nicht zwingend. Es zeigte, dass er uns ernst nahm. Dass er verhandeln wollte.« Vogelaar lachte freudlos. »Doch wieder war es Mayé, der alles versaute, indem er horrende Summen forderte, praktisch einen Kniefall. Kenny konnte sich darauf nicht einlassen. Er baute Mayé goldene Brücken. Ich hatte tatsächlich den Eindruck, dass er die Eskalation nicht wollte, doch Mayé in seiner Überheblichkeit war nicht zu bremsen. Am Ende schrie er, die Welt werde alles erfahren. Kenny stand auf, zögerte. Dann grinste er breit und sagte, okay, ich geb mich geschlagen. Du sollst haben, was du begehrst, großer Diktator, gib mir zwei Wochen. Sprach's und ging.«

Vogelaar sah dem Rauch seines Zigarillos nach.

»In diesem Moment wusste ich, dass Mayé uns soeben alle zum Tode verurteilt hatte. Er mochte sich im Glauben sonnen, der Sieger zu sein, er war tot. Ich machte mir nicht die Mühe, ihn vom Gegenteil zu überzeugen, sondern ging nach Hause, und wir packten die Koffer. Ich habe immer verschiedene Identitäten in petto, einen Fluchtplan sowieso. Am folgenden Morgen verschwanden wir aus Äquatorialguinea. Wir ließen zurück, was wir besaßen, bis auf einen Koffer voll Geld und einen Stapel falsche Papiere. Kennys Schergen hefteten sich umgehend an unsere Fersen, doch mein Plan war perfekt. Ich habe mehr als einmal im Leben untertauchen müssen. Wir schlugen so lange Haken, bis wir sie abgeschüttelt hatten. In Berlin wurden wir Andre und Nyela Donner, ein südafrikanischer Agraringenieur und eine studierte Juristin aus Kamerun mit gastronomischem Background, und suchten ein Ladenlokal. Am Tag, als wir eröffneten, räumte Ndongo in Malabo gerade seine Unterhosen ein, und Mayé war tot. Alle, die Bescheid gewusst hatten, waren tot.«

»Bis auf einen.«

»Bis auf einen.«

»Und worum ging es tatsächlich bei dem Raumfahrtprogramm?«

Vogelaar streckte einen Finger aus und schob sein halb volles Glas über die Tischdecke. Der Rum funkelte im Licht der Papierlampe, geriet in einen Taumel aus Bewegung und Reflexion.

»Komm, lass dich nicht bitten. Warum ist das alles passiert?«

Der Söldner stützte sinnend das Kinn in die Hände.

»Ihr solltet euch eher fragen, *wer* hinter euch her ist.«

»Oh, danke!« Yoyo funkelte ihn zornig an. »Was glaubst du eigentlich, was wir den ganzen Tag tun.«

»Offen gestanden, ich frage mich dasselbe.«

»Doch wohl der *Zhong Chan Er Bu*«, mutmaßte Jericho. »Der chinesische Geheimdienst. Nach allem, was du uns erzählt hast.«

»Da bin ich mir eben nicht mehr so sicher. Mittlerweile glaube ich, dass Kennys komische Delegation weder die chinesische Regierung repräsentierte noch die chinesische Raumfahrtbehörde. Beide wissen wahrscheinlich bis heute nicht, dass sie vorgeschoben wurden.«

Jericho starrte ihn verblüfft an.

»Die sind sehr überzeugend gewesen, Jericho.«

»Aber die Partei muss doch mitbekommen haben, was da in ihrem Namen geschah. Mayé muss es bei offiziellen Staatsbesuchen thematisiert haben.«

»Quatsch, benutz' deinen Kopf! Es gab keine chinesischen Regierungsbesuche in Äquatorialguinea, ebenso wenig, wie Mayé in die Verbotene Stadt eingeladen wurde. Das war keiner, mit dem man sich sehen ließ. Hier und da tauchte verschämt ein Ministerlein der Energiebehörde auf, ansonsten latschten chinesische Ölleute durchs Land. Peking hat immer betont, dass es zu Äquatorialguinea ausschließlich geschäftliche Beziehungen unterhält.«

»Zu Zeiten von Mugabe und Konsorten hatten sie aber kein Problem, sich mit Diktatoren ablichten zu lassen.«

»Mugabe haben sie ja auch nicht ins Amt geputscht. Nach Umstürzen ist es nicht üblich, dass die Initiatoren durchs Bild laufen. Die Chinesen sind heute vorsichtiger.«

»Aber was ist mit Zheng?«

»Was soll mit ihm sein?«

»Die Zheng-Group arbeitet für die chinesische Raumfahrtbehörde. Quatsch, sie *ist* die Raumfahrtbehörde, und für Mayé hat sie auch gebaut. Spätestens da muss doch rausgekommen sein, dass offizielle Stellen vorgeschoben wurden.«

»Wer sagt denn, dass mit Zheng darüber gesprochen wurde? Innerhalb einer Behörde gibt es Wissende und Unwissende. Sein Unternehmen hat einen Job auf dem freien Markt angenommen. Na und?«

»Die Partei hat zugelassen, dass ihr wichtigster Konstrukteur eine ausländische Rampe baut.«

»Konzerne wie Zheng oder Orley kannst du nicht kontrollieren, nicht mal die Partei kann das, will es auch nicht. Der chinesische Ministerpräsident hat Anteile bei Zheng, er müsste sich selber auf die Finger gucken. Ganz im Gegenteil, Peking hat es begrüßt, dass Zheng der Ausschreibung folgte, weil es die Spionage vor Ort erleichterte.«

»Aber warum bist du dann misstrauisch geworden?«

Vogelaar lächelte dünn.

»Weil ich immer misstrauisch bin. So hab ich auch rausgefunden, dass Kenny 2022 beim *Zhong Chan Er Bu* ausgestiegen war. Er arbeitete nur noch auf freier Basis für den militärischen Geheimdienst.«

»Moment mal«, sagte Yoyo. »Der Umsturz, der Mayé an die Macht brachte –«

»War von chinesischen Ölgesellschaften finanziert, von Peking ratifiziert und vom chinesischen Geheimdienst mit unserer Hilfe exekutiert worden.«

»Und die Rampe?«

»Hatte nichts damit zu tun. Mit der Rampe traten neue Akteure in Erscheinung. Peking ist es immer nur um Rohstoffe gegangen. Die Typen, die uns die Rampe aufschwatzten, hatten andere Interessen.«

»Kenny hatte also das Lager gewechselt?«

»Ich bin nicht sicher, ob er es gewechselt hat. Vielleicht hat er auch einfach seinen Aktionsradius erweitert. Ich glaube nicht, dass er explizit gegen Pekings Interessen verstieß, eher, dass er die Interessen anderer wichtiger nahm.«

»Und Mayés Sturz?«

»Geht auf das Konto der Rampenbauer. Möglich, dass die Partei es billigte. Gefragt hat man sie jedenfalls nicht.«

»Glaubst du das oder weißt du das?«

»Ich glaube es.«

»Vogelaar«, sagte Yoyo eindringlich. »Du musst uns endlich sagen, was du über die Rampe rausgefunden hast, hörst du?«

Vogelaar legte die Fingerkuppen aufeinander. Er widmete sich ausgiebig der Betrachtung seiner Daumen, führte sie bis zur Nasenspitze und richtete den Blick zur Decke. Dann nickte er langsam.

»Gut. Einverstanden.«

»Lass hören.«

»Für eine Viertelmillion Euro.«

»Was?« Jericho schnappte nach Luft. »Bist du verrückt geworden?«

»Dafür bekommt ihr von mir ein Dossier, in dem alles steht.«

»Du spinnst!«

»Keineswegs. Nyela und ich müssen untertauchen, und zwar schleunigst. Der größte Teil meines Vermögens ist in Äquatorialguinea eingefroren. Was ich mitnehmen konnte, steckt im Muntu und der Eigentumswohnung über uns. Bis morgen werde ich versilbern, was auf die Schnelle zu versilbern ist, aber Nyela und ich werden von vorne anfangen müssen.«

»Mann, Vogelaar!«, explodierte Yoyo. »Du bist echt der dreckigste, undankbarste –«

»Einhunderttausend«, sagte Jericho. »Keinen Cent mehr.«

Vogelaar schüttelte den Kopf. »Ich handele nicht.«

»Weil du nicht in der Position bist zu handeln. Überleg es dir gut. Einhunderttausend haben oder nicht haben.«

»Ihr braucht das Dossier.«

»Und du brauchst das Geld.«

Yoyo sah aus, als wolle sie Vogelaar in die Aufschnittmaschine verfrachten. Jericho hielt sie mit Blicken in Schach. Notfalls war er bereit, den Südafrikaner unter Einsatz der Glock in die Mangel zu nehmen, wenngleich er bezweifelte, dass Vogelaar es noch einmal so weit kommen lassen würde. Sie mussten irgendwie mit ihm einig werden.

Er wartete.

Nach einer gefühlten Ewigkeit ließ Vogelaar langsam den Atem entweichen, und erstmals spürte Jericho die Angst des großen Mannes.

»Einhunderttausend. In bar, dass das klar ist! Geld gegen Dossier.«

»Hier?«

»Nicht hier. An einem belebteren Ort.« Mit einem Kopfnicken deutete er nach draußen. »Morgen Mittag um 12.00 Uhr im Pergamon-Museum. Das ist gleich um die Ecke. Die Monbijoustraße runter bis zur Spree, dann über den Fluss auf die Museumsinsel und zur James-Simon-Galerie. Dort werden die Besucherströme auf die Museen verteilt. Wir treffen uns am Ischtar-Tor gegenüber der Prozessionsstraße. Nyela und ich werden unmittelbar danach verschwinden, also seid pünktlich.«

»Und wo wollt ihr hin?«

Vogelaar sah ihn lange an.

»Das musst du nun wirklich nicht wissen«, sagte er.

»Na klasse! Woher willst du einhunderttausend Euro nehmen?«, fragte Yoyo, als sie über die Straße zu dem gegenüber geparkten Audi gingen.

»Was weiß ich!« Jericho zuckte die Achseln. »Immer noch besser als eine Viertelmillion.«

»Erheblich besser.«

»Okay.« Er blieb abrupt stehen. »Was hätte ich deiner Ansicht nach tun sollen? Ihm die Wahrheit unter der Folter entreißen?«

»Genau. Wir hätten sie ihm rausprügeln sollen!«

»Tolle Idee.« Jericho betastete sein verbundenes Ohr. Dick und wattig. Er kam sich vor wie ein Plüschhase. »Ich seh's förmlich vor mir. Ich halte ihn fest, während du ihn mit der Antilopenkeule zu Brei haust.«

»Schön, dass du's erwähnst. Ich –«

»Und Vogelaar hätte das mit sich machen lassen.«

»Ich *habe* ihn mit der Antilopenkeule zu Brei gehauen!«

»Ach ja.« Jericho ging weiter und öffnete den Wagen. »Wo kamst du überhaupt her? Solltest du nicht Nyela im Auge behalten?«

»Das ist ja wohl die Höhe.« Yoyo riss die Beifahrertür auf, rutschte ins Innere und verschränkte die Arme zum gordischen Knoten. »Ohne mich wärst du als Aufschnitt geendet, du Arschloch.«

Jericho schwieg.

Hatte er gerade einen Fehler gemacht?

»Ich weiß auch nicht, wo wir das Geld hernehmen sollen«, räumte er ein. »Und Tus Hilfe will ich nicht automatisch voraussetzen.«

Yoyo stieß unverständliche Brummlaute aus.

»Na schön«, sagte Jericho. »Fahren wir ins Hotel, oder?«

Gar keine Antwort.

Mit einem Seufzen startete er den Wagen.

»Ich werde Tian auf jeden Fall fragen«, sagte er. »Er kann es mir leihen. Oder es als Vorschuss verrechnen.«

»Mch, ws dwllst.«

»Vielleicht hat er ja Neuigkeiten für uns. Er spielt seit heute Morgen mit Diane herum.«

Schweigen.

»Bevor ich ins Muntu ging, hab ich mit ihm telefoniert. Ganz interessant. Bestätigte Vogelaars Version in allen Punkten. Soll ich dir erzählen, was Tian gesagt hat?«

»Mntwgn.«

Mehr war aus ihr nicht herauszubringen. Bis zum Hyatt erschöpfte sie sich in Aneinanderreihungen von Konsonanten. Jericho berichtete von seinem Gespräch mit Tu wie einer, der munter gegen den Strom schwimmt, bis er nicht länger so tun konnte, als wäre nichts. In der Tiefgarage des Hyatt gab er schließlich auf.

»Okay«, sagte er. »Du hast recht.«

Verschränkte Arme, Starren.

»Ich hab mich mies benommen. Ich hätte dir danken sollen.«

»Mr dch egal.« Immerhin verließ sie nicht fluchtartig den Wagen.

»Ohne dich hätte Vogelaar mich fertiggemacht. Du hast mir das Leben gerettet.« Er räusperte sich. »Also, äh – danke, okay? Ich meine das ernst. Ich werde dir das nie vergessen. Das war sehr mutig.«

Sie wandte den Kopf und sah ihn unter gerunzelten Brauen an.

»Warum bist du eigentlich ein derartiger Stoffel?«

»Keine Ahnung.« Jericho betrachtete das Lenkrad »Vielleicht hab ich's einfach nie gelernt.«

»Was?«

»Nett zu sein.«

»Ich glaube, dass du sogar sehr nett sein kannst.« In die verschränkten Arme geriet Bewegung. Sie rutschten ein wenig auseinander. »Weißt du, was ich noch glaube?«

Jericho hob die Brauen.

»Dass du am wenigsten nett zu denen bist, die du magst.«

Er stutzte. Gar nicht dumm.

»Und wer hat dir bei dieser Erkenntnis auf die Sprünge geholfen?«, fragte er, einen bestimmten Verdacht hegend.

»Wie meinst du das?«

»Ich dachte nur gerade, dass der Spruch von Joanna stammen könnte.«

»Dazu brauch ich Joanna nicht.«

»Du hast nicht zufällig mit ihr über mich gesprochen?«

»Doch«, gab sie geradeheraus zu. »Sie hat mir erzählt, dass ihr zusammen wart.«

»Und was noch?«

»Dass du es vermasselt hast.«

»Ah.«

»Weil du nämlich auch zu dir nicht nett bist. Zu dir selbst am allerwenigsten.«

Jericho schürzte die Lippen. Gegenargumente gingen in Stellung, eines fadenscheiniger als das andere. Er zwang sie zurück. Sie hatten weiß Gott anderes zu tun, als im Fundus ihrer Befindlichkeiten zu wühlen, doch irgendwie kam er sich plötzlich so vor, als stünde er mit heruntergelassenen Hosen da. Von Joannas Hand entkleidet und am Nasenring vorgeführt. Yoyo schüttelte den Kopf.

»Nein, Owen, sie hat nichts Negatives über dich gesagt.«

»Hm. Ich werde darüber nachdenken.«

»Tu das.« Sie grinste. Seine Kapitulation schien eine glättende Wirkung auf ihr Gemüt auszuüben. »Ist ja nicht auszuschließen, dass wir uns noch ein paar Mal gegenseitig das Leben retten müssen.«

»Wie ich schon sagte – jederzeit!« Er zögerte. »Was Nyela angeht –«

»Mein Fehler. Nachdem ich es versaut hatte, dachte ich, es wäre das Beste, schnell zurückzukommen.«

Jericho betastete sein Ohr.

»Ganz ehrlich«, sagte er. »Ich bin froh, dass du es versaut hast.«

CALGARY, ALBERTA, KANADA

Durch Calgary zu laufen und das Foto des möglichen Attentäters herumzuzeigen, war ungefähr so, als durchsuche man einen in Verwirrung gestürzten Ameisenhaufen nach einer einzelnen Ameise. Anderthalb Millionen insektenfleißige Diener der Wirtschaft, eben noch damit befasst, Kanadas schnellstwachsende Stadt um immer neue Ausstöße an Gütern, Architektur und schaffensfroher Menschheit zu bereichern, schienen den Sinn für Ziel und Richtung verloren zu haben. Sosehr Keowa die Umrüstung der Energiewirtschaft auf Helium-3 begrüßte, so wenig ertrug sie den erloschenen Blick der Massenarbeitslosigkeit, den Niedergang ganzer Städte und Provinzen, den drohenden Staatsbankrott jener Länder, die ihre Einnahmen fast ausschließlich aus Öl und Gas bestritten. Idealerweise war man im ökologischen Lager immer von einem hübsch verträglichen Wechsel ausgegangen: Mister Fossilosaurus bekommt eine goldene Uhr geschenkt und zieht sich in eine erholsam gelegene Seniorenresidenz zurück, wo er in Melancholie und Würde das Zeitliche segnet, während zehn Milliarden Menschen mit rosenwangiger Begeisterung sauberen Strom aus Helium-3-Reaktoren beziehen. Doch Übergänge waren zu keiner Zeit harmonisch gewesen. Nicht im Kambrium, Ordovizium oder Devon, nicht am Ende von Perm, Trias und Kreide, nicht im oberen Pleistozän mit dem Auftreten einer neuen selbstreflektierenden Spezies namens Mensch, die dem Katalog der Übergangsindikatoren, als da waren Vulkanausbrüche, Meteoriten, Eiszeiten und Epidemien, Kriege und Wirtschaftskrisen hinzufügten. Als Folge ging die wunderbare neue Welt der sauberen Fusion einher mit einer handfesten globalen Wirtschaftskrise, ob es den Erneuerern nun ins Bild passte oder nicht.

Sie trug ihr Tablett mit Obst, Joghurt und Körnern zu dem Tisch, an dem der Praktikant bereits sein zweites Gebirge aus Pfannkuchen bezwang.

»Gestern war ja wohl'n Schlag ins Wasser«, sagte er kauend.

Keowa zuckte die Achseln. Das Westin Calgary hatte den Vorzug, nahe der Imperial-Oil-Zentrale in der 4 Avenue Southwest zu liegen, also hatte sie nach ihrem Telefonat mit Palstein beschlossen, sich und den Jungen dort für eine Nacht einzumieten. Anschließend waren sie den Weg zurückgegangen, den der fette Asiate genommen hatte. Ein entmutigendes Unterfangen. Auf Brufords Video näherte er sich von links, von Norden her. Die meisten Hotels lagen jedoch im Süden, Westen und Osten. In jedem davon konnte er abgestiegen sein, *falls* er überhaupt ein Hotel bezogen hatte. Möglicherweise lebte er auch in der Stadt. Der asiatische Einfluss ringsum war beträchtlich. Fußläufig zum Bow River, längs der belebten Centre Street, erstreckte sich Calgarys Chinatown, das drittgrößte chinesische Viertel Kanadas nach Vancouver und Toronto. Im Sheraton unweit des Princes Island Park glaubte man sich eines großen, ungepflegt aussehenden Asiaten von einiger Beleibtheit zu entsinnen, nicht aber als Gast. Sie hatten sein Bild in Restaurants und Geschäften herumgezeigt und schließlich dem Calgary International Airport einen Besuch abgestattet, ohne Ergebnis. So erhielt an diesem Morgen nur Keowas Körper gute Nachrichten in Form von Ananas, Sonnenblumenkernen und Magerjoghurt, die ihm signalisierten, dass seine Besitzerin ihn in Schuss zu halten gedachte.

Als sie gerade aromatisierten Kräutertee nachgoss, meldete sich Sina, die Redakteurin für Gesellschaft und Vermischtes aus Vancouver.

»Alejandro Ruiz, 52 Jahre alt, zuletzt im strategischen Vorstand von Repsol, genauer gesagt Repsol YPF, wie der Laden korrekt heißt, Hauptsitz in Madrid –«

»Weiß ich doch schon.«

»Warte! Marktführer in Spanien und Argentinien, lange Zeit größter privater Energiekonzern überhaupt, mit Schwerpunkt Exploration, Produktion und Raffinerie, außerdem Nummer drei im Flüssiggasgeschäft. Zu keiner Zeit Karten in den alternativen Energien. Dafür werden sie seit zwei Jahrzehnten mit schöner Regelmäßigkeit von den argentinischen Mapuche-Indígenas dafür verklagt, deren Grundwasser zu verschmutzen.«

Die Klagefreudigkeit der Ureinwohner war Keowa in der Tat neu.

»Gibt's überhaupt noch Mapuche?«, fragte sie.

»Oh ja! Sowohl in Argentinien wie in Chile. Auch wenn die chilenische Regierung hartnäckig leugnet, es habe sie *überhaupt* jemals gegeben, lustig, was? Repsol jedenfalls gehört zu den Konzernen, bei denen die Lichter gleich etagenweise ausgehen. Und Ruiz war nicht nur strategischer Vize, wie ich gestern noch dachte, sondern seit Juli 2022 hauptverantwortlich für die petrochemischen Aktivitäten in 29 Ländern.«

»Verwunderlich«, sagte Keowa.

»Wieso?«

»Ich meine, bei der Ausrichtung des Konzerns. Warum machen die einen, der die Ausweitung auf Solarkraft fordert und komische Worte wie Ethik bemüht, zum strategischen Leiter?«

»Die meiste Zeit haben sie ihn sich wohl als ökologisches Gewissen geleistet, um nicht ganz so ignorant dazustehen. Aus dem zweiten

Glied konnte er bellen, aber nicht beißen. Bloß, Mitte 2022 steuerte der Tanker schon mit Volldampf auf Grund. In dieser Situation hättest du ebenso gut einen andalusischen Esel zum Hauptverantwortlichen machen können. Nachdem klar war, dass Repsol zu den großen Verlierern gehören würde, brauchten sie einen Sündenbock an der Spitze, das war alles.«

»2022 hatte Ruiz doch gar keine Chance mehr, den Zusammenbruch zu verhindern.«

»Ich weiß. Dennoch hat er alles Erdenkliche versucht. Sogar, mit ORLEY ENTERPRISES ins Geschäft zu kommen.«

»Ach was!«, sagte Keowa verblüfft.

»Ich hab mir ein paar Videos angesehen. Macht einen sympathischen Eindruck, der Bursche. In Madrid grämen sich seine Frau und seine Töchter über der Frage, ob er je wieder auftauchen wird. Ich schicke dir ihre Kontaktdaten rüber und die einiger Kollegen bei Repsol. Viel Glück.«

»Du willst Ruiz' Alte anrufen?«, fragte der Praktikant, nachdem sie das Gespräch mit Vancouver beendet hatte.

Keowa erhob sich. »Was spricht dagegen?«

»Die Uhrzeit. Außerdem kannst du kein Spanisch.«

»In Madrid ist es halb fünf am Nachmittag.«

»Echt?« Er leckte Fett von seinen Fingern. »Ich dachte, in Europa wär immer Nacht, wenn bei uns Tag ist.«

Keowa setzte zu einer Antwort an, schüttelte den Kopf und ging auf ihr Zimmer. Zu ihrer Freude hatte sie gleich beim ersten Versuch Erfolg. Señora Ruiz zeigte sich verwirrt, vorübergehend abweisend, schließlich kooperativ und vor allem der englischen Sprache mächtig, worauf Keowa insgeheim gehofft hatte, weil sie tatsächlich kein Spanisch konnte. Sie unterhielten sich etwa zehn Minuten lang, danach telefonierte sie mit einem der strategischen Mitarbeiter bei Repsol, der auch privaten Kontakt zu Ruiz gepflegt hatte. Die übrigen Kollegen, deren Nummern Sina für sie herausgesucht hatte, gingen neuerdings den steinigen Pfad der Arbeitslosigkeit.

Interessant, was sie erfuhr.

Sie schaute aus dem Fenster. Ein grauer Himmel der Vergänglichkeit lastete auf der Stadt. Vorhänge aus Nieselregen verwuschen die Konturen des 190 Meter hohen Calgary Tower, einst erbaut von den Ölfirmen Marathon und Husky Oil. Den Hochhäusern haftete etwas Skelettöses an. Im Fettgewebe des Wohlstands wütete der Zellabbau. Nach einer Weile des Nachdenkens rief sie erneut in Vancouver an.

»Könnt ihr die letzten Tage vor Ruiz' Verschwinden rekonstruieren?«

»Kommt drauf an, was du wissen willst.«

»Ich habe mit seiner Frau gesprochen und einem seiner Kollegen. Ruiz' letzte Station, bevor er nach Lima flog, war Peking.«

»Peking?«, wunderte sich Sina. »Was hat Ruiz denn in Peking gemacht?«

»Ja, eben. Was?«

»Repsol hat doch gar keine Karten in China.«

»Stimmt nicht ganz. Definitiv ging es um ein länger geplantes Joint Venture mit Sinopec. Irgendein Explorationsding. Sie haben eine Woche daran herumgedoktert. Mich interessiert eher, was er an seinem letzten Tag getan hat, unmittelbar bevor er China verließ. Am 1. September 2022, um genau zu sein. Angeblich hat er da an einer Konferenz teilgenommen, über die sein Kollege allerdings so gut wie gar nichts wusste. Eigentlich nur, dass sie außerhalb Pekings stattfand. Er meinte, irgendwo müssten noch Unterlagen rumfliegen, und er will mal schauen.«

»Keiner weiß, worum es bei der Konferenz ging?«

»Ruiz war Strategischer Leiter. Autonom. Der musste nicht mehr wegen jeder Kleinigkeit Männchen machen. Señora Ruiz sagt, ihr Alejandro sei ein sehr warmherziger, humorvoller Mensch gewesen –«

»Schnief.«

»Ich will auf was anderes raus. Jemand, der sich nicht so schnell die Laune verderben ließ. Zuletzt hatten sie vor der Konferenz miteinander telefoniert, und da schien noch die Sonne. Er hatte geholfen, das Joint Venture einzufädeln, war bester Stimmung, hat rumgeblödelt und sich auf Peru gefreut. Aber als er aus dem Flieger nach Lima anrief, wirkte er ziemlich bedrückt.«

»Das war am Tag nach dieser ominösen Konferenz?«

»Genau.«

»Und hat sie ihn nach dem Grund gefragt?«

»Sie meint, irgendetwas müsse in Peking vorgefallen sein, das ihm arg zusetzte, aber er habe nicht darüber sprechen wollen. Überhaupt sei er wie ausgewechselt gewesen, in einer Stimmung, die so gar nicht zu ihm passte, niedergeschlagen und nervös. Von Lima aus hat er sie dann ein letztes Mal angerufen. Klang verzagt. Beinahe ängstlich.«

»Unmittelbar bevor er verschwand?«

»In derselben Nacht, ja. Es war das Letzte, was sie von ihm hörte.«

»Und was soll ich jetzt tun?«

»Graben, wie üblich. Ich will wissen, was das für ein Treffen war, an dem er in China teilgenommen hat. Wo es stattfand, worum es ging, wer alles dabei war.«

»Hm. Ich tue, was ich kann, okay?«

»Aber?«

Sina zögerte. »Susan würde dich gerne noch sprechen.«

Keowa runzelte die Brauen. Susan Hudsucker war die Nummer eins bei Greenwatch. Sie ahnte, was kommen würde, und es kam erwartungsgemäß im Gewand der Frage, wann sie denn, ihre Ambitionen in Ehren, die Reportage über die Umweltsünden der Ölkonzerne fertigzustellen gedenke. *Das Erbe der Ungeheuer* solle tunlichst zu einem Zeitpunkt ausgestrahlt werden, an dem es noch Ungeheuer gäbe, und ob sie sich bezüglich Palsteins möglicherweise verrannt habe.

Keowa stellte in Aussicht, ein Attentat aufzuklären.

Greenwatch sei nicht das FBI.

Vielleicht habe der Anschlag ja Verschiedenes mit dem Thema der Reportage zu tun.

Susan blieb skeptisch, andererseits war Loreena Keowa niemand, den sie nach Belieben hin und her kommandieren konnte.

»Vielleicht denkst du auch mal daran, dass es gefährlich ist, was du da treibst«, sagte sie.

»Wann wäre unsere Arbeit je ungefährlich gewesen?«, schnaubte Keowa. »Aufklärung ist immer gefährlich.«

»Loreena, hier geht's um versuchten *Mord!*«

»Hör zu, Susan.« Sie tigerte in ihrem Zimmer auf und ab. »Ich kann dir das jetzt nicht im Einzelnen auseinanderlegen. Morgen früh nehmen wir den ersten Flieger nach Vancouver und berufen eine Redaktionskonferenz ein. Ihr werdet feststellen, das ist eine *sehr* heiße Story, und wir sind jetzt schon sehr viel weiter als die blöde Polizei. Ich meine, wir wären doch bescheuert, wenn wir da nicht dranblieben!«

»Ich will dich ja auch gar nicht blockieren. Wir haben nur reichlich anderes zu tun. *Das Erbe der Ungeheuer* muss fertig werden, davon kann ich dich nicht entbinden.«

»Mach dir mal keine Sorgen.«

»Ich mach mir aber welche.«

»Außerdem hab ich mit Palstein eine Abmachung. Wenn wir die Sache aufklären, lässt er uns ganz tief reinschauen bei EMCO.«

Susan seufzte. »Morgen entscheiden wir, wie's weitergeht, okay?«

»Sina soll bis dahin –«

»Morgen, Loreena.«

»Susan –«

»Bitte! Wir machen ja alles, was du willst, aber zuerst reden wir.«

»Ach, Scheiße, Susan!«

»Sid holt euch ab. Gib ihm rechtzeitig durch, wann ihr eintrefft.«

Aufgebracht lief Keowa durch ihr Zimmer, schlug mehrmals mit der geballten Faust gegen die Wand und fuhr wieder runter ins Restaurant, wo der Praktikant in einer Riesenportion Mousse au Chocolat wühlte.

»Warum frisst du eigentlich so viel?«, schnauzte sie ihn an.

»Bin im Wachstum.« Er hob träge den Blick. »Scheint kein sonderlich gutes Gespräch mit Señora Ruiz gewesen zu sein.«

»Doch.« Sie ließ sich mürrisch auf ihren Stuhl fallen, schaute in ihre leere Tasse und rüttelte an der leeren Teekanne. »Es war kein sonderlich gutes Gespräch mit Susan. Sie meint, wir sollten uns auf *Das Erbe der Ungeheuer* konzentrieren.«

»Ups«, machte der Praktikant. »Das ist blöd.«

»Egal. Morgen früh fliegen wir nach Vancouver und klären das. Ich lass doch jetzt nicht die Zügel sausen!«

»Dann arbeiten wir also wieder am *Erbe der Ung* –«

»Nein, nein!« Sie beugte sich vor. »*Ich* arbeite am *Erbe der Ungeheuer.* Du durchleuchtest Lars Gudmundsson.«

»Palsteins Leibwächter?«

»Genau den. Ihn und sein Team. Ich hab mich schlaugemacht, er arbeitet für ein Unternehmen in Dallas mit dem schönen Namen *Eagle Eye*. Personenschutz, Privatarmeen. Fühl Gudmundsson auf den Zahn. Ich will alles über den Typen wissen.«

Der Praktikant sah sie unsicher an. »Und wenn er was merkt? Dass wir hinter ihm herschnüffeln.«

Keowa lächelte dünn. »Wenn er es merkt, haben wir einen Fehler gemacht. Und machen wir Fehler?«

»Ich schon.«

»Ich nicht. Also iss auf, bevor mir vom Hingucken schlecht wird. Wir haben zu tun.«

GRAND HYATT

Sie saßen in der Lobby am Kamin. Tu hörte sich ihren Bericht an, während er eine Handvoll Nüsse nach der anderen einwarf. Schneller als er sie kauen konnte, entnahm er sie der kleinen Schale neben seinem Wodka Martini, die Backen prall wie ein Eichhörnchen im Bevorratungsrausch.

»Einhunderttausend«, sinnierte er.

»Und zwar verbindlich.« Jericho langte in die Schale. Eine verbliebene Erdnuss versuchte sich seinem Zugriff zu entziehen. »Vogelaar wird kein weiteres Mal mit sich handeln lassen.«

»Dann zahlen wir eben.«

»Nur der guten Ordnung halber«, lächelte Yoyo zuckersüß. »*Ich* habe keine Einhunderttausend.«

»Na und? Glaubst du im Ernst, ich bin den ganzen Weg hierhergeflogen, um wegen lumpiger einhunderttausend Euro zu kneifen? Morgen früh habt ihr das Geld.«

»Tian, ich –« Jericho gelang es, die Nuss zwischen Daumen und Zeigefingernagel dingfest zu machen und in seine Mundhöhle zu befördern, wo sie verloren über den Zungenrücken kullerte. »Ich möchte dich ungern auf dieser Ausgabe sitzen lassen.«

»Wieso? Ich bin dein Auftraggeber.«

»Na ja.«

»Etwa nicht?«

»Eigentlich ist es Chen, und der hat auch keine –«

»Nein, *eigentlich* bin ich es, und *ich* zahle die Zeche!«, sagte Tu mit Entschiedenheit. »Hauptsache, euer Freund rückt sein Dossier raus.«

»Also, das ist – wirklich edel von dir.«

»Fall mir nicht gleich um den Hals. Man nennt es Spesen.« Tu wischte das Thema beiseite. »Meinerseits kann ich vermelden, dass die Stunden mit deiner reizenden, wenngleich etwas geschlechtslosen Diane zur Auffindung des Providers geführt haben, der die toten Briefkästen ins Netz gestellt hat.«

»Du hast die Nachricht entschlüsselt?«, rief Yoyo.

»Schscht.« Tu strahlte aus Weihnachtsaugen den Kellner an, der gekommen war, um die leere Schale gegen eine randvolle auszuwechseln. Futternd wartete er, bis der Mann außer Hörweite war. »Erstmal habe ich den zentralen Router aufgespürt. Ganz schön raffiniertes System. Die Seiten werden so lange umgeleitet, bis sie unter der Absenderschaft verschiedener Länder erscheinen. Verfolgt man ihren Weg zurück, landet man jedoch bei einem einzigen Server. Und der – oh Wunder! – sitzt in Peking.«

»Mann!«, entfuhr es Yoyo. »Wer ist der Betreiber?«

»Schwer festzustellen. Ich fürchte allerdings, auch dieser Server ist nicht der Letzte in der Kette.«

»Wenn wir die Gesamtheit aller von dort gerouteten Seiten kennen würden –«

»Es gibt kein solches Verzeichnis, falls du das meinst. Allerdings arbeitet Diane mit der wundertätigen Software von Tu Technologies, also sind ihr weitere tote Briefkästen ins Netz gegangen, die mit der Maske reagieren.« Tus Züge bekamen etwas Weihevolles. Er reichte jedem von ihnen einen Ausdruck. »Der Text ist ein bisschen länger geworden.«

Jan Kees Vogelaar lebt in Berlin unter dem Namen Andre Donner. Er betreibt dort ein für afrikanische Privatadresse und Geschäftsadresse: Oranienburger Straße 50, 10117 Berlin. Was sollen wir stellt unverändert ein hohes Risiko für die Operation kein Zweifel, dass er über die Bescheid weiß. mindest Kenntnis von der haben, ob von, ist fraglich. So oder so würde Aussage nachhaltig Zwar hat Vogelaar seit seinem keine öffentliche Erklärung zu den Hintergründen des Umsturzes abgegeben. Unverändert Ndongos dass die chinesische Regierung den Machtwechsel geplant und durchgeführt hat. Wesen der Operation hat Vogelaar wenig vom Zeitpunkt der Zudem lässt nichts bei Orley Enterprises *und der auf eine Störung schließen. Niemand dort ahnt alles. Ich zähle weil ich weiß, Dennoch empfehle dringend, Donner zu liquidieren. Es ist vertretbare*

»Orley Enterprises.« Yoyo runzelte die Stirn.

»Interessant, was?« Tu grinste schlau. »Der größte Technologiekonzern der Welt. Vorhin noch drüber gesprochen! Ich finde, das wirft ein ganz neues Licht auf die Sache. Es scheint weniger um irgendwelche erzwungenen Machtwechsel in Äquatorialguinea zu gehen als vielmehr um die Vorherrschaft –«

»– im Weltraum.« Jericho betastete sein Ohr. Im Moment fühlte er sich wie jemand, der stundenlang einen Feldweg entlanggestolpert war, um plötzlich festzustellen, dass gleich daneben die Hauptstraße verlief. Vogelaar zufolge hatten ihre Probleme 2022 mit dem Besuch der angeblichen Delegation des chinesischen Raumfahrtministeriums begonnen, als Mayé seine Felle schwimmen sah und bereit war, sich auf jeden Handel einzulassen. Auf eine Abmachung, die an Absurdität kaum zu überbieten war, doch Kenny stand für Peking, also hatte Mayé geglaubt, es mit einer offiziellen Delegation zu tun zu haben.

»Gut.« Er legte die Fingerspitzen aufeinander. »Vergessen wir Mayé eine Sekunde. Yoyo, erinnerst du dich, was Vogelaar über die Rampe gesagt hat? Wer sie gebaut hat?«

»Die Zheng Group.«

»Genau, Zheng. Und wer ist Zhengs größter Konkurrent?«

»Amerika.« Yoyo runzelte die Stirn. »Nein, ORLEY ENTERPRISES.«

»Was gewissermaßen auf das Gleiche hinausläuft, sofern mich mein Kenntnisstand nicht täuscht. Orley hat den Amerikanern die Vorherrschaft auf dem Mond ermöglicht, und er ist Zheng in jeder Hinsicht eine Nasenlänge voraus. Also setzt Zheng auf Spionage –«

»Oder auf Sabotage.«

»Ich sehe, ihr habt's begriffen.« Tus Finger wüteten in Paranüssen und Pistazien. »Von einer *Operation* ist da die Rede, und dass Vogelaar *unverändert ein hohes Risiko* darstellt, weil er *Bescheid weiß*. Nur, was soll das für eine Operation sein, dass reihenweise Menschen sterben müssen, um ihre Geheimhaltung zu gewährleisten?«

Yoyos Gesicht umwölkte sich.

»Eine, die noch bevorsteht«, sagte sie langsam.

»Denke ich auch«, nickte Jericho. »Vom *Wesen* und vom *Zeitpunkt* scheint Vogelaar keine Ahnung zu haben, doch er könnte die Sache platzen lassen, sollte er eine *öffentliche Erklärung zu den Hintergründen des Umsturzes* abgeben. Noch glaubt alle Welt, Ndongo habe sich das Amt des Präsidenten aus eigener Kraft oder mithilfe Pekings zurückgeholt –«

»So, und jetzt tappen wir zur Abwechslung mal *nicht* in die Umsturzfalle«, sagte Tu. »Denn hier steht weiter: *Zudem lässt nichts bei* ORLEY ENTERPRISES – *bla bla* – *auf eine Störung schließen.* Und –«

»*Niemand dort ahnt alles!*«

»Also einiges.« Yoyo schaute in die Runde. »Oder? Ich meine, die Formulierung wählst du, wenn sie *einiges* ahnen.«

»Ob der zweite Satz komplett ist, bloß weil er so klingt, müssen wir in Zweifel ziehen«, sagte Jericho. »Entscheidend ist, dass Orley ins Spiel kommt. Auf der anderen Seite steht Zheng. Das Desaster in Äquatorialguinea verdankt sich einem lancierten Weltraumprogramm, an dem er maßgeblich mitgebastelt hat. Zheng repräsentiert Peking, vielleicht aber auch nur sich selbst. Julian Orley wiederum, der Retter der amerikanischen Raumfahrt und Zhengs natürlicher Feind, steht für Washington –«

»Nur bedingt«, wandte Tu ein. »Julian Orley selbst ist Engländer, soweit ich weiß, und er spielt nur darum mit den Amerikanern, weil sie ihm nützlich sind. Auch er repräsentiert sich selbst.«

»Also was ist das hier? Ein Stellvertreterkrieg?«

»Möglich. Dass die Situation auf dem Mond Krisenpotenzial birgt, wissen wir spätestens seit vergangenem Jahr.«

»Vogelaar sieht das anders«, gab Yoyo zu bedenken. »Seiner Ansicht

nach wurde Peking als Initiator des äquatorialguineischen Satelliten-
programms nur vorgeschoben.«

»Nenn es Peking, nenn es Zheng.« Tu zuckte die Achseln. »Wollen
wir ausschließen, dass ein global operierender Konzern mit stillschwei-
gender Duldung seiner Regierung einen Anschlag auf einen Rivalen
plant?«

»Beißen Hunde andere Hunde?«

»Wartet mal.« Jericho legte einen Finger an die Oberlippe. »ORLEY
ENTERPRISES, sind die nicht gerade wieder in den Medien? Vor wenigen Tagen kam ein Bericht über die Mondkrise, und da –«

»Orley ist eigentlich immer in den Medien.«

»Ja, aber es ging um was Neues.«

»Klar!« In Yoyos Blick zündete der Funke des Begreifens. »GAIA!«

»Was?«

»Das Hotel. Das Mondhotel! GAIA!«

»Stimmt«, sagte Jericho nachdenklich. »Sie planen ein Hotel da
oben.«

»Ich glaube sogar, sie haben es bereits gebaut«, sagte Tu stirnrunzelnd. »Es hätte schon letztes Jahr fertig werden sollen, aber durch das
Helium-3-Gerangel kam es zu Verzögerungen. Keiner weiß, wie es
aussieht. Orleys großes Geheimnis.«

»Im Netz findest du jede Menge Spekulationen«, sagte Yoyo. »Und
du hast recht, es *ist* fertig. Irgendwann in diesen Tagen soll es sogar –
hm.«

»Was?«

»Ich glaube, es soll eingeweiht werden. Irgendein Haufen stinkreicher Typen fliegt hoch. Vielleicht sogar Orley selbst. Ganz exklusiv.«

Jericho starrte sie an. »Du meinst, die Operation könnte in Zusammenhang mit diesem Hotel stehen?«

»Interessant.« Tus Finger strichen durch die Randbewachsung seines Schädels. »Wir sollten uns unverzüglich an die Arbeit machen. Hinsichtlich ORLEY ENTERPRISES müssen wir uns auf den letzten Stand
bringen. Was läuft da gerade? Was ist für die nahe Zukunft geplant?
Danach nehmen wir uns die Zheng Group vor. Wenn wir dann außerdem noch Vogelaars Dossier haben, sind wir wahrscheinlich einen Rie-
senschritt weiter. – Wann wollt ihr den Kerl noch gleich treffen?«

»Morgen um zwölf«, sagte Jericho. »Am Pergamontempel.«

»Nie gehört.«

»Schon klar. 3000 Jahre chinesischer Hochkultur verstellen den
Blick auf den unbedeutenden Rest.« Jericho rieb sein Kinn und sah

Yoyo an. »Ich halte es übrigens für keine gute Idee, wenn wir zu zweit dort aufkreuzen.«

»Na hör mal!«, protestierte sie. »Bis jetzt haben wir alles gemeinsam durchgezogen.«

»Ich weiß. Trotzdem.«

»Verstehe!« Sie kniff feindselig die Lippen zusammen. »Du bist immer noch sauer wegen der Sache mit Nyela.«

»Nein, überhaupt nicht. Wirklich nicht!«

»Denkst du, Vogelaar wird noch mal versuchen, dich in der Aufschnittmaschine zu zersäbeln?«

»Er ist unberechenbar.«

»Er will Geld, Owen! Er will es an einem öffentlichen Ort. Was soll passieren?«

»Owen hat recht«, schaltete sich Tu ein. »Wissen wir, ob Vogelaar dieses Dossier überhaupt besitzt?«

Yoyo runzelte die Brauen. »Wie meinst du das?«

»So, wie ich's sage. Er hat euch von einem Dossier *erzählt*. Hat er euch auch eines *gezeigt*?«

»Natürlich nicht, erst will er ja das –«

»Also könnte er geblufft haben«, unterbrach Tu. »Eben *weil* er Geld braucht. Er könnte versuchen, Owen im Museum auszutricksen und mit den Einhunderttausend abzuhauen.«

»Wie denn austricksen?«

»So.« Jericho hielt einen ausgestreckten Zeigefinger gegen seine Schläfe. »Funktioniert auch in Menschenmengen.«

»Na super!« Yoyo zappelte vor Aufregung und Entrüstung hin und her. »Und da willst du alleine ins Museum?«

»Glaub mir, es ist sicherer.«

»Es wäre sicherer mit mir und meiner Antilopenkeule!«

»Alleine bin ich schneller und flexibler. Ich muss auf niemanden aufpassen als auf mich selbst.«

»Was du ja so gut kannst, Plüschohr.«

»Um dich zweimal rauszuhauen, hat's jedenfalls gereicht.«

»Ach, so ist das«, echauffierte sich Yoyo hochrot. »Du hast Angst, du müsstest mich ein drittes Mal raushauen. Du hältst mich für zu blöde.«

»Du bist alles andere als blöde.«

»Was dann?«

»Kann es sein, dass du schwierig bist?«

»Das will ich doch hoffen!«

»Yoyo«, sagte Tu mit leiser Autorität. »Ich denke, die Entscheidung ist gefallen.«

Der Sturm der Entrüstung, der sich in Yoyo zusammenbraute, trieb schweren Regen heran. Er sammelte sich feucht in ihren Augenwinkeln und am unteren Lidrand.

»Ich will aber nicht rumsitzen!«, sagte sie mit zerzauster Stimme. »Ich hab uns das alles eingebrockt. Könnt ihr nicht verstehen, dass ich was *tun* will?«

»Doch. Du tust was, indem du mir bei der Recherche hilfst.«

Der Kellner erschien und kontrollierte die Bestände. Tus Hand grub sich schnell in die Schale, als fürchte er, den Nüssen nicht die gebührende Aufmerksamkeit gezollt zu haben.

»Wir müffem allef über Orley wiffem«, nuschelte er. »Aufferdem –« er schluckte, »– will ich mehr über Zhengs Alleingänge in Erfahrung bringen. Schließlich ist er der einzige Chinese, der ohne Wissen staatlicher Stellen irgendwo auf der Welt eine Startrampe bauen könnte. Du siehst, liebste Yoyo, selbst wenn Owen mich auf Knien bitten würde, dich mitzunehmen, würde ich ablehnen.«

Yoyo schaute ihn düster an. »Du frisst wie ein Schwein, um das mal festzustellen.«

»Hilfst du mir nun oder nicht?«

»Habt ihr zwei Alphamännchen denn auch schon erwogen, ORLEY ENTERPRISES zu verständigen?«

»Hab ich«, sagte Tu. »Ich bin allerdings nicht sicher, was genau wir denen sagen sollen.«

»Dass zu einem unbekannten Zeitpunkt etwas geschehen wird, von dem wir nicht wissen, was es ist und wogegen es sich richtet, sie aber möglicherweise Adressat des Ganzen sind.«

»Überaus konkret. Auch, dass Zheng dahintersteckt?«

»Oder Peking. Oder der chinesische Geheimdienst.« Yoyo beruhigte sich zusehends. Das Brechen der Dämme schien fürs Erste abgewendet. »Wir wissen nicht, wann dieser Anschlag – *wenn* es denn überhaupt ein Anschlag ist – stattfinden soll. Mayés Sturz fällt mit der Mondkrise zusammen, vielleicht *war* diese Krise ja schon die Operation, aber unser Text sagt eigentlich was anderes. Dass sie noch bevorsteht. Aber wann? Wie viel Zeit bleibt? Wir sind mit Mach 2 nach Berlin gedüst, um Vogelaar zu warnen. Wir sollten mit Lichtgeschwindigkeit eine Nachricht an ORLEY ENTERPRISES absetzen, und wenn sie noch so schwammig ist.«

»Strategisch sauber argumentiert«, meinte Jericho.

Yoyo lehnte sich zurück. Sie wirkte nur halbwegs befriedigt. Jericho wusste, was sie durchlitt, den Zorn, die Scham und Hilflosigkeit eines Kindes, das nicht in Ordnung bringen darf, was es angerichtet hat, da schon ihr Vater mit anklagendem Schweigen durch ihr schuldverfinstertes Innere spukte. Ein Kind, dem wie so vielen Kindern die frühe Kränkung widerfahren war, nicht zu genügen.

In solchen Dingen kannte sich der pickelige Junge aus.

Dem Rumpf des Orley-Konzerns entwuchsen nach Art der Göttin Kali so viele Arme, dass Tu es irgendwann leid wurde, ständig weiterverwiesen zu werden, zumal das Unternehmen etliche, für Anschläge bestens geeignete Angriffsflächen bot. ORLEY SPACE, zuständig für das Raumfahrtprogramm und flankierende Technologien, oblag zwar das Hotelprojekt, andererseits aber auch wieder nicht, da Privatreisen zur Raumstation und zum Mond in die Zuständigkeit von ORLEY TRAVEL fielen. In Fragen des Abbaus und Transports von Helium-3 hatte man sich zwar an die NASA und das amerikanische Wirtschaftsministerium zu wenden, ebenso aber an ORLEY SPACE und ORLEY ENERGY, deren Kerngeschäft im Bau von Fusionsreaktoren lag. Je weiter sie in die labyrinthische Struktur des Konzerns vorstießen, desto unsicherer wurden sie, worauf sich die *Operation* beziehen mochte. Orley Entertainment produzierte Kinofilme wie *Perry Rhodan,* denen der irische Schauspieler Finn O'Keefe einen Spitzenplatz auf der Gagenskala verdankte, werkelte an der nächsten Generation des 3-D-Kinos herum und hatte mehrere Weltstädte um die Orley Sphere bereichert, eine gigantische, 30 000 Besucher fassende Kugelarena für Mega-Ereignisse. Ein aktuell geplanter Auftritt des fast 80-jährigen David Bowie auf der OSS war selbstverständlich Sache von Orley Entertainment, wurde organisatorisch aber von ORLEY SPACE und ORLEY TRAVEL mitverantwortet. Es gab eine Division für Marketing und Kommunikation, Orley Media, sowie eine Keimzelle der Innovation, in der junge Forscher dem Alltag von morgen entgegentüftelten, ORLEY ORIGIN genannt. Im Internet schließlich nahm die Präsenz des Konzerns spiralgalaktische Ausmaße an. Alleine unter der Begriffseingabe *News* förderte Diane eine wahre Agenda des 21. Jahrhunderts zutage. Alles war neu, und alles war *wirklich alles,* weil es praktisch kein Terrain gab, das ORLEY ENTERPRISES nicht mit Inbrunst und edelsten Absichten zu beflaggen versuchte. Nahezu bodenlos wurde es, als sie auf OneWorld stießen, eine von Julian Orley ins Leben gerufene Initiative, die mit der Verlässlichkeit isländischer Geysire Fontänen der Zuversicht spie, was die Verhinderung des *Global Collapse* betraf. Unablässig testete man dort neue Werkstoffe, neue Antriebe, neues Dies und neues Das, bis hin zu Meteoritenabwehrsystemen, die auf der OSS im Zusammenwirken von ORLEY SPACE und ORLEY ORIGIN entwickelt wurden.

Über alldem erstrahlte, jungenhaft lächelnd und die Verheißung des ewigen Abenteuers auf den Lippen, die Ikone Julian Orleys, mehr Rockstar als Wirtschaftsmogul, Menschenfreund und Exzentriker, Verbündeter der USA und zugleich niemandes Partner, fürsorglich, generös und unberechenbar, *Master of Time and Space,* Hohepriester des Was-wäre-wenn, ein Mann, der allgemein ein Patent auf den Planeten Erde, den umgebenden Weltraum und die Zukunft als solche geltend zu machen schien.

GAIA, das Mondhotel, informierte sie Diane, sei übrigens in diesen Tagen für eine ausgewählte Gästeschar unter Leitung Julian und Lynn Orleys eröffnet worden. Zuständig dafür sei –

»Mir reicht's«, beschied Tu und rief das Hauptquartier des Konzerns in London an, Abteilung Zentrale Sicherheit. Jennifer Shaw, oberste Generalin der Security, saß in einer Besprechung, Andrew Norrington, ihr Stellvertreter, war auf Reisen. Schließlich sprach Tu mit einer Frau namens Edda Hoff, Nummer drei im System und Trägerin einer sturzhelmartigen Pagenfrisur, deren Ausstrahlung einem elektronischen Ansagedienst in nichts nachstand: Wenn sie einen terroristischen Anschlag melden wollen, sagen Sie bitte ›eins‹. Für Bestechung und Spionage sagen Sie ›zwei‹. Wenn Sie selbst einen Anschlag verüben wollen, sagen Sie bitte ›drei‹. Sie klang, als passiere bei ORLEY ENTERPRISES den lieben langen Tag nichts anderes, als dass Anrufer vor Missetaten warnten oder welche in Aussicht stellten.

Tu übermittelte ihr das Textfragment. Sie las es aufmerksam, ohne dass sich in ihrer wächsernen Miene etwas tat. Ruhig lauschte sie seinen Ausführungen. Erst als Tu auf das Hotel zu sprechen kam, belebten sich ihre Züge mit Wachsamkeit, und ihre Augenbrauen hoben sich bis dicht unter den Rand der schwarzen Haarbordüre.

»Und was macht Sie so sicher, dass dieser Anschlag dem GAIA gilt?«

»Ich hörte, es sei eröffnet worden«, erklärte Tu.

»Nicht offiziell. Die erste Besuchergruppe ist vor wenigen Tagen dort eingetroffen, persönliche Gäste von Julian Orley. Er selbst –« Sie stockte.

»Ist dort?«, ergänzte Tu. »*Das* würde mich beunruhigen!«

»Aus diesem Dokument geht kein Zeitpunkt der Operation hervor«, sagte sie etwas nörgelig. »Es ist alles ziemlich vage.«

»Weniger vage ist das Ableben unschuldiger Menschen, die das vorliegende Dokument mit ihrem Leben bezahlt haben«, sagte Tu beinahe heiter. »Sie sind tot, mausetot, ganz unvage tot, wenn Sie verstehen, was ich meine. Was uns angeht, haben wir unser Leben riskiert, damit Sie das hier lesen können.«

Hoff schien zu überlegen. »Wie kann ich Sie erreichen?«

Tu gab ihr seine Mobilnummer und die Jerichos.

»Gedenken Sie etwas zu unternehmen?«, fragte er. »Und wann?«

»Wir werden das GAIA benachrichtigen. Innerhalb der nächsten paar Stunden.« Ihre Mundwinkel strebten auseinander und schufen die Illusion eines Lächelns. »Danke für den Hinweis. Wir rufen Sie an.«

Der Bildschirm wurde schwarz.

»War das eine Frau?«, wunderte sich Yoyo. »Oder ein Roboter?«

Tu stieß ein schnaubendes Lachen aus. »Diane?«

»Guten Abend, Herr Tu.«

»Nenn mich einfach Tian.«

»Mache ich.«

»Wie geht es dir, Diane?«

»Danke, Tian, es geht mir gut«, sagte Diane in ihrem schmeichelnden Alt. »Was kann ich für Sie tun?«

Tu wandte sich zu ihnen um. »Keine Ahnung, wer oder was Edda Hoff ist«, flüsterte er. »Aber gegen sie ist Diane *eindeutig* eine Frau. Owen, ich leiste Abbitte. Ich beginne dich zu verstehen.«

GAIA, VALLIS ALPINA, MOND

»Gibt es eine Person in deinem Umfeld, der du rückhaltlos vertraust?«

Lynn überlegte. Spontan drängte es sie, Julians Namen zu nennen, doch plötzlich empfand sie Unsicherheit. Sie liebte und bewunderte ihren Vater, und natürlich vertraute *er ihr*. Doch wann immer sie sich durch seine Augen sah – und eigentlich sah sie sich unentwegt durch seine Augen, schon als Kind hatte sie sich zum Sonnenlicht seiner Gunst hin verwachsen –, erschrak sie vor der Frau mit dem meerblauen Blick, die Julian seine Tochter nannte. Das war nicht sie. Wie also konnte sie *ihm* vertrauen, da er offenbar keinerlei Kenntnis hatte von dem puppenhaften, in ständiger Metamorphose begriffenen Ungeheuer, diesem Klumpen anpassungsfähigen Gewebes, als den sie sich selbst empfand?

»An welche Person denkst du gerade?«, fragte ISLAND-II.

»An meinen Vater. An Julian Orley.«

»Julian Orley ist dein Vater?«, rückversicherte sich das Programm.

»Ja.«

»Er ist nicht die Person, der du vertraust.«

Das war keine Frage, sondern eine Feststellung. Der Mann ihr gegenüber beugte sich vor. Lynn atmete schwer, und die Sensoren in ihrem T-Shirt vermerkten gewissenhaft auch diesen Atmer und leiteten ihn an die Datenbank weiter. Scanner und Stressmelder erfassten Körpertemperatur, Puls, Herzrhythmus und jegliche neuronale Aktivität, unterwarfen ihre Äußerungen einer Frequenzanalyse, bilanzierten Mimik, Weitung und Kontraktion ihrer Pupillen, Motorik der Augenmuskulatur, Ausperlungen von Schweiß. In jeder Sekunde, die sie vermessen wurde, bereicherte Lynn ISLAND-II um Informationen, die das Programm befähigten, Aussagen über sie zu treffen.

Der Mann schien einen Augenblick nachzudenken. Dann lächelte er ihr aufmunternd zu. Er war von kräftigem Wuchs, vollkommen kahl, mit freundlichen, nachdenklich blickenden Augen, die Lynns Zwiebelnatur, das Diorama ihrer Verstellung, Schicht für Schicht zu durchdringen schienen, indes ohne die invasive Kühle, mit der Psychologen ihre Patienten oft mikroskopierten.

»Gut, Lynn. Bleiben wir bei den Menschen, die zurzeit um dich herum sind. Nenne mir nacheinander die Namen derjenigen Personen, denen du dich nahe fühlst. – Und lass nach jedem Namen ein paar Sekunden verstreichen.«

Sie betrachtete ihre Fingernägel. Mit ISLAND-II zu kommunizieren war, als balanciere man in der Dunkelheit einem unbekannten Ziel entgegen – auf dem Strahl einer Taschenlampe. Der Trick bestand darin, sich als ebenso virtuell zu begreifen. Das Beste daran war, dass man sich nicht blamieren konnte. So hatte Lynn keinerlei Ahnung, ob dem Kahlköpfigen eine reale Person zugrunde lag, fest stand, dass es ihm unmöglich war, sie für ihre Sorgen zu verachten. Tatsächlich war ISLAND-II, voll ausgeschrieben *Integrated System for Listening and Analysis of Neurological Data*, nur insofern menschlich, als es von Therapeuten programmiert worden war.

»Julian Orley«, wiederholte Lynn, obschon das Programm ihn bereits von der Liste ihrer Vertrauenspersonen gestrichen hatte, und legte gehorsam eine kurze Pause ein. »– Tim Orley – Amber Orley – Evelyn Chambers – das sind sie, glaube ich.«

Evelyn? Vertraute sie Amerikas mächtigster Talklady? Andererseits, warum nicht? Evelyn war eine Freundin, auch wenn sie wenig miteinander gesprochen hatten seit Beginn der Reise. Doch die Frage hatte gelautet, wem sie sich nahe fühlte. War Nähe gleichbedeutend mit Vertrauen?

Der Mann schaute sie an.

»Ich habe während der letzten Viertelstunde viel über dich erfahren«, sagte er. »Du hast Angst. Weniger infolge realer Bedrohungen als vielmehr vor deinen Gedanken, mit denen du dich selbst in Schrecken versetzt. Während du das tust, hörst du auf, dich zu fühlen. Der Verlust des Fühlens stürzt dich in die Hölle der Depression, schlimmere Ängste sind die Folge, allen voran die Angst *vor* der Angst. Unglücklicherweise wächst sich in dieser Stimmung jeder deiner Gedanken zu einem Monster aus, sodass du dem Irrtum erliegst, die *Inhalte* deiner Gedanken seien für deinen Zustand verantwortlich. Also versuchst du, sie auf inhaltlicher Ebene loszuwerden, und bewirkst das genaue Gegenteil. Je ernster du die vermeintlichen Monster nimmst, desto übermächtiger blähen sie sich auf.«

Er machte eine Pause, um seine Worte wirken zu lassen.

»Doch tatsächlich sind die Inhalte *austauschbar*. Nicht der Inhalt erzeugt die Angst. Die Angst erzeugt den Inhalt. Angst ist ein körperliches Phänomen. Dein Herzschlag beschleunigt sich, Druck legt sich auf deine Brust, du verspannst, verhärtest, verkrampfst dich. Aus innerer Weite wird Enge, Unfreiheit und Ohnmacht. Wie ein Tier im Käfig beginnst du zu rasen. Diese körperliche Zusammenziehung, Lynn, ist der Grund, warum du deinen Gedanken eine so übersteigerte Bedeutung beimisst, dass sie dich überhaupt erst in die Hölle schicken können. Es ist wichtig, dass du diesen Mechanismus durchschaust. Denn mehr ist es nicht. Sobald es dir gelingt, dich zu entspannen, durchbrichst du den Teufelskreis. Je intensiver du dich spürst, desto weniger können dich deine Gedanken quälen. Am Beginn jeder Therapie steht darum die Kräftigung des Körpers. Sport, viel Sport. Bewegung, Seitenstechen, Muskelkater. Schärfung der Sinne. Hören, Sehen, Schmecken, Riechen, Tasten. Raus aus der Projektion, hinein in die wirkliche Welt. Atmen, Körper spüren. – Hast du Fragen dazu?«

»Nein. Doch.« Lynn knetete ihre Hände. »Ich verstehe, was du meinst, aber – aber es – es sind ja sehr konkrete Ängste. Ich meine, ich sauge mir das doch nicht aus den Fingern! Was ich getan, worauf ich mich eingelassen habe. Mein Denken kreist nur noch um – Zerstörung, um Qualen, um – um den Tod. Den Tod anderer. Töten, quälen, zerstören! – Ich habe entsetzliche Angst, mich in etwas zu verwandeln, das plötzlich aus mir herausbricht, andere anspringt und zerfetzt, Menschen, die ich liebe! Etwas, das mich von innen frisst, bis nur noch meine Hülle übrig ist, und die Hülle birgt etwas Unheimliches und Fremdes, und – ich weiß nicht mehr, wer ich bin. Ich weiß nicht, wie lange ich diesem Druck noch standhalte –«

Mit einem Mal schossen ihr Tränen in die Augen, Destillate der Hilflosigkeit. Ihr Kinn zuckte. Von überallher schien Flüssigkeit zu kommen, aus der Nase, aus ihren Mundwinkeln, selbst über die Unterlippe triefte es herab. Der Mann lehnte sich zurück und betrachtete sie unter gesenkten Lidern in Erwartung, dass sie noch etwas hinzufügen werde, doch sie konnte nicht sprechen, nur nach Luft schnappen. Sie wünschte sich, aus der Welt zu verschwinden, zurück in den Mutterleib, nicht in den Crystals allerdings, die ihr zu Lebzeiten keinerlei Halt hatte bieten können, sondern vielmehr das Gift ihrer Schwermut an sie weitergegeben hatte, codiert in ihren Genen. Sie wünschte sich einen Vater, der ihr erklärte, dass sie nur schlecht geträumt habe, aber nicht Julian, der sie zwar in den Arm nehmen und trösten würde, ohne im Mindesten zu begreifen, was ihr Problem war, ebenso wenig wie er Crystals Depressionen und ihren späteren Wahn hatte begreifen können. Dabei war es keineswegs so, dass Julian Schwäche verachtete. Er *verstand* sie nur einfach nicht! Lynn wünschte sich zurück in den Schutz eines Elternpaars, das es niemals gegeben hatte.

»Ich stelle sehr hohe Erwartungen an mich«, sagte sie, um einen geschäftsmäßigen Tonfall bemüht. »Und dann – spüre ich die Gewissheit, dass sie zu hoch sind, und hasse mich für meine Unzulänglichkeit – für mein Versagen.«

Sie fühlte sich transparent werden, schlang die Arme um sich, was nichts an der Empfindung von Transparenz änderte. Sie unterhielt sich mit einem Computer, doch selten war sie sich so nackt vorgekommen.

»Ich schlage dir eine andere Sichtweise vor«, sagte ISLAND-II nach einer Weile. »Es sind nicht *deine* Erwartungen. Es sind die Erwartungen anderer, aber du hast sie dir so sehr zu eigen gemacht, dass du *glaubst,* es wären deine. Also versuchst du, dein Handeln mit diesen Erwartungen in Übereinstimmung zu bringen. Du wertschätzt nicht, wer du bist, sondern wie andere dich gerne hätten. Doch man kann sich auf Dauer nicht verleugnen und entwerten. Verstehst du, was ich meine?«

»Ja«, flüsterte sie. »Ich glaube schon.«

Der Blick des Mannes ruhte auf ihr, freundlich und analytisch.

»Was fühlst du jetzt gerade?«

»Weiß nicht.«

»Die Person, *die du bist,* weiß es. Spür der Empfindung nach.«

»Ich kann nicht«, wimmerte sie. »Ich kann so was nicht. Ich hab keinen Zugang zu – mir.«

»Du musst dich hier nicht verstellen, Lynn.« Der Mann lächelte. »Nicht vor mir. Vergiss nicht, ich bin nur ein Programm. Wenngleich ein sehr intelligentes.«

Verstellung? Oh ja! Die Königin der Verstellung war sie, seit den Tagen ihrer Kindheit. Verstellung, antrainiert in stundenlanger Gesellschaft ihres Spiegelbilds, bis sie in der Lage gewesen war, jeden gewünschten Ausdruck auf den Monitor ihres hübschen Gesichts zu projizieren: Zuversicht am Abgrund des Scheiterns, Lässigkeit im Gegenwind der Überforderung, Bluffen mit nichts auf der Hand. Wie rasch sie gelernt hatte, was Wirkung vermochte, wo ausgerechnet der Mann, dem sie am meisten damit zu gefallen suchte, die bloße Idee der Verstellung missbilligte. Doch er durchschaute ihr Rollenspiel nicht, bis sie es selbst nicht mehr durchschaute. Atemlos bemüht, mit ihm Schritt zu halten, entwickelte sie eine tief sitzende Aversion gegen Befindlichkeiten, allen voran ihre eigenen. Sie begann das Larmoyante, triefend Launenhafte ihrer Mitmenschen zu verachten. Seelische Entblößung, zur Schau gestelltes Leid, die Klebrigkeit vorschneller Intimität. Jeden wissen zu lassen, mit welchem Bein man aufgestanden war, teilhaben zu lassen an seiner mentalen Chemie, widerlich. Um wie viel mehr hatte sie die Hygiene der Verstellung bevorzugt. Bis zu jenem Tag vor fünf Jahren, der alles veränderte –

»Es ist Wut, was du fühlst«, sagte ISLAND-II ruhig.

»Wut?«

»Ja. Unbändige Wut. Die eingesperrte Lynn Orley, die endlich ausbrechen und geliebt werden will, und zwar von sich selbst. Diese Lynn hat viele Mauern einzureißen, sie muss sich von vielen Erwartungen befreien. Wunderst du dich, dass sie töten und zerstören will?«

»Ich will doch nicht töten und zerstören«, weinte sie. »Aber ich kann nicht – ich kann nicht dagegen –«

»Natürlich willst du es nicht. Nicht physisch. Du wirst niemandem etwas tun, Lynn, hab keine Angst. Du quälst nur einen einzigen Menschen, nämlich dich selbst. Es gibt kein Monster in dir.«

»Aber diese Gedanken lassen mich nicht los!«

»Umgekehrt, Lynn. Du lässt die Gedanken nicht los.«

»Ich versuch's aber doch. Ich versuche doch alles!«

»Sie werden schwächer werden, je stärker die wahre Lynn wird. Was dir als Verwandlung in ein Monster erscheint, ist in Wirklichkeit der Beginn deiner Neugeburt. Man nennt es auch Emanzipation. Du strampelst, du willst raus. Und natürlich stirbt dabei etwas, nämlich deine alte, dir aufgezwungene Identität. – Sind dir die drei Zwänge der Kindheit bekannt?«

Lynn schüttelte stumm den Kopf.

»Sie lauten: Ich muss. Ich darf nicht. Ich sollte. Wiederhole sie bitte.«

»Ich – muss, darf nicht – sollte –«

»Wie klingt das?«

»Beschissen.«

»Ab heute gelten sie nicht mehr für dich. Du bist nicht mehr das Kind. Ab jetzt gilt nur noch: Ich bin.«

»*I am what I am* –«, sang Lynn brüchig. »Und wer bin ich?«

»Du bist die Zeugin deiner Gedanken und Taten. Das, was bleibt, wenn du die Gesamtheit aller Identitäten, die du für dein Ich hältst, abstreifst, bis nur noch pures Bewusstsein übrig ist. Hast du je das Gefühl gehabt, dass du dir beim Denken zusehen kannst? Dass du sehen kannst, wie Gedanken auftauchen und wieder verschwinden?«

Lynn nickt schwach.

»Auch das ist eine wichtige Wahrheit, Lynn. Du bist nicht deine Gedanken! Verstehst du? Du bist *nicht* deine Gedanken! Nicht identisch mit deinen *Vorstellungen* von der Welt.«

»Nein, verstehe ich nicht.«

»Ein Beispiel. Bist du dir dessen bewusst, dass du die holografische Projektion eines Mannes siehst?«

»Ja.«

»Was siehst du noch?«

»Mobiliar. Den Stuhl, auf dem ich sitze. Ein bisschen Technik. Wände, Fußboden, Decke.«

»Wo genau bist du?«

»Ich sitze auf dem Stuhl.«

»Und was tust du?«

»Nichts. – Zuhören. Reden.«

»Wann?«

»Wie, wann?«

»Sag mir, wann das geschieht.«

»Na, jetzt.«

»Und das war's auch schon. Dein Bewusstsein ist durchaus in der Lage, die wahre Welt wahrzunehmen und auf das zu reduzieren, was sie ist. Auf das Jetzt. Dem folgt wieder ein Jetzt, wieder ein Jetzt, ein Jetzt, Jetzt, Jetzt, und so weiter. Alles andere, Lynn, sind Projektionen, Fantasien, Spekulationen. – Findest du dein Jetzt bedrohlich?«

»Wir sind auf dem Mond. Alles könnte schiefgehen, und dann –«

»Stopp. Du gleitest ab in die Hypothese. Bleib bei dem, *was ist.*«

»Na ja«, sagte Lynn widerstrebend. »Nein. Nicht bedrohlich.«

»Siehst du? Die Realität ist nicht bedrohlich. Wenn du diesen Raum verlässt, wirst du anderen Menschen begegnen, andere Dinge tun, ein neues Jetzt erleben, wieder ein Jetzt, wieder ein Jetzt. Jeden dieser Momente kannst du auf seine Bedrohlichkeit hinterfragen, nur ein Gedanke ist dabei nicht gestattet: *Was wäre, wenn.* Die Frage lautet: *Was ist?* Fast immer wirst du feststellen, dass die einzige Bedrohung in deinen Konstruktionen existiert.«

»*Ich* bin bedrohlich«, wisperte Lynn.

»Nein. Du *denkst,* bedrohlich zu sein, so sehr, dass es dich ängstigt. Aber auch das ist nur ein Gedanke. Er taucht auf und macht Buh, und du fällst darauf rein. 85 Prozent all dessen, was uns durch den Kopf geht, ist Müll. Das meiste registrieren wir gar nicht. Mitunter aber macht ein Gedanke Buh, und wir erschrecken. Doch wir *sind nicht* diese Gedanken. Du musst keine Angst haben.«

»O – okay.«

Der Mann schwieg eine Weile.

»Möchtest du weiter über dich sprechen?«

»Ja. Nein, ein anderes Mal. Ich muss Schluss machen – für diesmal.«

»Gut. Eines noch. Ich habe dich vorhin gefragt, wem du vertraust.«

»Ja.«

»Ich habe deine Reaktionen ausgewertet, während du die Namen nanntest. Meine Empfehlung lautet, dich einem dieser Menschen anzuvertrauen. Sprich mit Tim Orley.«

Einem *Menschen* anvertrauen.

»Danke«, sagte Lynn mechanisch, ohne darüber nachzudenken, ob ISLAND-II Wert auf Höflichkeiten legte. Der kahlköpfige Mann lächelte.

»Komm wieder, wenn du möchtest.«

Sie schaltete ihn ab, entfernte die Sensoren von ihrer Stirn, tauschte das T-Shirt gegen ihr eigenes. Eine Weile starrte sie auf die leere Glasscheibe, unfähig aufzustehen, wo aufstehen doch nirgendwo einfacher war als auf dem verdammten Scheißmond.

War es klug gewesen, hierherzukommen? Sich vor einen Spiegel zu zerren, in den sie partout nicht schauen wollte? Bekanntlich lieferte ISLAND-II verblüffende Resultate. Inzwischen war eine regelmäßige psychologische Betreuung aus der bemannten Raumfahrt nicht mehr wegzudenken. Hatte man während der heldenverliebten Siebziger eher die leibhaftige Existenz Dagobert Ducks anerkannt als Depressionen im Weltraum, kreiste in der Ära der Langzeitmissionen alles um das Mysterium der menschlichen Psyche, schon weil niemand gewillt war, sündhaft teure Unternehmungen wie die anstehenden Marsmissionen wegen Monk'scher Unpässlichkeiten in den Sand zu setzen. Nicht Meteoriten oder technisches Versagen stellten die größte Gefährdung dar, sondern Panik, Phobien, Rivalenkämpfe und der gute alte Sexualtrieb, was zwingend nach einem Bordpsychologen verlangte. Simulationen wurden durchgeführt, die allerdings nachdenklich stimmten. In zwei von fünf Fällen verlor der Psychologe als Erster die Nerven und begann, die übrigen Mitglieder der Mannschaft in den Wahnsinn zu analysieren. Doch selbst, wenn er die Ruhe behielt, brachte seine Anwesenheit nicht den gewünschten Effekt. Offenbar verschluckten die betroffenen Astronauten lieber ihre Zunge, als sich einem lebenden, urteilenden Wesen anzuvertrauen, Selbstzensur von trostloser Schlüssigkeit: Männer fürchteten um die Karriere, Frauen darum, verachtet zu werden.

So waren die virtuellen Therapeuten ins Spiel gekommen. Erst einfache Programme, die auf der Grundlage von Fragebögen Kalenderblattratschläge erteilten, später Rollenspiele, schließlich komplexe dialektische Software. Nichts ging über eine Videoplauderei mit Freunden und Verwandten, doch was tun auf dem Mars, wo solche Schaltungen kaum herzustellen waren? Am Ende hatten renommierte Cybertherapeuten ein Programm entwickelt, das die Vorzüge ausgefeilter Dialogtechniken mit der simultanen Auswertung des umfangreichsten Datenbestands vereinte, der je einer künstlichen Intelligenz zur Verfügung gestanden hatte. Skeptiker reklamierten die individuelle Bedürfnisstruktur jedes einzelnen Menschen, die nur von einem Menschen erfasst werden könne, doch die Praxis ließ auf das Gegenteil schließen. Durch wie viele Türen man die labyrinthische Seele auch betreten mochte, nach einer Weile des Umherirrens gelangte man auf vertrautes Terrain. Es gab keine Millionen psychologischer Leitmotive, nur die millionenfache Paraphrasierung weniger Grundmuster. Letztlich landete man bei den immer selben Neurosen, Verstrickungen und Traumata, und das meiste war akuter Natur, etwa wer wem den letzten Schokoladenpudding weggegessen hatte. Inzwischen bewährte sich ISLAND-I in Raumstationen, abgelegenen Forschungscamps und Konzernzentralen rund um den Globus, während das ungleich fortgeschrittenere ISLAND-II bislang nur im Meditations- und Therapiezentrum von GAIA wirkte: ein selbst seinen Programmierern rätselhaftes

Pseudogeschöpf, unbeseelt vom promethischen Funken, jedoch befähigt, in unfassbarer Geschwindigkeit zu lernen und Schlüsse zu ziehen.

Nach einer Weile brachte Lynn endlich die Energie auf, das Zentrum zu verlassen. Auf dem Weg in die Lobby vollzog sich die Umgestaltung ihrer Mimik zu heiterer Gestimmtheit. Euphorisierte Gäste kreuzten ihren Weg, zappelig, kinderäugig, zurückgekehrt von Ausflügen in die Lavahöhlen des Moltkekraters, vom Gipfel des Mons Blanc, vom Grund des Vallis Alpina. Wortreich wurde von der Missionierung des Universums durch Tennis und Golf geschwärmt, von effektvollen Wasserspielen im Pool, von Flügen und Fahrten mit Shuttles, Grasshoppern und Mondbuggys und natürlich immer wieder vom Anblick der Erde. Abneigungen und Meinungsverschiedenheiten schienen im Regolith beerdigt worden zu sein. Jeder redete mit jedem. Momoka Omura führte Worte wie Schöpfung und Demut im Munde, Chuck Donoghue nannte Evelyn Chambers eine galante Person, Mimi Parker verabredete sich mit Karla Kramp kichernd im Dampfbad. Pestilenzartige Anflüge von guter Laune zersetzten jedes anständige Ressentiment. Alle waren in Kuschellaune, ekelhaft ausgelassen und pflegeleicht, selbst Oleg Rogaschow, der seine Mitreisenden der Reihe nach zum Judo nötigte und mit füchsischer Freude am *Naga Waza* durchs Geviert schleuderte, meterweit, *natürlich ohne dass sich jemand wehtat!* Zum Kotzen, doch das Lynn-Chamäleon ging in jeder Schilderung auf, als artikuliere sich darin der Sinn seines Daseins, ließ sich Komplimente zustecken wie Hurenlohn, litt und lächelte, lächelte und litt. Viertel vor acht, Vorfreude aufs Dinner. Vor ihrem geistigen Auge sah sie, wie der erste Gang serviert und heruntergeschlungen wurde, Aileen eine Fischgräte im Hals stecken blieb, Rogaschow Blut spuckte, Heidrun erstickte, sah GAIAS Antlitz bersten und den fidelen Haufen bekackter Arschlöcher nach draußen gewirbelt werden, ungeschützt ins Vakuum, platzend, verbrennend, erfrierend.

Na ja, man platzte nicht gleich.

Aber keine Mutter hätte ihr Kind danach noch wiedererkannt.

Dana Lawrence schaute auf, als Lynn das Kontrollzentrum betrat. Sie warf einen raschen Blick auf die Uhr. Wenige Minuten noch bis zur Fütterung der Raubtiere, und sie musste wegen eines routinemäßigen Checks in den Untergrund. Normalerweise besetzte Ashwini Anand während ihrer Abwesenheit die Zentrale, doch die Inderin ging gerade dem Versagen des Roboters nach, der in Nairs Suite die Betten bezog.

»Alles klar?«, fragte Lynn.

»So weit ja. Technischer Ausfall auf Level 27. Nichts von Bedeutung.«

Lynns Augen flackerten. Es reichte, um Lawrences Analytikerverstand zu triggern. Sie fragte sich, was los war mit Julians Tochter. Zunehmend machten sich Anzeichen von Unsicherheit und Gereiztheit bei ihr bemerkbar. Warum hatte sie sich vor zwei Tagen so vehement dagegen gesträubt, Julian die Aufzeichnungen sehen zu lassen? Sie ließ ihren prüfenden Blick auf Lynn ruhen, doch die hatte sich längst gefangen.

»Kriegen Sie's hin, Dana?«

»Kein Problem. Da Sie gerade hier sind, kann ich Sie um einen Gefallen bitten? Ich müsste für zehn Minuten nach unten. Während der Zeit ist die Zentrale nicht besetzt, und –«

»Schalten Sie doch um auf Ihr Handy.«

»Tue ich für gewöhnlich. Ich habe nur gerne alles im Blick, wenn im Restaurant der Rummel losgeht. Könnten Sie kurz die Stellung halten?«

»Klar.« Lynn lächelte. »Gehen Sie ruhig.«

Du bist eine Schauspielerin, dachte Lawrence. Was verbirgst du? Was ist dein Problem?

»Danke«, sagte sie nachdenklich. »Bis gleich.«

Die Zentrale. Der kleine Olymp.

Auf wie viele Knöpfe man hier drücken könnte, wie viele Systeme umprogrammieren, Grundeinstellungen verändern. Den Sauerstoffgehalt heraufsetzen, bis alles Feuer fing. Ein Übermaß an Kohlendioxid beimischen. Sämtliche Schotts schließen und die Gesellschaft im Restaurant abriegeln, bis einer nach dem anderen durchdrehte. Den *Sludge,* das Abwasser, ins Trinkwasser leiten, sodass alle krank wurden. Die Fahrstühle stoppen. Den Reaktor abkoppeln. Den Innendruck erhöhen und schlagartig abfallen lassen. Lauter lustige Dinge. Der Kreativität waren keine Grenzen gesetzt.

Ich bin bedrohlich.

Lynns Blick erwanderte die Monitorwand mit den überwachten Bereichen.

Nein. Du bist nicht deine Gedanken!

»*I am what I am*«, sang sie leise.

Eine Melodie mischte sich hinein. Ein Anruf aus London, Orley Hauptquartier, Zentrale Sicherheit. Lynn runzelte die Brauen. Ihre Hand schwebte unschlüssig über dem Touchscreen, dann nahm sie das Gespräch mit flauem Gefühl entgegen. Edda Hoffs Pagenkopf erschien auf dem Schirm. Ihre Wachsfigurenphysiognomie ließ nicht erahnen, ob sie Gutes oder Schlechtes zu vermelden hatte.

»Hallo, Lynn«, sagte sie tonlos. »Wie geht's?«

»Könnte nicht besser laufen! Der Trip ist ein voller Erfolg. Und bei Ihnen? Tote? Armageddon?«

Hoff zögerte die Antwort beunruhigend lange hinaus.

»Ich weiß es nicht, um ehrlich zu sein.«

»Sie wissen es nicht?«

»Vor wenigen Stunden hat jemand Kontakt zu uns aufgenommen. Ein gewisser Tu Tian, chinesischer Geschäftsmann, zurzeit in Berlin. Hat eine ziemlich wirre Geschichte erzählt. Offenbar sind er und ein paar Freunde in den Besitz geheimer Informationen gelangt und stehen seitdem auf der Abschussliste irgendwelcher Killer.«

»Und was hat das mit uns zu tun?«

»Der Text, dem sie die Aufregung verdanken, ist stark verstümmelt. Ein Fragment nur, aber das wenige, was sie uns rübergeschickt haben, liest sich nicht gerade wie eine Gute-Nacht-Geschichte.«

»Was denn genau?«

»Ich schicke es Ihnen rüber.«

Einige Zeilen erschienen auf einem separaten Schirm. Lynn las den Text, las ihn noch mal und ein weiteres Mal in der Hoffnung, der Name Orley möge daraus verschwinden, doch mit jedem Mal schien er sich nur breiter zu machen. Wie paralysiert starrte sie auf das Dokument und fühlte die schwarze Woge der Panik heranrollen, als hätte die Unterhaltung mit ISLAND-II niemals stattgefunden.

Niemand dort ahnt alles.

»Und?«, wollte Hoff wissen. »Was ist Ihre Meinung?«

»Ein Fragment, wie Sie schon sagten.« Bloß keine Unsicherheit anmerken lassen! »Ein Rätsel. So lange wir nicht den vollständigen Wortlaut kennen, interpretieren wir möglicherweise mehr rein, als drinsteht.«

»Tu befürchtet einen Anschlag auf das GAIA.«

»Das ist ja wohl ziemlich weit hergeholt, finden Sie nicht?«

»Wie man's nimmt.«

»Nirgendwo steht, wann diese Operation überhaupt stattfinden soll.«

»Hab ich ihm auch gesagt. Andererseits können wir den Vorfall schlecht ignorieren.«

»Welchen Vorfall denn, Edda? Um zu entscheiden, ob man was ignoriert oder nicht, sollte man erst mal wissen, was es ist, oder? Aber wir wissen gar nichts. Orley unterhält Einrichtungen auf der ganzen Welt, wenn da wirklich was gegen uns liefe, müsste es ja nicht ausgerechnet das GAIA betreffen. Wie kommt der Chinese überhaupt auf die Idee?«

»Durch die aktuelle Berichterstattung.«

»Ach so.« Ihr Verstand raste. Die Konturen des Raums schienen in Auflösung begriffen. »Na ja, stimmt, das Hotel besitzt den höchsten Neuigkeitswert, aber deswegen nicht gleich das höchste Gefährdungspotenzial. Jedenfalls können wir hier im Moment keine Aufregung gebrauchen, das verstehen Sie doch, Edda? Nicht bei *diesen* Gästen! Wir dürfen keinesfalls riskieren, potenzielle Geldgeber mit so einem Zeugs zu verschrecken.«

»Ich will niemanden verschrecken«, sagte Hoff leicht indigniert. »Ich mache meinen Job.«

»Natürlich.«

»Außerdem wollte ich *Sie* gar nicht mit der Sache behelligen, sondern Dana Lawrence, aber Sie sind nun mal rangegangen. Und ich bin nicht blöde, Lynn. Ich weiß, dass Sie umgeben sind von Investoren, lauter wichtigen Typen, superreich und superprominent. Aber spricht nicht genau diese Konstellation für eine Gefährdung des Hotels?«

Lynn schwieg.

»Wie auch immer«, sagte sie schließlich. »Es war richtig, dass Sie uns so schnell informiert haben. Wir werden hier oben die Augen offen halten, und genau das sollten Sie auch tun. Erhöhen Sie die Wachsamkeit. Haben Sie schon mit Norrington und Shaw gesprochen?«

»Nein. Fürs Erste habe ich diesen Tu überprüft.«

»Und?«

»Selfmade-Millionär der ersten Stunde. Äußerst erfolgreich. Betreibt eine Hochtechnologieschmiede für Holografie und virtuelle Environments in Shanghai. Ich habe ein paar Interviews und Artikel gefunden, die sich mit ihm befassen. Definitiv kein Spinner.«

»Gut. Bleiben Sie dran. Informieren Sie mich, wenn sich in der Sache was tun sollte, und – Edda?«

»Ja?«

»Sprechen Sie *mich* als Erste an, wenn sich was tut.«

»Ich muss natürlich auch Norrington und Shaw –«

»Selbstverständlich müssen Sie das. Bis dann, Edda.«

Lynn beendete das Gespräch und stierte vor sich hin. Nach wenigen Minuten stieg Lawrence wieder aus der Unterwelt zu ihr empor. Sie erhob sich, lächelte und wünschte der Direktorin einen schönen Abend, ohne ein Sterbenswort über den Anruf zu verlieren. Gemessenen Schrittes verließ sie die Zentrale, fuhr mit dem Fahrstuhl in

Gaias geschwungenen Busen, zwängte sich in ihre Suite, kaum dass das Schott einen Spalt offen stand, stürzte ins Bad, riss die Packung mit den grünen Tabletten auf und stopfte drei davon in sich hinein, noch im Herunterwürgen bemüht, ein dunkel getöntes Glas voll madenartiger Kapseln aufzudrehen.

Es entglitt ihr. Fiel.

Mit fliegenden Fingern griff sie danach, bekam es zu fassen. Zwei der Maden krochen auf ihre heftig zitternde Handfläche. Hastig presste sie beide zwischen die Lippen und spülte mit Wasser nach. Als sie den Kopf hob, starrte ihr das wüste Antlitz einer Gorgone entgegen, die Haare zu Schlangen geringelt, dass es sie nicht gewundert hätte, unter ihren eigenen Blicken zu versteinern. Unverändert hielt sie das Gefühl gefangen, ins Bodenlose zu stürzen. Das Zeug wirkte nicht, nicht schnell genug, sie stürzte weiter, dem Wahnsinn entgegen, sie würde wahnsinnig werden, wenn es nicht wirkte, wahnsinnig, wahnsinnig –

Aufgelöst rannte sie in den Wohnraum, vergaß für einen Moment die geringe Schwerkraft, prallte heftig gegen die Wand und fiel auf den Rücken, praktischerweise dorthin, wo sie auch hingewollt hatte, wenngleich nicht auf diese Weise, aber egal. Da, die Minibar, direkt vor ihrer Nase. Cola, Wasser, Saft, alles raus, es muss eine Flasche Rotwein dahinter sein, oder noch besser der Whisky, die kleine Notration, die sie eingeschmuggelt hat, obwohl man auf dem Mond eigentlich keinen Alkohol, bla bla bla, runter damit, in einem Zug –

Schmerzhaft ergoss sich der Bourbon in ihre Speiseröhre. Auf allen vieren kroch sie zurück ins Bad, während ihr Brustkorb erbebte von dem bevorstehenden Ausbruch, schaffte es eben noch bis vor die Toilette, zog sich über die Brille und spie alles in hohem Bogen wieder aus, Whisky, Tabletten und was immer ihr Magen enthalten hatte. Mit Hochdruck klatschte die Kotze vor ihr auf die Keramik und einiges davon zurück in ihr Gesicht. Wo waren die Tabletten? Säuerlicher Geruch stach in ihre Nase, trieb ihr die Tränen in die Augen. Sie konnte nichts sehen. Sie würgte weiter, obschon es nichts mehr hervorzuwürgen gab, bis sie sich endlich aus dem Bann der Kloschüssel befreit hatte und daneben zerfloss. Wimmernd und reglos lag sie in Schweiß und Erbrochenem, starrte zur Decke – und bekam mit einem Mal wieder Luft.

Tim. ISLAND-II hatte gesagt, sie solle mit Tim sprechen. Wo war er? Beim Dinner? Ob sie schon angefangen hatten? Zwanzig nach acht, dumme Kuh, klar haben sie angefangen, kleiner Gruß aus der Küche, Schnick und Schnack an Schaum und Essenz von ganz gleich welchem Scheißdreck, er würde ihr doch wieder hochkommen, aber sie musste hin, konnte schließlich nicht ewig hier liegen bleiben, bis einer die Tür aufbrach.

Angst ist ein körperliches Phänomen.

Genau, neunmalkluge Maschine, oh Sokrates!

Die körperliche Zusammenziehung, Lynn, ist der Grund, warum du deinen Gedanken eine so übersteigerte Bedeutung beimisst, dass sie dich überhaupt erst in die Hölle schicken können.

Vorsichtig setzte sie sich auf. Ihr Schädel dröhnte. Sie fühlte sich, als sei sie ein Jahr lang in der Saharasonne vor sich hin getrocknet, aber ihr Verstand funktionierte wieder, und die hart angerissenen Saiten ihrer Nerven schwangen langsam aus. Greisenhaft rappelte sie sich hoch und betrachtete sich im Spiegel.

»Gott, siehst du scheiße aus«, murmelte sie.

Sobald es dir gelingt, dich zu entspannen, durchbrichst du den Teufelskreis. Je intensiver du dich spürst, desto weniger können dich deine Gedanken quälen.

Na schön. Dann mussten sie den ersten Gang eben ohne sie essen. Was sie da im Spiegel erblickte, war mit ein bisschen Rouge nicht zu retten. Sie würde renovieren müssen, gewissermaßen, aber auch das würde ihr glücken. Pünktlich zum Hauptgang würde sie im SELENE erscheinen, strahlend schön, die Königin aller Verstellung.

Ein Sukkubus im Gewand eines Engels.

BERLIN, DEUTSCHLAND

Tu bestand auf einem Abendprogramm, nachdem er an alle möglichen Leute Nachrichten verschickt hatte in der Hoffnung, Insiderwissen über die Zheng Group zu erlangen. Einige Adressaten lagen um diese Zeit noch in ihren Shanghaier und Pekinger Betten, mit anderen in Amerika sprach er oder bat um Rückruf. Unterm Strich, ließ er verlauten, sei jede amerikanische Information über Zheng einer chinesischen vorzuziehen.

»Warum das?«, fragte Jericho, als sie im legendären Borchardts riesige Wiener Schnitzel serviert bekamen.

»Warum?« Tu hob die Brauen. »Amerika ist unser bester Freund!«

»Stimmt«, bestätigte Yoyo. »Wenn wir Chinesen etwas über China erfahren wollen, fragen wir die Amerikaner.«

»Schöne Freunde«, bemerkte Jericho. »Vor eurer Freundschaft erzittert die ganze Welt.«

»Ach, Owen, komm. Wirklich.«

»Im Ernst! Hast du nicht selbst von der lunaren Kubakrise gesprochen?«

Tu hob mit der Messerspitze den Rand seines tellerüberbordenden Schnitzels an und lugte misstrauisch darunter, als sei dort eine Erklärung zu finden, warum Europäer ihr Fleisch nicht in mundgerechte Stücke schnitten. Lieber wäre er in ein chinesisches Restaurant gegangen, hatte jedoch vor einem zweistimmigen »Das kann ja wohl nicht wahr sein!« kapitulieren müssen.

»Doch«, sagte er. »Und mir war ebenso mies zumute wie dir. Aber man muss sich ins Gedächtnis rufen, dass China und Amerika gar keinen Krieg führen *können*. Sie sind Zwillinge der Weltwirtschaft, verfeindet, aber siamesisch. Erzfeinde machen traditionell die besten Geschäfte miteinander, es bringt Vorteile, seinen Geschäftspartner nicht zu mögen. Sympathie ist eine Tinktur zum Aufweichen von Verträgen, Abneigung schärft die Sinne, also treibt China äußerst erfolgreich Handel mit den Nationen, die es am wenigsten mag, nämlich mit den Vereinigten Staaten von Amerika und mit Japan. Würde ich wiederum etwas über Amerika wissen wollen, würde ich natürlich den *Zhong Chan Er Bu* kontaktieren.«

»Das sind Binsenweisheiten.« Jericho begann zu essen. »Dass Bürger totalitärer Regimes am meisten über sich in Erfahrung bringen, wenn sie bei denen nachfragen, deren Job es ist, sie auszuspionieren. Hier geht es um was anderes. Auch die Amerikaner können nicht in den Kopf von Zheng Pang-Wang schauen.«

»Richtig. Dennoch bietet es sich an, die CIA und die NSA zu fragen, wenn du etwas über ihn erfahren willst. Oder meinethalben den Bundesnachrichtendienst, den SIS, die Sluschba Wneschnei Raswedki, den Mossad, den indischen Geheimdienst. Du bist Detektiv, Owen, deine Philosophie ist die Infiltration. Deren auch. Allerdings hat man festgestellt, dass es mitunter leichter ist, Regierungen zu infiltrieren als Konzerne.« Tu beträufelte sein Wiener Schnitzel mit Zitrone. Er trug dabei eine Miene zur Schau, als könne das Fleisch ob der Behandlung vom Teller springen und nach draußen entwischen. »Du hast vorhin gesagt, ORLEY ENTERPRISES und die USA, das liefe aufs selbe hinaus. Tut es. Allerdings nur insofern, als Orley den Amerikanern die Parameter ihrer Raumfahrt diktiert. Das wollen sie natürlich nicht hören. Sie hassen die Vorstellung, aber tatsächlich sind die USA *vollkommen abhängig* von Orley. Ihre Raumfahrt, ihr ganzes Energiekonzept hängt am Tropf des größten Technologiekonzerns der Welt, genauer gesagt an Julian

Orleys Geld und am Know-how seiner fähigsten Mitarbeiter. Insofern ist Orley vielleicht identisch mit Amerikas Raumfahrt, aber Washington ist keineswegs identisch mit Orley. Wenn du alles über die Pläne der amerikanischen Regierung weißt, weißt du noch lange nichts über ORLEY ENTERPRISES. Das Unternehmen ist eine Festung. Ein Paralleluniversum. Ein Staat außerhalb aller Grenzen.«

»Und Zheng?«

»Da läuft es anders. Amerikas Präsidenten mögen der Öl-, Eisen- und Waffen-Lobby verpflichtet gewesen sein, allerdings waren sie nie ganz damit identisch. Einfach darum, weil Konzerne in demokratischen Ländern ihrem Wesen nach privat sind. In China hingegen wurzeln sie historisch im Staat, machen aber, was sie wollen.«

»Die Partei hätte demnach ihre Macht an die Konzerne verloren?«, fragte Jericho. »Das sollte mich wundern.«

»Quatsch.« Yoyo schüttelte den Kopf. »Machtverlust bedeutet, dass dich jemand verdrängt, um an deiner statt zu herrschen. Trotzdem bist du noch da, etwa in der Opposition. Aber in China hat keine Verdrängung stattgefunden, sondern eine einhundertprozentige Transformation, eine Metamorphose. Für jeden Altkommunisten, der den Löffel abgab, ist jemand gekommen, der zwar brav das Parteibuch in der Tasche trug, außerdem aber einen Führungsposten in einem profitorientierten Unternehmen innehatte.«

»Das ist in Amerika nicht so viel anders.«

»Doch. An ORLEY ENTERPRISES hat Washington Macht verloren, worüber sich die Regierung an verregneten Tagen ärgern mag, aber wenigstens ist noch jemand da, der sich ärgert. In China gibt es keine staatlichen Institutionen mehr, die sich ärgern könnten. Das Ganze heißt zwar immer noch Kommunismus, ist aber ein Konzernkonsortium mit selbst verliehenem Regierungsmandat.«

»Du kannst es auch andersrum betrachten«, sagte Tu, als moderierten sie gemeinsam ein Politmagazin. »China wird regiert von Managern, die einen Zweitjob in der Politik bekleiden. In der westlichen Welt gibt es immer noch vereinzelt Staatsoberhäupter, die Nein sagen, wenn die Privatwirtschaft Ja sagt. Vielleicht wird aus dem großen Nein bald ein kleines, mickriges und verzagtes Nein, aber wenigstens bleibt das Rudiment einer Position erhalten. In China musst du dir einfach ein Nein vorstellen, das aus ganz vielen Jas besteht. Als Deng Xiaoping beschloss, die Privatisierung in Ansätzen wieder zuzulassen, fragten sich manche, wie viel Privatisierung denn fortan erlaubt sei. Die Frage ist mittlerweile obsolet, weil es am Ende der Kommunismus war, der privatisiert wurde.«

Er legte Messer und Gabel beiseite, nahm das Schnitzel zwischen die Finger und biss hinein. »Und darum, Owen, ist es einfacher, im Ausland an Informationen über einen chinesischen Konzern zu kommen, als in China. Um Interna über Zheng zu erhalten, reicht es, sich in den nachrichtendienstlichen Alltag aller Nationen einzuklinken, die Peking bespitzeln. Und da kenne ich zufällig ein paar Leute.«

Jericho schwieg. Er wusste nicht, wen Tu alles kannte und an welchen Stationen seines Lebens er die Bekanntschaft von Geheimdiensten gemacht hatte, nur dass ihm die Vision einer Welt, in der Regierungen entweder konzernisiert oder Konzerne jeder staatlichen Kontrolle enthoben waren, selten so deutlich vor Augen gestanden hatte wie in diesem Augenblick.

Wer war ihr Feind?

Gegen zehn fühlte er sich müde und ausgelaugt, während Yoyo vorschlug, die einheimische Szene auf Exzessfähigkeit zu durchleuchten. Nervöse Ausgelassenheit hatte von ihr Besitz ergriffen. Tu verlangte es, den Kudamm zu sehen. Jericho verband sich mit Diane und entlockte ihr ein Verzeichnis angesagter Clubs und Karaoke-Bars. Dann empfahl er sich ins Hotel mit der Begründung, arbeiten zu müssen, was sogar der Wahrheit entsprach. Einige seiner Klienten hatte er in den vergangenen zwei Tagen sträflich vernachlässigt.

Yoyo protestierte. Er solle mitkommen.

Jericho zögerte. Im Grunde stand sein Entschluss fest, sich ins Hotel zurückzuziehen, doch plötzlich war er geneigt, ihr nachzugeben. Tatsächlich hatte ihr Protest zur Folge, dass ein bis dahin unentdeckter Akku zusätzliche Energie in sein System speiste. Eine Empfindung warmen, fließenden Öls durchströmte seinen Brustkorb.

»Na ja, ich müsste eigentlich –«, sagte er der Form halber.

»Okay. Dann bis später.«

Der Akku krepierte. Die Welt entrückte in den nie endenden Winter seiner Adoleszenz, als man ihn nur darum zu Partys eingeladen hatte, damit es hinterher nicht hieß, man habe ihn vergessen. Er stellte sich vor, wie Yoyo ganz prima ohne ihn Spaß haben würde, so wie jeder damals ganz prima ohne ihn Spaß gehabt hatte.

Wie er es gehasst hatte, jung zu sein.

»Oder?«, fragte sie mit kalten Augen.

»Viel Spaß«, sagte er. »Bis später.«

Später, das war, als er nichts von dem erledigt hatte, weswegen er vorzeitig ins Hotel zurückgekehrt war. Als er dalag und sich fragte, an welchem Punkt seines Lebens er falsch abgebogen war, um fortan wie in einem Albtraum immer dorthin zu gelangen, wo er am wenigsten hingewollt hatte. Wie ein Flugreisender am Gepäckband, dessen Koffer verloren gegangen war und wahrscheinlich gerade am entgegengesetzten Ende der Welt in irgendeinem Auktionshaus den Besitzer wechselte, wartete und wartete er, zunehmend gewiss, dass sich Warten zum bestimmenden Merkmal seiner Existenz entwickeln könnte.

Um kurz nach zwei, als er mit halbem Auge ein misslungenes 3-D-Remake des Tarantino-Klassikers *Kill Bill* verfolgte, klopfte es verschämt an der Zimmertür. Er rappelte sich hoch, öffnete und sah Yoyo im Flur stehen.

»Kann ich reinkommen?«, fragte sie.

Mechanisch schaute er zur Digitalanzeige der Videowand.

»Danke.« Sie drückte sich an ihm vorbei und betrat auf nicht ganz sicheren Beinen sein Zimmer. »Ich weiß selbst, wie spät es ist.«

Ihr Blick hatte etwas hundehaft Trauriges. Eine Zigarette qualmte zwischen ihren Fingern, außerdem war unübersehbar, dass sie reichlich gebechert hatte. Der Grad ihrer Derangiertheit ließ auf einen kleinen Wirbelsturm schließen, in den sie unterwegs geraten sein musste. Jericho bezweifelte, dass sie einen gelungenen Abend hinter sich hatte.

»Was machst du gerade?«, fragte sie neugierig. »Viel gearbeitet?«

»Geht so.«

Jericho stand herum. Welchen Zweck hätte es gehabt, ihr zu erklären, dass er die vergangenen Stunden mit einem 18-Jährigen um die Vorherrschaft in seinem Körper gerungen hatte. »Und du? Gut amüsiert?«

»Oh, großartig!« Sie drehte sich mit ausgebreiteten Armen um ihre Achse, was in Jericho den spontanen Impuls auslöste, herbeizueilen und sie aufzufangen. »Wir sind in irgend so einer Karaoke-Bar gelandet, wo sie nur Scheiße spielten, aber Tian und ich haben den Laden trotzdem aufgemischt.«

Er setzte sich auf die Bettkante. »Ihr habt gesungen?«

»Und wie.« Yoyo kicherte. »Tian kennt keinen einzigen Text und ich kann alles rauf und runter. Ein paar Typen hingen da rum und meinten, wir sollten mitkommen zu einem Club-Gig. Eine Band namens Tokio Hotel. Ich dachte, es sind Japse! Aber es waren Deutsche, alle schon älter, Rock-Veteranen.«

»Klingt doch gut.«

»Ja, aber nach 'ner halben Stunde musste ich aufs Klo, und nirgends war eines zu finden. Also sind wir in die Grünanlagen und von da weiter in die nächste Kneipe, die noch aufhatte. Keine Ahnung, wo.«

Sie verstummte abrupt und ließ sich neben ihn auf die Bettkante sinken.

»Und?«, fragte er.

»Hm. Tian hat was erzählt. – Willst du wissen, was?«

Plötzlich überkam ihn die idiotische Vision, sie zu küssen und dadurch zu erfahren, was Tian erzählt hatte, einfach indem er es aus ihr heraussaugte. Im heruntergekommenen Zustand ihrer Trunkenheit, schattenhaft, pastös und gewöhnlich, erschien sie ihm noch begehrenswerter als sonst. Die Erkenntnis erblühte in seiner Lendengegend und verwandelte sich in Schmerz, da Yoyo schließlich gekommen war, um zu *reden*.

Er fixierte den schimmernden, geschlechtslosen Leib Dianes. Yoyo senkte den Kopf und sog das letzte bisschen Leben aus ihrer Zigarette.

»Ich würd's dir wirklich gerne erzählen.«

»Oka-a-a-y-y«, sagte Jericho gedehnt. Eine offene Ablehnung, miserabel codiert.

»Natürlich nur, falls es dich nicht –« Sie zögerte.

»Was?«

»Ist vielleicht doch'n bisschen spät. Oder?«

Nein, es ist genau richtig, schrie der erwachsene Mann in seinem Kopf, unfähig, den frustgesteuerten Autopiloten abzustellen, der gerade dabei war, Yoyo nach allen Regeln der Kunst auflaufen zu lassen. Sie schauten einander an, über einen gefühlten Grand Canyon hinweg.

»Also, dann – geh ich wohl besser mal.«

»Schlaf gut«, hörte er sich sagen.

Sie stemmte sich hoch. Fassungslos über sich selbst, unternahm Jericho nichts, um sie zurückzuhalten. Sie verharrte einen Moment, schlurfte unschlüssig zum Computer und zurück.

»Irgendwann werden wir diese Zeit unseres Lebens lieben, die wir heute hassen«, sagte sie mit plötzlicher Klarheit. »Irgendwann müssen wir Frieden machen, sonst werden wir noch verrückt.«

»Du bist 25 Jahre alt«, sagte Jericho müde. »Du kannst mit allem und jedem Frieden schließen.«

»Was weißt denn du?«, murmelte sie und floh aus seinem Zimmer.

CALGARY, ALBERTA, KANADA

Ein Dobermann, vor der Metzgerei angeleint. So und nicht anders fühlte sich Loreena Keowa, deren Instinkt sie mit untrüglicher Sicherheit nach Peking geführt hatte, zu jener Konferenz, in deren Folge Alejandro Ruiz von der Bildfläche verschwunden war. Sie hatte Witterung aufgenommen, stand kurz davor zuzuschnappen, sich zu verbeißen, doch Susan wollte *reden*. Wozu? Worüber? Sina durfte ihr bis auf Weiteres nicht mehr helfen, weil Susan Hudsucker von Bedenken befallen war. Welch unsinnige Vergeudung von Chancen und Zeit! Keine Sekunde zweifelte Keowa daran, dass die Gründe für Ruiz' Verschwinden offen zutage träten, würde sie nur die Hintergründe der Konferenz kennen, und dass sich im selben Moment auch das Rätsel um den Mordversuch an Palstein entwirren würde. Sie war *so* dicht dran!

Und Susan wollte *reden*.

Unlustig tippte sie ein paar Sätze ihrer Moderation für das *Erbe der Ungeheuer* in den Laptop. Streng genommen war sie auf Sinas Hilfe gar nicht angewiesen. Von Calgary aus hatte sie ebenso Zugriff auf die Datenbanken der Zentrale in Vancouver wie auf ihren eigenen Rechner in Juneau. Wenn sie wollte, *war* sie die Zentrale. Sie hätte das Netz auf eigene Faust durchforsten können. Einzig der Respekt gebot, sich an die Spielregeln zu halten, und dass Susan Hudsucker ihr bislang noch immer den Rücken freigehalten hatte, wenn es drauf angekommen war. Also gedachte sie die Intendantin mit der Morgengabe eines faktenreichen Treatments – *Das Erbe der Ungeheuer, Teil 1: Die Anfänge* – wohlwollend zu stimmen, um sie anschließend ins Netz ihrer Passion zu locken, indem sie Fakten präsentierte, die erforderten, Palstein Priorität einzuräumen.

Keowa klappte den Laptop zu. Sie suchte den Blick des chinesischen Kellners, der hinterm Tresen seine Zeit mit dem Anhauchen und Polieren allerlei Kristalls totschlug, und bedeutete ihm durch Hochhalten ihres leeren Glases, dass sie ein weiteres Labatt Blue wünsche. Im *The Keg Steakhouse and Bar* des Westin Calgary herrschte bedrückende Leere. In Vorfreude auf gegrillten Lachs und Cesars Salad sehnte sie das Eintreffen des Praktikanten herbei, dessen Tischgesellschaft ihr zugleich immer suspekter wurde, da sie fürchtete, er könne demnächst explodieren und all die Mengen komprimierter Eierspeisen, Wurstwaren und Steaks, die er im Verlauf der letzten beiden Tage in sich reingestopft hatte, über sie verteilen. Andererseits, der Junge war gut. Ganz sicher würde er Informationen für sie haben, wenn er aufkreuzte.

Der Kellner brachte das Bier. Keowa tauchte die Oberlippe in den Schaum, als ihr Handy schellte.

»Guten Abend, Shax' saani Keek'«, sagte Gerald Palstein.

»Oh, Gerald«, rief sie erfreut. »Wie geht es Ihnen? So ein Zufall, dass Sie anrufen, wir beschäftigen uns gerade mit Ihrem Freund Gudmundsson. Haben Sie ihn rausgeworfen?«

»Loreena –«

»Vielleicht sollten wir ihn erst mal weiter beobachten.«

»Loreena, er ist verschwunden.«

Keowa brauchte einen Moment, um zu begreifen, was Palstein gerade gesagt hatte. Sie stand auf, nahm ihr Bier, verließ die Bar und suchte sich einen einsamen Platz in der Lobby.

»Gudmundsson ist verschwunden?«, fragte sie gedämpft.

»Er und sein komplettes Team«, nickte Palstein sorgenvoll. »Seit heute Mittag. Niemand weiß, wohin. Bei *Eagle Eye* kann man ihn unter keiner seiner Nummern erreichen, dafür erfuhr ich, einer Ihrer Leute hätte dort angerufen und Erkundigungen über ihn eingezogen.«

Keowa zögerte. »Wenn ich herausfinden soll, wer auf Sie geschossen hat, führt kein Weg an Gudmundsson vorbei.«

»Ich bin nicht sicher, ob unsere Abmachung noch steht.«

»Moment!«, fuhr sie auf. »Nur weil –«

»Jetzt hören Sie mir mal einen Augenblick zu, ja? Sie sind keine professionelle Ermittlerin, Loreena. Verstehen Sie mich nicht falsch, ich stehe tief in Ihrer Schuld. Alleine zu wissen, dass Gudmundsson möglicherweise gegen mich arbeitet! Glauben Sie mir, ich werde Sie nach Kräften bei Ihrer Umweltreportage unterstützen, das habe ich versprochen und halte ich, aber von jetzt an sollten Sie die Ermittlungen der Polizei überlassen.«

»Gerald –«

»Nein.« Palstein schüttelte den Kopf. »Die sind auf Sie aufmerksam geworden. Gehen Sie aus dem Fadenkreuz, Loreena, das sind Leute, die für ihre Zwecke töten.«

»Gerald, haben Sie je darüber nachgedacht, warum Sie noch leben?«

»Ich hatte unverschämtes Glück, das ist alles.«

»Nein, warum Sie *immer noch* leben. Vielleicht ging es ja gar nicht darum, Sie zu töten. Vielleicht würden Sie auch noch leben, wenn Sie auf dem Podium *nicht* gestolpert wären.«

»Sie meinen –«

»Oder es war denen egal. Überlegen Sie doch mal! Gudmundsson hätte Sie seitdem tausendmal über den Haufen schießen können, stattdessen laufen Sie putzmunter durch die Gegend. Ich bin sicher, der Anschlag hat einzig dem Zweck gedient, Sie eine Weile aus dem Verkehr zu ziehen.«

»Hm.«

»Gut, kleine Korrektur«, räumte sie ein. »Wären Sie nicht gestolpert, hätte die Kugel Ihren Kopf getroffen. Aber alles andere stimmt, *muss* stimmen. Jemand wollte Sie an etwas hindern. Meines Erachtens daran, mit Orley zum Mond zu fliegen. Und das ist gelungen, also warum sollten die Sie jetzt noch töten? Alejandro Ruiz hatte möglicherweise weniger Glück –«

»Ruiz?«

»Der Stratege von Repsol.«

»Langsam, mir schwirrt der Kopf. Zwischen Ruiz und mir sehe ich nun wirklich keinen Zusammenhang.«

»Ich aber«, zischte sie, während sie sich umsah, ob jemand in Hörweite war. »Mein Gott, Gerald! Sie sind Strategischer Leiter eines Unternehmens, das die meiste Zeit seiner Existenz das genaue Gegenteil dessen getan hat, was Sie wollten. Erst, als alles schon zu spät war und den Bach runterging, gaben die Ihnen genügend Kompetenzen, nur dass Sie jetzt nicht mehr viel damit anfangen können. Nicht anders verhielt es sich mit Ruiz! Moralapostel, Nestbeschmutzer, Nervensäge. Hat Repsol unablässig gedrängt, sich in Solarkraft zu engagieren, wollte mit ORLEY ENTERPRISES ins Geschäft kommen, genau wie Sie! Hat gegen Wände gesprochen. Und plötzlich, als der Kahn abzusaufen droht, machen die ihn zum Strategischen Leiter. Sie und Ruiz fordern jahrelang ein Standbein in den alternativen Energien, werden ignoriert, dann inthronisiert, auf den einen wird geschossen, der andere geht in Lima verloren, und da sehen Sie keinen Zusammenhang?«

Palstein blieb die Antwort schuldig.

»Am 1. September 2022«, fuhr Keowa fort, »dem Tag vor seinem Abflug nach Lima, nahm Ruiz an einer rätselhaften Konferenz teil, irgendwo in der Nähe von Peking. Dort muss etwas vorgefallen sein. Etwas, das ihn so aus dem Gleichgewicht brachte, dass seine eigene Frau ihn am Telefon kaum wiedererkannte. Klingelt da was bei Ihnen?«

»Ja. Ein Warnsignal.«

»Und was sagt es?«

»Dass Sie sich in Gefahr begeben. Wenn ich das alles so höre, glaube ich nämlich, Sie haben recht mit Ihren Vermutungen. Die Parallele ist nicht von der Hand zu weisen.«

»Na also.«

»Und genau das macht mir Angst.« Palstein schüttelte den Kopf. »Bitte, Loreena. Ich will nicht, dass Sie meinetwegen Schaden nehmen.«

»Ich werde vorsichtig sein.«

»*Sie* werden vorsichtig sein?« Er lachte scheppernd. »Ich bin auf meinen eigenen Leibwächter reingefallen, und glauben Sie mir, ich *war* vorsichtig! Überlassen Sie die Ermittlungen der –«

»Nein, Gerald«, flehte sie. »24 Stunden, geben Sie mir 24 Stunden, in jedem guten Krimi kriegt man 24 Stunden! Morgen in aller Frühe fliege ich nach Vancouver, dann wird das Ganze zur Chefsache erhoben. Dann arbeitet ganz Greenwatch an der Story. Morgen Abend weiß ich, was es mit der Konferenz auf sich hatte, in wessen Auftrag Gudmundsson unterwegs ist, und wenn nicht, ich schwöre, holen wir trotzdem die Polizei ins Boot. Das ist *mein* Versprechen an Sie, nur *geben Sie mir diese Zeit.*«

Palstein schaute sie aus seinen melancholischen Augen an und seufzte.

»Na schön. Wie vielen Leuten haben Sie die Bilder von Gudmundsson und dem Asiaten überhaupt schon gezeigt?«

»Etlichen. Keiner kennt den Fettwanst.«

»Und die Sache mit Ruiz?«

»Drei, vier Leute wissen davon. *Alles* weiß nur ich.«

»Dann tun Sie mir wenigstens *einen* Gefallen. Belassen Sie es dabei, bis Sie in Vancouver angekommen sind. Unternehmen Sie bis dahin nichts, was weitere Asseln unter dem Stein hervorlocken könnte.«

»Hm. Okay.«

»Versprochen?«, fragte er misstrauisch.

»Indianerehrenwort. Sie wissen ja, was das bei mir bedeutet.«

»Sicher.« Er lächelte. »Shax' saani Keek'.«

»Passen Sie auf sich auf, Gerald.«

»Und Sie rufen mich an, wenn Sie in Vancouver eingetroffen sind.«

»Mach ich. Sofort.«

Sie beendete die Verbindung. Palsteins Bild verblasste. Etwas verwirrt stellte Keowa fest, dass sie sich auf eigenartige Weise zu ihm hingezogen fühlte, obwohl er ein Melancholiker war, eine abstrakte Liebe zur Mathematik pflegte und komische Musik toter Avantgardisten hörte. Zudem war er kleiner und schmaler als sie, beinahe schmächtig, mit schwindendem Haar, der konsequente Gegenentwurf zum maskulinen, keilschultrigen Typus, den sie bevorzugte. Seine Gesichtszüge waren wohlproportioniert, wenngleich nicht sonderlich markant, nur seinen samtenen Augen wohnte etwas inne, das sie berührte. Sinnend schaute sie auf das erloschene Display, als ihr gegenüber geräuschvoll der Stuhl gerückt wurde.

»Komme um vor Hunger«, sagte der Praktikant. »Wo ist die Karte?«

Sie steckte das Handy weg. »Ich hoffe, du warst fleißig. Steaks gegen Wissen. Im proportionalen Verhältnis.«

»Für'n Kilo T-Bone sollte es reichen.« Er breitete ein Dutzend Zettel vor sich aus. »Also pass auf. Ich hab bei *Eagle Eye* angerufen, dem Sicherheitsunternehmen, das Palsteins Leibgarde stellt. Mit der Geschichte von der bedrohten Journalistin aufgewartet, die im Zuge brisanter Recherchen Personenschutz benötigt, und dass du kürzlich Gudmundsson kennengelernt hast, von dem dein Freund Palstein in den höchsten Tönen gesprochen hätte, bla bla bla. Sie meinten, Gudmundsson sei freier Mitarbeiter und von der Bewachung des Ölmanagers ziemlich in Anspruch genommen, sie müssten mal sehen, ob er noch Kapazitäten übrig habe, andernfalls würden sie dir ein eigenes Team auf den Leib schneidern. Sie kannten dich übrigens.«

Keowa hob die Brauen. »Ach ja?«

»Aus dem Netz. Deine Reportagen. Waren ziemlich angetan von dem Gedanken, Loreena Keowa zu beschützen.«

»Schmeichelhaft. Arbeiten sie viel mit Freien?«

»Fast nur. Die Hälfte sind ehemalige Polizisten, der Rest setzt sich aus Navy Seals, Army Rangers und Green Berets zusammen, andere waren zuvor in weltweit operierenden Privatarmeen. Hinzu kommen Ex-Geheimdienstler für Logistik und Informationsbeschaffung, vorzugsweise CIA, Mossad und BND. Speziell die Deutschen haben exzellente Kontakte, sagen sie, und die Israelis natürlich, aber manchmal verirren sich auch Typen vom KGB zu *Eagle Eye*, sogar Chinesen und Koreaner. Auf Wunsch legen sie dir die Vita jedes Mitarbeiters offen. Die haben keine Geheimnisse, ganz im Gegenteil! Lebensläufe sind Teil ihrer Reputation.«

»Und Gudmundsson?«

»Zur Hälfte Isländer, daher der Name. Aufgewachsen in Washington. Ehemaliger Navy Seal, Ausbildung zum Scharfschützen, durch jeden Dreck gekrochen. Mit fünfundzwanzig zu einer Privatarmee gestoßen, *Mamba*.«

»Nie gehört.«

»Operierten Anfang des Jahrtausends in Kenia und Nigeria. Von dort weiter zu einer ähnlich gearteten westafrikanischen Firma namens *African Protection Services,* kurz APS.«

»Hm. Afrika.«

»Ja, aber seit fünf Jahren lebt er wieder in den Staaten. Stellt seine Arbeitskraft privaten Sicherheitsfirmen zur Verfügung, *Eagle Eye* und anderen, in aller Regel als Projektleiter.«

Keowa überlegte. Afrika? Spielte es eine Rolle, wo Gudmundsson vorher gearbeitet hatte? Fest stand, dass er einen Klienten seines Arbeitgebers verriet. Ob *Eagle Eye* mit drinsteckte, konnte ebenso wenig ausgeschlossen wie vorausgesetzt werden. Das Unternehmen galt als seriös und wurde von einer Reihe prominenter Persönlichkeiten aus Wirtschaft und Showbusiness in Anspruch genommen. Interessant war, dass *Eagle Eye* Gudmundsson bereits zum Zeitpunkt von Ruiz' Verschwinden beschäftigt hatte. Was also hatte Gudmundsson vom 2. auf den 3. September 2022 gemacht? Wo war er in der Nacht gewesen, in der Ruiz verloren ging? In Peru vielleicht?

»Das war's?«, fragte sie. »Mehr nicht?«

»Na komm, ist doch nicht übel!«

»Na ja, 'ne Grillkartoffel.« Sie grinste. »Okay, okay! Plus zweimal Spare Ribs.«

30.MAI 2025
[GEDACHTNISKRISTALL]

BERLIN, DEUTSCHLAND

In den Szenarien der Exobiologen war außerirdisches Leben auch dort möglich, wo man es am wenigsten erwartete. Eigenartige Wesen siedelten in vulkanischen Schloten, trotzten Ozeanen aus Schwefel und Ammoniak, keimten unter dem Panzer von Eismonden oder glitten mit lethargischer Majestät durch die vielfarbige Himmelsvertikale des Jupiter, rochenartig geflügelte Riesen, deren wasserstoffgefüllte Körperkammern sie davor bewahrten, am metallischen Kern des Gasriesen zerquetscht zu werden.

Um 6.30 Uhr näherte sich ein solches Wesen Berlin.

Das kalte, grelle Licht des Sonnenaufgangs ließ seine Haut erstrahlen, als es sich sacht in die Kurve legte und tiefer sank. Seine Spannweite betrug beinahe einhundert Meter. Rumpf und Schwingen gingen nahtlos ineinander über und mündeten in einem winzigen, angedeuteten Kopf, der gemessen an der Gesamtgröße von rudimentärer Intelligenz zeugte. Doch der Eindruck trog. Tatsächlich kumulierte dort die geballte Rechnerleistung von vier autonom arbeitenden Computersystemen, die den gewaltigen Körper unter Aufsicht von Pilot und Copilot in der Schwebe hielten.

Es war ein Nurflügler der Air China, der in diesen Minuten Berlin ansteuerte. Er bot rund 1000 Passagieren Platz. Seine Konstrukteure, nicht länger bereit, Tragflächen an Röhren zu schrauben, hatten einen symmetrischen, flachen Hohlkörper geschaffen, der bis in seine äußeren Flügelspitzen bestuhlt war, ein aerodynamisches Wunder. Eingebettet im Heck lagen die Triebwerke des Riesen. Ihr exorbitant großer Durchmesser entwickelte hohe Schubkraft bei niedrigen Umdrehungen, zugleich begünstigte die Rochenform den Auftrieb und erzeugte kaum noch Verwirbelungen, was den Verbrauch reduzierte und den Fluglärm auf sozial verträgliche 63 Dezibel absenkte. Selbst auf Fenster hatten die Erbauer zugunsten der Aerodynamik verzichtet. An ihrer statt übertrugen winzige Kameras entlang der Rumpfnaht die Außenwelt auf 3-D-Bildschirme, die eine durchgehende Glasfläche simulierten. Der Flug wurde zum sinnlichen Luxus. Unwohlsein stellte sich allenfalls auf den billigen Plätzen in den Flügelspitzen ein, die sich im Kurvenflug bis zu 25 Meter hoben und senkten und an denen die Turbulenzen zerrten.

Der Mann hingegen, der federnden Schrittes vom bordeigenen Massageservice zu seinem Sitz zurückkehrte, genoss die Unterbringung in der Platinum-Lounge. Die dortige Simulation übertrug nichts Geringeres als den Blick aus dem Cockpit, ein faszinierendes Panorama in makelloser räumlicher Darstellung. Er ließ sich ins Polster fallen und senkte die Augenlider. Sein Sitz lag exakt auf der Axialgeraden des Fliegers, ein Glücksfall angesichts des knappen Buchungstermins. Allerdings kannten die Leute, die den Flug für ihn gebucht hatten, seine Vorlieben sehr genau. Entsprechend hatten sie es verstanden, das Glück zu biegen. Sie wussten, dass er eher in einer der Flügelspitzen gereist wäre, im Korb einer Montgolfiere, unter einen Zeppelin geschnallt oder in den Klauen des Vogels Roch, als sich mit dem Platz unmittelbar neben der Mitte zu begnügen. Die Mitte war die Mitte und undebattierbar. Je winziger die Abweichung vom Ideal ausfiel, desto weniger ertrug er sie, drängte es ihn, den Makel umgehend zu korrigieren.

Im Sonnenlicht schaute er auf das Umland Berlins, durchbrochen von Grünflächen, Wasseradern und schimmernden Seen. Dann die Stadt selbst, ein Setzkasten der Epochen. Lange Schatten im frühen Licht. Der Nurflügler beschrieb eine 180-Grad-Kurve, fiel dem Erdboden entgegen, schoss über Wohnblocks, Gärten und Alleen hinweg, ging rasch tiefer. Einen Moment lang, von seiner exponierten Warte aus, schien es, als bohrten sie sich geradewegs in die Rollbahn, dann zog der Pilot die Nase hoch, und kaum spürbar setzten sie auf.

Unmerklich änderte sich die Stimmung im Flieger. Die Zukunft, während der vergangenen Stunden auf Luft und guten Glauben gebettet, gewann an Verbindlichkeit. Gespräche kamen auf, Zeitschriften und Bücher wurden eilig verstaut, das Flugzeug erreichte seine Halteposition. Torgroße Schleusen öffneten sich, um den Strom der Insassen in die Weite des Flughafens zu verteilen. Der Mann nahm sein Handgepäck und verließ die Maschine als einer der Ersten. Schon jetzt waren seine Daten im hiesigen Flughafensystem gespeichert. Keine zwanzig Minuten nach dem Start in Pudong hatte Air China den deutschen Behörden seine Akte übermittelt, außerdem wurden soeben die Aufnahmen der Bordkameras eingespeist. Als er sich den Kontrollschleusen näherte, wusste der deutsche Computer bereits, was er im Flugzeug gegessen und getrunken, was er gelesen, welche Filme er gesehen, mit welcher Stewardess er geflirtet, welche er angeraunzt und wie oft er die Toilette aufgesucht hatte. Dem System lag ein digitales Porträtfoto vor, Stimmprobe, Fingerabdrücke, Iris, und natürlich kannte es seine erste Aufenthaltsadresse in Berlin, das Hotel Adlon.

Er legte zuerst sein Handy, dann seine Rechte auf die Fläche des Scanners, sagte seinen Namen und schaute in die Kamera der automatisierten Schleuse, während der Computer seine RFID-Koordinaten auslas. Das System nahm den Abgleich vor, identifizierte ihn und ließ ihn passieren. Gleich hinter der Schleuse reihten sich bemannte Schalter aneinander. Zwei Polizistinnen bugsierten sein Gepäck durch den Röntgenapparat und stellten ihm Fragen über den Zweck seines Aufenthalts. Er antwortete freundlich, aber leicht abwesend, als sei er in Gedanken schon beim nächsten Termin. Sie wollten wissen, ob er das erste Mal in Berlin sei. Er bejahte dies – tatsächlich hatte er die Stadt nie zuvor besucht. Erst als sie ihm sein Handy zurückgaben, ließ er Herzlichkeit in seinen Tonfall einfließen und wünschte den beiden einen schönen Tag, den sie hoffentlich nicht komplett hinter diesem Schalter verbringen müssten. Dabei sah er der Jüngeren der beiden Polizistinnen in die Augen und übermittelte ihr die wortlose Botschaft, dass er nichts dagegen hätte, diesen wunderbaren, sonnigen Berliner Morgen beispielsweise mit ihr zu verbringen.

Ein kleines, konspiratives Lächeln flatterte ihm zu, das Äußerste dessen, was sie sich erlaubte. Es sagte, du bist ganz ohne Zweifel ein gut aussehender Bursche in einem perfekt geschnittenen Anzug, wir wissen beide sehr genau, was wir wollen, danke für die Blumen, und jetzt scher dich zum Teufel. Ihre Stimme sagte:

»Willkommen in Berlin, Zhao xiansheng. Genießen Sie Ihren Aufenthalt.«

Er ging weiter. Es gefiel ihm, dass man hierzulande um die Besonderheiten der korrekten Anrede wusste. Seit Chinesisch an den meisten europäischen Schulen Pflichtfach geworden war, konnte man sicher sein, dass Vor- und Nachname bei traditionellen chinesischen Namen nicht vertauscht und dem Nachnamen die korrekte Anrede für Herr oder Frau angehängt wurde. Am Ausgang erwartete ihn ein bleicher, kahlköpfiger Mann mit Bernhardineraugen und Beutelwangen. Er war groß und kräftig gebaut und trug eine bis zum Hals geschlossene Lederjacke.

»*Failté*, Kenny«, sagte er leise.

»Mickey.« Xin begrüßte ihn mit einem klatschenden Schlag auf die Schulter, ohne seinen Schritt zu verlangsamen. »Wie geht's den Resten der IRA?«

»'n paar sind gestorben.« Der Glatzkopf schloss sich ihm an. »Hab kaum noch Kontakt. Unter welchem Namen bist du eingereist?«

»Zhao Bide. Ist alles organisiert?«

»Alles in Butter. Hatten allerdings mächtig Verspätung in Dublin. Bin erst nach Mitternacht angekommen, echt 'n Scheißflug. Na, egal.«

»Und die Waffen?«

»Liegen bereit.«

»Wo?«

»Im Auto. Willst du erst ins Hotel? Oder sollen wir gleich ins Muntu fahren? Ist aber noch dunkel. Die Wohnung darüber auch. Pennen wahrscheinlich noch.«

Xin überlegte. Vor einer Woche, nachdem seine Leute Vogelaars neue Identität gelüftet hatten, war Mickey Reardon schon einmal im Muntu gewesen und hatte den Laden auf Zugangsmöglichkeiten gecheckt. In Nordirland waren Alarmanlagen seine Spezialität gewesen. Seit dem Zerfall der IRA arbeitete er wie viele ehemalige Angehörige auf dem freien Markt und übernahm dabei gelegentlich auch Aufträge ausländischer Geheimdienste wie *Zhong Chan Er Bu*. Für gewöhnlich bevorzugte Xin die Zusammenarbeit mit jüngeren Partnern, doch Mickey, obschon Ende fünfzig, befand sich in guter körperlicher Verfassung, wusste mit Waffen umzugehen und erkannte jedes elektronische Sicherheitssystem mit verbundenen Augen. Xin hatte mehrfach mit ihm zusammengearbeitet und ihn schließlich Hydra empfohlen. Seitdem gehörte der Ire zu Kennys Team. Er mochte nicht eben ein Geistesriese sein, dafür stellte er keine Fragen.

»Auf einen Sprung ins Hotel«, entschied Xin. »Danach bringen wir's hinter uns.« Er blinzelte in die Sonne und strich sich das lange Haar aus der Stirn. »Berlin soll ja ganz schön sein. Trotzdem. Spätestens heute Abend will ich hier wieder weg.«

Doch Jan Kees Vogelaar schlief nicht.

Er hatte kein Auge zugetan während der Nacht, was nur bedingt den Kopfschmerzen anzulasten war, die ihn seit Yoyos Keulenhieb plagten. Vielmehr war er mit Nyela übereingekommen, sich fürs Erste nach Frankreich abzusetzen, wo er Kontakte zu pensionierten Fremdenlegionären unterhielt. Während Nyela zu packen begann, stellte er ihre neuen Identitäten zusammen. Luc und Nadine Bombard, Nachfahren französischer Kolonialisten aus Kamerun, würden gegen Abend in Paris eintreffen.

Um halb acht rief er Leto an, einen befreundeten Halbgabuner, der vor einigen Jahren nach Berlin gezogen war, um seinem weißen Vater im Kampf gegen den Krebs beizustehen. Mit ihm hatte sich Nyela am Tag zuvor Unter den Linden getroffen. Leto hatte zu *Mamba* gehört, bevor das Unternehmen in der neu gegründeten *African Protection Services* aufgegangen war, und ihnen bei der Eröffnung des Muntu geholfen. Er war ihr einziger Vertrauter auf deutschem Boden, wenngleich ohne Kenntnis der genaueren Umstände, die Vogelaar zur Flucht aus Äquatorialguinea veranlasst hatten. Für ihn war Mayés Ausradierung im Wesentlichen das Werk Ndongos, finanziert von irgendwelchen ausländischen Mächten. Vogelaar hatte es vermieden, seine Sicht zu korrigieren.

»Wir werden verschwinden müssen«, sagte er knapp.

Leto, den er offenbar aus dem Bett geholt hatte, vergaß vor Überraschung zu gähnen.

»Was heißt verschwinden?«

»Das Land wechseln. Sie haben uns aufgespürt.«

»Mist!«

»Ja, Mist. Hör zu, kannst du mir einen Gefallen tun?«

»Natürlich.«

»In zwei Stunden, wenn die Banken aufmachen, werde ich unsere Konten räumen und Verschiedenes zu besorgen haben. Nyela geht während der Zeit runter ins Muntu und packt ein, was wir von dort mitnehmen können. Es wäre schön, wenn du ihr dabei Gesellschaft leistest. Nur der Vorsicht halber, bis ich wieder da bin.«

»Klar.«

»Hol sie am besten oben in der Wohnung ab.«

»Mach ich. Wann wollt ihr abhauen?«

»Gleich nach Mittag.«

Leto schwieg einen Moment.

»Ich verstehe das nicht«, sagte er. »Warum lassen die euch nicht einfach in Ruhe? Ndongo ist seit einem Jahr wieder am Ruder. Ihm droht doch keine Gefahr mehr von dir.«

»Wahrscheinlich hat er es immer noch nicht verwunden, dass ich ihn damals aus dem Amt geputscht habe«, log Vogelaar.

»Lächerlich«, schnaubte Leto. »Es war Mayé. Du wurdest lediglich bezahlt, das war nichts Persönliches.«

»Mir reicht, dass die Typen hier aufgetaucht sind. Kannst du um halb neun bei Nyela sein?«

»Klar. Kein Problem.«

Anderthalb Stunden später stürzte sich Vogelaar in den Frühverkehr. Die Ampelphasen erschienen ihm feindselig lang. Er überquerte die Französische Straße, schaffte es bis zur Taubenstraße, zwängte den Nissan in eine winzige Parklücke und betrat das Forum seiner Bank.

Die Kathedrale des Kapitals war rappelvoll. Vor den Computerinseln und Beratungsschaltern herrschte ein Andrang, als plane halb Berlin, sich zusammen mit ihm und Nyela abzusetzen. Er gewahrte seinen Berater im Visier einer rotgesichtigen Greisin, die ihren Ausführungen mit Schlägen der flachen Hand auf das Schalterpult Nachdruck verlieh, gab ihm ein Zeichen, nebenan warten zu wollen, trottete in die angrenzende Lounge, ließ sich in einen der eleganten Ledersessel fallen und ärgerte sich über sich selbst.

Er hatte Zeit verplempert. Warum hatte er das Geld nicht gestern Nachmittag abgehoben?

Dann fiel ihm ein, dass die Banken, als Jericho und seine chinesische Freundin gegangen waren, wahrscheinlich schon geschlossen hatten. Was seinen Ärger keineswegs milderte. Im Grunde war es archaisch, dass er hier rumhängen musste. Bankgeschäfte waren Computergeschäfte, nur, um das Konto als Barschaft nach Hause zu tragen, bedurfte es seiner physischen Anwesenheit. Mürrisch bestellte er einen Cappuccino. Die Hoffnung, sein Berater werde ihn während der nächsten Minuten anrufen und zurück ins Forum bitten, drohte am Redeschwall der Rotgesichtigen zu zerschellen. Auch die anderen Schalter waren sämtlich von Schlangen gesäumt gewesen, überwiegend ältere und sehr alte Menschen. Die Senilisierung Berlins schien in vollem Gange zu sein, selbst in den Prachtstraßen stand das Brackwasser der Sorge um ein halbwegs gesichertes Alter.

Zu seiner Überraschung klingelte sein Handy jedoch, kaum dass er die Oberlippe ins schaumige Weiß getaucht hatte. Die Tasse balancierend, um sie mit nach drüben zu nehmen, stand er auf, warf einen Blick auf das Display und stellte fest, dass der Anruf gar nicht aus dem Forum kam. Es war Nelés Nummer. Er setzte sich wieder hin, drückte auf Empfang und meldete sich in Erwartung, ihr Gesicht zu sehen.

Stattdessen starrte ihn Leto an.

Sofort begriff er, dass etwas nicht in Ordnung war. Leto wirkte auf eigenartige Weise bestürzt. Und auch wieder nicht. Mehr, als habe er sich mit dem Umstand seiner Bestürzung abgefunden und beschlossen, diesen Gesichtsausdruck bis ans Ende seiner Tage beizubehalten. Dann begriff Vogelaar, dass das Ende längst gekommen war.

Leto war tot.

»Nyela? Was ist los? Was ist passiert?«

Wer immer Nelés Handy hielt, trat zurück, sodass Letos Oberkörper sichtbar wurde. Der Gabuner lehnte verkrümmt an der Bar. Eine Blutspur zog sich dünn und verschämt seinen Hals entlang.

»Keine Angst, Jan. Wir haben ihn leise erledigt. Nicht, dass du Ärger mit den Nachbarn bekommst.«

Der Sprecher drehte das Handy zu sich selbst.

»Kenny«, flüsterte Vogelaar.

»Freust du dich?« Xin grinste ihn an. »Also, ich hatte Sehnsucht nach dir. Ein Jahr lang habe ich mich über der Frage verzehrt, wie du es fertiggebracht hast, mir durch die Lappen zu gehen.«

»Wo ist Nyela?«, hörte Vogelaar sich mit einer Stimme fragen, die in einem Fahrstuhlschacht zu verschwinden schien.

»Warte, ich gebe sie dir. Nein, ich zeige sie dir.«

Erneut schwenkte die Perspektive und erfasste den Restaurantbereich. Nyela saß auf einem Stuhl, eine Skulptur der Angst. Der Arm eines fahlen, glatzköpfigen Mannes spannte sich quer über ihren Oberkörper und presste sie gegen die Lehne. In der anderen Hand hielt der Mann ein Skalpell. Die Spitze schwebte bewegungslos in der Luft, keinen Zentimeter von Nelés linkem, weit aufgerissenem Auge entfernt.

»So sieht's aus«, sagte Xins Stimme.

Vogelaar hörte sich einen röchelnden Laut ausstoßen. Er konnte sich nicht erinnern, je solch ein Geräusch produziert zu haben.

»Tu ihr nichts«, keuchte er. »Lass sie in Ruhe.«

»Ich würde die Situation nicht überbewerten«, sagte Xin. »Mickey ist sehr professionell, er hat eine ruhige Hand. Er wird nur nervös, wenn ich es werde.«

»Was soll ich tun? Sag, was ich tun soll.«

»Mich ernst nehmen.«

»Ich nehme dich ernst.«

»Sicher tust du das.« Xins Tonfall wechselte unvermittelt ins Dunkle, Schlangenartige. »Andererseits weiß ich, wozu du fähig bist, Jan. Du kannst gar nicht anders. In diesem Moment jagen tausend Pläne durch deinen Schädel, wie du mich austricksen könntest. – Ich will aber nicht, dass du mich austrickst. Ich will nicht, dass du es überhaupt erst versuchst.«

»Ich werde es nicht versuchen.«

»Das würde mich wundern.«

»Du hast mein Wort.«

»Nein. Du wirst es erst dann nicht versuchen, wenn du verstanden hast, wie elementar wichtig es ist, das Augenlicht deiner Frau zu retten.«

Die Kamera zoomte näher heran. Nelés angstverzerrtes Gesicht füllte den Bildschirm aus.

»Jan«, wimmerte sie.

»Kenny, hör zu«, flüsterte Vogelaar heiser. »Ich sagte, du hast mein Wort! Hör auf damit, ich –«

»Man kann auch mit einem Auge ganz prima sehen.«

»Kenny –«

»Wenn du also begreifen würdest, wie wichtig es ist, ihr *verbliebenes* Augenlicht zu retten, dann –«

»Kenny, nein!« Er sprang auf.

»Tut mir leid, Jan. Ich werde gerade nervös.«

Nelés Aufheulen, als das Skalpell zustieß, zirpte aus dem Lautsprecher des Handys. Dafür brachte Vogelaars Schrei die Luft zum Gerinnen.

GRAND HYATT

Jericho blinzelte.

Etwas hatte ihn geweckt. Er drehte sich auf die Seite und warf einen Blick auf die Zeitanzeige. Beinahe zehn! So lange hatte er gar nicht schlafen wollen. Er sprang aus dem Bett, hörte das Zimmertelefon schellen und ging ran.

»Ich habe dein Geld«, sagte Tu. »Einhunderttausend Euro, wie der Herr Söldner es wünscht, in nicht allzu kleinen Scheinen, damit du im Museum noch durch die Tür passt.«

»Gut«, sagte Jericho.

»Kommst du runter zum Frühstücken?«

»Ja, ich – denke schon.«

»Mach schnell. Yoyo vergeht sich nachhaltig am Rührei. Ich lass dir welches warm stellen, bevor sie alles aufgegessen hat.«

Yoyo.

Jericho legte auf, ging ins Bad und betrachtete den stoppelbärtigen Blonden, der dem Verbrechen unter Einsatz aller Mittel zu Leibe rückte, außer Kamm, Rasierzeug und dem Mindestmaß an Anstand, das es erforderte, wenigstens klar und deutlich Nein zu sagen, auch wenn man in Wirklichkeit Ja meinte. Etwas hing ihm nach von vergangener Nacht, ein schales Empfinden, es vermasselt zu haben, was immer *es* war. Eine stockbetrunkene, nichtsdestoweniger mitteilsame Yoyo, die wohl kaum aus Versehen den Weg zu seinem Zimmer gefunden hatte, die hatte *reden* wollen, ein Gedanke, den der pickelige Junge hasste, aber was war Reden anderes als ein Zeremoniell ungewissen Ausgangs? Physisch und formbar. Alles hätte passieren können, doch er in gekränkter Selbstgefälligkeit hatte sie auflaufen lassen und trotzig die Neuverfilmung von *Kill Bill* zu Ende geguckt, die so unsäglich schlecht war, wie er es verdiente. Auf dem Nagelbrett seines Unvermögens, erwachsen zu werden, hatte ihn ein ohnmachtartiger, wenig erholsamer Schlaf überkommen, voller Träume von Bahnhöfen und Zügen, die er der Reihe nach verpasste, um auf ewig durch ein trübes, berlineskes Niemandsland zu irren, in dessen höhlenartigen Wohnräumen große Insekten mit knarrenden Beinen lauerten. Aus jedem Hauseingang, jeder Durchfahrt, jeder Ritze winkten ihm Fühler, zogen sich hastig gepanzerte Gliedmaßen zurück, ein schlampiges Versteckspiel.

Züge, wie peinlich symbolisch. Wie konnte man bloß derart anspruchslos träumen? Er schaute dem Blonden in die Augen und stellte sich vor, wie er sich von ihm abwenden, einfach im Spiegel davongehen und ihn im Badezimmer zurücklassen würde, seiner Unzulänglichkeiten, der Unzulänglichkeit des pickeligen Jungen müde.

Er musste diesen Jungen loswerden. Irgendwie. Es reichte!

VOGELAAR

Mit nuklearer Gewalt war sein Schrei durch die Lounge gefegt, hatte jede Unterhaltung, jeden Gedanken in Fetzen gerissen. Schläfriger Jazz plätscherte in das Konversationsloch hinein. Auf dem niedrigen Glastisch vor ihm prangte ein modernes Kaffee-Milchschaum-Gemälde rund um ein Zentrum aus fragmentiertem Porzellan.

Er stierte auf das Display.

»Du hast mich verstanden?«, fragte Xin.

Seine Knie gaben nach. Nelés ersticktes Schluchzen im Ohr, sank er zurück in den Ledersessel. Nichts war geschehen. Das Skalpell war nicht in ihren Augapfel gefahren, hatte Pupille und Iris nicht zerschnitten. Es hatte lediglich gezuckt und war wieder zur Ruhe gekommen.

»Ja«, flüsterte Vogelaar. »Ich habe verstanden.«

»Gut. Falls du dich an die Spielregeln hältst, wird ihr weiterhin nichts geschehen. Was allerdings *deine* Person angeht –«

»Schon klar.« Vogelaar hustete. »Wozu der Aufwand, Kenny?«

»Welcher Aufwand?«

»Du hättest mich längst umlegen können. Als ich das Haus verließ, während der Fahrt hierher, in der Bank –«

Das Bild verwischte, dann war wieder Xin zu sehen.

»Sehr einfach«, sagte er, ganz der elastische Plauderer. »Weil du noch nie ohne Netz und doppelten Boden gearbeitet hast. Du glaubst an ein Leben nach dem Tode, in dem Anwälte Schließfächer öffnen, um den Inhalt der Presse zu überantworten, autorisiert durch dein gewaltsames Hinscheiden.«

»Brauchen Sie Hilfe?«

Vogelaar hob den Kopf. Einer der Leute vom Lounge-Personal. Aufgeschreckte Miene, die Nuance der Missbilligung: In einer Bank schrie man nicht. Allenfalls machte man sich Gedanken um einen würdigen Suizid. Vogelaar schüttelte den Kopf.

»Nein, ich – habe nur gerade eine schlimme Nachricht erhalten.«

»Wenn wir etwas für Sie tun können –«

»Es ist privater Natur.«

Erleichterung ließ den Mann lächeln. Es ging nicht um Geld. Jemand war gestorben, verunfallt.

»Wie gesagt, wenn –«

»Danke.«

Der Mitarbeiter entfernte sich. Vogelaar sah ihm nach, erhob sich und verließ eilig die Lounge.

»Sprich weiter«, sagte er ins Handy.

»Dein Konzept der Absicherung fußt auf der Überlegung, dass, wer dir Böses will, unmittelbar *dich* bedrohen wird«, fuhr Xin fort. »Sodass du sagen kannst: Finger weg. Falls ich morgen nicht da und dort zum Tee erscheine, im Vollbesitz meiner Extremitäten, geht irgendwo eine Bombe hoch. Die Strategie eines Einzelgängers, der du die meiste Zeit deines Lebens warst. – Doch du bist kein Einzelgänger mehr. Vielleicht hättest du umdenken sollen.«

»Habe ich.«

»Hast du nicht. Der Zünder der Bombe ist unverändert an dein persönliches Wohlergehen gekoppelt.«

»An meines und an das meiner Frau.«

»Nicht ganz. Du hast deine Einstellung geändert, nicht aber die Vorgehensweise. Früher hättest du gesagt: Kenny, pack dich zurück ins Flugzeug, du bist machtlos, oder bring mich meinetwegen um und sieh, was passiert. Heute lautet der Text: Lass Nyela in Ruhe, oder ich schicke dich in die Hölle.«

»Worauf du dich verlassen kannst!«

»Du könntest also immer noch alles auffliegen lassen.« Xin machte eine Pause. »Aber was täten wir dann mit deiner armen, unschuldigen Frau? Oder anders gefragt: Wie lange täten wir es mit ihr?«

Vogelaar hatte das Forum durchquert und trat hinaus auf die überfüllte Friedrichstraße.

»Es reicht, Kenny. Ich hab dich verstanden.«

»Wirklich? Als Vogelaar nur Vogelaar liebte, hatten es Leute wie ich schwer. Damals hättest du gesagt: Bring die Frau ruhig um, quäl sie zu Tode, wirst schon sehen, was du davon hast. Wir hätten gepokert, und am Ende hättest du gewonnen.«

»Ich warne dich. Falls du Nyela auch nur *ein Haar* krümmen solltest –«

»Würdest du für sie sterben?«

»Sag endlich, was du willst.«

»Ich will eine Antwort.«

Vogelaars Geist erhob sich zum Panoramaflug über die Schauplätze seines Lebens. Er erblickte ein Kerbtier, das zwickte, biss, stach, sich tot stellte oder blitzschnell in einer Ritze verschwand. Einen Laufautomaten, dessen Panzer seit einigen Jahren an Ausstößen von Empathie korrodierte. Dessen Instinkte von der Erkenntnis zersetzt wurden, dass es eine *Sinnhaftigkeit* des Weiterlebens gab und damit auch eine des Sterbens, damit *andere* leben konnten. Xin hatte recht. Sein Konzept war überholt. Das Kerbtier hatte es satt, alleine in Ritzen zu kriechen, doch gerade schien die Zukunft eine einzige Ritze zu sein.

»Ja«, sagte er. »Ich würde für Nyela sterben.«

»Wozu?«

»Um sie zu retten.«

»Nein, Jan. Du würdest sterben, weil Altruismus die Königsdisziplin des Egoismus ist und du ein zutiefst egoistischer Mensch bist. Es gibt nichts Selbstgefälligeres als Märtyrertum, und Selbstgefälligkeit war immer schon dein größter Antrieb.«

»Halt keine Volksreden, Kenny.«

»Du solltest wissen, dass du mit deinem Tod niemanden rettest, wenn du jetzt falschspielst. Nyela bliebe zurück. Ihre Qualen würden endlos sein. Du hättest gar nichts erreicht.«

»Ich hab's begriffen.«

»Also was ist diesmal dein doppelter Boden?«

»Ein Dossier.«

»Das Zeug, mit dem Mayé uns erpressen wollte?«

»Ja.«

»Wo?«

»Im *Crystal Brain.* In einem Gedächtniskristall.«

»Wer weiß davon?«

»Nur mein Anwalt und meine Frau.«

»Nyela kennt den Inhalt dieses Dossiers?«

»Ja.«

»Und dein Anwalt?«

»Keine Silbe. Er hat lediglich Anweisung, den Kristall im Falle meines gewaltsamen Todes zu entnehmen und den Inhalt in einen Verteiler zu speisen.«

»Warum hast du ihn nicht über den Inhalt in Kenntnis gesetzt?«

»Weil es ihn nichts angeht«, schnauzte Vogelaar mit wachsendem Zorn. »Das Dossier dient einzig dazu, Nelés und mein Leben zu schützen.«

»Das heißt, sobald ich im Besitz dieses Kristalls bin – gut, hol ihn. Wie lange wirst du dafür brauchen?«

»Maximal eine Stunde.«

»Haben wir hier zwischenzeitlich irgendwen zu erwarten? Putzfrau, Küchenhilfe, Postbote?«

»Niemanden.«

»Dann los, alter Freund. Und vertrödel dich nicht.«

Vogelaar war kein ökologisch motivierter Mensch. Er fuhr einen solarbetriebenen Nissan, nicht weil er, sondern Nyela über die Umwelt nachdachte. Er sah ein, dass viele kleine Autos die Innenstädte entlasteten, doch seine Gene verlangten nach einem Geländewagen. Jetzt allerdings, da er sich durchs Regierungsviertel quälte, verfluchte er lautstark jedes Fahrzeug, das größer war als sein eigenes, und fühlte einen pauschalen Zorn auf die Ignoranz einheimischer Autofahrer.

Tatsächlich war Deutschland das Land mit den innovativsten Automobiltechnologien, die je in Schubladen vor sich hin geschlummert hatten. Kaum ein Markt hing so sehr an Benzinmotor und Geschwindigkeit wie der deutsche. Während der Anteil der Hybride in Asien und in den USA längst fortschrittlicheren Konzepten wich, war er in Deutschland nicht mal auf Touren gekommen. Nirgendwo sonst führten Wasserstofftechnologie, Brennstoffzelle und Strom ein derart erbärmliches Untotendasein. In keinem anderen Land der Welt fanden es Männer so wichtig, ein großes und *repräsentatives* Auto zu fahren, und vor allen Dingen, es selbst zu fahren, trotz ausgefeilter, sicherer Autopilotkonzepte. Es schien, als lande das teutonische Selbstbewusstsein auf der Suche nach sich selbst mit quälender Regelmäßigkeit hinterm Steuer. Nur die Zukunft als Ganzes war hierzulande noch unbeliebter als Kleinstwagen.

Entsprechend langsam kroch der Nissan dahin. Vogelaar fluchte und schlug mit der Hand gegen den Lenker. Als er endlich zornesrot auf den Parkplatz des *Crystal Brain* einbog, war er in Schweiß gebadet. Er sprang aus der Kabine und hastete in langen Schritten zum Haupteingang.

Einstein schaute ihn an, relativ kurz.

Das Gebäude war 2020 in unmittelbarer Nachbarschaft des Regierungsviertels errichtet worden, sah aber aus wie soeben dort gelandet. Ein kubisches, vielfach facettiertes Glas-Ufo mit perfekten Flächen, in denen gedankengleich der Schriftzug *Crystal Brain* aufleuchtete. Je nachdem, aus welcher Richtung man sich der Fassade näherte, wurden geisterhafte Welten sichtbar, jagten Raptoren durch jurassische Savannen, schleuderten steinzeitliche Jäger Lanzen auf Mammuts, hielten assyrische Könige Hof, erblickte man hellenistische Lanzenträger, römische Cäsaren, napoleonische Reiter und ägyptische Prinzessinnen, Pyramiden und gotische Kathedralen, Kon-Tiki und Titanic, Satelliten, Raumstationen, Mondbasen, das strenge Antlitz Abraham Lincolns, Goethe mit Schlapphut, Bismarck mit Pickelhaube, Niels Bohr, Werner Heisenberg, Konrad Adenauer, Marilyn Monroe, John Lennon, Mahatma Gandhi, Neil Armstrong, Nelson Mandela, Helmut Kohl, Bill Gates, den Dalai Lama, Thomas Reiter, Julian Orley, geozentrische, heliozentrische und neuzeitliche Darstellungen des Kosmos, Planck'sche Quantenwelten in kunstfertiger Abstraktion, Moleküle, Atome, Quarks und Superstrings wie aus dem Modellbaukasten, die Erfindung des Rades, des Buchdrucks, der Currywurst. All dies und unendlich viel mehr ruhte holografisch eingebettet in den gewaltigen Wänden, manifestierte sich, atmete, pulsierte, drehte die Köpfe, zwinkerte, lächelte, schüttelte Hände, schritt, flog, fuhr, schwamm und verging, so wie der Betrachter die Position wechselte. Alleine diese Außenfassade war ein Meisterwerk, ein Weltwunder der Neuzeit, und doch repräsentierte sie nur einen Bruchteil dessen, was das Innere barg.

Als Vogelaar das *Crystal Brain* betrat, erwartete ihn der größte Wissensschatz der Welt auf kleinstem Raum.

Er durchquerte den schimmernden Dom des Foyers. Beidseitig schwebten Fahrstühle auf und ab, scheinbar ohne Verankerung, ein raffinierter optischer Trick. Sie waren dem Bauwerk fraktal nachempfunden, so wie alles im *Crystal Brain* dem Prinzip der Selbstähnlichkeit folgte. Die kleinste Komponente, der Gedächtniskristall, glich der größten, dem Bauwerk selbst. Ein Kristall in einem Kristall in einem Kristall.

Das Gedächtnis der Welt.

Was Menschen über diese Welt zu erzählen hatten, beanspruchte entweder ein einziges Buch oder so viele, dass ein kompletter Zusatzplanet voll alexandrinischer Bibliotheken nicht ausgereicht hätte, um sie alle dort unterzubringen. Bibel, Koran und Thora kannten weder Evolution noch Kausalitätenfilz oder Schrödingers Katze, keine Unschärferelation und keine Standardabweichung, keine nichtlinearen Gleichungen und schwarzen Löcher, keine Multiversen, keinen extradimensionalen Raum und keine Umkehrung des Zeitpfeils. Sie waren kratzfeste Glaubensvehikel auf der Einbahnstraße der absoluten Wahrheit, maßlos im Anspruch, doch genügsam im Flächenverbrauch.

Darüber hinaus barst der Planet vor Information.

Alleine die Geschichtsschreibung: Abermillionen Versuche, sich höchst flüchtigen Zeitteilchen auf die Spur zu heften, deren Impuls und Position kaum bestimmbar waren, ob sie nun die Haarfarbe Karls des Großen betrafen oder die Frage, ob er jemals gelebt hatte. Alleine die Spielarten der Physik, der Philosophie und der Prognostik. Alleine sämtliche bis dato verfassten Artikel, Essays, Novellen, Romane, Gedichte und Songtexte, alleine die Lyrik Bob Dylans samt aller dazu erschienenen Elaborate! Alleine das Gebrauchsanleitungsaufkommen für den Zusammenbau rostfreier Kugelgrills, die meteorologischen Daten seit Anbeginn der Wetteraufzeichnungen, die gesammelten Reden des Dalai Lama, die Gesamtheit aller chinesischen Speisekarten zwischen Kap Hoorn und Bosporus, die der Kapitalmehrung gewidmeten Sprechblasen Dagobert Ducks und solche des Zorns und der Verzweiflung aus dem Schnabel seines glücklosen Neffen, das Weltvorhandensein aller Beipackzettel für Hämorridencremes und Antidepressiva –

Definitiv gab es ein Platzproblem.

Definitiv verhieß das Buch nicht die Lösung.

Doch auch CD-ROMs, DVDs und Festplatten waren an Kapazitätsgrenzen gestoßen, die dem exponentiellen Informationszuwachs nicht standhielten. Ihnen drohte das digitale Vergessen. Ausgehend von der Haltbarkeit gemeißelten Steins konnte sich die Christenheit durchaus der Hoffnung erfreuen, dass die Zehn Gebote noch irgendwo existierten. Bücher hielten immerhin 200 Jahre, sofern nicht mit eisenfreier Tinte auf säurefreies Papier gedruckt, was ihre Lebenserwartung verdreifachte. Zelluloidfilme brachten es auf geschätzte 400 Jahre, CDs und DVDs möglicherweise auf 100 Jahre, Disketten auf 10 Jahre Lebensdauer. Damit war die gute alte Disk dem USB-Stick theoretisch überlegen, der schon nach drei Jahren Symptome von Vergesslichkeit zeigte, nur dass es keine Diskettenlaufwerke mehr gab. Einem dauerhaft nutzbaren, platzsparenden Weltgedächtnis standen somit drei Gegner im Wege: zu geringe Speicherkapazität, zu schneller Verfall, zu schnell wechselnde Hardware.

Die Holografie hatte alle Probleme auf einen Schlag gelöst.

Über acht Stockwerke verteilten sich nun Kristallbanken und Laserpulte, luden geräumige Lounges ein zu Ausflügen in die Geschichte, ein Eldorado für jeden Außerirdischen, der eines fernen Tages nach Beiseiteräumen wuchernder Vegetation auf menschliche Artefakte stoßen würde. Vogelaar indes, blind für die glitzernde Pracht, steuerte einen der Fahrstühle an und ließ sich ins zweite Kellergeschoss fahren, wo man gegen Gebühr Speicherplatz zur Aufbewahrung privater Daten anmieten konnte. Er autorisierte sich – Augenscan, Handabdruck, das Übliche – und wurde in ein diffus beleuchtetes Atrium vorgelassen.

»Nummer 17-44-27-15«, sagte er.

Das System fragte ihn, ob er einen Laserplatz wünsche. Vogelaar verneinte und gab an, seine Daten gleich mitnehmen zu wollen.

»Gang 17, Abschnitt B-2«, sagte das System. »Kennen Sie sich aus, oder wünschen Sie eine Wegbeschreibung?«

»Ich kenne mich aus.«

»Bitte entnehmen Sie den Kristall innerhalb von fünf Minuten.«

Am Ende des Atriums glitt eine gläserne Schleuse auf. Dahinter reihten sich Gänge aneinander, die Wände augenscheinlich glatt und konturlos. Über die Böden zogen sich Linien, Gangnummern und Abschnittsbezeichungen. Vogelaar betrat den angegebenen Korridor, stoppte nach wenigen Schritten und drehte den Kopf nach links. Nur bei genauem Hinsehen war zu erkennen, dass haarfeine Linien die spiegelnde Wand in winzige Quadrate segmentierten.

»17-44-27-15 wird bereitgestellt«, sagte das System.

Aus dem Spiegel drang ein leises, mechanisches Klicken. Dann schob sich ein dünnes, vierkantiges Stäbchen hervor. Etwas Transparentes von der Größe eines halbierten Zuckerwürfels ruhte darin. Einer von Millionen Kristallen, die das *Crystal Brain* in seiner Gesamtheit bildeten, hocheffiziente optische Trägermedien mit integrierter Datenverarbeitung und -verschlüsselung, die ohne bewegliche Teile auskamen und praktisch unzerstörbar waren. Gedächtniskristalle verfügten über Speicherkapazitäten von ein bis fünf Terabyte bei Ausleseraten von mehreren Gigabyte pro Sekunde. Die Zugriffszeit lag weit unterhalb einer Millisekunde. Gespeichert wurde per Laser, der elektronische Datenmuster im Kristall als Seiten ablegte. Eine einzige dieser eingelaserten Seiten bot Raum für Millionen von Bits, Tausende Seiten passten in einen einzigen Kristall. Vogelaars Dossier nahm lediglich einen winzigen Bruchteil davon in Anspruch.

»Bitte entnehmen Sie Ihren Kristall.«

Vogelaar betrachtete das winzige Gebilde und fühlte seinen Mut sinken. Plötzlich suchte ihn tiefe Verzweiflung heim. Er sank gegen die rückwärtige Wand, außerstande, den Würfel an sich zu nehmen.

Wie hatte alles nur so entsetzlich schiefgehen können?

Alles war umsonst gewesen.

Nein, war es nicht. Noch gab es eine Chance.

Er überlegte, inwieweit er Xin vertrauen konnte. Tatsächlich, so unglaublich es klang, *konnte* man dem Killer ein gewisses Maß an Vertrauen entgegenbringen, jedenfalls innerhalb der von ihm geschaffenen Koordinaten aus Wahn und Selbstkontrolle. Vogelaar hegte keinen Zweifel daran, dass Xins manisches Verhältnis zu Zahlen und zur Symmetrie, seine ständige Suche nach Inseln der Ordnung, sein eigenartiger Verhaltenskodex letztlich dazu dienten, seinen Wahnsinn in Schach zu halten. Einen Wahnsinn, um den Xin sehr wohl wusste. Vordergründig erschien er eloquent, gesellig und gebildet. Doch Vogelaar ahnte, wie schwer es Xin fiel, eine ganz normale Unterhaltung zu führen, und wie sehr er es dennoch versuchte. Ein letzter Rest Menschlichkeit mochte in ihm überlebt haben, eine uneingestandene Sehnsucht, nicht der zu sein, der er war. Etwas, das ihn davon abhielt, jeden niederzuschießen, der ihm im Weg stand, die Welt in Brand zu setzen, der Blitz zu sein, in dem alles verging. Falls er Xin den Kristall übergab, würde er einen Vertrag mit ihm schließen müssen, über Nelés und sein Überleben, vielleicht sprang aber auch nur Nelés Leben heraus. So oder so war die Frage, ob er dem Killer wirklich *alles* aushändigte, dieses Dossier nämlich –

Und die *Kopie* des Dossiers.

»Bitte entnehmen Sie Ihren Kristall innerhalb der nächsten 60 Sekunden.«

Mit einem Zucken der Schulterblätter stieß er sich von der Wand ab, nahm den Würfel zwischen Daumen und Zeigefinger, hielt ihn gegen das Licht – winzige Frakturen wurden im Innern sichtbar, miniaturisierte Geschichte – und steckte ihn ein. So zügig, wie er gekommen war, verließ er den Keller, fuhr mit dem Lift nach oben, beschleunigte seinen Schritt, während er dem Parkplatz zustrebte, und startete den Nissan. Der Verkehr hatte sich wie durch ein Wunder entzerrt, sodass er noch vor Ablauf des vereinbarten Zeitraums vor dem Restaurant parkte. Diesmal gestattete er sich keinen Moment des Verweilens, stieg aus und trat mit erhobenen Händen, die Handflächen nach außen gekehrt, vor die Eingangstür. Durch die Scheibe sah er den glatzköpfigen Mann, eine Waffe mit Schalldämpfer in der Rechten. Langsam stieß er die Türe auf und schaute ins dämmrige Innere. Hinter der Bar lugten Letos Füße heraus.

»Wo ist Nyela?«

»Mit Kenny umgezogen«, sagte der Glatzkopf in vernuscheltem Irisch. Er machte eine Bewegung mit der Waffe zur Schwingtür. Vogelaar würdigte ihn keines Blickes, durchquerte den Gastraum und betrat die Küche. Der Killer folgte ihm.

»Jan!«

Nyela wollte zu ihm. Xin hielt sie an der Schulter zurück.

»Lass sie los«, sagte Vogelaar.

»Ihr könnt euch später begrüßen. Was ist passiert, Jan? Deine Küche sieht aus, als wären Elefanten hindurchgelaufen.«

»Ich weiß.« Vogelaar betrachtete ausdruckslos das Chaos, das sein Kampf mit Jericho nach sich gezogen hatte. »Möchtest du aufräumen, Kenny? Sauber machen? Unter der Spüle findest du alles, was du brauchst, Glasreiniger, Chrompolitur – Ich weiß doch, dass du Unordnung nicht ertragen kannst.«

»In meiner Welt. Das hier ist deine. Wo ist der Kristall?«

Vogelaar griff in die Jackentasche und legte den Gedächtniskristall auf die verbliebene freie Fläche des Arbeitstischs. Xin nahm ihn mit spitzen Fingern und drehte ihn hin und her.

»Und du bist sicher, dass es der Richtige ist?«

»Todsicher.«

»Ich möchte zu meinem Mann«, sagte Nyela leise, aber bestimmt. Ihre Augen wirkten verheult, doch sie schien in stabiler Verfassung zu sein.

»Natürlich«, murmelte Xin. »Geh zu ihm.«

Sein Blick war wie magisch von dem Kristall angezogen. Vogelaar wusste, warum. Kristalle gehörten zu den Strukturen, die Xin liebte. Ihr Aufbau, ihre Reinheit faszinierten ihn.

»Du hast bekommen, was du wolltest«, sagte er. »Ich habe mein Versprechen gehalten.«

Xin schaute auf. »Und ich habe keines gegeben.«

»Sondern?«

»Immer nur von Möglichkeiten gesprochen. Es ist zu riskant, euch leben zu lassen.«

»Das stimmt nicht.«

»Jan, ich bitte dich!«

»Du hast versprochen, Nyela zu verschonen.«

»Entweder verschont er uns beide oder keinen von uns.« Sie drückte sich fester an Vogelaars Brust. »Wenn er dich tötet, kann er mich gleich mit erschießen.«

»Nein, Nyela.« Vogelaar schüttelte den Kopf. »Das lasse ich nicht –«

»Glaubst du im Ernst, ich sehe zu, wie dieser Bastard dich erschießt?«, zischte sie hasserfüllt. »Dieses Ungeheuer, das jahrelang bei uns ein- und ausgegangen ist, sich Drinks hat servieren lassen, sich auf unserer Terrasse breitgemacht hat? Hey, willst du einen Drink, Kenny? Ich werde dir einen mixen, dass dir die Flammen aus den Augen schlagen!«

»Nyela –«

»Du wirst meinem Mann nichts tun, hörst du?«, schrie Nyela. »Nichts, oder ich verfolge dich aus dem Grab heraus, du elende Bestie, du –«

Xins Gesicht überzog sich mit Resignation. Er wandte sich ab und schüttelte müde den Kopf.

»Warum hört mir bloß nie einer zu?«

»Wie bitte?«

»Als hätte ich irgendetwas beschönigt. Als hätten die Regeln nicht von vorneherein festgestanden.«

»Wir sind aber nicht hier, um deinen beschissenen Regeln zu folgen!«

»Sie sind nicht beschissen«, seufzte Xin. »Es sind einfach nur – Regeln. Ein Spiel. Ihr habt mitgespielt. Ihr habt falschgespielt. Ihr habt verloren. Man muss abtreten können.«

Vogelaar betrachtete ihn.

»Du wirst dein Versprechen halten«, sagte er leise.

»Noch einmal, Jan, ich habe kein –«

»Ich meine das Versprechen, das du gleich geben wirst.«

»Das ich gleich geben werde?«

»Ja. Da ist nämlich noch etwas, das du haben willst, Kenny. Etwas, das ich dir geben kann.«

»Wovon redest du?«

»Von Owen Jericho.«

Xin fuhr herum. »Du weißt, wo Jericho ist?«

»Sein Leben gegen das von Nyela«, sagte Vogelaar. »Und spar dir jede weitere Drohgebärde. Wenn wir schon sterben, dann schweigend. – Es sei denn –«

»Es sei denn, was?«

»Du versprichst, Nyela zu schonen. Dafür liefere ich dir Jericho auf dem Silbertablett.«

»Nein, Jan!« Nyela sah ihn flehend an. »Ich will nicht ohne dich –«

»Musst du auch nicht«, sagte Vogelaar ruhig. »Das zweite Versprechen betrifft mich selber.«

»Dich gegen wen?«, fragte Xin lauernd.

»Gegen ein Mädchen namens Yoyo.«

Xin starrte ihn an. Dann begann er zu lachen. Leise, fast tonlos. Anschwellend. Hielt sich die Seiten, warf den Kopf in den Nacken, schlug mit der geballten Faust gegen den Kühlschrank, erbebte unter Epilepsien der Heiterkeit.

»Unglaublich!«, japste er. »Nicht zu fassen.«

»Alles in Ordnung, Kenny?« Der Kahlköpfige legte verwirrt die Stirn in Falten. »Bist du okay?«

»In Ordnung?«, prustete Xin. »Dieses Mädchen, dieser Detektiv, Mickey, den beiden gebührt ein Orden! Was für eine Leistung! Sie haben aus den paar Textfetzen – unglaublich, einfach unglaublich! Sie haben dich ausfindig gemacht, Jan, sie haben –« Er stockte. Seine Augen weiteten sich in noch größerem Entzücken. »Haben sie dich etwa *gewarnt*?«

»Ja, Kenny«, sagte Vogelaar ruhig. »Sie haben mich gewarnt.«

»Und du verrätst sie.«

Vogelaar schwieg.

»Du versuchst mich an der Moral zu packen, hältst mir vor, was ich angeblich versprochen hätte, und dann verrätst du die Leute, die gekommen sind, um dir das Leben zu retten.« Xin nickte, als habe er gerade eine wertvolle Lektion gelernt. »Sieh an, sieh an. Der Mensch in seiner Niedertracht. Was hast du den beiden denn so erzählt über unser afrikanisches Abenteuer?«

»Nichts.«

»Du lügst.«

»Würde ich gerne«, sagte Vogelaar mürrisch. »Tatsächlich habe ich ihnen einen Handel vorgeschlagen. Das Dossier gegen Geld. Die Übergabe steht unmittelbar bevor.«

»Allerhand«, gackerte Xin.

»Und? Was ist nun?«

»Entschuldige, alter Freund.« Xin wischte eine Lachträne aus dem Augenwinkel. »Man bekommt im Leben nicht vieles geboten, was einen noch überraschen könnte, aber das hier – und weißt du, was das

Tollste ist? Ich hatte sogar *in Erwägung* gezogen, dass sie dich aufspüren! Etwa so, wie man in Erwägung zieht, dass *vielleicht doch* nächste Woche ein Meteorit auf die Erde fällt, dass es *vielleicht doch* einen Gott gibt. Ich bin Hals über Kopf nach Berlin geflogen, um etwas zu verhindern, wovon ich nie – niemals! – gedacht hätte, dass es tatsächlich eintrifft, aber das Leben – Jan, mein lieber Jan! Das Leben ist doch zu schön. Zu schön!«

»Komm zur Sache, Kenny.«

Xin warf die Arme in die Luft, eine Was-wollen-wir-trinken-Geste, die Großzügigkeit des Gutsherrn.

»Gut!«, krähte er. »Meinetwegen!«

»Was heißt das?«

»Versprochen. Es heißt, versprochen! Wenn alles glatt über die Bühne geht, ohne Zwischenfälle, ohne dass du Tricks versuchst, ohne dass du über Tricks auch nur *nachdenkst,* ohne den allerwinzigsten Schönheitsfehler – *dann* werdet ihr leben.« Er kam näher und kniff die Lider zusammen. Sein Tonfall wechselte wieder ins Schlangenhafte. »Sollte allerdings wider Erwarten *irgendetwas* aus dem Dossier an die Öffentlichkeit dringen, verspreche ich Nyela einen Tod auf Raten, wie du ihn dir nicht vorstellen kannst! Und du darfst dabei zusehen. Du darfst zusehen, wie ich ihr die Zähne einzeln ziehe, ihre Finger und Zehen abschneide, ihr die Augen rausschäle, ihr die Haut in Streifen vom Rücken ziehe, alles, während unser guter Mickey hier sie immer und immer wieder aufs Neue vergewaltigt, *wieder und wieder,* bis er nur noch ein wimmerndes, blutiges Stück Fleisch fickt, und dann ist sie noch lange nicht tot, Jan, *noch lange nicht,* auch das verspreche ich dir, und *jedes einzelne Versprechen* werde ich halten.«

Vogelaar spürte Xins Atem auf seinem Gesicht, sah in die kalten, nachtdunklen Augen, fühlte Nyela in seinen Armen erzittern, hörte sein Herz in der Stille schlagen. Glaubte ihm jedes Wort.

Mit trockenem Knallen gab die defekte Leuchtröhre ihren Geist auf.

»Klingt gut«, sagte er. »Abgemacht.«

MUSEUMSINSEL

Wie das schlecht verfugte Bruchstück einer Fliese lag die Museumsinsel im Satellitenbild Berlins und zwängte auf einer Länge von gut anderthalb Kilometern die Spree auseinander. Ein durchgehender Parcours verband ein Ensemble repräsentativer Bauten, deren Exponate zusammengenommen über sechstausend Jahre Kulturgeschichte umfassten. Von kathedralenartigen Räumen über verschwiegene Gewölbe wechselte man zu lichtdurchfluteten Höfen, verlor sich im Wahn antiker Monumentalarchitektur und in der stillen Zeitlosigkeit intimer Sammlungen. An der Nordspitze stieg gleich einem barocken Ozeandampfer die wilhelminische Fassade des kuppelgekrönten Bode-Museums aus dem Wasser, im Süden begrenzte eine klassizistische Front den Komplex, dessen imposantestes Gebäude, das Pergamon-Museum, dem Großdeutschlandtraum eines passionierten Hellenisten zu entstammen schien: Beiderseits eines bedrohlich wuchtigen Mittelflügels erstreckten sich zwei identische Langbauten, gegliedert durch Kolossalpilaster und mündend in dorische Tempelfassaden. Das ursprüngliche U der Anlage war 2015, nach Hinzufügung eines verglasten vierten Flügels, zu einem Quadrat geschlossen worden und ermöglichte einen beispiellosen Rundgang durch die ägyptische, islamische, vorderasiatische und römische Menschwerdung.

Während seiner Berlinaufenthalte hatte Jericho die Insel oft überquert, die durch eine Vielzahl von Brücken mit der Innenstadt vernäht war, ohne je einen Fuß in die Museen gesetzt zu haben. Nie hatte die Zeit gereicht. Nun, da er die Spree entlangtakste, wollte sich beim Gedanken, dass es endlich so weit war, keine Freude einstellen. Seine Jacke spannte sich unter dem Druck der Geldpacken, die zusammen Vogelaars geforderte Summe ergaben. Die Glock steckte, für niemanden zu sehen, in ihrem Futteral. Er sah aus wie ein x-beliebiger Tourist, fühlte sich allerdings wie die sprichwörtliche Gans, die der Fuchs zum Essen eingeladen hatte. Sofern Vogelaar tatsächlich ein Dossier besaß, würden sie in aller Stille Information gegen Bares tauschen und jeder seiner Wege gehen. Falls nicht, stand Ärger zu befürchten. Der Söldner würde das Geld haben wollen, so oder so, und ganz sicher würde er dabei nicht auf die ölende Wirkung guten Zuredens vertrauen.

Jericho betastete sein Ohr und verharrte.

Die Tempelfassaden des Pergamon-Museums schienen ihn anzustarren, jedes Fenster ein observierendes Auge. Im Glasflügel wimmelten Bildungshungrige zwischen den Memorabilien versunkener Reiche. Er ging weiter, schaute auf die Uhr. Viertel nach elf. Um zwölf waren sie verabredet, doch Jericho wollte das Museum vorher kennenlernen. Zur Rechten schloss sich ein lang gestrecktes, modernes Bauwerk an, dessen Sockel die ältere Architektur motivisch aufnahm und von einer luftigen Hochkolonnade gekrönt war: die James Simon-Galerie, der Zugang zum Museumsparcours. Besucher drängten in einer Glocke von Schweiß und Geschwätz hinüber zur Insel. Jericho mengte sich hinein, überquerte den Spreearm und ließ sich eine herrschaftliche Freitreppe hinaufspülen, die ins Obergeschoss der Galerie führte. In einer geräumigen Halle, gesäumt von Terrassen und Cafés, erstand er ein Ticket und folgte der Beschilderung zum Rundgang durch das Pergamon-Museum.

Sein erster Eindruck, als er den südlichen Flügel betrat, war der eines formalen Nirwana. Einzig die flusswärts gewandten römischen Bogenfenster vermittelten so etwas wie architektonische Identität. Die Exponate, ihrem historischen Kontext entrissen, nahmen sich in der virtuell anmutenden Weite erhaben und verloren zugleich aus, eine unterkühlte Versuchsanordnung von Geschichte. Jericho wandte sich nach rechts und folgte einer Art Straße, von Mauern gesäumt, deren Friese und Zinnen in leuchtenden Farben erstrahlten, las die erläuternden Inschriften. Tierdarstellungen symbolisierten babylonische Gottheiten, schreitende Löwen für Ischtar, die Göttin der Liebe und Beschützerin der Truppen, schlangenartige Drachen für Muschku, den Gott der Fertilität und des ewigen Lebens, dem der Schutz der Stadt oblag, wilde Stiere für Adad, den Beherrscher des Wetters. »Möget Ihr Götter fröhlich wandeln auf diesem Weg«, hatte Nebukadnezar II. den Wänden eingeschrieben, wohl ohne sich träumen zu lassen, dass in diesem Augenblick Mitglieder japanischer und koreanischer Reisegruppen auf dem altehrwürdigen Terrain die Orientierung verloren und falschen Führern mit identischen Käppis hinterherhasteten. Ein gläserner Kubus barg ein Modell Babylons, aus dessen Mitte ein pyramidenartiges Bauwerk gen Himmel strebte, der Zikkurat, das Heiligtum des Marduk. An jenem ernüchternd niedrigen Turm also hatte sich der Zorn des alttestamentarischen Gottes entzündet, mit dem Ergebnis des sattsam bekannten Sprachschlamassels. Nun ja. Bis zum Zikkurat hatte die Straße ursprünglich geführt, ausgehend vom Ischtar-Tor, das den angrenzenden Saal beherrschte, eine Pracht in Blau und Sonnengelb, ebenfalls mit Tiergottheiten versetzt. Die Besucherdichte ließ Vorstellungen daran aufkommen, was hier zu Prozessionszeiten los gewesen war.

Rush-hour in Babylon.

Jericho durchschritt das babylonische Tor und trat 660 Jahre später aus einem römischen wieder hervor, das die Stirnseite des angrenzenden Saales einnahm: Das Markttor von Milet, ein doppelstöckiges Spektakel im Übergang zwischen hellenistischen und römischen Bautraditionen. Unentwegt hielt er nach Fluchtwegen Ausschau. Bis jetzt präsentierte sich das Museum in übersichtlicher Gliederung. Das Einzige, was einen hier aufhalten konnte, waren die gletscherartig dräuenden Besuchermassen. Neben ihm wurde in heller Aufregung gestikuliert. Blind für die Schönheit griechischer Säulenpropylone erläuterte ein koreanischer Herr seiner Fremdenführerin den Verlust seiner Gattin an die Japaner, nur um festzustellen, dass *er* bei den Japanern gelandet war. Die Sprachverwirrung fand ihr zeitgenössisches Äquivalent, die Reisegruppe verklumpte sich. Jericho umrundete sie und floh in den angrenzenden Saal.

Sofort wusste er, wo er sich befand.

Hier hatte Vogelaar ihren Treffpunkt festgelegt. Mehr als die Hälfte des hangarartigen Raumes wurde beherrscht von der Vorderfront eines kolossalen römischen Tempels. Alleine die Freitreppe zur Säulenhalle mochte zwanzig Meter durchmessen. Ein doppelt mannshoher, marmorner Comicstrip überzog den Sockel, der Beschilderung nach jener berühmte Figurenfries, der den Kampf der griechischen Götter mit den Giganten illustrierte, Chronik eines Putschversuchs und damit die perfekte Kulisse für ein Treffen mit Vogelaar: Zeus hatte GAIA brüskiert, indem er ihre urgewaltigen Kinder, die Titanen, in den Tartaros verbannte, eine Art *Black Beach Prison* der Vorzeit. Um sie der Unterwelt zu entreißen und den verhassten Göttervater mitsamt seiner korrupten Clique loszuwerden, stachelte GAIA ihre noch in Freiheit lebenden Söhne, die Giganten, zum Aufruhr an, wissend, dass kein Gigant je durch Götterhand sterben konnte. Die Giganten wiederum, als üble Krawallbrüder bekannt, deren Beine zu allem Überfluss in Schlangenleibern ausliefen, waren nur zu gerne bereit, Mamas Ehre zu verteidigen, was Zeus Gelegenheit gab, eines seiner zahlreichen Verhältnisse mit Menschenfrauen anzufangen – *nur der Sache halber, Hera, es ist nicht, wonach es aussieht!* – und Herakles zu zeugen, sterblich und ergo in der Lage, die Giganten Mores zu lehren. Diese wehrten sich, warfen mit Bergkuppen und Baumstämmen, woraufhin Athene – *Das kann ich besser!* – gleich mit Inseln schmiss und einen der Anführer, Enkelados, unter der Gesamtheit von Sizilien begrub: Fortan blies der Gigant seinen glühenden Atem aus dem Schlund des Ätna, während ein anderer, Mimas, unter den Vesuv gezwungen und ein dritter von Poseidon mit der Insel Kos erschlagen wurde. Die meisten aber erlagen den vergifteten Pfeilen des Herakles, bis das ganze schlangenbeinige Gezücht vernichtet war. Der Fries erzählte vom immer gleichen Kampf um die Macht mit den immer gleichen Mitteln. Wer war Fang, wer Bubi, wer Kolonialist? Wer finanzierte wen und warum? Hatte es auch damals ein Dossier gegeben, aus dem all dies hervorging, etwas in der Art von »Gigantomachie: die Wahrheit« oder »Die Akte Olymp«? Ein Dossier, wie es der letzte überlebende Gigant Äquatorialguineas zu besitzen behauptete?

Jerichos Blick wanderte die Freitreppe hinauf.

Drei Zugänge führten ins Innere der Säulenhalle, den ursprünglichen Altarhof. Vogelaar hatte angekündigt, dort auf ihn zu warten. Er stieg den schimmernden Marmor empor, trat unter den Säulen hindurch und fand sich in einem rechteckigen, hell erleuchteten Raum wieder, dessen Wände ein kleinerer Fries zierte. Von hier oben hatte man eine gute Aussicht auf alles, was am Fuß der Treppe geschah, sofern man in Kauf nahm, gleichzeitig gesehen zu werden. Tiefer im Raum hingegen war man geschützt.

Jericho schaute auf die Uhr.

Halb zwölf. Zeit, den Rest des Museums zu erkunden.

Er verließ die Tempelhalle in entgegengesetzter Richtung und begab sich in den Nordflügel, wo er auf weitere Beispiele hellenistischer Baukunst stieß. Und wenn Vogelaar nun *kein* Dossier besaß? Während er die Fassade des Mschatta-Palasts entlanghastete, einer Wüstenresidenz aus dem achten Jahrhundert, festigte sich die Vorstellung eines Hinterhalts und okkupierte seine Sinne. Römische Bogenfenster zeigten das Ende des nördlichen Flügels an, ohne dass er zu sagen vermochte, was er in diesem Trakt eigentlich gesehen hatte, ein ermittlungstechnischer Bankrott, da er unterwegs war, um sich die Räumlichkeiten einzuprägen. Steingesichter starrten ihn an. Er wandte sich nach links. Zwischen liegenden Widdern und Sphinxen führte der Weg in den vierten, den gläsernen Flügel, vorbei an Pharaonen durch das Tempeltor von Kalabscha, hindurch unter den Artefakten des Pyramidentempels von Sahurê. Unvermittelt fühlte sich Jericho an einen ganz ähnlichen Glasgang erinnert, in dem der glücklose Grand Cherokee Wang Kenny Xin getroffen hatte. Ein Omen? Knirschend bewegten sich Arme, hoben sich Lanzen, schlossen sich Granitfinger um gemeißelte Schwerter. Er ging weiter, badend in Tageslicht. Zur Rechten fiel der Blick durch die bodentiefe Fensterfront auf eine der Brücken, die den Spreearm überspannten, linker Hand öffnete sich der Innenhof des Museums. Vor ihm ein Obelisk, befremdlich anmutende Priesterkönige auf den Rücken bedrohlich starrender Tiere, die Statue des Wettergottes Hadad im Winkel, wo Glasgang und Südflügel aneinandergrenzten und sich der Parcours schloss, um zurück auf die babylonische Prachtstraße zu führen.

Zwanzig vor zwölf.

Zum zweiten Mal betrat er den Pergamonsaal und fand ihn belagert von Kunststudenten, die sich am Treppenabsatz mit Zeichenblocks niedergelassen und begonnen hatten, das Rudiment einstiger Genialität in die Skizzierung ihrer künftigen Karrieren umzusetzen. Mit ungutem Gefühl machte er sich an den Aufstieg. Im Telephos-Saal schlurften Besucher von Marmorbruchstück zu Marmorbruchstück und suchten historisches Verständnis in fehlenden Armen und Nasen. Jericho brummte der Schädel, während er zwischen amputierten Helden umhertigerte, das gedämpfte Dozieren eines Vaters im Ohr, der seinen Sprösslingen gerade das letzte Quäntchen Faszination für die archaischen Kloppereien austrieb. Jede Jahreszahl meißelte den Kindern Furchen in die Stirn. Jeder ihrer Blicke kündete vom aufrichtigen Bemühen, das Faible Erwachsener für kaputte Statuen mit Lebensentwürfen übereinzubringen, in denen man ohne Arme im Arsch war und Demoliertes repariert wurde. Mit altklugen Stimmen heuchelten sie Begeisterung für halbe Hüften, steinerne Stummel und das fragmentierte Antlitz eines Königs, ohne alldem entfliehen zu können.

Ohne fliehen zu können –

Genau. Hier oben saß man in der Falle.

Schwarzseher, schalt er sich. Sie hatten Vogelaar das Leben gerettet, außerdem war der Telephos-Saal nicht die Küche des Muntu. Die Übergabe würde stattfinden, schnell und verschwiegen. Das Schlimmste, was ihnen passieren konnte, war, dass die Unterlagen nicht hielten, was ihr Besitzer versprach. Er versuchte sich zu entspannen, doch seine Schultern hatten die Festigkeit von Brückenträgern angenommen. Der Vater mühte sich, den kindlichen Geist für eine schwebende rechte Brust zu entfachen, aus der er auf die Schönheit der göttlichen Isis schloss. Ratlose Augen begaben sich auf die Suche nach Schönheit. Jericho drehte sich weg und empfand einmal mehr Dankbarkeit, nicht mehr jung zu sein.

VOGELAAR

Seine Gedanken kreisten. Pausenlos ritt er das Karussell des Wenn und Aber, während ihn seine Füße mechanisch die Prozessionsstraße entlangtrugen. *Wenn* Jericho und das Mädchen zur vereinbarten Zeit dort wären, *wenn* Xin sich an die Absprache hielt, *wenn* man dem Chinesen tatsächlich trauen konnte – was aber, wenn nicht? Hier und jetzt drohte er seine letzte Chance zu verspielen, Nyela aus den Klauen dieses Irrsinnigen zu befreien, der möglicherweise gar nicht vorhatte, sie und ihn überleben zu lassen. Seine jahrzehntelange Erfahrung im Finden von Auswegen bliebe ungenutzt. Unbewaffnet und ohne Handy, wie er war, in einem überfüllten Museum, standen seine Chancen, Xin auszuschalten, eher schlecht, doch unmöglich war es nicht. Konnte er es sich wirklich leisten, auf Tricks zu verzichten? Wie gefährlich war überhaupt dieser Mickey, in dessen Obhut sich Nyela immer noch befand? Insgesamt legte der Ire das holprige Verhalten eines Durchschnittskriminellen an den Tag, doch wenn er für Xin arbeitete, musste er gefährlich sein. Dennoch traute sich Vogelaar zu, mit ihm fertig zu werden, aber dafür musste er Xin erledigen.

Also angreifen. Oder doch nicht? Doch. Innerhalb der nächsten paar Minuten, noch bevor er den Pergamonsaal erreichte. Ohne Waffe, ohne Plan.

Ohne Verstand!

Nein, er *konnte* nicht angreifen. Gegen den verrückten Chinesen half nur Glück, außerdem, was, wenn Xin gewillt war, sein Versprechen zu halten? Wenn also er, Vogelaar, im Versuch, ihn auszutricksen, scheitern und damit Nelés Tod überhaupt erst *heraufbeschwören* würde, von seinem eigenen ganz zu schweigen?

Misstrauen? Vertrauen? Misstrauen?

Fünf Minuten zuvor, in der James-Simon-Galerie.

»Ich verstehe dich«, sagt Xin einfühlsam. »Ich würde mir auch nicht trauen.« Er ist dicht hinter Vogelaar, die Flechettes-Pistole unter seinem Jackett verborgen.

»Und?«, fragt Vogelaar. »Hättest du Grund?«

Xin überlegt einen Moment.

»Hast du dich mal mit Astrophysik auseinandergesetzt?«

»Es gab andere Sachen in meinem Leben«, schnaubt Vogelaar. »Umstürze, bewaffnete Konflikte –«

»Schade. Du würdest mich besser verstehen. Was Physiker unter anderem beschäftigt, ist die Definition der Randbedingungen, unter denen das Universum stabil bleibt. Beziehungsweise, unter denen es überhaupt erst zu dem werden konnte, was es ist. Jenseits des reinen Faktenkatalogs gibt es zwei unterschiedliche Sichtweisen. Der einen zufolge ist das Universum unendlich stabil, weil es nie eine andere Wahl hatte, als sich in der bekannten Form zu entwickeln. Unter anderen Vorzeichen hätte vielleicht kein Leben entstehen können. Sich darüber Gedanken zu machen, ist allerdings ebenso müßig wie darüber nachzudenken, wie dein Leben verlaufen wäre, wenn du als Frau auf die Welt gekommen wärest.«

»Klingt fatalistisch und langweilig.«

»In philosophischer Hinsicht teile ich deine Meinung. Darum spricht die andere Fraktion lieber davon, wie unendlich fragil das Universum sei, da schon die geringste Abweichung in den Randbedingungen zu fundamentalen Veränderungen führen würde. Eine Winzigkeit an zusätzlicher Masse. Ein minimales Defizit an bestimmten Teilchen. Der ersten Fraktion klingt das zu sehr nach Kartenhaus, womit sie recht hat. Aber die zweite Sichtweise kommt unserer Vorstellung vom Dasein näher. Was wäre, wenn? Ich persönlich hänge einer Vorstellung von Ordnung und Verlässlichkeit an, die auf der nicht verhandelbaren Einhaltung sämtlicher Randbedingungen fußt. In diesem Sinne haben wir eine Vereinbarung getroffen, du und ich.«

»Soll heißen, du kannst dir jederzeit einen Grund zurechtbiegen, deine Versprechen nicht einhalten zu müssen.«

»Du bist ein Kleingeist, wenn ich mir die Bemerkung erlauben darf.«

Vogelaar dreht sich um und starrt ihn an.

»Oh, ich hab schon begriffen, was du meinst! Wie du dich selbst siehst. Könnte das Problem vielleicht darin bestehen, dass deine –«, er vollführt eine kreisende Handbewegung in der Luft, »– universelle Vorstellung von Ordnung auf normale Zeitgenossen nicht anwendbar ist?«

»Was ist plötzlich los, Jan? Eben warst du cooler.«

»Ist mir egal, wie du das siehst! Ich will von dir hören, ob Nyela in Sicherheit ist, wenn ich meinen Teil der Abmachung erfülle.«

»Sie ist mein Unterpfand dafür, dass du deinen Teil erfüllst.«

»Und dann?«

»Wie ich vorhin schon sagte –«

»Sag es noch einmal!«

»Meine Güte, Jan! Die Wahrheit wird nicht wahrer, wenn man sie wiederholt.« Xin seufzt und richtet den Blick zur Decke. »Aber meinetwegen. Solange Mickey bei ihr ist, geht es Nyela gut und sie ist in Sicherheit. Wenn alles Weitere vereinbarungsgemäß läuft, wird euch beiden nichts geschehen. Das ist der Deal. Zufrieden?«

»In Maßen. Der Teufel tut nichts ohne Hintergedanken.«

»Ich weiß deine Schmeicheleien zu schätzen. Jetzt tu mir den Gefallen und beweg deinen Arsch.«

Das Markttor von Milet.

Xins Worte im Ohr. Was, wenn er jetzt, in dieser Sekunde, umkehrte? Hals über Kopf aus dem Museum rannte, versuchte, das Restaurant vor ihm zu erreichen? Definitiv eine Änderung der Rahmenbedingungen! Dafür allerdings hätte er wissen müssen, wo Xin sich gerade aufhielt. Beim Betreten des Südflügels war er zurückgeblieben. Einmal noch hatte Vogelaar sich nach ihm umgedreht, ohne ihn zwischen den quellenden Besuchergruppen entdecken zu können. Er zweifelte nicht daran, dass der Chinese jeden seiner Schritte verfolgte, doch ebenso wusste er, dass Xin von nun an unsichtbar bleiben würde, bis es so weit war. Im Telephos-Saal saßen Jericho und das Mädchen in der Falle. Er würde sich wie aus dem Nichts manifestieren, zweimal feuern –

Oder doch dreimal?

Vertrauen? Misstrauen?

Xin war nicht normal. Nicht die Wirklichkeit war sein Lebensraum, vielmehr bewohnte er eine *Abstraktion* der Wirklichkeit. Was dafür sprach, ihm zu vertrauen. Des Irren Ordnung war der Zwang. Vielleicht *konnte* Xin ja gar keine Versprechen brechen, solange seine Randbedingungen eingehalten wurden.

Er bahnte sich seinen Weg durch die Menschenmassen und näherte sich dem Durchgang zum Pergamonsaal, einem kleineren Tor im hellenistischen Ensemble, dessen Fassade offenbar gerade ausgebessert wurde. Um den Blick auf die Architektur nicht verhängen zu müssen, hatte man es mit Glaswänden verschalt. Der künstliche Lichthimmel spiegelte sich darin, die Statuen und Säulen ringsum, die Besucher, er selbst –

Und noch jemand.

Vogelaar erstarrte.

Einen Herzschlag lang war er machtlos gegen die aufsteigende Panik. Klammern schlossen sich um seine Brust, elektrische Felder versetzten die Moleküle seines Unterkörpers in rasendes Kreiseln. Sturzbachartig ergoss sich die Gesamtheit seiner Emotionen in seine Füße, die augenblicklich taub wurden und jede Vorwärtsbewegung einstellten. Anstelle des Entsetzens darüber, was Nyela alles zustoßen mochte, trat die vernichtende Gewissheit, was ihr wahrscheinlich schon zugestoßen *war*.

Solange Mickey bei ihr ist, geht es Nyela gut –

Warum war Mickey dann im Museum?

Weil Nyela nicht mehr lebte.

Nur so konnte es sein. Hätte Xin zugelassen, dass sie unbewacht im

Restaurant zurückblieb? Wie betrunken ging Vogelaar weiter. Er hatte versagt. Sich der kindischen Hoffnung überlassen, der verrückte Chinese würde sich an Absprachen halten. Stattdessen hatte Xin den Iren ins Museum beordert, um die Arbeit des Tötens aufzuteilen. Das war alles. So wie Nyela von vornehrein keine Chance gehabt hatte, würde auch seine Existenz zusammen mit der Yoyos und Jerichos enden, spätestens in dem kleinen Raum oberhalb des Tempels.

Der Gedanke hatte etwas von Säure. Er zersetzte die Angst im Nu. An ihre Stelle trat eiskalte Wut. Nacheinander rasteten Überlebensmechanismen ein, vollzog sich die Metamorphose zurück zum Kerbtier, das er die meiste Zeit seines Lebens gewesen war. Sein Chitinpanzer schob sich unter der Pforte hindurch in den angrenzenden Pergamonsaal. Wachsam ließ er die Fühler kreisen, zerlegte, was er sah, in Facetten der Wahrnehmung: Auf der gegenüberliegenden Seite des Riesenraumes das Pendant der Pforte, die er durchschritten hatte, winzig, beinahe verlegen ob ihrer kümmerlichen Abmessungen und zugleich tapfer, sehr tapfer, ein unermüdlich pumpender, viel zu enger Bypass in die Blutbahn des Bildungswesens. Zur Linken frei stehende Teile des Frieses auf Stelen und Sockeln, rechts der Tempel mit der Treppe, oben die Säulenhalle, der Durchlass zum Telephos-Saal, in dem Jericho und das Mädchen auf ein Dossier hofften, das sie nun nie erhalten und auch nicht mehr benötigen würden. Dabei wäre alles so einfach gewesen, so schnell gegangen. Um einhunderttausend Euro reicher, hätte er es ihnen ausgehändigt, das zweite Dossier. Das Duplikat, von dem außer ihm nur Nyela gewusst hatte –

Hatte?

Wie konnte er *so sicher* sein, dass sie tot war?

Weil sie es war.

Wunschdenken. Nicht Kerbtiersache.

Vogelaars Kiefer mahlten. Zwischen Säulenhalle und Fußboden tummelten sich Touristen in Truppenstärke, manche auf den Stufen siedelnd, als gedächten sie dort ihr Mittagessen auszupacken. Vogelaar gewahrte eine Gruppe junger Leute mit Block und Bleistift, die Gesichter in Konzentration gefroren, versunken ins Gerangel der Unsterblichen. Ein paar Interessierte schauten ihnen über die Schultern. Sein Facettenblick tastete die Studenten der Reihe nach ab und hängte sich an einem blassen, spitznasigen Mädchen auf, das noch keine Bewunderer um sich versammelt hatte. Ohne Hast trat er neben sie. Auf der weißen Fläche ihres Papiers kämpfte Zeus gegen den Gigantenführer Porphyrion und beide gegen das Unvermögen des Mädchens,

ihnen Leben einzuhauchen. Die Anzahl der Bleistifte neben ihr –
zwanzig mochten es sein – stand sichtlich in umgekehrt proportio-
nalem Verhältnis zu ihrem Talent, so wie ihre ganze Ausstattung den
Eindruck erweckte, als habe sie jeden Euro Trinkgeld, den das abendliche Kellnern ihr einbrachte, der Illusion geopfert, Equipment sei die
halbe Kunst.

Er beugte sich zu ihr herab und sagte freundlich:

»Könnte ich mir wohl – Pardon! – einen Ihrer Bleistifte ausleihen?«

Sie blinzelte ihn erschrocken an.

»Nur einen Moment lang«, fügte er rasch hinzu. »Ich will mir schnell
eine Notiz machen. Hab mein Schreibzeug vergessen, wie immer.«

»Hm, jaaa«, sagte sie gedehnt. Offenbar beunruhigte sie der Gedanke, dass Bleistifte auch zur Produktion von Schrift taugten. Im
nächsten Moment schien sie sich mit der Idee versöhnt zu haben.

»Klar, sicher! Nehmen Sie irgendeinen.«

»Sie sind sehr freundlich.«

Er wählte einen langen, sauber gespitzten Stift, der ihm kräftiger
erschien als die anderen, und richtete sich auf. Genau jetzt hatte Xin
ihn im Blick, daran bestand kein Zweifel. Xin sah alles und würde aus
allem, was er unternahm, Schlüsse ziehen, also blieben ihm nur Sekunden.

Blitzschnell wandte er sich um.

Mickey, wenige Schritte von ihm entfernt, glotzte ihn an wie eine
Dogge, dann unternahm er einen halbherzigen Versuch, sich hinter einer Gruppe Spanisch sprechender Rentner zu verdrücken. Mit wenigen Schritten war Vogelaar bei ihm. Die Rechte des Iren zuckte zur
Hüfte. Offenbar war Xin ihm die Anweisungen für das, was gerade
vonstattenging, schuldig geblieben, denn er wirkte absolut hilflos.
Seine Wangen wabbelten aufgeregt, sein Blick schoss hektisch hin und
her, auf seiner Glatze staute sich der Schweiß.

Vogelaar umspannte seinen Hinterkopf, zog ihn zu sich heran und
rammte ihm den Bleistift ins rechte Auge.

Ein markerschütternder Schrei entrang sich dem Iren. Er zappelte, Blut spritzte aus der Wunde. Vogelaar verstärkte den Druck
seiner Handfläche auf das flache Ende des Stifts, trieb ihn tiefer in
die Augenhöhle, fühlte die Spitze den Knochen durchbrechen und
ins Gehirn eindringen. Mickey erschlaffte, Darm und Blase entleer-
ten sich. Vogelaar ertastete die Waffe des Killers und riss sie aus ihrer
Halterung.

»Jericho!«, schrie er.

STAMPEDE

Jericho hatte es vorgezogen, die Ankunft des Südafrikaners auf der gegenüberliegenden Seite des Tempels abzuwarten, verborgen hinter einer Phalanx frei stehender Skulpturen, die Möglichkeit im Sinn, dass Vogelaar ihn reinlegen würde. Was er nun sah, ängstigte ihn weit mehr. Es war überhaupt schlimmer als alles, was seine überhitzte Fantasie in den letzten paar Stunden an Szenarien zuwege gebracht hatte, weil es schlicht und einfach bedeutete, dass die Übergabe geplatzt war.

Alles ging gerade fürchterlich schief.

Die Glock in der Rechten, stürmte er aus seiner Deckung. Vom Schauplatz des Angriffs pflanzten sich Schockwellen fort, Treibgut des Entsetzens mit sich tragend, Schreie, Ächzen, Gurgeln, Stöhnen, Laute, die sich jeder Beschreibung entzogen. Augenzeugen waren zurückgeprallt und hatten solcherart eine kleine Arena geschaffen, in deren Mitte sich Vogelaar und der Kahlköpfige ausnahmen wie neuzeitliche Gladiatoren. Andere hatte das Gorgonenhaupt des Terrors erstarren lassen, womit sie in marmorne Übereinstimmung mit den Göttern und Giganten ringsum gerieten. Den Zeichnern entglitten ihre Stifte. Das spitznasige Mädchen sprang auf, hüpfte wie ein Gummiball auf der Stelle, die Hände vor dem Mund gebogen, als wolle sie die kleinen Quiekser auffangen, die ihren geöffneten Lippen mit der Regelmäßigkeit eines automatisierten Hilferufs entschlüpften. Überall drehten Menschen die Köpfe, weiteten sich Augen, beschleunigten sich Schritte, verloren Gruppen ihren Zusammenhalt, wurden frühmenschliche Fluchtprogramme hochgeladen.

Inmitten der Auflösung aller Strukturen erblickte Jericho den Engel des Todes.

Er rannte zu Vogelaar, dessen Kräfte unter dem Gewicht seines Opfers zu erlahmen drohten. Der Sterbende stürzte zu Boden, den Südafrikaner mit sich reißend. Vom Nordflügel her näherte sich der Engel mit Riesenschritten, weißhaarig, schnauzbärtig, die Augen hinter einer getönten Brille verborgen, doch sein Gang, seine Motorik, die Pistole, die seinem Unterarm zu entwachsen schien, ließen keinen Zweifel an seiner Identität.

Auch Vogelaar sah ihn kommen.

Mit einem Aufschrei gelang es ihm, den Oberkörper des Kahlköpfigen in die Höhe zu reißen. Im nächsten Moment explodierte dessen lederne Brust, als die für ihn gedachte Ladung eindrang. Jericho warf sich zu Boden. Vogelaar, im Bemühen, den Toten zur Seite zu stemmen, eröffnete seinerseits das Feuer auf Xin, der zwischen ziellos umherrennenden Menschen in Deckung ging. Eine Frau wurde an der Schulter getroffen und sackte zu Boden.

»Das hat keinen Sinn!«, schrie Jericho. »Raus hier.«

Der Südafrikaner trat nach der Leiche, versuchte freizukommen. Jericho zerrte ihn hoch. Mit einem Geräusch, als klatsche Fleisch auf eine Arbeitsplatte, riss Vogelaars linker Oberschenkel auf. Er stolperte gegen Jericho und krallte sich an ihm fest.

»Ins Restaurant«, keuchte er. »Nyela –«

Jericho packte ihn unter den Armen, ohne die Glock loszulassen. Der Angeschossene war zu schwer, viel zu schwer. Um sie herum brach die Hölle los.

»Nimm dich zusammen«, ächzte er. »Du musst –«

Vogelaar stierte ihn an. Langsam sackte er zu Boden, und Jericho begriff, dass Xin ihn ein weiteres Mal getroffen hatte. Panik erfasste ihn. Er suchte die Menge nach dem Killer ab, erspähte den weißen Schopf. Nur Augenblicke noch, bis Xin wieder freie Sicht hätte.

»Hoch mit dir«, schrie er. »Los!«

Vogelaar entglitt ihm. Erschreckend schnell verwandelte sich sein Gesicht in eine wächserne Maske. Er fiel auf den Rücken und spie einen Schwall hellroten Blutes aus.

»Nyela – weiß nicht, ob – wahrscheinlich tot, aber – vielleicht –«

»Nein«, flüsterte Jericho. »Du *darfst* nicht –«

Wenige Meter weiter wurde ein Mann wie von einer Riesenfaust gepackt und hochgehoben. Er flog ein Stück durch die Luft und prallte mit ausgebreiteten Armen zu Boden.

Xin bahnte sich seinen Weg.

Vogelaar, dachte Jericho verzweifelt, du kannst hier nicht einfach verrecken, wo ist das Dossier, du bist unsere letzte Hoffnung, steh gefälligst auf. Steh auf. – Steh auf!!

Dann machte er kehrt und floh, so schnell er konnte.

Vogelaar starrte ins Licht.

Er war nie ein gläubiger Mensch gewesen, und auch jetzt erschien ihm die Vorstellung eines Himmelreichs, in dem jeder Idiot zu astraler Läuterung fand, wie ein billiges Jahrmarktsversprechen. Religion war eine der Ritzen, in die das Kerbtier nie gekrochen war. Die späte Angst eines Cyrano de Bergerac, der den Glauben zeitlebens geschmäht hatte, um auf dem Sterbebett Abbitte zu leisten für den Fall, dass es doch einen Gott gab, blieb ihm unverständlich. Das Leben ging vorüber.

Wozu sollte er die verbleibende Zeit an irgendein Paradies verschwenden? Dass er es überhaupt tat, verdankte sich nur dem strahlend weißen Neonhimmel, der den Saal in künstliches Tageslicht tauchte. Jenes Weiß, von dem Menschen berichteten, die klinisch gestorben und wieder ins Leben zurückgekehrt waren. Nahtod-Erfahrung, das Jenseits, vermeintlich. Tatsächlich nichts als Ausschüttungen halluzinogener Tryptamin-Alkaloide im Gehirn.

Wie sehr er es bedauerte, Jericho das Dossier nicht ausgehändigt zu haben! Vorbei, verstrichen. Schwach flackerte die Flamme der Hoffnung, sich hinsichtlich Nelés geirrt zu haben. Dass sie doch noch lebte, und dass der Detektiv etwas für sie tun konnte, falls er durchkam. Mehr fiel ihm zur Situation nicht ein, aber es schien ihm nicht das Schlechteste, seine letzten Gedanken dem einzigen Menschen zu widmen, den er mehr geliebt hatte als sich selbst.

Die Erlösung vom Kerbtierdasein. Am Ende doch?

Xin trat in sein Blickfeld.

Mit einem Gurgeln riss Vogelaar die Waffe hoch, vielmehr spannte er alle Muskeln, um es zu tun. Ebenso gut hätte er versuchen können, mit einer 12-Kilo-Hantel nach dem Chinesen zu werfen. Schwer wie Blei lag die Pistole in seiner Hand. Was ihm an Kraft verblieben war, reichte eben noch, um Xin mit den Augen zu erschießen.

Der Killer kräuselte verächtlich die Lippen.

»Randbedingung, Idiot!«, sagte er.

Xin schoss Vogelaar in die Brust und ging mit langen Schritten weiter, ohne den Toten eines Blickes zu würdigen. Musste er sich Vorwürfe machen? War es ein Fehler gewesen, Mickey in letzter Sekunde ins Museum zu beordern, damit es diesmal keine Pannen gab? Vogelaar hatte den Iren entdeckt und falsche Schlüsse gezogen, dabei hing Nyela an zwei Paar Handschellen im Keller des Muntu. Unversehrt, wie Xin es versprochen hatte.

Hatte er nicht *zugesagt*, sie leben zu lassen?

Das hatte er, verdammt!

Ja, er *hätte* sie leben lassen! Es hätte ihm *gefallen*, sie leben zu lassen! Vogelaar, dieser dämliche Primat, hatte nichts begriffen, rein gar nichts. Jetzt war alles dahin, das Gesetz forderte seinen Tribut. Jetzt *musste* er die Frau töten. Auch *das* hatte er versprochen.

Xin begann zu laufen, röhrendes Vieh vor sich her treibend, das in seiner Dumpfheit versuchte, sich durch die schmale Pforte zu quetschen, alle auf einmal. Ein Mädchen vor ihm stolperte, fiel zu Boden.

Er trampelte über sie hinweg, schleuderte eine andere zur Seite, drosch einem älteren Mann den Lauf der Waffe über den Schädel, prügelte sich den Weg frei, keilte sich wie ein Rammbock in die Flüchtenden und brach auf der anderen Seite wieder hervor, das Markttor von Milet im Blick, unter dem Jericho soeben in den angrenzenden Flügel verschwand. Seine Waffe hämmerte eine Garbe in zwei Jahrtausende altes Gestein. Menschen schrien, rannten, warfen sich zu Boden, das immer gleiche ermüdende Schauspiel. Die Pistole als Knüppel schwingend, folgte er Jericho, sah ihn eins werden mit den Passanten, welche die Prozessionsstraße bevölkerten, und an seiner statt zwei Uniformierte aus einem Seitengang stürmen, die Waffen im Anschlag, ratlos, wer eigentlich ihr Feind war. Er mähte sie nieder, ohne in seinem Lauf innezuhalten. Die Bugwelle der Panik, die er vor sich herschob, drängte auf babylonisches Terrain.

Wo war der elende Detektiv?

Jericho rannte die Prozessionsstraße entlang.

Wie absurd es war, mit einer geladenen Waffe in der Hand zu fliehen, anstatt sie zu gebrauchen, doch sobald er stehen bliebe, würde Xin ihn erwischen, noch bevor er sich umdrehen und den Chinesen ins Visier nehmen konnte. Der Killer war darauf trainiert, kleine Ziele zu treffen, jede sich auftuende Lücke zu nutzen. So schwang er die Glock wie den Stab Mose, »Weg da!« und »Zur Seite!« schreiend, teilte das Menschenmeer, hastete dem schwarzen Leib Hadads entgegen, vorbei an grinsenden, gedrungenen Löwenskulpturen, die den Verdacht aufkeimen ließen, ihre Vorfahren hätten es mit Mastinos und Möpsen getrieben, was wiederum in Fragen mündete wie die, ob Raubkatzen vergleichbarer Art tatsächlich die antiken Hochkulturen oder nur die Fantasie zugedröhnter Bildhauer bevölkert hatten, vielleicht auch einfach *schlechter* Bildhauer, da ja nicht alles, was den Weg in Museen fand, notgedrungen gut sein musste, und überhaupt, was für Gedanken in einer solchen Lage!

Vor ihm stob eine Familie auseinander.

In Hadads Rücken reihten sich hohe, schmale Säulen aneinander, ihrer Sinnhaftigkeit beraubt, da fehlte, was sie einst getragen hatten. Einem inneren Impuls folgend, warf er sich nach rechts, hörte die dumpfe Entladung der Pistole und den Wettergott unter den Einschlägen erdröhnen, rannte in Richtung des gläsernen Flügels –

Und stoppte.

Den Glasgang zu betreten hieß, im Karree des Museums gefangen zu sein. Linker Hand führte der Weg zur James-Simon-Galerie, und gerade, für Sekunden, hatte Xin ihn aus den Augen verloren –

Wie ein Hund sprang er auf alle viere, hastete, Deckung suchend, hinter die Säulen, kroch in Gegenrichtung zurück, gewahrte Xin aus dem Augenwinkel in den Glasgang rennen, richtete sich auf und rannte in den Durchgang zur Galerie, während er die Glock im Futteral verschwinden ließ. Ab sofort war er nur noch einer, der wie alle versuchte, einer statistischen Erwähnung in den Abendnachrichten zu entgehen. Ein Tsunami des Aufruhrs fegte durch die Vorhalle, sodass niemand auf ihn achtete, als er nach draußen eilte. Mehr sprang er die Treppe zum Fluss herunter, als dass er lief, und überquerte die Brücke, die auf die andere Seite führte.

Nyela. Das Dossier!

Er musste ins Muntu.

Im Glasflügel herrschte relative Ruhe. Xin suchte die Menge nach Jerichos blondem Schopf ab. Seine Pistole zauberte Beklommenheit auf die Gesichter ringsum, doch irgendetwas stimmte nicht. Wäre Jericho, bewaffnet, schreiend und rempelnd, vor ihm hier durchgekommen, die Menschen wären weniger gelassen gewesen. Offenbar hielten sie ihn für einen Sicherheitsbeamten auf Kontrollgang. Sein Blick tastete den Korridor ab, dessen westlicher Rand von einem Streifen senkrecht einfallenden Sonnenlichts gesäumt war. Der Obelisk gleich vor ihm, das Artefakt des Säulentempels von Sahuré, die auf Sockeln thronenden, überlebensgroßen Pharaonen, das klotzige Tempeltor von Kalabscha, nicht auszuschließen, dass Jericho Nerven genug hatte, sich dort zu verbergen. Sein Vorsprung hatte maximal zehn Sekunden betragen, eben ausreichend, hinter einer der Pharaonengottheiten in Deckung zu gehen.

Und wenn er nach Norden hin –

Nein. Xin hatte ihn *hier* hineinlaufen sehen.

Wachsam drang er weiter vor, im Schutz zusehends nervös werdender Besucher, zielte hinter Sockel, Säulen, Fassaden und Statuen. Irgendwo in diesem Gang *musste* Jericho sein, doch niemand empfing ihn mit Schüssen, hetzte aufgeschreckt davon, versuchte sich in einer tollkühnen Frontalattacke. Mittlerweile schlug die allgemeine Anspannung in offene Furcht um, fanden sich Sorgenfalten zu Fragezeichen, ob man es vielleicht doch mit einem Terroristen zu tun habe. In Kürze würden Bewaffnete hier auftauchen, dessen war er sicher. Wenn er den Detektiv nicht schleunigst aufstöberte, musste er unverrichteter Dinge verschwinden.

»Jericho!«, schrie er.

Seine Stimme wurde von den Glasfronten verschluckt.

»Komm raus. Lass uns reden.«

Keine Antwort.

»Ich verspreche, dass wir *reden* werden, hörst du?«

Reden, und dann schießen, dachte er, doch alles blieb still. Natürlich hatte er nicht erwartet, dass Jericho sich mit erfreutem Ach-so!-Gesicht aus dem Schatten schälen würde, doch das völlige Ausbleiben jeder Reaktion, außer, dass alle um ihn herum es plötzlich sehr eilig hatten, den Glasgang zu verlassen, entfachte seine Wut. Aufs Äußerste erregt, stapfte er weiter, sah zwischen den Säulen des Kalabscha-Tors eine Bewegung und feuerte hinein. Eine Japanerin, den Fotoapparat mit beiden Händen umklammernd, taumelte mit einem Ausdruck sachter Verwunderung daraus hervor, schoss reflexartig ein letztes Foto und schlug der Länge nach hin. Panik griff um sich, setzte eine Stampede in Gang. Xin nutzte die Verwirrung, rannte ans Ende des Gangs und sah sich wild nach allen Seiten um.

»Jericho!«, brüllte er.

Er lief zurück, starrte durch die Glasfront auf den Innenhof, wandte den Kopf. Aus dem Durchgang zur James-Simon-Galerie war das Herannahen schwerer Stiefel zu hören. Sein Blick fiel auf die Brücke, die vom Pergamon-Museum auf die gegenüberliegende Seite führte, suchte die Uferpromenade ab –

Da! Skandinavisches Blond, schon ein ganzes Stück entfernt. Jericho lief wie von Teufeln gehetzt, und Xin begriff, dass der Detektiv ihn ausgetrickst hatte. Er fluchte. Zwischen den Statuen der Priesterkönige kam es zum Gedränge. Wachleute, diesmal mit schwererer Bewaffnung, versuchten sich an den Besuchern, die ihnen entgegenflohen, vorbeizudrängen. Er hatte zu lange gezögert, zu viel Blut vergossen, als dass sich die Neuankömmlinge mit langen Vorreden aufhalten würden. Er brauchte eine Geisel.

Ein Mädchen rutschte auf dem glatt gewienerten Boden aus.

Mit einem Satz war er hinter ihr, riss sie zu sich hoch und presste ihr den Lauf der Pistole an die Schläfe. Das Kind erstarrte und begann zu weinen. Eine junge Frau schrie gellend auf, reckte die Hände, wurde von Fliehenden zur Seite geboxt, von ihrem Mann daran gehindert, sich in ihren sicheren Tod zu stürzen. Im nächsten Moment gingen beiderseits des Paars Uniformierte in Stellung, riefen etwas auf Deutsch, das Xin nicht verstand, aber natürlich wusste er auch so, was sie wollten. Ohne sie aus den Augen zu lassen, zerrte er das Mädchen zur Fensterfront und schaute hinab auf die Spreebrücke, auf der sich mittlerweile etliche Schaulustige eingefunden hatten.

Er beugte sich zu der Kleinen herab.

»Alles wird gut«, sagte er leise in ihr Ohr. »Versprochen.« Natürlich verstand sie kein Mandarin, doch das schlangenartige Zischen verfehlte seine hypnotisierende Wirkung nicht. Der kleine Körper entspannte sich. Sie wurde ruhig, atmete in flachen, kurzen Atemzügen wie ein Stallkaninchen.

»Gut so«, flüsterte er. »Hab keine Angst.«

»Marian!« Laute unerträglicher Qual entrangen sich der Mutter. »Marian!«

»Marian«, wiederholte Xin freundlich. »Sehr hübsch.«

Er zog den Abzug durch.

Entsetzen brandete auf, als die Scheibe, auf die er die Pistole blitzschnell geschwenkt hatte, unter dem Ansturm Dutzender Pfeilgeschosse zerbarst. Splitter flogen ihnen um die Ohren. Er schützte das Mädchen mit seinem Oberkörper, stieß sie von sich, kreuzte die Arme vor Kopf und Brust und sprang ins Freie. Noch während die Uniformierten der Situation Herr zu werden versuchten, war er drei Meter tiefer wie eine Katze zwischen den Schaulustigen gelandet und begann zu rennen.

JERICHO

Das Muntu war verschlossen. Kurzerhand feuerte Jericho zweimal auf das Schloss und erledigte den Rest mit einem Fußtritt. Die Tür knallte gegen die Innenwand. Er stürmte in den Gastraum, schaute hinter die Bar und zuckte zurück, doch der hellhäutige Schwarze, der ihn aus ratlosen Augen anstarrte, war eindeutig tot. In der Küche herrschte das Tohuwabohu vom Vortag. Niemand hatte aufgeräumt seit seinem Kampf mit Vogelaar.

Von Nyela keine Spur.

Außer sich pflügte er durch den Perlenvorhang, riss nacheinander die Toiletten auf, rüttelte an der Klinke der dritten Tür – *Privat*, verriegelt –, schoss auch dieses Schloss aus der Fassung. Eine ausgetretene Stiege führte ins Dunkel. Moder und Desinfektionsmittel. Der kalkige Geruch feuchten Verputzes. Erinnerungen an Shenzhen, an den Abstieg zur Hölle. Er zögerte. Seine Hand tastete nach dem Lichtschalter, fand ihn. Am unteren Ende der Treppe flammte eine Gitterleuchte auf. Getünchter Verputz, fleckiger Estrich, eine zuckend entfliehende Spinne. Die Glock im Anschlag, nahm er Stufe um Stufe, fröstelnd, von Übelkeit übermannt. Kenny Xin. Animal Ma Liping. Wer oder was erwartete ihn hier unten? Welche Kreaturen würden sich diesmal auf ihn stürzen, welche Bilder sich auf ewig in seine Hirnwindungen brennen?

Seine Füße erreichten den Grund. Er schaute sich um. Ein kurzer Gang, verstellt mit Kisten und Fässern. Eine Stahltür, halb offen.

Er drang ein, nach allen Seiten sichernd.

Nyela!

Sie hockte, die Arme hinter den Rücken gebogen, auf dem Fußboden, Klebeband überm Mund. Ihre Augen leuchteten phosphoreszierend im Dämmerlicht. Mit raschen Schritten war er bei ihr, steckte die Glock ein, befreite sie von dem Band, legte den Finger an die Lippen. Nicht jetzt. Zuerst musste er ihre Fesseln lösen. Ihre Peiniger hatten sie an ein Heizungsrohr gekettet, kaum vorstellbar, dass der Schlüssel irgendwo herumlag, quasi als kleine Aufmerksamkeit für findige Detektive.

»Bin gleich wieder da«, flüsterte er.

Zurück in der Küche, zog er Schubladen auf, wütete in Stahl, Kupfer und Chrom, suchte die Arbeitsplatten ab, fand endlich, was er gesucht hatte, ein Fleischerbeil, eilte zurück in den Keller.

»Nach vorne lehnen«, befahl er. »Ich brauche Platz.«

Nyela nickte und drehte sich von ihm weg, sodass er freie Sicht auf ihre Hände hatte. Das Rohr war beunruhigend kurz. Nur wenige Zentimeter von ihren Gelenken bog es sich zur Wand und verschwand in krümeligem Mörtel. Er atmete tief durch, konzentrierte sich und ließ das Beil herniedersausen. Heller Glockenklang pflanzte sich durch den Heizkörper fort. Er runzelte die Stirn. Im Rohr hatte sich eine Delle gebildet, sonst nichts. Erneut schlug er zu, drei-, viermal, dann endlich platzte das Gestänge auf, sodass er es mit dem Griff des Beils auseinanderbiegen konnte. Die Kette der Handschelle schrammte über die Bruchkante.

»Wo –«, begann Nyela.

»Rüber.« Jericho deutete mit einer Kinnbewegung zu einem metallenen Arbeitstisch. »Mit dem Rücken zur Platte, Hände draufpressen, so flach wie möglich. Kette stramm ziehen.«

Vorboten seelischer Not, die sie gleich auszustehen hätte, verdüsterten Nelés Züge. Sie folgte seinen Anweisungen und verdrehte die Hände.

»Nicht bewegen«, sagte Jericho. »Still halten, ganz still.«

Sie schaute zu Boden. Er visierte die Mitte der Kette an, holte aus und spaltete sie mit einem einzigen Hieb.

»Jetzt raus hier.«

»Nein.« Sie stellte sich ihm in den Weg. »Wo ist Jan? Was ist passiert?«

Jericho spürte ein taubes Gefühl auf der Zunge.

»Er ist tot«, sagte er.

Nyela sah ihn an. Was immer er erwartet hatte, Fassungslosigkeit, Entsetzen, Tränen, nichts davon. Nur stille Trauer und Liebe für den Mann, der erschossen im Museum lag, und zugleich eine merkwürdige Leichtigkeit, als wolle sie sagen, siehst du, so kann es gehen, irgendwann musste es ja passieren. Er zögerte, dann drückte er Nyela kurz und feste an sich. Sie erwiderte die Umarmung mit sanftem Druck.

»Ich bringe Sie hier raus«, versprach er.

»Ja«, nickte sie matt. »Das höre ich ständig.«

Oben war niemand, nur der tote Afrikaner starrte hinter der Bar hervor, als erwarte er eine Erklärung für das, was ihm widerfahren war. Jericho eilte zu der zerschossenen Restauranttür und spähte hinaus.

»Wir werden laufen müssen.«

»Wieso?«

»Mein Wagen steht einige Straßen entfernt.«

»Meiner nicht.« Nyela beugte sich über die Bar, zog eine Schublade auf und entnahm ihr einen Datenstick. »Jan war heute früh damit unterwegs. Er müsste ihn vor dem Muntu abgestellt haben.«

Yoyo hatte von einem Nissan OneOne gesprochen. Ein ebensolches Modell parkte wenige Schritte entfernt in hochgefahrenem Zustand. Eine eiförmige Kabine, deren Design an einen freundlichen kleinen Wal erinnerte. Beiderseits der Fahrgastzelle waren keulenartige, in Rädern mündende Schenkel aufgehängt. Bildeten sie eine gestreckte Gerade, ruhte die Kabine dicht über dem Boden, verringerte man den Radstand, stellten sie sich zum spitzen Winkel auf, und die Kabine fuhr nach oben. Aus einem flachen, windschnittigen Sportwagen wurde ein platzsparender Turm. Jericho trat unter den Türsturz und suchte die Straße ab. In der Mittagsglut erschienen Formen und Farben wie überbelichtet. Es roch nach Blütenstaub und gebackenem Asphalt. Kaum Fußgänger waren zu sehen, dafür hatte der Verkehr an Dichte zugenommen. Er legte den Kopf in den Nacken und sah den zigarrenförmigen Leib eines Touristenzeppelins, der sich mit gutmütigem Brummen ins Blickfeld schob.

»In Ordnung«, rief er ins Innere. »Kommen Sie.«

Die verspiegelte Kabinenkuppel bog Himmel, Wolken und Fassaden zum Einstein'schen Raum. Nyela ließ die Abdeckung hochfahren. Ein überraschend geräumiger Innenraum tat sich auf, mit einer durchgehenden Bank und Notsitzen.

»Wohin?«, fragte sie.

»Grand Hyatt.«

»Weiß schon.« Sie schwang sich hinein, Jericho rutschte neben sie. Er sah, dass der Nissan über schwenkbare Armaturen verfügte. Die komplette Steuerung konnte nach Belieben vom Fahrer zum Beifahrer verlagert werden. Geräuschlos senkte sich die Kuppel herab. Getöntes Glas filterte die grellen Wellenlängen aus dem Mittagslicht heraus und schuf eine kokonartige Atmosphäre. Mit dezentem Summen sprang der Elektromotor an.

»Nyela, ich –« Jericho massierte seinen Nasenrücken. »Ich muss Sie etwas fragen.«

Sie sah ihn an, aus Augen, die zu verlöschen schienen.

»Was?«

»Ihr Mann wollte mir ein Dossier geben.«

»Ein – mein Gott!« Sie presste einen Handballen gegen die Lippen. »Sie haben es nicht? Nicht mal das Dossier konnte er Ihnen geben?«

Jericho schüttelte stumm den Kopf.

»Wir hätten die Schweine hochgehen lassen können!«

»Er trug es bei sich?«

»Nicht das aus dem *Crystal Brain*, das hat Kenny, aber –«

Wie auch anders, dachte Jericho müde.

»Aber das Duplikat –«

»Augenblick!« Jericho ergriff ihren Arm. »Es gibt ein Duplikat?«

»Er wollte es Ihnen aushändigen.« Ihr Blick bekam etwas Flehentliches. »Glauben Sie mir, Jan hatte keine Wahl, als Sie und das Mädchen zu opfern! Er war nicht so, er war kein Verräter. Er hat immer –«

»Nyela! Wo ist das Duplikat?«

»Wir mussten Kenny den Kristall überlassen, und danach hätte er uns erschossen, was sollten wir denn machen? Ich bin sicher, Jan hat bis zuletzt einen Weg gesucht, Sie beide zu retten, er *wollte* Ihnen das Dossier überlassen, um –«

»*Wo*, Nyela?«

»Ich dachte, er hätte es Ihnen gesagt.«

»Was gesagt?« Jericho glaubte durchzudrehen. »Nyela, verdammt noch mal, wo hatte –«

818

»Hatte, hatte!« Sie schüttelte wild den Kopf, spreizte die Finger. »Sie stellen die falschen Fragen. Er *ist* das Duplikat!«

Jericho starrte sie an.

»Wie meinen S –«

Ihrem Hals entsprang ein roter Rüschenkragen. Warme Flüssigkeit spritzte ihm entgegen. Er warf sich auf Nelés Schoß. Über ihm zerplatzte die Kuppel des Nissan, Schaumstoff und Granulat der Sitzbank flogen ihm um die Ohren. Geduckt zog er die Steuerung zu sich herüber, gab Gas, raste los. Eine Salve wanderte in trockenem Stakkato durch die Karbonverkleidung. Jericho reckte den Kopf, sodass er mit knapper Not über die Armaturen schauen konnte, spürte Nyela schwer gegen seine Schulter sinken und verlor die Kontrolle. Der Wagen schlingerte die Straße entlang, scherte auf die Gegenfahrbahn und bretterte zwischen bremsenden und hupenden Pkws hindurch auf den Gehsteig. Passanten stoben auseinander. In letzter Sekunde verriss er das Steuer nach links, um zurück auf seine Seite zu gelangen, wobei er fast mit einem Kleintransporter kollidierte, der schwankend auswich und mehreren geparkten Wagen die Seiten verschrammte, holperte über die Bordsteinkante und hielt auf die Abzweigung zur Spree zu.

Dort, hochgewachsen und weißhaarig, sah er den Todesengel.

Xin feuerte im Laufen, kam ihm direkt entgegen. Erneut korrigierte Jericho die Richtung. Der Nissan drohte umzukippen, die Kabine war zu weit hochgefahren, der Radstand zu eng für derartige Manöver. Sein Blick suchte die Armaturen ab. Xin war stehen geblieben, um besser zielen zu können. Mit lautem Knall verabschiedete sich ein Stück der demolierten Dachverkleidung. Der Nissan flog auf Xin zu, und Jericho machte sich auf den Aufprall gefasst.

Xin sprang zur Seite.

Wie ein überdimensionaler, außer Kontrolle geratener Kinderwagen raste der Wagen an ihm vorbei. Xin feuerte hinterher, vernahm das Quietschen von Bremsen, entging um Haaresbreite einer Limousine und stolperte auf die Gegenfahrbahn, was einem Motorradfahrer halsbrecherische Kapriolen abnötigte. Die Maschine geriet ins Schleudern, stellte sich quer. Xin hechtete aus der Fahrtlinie, fühlte sich von etwas gestreift, flog durch die Luft und prallte bäuchlings aufs Pflaster. Ein Kleinwagen hatte ihn erwischt, dessen Fahrer umgehend das Weite suchte. Andere Fahrzeuge blieben stehen, Menschen stiegen aus. Er rollte sich auf den Rücken, bewegte Arme und Beine, sah den Motorradfahrer herbeilaufen und fingerte nach seiner Pistole.

»Großer Gott!« Der Mann beugte sich über ihn. »Ist Ihnen was passiert?«, fragte er auf Englisch. »Alles in Ordnung?«

Xin packte die Waffe und hielt ihm den Lauf unter die Nase.

»Alles bestens«, sagte er.

Der Motorradfahrer erbleichte und wich zurück. Xin schnellte auf die Füße. Mit wenigen Sätzen war er bei der abgestellten Maschine, grätschte auf den Sattel und preschte in Richtung Spree, wo er mit quietschenden Reifen anhielt und sich nach allen Seiten umsah.

Da! Der Nissan. Überfuhr eine rote Ampel, entfernte sich südwärts.

Jericho schaute sich um und sah ihn kommen.

Er war falsch gefahren. Der Audi stand ganz woanders. Längst hätte er den Wagen wechseln können, raus aus der zertrümmerten Kuppel des Nissan und weg von der Toten, die hin und her geworfen wurde und unablässig gegen ihn schlug. Sein Blick suchte die Armaturen nach dem Bedienelement für den Radstand ab. Fast alle Funktionen ließen sich über den Touchscreen steuern, irgendein Symbol musste es geben, doch er schaffte es nicht, sich darauf zu konzentrieren. Immer wieder musste er ausweichen, gegenlenken, bremsen und beschleunigen.

Xin holte auf.

Jericho rumpelte die kopfsteingepflasterte Uferpromenade entlang, schnitt einen Lastwagen und gelangte auf einen herrschaftlichen, von imperialer Architektur gesäumten Boulevard. Er versuchte sich zu erinnern, wo es von hier zum Hotel ging. Der hochgebockte Nissan wechselte von einer Schieflage in die andere, drohte umzukippen. Plötzlich wurde ihm klar, dass er keinerlei Plan hatte. Nichts, gar nichts! In einem zertrümmerten Kleinwagen, eine Tote an seiner Seite, raste er durch die Berliner Innenstadt, Xin hinter sich, der unerbittlich näher rückte, wendig und schnell.

Vor ihm staute sich der Verkehr. Jericho wechselte die Spur. Wieder Stau. Erneuter Spurwechsel. Lücke, Stau, Lücke. Im Zickzack einer Flipperkugel schoss er einem gewaltigen Reiterstandbild entgegen, das den Beginn eines baumbestandenen Mittelstreifens markierte, einer breiten Allee, die Verkehr und Gegenverkehr teilte, verzog das Steuer nach rechts, knallte gegen den Bordstein und hob unvermittelt ab. Plötzlich war er mitten unter Fußgängern, presste den Handballen auf die Hupe, kurvte umher, panisch bemüht, niemanden über den Haufen zu fahren, dann war der Stau umrundet, und er gelangte in einer Art Riesenslalom wieder zurück auf die Fahrbahn. Fliehkraft und mangelnde Bodenhaftung verbündeten sich zum Schlimmsten. Er wurde über den Zebrastreifen dem Mittelstreifen entgegengetragen, verlor den Kontakt zum Asphalt. Auf zwei Rädern bretterte er den Bäumen entgegen, welche den Streifen säumten, verlagerte sein Gewicht. Es rummste. Der Wagen erhielt einen Schlag, vollführte einen gewaltigen Satz, Rinde splitterte, riesige Staubwolken blähten sich auf. Vor ihm, fast menschenleer, lag die Allee, eingefasst von Linden und Bänken. Der Verkehr beiderseits, Autos, Busse und Fahrradrikschas, verwischte im dichten Grün, Farben, Lichter, Impressionen von Bewegung.

Er warf einen Blick nach hinten.

Raubtiergleich preschte Xins Motorrad unter tief hängenden Ästen hervor und nahm die Verfolgung auf.

Jericho beschleunigte. Mehr Menschen auf einmal. Ein Café, schattig, romantisch, in die Allee hineingebaut. Wüstes Schimpfen, Drohen, hastiges Zurückweichen. Ein Kiosk, Stehtische drum herum, Boule-Spieler. Mit hoher Geschwindigkeit näherte er sich einer Kreuzung, sah durch die Lücken im Laubwerk Ampeln umspringen, Gelb, Rot, schnitt anfahrende Autos im Dutzend, gelangte auf den nächsten Abschnitt der Allee. Das Hupkonzert, das er ausgelöst hatte, schwappte nach hinten weg. Blick zurück. Kein Xin. Jericho stieß einen heiseren Schrei aus. Abgehängt! Er hatte Xin abgehängt, für den Moment wenigstens. Hatte sich Zeit verschafft, wertvolle Sekunden, jede Sekunde vom Rang einer Ewigkeit.

Plötzlich kehrte auch seine Orientierung zurück.

Eine Imbissbude versperrte den Weg, beiderseits hatte sich der Verkehr ausgedünnt. Jericho lenkte den Nissan aus dem Schatten der Bäume zurück auf die Fahrbahn und sah es vor sich auftauchen, das Tor, noch ein ganzes Stück entfernt. Nicht zum ersten Mal überraschte es ihn, wie imposant es auf Fotos wirkte und wie klein es tatsächlich war. Die wilhelminischen Höfe, Prachtbauten und barocken Palais wichen moderner Architektur, die Bistros und Geschäfte endeten, weniger Passanten waren unterwegs. Wo die Allee an den belebten Pariser Platz mit seiner Akademie der Künste, der französischen und der amerikanischen Botschaft stieß, kreuzte jene Nord-Süd-Passage, auf die er hoffte, abbiegen zu können, allerdings –

Jericho kniff die Augen zusammen.

Etwas war dort im Gange. Zur Linken endete die Begrünung der Allee, sodass er den Boulevard nun in seiner ganzen Breite überblicken konnte. Voller Entsetzen wurde ihm klar, dass er auf eine Absperrung zuhielt. Ganze Teile der Straße waren mit Gittern verstellt. Ein Ungetüm von Bauroboter reckte seinen stählernen Ausleger und senkte etwas Massives, Langes auf die Straße herab, und im einzig verbliebenen Rückspiegel raste Xins Motorrad heran.

Jericho fluchte, holperte zurück auf die Allee. Was immer da gebaut wurde, verwandelte den Boulevard in eine Sackgasse. Der Roboter schwenkte einen gigantischen Stahlträger quer über Gehweg und Straße, Bauarbeiter winkten Fahrzeuge aus dem Weg, die sich hierher verirrt hatten, ungeachtet etlicher Beschilderungen, die wahrscheinlich auf die Sperrung hinwiesen, nur dass man so was natürlich nicht zu Gesicht bekam, wenn man sich auf dem Mittelstreifen herumtrieb, weit und breit zeigte sich keine Möglichkeit, auszuweichen, unaufhaltsam sank der Träger tiefer, rückte Xin näher, brachte seine Waffe in Anschlag –

Wo war das Symbol für den Radstand?

Die ersten Arbeiter drehten sich um, sahen ihn kommen und sprangen zur Seite. Geschosse schlugen ins Heck des Nissan. Wenn er bremste, würde Xin ihm den Kopf wegrasieren, wenn nicht, würde der Stahlträger dasselbe erledigen, und wenden konnte er nicht mehr, dafür war er zu schnell, viel zu schnell, und das Symbol –

Da! Kein Symbol, sondern ein Schalter! Ein stinknormaler, altmodischer Schalter.

Augenblicklich streckte der Nissan seine Räder und verwandelte sich in ein langes, flaches Gebilde. Der Träger wuchs vor Jerichos Augen an, dunkel und bedrohlich, keine anderthalb Meter über dem Boden, das grau gestrichene Ende aller Dinge. In einem lächerlichen Reflex hob er den Arm vors Gesicht, während sich die Kabine weiter senkte, dann splitterte und krachte es, als die Reste der Kuppel von der Stahlkante hinweggefetzt wurden. Er presste sich in den Sitz. Wie eine Flunder schoss der Wagen unter dem Träger hindurch, kurz wurde es Nacht, dann wieder blauer Himmel. Die Kreuzung, ein Bus, ein programmierter Aufprall. Wie in einem schlecht geschnittenen Film befand sich der Nissan plötzlich zwei Meter weiter rechts, begann sich zu drehen, schlitterte über den Pariser Platz, hier Fahrräder, dort Fußgänger, alles und jeder schien irgendwie vor ihm auf der Flucht zu sein. Bemüht, die Kontrolle wiederzuerlangen, drosch er geradewegs aufs Brandenburger Tor zu. Über der Quadriga geriet ein Gyrokopter der Polizei in Sicht, ein ultraleichter, halb offener Hubschrauber, von dem aus ihn eine Lautsprecherstimme anbellte. Sein Plan, zwischen den dorischen Säulen auf die andere Seite zu entwischen, krepierte an einer Reihe niedriger Poller, die jedes Weiterkommen unmöglich machten. Er bremste. Der Nissan stellte sich quer, rutschte, knallte dagegen, kam zum Stillstand. Neben ihm schien sich Nyela zu einer Ansprache zu erheben. Ihr Körper richtete sich auf, wurde nach vorne geschleudert und kippte wieder zurück, als habe sie es sich in letzter Sekunde anders überlegt.

Mit einem Satz sprang Jericho aus dem Wrack.

Der Gyrokopter ging tiefer. Aus Leibeskräften rannte er unter dem Tor hindurch auf die andere Seite, wo sich der Boulevard als mehrspurige Hauptverkehrsader fortsetzte. In der Ferne sah er eine hohe, schlanke Säule, unmittelbar vor dem Tor gabelte sich die Straße. Ohne einen Blick an Ampeln und Schilder zu verschwenden, hastete er über den Zebrastreifen. Bremsen kreischten, mit einem Knall fuhr jemand seinem Vordermann drauf. Eigenartig. Gab es noch Autos ohne Stau-Assistent? Ein antiquiertes Cabrio schlingerte an ihm vorbei, verfehlte haarscharf seine Füße, Verwünschungen schlugen ihm entgegen. Er wich zurück, spurtete los, gelangte knapp vor der Kühlerhaube eines Schwerlasters auf die andere Seite, sprintete in einen Hohlweg hinein. Grün, schattig. Der Tiergarten, das grüne Herz von Berlin Mitte. Sand und Kies, verschwiegene Wege. Vor ihm das Standbild eines Löwen. Noch mehr Bäume, die sich zu Wiesen öffneten, Sterne abzweigender Pfade. In einen davon schlug er sich, lief und lief und lief, bis er sicher war, dass niemand ihn mehr verfolgte, kein Xin, kein Gyrokopter. Erst an einem kleinen See hielt er inne, die Hände auf die Knie gestützt, mit stechenden Seiten und saurem Geschmack auf der Zunge. Rang nach Atem. Keuchte, spuckte, hustete. Sein Herz, ein Rammbock. Als wolle es raus aus der Enge.

Eine ältere Frau sah kurz zu ihm herüber und widmete sich wieder den Bemühungen ihres vorschulaltrigen Enkels, nicht mitsamt seinem Fahrrad umzukippen.

XIN

Schließlich war es ihm gelungen, den Stahlträger zu umfahren, doch er hatte wertvolle Zeit verloren. Weiter vorne sah er den Nissan dahinrasen, legte sich in die Kurve und schlängelte sich um den Bus herum, zielte. Wie es aussah, hatte der Detektiv die Herrschaft über den Wagen verloren. Gut so. Xin setzte eine Salve ab, als über dem Tor ein Gyrokopter auftauchte. Zu seiner Überraschung schienen die Polizisten seinem Motorrad mehr Aufmerksamkeit zu zollen als Jericho, der im selben Moment aus dem Wagen sprang und sich davonmachte. Sie gingen tiefer und hielten frontal auf ihn zu, Kommandos erklangen aus der Luft. Blitzartig schätzte er die Lage ab. Der Gyrokopter hing vielleicht noch einen Meter über dem Platz. Daran vorbeizukommen, war unmöglich, feuerte er ins Getriebe, würden die Polizisten ihn zum Abschuss freigeben und ihrerseits das Feuer auf ihn eröffnen, also riss er die Maschine herum und preschte den Straßenzug entlang, der die Allee kreuzte.

Sofort nahm der Gyrokopter die Verfolgung auf. Als er die nächste Kreuzung überfuhr, klatschte vor ihm etwas auf den Asphalt, blähte sich auf und erstarrte. Sie schossen mit Schaumkanonen auf ihn! Eine Ladung des blitzschnell härtenden Materials in die Speichen, und seine Fahrt käme zu einem abrupten Ende. Xin schlug Haken, sah, wie sich die Straße vor ihm zur Brücke spannte, bog rechts ab und fand sich am Spreeufer wieder. Sofern ihn sein Richtungssinn nicht trog, führte dieser Weg zurück zur Museumsinsel. Keine gute Idee, dort aufzukreuzen, wo es von Polizisten mittlerweile nur so wimmeln dürfte. Von hinten hörte er das trockene Knattern des Fluggefährts, plötzlich über sich, vor sich. Der Gyrokopter stieß herab und zwang ihn zur Vollbremsung. In einer halsbrecherischen Kurve wendete er und raste in entgegengesetzte Richtung davon, nur um eine weitere Polizeimaschine zu erblicken, die über der Kuppel des Reichtagsgebäudes hing, scheinbar reglos. Dann kam sie mit hoher Geschwindigkeit heran.

Sie nahmen ihn in die Zange.

Xin prügelte die Maschine vorwärts, dem Reichstag entgegen, den Fluss zu seiner Rechten. Touristen bevölkerten geschwungene Freitreppen, die Promenade verbreiterte sich. Regierungsarchitektur säumte die Ufer, Glas und Stahl, konterkariert von zierlichen Bäumchen mit sittsam gestutzten Hauben. Glaskuppelschiffe dümpelten die Spree entlang, die weiter vorne einen Bogen beschrieb und unter einer luftigen Fußgängerbrücke hindurchführte.

Über allem die beiden Gyrokopter.

Xin hielt auf die Brücke zu. Vor seinen Augen spritzte eine Gruppe Jugendlicher auseinander. Er drehte auf, stellte sich aufs Hinterrad, holte heraus, was herauszuholen war, schoss über die Kante. Einen Moment lang schwebte das Motorrad über dem Wasser, die Spree eine gläserne Skulptur, hingen die Gyrokopter wie festgenagelt am Himmel. Xin registrierte eine wohltuende Brise auf seiner Haut, eine Ahnung, wie es wäre, ein ganz anderes Leben zu leben, doch es stand kein anderes zur Disposition.

Er nahm die Hände vom Lenker.

Die Oberfläche zerplatzte in Kaleidoskopen, Wasser toste in seinen Ohren. So schnell wie möglich versuchte er von der versinkenden Maschine wegzukommen. Das Vorderrad schlug gegen seine Hüfte. Er ignorierte den Schmerz, kam hoch, pumpte seine Lungen voll Luft und tauchte gleich wieder ab, tief genug, dass sie ihn aus der Luft nicht sehen konnten. Mit kräftigen Zügen strebte er der Mitte des Flusses zu, über sich das Wummern eines der Glaskuppelboote. Er war darauf trainiert, lange unter Wasser zu bleiben, irgendwann allerdings würde er auftauchen müssen, und er hatte es mit zwei Gyrokoptern zu tun. Sie würden sich aufteilen, flussabwärts und flussaufwärts nach ihm Ausschau halten. Im Wechselspiel der Reflexe sah er den dunklen Leib des Touristenschiffs über sich hinwegziehen und strebte mit heftigem Schlagen seiner Beine nach oben. Unmittelbar neben dem Rumpf stieß sein Kopf über die Oberfläche. Das Schiff lag tief im Wasser, sodass er eine der Streben unterhalb der Fensterfronten zu packen bekam. Er rutschte ab, griff erneut zu, klammerte sich fest und spähte in den Himmel, der zu Teilen von den Aufbauten des Spreedampfers verdeckt wurde.

Einer der Gyrokopter kreiste über der Stelle, an der er versunken war. Den anderen hörte er, ohne ihn zu sehen. Im nächsten Moment tauchte er direkt über dem Schiff auf, und Xin ließ sich erneut unter Wasser gleiten, ohne die Verstrebung loszulassen. So lange wie möglich hielt er die Luft an. Als er wieder einen Blick riskierte, unterquerten sie eben die Brücke.

Die Maschine entfernte sich.

Eine Weile noch ließ er sich von dem Schiff mitziehen, dann stieß er sich ab, schwamm zum Ufer und zog sich hoch. Vor seinen Augen erstreckte sich eine betonierte Böschung, gleich dahinter führte eine befahrene Straße entlang. Soweit er sehen konnte, setzten die Polizisten ihre Suche jenseits der Brücke fort. Er tastete nach der Perücke, doch sie war am Grund der Spree geblieben. Rasch zupfte er den falschen Bart ab, schälte sich aus der Anzugjacke, ließ alles im Wasser zurück und kroch tropfnass an Land. Auch die Waffe war verloren gegangen, dafür hatte er sein Handy, gottlob wasserfest, retten können. Beruhigend spannte sich der Körpergurt mit den Kreditkarten und dem Gedächtniskristall um seine Taille. Xin führte grundsätzlich Kreditkarten mit sich, auch wenn sie als veraltet galten und Käufe über die ID-Codes von Handys geführt wurden, doch er mochte sich beim Kauf von Kleidung nicht registrieren lassen.

Nicht weit von ihm verlief eine Hochtrasse für Schnellzüge. Sein Blick suchte die Straße ab. In weitem Bogen führte sie zu einem Glaskuppelbau, Nukleus einer Ansammlung glitzernder Hochhäuser, augenscheinlich der Berliner Hauptbahnhof. Er rollte die Hemdsärmel auf, strich sein glattes, dunkles Haar zurück und folgte dem Straßenverlauf zügig, aber ohne Hast. Der Verkehr brauste an ihm vorbei. In einiger Entfernung sah er einen weiteren Gyrokopter, aber nachdem er kaum noch der Beschreibung des Mannes entsprach, den die Polizisten jagten, fühlte er sich einigermaßen sicher. Er widerstand dem Impuls, schneller zu gehen. Nach zehn Minuten erreichte er die Bahnhofshalle, zog mit einer seiner Karten Geld an einem Automaten, fand ein Geschäft für Freizeitbekleidung und erstand unter den verwunderten Blicken einer über und über mit Applikationen geschmückten Verkäuferin Jeans, Turnschuhe und T-Shirt. Was er gekauft hatte, behielt er an, bat die Verkäuferin um eine Plastiktüte, bezahlte in bar, stopfte das durchnässte Zeug in die Tüte, entsorgte sie in einem der öffentlichen Mülleimer und ließ sich mit einem Taxi ins Hotel Adlon fahren.

JERICHO

In seiner Erinnerung lag das Hyatt südlich des Tiergartens, doch dann ging er zwischen Gabelwegen und Entenweihern seiner Orientierung verlustig und irrte von einer Ausflügleridylle zur nächsten. In vager Entfernung vernahm er Straßengeräusche. Unnatürlich grell schien die Sonne auf ihn herab. Übelkeit erfasste ihn, Stiche durchfuhren seinen Brustkorb, Schmerz breitete sich von der Schulter in seinen linken Arm aus. Himmel, Bäume und Menschen wurden in einen roten Tunnel gesaugt. Fühlte sich so ein Herzinfarkt an? Mit wachsweichen Knien stolperte er in ein Gebüsch und erbrach sich. Danach ging es ihm besser, und er schaffte es bis zur Hauptstraße. An einer Kreuzung erkannte er mehrere Gebäude wieder, sah eine Skulptur von Keith Haring und wusste, dass das Grand Hyatt um die Ecke lag. Er hätte schwören können, Stunden in dem Park verbracht zu haben, doch als er auf die Uhr sah, stellte er fest, dass seit seinem Crash am Brandenburger Tor allenfalls fünfzehn Minuten verstrichen sein konnten. Es war kurz vor halb eins.

Er rief Tu an.

»Wir sind oben bei dir. Yoyo und ich –«

»Bleibt da. Ich komme hoch.«

Nachdem Diane in Jerichos Zimmer residierte, hatten sie den Raum kurzerhand zur Zentrale erklärt, um sich dort weiteren Recherchen und Entschlüsselungsversuchen zu widmen. Im Fahrstuhl gewann sein Denken die eigentümliche Klarheit der Selbstbeobachtung. Selten hatte er sich so ratlos erlebt. So unvermögend. Nyela war schon so gut wie in Sicherheit gewesen, dennoch hatte er sie verloren.

»Was ist passiert?« Tu sprang auf und kam ihm entgegen. »Ist alles –«

»Nein.« Jericho griff in sein Blouson, förderte die Geldpacken zutage und warf sie aufs Bett. »Hier hast du dein Geld zurück. So weit die gute Nachricht.«

Tu nahm einen der Packen in die Hand und schüttelte den Kopf.

»Das ist keine gute Nachricht.«

»Ist es auch nicht.« In knappen Sätzen schilderte er, wie sich die Dinge entwickelt hatten. Um Sachlichkeit bemüht, schaffte er es, die Erzählung nur umso grausiger klingen zu lassen. Yoyo wurde mit jedem Wort fahler.

»Nyela«, flüsterte sie. »Was haben wir da bloß angerichtet?«

»Gar nichts.« Er fuhr mit den Händen durch sein Gesicht, müde und mutlos. »Es wäre so oder so passiert. Allenfalls haben wir ihr Leben um ein paar Minuten verlängert.«

»Kein Dossier.« Ihr Blick verfinsterte sich. »Alles umsonst.«

»Nyela zufolge muss er es bei sich getragen haben!« Jericho trat ans Fenster und starrte hinaus, ohne etwas zu sehen. »Vogelaar hat uns an Xin verraten, aber er hat auch versucht, das Blatt zu wenden. In letzter Sekunde, was immer ihn dazu bewogen hat. Er *wollte,* dass ich dieses Dossier bekomme.«

»Verdammter Mist.« Tu schlug eine Faust in die Handfläche. »Und Nyela ist sich ganz sicher –«

»War, Tian. War.«

»– dass er es mit sich führte? Sie hat ausdrücklich gesagt –«

»Sie hat gesagt, Kenny habe das Original in seinen Besitz gebracht.«

»Den Gedächtniskristall.«

»Ja. Aber offenbar existiert ein Duplikat.«

»Das Vogelaar mit ins Museum bringen wollte?«

»Augenblick mal.« Yoyo runzelte die Stirn. »Das bedeutet, dass er es immer noch bei sich hat.«

»Irrelevant.« Jericho presste zwei Finger gegen die Stirn. Sie waren endgültig in einer Sackgasse angelangt. »Die Polizei wird es einkassiert haben. Aber gut, das nimmt uns jede weitere Entscheidung ab. Von jetzt an ist Schluss mit den Alleingängen. Ich schätze, den hiesigen Behörden können wir vertrauen, also –«

Er stockte.

Wie durch Watte hörte er Tu etwas von Überwachungskameras im Museum sagen, dass man ihn längst zur Fahndung ausgeschrieben habe, nirgendwo auf der Welt könne man den Behörden vertrauen. Umso klarer und deutlicher hallten Nelés letzte Worte in ihm nach: *Sie stellen die falschen Fragen. Er ist das Duplikat!*

Er *ist* das Duplikat?

»Mein Gott, wie einfach«, flüsterte Jericho.

»Was ist einfach?«, fragte Tu verwirrt.

Er drehte sich um. Beide starrten ihn an. Da war sie wieder, die verloren geglaubte Zuversicht.

»Ich glaube, ich weiß, wo Vogelaar sein Dossier versteckt hat.«

ADLON

Xin zog den Gedächtniskristall hervor, drehte ihn zwischen den Fingern und lächelte. Nutzloses Wissen. Im Grunde konnte er zufrieden sein. Blind für das altehrwürdige Interieur durchquerte er die Hotellobby, fuhr hoch zu seiner Suite und probierte als Erstes sein Handy aus. Der Hersteller hatte versichert, es sei wasserfest bis in Tiefen von 20 Metern, und tatsächlich funktionierte es wie gewohnt. Beim Blick auf das Display stellte er fest, dass sein Kontakt versucht hatte, ihn zu erreichen, unmittelbar bevor er Vogelaar ins Visier genommen hatte.

»Hydra«, sagte er.

Seine Stimme wurde registriert, überprüft und bestätigt.

»Bei Orley ist eine Warnung eingegangen«, erklärte die Kontaktperson.

»Was?«, explodierte Xin. »Wann?«

»Gestern am späten Nachmittag.«

»Einzelheiten!«

»Ein gewisser Tu hat ein Dokument überspielt. Offenbar eine teilweise Abschrift Ihrer Nachricht.« Der andere holte tief Atem. »Kenny, die müssen es geschafft haben, weitere Teile zu entschlüsseln! Wie konnte das passieren, ich dachte –«

»Was soll das heißen?« Xin begann im Raum auf und ab zu gehen. »Was bedeutet teilweise?«

»Das weiß ich noch nicht.«

»Dann werde ich Ihnen was sagen: Nehmen Sie auf der Stelle sämtliche Seiten aus dem Netz.«

»Damit bricht unsere Mail-Kommunikation zusammen.«

»Mit dem Argument sind Sie mir schon mal gekommen!«

»Zu Recht.«

»Ja, und jetzt sehen Sie, was Sie davon haben.« Xin versuchte sich zu beruhigen. Er öffnete den Kühlschrank der Minibar und begann mechanisch, die Abstände zwischen den Flaschen zu korrigieren. »Die Mail-Idee war gut, um komplexe Informationen auszutauschen und den weltweiten Verteiler zu bedienen, für alles andere reichen die Handys. Die Sache ist gelaufen. Wir können nichts mehr beeinflussen. Alles, was jetzt noch schiefgehen kann, ist, dass meine Nachricht vollständig entschlüsselt wird, also nehmen Sie endlich die Seiten aus dem Netz!« Er machte eine Pause. »Haben Sie *ihn* schon informiert?«

»Er weiß es.«

»Und?«

Der andere seufzte. »Er teilt Ihren Standpunkt. Er findet auch, wir sollten die Seiten sperren, also werde ich das Nötige veranlassen. Jetzt Sie. Was ist mit Vogelaar?«

»Erledigt.«

»Keine Gefahr mehr?«

»Er hatte ein Dossier angelegt. Einen Gedächtniskristall. Das Ding befindet sich in meinem Besitz. Seine Frau wusste als Einzige darüber Bescheid, sie ist ebenfalls tot.«

»Zur Abwechslung mal gute Nachrichten, Kenny.«

»Ich wünschte, ich könnte dasselbe von Ihnen sagen«, versetzte Xin. »Warum höre ich erst jetzt von der Warnung?«

»Weil ich selber erst heute Morgen davon erfahren habe.«

»Wie hat der Konzern reagiert?«

»Mit einem Anruf im GAIA.«

»Wie bitte?« Xin fiel beinahe das Telefon aus der Hand. »Die haben das GAIA verständigt?«

»Beruhigen Sie sich. Wahrscheinlich nur, weil es zurzeit in den Medien ist. Meines Wissens läuft oben alles programmgemäß, keine Ausflüge wurden abgeblasen, niemand will vorzeitig zurück.«

»Und wer hat den Anruf im GAIA entgegengenommen?«

»Ich erwarte stündlich Details.«

Xin starrte in den Kühlschrank.

»Na schön«, sagte er. »Finden Sie in der Zwischenzeit was für mich raus, und zwar schnell. Suchen Sie in Berlin nach Yoyo und Jericho.«

»Was? Die sind in *Berlin*?«

»Sie müssen irgendwo abgestiegen sein. Hacken Sie sich in die Buchungssysteme der Hotels, in die Datenbanken der Einreisebehörde, mir egal, wie Sie es machen, aber finden Sie die beiden.«

»Lieber Himmel«, stöhnte der andere.

»Was ist los?«, fragte Xin lauernd. »Verlieren Sie die Nerven?«

»Nein, schon gut. Also okay. Ich werde tun, was ich kann.«

»Nein«, knurrte Xin. »Tun Sie *mehr* als das.«

HYATT

Unmittelbar, bevor Xins Schüsse ihr Leben beendeten, hatte Nyela die Finger gespreizt, als wolle sie ihren Worten Nachdruck verleihen, eine Geste der Aufgebrachtheit, wie es schien, doch tatsächlich hatte sie etwas anderes getan. Sie hatte auf ihr Gesicht gezeigt, das in diesem Moment Vogelaars Gesicht sein sollte. Auf ihre Augen.

Er ist das Duplikat!

Vogelaars Glasauge war ein Gedächtniskristall. Er trug das Duplikat in seiner Augenhöhle mit sich herum.

»Was für ein raffinierter Hund«, sagte Yoyo halb bewundernd, halb angeekelt.

Tu lachte schnaubend. »Einen besseren Platz hätte er sich gar nicht aussuchen können. Immer die Wahrheit im Auge.«

»So, dass sie im Moment seines Todes ans Licht kommt.« Yoyos Gesicht zeigte wieder Schattierungen von Farbe. Jericho erinnerte sich der vorangegangenen Nacht. Keine zehn Stunden war es her, dass sie mit erodierten Augenrändern sein Zimmer verlassen hatte, ein Bild des Verfalls, großporig, fleckig und aufgeschwemmt, in Rauch gebadet und den Odor von Rotwein verströmend. Die situationsbedingte Blässe außer Acht gelassen – schließlich spielte ihnen das Leben in übelster Weise mit – hatte der nächtliche Exzess keine Spuren an ihr hinterlassen. Yoyo sah frisch, glatt und gefällig aus, nahezu verjüngt. Jericho zog daraus deprimierende Rückschlüsse auf das Verhältnis von Jugend zu Rausch erzeugenden Mitteln. Auf seiner eigenen Doppelhelix arbeiteten die Reparaturenzyme nach durchzechten Nächten nur noch sporadisch.

»Du kennst dich aus, Owen«, sagte Tu. »Was passiert während einer gerichtsmedizinischen Untersuchung? Werden sie das Glasauge auch untersuchen?«

»Auf jeden Fall werden sie es vorübergehend entfernen.«

»Und ein Gedächtniskristall fällt auf.«

»Einem Fachmann schon«, sagte Yoyo. »Vorausgesetzt, Owen hat recht, wird die Polizei im Verlauf der nächsten Stunden unser Dossier in den Fingern halten.«

Jericho strich sich übers Kinn. Die Vorstellung, sich mit der deutschen Kripo einzulassen, behagte ihm nicht. Stundenlang würde man sie verhören, mit Misstrauen überziehen, ihnen möglicherweise den Zugang zu Vogelaars Informationen verwehren. Das Tempo ihrer Nachforschungen würde gegen null tendieren.

Tu reichte ihm einen Ausdruck.

»Vielleicht schaust du dir erst mal an, was wir in deiner Abwesenheit rausgefunden haben. Die neu hinzugekommenen Passagen haben wir fett markiert.«

Jan Kees Vogelaar lebt in Berlin unter dem Namen Andre Donner. Er betreibt dort ein für afrikanische Privatadresse und Geschäftsadresse: Oranienburger Straße 50, 10117 Berlin. Was sollen wir stellt **unverändert ein hohes Risiko für die Operation** *kein Zweifel, dass er über die* **Trägerrakete** *Bescheid weiß.* **mindest Kenntnis von der haben, ob von, ist fraglich. So oder so würde** *Aussage nachhaltig* **Zwar hat Vogelaar seit seinem** *keine öffentliche Erklärung zu den Hintergründen des Umsturzes abgegeben.* **Unverändert Ndongos dass die chinesische Regierung den Machtwechsel geplant und durchgeführt hat.** *Wesen der Operation* **Berichts** *hat Vogelaar wenig vom Zeitpunkt der* **Zudem lässt nichts bei** ORLEY ENTERPRISES *und der auf eine Störung schließen. Niemand dort ahnt* **und nach dem ist ohnehin alles gelaufen. Ich zähle** *weil ich weiß,* **Dennoch empfehle dringend, Donner zu liquidieren. Es ist vertretbare**

»Trägerrakete.« Jericho hob den Blick. »Noch ein Indiz, dass Vogelaar die Wahrheit gesagt hat. Dass es bei dem Launch des Satelliten um mehr ging als um die Erprobung experimenteller Antriebe.«

»Eine Trägerrakete hat was zu tragen«, sagte Tu. »Wie ist Mayés Satellit ins All gelangt?«

»Eben damit«, vermutete Jericho. »Mit einer Trägerrakete.«

»Aber von einem Satelliten ist hier nicht die Rede.«

»Nein. Offenbar geht es nicht um den Satelliten. Es geht um die Trägerrakete.«

Tu nickte. »In diesem Zusammenhang hatte ich Gelegenheit, mit ein paar Leuten zu sprechen, die meinem fleißigen Volk dankenswerterweise auf die Finger gucken. Verbindliche Informationen waren nicht zu bekommen, wohl aber ernst zu nehmende Einschätzungen. Demzufolge hat die chinesische Regierung zu keiner Zeit Weltraumprojekte von fremdem Grund und Boden aus lanciert. Die Geschichte von der Umgehung der Haftungsklausel ist so fadenscheinig wie Maos Totenhemd. Der ganze Quatsch dürfte eigens für Mayé erfunden worden sein, jedenfalls entspricht die Risikoverteilung auf andere Staaten nicht der gängigen Praxis.«

»Also könnte es sich um einen Alleingang Zhengs gehandelt haben?«

»Die Zheng Group ist nachweislich nur ein einziges Mal auf afrikanischem Boden aktiv geworden, nämlich in Äquatorialguinea. Ob in Pekings Namen, ist fraglich. Meine Informanten bezweifeln es. War die chinesische Regierung also an der Entwicklung des äquatorialguineischen Raumfahrtprogramms und an Mayés Sturz beteiligt? Ja, wenn man zugrunde legt, dass Leute wie Zheng Pang-Wang die Regierung *bilden*. Nein, wenn man die Regierung als Ganzes betrachtet.«

»Was wieder mal zeigt, dass die Partei eine bloße Vorstellung ist, ein Phantom«, sagte Yoyo verächtlich. »Es gibt keine Abgrenzung mehr zur Wirtschaft, und damit auch kein verbindliches Handeln auf Staatsebene. Chinas Ölleute haben Mayé an die Macht geputscht, geholfen hat der *Zhong Chan Er Bu*, mit Wissen aller Parteigenossen. Möglicherweise hat ihn unser größter Wirtschaftsmogul wieder gestürzt.«

»Ohne Wissen aller Parteigenossen.«

»Genau.« Yoyos Finger tippte gegen das Blatt. »Jetzt weiter unten: *Niemand dort ahnt* – was? Irgendwas. Soll heißen, gar nichts. Die Vokabel *alles* bezieht sich auf den zweiten Teil. *Alles gelaufen.* Sie philosophieren darüber, ob es sich überhaupt noch lohnt, Vogelaar auszuschalten. Also, ich weiß ja nicht, wie's euch geht, aber für mich klingt das, als stünde der große Knall unmittelbar bevor.«

»Irgendeine Idee, was *Berichts* zu bedeuten hat?«

»Wird um irgendeinen Bericht gehen.« Tu zuckte die Achseln. »Sie haben Angst, Vogelaar könnte darüber berichten.«

»Schön«, sagte Jericho. »Trotzdem stecken wir fest.«

Yoyo ließ sich mit ausgebreiteten Armen aufs Bett fallen und starrte die Decke an. Dann richtete sie sich jäh auf.

»Wie läuft das eigentlich mit Vogelaar?«, fragte sie.

»Was meinst du?« Jericho zwinkerte verwirrt. »Wie soll was laufen?«

»Na, jetzt gerade.« Sie schürzte die Lippen. »Oder lass uns eine Stunde zurückgehen. Zwölf Uhr. Peng. Peng! Vogelaar wird erschossen, liegt tot im Museum. Was passiert?«

»Sondereinheiten der Polizei treffen ein. Der Tatort wird gesichert, die Spurensicherung beginnt ihre Arbeit.«

»Was geschieht mit der Leiche?«

»Im Augenblick wird sie noch da sein. Die Spurensicherung braucht ihre Zeit. Spätestens um zwei liegt er auf dem Obduktionstisch, wo sie ihn ruck, zuck aufschneiden.«

»Und das Auge?«

»Kommt drauf an. Der Obduzent ist kein besserer Kommissar, das läuft ein bisschen anders als in den Filmen. Er befindet, was wert ist, den Ermittlern vorgelegt zu werden. Angenommen, ihm fällt an dem Auge was auf, wird er es in seinem Bericht vermerken. Vielleicht stopft er es wieder rein, vielleicht legt er es in die Asservatenschale.«

»Wie lange dauert die Obduktion?«

»Je nach Sachlage. Hinsichtlich der Todesursache besteht kein Zweifel, Vogelaar wurde erschossen, also wird es schnell gehen. In zwei bis drei Stunden dürften sie durch sein.«

»Und dann?«

»Gibt der Obduzent die Leiche frei.« Jericho grinste schief. »Du kannst sie abholen, falls du einen Leichenwagen mitbringst.«

»Gut. Holen wir sie ab.«

»Toller Plan.« Tu starrte sie an. »Wo willst du einen Leichenwagen herbekommen?«

»Keine Ahnung. Seit wann drücken wir uns vor Herausforderungen?«

»Tun wir nicht, aber –«

»Warum überhaupt ein *Leichenwagen?*« Yoyo setzte sich ganz auf, plötzlich Feuer und Flamme. »Warum kann man ihn nicht im Privatwagen abholen? Was, wenn wir Angehörige wären?«

»Sicher«, spottete Tu. »Du könntest glatt seine Schwester sein. Die Haare, die Augen –«

»Langsam!« Jericho hob die Hände. »Erst mal, ohne Leichenwagen geht gar nichts. Zweitens, wenn sie das Auge entfernt haben, nützt dir Vogelaars Leiche nicht das Geringste.«

Yoyos Euphorie schmolz dahin. Sie verschränkte die Arme und ließ die Mundwinkel hängen.

»Drittens«, sagte Jericho, »ist deine Idee trotzdem gut.«

Tu kniff die Augen zusammen. »Was hast du vor?«

»Ich?« Jericho zuckte die Achseln. »Nichts. Wahrscheinlich kann ich mich in Berlin nicht mehr blicken lassen, ohne dass sie mich hopsnehmen. Mir sind die Hände gebunden.« Er lächelte grimmig. »Euch aber nicht.«

INSTITUT FÜR RECHTSMEDIZIN DER CHARITÉ

Gegen drei sah Jan Kees Vogelaar vergleichsweise gut aus. Wächsern zwar und nicht mehr von dieser Welt, dafür ein wurschtiges Leckt-mich-am-Arsch-Gesicht zur Schau tragend. Wenige Stunden zuvor, auf dem Spiegel seines Blutes, mit aufgerissenem Blick und verdrehten Gliedmaßen, war sein Anblick eher geeignet gewesen, die Iden des März heraufzubeschwören. Ein Cäsarentod am Fuß eines römischen Tempels, nur in Schulbüchern mit Bildungsromantik behaftet, tatsächlich eine glitschige Sauerei. Der Mann neben ihm, glatzköpfig und gleichfalls tot, trug wenig dazu bei, das Bild zu verschönern.

Schnell – nachdem er und die Auswirkungen seines Bleistiftangriffs ausgiebig fotografiert worden waren – hatte man ihn einem hermetisch verschließbaren Plastiksack überantwortet und nach Moabit gefahren, ins rechtsmedizinische Institut der Charité, wo er gewogen, vermessen und die Kartografie seiner körperlichen Merkmale erfasst wurde, bevor man ihn in die Kühlung schob. Lange war er dort nicht geblieben, wieder herausgezogen und mehrfach geröntgt worden. Dabei wurde die Lage der Projektilsplitter in seinem Körper ebenso vermerkt wie längst verheilte Frakturen und ein Knie aus Titan. Außerdem stellte man fest, dass sein linkes Auge von künstlicher Beschaffenheit war. Man verfrachtete ihn in den Sektionssaal, zugleich mit dem Glatzkopf, und stand eben davor, ihn aufzuschneiden, als sich Nyela hinzugesellte. Damit waren drei der fünf Obduktionstische von Toten belegt, deren Identität zunächst zweifelhaft blieb. Während die Obduzenten Vogelaars Organe entnahmen, untersuchten und wogen, die Volumina seiner Körperflüssigkeiten ermittelten, Befunde und Vorgehen protokollierten, verglichen die Beamten der eilig ins Leben gerufenen Sonderkommission Leichenfotos mit solchen, die in den Dateien des Meldewesens gespeichert waren. Der Fahrzeughalter des Wagens, aus dem die weibliche Leiche geborgen worden war, hieß Andre Donner, wie man bald darauf wusste. Er lebte seit einem Jahr in Berlin, war

Gastronom und verheiratet mit Nyela Donner, deren amtliche Ablichtung keinen Zweifel mehr an der Identität der Toten ließ.

Nur der Glatzkopf gab seinen Namen nicht preis.

Als Donner alias Vogelaar eben wieder zugenäht wurde, ging in der Anmeldung des Sektionshauses ein Anruf des Auswärtigen Amtes ein, wonach seine Ermordung das Interesse chinesischer Behörden auf sich gezogen habe. Schon seit Längerem seien deutsche und chinesische Ermittler einem Ring von Technologieschmugglern auf der Spur. Möglicherweise sei das Hinscheiden des Gastronomen Resultat einer geplatzten Übergabe und Donner gar nicht Donner, sondern jemand ganz anderer, der als Strohmann fungiert habe. Berlin lege großen Wert darauf, die chinesischen Kollegen bei den Ermittlungen nach Kräften zu unterstützen, deren zwei in wenigen Minuten eintreffen würden, um einen kurzen Blick auf die Leiche zu werfen. Man solle doch bitte so freundlich sein.

Die Doktorandin, die den Anruf entgegennahm, meinte, sie müsse sich rückversichern. Der Anrufer gab ihr seinen Namen und eine Telefonnummer, bat um schnelle Erledigung und legte auf. Als Nächstes sprach die Doktorandin mit der Chefin der Gerichtsmedizin, die sie anwies, sich vom Auswärtigen Amt die Korrektheit der Angaben bestätigen zu lassen und die chinesischen Ermittler in die gesperrten Bereiche zu führen, sobald sie einträfen.

4 – 9 – 3 – 0 – wählte die Doktorandin

und wurde verbunden. Es war tatsächlich die Nummer des Auswärtigen Amts, nur mit der Durchwahl hatte es seine Besonderheit. Sie existierte nicht. Als Folge landete sie nicht dort, wo sie zu landen glaubte, als eine Warteschleifenstimme sagte:

»Hier ist das Auswärtige Amt. Zurzeit sind alle Leitungen belegt. Der nächstfreie Platz ist für Sie reserviert. Hier ist das Auswärtige Amt. Zurzeit sind –« Woraufhin eine Frau sanft und melodisch übernahm: »Auswärtiges Amt, guten Tag, mein Name ist Regina Schilling.«

»Institut für Rechtsmedizin der Charité. Verbinden Sie mich bitte mit – ähm –« Die Frau am anderen Ende schien einen Blick auf ihre Notizen werfen zu müssen. »– Herrn Helge Malchow.«

»Einen Augenblick«, sagte Diane.

Jericho grinste. Die Protagonisten der Farce, die sich soeben abspielte, hatte er willkürlich aus Vor- und Nachnamen des Berliner Telefonbuchs zusammengepuzzelt und Diane eine Reihe von Sätzen

einprogrammiert, die jeden Zweifel zerstreuen würden, dass die An-
ruferin tatsächlich das Amt in der Leitung hatte und nicht etwa einen
Computer in einem Hotelzimmer. Natürlich war auch Dianes Deutsch
einwandfrei.

»Auf der Leitung von Herrn Malchow wird gesprochen«, teilte
Diane der Doktorandin mit. »Möchten Sie einen Moment warten?«

»Dauert es lange?«

Jericho tippte mit dem Finger auf die entsprechende Antwort.

»Nur einen Moment«, sagte Diane, um erfreut festzustellen: »Oh,
ich sehe gerade, er legt auf. Ich verbinde Sie weiter. Einen schönen Tag
noch.«

»Danke.«

»Helge Malchow«, sagte Jericho.

»Charité Berlin. Sie hatten wegen der chinesischen Ermittler angerufen.«

»Richtig.« Sein Deutsch war gar nicht so übel. Allenfalls ein bisschen eingerostet. »Sind die beiden schon eingetroffen?«

»Nein, aber das geht klar. Sie sollen gleich zum Haus O fahren.«

»Sehr schön.«

»Könnten Sie mir vielleicht die Namen sagen?«

»Hauptkommissar Tu Tian leitet die Untersuchungen, Kommissarin Chen Yuyun begleitet ihn. Beide ermitteln verdeckt, also haben Sie
die Freundlichkeit, ihnen schnell und unbürokratisch Zugang zu gewähren.« Was ziemlicher Unsinn war, doch es klang nicht schlecht.
»Die Kollegen sprechen übrigens nur Englisch.«

»Alles klar. Wir werden schnell und unbüro –«

»Herzlichen Dank.« Jericho legte auf und wählte Tus Nummer.

»Es geht los«, sagte er.

Tu ließ das Handy sinken und sah Yoyo an. In seinem Blick stand zu
lesen, dass er die vor ihnen liegende Aufgabe mit aller Inbrunst hasste.

»Eigentlich wollte ich nie wieder tote Menschen sehen«, sagte er.
»Tote Menschen in gekachelten Räumen. Nie wieder.«

»Irgendwann werden wir alle Tote in gekachelten Räumen sein.«

»Wenigstens muss ich mich dann nicht selber sehen.«

»Das weißt du nicht. Angeblich sieht man sich, wenn man stirbt.
Man sieht sich da liegen, und es ist einem egal.«

»Mir nicht.«

Yoyo zögerte, dann streckte sie ihre schmalen, weißen Finger aus
und drückte Tus fleckige, fleischige Hand. Ein Kind, das einem Rie-

sen Zuversicht spendete. Sie dachte an den vergangenen Abend und die zerrissene Nacht, in deren Verlauf Tu ihr eine Geschichte erzählt hatte von Menschen, die so lange eingesperrt gewesen waren, dass das Gefängnis am Ende in ihnen war. Eine aus Selbstvorwürfen geschnürte Bürde, auf unverstandene Weise für den Kummer größerer Wesen verantwortlich zu sein, war von ihr genommen und in Form einer noch viel deprimierenderen Wahrheit zurück auf ihre Schultern gewuchtet worden. Sie hatte geraucht, getrunken, geweint und sich hilflos und unnütz gefühlt, so wie sich Kinder angesichts der verstörend komplexen Stimmungsbilder ihrer Erzeuger nun mal fühlten, deren Symptome sie nicht verstanden und darum auf sich bezogen. Jedes Plädoyer, das Tu zu ihrer Entlastung hielt, vergrößerte nur ihren Schmerz. Kraft seiner Schilderung von jahrelangem Selbstmitleid befreit, hatte sie umso größeres Mitleid mit Hongbing empfunden und sich gefragt, ob sie einen Vater wollte, der bemitleidenswert war. Schon schämte sie sich dafür, diesen Gedanken gedacht zu haben, und fühlte sich wieder schuldig.

»Niemand will seine Eltern bemitleiden«, hatte Tu gesagt. »Wir wollen, dass sie uns eine Weile beschützen, und irgendwann, dass sie uns in Ruhe lassen. Die größte Leistung, die wir vollbringen können, ist, ihr Handeln zu verstehen und dem Kind, das wir waren, zu vergeben.«

Dabei verdiente auch Tu Mitleid, nur schien er es nicht nötig zu haben, im Gegensatz zu ihrem Vater, dem die Geschichte, wie sie argwöhnte, noch weit übler mitgespielt hatte. Doch im Gegensatz zur Bitternis, die Hongbing gegessen hatte, war ihr Tus Schicksal nicht –

»Unangenehm?« Tu hatte gelacht. »Schon in Ordnung. Ich bin ja nicht mal dein Onkel. Ich bin ein alter Sack mit einer jungen Frau. Du siehst in mir, wer ich bin, nicht wer ich war. Die Geschichte kettet uns nicht aneinander.«

»Aber wir sind doch – Freunde?«

»Ja, wir sind Freunde, und wenn dein Interesse an meinem Bankkonto größer und deine Skrupel geringer wären, könntest du meine Geliebte sein. Hongbing hingegen kannst du nur auf eine einzige Weise betrachten, nämlich jene, die dir die Evolution gewährt. Darin ist kein Platz für Mitleid. Es ist einfach nicht vorgesehen. Erst wenn das Rollenspiel ausgespielt ist, das die Gene uns auferlegen, können wir unsere Eltern als das sehen, begreifen, akzeptieren, achten und möglicherweise lieben, was sie sind und immer schon waren: Menschen.«

Ach je, und dann noch ihr spätnächtlicher Besuch bei Jericho. Wie blamabel! Aufgebläht von rauschhaften Vorstellungen sein Zimmer zu stürmen, nur um sich unverrichteter Dinge wie eine gewöhnliche Betrunkene wieder hinauszustehlen. Eine Nichtigkeit, sicher, dummerweise nach Art aller Nichtigkeiten geeignet, sich zu einem Elefanten an Scham auszuwachsen. Dabei war ihr nachträglich nicht einmal klar, was sie dort gewollt hatte.

Oder doch?

»Bringen wir's hinter uns«, sagte Tu.

Vor einer Viertelstunde hatten sie den Audi am Spreeufer abgeholt, nun parkten sie gegenüber dem Institut für Rechtsmedizin der Charité. Tu startete und lenkte den Wagen vor die Schranke des Pförtnergebäudes, wedelte aus dem Fenster heraus mit seinem Ausweis, verwies auf die Legitimierung seines Besuchs durch das Auswärtige Amt und fragte nach dem Weg zum Haus O. Sie fuhren an lang gestreckten Backsteinbauten vorbei. Unter der Obhut sanft wogender Laubbäume luden üppige Grünflächen ein, sich mit Baguette, Käse und einer Flasche Chianti darauf niederzulassen und jede Minute zu feiern, die einen vom *rien ne va plus* des Hauses O trennte. Eine unterschwellige Ruhesehnsucht stellte sich ein, wie sie selbst lebenslustige Menschen auf idyllisch gestalteten Friedhöfen überkommt.

Nach längerer Geradeausfahrt und zweimaligem Abbiegen hielten sie vor einem hellen, etwas steril wirkenden Gebäude mit dem Charme einer Kleinstadtambulanz. Dies und der Umstand, dass auf dem Vorplatz lediglich drei grüne Spezialfahrzeuge mit der Aufschrift *Gerichtsmedizin* parkten, vermittelte Yoyo ein irritierendes Gefühl von Noch-nicht-Angekommen-Sein, so als lägen die richtigen Leichen woanders. Sie hatte sich das rechtsmedizinische Institut einer Megametropole wie Berlin, in der unablässig gestorben wurde, als etwas Hangarartiges vorgestellt, doch das verschämt geduckte Haus ließ kaum auf disputierende Ärzte, Kommissare und Profiler schließen, wie man sie aus einschlägigen Filmen kannte. Sie erstiegen drei Stufen, schellten an einer Glastür und wurden von zwei weiß gekleideten Frauen eingelassen, eine groß, hübsch und ziemlich jung, die andere drahtig und kompakt, Ende vierzig, mit apfelwangigem Teint und praktischer Allwetterfrisur, die sich als Dr. Marika Voss und ihre jüngere Begleitung als Svenja Maas vorstellte. Tu und Yoyo hielten gleichzeitig ihre ID-Karten hoch. Dr. Voss warf einen raschen Blick auf die Schriftzeichen und nickte, als gehöre die Inaugenscheinnahme chinesischer Dokumente zu ihren täglichen Freuden.

»Ja, Sie wurden uns angekündigt«, sagte sie in eckigem Englisch. »Miss Chen Yuyun?«

Yoyo schüttelte ihr die Hand. Ein Anflug von Nachdenklichkeit huschte über das Gesicht der Ärztin. Ganz klar versuchte sie Yoyos Erscheinung mit einer Behörde in Übereinstimmung zu bringen, die verdeckt in Mordgeschichten unterwegs war. Ihr Blick pendelte zu Svenja Maas und wieder zurück, als müsse sie sich in Erinnerung rufen, dass gut aussehende Menschen noch in ganz anderen Berufen tätig waren.

»Und Mister, Sir –«

»Hauptkommissar Tu Tian, sehr freundlich von Ihnen«, sagte Tu liebenswürdig. »Wir wollen Ihre Zeit nicht allzu lange in Anspruch nehmen. Ist die Obduktion schon abgeschlossen?«

»Sie interessieren sich für Andre Donner?«

»Ja.«

»Mit ihm sind wir vor wenigen Minuten fertig geworden, mit Nyela Donner noch nicht. Sie wird zwei Tische weiter obduziert. Müssen Sie auch auf sie einen Blick werfen?«

»Nein.«

»Oder auf den zweiten Toten aus dem Museum? Seine Identität kennen wir allerdings noch nicht.«

Tu zog die Stirn in Falten.

»Möglicherweise. Ja, ich denke schon.«

»Gut. Kommen Sie.«

Dr. Voss schaute in einen Scanner. Eine weitere Türe öffnete sich. Sie betraten einen Korridor, in dem Yoyo erstmals jenen süßlich strengen Geruch wahrnahm, zu dessen Kompensation sich die Leute im Fernsehen immer irgendwelches Zeugs unter die Nase rieben. Das Produkt bakterieller Zersetzung verdichtete sich von einer Ahnung zu einer Wolke, als sie die Treppe zum Sektionsbereich heruntergingen, und von einer Wolke zu einem stehenden Gewässer, als sie den Vorraum zum Sektionssaal betraten. Ein junger, arabisch aussehender Mann lud Fotos von Kindergesichtern auf einen Monitor. Yoyo wollte gar nicht erst anfangen, über die Kinder nachzudenken. Sie kam auch nicht dazu, weil Dr. Voss ihr beiläufig etwas in die Hand drückte. Vollkommen ratlos betrachtete sie die winzige Tube und fühlte sich in der Falltür der Unwissenheit verschwinden.

»Für Besucher«, sagte die Ärztin. »Sie wissen schon.«

Nein, wusste sie nicht.

»Zum Unter-die-Nase-Reiben.« Dr. Voss hob verwundert die Brauen. »Ich dachte, Sie hätten –«

»Es ist Frau Chens erster Einsatz in der Forensischen Pathologie«, sagte Tu, nahm Yoyo die Tube aus den Fingern, drückte wie selbstverständlich zwei erbsengroße Abschnitte einer Paste daraus hervor und verteilte sie unter seinen Nasenlöchern. »Sie ist hier, um Erfahrung zu sammeln.«

Dr. Voss nickte verständig.

»Na, in der Theorie nicht aufgepasst, Frau Kommissarin«, frotzelte Tu auf Chinesisch, als der die Tube an Yoyo weitergab. Sie bedachte ihn mit einem Augenrollen und verrieb einen Strang der Paste auf ihrer Oberlippe, definitiv zu viel, wie sie im nächsten Moment feststellte. Eine Mentholbombe explodierte in ihren Atemwegen, fegte wie ein Blizzard durch ihr Hirn und drängte den Leichengeruch in den Hintergrund. Svenja Maas beobachtete sie mit verschwörerischem Interesse, wie es schöne Menschen einander entgegenbringen, wenn sie in Gesellschaft weniger exorbitant gestalteter Individuen zusammentreffen.

»Irgendwann gewöhnt man sich dran«, verkündete sie aus dem Himmelreich der Erfahrung.

Yoyo lächelte schwach.

Sie folgten der Ärztin in den Sektionssaal, einen rotweiß gekachelten Raum mit Blindglasfenstern und kastenförmigen Deckenleuchten. Fünf Obduktionstische reihten sich aneinander. Die beiden vorderen waren leer, über den mittleren beugten sich zwei Obduzenten. Der Körper, aus dessen klaffendem Brustkorb einer von beiden soeben das dunkle Paket der Lunge barg, war weiblich und schwarz. Der andere Obduzent sprach etwas in ein Diktafon, und die Lunge wanderte auf eine Waage. Dr. Voss führte die Gruppe am vierten Tisch vorbei, auf dem sich unter weißem Leinen eine massige Gestalt abzeichnete, verharrte am Letzten, auch dort ein abgedeckter Körper, schlug das Tuch zurück, und sie erblickten Jan Kees Vogelaar alias Andre Donner.

Yoyo betrachtete ihn.

Sie hatte den Mann nicht sonderlich gemocht, doch wie er nun dalag, mit frisch vernähtem Y-Schnitt, fühlte sie Mitleid. Nicht anders hatte sie um Jack Nicholson getrauert in *Einer flog über das Kuckucksnest*, um Robert de Niro in *Heat*, um Kevin Costner in *A Perfect World*, um Chris Pine in *Neighborhood*, um Emma Watson in *Pale Days*. Um alle, die es beinahe geschafft hatten, und in letzter Sekunde doch noch gescheitert waren, sooft man den Film auch ansah.

»Falls Sie mich nicht brauchen«, sagte Dr. Voss, »lasse ich Sie jetzt in der Obhut von Frau Maas. Sie hat bei Donners Obduktion assistiert und sollte Ihre Fragen hinreichend beantworten können.«

»Tja«, wechselte Tu ins Chinesische. »Dann wollen wir mal, Frau Kollegin.«

Sie beugten sich über das wächserne, ins Bläuliche spielende Gesicht. Yoyo versuchte sich zu erinnern, auf welcher Seite Vogelaar sein Glasauge trug. Jericho hatte darauf bestanden, es sei die rechte. Sie selbst war sich nicht sicher. Tatsächlich hätte sie auf die linke geschworen. Perfekt gearbeitet, fiel es unter Vogelaars geschlossenen Lidern nicht auf.

»Unsicher?« Tu runzelte die Stirn.

»Ja, und daran ist Owen schuld.« Yoyo warf einen Seitenblick auf Svenja Maas, die sich im Hintergrund hielt. »Lass dir doch mal von unserer Freundin da den Burschen auf dem Nebentisch zeigen.«

»Ist gut, ich halte sie hin.«

»Wird schon.« Yoyo lächelte säuerlich. »Es gibt ja nur zwei Möglichkeiten.«

Nicht, dass sie sich an den Anblick Toter zu gewöhnen begann oder daran, dass Leute, die man eben erst kennengelernt hatte, gleich wieder verstarben. Doch während sie noch zwischen Abscheu und Faszination oszillierte, breitete sich unerwartet eine große Ruhe in ihr aus, dunkel und klar wie ein Bergsee. Tu drehte sich zu Svenja Maas um und zeigte auf den noch verhüllten Körper auf Tisch vier.

»Könnten Sie bitte diesen Mann für uns freilegen?«

Zu dumm. Die Doktorandin trat auf die falsche Seite des Tisches. Von ihrer Position aus hatte sie Yoyo unverändert im Blick. Tu verlagerte seine Erscheinung, sodass er Svenja Maas die Sicht nahm.

»Du lieber Himmel«, rief er. »Was ist mit seinem Auge passiert?«

»Ein Angriff mit einem Bleistift«, sagte die Doktorandin nicht ohne Begeisterung. »Durch den Knochen ins Gehirn getrieben.«

»Und wie genau ist das vonstatten gegangen?«

Yoyo legte zwei Finger auf Vogelaars rechtes Augenlid und schob es hoch. Es schien völlig ohne Temperatur, weder kalt noch warm. Während Frau Maas über Eintrittswinkel und Druckpunkte referierte, presste sie Daumen und Mittelfinger in die Augenwinkel. Der Augapfel schien ihr allzu fest in der Orbita verankert, eher von der Beschaffenheit einer Glasmurmel als glitschig und weich, sodass sie einen Moment lang unsicher wurde, ob Jericho vielleicht doch recht hatte, und ihre Finger tiefer in die Knochenhöhle drückte.

Widerstand. Waren das Muskeln? Das Auge wollte nicht heraustreten, es zog sich im Gegenteil zurück und sonderte Flüssigkeit ab wie ein in die Enge getriebenes Tier.

Nie im Leben war das ein Glasauge.

»Der Schaft ist gesplittert«, erklärte die Doktorandin und trat zum Organtisch zwischen Leiche und Spülbecken, wo auf einer Schale etwas in einer transparenten Plastiktüte lag. Hastig zog Yoyo ihre Finger aus der Orbita, unmittelbar bevor Maas ihr einen beiläufigen Blick zuwarf, wobei sie ein Glitschgeräusch zu hören vermeinte, feucht, vorwurfsvoll und verräterisch. Tu beeilte sich, wieder in Sichtschutzposition zu gelangen. Yoyo schauderte. Konnte die Frau etwas gehört haben? *War* überhaupt etwas zu hören gewesen, oder hatte sie fantasiert, weil sie fand, beim Verlassen einer Augenhöhle müsse es glitschen?

Der See ihrer Ruhe kräuselte sich. Ihre Finger waren irgendwie klebrig. Jericho hatte danebengelegen! Während Tus Interesse an Frau Maas' Arbeit Blüten trieb, versenkte sie ihre Finger in Vogelaars linker Orbita. Sofort spürte sie, dass der Fall hier anders lag. Die Oberfläche war härter, eindeutig künstlich. Sie drang weiter vor, krümmte Daumen und Mittelfinger. Tu stellte unterdessen gelehrige Fragen über die Waffentauglichkeit von Zeichengerät. Frau Maas meinte fachkundig, alles könne eine Waffe sein, und tat einen Schritt nach links. Tu meinte, da habe sie vollkommen recht, und tat einen Schritt nach rechts. Die Obduzenten am mittleren Tisch waren in Nyela versunken.

Yoyo atmete tief durch, high von Menthol.

Jetzt!

Fast zutraulich flutschte das Glasauge heraus und schmiegte sich in ihre Handfläche. Sie ließ es in ihre Jacke gleiten, schloss notdürftig Vogelaars strapazierte Lider und stellte fest, dass sie ihn nachhaltig verschandelt hatte. Zu spät. Schnell drapierte sie das Tuch über seinem Gesicht und war mit zwei Schritten neben Tu.

»Bezüglich Andre Donners sind alle Zweifel ausgeräumt«, sagte sie auf Englisch.

Tu hielt mitten in einer Frage inne.

»Oh, gut«, sagte er. »Sehr gut. Ich denke, dann können wir gehen.«

»Bis wann brauchen Sie meinen Bericht, Kommissar?«

»Was für eine Frage, Frau Kommissarin! So schnell es geht. Uns steht der Staatsanwalt auf den Füßen.«

Vorhang, Applaus, dachte Yoyo.

»Sie sind fertig?« Svenja Maas schaute vom einen zum anderen, irritiert über die abrupte Vernachlässigung ihrer Person.

»Ja, wir möchten Ihnen nicht weiter zur Last fallen.« Tu lächelte liebenswürdig.

»Sie fallen mir nicht zur Last.«

»Nein, Sie haben recht, es war ein Vergnügen. Auf Wiedersehen, und beste Grüße an Dr. Voss.«

Svenja Maas zuckte die Achseln und brachte sie in den Vorraum, wo sie sich verabschiedete. Tu marschierte voran, wurde auf der Treppe schneller und fegte geradezu durch den Gang. Yoyo stapfte ihm hinterdrein. Der letzte Rest ihrer Ruhe schwand dahin. Um hinauszugelangen, bedurfte es keiner Autorisierung. Sie traten auf den Parkplatz und steuerten den Audi an, als eine dominante Stimme vom Haus aus erklang:

»Herr Tu. Frau Chen!«

Yoyo erstarrte. Langsam wandte sie sich um und sah Dr. Marika Voss auf den Stufen stehen, mit erhobenem Kinn.

Sie haben's gemerkt, dachte Yoyo. Wir waren zu langsam.

»Verzeihen Sie unseren hastigen Aufbruch.« Tu hob entschuldigend die Arme. »Wir wollten uns verabschieden, konnten Sie aber nicht finden.«

»War denn alles zu Ihrer Zufriedenheit?«

»Sie haben uns sehr geholfen!«

»Dann bin ich ja froh.« Unvermittelt lächelte sie. »Also, ich hoffe, Sie kommen mit Ihren Ermittlungen gut weiter.«

»Dank Ihrer Hilfe besser denn je.«

»Einen schönen Tag noch.«

Dr. Voss marschierte wieder ins Innere, und Yoyo fühlte sich zu Butter in der Sonne werden. Sie glitt in den Audi und zerfloss auf ihrem Sitz.

»Du hast es?«, fragte Tu.

»Ich hab es«, antwortete sie mit letzter Kraft.

Wenn Svenja Maas auch nicht gerade gekränkt war, so doch einigermaßen verschnupft. Als sie zurück in den Sektionssaal kehrte, nagte der Verdacht an ihr, das Interesse des chinesischen Polizisten könne weniger ihr gegolten haben als vielmehr der Einhaltung asiatischer Umgangsformen. Sie ging zu den hinteren Tischen und bemerkte, dass die junge Chinesin den Leichnam Donners wieder mit dem Tuch abgedeckt hatte, allerdings schlampig. Erbost zupfte sie daran herum, stellte fest, dass es komplett schief hing, und schlug es zurück.

Sofort sah sie, dass etwas nicht stimmte. Vogelaars rechtes Auge war ziemlich in Mitleidenschaft gezogen, doch das linke sah grauenhaft aus.

Einer düsteren Vorahnung folgend zog sie das Lid hoch.

Das Glasauge fehlte.

Augenblicklich wurde ihr heiß und kalt bei dem Gedanken, dass man sie dafür verantwortlich machen würde. Das künstliche Auge hatten sie in seiner Höhle gelassen, aber nur, um es später noch einmal hervorzuholen und einem Experten für Prothetik zu zeigen. Etwas daran war ihnen merkwürdig vorgekommen. Es sah aus, als berge es etwas, möglicherweise eine Mechanik, die es seinem Träger ermöglicht hatte, damit zu sehen, vielleicht auch etwas anderes. Eigentlich waren sie nicht davon ausgegangen, dass es von Bedeutung sein könnte.

Offenbar hatten sie sich geirrt.

Wie elektrisiert hastete sie aus dem Saal und die Treppe hoch. Im Flur begegnete sie Dr. Marika Voss.

»Sind die chinesischen Ermittler noch da?«, fragte sie atemlos.

»Die Chinesen?« Dr. Voss hob die Brauen. »Nein. Die sind gerade gefahren. Wieso?«

»Mist. Mist! Mist!!«

»Was ist los?«, verlangte die ältere Frau zu wissen.

»Die haben was mitgehen lassen«, jammerte Maas. Verdammte Bastarde, sie dermaßen reinzureißen!

»Mitgehen lassen?«, echote Voss wie eine Bergwand.

»Das Auge. Das Glasauge.«

Die Ärztin war nicht mit im Team gewesen, das Donner obduziert hatte. Von dem Auge konnte sie also nichts wissen, doch sie begriff auch so, dass man sie beide reingelegt hatte.

»Ich rufe den Pförtner an«, sagte sie.

Der Wagen glitt über die Hauptstraße des Geländes, vorbei an evangelikalem Backstein, an den friedvollen Wegen und Wiesen und den beschirmenden Bäumen.

»Hey«, sagte Yoyo stirnrunzelnd. »Was ist denn da vorne los?«

Jemand kam aus dem Pförtnergebäude gelaufen. Der Uniformierte warf die Unterarme hoch, als wolle er ein Flugzeug einwinken. Zugleich senkte sich die Schranke herab. Eindeutig galt die Aufregung ihnen.

»Schätze mal, wir sind aufgeflogen.«

»Klasse. Und jetzt?«

»Liegt ganz an dir.« Tu schaute zu ihr herüber. »Wie gefällt dir Berlin? Willst du noch bleiben?«

»Nicht unbedingt.«

»Dachte ich mir«, sagte er, gab Gas und schoss so knapp unter der Schranke hindurch, dass Yoyo sich wunderte, sie nicht übers Dach schrammen zu hören. Hinter ihnen verloren sich die Schreie des Pförtners in der pollengesättigten Frühsommerluft.

ADLON

Auf dem Display schimmerte das Symbol der ineinander verschlungenen Reptilienhälse, die alle einem einzigen Körper entwuchsen. Neun Köpfe. Das Zeichen der Hydra.

Xin riss das Handy ans Ohr.

»Wir haben die Daten mehrerer führender Berliner Hotels an Sie übermittelt«, sagte der Anrufer. »Bei den kleineren waren wir glücklos. Es gibt irrsinnig viele, überhaupt scheint ganz Berlin aus Hotels zu bestehen. Das Problem ist natürlich, dass wir auf die Schnelle nicht in jeden Rechner eindringen –«

»Ich hab's begriffen. Und?«

»Fehlanzeige.«

»Sie *müssen* aber irgendwo abgestiegen sein«, beharrte Xin.

»Nicht in einer der internationalen Ketten. Keine Chen Yuyun, kein Owen Jericho. Dafür kann ich mit Details über die Warnung aufwarten, die gestern in London eingegangen ist. Ich schicke Ihnen den Text zu, wollen Sie ihn zuvor hören?«

»Her damit.«

Xin lauschte den Fragmenten jener Zeilen, die er nur allzu gut kannte. Er überlegte, welche Gefahr von dem Brandsatz ausgehen mochte, den Yoyo und Jericho gelegt hatten. Von einem Fragment konnte kaum noch die Rede sein. Fast 90 Prozent der Nachricht hatten sie decodiert. Dennoch war ihnen das Wichtigste, das wirklich Entscheidende, verborgen geblieben. Und nicht Jericho oder das Mädchen, sondern ein Mann namens Tu hatte Edda Hoff angerufen, Nummer drei im Sicherheitsapparat des Orley-Imperiums, von der Xin wenig mehr wusste, als dass sie fantasielos und entsprechend wenig anfällig für Hysterie oder Verharmlosung war.

»Auf sich allein gestellt, hat Hoff die Unternehmensgruppe von der Eventualität eines Übergriffs in Kenntnis gesetzt, ohne zu verhehlen, dass man eigentlich nichts in Händen halte«, sagte der Anrufer. »Wie jeder im Konzerngewebe wurde also auch das GAIA benachrichtigt, wo man allerdings keine Veranlassung sah, das Programm zu ändern. Hoff scheint in die richtigen Kanäle gefunkt zu haben.« Der Anrufer traute sich nicht, am Telefon Namen zu nennen, obwohl es nahezu unmöglich war, dass jemand auf dieser Leitung mithörte. Andererseits hatte auch niemand erwartet, dass jemand die Huckepack-Codierung in den Anhängen harmloser E-Mails knacken könnte.

»Tu«, sinnierte Xin.

»So nannte er sich. Ich schicke Ihnen seine Mobilfunknummer rüber. Von wo er angerufen hat, wissen wir nicht.«

Entgegen der Vornamenvielfalt las sich das chinesische Nachnamenregister geradezu ärmlich. Die überwiegende Anzahl aller Chinesen teilte sich einige Dutzend meist einsilbiger Clanbezeichnungen, die sogenannten einhundert Namen, sodass es keine Seltenheit war, wenn ein ganzes Dorf Zheng, Wang, Han, Ma, Hu oder Tu hieß. Dennoch wurde Xin das Gefühl nicht los, den Namen Tu erst kürzlich im Zusammenhang mit Yoyo gehört zu haben.

»Haben Sie eigentlich die Seiten aus dem Netz genommen?«, fragte er, da die Erleuchtung ausblieb.

»Die Kommunikation wurde eingestellt.«

Xin wusste um den Gehalt dieser Entscheidung, und somit kannte er auch den Grund für die Verdrossenheit seines Gesprächspartners, der das Huckepack-Verfahren einst vorgeschlagen und implementiert hatte. Drei Jahre lang waren sie bestens damit gefahren. Die Köpfe der Hydra hatten in simultanem Austausch miteinander gestanden und funktioniert wie ein einziges großes Gehirn.

»Wir werden es verschmerzen«, sagte er und versuchte, freundlich zu klingen. »Das Netz hat seinen Zweck mehr als erfüllt, und das ist Ihr Verdienst! Jeder zollt Ihnen dafür Respekt. Ebenso wird es jeder verstehen, dass wir so dicht vor dem Ziel aus Sicherheitsgründen beschlossen haben, den Simultankontakt einzustellen. Die Zeit ist gekommen, da es nichts mehr zu sagen gibt. Nur noch abzuwarten.«

Xin beendete die Verbindung, starrte auf seine Füße und brachte sie in eine Parallele, bis Knöchel und Ballen in identischem Abstand zueinander lagen, ohne einander zu berühren. Langsam bewegte er seine Knie zur Mitte hin. Die Verfilzungen des Zufalls, wie er sie hasste! Als er spürte, dass seine Wadenhaare in tastenden Austausch gerieten, korrigierte er den Stand seiner Füße, richtete Oberschenkel, Ober- und Unterarme, Hände und Schultern achssymmetrisch aus, bis er dasaß wie mittig gespiegelt. Meist gelang es ihm auf diese Weise, auch sein Denken in Ordnung zu bringen, doch diesmal verfehlte die Übung ihr Ziel. Taumel des Selbstzweifels überkamen ihn, alles verkehrt herum angefangen und die Dinge mit seiner Hetzjagd auf Yoyo nur schlimmer gemacht zu haben.

Gedanken, Gedankenketten.

Kontrollverlust.

Sein Herz schlug wie ein Kolben. Ihm schien, als bedürfe es einer Winzigkeit, und er würde in tausend Stücke zerreißen. Nein, nicht er.

Seine Hülle. Dieses Menschenkostüm, das sich Kenny Xin nannte. Wie ein Wirtskörper seiner selbst fühlte er sich, wie ein Kokon, eine Puppe, das Zwischenstadium einer Metamorphose, und er hatte entsetzliche Angst vor dem Ding, das ihn von innen fressen würde. Wann immer es wuchs, sich spreizte und ihm den Atem raubte, er es nicht länger zu zähmen vermochte und der Druck unerträglich wurde, musste er dem Ding etwas geben, um es zu besänftigen, so wie er ihm zugestanden hatte, die Hütte seiner Peiniger niederzubrennen, Niedertracht, Krankheit und Armut den Flammen zu überantworten, und im selben Moment hatte er sich befreit gefühlt, von allem Unglück gereinigt und wolkenlos klar im Kopf. Seitdem bewegte ihn die Frage, ob er an jenem Tag wahnsinnig geworden oder vom Wahnsinn geheilt worden war. An die Zeit davor konnte er sich jedenfalls kaum erinnern. Allenfalls an den Ekel, auf der Welt zu sein. An das Empfinden von Hass seinen Eltern gegenüber, ihn geboren zu haben, auch wenn er als kleiner Mensch wenig über die Umstände seines In-die-Welt-Geworfen-Seins wusste, lediglich die Gewissheit verspürte, dass seine Familie für seine Existenz verantwortlich war, was schon ausreichte, sie zu hassen, und dass sie ihm das Leben zur Hölle machten.

Dass sein Hiersein keinerlei Sinn ergab.

Erst nach dem Brand hatte sich ihm der Sinn erschlossen. Konnte man wahnsinnig sein, wenn plötzlich alles einen Sinn ergab? Wie viele der sogenannten geistig Gesunden gingen rund um die Uhr sinnlosen Tätigkeiten nach? Wie vieles von dem, was als richtig und moralisch erachtet wurde, fußte auf Riten und Dogmen, die jeglicher Sinnhaftigkeit entbehrten? Das Feuer hatte seinen Horizont erweitert, sodass er auf einmal den Plan erkannte, die labyrinthischen Wege der Schöpfung, ihre abstrakte Schönheit. Von dort gab es keinen Weg zurück. Er hatte sich auf ein höheres Level begeben, man mochte es Wahnsinn nennen, doch es hieß lediglich, dem Druck einer so umfassenden Erkenntnis standhalten zu müssen, dass jeder Versuch, andere daran teilhaben zu lassen, als obsolet erachtet werden musste. Wie sollte man Menschen erklären, dass alles, was man unternahm, das Resultat höherer Einsicht war? Der Preis, den er zahlte, indem er andere zahlen ließ.

Nein. Er hatte es *nicht* schlimmer gemacht.

Er hatte sich vergewissern müssen!

Xin stellte sich sein Gehirn vor. Ein Rorschach-Universum. Die Reinheit der Symmetrie, Verlässlichkeit, Ruhe, Kontrolle. Langsam fühlte er seine Gelassenheit zurückkehren. Er erhob sich, verband das

Handy mit der Computerkonsole seines Zimmers und lud die Buchungslisten der Hotels auf den Monitor. Der Reihe nach ging er sie durch. Natürlich erwartete er nicht, Chen Yuyun oder Owen Jericho in den Verzeichnissen auftauchen zu sehen. Hydras Hacker, die in die Hotelsysteme eingebrochen waren, hatten die Listen mehrfach überprüft. Genau genommen wusste er nicht, was er zu finden erwartete, nur dass ihn die *Ahnung* trieb, fündig zu werden.

Und er fand etwas.

Wie ein Puzzlestein schob es sich ins Bild, erklärte fugengenau die Vorgänge im Museum und beantwortete gleich nebenbei ein halbes Dutzend weiterer Fragen: Drei Zimmer waren im Grand Hyatt am Marlene-Dietrich-Platz gebucht worden, auf eine Firma namens Tu Technologies, ansässig in Shanghai, gebucht und kraft persönlicher Unterschrift bestätigt vom geschäftsführenden Gesellschafter Tu Tian.

Der Laden, in dem Yoyo jobbte.

Daher kannte er den Namen!

Er lud die Homepage des Unternehmens und fand ein Porträt des Gründers. Fleischig, fast kahl, mit einem Schädel wie eine Billardkugel und im Ganzen so hässlich, dass er schon wieder attraktiv wirkte. Die Schlauchlippen waren geeignet, jedem Lurch reptilgrünen Neid ins Gesicht zu treiben. Zugleich hatten sie etwas einnehmend Sinnliches. Hinter der winzigen Brille glommen Augen, die von Humor zeugten und zugleich keinen Spaß verstanden. Obwohl der Kerl die Gelassenheit eines Buddhas ausstrahlte, ließ er keinen Zweifel an seinem Durchsetzungswillen. Tu Tian, das erkannte Xin auf den ersten Blick, war ein Guerillero, ein Nonkonformist im Narrengewand. Jemand, den man keinesfalls unterschätzen durfte. Mit seiner Hilfe waren Yoyo und Jericho mobil, konnten so schnell, wie sie in Berlin aufgekreuzt waren, wieder von dort verschwinden.

Die Vogelaars waren tot. Also *würden* sie aus Berlin verschwinden.

Sehr bald. Jetzt.

Xin bewaffnete sich, wählte eine rote Langhaarperücke und eine Gesichtsmaske mit passendem Bart, versah Stirn und Wangenknochen mit Applikationen, schlüpfte in einen smaragdgrünen Staubmantel, setzte eine schmale, reflektierende Holobrille auf und verharrte einige Sekunden vor dem Spiegel, um sein Werk zu begutachten. Er sah aus wie ein Popstar. Wie ein typischer Mando-Progger, der es zwar nicht zu gutem Geschmack, aber zu Geld gebracht hatte.

Eilig verließ er das Hotel, winkte ein Taxi heran und ließ sich zum Grand Hyatt fahren.

Tus Gesicht erschien auf dem Monitor. Jericho war kaum verwundert, ihn sagen zu hören:

»Pack Diane zusammen. Wir hauen ab.«

»Was ist mit dem Glasauge?«

Yoyos Finger schoben sich ins Bild. Vogelaars künstliches Auge starrte ihn an. Seiner Ober- und Unterlider entkleidet sah es irgendwie überrascht aus und auch ein bisschen empört.

»Eindeutig ein Gedächtniskristall«, hörte er ihre Stimme. »Hab's mir angesehen, typisches Muster. Beeil dich. Die Bullen dürften bald anrücken.«

»Wo seid ihr jetzt?«

»Auf dem Weg zu dir«, sagte Tu. »Sie haben das Kennzeichen des Wagens. Mit anderen Worten, sie wissen, dass es ein Mietwagen ist, wer ihn gemietet hat, wo er wohnt, und so weiter und so fort. Von mir werden sie auf die unerfreulichen Begebenheiten des Vormittags schließen.«

»Und auf deinen Jet«, sagte Jericho.

»Auf meinen –«

»*Fuck!*«, war Yoyo zu vernehmen. »Er hat recht!«

»Sobald ihnen klar wird, dass du den Wagen am Flughafen gemietet hast, sind sie im Bilde«, sagte Jericho. »Sie werden uns schneller festnehmen, als wir ihn abgeben können.«

»Wie viel Zeit bleibt uns?«

»Schwer zu sagen. Als Erstes werden sie die Passagierliste der Flüge durchgehen, die gelandet sind, bevor du am Mietschalter warst. Das dauert eine Weile. Sie werden nichts finden, aber irgendwie musst du ja hergelangt sein, also checken sie die Privatflüge.«

»Mit dem Audi sind wir frühestens in einer halben Stunde am Flughafen.«

»Dann könnte es zu spät sein.«

»Vergiss den blöden Audi«, rief Yoyo. »Wenn wir überhaupt eine Chance haben, brauchen wir ein Skycab.«

»Ich kann eines ordern«, schlug Jericho vor.

»Mach das«, bestätigte Tu. »In zehn Minuten sind wir im Hotel.«

»Zu Befehl.«

Jericho beendete die Verbindung und stürmte hinaus auf den Gang. Während ihn seine Schritte zu den Aufzügen trugen, sah er fleißige Berliner Polizisten das Knäuel ihrer Ankunft entwirren, schnell, effizient und Böses annehmend. Er fuhr aufs Dach und fand den Skyport leer vor. Ein Bediensteter in Livree strahlte ihn über den Rand seines Terminals an. Jerichos Auftauchen schien seiner Existenz auf der einsamen Weite des Dachs neuen Sinn zu verleihen.

»Sie möchten ein Lufttaxi ordern?«, fragte er.

»Ja, ganz genau.«

»Augenblick.« Die Finger des Mannes glitten geschäftig über eine Computerkonsole. »In zehn bis 15 Minuten könnte eines hier sein.«

»So schnell wie möglich!«

»Brauchen Sie einstweilen Hilfe mit dem Gep –«

äck hatte er vermutlich gesagt, doch Jericho war schon wieder im Lift, eilte zurück in sein Zimmer und verstaute Diane mitsamt aller Hardware in seinem Rucksack. Was an Kleidung herumlag, packte er obendrauf, checkte die Glock und schob sie in ihr Halfter, rannte den Flur entlang und ließ Tu eine Nachricht zukommen:

Bin auf dem Flugdeck.

INSTITUT FÜR RECHTSMEDIZIN DER CHARITÉ

»Nein, ist er nicht«, sagte die Stimme am Telefon.

Dr. Marika Voss tänzelte von einem Fuß auf den anderen, während Svenja Maas mit verblassendem Teint neben ihr stand und die Finger ineinander verkrallte.

»Malchow«, wiederholte sie stur. »Hel – ge Mal – chow.«

»Wie schon gesagt –«

»Meine Kollegin hat bei ihm angerufen.«

»Das mag ja sein, aber –«

»Erst geriet sie in eine Warteschleife, dann wurde sie von einer Ihrer Damen durchgestellt. Zu Malchow. Zu Hel –«

»Gibt es nicht!«

»Aber –«

»Hören Sie«, sagte die Stimme mit verebbender Geduld, da das Gespräch den immer selben Looping durchlief. »Ich würde Ihnen ja gerne helfen, aber im ganzen Auswärtigen Amt haben wir niemanden dieses Namens! Und die Durchwahl, die Sie mir genannt haben, *gibt es auch nicht.*«

Dr. Voss kniff indigniert die Lippen zusammen. So schlau war sie inzwischen selbst, nachdem eine Automatendurchsage sie hatte wissen lassen, die Nummer existiere nicht. Dennoch erschien ihr das kein ausreichender Grund, sich geschlagen zu geben.

»Aber die Dame –«

»Ach ja, die Dame.« Kurze Stille, Seufzen. »Wie soll denn die Dame geheißen haben?«

»Wie hieß denn die Dame?«, zischte Dr. Voss.

»Irgendwas mit Schill oder Schall«, wisperte Maas, in sich selbst verschwindend.

»Schill oder Schall, sagt meine Kollegin.«

»Nein.«

»Nicht?«

»Scholl hätten wir. Eine Frau Scholl.«

»Scholl?«, fragte Dr. Voss.

Maas schüttelte den Kopf. »Eher Schill.«

»Eher Schill.«

»Tut mir leid. Kein Schill, kein Schall, kein Malchow. Ich empfehle Ihnen wirklich dringend, die Polizei anzurufen. Offenbar hat man Sie gehörig zum Narren gehalten.«

Dr. Voss kapitulierte. Sie dankte eisig und wählte die Nummer der Kripo. An ihrer Seite welkte Svenja Maas vor sich hin.

Keine fünf Minuten später hatten die Beamten der Sonderkommission das Kennzeichen ermittelt. Sekunden später kannten sie den Namen des Mieters. Sie glichen das Protokoll der Mietwagenfirma mit dem Datenbestand der Einreisebehörde ab und erfuhren, Tu Tian habe am frühen Morgen des Vortags Berliner Boden betreten und als erste Adresse das Grand Hyatt am Marlene-Dietrich-Platz angegeben.

Weitere zwei Minuten später wurde ein Team beauftragt, dem Hotel einen Besuch abzustatten.

HYATT

Tus unerschrockener Fahrweise war es zu danken, dass sie das Hotel schneller erreichten als erwartet und nun noch mehr Grund hatten, so schnell wie möglich zu verschwinden – die Anzahl der zwischen Turmstraße und Marlene-Dietrich-Platz begangenen Verkehrsdelikte durfte in die Dutzende gehen. Er stieg aus, warf dem Portier den Schlüssel zu und bat ihn, den Wagen in die Tiefgarage zu fahren.

»Gehen wir an die Bar?«, fragte Yoyo so laut, dass der Mann es unmöglich überhören konnte. Tu zwinkerte, begriff ihren Plan und stieg darauf ein.

»Ehrlich gesagt, ich könnte was Süßes vertragen.«

»Im Sony Center gibt's ein Starbucks. Die Straße rauf.«

»Alles klar. Wir treffen uns dort. Ich sag nur kurz Owen Bescheid.«

Eine Schmierenkomödie, doch womöglich geeignet, ihnen Zeit zu verschaffen. Mit gezügelter Hast durchquerten sie die Halle, fuhren in den siebten Stock und steuerten ihre Zimmer an.

»Lass alles da, was du nicht brauchst«, riet Tu. »Nur das Nötigste.«

»Kunststück«, schnaubte Yoyo. »Ich hab nichts! Sieh selber zu, dass du dich nicht in deinen Koffer verliebst.«

»Ich hänge nicht an modischen Dingen.«

»Stimmt, daran werden wir arbeiten müssen. Bis in zwei Minuten auf dem Flugdeck.«

Sieben Stockwerke unter ihnen sprang Xin aus dem Taxi. Inzwischen kannte er Etage und Zimmernummern, nur, wer welchen der drei Räume bewohnte, wusste er nicht. Alle waren auf Tu Technologies gebucht, Yoyo und Jericho nicht namentlich vermerkt. In seiner martialischen Aufmachung betrat er die Lobby. Man würde sich an einen hochaufgeschossenen Rothaarigen mit wallender Mähne und Dschingis-Khan-Schnurrbart erinnern, der gegen 15.30 Uhr das Hyatt betreten hatte, aller Wahrscheinlichkeit nach Künstler. Die Holobrille verbarg den asiatischen Schnitt seiner Augen. Ohne Weiteres konnte man ihn für einen Europäer halten. Die beste Tarnung war aufzufallen.

Er betrat einen der Aufzüge und wählte den siebten Stock.

Nichts geschah.

Xin runzelte die Stirn, dann fiel sein Blick auf die Scannerfläche für den Daumenabdruck. Natürlich. Man musste sich autorisieren, wie in den meisten internationalen Hotels. Ergeben ging er zurück in die Halle, wo soeben ein Kontingent seiner Landsleute der Rezeption zustrebte. Unvermittelt herrschte Gedränge. Hinter der Theke wappnete man sich, das Englisch der Neuankömmlinge von Gesagtem in Gemeintes zu transferieren und die wunderbare Welt der Missverständnisse mittels eigener Kenntnisse des Chinesischen zu bereichern. Zielstrebig steuerte Xin auf die einzige Kraft zu, die anderweitig, nämlich telefonierend, beschäftigt war, baute sich vor ihr auf und überlegte, was er sie fragen könnte.

Wie komme ich in den siebten Stock?

Möchten Sie einchecken? – Nein, ich hab Freunde hier wohnen und wollte ihnen einen Besuch abstatten. – Ich kann Sie autorisieren und bei den Herrschaften anrufen, dass Sie kommen. – Tja, wissen Sie, eigentlich wollte ich sie überraschen. – Verstehe! Wenn Sie einen Moment warten, fahre ich mit Ihnen hoch. Es ist gerade ein bisschen turbulent, wie Sie sehen, aber in wenigen Minuten –. – Geht es nicht schneller? – An sich darf ich nicht – eigentlich dürfen nur Gäste –

Xin wandte sich ab. Zu kompliziert, das alles. Weder wollte er seinen Daumenabdruck im System des Hyatt hinterlassen noch Gefahr laufen, dass Tu, Jericho oder Yoyo gewarnt würden. Er mischte sich unter die Chinesen.

Jericho sah das Skycab über dem Tiergarten auftauchen und auf das Hyatt einschwenken. Ein bulliger, mit vier Turbinen ausgestatteter Senkrechtstarter, der schnell näher kam, fauchend die Düsen kippte und langsam auf die Plattform herniedersank.

»Ihr Taxi ist da«, verkündete der Bedienstete lächelnd.

In seiner Stimme schwang große Freude über die Ausweitung des Lufttransportwesens mit, und dass es Menschen gab, die davon Gebrauch machten. Im nächsten Moment eilte Yoyo, eine zusammengeknüllte Einkaufstüte unterm Arm, aus dem Terminal, Tu im Schlepp, der seinen Reisekoffer hinter sich herzog wie ein trödelndes Kind.

Das Taxi setzte auf.

»Wie gerufen«, freute sich Tu.

»Weil ich es gerufen *habe*«, erklärte Jericho freundlich.

»Spart euch die Hahnenkämpfe.« Yoyo strebte der Einstiegsluke zu. »Ist dein Jet eigentlich startklar?«

Mit bremsklotzartiger Wirkung schob sich die Frage unter Tus Schuhspitze. Er hielt inne, stocherte im gelichteten Rasen seines Skalps und versuchte, Fünfmillimeterhaare zu Löckchen zu drehen.

»Was ist?«

»Ich hab was vergessen«, sagte er.

»Ist nicht wahr.« Yoyo starrte ihn an.

»Doch. Mein Handy. Gerade dachte ich nämlich, es reicht, wenn ich den Flughafen vom Taxi aus verständige, und da fiel mir auf –«

»Du musst noch mal aufs Zimmer?«

»Äh – ja.« Tu ließ seinen Koffer stehen, drehte sich um und stapfte zum Fahrstuhl. »Bin gleich wieder da. Gleich wieder da.«

Als Xin hörte, dass das ältere chinesische Ehepaar gleich vor ihm eine der schönsten und teuersten Suiten des Grand Hyatt zu beziehen gedachte, empfand er aufrichtige Freude. Keine altruistische Verirrung lag seiner Empfindung zugrunde, sondern der Umstand, dass die Suite im siebten Stock lag. Also ganz genau dort, wo er hinwollte.

Der Chinese ließ seinen Daumen scannen. Eine junge Angestellte erbot sich, dem Paar die Räumlichkeiten zu zeigen, und gemeinsam schlenderten sie zum Fahrstuhl. Xin schloss sich ihnen an. Während sie auf den Lift warteten, wurde der Kopf der Chinesin vom Gummiband der Neugier in seine Richtung gezogen. Ihr Blick verfing sich in der Wildnis seiner Locken und prallte von seiner verspiegelten Holobrille ab. Unschlüssig betrachtete sie seine schlangenledernen Stiefelspitzen, sichtlich irritiert von der Vorstellung, mit seinesgleichen dasselbe Hotel zu bewohnen. Ihr Mann klebte klein und bullig an ihrer Seite und starrte auf den Spalt zwischen den Aufzugtüren, bis diese sich endlich auseinanderschoben. Gemeinsam betraten sie den Aufzug. Niemand fragte ihn, ob er dazu gehöre. Die junge Frau schenkte ihm ein freundliches Lächeln, und er lächelte ebenso freundlich zurück.

»Auch auf die Sieben?«, fragte sie, vorsorglich auf Englisch.

»Ja, bitte«, sagte er.

Neben ihm erstarrte die Chinesin in der Gewissheit, dass er sogar dieselbe Etage bewohnte.

Tu riss die Bettdecke zurück, doch das Handy war ebenso wenig dort, wie es auf dem Schreibtisch und auf einem der Nachttische lag. Er durchwühlte die Laken, schleuderte die Kopfkissen beiseite, wütete in Linnen und Damast, quetschte seine Finger zwischen Matratze und Bettgestell.

Nichts.

Mit wem hatte er zuletzt telefoniert? Telefonieren wollen?

Mit dem Flughafen. Das zumindest war seine Absicht gewesen, doch dann hatte er beschlossen, den Anruf auf später zu verschieben. Tatsächlich hatte er das Ding sogar schon in der Hand gehabt.

Und verlegt.

Ein weiteres Mal erwanderte sein Blick den Schreibtisch, flog über Stühle, Sessel, Fußboden. Unglaublich, er wurde alt! Was hatte er zuletzt getan? Er sah sich dastehen, das Handy in der Rechten, während seine Linke etwas umfasst hielt, etwas in Schritthöhe –

Ach, richtig!

Siebentes Stockwerk.

Die Chinesin drängte sich rüde an der jungen Hotelangestellten vorbei nach draußen, als befürchte sie, Xin könne sie in letzter Sekunde beißen. Hingegen unterlag ihr Mann einem Anfall westlichen Höflichkeitsgebarens, trat einen Schritt zurück und ließ der jungen Frau mit strahlendem Lächeln den Vortritt. Xin wartete, bis die Gruppe außer Sichtweite war. Die Flure des Hotels spannten sich als Karree um ein sonniges Atrium, die Zimmer lagen zur Außenfront. Er studierte die Wegweiser. Zu seiner Befriedigung liefen die Hotelangestellte und das chinesische Ehepaar in entgegengesetzte Richtung der Räume, die Tu bewohnte.

Plötzlich war er alleine.

Der Teppichboden dämpfte seine Schritte. Er passierte eine Club Lounge, bog in den nächsten Flur ab, blieb stehen, brachte sich Tus Zimmernummern in Erinnerung.

712, 717, 727.

Die 712 lag zu seiner Linken. Rasch ging er weiter, aufwärts zählend. Die 717, ebenfalls verschlossen. Sein Mantel blähte sich, während er exakt in der Mitte des Flures blieb. Die 727 stand ein Stück offen.

Tu? Jericho? Yoyo?

Einer der drei würde sich gleich wünschen, abgeschlossen zu haben.

Yoyo sah den Gyrokopter zuerst.

»Wo?«, rief Jericho.

»Ich glaube, er kommt her.« Sie lief zum Rand des Skyports und sprang von einem Bein aufs andere. »Oh, Mist! Die Bullen. Es sind die Bullen!«

Jericho, der sich mit dem Piloten des Lufttaxis unterhalten hatte, überschattete die Augen mit der flachen Hand. Yoyo hatte recht. Es war ein Gyrokopter der Polizei, der sich näherte, ähnlich dem, den er vor wenigen Stunden über dem Brandenburger Tor gesehen hatte.

»Die können aus tausenderlei Gründen hier sein.«

Yoyo stob zu ihm herüber. »Tian wird alles versauen.«

»Noch ist gar nichts versaut.« Jericho deutete mit einer Kopfbewegung auf das Skycab. »Wir steigen schon mal ein. Dann sehen sie dich wenigstens nicht hier rumspringen.«

»Ha!«, rief Tu.

Weil er nämlich pinkeln gegangen war! Und während er gepinkelt hatte, die Linke mit der korrekten Ausrichtung des Strahls befasst, das Handy in der Rechten, hatte sein überstrapaziertes Hirn beide für den Bruchteil einer Sekunde durcheinandergebracht, sodass er beinahe den letzten Tropfen von seinem Telefon geschüttelt und in seinen Schwanz gesprochen hätte. Der Mensch im Würgegriff der Kommunikation. Entsetzen befiel ihn. Wenigstens auf einer Toilette, dachte er, sollte man nicht kommunizieren müssen. Es gab Grenzen. Nichts durfte einen Mann so weit bringen, sein Gemächt mit seinem Handy zu verwechseln.

Als Folge hatte er das Ding, das technische, beiseitegelegt und sich dem Drängen der Natur gewidmet. Der Sanitärbereich lag eingebettet im Wohnraum wie ein Zimmer im Zimmer, mit zwei gegenüberliegenden Zugängen. Man konnte ihn vom Bett wie von der Diele her betreten. Tu schob die bettseitig liegende Glastür auf und sah als Erstes auf der Toilette nach, und da lag es auf dem Spülkasten.

Kleiner Scheißer, dachte er. Jetzt nichts wie weg.

Xin betrat den offen stehenden Raum und schaute sich um. Eine Art Diele, die weiter hinten in lichtdurchflutete Räumlichkeiten mündete, offenbar ein Wohnschlafzimmer. Gleich zu seiner Rechten lag eine matt geschliffene, geschlossene Glastür. Dahinter erklangen Schritte und unmelodisches Pfeifen. Jemand war im Bad.

Seine Hand wanderte unter den smaragdgrünen Mantel.

Der Gyrokopter setzte auf.

Yoyo drückte sich in ihren Sitz, als wolle sie eins werden mit der Polsterung. Jericho riskierte einen Blick nach draußen. Zwei Uniformierte entstiegen dem ultraleichten Flieger, gingen zu dem Hotelbediensteten am Terminal und sprachen ihn an.

»Was wollen die denn schon wieder?«, brummte der Pilot in deutsch klingendem Englisch und reckte neugierig den Hals. »Nicht mal in der Luft hat man Ruhe vor denen.«

»Ist doch gut, wenn sie aufpassen«, trällerte Yoyo.

Jericho warf ihr einen schiefen Blick zu. Jeden Moment rechnete er damit, dass der Hotelbedienstete zu ihnen herüberzeigte. Falls die Patrouille mit Fotos angerückt war, wären sie geliefert. Der Mann gestikulierte, wies ins Innern des Terminals, wo die Fahrstühle lagen.

Jericho hielt den Atem an.

Er sah die Polizisten einige Worte miteinander wechseln, dann fixierte einer von ihnen das Skycab. Einen Moment lang sah es so aus, als schaue er Jericho geradewegs ins Gesicht. Dann wandte er den Blick ab, und beide verschwanden unter der Terminalüberdachung.

»Bleibt zu hoffen, dass Tu ihnen nicht über den Weg läuft«, zischte Yoyo.

Die Schritte kamen näher. Etwas klapperte vernehmlich. Eine Silhouette wurde im geschliffenen Glas der Badezimmertür sichtbar und verharrte unmittelbar davor.

Xin brachte seine Waffe in Anschlag.

Mit einer schwungvollen Bewegung riss er die Tür auf, packte zu, stieß den Asiaten gegen die rückwärtige Wand, zog hinter sich zu und setzte ihm die Mündung der Waffe an die Stirn.

»Keinen Laut«, sagte er.

»Wie bitte?«, flüsterte einer der Polizisten.

Der andere deutete nach vorne. »Ich glaube, die 727 steht offen.«

»Tatsächlich.«

»Ich denke, das nimmt uns die Entscheidung ab, wo wir zuerst nachsehen, oder?«

Sie waren vom Flugdeck aus in den siebten Stock gefahren und hatten sich auf die Suche nach den Zimmern begeben, die der Chinese angemietet hatte. Sein Foto war in den Datenbanken des Flughafens gespeichert und auch auf ihren Handys verfügbar, sodass sie ziemlich genau wussten, wie er aussah. Demgegenüber verfügten sie über keinerlei Angaben, welches der drei Zimmer er bewohnte.

»Wir hätten dem Typ auf dem Dach das Bild von Tu zeigen sollen.«

»Wie kommst du jetzt darauf?«, flüsterte sein Kollege zurück.

»Nur so.«

Der andere nagte an seiner Unterlippe. Sie hatten den Mann lediglich gefragt, wo die besagten Zimmer lagen.

»Ich weiß nicht. Was kann der Dachportier schon sagen?«

Durch die offene Türe von Zimmer 727 konnte man ein Stück in die Diele hineinsehen.

»Egal«, wisperte der andere. »Ist eh zu spät.«

Xin lauschte.

Seine Linke lag auf dem Mund des dicken, schwitzenden Mannes, die Waffe zeigte unverändert auf seine Stirn. Er hätte dem Kerl gern ein paar Fragen gestellt, doch soeben hatte sich eine neue Situation ergeben. Männer gleich vor der Zimmertür, mindestens zwei, die versuchten, sehr leise zu sprechen. Ein zum Scheitern verdammtes Unterfangen, da Xins Gehör radioteleskopische Qualitäten aufwies. Für sein Empfinden flüsterten die beiden nicht, sondern gebärdeten sich wie Betrunkene auf einer Grillparty.

Soeben bekundeten sie großes Interesse an Zimmer 727.

Aus dem Brustkorb des Mannes vor ihm drang ein erstickter Laut. Xin schüttelte warnend den Kopf, und

Tu hielt den Atem an. Er stand wie erstarrt, die Augen geweitet. Der kleinste Fehler, so viel war ihm klar, und es wäre aus.

Aus und vorbei.

Die Polizisten schauten einander an. Sie brachten ihre Waffen in Anschlag, dann wies einer zur Zimmertür und nickte.

Gehen wir rein, sagte er wortlos.

Xin spielte die Alternativen durch.

Er konnte sein Opfer warnen: Ein Wort, und du bist tot! Sich in die Abgeschiedenheit der WC-Kabine neben der Dusche verflüchtigen und hoffen, dass die Angst des Mannes reichte, ihn nicht zu verraten, was Risiken barg. Ihn als Geisel nehmen, noch riskanter. Wie sollte er eine Geisel aus dem Hyatt schaffen? Er wusste nicht, wer die Männer da draußen waren. Dass sie versuchten, kein Geräusch zu machen, ließ auf Ordnungskräfte schließen, auf den Sicherheitsdienst, die Polizei.

Auf Jericho?

Das Bad besaß zwei Eingänge. Beide Türen waren zugezogen. Er konnte nur hoffen, dass die Männer zuerst den rückwärtigen Wohnschlafraum inspizieren und das Bad durch den dortigen Zugang betreten würden. Was ihm Gelegenheit gäbe, unbemerkt aus der Dielentüre zu entwischen. Dafür allerdings –

Blitzschnell, ohne die Waffe loszulassen, umspannte er den Kopf des Asiaten und brach ihm mit einer routinierten Bewegung das Genick. Der Körper erschlaffte. Xin fing ihn auf und ließ ihn lautlos zu Boden gleiten.

Die Polizisten schlichen den kurzen Flur entlang. Ein Spiegel zur Linken verdoppelte ihre Präsenz. Rechter Hand erblickten sie einen Zugang, eine geschliffene Glastür, die, wie es schien, ins Bad führte. Einer der beiden blieb stehen und schaute seinen Kollegen fragend an.

Der andere zögerte, schüttelte den Kopf und zeigte nach vorne.

Langsam drangen sie weiter vor.

Tu ließ den Atem entweichen.

Nachdem er sein Zimmer verlassen und zwei Uniformierte auf dem Gang vorgefunden hatte, war ihm das Herz in den ausgeleierten Hosen-

boden gerutscht. Ohne dass er sich traute, die Türe hinter sich zu schließen, hatte er zugesehen, wie die Polizisten ihre Schritte vor Zimmer
727 verlangsamten, dort stehen blieben und sich unhörbar berieten. Die
ganze Zeit über drehten sie ihm dabei den Rücken zu – ihm, der zweifellos Gegenstand ihrer Nachforschungen war und keine zehn Meter
hinter ihnen wie paralysiert aus dem Boden wuchs, sodass sie sich nur
hätten umdrehen und ihn einsammeln müssen.

Doch sie hatten sich nicht umgedreht.

Aus irgendeinem Grund hatte sich ihre ganze Aufmerksamkeit auf
Yoyos Zimmer gerichtet. Und plötzlich war Tu klar geworden, warum.
Es stand offen. Er hatte es begriffen im Moment, da die beiden hinein-
gingen und er sich seines unverschämten Glücks bewusst wurde.

Warum hatte Yoyo die Tür aufgelassen? In Eile? Schlamperei?

Egal.

Leise verschloss er die 717, schlich mit Straußenschritten den Gang
entlang, nach links an der Lounge vorbei zu den Fahrstühlen, drückte
den Sensor, hob die Augen zu den Anzeigen.

Alle Fahrstühle waren unten.

Xins Sinne spürten den Männern nach. Es waren zwei, ganz wie er es
vermutet hatte, und soeben betraten sie den Wohnschlafraum, wo ihre
Schritte auseinanderstrebten.

Er warf einen Blick auf den toten Leib des Hotelbediensteten,
dessen Kopf als Folge des Genickbruchs unnatürlich verdreht war.
In seiner Rechten hielt er immer noch die kleine Shampoo-Flasche,
mit der er die Konsole unter dem Spiegel hatte nachbestücken wollen. Im selben Moment erinnerte sich Xin, im Flur einen Versorgungs-
trolly gesehen zu haben. Geräuschlos schob er die zur Diele liegende
Badezimmertüre auf, huschte hinaus und zog sie hinter sich zu. Kurz
sah er Arm und Schulter eines Uniformierten, hoffte, dass sie niemanden vor der Tür postiert hatten, und huschte katzengleich aus dem
Zimmer.

Tu wippte auf den Zehen hin und her, schnaufend, schaute sich um,
spreizte die Finger, ballte sie zu Fäusten.

Komm schon, dachte er. Dämlicher Lift! Sollst mich doch bloß aufs
Dach bringen.

Auf den Anzeigen wechselten quälend langsam die Levels. Zwei Kabinen strebten nach oben. Eine hielt auf der Fünf, die zweite auf der
Sechs gleich unter ihm. Augenblicklich entwickelte Tu eine Mordswut

auf die Leute, die dort ein- oder ausstiegen. Sie beanspruchten seine Zeit. Er hasste sie von ganzem Herzen.

Komm endlich, dachte er. Komm!

Zimmer 727.

Die Polizisten näherten sich der Glastür, die vom Doppelbett direkt ins Bad führte. Einen Moment verharrten sie und lauschten auf Geräusche von innen, doch alles blieb still.

Schließlich fasste sich einer von beiden ein Herz.

Ungefähr jetzt mussten sie die Leiche entdecken.

Gemessenen Schrittes näherte sich Xin dem Knick, wo der Flur zu den Aufzügen abzweigte. Er blieb gelassen. Die Polizisten hatten ihn nicht nach draußen gehen sehen. Brav hatte er die Glastür wieder verschlossen. Nichts deutete darauf hin, dass der Mörder des Hotelangestellten noch vor wenigen Sekunden im Bad gewesen war.

Kein Grund zur Eile.

Sieben!

Tu hätte schwören können, dass der Fahrstuhl die letzten paar Meter gekrochen war. Endlich öffneten sich die Edelstahltüren und entließen ein Grüppchen junger, kostspielig gekleideter Leute. Rüde zwängte er sich zwischen ihnen hindurch, legte den Daumen auf das Scannerfeld und drückte auf *Skyport*. Die Türen glitten zu.

Xin bog um die Ecke. Hotelgäste kamen ihm entgegen. Er sah, wie sich einer der Fahrstühle schloss, steuerte den danebenliegenden an, drückte den Sensor und wartete.

Sekunden später war er auf dem Weg in die Lobby.

»Na endlich!«, rief Yoyo.

Tu stürmte aus dem Terminal, den Oberkörper vorgereckt, als gelte es, den eigenen Beinen zu entkommen, polterte in die Kabine, ließ sich auf die gegenüberliegende Sitzbank plumpsen und gab dem Piloten ein Zeichen.

»Du siehst aus, als hättest du Gespenster gesehen«, konstatierte Jericho, während die Maschine ihre Düsen senkrecht stellte.

»Zwei.« Wie zur Bekräftigung spreizte Tu Zeige- und Mittelfinger, wurde sich der Siegessymbolik seiner Geste bewusst und ließ ein Grinsen klaffen. »Aber sie haben mich nicht gesehen.«

»Idiot«, schimpfte Yoyo leise.

»Ich muss doch sehr bitten.«

»Mach das kein zweites Mal, klar! Owen und ich haben Blut und Wasser geschwitzt.«

Sie hoben ab. Auf der kleiner werdenden Landeplattform schrumpfte der Gyrokopter der Polizisten, dann beschleunigte der Pilot und ließ den Potsdamer Platz hinter sich. Tu sah indigniert aus dem Fenster.

»Ihr könnt getrost weiterschwitzen«, sagte er. »Noch sind wir nicht in Sicherheit.«

»Was haben die Bullen da unten gemacht?«

»Sind in dein Zimmer gegangen. Bei der Gelegenheit, du hattest es aufgelassen.«

»Hatte ich nicht.«

»Eigenartig.« Tu zuckte die Achseln. »Na, vielleicht war's der Zimmerservice.«

»Egal. Sie können nichts finden. Ich hab nichts hinterlassen.«

»Nichts vergessen?«

»Vergessen?« Yoyo starrte ihn an. »Ausgerechnet du fragst mich, ob ich was vergessen habe?«

Tu räusperte sich mehrfach hintereinander, zog sein Handy hervor und rief den Flughafen an. Natürlich hast du was vergessen, dachte Jericho im Stillen. So wie wir alle etwas vergessen haben. Fingerabdrücke, Haare, DNS. Während sein Freund telefonierte, fragte er sich, ob es nicht klüger gewesen wäre, die hiesigen Behörden mit einzubeziehen. Tu schien Yoyos Abneigung gegen die Polizei zu teilen, doch Deutschland war nicht China. Bislang waren in dem Drama, das sie durchlebten, keine deutschen Interessen sichtbar geworden. Mittlerweile haftete ihrem Tun etwas grundlos Desperadohaftes an. Obschon sie nicht das Geringste verbrochen hatten, musste es scheinen, als verstrickten sie sich zusehends in Schuld.

Tu klappte sein Handy zusammen und sah Jericho lange an, während das Skycab mit hoher Geschwindigkeit dem Flughafen zustrebte.

»Vergiss es«, sagte er.

»Was soll ich vergessen?«

»Du denkst darüber nach, ob wir uns stellen sollen.«

»Ich weiß es nicht«, seufzte Jericho.

»Aber ich. Bevor wir nicht den Inhalt dieses Dossiers kennen und ein weiteres Mal mit der entzückenden Edda Hoff gesprochen haben, werden wir uns überhaupt keinem Apparat anvertrauen.« Tu ließ vielsagend seinen Zeigefinger über der Schläfe kreisen. »Außer dem da.«

Das Summen eines Hornissenvolks war nichts, verglichen damit, wie der Polizeiapparat unter dem Eindruck des Massakers im Pergamon-Museum zu resonieren begonnen hatte, und jetzt auch noch das: ein toter Indonesier, ein Zimmerboy mit untadeligem Lebenswandel, mageren Deutschkenntnissen und der Aufgabe, Seife, Toilettenpapier und Betthupferl zu verteilen. Ein Job, dessen Risiken umfassten, angemuffelt zu werden oder einen Schweinestall vorzufinden, nicht aber, wegen zur Neige gehender Bodylotion das Genick gebrochen zu bekommen.

Die beiden erschossenen Wachleute im Museum außer Acht gelassen, traten damit mehrere Personen in enigmatische Verbindung. Ein ermordeter Restaurantbesitzer mit südafrikanischem Hintergrund, der seinerseits einen noch unbekannten Mann mit einem Bleistift ins Jenseits befördert hatte, was Kenntnisse erforderte, die für das Gastronomiegewerbe eher untypisch waren. Seine schwarze Ehefrau, in ihrem Wagen erschossen und anschließend durch die halbe Stadt gefahren. Des Weiteren der Fahrer, ein blonder Weißer, der Donner im Museum offenbar zurhilfe hatte eilen wollen, um anschließend selber gejagt zu werden, nämlich von Donners Mörder, einem gleichfalls unbekannten Mann hohen Wuchses, weißhaarig, schnauzbärtig, mit Anzug und Brille. Sodann ein chinesischer Industrieller, Kopf einer Shanghaier Technologieschmiede, der sich als Ermittler ausgegeben und in Begleitung einer jungen Chinesin Donners Glasauge gestohlen hatte. Schließlich der Indonesier, dessen Präsenz es zu danken war, dass man in Momenten sanitärer Einkehr keinen Mangel litt und vor dem Zubettgehen süße Überraschungen auf dem Kopfkissen vorfand.

Rätselhaft, äußerst rätselhaft!

Klugerweise versuchten die Ermittler gar nicht erst, die vielen Rätsel auf einmal zu lösen, wenngleich sich Schlussfolgerungen aufdrängten: Der Weißhaarige war, was immer er sonst noch sein mochte, ein professioneller Killer, das Glasauge barg ein Geheimnis, um das es wahrscheinlich ging, und der Indonesier war einfach zur falschen Zeit am falschen Ort gewesen. Vorrangig jedoch wurde der chinesische Unternehmer in den Fokus der Ermittlungen genommen – weniger, um seine Motive zu durchleuchten, als um ihn schnellstmöglich zu fassen. Die drei Zimmer, die er im Grand Hyatt gebucht hatte, sahen nicht so aus, als planten ihre Bewohner die baldige Rückkehr. Fest stand eigentlich nur, dass Tu Tian und die Frau vom Institut für Rechtsmedizin auf direktem Wege ins Hotel gefahren waren, den Portier angewiesen hatten, den Audi in der Tiefgarage zu parken, um sodann plaudernd in der Lobby zu verschwinden.

Worüber sie denn geplaudert hätten?

Daran konnte sich der Portier gut erinnern. Verabredet hätten sie sich mit jemand Drittem im Sony Center, weil der Dicke *was Süßes* gebraucht habe. Die Frau sei übrigens sehr, also wirklich *sehr* hübsch gewesen! Die Polizisten hakten nach, ob der Portier des Chinesischen mächtig sei, was dieser verneinte. Die Unterhaltung sei auf Englisch geführt worden, ein Umstand, der den Leiter der Sonderkommission misstrauisch stimmte – laut Aussage von Dr. Marika Voss hatten die beiden im Sektionssaal chinesisch miteinander parliert. Vorsorglich schickte er zwei Kommandos ins Sony Center, nicht in Erwartung, dass sie dort jemanden antreffen würden, und beauftragte seine Leute, die genauen Umstände von Tus Ankunft zu hinterleuchten.

Je länger er darüber nachdachte, desto sicherer war er, dass Tu und der Blonde zusammengehörten.

Das Skycab hatte lächerliche acht Minuten zum Flughafen gebraucht, doch Jericho kamen sie vor wie eine Ewigkeit. Im Geiste mischte er sich unter die Sonderkommission. Welche Prioritäten würden sie setzen? Auf wen würden sich die Ermittlungen konzentrieren? Er selbst war bei der Schießerei zugegen gewesen, Zeugen hatten ihn Richtung Tierpark laufen sehen. Sie würden sich Aufschluss von ihm erhoffen. Gegen ihn sprach, dass er im Museum bewaffnet gewesen war, allerdings ließ sich durch die Ballistiker nachweisen, dass er Nyela nicht erschossen hatte. Yoyo und Tu wiederum hatten sich der Amtsanmaßung und der Leichenschändung schuldig gemacht, außerdem hatte Tu die Straßenverkehrsordnung zu seinen Gunsten gebogen, doch die Polizisten hatten noch etliche Spuren mehr zu verfolgen. Und das war gut so, denn umso langsamer würden sie vorankommen. Sie mussten Identitäten überprüfen, Chronologien nachzeichnen, Aussagen aufnehmen, Motive ergründen. Sie würden im Morast der Spekulation versinken.

Andererseits hatten sie sich bislang als überaus effizient erwiesen. Mit Ehrfurcht gebietender Schnelligkeit waren sie im Grand Hyatt aufgetaucht, was bewies, dass sie Tu ins Visier genommen hatten. Fraglich blieb, ob sie von seinem Jet wussten oder überhaupt davon ausgingen, dass er Berlin kurzfristig verlassen würde.

Das Skycab kreiste über dem Privatflughafen.

In einer weiträumigen Kurve gingen sie tiefer. Tus Aerion Supersonic geriet in Sicht. Mit ihren weit hinten liegenden, kurzen Schwingen glich sie einem Seevogel, der neugierig den Hals reckte, als habe sie es ebenso eilig, sich davonzumachen. Der Pilot schwenkte die Düsen, ließ die Maschine sinken und setzte sie unweit des Jets federnd auf. Tu reichte ihm einen Geldschein.

»Stimmt so«, sagte er auf Englisch.

Das Trinkgeld stimulierte die Service-Gene des Piloten in einer Weise, dass er unverzüglich seine Hilfe beim Beladen des Jets anbot. Da nicht mal Gepäck zum *Entladen* vorhanden war, abgesehen von Tus kleinem Koffer, fragte er, ob er sonst noch etwas tun könne. Tu überlegte kurz.

»Warten Sie einfach hier, bis wir davonrollen«, sagte er. »Und nehmen Sie solange keine Gespräche entgegen.«

Der Leiter der Sonderkommission war auf dem Weg zum Skyport des Polizeipräsidiums, als ihn ein Anruf erreichte. Bevor er das Gespräch entgegennehmen konnte, sah er eine Beamtin über das Startfeld laufen.

»Wir haben den Glatzkopf«, hörte er ihre Stimme.

Er zögerte. Der Anruf erfolgte von einem der Leute, die er beauftragt hatte, die Umstände des Tu'schen Berlinaufenthalts auszukundschaften. Die Beamtin stoppte und hielt ihm atemlos ihr Handy unter die Nase. Darauf war ein Foto des Mannes zu sehen, der mit Bleistiftsplittern im Frontallappen des Großhirns auf einem Obduktionstisch lag.

»Ich rufe zurück«, sagte er ins Telefon. »Zwei Minuten.«

»Mickey Reardon«, verkündete die Beamtin. »Ein Fossil des irischen Widerstands, Spezialist für Alarmanlagen. Seit der Entwaffnung der IRA vor 20 Jahren freischaffend für alle möglichen Geheimdienste und Institutionen im Grenzfeld zwischen Politik und Verbrechen.«

»Ein Ire? Ach du lieber Himmel.«

Er hätte nicht entsetzter sein können, wäre Reardon Mitglied der ehemaligen nordkoreanischen Volksarmee gewesen. Wann immer reguläre Truppen oder Untergrundarmeen ihre Funktion einbüßten, spien sie Objekte wie Reardon aus, die, sofern sie nicht komplett ins Lager des organisierten Verbrechens wechselten, oft genug mit internationalen Geheimdiensten im Bunde waren.

»Für wen hat er gearbeitet?«

»Nur teilweise bekannt. Immer mal wieder für den Secret Service, für den Mossad, den *Zhong Chan Er Bu,* den BND. Ein vielseitiger Bursche, geschickt im Ausschalten und Installieren von Sicherheitssystemen. Mehrfach auffällig geworden im Zusammenhang mit schwerer Körperverletzung, möglicherweise auch Mord.«

»Reardon war bewaffnet«, sagte der Kommissionsleiter nachdenklich. »Also auf einer Mission. Donner schaltet ihn aus, wird erschossen.

Von dem Weißhaarigen. Eine geheimdienstliche Operation? Reardon und der Weißhaarige auf der einen Seite, Donner und der Blonde, der ihm helfen wollte, auf der anderen –«

Beinahe vergaß er, dass er auf dem Weg ins Grand Hyatt war.

»Wir müssen los«, sagte sein Begleiter.

Und so fiel ihm erst in der Luft wieder ein, dass er jemanden hatte zurückrufen wollen.

Der Jet bog auf die Startbahn ein. Tu drosselte den Schub und wartete auf die Starterlaubnis. Er war in weit höherem Maße beunruhigt, als er es sich hatte anmerken lassen. Streng genommen hatte Jericho recht. Was sie hier taten, war wider jede Vernunft. Sie legten sich ohne Not mit der deutschen Polizei an, die ihnen möglicherweise sogar hätte weiterhelfen können.

Möglicherweise aber auch nicht.

Tus Erfahrungen mit der Willkür staatlicher Stellen hatte unzweifelhaft ein Trauma hinterlassen, auch wenn er sich mühte, nicht als Maus zu enden, die in jedem Schatten eine Katze sah. Immerhin lag der Ursprung seiner Paranoia 28 Jahre zurück. Dennoch war er drauf und dran, die anderen zu Geiseln seines Misstrauens zu nehmen, allen voran Yoyo, aufgrund eigener Erfahrungen äußerst empfänglich für paranoide Verhaltensmuster. Eindeutig verhielt er sich manipulativ. Er redete sich ein, richtig zu handeln, und möglicherweise hatte er sogar recht, nur dass es darum längst nicht mehr ging: So viel wenigstens war ihm klar geworden, als er mit Yoyo durch das nächtliche Berlin gestreift war und plötzlich begriffen hatte, dass seine Paranoia im Gegensatz zu der Hongbings einfach nur fröhlicher ausfiel. Der eine siechte in den Katakomben der Erinnerung dahin, der andere durchschritt sie frohgemut und pfeifend. Verglichen mit Hongbing ging es ihm tatsächlich blendend, indes nicht blendend genug, um auf Dauer alleine mit allem fertigzuwerden.

Also hatte er sie einiges wissen lassen und sie damit nur in umso tiefere Verwirrung gestürzt. Es half alles nichts. Er würde ihr auch den Rest erzählen müssen, um den bislang nur Joanna wusste, die ganze Geschichte. Mit stiller Billigung Hongbings würde er den Befreiungsschlag führen, sobald sich die Möglichkeit auftat. Lieber wäre es ihm gewesen, Hongbing hätte Yoyo ins Bild gesetzt, doch so war es auch gut. Alles war besser als Schweigen.

Wir müssen damit abschließen, dachte er. Nie wieder fliehen, weder in den Erfolg noch in die Verzweiflung.

Die Stimme im Kopfhörer erteilte die Freigabe.

Tu fuhr die Triebwerke auf Startleistung hoch und beschleunigte. Die Schubkräfte drückten ihn in den Sitz und sie hoben ab.

Nur Minuten später erfuhr der Leiter der Sonderkommission, dass Tu Tian mit einer Privatmaschine vom Typ Aerion Supersonic angereist war. Die Zimmer im Hyatt waren verlassen, der Chinese und seine Begleiter offenbar ausgezogen. Möglicherweise hielten sie sich immer noch in Berlin auf, ausgecheckt hatten sie jedenfalls nicht, außerdem stand der Audi in der Tiefgarage des Grand Hyatt, den Tu unmittelbar nach seiner Landung am Flughafen angemietet hatte und dessen Kennzeichen die Ermittler auf seine Spur gebracht hatte.

Andererseits lag in einem der Zimmer eine Leiche.

Der Kommissionsleiter instruierte sein Team, den Jet des Chinesen vorsorglich festzusetzen. Wieder einige Minuten später wusste er, dass Mickey Reardons Identifizierung ihn die entscheidenden Minuten gekostet hatte. Er fluchte so lästerlich, dass die Spurensicherer um ihn herum erschrocken innehielten, doch es half alles nichts.

Tu Tian hatte Berlin mit unbekanntem Ziel verlassen.

AERION SUPERSONIC

»*Natürlich* kann sie Gedächtniskristalle lesen«, rief Jericho in die Kanzel, als habe Tu ihn gefragt, ob er sich täglich wasche.

»Entschuldige tausendmal«, rief Tu zurück. »Ich hatte vergessen, dass sie dir die Frau ersetzt.«

Jericho zerrte Dianes handlichen Leib aus dem Rucksack, verband ihn mit den Schnittstellen der Bordelektronik und stellte den Monitor seiner Sitzkonsole hoch. Die Pratt-&-Whitney-Turbinen hüllten die Aerion in einen Kokon aus Lärm. Immer noch befand sich der Trapezflügler im Steigflug. Neben ihm machte sich Yoyo an Vogelaars Glasauge zu schaffen, schraubte es auseinander und entnahm ihm ein glitzerndes, knapp zuckerwürfelgroßes Gebilde. Tu flog eine Kurve. Berlin kippte ihnen in den Seitenfenstern entgegen, dafür tönte sich der Himmel auf der gegenüberliegenden Seite tiefdunkelblau.

»Hallo, Diane.«

»Hallo, Owen«, sagte die weiche, vertraute Stimme. »Wie geht es dir?«

»Könnte besser sein.«

»Was kann ich tun, damit es dir *gut* geht?«

»Allerhand«, spottete Yoyo leise. »Du musst mir bei Gelegenheit mal erzählen, wie sie küsst.«

Jericho verzog das Gesicht. »Öffne den *Crystal Reader,* Diane.«

Ein Stäbchen schob sich aus der Vorderfront des Computers, versehen mit einer transparenten Einfassung. Der Jet schwang zurück in die Waagerechte und gewann weiter an Höhe. Unter ihnen wich der Schorf der Besiedelung grünbraungelbem Ackerland, parzelliert und durchsetzt von flickenartigen Wäldchen, Straßen und Dörfern. Wie hingekleckst schimmerten Flussläufe und Seen im nachmittäglichen Sonnenlicht.

»Wehe, die Schweinerei in der Charité hat sich nicht gelohnt«, knurrte Yoyo, beugte sich zu Jericho herüber, legte den Würfel in die Einfassung, und die winzige Schublade glitt wieder zu.

»Alle haben Opfer gebracht«, sagte er etwas knitterig, während Diane die Daten hochlud. »Tian war immerhin bereit, einhunderttausend Euro in den Wind zu schießen.«

»Von deinem Ohr gar nicht zu reden.« Yoyo sah ihn an. »Also von dem Schnipsel deines Ohrs. Von der Atomlage deines –«

»Von der *ernsthaften* Verletzung meines Ohrs. Da.«

Der Bildschirm füllte sich mit Symbolen. Jericho hielt den Atem an. Das Dossier war weit umfangreicher, als er gedacht hatte. Unvermittelt spürte er jene ambivalente Scheu, kurz bevor man die Höhle des Ungeheuers betritt, um es in seiner ganzen beängstigenden Scheußlichkeit zu erblicken und Gewissheit über seine Natur zu erlangen. In wenigen Minuten würden sie den Grund für die Hetzjagd kennen, der so viele Menschen und beinahe sie selbst zum Opfer gefallen waren, und er wusste, dass ihnen nicht gefallen würde, was sie zu Gesicht bekämen. Auch Yoyo wirkte zögerlich. Sie legte einen Finger an die Lippen, verharrte.

»Wenn ich er gewesen wäre«, sagte sie, »hätte ich eine Kurzfassung angelegt. Du nicht?«

»Doch.« Jericho nickte. »Aber wo?«

»Hier.« Ihr Finger löste sich und wanderte zu einem Symbol mit der Bezeichnung JKV-Intro.

»JKV?« Er kniff die Augen zusammen.

»Jan Kees Vogelaar.«

»Klingt gut. Versuchen wir's mal. Diane?«

»Ja, Owen.«

»Öffne JKV-Intro.«

Da saß Vogelaar, in Hemd und Shorts, auf einer Veranda, beschattet von einem grob gezimmerten Holzdach und neben sich einen Drink. Im Hintergrund fiel hügeliges Buschland zur Küste hin ab, Palmen stachen vereinzelt aus niedriger Mischvegetation. Offenbar nieselte es. Ein Himmel von undefinierbarer Farbe hing über der Szenerie und weichte die Horizontlinie eines fernen Meeres auf.

»Die Wahrscheinlichkeit, dass ich in diesen Sekunden nicht mehr lebe«, sagte Vogelaar ohne begrüßende Worte, »ist ziemlich hoch, also hören Sie jetzt genau zu, wer immer Sie sind. Persönlich werden Sie von mir keine weiteren Auskünfte zu erwarten haben.«

Jericho beugte sich vor. Es war gespenstisch, Vogelaar in die Augen zu sehen. Genau genommen sahen sie ihn *durch* eines seiner Augen. Anders als in Berlin war er wieder aschblond, mit buschigem Schnurrbart, hellen Brauen und Wimpern.

»Der Platz hier ist unverwanzt. Man sollte meinen, Intimität sei in einem Land, das praktisch nur aus Sumpf und Regenwald besteht, kein Problem, aber Mayé ist von derselben Paranoia infiziert wie alle Potentaten seines Schlages. Ich schätze, selbst Ndongo wäre interessiert gewesen, noch die Papageien abzuhören. Aber da sie nun mal mich zum Sicherheitschef gemacht haben, obliegt die Bespitzelung der braven Bevölkerung Äquatorialguineas mir, vor allem die der Herrscherfamilie und unserer wertgeschätzten ausländischen Gäste. Meine Aufgabe ist es, Mayé zu schützen. Er vertraut mir, und ich habe nicht vor, dieses Vertrauen zu missbrauchen.«

Vogelaar breitete die Arme zu einer Geste aus, die das Hinterland mit einfasste. »Wie Sie sehen, leben wir im Paradies. Die Äpfel wachsen einem in den Mund, und wie es sich für ein anständiges Paradies gehört, kriecht auch eine Schlange hier rum und möchte alles unter Kontrolle wissen. Kenny Xin traut nämlich niemandem. Auch mir nicht, obwohl er sich als mein Freund bezeichnet und mir diesen höchst einträglichen Job verschafft hat. – Schöne Grüße übrigens, Kenny. Du siehst, dein Misstrauen war gerechtfertigt.« Er lachte. »Wahrscheinlich werden Sie den Burschen nicht kennen, er ist jedenfalls der Grund, warum ich dieses Dossier überhaupt anlege. Mehrere der beigefügten Dokumente befassen sich mit seiner Person, begnügen wir uns also an dieser Stelle mit dem Hinweis, dass er 2017 im Auftrag chinesischer Ölkonzerne und mit Billigung Pekings den Putsch gegen Juan Aristide Ndongo organisiert und mit meiner Hilfe, genauer gesagt mit Hilfe der *African Protection Services,* durchgeführt und Mayé inthronisiert hat. Das Dossier umfasst eine Chronik des Umsturzes, Interna über Pekings Rolle in Afrika und Verschiedenes mehr, aber im Kern behandelt es ein anderes Thema.«

Er schlug die Beine übereinander und verscheuchte mit trägen Handbewegungen ein faustgroßes Fluginsekt.

»Vielleicht erinnert sich jemand an die Startrampe, die Mayé 2022 auf Bioko hat errichten lassen. Internationale Firmen waren daran beteiligt, unter Federführung der Zheng Group, was die Annahme erlaubt, auch hier habe China seine Hände im Spiel gehabt. Ich persönlich glaube das nicht. Ebenso wenig stimmt, was wir der Öffentlichkeit immer verkauft haben, dass nämlich unser Weltraumprogramm eine hundertprozentige Initiative Mayés war. Tatsächlich wurde es von einer Gruppe *womöglich* chinesischer Investoren initiiert, die meiner Meinung nach – und entgegen ihrer eigenen Darstellung – nicht mit Peking identisch ist und damals von Kenny Xin vertreten wurde. Fakt ist, dass diese Organisation von unserem Grund und Boden aus einen Nachrichtensatelliten ins All schießen wollte, angeblich zur Erprobung neuartiger Raketenantriebe. Den Satelliten sollte Mayé zivil nutzen dürfen, unter der Maßgabe, das ganze Weltraumprojekt als seine eigene Idee auszugeben. Die Baupläne der Rampe habe ich angehängt, ebenso eine Liste aller Unternehmen, die daran mitgebaut haben.«

»Der verarscht uns doch«, zischte Yoyo.

»Kaum.« Jericho schüttelte den Kopf. »Er kann uns nicht mehr verarschen.«

»Aber genau das hat er uns im Muntu –«

»Warte.« Jericho hob die Hand. »Hör mal!«

»– wurde der Start für den übernächsten Tag anberaumt. Damit hätten die Vorbereitungen eigentlich abgeschlossen sein sollen, lediglich der Satellit musste noch auf die Spitze der Rakete gesetzt werden. In derselben Nacht traf ein Konvoi gepanzerter Wagen auf dem Gelände der Rampe ein. Etwas wurde in die Konstruktionshalle geschleppt und mit dem Satelliten verkoppelt, ein Gehäuse von der Größe eines sehr großen Koffers oder kleinen Schranks, versehen mit einem Landegestell, Düsen und Kugeltanks. Das ganze Ding konnte ineinandergeklappt werden, sodass es nicht viel Platz wegnahm. Mit der Anlieferung und Montage befassten sich ausschließlich Vertraute Xins, keine ausländischen Konstrukteure waren zugegen, auch niemand von der Zheng-Group. Weder Mayé noch seine Leute wussten zu diesem Zeitpunkt, dass mehr in den Weltraum geschossen werden sollte als besagter Satellit. Ich bin übrigens kein Spezialist für Raumfahrt, vermute aber, dass es sich bei dem Gehäuse um ein kleines, automatisches

Raumschiff handelte, eine Art Landeeinheit. Meine Leute haben die Ankunft des Konvois und das Gehäuse fotografiert, die Bilder finden Sie in den Dateien KON_PICS und SAT_PICS.« Vogelaar grinste.

»Schaust du noch zu, Kenny? Ist dir in deinem Wahn, mich zu observieren, gar nicht aufgefallen, dass *wir euch* observierten?«

»So.« Tu kam aus der Kanzel zu ihnen in den Passagierraum. »Der Autopilot fliegt. Jetzt sind wir erst mal in Richtung Amsterdam unterwegs, also lasst uns was trin –«

»Schsch!«, zischte Yoyo.

»– interessierte mich natürlich, was in diesem Gehäuse war«, fuhr Vogelaar fort. »Dafür musste ich den Weg rekonstruieren, den es genommen hatte. Ich sollte vielleicht erwähnen, dass die Leute, die es bei Nacht und Nebel anlieferten, fast allesamt Chinesen waren, jedenfalls gelang es uns, die Route des Fliegers, mit dem es nach Afrika gelangt war, über eine Reihe von Zwischenlandungen zurückzuverfolgen. Aus naheliegenden Gründen hatte ich erwartet, dass die Maschine ursprünglich in China gestartet war, doch zu meiner Überraschung kam sie aus Korea, genauer gesagt von einem abgelegenen Flughafen in Nordkorea, nahe der Grenze.«

Im Hintergrund hatte es heftig zu regnen begonnen. Anschwellendes Rauschen mischte sich in Vogelaars Worte, changierendes Grau nivellierte Himmel, Buschland und Meer.

»Über die Jahre habe ich weitreichende Kontakte aufgebaut. Auch nach Südostasien. Jemand, der mir noch was schuldig war, machte sich daran, herauszubekommen, was auf dem Flughafen verladen worden war. Man muss wissen, die ganze Gegend dort ist äußerst unsicher. Viel Piraterie in den umliegenden Gewässern, ein hohes Maß an Kriminalität, Arbeitslosigkeit, Frust. Der Süden bezahlt dem Norden seit 2015 den Wiederaufbau, aber das Geld verschwindet in einer gewaltigen Spekulationsblase. Beide Seiten fühlen sich hintergangen und sind sauer. Als Folge grassieren Korruption und Schwarzmarktgeschäfte, und einer der lukrativsten Märkte ist der Handel mit Kim Jong-uns ehemaligen Waffenarsenalen, allem voran die Sprengköpfe. Ganz besonders beliebt sind Mini-Nukes, kleine Atombomben mit beträchtlicher Zerstörungskraft. Schon die Sowjets haben damit experimentiert, alle Nuklearmächte eigentlich. Auch Kim besaß welche, Hunderte sogar. Nur dass keiner weiß, wo sie abgeblieben sind. Nach dem Zusammenbruch des nordkoreanischen Regimes, Kims Tod und der Wiedervereinigung waren sie plötzlich verschwunden, und da sie nicht besonders groß sind –«

Der Söldner maß mit den Händen einen geschätzten Meter ab.

»– und nicht viel dicker als ein Schuhkarton, werden sie auch nicht so einfach zu finden sein. Eine Mini-Nuke hat den Vorzug, bei aller infernalischen Kraftentfaltung in jedes Versteck zu passen.« Er lächelte. »Beispielsweise in ein kleines, automatisches Raumschiff, das huckepack auf einem Satelliten ins All geschossen wird.«

Jericho starrte auf den Monitor. Hinter Vogelaar schüttete sich der Himmel aus.

»Ich wollte wissen, ob auf dem Schwarzmarkt jemand vor nicht allzu langer Zeit eingekauft hatte. Mein Kontaktmann bestätigte dies. Knapp zwei Jahre zuvor, im Niemandsland zwischen Norden und Süden, habe im Zuge einer privaten Transaktion koreanisches Nuklearmaterial, offenbar eine Mini-Nuke, den Besitzer gewechselt. Nun bin ich immer misstrauisch, und mit Hörensagen soll man bekanntlich vorsichtig sein – aber vieles deutete darauf hin, dass mir der Käufer bestens bekannt war.«

»Ich glaub's nicht«, sagte Tu ungläubig. »Die haben eine Atombombe ins All geschossen?«

Vogelaar beugte sich vor.

»Unser guter Kenny Xin hatte das Ding erstanden. Und schon wusste ich, warum er auf die Idee verfallen war, die Abschussrampe ausgerechnet in unserem kleinen, beschaulichen Dschungelparadies zu errichten. Das Ganze war in höchstem Maße illegal! Keiner staatlichen Raumfahrtbehörde hätte man unbemerkt eine Atombombe unterjubeln können. Kennys Auftraggeber *mussten* ein neutrales Land finden, am besten eine Bananenrepublik, deren herrschende Clique sich für kein Geschäft zu schade war. Irgendeinen ungeliebten Flecken Erde, wo ihnen keiner auf die Finger sah. Und die idealen Startplätze für Raketen verteilen sich nun mal in der Gegend rund um den Äquator. Für mich der Beweis, dass Chinas Kommunistische Partei zumindest auf höchster Regierungsebene keine Karten in der Sache hatte, andernfalls hätten sie den faulen Satelliten einfach von ihren offiziellen Startplätzen in Xichang, Taiyuan, Hainan oder der Mongolei aus launchen können, ohne dass ein Schwein auf der Welt geahnt hätte, was da Feines an Bord war. Meiner Meinung nach haben wir es also mit einer nichtstaatlichen, verbrecherischen beziehungsweise terroristischen Vereinigung zu tun. Was nicht ausschließt, dass *einzelne* staatliche Organe mit drinhängen. Vergessen wir nicht, Chinas Geheimdienste finden mitunter zu groteskem Eigenleben, und Washington weiß auch nicht immer, was die CIA so treibt. Vielleicht steckt aber auch ein großer Konzern dahinter. Oder einfach der gute alte Doktor Mabuse, falls den noch einer kennt.«

»Und das Ziel der Bombe –«, flüsterte Yoyo.

Vogelaar lehnte sich zurück, nahm einen kräftigen Schluck von seinem Drink und strich sich über den Schnurrbart.

»Dieses Dossier war eigentlich als Lebensversicherung gedacht«, sagte er. »Für mich und meine Frau, die Sie möglicherweise als Nyela kennengelernt haben. Offenbar hat es uns nicht retten können, also dient es nun dazu, die Hintermänner der Organisation zu Fall zu bringen. Kenny wäre sicher von entscheidender Bedeutung, weil er Kontakt zum Kopf der Bande hat und dessen Identität kennen dürfte. Ich habe seine Augenscans, Fingerabdrücke und Stimmproben angehängt, unter KXIN_PERS, aber er ist definitiv nicht der Initiator. Wer also dann? Ganz bestimmt nicht Korea, die verhökern lediglich die Hinterlassenschaften ihres Geliebten Führers. Die Kommunistische Partei, um heimlich den Weltraum aufzurüsten? Wie schon gesagt, dazu hätte es keiner Rampe in Äquatorialguinea bedurft. Regierungsnahe Kräfte à la Zheng? Möglich. Vielleicht findet sich die Antwort ja im Wettrennen zum Mond. China hat mehr als einmal deutlich gemacht, dass es Amerikas Vorpreschen missbilligt, nebenher projiziert Peking seine Übellaunigkeit auf ORLEY ENTERPRISES, Zhengs erfolgreichen Gegenentwurf. Oder aber jemand versucht, China vorzuschieben, weil es sich so schön fügt vor dem Hintergrund des Weltraumgerangels um Helium-3 und so weiter. Mit einer strategisch geschickt eingesetzten Atombombe könnte man die Supermächte aufeinanderhetzen, aber wozu? Beide würden geschwächt aus einem bewaffneten Konflikt hervorgehen. Möglicherweise soll aber genau *das* erreicht werden, wer also könnte von einer solchen Schwächung profitieren?«

Der Jet zog in schnurgerader Linie dahin. Ufos hätten ihnen vorausfliegen können, sie hätten keinen Blick dafür gehabt. Ihre Aufmerksamkeit war an den Monitor gefesselt.

»Kommen wir nun zu der Frage, wo die Bombe im Augenblick ist. Immer noch im Satelliten? Oder wurde sie abgeworfen, während die Trägerrakete ihn in den Weltraum brachte? Auf der Erde hat es keine Nuklearexplosion gegeben, aber gut, sie muss ja nicht explodiert sein. Andererseits wäre es idiotisch, eine Bombe zuerst in den Orbit und von dort wieder zur Erde zu schicken. Nun, ich glaube, eine Teilantwort kann ich geben. Denn auch im Kontrollraum konnten wir Kennys Leuten unbemerkt über die Schulter sehen. Unter DISCONNECT_SAT finden Sie Filmmaterial, das nicht nur zeigt, wie der Satellit im

Orbit Position bezieht, sondern auch, wie sich wenig später etwas davon löst und auf eigener Bahn davonfliegt. Kein Zweifel, worum es sich dabei handelt, nur, *wohin* ist die Mini-Nuke nach ihrer Abkopplung gereist? Auch das ist einfach zu beantworten. Dorthin, wo man auf offiziellen Wegen keine Atombombe hätte hinschicken können. Und wozu? Um etwas zu zerstören, das sich von der Erde aus nicht einfach so zerstören lässt. Das Ziel liegt im Weltraum.«

Vogelaar legte die Fingerspitzen aufeinander.

»Ein letztes Rätsel gebe ich Ihnen mit auf den Weg. Es betrifft den Umstand, dass wir das Jahr 2024 schreiben, während ich in diese Kamera spreche. Ich will Sie nicht mit persönlichen Schicksalen langweilen, unser schmucker, kleiner Staat ist pleite, keiner prügelt sich mehr um unser Öl, Mayé beginnt durchzudrehen, und offen gesagt, ich hatte mir meinen Regierungsposten auch irgendwie staatstragender vorgestellt. Aber egal. Denken Sie einfach mal darüber nach, dass der Baubeginn der Rampe zwei Jahre zurückliegt, und die Planung des Unterfangens mit Sicherheit noch länger. Der Einsatz der Bombe ist also von langer Hand geplant. Nun ist sie oben. Wann zündet sie? Fest steht, das Ziel muss schon vor Jahren existiert haben, oder aber man wusste, dass es zum Zeitpunkt des Satellitenstarts existieren *würde*. Wie gesagt, ich bin kein Weltraumexperte, rund um die Erde und auf dem Mond gibt es etliche potenzielle Ziele, aber nur eines wird meines Wissens zeitnah fertiggestellt und eröffnet, wohl noch in diesem Jahr. Ein Hotel, seit Langem geplant, Standort Mond, Bauherr ORLEY ENTERPRISES. Sagt uns das was? Aber sicher! Julian Orley, Zhengs großer Widersacher, dem die Chinesen ihr ewiges Hintertreffen verdanken.«

Vogelaar hob sein Glas und prostete ihnen zu. Hinter ihm ertrank Äquatorialguinea in tropischen Sturzfluten.

»Viel Spaß also mit der Aufklärung. Mehr konnte ich nicht zusammentragen, den Rest müssen Sie selbst rausfinden. Und kommen Sie mich mal besuchen, sollten Sie mein Grab kennen. Nyela und ich würden uns freuen.«

Die Aufnahme endete. Nur das gleichmäßige Summen der Turbinen war zu hören. Langsam, wie in Trance, wandte Yoyo den Kopf und schaute zuerst Jericho und dann Tu an. Ihre Lippen formten zwei Worte.

»Edda Hoff.«

»Ja.« Tu nickte grimmig. »Und zwar schnell!«

30.MAI 2025
[DIE WARNUNG]

ARISTARCHUS-PLATEAU, MOND

Der Großraum-Shuttle GANYMED war ein Fluggerät der Gattung Hornet, ausgestattet mit Ionen-Antrieb und schwenkbaren Düsen, um Schub in jede gewünschte Richtung zu entwickeln. Dem Aussehen nach ein grotesk angeschwollener Transporthubschrauber der Eurocopter-HTH-Klasse ohne Rotoren, dafür auf kurzen, dicken Beinen ruhend, bot er im Innern den Komfort eines Privatjets. Alle 36 Sitze konnten auf Knopfdruck in Liegen verwandelt werden, jeder Platz verfügte über eine eigene Multimediakonsole. Es gab eine winzige, exorbitant ausgestattete Bordküche, der es einzig an Alkohol mangelte, in getreuer Befolgung der Vorschrift, dass man sich tagsüber an Eindrücken zu berauschen habe.

Aktuell verfügte das GAIA über zwei Hornet-Shuttles, die GANYMED und die KALLISTO. Zeitgleich an diesem Nachmittag durcheilten beide das Vakuum, mehr als 1400 Kilometer voneinander entfernt; die KALLISTO in Richtung Rupes Recta, einer kolossalen Verwerfung im Mare Nubium, 250 Meter hoch und so lang, dass man den Eindruck gewann, als umspanne sie den ganzen Mond, die GANYMED in direktem Anflug auf das Aristarchus-Plateau, ein Kraterarchipel inmitten des Ozeans der Stürme. Wenige Stunden zuvor hatte die KALLISTO, gesteuert von Nina Hedegaard und besetzt mit den Ögis, Nairs, Donoghues und O'Keefe, die Trümmerebene um Descartes besucht, wo noch das Landegestell von Apollo 16 in der Sonne döste und ein kaputtes Mondauto nostalgischen Charme verbreitete, während die GANYMED dem Krater Copernicus zu Leibe gerückt war. Von den Höhen seines Rings aus hatten die Reisenden sein schroffes Zentralgebirge bestaunt, waren in sein weitläufiges Inneres vorgedrungen und beim Gedanken erschauert, welcher Koloss hier vor 800 Millionen Jahren aus dem Himmel gefallen sein musste.

Nichts war der Mond als Stein, und doch viel mehr.

Die sanfte Wellenstruktur seiner Ebenen ließ vergessen, dass die Mária keine wirklichen Meere und die Kratergründe keine Seen waren. Eigenartige Strukturen erweckten den Anschein ehemaliger Bewohntheit, als seien H. G. Wells' raumfahrende Helden hier tatsächlich auf insektoide Seleniten und Herden von Mondkühen gestoßen, bevor man sie in die Maschinenwelt des lunaren Untergrunds entführt hatte. So vieles hatten sie gesehen an diesem Tag, Carl Hanna, Marc Edwards und Mimi Parker, Amber und die Locatellis, Evelyn Chambers und Oleg Rogaschow, dessen Frau in sinistrer Stimmung am Mondpool lag, doch Julian beteuerte, der Höhepunkt stehe ihnen noch bevor. Im Nordwesten tauchten die ersten Ausläufer des Hochplateaus auf. Peter Black ließ den Shuttle hoch über den Krater Aristarchus aufsteigen, der wie mit Licht ausgegossen schien.

»Die Arena der Geister«, flüsterte Julian geheimnisvoll, wobei sich ein unerwachsenes Grinsen um seine Mundwinkel stahl. »Beobachtungsort ominöser Lichterscheinungen. Manch einer ist überzeugt, Aristarchus sei von Dämonen bewohnt.«

»Interessant«, sagte Evelyn Chambers. »Vielleicht sollten wir Momoka eine Weile hierlassen.«

»Das wäre das Ende jeder ominösen Erscheinung«, bemerkte Omura trocken. »Spätestens nach einer Stunde in meiner Gesellschaft würde der letzte Dämon zum Mars ausreisen wollen.«

Locatelli hob die Brauen, voller Bewunderung, wie kokett sich seine Frau im Spiegel der Selbstkritik drehte und wendete.

»Und kannst du uns was über die Ursache erzählen?«, fragte Rogaschow.

»Tja, wisst ihr, darüber wurde heftig gestritten. Jahrhundertelang hat man immer wieder Lichterscheinungen in Aristarchus und anderen Kratern beobachtet, dennoch weigerten sich ultraorthodoxe Astronomen bis vor wenigen Jahren, die Existenz solcher *Lunar Transient Phenomena* überhaupt anzuerkennen.«

»Vulkane vielleicht?«, mutmaßte Hanna.

»Davon war Wilhelm Herschel überzeugt, ein Astronom des späten 18. Jahrhunderts. Übrigens sehr populär zu seiner Zeit. Er war einer der Ersten, die in der Mondnacht rote Punkte erblickten, etliche davon in dieser Gegend. Herschel tippte auf glühende Lava. Später wurden seine Sichtungen bestätigt, andere Beobachter meldeten violetten Dunst, bedrohlich düstere Wolken, Blitze, Flammen und Funken, alles äußerst mysteriös.«

»Um Lava zu spucken, müsste der Mond einen flüssigen Kern haben«, sagte Amber. »Hat er den?«

»Siehst du, das ist der Haken.« Julian lächelte. »Allgemein geht man davon aus, dass er einen hat, aber wenn, liegt er so tief, dass Vulkanausbrüche als Erklärung wegfallen.«

Omura äugte misstrauisch aus dem Seitenfenster in Aristarchus' klaffendes Maul.

»Jetzt mach's nicht so spannend«, sagte Chambers nach einer Weile.

»Wollt ihr nicht lieber an Dämonen glauben?«

»Ich kann Dämonen nichts Romantisches abgewinnen«, sagte Parker. »Es würde bedeuten, dass der Teufel auf dem Mond wohnt.«

»Na und?« Locatelli zuckte die Achseln. »Besser hier als in Kalifornien.«

»Der Teufel ist niemand, über den man Witze macht.«

»Schon gut.« Julian hob die Hände. »Es gibt eben doch ein bisschen vulkanische Aktivität hier oben. Zwar ohne Ströme von Lava, aber man hat festgestellt, dass die Erscheinungen immer dann auftreten, wenn der Mond der Erde am nächsten ist, die Schwerkraft also in besonderer Weise an ihm zerrt. Die Folge sind lunare Beben. Dabei weiten sich Poren und Spalten, heiße Gase treten aus den tieferen Regionen an die Oberfläche, schießen unter Hochdruck hervor, Regolith wird mit nach oben geschleudert, an der Austrittsstelle erhöht sich die Albedo, und schon hast du ein leuchtendes Wölkchen.«

»Verstehe«, sagte Omura. »Er muss furzen.«

»Du solltest aufhören, alle Tricks zu verraten«, sagte Amber mit einem Seitenblick auf Parker. »Ich fand die Dämonen spannender.«

»Und was ist das da?« Edwards kniff die Augen zusammen und zeigte nach draußen. Etwas Gewaltiges schlängelte sich nordwestlich des Kraters über das von Rillen und Einschlaglöchern bedeckte Plateau. Es sah aus wie eine riesige Schlange, besser gesagt wie die Gussform für eine Schlange, ein Tier von mythischen Ausmaßen. Dem Kopftrichter schloss sich ein vielfach gewundener Leib an, der immer schmaler wurde, bis er dünn und spitz in eine angrenzende Ebene mündete. Das Ganze erweckte den Eindruck, als habe *Ananden,* die altindische Weltschlange, hier gelegen, die Erde und Universum trug, der schuppige, atmende Thron des Gottes Wischnu.

»Das«, sagte Julian, »ist das Schrötertal.«

Black zog in großer Höhe über die Formation hinweg, sodass sie deren kolossale Ausmaße bestaunen konnten, das größte Mondtal überhaupt, wie Julian erklärte, vier Milliarden Jahre alt, und tatsächlich war seine Schlangennatur schon anderen aufgefallen. *Cobra's Head* wurde der sechs Kilometer durchmessende Kopfkrater genannt, eine Kobra, die sich 168 Kilometer lang bis zum Gestade des Oceanus Procellarum wand. Auf einer Hochebene, die *Cobra's Head* von Nordosten überblickte, kam ein planiertes Areal in Sicht, gesäumt von Hangars und Kollektoren. Ein Antennenmast gleißte im Sonnenlicht. Black ging tiefer, steuerte das Landefeld an und setzte die GANYMED weich auf ihren Maikäferbeinen ab.

»Der Schröter-Raumhafen«, sagte er und grinste Julian konspirativ zu. »Willkommen im Reich der Geister. Die Chancen stehen gering, dass wir welche zu Gesicht bekommen, trotzdem, Herrschaften, haltet euch von verdächtig aussehenden Löchern und Spalten fern. Panzerungen anlegen, Helme auf. Jeweils zu fünft in die Schleuse, wie heute Vormittag. Julian, Amber, Carl, Oleg und Evelyn gehen als Erste, gefolgt von Marc, Mimi, Warren, Momoka und mir. Wenn ich bitten darf.«

Im Gegensatz zum Landemodul der CHARON musste man in einem Hornet-Shuttle nicht die komplette Kabinenluft absaugen, sondern verließ es durch einen Fahrstuhl, der zugleich eine Schleuse war. Black ließ den Schacht ausfahren. Sie holten ihre Brustpanzer aus der Ablage und halfen einander in die sperrigen Monturen, während Julian den Schatten zu vertreiben suchte, der seine Laune ihrer üblichen Strahlkraft beraubte. Lynn begann sich zu verändern, er konnte es nicht leugnen. Ließ Anzeichen innerer Abschottung erkennen, hatte sich undekorative Augenringe zugelegt und begegnete ihm mit wachsender, unmotivierter Aggressivität. In seiner Konsterniertheit hatte er sich Hanna anvertraut, vielleicht ein Fehler, wenngleich er nicht zu sagen wusste, warum. Der Kanadier war eigentlich in Ordnung. Dennoch empfand er Hanna gegenüber seit Kurzem eine gewisse Befangenheit, als müsse er nur genauer hinschauen, und beunruhigende trigonometrische Verbindungen zwischen ihm, Lynn und dem geisterhaften Zug würden zutage treten. Je länger er darüber grübelte, desto sicherer wurde er, dass ihm die Lösung längst klar vor Augen stand. Er sah die Wahrheit, ohne sie zu erkennen. Ein Detail von banaler Beweiskraft, doch solange sein innerer Filmvorführer den Schlaf der Gerechten schlief, kam er nicht ran.

In Gesellschaft der anderen betrat er die Schleuse und setzte seinen Helm auf. Durch die Sichtfenster konnte er ins Innere des Shuttles blicken, während die Luft abgesaugt wurde. Er sah Locatelli Reden schwingen, Omura Parker in den Überlebensrucksack helfen, dann sackte die Kabine ab, schob sich aus dem Bauch der GANYMED und durch den Schacht bis dicht über den Asphalt des Landefelds, öffnete sich. Eine Rampe entsprang dem Kabinenboden, über die sie nach draußen traten. Es war nicht vorgesehen, dass Shuttles auf etwas anderem als befestigter Fläche landeten, doch falls es notwendig wurde, wollte man Kontakte der Kabine mit dem feinpuderigen Regolith auf ein Minimum beschränken, weil andernfalls –

Julian stutzte.

Mit einem Mal war es, als habe sich der Filmvorführer die Augen gerieben. Gähnend rappelte er sich auf, um ins Archiv hinabzusteigen und die verloren gegangene Rolle zu suchen.

Soeben hatte er sie wieder gesehen, die Wahrheit.

Und wieder nicht verstanden.

Genervt sah er zu, wie die zweite Gruppe die Schleuse verließ. Black winkte sie zu einem der zylindrischen Hangars. Drei offene Rovers parkten darin, historischen Mondautos überraschend ähnlich, allerdings dreiachsig, mit größeren Rädern und ausgelegt für jeweils sechs Personen. Die verbesserte Bauweise, erklärte Black, ermögliche ein schnelleres Vorankommen als in den Anfängen lunarer Automobilistik und tauge darüber hinaus für die Bewältigung extrem unebenen Geländes. Jede der Radaufhängungen schwinge im Bedarfsfall in einer 90-Grad-Vertikalen, was ausreiche, um größere im Weg liegende Brocken einfach zu überfahren.

»Allerdings nicht auf der Strecke, die wir gleich zurücklegen werden«, fügte er hinzu. »Wir folgen dem nördlichen Talverlauf, bis sich der Leib der Kobra erstmals biegt. Dort stößt eine Felsnase, der Ausläufer des Rupes-Toscanelli-Hochplateaus, bis unmittelbar an den Rand der Schlucht, *Snake Hill*. Mehr wird einstweilen nicht verraten.«

»Und wie weit fahren wir?«, wollte Locatelli wissen.

»Nicht weit. Knapp acht Kilometer, aber die Fahrt ist spektakulär, immer am Rand des Vallis entlang.«

»Kann ich fahren?« Locatelli sprang aufgeregt umher. »Ich will das Ding auf alle Fälle fahren!«

»Klar.« Black lachte. »Die Steuerung ist einfach zu bedienen, nicht anders als bei den Buggys. Du solltest nicht gerade mit Karacho auf die größten Hindernisse zuhalten, wenn du nicht vom Sitz fliegen willst, ansonsten –«

»Natürlich nicht«, sagte Locatelli, in Gedanken schon mit dem Fuß auf dem Gaspedal.

»Lassen wir ihm den Spaß?«, sagte Julian zu Omura.

»Unbedingt. Solange ihr mir den Spaß lasst, im anderen Rover mitzufahren.«

»Gut. Warren fährt Rover zwei und verspricht, Carl, Mimi und Marc heil ans Ziel zu bringen, wir anderen nehmen den ersten. Wer macht den Chauffeur?«

Nachdem jeder den Chauffeur machen wollte, fiel die Wahl auf Amber. Sie ließ sich die Funktionen erklären, drehte eine Proberunde und machte auf Anhieb alles richtig.

»So ein Ding will ich auch, wenn wir wieder unten sind«, rief sie.

»Willst du nicht«, grinste Julian. »Unten ist es sechsmal so schwer. Es würde noch in der Garage auseinanderbrechen.«

Der Tross setzte sich in Bewegung. Black ließ Amber vorausfahren, um Locatelli an der Aufstellung von Geschwindigkeitsrekorden zu hindern, sodass sie zehn Minuten unterwegs waren, als das Tal zu ihrer Linken in weitem Bogen abknickte. Ein schmaler Pfad führte zu einem Höhenrücken, von dem aus man einen unvergleichlichen Blick auf das Vallis Schröteri genoss. Fast der gesamte Verlauf ließ sich von dort überblicken, doch etwas anderes nahm die Aufmerksamkeit aller gefangen. Es war ein Kran, montiert auf einer in die Schlucht ragenden Plattform. Im Näherkommen erkannten sie eine Winde in Bodenhöhe. Ein Stahlseil durchlief den Ausleger und mündete in einen luftigen Doppelsitz. Es bedurfte keiner Erklärung, wie der Kran funktionierte. Hatte man Platz genommen, schwang der Ausleger über die Schlucht, und man schwebte mit baumelnden Beinen über dem Abgrund.

»Irre! Absolut irre!« Marc Edwards Extremsportlerseele brodelte über. Er sprang aus dem geparkten Rover, trat an den Rand der Plattform und schaute nach unten. »Wie tief geht's hier runter? Wie weit kann man sich abseilen lassen?«

»Bis auf den Grund«, erklärte Black, als habe er die Schlucht mit eigenen Händen gegraben. »Eintausend Meter.«

»Scheiß auf den Grand Canyon«, bemerkte Locatelli in gewohnter Differenziertheit. »Echt 'ne Pissrinne dagegen.«

»Funktioniert das Ding?«, fragte Edwards.

»Klar«, sagte Julian. »Wenn der Laden erst mal brummt, bauen wir noch ein paar davon.«

»Ich muss es auf jeden Fall probieren!«

»*Wir* müssen es auf jeden Fall probieren«, verbesserte ihn Mimi Parker.

»Ich auch.« Julian glaubte Rogaschow lächeln zu sehen. »Vielleicht würde Evelyn mir Gesellschaft leisten?«

»Oh, Oleg«, lachte Chambers. »Du willst mit mir zusammen sterben?«

»Niemand stirbt, solange ich die Winde bediene«, versprach Black. »Gut, Mimi und Marc gehen als Erste runter –«

»Ich gehe mit Carl«, sagte Amber. »Falls er den Mumm dazu hat.«

»Hab ich. Mit dir immer.«

»Danach also Amber mit Carl, dann Oleg und Evelyn. Momoka?«

»Auf keinen Fall!«

»Dann kommt Momoka mit uns«, schlug Julian vor. »Wir anderen besteigen in der Zeit *Snake Hill*. Oleg, Evelyn, ihr auch. Es wird eine Weile dauern, bis Peter die vier runter und wieder hochgehievt hat.«

»Ich hab's mir überlegt«, sagte Amber. »Ich will lieber mit euch auf den Berg. Was ist mit dir, Carl?«

»He! Kneifst du?«

»Mach dir mal keine Hoffnungen.«

»Dann bis gleich. Geh ruhig. Ich schaue mir an, was uns erwartet.«

Hanna sah zu, wie die anderen mit dem Aufstieg begannen. Der Pfad führte sanft bergan, beschrieb eine Kurve und verschwand in einem Hohlweg. Ein beträchtliches Stück oberhalb kam er wieder zum Vorschein, wand sich gut einhundert Meter die Flanke entlang, nun steil ansteigend, und geriet erneut außer Sicht. Offenbar musste man den Hang umrunden, um aufs Hochplateau zu gelangen. Hanna wäre gerne mitgegangen, doch die kilometertiefe, von senkrechten Wänden eingefasste Schlucht faszinierte ihn mehr. Vielleicht konnte er die Hochebene ja später besteigen, zusammen mit Mimi und Marc. Lieber noch hätte er den Ausflug ganz alleine unternommen, doch wohin er auch ging, irgendwer würde ihm über Funk in den Ohren liegen. Wenigstens konnte man einzelne Teilnehmer zu- oder wegschalten, nur die Reiseführer blieben allzeit auf Sendung und hatten Zugriffsrecht auf jeden Gehörgang.

Interessiert sah er zu, wie Black die Winde entsicherte, die Blende der Konsole öffnete und die Steuerung aktivierte, indem er einen von fünf faustgroßen Knöpfen drückte. Primitive Seleniten-Technologie, hätte man meinen können, für die Extremitäten klobiger Aliens gemacht – und waren sie nicht genau das auf diesem fremden Himmelskörper, Aliens, Außerirdische, die Finger in steife Hülsen gezwängt? Black drückte einen zweiten Knopf. Der Ausleger geriet in Bewegung und begann einzuschwenken. Parker und Edwards drängten sich ungeduldig am Plattformrand.

»Wozu dienen die anderen Knöpfe?«, fragte Hanna.

»Der blaue lässt den Kran wieder ausschwenken«, sagte Black. »Der darunter setzt die Winde in Gang.«

»Dann ist der schwarze dazu da, den Lift wieder hochzuholen?«

»Du hast's kapiert. Kinderleicht. Wie eigentlich das meiste auf dem Mond, damit nicht alles am Experten hängen bleibt.«

»Zum Beispiel, wenn er tot ist.« Edwards trat vom Rand zurück, um Platz für den einschwenkenden Lift zu machen.

»Sag doch so was nicht«, protestierte Parker.

»Keine Bange.« Black öffnete die Schutzbügel der Sitze. »Ich fände es unverantwortlich zu sterben, solange ihr da hängt. Sollten mich wider Erwarten ortsansässige Dämonen verschlingen, habt ihr immer noch Carl. Er kurbelt euch wieder nach oben. Fertig? Los!«

»Mist!«, fluchte Locatelli.

Sie hatten den tintenschwarzen Schatten des Hohlwegs durchquert, den Hang bezwungen und eben die Stelle erreicht, an der sich die Flanke rundete, als es ihm auffiel. Ärgerlich schaute er hinab ins Tal. Tief unter ihnen klaffte die Schlucht, vier Kilometer breit, sodass die Plattform spielzeuggleich am Felsenrand klebte, bevölkert von federnd hüpfenden Winzlingen. Peter half den Kaliforniern gerade ins Gestänge des Sessels, während Hanna die Winde studierte.

»Was ist los?« Omura drehte sich um.

»Ich hab die Kamera vergessen.«

»Idiot.«

»Ach ja?« Locatelli sog scharf die Luft ein. »Und wer ist der andere Idiot? Überleg mal.«

»He, kein Grund zu streiten«, mischte sich Amber ein. »Dann nehmen wir eben meine Kam –«

»Sprichst du von mir?«, blaffte Omura.

»Von wem denn sonst? Du hättest genauso daran denken können.«

»Du kannst mich mal, Warren. Was hab ich mit deiner dämlichen Kamera zu schaffen?«

»Eine ganze Menge, meine Lotosblüte! Wer will denn von morgens bis abends gefilmt werden, als ob der Krampf, den du fürs Kino produzierst, nicht reicht?«

»*Deine* Kamera wär die letzte, vor die ich mich stellen würde!«

»Ich lach mich schlapp! Meinst du das ernst? Dir läuft's doch schon die Beine runter, wenn du eine Kamera nur *siehst.*«

»Nett gesagt, Arschloch. Dafür darfst du sie jetzt holen gehen.«

»Worauf du dich verlassen kannst«, schnaubte Locatelli und machte auf dem Absatz kehrt.

»He, Warren«, rief Chambers, im Stillen entzückt. »Du willst doch nicht den ganzen Weg wegen der –«

»Doch.«

»Warte!«, rief Julian. »Nimm Ambers Kamera, sie hat recht. Du kannst Momoka damit filmen, bis sie um Gnade winselt.«

»Nein! Ich hole das Scheißding!«

Trotzig stapfte er weiter zurück in Richtung Hohlweg.

»Ich weiß, er hat kein leichtes Leben mit mir«, hörte er Omura leise zu den anderen sagen, als würde er nicht jedes einzelne Wort mitbekommen. »Aber Warren ist halt nur glücklich, wenn's gelegentlich was auf die Schnauze gibt.«

»Ehrlich gesagt, ihr scheint's beide zu brauchen«, bemerkte Amber.

»Oh ja.« Omura seufzte. »Ich liebe es, wenn er zurückschlägt. Dafür liebe ich ihn am meisten.«

Julian, um die Schrittlänge des ewigen Anführers voraus, hatte das Plateau fast erreicht, als er Thiels Stimme in seinem Helm hörte. In Sichtweite parkten klein die Rovers, über die er mit der GANYMED und über diese mit dem GAIA verbunden war.

»Was gibt's, Sophie?«

»Entschuldigen Sie, Sir, Gespräch von der Erde. Ich habe Jennifer Shaw für Sie in der Leitung. Schalten Sie bitte auf O-SEC.«

O-SEC. Abhörsichere Verbindung. Es hieß, dass er den Kontakt zur Gruppe unterbrechen musste. Niemand würde mithören können, was die Sicherheitsbeauftragte seiner Unternehmensgruppe ihm zu erzählen hatte.

»In Ordnung.« Er kam der Aufforderung nach. »Wir sind unter uns.«

»Julian!« Shaws Stimme, drängend. »Ich will mich nicht mit endlosen Vorreden aufhalten. Lynn wird Ihnen ja von der Warnung erzählt haben, die gestern bei uns einging. Vorhin haben wir nun –«

»Lynn?«, unterbrach Julian überrascht. Er drehte sich zu den anderen um und bedeutete ihnen mit einer Handbewegung, stehen zu bleiben. »Nein. Lynn hat mir nichts von einer Warnung erzählt.«

»Nicht?«, sagte Shaw verblüfft.

»Wann soll das gewesen sein?«

»Gestern Abend. Edda Hoff hat mit Ihrer Tochter gesprochen. Lynn wollte über die Sache auf dem Laufenden gehalten werden. Natürlich bin ich davon ausgegangen, dass sie –«

»Welche *Sache* denn, Jennifer? Ich verstehe kein Wort.«

Shaw schwieg einen Moment. Das Delay zwischen Erde und Mond betrug lediglich eine Sekunde, aber die Verzögerung reichte für lästige kleine Pausen.

»Wir erhielten vor zwei Tagen die Warnung eines chinesischen Geschäftsmannes«, sagte sie. »Er ist durch Zufall in den Besitz eines verstümmelten Textdokuments geraten und seitdem auf der Flucht. Aus den Zeilen geht hervor – oder scheint hervorzugehen –, dass eine Einrichtung des Konzerns von einem Anschlag bedroht ist.«

»Was sagen Sie da? *Das* hat Hoff meiner Tochter erzählt?«

»Ja.«

»Lynn? Lynn, bist du da?«

»Ich bin hier, Daddy.«

»Was soll das? Was ist das für eine Geschichte?«

»Ich – ich wollte dich damit nicht behelligen.« Sie klang zittrig und aufgebracht. »Selbstverständlich habe ich –«

»Lynn, Julian, es tut mir leid«, unterbrach Shaw. »Aber dafür ist jetzt gerade überhaupt keine Zeit! Der Chinese hat sich vorhin wieder gemeldet respektive einer seiner Leute. Sie sind auf direktem Wege zu uns. Heute Vormittag haben sie versucht, mehr über die Hintergründe des Dokuments in Erfahrung zu bringen, was in einem Desaster gipfelte. Es gab Tote, aber sie haben neue Informationen.«

»Was denn für Informationen? Jennifer, wer –«

»Warten Sie, Julian. Wir stehen in Verbindung mit dem chinesischen Jet. Ich schalte Sie weiter.«

Eine Sekunde verstrich, dann erklang eine fremde Männerstimme, gebettet in atmosphärisches Rauschen:

»Mr. Orley? Mein Name ist Owen Jericho. Ich weiß, Sie haben tausend Fragen, aber ich muss Sie jetzt bitten, mir einfach zuzuhören. In Ergänzung des Dokuments konnten wir herausfinden, dass vergangenes Jahr von afrikanischem Boden aus ein Nachrichtensatellit in die Erdumlaufbahn geschossen wurde. Betreiber war die damalige Regierung Äquatorialguineas, namentlich General Juan Mayé, ein Putschist.«

»Ja, ich weiß«, sagte Julian. »Mayé und sein Satellit. Er hat sich lächerlich gemacht mit dem Ding.«

»Was Sie vielleicht nicht wissen, ist, dass Mayé ein Strohmann chinesischer Lobbyisten war. Möglicherweise ist seine Inthronisierung auf Betreiben, wenigstens aber mit Duldung Pekings erfolgt. Inzwischen sind in Äquatorialguinea andere an der Macht, aber während seiner Amtszeit spendierten ihm die Chinesen sein Raumfahrtprogramm. Sagt Ihnen der Name Zheng was?«

»Die Zheng-Group? Natürlich!«

»Zheng hat damals große Teile der Technologie zur Verfügung gestellt, Know-how und Hardware geliefert. Der Satellit war allerdings nur ein Vorwand, um von Mayés Staatsgebiet aus etwas anderes in den Orbit zu schießen. Etwas, das keine offizielle Stelle passiert hätte.«

»Und was?«

»Eine Bombe. Eine koreanische Atombombe.«

Julian versteinerte. Er ahnte, *fürchtete* zu ahnen, worauf dieser Jericho hinauswollte. Irritiert sah er zu, wie sich die anderen auf dem Pfad verteilten und gestikulierten.

»Die Koreaner?«, echote er. »Was zum Teufel habe ich mit –«

»Nicht die Koreaner, Mr. Orley, sondern das, was Kim Jong-uns stillgelegte Geisterbahn hinterlassen hat. Die Rede ist von der Schwarzmarkt-Mafia. Anders gesagt, China oder jemand, der China vorschiebt, hat eine handliche, kleine Atomwaffe aus koreanischen Beständen gekauft, eine sogenannte Mini-Nuke. Wir sind sicher, dass diese Bombe den Satelliten im selben Moment verlassen hat, als er seinen Orbit bezog, also bereits vor einem Jahr, um von dort mit unbekanntem Ziel weiterzureisen. – Und unserer Meinung nach liegt dieses Ziel *nicht* auf der Erde.«

»Moment mal.« *Nicht auf der Erde.* »Sie meinen –«

»Wir meinen, sie ist dazu bestimmt, eine ihrer Weltraumeinrichtungen zu zerstören, ja. Wahrscheinlich das GAIA. Das Mondhotel.«

»Und was bringt Sie zu dieser Vermutung?«, hörte Julian sich mit bemerkenswert ruhiger Stimme fragen.

»Der Zeitverzug. Natürlich gibt es etliche Varianten. Nur erklärt keine so recht, warum das Ding seit einem Jahr oben ist, ohne gezündet worden zu sein. Es sei denn, etwas wäre dazwischengekommen.« Jericho machte eine elend lange Pause. »Sollte das GAIA nicht ursprünglich schon 2024 eröffnet werden? Was aber aufgrund der Mondkrise verschoben wurde?«

Julian schwieg, während sich in seinem Schädel etwas langsam, aber unaufhaltsam in Bewegung setzte. Der Filmvorführer schlurfte herbei, legte die Rolle ein und –

»Carl«, flüsterte er.

»Wie bitte?«, fragte Jericho.

»Vorgestern Morgen«, rief Julian. »Meine Güte! Ich hab's gesehen und nicht begriffen. Carl Hanna, einer unserer Gäste. Ich bin ihm im Korridor begegnet, er sagte, er habe den Ausgang gesucht und nicht gefunden, aber er hat uns verarscht! Er war draußen.«

»Julian.« Dana Lawrence hatte sich dazugeschaltet. »Ich fürchte, da irren Sie sich. Sie kennen die Aufnahmen. Carl ist definitiv nicht rausgegangen.«

»Doch, Dana. Doch! Und ich Idiot hab's sogar gesehen. Schon unten im Korridor, ohne es zu kapieren. Jemand hat die Aufzeichnungen gefälscht, das Material neu zusammengeschnitten. Er betritt die Gangway zum Lunar Express –«

»Und kommt nach wenigen Sekunden wieder zum Vorschein.«

»Nein, er war draußen! Er betritt sie mit einem sauberen Anzug, Dana, blitzsauber! Und als er wieder rauskommt, haften Reste von Mondstaub an seinen Beinen. Das war es, wonach ich die ganze Zeit gesucht habe, diese unterschwellige Gewissheit, dass da irgendwas nicht stimmt.«

»Augenblick«, sagte Lawrence scharf. »Ich hole die Aufzeichnungen auf den Schirm.«

Kluger Julian, dachte Hanna.

Unbeweglich stand er da, während der Ausleger über die Schlucht schwang, Mimi und Marc lachend über dem Abgrund hingen, Black die Winde in Gang setzte und hörte, was er nicht hätte hören dürfen. Doch er war zugeschaltet. Auch diesmal trug Ebola Sorge für seine Handlungsfähigkeit, wenngleich sein Spielraum dramatisch schrumpfte. Er fragte sich, wie all das hatte rauskommen können. Welcher Fehler Hydra unterlaufen war. Nie hätte er erwartet, aufzufliegen, seine Identität war wasserdicht. Nicht einmal, als Vic Thorn gestorben war, hatte die Operation so auf der Kippe gestanden wie jetzt. Mit einem Schlag war der geplante Ablauf hinfällig, musste er handeln, die Aktion vorzeitig durchführen, die Sekunden, bestenfalls Minuten, die Ebola für ihn herausgeschunden hatte, nutzen, um ein Höchstmaß an Verwirrung zu stiften und das Weite zu suchen.

»Lassen Sie auf der Stelle das Hotel absuchen«, sagte Owen Jericho gerade. »Dieser Carl, vielleicht ist er draußen gewesen, um die Bombe zu bergen und sie im GAIA zu verstecken. Fragen Sie ihn –«

»Ich *werde* ihn fragen«, zischte Julian. »Oh, ich werde ihn fragen!«

Soso, dachte Hanna.

Der Lift senkte sich langsam hinab in die Schlucht. Black stand an der Winde, winkte den Kaliforniern zu. Wollte wissen, wie es sich anfühlte knapp einen Kilometer über dem Boden.

»Wahnsinn!«, jubelte Parker. »Besser als Fallschirmspringen. Besser als alles.«

Hanna setzte sich in Bewegung, streckte die Arme aus.

»Kannst du das Tempo beschleunigen?«, fragte Edwards. »Mach's schneller. Lass uns fliegen!«

»Klar, ich –«

Mit beiden Händen packte er Black am Tornister, riss ihn von der Konsole weg, hob ihn hoch und trug ihn zur Kante.

»He!« Der Pilot langte nach hinten. »Carl, bist du das?«

Hanna schwieg, ging rasch weiter. Sein Opfer wand sich, zappelte mit den Beinen, versuchte den Angreifer zu fassen zu kriegen.

»Carl, was soll das? Bist du verrückt ge – Nein!«

Mit Schwung warf er Black über den Plattformrand. Kurz schien der Pilot im bloßen Nichts Halt zu finden, dann stürzte er ab, vergleichsweise langsam zu Beginn, schneller und schneller werdend. Sein gellender Schrei mischte sich mit dem Mimi Parkers.

Nichts, auch nicht ein Sechstel Gravitation, vermochte einen Menschen zu retten, der aus eintausend Metern Höhe in einen Abgrund fiel.

GAIA, VALLIS ALPINA

»Julian?«, rief Thiel. »Miss Shaw?«

»Was ist los?«, schnappte Lawrence.

»Funkstille. Beide weg.« Abwechselnd versuchte sie, die Verbindung zum Hauptquartier in London und zu Julian wiederherzustellen, doch jede Kommunikation war zusammengebrochen, unmittelbar nach dem Start des Videos, das die wundersame Verschmutzung von Hannas Hosenbeinen in der sterilen Umgebung einer Gangway zeigte. Der Kanadier, klein und munter, fuhr auf dem Förderband des Korridors spazieren, ohne dass ihm noch jemand Beachtung schenkte.

»Julian? Bitte kommen!«

»Versuchen Sie die Erde auf konventionelle Weise zu erreichen«, sagte Lawrence. »Ach was, lassen Sie mich das machen.«

Sie drängte Thiel beiseite, zog ein Menü auf, schaltete vom LPCS auf direkte Antennenverbindung zum irdischen *Tracking and Data Relay Satellite System* um, peilte Bodenstationen an, was eben ging in Sichtweite zur Erde, doch GAIA schien ihrer Sinnesorgane beraubt. Lynn starrte, die Hand vor den Mund geschlagen, auf die Monitorwand, während Thiel nervös von einem Bein aufs andere trat.

»Ich habe das Gespräch ganz normal –«

»Entschuldigen Sie sich nicht, bevor *ich Sie* beschuldige«, fuhr Lawrence sie an. »Probieren Sie's weiter. Führen Sie eine Analyse durch. Ich will wissen, wo das Problem ist. Lynn?«

Wie in Trance wandte Lynn den Kopf.

»Kann ich Sie kurz sprechen?«

»Was?«

Steifbeinig vor Wut verließ Lawrence die Zentrale. Lynn folgte ihr wie ein Roboter in die Halle.

»Ich glaube –«

»Verzeihung!« Lawrence funkelte sie aus ihren inquisitorischen, graugrünen Augen an. »Sie sind meine Vorgesetzte, Lynn, und das verpflichtet mich zu Respekt. Jetzt aber muss ich Sie in aller Deutlichkeit fragen, was es mit der gestrigen Warnung auf sich hat.«

Lynn sah aus, als fände sie aus langer Ohnmacht zurück ins Leben. Sie hob eine Hand und betrachtete deren Innenfläche, als sei dort etwas von großem Reiz zu entdecken.

»Das war alles ziemlich vage.«

»Was war vage?«

»Edda Hoff rief an und meinte, ein paar Leute faselten etwas von einem Anschlag auf eine Orley-Einrichtung. Es klang – na ja, vage. Nicht danach, als müsse es uns kümmern.«

»Warum haben Sie mich nicht umgehend davon in Kenntnis gesetzt?«

»Weil ich es nicht für notwendig hielt.«

»Ich bin die Direktorin *und* die Sicherheitsverantwortliche dieses Hotels, und Sie hielten es nicht für notwendig?«

Lynn runzelte die Brauen. Sie hörte auf, sich der Betrachtung ihrer Handfläche zu widmen, und starrte zornig zurück.

»Wie Sie schon bemerkt haben, Dana, bin ich Ihre Vorgesetzte, und, nein, ich hielt es *nicht* für notwendig, Sie in Kenntnis zu setzen. Hoff zufolge handelte es sich um einen *äußerst vagen* Verdacht, *irgendwo* auf der Welt sei zu *irgendeinem* Zeitpunkt ein Anschlag auf *irgendeine* unserer Einrichtungen geplant, weswegen sie mich oder Julian sprechen wollte und nicht *Sie,* und Julian hatte genug um die Ohren, also habe *ich* darum gebeten, dass man *mich* auf dem Laufenden hält. Wäre das hiermit geklärt?«

Lawrence trat einen Schritt näher. Als gewittere nicht schlimmes Unheil über dem Hotel, fand Lynn zu interessierten Betrachtungen über die Mysterien der Lawrence'schen Physiognomie. Wie konnte ein so sinnlich geschwungener Mund so hart wirken? Verdankte sich die kupferrot gerahmte Blässe dem Licht, einer genetischen Disposition oder Lawrences bloßer Erbitterung? Wie war es möglich, vor Wut zu kochen und zugleich solch maskenhafte Blasiertheit an den Tag zu legen?

»Vielleicht ist Ihnen vorhin einiges entgangen«, sagte die Direktorin leise. »Aber die Rede war davon, dass dieses Hotel mit einer Atombombe in die Luft gesprengt werden soll. Einer Ihrer Gäste scheint darin verwickelt zu sein. Wir haben den Kontakt zu Ihrem Vater und zur Erde verloren. Sie hätten sich auf alle Fälle mit mir besprechen müssen.«

»Wissen Sie was?«, sagte Lynn. »Machen Sie Ihre Arbeit.«

Sie ließ Lawrence stehen und ging zurück in die Zentrale. Immer noch flimmerte das Video mit Hanna über die Monitorwand. Die Direktorin folgte ihr langsam.

»Das würde ich gerne«, sagte sie eisig. »Sind Sie überarbeitet, Lynn? Schaffen Sie das hier? Sie kamen mir eben vor wie paralysiert.«

Thiel schaute auf und wieder weg, unangenehm berührt.

»Ich fürchte, wir haben einen Satellitenausfall«, sagte sie. »Weder erreiche ich die Erde noch die GANYMED und die KALLISTO. Soll ich es bei der Peary-Basis versuchen?«

»Später. Erst müssen wir die nächsten Schritte durchsprechen. Wenn das, was wir gerade gehört haben, zutrifft, droht uns eine Katastrophe.«

»Was für eine Katastrophe?«, fragte Tim.

ARISTARCHUS-PLATEAU

Locatelli stockte der Atem.

Er sah Black verschwinden im Moment, als er aus dem Schatten des Hohlwegs wieder ins Sonnenlicht trat. Wie angenagelt starrte er auf die Szenerie. Wer wen in die Schlucht gestoßen hatte, ließ sich nicht erkennen, außerdem hatte er die Truppe unten stumm geschaltet, aber dass es mit Absicht geschehen war, stand außer Zweifel.

Das war kein Unfall gewesen. Das war Mord!

Viele zweifelhafte Eigenschaften wurden Warren Locatelli nachgesagt, Ungehobeltheit, Mangel an Rücksichtnahme, Narzissmus und etliches mehr, doch Feigheit gehörte nicht dazu. Sein italienisch-algerisches Temperament brach sich Bahn, flutete sein Denken. Im Loslaufen sah er, wie der Mörder etwas aus seinem Oberschenkel zog.

Und Edwards sah es ebenfalls.

Unter ihnen wurde Blacks rudernde Gestalt kleiner und kleiner. Er verstand genug von Gravitationsphysik, um zu wissen, dass der Pilot den Absturz trotz verminderter Schwerkraft nicht überleben würde.

Die Fallbeschleunigung mochte geringer sein als auf der Erde, zwölf Meter mochten einem vorkommen wie zwei, doch kein bremsender Luftwiderstand machte sich bemerkbar. Blacks Körper würde linear beschleunigt werden, einzig bestimmt durch die Masseanziehung. Mit jeder Sekunde würde seine Geschwindigkeit um 1,63 Meter anwachsen, bis er wie ein Meteorit unten aufschlug.

Ebenso würden Mimi und er –

Neuerliches Entsetzen durchfuhr ihn. Er schaute zur Plattformkante und sah den Astronauten, der Black in die Tiefe gestoßen hatte, etwas Längliches, Flaches in der Rechten halten.

»Carl?«, keuchte er.

Der Astronaut antwortete nicht. Im selben Moment begriff Edwards, dass sie selber in höchster Gefahr schwebten. Wie von Sinnen begann er an seinem Sicherungsbügel zu zerren, bog ihn zur Seite, stemmte sich aus dem Sessel. Sie mussten hier raus. Das Seil hochklettern, über den Ausleger zurück auf festen Boden gelangen, ihre einzige Chance.

»Was machst du denn da?«, schrie Mimi.

Edwards wollte etwas erwidern, doch die Antwort blieb ihm im Halse stecken. Der Astronaut hob den länglichen Gegenstand, richtete ihn auf das Sesselgestänge und drückte ab. Statt Schießpulver detonierte das Stückchen Knetmasse in der Hülse. Die Flüssigkeit aus dem Gallertdragee verdampfte, blähte sich zum Vielfachen ihres Volumens und produzierte ausreichend Druck, um das Projektil mit Hochgeschwindigkeit auf seinen Weg zu schicken. Es durchschlug Parkers Helm, wobei sich Duschgel und Shampoo zu dem verbanden, was sie eigentlich waren, nämlich Sprengstoff, und der Sessellift mitsamt seinen Insassen flog auseinander, Stahl, Fiberglas, Elektronik und Körperteile nach allen Seiten davonwirbelnd.

Hanna steckte die Waffe ein und hielt mit langen Sätzen auf die geparkten Rovers zu.

Locatelli war schneller. Er sprang, schlitterte, rutschte den Pfad nach unten, doch er hatte den weiteren Weg zurückzulegen. So sah er, wie der fliehende Astronaut den vorderen der beiden Rovers erreichte und sich auf den Fahrersitz schwang. Wieder in Sichtweite zu Julians Truppe, hörte er in seinem Helm babylonisches Stimmengewirr losbrechen, ausgelöst durch etwas, das Amber gesagt hatte. Im nächsten Moment fuhr der Mörder mit hoher Geschwindigkeit davon.

»Scheiße«, keuchte Locatelli. »Bleib stehen, Dreckschwein!«

»Warren, was ist da los?«, sagte Omura. »Melde dich.«

»Bin hier.«

»Amber sagte, sie hätte Verbindung zu Black aufgenommen und Schreie gehört. Sie sagt –«

Locatelli stolperte. Zu hoch waren seine Sprünge, zu waghalsig. Er verfehlte den Pfad, breitete die Arme aus, landete auf abschüssigem Geröll und schlug einen Purzelbaum.

»Warren! Um Himmels willen, was ist denn?«

Oben und unten tauschten die Plätze. Rasant ging es abwärts, dem Rand der Schlucht entgegen. Sein Körper, leichtgewichtig wie der eines Kindes, hob alle paar Meter ab, ging in kurze Sturzflüge über, kam wieder auf, dass ihm Hören und Sehen verging, Staub, nichts als Staub, doch sein Anzug schien keinen Schaden zu nehmen. Andernfalls wäre ich tot, dachte er, das geht schnell hier draußen, man ist tot und hat es noch gar nicht gemerkt.

»Warren!«

»Gleich«, schrie er. » Aua! Autsch! Gleich!«

»Wo bist –«

Die Verbindung brach ab. Bäuchlings rutschte er auf die Ebene, stieß sich ab und kam auf die Beine, hastete zu dem zweiten Rover. Mit einem Satz war er hinterm Lenkrad. Mittlerweile wurde von allen Seiten auf ihn eingeschrien, doch er achtete nicht weiter darauf. Keinen Moment lang bezweifelte er, was der Kerl vorhatte, nämlich sie hierzulassen und mit der GANYMED abzuhauen.

Hörte das Schwein mit?

Besser, er kappte alle Verbindungen. Der andere sollte so spät wie möglich erfahren, dass ihm jemand folgte. Rasch drückte er den Zentralschalter, brachte die Stimmen in seinem Kopf zum Schweigen, trat das Gaspedal durch und drosch dem Fliehenden hinterher.

GAIA, VALLIS ALPINA

Tim war eben in der Zentrale aufgetaucht, als Lawrence etwas von einer Katastrophe menetekelte. Das Stimmungsbarometer lag deutlich unterhalb des Gefrierpunkts, mit der Hoteldirektorin als Kühlelement, wie ihm schien, während Thiels Züge ratlos und die Lynns verwüstet dalagen. Auf Tim machte sie den Eindruck einer Ertrinkenden, deren Angst mit der Wut wetteiferte, nicht rechtzeitig schwimmen gelernt zu haben.

»Was ist los?«, fragte er.

Lawrence betrachtete ihn nachdenklich. Dann berichtete sie. Knapp, präzise, tonlos, ohne Umschreibungen und Verharmlosungen. Binnen einer Minute wusste Tim, dass jemand das GAIA zu atomisieren trachtete, dass möglicherweise die Chinesen dahintersteckten, aller Wahrscheinlichkeit nach jedoch Carl Hanna, der nette Gitarre spielende Carl, in dessen Gesellschaft Amber gerade unterwegs war.

»Um Gottes willen«, sagte er. »Wie sicher ist das mit der Bombe?«

»Sicher ist gar nichts. Mutmaßungen, aber solange sie nicht widerlegt sind, sollten wir sie in den Stand der Tatsachen erheben.« Ihre Augen entsandten einen Gefrierstrahl in Richtung Lynn. »Miss Orley, irgendwelche Ideen, in Ihrer Eigenschaft als Vorgesetzte?«

Lynn schnappte nach Luft.

»Es gibt nicht den geringsten Grund, das GAIA in die Luft zu jagen! Es muss sich um einen Irrtum handeln.«

»Danke, das hilft uns sehr. Geben Sie mir eine Direktive oder ermächtigen Sie mich, meinerseits Vorschläge zu machen. Wir könnten zum Beispiel eine Evakuierung anordnen.«

Lynn ballte die Fäuste. Sie sah aus, als wolle sie Lawrence den Kehlkopf herausreißen.

»*Wenn* im Hotel wirklich eine Bombe sein sollte, warum ist sie dann nicht längst schon hochgegangen? Ich meine, wer oder was soll überhaupt getroffen werden? Das Bauwerk? Jemand Bestimmtes?«

»Wir sind alle in Gefahr«, sagte Tim. »Wer schafft denn eine Atombombe auf den Mond mit dem Hintergedanken, Menschenleben zu schonen?«

»Eben.« Lynn sah sie der Reihe nach an. »Und bis jetzt waren wir noch jede Nacht vollständig versammelt, also warum ist nichts passiert? Vielleicht, weil es gar keine Bombe gibt? Weil uns jemand einfach nur Angst machen will?«

»Na ja«, sagte Thiel zögerlich. »Wie dieser Jericho schon sagte, Hannas Aufgabe könnte darin bestehen, die Bombe herzuschaffen. Wenn sie bereits vor einem Jahr auf den Mond gelangt ist –«

»Gab es das GAIA überhaupt schon vor einem Jahr?«, fragte Tim.

»Im Rohbau«, nickte Lynn.

»Das heißt, sie könnte seitdem hier liegen.«

»Eine Atombombe?« Lawrences Gesicht drückte Skepsis aus. »Tut mir leid, aber *das* glaube nicht mal ich. Ich kenne mich mit Mini-Nukes nicht aus, ich habe keinerlei Ahnung von Atomwaffen, aber ich meine zu wissen, dass sie Strahlung abgeben. Müsste diese Bombe nicht auch strahlen? Wie kann man so was ein Jahr lang übersehen?«

»Vielleicht hat Hanna sie erst vorgestern hergebracht«, schlussfolgerte Thiel. »Bei seinem nächtlichen –«

»Das ist alles dermaßen spekulativ!« Lynn ließ aufgebracht die Hände fliegen. »Nur weil er Staub an der Hose hatte. Und selbst wenn, warum hat er sie nicht längst gezündet?«

»Vielleicht will er den richtigen Zeitpunkt abpassen«, mutmaßte Tim.

»Und wann sollte der sein?«

»Keine Ahnung.« Thiel schüttelte den Kopf. Ihre Locken flogen umher, als feierten sie ungeachtet der dramatischen Lage eine Party. »Sicher nicht jetzt. Bis auf Miss Orley und Tim sind nur unwichtige Personen hier, Entschuldigung, vergleichsweise unwichtige Personen.«

»Fein«, triumphierte Lynn. »Dann müssen wir ja schon mal nicht evakuieren.«

»Ich bin nicht scharf auf eine Evakuierung, wenn Sie das meinen«, entgegnete Lawrence ruhig. »Aber ich werde es tun, falls es mir geraten scheint. Einstweilen stimme ich Sophie zu. Kritisch wird es wahrscheinlich erst wieder, wenn die Shuttles zurückkehren, was gegen sieben Uhr der Fall sein sollte. Wir haben jetzt –«, sie schaute auf die elektronische Anzeige, »– 16.20 Uhr. Mehr als zweieinhalb Stunden Zeit, um das Ding zu suchen.«

»Wie bitte?« Lynn rollte die Augen. »Wir sollen das Hotel durchkämmen?«

»Ja. In Teams.«

»Wir würden eine Nadel im Heuhaufen suchen!«

»Und sie finden, wenn es eine gibt. Sophie, trommeln Sie die anderen zusammen. Wir konzentrieren uns auf Stellen, an denen man so ein Ding verstecken könnte.«

»Wie groß ist denn eine Mini-Nuke?«, fragte Thiel hilflos.

»So groß wie ein Aktenkoffer?« Lawrence zuckte die Achseln. »Weiß es einer?«

Kopfschütteln. Thiel öffnete mehrere Fenster mit Schemagrammen und Tabellen voller Zahlen.

»Jedenfalls messen wir nirgendwo im Hotel eine außergewöhnliche Strahlenbelastung«, sagte sie. »Keine erhöhte Radioaktivität, keine zusätzliche Wärmequelle.«

»Weil keine Bombe hier ist«, murrte Lynn.

»Und die Sensoren erfassen jeden Bereich?«, fragte Tim.

»Jeden zugänglichen Bereich, ja.«

»Wir sollten noch einen weiteren Punkt ansprechen, bevor wir uns auf die Suche machen«, sagte Lawrence. »Meines Erachtens haben wir es nicht *nur* mit einer Bombe zu tun.«

»Sondern.«

»Mit einem Verräter.«

»Ach du lieber Himmel!« Lynn schüttelte den Kopf. »Ich dachte, Carl ist der Böse.«

»Carl ist der *eine* Böse. Aber wer hat das Video umgeschnitten? Wer hat ihm geholfen, mit dem Lunar Express das GAIA zu verlassen?«, fügte sie mit einem Seitenblick auf Lynn hinzu. »Ihr Vater scheint sich ja einer recht scharfen Beobachtungsgabe zu erfreuen.«

»Sie meinen, es gibt jemanden unter uns, der Carl zuarbeitet?«, fragte Tim.

»Sie etwa nicht?«

»Ich weiß zu wenig über die Sache.«

»Sie wissen exakt das, also was wir auch wissen. Wie soll Hanna hier oben ganz allein zurechtkommen? Zugleich agieren und seine Spuren verwischen. Warum sind die Satelliten ausgefallen, als sein Name fiel? Wie sehr kann man den Zufall strapazieren?«

»Aber wer sollte das sein?« Thiels Mädchengesicht drückte Entsetzen aus. »Doch keiner vom Personal. Und schon gar keiner der Gäste.«

»Auch Hanna kam als Gast. Ein von Julian Orley persönlich ausgesuchter Gast. Wie konnte er so viel Vertrauen erwerben?« Lawrence musterte Lynn. Ihr Blick wanderte weiter zu Thiel und heftete sich auf Tim. »Also wer ist der andere? Die andere? Jemand in diesem Raum?«

»So ein Blödsinn«, stieß Lynn hervor.

»Mag sein. Aber auch darum suchen wir in Teams.« Lawrence lächelte dünn. »Damit wir aufeinander aufpassen können.«

ARISTARCHUS-PLATEAU

Hanna registrierte den Verfolger erst nach einer ganzen Weile. Das Letzte, was er dem Durcheinander in seinem Helm hatte entnehmen können, war, dass keine Verbindung mehr zur Londoner Zentrale, zum GAIA und zu dem chinesischen Jet bestand. Hydra hatte etliche Möglichkeiten erörtert, vom Mond oder der Erde aus die Kommunikation lahmzulegen, falls es die Situation erforderte. Offenbar war Ebola aktiv geworden. Jetzt waren sie nur noch über den Funk ihrer Anzüge miteinander verbunden beziehungsweise über die Antennen der Rovers und des Shuttles, was jedoch Sichtkontakt erforderte. Zuletzt hatte er Locatellis Stimme gehört, der ihm offenbar näher gewesen war als die anderen.

Kam *er* da angebraust?

Hanna umkurvte einen kleinen Krater. Die Höchstgeschwindigkeit des Rovers betrug 80 Stundenkilometer, die sich kaum ausfahren ließen. Das Fahrzeug war leicht, zumal unterbesetzt, und hob bei jeder Gelegenheit ab, Kumulationen von Staub hinterlassend. Irgendwo in dem verwaschenen Grau war plötzlich das andere Fahrzeug aufgetaucht, und es näherte sich schnell. Entweder unterschätzte der Fahrer die Besonderheiten hiesiger Physik, oder er bewegte sich auf dem Terrain professioneller Erfahrung.

Locatelli fuhr Rennen.

Er *musste* es sein!

Kurz erwog Hanna, anzuhalten und ihn in die Luft zu jagen, doch der aufgewirbelte Staub würde einen gezielten Schuss nicht eben begünstigen, außerdem würde er Zeit verlieren. Besser, seinen Vorsprung auszubauen. Hatte er den Shuttle erst erreicht, war es gleich, was aus Locatelli und den anderen wurde. Sofern es ihnen überhaupt gelang, das Aristarchus-Plateau zu verlassen, würden sie ihn nicht aufhalten können. Ihm blieb mehr als genug Zeit, die Operation durchzuführen und sich zur OSS abzusetzen. Von dort konnte er –

Das rechte Vorderrad schnellte in die Höhe. Der Rover tat einen Bocksprung, stellte sich quer, schlitterte dahin und hüllte Hanna in graue Schwaden. Vorübergehend kam ihm die Orientierung abhanden. Unsicher, wohin er steuern sollte, fuhr er drauflos und sah sich in letzter Sekunde mit der klaffenden Tiefe des Schrötertals konfrontiert, riss hastig das Steuer herum, holte heraus, was herauszuholen war. Gegen Locatelli, so viel stand fest, half nur Geschwindigkeit.

Staub. Das alles verschlingende Ungeheuer.

Locatelli fluchte. Das Schwein vor ihm wirbelte so viel davon auf, dass er sich zügeln musste, ihm nicht zu nahe zu kommen und blind in sein Verderben zu rasen. Dann, mit einem Mal, schien es, als fahre sich der Mörder selbst in den Abgrund. Erst unmittelbar vor der Kante erlangte er die Gewalt über sein Fahrzeug zurück und prügelte es weiter voran, Wolken winziger, das Sonnenlicht milliardenfach brechender Partikel aufwirbelnd, als sei der Regolith mit Glas durchsetzt. Es wurde trübe um Locatelli, dann lichteten sich die Schwaden. Im nächsten Moment sah er den Rover erstaunlich klar vor sich. Der

Untergrund hatte sich verändert, asphaltiertes Gelände nun, wenige Hundert Meter nur noch bis zur GANYMED. Massig und düster ruhte sie auf ihren Käferbeinen –

Womit hatte der Kerl da eigentlich geschossen?

Ein Inselchen der Nachdenklichkeit entstand im aufgepeitschten Ozean seiner Wut, ein Ort stiller Besinnung. Was zum Henker tat er hier? Was hatte er jemandem entgegenzusetzen, der tödliche Waffen mit sich führte und keinerlei Skrupel erkennen ließ, davon Gebrauch zu machen? Im nächsten Moment donnerten neue Zorneswogen heran und rissen alle Vorbehalte mit sich. Der Mörder schien ihn eines Schusses gar nicht für würdig zu halten. In heilloser Flucht raste er auf den Shuttle zu, brachte den Rover unterhalb des Hecks zum Stehen, sprang aus dem Sitz und hastete zum Schleusenschacht, der dem Unterleib der GANYMED wie ein monströser Geburtskanal entsprang. Erst in letzter Sekunde, ein Bein schon in der Kabine, hielt er inne und wandte Locatelli sein spiegelndes Visier zu.

»Elende Drecksau!«, schrie Locatelli und trotzte dem Elektromotor nie zuvor vollbrachte Leistungen ab. »Warte nur, warte!«

Der Astronaut langte in Höhe seines Oberschenkels und förderte das lange, flache Ding zutage.

Windstille legte sich über seinen inneren Oceanus Procellarum. Algerisches und italienisches Erbgut suchten das Weite und hinterließen einen waschechten, rational denkenden Amerikaner, dem endlich klar wurde, in welch ungünstige Position ihn sein Leichtsinn gebracht hatte. Er sah sich selbst durch die Augen seines Feindes, das Fadenkreuz praktisch auf den Helm gemalt, eine einzige Einladung, abzudrücken –

»Scheiße«, flüsterte er.

Wie glühenden Stahl ließ er das Steuer fahren, sprang aus dem Rover, schlug einen Salto und schlitterte über den glatten Asphalt davon, während das Fahrzeug führerlos und ungebremst weiterraste, geradewegs auf die GANYMED und den Astronauten zu. Ein greller Blitz überstrahlte die kalte, weiße Sonne am Himmel. Der Rover wurde in die Höhe gerissen, stellte sich aufrecht und spuckte Teile seines Gestänges, Verkleidungssplitter, Fetzen von Goldfolie und elektronische Bauteile nach allen Seiten. Instinktiv schlug Locatelli die Arme über dem Helm zusammen. Neben ihm pflügten Trümmer Schneisen in den Asphalt. Hastig rollte er auf den Rücken, sah im Hochkommen eines der Räder wild eiernd heranschießen, katapultierte sich aus dem Weg und kam auf die Beine.

Nicht mit ihm. *Nicht mit ihm!*

Geduckt und in Erwartung des Schlimmsten rannte er über das Landefeld, doch sein Gegner war verschwunden. Im Schleusenschacht sah er die beleuchtete Kabine hochfahren. Minuten noch. Er durfte nicht zulassen, dass der Mörder die GANYMED stahl und sie in der Einöde zurückließ. Ohne Rücksicht auf die Blessuren, die er sich bei seiner Stunteinlage zugezogen hatte, lief er unter dem Leib des Shuttles hindurch zum Schleusenschacht. Die Kabine war fort, doch die Anzeige leuchtete rot, und solange sie rot war, hatte Black ihnen erklärt, ließ sich der Schacht nicht einfahren. Der Astronaut musste noch in der Schleuse sein, die wahrscheinlich gerade mit Luft geflutet wurde. Gut, sehr gut.

Locatelli keuchte, wartete.

Grün!

Mit der flachen Hand schlug er auf den Rückholknopf.

Hanna verschwendete keine Zeit damit, den Helm abzunehmen, nachdem er die Schleuse verlassen hatte. Er hastete zwischen den Sitzreihen hindurch zum Cockpit. Hatte er Locatelli erledigt? Wahrscheinlich nicht. Der Mann war abgesprungen, Hanna hatte seinen Körper durchs Vakuum fliegen sehen, bevor die Ladung in den Rover geschlagen war. Möglicherweise hatte ihn das Wrack unter sich begraben, oder er war von umherfliegenden Trümmern getroffen worden. Ohne hinter sich zu schauen, rutschte er auf den Pilotensessel und ließ seinen Blick über die Anzeigen schweifen. Die Bedienelemente waren ihm geläufig, vor Monaten schon hatte er Gelegenheit gehabt, sich mit der Funktionsweise aller lunaren Fahrzeuge vertraut zu machen. Dank Hydras perfekter Vorarbeit reichten seine Kenntnisse sogar aus, das Raumschiff zurück in die Umlaufbahn und von dort zur OSS zu steuern, außerdem wäre er nicht allein an Bord, vorausgesetzt, Ebola fand einen Weg, Kontakt zu ihm aufzunehmen, nachdem die Kommunikation blockiert war. Eine Sorge, die er sich wahrscheinlich nicht zu machen brauchte. Ebola würde voraussetzen, dass er es schaffte, und zur gegebenen Zeit am richtigen Ort erscheinen.

Seine Finger glitten über die Kontrollen.

Er stutzte.

Was war das? Der Schacht ließ sich nicht einfahren. Die Anzeige leuchtete rot, was bedeutete, dass die Kabine gerade abgesaugt, mit Atemluft geflutet wurde – oder unterwegs war!

Rasch drehte er sich um.

Nein, sie war da, der Innenraum hinter den schmalen Fenstern gleichmäßig beleuchtet und verlassen. Hanna kniff die Augen zusammen. Er zögerte. Ein Impuls drängte ihn, aufzustehen und nachzusehen, doch er durfte sich keine weitere Verzögerung gestatten, und soeben wechselte das Feld von Rot zu Grün.

Die GANYMED war startbereit.

»Da. Da!«

Amber zeigte aufgeregt zum Himmel. In weiter Entfernung stieg etwas steil empor, länglich und in der Sonne aufleuchtend.

»Die GANYMED!«

Sie waren den Pfad hinabgehastet, kopflos, atemlos, in linkischen Kängurusprüngen, zurück zur Kranplattform, nur um feststellen zu müssen, dass beide Rovers verschwunden waren. Keine Menschenseele weit und breit. Immer noch hallten Blacks Schreie in Ambers Ohren nach. Er hatte zu schreien begonnen im Moment, da sie ihn zugeschaltet hatte, um ihn zu fragen, wie es unten liefe:

Carl, was soll das? Bist du verrückt ge – Nein!

Carl?

Voller Angst war sie auf die Plattform hinausgelaufen und hatte gesehen, was von der Gondel übrig war, in der eigentlich Mimi und Marc hätten sitzen müssen. Genauer gesagt gab es keine Gondel mehr. Nur noch ein invalides Stück Lehne, verbogenes Gitterwerk, das krumm gezwungene Fragment eines Sicherungsbügels und dahinter, eingeklemmt, etwas Weißes, betäubend Vertrautes –

Ein einzelnes Bein.

Nur äußerste Willenskraft hatte sie daran gehindert, sich in ihren Helm zu übergeben, während die anderen in die Schlucht hinabgestarrt und nach den Vermissten Ausschau gehalten hatten. Doch große Teile der Talebene lagen im Schatten, und so sahen sie nicht das Geringste.

»Sie sind tot«, hatte Rogaschow schließlich verkündet.

»Wie kannst du behaupten, dass sie tot sind?«, ereiferte sich Chambers. »Solange wir keine Leiche –«

»Das da *ist* eine Leiche.« Rogaschow wies auf das abgerissene Bein in der zerstörten Gondel.

»Nein, das – das ist –«

Keiner von ihnen hatte es über sich gebracht, einen Namen auszusprechen. Welch unerträgliche Vorstellung, das Schicksal der zerfetzten Person würde sich erst dadurch erfüllen, dass sie dem Körperteil eine Identität zuwiesen und somit nachträglich für Fakten sorgten.

»Wir müssen sie suchen«, sagte Chambers.

»Später.« Julian starrte auf den Platz, wo die Fahrzeuge zuvor gestanden hatten. »Im Moment haben wir schlimmere Sorgen.«

»Du findest das nicht schlimm genug?«, schnappte Omura.

»Ich finde es entsetzlich. Aber zuerst müssen wir die Rovers wiederfinden.«

»Warren?«, begann Omura wieder die mantrahafte Anrufung ihres Gatten. »Warren, wo bist du?«

»Angenommen, sie hätten es geschafft –«, versuchte es Chambers erneut.

»*Sie sind tot*«, schnitt ihr Rogaschow eisig das Wort ab. »Fünf Personen werden vermisst. Mindestens zwei davon leben, andernfalls könnten nicht beide Fahrzeuge verschwunden sein, aber die anderen liegen da unten. Willst du dich abseilen und in der Dunkelheit rumstochern?«

»Woher willst du wissen, dass es nicht – nicht Carl ist, der unten liegt?«

»Weil Carl lebt«, hatte Amber müde gesagt, um die Sache abzukürzen. »Ich glaube, er hat Peter und die anderen auf dem Gewissen.«

»Was macht dich da so sicher?«

»Amber hat recht«, hatte Julian gesagt. »Carl ist ein Verräter, das ist mir vor wenigen Minuten klar geworden. Glaubt mir, wir *haben* ein größeres Problem als das hier! Wir müssen uns dringend darüber Gedanken machen, wie wir –«

In diesem Moment hatte Amber den Shuttle am Horizont aufsteigen sehen. Einen Moment lang schien er über *Cobra Head* stillzustehen, dann kam er auf sie zu und wurde rasch größer.

Er fliegt hierher, dachte sie.

Der gepanzerte Leib gewann an Form und Kontur, beunruhigenderweise aber auch an Höhe. Wer immer die GANYMED steuerte, hatte offenbar nicht vor, zu landen und sie aufzunehmen. Lautlos zog die Maschine über sie hinweg, beschleunigte, machte sich in nördliche Richtung davon, schrumpfte zum Punkt und verschwand.

»Er haut ab«, flüsterte Omura. »Er lässt uns zurück.«

»Julian, ruf das GAIA«, drängte Chambers. »Die müssen uns hier abholen.«

»Geht nicht.« Julian seufzte. »Der Kontakt ist abgerissen.«

»Abgerissen?«, rief Omura entsetzt. »Wieso denn abgerissen?«

»Keine Ahnung. Ich sagte ja, wir haben ein größeres Problem.«

Die Rückverwandlung Xins vom löwenmähnigen Mando-Progger zum ganz normalen Auftragskiller war so gut wie vollzogen, als sein Verbindungsmann anrief.

Auf dem Rückweg vom Grand Hyatt hatte er sich unablässig gefragt, was die beiden Polizisten dort gemacht hatten. Kein Zweifel, auch sie waren hinter Tu, Jericho und dem Mädchen her gewesen, aber aus welchem Grund? Jericho war in Berlin nicht namentlich erfasst, die Ermittler hatten demnach Tu Tian im Visier. Warum gerade ihn?

Andererseits konnte es ihm gleich sein. Zwar hatte er unverrichteter Dinge verschwinden müssen, doch sein Gespür sagte ihm, dass er ohnehin zu spät gekommen war. Die Gruppe hatte sich abgesetzt. Wenn schon! Was sollten sie noch groß bewirken? Vogelaar und seine Frau waren tot, der Kristall in seinem Besitz. Während er Perücken und falsche Bärte verstaute, nahm er den Anruf entgegen.

»Kenny, verdammt, wie konnte das passieren?«

Kein *Hydra,* keine sonstige Begrüßung. Nur angstvolles Flüstern. Xin stutzte. Der Kontaktmann war außer sich.

»Was passieren?«, fragte er lauernd.

»Alles geht den Bach runter! Dieser Tu und dieser Jericho und das Mädchen, die ganze Konterbande ist auf dem Weg zu uns, und sie wissen *Bescheid*! Sie wissen alles! Von dem Paket, von dem *Anschlag*! Sie hatten sogar Gelegenheit, mit Julian Orley zu sprechen. *Alles fliegt auf*!«

Xin gefror. Der Tatarenbart des Mando-Proggers hing in seinen Fingern wie ein kleines, verstorbenes Tier.

»Das ist unmöglich«, flüsterte er.

»Unmöglich? Na, dann sollten Sie vielleicht mal *herkommen!* Die Schockwelle des Unmöglichen erschüttert nämlich gerade den Konzern, dass jedes Erdbeben ein Flohfurz dagegen ist.«

»Aber ich habe das Dossier.«

»*Die* haben es auch!«

Eine schwallartige Schilderung ging auf Xin hernieder, die neben anderen Misslichkeiten Hannas Enttarnung und die Inkraftsetzung der Kommunikationsblockade zum Inhalt hatte. Letztere war als Notmaßnahme gedacht gewesen für den Fall, dass Details über den Anschlag vorzeitig zum Mond durchsickern sollten. Etwas, womit niemand bei Hydra ernsthaft gerechnet hatte, doch genau dies war geschehen.

»Wann wurde das Netz lahmgelegt?«, fragte Xin.

»Während der Konferenzschaltung.« Der andere atmete scharf in den Hörer. »Für die Dauer der nächsten 24 Stunden wird der Mond von allem abgeschnitten sein, aber ewig können wir die Blockade nicht aufrechterhalten. Ich will nur hoffen, dass Hanna die Situation unter Kontrolle bringt. Von Ebola ganz zu schweigen.«

Ebola. Hannas rechte Hand war spezialisiert auf die Kunst, vermeintlich autarke Systeme zu infizieren und von innen heraus zu schwächen. Dass es Ebola gelungen war, die fatale Konferenzschaltung zu unterbrechen, konnte als brillantes Manöver gewertet werden, eine geschickte Wende im Gegenwind der Umstände, leider auf einem leckgeschlagenen Kahn.

Vogelaar hatte ihn ausgetrickst.

Nein! Xin zwang sich zur Ruhe. Noch waren sie nicht leckgeschlagen. Er hatte Hanna und Ebola ausgesucht, weil sie zu improvisieren wussten und die Oberhand behalten würden, wie widrig die Umstände auch sein mochten. Keine Sekunde des Grübelns gedachte er darauf zu verschwenden, das Unternehmen könne fehlschlagen.

»Und wie wollen Sie jetzt diesen Tu und sein Rattenpack noch zur Räson bringen?«, zeterte der andere. »Sie haben Mickey Reardon verloren, in Shanghai sind Ihnen zwei Leute krepiert, auf Gudmundsson und sein Team können Sie zurzeit nicht zählen, die sind anderweitig beschäftigt, also wie gedenken Sie –«

»Gar nicht«, unterbrach ihn Xin.

Der Kontaktmann schwieg verblüfft.

»Tus Gruppe auszuschalten ergibt keinen Sinn mehr«, erklärte ihm Xin. »Die Faktenlage ist allgemein bekannt, die Ausbreitung des Dossiers nicht mehr zu stoppen. Alles Weitere entscheidet sich auf dem Mond.«

»Verdammt, Kenny. Wir fliegen auf!«

»Nein. Meine Aufgabe konzentriert sich ab sofort darauf, Hydra vor der Enttarnung zu schützen. Weiß *er* schon davon?«

»Ich habe ihn vor fünf Minuten informiert. Er würde es begrüßen, wenn Sie ihn persönlich anrufen, außerdem muss ich jetzt Schluss machen, so ein Mist! Was ist, wenn die mir auf die Schliche kommen? Was soll ich dann machen?«

»Niemand wird auffliegen.«

»Aber die bringen das Dossier mit! Ich weiß nicht, was da alles drinsteht. Vielleicht wäre es besser –«

»Bleiben Sie gelassen.« Das larmoyante Winseln am anderen Ende begann Xin Übelkeit zu bereiten. »Ich komme so schnell wie möglich nach London. Ich werde in Ihrer Nähe sein, und falls es eng wird, hole ich Sie raus.«

»Mein Gott, Kenny! Wie konnte das bloß passieren?«

»Jetzt kommen Sie endlich zur Besinnung«, sagte Xin scharf. »Das einzige Risiko besteht darin, dass Sie die Nerven verlieren. Gehen Sie zurück zu den anderen und lassen Sie sich nichts anmerken.«

»Hoffentlich weiß Hanna, was er tut.«

»Ich habe ihn danach ausgesucht, dass er es weiß.«

Xin beendete das Gespräch, legte das Handy von einer Handfläche in die andere und inspizierte den Raum. Wie zu erwarten, fielen ihm tausenderlei Dinge auf, die nicht stimmten, Asymmetrien, proportionale Missverhältnisse, Wucherungen im Design, ein ärgerliches Blumengesteck. Das schmale Talent des Floristen hatte nicht ausgereicht, der Anordnung Sinn zu verleihen, etwa indem die Anzahl der Blüten durch die der Blütenblätter teilbar gewesen wäre und das Machwerk solcherart seinen Selbstbezug erfahren hätte. Mangels einer in sich zurückführenden Idee, ohne dass die vermeintlich ästhetische einer wie auch immer codierten strukturellen Funktion entsprach, haftete dem Gesteck etwas bedrohlich Planloses an, Xins Albtraum schlechthin. Die bloße Vorstellung, sein Handeln nicht begründen zu können, war schlichtweg entsetzlich! Unwillig wählte er eine andere Nummer, hielt das Handy mit der Linken, während die Finger der Rechten die Blumen umsteckten und das Arrangement zu korrigieren versuchten.

»Hydra«, sagte er.

»Wie umfangreich ist das Dossier?«, fragte die Stimme.

»Ich hatte noch keine Gelegenheit, es zu lesen.« Xin zupfte an einer Lilie. »Was geschehen ist, tut mir leid. Natürlich übernehme ich die volle Verantwortung, aber mehr, als Vogelaar mit Folter und Tod zu bedrohen, konnten wir nicht tun. Er muss eine Kopie des Dossiers an Jericho weitergegeben haben.«

»Sie trifft keine Schuld«, sagte die Stimme. »Entscheidend ist, dass die Blockade steht. Was schlagen Sie vor?«

»Umdisponieren. Jericho, Tu und Yoyo aus dem Fokus nehmen. Mit ihrem Tod ist uns nicht länger gedient, und die Geschehnisse auf dem Mond können wir nicht beeinflussen. Ich bin unverändert der Überzeugung, dass die Operation ein voller Erfolg wird. Jetzt kommt es darauf an, Hydras Anonymität zu sichern.«

»Sind wir einer Meinung, was die Schwachpunkte betrifft?«

»Aus meiner Sicht gibt es nur den, über den wir schon gesprochen haben.«

»Das sehe ich genauso.«

Xin betrachtete das Arrangement. Nicht wirklich besser, immer noch ohne jeden semiotischen Gehalt. »Ich nehme die nächste Maschine nach London.«

»Sind Sie dort hinreichend ausgestattet?«

»Airbike und alles. Bei Bedarf kann ich Verstärkung hinzuziehen.«

»Gudmundsson ist beschäftigt, das wissen Sie.«

»Mein Netz ist weit gespannt. Ich könnte Legionen in Marsch setzen, aber das wird nicht nötig sein. Ich halte mich vor Ort bereit, das sollte reichen.«

»Informieren Sie mich über die Eckdaten des Dossiers. Nachdem wir die Mail-Kommunikation eingestellt haben, können Sie es mir ja leider nicht mehr schicken.«

»Dennoch war es richtig, die Seiten aus dem Netz zu nehmen.«

»Ich höre von Ihnen.«

Xin verharrte.

Dann schleuderte er das Handy aufs Bett und wütete mit wachsendem Zorn in Orchideen, Lilien und Krokussen. Er musste Berlin schnellstmöglich verlassen, doch nicht einmal dieses Zimmer konnte er verlassen, solange das Arrangement nicht einer befriedigenden Strukturierung unterworfen war. Die Welt war nicht willkürlich. Nicht planlos. Alles musste einen Sinn ergeben. Wo der Sinn endete, begann der Wahn.

Der Kopf einer Lilie brach ab.

Bebend vor Wut riss Xin das komplette Arrangement aus seiner Schale und stopfte es in den Müll.

GAIA, VALLIS ALPINA, MOND

Lynn hatte entschieden, die unterirdisch gelegenen Trakte des GAIA zusammen mit Thiel abzusuchen. Tim ahnte den Grund dafür. Sie scheute die Auseinandersetzung mit ihm, weil sie sehr genau wusste, dass sie ihm nicht länger etwas vormachen konnte. Noch gelang es ihr, sich selber zu belügen. Ihr Verhalten oszillierte zwischen Momenten völliger Klarheit, Unsachlichkeit und eruptiver Wut. Jene abgrundtiefe, nachtschwarze Angst wohnte wieder in ihrem Blick, die sie vor Jahren beinahe umgebracht hätte, und noch etwas anderes meinte Tim darin zu erkennen, etwas unbestimmt Heimtückisches, das ihn zutiefst erschreckte. Während er zusammen mit Axel Kokoschka, dem Koch, das Casino durchstöberte, pendelte seine Sorge von ihr zu Amber, die in Gesellschaft eines mutmaßlichen Terroristen unterwegs war. Julian hatte die Information auf einer geschützten Frequenz erhalten, doch wie hatte er reagiert? Peter Black war bei ihm. Hatten sie Carl gemeinsam dingfest gemacht?

Was geschah jetzt gerade auf dem Aristarchus-Plateau?

Amber, dachte er, meldet euch! Bitte!

Der mehrgeschossige Untergrund des GAIA verdiente nach Lawrences Einschätzung besondere Aufmerksamkeit, weil eine Bombe von hier aus die größte Zerstörungskraft entfesseln würde. Michio Funaki und Ashwini Anand hatten sich den Wohntrakt des Personals vorgenommen, Lynn und Thiel die unterirdischen Treibhäuser, Aquarien und Lagerhallen. GAIAS Spiegelwelt reichte tief hinab, immerhin sah die Personalplanung für 2026 vor, dass auf jeden Gast ein Angestellter kam.

»Ich werde zwischenzeitlich versuchen, die Peary-Basis zu erreichen«, hatte Lawrence gesagt, bevor sie auseinanderstrebten.

»Wie denn ohne Satellit?«, hatte Tim gefragt.

»Über die Standleitung. Es gibt eine direkte Laserverbindung zwischen GAIA und Basis. Wir schicken die Daten über ein System von Spiegeln hin und her.«

»Was, Spiegel? Einfach stinknormale Spiegel?«

»Der erste steht auf der anderen Seite der Schlucht. Ein dünner, sehr hoher Mast. Sie können ihn von Ihrer Suite aus sehen.«

»Und wie viele gibt es davon?«

»Gar nicht mal so viele. Ein Dutzend bis zum Pol. So angeordnet, dass der Lichtstrahl Kraterränder und Berge umfährt. Um Shuttles, Raumschiffe oder gar die Erde zu erreichen, brauchen Sie natürlich Satelliten, aber für die interlunare Kommunikation zwischen zwei festen Punkten gibt es nichts Besseres. Keine Atmosphäre, die streut, kein Regen – ich werde denen also unsere Situation schildern in der Hoffnung, dass sie dort keine Probleme mit den Satelliten haben, aber mein Optimismus ist gedämpft.«

Und dann, nachdem Lynn bereits mit Thiel im Fahrstuhl verschwunden war, hatte Lawrence ihn beiseitegenommen.

»Tim, es ist mir unangenehm. Sie wissen, dass ich nicht lange um den heißen Brei herumzureden pflege, aber in diesem Fall –«

Er seufzte, heimgesucht von bösen Vorahnungen. »Es geht um Lynn?«

»Ja. Was ist los mit ihr?«

Tim schaute auf den Boden, an die Wände, wohin man eben schaute, um den Blick des Gegenübers nicht erwidern zu müssen.

»Schauen Sie, Lynn und ich, wir hatten nie persönlichen Kontakt«, fuhr Lawrence fort. »Aber sie hat damals meine Einstellung befürwortet und mich eingearbeitet, im Trainingslager, auf dem Mond, durchweg souverän und kompetent, bewundernswert. Jetzt kommt sie mir unverantwortlich vor, fahrig, in Angriffslaune. Sie hat sich völlig verändert.«

»Ich –« Tim druckste. »Ich werde mit ihr reden.«

»Danach habe ich nicht gefragt.«

Die prüfenden Augen hielten seinen Blick gefangen. Plötzlich fiel Tim auf, dass Dana Lawrence nicht zwinkerte. Bislang hatte er sie kein einziges Mal zwinkern sehen. Ein Film geriet ihm in Erinnerung, *Alien*, ein ziemlich alter, immer noch großartiger Streifen, den Julian liebte und in dem sich eines der Besatzungsmitglieder völlig überraschend als Androide entpuppte.

»Ich weiß nicht, was ich antworten soll«, sagte er.

»Doch, das wissen Sie sehr genau.« Sie senkte die Stimme. »Lynn ist Ihre Schwester, Tim. Ich will wissen, ob wir ihr vertrauen können. Hat sie sich unter Kontrolle?«

In Tims Kopf lichteten sich Gewitterfronten. Er starrte die Direktorin an, beschienen von der Erkenntnis, was sie eigentlich meinte.

»Deuten Sie an, Lynn sei Carls Komplizin?«, fragte er fassungslos.

»Ich will nur Ihre Einschätzung hören.«

»Sie sind verrückt.«

»Das alles hier ist verrückt. Kommen Sie, uns läuft die Zeit davon. Mir würde ein Stein vom Herzen fallen, wenn ich mich irre, aber Lynn hat Ihrem Vater vor drei Tagen mit aller Macht einzureden versucht, er fantasiere. Sie wollte ihm die Videos der Überwachungskameras vorenthalten, sie hat mich über Edda Hoffs Warnung im Unklaren gelassen, obwohl sie mit mir hätte sprechen *müssen*. Alles in allem benimmt sie sich, als hätten wir uns die Ereignisse der vergangenen dreißig Minuten ausgedacht, obwohl sie selber von Anfang an dabei war.«

Stimmt nicht, wollte Tim sagen, und tatsächlich hatte Lawrence in einem Punkt unrecht. Lynn war nicht von Anfang an dabei gewesen. Thiel hatte das Gespräch entgegengenommen, während seine Schwester mit der Direktorin und den Köchen im SELENE gesessen hatte, um die Möglichkeit eines Picknicks am Grund des Vallis Alpina zu erörtern. Jennifer Shaw hatte Lynn oder ihren Vater sprechen wollen, also hatte Thiel umgehend eine Nachricht ins SELENE geschickt und die Sicherheitsbeauftragte ebenso umgehend zu Julian am Aristarchus-Plateau durchgestellt. Als Lynn und Lawrence in der Zentrale eingetroffen waren, war die Unterhaltung bereits in vollem Gange.

Doch was machte das für einen Unterschied?

»Wie Sie schon sagten, Lynn ist meine Schwester.« Er straffte sich und ging einige Zentimeter auf Distanz. »Ich kann beide Hände für sie ins Feuer legen.«

»Das reicht mir nicht.«

»Das muss Ihnen aber reichen.«

»Tim.« Lawrence seufzte. »Ich will nur sicherstellen, dass uns keine Probleme von einer Seite drohen, von der wir sie am wenigsten erwarten. Sagen Sie mir, was los ist. Ich behandele unser Gespräch vertraulich, niemand wird davon erfahren, wenn Sie es nicht wollen. Julian nicht, und Lynn schon gar nicht.«

»Dana, wirklich –«

»Ich *muss* meinen Job machen können!«

Tim schwieg einen Moment.

»Sie hatte einen Zusammenbruch«, sagte er matt. »Vor einigen Jahren. Ausgebrannt, depressiv. Die Sache kam und ging, aber seitdem werde ich die Angst nicht los, es könnte sich wiederholen.«

»Ein Burn-out?«

»Nein, schon mehr eine –« Das Wort wollte ihm nicht über die Lippen.

»Krankheit?«, ergänzte Lawrence.

»Lynn spielt es herunter, aber – ja. Eine krankhafte Disposition. Ihre – unsere Mutter war depressiv, sie wurde schließlich –«

Er schwieg. Lawrence wartete, ob er noch etwas hinzufügen wollte, doch er fand, er habe genug gesagt.

»Danke«, sagte sie ernst. »Bitte haben Sie ein Auge auf Ihre Schwester.«

Er nickte unglücklich, gesellte sich zu Kokoschka, und sie zogen los, mit tragbaren Detektoren ausgestattet, während er sich fühlte wie ein gottverdammter, elender Kollaborateur. Zugleich quälte ihn Lawrences Verdacht. Nicht, weil er Lynn ungerechtfertigten Verdächtigungen ausgesetzt sah, sondern weil die Ungewissheit an ihm nagte. Konnte er wirklich beide Hände für Lynn ins Feuer legen? Er würde sein Leben für sie hingeben, so viel wusste er, egal, was sie tat.

Aber er war sich *einfach nicht sicher.*

GANYMED

Locatelli lag in fötaler Haltung auf dem Boden der Schleuse, unmittelbar vor den Schotts, die Beine angewinkelt. Beinahe zwei Drittel der Kabine waren verglast, doch solange er unten blieb, im Schutz der Abschirmung, würde man ihn vom Passagierraum und vom Cockpit aus nicht sehen können. Fieberhaft entwickelte und verwarf er einen Plan nach dem anderen. Wann immer er den Kopf verdrehte, konnte er im Visier eben noch das Kontrollfeld an der Innenwand der Schleuse erkennen, das Druck, Atemluft und Umgebungstemperatur anzeigte. Die Kabine war geflutet, doch er traute sich nicht, den Helm abzunehmen. Zu groß war seine Befürchtung, der Pilot könne genau in dem Moment auf die Idee kommen, die Schleuse einer Inspektion zu unterziehen, wenn er gerade mit dem verdammten Helm beschäftigt war. Er hatte sich zwischen den Schotts hindurchgezwängt, kaum dass sie auseinandergeglitten waren, den Aufwärts-Befehl eingegeben, sich zu Boden fallen lassen, nicht den Bruchteil einer Sekunde vergeudet. Dennoch konnte es dem Kerl nicht entgangen sein, dass die Kabine ein weiteres Mal nach unten gefahren war.

Vorsichtig richtete er sich ein winziges Stück auf und spähte nach etwas, das sich als Waffe verwenden ließe, doch das Schleuseninnere hielt nichts Hieb- und Stichtaugliches bereit. Immer noch beschleunigte die GANYMED. Er schätzte, dass es einen Autopiloten gab, aber solange der Shuttle seine Endgeschwindigkeit nicht erreicht hatte, konnte Werimmer-da-vorne-saß die Kontrollen nicht aus dem Auge lassen. Später mochte es zu spät sein, sich der Panzerungen und des Helms zu entledigen. Vielleicht sollte er es *doch* jetzt tun.

Im selben Moment kam ihm eine Idee.

Rasch öffnete er die Verschlüsse des Helms und nahm ihn ab, legte ihn neben sich, machte sich fieberhaft an der Brustpanzerung zu schaffen. Der Beschleunigungsdruck ließ nach. Hastig fingerte er an den Verschlüssen und Ventilen herum, schälte sich aus dem Überlebensrucksack und schob den ganzen Krempel ein Stück beiseite. Jetzt war er beweglicher, und etwas, das sich als Waffe für einen Überraschungsangriff nutzen ließ, hatte er auch. Aufs Äußerste angespannt lag er da und wartete. Der Shuttle legte sich in eine Kurve, gewann weiter an Höhe. In seinem Schädel rumorte die Gewissheit, dass er nur diese eine Chance hatte. Wenn er Peter oder Carl, wer immer von beiden die GANYMED steuerte, nicht gleich beim ersten Mal erwischte und ausschaltete, konnte er sich ebenso gut aus der Welt verabschieden.

Jammere nicht, Arschloch, dachte er, du hast es so gewollt. Und eigenartigerweise – oder auch nicht – klang seine innere Stimme in all ihrer Herablassung, einschließlich gewisser Besonderheiten der Modulation bis hin zum asiatisch gerollten R, exakt wie die Momokas.

GAIA, VALLIS ALPINA

Lawrence trat zu ihrem Arbeitsplatz und verharrte.

Depressiv. Das erklärte einiges. Doch wie entwickelten sich depressive Zustände? Apathie? Aggression? Würde Lynn ausflippen? Was stand von Julians Tochter zu erwarten?

Sie stellte die Laserverbindung zur Peary-Basis her. Nach wenigen Sekunden erschien das Gesicht des stellvertretenden Kommandanten Tommy Wachowski auf dem Bildschirm. Zwischen Hotel und Basis fand kein übermäßiger Austausch statt, sodass sie bislang nur einmal mit ihm gesprochen hatte. Wachowski wirkte angespannt und erleichtert zugleich, als habe sie ihm mit ihrem Anruf eine Last von der Seele genommen. Lawrence glaubte den Grund zu kennen. Im nächsten Moment bestätigte Wachowski ihre Vermutung.

»Bin froh, Sie zu sehen«, knurrte er. »Ich dachte schon, wir erreichen überhaupt niemanden mehr.«

»Sie haben Probleme mit den Satelliten?«, fragte sie.

Er riss die Augen auf. »Woher wissen Sie das?«

»Weil wir auch welche haben. Wir standen in Kontakt mit der Erde, als die Verbindung abbrach. Seitdem kommen wir nicht mehr durch, auch nicht zu unseren Shuttles.«

»Geht uns ähnlich. Völlig abgeschnitten. Das Problem ist, wir liegen im Librationsschatten. Alternative Wege fallen flach. Wir sind aufs LPCS angewiesen, haben Sie eine Ahnung, was da los ist?«

»Nein.« Lawrence schüttelte den Kopf. »Im Moment sind wir ratlos. Vollkommen ratlos. Und Sie?«

ARISTARCHUS-PLATEAU

Eindeutig war der Mond Fußmärschen zuträglicher als die Erde, was seine verminderte Gravitation betraf. Eindeutig waren es Raumanzüge nicht. Auch wenn die Exosuits ein Höchstmaß an Komfort und Bewegungsfreiheit boten, steckte man, ungeachtet der Klimatisierung, in einem Brutkasten. Je mehr Kraft man aufwendete, desto mehr schwitzte man, und acht Kilometer blieben auch bei Sprüngen, die jedem Känguru Ehre gemacht hätten, acht Kilometer.

Bestürmt von Fragen, hatte Julian Verschiedenes preisgegeben, von seiner nächtlichen Beobachtung des Lunar Express erzählt, von Hannas Lügen und Täuschungsmanövern und dass irgendwo auf der Welt etwas gegen ORLEY ENTERPRISES im Gange sei. Dass Terroristen versuchen könnten, sein Hotel mit einer Atombombe in die Luft zu jagen, behielt er hingegen für sich, ebenso wie er mit keinem Wort Lynns unentschuldbare Versäumnisse thematisierte. Er sorgte sich entsetzlich um sie, doch klaffte im Zentralmassiv seiner Sorge eine Verständnislücke, in die sich soeben ein garstiger, schwarzer Gedankenwurm schlängelte. Wer hatte eigentlich das Video umgeschnitten, wer Hanna zugeschaltet? Denn *dass* der Kanadier vorhin mitgehört hatte, stand außer Zweifel, er war in Aktion getreten, noch während dieser Jericho seinen Verdacht dargelegt hatte! Schließlich, wer hatte in perfekter Synchronisation zu Hannas Flucht die Satelliten lahmgelegt? Der Wurm wand sich, schillerte, oszillierte, gebar die Vorstellung eines Helfers, eines Komplizen im Hotel, einer *Komplizin*. Einer Person, die sich unerklärlicherweise geweigert hatte, ihn das manipulierte Video sehen zu lassen, und deren Verhalten mit jeder Stunde rätselhafter wurde.

»Und wie kommen wir jetzt weg von hier?«, wollte Chambers wissen. »Zurück ins Hotel, so ganz ohne Shuttle und Funkkontakt?«

»Ich frage mich eher, wo Carl hinwill«, sinnierte Rogaschow.

»Als ob das jetzt wichtig wäre«, schnaubte Omura.

»Warum ist er so überstürzt abgehauen? Man hätte ihm doch nicht das Geringste beweisen können. Allenfalls, dass er es mit der Wahrheit nicht so genau nimmt, aber gut. Wozu diese Eile?«

»Vielleicht hat er was vor«, meinte Amber. »Etwas, das er rechtzeitig erledigen muss, jetzt, wo er aufgeflogen ist.«

Rechtzeitig. Das war es! Wie kam der Komplize im Hotel rechtzeitig weg, sofern es ihn gab, wie akut war die Gefahr überhaupt, dass im GAIA während der nächsten Stunde eine Bombe explodierte? Musste Hannas Weg nicht zurück ins GAIA führen, um sie zu zünden? Oder tickte die Bombe bereits? In diesem Fall –

Lynn! Er musste verrückt sein, sie zu verdächtigen! Doch selbst, *wenn* sie auf makabre, unverständliche Weise eine Rolle in dem Drama spielte, war ihr klar, worauf sie sich eingelassen hatte? Besaß sie auch nur die mindeste Vorstellung davon, worum es bei alledem überhaupt ging? Konnte Hanna sie unter welchem Vorwand auch immer für seine

Zwecke eingespannt, ihre mentale Verfassung ausgenutzt, ihr etwas vorgegaukelt, sie überredet haben, Dinge für ihn zu tun, die sie in ihrer Bedeutung völlig missverstand?

Vielleicht hätte er Tim besser zuhören sollen.

Hätte! Die Grammatik der verpassten Gelegenheiten.

»Julian?«

»Was?«

»Wie wir hier wegkommen«, fragte Chambers erneut.

Er zögerte. »Peter kennt – er kannte den Schröter-Raumhafen besser als ich. Fluggeräte gibt es dort keine, glaube ich, aber definitiv ein drittes Mondmobil. Wegkommen werden wir also auf jeden Fall.«

»Aber bis wohin?«, meinte Rogaschow. »Es sind nicht eben ermutigende Aussichten, mit einem Mondauto das Mare Imbrium zu durchqueren.«

»Wie weit sind wir überhaupt vom Hotel entfernt?«, fragte Amber.

»Rund dreizehnhundert Kilometer.«

»Und wie lange reicht unser Sauerstoff?«

»Vergiss es«, keuchte Omura. »Bestimmt nicht lange genug, um mit der Karre bis ins Vallis Alpina zu kommen. Oder, Julian? Wie lange braucht man für dreizehnhundert Kilometer mit maximal achtzig Sachen?«

»Sechzehn Stunden«, sagte Julian. »Aber realistisch betrachtet werden wir kaum achtzig fahren können.«

»Sechzig?«

»Vielleicht fünfzig.«

»Oh, super!«, lachte Omura. »Da können wir ja Wetten abschließen, wer oder was zuerst verreckt. Die Karre oder wir.«

»Hör auf«, sagte Amber.

»Ich tippe mal, wir.«

»Das bringt nichts, Momoka. Lass uns lieber –«

»Das Auto fährt dann eben noch ein bisschen mit unseren Kadavern spazieren, bis es irgendwann –«

»Momoka!«, schrie Amber. »Hör. Verdammt. Noch. Mal. Auf!«

»So, Schluss jetzt!« Julian blieb stehen und hob beide Hände. »Ich weiß, wir haben eine Menge entsetzlicher Dinge zu verarbeiten. Nichts ergibt Sinn, praktisch keine Information ist bestätigt. Im Augenblick hilft nur, geradeaus zu denken, *von einem Schritt zum nächsten,* und der nächste Schritt wird sein, den Schröter-Raumhafen zu durchsuchen. Dafür reicht unser Sauerstoff allemal.« Er machte eine Pause. »Nun, da Peter tot ist –«

»Falls er wirklich tot ist«, sagte Chambers.

»Da Peter *wahrscheinlich* tot ist, rücke ich an seine Stelle. Klar? Die Verantwortung für die Gruppe liegt jetzt bei mir, und ab sofort will ich nur noch konstruktive Anmerkungen hören.«

»Ich hätte eine konstruktive Anmerkung«, sagte Rogaschow.

»Brav, Oleg«, höhnte Omura. »Konstruktive Anmerkungen stehen gerade hoch im Kurs.«

Rogaschow ignorierte sie. »Liegen die Helium-3-Förderstellen nicht um einiges näher am Aristarchus-Plateau als das Hotel?«

»Stimmt«, sagte Julian. »Nicht mal halb so weit.«

»Wenn wir es also bis dahin schaffen könnten –«

»Die Förderstellen sind automatisiert«, wandte Omura ein. »Hat Peter mir erzählt. Alles Roboter.«

»Ja, schon«, sagte Chambers nachdenklich. »Trotzdem wird es doch wohl so was wie eine Infrastruktur dort geben, oder? Unterkünfte für Wartungspersonal. Irgendwelche Fortbewegungsmittel.«

»Auf jeden Fall gibt es ein Überlebensdepot«, sagte Julian. »Guter Vorschlag, Oleg. Also weiter!«

Dass der Sauerstoff auch bis ins Fördergebiet nicht reichen würde, ließ er unausgesprochen.

GANYMED

Auf dem hypothetischen Gleis des 50. Längengrades raste Hanna seinem Ziel entgegen, zog der Schatten der GANYMED zwölfhundert Stundenkilometer schnell über die samtene Eintönigkeit des nördlichen Oceanus Procellarum hinweg. Sein Blick ruhte auf den Kontrollen. Mehr ließ sich aus dem Shuttle nicht herausholen. Gut eineinviertel Stunde würde er noch unterwegs sein, angesichts der kläglichen Möglichkeiten, die Julians Gruppe zur Verfügung standen, kaum Grund zur Sorge. Selbst wenn sie es schafften, das Plateau zu verlassen, blieb ihm ein luxuriöses Guthaben an Zeit, um seine Aufgabe zu Ende zu bringen und den Mond zu verlassen. Einzig, ob Ebola es rechtzeitig schaffen würde, da alles aus den Fugen geraten war, stand in den Sternen. Zwar hatte er vor, so lange wie möglich zu warten. Doch irgendwann würde er abfliegen müssen, notfalls alleine. So lauteten nun mal die Spielregeln. Allianzen dienten dem Zweck.

Rechter Hand begann eine von winzigen Kratern bedeckte Hochebene, die das nördliche Mare Imbrium vom Oceanus Procellarum trennte. Dahinter erstreckten sich die Helium-3-Fördergebiete bis in die Bucht Sinus Iridum hinein, jenes Gebiet, auf dem Amerikaner und Chinesen im vergangenen Jahr so heftig aneinandergeraten waren. Kenny Xin hatte eine Menge darüber zu erzählen gewusst. Der Chinese mochte verrückt sein, doch es lohnte sich, ihm zuzuhören.

Träge schaute er sich um.

Die Schleuse lag in diffuses Licht getaucht. Nichts deutete darauf hin, dass Locatelli es bis in den Shuttle geschafft hatte. Außerdem würde das Geräusch des Schotts ihn verraten, sobald es sich öffnete. Er widmete sich wieder den Kontrollen und sah aus dem Fenster. Ein größerer Krater geriet in Sicht, Mairan, wie die holografische Karte auf der Konsole verriet. Gut zwanzig Minuten war die GANYMED jetzt unterwegs, und beinahe überkam ihn so etwas wie Langeweile.

Also gut.

Er stand auf, nahm seine Waffe mit den nichtexplosiven Geschossen und ging zwischen den Sitzreihen hindurch zur Schleuse. Je näher er kam, desto tiefer konnte er in die Kabine hineinsehen, doch augenscheinlich war sie tatsächlich leer. Erst als er wenige Schritte davor war, schob sich etwas Klobiges, Weißes in sein Blickfeld, etwas, das auf dem Boden lag, und er blieb stehen.

Ein Überlebensrucksack. Zumindest sah es danach aus.

Sollte Locatelli es tatsächlich geschafft haben?

Langsam trat er näher. Weitere Einzelheiten wurden sichtbar, die Schulterpartie eines Brustpanzers, ein abgewinkeltes Bein. Erst als er so dicht vor der Scheibe stand, dass sein Atem darauf zu einem Tröpfchenfilm kondensierte, konnte er auch einen Teil des Gesichts ausmachen, ein leblos starrendes Auge, einen halb geöffneten Mund. Locatelli schien mit dem Rücken gegen das Schott zu lehnen, und er sah nicht besonders gut aus, eigentlich ziemlich tot.

Hannas Finger umspannten die Waffe. Er legte die freie Hand auf das Sensorfeld, ließ das Schott aufgleiten und trat einen Schritt zurück.

Wie ein Sack plumpste Locatelli heraus und glotzte die Decke an. Sein linker Arm schlug kraftlos auf den Boden, die Finger öffneten sich, als bitte er um ein letztes Almosen. Seine Rechte, noch in der Schleuse, hielt den unteren Rand des Helms umklammert. Äußerlich war keine Verletzung festzustellen, immerhin hatte er noch seine Panzerung ablegen können, bevor er zusammengebrochen war.

Hanna runzelte die Brauen, beugte sich vor, stutzte.

Im selben Moment wurde ihm klar, was hier nicht stimmte. Die ungewöhnlich gesunde Gesichtsfarbe des Mannes mochte für eine Leiche eben noch durchgehen – definitiv aber wäre Warren Locatelli der erste Tote gewesen, der schwitzte.

Hanna also.

Locatelli schrie auf. Mit aller Kraft schwang er den Helm, traf Hannas Arm, sah die Waffe davonfliegen, schnellte empor.

Hanna taumelte.

Dass der Kanadier den Bluff durchschaut hatte und ihn im nächsten Moment erschießen würde, war allenfalls zu erahnen gewesen. Insofern, zwei Sekunden nach der Attacke, überraschte es Locatelli am meisten, noch am Leben zu sein. Unzählige Male im Verlauf der Aneinanderreihungen von Ewigkeiten seit Abheben des Shuttles hatte er sich die Situation vorzustellen versucht, sich seine Chancen ausgerechnet. Nun war es so weit, und es blieb keine Zeit zum Nachdenken mehr, nicht einmal, sich noch zu wundern oder Atem zu holen. Nach Keltenart auf die Wirkung ausgiebigen Schreiens vertrauend, laut und unartikuliert wie ein angreifender Heerhaufen, drosch er mit seinem Helm auf den Gegner ein, immer wieder, ohne Pause, ohne ihm die geringste Chance zum Rückzug zu lassen, sah ihn einknicken, zielte auf den rasierten Schädel, schlug zu, erneut, so fest er nur konnte. Der Kanadier versuchte nach ihm zu greifen. Locatelli versetzte ihm einen Tritt gegen die Schulter. Die Götter wussten, er hatte sich ausgiebig geprügelt in seinem Leben, oft und gerne, nie aber mit einem professionellen Killer, als den er Hanna in luzider Erfassung der Dinge einstufte, also zog er ihm den Helm der Sicherheit halber ein weiteres Mal über den Scheitel, obschon der Mann längst keinen Finger mehr rührte, grapschte nach der merkwürdigen Waffe, stolperte ein paar Schritte zurück und zielte.

Blutspritzer auf Hannas Hinterkopf, auf dem Boden.

Locatellis Hand zitterte.

Nach einer Weile, vom Schüttelfrost der Angst gepackt, wagte er sich wieder vor, ging in die Hocke und hielt Hanna den Lauf an die Schläfe. Keine Reaktion. Der Kanadier hatte die Augen geschlossen und atmete schwer. Locatelli blinzelte, fühlte, wie sein Herzschlag gangweise herunterschaltete. Wartete. Nichts tat sich. Wartete weiter.

Nichts. Gar nichts.

Ganz allmählich begann er zu glauben, dass der Mann tatsächlich ohnmächtig war.

Wohin mit ihm? Fieberhaft dachte er nach. Vielleicht sollte er das

Arschloch in die Schleuse packen und einfach im Flug verlieren. Doch das wäre Mord gewesen, und Locatelli war nicht mal in Momenten größter Unbeherrschtheit ein Mörder. Außerdem wollte er wissen, warum Peter, Mimi und Marc hatten sterben müssen, was eigentlich Hannas beschissene Ziele waren. Er brauchte Informationen, und überhaupt, Momoka, Julian, die anderen, sie saßen auf dem Aristarchus-Plateau fest! Er musste zurück und sie holen, das hatte absolute Priorität.

Und wie, Schlaukopf?

Sein Blick wanderte zum Cockpit. Er wusste, wie man einen Rennwagen fuhr, eine Yacht in den Wind legte. Von Hornets hingegen hatte er nicht die mindeste Ahnung, ebenso wenig, wohin die GANYMED unterwegs war, wie hoch und wie schnell sie flog. Nichts an Bord trug dazu bei, seine Stimmung zu heben. Hier der Kanadier, der irgendwann zu sich kommen würde, dort die unvertraute Welt des Cockpits. Er wusste vorne und hinten nicht weiter. Er musste sich umgehend Wissen verschaffen.

Nein. Zuallererst musste er Hanna irgendwo unterbringen.

Weil ihm auch nach weiteren Minuten des Nachdenkens nichts Besseres einfiel, schleifte er den reglosen Körper in Richtung Kanzel, legte ihn hinter dem Sitz des Copiloten ab und sah sich nach etwas um, womit man ihn fesseln konnte.

Auch so etwas schien es an Bord nicht zu geben.

Nun ja. Wenigstens konnte man nicht behaupten, dass es langweilig wurde.

LONDON, GROSSBRITANNIEN

Eines der letzten Werke des hochbetagten Sir Norman Foster erhob sich auf der Isle of Dogs, einer tropfenförmigen Halbinsel im Londoner East End. Zum U gekrümmt, umfloss die Themse hier ein Areal aus Geschäftsvierteln, schick restaurierten Werften, exklusiven Appartements und konservierten Überbleibseln sozialen Wohnungsbaus, dessen angestammte Bewohner sich in der von Aufbruch und Wohlstand geprägten Architekturidylle ausnahmen wie Schauspieler. Schon in den Neunzigern hatten vermögende Londoner die versteckten Reize des Viertels für sich entdeckt, waren Künstler, Galerien, mittelständische Firmen und Konzerne hergezogen, um den bröckelnden Arbeitersiedlungen mit kammerjägerartiger Wirkung zu Leibe zu rücken.

Nach über zwei Jahrzehnten heftiger gesellschaftlicher Spannungen hatte man deren letzte Straßenzüge nun liebevoll, fast museal, wiederhergestellt und die dort lebenden Familien unter Artenschutz gestellt, wozu gehörte, sie kraft finanzieller Unterstützung in jenen Typus fröhlichen Sozialfalls zu verwandeln, den gestresste Manager beneiden konnten, ohne sich des Zynismus verdächtig zu machen.

2025 gab es auf der Isle of Dogs niemanden mehr, der wirklich arm war. Schon gar nicht im Schatten des Big O.

Noch zu Jerichos Zeiten war der Bau des neuen Hauptquartiers von ORLEY ENTERPRISES in Angriff genommen worden, im Jahr, bevor ihn die Angst, Joanna zu verlieren, nach Shanghai zitiert hatte. Im Südosten der Hundeinsel, in den ehemaligen Island Gardens, ruhte auf einem flachen Gebäudesockel – sofern man einen zwölfgeschossigen Komplex als flach bezeichnen wollte – ein 250 Meter durchmessendes O, parabolisch umkreist von einem orangefarbenen, künstlichen Mond, der mehrere Konferenzräume barg und über luftige Brücken erreichbar war. Über fünftausend Mitarbeiter durchwimmelten die lichtdurchfluteten Atrien, Gärten und Großraumbüros des gewaltigen, gläsernen Torus mit termitengleicher Geschäftigkeit. Ein Flugfeld war so geschickt in den Dachbereich eingearbeitet worden, dass die Rundung des O aus allen Perspektiven gewahrt blieb. Erst im Heranflug offenbarte sich, dass der Zenit des Gebäudes nicht gewölbt, sondern flach war, eine Fläche, auf der sich zwei Dutzend Helikopter und Flugmobile verteilten.

Tus Jet war um Viertel nach vier in Heathrow gelandet. Noch auf dem Rollfeld hatten Sicherheitskräfte des Konzerns sie in Empfang genommen und zum firmeneigenen Helikopter gebracht, der sie umgehend zur Isle of Dogs flog. Weiter nördlich reckte sich das Hochhausensemble der Canary Wharf im vergeblichen Bemühen, mit dem alles überragenden Big O gleichzuziehen. Privatboote, weiß und winzig, waren auf den Gewässern der umgebauten Werften unterwegs. Jericho sah zwei Männer das Landefeld betreten. Der Helikopter drehte sich in der Luft, setzte auf und öffnete die Seitentüre. Die Männer beschleunigten ihre Schritte. Einer, mit drahtigem schwarzen Haar und zusammengewachsenen Augenbrauen, streckte Jericho die Rechte entgegen, überlegte es sich und hielt sie Yoyo hin.

»Andrew Norrington«, sagte er. »Stellvertretender Sicherheitschef. Chen Yuyun, nehme ich an.«

»Einfach Yoyo.« Sie schüttelte die dargebotene Hand. »Der ehrenwerte Tu Tian, Owen Jericho. Auch *sehr* ehrenwert.«

Der andere Mann hüstelte, wischte seine Handflächen an den Hosenbeinen ab und nickte in die Runde.

»Tom Merrick, Nachrichtenwesen.«

Jericho betrachtete ihn. Er war jung, früh erkahlt und offenbar mit Hemmungen behaftet, seinem Gegenüber länger als zwei Sekunden in die Augen zu schauen.

»Tom ist unser Spezialist für jede Art Kommunikation und Nachrichtenübermittlung«, sagte Norrington. »Haben Sie das Dossier mitgebracht?«

Statt einer Antwort hielt Jericho den winzigen Würfel ins Licht.

»Sehr gut!« Norrington nickte. »Kommen Sie.«

Der Weg führte ins Innere des Dachs auf einen begrünten Parcours und über eine Brücke, jenseits derer sich eine Front gläserner Aufzüge erstreckte. Der Blick fiel ab ins offene Innere des Big O, durchzogen von weiteren Brücken. Menschen eilten geschäftig darauf hin und her. Gut 150 Meter unter sich sah Jericho fahrstuhlartige Kabinen im Looping der Aussparung entlangfahren, dann betraten sie einen der Hochgeschwindigkeitsaufzüge, stürzten dem Erdboden entgegen und durch ihn hindurch und stoppten auf Sublevel 4. Norrington marschierte ihnen voraus. Ohne sein Tempo zu verlangsamen, hielt er auf eine spiegelnde Wand zu, die sich lautlos öffnete, und die Welt der Hochsicherheit verschluckte sie, beherrscht von Computerarbeitsplätzen und Monitorwänden. Männer und Frauen sprachen in Headsets. Videokonferenzen waren im Gange. Tu schob die Brille auf seinem Nasenrücken zurecht, gab wohlgefällige Laute von sich und reckte den Hals, in Bann geschlagen von so viel Technik.

»Unser Lageinformations-Zentrum«, erklärte Norrington. »Von hier aus stehen wir mit Orley-Einrichtungen überall auf der Welt in Verbindung. Wir arbeiten subfirmenspezifisch, soll heißen, es gibt keine Kontinentalchefs, nur Sicherheitsbeauftragte der einzelnen Unternehmenstöchter, die an London berichten. Sämtliche Daten zur Lageerfassung laufen bei uns zusammen.«

»Wie tief sind wir unter der Erde?«, fragte Yoyo.

»Nicht *so* tief. 15 Meter. Wir hatten ordentlich mit Grundwasser zu kämpfen, aber jetzt ist der Laden dicht. Die Zentrale Sicherheit mussten wir aus verständlichen Gründen schützen, etwaigen Angriffen aus der Luft entziehen, außerdem dient der Untergrund des Big O bei Bedarf als Atombunker.«

»Das heißt, wenn England fällt –«

»– steht Orley immer noch.«

918

»Der König ist tot, lang lebe der König.«

»Keine Angst.« Norrington lächelte. »England wird nicht fallen. Unser Land verändert sich, wir mussten es hinnehmen, dass die roten Telefonzellen und die roten Busse verschwanden, aber die Royal Family ist nicht verhandelbar. Wenn es hart kommt, haben wir hier unten auch noch Platz für den König.«

Er führte sie in einen Konferenzraum mit rundum laufenden, holografischen Projektionswänden. Zwei Frauen standen in gedämpfter Unterhaltung zusammen. Eine der beiden erkannte Jericho sofort. Der lackschwarze Pagenschnitt über dem bleichen Gesicht gehörte Edda Hoff. Die andere Frau war füllig, mit ansprechenden, wenngleich bärbeißigen Zügen, blaugrauen Augen und kurz geschnittenem, weißen Haar.

»Jennifer Shaw«, sagte sie.

Bevollmächtigte der Zentralen Sicherheit, ergänzte Jericho im Kopf. Wachhund Nummer eins im weltumspannenden Orley-Imperium. Wieder wurden Hände geschüttelt.

»Kaffee?«, fragte Shaw. »Wasser? Tee?«

»Irgendwas.« Tu hatte ein Lesegerät für Gedächtniskristalle entdeckt und steuerte zielstrebig darauf zu. »Egal, was.«

»Rotwein«, sagte Yoyo.

Shaw hob eine Braue. »Mittelschwer? Schwer? Barrique?«

»Möglichst was in Richtung Narkotikum.«

»Narkotikum und irgendwas«, nickte Edda Hoff, ging kurz nach draußen und kam wieder zurück, während die anderen ihre Plätze einnahmen. Tu legte den Kristall in den *Reader* und nickte in die Runde.

»Mit Ihrem Einverständnis lassen wir zuerst einen alten Halunken zu Wort kommen«, sagte er. »Sie verdanken ihm Einblick ins kranke Hirn Ihrer Feinde, außerdem würde ich gern jeden Zweifel an unserer Glaubwürdigkeit ausräumen.«

»Wo ist der Mann jetzt?« Shaw lehnte sich zurück.

»Tot«, sagte Jericho. »Er wurde vor meinen Augen ermordet. Man hat versucht, ihn an der Weitergabe seines Wissens zu hindern.«

»Offenbar ohne Erfolg«, meinte Shaw. »Wie sind Sie in den Besitz des Kristalls gelangt?«

»Ich hab sein Auge geklaut«, sagte Yoyo. »Sein linkes.«

Shaw dachte eine Sekunde darüber nach.

»Ja, man sollte keinen Weg scheuen. Erteilen Sie ihrem toten Freund das Wort.«

»Das Ganze, ähm, sieht nach einer Störung der Satelliten aus«, sagte Tom Merrick, der Fachbereichsleiter für IT-Sicherheit, nachdem Vogelaar unter Westafrikas triefendem Himmel das Armageddon heraufbeschworen hatte. »Jedenfalls hat es den Anschein.«

»Was könnte es sonst sein?«, fragte Jericho.

»Also, das ist etwas kompliziert. Erst mal sind Satelliten nichts, was man nach Belieben an- und ausknipsen kann. Man muss ihre Codes kennen, um sie kontrollieren zu können.« Merricks Blick glitt ab. »Gut, so was lässt sich durch Spionage in Erfahrung bringen. Einen Kommunikationssatelliten kann man durch gezielte Datenströme lahmlegen, für ein paar Stunden oder einen Tag, man kann ihn auch durch Strahlung zerstören, aber hier haben wir einen Totalausfall, verstehen Sie? Weder erreichen wir das GAIA noch die Peary-Basis.«

»Peary-Basis?«, echote Tu. »Die amerikanische Mondbasis, richtig?«

»Genau. Für die würde es aktuell reichen, nur das LPCS zu blockieren, die lunaren Satelliten, wegen der Libration, aber –«

»Libration?« Yoyo zog ein ratloses Gesicht.

»Der Mond scheint stillzustehen«, mischte sich Norrington ein, bevor Merrick antworten konnte. »Aber das ist ein Trugschluss. Er rotiert sehr wohl. Innerhalb einer Erdumrundung dreht er sich einmal um seine eigene Achse, mit dem Effekt, dass wir immer dieselbe Seite zu Gesicht bekommen. So etwas nennt man gebundene Rotation, typisch übrigens für die meisten Monde des Sonnensystems. Allerdings –«

»Ja, ja!« Merrick nickte ungeduldig. »Sie müssen denen erklären, dass die Winkelgeschwindigkeit, mit der ein Mond einen größeren Körper umkreist, bezogen auf die Eigenrotation –«

»Ich denke, unsere Gäste bevorzugen es einfacher, Tom. Im Prinzip ist es so, dass der Mond, bedingt durch sein Rotationsverhalten, ein bisschen taumelt. Auf diese Weise bekommen wir insgesamt mehr als die Hälfte der Mondoberfläche zu sehen, tatsächlich sind es fast 60 Prozent. Im Umkehrschluss verschwinden die Randregionen phasenweise.«

»Und zwar aus der Funkweite«, fiel Merrick ein. »Konventioneller Funk bedingt Sichtkontakt, es sei denn, man hat eine Atmosphäre zur Verfügung, die Funkwellen spiegelt, aber die gibt's auf dem Mond nicht. Und zurzeit liegt der Nordpol mit der Peary-Basis im Librationsschatten, man kann sie also mittels Funkwellen von der Erde nicht direkt erreichen. Darum hat man den Trabanten mit zehn eigenen Satelliten ausgestattet, dem *Lunar Positioning and Communication System*, kurz LPCS, die in Sichtweite zueinander kreisen. Mindestens fünf davon erreichen wir ständig, also müssten wir auch die Basis erreichen, Libration hin oder her.«

»Und was spricht dagegen, dass jemand genau diese zehn Satelliten unter Kontrolle gebracht hat?«, fragte Jericho.

»Nichts. Das heißt, alles! Wissen Sie, wie viele Satelliten Sie lahmlegen müssten, um den kompletten Mond von der Erde abzuschneiden? Das GAIA nämlich hat kein Librationsproblem, es befindet sich in Sichtweite, ist also jederzeit von TDRS-Satelliten aus anfunkbar, auch ohne LPCS. Nur, zum GAIA haben wir ebenfalls keine Verbindung mehr.«

»Also müsste man auch irdische Satelliten –«

»– stören, ja ja, verdammt viele Codes, aber meinetwegen. Nützt Ihnen bloß auf die Dauer nicht viel. Sie könnten die TDRS-Zentrale in White Sands angreifen und auf einen Streich alle *Tracking and Data Relay*-Satelliten lahmlegen, aber dann steigt man eben auf Bodenstationen um oder auf zivile Satelliten wie ARTEMIS, die mit S-Band-Transpondern und schwenkbaren Antennen ausgerüstet sind. Wie wollen Sie die alle stören?«

»Genau hier liegt das Problem«, sagte Edda Hoff. »Wir stehen mit allen verfügbaren Bodenstationen auf der Welt in Verbindung. Niemandem gelingt es, einen Kontakt aufzubauen.«

»Nach dem Zusammenbruch der Konferenzschaltung haben wir als Erstes die NASA und ORLEY SPACE in Washington verständigt«, sagte Shaw. »Natürlich auch das Mission Control Center in Houston, unsere eigenen Kontrollzentren auf der Isla de las Estrellas und in Perth. Überall Funkstille.«

»Und was könnte der Grund dafür sein?« Jericho massierte seine Kinnspitze. »Wenn nicht die Störung der Satelliten?«

Merrick studierte die Linien in seiner rechten Handfläche.

»Weiß ich noch nicht.«

»Sind die Peary-Basis und das GAIA auch voneinander abgeschnitten?«

»Nicht unbedingt.« Norrington schüttelte den Kopf. »Sieht man davon ab, dass wir es nicht wissen. Zwischen beiden existiert eine satellitenlose Laserverbindung.«

»Würde man also die Basis erreichen –«

»Könnten die unsere Botschaft ans GAIA weiterleiten.«

Shaw beugte sich vor. »Hören Sie, Owen, ich will nicht verhehlen, dass ich bis eben Zweifel hegte, ob die Hinweise, über die Sie verfügen, zwingend auf eine Gefährdung des GAIA hindeuten. Sie drei hätten ein Haufen hysterischer Spinner sein können.«

»Und wie ist Ihre Meinung jetzt?«, fragte Tu.

»Ich bin geneigt, Ihnen zu glauben. Ihrem Dossier zufolge schlummert die Bombe seit April letzten Jahres dort oben. Tatsächlich war die Eröffnung des GAIA für 2024 vorgesehen, aber die Mondkrise hat uns einen Strich durch die Rechnung gemacht. Die Bombe jetzt zu zünden, wo es fertig ist, ergäbe also Sinn. Kaum lassen wir dem Hotel eine Warnung zukommen, sabotiert jemand unsere Kommunikation, ebenfalls ein Indiz, *dass* es passieren wird, vor allem aber, dass uns jemand auf die Finger guckt, in diesen Sekunden. Und das ist äußerst beunruhigend. Zum einen, weil es vermuten lässt, dass wir einen Maulwurf in unseren Reihen haben, zum anderen, weil es bedeutet, dass oben jemand versuchen wird, die Bombe ins GAIA zu schaffen und zu zünden, falls er es nicht schon getan hat.«

»Wenn man diesem Vogelaar so zuhört«, sagte Norrington, »sieht man überall Chinesen.«

»Nicht auszuschließen.« Sie machte eine Pause. »Doch Julian hatte schon jemanden im Verdacht, bevor die Verbindung abriss. Einen Gast. Und zwar *den* Gast, der als Letzter zu der Gruppe stieß. Der Attentäter dürfte uns bekannt sein.«

»Carl Hanna«, sagte Norrington.

»Carl Hanna.« Shaw nickte. »Also haben Sie die Freundlichkeit, mir seine Akte zu besorgen. Durchleuchten Sie den Kerl, ich will seinen Mageninhalt kennen! Edda, Sie schließen sich mit der NASA kurz und geben Order an die OSS. Unsere oder deren Leute sollen einen Shuttle zum GAIA schicken.«

Hoff zögerte. »Sofern die OSS im Augenblick Kapazitäten –«

»Mich interessiert nicht, ob sie Kapazitäten frei haben. Mich interessiert einzig, dass sie es tun. Und zwar *sofort*.«

ARISTARCHUS-PLATEAU

Der Rover, von dem Julian gesprochen hatte, parkte im Unterstand, dafür war der zweite auf dem Landefeld gestrandet und angesengt, als sei er in den Strahl einer Shuttledüse geraten. Vom dritten hingegen kündete nur noch ein Schrotthaufen. Weithin lagen Trümmer verstreut, sodass Omura augenblicklich losrannte und nach Locatellis Überresten zu forschen begann. In unheilvollem Schweigen suchten sie das Umfeld ab. Danach herrschte Einigkeit, dass Locatelli nicht hier war und auch kein Teil von ihm.

922

Sie alle wussten, was das bedeutete. Locatelli musste es an Bord des Shuttles geschafft haben.

Mutlos durchforsteten sie die Hangars. Offenbar befand sich der Schröter-Raumhafen noch im Stadium der Fertigstellung. Alles deutete darauf hin, dass Luftschleusen und druckbeaufschlagte Habitate geplant waren, sodass Menschen eine Weile hier würden überdauern können, doch nirgendwo gab es die Spur eines Lebenserhaltungssystems. Ein Kühlraum, vorgesehen für die Bereitstellung von Nahrungsmitteln, lag verödet da. Der Abschnitt des Hangars, in dem das Mondmobil parkte, wies sich durch Beschriftungen aus, denen zufolge auch Grasshoppers dort hätten lagern müssen, nur dass weit und breit keine zu sehen waren.

»Na ja«, bemerkte Chambers gallig, nachdem ihr aus Stahlcontainern, die Raumanzüge hätten enthalten müssen, gähnende Leere entgegenschlug. »Wenigstens theoretisch sind wir in Sicherheit. Das Ganze hätte einfach nur vier Wochen später passieren müssen.«

»Wir haben wirklich nur das blöde Mondmobil zur Verfügung?«, stöhnte Omura.

»Nein, wir haben mehr als das«, sagte Julians Stimme. Er war mit Amber und Rogaschow im Nebengebäude unterwegs. »Am besten kommt ihr mal rüber.«

»Zwar nichts, was fliegt«, resümierte er. »Doch einiges, was fährt. Der angebrannte Rover draußen ist nicht schöner geworden, aber er funktioniert. Zusammen mit dem im Hangar haben wir also schon mal zwei. Und schaut mal, was Amber gefunden hat: aufgeladene Ersatzbatterien für beide Fahrzeuge, und im Laderaum des intakten Rovers zusätzlichen Sauerstoff für zwei Personen.«

»Wir sind zu fünft«, sagte Omura. »Kann man die Tanks wechselweise an unsere Anzüge anschließen?«

»Ja, das geht. Bis zum GAIA würden die Vorräte nicht reichen, außerdem wären die Rovers in den Alpen wertlos. Aber auf alle Fälle gelangen wir mit unseren Vorräten bis zur Förderstation.«

»Und kennt einer den Weg?«

Amber wedelte mit einem Stapel zusammengelegter Folien. »Die da.«

»Was, *Karten*?«

»Sie waren im Rover.«

»Na klasse!« Omura prustete los. »Wie bei Vasco da Gama! Was ist denn das für eine Scheißtechnik, wenn man so einer bescheuerten Mondkarre nicht mal den Kurs einprogrammieren kann?«

»Die Technik einer Zivilisation, die ihre Errungenschaften zunehmend mit Zauberei verwechselt«, sagte Rogaschow kühl. »Oder sollte dir entgangen sein, dass die Satellitenkommunikation zusammengebrochen ist? Ohne LPCS kein Leitsystem.«

»Ist mir nicht entgangen«, sagte Omura mürrisch. »Ich hab auch eine konstruktive Anmerkung, übrigens.«

»Lass hören.«

»Wir können es uns ja schlecht in dieser Förderstation bequem machen, oder? Ich meine, wir müssen Kontakt mit dem Hotel aufnehmen, und das scheint im Augenblick nicht zu klappen wegen des Satellitenstreiks. Also wie gelangen wir aus eigener Kraft ins Hotel?«

»Worauf willst du hinaus?«

»Gibt's irgendwelche Fluggeräte in der Station?«

»Grasshoppers möglicherweise.«

»Ja, damit kommst du prima um den Mond, aber im Schneckentempo. Bloß, wenn ich mich recht erinnere, werden die Heliumtanks doch mit der Magnetbahn zum Pol geschafft. Richtig? Also gibt es da einen Bahnhof, und von dem fährt ein Zug zur Peary-Basis. Und von der Peary-Basis –«

Julian schwieg.

Natürlich, dachte er. So kann es gehen. Wie naheliegend! Kaum zu glauben, aber Omura hatte zur Abwechslung tatsächlich etwas Konstruktives von sich gegeben.

GANYMED

Locatelli starrte auf die Kontrolldisplays.

Inzwischen hatte er begriffen, dass Hanna sich an der holografischen Karte orientierte, einer Art Ersatz-LPCS. Die Außenkameras synchronisierten ein Echtzeitbild der Landschaft im jeweils erfassbaren Bereich mit einem 3-D-Modell im Computer, dem man Ziel und Route eingab. Auf diese Weise ließ sich der Kurs exakt halten, praktisch ein Autopilot, weil das System fortgesetzt Korrekturen vornahm, was allerdings eine große Flughöhe erforderte. Locatelli schätzte, dass Hanna ein Ziel einprogrammiert hatte, ohne dass die Kontrollen Aufschluss darüber gaben, wohin er wollte. Er hätte darauf gewettet, dass der Kanadier zum Hotel zurückflog, doch dafür waren sie zu weit westlich. Um ins GAIA zu gelangen, hätte er einen nordöstlichen Kurs einschlagen müssen, stattdessen schien es ihm, als folgten sie stur dem 50. Längengrad.

Wollte Hanna zum Pol?

Fragen türmten sich auf. Warum nutzte Hanna nicht das LPCS? Wie landete man so ein Ding? Wie wurde man langsamer? Sie rasten mit zwölfhundert Stundenkilometern dahin, in zehn Kilometern Höhe, äußerst beunruhigend. Wie lange würde der Treibstoff reichen, wenn die Düsen fortgesetzt Schub erzeugen mussten, um die GANYMED in dieser Höhe zu halten und zugleich zu beschleunigen?

Er versuchte, über seine Anzugschaltung Kontakt mit Momoka aufzunehmen. Als er keine Antwort erhielt, probierte er, Julian zu erreichen, schaltete auf Kollektivempfang. Nichts, nur atmosphärisches Rauschen. Vielleicht funktionierten die Anzugsysteme auf solche Entfernungen nicht, immerhin flogen sie seit einer halben Stunde nordwärts. Beim Blick auf die Karte überschlug er die Entfernungen und kam zu dem Schluss, dass zwischen dem Shuttle und dem Aristarchus-Plateau inzwischen über 500 Kilometer liegen mussten. Rechter Hand, in beträchtlicher Entfernung, prangte ein Krater inmitten einer Hochebene, Mairan, wie ihn die Karte wissen ließ. Ein weiterer, Louville, schob sich im Norden über den Rand des Horizonts. Es wurde Zeit, sich mit dem Cockpit vertraut zu machen. Wenigstens das Hotel würde man doch wohl von Bord der GANYMED anfunken können.

Sein Blick fiel auf ein Diagramm über den Frontscheiben, das ihm bislang entgangen war. Eine schlichte Anleitung, aber sie reichte aus, um ins Hauptmenü zu gelangen, und plötzlich ging alles viel einfacher, als er gedacht hatte. Zwar wusste er immer noch nicht, wie man die Kiste flog, wenigstens aber, wie man die Funkanlage bediente. Umso größer seine Enttäuschung, dass auch diesmal alles still blieb. Zuerst dachte er, die Anlage sei defekt, dann endlich kapierte er, dass die Satelliten ausgefallen waren.

Darum also hatte Hanna auf Kartennavigation umgeschaltet.

Im selben Moment wurde ihm klar, warum er auf konventionellem Wege niemanden erreichte. Herkömmlicher Funk erforderte, dass sich die Partner in Sichtweite zueinander befanden, also nichts zwischen Sender und Empfänger lag, was die Funkwellen absorbierte, und im Falle des Mondes absorbierte schon nach kurzer Zeit die starke Krümmung jeden Kontakt. Darum war vorhin auch seine Verbindung zu Momoka und den anderen abgebrochen, weil sie sich zum Zeitpunkt der Verfolgungsjagd auf der anderen Seite von *Snake Hill* aufgehalten hatten. Womit er nun den genauen Zeitpunkt des Satellitenausfalls kannte.

Er fiel mit Hannas Flucht zusammen.

Zufall? Nie im Leben! Etwas Größeres war hier im Gange.

Hinter ihm stöhnte Hanna leise auf. Locatelli wandte den Kopf.

Nach längerem Suchen hatte er schließlich ein paar Riemen zum Festzurren von Ladung gefunden und ihn damit an die vordere Sitzreihe gefesselt. Man konnte nicht eben behaupten, dass er ihn wie ein Paket verschnürt hatte, aber Hanna würde sich nicht schnell genug losmachen können, um zu verhindern, dass Locatelli ihn mit seiner eigenen Waffe ins Bein schoss. Einige Sekunden betrachtete er das bleiche Gesicht des Mörders, doch der Kanadier hielt die Augen weiterhin geschlossen.

Er widmete sich wieder der Bedienoberfläche. Nach einer Weile glaubte er Verschiedenes begriffen zu haben, etwa, wie man die Höhe der GANYMED regulieren, sie absenken oder aufsteigen lassen konnte, indem –

Das war es. Natürlich!

Locatelli geriet in helle Aufregung. Der Mond besaß keine Atmosphäre, also konnte die Flughöhe eigentlich keine Rolle spielen, allenfalls strapazierte man die Treibstoffvorräte. An den Randbedingungen änderte sich nichts, Vakuum war Vakuum. Je höher er allerdings stiege, desto weniger würde sich die Krümmung bemerkbar machen, bis sie schließlich gar keine Rolle mehr spielte. Soweit er sich erinnerte, erstreckte sich nordöstlich des Schröter-Tals nur noch die Rupes-Toscanelli-Hochebene mit *Snake Hill*. Wenn sie nicht gerade unter Felsvorsprüngen kauerten, sondern sich bis zum Raumhafen durchgeschlagen hatten, würde, *musste* er sie erreichen!

Seine Finger glitten über die Kontrollen. Der Shuttle verfügte über eine beängstigende Vielzahl von Düsen, stellte er fest, manche wiesen starr nach unten, andere nach hinten, wieder andere waren schwenkbar. Er beschloss, die schwenkbaren außer Acht zu lassen und den Schub ausschließlich auf die vertikalen zu legen. Auf gut Glück gab er einen Wert ein –

Augenblicklich quetschte es ihm die Luft aus den Lungen.

Verdammt! Zu viel, viel zu viel! Was war er für ein bekackter, blöder Schafskopf! Warum hatte er nicht mit weniger begonnen? Keine Rede mehr von einem ruhigen Flug, die GANYMED schoss wie verrückt nach oben, rappelte, vibrierte und bockte, als wolle sie ihn aus ihrem Innern schütteln. Hastig reduzierte er den Schub, begriff, dass nicht alle Düsen gleichmäßig feuerten, daher also die Vibrationen, korrigierte, regulierte, glich an, und der Shuttle beruhigte sich, stieg weiter auf, nunmehr in gemäßigtem Tempo.

Gut, Warren. Sehr gut!

»Locatelli an Orley«, rief er. »Momoka. Julian. Bitte melden.«

Alle Varianten Weißen Rauschens drangen aus den Lautsprechern, allerdings nichts, was im Entferntesten menschlicher Artikulation geglichen hätte. Die GANYMED näherte sich der Dreizehn-Kilometer-Marke. Nach den anfänglichen Zickereien ließ sie sich nun führen wie ein eingerittener Gaul, stieg beständig höher, während Locatelli ein ums andere Mal Julians und Momokas Namen rief.

Vierzehn Kilometer.

Unter ihm entrückte die Landschaft. Wieder rappelte und zitterte es, als die irritierte Automatik Abweichungen von der Längengrad-Peilung registrierte und rüde ausglich.

»Locatelli an Orley. Julian! Momoka! Oleg, Evelyn. Hört mich jemand? Meldet euch! Locatelli an –«

14.6 – 14.7 – 14.8

Allmählich wurde ihm mulmig zumute, auch wenn sein Verstand eiligst versicherte, dass er theoretisch bis in den freien Raum fliegen konnte. Alles eine Frage des Treibstoffs.

»Momoka! Julian!«

15.4 – 15.5 – 15.6

Nichts.

»Warren Locatelli an Orley. Meldet euch.«

Rauschen. Knistern. Knattern.

»Locatelli an Orley. Julian! Momoka!«

»Warren!«

ARISTARCHUS-PLATEAU

»Warren! Warren! Ich hab Warren in der Leitung!«

Omura begann eine Art Veitstanz um den verkohlten Rover, dessen Ladeflächen sie begonnen hatten, mit den Batterien zu beladen. Sie hielten inne, hörten ihn alle. Seine Stimme erklang mit verheißungsvoller Lautstärke in ihren Helmen, klar und deutlich, als stünde er direkt neben ihnen.

»Warren, Schatz, Süßer!«, schrie Omura. »Wo bist du? Süßer, oh mein Süßer! Geht's dir gut?«

»Alles in Ordnung. Was ist mit euch?«

»Es fehlen ein paar, wir wissen nicht genau, was passiert ist, Peter, Mimi, Marc –«

»Tot«, sagte Locatelli.

Nicht, dass es der Bestätigung bedurft hätte. Doch das Wort fuhr klingengleich herab und guillotinierte den uneinsichtigen, kleinen

Optimisten, der bis dahin nicht müde geworden war, sich in allerlei geraunten Wenns und Könntes zu verbreiten. Eine Sekunde lang herrschte betroffenes Schweigen.

»Wo bist du jetzt?«, fragte Julian, hörbar ernüchtert.

»Im Shuttle. Carl, die Drecksau, hat Peter in die Schlucht gestoßen und dann Mimi und Marc in die Luft gejagt, und dann hat er den Shuttle entführt, aber ich konnte an Bord gelangen.«

»Und wo ist Carl?«

»Ohnmächtig. Hab ihm die Platte poliert und ihn an die Sitze gefesselt.«

»Du bist ein Held!«, entzückte sich Omura. »Weißt du das? Du bist ein verdammter Held!«

»Klar, was sonst? Ich bin ein Held in einem scheißschnellen Raumschiff, ohne die geringste Ahnung, wie man die blöde Kiste bedient. Das heißt, rauf kann ich inzwischen. Umkehren, runter und landen, daran hapert's noch.«

»Kannst du über Funk das Hotel erreichen?«, fragte Julian.

»Glaube kaum. Zu weit weg, zu viele Berge. Ich bin über 16 Kilometer hoch, offen gestanden kommt gerade so was wie Bodenverbundenheit bei mir durch. Außerdem weiß ich nicht, wie viel Sprit ich noch habe.«

»Gut, kein Problem. Ich gebe dir Hilfestellung. Bleib erst mal in der Höhe, wegen der Funkverbindung.«

»Das LPCS ist ausgefallen, was?«

»Sabotage, wenn du mich fragst. Hat Carl eigentlich was gesagt?«

»Ich hab ihm wenig Gelegenheit gegeben, was zu sagen.«

»Oh, mein Held!«

»Weißt du deine Position?«

»50 Grad West, 46 Grad Nord. Rechts liegt ein Kraterplateau, daran schließen sich Berge an.«

»Gib mir irgendeinen Namen.«

»Warte mal: Montes Jura.«

»Sehr gut. Pass auf, Warren, du musst –«

GANYMED

Locatelli hörte aufmerksam zu, während Julian ihn instruierte. Dabei beschlich ihn der Verdacht, dass sein Freund auch nicht bis ins letzte Detail wusste, was zu tun war, definitiv aber mehr Ahnung von der

Steuerung eines Hornet-Shuttles hatte als er selbst. Beispielsweise war ihm geläufig, wie man Kurven flog. Locatelli hätte die Düsen einzeln ausgerichtet und sich auf diese Weise zu Tode gestürzt. Dabei ging es verhältnismäßig einfach, wenn man so simple Dinge beherzigte wie die Kursprogrammierung zu löschen und auf Handsteuerung umzuschalten.

»Halt dich rechts, flieg nach Osten, auf die Montes Jura zu und in einer großen 180-Grad-Kurve wieder nach Süden.«

»Schon klar.«

»Gar nicht klar. Flieg vor allem keine engen Kurven, hörst du? Immer schön weit geschwungen. Du bist zwölfhundert Stundenkilometer schnell!«

Locatelli gehorchte. Vielleicht war er ein allzu folgsamer Schüler, denn die Kurve geriet ihm zu einer ausgedehnten Landschaftsbesichtigung. Als er die GANYMED gewendet hatte, fand er sich westlich des 40. Längengrades wieder, unter sich die zerklüftete Aggregation der jurassischen Berge, die halbkreisförmig eine Bucht riesigen Ausmaßes umspannten. Die Bucht hieß Sinus Iridum und grenzte ans Mare Imbrium, und irgendwie kam ihm der Name bekannt vor. Dann fiel es ihm ein. Sinus Iridum war der Zankapfel, an dem sich 2024 die Mondkrise entzündet hatte. Aus den Fenstern der Kanzel bot sich ein atemberaubender Blick. Kaum anderswo war die Illusion von Land und Meer so perfekt, es fehlte nur, dass die samtene Basaltdecke des Mare Imbrium blau leuchtete. Ganz besonders samtig wirkte sie hier, speziell dort, wo sie an den südwestlichen Ausläufer der Berge grenzte.

»Wo bist du?«, fragte Julian.

»Südliche Hälfte von Sinus Iridum. Vor mir liegt eine Landzunge. Kap Heraclides. Soll ich tiefer gehen? Dann hab ich später keinen so weiten Weg nach unten.«

»Mach das. Wir probieren einfach aus, bis wohin die Verbindung hält.«

»Alles klar. Wenn sie weg ist, steige ich wieder auf.«

»Sie wird ohnehin stabiler werden, je näher du uns kommst.«

Locatelli zögerte. Tiefer gehen, schon mal gut. Vielleicht war es ja noch besser, gleich auch die Geschwindigkeit etwas zu drosseln. Nicht viel, nur so weit, dass er unter zehntausend Stundenkilometer kam. Das hier war nicht im Entferntesten vergleichbar mit einem Flug durch die Erdatmosphäre, wo man auf Luftschichten ritt und mit Turbulenzen zu kämpfen hatte, doch Stunden um Stunden in Flugzeugen

verbrachte Lebenszeit machten Vorstellungen von langfristig einge-
leiteten Landeanflügen geltend, also nahm er das Tempo raus und ging
tiefer.

Wie ein Stein fiel die GANYMED dem Boden entgegen.

Was hatte er getan?

Der Shuttle legte sich schräg. Lärm flutete den Innenraum, gepei-
nigte Aufschreie überforderter Technik.

»Julian«, schrie er. »Ich hab Mist gebaut!«

»Was ist los?«

»Ich stürze ab!«

»Was hast du gemacht? Sag, was du gemacht hast!«

Locatellis Hände flatterten über die Kontrollen, unschlüssig, welche
Felder sie drücken, welche Schalter sie bedienen sollten.

»Ich glaub, ich hab Höhen- und Geschwindigkeitsregelung durcheinandergebracht.«

»Okay. Dreh jetzt nicht durch!«

»Ich drehe nicht durch!«, schrie Locatelli, kurz vor dem Durchdrehen.

»Mach Folgendes. Geh einfach –«

Die Verbindung brach ab. Scheiße, Scheiße, Scheiße! Mit verkrallten Fingern, wie eine Diva im Angesicht weißer Mäuse, hockte er über
der Konsole. Er wusste nicht, was er tun sollte, aber gar nichts zu tun,
würde den Tod bedeuten, also musste er *irgendetwas* tun, nur *was*?

Er versuchte die Schräglage durch Gegenschub auszugleichen.

Der Shuttle röhrte wie ein verwundetes Riesentier, verfiel in heftiges
Taumeln, legte sich auf die andere Seite. Im nächsten Moment schlingerte die Maschine so stark, dass Locatelli befürchtete, sie werde in
tausend Stücke zerreißen. Hilflos schaute er in alle Richtungen, wandte
einem Reflex folgend den Kopf nach hinten –

Carl Hanna starrte ihn an.

Hanna, der an allem schuld war. Unter anderen Umständen wäre
Locatelli aufgestanden, hätte ihm eine reingehauen und wertvolle Ratschläge über den Umgang mit Urlaubsbekanntschaften zuteilwerden
lassen, doch daran war gerade kein Denken. Er sah, dass der Kanadier
wie wild an seinen Fesseln zu zerren begann, ignorierte ihn und machte
sich wieder über die Konsole her. Der Shuttle verlor rapide an Höhe,
kippte weiter. Locatelli beschloss, den Sturz ins Bodenlose vorerst in
Kauf zu nehmen und dafür die Lage zu stabilisieren, doch seine Bemühungen führten nur dazu, dass er auf einmal gar keine Gewalt mehr
über die Kontrollen hatte.

»Warren, du –«

Hanna schrie irgendetwas.

»– bist in der Automatik gelandet! Du musst –«

Warum hielt der Idiot nicht einfach die Klappe?

»– hast dich aus der Steuerung verabschiedet! Warren, verdammt noch mal! Binde mich los.«

»Leck mich.«

»Wir werden beide sterben!«

Verbissen stocherte Locatelli im Hauptmenü herum. Der Höhenmesser zählte beängstigend schnell nach unten, 5.0 – 4.8 – 4.6, meteoritengleich rasten sie dem Mondboden entgegen. Vorhin, in seinem Übereifer, musste er auf irgendetwas gedrückt, irgendeine Funktion aktiviert haben, die ihn quasi entmachtet und ihm den Zugriff auf jegliche Navigation entzogen hatte. Jetzt schien es, als könne er tun, was immer er wollte, ohne dass es noch den geringsten Einfluss auf das Verhalten der GANYMED hatte.

»Warren!«

Wie war das noch gewesen?

Erinnere dich! Tu, was du schon einmal getan hast. Was unter Julians Anleitung so gut funktioniert hat. Die Automatik außer Kraft setzen, auf Handsteuerung umschalten.

Aber wie? Wie?

»Mach mich los, Warren!«

Warum ging es jetzt nicht mehr? Elender Touchscreen! Was war das bloß für ein Scheißcockpit, dauernd nur irgendwelche virtuellen Felder, unbekannte elektronische Landschaften, kryptische Symbole statt solider Kippschalter mit sinnstiftenden Beschriftungen wie HALLO, WARREN, LEG MICH UM UND ALLES WIRD GUT.

»Wir werden draufgehen, Warren! Damit ist doch keinem gedient. Das *kannst* du nicht wollen!«

»Vergiss es, Arschloch.«

»Ich tue dir nichts, hörst du? Mach mich endlich los!«

Die Ebene, um 45 Grad gekippt, gewann bedrohlich an Präsenz, der Gebirgsrücken zur Rechten reckte seine Gipfel über die Flugbahn des Shuttles hinaus. Im Näherkommen erweckte Sinus Iridum den Eindruck, als vollziehe sich dort unten eine unerklärliche, unheimliche Verwandlung. Stellenweise schien die Basaltebene im Prozess der Auflösung begriffen, mehr Nebel als feste Oberfläche, dunkle, rätselhafte Erscheinungen darin. Wenig mehr als ein Kilometer trennte den Shuttle noch vom Ort des Aufpralls. Aus diffuser Unschärfe entstand das Gleis der Magnetbahn, hoben sich Kuppeln, Antennen und Gerüste heraus. Kurz erhaschte Locatelli einen Blick auf eine Ansammlung insektoider Gebilde in ansteigendem Gelände, dann waren auch diese vorbei, und sie fielen weiter ihrem Verderben entgegen.

»Warren, du sturer Idiot!«

Das Schlimmste war, Hanna hatte recht.

»Also gut!«

Fluchend taumelte er aus dem Sitz, praktisch gewichtslos angesichts der irrwitzigen Sturzgeschwindigkeit. Um ihn herum rappelte, vibrierte und dröhnte es. Der Boden lag in extremer Schräge, kaum möglich, sich darauf zu halten, nur, dass er sowieso schwebte. Die Waffe gepackt, hangelte er sich neben den Kanadier, robbte ein Stück hinter ihn und riss mit der freien Hand an seinen Fesseln.

Nichts. Wie zusammengeschmiedet.

Ganze Arbeit, Warren. Bravo!

Er würde beide Hände gebrauchen müssen. So ein Mist! Wohin mit der Wumme? Unter die Achsel klemmen, schnell! Jetzt keine Panik. Die Knoten entwirren, lockern, vorsichtig lösen. Die Bänder glitten herab. Hanna streckte die Arme, tat einen Satz, bekam die Lehne des Pilotensessels zu fassen und zog sich hinein. Sein Blick fiel auf die Konsole.

»Dachte ich mir«, hörte Locatelli ihn sagen.

Unter Mühen hievte er sich auf den Sitz des Copiloten. Der Kanadier würdigte ihn keiner Beachtung. Er arbeitete konzentriert, gab eine Reihe von Befehlen ein, und die GANYMED richtete sich auf. Unter ihnen waberte eine endlose See aus Staub, verwaschene Finger wuchsen daraus empor, griffen nach ihnen, aufgewirbelt von etwas Kolossalem, Insektenartigem, das langsam über die Ebene kroch. Locatelli hielt den Atem an. In der grauen Konturlosigkeit schienen riesige, glänzende Käfer unterwegs zu sein, dann fühlte er sich mit einem Mal, als werde ihm das Hirn zu den Ohren herausgepresst. Gewaltsam bremste Hanna den Shuttle ab. Vor den Scheiben wirbelten Schwaden. Im Blindflug donnerten sie dahin, viel zu schnell! Eben hatte es ihn noch danach verlangt, Hanna zu Brei zu schlagen, nun empfand er größtes Verlangen, ihn bei Kräften zu sehen, als Herrn der Lage. Schweiß überzog das Gesicht des Kanadiers, seine Kiefermuskeln traten hervor. Im rückwärtigen Bereich der GANYMED war ein explosionsartiger Knall zu hören, noch lauteres Dröhnen, die Nase des Shuttles hob sich –

Bodenberührung.

Blitzschnell brachen die Landestützen weg. Locatelli wurde aus seinem Sitz geschleudert, als habe ein Riese die GANYMED in den Bauch getreten, schlug einen Salto, rutschte haltlos ins Heck. Alle Knochen in seinem Körper schienen die Plätze tauschen zu wollen. Mit fauchenden Düsen durchpflügte der Shuttle den Regolith, hob ab, prallte auf, raste weiter, bockte, schlingerte, doch der Rumpf hielt stand. Verzweifelt fingerte Locatelli nach etwas, woran er sich festhalten konnte. Seine Hand schloss sich um eine Strebe. Die Muskeln gespannt, zog er sich hoch, verlor den Halt und flog nach vorne, als das dahinschießende Wrack mit etwas kollidierte, sich aufbäumte und einen Hügel hinauffräste. Im Moment, da die Maschine in einer Lawine aus Schutt zur Ruhe kam, landete er hart zwischen den Sitzreihen, wurde vom Schwung seiner Eigenbeschleunigung weiter nach vorne getragen und stieß sich den Schädel.

Alles um ihn herum färbte sich rot.

Dann Schwärze.

ARISTARCHUS-PLATEAU

Die kurze Euphorie, Locatellis Stimme zu hören, war umso größerer Angst gewichen. Unentwegt versuchte Julian, die GANYMED zu erreichen, doch außer Rauschen drang nichts aus den Kopfhörern.

»Abgestürzt«, flüsterte Omura immer wieder.

»Das muss nichts heißen«, versuchte Chambers sie zu trösten. »Gar nichts. Er wird die Maschine in den Griff bekommen haben, Momoka. Er hat's doch schon einmal geschafft.«

»Aber er meldet sich nicht.«

»Weil er zu tief fliegt. Er *kann* sich nicht melden.«

»In einer halben Stunde wissen wir es«, sagte Rogaschow ruhig. »Dann müsste er eingetroffen sein.«

»Stimmt.« Amber setzte sich auf den Boden. »Warten wir.«

»So einfach ist das nicht«, sagte Julian. »Wenn wir zu lange warten, verbrauchen wir zu viel Sauerstoff. Dann schaffen wir es nicht mal mehr bis zu den Förderstellen.«

»Was, *so* knapp sind wir?«

»Wie man's nimmt. Wir könnten die halbe Stunde erübrigen. Aber dann darf hinterher nicht das Geringste schiefgehen! Und wir wissen nicht, ob die Rovers durchhalten. Vielleicht kommen wir ja an Stellen, wo es nicht weitergeht, müssen Umwege einplanen.«

»Julian hat recht«, sagte Chambers. »Es ist zu riskant. Wir haben nur die eine Chance.«

»Aber wenn Warren kommt, und wir sind weg«, jammerte Omura. »Wie soll er uns finden?«

»Vielleicht können wir irgendwas hinterlassen«, sagte Rogaschow nach kurzem, ratlosem Schweigen.

»Eine Nachricht?«

»Ein Zeichen«, schlug Amber vor. »Wir könnten aus den Trümmern des zerstörten Rovers einen Pfeil formen. Damit er weiß, in welche Richtung wir gefahren sind.«

»Wartet mal.« Julian dachte nach. »Das ist gar nicht so schlecht. Dabei fällt mir ein, dass unsere Routen sich eigentlich kreuzen müssten. Seine letzte Position war Kap Heraclides, er flog darauf zu. Und genau da müssen wir hin. Wenn wir weiterhin auf Empfang bleiben, wird er irgendwann Funkkontakt zu uns haben.«

»Du meinst, er –« Omura schluckte. »Er lebt?«

»Warren?« Julian lachte. »Ich bitte dich! Der ist nicht kleinzukriegen, keiner weiß das besser als du. Außerdem sind die Dinger gar nicht so schwer zu fliegen.«

»Und wenn er notlanden musste?«

»Werden wir ihm unterwegs begegnen.«

Sie beluden die Rovers mit den restlichen Batterien und Sauerstoffreserven, trugen Trümmer, leere Regale und Container aus den Baracken zusammen und gruppierten alles zu einem Pfeil, der nach Norden wies. Rechts davon formten sie aus Gesteinsbrocken ein H und eine 3.

»Spitze«, sagte Chambers zufrieden.

»So was nennt man eine detaillierte Ortsangabe«, pflichtete Amber ihr bei. Allmählich keimte ein wenig Hoffnung auf. »Damit findet er uns auf alle Fälle.«

»Ja. Du hast recht.« Aller Hochmut war aus Omuras Tonfall gewichen. Sie klang nur noch schrecklich besorgt und ein ganz kleines bisschen dankbar. »Das ist unmissverständlich.«

»Dann sollten wir uns auf den Weg machen«, drängte Rogaschow. »Vorschläge, wer welchen Rover nimmt?«

»Soll Julian bestimmen. Er ist der Boss.«

»Und der Boss fährt voraus«, sagte Julian. »Zusammen mit Amber. Wir sind auch höflich und lassen euch den schöneren Wagen.«

»Tja, dann –«

Es war seltsam. Obgleich sie hier nicht überleben konnten, empfand jeder von ihnen dasselbe widersinnige Unbehagen, den Raumhafen zu verlassen. Vielleicht, weil er nach Sicherheit aussah, auch wenn er gar keine bot. Nun würden sie sich auf den Weg in die Wüste machen. Ins Niemandsland.

Sie starrten einander an, ohne ihre Gesichter sehen zu können.

»Kommt«, beschied Julian schließlich. »Hauen wir ab.«

LONDON, GROSSBRITANNIEN

Zweifellos war es der guten Ordnung dienlich, dass Jennifer Shaw Vertreter von Scotland Yard einschaltete, die ihrerseits, als die Rede auf koreanisches Nuklearmaterial kam, umgehend den SIS verständigten. Nachdem ORLEY ENTERPRISES auf britischem Boden residierte, andererseits eine außerbritische Einrichtung betroffen schien, wurden MI5 und MI6 gleichermaßen auf den Konzern losgelassen. Jericho hingegen kam es vor, als träten sie auf der Stelle. Nicht, weil er Xin und die von ihm angezettelte Hetzjagd vermisste, nur dass ihm, Yoyo und Tu plötzlich jede Initiative aus der Hand genommen schien. Den Spätnachmittag über wimmelte es nur so von Ermittlern im Big O. Shaw bestand darauf, sie bei jedem Gespräch dabeizuhaben, mit dem Ergebnis, dass sie die ewig gleichen Antworten auf die ewig gleichen Fragen herunterleierten, bis Tu mitten in einer Befragung durch einen Agenten Ihrer Majestät zornesrot die Herausgabe seines Koffers verlangte.

»Was ist los?«, fragte Yoyo irritiert.

»Hast du die Frage nicht gehört?« Tu zeigte mit einem fleischigen Finger auf den Beamten, der ungerührt etwas in ein winziges Buch schrieb.

»Doch, schon«, sagte sie vorsichtig.

»Und?«

»Eigentlich hat er nur –«

»Er beleidigt mich! Der Kerl hat mich beleidigt!«

»Ich habe Sie lediglich gefragt, warum Sie sich den deutschen Behörden entzogen haben«, sagte der Beamte sehr ruhig.

»Ich *habe* mich nicht entzogen!«, schnauzte Tu ihn an. »Ich entziehe mich nie! Allerdings weiß ich, wem ich trauen kann, und Polizeibeamte gehören *selten* dazu, *sehr selten.*«

»Das spricht nicht unbedingt für Sie.«

»Ach nein?«

Edda Hoffs Wachsgesicht zeigte Spuren von Leben.

»Vielleicht sollten Sie sich vergegenwärtigen, dass wir Herrn Tu und seiner Begleitung Hinweise verdanken, die Ihre Behörde bislang schuldig geblieben ist«, sagte sie in der ihr eigenen Tonlosigkeit.

Der Mann klappte das Buch zu.

»Es wäre trotzdem besser für alle gewesen, Sie hätten von vorneherein mit den deutschen Kollegen zusammengearbeitet«, sagte er. »Oder hatten Sie Gründe für Ihren Mangel an Kooperation?«

Tu sprang auf und ließ beide Fäuste auf die Tischplatte donnern.

»Was unterstellen Sie mir da?«

»Nichts, nur –«

»Wer sind Sie eigentlich? Die verdammte Gestapo?«

»He.« Jericho nahm Tu bei den Schultern und versuchte ihn zurück auf den Sitz zu ziehen, was dem Versuch gleichkam, mit bloßen Händen eine Parkuhr zu versetzen. »Niemand unterstellt dir was. Sie *müssen* uns überprüfen. Warum erzählst du ihm nicht einfach –«

»Was denn, was?« Tu starrte ihn an. »Dem da? Soll ich ihm erzählen, wie die Polizei ein halbes Jahr meines Lebens mit mir umgesprungen ist, dass ich heute noch schweißgebadet davon aufwache? Dass ich Angst habe, einzuschlafen, weil es in meinen Träumen wieder losgehen könnte?«

»Nein, nur –« Jericho stockte. Was hatte sein Freund da gesagt?

»Tian.« Yoyo legte eine Hand auf Tus Faust.

»Nein, mir reicht's.« Tu schüttelte sie ab, entzog sich Jerichos Griff und stapfte davon. »Ich will in ein Hotel. Auf der Stelle! Ich will eine Pause, einfach mal eine Stunde in Ruhe gelassen werden.«

»Sie müssen nicht ins Hotel«, sagte Hoff. » Wir haben Gästezimmer im Big O. Ich kann eines für Sie herrichten lassen.«

»Tun Sie das.«

Der Mann vom MI6 legte das Buch vor sich auf den Tisch und schraubte seinen Oberkörper dem entschwindenden Tu hinterher.

»Die Befragung ist noch nicht zu Ende. Sie können nicht einfach –«

»Doch, kann ich«, sagte Tu im Hinausgehen. »Wenn Sie unbedingt ein Arschloch brauchen, das Sie unter Generalverdacht stellen können, nehmen Sie Ihr eigenes.«

Jericho hätte den sonst so gelassenen, souveränen Tu, in dessen Haus noch vor wenigen Tagen die chinesische Polizei ein- und ausgegangen war, gerne gefragt, was sein Temperament derart entfesselt hatte, doch die Zentrifuge der Ermittlungen schleuderte ihn von diesem Gespräch in das nächste. Sein Freund entschwand unter der Obhut einer bemerkenswert fürsorglichen Edda Hoff, der Ermittler vom

MI6 zog seiner Wege. Bis zum Eintreffen Jennifer Shaws blieben ihm wenige Sekunden gärenden Unbehagens, zumal Yoyo, Hüterin dunkler Geheimnisse, ostentativ vor sich hin starrte, mit Tu im Elend verschworen.

»Schätze, du weißt mal wieder mehr als ich«, sagte er.

Sie nickte stumm.

»Und es geht mich nichts an.«

»Das kann *ich* dir nicht erzählen.« Yoyo wandte ihm den Kopf zu. Ihre Augen schimmerten, als habe Tus Ausbruch neue Risse in den Damm ihrer Selbstbeherrschung getrieben. Allmählich schien es Jericho, die ganze Familie Chen siedele samt ihres vermögenden Mentors am Rande des Nervenzusammenbruchs, in ständiger Gefahr, unter dem Druck traumatischer Blähungen zu bersten. Was immer es war, das sie beschäftigte, es begann ihm auf die Nerven zu gehen.

»Verstehe«, brummte er.

Und tatsächlich verstand er. Das Phänomen der angenagelten Zunge, selbst wenn man reden *wollte,* war ihm allzu geläufig. Schweigend betrachtete er seine Finger, die rissig waren, mit schartigen Nägeln und wuchernder Nagelhaut. Irgendwie unattraktiv. Er war ein sauberer Mann, aber nicht gepflegt. Zitat Joanna. Bislang hatte er zwischen beidem keinen Unterschied erkennen können, doch in diesem Moment hätte er sich selbst nicht die Hand geben mögen. Er ging lieblos mit sich um. Yoyo liebte sich nicht, Chen nicht, und Tu, der Fels, auf dem alle Egozentrik zu gründen schien, auf bestürzende Weise auch nicht. Gab es überhaupt noch Köpfe, in denen die Vergangenheit nicht vor sich hin schimmelte?

Jennifer Shaw betrat den Raum.

»Ich hörte, Sie haben keine Lust mehr auf Konversation.«

»Falsch.« Yoyo wischte sich über die Augen. »Wir haben keine Lust mehr, dass Leute, die unsere Geschichte nicht kennen, ihren Elefantenarsch in unsere Gemütslage pflanzen.«

»Der SIS hat seine Bestandsaufnahme abgeschlossen.« Shaw verteilte dünne Stapel Papier. »Sie sind glaubwürdig, alle drei.«

»Oh, danke.«

»Eigentlich könnten Sie sich ihrem Freund Tian zugesellen. Ich bin Ihnen sehr dankbar, das meine ich ernst!« Ihre blaugrauen Augen sagten genau das, und noch eine Kleinigkeit mehr.

»Aber?«

»Ich wäre Ihnen noch dankbarer, wenn Sie uns weiterhin bei der Aufklärung unterstützen würden.«

»Wir sind froh, wenn Sie uns mitmachen lassen«, sagte Jericho.

»Dann wäre das zur gegenseitigen Zufriedenheit geklärt, nehme ich an.« Shaw setzte sich. »Sie sind vertraut mit der verschlüsselten Botschaft, über deren fehlende Teile Sie in den vergangenen Tagen ausgiebiger spekulieren konnten als wir, hatten Kontakt zu Kenny Xin, wissen um Pekings Verwicklung in afrikanische Umstürze, koreanische Mini-Nukes, eine Verschwörung, die an allen staatlichen Institutionen vorbei operiert – Möchten Sie zur Abwechslung mal etwas hören, was Sie noch nicht wissen? Sagt Ihnen der Name Gerald Palstein etwas?«

»Palstein.« Jericho durchforstete seine Erinnerungen. »Nie gehört.«

»Eine Schachfigur. Ein Turm, eher eine Dame, von den Umständen bewegt. Palstein ist der Strategische Leiter von EMCO.«

»EMCO, der Ölgigant?«

»Der stürzende Ölgigant. Ehedem Nummer eins unter den konservativ gepolten Konzernen, die zurzeit alle an einer Überdosis Helium-3 eingehen. Palsteins Aufgabe sollte es sein, EMCO zu retten, stattdessen bleibt ihm wenig mehr, als Explorationsvorhaben einzustellen, eine Tochtergesellschaft nach der anderen zu schließen und ganze Völkerstämme in die Arbeitslosigkeit zu entlassen. Von politischer Seite passiert nicht viel. Umso bemerkenswerter ist, dass Palstein das Spiel nicht verloren gibt. In Opposition zur Unternehmensspitze hat er sich schon vor Jahren für die alternativen Energien interessiert, und in ganz besonderem Maße für uns. Er wäre gern bei uns eingestiegen, aber EMCO dachte damals, wir würden hier so was wie Zeitreisen und Beamen probieren. Sie nahmen das ganze Thema, Helium-3, Weltraumfahrstuhl und so weiter, nicht ernst, und als die missionierende Wirkung der Tatsachen einsetzte, nahm *sie* keiner mehr ernst. Palstein allerdings scheint fest entschlossen, den Kampf zu gewinnen.«

»Klingt nach Don Quichotte?«

»Das hieße, ihn zu unterschätzen. Er ist kein Typ, der gegen Windmühlen kämpft. Palstein weiß, dass Helium-3 nicht mehr zu schlagen ist, also will er einsteigen ins Geschäft. Der einzig mögliche Weg führt über uns, und noch ist EMCO ja nicht pleite. Bloß, ein Haufen Leute sähe es lieber, man würde die verbliebenen Milliarden in die Absicherung der Mitarbeiter stecken. Palstein hingegen propagiert, die beste Absicherung sei der Fortbestand des Konzerns, und man müsse das Geld in Projekte zur Erhaltung investieren. Möglicherweise hat ihm das eine Gewehrkugel eingetragen.«

»Augenblick.« Jericho horchte auf. »Darüber kam was im Netz. Ein Attentat auf einen Ölmanager, ich weiß wieder! Vergangenen Monat in Kanada. Fast hätte es ihn erwischt.«

»Es *hat* ihn erwischt, glücklicherweise nur an der Schulter. Wenige Tage zuvor hatten er und Julian eine Beteiligung EMCOs an ORLEY SPACE ausgehandelt. Da stand bereits fest, dass Palstein mit zum Mond hätte reisen sollen, zur inoffiziellen Eröffnung des GAIA. Den Platz hatte er sich schon vor Jahren gesichert, aber mit einer Schussverletzung, einem Arm in der Schlinge, fliegt man nicht zu Mond.«

»Verstehe. Stattdessen rückte Carl Hanna nach. Der Kerl, den Orley verdächtigt. Auf den Sie Norrington angesetzt haben.«

Shaws Finger glitten über die Tischplatte. Auf der Projektionswand erschien das Gesicht eines Mannes, kantig geschnitten, mit kräftigen Brauen, Bart und Haar auf Millimeterlänge gestutzt.

»Carl Hanna. Ein kanadischer Investor. Als solcher tritt er jedenfalls auf. Natürlich hat Norrington ihn überprüft, als es daran ging, die Gruppe zusammenzustellen. Nun muss man Leute wie Mukesh Nair und Oleg Rogaschow nicht groß unter die Lupe nehmen –«

»Rogaschow«, echote Yoyo.

Shaw wies auf den Stapel Ausdrucke. »Ich habe Ihnen eine Liste der Gäste zusammengestellt, mit denen Julian unterwegs ist. Einige andere dürften Ihnen besser bekannt sein. Finn O'Keefe etwa –«

»Der Schauspieler?« Yoyos Augen funkelten. »Klar!«

»Oder Evelyn Chambers. Jeder kennt Amerikas Talkqueen. Miranda Winter, Skandalnudel, Sahnehäubchen des Boulevards, aber das richtige Geld liegt bei den Investoren. Die meisten davon sind bekannte Größen, Hanna hingegen erschien uns als unbeschriebenes Blatt. Ein Diplomatensohn, in Neu-Delhi geboren, Umzug nach Kanada, Studium der Wirtschaftswissenschaften in Vancouver, Bachelor of Arts and Science. Einstieg ins Börsen- und Investmentgeschäft, immer wieder Aufenthalte in Indien. Geschätzte 15 Milliarden Dollar schwer, nachdem er reich geerbt und das Geld geschickt angelegt hatte, in Öl und Gas übrigens, um dann zur rechten Zeit auf alternative Energien umzuschwenken. Hält Beteiligungen bei Warren Locatellis LIGHTYEARS, bei Marc Edwards' Quantime Inc. und etlichen Unternehmen mehr. Nach eigenen Angaben wollte er schon früher in Helium-3 investieren, nur dass ihm die Nummer anfangs zu windig war.«

»Was sich geändert hat, wie wir wissen.«

»Und damit die Vorzeichen für ein Investment. Vor anderthalb Jahren nun lernte er anlässlich eines Segeltörns, den Locatelli veranstaltete, Julian und Lynn kennen, Julians Tochter. Man mochte sich, aber entscheidend war wohl, dass Hanna laut darüber nachdachte, aus alter Verbundenheit Indiens Raumfahrt zu sponsern. Sozusagen der Wurm, der aus Julian einen Kabeljau machte. Damals stand die Mondreisegruppe schon fest, also bot Julian ihm einen Trip für kommendes Jahr an.« Shaw machte eine Pause. »Sie sind ein erfahrener Ermittler, Owen. Wie viel von Hannas Vita könnte gefälscht sein?«

»Alles«, sagte Jericho.

»Die Beteiligungen sind nachgewiesen.«

»Seit wann?«

»Hannas Einstieg bei LIGHTYEARS erfolgte vor zwei Jahren.«

»Zwei Jahre sind nichts. Lange Auslandsaufenthalte, möglichst im Ausland geboren, kleines Agenten-Einmaleins. Gerade in Schwellenländern versickert jede Nachforschung, niemanden wundert's, wenn Geburtsurkunden verschwinden. Schlampereien lokaler Behörden sind an der Tagesordnung. Zweitens, Investor. Die Tarnung überhaupt. Geld hat keine Persönlichkeit, hinterlässt keinen bleibenden Eindruck. Niemand kann nachweisen, wer da wirklich investiert hat oder seit wann. Jemanden wie Hanna können Sie mit etwas Vorbereitung aus dem Zylinder ziehen, dass jeder zu schwören bereit ist, er sei ein Kaninchen. Kennen Sie ihn persönlich?«

»Ja. Nett so weit. Aufmerksam, freundlich, nicht gerade geschwätzig. Typ Einzelgänger.«

»Hobbys? Mit Sicherheit auch was Einsames.«

»Er taucht.«

»Tauchen. Bergsteigen. Typische Interessen verdeckter Ermittler und Agenten. Hier wie da brauchen Sie kaum Zeugen.«

»Spielt Gitarre.«

»Passt. Ein Instrument erweckt den Anschein von Authentizität und schafft Sympathien.« Jericho stützte das Kinn in die Hände. »Und jetzt glauben Sie, Palstein sollte geopfert werden, um den Platz für Hanna frei zu machen.«

»Das ist meine Überzeugung.«

»Meine nicht«, wandte Yoyo ein. »Hätte man Hanna nicht einfach auf Ihre Reisegruppe obendrauf packen können, wenn er ordentlich gebettelt hätte? Ich meine, einer mehr oder weniger, dafür muss man doch keinen erschießen.«

Shaw schüttelte den Kopf.

»Bei Reisen ins All läuft das anders. Wo man hinfliegt, gibt es keine natürlichen Ressourcen, weder zur Fortbewegung noch zur Lebenserhaltung. Jeder Atemzug, den Sie tun, jeder Bissen, den Sie zu sich nehmen, jeder Schluck Wasser wird im Vorfeld berechnet. Jedes zusätzliche Kilo an Bord eines Shuttles schlägt sich in Treibstoff nieder. Auch der Weltraumfahrstuhl bildet da keine Ausnahme. Wenn er voll ist, ist er voll. In einem Vehikel, das auf zwölffache Schallgeschwindigkeit beschleunigt, wollen Sie nicht wirklich einen Stehplatz.«

»Was sagt Norrington bis jetzt?«

»Tja. Die Vita scheint wasserdicht. Er arbeitet dran.«

»Und Sie sind ganz sicher, dass Hanna unser Mann ist?«

Shaw schwieg eine Weile.

»Schauen Sie, Ihr hingeschiedener Freund Vogelaar lässt eine Menge Andeutungen vom Stapel. In Richtung China, Zheng-Group vor allen Dingen. Früher waren die Russen die Bösen, heute sind es die Chinesen. Muss es uns stören, dass Hanna in etwa so chinesisch ist wie ein Waliser Berghund? Wenn wirklich Peking hinter dem Anschlag steckt, könnten sie nichts Besseres tun, als einen Europäer hochzuschicken, ganz offiziell mit unserem Fahrstuhl und einer Einladung ins GAIA. Jemanden, der sich da oben frei bewegen kann. Doch, Owen, ich bin mir sicher, Hanna ist unser Mann. Julian selbst hat uns die Bestätigung geliefert, bevor er aus der Leitung flog.«

Yoyo warf einen Blick auf die Gästeliste und legte sie wieder weg. »Das heißt, je mehr wir über den Anschlag auf Palstein wissen, desto besser verstehen wir, was auf dem Mond abgeht. Also wo sitzt der Typ? Wo sitzt EMCO? In Amerika?«

»In Dallas«, sagte Shaw. »Texas.«

»Prima. Sieben – nein, sechs Stunden zurück. Freund Palstein hat Mittagspause. Rufen Sie ihn an.«

Shaw lächelte. »Eben das hatte ich vor.«

DALLAS, TEXAS, USA

Palsteins Büro lag im 17. Stockwerk der EMCO-Zentrale, mehreren Konferenzräumen benachbart, die sich nach Art unzureichend isolierter Keller stündlich aufs Neue mit dem Brackwasser schlechter Nachrichten füllten, wann immer man sie gerade entleert glaubte. Die Sitzung, in der er seit nunmehr zwei Stunden verhaftet war, machte da keine Ausnahme. Ein Explorationsprojekt vor Ecuador, in 3000 Meter Meerestiefe, als kühnes Renommierunterfangen gestartet, aktuell nur noch ein rostendes Erbe. Zwei Plattformen, an denen sich die Frage entzündete, ob man sie besser an Land schleppen oder versenken sollte, was seit dem legendären Brent-Spar-Debakel gar nicht so einfach zu beantworten war.

Seine Sekretärin betrat den Raum.

»Wäre es Ihnen möglich, kurz ans Telefon zu kommen?«

»Ist es wichtig?«, fragte Palstein mit kaum verhohlener Dankbarkeit, dem Totenreigen vorübergehend entrissen zu werden.

»ORLEY ENTERPRISES.« Sie schaute mit aufmunterndem Lächeln in die Runde. »Jemand Kaffee? Espresso? Doughnuts?«

»Subventionen«, sagte ein älterer Herr mit gebrochener Stimme. Niemand lachte. Palstein erhob sich.

»Haben Sie schon was von Loreena Keowa gehört?«, fragte er im Hinausgehen.

»Nein.«

»Na ja.« Er sah auf die Uhr. »Sitzt wohl noch im Flieger.«

»Soll ich es auf ihrem Handy versuchen?«

»Nein, ich glaube, Loreena wollte einen späteren Flug nehmen. Sie hat was von einer Landung gegen zwölf gesagt.«

»Wo?«

»In Vancouver.«

»Besten Dank. Soeben haben Sie mich in der Gewissheit bestärkt, dass ich meinen Job noch eine Weile behalten werde.«

Er starrte sie an.

»Zwölf Uhr in Vancouver ist zwei Uhr in Texas«, sagte sie.

»Ach so!« Er lachte. »Du meine Güte. Was täte ich ohne Sie?«

»Eben. Kleiner Konferenzraum, Videoschaltung.«

Ein angespannt wirkendes Grüppchen war auf dem Wandmonitor zu sehen. Jennifer Shaw, die Sicherheitsbeauftragte von ORLEY ENTERPRISES, saß in Begleitung eines blonden, stoppelbärtigen Mannes und einer ausnehmend hübschen Asiatin an einem verödet wirkenden Tisch.

»Tut mir leid, Sie zu stören, Gerald«, sagte sie.

»Mir nicht.« Er lächelte und lehnte sich mit verschränkten Armen gegen die Schreibtischkante. »Schön, Sie zu sehen, Jennifer. Leider hab ich im Augenblick wenig Zeit.«

»Ich weiß. Wir haben Sie aus einer Sitzung geholt. Darf ich vorstellen? Chen Yuyun –«

»Yoyo«, sagte Yoyo.

»Und Owen Jericho. Leider ist der Anlass alles andere als erfreulich.

Allerdings wird er sich möglicherweise erhellend auf Fragen auswirken, die Sie sich seit Calgary täglich stellen dürften.«

»Calgary?« Palstein runzelte die Brauen. »Schießen Sie los.«

Shaw erzählte ihm von der Möglichkeit eines nuklearen Anschlags auf das GAIA, und dass man ihn wahrscheinlich aus dem Weg hatte räumen wollen, um seinen Platz in Julians Reisegruppe mit einem Terroristen zu besetzen. Palsteins Gedanken wanderten zu Keowa. *Jemand wollte Sie an etwas hindern. Meines Erachtens daran, mit Orley zum Mond zu fliegen.*

»Mein Gott«, flüsterte er. »Das ist ja entsetzlich.«

»Wir benötigen Ihre Hilfe, Gerald.« Shaw lehnte sich vor, bärbeißig, füllig, ein Monument des Misstrauens. »Wir brauchen alles Bildmaterial, das den amerikanischen und kanadischen Behörden über den Anschlag auf Sie vorliegt, und auch sonst jede Information, Textdokumente, Ermittlungsstand. Natürlich könnten wir den offiziellen Weg beschreiten, aber Sie kennen die Leute, die mit der Untersuchung befasst sind, persönlich. Es wäre nett, wenn Sie den Vorgang beschleunigen könnten. Texas hat einen arbeitsreichen Nachmittag vor sich, voller fleißiger Beamter, die uns heute noch etwas liefern könnten.«

»Haben Sie schon die englische Polizei eingeschaltet?«

»Kripo, *Secret Intelligence Services.* Natürlich geben wir das Material umgehend an die staatlichen Stellen weiter, aber wie Sie sich vorstellen können, umfasst meine Jobbeschreibung nicht nur, Dinge weiterzugeben.«

»Ich werde tun, was ich kann.« Palstein schüttelte den Kopf, sichtlich aufgewühlt. »Entschuldigen Sie, aber das ist alles ein einziger Albtraum. Der Anschlag auf mich, jetzt das. Keine Woche ist es her, dass ich Julian eine gute Reise gewünscht habe. Wir wollten Verträge unterschreiben, gleich nach seiner Rückkehr.«

»Ich weiß. Noch spricht nichts dagegen.«

»Warum sollte jemand das GAIA zerstören wollen?«

»Wir versuchen es herauszufinden, Gerald. Und möglichst auch, wer auf Sie geschossen hat.«

»Mr. Palstein.« Erstmals ergriff der Blonde das Wort. »Ich weiß, Sie sind das schon tausendmal gefragt worden, aber haben Sie selbst irgendeinen Verdacht?«

»Na ja.« Palstein seufzte und fuhr sich über die Augen. »Bis vor wenigen Tagen hätte ich schwören können, dass jemand einfach nur seiner Enttäuschung Luft gemacht hat, Mister –«

»Jericho.«

»Mister Jericho.« Mit einem Bein stand Palstein schon wieder im Konferenzraum nebenan. »Wir mussten in letzter Zeit sehr viele Menschen entlassen. Firmen schließen. Sie wissen ja, was los ist. Aber es gibt Leute, die vermuten dasselbe wie Sie. Dass der Anschlag den Zweck hatte, mich am Mondflug zu hindern. Nur dass mir bisher nicht einleuchten wollte, warum.«

»Der Fall liegt nun klarer.«

»Deutlich klarer. Allerdings, diese Leute – also, eine Person, um genau zu sein – sie schließt nicht aus, chinesische Interessen könnten im Spiel sein.«

Shaw, Jericho und das Mädchen wechselten Blicke.

»Und was bringt diese Person zu der Annahme?«

Palstein zögerte. »Hören Sie, Jennifer, ich muss wieder rein, so schwer es mir fällt. Vorher werde ich dafür sorgen, dass Sie schnellstmöglich an das Material gelangen. In einer Sache allerdings muss ich Sie um Geduld bitten.«

»In welcher?«

»Es gibt einen Film, der *möglicherweise* den Mann zeigt, der auf mich geschossen hat.«

»Was?« Chen Yuyun fuhr hoch. »Aber das ist doch genau, was –«

»Sie sollen ihn ja bekommen.« Palstein hob beschwichtigend beide Hände. »Nur, ich habe der Person, die den Film recherchiert hat, versprochen, ihn vorerst unter Verschluss zu halten. In wenigen Stunden werde ich mit ihr telefonieren und sie ersuchen, das Video freizugeben, bis dahin bitte ich um Ihr Verständnis.«

Die hübsche Chinesin starrte ihn an.

»Wir haben ziemlich viel durchgemacht«, sagte sie leise.

»Ich auch.« Palstein zeigte auf seine Schulter. »Aber die Fairness diktiert nun mal die Reihenfolge.«

»Gut.« Shaw lächelte. »Natürlich respektieren wir Ihre Entscheidung.«

»Nur eine Frage noch«, sagte Jericho.

»Bitte.«

»Der Mann, von dem die Person glaubt, er sei der Mörder – kann man ihn deutlich erkennen?«

»Einigermaßen deutlich, ja.«

»Und ist er ein Chinese?«

»Ein Asiate.« Palstein schwieg einen Moment. »Möglicherweise ein Chinese. Ja. *Wahrscheinlich* ist er ein Chinese.«

Locatelli staunte. Er hatte zu großer Einsicht gefunden, dass nämlich sein Kopf der Mond und die Mondoberfläche inwendig war, Mária und Krater also die konkave Wölbung des Knochens überzogen. Zweierlei folgte daraus. Zum einen, warum so viel Mondstaub in sein Hirn gerieselt war, andererseits, dass der ganze Trip, so wie er sich an ihn erinnerte, überhaupt nie stattgefunden hatte, sondern komplett seiner Einbildungskraft entsprang, insbesondere das unerfreuliche letzte Kapitel. Er würde die Augen aufschlagen, der tröstlichen Gewissheit anvertraut, dass niemand ihm etwas anhaben konnte und selbst der Eindruck beständig wirbelnden Graus seine natürliche Erklärung fände. Einzig, welche Rolle das Universum im Ganzen spielte, gab ihm noch Rätsel auf. Dass es sich rechtsseitig gegen sein Gesicht presste, wunderte und verwirrte ihn, aber da er ja nur die Augen aufschlagen musste –

Es war nicht das Universum. Es war der Boden, auf dem er lag.

Klack, klack.

Er hob den Kopf und zuckte zusammen. Eine Kreissäge der Qual durchfuhr seinen Schädel. Formen, Farben, unscharf. Alles in diffuses Licht getaucht, dämmrig und grell zugleich, sodass er die Lider zusammenkneifen musste. Ein beständiges Klacken drang zu ihm herüber. Er versuchte, eine Hand zu heben, ohne Erfolg. Sie war irgendwo mit der anderen beschäftigt, hinter seinem Rücken hingen die beiden zusammen und wollten, konnten sich nicht voneinander lösen.

Klack, klack.

Sein Blick klärte sich. Ein Stück weiter sah er klobige Stiefel und etwas Längliches, das sacht hin und her schwang und mit der Regelmäßigkeit einer chinesischen Wasserfolter gegen die Kante des Pilotensessels stieß, auf welchem der Besitzer der Stiefel hockte. Locatelli verdrehte den Kopf und gewahrte Carl Hanna, der ihn nachdenklich betrachtete, die Waffe in der Rechten, als sitze er dort schon seit einer Ewigkeit. Rhythmisch ließ er den Lauf gegen die Kante schlagen.

Klack, klack.

Locatelli hustete.

»Sind wir abgestürzt?«, krächzte er.

Hanna sah ihn weiterhin an und sagte nichts. Bilder verzahnten sich zu Erinnerungen. Nein, sie waren gelandet. Eine Notlandung. Über den Regolith geschossen, mit etwas zusammengestoßen. Von da an wusste er nichts mehr, nur, dass zwischenzeitlich ein Rollentausch stattgefunden haben musste, weil jetzt er der Gefesselte war. Siedende Scham stieg in ihm auf. Er hatte es vermasselt.

Klack, klack.

»Kannst du mal aufhören, mit dem Scheißding gegen den Stuhl zu schlagen?«, stöhnte er. »Es nervt.«

Zu seiner Überraschung hörte Hanna tatsächlich auf. Er legte die Waffe beiseite und massierte seine Kinnlade.

»Und was mache ich jetzt mit dir?«, fragte er.

Es klang nicht, als erwarte er wirklich einen konstruktiven Vorschlag. Eher schwangen Untertöne von Resignation in seinen Worten mit, ein leises Bedauern, das Locatelli mehr ängstigte, als hätte Hanna ihn angeschrien.

»Warum lässt du mich nicht einfach laufen?«, schlug er heiser vor.

Der Kanadier schüttelte den Kopf. »Das kann ich nicht.«

»Warum nicht? Was wäre die Alternative?«

»Dich nicht laufen zu lassen.«

»Also mich abzuknallen.«

»Ich weiß es nicht, Warren.« Hanna zuckte die Achseln. »Was musstest du auch den Helden spielen?«

»Verstehe.« Locatelli schluckte. »Warum hast du's dann nicht längst schon getan? Oder hast du so was wie 'ne Quote? Nie mehr als drei an einem Tag? Du Arschloch!« Mit einem Mal sah er die Gäule galoppieren und sich selbst hinterher hecheln, um sie wieder einzufangen, weil es vielleicht nicht die beste Idee war, Hanna noch mehr zu verärgern, doch in der Kernschmelze seiner Wut verging jeder klare Gedanke. Er stemmte sich hoch, schaffte es in sitzende Position und funkelte Hanna hasserfüllt an. »Macht dir das eigentlich Spaß? Geht dir einer ab, wenn du Leute umbringst? Was bist du nur für ein perverses Stück Scheiße, Carl? Du widerst mich an! Was zum Teufel tust du hier? Was willst du von uns?«

»Ich mache meinen Job.«

»Deinen Job? Es war dein verfickter Job, Peter in die Schlucht zu stoßen? Marc und Mimi in die Luft zu jagen? *Das* ist dein verdammter Job, du blöde Sau?«

Aufhören, Warren!

»Du Dreckschwein! Du Kackwurst!«

Hör auf!

»Beschissener Wichser! Warte, bis ich meine Hände frei bekomme.«

Oh, Warren. Dumm, zu dumm! Warum hatte er das gesagt? Warum hatte er sich nicht damit begnügt, es zu *denken*? Hanna runzelte die Stirn, doch es schien, als habe er gar nicht richtig hingehört. Sein Blick wanderte zur Luftschleuse, dann beugte er sich unvermittelt vor.

»Jetzt pass mal auf, Warren. Was ich tue, hat eher mit dem Abholzen von Bäumen und Trockenlegen von Sümpfen zu tun. Verstehst du? Töten kann notwendig werden, aber mein Job besteht nicht darin, etwas zu zerstören, sondern etwas anderes zu erhalten oder aufzubauen. Ein Haus, eine Idee, ein System, was immer du willst.«

»Welches Scheißsystem legitimiert sich denn durch Töten?«

»Jedes.«

»Kranker Idiot. Und für welches System hast du Mimi, Marc und Peter umgebracht?«

»Hör auf, Warren. Du willst mir doch nicht ernsthaft einen Schuldkomplex aufnötigen?«

»Arbeitest du für irgendeine Scheißregierung?«

»Im Endeffekt arbeiten wir doch alle für irgendeine Scheißregierung.« Hanna lehnte sich mit einem Seufzer der Duldsamkeit zurück. »Gut, ich erzähl dir was. Erinnerst du dich an die Weltwirtschaftskrise vor sechzehn Jahren? Alle Welt klapperte mit den Zähnen. Auch Indien. Aber dort löste die Krise zugleich einen Schub aus! Man investierte in Umweltschutz, Hightech, Bildung und Landwirtschaft, lockerte das Kastensystem, exportierte Dienstleistungen und Innovationen, halbierte die Armut. Anderthalb Milliarden überwiegend junge, äußerst motivierte Baumeister der Globalisierung schoben sich auf Platz drei der Weltwirtschaft.«

Locatelli nickte verblüfft. Er hatte nicht die leiseste Ahnung, warum Hanna ihm das erzählte, aber es war immerhin besser, als aus Mangel an Gesprächsstoff erschossen zu werden.

»Natürlich fragte sich Washington, wie man damit umzugehen habe. Beispielsweise störte man sich an der Vorstellung, ein erstarktes Indien könne vor lauter Annäherung an Peking den guten alten Onkel Sam vergessen. Welcher Block würde sich herauskristallisieren? Indien und die USA? Oder Indien, China und Russland? Washington hatte die Inder immer als wichtige Verbündete betrachtet und hätte sie zum Beispiel gerne gegen China instrumentalisiert, doch Neu-Delhi pochte auf Autonomie und wollte sich von niemandem reinreden oder gar benutzen lassen.«

»Was hat das alles mit uns hier zu tun?«

»In dieser Phase, Warren, wurden Leute wie ich auf den Subkontinent geschickt, um für den Drall in die richtige Richtung zu sorgen. Wir waren angewiesen, das indische Wunder nach Kräften zu unterstützen, aber als 2014 der chinesische Botschafter in Neu-Delhi von der LimGI, der Liga für ein muslimisches Großindien, in die Luft gesprengt wurde, trübte das die indisch-chinesischen Beziehungen genau im richtigen Moment, um den Abschluss einiger wichtiger indisch-amerikanischer Abkommen zu begünstigen.«

»Du bist – Moment mal!« Locatelli fletschte die Zähne. »Du willst mir doch nicht erzählen –«

»Doch. Einigen dieser Abkommen verdankst du es beispielsweise, dass deine Solarkollektoren auf dem indischen Markt so reißenden Absatz finden.«

»Du bist ein verdammter CIA-Agent!«

Hanna lächelte in milder Selbstzufriedenheit. »Die LimGI war meine Idee. Einer von unzähligen Tricks, um der chinesisch-indisch-russischen Blockbildung vorzubeugen. Manche dieser Tricks funktionierten, mitunter um den Preis einiger Menschenleben. Andere gingen in die Hose, ebenfalls um den Preis von Menschleben, unserer eigenen nämlich. Dein Genie in allen Ehren, Warren, aber Leute wie du sind groß und einflussreich geworden im Rahmen gewisser Bedingungen, die jemand schaffen musste, im Zweifel die Scheißregierung. Kannst du ausschließen, dass deine Marktführerschaft auf der gegenüberliegenden Seite des Planeten nicht auch mit ein paar Menschenleben erkauft wurde?«

»Was?«, explodierte Locatelli. »Spinnst du?«

»Kannst du es ausschließen?«

»Ich bin nicht die verdammte Regierung! Natürlich kann ich es –«

»Aber Nutznießer. Du denkst, ich bin ein Schwein. Dabei hast du nur zugesehen, wie ich etwas getan habe, was alle tun und wovon du, ohne dir Gedanken darüber zu machen, jeden Tag profitierst. Der Paradigmenwechsel in der Energieversorgung, aneutrische, saubere Fusion, das klingt gut, wirklich gut, und die verbesserte Ausbeute deiner Solarzellen hat den Markt der Sonnenkollektoren nachhaltig revolutioniert. Glückwunsch. Aber wann wäre je einer aufgestiegen ohne den Abstieg anderer? Manchmal muss nachgeholfen werden, und Leute wie ich sind es, die Nachhilfe geben.«

Locatelli suchte in Hannas Augen jenes Flackern, das die Anwesenheit häuslichen Wahnsinns verriet, die Bewohntheit durch Ticks, Traumata und innere Dämonen. Doch da war nur kalte, dunkle Ruhe.

»Und was will die CIA von uns?«, fragte er.

»Die CIA? Nichts, soweit ich weiß. Ich bin nicht mehr Teil der Familie. Bis vor sieben Jahren wurde ich vom Staat bezahlt, aber eines Tages wird dir klar, dass du denselben Job von denselben Leuten für die dreifache Bezahlung kriegen kannst. Alles, was du tun musst, ist, dich auf dem freien Markt selbstständig zu machen und dein Gegenüber nicht mehr wie bisher mit Herr Präsident, sondern Herr Vorstandsvorsitzender anzureden. Natürlich hast du immer schon gewusst, dass du eigentlich für den Vatikan, die Mafia, für die Banken, die Energiekartelle, die Waffenproduzenten, die Umweltlobby, die Rockefellers, Warren Buffetts, Zheng Pang-Wangs und Julian Orleys dieser Welt arbeitest, also arbeitest du fortan eben direkt für sie. Dabei kann es durchaus passieren, dass du weiterhin die Interessen irgendeiner Regierung vertrittst. Du musst den Regierungsbegriff nur zeitgemäß erweitern: um Gruppierungen wie ORLEY ENTERPRISES, die so viel Macht auf sich vereinen, dass sie die Regierung *sind*. Die Welt wird von Konzernen und Kartellen regiert, über alle Grenzen hinweg. Die Schnittmengen mit parlamentarisch gewählten Regierungen sind zufällig bis deckend. Für wen genau du arbeitest, weißt du eigentlich nie, also hörst du auf zu fragen, weil es sowieso keinen Unterschied macht.«

»Wie bitte?« Locatelli drohten die Augen aus dem Kopf zu treten. »Du weiß nicht mal, für *wen* du das hier tust?«

»Ich könnte es dir jedenfalls nicht eindeutig beantworten.«

»Aber du hast drei Menschen getötet!«, schrie Locatelli. »Du blödes Arschloch mit deiner Geheimagentenattitüde, so was macht man doch nicht nur, weil es ein *Job* ist!«

Hanna öffnete den Mund, schloss ihn wieder und fuhr sich mit der Hand über die Augen, als wolle er etwas Unschönes, das er gerade gesehen hatte, herauswischen.

»Okay, es war ein Fehler. Ich hätte dir das alles nicht erzählen sollen, ich sollte klüger sein! Es geht ja doch immer gleich aus, am Ende sagt jemand Arschloch. Nicht dass es mich kränken würde, es ist nur schade um die Zeit. Vernichtetes Kapital.«

Er stand auf, wuchs zu urtümlicher Größe und Bedrohlichkeit an, zwei Meter Muskelmasse in stahlverstärkter Kunstfaser, gekrönt vom kalten Verstand eines Analytikers, der soeben die Geduld verlor. Locatelli überlegte fieberhaft, wie sich das absurde Gespräch in Gang halten ließ.

»Mimi und Marc zu töten war unnötig«, stieß er hastig hervor. »*Das* jedenfalls hast du aus purem Vergnügen getan.«

Hanna schüttelte nachsichtig den Kopf.

»Das verstehst du nicht, Warren. Du kennst meinesgleichen aus dem Kino und denkst, wir sind alle Psychopathen. Aber Töten ist nichts, was vergnügt oder belastet. Es ist ein Akt der Entpersonalisierung. Du kannst nicht zugleich einen Menschen und ein Ziel sehen. Vorhin im Schrötertal waren die drei zu nahe, selbst Mimi und Marc. Marc etwa hätte über den Ausleger zurückkriechen und mir mit dem zweiten Rover folgen können, von Peter ganz zu schweigen. Ich durfte keinerlei Risiko eingehen.«

»Und warum hast du uns nicht gleich alle –«

»Weil ich dachte, ihr anderen seid oben auf *Snake Hill* und damit zu weit weg, um mir gefährlich zu werden. Ob du es glaubst oder nicht, Warren, ich versuche, Leben zu *schonen*.«

»Wie tröstlich«, murmelte Locatelli.

»Nur mit dir hatte ich nicht gerechnet. Wieso warst du plötzlich da?«

»Zurückgegangen.«

»Warum? Keine Lust auf schöne Aussicht?«

»Kamera vergessen.« Seine Stimme klang betreten in seinen eigenen Ohren, peinlich berührt. Hanna lächelte mitfühlend.

»Nichtigkeiten ändern Lebensläufe«, sagte er. »So ist das.«

Locatelli kniff die Lippen zusammen, starrte auf seine Stiefelspitzen und kämpfte einen hysterischen Lachanfall nieder. Hier saß er und machte sich Gedanken darüber, ob sein Eingeständnis der Vergesslichkeit posthum gegen sein Handeln aufgerechnet und die Bilanz seiner Heldenhaftigkeit schmälern würde. Oder? Es würde doch wenigstens so etwas wie einen Nachruf geben! Eine ergreifende Rede. Einen Toast, ein bisschen Musik: *Oh Danny Boy* –

Er schaute auf.

»Warum lebe ich noch, Carl? Hast du's nicht eilig? Was sollen die Spielchen?«

Hanna betrachtete ihn aus seinen dunklen, unergründlichen Augen.

»Ich spiele keine Spielchen, Warren, dafür mangelt es mir an Perfidie. Du warst über eine Stunde lang ohnmächtig. Während deiner Auszeit habe ich unsere Lage analysiert. Ziemlich unerfreulich.«

»Meine sowieso.«

»Meine auch. Mir war unverständlich, warum ich die Kiste nicht im letzten Moment habe hochziehen können. Mit vertikalem Gegenschub hätten wir die Bruchlandung eigentlich vermeiden sollen. Aber die Düsen sind über dem Boden ausgefallen, als wir durch diese Staubwolken flogen, womöglich verstopft. Unglücklicherweise hat es uns beim Aufsetzen die Landestützen weggehauen, die GANYMED liegt also auf dem Bauch, ein gutes Stück eingegraben. Ich muss dir wohl nicht sagen, was das bedeutet.«

Locatelli legte den Kopf in den Nacken und schloss die Augen.

»Wir kommen nicht raus«, sagte er. »Der Schleusenschacht lässt sich nicht ausfahren.«

»Kleiner Konstruktionsfehler, wenn du mich fragst. Die einzige Schleuse an der Unterseite zu installieren.«

»Kein Notausstieg?«

»Doch. Der Frachtraum im Heck. Er kann vakuumiert und geflutet werden, im Prinzip also auch eine Schleuse. Die Heckklappe lässt sich absenken und zu einer Rampe verlängern – aber wie gesagt, die GANYMED ist kilometerweit durch den Regolith gepflügt und auf den letzten Metern in ein Felsmassiv gerasselt. Die Brocken liegen überall herum, so weit man sehen kann. Ich schätze, einige davon blockieren die Klappe. Sie lässt sich keinen halben Meter mehr öffnen.«

Locatelli dachte darüber nach. Eigentlich lustig. Wirklich lustig.

»Was wunderst du dich?«, lachte er heiser. »Du sitzt im Gefängnis, Carl. Genau da, wo du hingehörst.«

»Du aber auch.«

»Na und? Macht es irgendeinen Unterschied, ob du mich hier oder draußen erledigst?«

»Warren –«

»Ist doch egal, Mann. Scheißegal! Willkommen im Knast.«

»Hätte ich dich erledigen wollen, wärst du gar nicht erst wieder zu dir gekommen. Verstehst du? Ich habe nicht vor, dich zu erledigen.«

Locatelli zögerte. Sein Lachen erstarb.

»Meinst du das ernst?«

»Im Augenblick stellst du keine Gefahr für mich dar. Ein zweites Mal wirst du mich nicht übertölpeln wie in der Schleuse. Du hast also die Wahl, dich querzustellen oder zu kooperieren.«

»Und was«, sagte Locatelli gedehnt, »wären die Aussichten im Falle der Kooperation?«

»Vorläufig dein Überleben.«

»Vorläufig reicht aber nicht.«

»Mehr hab ich nicht anzubieten. Oder sagen wir, wenn du mitspielst, droht dir zumindest von meiner Seite keine Gefahr. So viel kann ich dir versprechen.«

Locatelli schwieg eine Sekunde.

»Also gut. Lass hören.«

Während der ersten halben Stunde hatte Amber jede Hoffnung fahren lassen, dass sie die Förderstation überhaupt je erreichen würden. Aus großer Flughöhe präsentierte sich das Aristarchus-Plateau als moderat geschwungene Bilderbuchlandschaft für lunare Automobilisten, insbesondere entlang des Schröter-Tals, wo das Terrain vollkommen eben wirkte, beinahe wie planiert. Doch die bodennahe Erfahrung lehrte den Alltag der Ameise. Alles wuchs sich zum Hindernis aus. So mühelos die Rovers kleinere Buckel und im Weg liegende Felsbrocken dank ihrer flexiblen Achsen überfuhren, erwiesen sie sich umso anfälliger für Kleinstkrater, Schlaglöcher und Spalten, die sich alle paar Meter vor ihnen auftaten, sodass sie gezwungen waren, mit 20 bis 30 Stundenkilometern von einer Unwägbarkeit zur nächsten zu navigieren. Erst jenseits einer Ansammlung größerer Krater am Übergang zum Oceanus Procellarum beruhigte sich der Grund, und sie kamen schneller voran.

Immer öfter hatte Amber seitdem zum Himmel hinaufgeschaut in Erwartung, die GANYMED am Horizont auftauchen zu sehen, während ihre Hoffnung brütender Gewissheit wich, dass Locatelli es nicht geschafft hatte. Omura, die den zweiten Rover steuerte, war in Schweigsamkeit entrückt. Niemand redete sonderlich viel. Erst nach einer ganzen Weile sprach Amber ihren Schwiegervater auf einer gesonderten Frequenz an, sodass die anderen das Gespräch nicht mit anhören konnten.

»Du hast uns vorhin einiges verschwiegen.«

»Wie kommst du darauf?«

»Nur so ein Gefühl.« Turnusmäßig suchte sie den Horizont ab. »Eine Kleinigkeit, die Frauen auf den Plan ruft, wenn Männer lügen oder nicht die ganze Wahrheit sagen.«

»Hör mir auf mit Intuition.«

»Nein, wirklich. Es ist einfach so, dass Frauen im Lügen talentierter sind. Wir haben das Repertoire der Verstellung besser drauf, darum können wir die Wahrheit durchschimmern sehen wie durch feine Seide, wenn ihr lügt. Du hast von der Möglichkeit eines Anschlags gesprochen. Auf eine Orley-Einrichtung irgendwo. Carl läuft Amok, die Kommunikation fällt aus, und rückblickend wird klar, dass er dich schon vor zwei Tagen verarscht und eine nächtliche Spritztour mit dem Lunar Express unternommen hat.«

»Und nichts davon ergibt einen Sinn.«

»Doch. Es ergibt einen Sinn, wenn Carl der Typ ist, der den Anschlag durchführen soll.«

»Hier auf dem Mond?«

»Tu nicht so, als wär ich schwer von Kapee. Hier auf dem Mond! Was hieße, dass nicht *irgendeine* Einrichtung betroffen ist, sondern eine ganz bestimmte.«

Sie bretterten weiter über den einförmigen, dunklen Basalt des Oceanus Procellarum dahin, schon im Grenzbereich zum Mare Imbrium. Erstmals konnten sie die Maximalgeschwindigkeit der Rovers voll ausfahren, wenngleich um den Preis einer fortgesetzten Schaukelpartie, da das Chassis auf und nieder wippte und die Fahrzeuge immer wieder abhoben. In der Ferne wurden Anhöhen sichtbar, die Gruithuisen-Region, eine Kette von Kratern, Bergen und erkalteten vulkanischen Domen, die sich bis hinauf zum Kap Heraclides erstreckte.

»Was anderes«, sagte Julian. »Kann ich mit dir über Lynn sprechen?«

»Solange es zu einer Antwort auf meine Frage führt, jederzeit.«

»Wie kommt sie dir vor?«

»Sie hat ein Problem.«

»Das sagt Tim auch immer.«

»Dafür, dass er es *immer* sagt, hörst du ihm bemerkenswert selten zu.«

»Weil er jedes Mal sofort auf mich losgeht! Das weißt du doch. Es ist unmöglich, mit ihm ein vernünftiges Wort über das Mädchen zu reden!«

»Vielleicht, weil Vernunft nicht ihren Zustand umreißt.«

»Dann sag *du* mir, was ihr Problem ist.«

»Ihre Fantasie, schätze ich.«

»Na großartig!«, schnaubte Julian. »Wenn es danach ginge, dürfte ich vor Problemen nicht ein noch aus wissen.«

»Alle Macht der Fantasie über die Vernunft ist eine Art Wahnsinn«, bemerkte Amber sentenziös. »Du bist auch ein bisschen wahnsinnig, aber ein Sonderfall. Du verteilst deinen Wahnsinn mit beiden Händen unter die Leute, kultivierst ihn, lässt dir dafür applaudieren. Du liebst deinen Wahnsinn, und darum liebt er dich und befähigt dich, die Welt zu retten. Hat dich je die Vorstellung wach gehalten, du könntest dich dabei übernehmen?«

»Ich mache mir Gedanken über Fehlentscheidungen.«

»Das ist nicht dasselbe. Ich meine, kennst du so etwas wie Angst?«

»Jeder fürchtet sich.«

»Augenblick. Furcht. Feiner Unterschied! Furcht ist das Ergebnis deiner aufgescheuchten Ratio, liebster Julian, eine Realangst, weil objektbezogen und konkret begründet. Wir fürchten uns vor Hunden, besoffenen Arsenal-Fans und der kommenden Steuergesetzgebung. Ich rede von Angst. Von dem diffusen Nebel, in dem alles Mögliche lauern könnte. Von der Angst, zu versagen, nicht zu genügen, sich falsch einzuschätzen, eine Katastrophe auszulösen, von lähmender Angst, letztlich der Angst vor sich selbst. Kennst du so was?«

»Hm.« Julian schwieg eine Weile. »Sollte ich?«

»Nein, wozu? Du bist, wer du bist. Aber Lynn ist nicht so.«

»Sie hat nie was von Angst gesagt.«

»Falsch. Du hast nicht hingehört, weil du wie immer zu viel Adrenalin in den Ohren hattest. Weißt du wenigstens, was vor fünf Jahren passiert ist?«

»Ich weiß, sie hatte enorm viel zu tun. Vielleicht meine Schuld. Aber ich hab gesagt, ruh dich aus, oder nicht? Und das hat sie gemacht. Und anschließend das STELLAR ISLAND HOTEL gebaut, das OSS GRAND, das GAIA, sie war leistungsfähiger denn je. Wenn es also Erschöpfung ist, weswegen ihr ein solches Getue macht, dann –«

»Wir machen kein Getue«, sagte Amber verärgert. »Ich bin es übrigens, die dich ständig bei Tim verteidigt, dass er mich schon fragt, ob ich Geld dafür bekomme. Und jedes Mal antworte ich, selig die Unwissenden. Glaub mir, Julian, ich stehe auf deiner Seite, ich hatte immer schon ein Herz für Begriffsstutzige, ich kann sogar in deiner Vernageltheit liebenswerte Aspekte erkennen, vielleicht bringt das ja die Sozialarbeit mit sich. Darum liebe ich dich sogar, wenn du nicht das Geringste kapierst, aber das heißt ja nicht, dass es so bleiben muss, oder? Und du hast eben immer noch nicht verstanden, worum es geht.«

»Ist ja gut.«

»Nur zur Erinnerung, *du* wolltest mit mir über Lynn reden, anstatt meine Frage zu beantworten.«

»Also erklär mir, was mit ihr los ist.«

»Ich soll dir hier mitten im Oceanus Procellarum die Psyche deiner Tochter erklären?«

»Ich wäre für jeden Versuch dankbar.«

»Ach du meine Güte.« Sie überlegte. »Also gut, im Telegrammstil: Du denkst, Lynn war damals erschöpft?«

»Ja.«

»Wundert es dich, wenn ich dir sage, dass Überarbeitung Lynns geringstes Problem war? Andernfalls hätte sie ORLEY TRAVEL nicht leiten und deine Hotels nicht bauen können. Nein, ihr Problem ist, dass, sobald sie die Augen schließt, Mini-Lynns jeden Alters von allen Seiten beginnen, sie einzukesseln. Baby-Lynns, Kinder-Lynns, Teenager-Lynns, Tochter-Lynns, Papas-Liebling-Lynns, die glauben, sich deine Anerkennung nur verdienen zu können, indem sie ein noch härterer Hund werden als du. Vor dieser Armee aus der Vergangenheit, die sie Tag und Nacht kontrolliert, hat Lynn panische Angst. Doch sie denkt, Kontrolle sei alles. Noch mehr Manschetten hat sie allerdings davor, die Kontrolle zu verlieren, weil sie fürchtet, dass dann etwas Entsetzliches zum Vorschein käme, eine Lynn, die nicht sein darf, vielleicht aber auch gar keine Lynn, weil das Ende der Kontrolle zugleich das Ende ihrer Existenz bedeuten würde. Verstehst du?«

»Ich bin mir nicht sicher«, sagte Julian wie jemand, der einen Wald voller Fallgruben durchquert.

»Für Lynn ist die Vorstellung, sich nicht unter Kontrolle zu haben, mehr als nur Angst einflößend. Für sie ist Kontrollverlust gleichbedeutend mit Wahnsinn. Sie fürchtet, so zu enden wie Crystal.«

»Du meinst –« Er stockte. »Lynn hat Angst, *wahnsinnig* zu werden?«

»Tim glaubt, dass es so ist. Er hat mehr Zeit mit ihr verbracht, wird es besser wissen, aber ich schätze, ja, genau das ist der Punkt. War es jedenfalls vor fünf Jahren.«

»*Davor* hatte sie Angst?«

»Angst zu versagen, die Kontrolle zu verlieren und den Verstand. Aber am meisten ängstigte sie, zu welch schrecklichen Dingen sie fähig wäre, um die Kontrolle zu behalten. – Apropos, wusstest du, dass Selbstmord auch ein Akt der Kontrolle ist?«

»Warum denn jetzt Selbstmord, um Himmels willen?«

»Mensch, Julian.« Amber seufzte. »Weil es dazu gehört. Muss ja nicht der leibliche Suizid sein. Ich meine jedweden Akt der Zerstörung deiner selbst, deiner Gesundheit, deiner Existenz, sobald die Angst, der Vernichtung durch Fremdeinwirkung ausgesetzt zu sein, ins Unerträgliche wächst. Lieber machst du dich selbst kaputt, als dass andere es tun. Der ultimative Akt der Kontrolle.«

»Und –«, Julian zögerte, »– ist es wahr, dass Lynn wieder Anzeichen zeigt für – für diese –«

»Anfangs dachte ich, Tim übertreibt. Jetzt glaube ich, er hat recht.«

»Aber warum sehe *ich* das nicht? Warum dringt so was nicht *zu mir* vor? Lynn hat mir gegenüber niemals Schwäche gezeigt.«

»Tust du es denn? Schwäche zeigen?«

»Ich weiß es nicht, Amber. Ich mache mir über so was keine Gedanken.«

»Eben. Du machst dir keine Gedanken. Hilft aber alles nichts, Julian. Sie braucht keine Erholungspausen. Sie braucht eine Therapie. Eine lange, sehr lange Therapie. Am Ende steht vielleicht, dass sie ORLEY ENTERPRISES komplett übernimmt. Vielleicht aber auch, dass sie nur noch Blumenbilder malt oder in Sri Lanka Hanf anbaut. Wer weiß, wer deine Tochter wirklich ist. Sie weiß es jedenfalls nicht.«

Julian ließ langsam den Atem entweichen.

»Amber«, sagte er. »Es besteht die Möglichkeit, dass jemand versucht, das GAIA mit einer Atombombe in die Luft zu sprengen. Und dass Lynn auf irgendeine Weise darin verwickelt ist.«

Die Eröffnung traf sie mit einer Wucht, dass es ihr vorübergehend die Sprache raubte. Halt suchend wanderte ihr Blick zum Himmel, wohl wissend, dass die GANYMED nicht kommen würde.

»Wie sicher ist das?«, fragte sie.

»Pure Spekulation irgendwelcher Leute, die ich überhaupt nicht kenne. Mehr weiß ich nicht, ich schwör's dir. Aber was heute passiert ist, zeigt, dass etwas dran sein muss. Du hast recht, Carls Aufgabe könnte darin bestehen, den Anschlag auszuführen. Und ich fürchte – also, einiges spricht dafür, dass jemand auf dem Mond ihm hilft, und –«

»Du glaubst, es ist Lynn?«

»Ich *will* es ja nicht glauben, aber –«

»Wieso, um alles in der Welt? Es ist *ihr* Hotel! Warum sollte sie an einem Anschlag auf ihr *eigenes* Hotel beteiligt sein?«

»Vielleicht weiß sie ja gar nicht, was wirklich gespielt wird, aber sie wollte mich die Überwachungsvideos aus dem Korridor nicht sehen lassen, die bewiesen hätten, dass Hanna draußen und mit dem Lunar Express unterwegs gewesen war. Sie hat Zugang zu allen Systemen des Hotels, Amber, sie könnte die Kommunikation stören, wenn sie wollte, und sie ist aggressiv und seltsam, nicht erklärbar –«

»Und Tim ist im GAIA«, flüsterte Amber.

KAP HERACLIDES

»Also, pass auf. Ich muss schleunigst weg von hier.«

»Klar.«

»Im Laderaum habe ich einen Grasshopper gefunden und einen Buggy. Was den Hopper angeht, fürchte ich, dass die Steuereinheit beim Aufprall beschädigt wurde, aber der Buggy scheint unversehrt. Das heißt, wir müssen die Heckklappe frei bekommen.«

»Wie denn, wenn wir nicht rauskönnen?«

»Doch, wir können raus. Es wird nicht ganz ungefährlich sein, aber wenn wir unsere Raumanzüge anziehen und uns im richtigen Augenblick festhalten, kann ich uns aus der GANYMED befreien. Anschließend hilfst du mir, die Trümmer beiseitezuräumen und den Buggy nach draußen zu fahren. Danach sehen wir weiter.«

Locatelli blinzelte misstrauisch. »Wenn du mich verarschen willst, Carl, dann kannst du deinen Scheiß alleine –«

»Wenn *du* mich verarschen willst, Warren, *werde* ich meinen Scheiß alleine durchziehen – ist das klar?«

»Klar«, nickte Locatelli ergeben.

Hanna steckte die Waffe in ein Futteral am Oberschenkel, wo sie vollständig verschwand, kniete sich hinter ihn und löste mit schnellen Bewegungen seine Fesseln. Locatelli reckte die Arme. Er achtete darauf, keine hastigen Bewegungen zu machen, streckte und dehnte die Finger, massierte die Handgelenke. Erst jetzt fiel ihm die leichte Schieflage des Shuttles auf. Immer noch fühlte er sich benommen. Mit tastenden Schritten ging er bis zur Pilotenkanzel und schaute nach draußen. Vor seinen Augen erstreckte sich ansteigendes Gelände. Feiner Dunst lag in der Luft.

Quatsch, Luft! Es war Staub, lausiger, allgegenwärtiger Mondstaub, der wie eine Sinnestrübung über dem Hang stand und sich schmutzig grau auf den Scheiben der Kanzel absetzte. Keine Luftmoleküle trugen ihn, was also hielt das Zeug oben?

»Elektrostatik«, sinnierte er.

»Der Staub?« Hanna trat neben ihn. »Hab ich mich auch gefragt. Wir sind ganz in der Nähe des Fördergebiets, hier werden Tonnen von Regolith umgegraben. Trotzdem erstaunlich, dass er nicht zu Boden sinkt.«

»Doch, ich denke, das tut er«, schätzte Locatelli. »Das meiste jedenfalls. Erinnere dich, beim Buggyfahren haben wir Unmengen davon aufgewirbelt, alles fiel sofort zurück, bis auf das ganze feine Zeugs, die mikroskopisch kleinen Partikel.«

»Egal. Komm.«

Sie legten die Panzerungen an, setzten die Helme auf und stellten Funkkontakt zueinander her. Hanna dirigierte Locatelli ins Heck hinter die abschließenden Sitzreihen und wies auf die Lehnen.

»Mit dem Rücken dagegen«, sagte er. »So, dass sie dich abschirmen. Die Scheiben im Cockpit dürften aus Panzerglas sein, also werde ich auf eine der Verstrebungen zielen. Die Sprengkraft sollte ausreichen, sie zu knacken. Falls nicht, müssen wir mit erheblichem Splitterflug rechnen. Im Erfolgsfall wird es gewaltig ziehen, also bleib im Schutz der Lehne und halt dich gut fest.«

»Was ist mit dem Sauerstoff? Wird nicht alles in Flammen aufgehen?«

»Nein, die Konzentration entspricht der irdischen. Fertig?«

Locatelli hockte sich hinter die Reihe. Unter anderen Umständen hätte er sich auf das Prächtigste amüsiert, aber auch so konnte er sich über mangelnde Adrenalinausschüttung nicht beklagen.

»Fertig«, sagte er.

Hanna schob sich neben ihn, förderte eine beinahe identisch aussehende Waffe aus einem Futteral am anderen Oberschenkel zutage, lehnte sich in den Mittelgang und richtete den Lauf auf die Kanzel. Locatelli glaubte ein hochfrequentes Zischen zu vernehmen, dann folgte eine Detonation, so kurz, dass sich der Knall im Augenblick seines Entstehens selbst zu verschlucken schien –

Dann der Sog.

Gegenstände, Splitter und Fetzen kamen von allen Seiten herangesaust, wirbelten wild durcheinander, an ihm vorbei und der Kanzel entgegen. Was nicht angeschraubt oder verschweißt war, wurde nach draußen gesaugt. Die entweichende Luft zerrte an seinen Armen und Beinen, presste ihn gegen die Lehne. Etwas schlug gegen sein Visier, Undefinierbares traf Schultern und Hüften, ein Fledermausschwarm von Broschüren und Büchern stürzte ihnen entgegen, angriffslustig, mit hektisch schlagenden Einbänden. Auf seinem Brustpanzer hing plötzlich ein Foliant, wanderte widerstrebend und mit flatternden Seiten darüber hinweg, löste sich und verschwand im Mittelgang. Das Ganze ging in völliger Lautlosigkeit vonstatten.

Dann war es vorbei.

War es das wirklich? Locatelli wartete noch einige Sekunden. Langsam zog er sich an der Lehne empor und schaute zur Kanzel. Wo die Frontscheiben gewesen waren, klaffte ein riesiges Loch.

»Meine Güte.« Stoßartig ließ er den Atem entweichen. »Was ist das bloß für ein Zeug, mit dem du da schießt?«

»Hausmischung, geheim.« Hanna erhob sich und trat in den Mittelgang. »Komm mit, wir müssen noch mal in den Lagerraum.«

Dort sah es weniger chaotisch aus, als Locatelli erwartet hatte. Die Einzelteile eines Grasshoppers lagen über den Boden verstreut. Er nahm sie der Reihe nach auf. Die Steuereinheit war teilweise zertrümmert worden, der Buggy hingegen ruhte unbeschadet in seinen Halterungen, ein kleines, zweisitziges Gefährt mit Ladefläche. Weitere Halterungen zeugten davon, dass bei Bedarf sechs solcher Dinger transportiert werden konnten. Rasch half er Hanna, die Halterungen zu lösen. Die Ladeklappe, zugleich Rückwand des Lagerraums, stand ein kleines Stück offen, als habe sie sich beim Aufprall verzogen. Eine Handbreit Sternenhimmel leuchtete zu ihnen herein. Hanna trat zu einer Rollwand, öffnete sie, entnahm ihr Batterien und zwei Überlebenstornister und verstaute alles auf der Ladefläche des Buggys. Sie verließen den Frachtraum und halfen sich gegenseitig aus dem Loch im Cockpit heraus. Der Boden lag einige Meter unter ihnen. Locatelli sprang federnd herab, umrundete die Nase der gestrandeten GANYMED und schaute mit angehaltenem Atem hinaus auf die Ebene.

Was er sah, war gespenstisch.

So weit das Auge reichte, zogen sich Gebiete aufgewirbelten Regoliths über die Sinus Iridum dahin und verbanden sich zu einer wabernden Glocken. Wo der Staub durchlässiger wurde, schien die samtene Beschaffenheit des Untergrunds dunklerer Konsistenz gewichen zu sein. Eine Schneise der Verwüstung führte aus den Schwaden heraus bis ans Gestade des felsig ansteigenden Terrains, auf dem sie standen, setzte sich dort als schartige Bresche fort, beschrieb eine Kurve hangaufwärts und endete am Shuttle, das, wie Locatelli jetzt erkannte, gegen einen Überhang geprallt war und dabei eine Lawine ausgelöst hatte. Gesteinsbrocken aller Größen türmten sich rund um den Rumpf der GANYMED auf, manches war talwärts geprasselt, einige der mächtigsten Trümmer blockierten das untere Drittel der Heckklappe. Im Nordwesten verlief der zerklüftete Kamm des Juragebirges.

»Sind gar nicht mal so viele«, konstatierte Hanna. »Ich fürchtete schon, der Schutt würde bis ganz nach oben reichen.«

»Nein, viele sind's nicht«, bestätigte Locatelli säuerlich. »Nur elendiglich groß sind sie. Der da vorne dürfte Tonnen wiegen.«

»Geteilt durch sechs. An die Arbeit.«

GAIA, VALLIS ALPINA

Um halb sieben rief Lawrence die Suchtrupps zurück in die Zentrale. Lynn und Thiel hatten den überwiegenden Teil der Personalunterkünfte und einen Teil der Suiten im Brustkorb observiert, Michio Funaki und Ashwini Anand waren wie Blattkäfer durch die Treibhäuser gekrochen und hatten jeden Fetzen Grün und jede Tomate um- und umgedreht, bevor sie sich dem Meditationszentrum und der multireligiösen Kirche gewidmet hatten. Das dritte Team schließlich konnte vermelden, Pool, Wellness-Bereich und Casino seien, wie Kokoschka es ausdrückte, sauber, wobei er das Wort auf eine Weise betonte wie Philip Marlowe nach Abtasten eines Verdächtigen.

»Und genau hier liegt das Problem«, sagte Lawrence. »In der Augenscheinlichkeit. Hatten wir Gelegenheit, in die Wände und Böden zu schauen? In die Lebenserhaltungssysteme?«

Kokoschka schwenkte vielsagend seinen Detektor. »Hat nich' angeschlagen.«

»Ja, sicher, aber wir wissen zu wenig über Mini-Nukes.«

»Es war Ihre Idee, das Hotel abzusuchen«, sagte Lynn aufgebracht. »Also erzählen Sie uns nicht, das wäre umsonst gewesen. Außerdem, Sophie und ich *haben* in die Lebenserhaltungssysteme geschaut, überallhin, wo Platz genug für so ein Ding wäre.«

»So?« Lawrence musterte sie mit Röntgenaugen. »Woher wollen Sie denn wissen, wie viel Platz eine Mini-Nuke braucht?«

»Das ist unfair, Dana«, sagte Tim leise.

»Ich bin weit davon entfernt, unfair zu sein«, versetzte sie, ohne ihn anzusehen. »Mir geht es darum, Risiken zu minimieren, und dazu hat die Suche beigetragen. Wir haben an wichtigen Stellen nachgesehen, ich selber war im Kopf, wenngleich ich unverändert der Ansicht bin, dass eine Bombe an einem zentraleren, tieferen Punkt liegen dürfte.«

»Oder auch nicht«, sinnierte Anand. »Es ist eine Atombombe. Die Sprengwirkung kann enorm sein, sodass es möglicherweise egal ist, wo man sie versteckt.«

»Möglicherweise.« Lawrence nickte langsam. »Jedenfalls reicht das, was ich gehört habe, nicht für eine Entwarnung. Wenigstens konnte ich ein Gespräch mit der Peary-Basis führen. Wie vermutet, haben sie da dieselben Probleme, weder Kontakt zur Erde noch zu unseren Shuttles, außerdem liegen sie im Librationsschatten. Nachdem ich dem stellvertretenden Kommandanten in kurzen Zügen geschildert habe –«

»Was?«, explodierte Lynn. »Sie haben dem erzählt, was hier los ist?«

»Beruhigen Sie sich. Ich habe –«

»Sie haben denen von der Bombe erzählt?« Lynn sprang auf. »Das werden Sie auf keinen Fall tun, hören Sie? Das können wir uns nicht leisten!«

»– habe mit dem stellvertretenden Kommandanten –«

»Nicht ohne meine Erlaubnis!«

»– über den Satellitenausfall gesprochen«, sagte Lawrence unmerklich lauter, jedoch mit einer Stimme, als zersäge sie einen Knochen. »Und ihm geschildert, dass wir unsere Gäste nicht erreichen können. So hatten wir es doch vereinbart, richtig, Miss Orley? Danach wollte ich wissen, ob er ungewöhnliche Nachrichten von der Erde erhalten habe, bevor die Satelliten ausfielen. Aber er wusste von nichts.«

»Also haben sie ihm *doch* erzählt –«

»Nein, ich habe lediglich *vorgefühlt*. Und er hatte seinerseits nichts zu erzählen. Die Basis ist eine amerikanische Einrichtung. Sollte Jennifer Shaw zwischenzeitlich entschieden haben, Houston von der Bombe in Kenntnis zu setzen, ist sie zu spät damit rausgerückt. Jedenfalls hat es nicht gereicht, um die Basisbesatzung zu verständigen, bevor die Satelliten ausfielen. Man weiß dort nichts von unseren Problemen, aber ich habe mir erlaubt, meine Sorge über das Schicksal der GANYMED zu äußern. Vor dem Hintergrund eines möglichen Unfalls.«

Lynns Blick hetzte durch den Raum, krallte sich an Tim fest.

»Wir dürfen nicht riskieren, dass sich das rumspricht.«

»Wenn sich die GANYMED nicht bald meldet, *wird* es sich rumsprechen«, sagte Lawrence. »Dann werden wir die Basis ersuchen müssen, einen Shuttle zum Aristarchus-Plateau zu schicken, um nachzusehen.«

»Auf keinen Fall! Wir dürfen Julians Gäste nicht verunsichern.«

Oh, Lynn! Fatal, fatal. Tim widerstand dem Impuls, ihr in Pflegermanier die Hand auf den Unterarm zu legen.

»Was würdest du also tun?«, fragte er schnell.

»Vielleicht –« Sie knetete ihre Finger, rang nach Klarheit. »Erst mal weitersuchen.«

»In einer halben Stunde kommen die Gäste zurück«, sagte Funaki. »Sie werden ihre Drinks haben wollen.«

»Axel soll sich darum kümmern. Nein, Sie, Michio. Sie sind das Gesicht der Bar. Wir anderen müssen uns Zeit nehmen. Ruhig bleiben. Wir müssen *in Ruhe* die nächsten Schritte planen.«

»Ich bin ruhig«, sagte Lawrence tonlos.

»Ich kann mir die Überwachungsvideos ja noch mal ansehen«, schlug Thiel vor. »Aus der Nacht, als Hanna verschwand, und die vom Tag darauf.«

»Wozu'n das?«, fragte Kokoschka. Erst jetzt fiel Tim auf, dass der Koch die sommersprossige Deutsche unentwegt aus hungrigen Bernhardineraugen betrachtete, als prüfe er die Qualität ihrer Fleischwaren, Lenden, Backen und Brüste, und jedes Mal fluchtartig den Blick abwandte, wenn sie ihn ihrerseits ansah. Aha, dachte er, der Koch ist verliebt.

»Na ja.« Thiel zuckte die Achseln. »Wer immer die Aufzeichnungen umgeschnitten hat, muss dafür in der Zentrale erschienen sein, oder? Ich meine, irgendeine Kamera muss ihn erfasst haben. Wenn wir also rekonstruieren können –«

»Gute Idee«, rief Lynn überschwänglich. »Sehr gut! Carl und diese – diese zweite Person, die müssen wir ausquetschen.«

»Ausquetschen«, echote Lawrence.

»Haben Sie einen besseren Vorschlag?«, giftete Lynn.

»Hanna ist aber nicht hier.«

»Na und? Julian wird gleich kommen und ihn mitbringen. Wozu sollen wir uns bis dahin verrückt machen? Fragen wir ihn, außerdem –« ihre Augen leuchteten »– kann uns gar nichts passieren, solange wir Carl im GAIA festhalten! Er wird sich ja wohl kaum selbst atomisieren.«

»'türlich nicht«, sagte Kokoschka zu seinem gewölbten Bauch. »Selbstmordattentäter. Nie von gehört.«

»Was soll das?«, fuhr Lynn ihn an. »Wollen Sie mich provozieren?«

»Wie?« Der Koch zuckte zusammen und strich sich nervös über die Glatze. »Nein, ich – tut mir leid, ich wollte nicht –«

»Sieht Carl Hanna etwa aus wie ein Islamist?«

»Nein, 'tschuldigung. Ehrlich.«

»Dann reden Sie nicht so blöde daher!«

»Wir – wir haben nur alle 'n bisschen die Nerven blank liegen.«

»Sagtet ihr nicht, die Chinesen würden dahinterstecken«, fragte Anand verunsichert.

»Dieser Jericho meinte das«, erwiderte Thiel.

»Wie viele Chinesen sind Islamisten«, grübelte Funaki.

»Interessante Frage.«

»Nein, Schwachsinn!« Lawrence hob die Hände. »Schluss damit. Es haben auch schon Christen die Abkürzung ins Himmelreich genommen. So ein Quatsch! Meines Erachtens hat Lynn gerade ein Argument gebracht, das uns Zeit verschafft, unter der Voraussetzung natürlich, dass wir Hanna und diese ominöse zweite Person wirklich festsetzen können. Ich denke, wir machen es so, wie sie vorgeschlagen hat – Anand und Kokoschka nehmen sich noch mal die Anlagen in den Wänden und Böden vor, Thiel sichtet die Videos, Funaki ab in den Service, Lynn und ich –«

»GAIA, bitte kommen!«

Lawrence hielt inne. Sie starrten einander an. Das System stellte einen Funkspruch durch. In sieben Paar Augen stand die Hoffnung zu lesen, der Ruf möge über Satellit erfolgen. Thiel sprang auf und warf einen Blick auf das Display.

»KALLISTO, hier GAIA«, antwortete sie atemlos.

»Hungriger Haufen im Anmarsch«, krähte Hedegaard. »Seht ihr uns? Wenn hier nicht gleich was auf dem Tisch steht, fliegen wir rüber zu den Chinesen.«

»Mist«, flüsterte Lawrence. »Sie sind in Sichtweite.«

Durch das Panoramafenster der Bauchhöhle erblickten sie den leuchtenden, von der Sonne bestrahlten Shuttle am Himmel. Die KAL-LISTO hatte sich dem Hotel von hinten genähert und ging in eine abschließende, sportliche Parabel. Rituell wurde jede Exkursion mit einem Rundflug um das GAIA beendet.

»So viel könnt ihr gar nicht essen, wie wir gekocht haben«, zwitscherte Thiel mit fiebriger Fröhlichkeit. »Wie war euer Tag?«

»Super! Hat uns auch *gar nichts* ausgemacht, dass ihr seit Stunden nicht mit uns redet.«

»Wir hatten eben keinen Bock auf euch.«

»Im Ernst, was ist los?«

»Satellitenpanne«, sagte Thiel.

»Hatte ich schon befürchtet. Wir konnten auch Julian nicht erreichen. Wisst ihr, woran's liegt?«

»Noch nicht.«

»Komisch. Wie können denn gleich alle Satelliten ausfallen?«

»Wahrscheinlich habt ihr sie aus Versehen gerammt. Hör endlich auf zu quatschen, Nina, und bring deine Hungerleider nach unten.«

»*Oui, mon général!*«

»Die hätten wir wieder«, sagte Anand, in die Runde blickend.

»Ja.« Lawrence folgte der KALLISTO mit Blicken, bis sie jenseits des Fensters verschwand. »Plus die Wahrscheinlichkeit, dass einer von ihnen ein schmutziges Spiel mit uns spielt. Was meinen Sie, Lynn? Nehmen wir sie in Empfang?«

Mit einiger Erleichterung registrierte Tim, dass Lawrence wieder auf den Vornamen umgestiegen war. Ein Friedensangebot? Oder bloße Taktik, um Lynn in Sicherheit zu wiegen? Er bezweifelte nicht, dass die Hoteldirektorin seine Schwester unverändert der Konspiration verdächtigte, doch Lynn entspannte sich zusehends.

»Kein Wort zu den Gästen«, sagte sie.

»In Ordnung«, nickte Lawrence. »Fürs Erste. Aber wenn alle da sind, müssen wir Nägel mit Köpfen machen. Entweder, Hanna und

Konsorten schaffen Klarheit, oder wir informieren die Basis und eva-kuieren den Laden.«

»Das sehen wir dann.«

»Wir geben der GANYMED eine weitere Stunde.«

»Wie kommen Sie überhaupt darauf, dass die GANYMED eine wei-tere Stunde braucht?«

Lynn hat tatsächlich jeden Sinn für die Realität verloren, dachte Tim. Oder *sie* spielt das schmutzige Spiel.

Error! Gedanke nicht zulässig.

»Wie auch immer«, sagte Lawrence. »Gehen wir.«

CALGARY – VANCOUVER, KANADA

»Glaub mir, ich hab das Netz regelrecht ausgewrungen«, sagte der Praktikant. »Mehr als gestern Abend kann ich dir nicht bieten.«

Die Boeing 737 der Westjet Airlines sackte in ein Luftloch. Einhun-dert Milliliter Orangensaft dräuten aus dem Portionsbecher im Mo-ment, als Keowa die Stanniolhaube abzog, spritzten auf ihre Jacke und durchweichten ihr Croissant.

»Mist!«, fluchte sie.

»Gudmundssons Zeit bei der APS –«

»Scheiße! So eine Scheiße!« Saft tropfte vom Tablett in ihren Schoß. »Wer war noch mal die APS?«

»*African Protection Services.*«

»Ach, richtig.«

»Also, Gudmundssons Zeit bei der APS geht dieser Aufenthalt bei *Mamba* voraus, der anderen Sicherheitsfirma, die Anfang des Jahrtau-sends in Kenia und Nigeria unterwegs war und 2010 mit einem ähnlich gearteten Haufen namens *Armed African Services* zur APS verschmolz. Dort leitete Gudmundsson verschiedene Teams –«

»Das hast du mir gestern schon erzählt«, sagte Keowa, bemüht, ihre winzige Papierserviette ökonomisch einzusetzen.

»– und war an Operationen in Gabun und Äquatorialguinea betei-ligt. Isst du das noch?«

»Was?«

»Das Croissant. Sieht übel aus, wenn du mich fragst.«

Keowa warf einen Blick auf das triefende Gebäck. Vorher war es nur labberig gewesen, jetzt war es labberig und nass.

»Auf keinen Fall.«

Der Praktikant langte herüber und schob sich die Hälfte in den Mund.

»Hier und da finden sich Hinweise, APS hätte geholfen, irgend so einen Buschdiktator an die Macht zu putschen«, sagte er kauend. »Wurde von APS immer dementiert, scheint aber was dran zu sein. Gudmundsson könnte also an einem Umsturz beteiligt gewesen sein, bevor er die Firma verließ, um auf eigene Faust zu arbeiten. Diese APS nun wurde von einem gewissen Jan Kees Vogelaar geleitet, der auch Chef bei *Mamba* war. Vogelaar ist dann übrigens in Äquatorialguinea Mitglied der Regierung geworden, das ist da, wo der Putsch stattgefu –«

»Vergiss es.«

»Du wolltest, dass ich Gudmundssons Hintergrund durchleuchte«, sagte der Praktikant beleidigt.

»Ja, seinen, nicht den von irgendeinem Vogelhaar oder wie der heißt.« Sie tupfte Orangensaft von ihren Hosenbeinen. »Gibt es denn gar nichts darüber, was er vor drei Jahren getan hat, ob er zum Beispiel in Peru war oder so? Ich denke, bei *Eagle Eye* sind alle so mitteilsam.«

»Geduld, Pocahontas. Ich arbeite dran.«

Keowa schaute aus dem Fenster. Der Flug führte über die Rocky Mountains. Kurz, aber turbulent. Die Boeing erzitterte. Schnell trank sie den verbliebenen Saft aus und sagte:

»Ich will Susan möglichst viele Fakten unter die Nase halten, verstehst du? Sie muss kapieren, dass wir aus der Sache nicht mehr rauskönnen. Dass wir ganz dicht dran sind.«

»Hmja.« Die zweite Hälfte des Croissants wurde der ersten hinzugesellt. »*Falls* Ruiz wirklich was mit Palstein zu tun hat. Noch hast du nur eine Vermutung.«

»Ich hab meinen Instinkt.«

»Indianerquark.«

»Wart's ab. Kannst du übrigens aufhören mit quasseln, bis du runtergeschluckt hast? Das Zeug wird in deiner Mundhöhle nicht schöner.«

»Oh, Mann«, seufzte der Praktikant. »Du hast echt Probleme.«

Keowa schaute wieder hinaus. Tief unter ihr zog der furchige Rücken der Rockys hindurch. Der Praktikant hatte es zwar anders gemeint, aber was er sagte, erinnerte sie an Palsteins sorgenverschleierten Blick vom Vortag. Dass sie lachend ihren Untergang betreibe. Dass sie Probleme bekommen werde, wenn sie weiterhin Steine hochhob, unter denen Kreaturen wie Lars Gudmundsson lauerten. Na und? Hatten sich etwa Woodward und Bernstein von Kriechgetier einschüchtern lassen, als sie Nixon an den Eiern kriegten? Palsteins Sorge ehrte, Susans angeschimmelte Bedenken ärgerten sie. Sollte sie deshalb die Chance in den Wind schlagen, *ihr eigenes* Watergate aufzuklären?

Gut gemeint nützt nix, dachte sie. Courage ist nicht käuflich. Meine schon gar nicht.

Nach einer Weile sprach sie leise die Fakten der bisherigen Recherche in ihr Handy, ließ die Software das Gesprochene in Schrift umrechnen, hängte Brufords Filmmaterial mit dran und schickte die Datei an ihre beiden E-Mail-Adressen.

Besser war besser.

Die Turbulenzen hörten auf.

Eine Dreiviertelstunde später sank die Maschine den Ausläufern der Coast Mountains entgegen und begann ihren Anflug auf den Vancouver International Airport. Das Wetter war schön. Kleine weiße Wolken strebten landeinwärts, Sonnenlicht glitzerte auf der Strait of Georgia. Der dunkel bewaldete Leib Vancouver Islands beschwor indianische Mythen und den Duft von Lebensbäumen und Douglasien herauf. Mit jedem Meter, den sie tiefer gingen, hob sich Keowas Laune, da sie in den wenigen Tagen eigentlich schon ungeheuer viel herausgefunden hatten. Vielleicht sollten sie sich mit dem zufriedengeben, was sie über Gudmundsson wussten, und stattdessen alle Kräfte darauf verwenden, die Hintergründe der ominösen Konferenz in Peking zu recherchieren. Während die Boeing ausrollte, legte sie sich eine strategisch günstige Vorgehensweise für die anstehende Redaktionskonferenz zurecht, beginnend damit, dass sie erst mal so tun wollte, als sei der Name Palstein nie gefallen. Susan ordentlich einnebeln. Mit Begeisterung *Das Erbe der Ungeheuer* thematisieren, ihr Treatment rumreichen, beweisen, dass sie ihre Hausaufgaben ernst nahm. Dann, mit dem Foto des fetten Asiaten, ihren Royal Flush aufmachen. Na ja, vielleicht nicht gerade einen Royal Flush. Aber es ein Full House zu nennen, was sie auf der Hand hatte, dazu war sie durchaus bereit.

»Hoffe bloß, Sid ist pünktlich«, sagte der Praktikant, als sie den Terminal mit den Holzschnitzereien der First Nations durchschritten. »Er ist eigentlich nie pünktlich.«

»Dann warten wir halt ein paar Minuten«, summte sie heiter.

»Ich hab aber Hunger. Können wir nicht vorher zu McDonald's?«

»Sag deinem Magen –«

»Schon gut.«

Doch Sid Holland, Greenwatchs Redakteur für politische Geschichte, war ausnahmsweise oberpünktlich. Er besaß einen uralten, aufgemotzten Thunderbird in der viersitzigen Cabrio-Version und liebte den Wagen so sehr, dass er freiwillig die halbe Redaktion durchs Geviert beförderte, nur um damit fahren zu können.

»Susan freut sich schon«, sagte er. »Sie hofft, du hast was zum *Erbe der Ungeheuer* in der Tasche.«

»Gibt's Frühstück?«, fragte der Praktikant.

»Es ist halb zwölf, Mann!«

»Mittagessen?«

Keowa schaute in den azurblauen Himmel, während der Praktikant auf den Rücksitz kletterte, und dachte an den Pulitzerpreis. Sid steuerte den Wagen von der Flughafeninsel über die Arthur-Laing-Brücke und in nordwestliche Richtung durch die Stadtteile Marpole, Kerrisdale und Dunbar-Southlands. Mit dem Ende der Bebauung begann der Pacific Spirit Regional Park. Der Southwest Marine Drive, die vierspurige Zubringerstraße, führte in Küstennähe durch dichte Vegetation dem Gelände der Universität am Point Grey entgegen, weit mehr als ein klassischer Campus, fast schon eine kleine, gemeindefreie Stadt mit einem angrenzenden, schmucken Viertel höchst kanadisch aussehender Häuschen und gepflegter Villen. Dank umtriebig erarbeiteter Quotenmacht konnte Greenwatch es sich leisten, in einer der Villen zu residieren. Studios und Schnittplätze waren dezentralisiert, das Gros der Mitarbeiter über Kanada und Alaska verstreut, sodass am Point Grey nur die Büros der Heeresleitung und einige repräsentative Konferenzräume lagen. Keowas Einfluss war es zu danken, dass sich das gute Gewissen in elegantem Ambiente entfalten konnte.

Es würde noch besser laufen für Greenwatch.

Der Verkehr hielt sich in Grenzen, wenige Autos waren auf dem Marine Drive unterwegs. Zu ihrer Linken teilte sich der Wald und gab den Blick frei auf spiegelndes Meer und ferne, pastellene Bergketten. Hunderte zu Flößen gefasster Baumstämme ruhten im flachen Wasser, Exponate der trotz Kahlschlag immer noch florierenden Holzindustrie. Keowa schloss die Augen und genoss den Fahrtwind. Warme Böen zerrten an ihren Haaren. Als sie die Augen wieder öffnete, fiel ihr Blick in den Seitenspiegel.

Dicht hinter ihnen fuhr ein SUV, ein massiger, grauer Geländewagen mit abgedunkelten Scheiben.

Plötzlich überkam sie ein flaues Gefühl.

Sie überlegte, wie oft sie in der vergangenen Viertelstunde schon in den Seitenspiegel gesehen hatte? Wahrscheinlich ständig, ohne es zu registrieren. Keowa gehörte zur Sorte superwachsamer Beifahrer, andere fanden, dass sie bisweilen ganz schön nervte mit ihrem »Rot!« und »Grüner wird's nicht!« und »Pass doch auf, wo du hinfährst!«. Nichts entging ihr. Auch nicht, wer hinter ihnen fuhr.

Stirnrunzelnd wandte sie den Kopf.

Das Gefühl verdichtete sich zur Gewissheit. Jetzt war sie vollkommen sicher, dass der SUV schon seit dem Flughafen an ihnen klebte. Die Windschutzscheibe reflektierte den Himmel, sodass die beiden Insassen nur schemenhaft zu erkennen waren. Nachdenklich schaute sie wieder nach vorne. Das Band der Straße zog sich gleichförmig durch üppiges Grün, mittig geteilt durch einen angegilbten Grasstreifen, auf dem in unregelmäßigen Abständen Büsche und niedrige Bäumchen gepflanzt waren. Ein anderer Geländewagen kam ihnen entgegen, ebenfalls dunkel, ein weiterer.

Täuschte sie sich? Entwickelte sie eine putzige, kleine Paranoia? Wie viele dunkle SUVs gab es in Vancouver? Hunderte bestimmt. Tausende. Für Westkanadier waren Geländewagen so was Ähnliches wie Schneckenhäuschen für Einsiedlerkrebse.

Hör auf zu spinnen, dachte sie.

Andererseits konnte es nicht schaden, sich die Nummer des Wagens zu notieren. Sie zog ihr Handy hervor, als der SUV unvermittelt die Spur wechselte und auf gleiche Höhe mit ihnen zog, sodass sein Kennzeichen nun nicht mehr zu lesen war. Keowa kniff die Augen zusammen. Blödmann, dachte sie. Konntest du nicht noch ein paar Sekunden warten? Gerade wollte ich mir deine –

Der Geländewagen kam näher.

»He!« Sid hupte und gestikulierte mit einer Hand in Richtung des anderen Fahrzeugs. »Guck auf die Fahrbahn, Idiot!«

Noch näher.

»Was ist denn mit dem los?«, blaffte Sid. »Ist der besoffen?«

Nein, dachte Keowa, von plötzlicher Unruhe erfüllt, da ist niemand betrunken. Da weiß jemand sehr genau, was er tut.

Sid beschleunigte. Der SUV gab ebenfalls Gas.

»Was für ein blöder Idiot!«, schimpfte er. »Dem sollte man glatt –«

»Vorsicht!«, schrie der Praktikant.

Keowa sah den riesigen Wagen kommen, legte sich in den Gurt, versuchte, Abstand zwischen sich und die Tür zu bringen, dann prallte der SUV gegen die Flanke des Thunderbird und zwang ihn auf den Rasenstreifen. Sid fluchte und riss das Lenkrad herum, hektisch bemüht, nicht auf die Gegenfahrbahn zu gelangen. Wild schlingernd pflügten sie durch Erdreich, streiften niedrige Büsche, verpassten knapp einen

Baum. Der Motor des Sportwagens jaulte auf. Sid gab Gas. Der Geländewagen zog an und rammte sie ein weiteres Mal, härter diesmal. Keowa hopste auf ihrem Sitz hin und her. Der metallische Aufschrei malträtierten Blechs hallte in ihren Gehörgängen wider, und plötzlich waren sie auf der Gegenfahrbahn, vernahmen aufgeregtes Hupen, wichen in letzter Sekunde aus, schrien durcheinander.

»Mein Wagen!«, heulte Sid. »Mein schöner Wagen!«

Mit verbissener Miene steuerte er den Thunderbird zurück auf den Grünstreifen, doch in diesem Abschnitt hatte jemand gesteigerten Wert auf Buschwerk gelegt. Geräuschvoll rasselten sie in eine Hecke. Zweige flogen nach allen Seiten davon, als der Sportwagen durch etliche Varianten von Niedrigvegetation bretterte. Zur Rechten raste der Geländewagen dahin und blockierte den Weg zurück auf die Fahrbahn. Sid bremste abrupt und versuchte hinter den SUV zu gelangen, der sein Vorhaben dadurch vereitelte, dass er ebenfalls langsamer wurde.

Im nächsten Moment schoss er wieder heran.

Diesmal war Sid schneller. Ohne dass es zur Kollision kam, kreuzte er die beiden Gegenspuren und schaffte es knapp vor einem Motorradfahrer in den Old Marine Drive, eine schmale, schlaglöchrige Straße, die einige Kilometer entlang der Überböschung bis zum Universitätsgelände führte, wo sie wieder auf die Hauptstraße mündete. Weit und breit war niemand zu sehen, dichtes, dunkles Grün wucherte zu beiden Seiten. Keowa stellte fest, dass der Gurt aus seiner Halterung gerissen war, und umklammerte den Rand der Windschutzscheibe.

Mein Gott, dachte sie. Was wollen die von uns?

Merkwürdigerweise kam ihr nicht in den Sinn, der Angriff könne etwas mit Palstein, Ruiz und der ganzen Geschichte zu tun haben. Eher dachte sie an gemeingefährliche Jugendliche, an Straßenräuber oder jemanden, der so was aus purem Spaß machte, der komplett irre sein musste. Sie schaute hinter sich. Schlaglöcher, Wald, sonst nichts. Einen Moment lang nährte sie den zarten Trieb der Hoffnung, Sid habe den Verfolger mit seinem Manöver abgehängt, dann tauchte er wieder hinter ihnen auf und schob sich unerbittlich näher heran.

Ein schleifendes Geräusch drang aus dem Motorraum des Thunderbird. Die Maschine stotterte.

»Schneller!«, schrie sie.

»Ich fahr, so schnell es geht«, schrie Sid zurück. Stattdessen verloren sie an Geschwindigkeit, wurden zusehends langsamer.

»Das *muss* schneller gehen!«

»Ich weiß aber nicht, was los ist.« Sid ließ das Steuer los und fuchtelte mit den Händen in der Luft herum. »Irgendwas ist in den Arsch gegangen, keine Ahnung.«

»Hände ans Lenkrad!«

»Ach du Schande«, stöhnte der Praktikant und tauchte ab. Die massige, dunkle Front des Geländewagens dröhnte heran und krachte von hinten in sie hinein. Der Thunderbird tat einen Satz. Keowa wurde nach vorne geschleudert und stieß sich den Schädel.

»Komm schon!«, flehte Sid den Wagen an. »Komm!«

Ein weiteres Mal donnerte der SUV gegen ihr Heck. Der Thunderbird entließ ungesunde Geräusche, dann war der Angreifer plötzlich neben ihnen und schob sie gemächlich beiseite. Sid fluchte, lenkte wie verrückt gegen, gab Gas, bremste –

Verlor die Kontrolle.

Der Moment des Abhebens brachte den ganz und gar bemerkenswerten Effekt mit sich, dass im selben Moment jedes Geräusch, und zwar nicht nur das der Reifen auf dem Schotter der Fahrbahn, sondern auch das des Motors, das des Geländewagens, überhaupt jeder Laut zu ersterben schien, bis auf den einzelnen, perlenden Ruf eines Vogels. In friedvoller Stille überschlugen sie sich, vorübergehend wuchsen die Bäume aus dem Himmel zu ihnen herab, sprenkelten bauchige Wölkchen ein endloses, blaues Meer in unermesslicher Tiefe, dann Perspektivwechsel, der Wald legte sich schräg, es krachte und schepperte, und alles war wieder da, die ganze, grauenvolle Kakofonie des Crashs. Keowa wurde aus ihrem Sitz getragen. Rudernd segelte sie durch die Luft, während unter ihr der Thunderbird die Böschung herabschlitterte, das Fahrwerk ihr zugewandt, mit rotierenden Reifen, ein Tier, das sich in Büsche und Blattwerk fraß. Immer noch fliegend gewahrte sie, wie sich das Wrack abrupt aufstellte und zur Ruhe kam, dann näherte sich rasend schnell ein Stück Wiese.

Sie hatte keine Ahnung, was genau sie sich brach, als sie aufschlug, aber gemessen am Schmerz musste der Schaden beträchtlich sein. Mehrfach wurde ihr Körper herumgeschleudert, auf den Rücken, auf den Bauch, auf die Seite. Was noch nicht gebrochen war, brach jetzt. Endlich, nach einer Ewigkeit, wie ihr schien, blieb sie mit ausgestreckten Gliedmaßen liegen, Blut in den Augen, Blut im Mund.

Ihr erster Gedanke war, dass sie immer noch lebte.

Ihr zweiter, dass nicht allzu weit entfernt ihr Handy in der Sonne blitzte. Auf einem flachen Stein funkelte es wie ein Ausstellungsstück, genau in der Mitte, beinahe liebevoll dort platziert. Weiter abwärts hing der zertrümmerte Thunderbird im Spalier geschundener Bäume, übersät von Ästchen, Borke und Blättern, und in dem Wagen, eigentlich mehr aus ihm heraus, baumelte Sid mit halb von den Schultern gerissenem Kopf und glotzte sie an.

Reifen näherten sich über Schotter und Gras.

»Loreena?«

Der Ruf drang dünn und klagend zu ihr herüber. Sie hob die Augen und sah den Praktikanten im Schatten einer Fichte liegen. Er versuchte sich hochzustemmen, knickte ein, probierte es wieder. Der Wagen hielt. Jemand kam die Böschung herab, in langen, nicht besonders eiligen Schritten. Ein Mann. Hochgewachsen, dunkle Hose, weißes Hemd, Sonnenbrille. In der Rechten hielt er lässig eine Pistole mit langem Lauf.

»Bin gleich bei Ihnen«, sagte er. »Einen Moment.«

Schalldämpfer, schoss es ihr durch den Kopf.

Er lächelte, ein wenig geschäftsmäßig, während er an ihr vorbeiging, trat neben den Praktikanten und schoss dreimal auf ihn, bis sich der Junge nicht mehr rührte. Es machte plopp, plopp, plopp. Keowa öffnete den Mund, weil ihr nach Schreien, nach Aufheulen, nach Um-Hilfe-Rufen war, doch nur ein verebbender Seufzer entrang sich ihrer malträtierten Brust. Jeder Atemzug war eine Tortur. Unter Mühen zog sie sich vorwärts, stemmte die Ellbogen ins Gras, robbte zu dem Stein mit dem Handy.

Der Mann kam zurück, nahm es und steckte es ein.

Sie gab auf. Rollte sich auf den Rücken, blinzelte in die Sonne und dachte, wie recht Palstein gehabt hatte. Wie nahe sie dran gewesen waren, wie *verdammt* nahe! Lars Gudmundssons Oberkörper und Kopf gerieten in ihr Blickfeld, die Mündung seiner Pistole.

»Sie sind sehr klug«, sagte er. »Eine sehr kluge Frau.«

»Ich weiß«, ächzte Keowa.

»Es tut mir leid.«

»Ist alles – alles schon im Netz«, quetschte sie hervor. »Alles schon –«

»Wir werden das überprüfen«, sagte er freundlich und drückte ab.

GAIA, VALLIS ALPINA, MOND

Nina Hedegaard versuchte, tausend Vögel zu fangen, während sie in der finnischen Sauna im Zustand wachsender Frustration vor sich hin transpirierte. Überall sah sie das gespreizte Gefieder des Wohlstands, vernahm zwitschernden Austausch über Nest und Brut, stellte sich jenes sorglose, geborgene Dösen vor, wie nur Julians Welt es verhieß. Tausend wunderbare, wild umherflatternde Gedanken. Doch Julian war nicht da, und die Vögel wollten sich partout nicht ins Gehege ihrer Lebensplanung locken lassen. Wann immer sie dachte, wenigstens den Spatz in Händen zu halten, nachdem Julian etwas halbwegs verbindlich Klingendes in ihr Ohr gemurmelt hatte, entwischte auch diese kleine Hoffnung und gesellte sich zu all den anderen in greifbarer Nähe und zugleich unerreichbarer Ferne lockenden Vorstellungen ihrer entzündeten Fantasie. Mittlerweile hegte sie ernsthafte Zweifel an Julians Aufrichtigkeit. Als ob er nicht *ganz genau* wusste, dass sie sich Hoffnungen machte. Warum konnte er sich nicht offen zu ihr bekennen? Hatte er etwa Ehebruch zu drapieren, gesellschaftlicher Ächtung entgegenzuwirken? Nichts davon, er war Single, ein gut aussehender, liebenswerter Single, so wie auch sie ein gut aussehender und liebenswerter Single war, nur eben nicht reich, aber reich war er selbst, wo also lag das Problem?

Ihr Frust drang dick und tauartig aus allen Poren, sammelte sich auf Oberarmen, Brüsten und Bauch. Zornig verteilte sie Schicht um Schicht warmen Schweißes, ließ ihre Hände über die Innenseiten ihrer Oberschenkel kreisen, die Finger langsam zur Mitte hin arbeiten, in den Leisten Stellung beziehen, zuckende, kaum zu bändigende, keinen Stolz kennende Lustgriffel. Entsetzlich! Einhergehend mit ihrer Wut stellte sich das erniedrigende Verlangen ein, den Abwesenden geistig entstehen zu lassen und dabei – doch das kam natürlich überhaupt nicht infrage, auf gar keinen Fall!

Julian, um es mal auf den Punkt zu bringen, wollte sie einfach nur ficken. Das war es. Er fühlte nichts, er liebte nicht. Er wollte einfach nur eine nette, kleine, dänische Astronautin ficken, wenn ihm danach war. So wie er die ganze Welt fickte, wenn ihm danach war.

Blöder Idiot!

Gewaltsam riss sie die Hände weg, presste sie auf den Rand der Holzbank neben ihren Hüften und schaute hinaus auf das Wunder der Schlucht mit ihren pastellenen Flächen und kompromisslosen Schatten. Abertausend starr leuchtende Sterne schienen ihr mit einem Mal erreichbarer als das Leben, das sie gerne an seiner Seite geführt hätte. Es ging ihr nicht um sein Geld, also nicht *wirklich* ums Geld, auch wenn sie es nicht unbedingt verschmähte. Nein, sie wollte einen Platz in diesem vor Visionen wuchernden Hirn, das Weltraumfahrstühle ersann, wollte Julians persönlicher Geniestreich sein, seine brillanteste Idee, und als solche von der Welt wahrgenommen werden, als die Frau, die er begehrte. *Das* hatte sie sich nicht einfach ervögelt. Das hatte sie sich *verdient!*

Ihm solche Dinge zu sagen, darum saß sie hier. Natürlich ohne Druck erzeugen zu wollen. Nur ein bisschen homöopathisch verabreichte Zukunftsplanung, verbunden mit der, wie sie fand, hinreißend attraktiven Option eines Liebesakts in der Sauna, gleich nach Eintreffen der GANYMED. So hatten sie es vereinbart, und Julian hatte versprochen, sich unverzüglich zu ihr zu gesellen, doch jetzt war es Viertel vor acht, und auf Nachfrage musste sie sich von einer überzeugungsschwach klingenden Lynn das Märchen auftischen lassen, die Gruppe habe im Banne des Schröter-Tals die Zeit vergessen und werde sich um die eine oder andere Stunde verspäten.

Wie Lynn das wissen könne ohne Satellitenverbindung?

Also gut, sie wisse es nicht. Julian habe schon gegen Morgen von der Möglichkeit einer ausgedehnten Wanderung ins Hinterland von *Snake Hill* gesprochen und eine verspätete Rückkehr angekündigt. Kein Grund zur Sorge. Es sei gewiss alles in Ordnung.

In Ordnung. Ha, ha.

Hedegaard starrte dumpf vor sich hin. Es war vielleicht in Ordnung, die Gäste zu bescheißen, aber doch bitte nicht sie. Sie hätte sich eben nie mit dem reichsten alten Knacker der Welt einlassen dürfen. So einfach war das. Höchste Zeit, eiskalt zu duschen und im Pool ein paar Bahnen zu ziehen.

»Doch, es hat schon was Weihevolles«, fand Ögi. »Natürlich nur, wenn man es transzendiert.«

»Wenn man es was?«, lächelte Winter.

»Wenn man das unmittelbar Wahrnehmbare zu seiner Bedeutung aufsummiert, meine Liebe«, erklärte Ögi. »Schwierigste Übung heutzutage. Manche nennen es Religion.«

»Eine umgekippte Flagge? Ein altes Landegestell?«

»Ein altes Landegestell und die, für sich betrachtet, wenig erquicklichen Hinterlassenschaften zweier Männer in einer langweilig anmutenden Gegend des Mondes – aber sie waren die ersten Menschen überhaupt, die ihn je betreten haben! Verstehst du? Das verleiht dem kompletten Mare Tranquillitatis eine – eine –«

Ögi rang nach Worten.

»Sakrale Würde?«, schlug Aileen Donoghue leuchtenden Auges, mit Kirchgängertimbre, vor.

»Genau!«

»Aha«, sagte Winter.

»Muss man an Gott glauben, um das so zu empfinden?« Rebecca Hsu fischte eine kandierte Kirsche aus ihrem Drink, spitzte die Lippen und saugte sie ein. Ganz leise machte es Flutsch. »Ich fand's einfach bedeutsam, aber sakral –«

»Weil du keine sakrale Tradition hast«, teilte Chucky ihr mit. »Deine Leute, meine ich. Dein Volk. Chinesen sind nicht sakral.«

»Danke, dass du mich dran erinnerst. Jetzt weiß ich wenigstens, warum ich die Rupes Recta lieber mochte.«

Man hatte sich zu kommunikativen Lockerungsübungen im MAMA KILLA CLUB versammelt und versuchte, seiner Sorge über das Ausbleiben der GANYMED Herr zu werden, indem man den Tag lautstark Revue passieren ließ. Im westlichen Mare Tranquillitatis hatten sie das Landegestell der allerersten Mondfähre bewundert, mit der Armstrong und Aldrin 1969 auf dem Trabanten gelandet waren. Die Gegend galt als Kulturschutzgebiet, mitsamt drei kleinen Kratern, benannt nach den Pionieren und dem dritten Mann, Collins, der im Raumschiff hatte verbleiben müssen. Schon im Anflug, aus großer Höhe, hatte das Museum, wie die Region allgemein genannt wurde, die ganze Banalität des Menschheitsaufbruchs offenbart. Klein und parasitär, wie eine Mücke auf der Haut eines Elefanten, klebte das Gestell am Regolith, und Armstrongs berühmter Stiefelabdruck prangte unter einem gläsernen Kasten. Ein Ort für Pilger. Zweifellos gab es prachtvollere Kathedralen, und doch hatte Ögi recht, wenn er etwas in all dem erspürte, was der menschlichen Rasse Bedeutung und Größe beimaß. Es war die Gewissheit, nicht hier stehen zu können, wenn diese Männer damals nicht den Weg durch die luftleere Wüste auf sich genommen und das Wunder der Landung vollbracht hätten, letzten Endes also Ehrfurcht. Später am Nachmittag, im Angesicht der endlos scheinenden Wand Rupes Recta, die den Eindruck erweckte, als setze sich der komplette Mond auf einem 200 Meter höheren Level fort, hatten sie die Erhabenheit kosmischer Architektur auf sich wirken lassen, zutiefst beeindruckt zwar, ohne jedoch die eigenartig berührende Kraft zu verspüren, die von den kümmerlichen Memorabilien menschlicher Präsenz im Mare Tranquillitatis ausging. Die meisten von ihnen hatten in diesem Moment begriffen, dass sie keine Pioniere waren. Einem Pionier sagte niemand Hallo. Ihn begrüßten kein schäbiges Gestänge, kein Stiefelabdruck, nur Einsamkeit und Unvertrautheit.

Lynn Orley und Dana Lawrence legten großes Bemühen an den

Tag, den munteren Plausch in Gang zu halten, bis Olympiada Rogaschowa ihr Glas abstellte und sagte:

»Ich würde jetzt gerne mit meinem Mann sprechen.«

Die anderen verstummten. Klamme Betroffenheit legte sich über die Runde. Soeben hatte sie eine unausgesprochene Vereinbarung gebrochen, nämlich sich keine Sorgen zu machen, doch irgendwie schienen alle froh darüber zu sein, hauptsächlich Chuck, der schon drei miserable Witze hatte erzählen müssen, nur um seinen bedrohlich grummelnden Bauch zu übertönen.

»Kommen Sie schon, Dana«, polterte er. »Was ist hier los? Was verschweigt ihr uns?«

»Ein Satellitenausfall ist nichts Schlimmes, Mr. Donoghue.«

»Chuck.«

»Chuck. Zum Beispiel kann ein sandkorngroßer Minimeteorit einen Satelliten vorübergehend lahmlegen, und das LPCS –«

»Aber ihr braucht das LPCS doch gar nicht. Armstrongs Bande hatte doch auch kein LPCS.«

»Ich kann Ihnen versichern, dass der technische Defekt in Kürze behoben sein wird. Das dauert ein bisschen, aber bald sprechen wir wieder mit der Erde wie eh und je.«

»Komisch nur, wo sie alle bleiben«, sagte Aileen.

»Gar nicht.« Lynn lächelte bemüht. »Ihr kennt doch Julian. Er hat mal wieder ein Riesenprogramm aufgestellt. Er meinte schon heute Morgen, dass sie sich wohl verspäten würden. – Da fällt mir ein, habt ihr eigentlich das Rillensystem zwischen Mare Tranquillitatis und Sinus Medii gesehen? Müsstet ihr eigentlich, als ihr zur Rupes Recta geflogen seid.«

»Ja, die sehen aus wie Straßen«, sagte Hsu, und das Pfeifen im Walde nahm seinen Fortgang.

Olympiada starrte vor sich hin. Winter bemerkte ihre Katatonie, hörte auf, den Zuckerrand von ihrem Strawberry Daiquiri zu lecken, rückte näher und legte einen sonnengebräunten Arm um die schmalen, hängenden Schultern.

»Keine Sorge, Schatz. Du kriegst ihn noch früh genug zurück.«

»Ich fühl mich so schäbig«, antwortete Olympiada leise.

»Wieso denn schäbig?«

»So elend. So mies. Wenn man unbedingt mit jemandem sprechen will, den man verabscheut, nur weil sonst keiner da ist. Das ist erbärmlich.«

»Aber du hast doch uns!«, raunte Winter und drückte der Russin ein Siegel der Verschwesterung auf die Schläfe. Dann erst schien sie zu ka pieren, was Olympiada gerade gesagt hatte. »Wen meinst du denn mit verabscheuen? Doch nicht Oleg?«

»Wen denn sonst?«

»Huch! Du verabscheust Oleg?«

»Wir verabscheuen einander.«

Winter bedachte diese Worte. Nacheinander versuchte sie sich an einer Kollektion passend erscheinender Mimik, Verwunderung, Nachdenklichkeit, Verständnis, Begriffsstutzigkeit, studierte die äußere Erscheinung der Russin, als nähme sie diese zum allerersten Mal wahr. Olympiadas Abendgarderobe, ein je nach Stimmungslage seiner Trägerin farbwechselnder Catsuit aus Mimi Parkers Beständen, hing an ihr wie über eine Stuhllehne geworfen, Kajal und Schminke wetteiferten in der Spurenbeseitigung jahrelanger Vernachlässigung und ehelichen Leids. Die Frau hätte weit besser aussehen können. Etwas Botox in Wangen und Stirn, Hyaluronsäure zur Glättung der Grabesfalten um die Mundwinkel, hier und da ein kleines Implantat zur Straffung von Selbstbewusstsein und Bindegewebe. Bei der Gelegenheit beschloss sie, gleich nach ihrer Rückkehr die Implantate in ihrem eigenen Gesäß auswechseln zu lassen. Irgendwas stimmte da nicht, wenn man zu lange drauf saß.

»Warum verlässt du ihn nicht einfach?«, fragte sie.

»Warum verlässt eine Fußmatte nicht die Haustür, vor der sie liegt?«, sinnierte Olympiada.

Ach du dickes Ei! Winter war verblüfft. Natürlich fand sie sich selbst unwiderstehlich in ihrer prallen Pracht, aber musste man wirklich wie eine fitnessgestählte Walküre aussehen, um von solchen Gedanken verschont zu bleiben, wie Olympiada sie wälzte?

»Hör mal«, sagte sie. »Ich glaube, du machst einen Fehler. Einen richtig fetten Denkfehler.«

»Ach ja?«

»Ja. Du findest dich schäbig, weil du glaubst, dich will keiner haben, also lässt du dich schäbig behandeln, bloß um überhaupt behandelt zu werden.«

»Hm.«

»Aber in Wirklichkeit will dich keiner haben, weil du dich schäbig fühlst. Verstehst du? Andersrum. Kasialisch, kausalisch, oder wie das heißt, also, dieses Ding mit Ursache und Wirkung, ich bin nicht so protzgebildet, aber ich weiß, dass es so funktioniert. Man *denkt*, die anderen finden einen kacke, und darum findet man sich selber kacke und sieht kacke aus, was dazu führt, dass die anderen Kacke zu sehen bekommen, und so schließt sich der Kreis, mach ich mich verständlich? So eine Art innere – Vorverurteilung. Weil du selber nämlich dein größter, ähm – Feind bist. Und weil du's auch irgendwie genießt. Du *willst* leiden.«

Ui, das klang gut! Wie an der Uni gewesen.

»Meinst du?«, fragte Olympiada und sah Winter aus trüben Novemberpfützen an.

»Klar!« Das gefiel ihr, richtig psychologisch wurde das. So was sollte sie viel öfter machen. »Und weißt du auch, warum du leiden willst? Weil du Bestätigung suchst! Denn du findest dich ja, wie wir gesehen haben –« Wortschatz, Miranda, Wortschatz! Nicht immer nur kacke, wie sagte man noch? »Scheiße. Du findest dich scheiße, sonst nichts, aber scheiße sein ist immerhin besser als gar nichts sein, und wenn dich jetzt jemand anderer *auch* scheiße findet, verstehst du, dann ist das eine glasklare Bestätigung dessen, was du denkst.«

»Du lieber Himmel.«

»Elend ist was Verlässliches, glaub mir.«

»Ich weiß nicht.«

»Doch, sich scheiße fühlen gibt Halt. Wie sagen die Leute, wenn sie in die Kirche gehen? Gott, ich bin sündig, nichtswürdig, ich hab Mist gebaut, schon bevor ich geboren wurde, ich bin ein elender Dreck, vergib mir, und wenn nicht, auch gut, wirst du schon recht haben, ich bin eine Milbe, eine Erbmilbe –«

»*Erbmilbe?*«

»Ja, Erbdings!« Sie gestikulierte wild, wie berauscht. »Da gibt's doch so was im Christentum, dass man von vornherein und immer der Arsch ist. Genauso fühlst du dich. Du denkst, Leiden ist eine Heimat. Stimmt nicht. Leiden ist ein Scheiß.«

»Leidest du nie?«

»Natürlich, wie Hund! Weißt du doch. Ich war Alkoholikerin, wurde als schlechteste Schauspielerin ausgezeichnet, war im Knast, vor Gericht. Wow!« Sie lachte, verliebt ins Desaster ihrer Biografie. »Das war ziemlich daneben.«

»Aber warum macht dir das alles nichts aus?«

»Macht es schon! Pech macht mir jede Menge was aus.«

»Aber du findest dich eben nicht von vornherein – ähm –«

»Nein.« Winter schüttelte den Kopf. »Nur kurz mal, als ich gesoffen habe. Sonst wüsste ich ja gar nicht, wovon ich hier rede. Aber nicht grundsätzlich.«

Zum ersten Mal an diesem Abend lächelte Olympiada, vorsichtig, als bezweifle sie, dass ihre Mimik dafür geschaffen sei.

»Verrätst du mir ein Geheimnis, Miranda?«

»Jedes, Schatz.«

»Wie wird man wie du?«

»Keine Ahnung.« Winter überlegte, dachte ernsthaft darüber nach. »Ich schätze, man braucht einen gewissen Mangel an – Fantasie.«

»Mangel an *Fantasie*?«

»Ja.« Sie lachte wiehernd. »Stell dir vor, ich hab keine Fantasie. Kein Fitzchen. Ich kann mich nicht durch die Brille anderer sehen. Ich meine, mir fällt auf, dass sie mich cool finden, mich mit Blicken ausziehen, klar. Aber ansonsten seh ich mich ausschließlich durch meine eigenen Augen, und wenn mir was nicht gefällt, korrigier ich's. Ich kann mir einfach nicht vorstellen, wie andere mich haben wollen, also versuch ich auch nicht, so zu sein.« Sie machte eine Pause und bedeutete Funaki den Leerstand ihres Glases. »Und jetzt hör auf, dich durch Olegs Augen zu sehen, ja? Du bist nett, supernett! Oh mein Gott, du bist Abgeordnete im russischen – wo noch mal?«

»Parlament.«

»Und reich und alles! Und was das Äußere angeht, also gut, ich will ehrlich zu dir sein, aber gib mir vier Wochen, und ich mach den Partyknaller aus dir! Du hast das alles nicht nötig, Olympiada. Schon gar nicht, Oleg zu vermissen.«

»Hm.«

»Weißt du was?« Sie umfasste Olympiadas Oberarm und senkte die Stimme. »Ich verrate dir jetzt mal ein wirkliches Geheimnis: Männer geben Frauen nur darum das Gefühl, scheiße zu sein, weil sie sich selber so fühlen. Kapiert? Sie versuchen unser Selbstbewusstsein zu knacken, es uns zu klauen, weil sie kein eigenes haben. Mach das nicht mit! Lass sie das nicht mit dir machen! Du musst deine Flagge hissen, Süße. Du bist nicht, was er will, das du sein sollst.« Komplizierte Satzstellung, hatte aber geklappt. Sie wurde immer besser.

»Vielleicht kommt er ja nie zurück«, murmelte Olympiada, der sich ein Weg in lichtere Gefilde des Seins aufzutun schien.

»Genau! Scheiß auf ihn.«

Olympiada seufzte. »Okay.«

»Michio, Herzblatt«, krähte Winter und schwenkte ihr leeres Glas. »Für meine Freundin auch so einen!«

Sophie Thiel stocherte in Verrat und Täuschung, als Tim die Zentrale betrat. Ein Dutzend Fenster auf der großen Multimediawand reanimierten die Vergangenheit.

»Durchweg gefälscht«, sagte Thiel mutlos.

Er schaute zu, wie Menschen die Lobby durchquerten, die Zentrale betraten, ihrer Arbeit nachgingen, sie verließen. Dann wieder lagen die Räume dämmrig und desperat da, einzig beleuchtet vom harten Widerschein des Sonnenlichts auf der Schluchtkante und den Kontrollen der nimmermüden Maschinerie, die das Hotel am Leben erhielt. Thiel wies auf einen der Ausschnitte. Der Blickwinkel der Kamera war so eingestellt, dass man durch das Panoramafenster die gegenüberliegende Seite des Vallis Alpina samt Bergen und Hochbahn erkennen konnte.

»Die Zentrale, menschenleer. In der Nacht, als Hanna mit dem Lunar Express unterwegs war.«

Tim kniff die Augen zusammen und beugte sich vor.

»Versuchen Sie's gar nicht erst, Sie werden ihn nicht zu sehen bekommen. Ihre Schwester würde sagen, weil keiner fuhr. In Wirklichkeit verarscht uns jemand mit dem ältesten Trick der Welt. Sehen Sie das Blinken am rechten Rand der Videowand?«

»Ja.«

»Fast zeitgleich leuchtet hier unten was auf, und da, ein Stück weiter, springt eine Anzeige um. Gesehen? Lauter Kleinigkeiten, auf die im Normalfall keiner achten würde, aber ich habe mir die Mühe gemacht, nach Übereinstimmungen zu suchen. Werfen Sie mal einen Blick auf den Zeitcode.«

05.53 Uhr, las Tim.

»Exakt dieselbe Sequenz findet sich um fünf Uhr zehn.«

»Vielleicht ein Zufall?«

»Nicht, wenn die Feinanalyse einen unmerklichen Sprung der Schatten auf der Mondoberfläche enthüllt. Die Sequenz wurde kopiert und eingefügt, um ein Ereignis von knapp zwei Minuten Länge zu kaschieren.«

»Die Ankunft des Lunar Express«, flüsterte Tim.

»Ja, und so geht das ständig. Hanna im Korridor, umgeschnitten, genau wie Ihr Vater sagte. Die Zentrale, augenscheinlich leer. Aber es war jemand da. Jemand, der hier gesessen und diese Videos verändert hat, bloß, er hat sich rausoperiert. Perfekt gemacht, das Ganze. Die Lobby, eine andere Perspektive, aus der zu sehen wäre, wie Mister X die Zentrale betritt, leider ebenfalls gefälscht.«

»Daran muss einer doch unendlich lange gesessen haben«, staunte Tim.

»Nein, das geht schnell, wenn man weiß, was zu tun ist.«

»Unfassbar!«

»Frustrierend vor allen Dingen, weil es uns kein bisschen weiterbringt. Wir wissen zwar jetzt, *dass* es getan wurde. Aber nicht, *wer* es getan hat.«

Tim schürzte die Lippen. Plötzlich kam ihm eine Idee.

»Sophie, wenn wir zurückverfolgen können, *wann* die Arbeiten an den Videos vorgenommen wurden – wenn man das Protokoll einsehen könnte – ich meine, kann man auch das Protokoll manipulieren?«

Sie runzelte die Stirn. »Nur mit erheblichem Aufwand.«

»Aber es geht?«

»An sich nicht. Der Eingriff würde ja seinerseits protokolliert. – Hm. Verstehe.«

»Wenn wir die genauen Zeiten der Eingriffe wüssten, könnten wir sie mit Anwesenheit und Abwesenheit der Gäste und des Personals abgleichen. Wer war zur fraglichen Zeit wo? Wer hat wen gesehen? *Sämtliche* Daten des Hotelsystems kann auch unser Unbekannter in der zur Verfügung stehenden Zeit nicht verändert haben. Sobald wir also das Protokoll kennen –«

»Kriegen wir ihn.« Thiel nickte. »Aber dafür braucht man ein Autorisierungsprogramm.«

»Ich hab eines.«

»Ach!« Sie sah ihn überrascht an. »Ein Autorisierungsprogramm für dieses System?«

»Nein, einen stinknormalen, kleinen Maulwurf, den ich letzten Winter aus dem Netz runtergeladen habe, um Daten eines Kollegen einzusehen. Mit seinem Einverständnis«, fügte er rasch hinzu. »Sein System schoss alle 60 Sekunden ein Bildschirmfoto, und an diese Fotos musste ich ran, aber ich war nicht autorisiert. Also hab ich auf die Kenntnisse einiger meiner Schüler zurückgegriffen. Einer empfahl mir *Gravedigger,* ein, na ja, nicht ganz legales Rekonstruktionsprogramm, aber relativ einfach dranzukommen und praktisch mit jedem System kompatibel. Ich hab's damals behalten. Es ist auf meinem Computer, und mein Computer –«

»– ist hier im GAIA.«

»Bingo.« Tim grinste. »In meinem Zimmer.«

Thiel lächelte breit. »Tja, Mr. Orley, also wenn es Ihnen keine Umstände macht –«

»Bin schon unterwegs.«

Erst auf dem Weg zur Suite kam ihm der Gedanke, dass es noch einen weiteren Grund geben konnte, warum Thiel ausschließlich manipulierte Videos vorfand:

Sie selbst hatte das Material umgeschnitten.

Mukesh Nair stemmte sich prustend aus dem Kraterpool. Ein Stück weiter frottierte sich Sushma ab, im Gespräch mit Eva Borelius und Karla Kramp, während Heidrun Ögi und Finn O'Keefe kindische Wettkämpfe ausfochten, wer am längsten unter Wasser bleiben konnte. Durch das Panoramafenster schien wie ein verlässlicher Freund die Erde herein. Nair nahm ein Handtuch vom Stapel und rieb das Wasser aus seinen Haaren.

»Geht euch das eigentlich auch so?«, sagte er. »Wenn ich unsere Heimat sehe, merkwürdig: Sie kommt mir so gänzlich unbeeindruckt vor.«

»Unbeeindruckt von was?«, fragte Kramp und verschwand in ihrem Bademantel.

»Von uns.« Nair ließ das Handtuch sinken und schaute zum Himmel hinauf. »Von den Folgen unseres Tuns. Überall ist es wärmer geworden. Ehemals bewohnte Gebiete stehen unter Wasser, andere versteppen. Ganze Völkerstämme setzen sich in Bewegung, hungrig, durstig, arbeitslos, heimatlos, wir verzeichnen die größten Migrationen seit Jahrhunderten, aber man sieht ihr das alles nicht an. Nicht aus dieser Distanz.«

»Man würde es der alten Dame aus dieser Distanz auch nicht ansehen, wenn wir uns in Grund und Boden bomben«, sagte Kramp. »Das heißt gar nichts.«

Nair schüttelte den Kopf, in Bann geschlagen.

»Die Wüsten müssten doch größer geworden sein, oder nicht? Ganze Küstenlinien haben sich verändert. Aber wenn man nur weit genug weg ist – es ändert nichts an ihrer Schönheit.«

»Wenn man weit genug weg ist«, lächelte Sushma, »bin sogar ich noch schön.«

»Ach, Sushma!« Der Inder legte den Kopf schief und lachte unter Einsatz bestens restaurierter Zähne. »Du bist und bleibst die Schönste für mich, ob von nah oder fern. Du bist mein allerschönstes Gemüse!«

»Na, das ist mal 'n Kompliment«, sagte Heidrun zu O'Keefe, Wasser im einen Ohr, Nairs einschmeichelnden Bariton im anderen. »Warum kriege ich so was von dir nicht zu hören?«

»Weil ich nicht Walo bin.«

»Lausige Erklärung.«

»Dich mit Nahrungsmitteln zu vergleichen, fällt in sein Ressort.«

»Kommt es mir nur so vor, oder gibst du dir in letzter Zeit keine richtige Mühe mehr?«

»Mir fallen keine Gemüse ein, wenn ich dich sehe. Spargel vielleicht.«

»Finn, ich muss schon sagen. So wirst du es nie zu was bringen.« Sie schnellte zum Beckenrand, richtete sich auf und spritzte einen Schwall Wasser in Nairs Richtung. »He da! Worüber redet ihr?«

»Über die Schönheit der Erde«, lächelte Sushma Nair. »Und ein bisschen auch über die der Frauen.«

»Ein und dasselbe«, sagte Heidrun. »Die Erde ist weiblich.«

Borelius band ihren Kimono zu. »Ihr seht Schönheit da draußen?«

»Aber ja«, nickte Nair begeistert. »Schönheit und Schlichtheit.«

»Soll ich euch sagen, was ich sehe?«, sagte Borelius nach einigem Nachdenken. »Ein Missverhältnis.«

»Inwiefern?«

»Völlige Fehlproportionierung der Ansprüche. Die Erde da draußen gleicht in nichts unserer gewohnten Wahrnehmung.«

»Stimmt«, sagte Heidrun. »Die Schweiz zum Beispiel erscheint dem Schweizer gemeinhin so groß wie Afrika. Afrika hingegen schnurrt in der gefühlten Wirklichkeit eines Schweizers zu einer feuchtschwülen Insel voller Habenichtse, Stechmücken, Schlangen und Krankheiten zusammen.«

»Genau davon rede ich«, nickte Borelius. »Ich sehe einen wunderschönen Planeten, aber keinen, den wir uns teilen. Eine Welt, die gemessen an dem, was die einen haben und die anderen nicht, vollkommen anders aussehen müsste.«

»Bravo.« O'Keefe dümpelte näher und klatschte.

»Aus, Finn«, zischte Heidrun. »Weißt du überhaupt, wovon wir hier reden?«

»Sicher«, gähnte er. »Davon, dass Eva Borelius erst auf den Mond fliegen musste, um das Offensichtliche zu erkennen.«

»Nein.« Borelius lachte trocken und begann, ihre Badesachen zusammenzupacken. »Ich wusste schon immer, wie der Planet aussieht, stell dir vor, Finn, aber es ist trotzdem was anderes, ihn so zu sehen. Es erinnert mich daran, für wen wir eigentlich forschen.«

»Ihr forscht für den, der euch bezahlt. Ist dir das neu?«

»Dass die freie Forschung den Bach runtergeht? Nein.«

»Nicht, dass du persönlich Grund hättest, dich zu beklagen«, fiel Kramp maliziös mit ein.

»Ach, sieh an.« Borelius, von zwei Seiten in die Zange genommen, hob die Brauen. »Tue ich das?«

Kramp schaute unschuldig zurück. »Ich wollt's nur erwähnt haben.«

»Klar, Stammzellenforschung bringt Geld, also bekommt sie auch welches. Es hat einiges gekostet, die Isolierung und Untersuchung adulter Zellen bis zur Züchtung künstlichen Gewebes voranzutreiben. Jetzt haben wir die Proteinbaupläne unserer Körperzellen entschlüsselt, arbeiten erfolgreich mit *Molecular Prothetics*, verfügen über Ersatz für zerstörte Nerven und verbrannte Haut, drucken bei Bedarf neue Herzmuskelzellen, rücken dem Krebs zu Leibe, weil auch die reichsten Menschen dieser Welt nicht von Herzinfarkt, Krebs und Verbrennungen verschont werden.« Sie machte eine Pause. »Aber von der Malaria werden sie verschont. Von der Cholera. Die sind für die Armen. Wenn wir das rein quantitative Aufkommen solcher Krankheiten in Budgets umrechnen würden, flösse der größte Teil der Forschungsgelder in die Dritte Welt. Stattdessen liegt die überwiegende Anzahl aller Malaria-Patente, selbst der viel versprechenden, auf Eis, weil du damit kein Geld verdienen kannst.«

Nair blickte weiterhin auf die ferne Erde, immer noch lächelnd, aber nachdenklicher.

»Ich komme aus einem unvorstellbar großen Land«, sagte er. »Und zugleich aus einem überschaubaren Kosmos. Mein Eindruck war nie, dass es eine einzige Welt gibt, schon darum nicht, weil wir sie gar nicht aus allen Blickwinkeln gleichzeitig wahrnehmen können. Niemand sieht sie als Ganzes, niemand sieht die ganze Wahrheit. Aber wenn man die Welt als eine Vielzahl kleiner, miteinander vernetzter Welten wahrnimmt, die jede von eigenen Regeln bestimmt ist, kann man versuchen, einige davon zu verbessern. Und damit auch ein bisschen das große Ganze. Vor der Aufgabe, *die* Welt zu verbessern, wäre ich wohl gescheitert.«

»Hast du denn was verbessert?«, fragte Kramp.

»Ein paar der kleinen Welten.« Er strahlte sie an. »Hoffe ich jedenfalls.«

»Du hast Indien mit klimatisierten Einkaufszentren überzogen, ganze Dörfer ans Internet angeschlossen, zigtausend indischen Bauern eine Existenzgrundlage verschafft. Aber hast du nicht auch den internationalen Konzernen Tür und Tor geöffnet, indem du ihnen angeboten hast, sich zu beteiligen?«

»Natürlich.«

»Und haben nicht einige von denen dein Modell dankend aufgegriffen, indisches Land gepachtet und die Bauern durch Maschinen und billige Lohnarbeiter ersetzt?«

Nairs Lächeln fror ein. »Man kann jede Idee pervertieren.«

»Ich will's nur verstehen.«

»Sicher, so was passiert. Das dürfen wir nicht zulassen.«

»Schau, ich bin nicht ganz einverstanden mit deiner Romantisierung der Ungleichheit. Kleine, autarke Welten. Du tust viel Gutes, Mukesh, aber du bist doch der Globalisierer schlechthin. Was ich in Ordnung finde, solange die putzigen kleinen Welten nicht von großen Konzernen –«

»Wollten wir nicht noch aufs Zimmer?«, sagte Borelius.

»Ja, sicher.« Kramp zuckte die Achseln. »Gehen wir. Typisch, dass du mal wieder die Betroffenheitsleier anschlägst und dich dann schämst, wenn ich konkret werde.«

»Wo bleiben eigentlich die anderen?« Sushma schüttelte unruhig den Kopf. »Sie müssten längst da sein.«

»Als wir runtergingen, waren sie noch unterwegs.«

»Das sind sie offenbar immer noch«, meinte Nair. Dann legte er Kramp freundschaftlich die Hand auf die Schulter. »Du hast im Übrigen vollkommen recht, Karla. Wir sollten mehr über solche Dinge reden. Und uns gegenseitig nicht schonen.«

»Soll ich euch sagen, was ich sehe?«, fragte O'Keefe.

Alle schauten ihn an.

»Ich sehe, wie sich zwei Dutzend der reichsten Typen des viel diskutierten Planeten Erde zwischen Malaria und Champagner beengt fühlen und in getreuer Entsprechung der von dir angesprochenen Fehlproportionierung, Eva, auf den Mond ausweichen, wo sie im teuersten Hotel des Sonnensystems zu bemerkenswerten Einsichten finden. – Wisst ihr was? Ich dreh' noch 'ne Runde.«

Thiel hatte Tims Programm installiert und ihn beiläufig gefragt, ob ihm nicht längst die Idee gekommen sei, sie könne die Verräterin sein. Er hatte verdutzt dreingeblickt und dann laut losgelacht.

»Sieht man's mir dermaßen an?«

»Und wie.«

»Na ja –«

»Ich bin's nicht«, sagte sie. »Zufrieden?«

Er lachte wieder. »Wenn Leute aufgrund dieser Aussage aus der Untersuchungshaft freikämen, könnten wir die Gefängnisse zu Hühnerställen umbauen.«

»Sie sind Lehrer, richtig?«

»Ja.«

»Wie oft hören Sie das am Tag?«

»Was? Ich bin's nicht, ich war's nicht?« Er zuckte die Achseln. »Keine Ahnung. Um die Mittagszeit verliere ich für gewöhnlich den Überblick. Also gut, Sie waren's nicht. Haben Sie jemanden in Verdacht?«

Sie senkte den Kopf über die Bedienfläche, sodass die blonden Locken ihren Gesichtsausdruck verbargen.

»Nicht direkt.«

»Sie denken an meine Schwester, stimmt's?« Er seufzte. »Kommen Sie, Sophie, das ist kein Problem, ich bin Ihnen nicht böse. Sie sind nicht die Einzige, die so empfindet. Lawrence hat sich regelrecht eingeschossen auf Lynn.«

»Ich weiß.« Thiel schaute auf. »Ich persönlich glaube aber kein bisschen, dass Ihre Schwester was mit der Sache zu tun hat. Lynn hat dieses Hotel gebaut. Das wäre doch kompletter Schwachsinn. Außerdem, ich hab's mir ja auch nur erzählen lassen, aber als sie sich weigerte, Ihren Vater das Korridor-Video sehen zu lassen – warum hätte sie das tun sollen? Ich meine, warum, wenn sie es doch selber umgeschnitten hat? Ich an ihrer Stelle hätte es ihm voller Stolz unter die Nase gerieben.«

Tim wirkte dankbar und zugleich eigenartig bedrückt. Unvermittelt wurde ihr klar, dass er Lawrences Meinung mehr zuneigte als ihrer, und dass ihm das zu schaffen machte.

»Ehrlich gesagt«, lächelte sie scheu, »hab ich mich vorhin gefragt, ob nicht eventuell sogar Sie –«

»Ach so!« Er grinste. »Nein, ich war's nicht.«

»Noch mehr Hühnerställe.« Sie lächelte zurück. »Möchten Sie mir Gesellschaft leisten, während ich das Protokoll rekonstruiere?«

»Nein, ich will mal schauen, wo Lynn sich rumtreibt. Aber rufen Sie mich, wenn Ihnen was auffällt.« Er lächelte. »Sie sind sehr tapfer, Sophie. Kommen Sie klar?«

»Irgendwie.«

»Gar keine Angst?«

Sie zuckte die Achseln. »Komischerweise gilt meine geringste Sorge der Aussicht, in die Luft gesprengt zu werden. Zu unwirklich. Wenn es passiert, dann verschwinden wir eben alle in einem Blitz, aber wir werden wohl kaum sonderlich viel davon mitbekommen.«

»Mir geht's ähnlich.«

»Also wovor haben *Sie* Angst.«

»Im Moment? Um Amber. Sehr große Angst. Um meine Frau, um meinen Vater –«

»Um ihre Schwester –«

»Ja. Auch um Lynn. Bis später, Sophie.«

»Das war aber gar nicht nett«, spottete Heidrun, nachdem die anderen fluchtartig den Poolbereich verlassen hatten. Nur sie und O'Keefe trieben noch im schwarzen Wasser des Kraters, ein Bild zwischen Idylle und Apokalypse.

»Aber wahr«, sagte O'Keefe und kraulte davon.

Sie strich sich das nasse Haar hinter die Ohren. Unterhalb der Wasserfläche stauchte sich ihr Körper zu einem knochenfahlen Zerrbild ihrer selbst, an den Rändern in wellenbedingter Auflösung begriffen. O'Keefe zog eine Schneise wie ein Motorboot, entsandte Turbulenzen des Ungemachs nach allen Seiten, nicht verebben wollende Auftürmungen von bemerkenswerter Amplitude, wie ein Schwimmer sie in irdischen Gewässern nicht hätte erzeugen können. Ein Verlustierungsfaktor, ausschließlich Mondreisenden vorbehalten. Delfingleich konnte man sich aus dem Wasser katapultieren und, indem man wieder hineinklatschte, kleine Tsunamis auf die Reise schicken. Man trat in übermütige Opposition zu den Gesetzen der Schwerkraft, doch soeben spiegelte O'Keefes Laune eher das Grau der umgebenden Landschaft. Heidrun streckte sich, tauchte ab, glitt ihm hinterdrein und an ihm vorbei und durchstieß die Oberfläche. O'Keefe sah den Weg zum gegenüberliegenden Kraterrand versperrt und balancierte sich im Wasser aus.

»Was ist los?«, fragte sie. »Schlechte Laune?«

»Keine Ahnung.« Er zuckte die Achseln. »Musst du übrigens nicht hoch?«

»Und du?«

»Ich bin mit niemandem verabredet.«

Heidrun überlegte. War sie mit jemandem verabredet? Mit Walo natürlich, aber konnte man den täglichen Magnetismus der Ehe noch als Verabredung bezeichnen?

»Du hast also keine Ahnung, wie du gelaunt bist.«

»Weiß nicht.«

Tatsächlich, schätzte sie, hatte O'Keefe wohl einfach nur keine Ahnung, warum seine Laune so plötzlich übersäuerte. Den ganzen Tag über war er bester Dinge gewesen, hatte sie mit lakonischen Sarkasmen zum Lachen gebracht, eine Begabung, die Heidrun über alle Maßen schätzte. Sie liebte Männer, deren Witz jenem unangestrengten Understatement entsprang, das ihnen den Ritterschlag der Coolness eintrug. Ihrer Meinung nach gab es kaum etwas Erotisierenderes als Lachen, unglücklicherweise eine mit Problemen behaftete Haltung, da der überwiegende Teil des männlichen Geschlechts sie eher intellektuell nachzuvollziehen suchte. Das Ergebnis fiel meist anstrengend und entmutigend aus. Im unentwegten Bemühen, durch Schenkelklopfer zu punkten, verloren die Balzenden den letzten Rest ihres natürlichen Machismo, und es kam noch viel schlimmer. Ihrerseits empfand Heidrun wieherndes Vergnügen beim Sex und hatte schon bei so vielen Orgasmen Lachkrämpfe erlitten, dass die beteiligten Herren im festen Glauben, sie würden ausgelacht, spontane Triebwerkstörungen zu beklagen hatten. Dem Abfall des Lustdrucks folgte die immer gleiche Betretenheit, jedes Mal fühlte sie sich schuldig, aber was sollte sie machen? Sie lachte nun mal gerne. Erst Ögi hatte das verstanden. Auf ihn wirkte Heidruns Naturell weder erektionshemmend noch sonst wie retardierend. Walo Ögi mit seiner gemeißelten Zürcher Physiognomie, die unversehens in schallendes Gelächter aufbrechen konnte, nahm Sex ebenso wenig ernst wie sie, mit dem Ergebnis, dass beide mehr davon hatten.

Demgegenüber nun O'Keefe. Objektiv betrachtet, sofern der Objektivierung von Schönheit überhaupt eine Berechtigung zukam, sah er weit besser aus als Walo, im Sinne klassischer Proportionierung jedenfalls, war perfekt gebaut und gut 16 Jahre jünger. Darüber hinaus erweckte er den Anschein eines maulfaulen und bisweilen mürrischen Melancholikers. Seine Rotzigkeit kaschierte Unsicherheit, seine Schüchternheit Gleichgültigkeit, doch er war Schauspieler genug, um mit alldem professionell zu kokettieren. Als Folge umgab ihn jene Aura des Geheimnisvollen, die Millionen emanzipierter, weiblicher Individuen in willenlosen Brei verwandelte. Vermeintlich scheu kultivierte er das ewige Nichtangekommensein in einer Welt, deren Mitbegründer und Ureinwohner er war, ließ den Rüpel raushängen, als hätten sich Marlon Brando, James Dean und Johnny Depp nicht zur Genüge ad absurdum geführt, verströmte schwitzigen Rebellen-Appeal. Beim besten Willen konnte man ihn nicht als Stimmungskanone bezeichnen. Und doch erahnte Heidrun hinter der abweisenden Fassade die Tauglichkeit zum Exzess, zum anarchischen Spaß, zur wilden Party, wenn nur die richtigen Leute zusammenkämen. Sie bezweifelte nicht, dass man mit ihm rumalbern und lachend Sex haben konnte bis zur völligen Erschöpfung von Libido und Zwerchfell, stundenlang.

»Sie gehen dir auf den Sack, richtig?«, mutmaßte sie. »Unsere geschätzten Mitreisenden.«

O'Keefe rieb Wasser aus seinen Augen.

»Ich gehe mir selber auf den Sack«, sagte er. »Weil ich denke, dass es mein Problem ist.«

»Was?«

»Hier oben nicht wie ein spiritueller Hefeteig aufzugehen. Scheint ja fast unvermeidlich. Jeder lässt pausenlos die allerschönsten philosophischen Betrachtungen vom Stapel. Niemand, der nicht einen guten Spruch draufhätte. Die einen heulen schon los, wenn sie die Erde überhaupt sehen, die anderen gefallen sich als Flagellanten ihres irdischen Strebens. Eva sieht Ungerechtigkeit und Mukesh Nair in jedem Körnchen Mondstaub das Staunen machende Wunder. Eine komplette gesellschaftliche Elite scheint bestrebt, ihr bisheriges Leben zu relativieren, bloß weil sie auf einem Klumpen Stein hockt, der weit genug von der Erde weg ist, dass man sie als Ganzes sehen kann. Und was fällt mir dazu ein? Lediglich ein blöder alter Spruch aus dem Präkambrium der Raumfahrt.«

»Lass hören.«

»Astronauten sind Männer, die ihren Frauen nichts von ihren Reisen mitbringen müssen.«

»Wirklich blöd.«

»Siehst du? Jeder scheint sich hier oben *zu finden*. Und ich weiß nicht mal, wonach ich *suchen* soll.«

»Na und? Lass sie doch.«

»Ich sagte ja, es ist nicht deren Problem. Es ist meines.«

»Du klagst auf ziemlich hohem Niveau, mein liebster Finn.«

»Tue ich nicht.« Er funkelte sie erbost an. »Das hat mit Selbstmitleid nicht das Geringste zu tun. Ich komme mir einfach nur – *leer* vor, verkrüppelt. Ich würde auch gerne diese Ergriffenheit spüren, in Ehrfurcht verdampfen und auf links gedreht zur Erde zurückkehren, um fortan das Wort der Erleuchtung im Munde zu führen, aber ich kann nichts von alledem empfinden. Mir fällt nicht viel ein zu diesem Trip, außer, dass es nett ist, mal was anderes. Aber es ist und bleibt der Scheißmond, verdammt noch mal! Keine höhere Daseinsstufe, kein Verstehen und Begreifen von irgendwas. Es spiritualisiert mich nicht, rührt nichts in mir an, und das *muss* doch mein Problem sein! *Da muss doch mehr sein!* Ich komme mir vor wie abgestorben.«

Amphibisch paddelnd trieben sie aufeinander zu. Und während Heidrun noch überlegte, welche Erwiderung dem Ausbruch angemessen sei, ohne dass es tantenhaft klang, war sie ihm plötzlich sehr nahe. Falten und Fältchen legten ein durchzechtes, von Ratlosigkeit geleitetes Leben offen. Sie erkannte O'Keefes Unvermögen, sein brillantes Talent mit der banalen Erkenntnis in Einklang zu bringen, dass er trotz seiner besonderen Begabung kein besonderer Mensch war, sondern einfach am Leben und wie jeder andere dazu verdammt, auf dem Highway, den sie alle entlangrasten, eines Tages gegen die Wand zu knallen, ohne sich dem Sinn auch nur genähert zu haben. Keine Spur von Apotheose. Nur jemand, der von allem zu viel gehabt hatte, ohne satt geworden zu sein, und der nun, in seiner ganzen Ratlosigkeit, ehrlicher auf die Eindrücke der Reise reagierte als die komplette Gruppe zusammengenommen.

Im nächsten Moment spürte sie ihn.

Sie fühlte seine Hände auf ihren Hüften, ihrem Po. Fühlte sie Taille und Rücken erwandern, seine Lippen seltsam kühl auf ihren, umschlang ihn mit beiden Beinen und zog ihn so dicht zu sich heran, dass sein Geschlecht gegen ihres pochte, überrumpelt von der Unverhohlenheit seiner Annäherung und noch mehr von ihrer eigenen, gärenden Überreife, was die Bereitschaft zum Seitensprung anging. Sie wusste, dass sie im Begriff stand, etwas furchtbar Dummes zu tun, was sie hinterher bitterlich bereuen würde, doch der ganze Katechismus ehelicher Treue verging in der Glut dieses Augenblicks, und wenn Männer mit dem Schwanz dachten, wie zu Recht kolportiert wurde, dann hatten sich ihr Verstand und Wille gerade rückstandslos in ihrer Möse zersetzt, und auch das war etwas so erschreckend Banales, dass sie nicht anders konnte, als laut loszuprusten.

O'Keefe lachte mit.

Er hätte nichts Fataleres tun können. Schon ein irritiertes Zucken seiner Brauen würde sie gerettet haben, ein Anflug von Unverständnis, doch er lachte nur und begann sie zwischen den Beinen zu massieren, dass ihr angst und bange wurde, während ihre Finger sich um den Rand seiner Badehose krallten und sie herunterzerrten, um das geschwollene Tier dahinter zu befreien.

Wasseraffen, dachte sie. Wir sind Wasseraffen!

Uh! Uh!

»Lasst es besser bleiben«, hörte sie Nina Hedegaards Stimme, kurz bevor vernehmlich das Wasser spritzte. »Es trägt euch nur Frust und einen Haufen Probleme ein.«

Wie vom Blitz getroffen fuhren sie auseinander. O'Keefe griff irritiert nach seiner Hose. Heidrun geriet mit dem Kopf unter die Oberfläche, atmete Kraterwasser ein, tauchte auf und hustete sich die Seele aus dem Leib. Schaufelnd wie ein Raddampfer trieb Hedegaard in Rückenlage an ihnen vorbei.

»Tut mir leid, ich wollte euch nicht den Spaß verderben. Aber ihr solltet euch das wirklich überlegen.«

Und das war's.

Heidrun fehlte die genetischen Voraussetzungen zu erröten, doch in diesem Moment hätte sie schwören mögen, *knallrot* zu werden, ein Leuchtfeuer der Verlegenheit. Sie starrte O'Keefe an. Zu ihrer grenzenlosen Erleichterung kündete nichts in seinem Blick davon, dass ihm die vergangenen Minuten peinlich waren, nur Bedauern und eine vage Einsicht, dass es gelaufen war. Unverkennbar wollte er sie immer noch und sie ihn kein bisschen weniger, doch in gleichem Maße empfand sie drängende Sehnsucht nach Walo und den Wunsch, Hedegaard für ihre Intervention zu küssen.

»Tja, wir –«, O'Keefe grinste schief, »– wollten eigentlich gerade nach oben gehen.«

»Ist mir schon klar«, sagte Hedegaard voller Missmut. Mit kräftigen Schwimmstößen kam sie zu ihnen herüber und richtete sich im Wasser auf. »Ich halte auch den Mund, keine Angst. Alles andere ist eure Sache. Oben werden sie allmählich unruhig. Julians Gruppe ist immer noch nicht zurück, und die Satelliten tun's auch nicht.«

»Hat Julian denn nichts gesagt?«, wollte Heidrun wissen, ihr ganzer Körper immer noch ein einziger Herzschlag. »Heute früh, meine ich.«

»Doch, dass sie später kommen würden. Wegen zu viel Programm. Behauptet Lynn.«

»Na, dann wird es wohl so sein.«

»Mir kommt's komisch vor.«

»Julian hat bestimmt versucht, sich zu melden, als Erstes bei dir«, meinte O'Keefe.

»Ja, super, und was würdest du tun, Finn, wenn du nicht durchkommst? Pünktlich sein! Schon, um die anderen nicht zu beunruhigen. Außerdem, ich bin nicht blöde, da ist noch mehr. Irgendwas erzählen sie mir nicht.«

»Wer, sie?«

»Dana Lawrence, der kalte Fisch. Lynn. Weiß der Henker. Das Dinner ist jetzt übrigens für neun Uhr angesetzt.«

Heidrun sah O'Keefe an der Nasenspitze an, dass er in diesem Moment dasselbe dachte wie sie, ob sie die Zeit nicht vielleicht doch in seiner Suite nutzen sollten. Aber es war ein blasser, fadenscheiniger Gedanke, eigentlich noch weniger als ein Gedanke, da nicht dem Kopf, nicht dem Herzen, sondern dem Unterleib entstammend, dessen Putsch soeben nachhaltig vereitelt worden war. O'Keefe glitt heran und gab ihr einen flüchtigen Kuss. Es hatte etwas Versöhnliches, Finales.

»Komm«, sagte er. »Gehen wir hoch zu den anderen.«

LONDON, GROSSBRITANNIEN

Nach dem Gespräch mit Palstein hatte Jericho eine einsame Runde durch die hochgerüstete Welt des Lageinformationszentrums gedreht und Shaw mit dem Inhalt seines Rucksacks bekannt gemacht.

»Diane«, sagte er. »Die Vierte im Bund.«

»Diane?« In dem bärbeißigen Gesicht hob sich eine Braue.

»Mhm. Diane.«

»Verstehe. Ihre Tochter oder Ihre Frau?«

Seitdem war Diane wechselweise mit dem öffentlichen Internet und dem internen, hackergeschützten Netz des Big O verbunden, einem von der Außenwelt abgeschotteten System, in das kein Weg hinein-, allerdings auch keiner herausführte. Shaw hatte ihn kurzerhand autorisiert, auf Teile des konzerneigenen Datenbestands zurückzugreifen, ausgestattet mit einem Passwort, das ihn ermächtigte, der weltweiten Verflechtung des Konzerns, seiner Historie und seiner Mitarbeiterstruktur nachzuspüren. Zugleich, dank Diane, arbeitete er auf vertrautem Terrain. Ohne die Gesellschaft Tus und Yoyos, die den Dicken für die Dauer weniger Minuten hatten besuchen wollen und seit anderthalb Stunden überfällig waren, fühlte er sich bedrückend allein und mit dem Makel der Unerwünschtheit behaftet. Ein Dienstbote, eben gut genug, für andere den Kopf hinzuhalten, nicht aber, dass man ihn freundschaftlich ins Vertrauen zog.

Pah, Freunde! Sollten die beiden sich im Elend suhlen. Endlich wärmte ihn wieder Dianes weiche, dunkle Computerstimme, ungetrübt von jedweder Befindlichkeit.

Er wies sie an, das Netz auf Begriffskonstellationen zu durchforsten, *Palstein, Anschlag, Attentat, Attentäter, Mordversuch, Orley, China, Ermittlungen, Erkenntnisse, Ergebnisse,* et cetera. Der Initiative des Ölmanagers folgend, hatten die kanadischen Behörden einen umfangreichen Bestand an Bildern und Filmmaterial geschickt, den er, Edda Hoff, ein Mitarbeiter der Abteilung IT-Sicherheit und eine Frau vom MI6 nun gemeinsam auswerteten. Wäre Palstein nur bereit gewesen, ihnen das Video zu überspielen, das angeblich seinen Attentäter zeigte, sie hätten sich die elende Arbeit vermutlich sparen können.

Diane schleppte Fundstücke zum Anschlag in Calgary heran wie eine Katze halbtote Mäuse, stocherte dafür, was die restliche Entschlüsselung des Textfragments anging, im Dunkeln. Offenbar war das orkhafte Gemurmel des dunklen Netzwerks verstummt. Im Gegensatz dazu drängte die Flut der Bilder, Berichte, Einschätzungen und Verschwörungstheorien zu Calgary überreich herein, ohne dass etwas Erhellendes dabei zutage trat.

Er ging Jennifer Shaw besuchen.

»Schön, Sie zu sehen.« Shaw saß in einer Videokonferenz mit Vertretern des MI6 und winkte ihn herein. »Falls Sie was Neues haben –«

»Wann sollte das GAIA ursprünglich eröffnet werden?«, fragte Jericho und zog einen Stuhl heran.

»Wissen Sie doch. Vergangenes Jahr.«

»Wann genau?«

»Na ja, wir hatten den Spätsommer ins Auge gefasst, aber solche Projekte leiden unter ihrer Prototypik. Es hätte auch Herbst oder Winter werden können.«

»Und nur wegen der Mondkrise –«

»Nein, nicht nur darum.« Norrington betrat den Raum. »Sie sind hier im Tempel der Wahrheit, Owen. Da geben wir gerne zu, dass es technische Verzögerungen gab. Die inoffizielle Eröffnung war für August 2024 vorgesehen, aber auch ohne Krise hätten wir es kaum vor 2025 geschafft.«

»Also war der Zeitpunkt der Fertigstellung damals nicht absehbar?«

»Warum fragen Sie?«, wollte einer der Leute vom MI6 wissen.

»Weil mich die Frage bewegt, ob die Mini-Nuke nur zu dem Zweck hochgeschafft wurde, das GAIA zu zerstören. Etwas, wovon man zwar wusste, *dass,* aber nicht, *wann* es fertig werden würde. Als der Satellit gestartet wurde, war es jedenfalls *nicht* fertig.«

»Sie haben recht«, sagte der MI6-Mann nachdenklich. »Man hätte mit dem Launch warten können, eigentlich sogar müssen.«

»Warum müssen?«, fragte ein anderer.

»Weil jede Atombombe Strahlung abgibt. Sie können so ein Ding nicht endlos lange auf dem Mond lagern, wo keinerlei Konvektion herrscht, um die Wärme abzutransportieren. Es bestünde Gefahr, dass sich die Bombe überhitzt und vorzeitig zerfällt.«

»Also sollte sie definitiv 2024 gezündet werden«, mutmaßte Shaw.

»Eben das meine ich«, sagte Jericho. »Galt oder gilt sie ausschließlich dem GAIA? Wie viel Sprengstoff braucht man, um ein Hotel in die Luft zu jagen?«

»Eine Menge«, sagte Norrington.

»Aber doch keine Atombombe?«

»Es sei denn, Sie wollen den kompletten Standort kontaminieren, die weitere Umgebung«, sagte der MI6-Mann.

Jericho nickte. »Also was hat es damit auf sich?«

»Mit dem Vallis Alpina?« Shaw überlegte. »Nichts, soweit mir bekannt ist. Aber das muss ja nichts heißen.«

»Worauf wollen Sie eigentlich hinaus?«, fragte Norrington.

»Ganz einfach: Sofern wir uns darüber einig sind, dass die Bombe 2024 auf alle Fälle gezündet werden sollte, ungeachtet der Fertigstellung des GAIA, stellt sich die Frage, warum es nicht geschah.«

Shaw überlegte.

»Weil etwas dazwischenkam«, sagte sie.

Jericho lächelte. »Weil *jemandem* etwas dazwischenkam. Weil *jemand* gehindert wurde, das Ding zu zünden, wodurch auch immer. Das heißt, wir sollten aufhören, nach dem Wo und Wann zu fragen, und uns auf diese Person konzentrieren, die *möglicherweise*, ziemlich *wahrscheinlich* sogar, nicht Carl Hanna heißt. Also wer war im vergangenen Jahr auf dem Mond oder auf dem Weg dorthin, der die Zündung hätte vornehmen können? Was ist geschehen, dass es nicht dazu kam?«

Und währenddessen dachte er: Wem erzähle ich das alles gerade? Shaw hatte Mutmaßungen über einen Maulwurf angestellt, einen Verräter, der seine Informationen aus dem inneren Kreis der Sicherheit bezog. Wer war dieser Maulwurf? Edda Hoff, undurchsichtig und spröde? Einer der Bereichsleiter? Tom Merrick, das Nervenbündel, dem die Sicherheit der Kommunikation unterlag, konnte er für die Blockade verantwortlich sein, die er zu untersuchen vorgab? Lauschte mit Andrew Norrington gerade jemand seinen Ausführungen, der am wenigsten davon hätte mitbekommen dürfen? Immer vorausgesetzt, Shaw hatte sich nicht über Maulwürfe verbreitet, um davon abzulenken, dass sie selbst der Maulwurf war.

Wie sicher waren sie eigentlich im Big O?

GAIA, VALLIS ALPINA, MOND

Das Protokoll war schnell rekonstruiert. Seinem Namen getreu grub sich der *Gravedigger* in die Tiefen des Systems und erstellte eine vollständige Liste, aber weil sie die Aktivitäten mehrerer Tage umfasste, las sie sich zugleich wie eine Beschäftigungstherapie für drei verregnete Wochenenden.

»Mist«, flüsterte Thiel.

Grenzte man die fraglichen Zeiträume allerdings ein, kam man schneller voran als vermutet. Tatsächlich zog sich die Spur des Fälschers wie ein Muster durch das Protokoll, indem er nämlich, wann immer Handlungsbedarf gewesen war, unverzüglich saubergemacht hatte. Das Video von Hannas nächtlichem Ausflug etwa war umgeschnitten worden, noch während der Kanadier zusammen mit Julian GAIAS Umgebung erkundet hatte, genauer gesagt zwischen Viertel nach sechs und halb sieben an besagtem Morgen. Eindeutig der Beweis, dass Hanna es nicht selbst unternommen hatte, seine Spuren zu verwischen.

Wo war *sie* zu diesem Zeitpunkt gewesen? Im Bett. Erst um sieben aufgestanden. Bis dahin waren die Lobby und die Zentrale ausschließlich von Maschinen bevölkert gewesen. In einer Simultanprojektion ließ sie sämtliche Aufzeichnungen des Zeitraums ablaufen, in dem das Phantom sein Werk verrichtet hatte, aber niemand verließ sein Zimmer, niemand hockte in einem versteckten Winkel und bediente das System von anderswoher.

Unmöglich!

Jemand *musste* zu dieser Zeit im Hotel unterwegs gewesen sein!

Waren etwa auch *diese* Videos manipuliert worden?

Sie studierte das Protokoll genauer, ließ den Computer sämtliche Filme auf nachträglich eingeführte Schnitte untersuchen.

Tatsächlich.

Thiel starrte auf die Monitorwand. Zunehmend wurde ihr die Sache unheimlich. Aus allem, was sie hier sah, besser gesagt, nicht zu sehen bekam, sprachen beunruhigende Professionalität und Nervenstärke. Wenn das so weiterging, würde sie am Ende jeden einzelnen Befehl überprüfen müssen in der vagen Hoffnung, dass sich der Fälscher durch eine winzige Schlamperei verriet. In gleicher Weise, wie sie geklettert war, sank ihre Stimmung ins Spätherbstliche. Das brachte gar nichts. Der Unbekannte hatte seine Zeit und seine Möglichkeiten zu nutzen gewusst, war ihr überlegen.

Vielleicht sollte sie die Sache andersherum angehen. Mit dem *letzten* signifikanten Ereignis beginnen, dem Ausfall des Satelliten. Vielleicht hatte das Phantom ja seitdem keine Zeit gefunden, sauber zu machen.

Sie isolierte die Passage der Konferenzschaltung bis hin zu deren plötzlichem Abbruch und ließ den Computer die komplette Sequenz noch einmal durchspielen. Ihre eigenen Handlungen wurden in der Rekonstruktion sichtbar: wie sie das Gespräch angenommen, Lawrence und Lynn im SELENE benachrichtigt und es zu Julian Orley durchgestellt hatte. Danach –

Ein Schatten legte sich über sie. Sie zuckte zusammen, riss den Kopf hoch und prallte zurück.

»Ähm – dachte, du hast Hunger.«

»Axel!«

Kokoschkas monolithische Erscheinung verdunkelte ihren Desktop. Er hielt einen Teller in der Rechten. Die knöcherne Klaue eines Lammkarrees stach daraus hervor, nussiger Zucchiniduft schmeichelte sich heran.

»Mann, Axel!«, keuchte sie. »Hast du mich erschreckt!«

»Tut mir leid, ich –«

»Schon gut. Puh! Musst du nicht Wände und Böden umkrempeln?«

»Der Zerberus hat uns abgezogen«, grinste er. »Haste Hunger? Ostfriesisches Salzwiesenlamm.«

Er schaute sie an, zur Seite, zu Boden, traute sich wieder, Blickkontakt aufzunehmen. Himmel, nein. Sie hatte es geahnt. Deutscher liebt Deutsche. Kokoschka hatte sich in sie verguckt.

»Das ist aber lieb von dir«, sagte sie mit Blick auf den Teller.

Er verbreitete sein Grinsen und stellte ihn auf eine freie Ecke des Desktops neben sie, drapierte Serviette und Besteck. Plötzlich stellte sie fest, dass sich im Verlauf der letzten Stunde Hunger herangeschlichen und sie regelrecht ausgehöhlt hatte. Gierig sog sie die Aromen in sich hinein. Kokoschka hatte das Karree für sie vorgeschnitten. Sie nahm eine der fragilen Rippen zwischen die Finger und nuckelte das butterzarte Fleisch vom Knochen, während sie sich wieder den Bildschirmen zuwandte.

»Was machste?«, fragte Kokoschka.

»Checke das Protokoll vom Nachmittag«, sagte sie mit vollem Mund. »Um vielleicht was über den Satellitenausfall rauszukriegen.«

»Glaubst du, wir haben wirklich 'ne Bombe?«

»Keinen Schimmer, Axel.«

»Mhm. Komisch. Juckt mich irgendwie nicht so richtig.« Seine Stirn benetzte sich mit Schweiß. In sichtbarer Diskrepanz zu seinen Worten wirkte er nervös und zappelig, trat von einem Bein auf das andere, schnaufte. »Du willst also rauskriegen, wo die Bombe ist?«

»Nein, ich will wissen, wer Hannas Komplize –«

Sie starrte ihn an.

Kokoschka hielt ihrem Blick einige Sekunden stand, dann drifteten seine Augen ab zur Videowand. Sein Schweißausbruch wurde stärker. Seine Glatze schwamm, an seiner Schläfe pulsierte eine Ader. Thiel hörte auf zu kauen, verharrte mit lang gezogener Kinnlade und voll gestopfter Backe.

»Okay, du weißt es wahrscheinlich schon längst«, sagte Kokoschka müde in den Raum hinein.

Sie schluckte. Wich zurück. »Was denn?«

Er sah sie an.

»Können wir uns kurz besprechen?« Lawrence bedeutete Lynn mit knappem Kopfnicken, ihr zur Treppe zu folgen, die vom MAMA KILLA CLUB in die darunterliegende LUNA BAR und von dort ins SELENE und CHANG'E führte. Die Aufmerksamkeit aller galt in diesen Sekunden Chuck, der mit lauerndem Grinsen beide Hände, Handflächen zuoberst und alle zehn Finger steil in die Höhe weisend, von sich gestreckt hielt.

»Was meint der Papst, wenn er *so* macht?«

»Keine Ahnung«, sagte Olympiada trübsinnig. Winter, mit den Gewohnheiten des Pontifex und klerikalen Belangen unvertraut, schüttelte den Kopf in hoffnungsträchtiger Erwartung, vielleicht dennoch die Pointe zu verstehen, während ein Sturmtief der Entrüstung jedes Wohlwollen aus Aileens Zügen blies. Neben ihr thronte Rebecca Hsu nach Zirkuslöwenart auf einem Barhocker und sprach gedämpft in ihren Handcomputer. Walo Ögi hatte sich in seine Suite verabschiedet, um zu lesen.

»Chuck, den wirst du nicht erzählen.«

»Ach, komm, Aileen –«

»Den wirst du nicht erzählen!«

»Was meint der Papst denn?«, kicherte Winter.

»Chuck, nein!«

»Ganz einfach.« Donoghue klappte neun Finger ein, sodass nur noch der Mittelfinger seiner Rechten in die Höhe stand. »Dasselbe wie *so*, aber in zehn Sprachen!«

Winter kicherte weiter, Hsu lachte, Olympiada verzog den Mund. Aileen blickte Verzeihung heischend in die Runde, das gequälte Lächeln der Entmachtung im Gesicht. Nichts davon verarbeitete Lynn noch in gewohnter Weise. Was immer sie sah und hörte, erschien ihr wie eine Abfolge knatternder, stroboskopischer Blitze. Aileen bezichtigte Chuck der Missachtung einer witzfreien Zone namens Kirche, über die man sich *doch einig gewesen* sei, unerbittlich ihr Falsettskalpell schwingend, untermalt von Winters verständnislosem Hi-hi in seiner sequenziellen Gleichförmigkeit, eine einzige Marter.

»Wir müssen davon ausgehen, dass sich auf dem Aristarchus-Plateau etwas ereignet hat«, sagte Lawrence ohne Umschweife. »Etwas Unangenehmes.«

Lynns Finger bogen sich, streckten sich.

»Gut, schicken wir Nina mit dem Shuttle los.«

»Das sollten wir tun«, nickte Lawrence. »Und außerdem das GAIA evakuieren.«

»Moment! Wir haben doch vorhin gesagt, wir warten.«

»Aber worauf?«

»Auf Julian.«

Lawrence warf einen raschen Blick zur Sitzgruppe. Soeben gluckste Miranda Winter: »Super, und warum in zehn Sprachen?«, während Chuck argwöhnisch zu ihnen hinüberäugte.

»Hören Sie eigentlich nicht zu?«, zischte sie. »Ich erwähnte, dass Julians Truppe in Schwierigkeiten stecken könnte. Es ist vollkommen ungewiss, ob sie überhaupt hier auftauchen werden, und wir haben eine *Bombendrohung*. Mittlerweile sind Gäste im Hotel. Wir *müssen* evakuieren.«

»Aber wir haben für neun das Dinner angesetzt.«

»Das ist doch jetzt egal.«

»Ist es nicht.«

»Doch, Lynn. Mir reicht's. Ich lasse alle zusammenrufen. Treffen um halb neun im MAMA KILLA CLUB, reinen Wein einschenken. Danach richten wir ein Funkfeuer für Julian ein, Nina begibt sich auf die Suche, wir anderen werden mit dem Lunar Express zur –«

»Blödsinn. Sie reden Blödsinn!«

»*Ich* rede Blödsinn?«

Chuck erhob sich und strich seine Hosenbeine glatt.

»Dachte wirklich, du weißt es«, sagte Kokoschka verlegen.

Thiel schüttelte in stummem Entsetzen den Kopf.

»Hm.« Er strich sich den Schweiß von der Stirn. »Is' ja auch nicht so wichtig. Schlechter Zeitpunkt, schätze ich.«

»Wofür denn?«

»Ich hab dich – ich hab mich irgendwie in dich – ach, vergiss es. Wollt' dir nur sagen, dass ich dich sehr – äh –«

Thiel zerfloss vor Erleichterung. Ihre Hand wanderte zum Teller, aber ihr Magen hatte sich der Einsicht, dass Kokoschka ihr nur eine Liebeserklärung hatte machen wollen, noch nicht angeschlossen und verweigerte kategorisch die Aufnahme weiterer Nahrung.

»Ich mag dich auch«, sagte sie, bemüht, das *mag* wirklich nach *mag* und nicht nach mehr klingen zu lassen.

Kokoschka rieb seine Finger an der blitzsauberen Kochjacke.

»Bin gespannt, ob du was findest«, sagte er mit Blick auf das Display.

»Ich auch, verlass dich drauf.« Themenwechsel, dem Himmel sei Dank. Sie schaute auf die Bildausschnitte, die Protokollliste, den Datenfluss. »Die Sache ist ganz schön rätselhaft. Wir –«

Sie schaute genauer hin.

»Was ist *das* denn?«, flüsterte sie.

Kokoschka schob sich näher heran. »Was'n?«

Thiel hielt das Rekonstruktionsprogramm an. Da war etwas. Etwas Fremdartiges, das sie nicht einordnen konnte. Eine Art Menü, aber eines, wie sie es nie zuvor gesehen hatte. Simpel, übersichtlich, verbunden mit einem Rattenschwanz an Daten, Paketen von Befehlen, die nur Sekunden vor dem Zusammenbruch der Kommunikation vom GAIA aus abgeschickt worden waren. Sie verstand einiges von Programmiersprache. Sie konnte vieles lesen, dennoch hätte diese kryptische Abfolge von Kommandos keinen Sinn in ihren Augen ergeben, wären ihr nicht einige Codierungen bekannt vorgekommen.

Codierungen für Satelliten.

Die Kommunikation war vom GAIA aus lahmgelegt worden. Sie konnte sehen, wann und von wo aus es geschehen war.

Sie wusste, *wer* es getan hatte.

»Ach du dicke Scheiße«, flüsterte sie.

Angst, schreckliche, bislang unterdrückte Angst flutete jede ihrer Zellen, ihr ganzes Denken. Ihre Finger begannen zu zittern. Kokoschka beugte sich zu ihr herab.

»Was ist los?«, fragte er.

Keinerlei Anzeichen von Schüchternheit mehr. Der gute Kumpel schaute aus dem kantigen Schädel hervor. Sie zirkulierte in ihrem Stuhl, zog eine Schublade auf, fingerte nach einem Blatt, einem Stift, da sie sich nicht einmal mehr traute, noch das Computersystem zu benutzen. Hastig kritzelte sie einige Worte auf den Zettel, faltete ihn zusammen und drückte ihm das papierne Paketchen in die Hand.

»Bring das zu Tim Orley«, flüsterte sie. »Sofort.«

»Was'n das?«

Sie zögerte. Sollte sie ihm sagen, was sie entdeckt hatte? Warum nicht? Aber Axel Kokoschka war unberechenbar in seinem Kindergemüt, ausgestattet mit Bärenkräften, fähig, loszulaufen und der fraglichen Person aufs Maul zu hauen, was sich als Fehler erweisen konnte.

»Bring es einfach zu Tim«, sagte sie leise. »Wo immer er ist. Er soll sofort herkommen. Bitte, Axel, schnell. Verlier keine Zeit.«

Kokoschka drehte das Paketchen zwischen den Fingern, starrte eine Sekunde darauf. Dann nickte er, drehte sich um und verschwand ohne ein weiteres Wort.

»Wir *können* nicht evakuieren«, beharrte Lynn fiebrig. Sie bog ihre Finger zu Klauen, bohrte ihre perfekt gefeilten Nägel ins Fleisch ihrer Handballen. »Wir können das Vertrauen der Gäste nicht aufs Spiel setzen.«

»Bei allem Respekt, aber sind Sie wahnsinnig geworden?«, flüsterte Lawrence. »Der Laden hier könnte jeden Moment in die Luft fliegen, und Sie reden davon, das Vertrauen Ihrer Gäste nicht zu missbrauchen?«

Lynn stierte sie an, schüttelte den Kopf. Chuck näherte sich mit Großgrundbesitzerschritten.

»Schluss mit dem Theater«, sagte er. »Ich verlange auf der Stelle zu wissen, was hier eigentlich los ist.«

»Nichts«, versetzte Lawrence. »Wir erwägen nur gerade, Nina Hedegaard mit der KALLISTO zum Aristarchus-Plateau zu schicken, falls wider Erwarten doch etwas –«

»Mädchen, ich bin vielleicht alt, aber nicht verkalkt.« Chuck beugte sich zu Lawrence herunter und brachte seinen Löwenschädel auf Augenhöhe mit ihr. »Unterschätz mich also nicht, klar? Ich leite die besten Hotels der Welt, ich habe mehr von den Kästen gebaut, als du in deinem Leben jemals betreten wirst, also hör auf, mich zu verscheißern.«

»Keiner verscheißert Sie, Chuck, wir haben lediglich –«

»Lynn.« Donoghue breitete konziliant die Arme aus. »Bitte sag ihr, sie soll das lassen! Ich kenne diese Verschwörermiene, dieses Getuschel. Die Krise leuchtet ihr doch aus den Augen, also *was ist hier los*?«

Chuck hatte aufgehört, Chuck zu sein. War ein Rammbock geworden, rumms! Versuchte sich Einlass in ihr Inneres zu verschaffen, sie zu überführen, es ihr nachzuweisen, doch sie würde ihn nicht hereinlassen, niemanden in sich hineinlassen, widerstehen! – Julian. Wo war Julian? Weg! So wie er immer weg gewesen war, ihr ganzes Leben lang.

Als sie geboren wurde. Als sie ihn brauchte. Als Crystal starb. Als, als, als. Julian? Weg! Alles lastete auf ihr.

»Lynn?«

Nicht die Kontrolle verlieren. Nicht jetzt. Den Zusammenbruch, der sich mit der Unvermeidbarkeit einer Supernova ankündigte, hinauszögern, lange genug, um handeln zu können. Lawrence aufhalten, die ihr Feind war. Und alle anderen, die Bescheid wussten. Jeder von denen war jetzt ihr Feind. Sie war ganz allein. Völlig auf sich gestellt.

»Ihr entschuldigt mich bitte.«

Handeln musste sie, handeln. Federnd, summend, brummend, brrrrrrr. Hornissen in Aufruhr, lief sie die Treppe hinunter zum Lift.

Chuck sah ihr mit hängendem Kiefer nach.

»Was hat sie denn?«

»Keine Ahnung«, sagte Lawrence.

»Ich wollte sie doch nicht kränken«, stammelte er. »Ganz bestimmt nicht. Ich wollte doch nur –«

»Tun Sie mir einen Gefallen, ja? Gehen Sie wieder zu den anderen.«

Chuck rieb sich das Kinn.

»Bitte, Chuck«, sagte sie. »Es ist alles in Ordnung. Ich halte Sie auf dem Laufenden, versprochen.«

Sie ließ ihn stehen und ging Lynn hinterher.

Nicht, dass sich Axel Kokoschka übergewichtig gefunden hätte, nicht so *richtig* jedenfalls. Andererseits repräsentierte seine Kunst die Vereinbarkeit echter Gourmetküche mit den Erfordernissen einer auf Kalorienverbrennung fixierten Fitness-Gesellschaft. Und daran gemessen *war* er übergewichtig. Eisern entschlossen, die 15 Kilo, die er hier oben wog, auf mindestens 14 zu reduzieren, benutzte er kaum je die Fahrstühle. Auch jetzt sprang er von Brücke zu Brücke, quälte seinen vierschrötigen Körper Etage für Etage nach oben und nahm die abschließende Stiege bis in den Hals. Der Bereich zwischen GAIAS Schultern und Kopf war wenig mehr als ein Zwischengeschoss, in dem die Personenaufzüge endeten, nur der Lasten- und Personalaufzug fuhr weiter bis in die Küche. Wo beim Menschen die seitlichen Halsmuskeln verliefen, mündeten Freitreppen in den darunterliegenden Suitentrakt und schwangen sich in den Kopf mit seinen Restaurants und Bars. Außerdem diente der Hals als Depot für Kugeltanks mit flüssigem Sauerstoff, um Leckagen auszugleichen. Die Tanks lagen kaschiert hinter den Wänden und beanspruchten einigen Platz, sodass nur GAIAS Kehlkopf verglast war. Mehrere Sauerstoffkerzen hingen in Wandhalterungen.

Kokoschka schnaufte. Ohne die Waage bemühen zu müssen, wusste er, dass er in den vergangenen Tagen eher noch zugenommen hatte. Kein Wunder, dass Sophie verhalten auf ihn reagierte. Er musste noch mehr an sich arbeiten, noch öfter ins Studio, aufs Laufband, andernfalls drohten sich fleischliche Kontakte auf Begegnungen mit Filets, Schnitzel und Hack zu beschränken.

Im CHANG'E war niemand. Auch das darüber gelegene SELENE genügte sich selbst, ebenso wie die LUNA BAR. Den Stimmen nach zu urteilen, saß die Meute ganz oben. Seltsamerweise empfand Kokoschka kaum Angst, trotz der möglichen Todesgefahr. Er konnte sich keine Atombombe vorstellen, auch nicht, wie sie explodierte. Außerdem hatten sie nichts gefunden, und hätte so ein Ding nicht strahlen müssen? Weit mehr sorgte er sich um Sophie. Etwas hatte sie erschreckt. Mit einem Mal war sie ihm völlig verängstigt erschienen, und dann dieser hastig gekritzelte Zettel, den sie ihm für Tim in die Hand gedrückt hatte.

Doch Tim Orley war nicht da. Lediglich die Donoghues, Hsu, Winter und die tranige Frau von dem Russen hockten vor ihren Drinks und wirkten mental angegammelt. Funaki meinte, Tim sei unmittelbar vor ihm hier gewesen und habe nach Lynn gefragt, die aber ihrerseits Augenblicke zuvor den Kopf verlassen habe.

»Dabei hab ich ihr gar nichts getan«, brummte Donoghue zu niemand Speziellem. »Wirklich nicht.«

»Nun ja.« Aileen schaute klug in die Runde. »Sie wirkte in letzter Zeit überfordert, findet ihr nicht?«

»Lynn ist okay.«

»Also, mir ist das aufgefallen. Euch etwa nicht? Schon auf der Raumstation.«

»Lynn ist okay«, wiederholte Chuck. »Diese Hoteldirektorin, die kann ich nicht leiden.«

»Wieso nicht?« Hsu hob die Brauen. »Sie macht ihren Job.«

»Die hält mit irgendwas hinterm Berg.«

»Ja, dann –« Kokoschka machte Anstalten, den MAMA KILLA CLUB wieder zu verlassen. »Dann –«

»Das sagt mir meine Erfahrung!« Chuck schlug mit der flachen Hand auf den Tisch. »Und meine Prostata. Wo die Erfahrung versagt, weiß meine Prostata Bescheid. Ich sag's euch, die Alte verscheißert uns. Ich wär nicht überrascht, wenn sie uns nach Strich und Faden verarscht.«

»Dann will ich mal –«

»Und womit überraschen *Sie* uns heute Abend, junger Mann?«, fragte Aileen zuckrig.

Kokoschka fuhr sich über die Glatze. Erstaunlich, so ein paar Millimeter Kopfhaut. Wie sie immer neuen Schweiß produzierten, Schicht um Schicht, als schwitze er sein Hirn aus.

»Ossobucco mit Risotto Milanese«, murmelte er.

»Uiii!«, freute sich Winter. »Ich liebe Risotto!«

»Also, ich mache ihn ja wie die Venezianer«, ließ Aileen Kokoschka wissen. »Ihnen ist klar, dass man da ständig rühren muss? Nie aufhören zu rühren.«

»Er ist Koch, Liebstes«, sagte Chuck.

»Das weiß ich. Darf ich fragen, wo Sie gelernt haben?«

»Äh –« Kokoschka wand sich im Fliegenleim des Interesses. »Sylt – unter anderem.«

»Ah, Sylt, warten Sie, das ist diese, Moment, sagen Sie nichts – diese – diese Stadt in Nordnorwegen, richtig? Ganz hoch oben.«

»Nein.«

»Nicht?«

»Nein.« Er musste weg, Tim suchen. »'ne Insel.«

»Und bei *wem* da, Alex?« Aileen zwinkerte ihm vertraulich zu. »Ich darf doch Alex sagen.«

»Axel. Bei Johannes King. Entschuldigung, ich muss jetzt –«

»King? Hat er einen Stern?«

»Drei Sterne. Wollte nie 'n dritten, war aber einfach zu gut. Sie haben ihn kennengelernt, auf der OSS. Ich müsste jetzt wirklich –«

»Nehmen Sie Rindermark für den Risotto?«

Kokoschka blickte nervös zur Treppe, ein Fuchs in der Falle, ein Fisch in der Reuse.

»Kommen Sie, verraten Sie's uns«, lächelte Aileen. »Setzen Sie sich, Alex, Axel, setzen Sie sich.«

Je tiefer Sophie Thiel ins Protokoll einstieg, desto unheimlicher wurde es ihr zumute. Über raffiniert getarnte Querverbindungen gelangte man zu Listen mit inoffiziellen Kurzbefehlen, manche kryptisch, andere dazu gedacht, die Kommunikationssysteme des Hotels unter Kontrolle zu bringen. Unter anderem blockierten sie nun auch die Laserverbindung zwischen GAIA und Mondbasis, genauer gesagt leiteten sie das Signal auf einen Handy-Anschluss um. Inzwischen glaubte sie auch zu wissen, was es mit dem geheimnisvollen Menu auf sich hatte. Nicht das LPCS selbst war darüber attackiert worden, sondern ein Impuls an die Erde ergangen, und sofern sie ihren Augen trauen konnte, hatte dieser Impuls eine Blockade ausgelöst, die nicht nur lunare Satelliten betraf. Hier war ganze Arbeit geleistet, der Mond komplett von der Erde abgeschnitten worden.

Und plötzlich bezweifelte sie, dass der ganze Aufwand nur zu dem Zweck betrieben wurde, das Hotel zu vernichten.

Wer *waren* die?

Tim! Sie hoffte inständig, Tim würde endlich erscheinen. Hatte Axel ihn nicht gefunden? Ihre Kenntnisse reichten nicht aus, um die Blockade aufzuheben, zumal sie immer noch nicht wusste, was genau sie eigentlich ausgelöst hatte. Hingegen war sie zuversichtlich, die Störung der Laserverbindung zur Peary-Basis rückgängig machen zu können. Sie würde Kontakt mit den Astronauten dort aufnehmen und um Hilfe bitten, auch wenn das für sie lebensgefährlich sein konnte, weil sie möglicherweise abgehört wurde, aber dann würde sie sich eben irgendwo einschließen.

Einschließen, Unsinn! Kleinmädchengedanken. Wo willst du dich einschließen, wenn die Bombe hochgeht?

Sie musste hier weg! Sie mussten alle hier weg!

Ihre Finger huschten über den Touchscreen, kaum dass sie die glatte, kühle Fläche berührten. Nach wenigen Sekunden hörte sie Schritte, und der schon bekannte Schatten legte sich auf sie. Neben ihr erkaltete in stillem Vorwurf das Lammkarree.

»Hast du ihn gefunden?«, fragte sie, ohne aufzublicken, während sie einen Befehl korrigierte. Diese eine Sequenz noch umschreiben, aber vielleicht war es auch gar nicht Alex, sondern Tim.

Niemand antwortete.

Thiel hob den Kopf.

Im Moment, da sie aufsprang und zurückwich, im Stolpern den Drehsessel umstieß, wurde ihr klar, dass sie einen entscheidenden Fehler gemacht hatte. Sie hätte cool bleiben sollen. Sich nichts anmerken lassen dürfen. Stattdessen weiteten sich ihre Augen vor Entsetzen, offenbarten ihr ganzes fatales Wissen.

»Sie«, flüsterte Thiel. »Sie sind es.«

Wieder erhielt sie keine Antwort. Jedenfalls keine in Worten.

Heidrun fühlte sich etwas benommen, als sie, mit Bademantel und Schlappen bekleidet, die Suite betrat. Anders als sonst, vor allem aber in demonstrativem Gegensatz zu O'Keefe, hatte sie sich gegen die übliche Hangelpartie über die Brücken entschieden und stattdessen hübsch sittsam den Fahrstuhlknopf gedrückt, als sei es das Letzte, was der kümmerliche Rest ihres Übermuts noch zustande brächte. Fassungslos über die Anfälligkeit glücklich verheirateter Biochemie für etwas, das sie bei Walo zu keiner Zeit hatte vermissen müssen, ließ sie sich von der Kabine in GAIAS Brustkorb schießen, weg vom Pool der Versuchung, stocksteif, bloß keine falsche Bewegung machen, nur vorsichtig an den Fingern schnuppern, ob sie nach unzulässiger Lust rochen. Ihr war, als dünste ihr ganzer Körper Verrat aus. Die Luft im Fahrstuhl schien ihr indizienschwer, gesättigt von Vaginalaromen und dem Ozongestank fremden Spermas, obschon doch gar nichts passiert war, jedenfalls nicht *wirklich*, und dennoch.

Walo, pochte ihr Herz. Walo, oh Walo!

Sie fand ihn lesend vor, gab ihm einen Kuss, den so vertrauten, kratzigen Schnurrbartkuss. Er lächelte.

»Hattest du Spaß?«

»Sehr«, sagte sie und floh ins Bad. »Und du? Nicht an der Bar?«

»Da war ich, mein Schatz. Nur eingeschränkt erträglich. Chucks Witze beginnen in Opposition zu Aileens christlicher Erziehung zu treten. Vorhin fragte er, was ein gesunder Hund und ein kurzsichtiger Gynäkologe gemeinsam hätten.«

»Lass mich raten. 'ne feuchte Nase?«

»Also dachte ich, man könnte auch lesen.«

Sie betrachtete sich im Spiegel, ihr weißes, violettäugiges Elbengesicht, so wie sie dort unten O'Keefes Gesicht wahrgenommen hatte, im schonungslosen Licht der Erkenntnis, dass Menschen alterten, unaufhaltsam alterten, dass ihre einst makellos straffe Haut zu knittern begann, dass sie deprimierende 46 Jahre alt war und mit den vielen auf Abwegen der Jugendsuche wandelnden Männern etwas teilte, von dem Frauen gemeinhin behaupteten, sie würden es nicht erleiden, nämlich eine ausgewachsene Midlife-Crisis.

Wenn man mit jemandem alt werden will, dachte sie, sollte man niemand anderen brauchen, um sich jünger zu fühlen.

Und sie liebte Walo, liebte ihn so sehr!

Nackt ging sie zurück in den Wohnraum, legte sich vor ihm auf den Teppich, verschränkte die Arme hinterm Kopf, streckte einen Fuß aus und stupste sein linkes Knie an.

»Was liest du da überhaupt?«

Er ließ das Buch sinken und betrachtete lächelnd ihren dahingestreckten Körper.

»Was immer es war«, sagte er. »Ich habe es gerade vergessen.«

Tim betätigte zum wiederholten Male den Türsummer.

»Lynn? Bitte lass mich rein. Lass uns reden.«

Keine Reaktion. Und wenn er sich irrte? Im MAMA KILLA CLUB hatte er sie knapp verpasst und angenommen, sie sei in ihre Suite gegangen. Doch möglicherweise tat sie andere Dinge. Mehr als jede Bombe ängstigte ihn die Vorstellung, sie könne tatsächlich den Verstand verlieren, schon verloren *haben.* Auch Crystal war nicht einfach nur depressiv gewesen, sondern hatte zunehmend den Bezug zur Realität verloren.

»Lynn? Wenn du da bist, mach auf.«

Nach einer Weile kapitulierte er und sprang über die Brücken zur Lobby hinab, zutiefst beunruhigt. Er fragte sich, was Sophie trieb. Ob der *Gravedigger* das Protokoll zutage gefördert hatte? Zugleich kreisten seine Gedanken um sich selbst: Amber, Julian, Bombe, Lynn, Hanna, Komplizen, Satellitenausfall, Bombe, Amber, Lynn, einander kannibalisierende Sorgen, ein Tollhaus.

Die Zentrale war leer, Thiel nirgendwo zu sehen.

»Sophie?«

Ratlos schaute er sich um. Ein Schott führte in ein Hinterzimmer, doch als er den Finger auf das Sensorfeld legte, fand er es verschlossen. Durch die Lobby sah er Lawrence herbeieilen. Sie betrat die Zentrale und sah sich stirnrunzelnd um.

»Haben Sie Thiel gesehen?«

»Nein.«

»Läuft denn jetzt alles aus dem Ruder?« Ihre Miene verfinsterte sich. »Sie sollte hier sein. Jemand muss die Zentrale besetzen. Kokoschka ist Ihnen auch nicht zufällig über den Weg gelaufen?«

»Nein.« Tim kratzte seinen Hinterkopf. »Schon komisch. Sophie saß an einer interessanten Sache.«

»Nämlich?«

Er berichtete Lawrence von dem Autorisierungsprogramm und was sie damit zu finden gehofft hatten. Die Direktorin verzog keine Miene. Als er geendet hatte, tat sie, was auch er beim Hereinkommen getan hatte, und studierte die Monitorwand.

»Vergessen Sie's«, sagte Tim. »Da ist nichts.«

»Nein, weit scheint sie nicht gekommen zu sein. Hat sie das Programm überhaupt installiert?«

»Ich war dabei, als sie es installierte.«

Wortlos trat Lawrence zum Touchscreen, wählte nacheinander die Rufcodes von Ashwini Anand, Axel Kokoschka, Michio Funaki und

Sophie Thiel an und legte alle vier auf einen Kanal. Nur Anand und Funaki meldeten sich.

»Kann mir jemand sagen, wo Thiel und Kokoschka sind?«

»Nicht hier«, sagte der Japaner. Im Hintergrund war Chucks dröhnender Bass zu hören.

»Bei mir auch nicht.« Anand. »Ist Sophie nicht in der Zentrale?«

»Nein. Sagen Sie ihnen, sie sollen sich umgehend melden, wenn Sie ihnen begegnen. Nächster Punkt, wir evakuieren.«

»Was?«, rief Tim.

Sie bedeutete ihm, seine Stimme zu dämpfen.

»In fünf Minuten werde ich eine Durchsage machen und unsere Gäste bitten, sich um halb neun im MAMA KILLA CLUB einzufinden. Seien Sie dann auch dort. Wir werden die Lage so schildern, wie sie ist, und das Hotel anschließend gemeinsam verlassen.«

»Was ist mit der GANYMED?«, wollte Anand wissen.

»Ich weiß es nicht.« Sie warf Tim einen raschen Blick zu. »Wir werden ein Funkfeuer für die GANYMED einrichten, das sie erreicht, sobald sie in Sichtweite des GAIA gelangen. Sie sollen gar nicht erst landen, sondern sofort zur Peary-Basis weiterfliegen. Vor halb neun kein Wort zu den Gästen!«

»Verstanden.«

»Klar«, sagte Funaki.

»Das mit Kokoschka wundert mich nicht«, sagte Lawrence und beendete die Verbindung. »Nie erreichbar, vergisst ständig sein Handy. Ein großartiger Koch, ein hoffnungsloser Trottel in allen anderen Belangen. Wenn er und Thiel bis halb neun nicht aufgetaucht sind, lasse ich sie ausrufen.«

»Sie wollen den Laden hier wirklich räumen?«, fragte Tim.

»Was würden Sie denn an meiner Stelle tun?«

»Ich weiß nicht.«

»Sehen Sie? Ich aber. Machen wir uns nichts vor, Ihr Vater ist seit anderthalb Stunden überfällig, und auch wenn wir keine Bombe gefunden haben, muss das nicht heißen, dass sie nicht trotzdem irgendwo tickt.« Sie legte einen Finger an die Lippen. »Hm. Ticken Atombomben?«

»Keine Ahnung.«

»Egal. Wir schicken Nina Hedegaard zum Aristarchus-Plateau und begeben uns mit dem Lunar Express zur Basis.«

»Ende einer Vergnügungsreise«, sagte Tim, und plötzlich merkte er, wie seine Unterlippe zu beben begann. Amber! Er kämpfte dagegen an und starrte auf seine Schuhe. Lawrence ließ ein Lächeln spielen.

»Wir werden die Ganymed finden«, sagte sie. »He, Tim, Kopf hoch.«

»Schon okay.«

»Ich brauche Sie jetzt bei klarem Verstand. Gehen Sie zurück in die Bar, erzählen Sie einen Witz. Lockern Sie die Stimmung auf.«

Tim schluckte einen Kloß herunter. »Für Witze ist Chuck zuständig.«

»Erzählen Sie *bessere*.«

»Mr. Orley? Äh – Tim?«

Der Wellness-Bereich war groß. Wie groß, zeigte sich, wenn man daranging, ihn nach einer einzelnen Person abzusuchen, und Kokoschka suchte gewissenhaft. Nachdem er sich der Atem abschnürenden Neugier Aileens hatte entwinden können, war Chuck mit väterlichem Rat zur Stelle gewesen. Er solle Julians Sohn dort suchen, wo Männer allgemein hingingen, denen an hoher Lebenserwartung und straffer Bauchmuskulatur gelegen sei, dort habe man Tim bislang noch jeden Abend angetroffen.

Doch die Studios lagen verwaist, die Tennisplätze entvölkert da. Im Dampfbad mischte sich Tröpfchennebel mit fernöstlichem New-Age-Geplätscher. Tim hockte in keiner finnischen Sauna, strampelte sich auf keinem Laufband ab und strapazierte keine Kraftmaschine, vielmehr schien er sich der Aufgabe verschrieben zu haben, Kokoschka zu foppen. Ein Anflug der Zuversicht, als er Geräusche aus der Pool-Landschaft hörte, schlug in Enttäuschung darüber um, dass es nur Nina Hedegaard war, die im Kraterkessel einsam ihre Bahnen zog. Tim sei nicht hier und auch nicht hier gewesen, und was überhaupt los sei, wo eigentlich die Ganymed bleibe, und ob die Satelliten immer noch im Tiefschlaf ruhten.

Kokoschka schlussfolgerte, dass Hedegaard nichts von der Bombe wusste. Vielleicht, weil man in der Aufregung vergessen hatte, es ihr zu erzählen. Kurz war er versucht, sie ins Bild zu setzen, doch Lawrence, das Flintenweib, mochte Gründe haben, den Kreis der Wissenden einzugrenzen. Er war Koch, nicht Korrektiv höherer Beschlüsse, also murmelte er ein Dankeschön und beschloss, Sophie Thiel wenigstens einen Zwischenbericht zu liefern.

Unmittelbar, nachdem Tim wieder in Gaias Stirnhöhle erschienen war, erfolgte die Durchsage:

»Wie Sie schon festgestellt haben, Ladies and Gentlemen, ist unser Zeitplan etwas aus dem Takt geraten, unter anderem, weil die GANYMED sich verspätet und wir leider Probleme mit der Satellitenkommunikation haben.« Lawrences Stimme klang unbeteiligt und modulationslos. »Es gibt keinen Grund zur Beunruhigung, dennoch bitte ich alle Gäste und Mitarbeiter des GAIA, sich um 20.30 Uhr im MAMA KILLA CLUB einzufinden, wo wir Sie über den neuesten Stand der Entwicklung in Kenntnis setzen werden. Seien Sie bitte pünktlich.«

»Das ist in zehn Minuten«, sagte Hsu mit belegter Stimme.

»Klingt nicht gut«, knurrte Donoghue.

»Wieso?« Winter räumte unbeeindruckt ein Schälchen mit Käsegebäck leer. »Sie hat doch gesagt, wir sollen uns nicht beunruhigen.«

»Klar, *das* will sie selber übernehmen.« Donoghue rutschte aufgebracht hin und her, die Hände zu Fäusten geballt, trommelte unrhythmisch auf die Sitzfläche. »Ich sage doch, sie verarscht uns. Sag ich die ganze Zeit!«

»Jetzt werden wir ja erst mal informiert«, beschwichtigte ihn Aileen.

»Nein, Chuck hat schon recht«, bemerkte Olympiada mutlos. »Das sicherste Indiz für das Herannahen einer Katastrophe ist, wenn höhere Organe sie in Abrede stellen.«

»Quatsch«, sagte Winter.

»Doch, man muss mit dem Schlimmsten rechnen«, pflichtete Donoghue Olympiada bei. Winter plünderte ein weiteres Schälchen.

»Ihr seid alle so negativ. Mieses Karma.«

»Du wirst an meine Worte denken.«

»Quatschepatsch.«

»Ich kenne das aus der parlamentarischen Arbeit«, erklärte Olympiada ihrem halbleeren Glas. »Wenn wir zum Beispiel sagen, dass wir die Steuern nicht erhöhen, dann, weil wir sie erhöhen wollen. Und wenn —«

»Wir sind aber nicht im Parlament«, entgegnete Tim schärfer als beabsichtigt. »Bis jetzt ist in diesem Hotel alles hochprofessionell geregelt worden, oder nicht?«

Sie sah ihn an. »Mein Mann ist mit der GANYMED unterwegs.«

»Meine Frau auch.«

»Na, ihr könnt ja abwarten.« Donoghue sprang auf und enteilte zur Treppe. »Ich gehe jetzt da runter!«

»Wo ist Sophie?«

»*Herr* Kokoschka!« Lawrence blitzte ihn zornig an. »Wie wäre es, zur Abwechslung mal erreichbar zu sein?«

Kokoschka zuckte zusammen. Er rieb seine Pranken an seiner Jacke und ließ den Blick durch die Zentrale irren.

»'tschuldigung. Ich weiß, wir sollen uns im Mama Killa –«

»Gewöhnen Sie sich endlich an, Ihr Handy bei sich zu tragen. Die Frage geht zurück an Sie: Wo ist Thiel?«

»Thiel?« Kokoschka begann in seinem linken Ohr zu stochern. »Ich dachte, sie wär hier. Weiß nicht. Soll ich nicht allmählich mal mit dem Essen – ich müsste auch noch –« Er zögerte. Der Zettel schien ein Loch in seine Jackentasche zu brennen. »Sie wissen nich' zufällig, wo Tim Orley ist?«

»Was gibt das?« Zwischen Lawrences Brauen entstand eine steile Falte. »Eine Quizshow? Spielen wir Verstecken?«

»Frag ja nur.«

»Tim Orley müsste in der Bar sein. Er ist eben hochgegangen.«

»Gut, dann –« Kokoschka trat einen Schritt zurück.

»Hiergeblieben«, sagte Lawrence streng. »Erzählen Sie mir doch noch mal ganz genau, wo Sie heute Nachmittag gesucht haben. Haben Sie auch im Saunabereich nachgesehen?«

»Ja, auch.« Er hampelte im Türrahmen herum, plötzlich in großer Sorge um Thiel. Was sollte das alles?

»Beruhigen Sie sich«, sagte Lawrence. »In ein paar Minuten gehen wir zusammen hoch.«

Die Bar bevölkerte sich. Karla Kramp und Eva Borelius erschienen auf der Treppe, gefolgt von den Nairs und O'Keefe, und versperrten Donoghue den Weg, der, die apokalyptischen Reiter im Gefolge, abwärts stürmte.

»Wisst ihr irgendwas?« Er funkelte sie an.

»Nicht mehr als du, denke ich.« Borelius zuckte die Achseln. »Sie wollen uns irgendwas mitteilen.«

»Hoffentlich ist es nichts Schlimmes«, sorgte sich Sushma.

»Mehr als die Uhrzeit wird's sein, verlass dich drauf«, polterte Donoghue. »Etwas ist passiert.«

»Meinst du?«

»Freunde, was soll das Spekulieren?«, lächelte Nair. »In wenigen Minuten wissen wir mehr.«

»In wenigen Minuten werden wir einen vorbereiteten Mumpf zu hören bekommen«, belehrte ihn Donoghue. »Ich hab's Lynn und dieser Säulenheiligen an den Nasenspitzen angesehen. Keiner bescheißt Chucky.«

»Wer sagt denn, dass sie dich bescheißen wollen?«, fragte O'Keefe.

»Meine Erfahrung«, schnauzte Donoghue. »Meine Prostata!«

»Schon mal zur Früherkennung gewesen?«

»He, Bürschchen –«

»Worüber regst du dich eigentlich auf? Dass sie uns was verschweigen? Tun sie doch gar nicht.«

»Ach nein?« Donoghue kniff die Augen zusammen. »Woher willst du das wissen?«

»*Meine* Prostata!« O'Keefe grinste. »Quatsch, Chucky, wenn sie uns was verschweigen wollten, hätten sie ja wohl keine Versammlung einberufen.«

»Ich will aber nicht wissen, was *jeder* zu hören bekommt.« Donoghue schlug sich mit der geballten Faust auf die Brust. »Ich will die *ganze* Wahrheit, verstehst du?« Er drängte sich an ihnen vorbei. »Und vorher, das sag ich euch, lass ich die dämliche Schlampe von Hoteldirektorin nicht nach oben, dass ihr's wisst!«

»Tz, tz.« Kramp sah ihm nach. »Dafür, dass er Hotelier ist, lässt er ganz schön den Gast raushängen.«

»Wir müssen hoch«, sagte Heidrun.

Sie lag halb auf Ögi, halb neben ihm, seinen affenartig behaarten Unterarm im Rücken. Wie infiziert vom Gift der Untreue hatte sie ihn zur Liebe genötigt, sich das Gegenmittel seiner Lust verpassen lassen und ausgerechnet bei Lawrences Stimme ein exorbitantes neuronales Feuerwerk erlebt, als sei das monotone Timbre der Hoteldirektorin der eigentliche Auslöser dafür gewesen. Mit welcher Berechtigung die Störung auch erfolgt sein mochte, Heidrun verübelte sie Lawrence so nachhaltig, dass sie den Aufruf am liebsten ignoriert hätte, was sie dann auch ganze sechs Minuten lang tat, Ögis kraulende Finger im Nacken.

»Wie spät ist es denn?«, fragte er.

Sie rollte sich widerwillig auf den Rücken und warf einen Blick auf die Digitalanzeige über der Tür.

»Vier Minuten vor halb neun. Wir *könnten* immer noch versuchen, pünktlich zu sein.«

»Was, bist du verrückt?«

»Wird ja von der Schweiz allgemein erwartet.«

»Zeit, Klischees abzubauen, oder?« Ögi nahm eine Strähne ihres Haares auf. Unpigmentiertes Keratin, doch er sah darin weißes Mondlicht, das zwischen seinen Fingern zerfloss. »Gut, vielleicht hast du recht, wir sollten nicht trödeln. Man macht sich so seine Sorgen.«

»Wegen der GANYMED?«

»Wegen was auch immer. Zu solchen Treffen eingeladen zu werden, hat wenig Beruhigendes.«

»Die Quasselstrippe meinte, wir sollen uns nicht beunruhigen.«

»Man kann auch nicht gerade behaupten, dass wir das getan hätten, oder?« Er grinste und stemmte sich hoch. »Jetzt komm, mein Schatz. Bringen wir uns in sozialverträgliche Fasson.«

Den stummen, schwitzenden Kokoschka an ihrer Seite, fuhr Lawrence nach oben. Im 15. Stockwerk bremste der Lift ab. Lynn stieg zu. Sie wirkte verfallen, um Jahre gealtert, kaum fähig, den Blick zu fixieren, der unstet umherhuschte. Ein eigenartiges entrücktes, tückisch wirkendes Lächeln umspielte ihre Mundwinkel.

»Was soll das?«, sagte sie zu Lawrence, ohne sie anzusehen. Kokoschka ignorierte sie vollkommen.

»Was soll was?«

»Wozu das Treffen?«

Die Fahrstuhltüren schlossen sich.

»Wir evakuieren«, sagte Lawrence knapp. »Wo sind Sie gewesen, Lynn? Haben Sie Thiel gesehen?«

»Thiel?« Lynn schaute sie an, als habe sie den Namen nie zuvor gehört, fände ihn aber sehr interessant.

»Ja. Sie erinnern sich doch an Sophie Thiel.«

»Wir können nicht evakuieren«, sagte Lynn beinahe heiter. »Julian würde das nicht wollen.«

»Ihr Vater ist nicht hier.«

»Blasen Sie's ab.«

»Mit Verlaub, ich glaube sehr wohl, dass er es wollen würde.«

»Nein! Nein, nein, nein, nein, nein.«

»Doch, Lynn.«

»Sie versauen den ganzen Trip.«

Kokoschka zog die Schultern hoch und steckte die Hand in die Tasche. Lawrence bemerkte es und stutzte. Hielt er dort etwas umklammert?

»Sie blöde Sau«, sagte Lynn freundlich, und die Türen des Fahrstuhls öffneten sich erneut.

Im Hals wartete Chuck Donoghue. Er bebte vor Zorn. Mit besorgter Miene kam Aileen die Treppe heruntergeeilt. Lawrence trat aus dem Lift, Lynn und Kokoschka auf den Fersen.

»Was kann ich für Sie tun, Chuck?«

»Sie wollen uns für dumm verkaufen, was?«

»Ich bin hier, um Sie über den Stand der Entwicklung zu informieren.« Lawrence erzeugte die Illusion eines Lächelns. »Könnten wir uns dann bitte nach oben begeben?«

»Nein, können wir nicht.«

»Chucky, bitte.« Aileen nestelte an Donoghues Ärmel herum. Die Fahrstuhltüren glitten zu. »Hör's dir doch an.«

»Ich höre es mir *hier* an.«

»Es gibt nichts zu sagen«, zwitscherte Lynn. »Alles bi-ba-bestens. Gehen wir essen?«

»Ich will *jetzt* wissen, was los ist«, schnaubte Donoghue. Mit geballten Fäusten kam er näher heran, überschritt die Grenze der Intimität. »Wo ist Julian? Wo sind die anderen? Ihr wisst doch längst, was passiert ist, warum können wir mit niemandem reden? Ihr wisst es doch schon die ganze Zeit.«

»Wollen Sie mir drohen, Chuck?«

»Los. Sagen Sie's.«

Lawrence bewegte sich keinen Millimeter von der Stelle. Ruhig sah sie dem viel größeren Mann in die Augen. Sie musste dafür den Kopf in den Nacken legen, doch innerlich war es ihr, als blicke sie auf Donoghue herab.

»*Wenn* ich es Ihnen gesagt habe, gehen wir dann nach oben?«

Offenbar hatte Donoghue nicht so schnell mit ihrem Einlenken gerechnet. Er trat einen Schritt zurück.

»Natürlich«, beeilte sich Aileen an seiner statt zu versichern.

»Ja, klar«, schob Donoghue lahm hinterher.

»Nein!«, schrie Lynn.

Tim hörte sie im MAMA KILLA CLUB, obwohl das CHANG'E, das SELENE und die LUNA BAR dazwischenlagen. Er hörte ihre Angst, ihre Wut, ihren Wahnsinn. Im Nu war er auf den Beinen und sprang die Treppen herunter, ohne sich mit einzelnen Stufen aufzuhalten. Lawrences autoritärer Alt mischte sich hinein, konterkariert von Arpeggien hoher, erschrockener, Aileen'scher Laute, untermalt von Donoghues grollendem Bass. Federnd kam er auf, flog abwärts, hinab in GAIAS Hals.

»Lynn!«

Bizarr. Seine Schwester hatte eine der Sauerstoffkerzen aus ihrer Halterung gerissen, schwang den stählernen Zylinder wie eine Keule, wolfsrudelartig umlauert von Lawrence, Chucky, Aileen und Kokoschka. Wütend drängte er sich zwischen den Donoghues hindurch, sah Lynn zurückweichen und fuhr die anderen an:

»Was soll das? Was macht ihr mit ihr?«

»Frag *sie* besser mal, was sie mit uns macht«, knurrte Chuck.

»Lynn –«

»Lass mich! Komm mir nicht zu nahe!«

Tim streckte ihr die offene Rechte entgegen. Sie wich weiter zurück, hob die Kerze und starrte ihn mit zuckenden Pupillen an.

»Sag mir, was los ist.«

»Sie will das GAIA evakuieren«, keuchte Lynn. »Das ist los! Die Schlampe will das GAIA evakuieren.«

Kokoschka war dermaßen durcheinander, dass er jeden Versuch unterließ, das Geschehen auch nur im Ansatz zu begreifen. Offenkundig fiel die geschäftsführende Gesellschafterin von ORLEY TRAVEL gerade dem Irrsinn anheim. Sein einziger Gedanke galt Tim und dem Ende seiner Odyssee. Hastig förderte er Thiels Zettel zutage.

»Mr. Orley, ich habe –«

Tim beachtete ihn nicht.

»Lynn«, sagte er sanft. »Komm zur Vernunft.«

»Sie will evakuieren.« Ihre Stimme glich dem Wind, der um Hausecken heulte. »Aber das kann sie nicht. Das werde ich auf keinen Fall zulassen.«

»Sicher, darüber müssen wir reden. Aber gib mir zuerst die Kerze.«

»Evakuieren?«, echote Donoghue mit rollenden Augen.

»Sie sollten tun, was Ihr Bruder sagt.« Lawrence zeigte auf Lynns provisorische Keule. »Sie bringen uns alle in Gefahr.«

Tim wusste, was sie meinte. Der Zylinder barg große Mengen gebundenen Sauerstoffs, und Lynns Finger waren in bedenkliche Nähe zum Zündmechanismus geraten. Sobald sie die exothermische Reaktion in Gang setzte, würde der Inhalt nach und nach an die Umgebung abgegeben werden, eine sinnlose Vergeudung, einhergehend mit der Gefahr, dass der Partialdruck des Sauerstoffs im Raum den zulässigen Grenzwert überschritt. Die Kartuschen waren für Notfälle gedacht, wenn die Atemluft knapp wurde.

»Mr. Orley!« Kokoschka schwenkte einen Zettel.

»*Was heißt evakuieren?*«, schnappte Donoghue.

»Dana hat recht«, sagte Tim. »Bitte, Lynn. Gib mir die Kerze.«

»Julian will nämlich nicht, dass evakuiert wird«, erklärte Lynn einem imaginären Publikum mit verträumter Miene. Eine Sekunde lang schien sie vollkommen weggetreten, dann fokussierte ihr Blick Tim. »Das weißt du doch, oder? Wir dürfen Daddys Gäste nicht erschrecken, also werden alle hübsch hierbleiben.«

»Das könnte Ihnen so passen«, schnaubte Lawrence.

Lynns Verträumtheit wich lodernder Wut. Sie schwang erneut die Kartusche.

»Tim, sag ihr, sie soll die Schnauze halten!«

»Ach, ich soll die Schnauze halten?« Lawrence trat einen Schritt vor. »Worüber denn, Lynn? Hier wissen doch alle längst Bescheid.«

Tim starrte sie verwirrt an. »Wovon reden Sie?«

»Davon, dass Ihre Schwester die Bänder manipuliert hat. Dass sie sich von Hanna benutzen lässt. Dass sie nicht alle Tassen im Schrank hat. Stimmt's etwa nicht, Miss Orley?«

Lynn duckte sich. Ein tückisches Funkeln trat in ihre Augen, dann sprang sie unvermittelt vor und führte einen Schlag gegen Lawrence, die mühelos auswich.

»*Sie* haben Hannas nächtliche Reise mit dem Lunar Express ermöglicht. Wozu, Lynn? Sollte er vielleicht etwas herbeischaffen? Zu uns ins Hotel?«

»Hören Sie auf!«

»Der Satellitenausfall geht auf *Ihr* Konto. Sie sind paranoid, Lynn. Sie machen gemeinsame Sache mit einem Verbrecher.«

»*Was heißt evakuieren?*«, röhrte Donoghue. Rüde packte er Lawrence an der Schulter. »*Ich fragte, was heißt evakuieren?*«

Die Direktorin wirbelte herum und schlug seine Hand beiseite.

»Sie halten den Mund!«

Donoghues massiger Schädel färbte sich karmesinrot. »Sie – Sie besseres Zimmermädchen, ich werde Ihnen –«

»Chuck, nein!«, flehte Aileen.

»*Miss Orley* –«, insistierte Lawrence.

Lynn schüttelte mit gequälter Miene den Kopf. Auf ihren Unterlidern sammelte sich Wasser.

»Was haben Sie mit Thiel gemacht, Lynn?«, insistierte Lawrence. »*Sie* waren doch vorhin in der Zentrale.«

»Das stimmt nicht. Ich habe –«

»Natürlich waren Sie da!«

»Dana, das reicht«, zischte Tim.

»Allerdings.« Lawrence warf ihm einen eisigen Blick zu. »*Mir* reicht es. Ich mache dieses Affentheater nicht länger mit. Geben Sie auf, Lynn. Sagen Sie uns endlich, was es mit dieser Bombe auf sich hat.«

»*Bombe*?«, dröhnte Chuck. Wie ein Wasserbüffel stürmte er vor, drängte Lynn gegen die Wand, streckte eine seiner großen Hände aus und entriss ihr die Kartusche. »Sind denn hier alle wahnsinnig geworden?«

Lynns Finger bogen sich zu Krallen. Sie holte aus und zog eine blutige Spur über Donoghues Wange. Bevor Chuck sich von seiner Verblüffung erholen konnte, war sie an der Treppe, sprang herab und verschwand auf die darunterliegende Ebene.

»Lynn!«, schrie Tim.

»Nein, warten Sie! Bitte warten Sie!«

Entsetzt wurde Kokoschka Zeuge, wie der junge Orley seiner völlig derangierten Schwester hinterherhechtete. Bleib hier, dachte er, nicht schon wieder, ich muss doch –

»Ich muss Ihnen von Sophie –«

Zu spät. Ihm nach? Doch der allgemein grassierende Irrsinn forderte seinen Tribut, sodass er hilflos mit ansehen musste, wie Donoghue die Hoteldirektorin ins Visier seiner Empörung nahm und auf sie zuging, die Sauerstoffkerze drohend erhoben. Gewitter zogen in seinem Schädel auf, Fallwinde, Temperatursturz, Tornadofinger, kumulierende Angst. Etwas Schreckliches würde geschehen. Wie welke Blätter tanzten seine Gedanken durcheinander, von Böen der Verwirrung in alle Richtungen getrieben. Wann immer er sie zu greifen versuchte, wirbelten sie davon, sodass er sich drehte und drehte. Was sollte er tun? Endlich bekam er eins der Gedankenblätter zu fassen, knatternd, flatternd, widerspenstig wollte es entwischen, doch er hielt es entschlossen fest: dass, was immer Sophie auf den Zettel geschrieben hatte, die Eskalation erklären würde, die sich vor seinen Augen vollzog, dass der Zettel ihm sagen würde, was er zu tun habe, dass er ihn, da es ihm wieder einmal nicht gelungen war, seinen Auftrag auszuführen, vielleicht lesen sollte.

Mit zitternden Fingern faltete er das Papier auseinander.

Im selben Moment erspürte Lawrence die Veränderung. Ihr ganzer Körper reagierte. In seismografischer Erfassung des Unheils richteten sich die Härchen ihrer Unterarme auf, heulten Alarmsirenen. Verschiedenes geschah zur gleichen Zeit. Aus den Restaurants näherten sich Stimmen, da der Tumult nach oben gedrungen sein musste und sie kamen, um nachzusehen, während der wie in Bronze gegossene Axel Kokoschka Wellen des Unglaubens und der Empörung entsandte.

Langsam wandte sie ihm den Kopf zu.

Der Koch starrte sie an, ein Stück Papier in der Linken. Seine Rechte wanderte hoch, produzierte einen anklagend ausgestreckten Zeigefinger. Lawrence entriss ihm das Blatt und warf einen Blick auf die dahingekritzelten Worte.

»Blödsinn«, sagte sie.

»Nein.« Kokoschka kam näher. »Nein, kein Blödsinn. Sie hat es herausgefunden. *Sie hat es herausgefunden!*«

»Wer hat was rausgefunden?«, blaffte Donoghue.

»Sophie.« Kokoschkas Zeigefinger zuckte, ein augenloses, Witterung aufnehmendes Wesen, pendelte und verharrte auf Lawrence. »*Sie ist es.* Nicht Lynn. Sie ist es!«

»Sie haben zu lange am Herd gestanden.« Lawrence wich zurück. »Ihr Hirn ist übergekocht, Sie tapsiger Idiot.«

»Nein.« Kokoschkas vierschrötige Gestalt setzte sich in Bewegung, ein Frankensteinmonster beim ersten Gehversuch. »Sie hat die Kommunikation lahmgelegt. Sie will uns alle in die Luft sprengen! *Sie ist es! Lawrence!*«

»Sie sind ja verrückt!«

»Ach ja?« Donoghues Augen verengten sich zu Schlitzen. »Ich denke, das können wir schnell rausfinden.« Er hob die Sauerstoff-Kartusche und näherte sich ihr von der anderen Seite. »Mir fällt da nämlich ein schöner Witz ein, in dem –«

Lawrence langte in ihre Hüfttasche, zog ihre Waffe hervor und richtete die Mündung auf Donoghues Kopf.

»Hier kommt die Pointe«, sagte sie und drückte ab.

Donoghue blieb stehen. Aus dem Loch in seiner Stirn drang etwas Hirn, ein Faden Blut lief zwischen den Brauen hindurch und den Nasenrücken entlang. Die Kerze entglitt seinen Händen. Aileens Mund öffnete sich, ließ ein unirdisches, hohles Heulen entweichen. Lawrence schwenkte die Waffe, als sich die Türen von E2 öffneten und Ashwini Anand nach draußen trat, vom Schwung ihres Zuspätkommens ins Verderben getragen. Das Projektil erwischte die Inderin, bevor sie in der Lage war, die Situation zu erfassen. Sie sackte zusammen und blockierte die Fahrstuhltüre, doch ihr unvermutetes Auftauchen hatte Lawrence Sekunden gekostet, die Kokoschka nutzte, um anzugreifen. Sie nahm ihn ins Visier und sah sich im selben Moment von Aileen attackiert, die lossprang, sich in ihre Haare verkrallte und ihren Kopf zurückbog. Dabei heulte die Texanerin unablässig weiter, eine gespenstische Totenklage. Lawrence langte nach hinten, bemüht, Aileen loszuwerden und die Rechte in Anschlag zu bringen. Kokoschka bekam ihr Handgelenk zu fassen. Unmittelbar bevor ihr Knie seine Hoden zerquetschte, lösten sich zwei Schüsse. Der Koch krümmte sich, doch es gelang ihm, Lawrence die Waffe aus den Fingern zu schlagen. Sie ließ die Handkante gegen seine Kehle sausen und entledigte sich der Furie in ihrem Rücken durch eine Schulterrolle. Fast anmutig segelte Aileen gegen ihren immer noch stehenden, zwischen entrückt und verblüfft glotzenden Ehemann und riss ihn im Fallen mit sich. Kokoschka rutschte auf Knien heran. Lawrence trat ihm vor die Brust, als ein metallisches Schleifen in ihr Bewusstsein drang, das nichts Gutes verhieß.

Die Schotts schlossen sich.

Sie starrte auf die Löcher in der Wand, wo die beiden fehlgeleiteten Geschosse eingeschlagen waren.

Die Tanks! Sie mussten einen der verborgenen Tanks getroffen haben. Unter Hochdruck trat verdichteter Sauerstoff aus, erhöhte den Partialdruck, veranlasste die Sensorik, die Zugänge zu den darunter- und darüberliegenden Levels abzuriegeln. Nicht auszuschließen, dass auch die externe Kühlleitung einen Treffer abbekommen hatte, sodass gleichzeitig hochgiftiges, brennbares Ammonium frei wurde.

Sie befand sich im Inneren einer Bombe.

Sie musste hier raus!

Das unsichtbare Gas senkte sich auf die wild zappelnde Aileen herab, auf Donoghues Leiche, strömte in den offenen Fahrstuhl, dessen Türen Anands toter Körper blockierte. Kokoschkas Augen weiteten sich. Gurgelnd kam er hoch, streckte beide Arme nach Lawrence aus. Sie beachtete ihn nicht, rannte los. Beängstigend schnell schlossen sich die Zugänge. Mit einem Satz war sie am Durchgang zu den Suiten, sprang, schaffte es knapp am heranfahrenden Schott vorbei aus GAIAS Hals heraus, purzelte über die Stufen nach unten, landete auf dem Rücken.

Kokoschka folgte ihr.

Hinreichend geschult, wusste er um die zerstörerische Kraft unkontrolliert ausströmenden Sauerstoffs. Die bloße Geschwindigkeit, mit der sich das Gas seinen Weg durch die winzigen Einschussöffnungen bahnte, erhitzte es auf eine Weise, dass die Katastrophe kaum zu vermeiden war. Von der verzweifelten Hoffnung getragen, es rechtzeitig nach draußen zu schaffen, folgte er Lawrence durch die kleiner werdende Luke, fiel tatsächlich ein kleines Stück, dann schob sich das Schott in seinen Bauch und drückte ihn gegen die Wand.

Er steckte fest.

»Nein, nein, nein, nein, nein«, wimmerte er.

Jetzt konnte er das leise Zischen hören, mit dem der Sauerstoff ausströmte. In Todesangst versuchte er, die heranfahrende Metallplatte wegzustemmen. Die Luft wurde ihm abgeschnürt, seine Organe zusammengequetscht. Er hörte seine unteren Rippen brechen, sah Aileen über Chucks Leiche knien und ihr Gesicht in seine Halsbeuge versenken. Metallischer Geschmack breitete sich in seiner Mundhöhle aus, seine Augen quollen hervor. Er versuchte zu schreien, doch alles, was er zustande brachte, war ein ersterbendes Krächzen.

»Chuck«, wimmerte Aileen.

Es gab ein nicht mal sonderlich lautes, puffendes Geräusch, als sich der Sauerstoff entzündete. Zwei gleißende Feuerlanzen stachen plötzlich aus der Wand, wo die Projektile eingeschlagen waren, erfassten Aileen, Chucks Leiche und den verkrümmten Körper Ashwini Anands, Wände und Boden. Rasend schnell griffen die Flammen um sich, leckten an den Fahrstuhltüren empor, drangen in die offene Kabine des Personalfahrstuhls vor, lebendigen Wesen gleich, Feuergeistern in orgiastischer Ausgelassenheit. Im nächsten Moment brannte das halbe Zwischengeschoss. Nie zuvor hatte Kokoschka ein Feuer so lodern sehen, dabei hieß es doch, in verminderter Schwerkraft würden sich Brände langsamer ausbreiten, doch das hier –

Er spie einen Schwall Blut. Unerbittlich drückte das Schott gegen seinen geschundenen Leib, und als nehme das Feuer ihn erst jetzt in seiner Ausweglosigkeit wahr, reckte es sich zu neuer Größe und schien einen Moment unschlüssig zu verharren.

Dann sprang es ihn hungrig an.

Miranda Winter hatte zusammen mit Sushma Nair den Weg in tiefer liegende Gefilde angetreten, nachdem nicht zu überhören war, dass dort lautstark gestritten wurde. Auf der Treppe vom SELENE ins CHANG'E vernahmen sie in schneller Folge ein zweimaliges Plopp, das ihre cineastisch geschulte Fantasie mit schallgedämpften Pistolenschüssen assoziierte, gefolgt von Aileens markerschütterndem Geheul, dann glockenartige Geräusche, als werde ein Hammer gegen Metall geschlagen. Sushmas Blick gerann zu nackter Angst, während Winter von eher robuster Natur war, also bedeutete sie der Inderin zu warten und näherte sich dem Durchgang zum Hals.

Was zum –

»Das Schott schließt sich«, rief sie. »Hey, die schließen uns ein!«

Verblüfft trat sie näher, um durch den verbliebenen Spalt einen Blick nach unten zu erhaschen.

Eine Flammengestalt schoss ihr entgegen.

Winter prallte zurück. Der Dämon fauchte sie an, loderte, griff nach ihr mit Funken sprühenden Extremitäten, versengte ihre Wimpern, Brauen und Haare. Sie stolperte, stürzte und stieß sich ab, um den rasenden Flammen zu entkommen.

»Oh, Scheiße!«, schrie sie. »Hau ab, Sushma, hau ab!«

Züngelnd wälzte sich der Dämon heran, vervielfachte sich, gebar neue zuckende Kreaturen, die umherhuschten und lustvoll alles in Brand setzten, was im Wege stand. Mit unheimlicher Schnelligkeit überzogen sie die gläserne Vorderfront, fanden dort wenig von Interesse und verlagerten ihren Raubzug auf Boden, Säulen und Mobiliar. Winter sprang auf die Beine, hastete die Treppe hinauf, die aufgelöste Sushma mit Schreien vor sich hertreibend. Unmittelbar über ihnen schlossen sich die Schotts zum SELENE. Eine Wand aus Hitze brandete von hinten heran. Sushma stolperte. Winter boxte sie in den Steiß, und die Inderin drängte sich am Schott vorbei ins nächsthöhere Stockwerk.

Knapp! Himmel, würde das knapp werden!

Wie eine Reckturnerin packte sie den Rand des Schotts und zog sich daran hoch. Einen Moment fürchtete sie, ihr Knöchel werde in der Schleuse eingeklemmt, doch dann schaffte sie es um Millimeterbreite ins SELENE, und das Schott rastete mit dumpfem Schlag ein und rettete sie vor der glühenden Walze.

»Die anderen«, keuchte sie. »Um Gottes willen! Die anderen!«

Lawrence lag auf dem Rücken, Kokoschkas wild schlagende Beine über sich, die arhythmisch gegen die Stufen der Wendeltreppe hämmerten. Aus dem Hals drang das Brausen des Feuers zu ihr herab, gefolgt von den Flammen selbst, die hungrig an Kokoschkas Jacke und seiner Hose herabkrochen. Etwas eigenartig Tastendes, Suchendes lag in ihrem Vordringen. In Wellen flossen sie über die Decke, Struktur und Beschaffenheit erforschend auf der Suche nach Nahrung.

Lawrence sprang auf.

Sie musste Kokoschkas Körper frei bekommen, damit sich das Schott schließen konnte. Sauerstoffbrände waren unkontrollierbar, heißer und zerstörungsfähiger als jeder herkömmliche Brand. Auch wenn das Gas als solches nicht brannte, unterstützte es auf fatale Weise die Zerstörung nahezu jeden Materials, außerdem war es schwerer als Luft. Die Glut würde wie Lava aus GAIAS Hals schwappen und den kompletten Suitenbereich erfassen. Mit einem Satz war sie beim Kontrollfeld für die manuelle Bedienung, duckte sich gegen die Hitze, hämmerte gegen den Mechanismus, der das Schott zurückfahren ließ. Es öffnete sich und gab Kokoschka frei. Er stürzte die Treppe herunter und polterte auf die Empore, reflexartig um sich tretend. Feurige Tentakel schossen aus der Luke, als wollten sie die ihnen entrissene Beute wieder nach oben ziehen. Das Schott, im Schließen begriffen, fuhr durch sie hindurch und riegelte GAIAS Hals von den Schultern ab.

Lichterloh brannte der Koch. Sprühnebel chemischer Löschmittel drangen aus dem Lüftungssystem, ein unzureichender Schutz. Als Nächstes würden die Grünpflanzen Feuer fangen, die Wandverkleidungen, der Boden. Lawrence riss einen tragbaren CO_2-Feuerlöscher von der Wand, entleerte ihn auf den mittlerweile reglos daliegenden Körper, richtete den Strahl gegen die Decke. In der Hölle über ihr hatte die Löschanlage wohl längst den Dienst quittiert. Inzwischen mussten dort unvorstellbare Temperaturen herrschen. Rußige Schwaden drangen in ihre Atemwege und nahmen ihr jede Sicht. Ihr Brustkorb begann zu schmerzen. Wenn sie nicht augenblicklich Frischluft bekam, drohte ihr eine Rauchvergiftung. Immer noch schwelten Kokoschka, die Treppe und Teile der Deckenverkleidung vor sich hin, flackerten kleine Brände, doch statt sich deren weiterer Eindämmung zu widmen, taumelte sie mit tränenden Augen und angehaltenem Atem, das Schleifen und Rumpeln der Schotts im Ohr, die nun auch GAIAS Schultersegment abriegelten, die Empore entlang. Wo diese in den rechten Arm der Figur mündete, lag ein Notfalldepot, das neben den obligatorischen Kerzen auch Sauerstoffmasken bereithielt. Hastig streifte sie eine der Masken über, sog gierig den Sauerstoff in sich hinein, sah, wie sich der Zugang zum Arm verschloss.

Sie war nicht schnell genug gewesen.

Sie saß in der Falle.

Erst in der Lobby war es Tim geglückt, seine Schwester zu stellen, die in Satyrsprüngen über die gläsernen Brücken zu entkommen versucht hatte, mit zitternden Knien, sodass er unentwegt fürchtete, sie zusammenbrechen und abrutschen zu sehen, doch jedes Mal setzte sie ihre wilde Flucht fort. Erst beim letzten Sprung strauchelte sie, fiel und kroch auf allen vieren davon. Tim federte unmittelbar hinter ihr ab, bekam ihr Fußgelenk zu fassen. Lynns Ellbogen knickten ein. Schlangengleich rutschte sie auf dem Bauch davon im Bemühen, ihm zu entwischen. Er hielt sie fest, drehte sie auf den Rücken und erhielt einen veritablen Faustschlag. Lynn keuchte, knurrte, versuchte, ihn zu kratzen. Er umklammerte ihre Handgelenke und zwang sie nieder.

»Nicht!«, rief er. »Hör auf! Ich bin es.«

Sie geiferte, schnappte nach ihm. Als kämpfe er mit einem tollwütigen Tier. Der Beweglichkeit ihrer Arme beraubt, schlug sie mit den Beinen, warf sich hin und her, verdrehte plötzlich die Augen und erschlaffte. Ihr Atem ging stoßweise. Einen Moment lang fürchtete er, sie an die Bewusstlosigkeit zu verlieren, dann sah er ihre Lider flattern. Ihr Blick klärte sich, stellte Vertrautheit her.

»Alles ist gut«, sagte er. »Ich bin bei dir.«

»Es tut mir leid«, wimmerte sie. »Es tut mir so leid!«

Sie begann zu schluchzen. Er ließ ihre Handgelenke los, nahm sie in die Arme und begann sie wie ein Baby zu wiegen.

»Hilf mir, Tim. Bitte hilf mir.«

»Ich bin hier. Es ist gut. Alles ist gut.«

»Nein, ist es nicht.« Sie presste sich an ihn, verkrallte ihre Finger im Stoff seiner Jacke. »Ich werde verrückt. Ich verliere den Verstand. Ich –«

Der Rest ging in neuerlichen Weinkrämpfen unter, und Tim fühlte sich schuljungenhaft unvorbereitet, obwohl gerade das Schreckgespenst dieser Situation ihn bewogen hatte, überhaupt mitzukommen auf Julians idiotische Lustreise. Nun jedoch drohte sein Geist wegen fortgesetzter Überforderung in Streik zu treten und ihn nackter Angst preiszugeben. Er legte den Kopf in den Nacken und erblickte ein Phantom aus Rauch in der Kuppel des Atriums, das unheilvoll seine Schwingen ausbreitete. Etwas entwuchs den Balkonen, metallene Platten, riesige Schotts, und er begann zu ahnen, dass der Horror erst begann, und dass dort oben etwas Entsetzliches vonstattenging.

KAP HERACLIDES, MONTES JURA

Während der ersten Minuten waren sie schnell vorangekommen, bis sich herausstellte, dass die größeren Brocken einander stützten und zu bedenklicher Eigendynamik fanden, sobald man einen von ihnen entfernte. Mehrfach drohten er und Hanna überrollt zu werden. Wann immer Locatelli in letzter Sekunde aus dem Weg sprang, eilten die Gnome seines inneren Widerstands an ihre Plätze und fertigten kühne Ursache-Wirkung-Schemata von Trümmern, die – in exakt berechnete Bahnen gelenkt – Hanna platt wie eine Pizza walzen würden. Die

Achillesferse all dieser Vorhaben war, dass sich im Trümmerfeld rund um die Ganymed nicht das Geringste berechnen ließ, also fügte er sich in Kooperation. Sie trugen den Schutt von oben her ab, wachsam und einander sichernd, schoben, zogen, zerrten und stemmten und sahen sich nach zwei Stunden schweißtreibender Arbeit mit ihren physischen Grenzen konfrontiert. Mehrere der kolossalen Findlinge ließen sich zwar bewegen, wollten aber nicht weichen. Keuchend lehnte Locatelli an einem der Brocken und wunderte sich, Hanna nicht ebenfalls wie einen Hund hecheln zu hören.

Eindeutig war der Kanadier in besserer Verfassung.

»Und was jetzt?«, fragte er.

»Was schon. Wir müssen die Klappe frei bekommen.«

»Ach ja? Dämlicher Schlaumeier! Es geht aber nicht.«

Hanna bog den Rücken durch und betrachtete die Blockade. Locatelli konnte die Relais in seinem Schädel summen hören.

»Willst du nicht eine deiner Bomben reinfeuern?«, schlug er vor. »Sprengen wir die Dinger in die Luft.«

»Nein, die Energie würde nach außen verpuffen. Obwohl –« Hanna zögerte, trat näher heran und ging in die Hocke, wo zwei der Felsen aneinandergrenzten. Seine Hand grub sich in den Spalt am Boden und förderte etwas Geröll zutage. »Vielleicht hast du recht.«

»Klar hab ich recht«, keuchte Locatelli. »Ich hab meistens recht. Fluch und Segen meiner Existenz. Je tiefer dein Scheißgeschoss eindringt, desto mehr kann es anrichten.«

»Ich weiß trotzdem nicht, ob die Sprengkraft ausreicht. Die Steine sind riesig.«

»Aber porös! Das ist Basalt hier, Mann, Lavagestein. Mit etwas Glück platzen Teile davon ab, und du destabilisierst den ganzen Haufen.«

»Gut«, stimmte Hanna zu. »Versuchen wir es.«

Sie vertieften und verbreiterten den Kanal. Zwischendurch verschwand der Kanadier im Innern des Schiffs, brachte die Konsolenstütze des Grasshoppers herbei, und sie gruben mithilfe des provisorischen Werkzeugs weiter, scharrten und schufteten, bis Hanna den Kanal für tief genug erklärte. In angemessener Entfernung zur Ganymed, auf leicht erhöhter Position, schichteten sie kleinere Brocken aus der Umgebung zu einer Mauer, legten sich flach dahinter, und Hanna zielte in den Stollen.

»Kopf runter!«

Wie ein neugeborener Kosmos expandierte zwischen den Findlingen eine graue Wolke. Locatelli duckte sich. Bruchstücke schlugen rechts und links von der Mauer in den Basalt. Als er den Kopf über die Abschirmung hob, schien es zuerst, als sei gar nichts passiert. Dann sah er den zuvorderst liegenden, dicksten Findling unendlich langsam seinen steinernen Leib verlagern und um sich selbst zirkulieren. Der daneben rückte nach, drängte den Nachbarn beiseite, brach unvermittelt an der Basis auseinander und kullerte fragmentiert die Anhöhe herab.

»Yeah!«, schrie Locatelli. »Meine Idee. Meine Idee!«

Immer noch drehte sich der dicke Brocken, wurde von einem dritten, der in die entstandene Lücke vordrang, angerempelt, neigte sich endlich, rollte schwerfällig ein paar Meter weiter und entfesselte eine Kettenreaktion nachfolgenden Gerölls, das munter zu Tale prasselte.

»Yeah! Yeah!«

Er sprang auf. In langen Sätzen hasteten sie aus ihrem provisorischen Schützengraben hervor und räumten den verbliebenen Schutt beiseite. Trunken von Dopamin, vergaß Locatelli über dem gemeinsamen Erfolg einen Augenblick lang die Umstände ihrer Feindschaft, als gründete das Debakel der vergangenen Stunden auf einem Drehbuchfehler, infolgedessen Hanna, der gute Kumpel, zu Unrecht dämonisiert worden und jetzt wieder einer war, mit dem sich Rennen fahren und Mondberge versetzen ließ. Sie legten das Heckschott der GANYMED frei, und Hanna schlug ihm freundschaftlich auf die Schulter.

»Gut gemacht, Warren. Sehr gut!«

Die Berührung, auch wenn er durch seine dicke Montur nicht viel davon spürte, ernüchterte Locatelli schlagartig. So sehr konnte er sich gar nicht an der körpereigenen Hausbar besaufen, dass er sich von Hanna noch anfassen ließ. Er hatte den Kanadier, seinen gemäßigten Machismo, seine lakonische Art, immer sympathisch gefunden, und selbst jetzt glaubte er etwas unbestimmt Freundliches an ihm auszumachen, was die Sache nur noch verschlimmerte.

»Bringen wir's hinter uns«, sagte er barsch. »Du öffnest das Schott, ich fahre den Buggy nach draußen und –«

»Nein, du darfst Pause machen«, sagte Hanna gleichmütig. »Ich fahre ihn selbst nach draußen.«

»Warum? Glaubst du, ich will abhauen?«

»Ja. Genau das glaube ich.«

Und du hast recht, Drecksack, dachte Locatelli. Mit dem Gedanken hatte er geliebäugelt. Jetzt durchfuhren ihn widerstreitende Gefühle. Er sah Hanna nach, wie er den Hang hinauflief, den Rumpf der GANYMED erklomm und außer Sicht geriet. Plötzlich wurde ihm bewusst, dass der Killer ihn ab sofort nicht mehr brauchte. Mit unguten Gefühlen trat er einen Schritt zurück, als die Heckklappe aufschwang und sich abzusenken begann. Das Innere des Frachtraums wurde sichtbar. Dem kippenden Schott entwuchs eine Rampe, und da war Hanna auch schon neben dem Buggy, nahm auf dem Fahrersitz Platz, überprüfte die Kontrollen, startete. Die Rampe senkte sich tiefer, dem Untergrund entgegen, und Locatelli erkannte, dass ihr Rand nicht sauber mit dem Boden abschließen würde. Der Graben, den der Shuttle gerissen hatte, wölbte den Schutt zu sehr auf. Gut einen Meter über dem Regolith blieb sie schließlich hängen. Die großen Vorderräder tasteten sich über die Kante hinweg, griffen in den tiefer liegenden Schutt. Einen Moment lang wirkte das kleine Gefährt wie ein Tier auf dem Sprung, dann kam es unmittelbar hinter dem Rand der Rampe zum Stehen.

Locatelli zögerte. Er wusste nicht recht, worauf er hoffen, was er fürchten sollte. Vorübergehend hatte ihn die Vorstellung geängstigt, Hanna könne einfach weiterfahren und ihn hier zurücklassen, im Schatten eines invaliden Raumschiffs, das nicht einmal mehr mit Atemluft zu fluten war. Nun, als er den Kanadier absteigen sah, verlagerte sich die Quelle seines Unbehagens auf die Möglichkeit, der Kanadier werde schnell noch kurzen Prozess mit ihm machen, bevor er abfuhr. Unschlüssig machte er einen Schritt auf die Rampe zu.

»Was ist?«, fragte Hanna. »Willst du nicht mitkommen?«

»Mitkommen?«, echote Locatelli.

»Du kannst mir immer noch nützlich sein.«

Nützlich. Aha.

»Und wie lange«, fragte Locatelli, »werde ich nützlich sein?«

»Bis wir die amerikanische Förderstation erreicht haben.« Hanna zeigte hinaus auf die staubbedeckte Ebene. »Als du ohnmächtig warst, habe ich notdürftig unsere Position berechnet. Was ich von hier sehe, sagt mir, dass wir genau auf der Spitze von Kap Heraclides gestrandet sind. Das heißt, die Station liegt in nordöstlicher Richtung mitten in der Basaltsee, wo Sinus Iridum und Mare Imbrium aneinandergrenzen. Schätzungsweise einhundert Kilometer von hier.«

»Und warum willst du dahin?«

»Die Station ist automatisiert«, sagte Hanna. »Aber es reisen immer wieder Inspekteure dorthin. Für die wurde ein Terminal eingerichtet. Druckbeaufschlagt. Eine richtige kleine Basis, in der man einige Monate überleben kann. Wir sind auf unseren Spürsinn angewiesen, um hinzukommen, da die Satelliten schweigen.«

»Schalt sie doch wieder ein.«

»Wie kommst du darauf, dass ich das könnte?«

»Wie kommst du darauf, dass ich Scheiße im Kopf habe?«, blaffte Locatelli. »Sie sind ausgefallen, als du deinen kleinen Amoklauf begonnen hast. Willst du mir erzählen, das sei Zufall gewesen?«

Hanna schwieg eine Weile.

»Natürlich nicht«, sagte er. »Aber es liegt nicht in meiner Macht, das rückgängig zu machen. Wir mussten die Kommunikation unterbrechen, nachdem ich aufgeflogen war, und jetzt geh mir nicht länger auf die Nerven, verstanden? Hilf mir navigieren, und ich lasse dich in der Förderstation zurück. Wenn du leben willst –«

Hanna redete weiter, doch Locatelli hörte nicht hin. Er starrte an der Rampe vorbei. Seitlich der GANYMED hatte etwas seine Aufmerksamkeit erregt.

»– bist du mich los«, sagte Hanna. »Du musst nur –«

Warum wirbelte Staub dort auf, wo der Rumpf des Shuttles im Regolith lag? Kleine Wölkchen, die entlang seiner Flanke hervorpufften wie bei einer anfahrenden Dampflok. Was ging da vor sich? Die Umrisse des Raumschiffs verloren an Schärfe, sein stählerner Leib erzitterte. Unmerklich hob sich der Rand der Rampe über den Schutt, noch mehr Staub quoll hervor. Auch der Boden erzitterte.

»– anschließend werden wir –«

»Der Shuttle rutscht ab!«, schrie Locatelli.

Hanna fuhr herum. Die GANYMED bäumte sich auf, nicht länger durch die Findlinge, die sie weggesprengt hatten, stabilisiert. Im nächsten Moment setzte sie sich in Bewegung und stieß zurück, Sand und Geröll aufspritzend. Locatelli sah Hanna in die Höhe schnellen und auf die heranrasende Rampe springen, die den Buggy erfasste und mitriss, versuchte sich mit einem Satz in Sicherheit zu bringen, stolperte und fiel. Augenblicklich war er wieder auf den Beinen, stieß sich ab, hechtete seitwärts –

Um einen halben Meter hätte er es geschafft.

Im Moment, da sich die Kante in seinen Unterleib bohrte, stand ihm mit kristallener Klarheit das Bild eines Warren Locatelli vor Augen, der ein Universum weiter das Richtige getan und wie Hanna Schutz in der Höhe gesucht hatte. Dann löschte glühender Schmerz jeden Gedanken aus. Reflexartig umklammerte er den Stahl, ein auf die Hörner gespießter Torero, durchgeschüttelt von der talwärts strebenden GANYMED, die einen letzten Satz vollführte, aufschlug und ihn in hohem Bogen von sich schleuderte. Mehrere Meter weiter landete er auf dem Rücken, wurde gewahr, dass der Shuttle ebenso plötzlich, wie er zu rutschen begonnen hatte, stoppte, verkeilt in einem Felssims, erblickte den Buggy im Überschlag und Hanna in langen Sätzen über die Ladefläche laufen und in den Schutt springen.

Er presste beide Hände auf seinen Bauch, so fest er nur konnte.

Hanna kam zu ihm herübergerannt, beugte sich über ihn. Locatelli wollte etwas sagen, doch alles, was er herausbrachte, war Stöhnen und Würgen. Er musste nicht erst an sich herabschauen – was er im Übrigen gar nicht mehr gekonnt hätte –, um seinen Anzug einen Spaltbreit zerrissen zu finden. Einzig dem Umstand, dass Biosuits nicht gleich wie angestochene Luftballons ihren Lebensatem verströmten und all ihren Innendruck einbüßten, verdankte er, dass er überhaupt noch lebte.

Vielleicht, wenn er die Hände weiterhin auf die Wunde presste –

»Du blutest«, sagte Hanna.

»Sch – scheiße«, gelang es ihm hervorzustoßen. »Kannst du – ?«

»Idiot!« Wie seltsam. Der Kanadier schien aufgebracht. »Was machst du denn? Ich hab dich verschont, Mensch! Ich hätte dich in Sicherheit bringen können!«

»Tut – tut mir –«

Wie bitte? Tut mir leid? Entschuldigte er sich gerade bei Hanna dafür, dass er sich die Rampe der GANYMED in den Leib hatte rammen lassen? Wer war denn schuld daran, verdammt?! Doch gerade wurde ihm entsetzlich kalt, und er begriff, dass er außer Hanna jetzt niemanden mehr hatte.

»Lass mich – bitte – nicht –«

»Du wirst sterben«, sagte Hanna nüchtern.

»N – nein.«

»Das ist nicht zu reparieren, Warren. Das Vakuum wird dich leer saugen, sobald du die Hände wegnimmst.«

Locatelli bewegte die Lippen. Verbinde mich mit irgendwas, wollte er sagen, reparier den Anzug, doch es kam nur Gurgeln und Husten.

»Mit jeder Sekunde, die wir es hinauszögern, wirst du leiden.«

Leiden? Er schüttelte schwach den Kopf. Blöde Idee, dachte er im selben Moment, sieht doch sowieso keiner. Sie kehrten einander die Spiegelungen ihrer selbst zu. Glühende Schürhaken zerrten an seinen Eingeweiden. Er stöhnte auf.

»Warren?« Hannas Hände näherten sich seinem Helm. »Hörst du mich?«

»Schhhhh –«

»Schau in die Sterne. Schau den Sternenhimmel an.«

»Carl –«, flüsterte er. Die Schmerzen waren kaum zu ertragen.

»Ich bin bei dir. Schau in die Sterne.«

Die Sterne. Sie kreisten über Locatelli und sandten Botschaften aus, die er nicht verstand. Noch nicht. Oh Mann, dachte er, während sich Hanna an seinem Helm zu schaffen machte, wer ist je mit so einem Bild vor Augen gestorben? Wie verdammt großartig eigentlich.

»Sch – eiße«, presste er noch einmal hervor, immerhin sein Lieblingswort.

Der Helm wurde ihm abgenommen.

GAIA, VALLIS ALPINA

Über wie viele Köpfe die Hydra auch gebieten mochte, im Moment hatten sie allesamt Anlass zu größter Sorge.

Dabei war mit Schwierigkeiten zu rechnen gewesen. Das Desaster von 2024 warf seinen langen Schatten, seit sich Vic Thorn, der so aufwendig kultivierte Bazillus ihrer Interessen, in die Weiten des interstellaren Raums empfohlen hatte. Über ein Jahr des Bangens, Monate um Monate, während derer das Paket ihre Nerven strapazierte, da niemand zu sagen vermochte, ob es so lange Zeit in der Einöde des Kraters überdauern würde. Zwar ließen sich Mini-Nukes kaum aufspüren, wie Dana Lawrence sehr genau wusste, natürlich ohne es den beflissenen Suchtrupps vom Nachmittag auf die Nase gebunden zu haben. Die kleinen Kernwaffen bezogen ihre Energie aus Uran 235. Sie waren keine Gammastrahler wie ihre beleibteren Vettern, sondern erzeugten Alphawellen; schon ein Blatt Papier reichte, um Detektoren erblinden zu lassen. Ungeachtet dessen entwickelten sie im Zustand der Lagerung thermische Energie, die irgendwohin abgeleitet werden musste, ein Prozess, den auf der Erde nötigenfalls die Atmosphäre besorgte. Auf dem Mond hingegen nahmen keine emsig zirkulierenden Moleküle die Wärmepaketchen entgegen und transportierten sie fort. Um der Überhitzung einer Atombombe im luftleeren Raum entgegenzuwirken, bedurfte es großer Radiatoren, die das Paket aber nicht besaß, weil es dazu bestimmt gewesen war, ein Vierteljahr nach seiner Landung von Thorn geborgen zu werden, der in der Mondbasis praktisch um die Ecke gesessen hätte. Wäre alles nach Plan verlaufen, hätte Thorn die Platzierung vorgenommen, den Zeitzünder eingestellt, sich unter dem Vorwand einer plötzlichen Erkrankung in Richtung Erde davongemacht, und der Rest stünde nachzulesen in den Chroniken überlieferungswürdiger Katastrophen.

Angewidert betrachtete Lawrence den verkohlten, qualmenden Leichnam Kokoschkas. Endlich war es ihr gelungen, die verbliebenen Brände zu löschen. Welches Inferno zurzeit in GAIAS abgeriegeltem Hals wütete, mochte sie sich nicht vorstellen, aber auch hier mussten die Flammen bereits einen Gutteil des ursprünglich vorhandenen Sauerstoffs aufgefressen haben. Die lebensrettende Maske füllte ihre Lungen mit Oxygen, eine Sichtblende schützte ihre Augen gegen den beißenden Rauch, doch das eigentliche Problem war, dass sie so schnell nicht hier rauskäme.

Und alles nur wegen Julians verstörter Tochter!

Was zum Teufel war los mit Lynn? Zu keiner Zeit, nicht während der Einstellungsgespräche und auch nicht danach, hatte sie je den Eindruck erweckt, verrückt zu sein. Kontrollsüchtig, das schon. Nahezu pathologisch in ihrem Streben nach Perfektion, aber sie *schien* auch so gut wie perfekt *zu sein*. Doch bis vor wenigen Tagen hätte Lawrence nichts anderes über Lynn Orley zu erzählen gewusst, als dass sie die legitime Architektin dreier außergewöhnlicher Hotels war und vollauf in der Lage, einen Weltkonzern zu führen.

Dann, völlig überraschend, waren die ersten Symptome der Paranoia aufgetreten, und Lawrence hatte, anfangs beunruhigt, ein gewisses Potenzial zu erkennen geglaubt, weil die Wesensveränderung Lynn für die Rolle des Sündenbocks prädestinierte. Keine Gelegenheit hatte sie verstreichen lassen, Julians Tochter in Misskredit zu bringen und den Verdacht ihrer Unredlichkeit zu nähren. Vorhin im MAMA KILLA CLUB jedoch, Donoghues Kläffen im Ohr, war ihr plötzlich die Angst in die Knochen gefahren, Lynn könne alles verderben. Vorsichtshalber war sie ihr darum gefolgt, doch Lynn hatte sich lediglich in ihre Suite zurückgezogen, also war sie weiter in die Zentrale gegangen, um dort Thiel, jeder Verstellung unfähig, beim Naschen vom Baum der Erkenntnis vorzufinden. Schwache Nerven, die Kleine, wenngleich zu bewundern für ihre detektivische Akribie. Lawrences einziger Fehler war ihr prompt zum Verhängnis geworden – nicht augenblicklich das Protokoll manipuliert zu haben, nachdem sie die Suchtrupps in die Irre geschickt hatte. Mit einem einzigen Blick hatte die Deutsche erfasst, dass ihre Chefin während der Konferenzschaltung zwischen Erde und Mond – unter dem Vorwand, das Korridor-Video zu laden – die Blockade der Kommunikation eingeleitet hatte. Klug, Sophie, wirklich klug. Der Geschwätzigkeit digitaler Boten bewusst, hatte sich Thiel Stift, Papier und Kokoschka anvertraut und dem verliebten Trottel aufgetragen, Tim zu suchen, damit er wisse, wer der wahre Feind sei.

Nur dem Zufall war es zu danken, dass ihr Weg sie rechtzeitig in die Zentrale geführt hatte, andernfalls wäre ihre Enttarnung möglicherweise noch früher erfolgt.

Nun war das Protokoll korrigiert, ohne dass es wahrscheinlich noch eine Rolle spielte. Die Chance, Gäste samt Personal unter dem Vorwand eines Treffens in GAIAS Kopf einzusperren und ihnen die Luft abzudrehen, um sich in Richtung Peary abzusetzen, war unwiederbringlich vertan. Sie saß fest.

Lawrence atmete tief in ihre Maske.

Um sie herum summten die Zirkulatoren. Mühevoll kämpften sie mit der rußigen Hinterlassenschaft der Flammen, saugten die giftigen Bestandteile ab und pumpten frischen Sauerstoff in den Trakt. Mehr aus Sportsgeist machte sich Lawrence am Schott zu schaffen, jenseits dessen Rolltreppen durch GAIAS Arm in den Untergrund führten, bemühte die Automatik, versuchte es mit Muskelkraft, ohne Erfolg. Wie auch? Die teilweise Vernichtung des Sauerstoffs hatte in dem hermetisch abgeriegelten Bereich einen leichten, aber folgenschweren Unterdruck erzeugt. Bis zu dessen Ausgleich würde sich die Panzerung keinen Millimeter von der Stelle bewegen. Das gegenüberliegende Schott, hinter dem GAIAS nicht kontaminierte Hälfte lag, konnte sie gleich ignorieren. Mindestens zwei Stunden würde es dauern, bis der Druck wiederhergestellt wäre. Zeit genug, sich Grübeleien darüber hinzugeben, wie der verfluchte Detektiv in Hydras Datenbahnen hatte eindringen können. Alle übrigen Rückschläge waren zu verkraften gewesen, etwa, dass die Mobilität des Pakets beim Sturz in den Krater Schaden genommen hatte, oder Julians unvermutetes Auftauchen im Korridor, als Hanna von seinem nächtlichen Ausflug zurückgekehrt war. Lawrence hatte die Daten manipuliert und gekonnt alle Spuren verwischt. Kein Grund zur Panik.

Doch dann war alles aus dem Ruder gelaufen.

Dabei schien Hydra aus der Schlappe mit Thorn erstarkt hervorgegangen zu sein. Statt in Verwirrung zu stürzen, war man übereingekommen, einen zweiten Anlauf zu starten, diesmal mit einem Team. Aus der NASA ließ sich niemand mehr rekrutieren. Thorn war ein Glücksfall gewesen, ein allseits beliebter Schweinehund, in gegenteiliger Entsprechung seiner zur Schau getragenen Kollegialität niemandes Kumpel und bar aller moralischen Prinzipien. Schon vor Jahren hatte Hydra seine Bestechlichkeit gewittert, als er noch in irdischen Simulatoren trainiert hatte, ihn beobachtet und ihm schließlich ein Angebot unterbreitet, das der mittlerweile designierte Kommandant der Mondbasis ohne mit der Wimper zu zucken, dafür jedoch mit der Anregung um Verdopplung zurückgereicht hatte. Nachdem dies kein Problem darstellte, war alles Weitere wie am Schnürchen gelaufen. Im äquatorialguineischen Dschungel gingen die Arbeiten ihrem Ende entgegen, Hydras Einkäufer waren auf dem Schwarzmarkt des internationalen Terrorismus erfolgreich gewesen. Ein Gesamtkunstwerk krimineller Logistik nahm Gestalt an, ersonnen von einem Phantom, dem Lawrence zwar nie begegnet war, dessen Zeremonienmeister sie dafür umso besser kannte.

Kenny Xin, der durchgeknallte Fürst der Finsternis.

Auch wenn er der Psychopath schlechthin und ihr in vielerlei Hinsicht unappetitlich war, konnte sich Lawrence einer gewissen Bewunderung für den Chinesen nicht erwehren. Für die kontinentale und kosmische Brücken schlagende Architektur der Konspiration, deren Teil sie seit einem Jahr war, hätte sich Hydra keinen besseren Statiker wünschen können. Unverzüglich nach Thorns Tod hatte Xin, wie kein anderer vertraut mit dem Pandämonium freischaffender Spione, Ex-Geheimdienstler und Auftragsmörder, Lawrence ins Gespräch gebracht, eine ehemalige Mossad-Agentin, spezialisiert auf die Infiltrierung von Spitzenhotels, was sie in besonderer Weise für das GAIA qualifizierte, und zudem die Idealbesetzung für den kanadischen Investor gefunden, der Julians Vertrauen gewinnen sollte.

Doch wie es schien, hatte der Fürst der Finsternis die Sache nicht mehr richtig im Griff.

Sie fragte sich, wer im Hotel noch lebte. Der Trakt, in dem sie gefangen saß, schien ihr verlassen, allerdings wusste sie nicht, wer im Kopf gewesen war zum Zeitpunkt, als sich der Sauerstoff entzündet hatte. Alle, mit etwas Glück. Weder entsprang ihre Hoffnung einer Vorliebe für Massenmord, noch lehnte sie diesen als funktionsstiftende Maßnahme ab. Das Schicksal der Gruppe war besiegelt gewesen vom Moment an, da Hanna enttarnt wurde. In Kenntnis seiner Fähigkeiten hegte sie keinerlei Zweifel, dass er es bis zur Mondbasis schaffen würde, die Frage war eher, wann mit seinem Eintreffen zu rechnen sei und ob er in der Lage wäre, Kontakt zu ihr aufzunehmen. Zeit hatte sie ihm verschafft, zwar um den Preis ihrer Kommunikationsfähigkeit, doch was wäre fataler gewesen, als dass Shaw und der Detektiv ihr Wissen über die NASA an die Peary-Basis weitergetratscht hätten? Hannas Chancen standen eindeutig besser, wenn ihn am Nordpol niemand erwartete, um ihn zu stoppen.

Auch die Blockade der Kommunikation war ein wohl gezielter Pfeil aus Kenny Xins unerschöpflichem Ideenköcher gewesen, vorausschauend in die Sehne gelegt. Ihre verstörten Mitwisser auf die Suche nach der Bombe zu schicken, ein Leichtes. Ebenso wie Tommy Wachowski auszuhorchen, den Stellvertretenden Kommandanten der Basis, selbstverständlich ohne ihn um Hilfe bei der Suche nach der GANYMED zu bitten. Zu ihrer grenzenlosen Erleichterung hatte man am Pol nichts von einem geplanten Anschlag gewusst, ein klares Indiz dafür, dass weder Shaw noch die NASA rechtzeitig eine Warnung dorthin hatten absetzen können, bevor die Kommunikation zusammengebrochen war. Anschließend hatte sie die Laserverbindung dahingehend manipuliert, dass Anrufe von der Basis ausschließlich auf ihrem Handy empfangen werden konnten. Sodann warten, bis Hanna sich meldete, und das Hotel auf Nimmerwiedersehen verlassen.

Lediglich der Insassen hätte sie sich zuvor entledigen müssen. Beim besten Willen konnte sie den Haufen nicht mit zum Pol nehmen und riskieren, dass sie vor Hanna dort einträfen und Geschichten über Atombomben verbreiteten. Keiner aus der Gruppe durfte die Basis erreichen!

Wer hatte überlebt?

Lynn, dachte sie. Und Tim. Mindestens diese beiden. Sie waren irgendwo im Hotel, möglicherweise in der Zentrale.

Zeit, Kontakt zu ihnen aufzunehmen.

KAP HERACLIDES, MONTES JURA

Das Verhalten von Körpern im Vakuum erfreute sich reger Legendenbildung. Manches davon entsprach den Tatsachen. Etwa, dass Gegenstände von weicher Konsistenz mit Lufteinschlüssen hefeteigartig auseinanderstrebten, da sich das Gas gewaltsam seinen Weg nach draußen bahnte. Das Vakuum saugte nicht, das Atmosphärische drückte. Einiges verformte sich, anderes platzte. Schokoküsse, mit schaumiger Creme gefüllt, blähten sich zum Vierfachen ihres Volumens auf. Stellte man den ursprünglichen Umgebungsdruck wieder her, verwandelten sie sich in formlose Schmiere, was auf tief greifende strukturelle Zerstörungen hindeutete. Hingegen nahm ein verknotetes Kondom nach einem vorübergehenden Dasein als Ballon wieder seine ursprüngliche Form an, ungeachtet dessen, dass man es dann besser nicht mehr benutzte. Eine Rinderlunge ging in Fetzen, Lochkäse und Auberginen ließen keine sichtbare Veränderung erkennen, Hühnereier ebenso wenig. Bier schäumte wie verrückt, Pommes frites sonderten Fett ab und erkalteten, Ketchuptütchen wölbten sich ein wenig.

Was Menschen betraf, so hielt sich hartnäckig das Gerücht, sie würden im luftleeren Raum platzen. Ihrer Natur nach waren sie Schokoküssen näher als Kondomen, weich, porös und durchwirkt von Gasen und Flüssigkeiten. Doch als Hanna Locatellis Helm löste, geschah etwas sehr viel Komplexeres. So wie Wasser unter Druck, etwa in Tiefseegräben, erst bei 200° bis 300°, in der Hochgebirgsluft des Mount Everest hingegen schon bei 70° zu sieden begann, kochten die flüssigen Bestandteile in Locatellis Schädel, völliger Drucklosigkeit ausgesetzt, innerhalb eines Sekundenbruchteils auf und kühlten durch den induzierten Energieverlust fast gleichzeitig wieder ab. Was ins Vakuum verdampfte, erzeugte Verdunstungskälte, sodass der flüssige Locatelli, kaum dass er kochte, gleich auch schon wieder gefror. Sein Schädel platzte nicht, doch seine Physiognomie machte rapide Veränderungen durch und hinterließ eine maskenhafte, von dünnem Eis überzogene Fratze. Da er im Schatten eines Felsvorsprungs lag, würde das Eis so lange bleiben, bis Lichtstrahlen darauf fielen und es evaporierte. Zuletzt würde Locatelli einen schrecklichen Sonnenbrand erleiden, doch das Gute an der Sache war, dass er von alledem nichts spürte. Er starb so plötzlich, dass die Schönheit des Sternenhimmels als Letztes in ihm lebte.

Hanna richtete sich auf.

Es war, wie er gesagt hatte. Weder belastete noch vergnügte ihn der Akt des Tötens. Seine Opfer bevölkerten nicht seine Träume. Wäre er zu der Überzeugung gelangt, dass Locatelli eine Gefahr für ihn darstellte, hätte er ihn erschossen. Doch irgendwann im Verlauf der letzten zwei Stunden war ihm der Gedanke zutraulich geworden, es nicht tun zu müssen. Locatellis Mut hatte ihm Respekt abgenötigt, und obwohl der Kerl ein aufgeblasener, arroganter Arsch gewesen war, hatte Hanna so etwas wie Sympathie für ihn entwickelt, einhergehend mit dem Wunsch, ihn zu verschonen. Die Aussicht, Locatellis Leben zu retten, hatte ihm auf unbestimmte Weise gutgetan.

Nun hatte er ihm wenigstens Qualen erspart.

Er wandte sich ab und löschte den Toten aus seinem Gedächtnis. Er musste seine Aufgabe zu Ende bringen.

Der Buggy lag auf der Seite, nachdem die GANYMED ihn gegen den Felsvorsprung gedrückt hatte. Hanna wuchtete das Fahrzeug zurück auf die Räder und inspizierte es. Sofort fiel ihm auf, dass eine der Achsen so sehr in Mitleidenschaft gezogen war, dass die Frage nicht lautete, ob, sondern wann sie brechen würde. Er konnte nur hoffen, dass der Buggy bis zur Förderstation durchhielt.

Ohne Locatelli und dem Shuttle noch einen Blick zu widmen, fuhr er los.

GAIA, VALLIS ALPINA

Erstaunlich, dachte O'Keefe, Nairs plötzliche Grabesblässe. Dass jemand, dessen Pigmentierung italienischem Espresso gleichkam, gleichzeitig so bleich wirken konnte. Ebenso blutleer wie seine um Zuversicht bemühten Worte.

»Sie werden uns holen kommen, Sushma. Mach dir keine Sorgen.«

»Wer denn, sie?«

»Du siehst doch, unser Freund Funaki –«

»Nein, Mukesh, es ist keiner mehr da, er kann keinen erreichen!« Sushma begann zu schluchzen. »In der Zentrale meldet sich niemand, und es brennt, da unten steht alles in Flammen!«

Wunderlich. O'Keefe konnte nicht aufhören, Nair anzustarren. Insbesondere die Nase. Wie abgestorben, ein fahler Rettich, den Mr. Tomato da im Gesicht trug. Der Adressat seines Interesses legte schützend den Arm um Sushmas Schultern.

»Er wird jemanden erreichen, Liebes. Ganz bestimmt.«

»Ist es schon wärmer geworden?« Rebecca Hsu runzelte alarmiert die Brauen. »Um einige Grade?«

»Nein«, sagte Eva Borelius.

»Ich meine aber doch.«

»*Dir* ist wahrscheinlich wärmer geworden, Rebecca.« Karla Kramp ging zum Treppenabsatz und sah nach unten. »Ausschüttung von Stresshormonen, erhöhter Blutdruck. Klimakterium. Ganz normal, in deinem Alter.«

O'Keefe folge ihr. Zwei Etagen tiefer endete die Wendeltreppe an einer stählernen Barriere.

»Vielleicht sollten wir versuchen, die Schotts zu öffnen«, schlug er vor.

Funaki schaute zu ihnen herüber und schüttelte den Kopf.

»Solange die Anzeige im Kontrollfeld rot leuchtet, empfiehlt es sich, die Finger davonzulassen. Akute Lebensgefahr.«

»Wieso eigentlich?« Winter fischte eine Erdbeere aus ihrem Daiquiri und nuckelte das Fruchtfleisch von dem grünen Sternchen. »Die

Automatik hat dichtgemacht, jetzt könnten wir doch mal nachsehen, oder?« Ihre Haut erinnerte an einen gekochten Hummer. Antlitz und Dekolleté erglühten. Das von Chemikalien gesättigte Haar war über dem Stirnansatz weggesengt worden, auch die Brauen hatten Schaden genommen. Ungeachtet dessen legte sie jene Zuversicht an den Tag, wie sie nur Menschen aufbringen, die entweder besonders souverän oder besonders beschränkt sind.

»So einfach ist das nicht«, sagte Funaki.

»Quatsch.« Sie leckte Erdbeersaft aus ihren Mundwinkeln. »Nur mal kurz gucken. Wenn's immer noch brennt, machen wir halt schnell wieder zu.«

»Sie würden die Schotts gar nicht aufbekommen.«

»Finn hat kräftige Muskeln, und Mukesh –«

»Mit Körperkraft ist da nichts auszurichten. Nicht, wenn der Partialdruck des Sauerstoffs abgesunken ist.«

»Verstehe.« Winter hob interessiert die Reste ihrer Brauen. »War das nicht so 'n Ritter?«

»Wie bitte?«

»Partial.«

»Parzifal«, sagte Olympiada Rogaschowa müde.

»Ach richtig. Und was hat der jetzt mit unserem Sauerstoff zu tun?«

»Michio, alter Samurai.« O'Keefe wandte sich um. »Seien Sie doch so freundlich und reden Sie so, dass es die ganz normale Multimilliardärin versteht. Ich glaube, Sie wollen sagen, dass auf der anderen Seite ein Unterdruck entstanden ist, richtig? Das heißt, wir müssen uns was anderes überlegen, um hier rauszukommen.«

»Wie denn?« Borelius sah ihn ratlos an. »Ohne Fahrstuhl.«

Sie waren hinab ins SELENE gestiegen, um den Personalaufzug zu inspizieren, den einzigen der drei Lifts, der bis in den Restaurantbereich fuhr, doch Funaki war energisch eingeschritten:

»Nicht, solange das System oder die Zentrale keine Unbedenklichkeit signalisiert! Wir wissen nicht, wie es im Fahrstuhlschacht aussieht. Wenn Sie nicht wollen, dass Ihnen Flammen entgegenschlagen, lassen Sie die Finger von den Türen.«

Doch die Zentrale hatte sich bis jetzt nicht gemeldet.

»Notfalls steigen wir durch die Lüftungsschächte nach unten«, hatte er hinzugefügt. »Nicht gerade bequem, aber sicher.«

Seitdem war eine Weile vergangen. Kramp schaute wieder ins Schneckengehäuse der Wendeltreppe hinab.

»Ich werde mich hier oben jedenfalls nicht rösten lassen«, beschied sie.

»Rösten?« Hsus Augen weiteten sich vor Entsetzen. »Wieso rösten? Meinst du etwa – ?«

»Karla«, wisperte Borelius. »Muss das denn sein?«

»Wieso?«, flüsterte Kramp auf Deutsch zurück. »Über uns sind nur noch die Sterne. Zur Aussichtsterrasse können wir nicht ohne Raumanzüge, und unter uns brennt es. Feuer tendiert nach oben. Wenn Funaki nicht bald eine Verbindung zur Zentrale aufbaut, wird meines Weilens hier ein Ende sein, das kann ich dir sagen. Ich will hier raus.«

»Wir wollen alle hier raus, aber –«

»Michio!« Eine verzerrte Stimme erklang aus der Gegensprechanlage der Bar. »Michio, hören Sie mich? Tim hier! Tim Orley!«

Möglicherweise hatte er falsche Prioritäten gesetzt. Lynns Elend ignorierend, hätte er ohne Umschweife Verbindung zu den anderen aufnehmen sollen, doch mit ansehen zu müssen, wie sie litt, erschien Tim unerträglich. Ihrem Schluchzen vermeinte er zu entnehmen, nach Einnahme gewisser Medikamente ginge es ihr besser. Augenblicklich hatte er den Fahrstuhl geholt, von ganz oben her, um mit ihr in den dreizehnten Stock zu ihrer Suite zu fahren. Dass es ungewohnt warm in der Kabine war, erreichte vorerst nur sein Unterbewusstsein. Erst auf der gläsernen Brücke hatte er sich der beängstigenden Geräusche aus GAIAS Hals, des Rauchphantoms in der Kuppel des Atriums, einer auf merkwürdige Weise in Bewegung geratenen Architektur erinnert und den Kopf zur Decke gehoben.

Über ihm erstreckte sich eine massive Panzerung.

Verblüfft fragte er sich, wo die stählernen Platten und Schotts so plötzlich hergekommen waren. Sie mussten zwischen den Etagen gelagert haben, den Blicken entzogen.

Was geschah dort oben?

Im Badezimmer schließlich hatte Lynn so sehr gezittert, dass er ihr die grünen Tabletten und die weiße Kapsel, nach der sie verlangte, nacheinander auf die Zunge legen und das Glas für sie halten musste, aus dem sie keuchend wie ein Kleinkind trank. Der anschließende Hustenanfall ließ befürchten, sie werde den Cocktail in hohem Bogen wieder von sich geben, doch dann hatte das Zeug begonnen, Wirkung zu zeigen. Eine Viertelstunde später war sie so weit gefestigt, dass sie die Suite verlassen konnten, nur um Heidrun und Walo Ögi in die Arme zu laufen.

»Was ist denn los?«, fragte der Schweizer besorgt und schaute sich um. »Wo sind die anderen?«

»Oben«, flüsterte Lynn. Ihrem Teint nach hätte sie Heidruns Schwester sein können.

»Wir *waren* oben«, sagte Ögi. »Wir wollten zu dieser Versammlung, aber es ist alles verriegelt und verrammelt.«

»Verrammelt?«

»Am besten«, sagte Heidrun, »ihr kommt mal mit.«

Erst weiter oben erkannte Tim das ganze Ausmaß der Panzerung. Eine lückenlose, stählerne Wand zog sich quer über die Empore. Die Türen von E2, einem der beiden Gästefahrstühle, waren ebenso dahinter verschwunden wie der linksseitige Zugang zum Hals. Die verbliebene Wendeltreppe endete in einem geschlossenen Schott. Erst jetzt fiel ihm auf, dass die Sicht unmerklich getrübt war, als überziehe ein hauchdünner Film seine Netzhaut. Vereinzelt trudelten schwarze Flusen durch die Luft. Er griff danach und zerrieb sie zwischen den Fingern zu Schmiere.

»Ruß«, sagte er.

»Riecht ihr das?« Ögi schnüffelte mit zuckendem Schnurrbart in alle Richtungen. »Als hätte es gebrannt.«

Entsetzen beschlich ihn. Was anderes bedeutete es, dass die Schotts verschlossen waren, als dass es *immer noch* brannte? Voller Beklommenheit fuhren sie nach unten und hörten schon in der Lobby Funakis dringliche Rufe. Lynn schlurfte zu den Kontrollen, aktivierte die Rücksprechfunktion, gab ihrem Bruder einen matten Wink und sank in einen der Rollsessel.

»Michio!«, rief Tim außer Atem. »Michio, hören Sie mich? Tim hier! Tim Orley!«

»Mr. Orley!« Funakis Erleichterung war mit Händen greifbar. »Wir dachten schon, es antwortet überhaupt niemand mehr. Seit einer halben Stunde versuche ich, jemanden zu erreichen.«

»Tut mir leid, wir mussten – wir hatten ein paar Probleme zu lösen.«

»Wo ist Miss Lawrence?«

»Nicht hier.«

»Sophie?«

»Auch nicht, niemand vom Personal. Nur die Ögis, meine Schwester und ich.«

Funaki schwieg einen Moment. »Dann fürchte ich, Sie werden weiterhin Probleme lösen müssen, Tim. Wir sitzen hier oben fest.«

»Was ist denn pa –«

»Zentrale!« Lawrences Stimme. »Bitte melden.«

»Entschuldigen Sie, Michio.« Stirnrunzelnd versuchte er sich zwischen den blinkenden Anzeigen zu orientieren. »Ich bin sofort wieder – ich habe Dana Lawrence – nur einen Moment, zum Teufel, wie schaltet man denn hier um?«

Seine Schwester rappelte sich mit leerem Blick auf, drängte ihn zur Seite und tippte auf ein blinkendes Feld.

»Dana? Lynn hier.«

»Lynn! Endlich. Ich versuche seit einer halben Stunde –«

»Den Spruch können Sie sich schenken, den hat Funaki schon gebracht. Wo sind Sie?«

»Eingeschlossen. In der rechten Schulter.«

»Gut, wir melden uns. Bleiben Sie auf Empfang.«

»Aber ich muss –«

»Maul halten, Dana. Einfach warten, bis einer mit Ihnen spielen will.«

»Wie war das?«, explodierte Lawrence.

»Ach ja – Sie sind gefeuert. Michio?« Lynn drückte die tobende Hoteldirektorin kurzerhand auf Stand-by. »Hier ist Lynn Orley. Geben Sie mir eine Lagebeschreibung.«

»Okay, also, der MAMA KILLA CLUB, die Luna Bar und das SELENE sind zugänglich, das CHANG'E ist abgeschottet. Laut Computer herrschen darunter lebensbedrohliche Verhältnisse. Wahrscheinlich hat ein Feuer im Hals die Automatik veranlasst, den Bereich abzuriegeln. Miss Winter hat eine Stichflamme gesehen –«

»Gesehen?«, hörten sie Winters durchdringendes Organ im Hintergrund. »Ich bin praktisch gegrillt worden.«

»– und konnte mit knapper Not entkommen.«

Lynn stützte sich schwer aufs Kontrollpult. Auf Tim machte sie den Eindruck eines Zombies, der etwas zu erledigen versuchte, wofür sein Körper längst nicht mehr geschaffen war.

»Wer war alles im Hals, als das Feuer ausbrach?«, fragte sie tonlos.

»Das wissen wir nicht so genau. Es scheint dort einen Streit gegeben zu haben. Die Donoghues verließen die Bar, um nachzusehen, außerdem hörten wir Miss Lawrences Stimme, und –« Er stockte. »Und Ihre, Miss Orley. *Sumimasen,* aber Sie müssen doch selbst am besten wissen, wer dort war.«

Lynn schwieg einige Sekunden.

»Ja, ich weiß es«, sagte sie leise. »Zumindest für die Zeit, bevor ich – gegangen bin. Ihre Beobachtungen treffen zu. Gleich nachdem Tim und ich raus sind, muss –« Sie räusperte sich. »Wer ist im Moment bei Ihnen?«

Funaki nannte neun Namen und versicherte ihr, bis auf Winters leichte Verbrennungen seien alle unverletzt. Tim fröstelte es beim Gedanken an den hermetisch verschlossenen Hals. Er wagte sich nicht auszumalen, was Chuck, Aileen und dem Koch zugestoßen war.

»Danke, Michio.« Lynns Finger wanderten über den Touchscreen, verschoben Regler, veränderten Parameter.

»Was machst du da?«, fragte Tim.

»Ich stoppe die Konvektion im Fahrstuhltrakt und in den Lüftungsschächten.«

»Konvektion?«, echote Ögi.

»Die Luftumwälzung. Da oben dürfte massive Rauchentwicklung im Gange sein. Wir müssen verhindern, dass die Ventilatoren ihn verteilen und die Ausbreitung des Feuers begünstigen. – Dana?«

»Lynn, verdammt! Das können Sie mit mir nicht machen, ich –«

»Sind Sie alleine?«

»Ja.«

»Was ist passiert?«

»Ich – hören Sie, es tut mir leid, wenn ich Sie zu Unrecht angegriffen habe, aber *alles* deutete darauf hin, dass *Sie* diejenige sind, nach der wir suchten. Mir obliegt die Sicherheit dieses Hotels, darum –«

»Oblag.«

»Mir blieb keine Wahl. Und Sie müssen zugeben, dass Ihr Verhalten in letzter Zeit *nicht* gerade normal war.« Lawrence zögerte. Als sie weitersprach, klang ihre Stimme plötzlich einfühlsam, ein wenig nach Ledersofa und Diplom an der Wand. »Niemand ist Ihnen deswegen böse. Es kann jedem passieren, dass er mal aus dem Tritt gerät, aber vielleicht sind Sie ja krank, Lynn. Vielleicht brauchen Sie Hilfe. Sind Sie sicher, dass Sie sich noch im Griff haben? Hätten *Sie sich* vertraut?«

Vorübergehend schien der entmündigende Tonfall seine Wirkung zu entfalten. Lynn senkte den Kopf, atmete schwer. Dann straffte sie sich und reckte das Kinn vor.

»Mir reicht es zu wissen, dass ich *Sie* im Griff habe, Sie miese kleine Intrigantin.«

»Nein, Lynn, Sie verstehen nicht, ich –«

»Das machen Sie kein zweites Mal mit mir, hören Sie?«

»Ich will doch nur –«

»Schnauze halten. Was ist im Hals passiert?«

»Aber das versuche ich Ihnen doch die ganze Zeit zu erzählen.«

»Also was?«

»Kokoschka. Er hat sich verraten! Er war es.«

»Ko – Kokoschka?«

»Ja! Er war Hannas Komplize.«

»Dana!« Tim trat hinzu. »Ich bin's. Sind Sie da sicher? Er wollte mir, glaube ich, etwas geben.«

»Keine Ahnung, aber stimmt, ja. Er wurde ziemlich wütend, als Sie ihm keine Beachtung schenkten, einiges schien nicht so zu laufen, wie er es sich vorgestellt hatte. Dann – unmittelbar, nachdem Sie und Lynn den Hals verlassen hatten, erschien Anand. Ich weiß nicht, *was genau* Sie rausgefunden hat und wie, aber sie sagte Kokoschka auf den Kopf zu, er sei der Agent, und Kokoschka – mein Gott, er verlor die Nerven. Er zog eine Waffe und erschoss zuerst sie, dann Chuck und Aileen, alles ging entsetzlich schnell. Ich versuchte ihm das Ding aus der Hand zu schlagen, dabei lösten sich Schüsse, einer der Sauerstofftanks spuckte plötzlich Feuer und – ich bin nur noch gerannt, nur raus, bevor die Schotts sich schlossen. Er kam mir hinterher, blieb stecken. Brannte. Die Empore brannte, alles. Ich –« Lawrences Stimme verebbte. Als sie weitersprach, rang sie hörbar um Fassung. »Es ist mir gelungen, ihn rauszuholen und das Schott zu schließen, die Flammen auf der Empore zu löschen, aber –«

»Was ist mit Ihnen? Um Himmels willen, geht es Ihnen gut?«

»Danke, Tim.« Sie hustete dumpf. »Ich hab wohl ein bisschen viel CO_2 in die Lungen bekommen, aber es geht. Ich halte mich mit Sauerstoffmasken aufrecht, bis der Druck wiederhergestellt ist und die Schotts sich öffnen.«

»Und – Kokoschka?«

»Tot. Ich konnte ihn nichts mehr fragen. Leider.«

Auf Heidruns und Walos Gesichtern zeichneten sich stummes Grauen und völlige Verständnislosigkeit ab. Lynn löste sich von der Konsole, wankte ein Stück in den Raum hinein, taumelte und krallte sich in die Lehne des Sessels.

»Meine Schuld«, flüsterte sie. »Alles meine Schuld. Das ist alles nur meine Schuld.«

Schon seit Längerem hatte sich Nina Hedegaard gefragt, ob Julian wohl ein Wiedergänger des Grafen von Saint Germain war, jenes veritablen Alchimisten und Abenteurers, »der niemals stirbt und alles weiß«, wie Voltaire einst an Friedrich den Großen geschrieben hatte, und welcher geheimnisvollen Elixiere und Essenzen er sich bedienen mochte, um über unbegrenzte Zeiträume hinweg die Kraft und Ausdauer eines Dreißigjährigen zu entfesseln. Während ihrer zwei Semester Geschichte – mehr aus Versehen absolviert, weil erblüht auf dem Humus einer kurzzeitigen Liaison zu einem Historiker – war der mysteriöse Graf Hedegaards Lieblingsfigur gewesen. Ein genialer Hasardeur, Weggefährte Casanovas, Lehrer Cagliostros, ein Mann, an dessen Lippen selbst die Pompadour gehangen hatte, weil er vorgab, im Besitz eines *Aqua benedetta* zu sein, das den Alterungsprozess stoppe. Irgendwann zu Beginn des 18. Jahrhunderts geboren, offiziell 1784 gestorben, schworen Biografen Stein und Bein, ihm noch bis ins 19. Jahrhundert begegnet zu sein. Reich, eloquent, charmant und hinter der Fassade des Weltverbesserers durch und durch gewissenlos – das konnte nur Julian sein! Im 21. Jahrhundert betrieb der Graf von Saint Germain eine Raumstation und ein Hotel auf dem Mond, machte wie eh und je aus Erde Gold, indem sein alchimistischer Genius Helium-3 in Energie verwandelte, Kohlenstoffröhren statt Diamanten erschuf, die Welt zum Narren hielt und das Herz einer kleinen, dänischen Pilotin brach.

Entkräftet von Selbstmitleid und sechs Nächten in Folge, deren Ablauf von Sex, unergiebigen Gesprächen über eine gemeinsame Zukunft, wieder Sex, grübelndem Wachliegen und ohnmachtartigen drei Stunden Schlaf bestimmt gewesen war, hatte es sie schließlich vom Pool in den Ruheraum getrieben. Sie verspürte nicht die geringste Lust, ein weiteres opulentes Dinner im SELENE zu sich zu nehmen und die goldige Reiseleiterin zu mimen. Es stand ihr bis zu den Haarwurzeln. Entweder, Julian legte ihre Beziehung offen, noch auf dem Mond, oder er konnte am Aristarchus-Plateau verfaulen. Ihr Unmut schwoll zu einem Stausee der Wut. Sie konnten nicht kommunizieren? Die GANYMED meldete sich nicht? Letzte Sichtung des Grafen 2025? Na, wenn schon! Es war nicht an ihr, ständig hinterfragen und suchen zu müssen. Sie war entsetzlich müde, und plötzlich wollte sie nicht einmal mehr, dass Julian sie fände, wenn er denn endlich einträfe. Tatsächlich wünschte sie natürlich nichts mehr, als *dass* er sie fände, aber nicht jetzt. Zuvor sollte er sich gehörig Sorgen machen. Ein leeres Kissen zerknüllen. Sie vermissen. Im schlechten Gewissen sieden. Das sollte er!

Ähnlich dem Pool war auch die Ruhelandschaft der Mondoberfläche nachempfunden, voller Kraterchen und verschwiegener Winkel. Den Bademantel um sich geschlungen, hatte sie sich eine besonders versteckte Liege auserkoren, in idealer Weise geeignet, um nicht gefunden zu werden, sich darauf ausgestreckt und war binnen weniger Minuten in einen tiefen, traumlosen Schlaf gefallen. Gleichmäßig atmend, den Blicken etwaiger Suchender entzogen, ruhte sie nun am Urgrund aller

Bewusstheit, aus der Zeit und der Wirklichkeit genommen, verzaubert im Vorzimmer des Todes, schnarchte ganz leise vor sich hin und empfand nichts als himmlischen Frieden und nicht einmal mehr das.

Viele Stockwerke über ihr brodelte die Hölle.

So wie GAIA im Zustand der Unversehrtheit einem jugendlichen, perfekt funktionierenden Organismus glich, dessen Lebenserhaltungssysteme ihn für Heldentaten, Goldmedaillen und die Unsterblichkeit prädestinierten, hatten ein paar verirrte Projektile aus einer Handfeuerwaffe gereicht, sämtliche Vorzüge ihrer Systeme und Subsysteme augenblicklich gegen sie zu kehren. Die verborgenen Tanks, dazu gedacht, verbliebene Mängel des bioregenerativen Kreislaufs auszugleichen, indem sie feinste Mengen Sauerstoff in die Atmosphäre pumpten, hatten sich als todbringende Schwachstelle erwiesen. Zwanzig Minuten nach Einsetzen der Katastrophe war der getroffene Tank ausgebrannt, doch andere, ursächlich Leben rettende Systeme gaben dem Höllenfeuer neue Nahrung. Mittlerweile herrschten in der hermetisch abgeriegelten Zone Temperaturen von über 1000° Celsius. Die Gehäuse der Sauerstoffkerzen waren geschmolzen und hatten ihren Inhalt freigesetzt, brennendes Kühlmittel hatte Leitungen zum Platzen gebracht, angeblich unbrennbare Wandverkleidungen flossen als glühender Brei dahin. Anders als in irdischer Schwerkraft loderte die Feuersbrunst nicht hoch auf, sondern waberte eigentümlich belebt umher, kroch in jeden Winkel, so auch in die Kabine von E2, dem Gästefahrstuhl, dessen Türen sich nicht rechtzeitig hatten schließen können, da Anands zusammengesackter Körper sie blockierte. Von den drei Leichen waren nur teerige Klumpen und Knochen geblieben, alles andere hatte das Flammenmonster in sich hineingeschlungen, menschliches Gewebe, Kunststoffe, Pflanzen, doch sein Hunger war bei Weitem noch nicht gestillt. Während die Eingeschlossenen im MAMA KILLA CLUB zusammen mit Lynn und Tim ihr Entkommen planten, Dana Lawrence wutschnaubend gegen das verschlossene Schott hämmerte und Nina Hedegaard den Untergang verschlief, wüteten die Flammen gegen einen zweiten Tank, bis dessen Dichtungen nicht länger standhielten und weitere 20 Liter komprimierter Sauerstoff die nächste Phase des Infernos einleiteten. In Ermangelung anderer Materialien begann das Monster am Sicherheitsglas des Fensters und am Stahlkorsett zu nagen, das GAIAS Nacken aufrecht hielt, und schwächte ihren strukturellen Zusammenhalt.

Um Viertel nach neun begannen die ersten tragenden Konstruktionen langsam nachzugeben.

»Nein, es war vollkommen richtig, den Fahrstuhl nicht zu benutzen«, hörten sie Lynns Stimme aus der Gegensprechanlage. Sie klang müde und ausgelaugt, aller Frequenzen ihrer Kraft beraubt. »Das Problem ist, wir können hier unten nur Vermutungen anstellen. Im Hals ist die Sensorik ausgefallen, möglich, dass es dort immer noch brennt. Im CHANG'E konnte das Löschsystem offenbar einiges ausrichten, allerdings herrschen Kontamination und massiver Unterdruck. Fast aller Sauerstoff ist zum Teufel. Ich schätze, die Ventilatoren werden das im Lauf der nächsten beiden Stunden ausgleichen, ähnlich wie im Schulterbereich.«

»Wir können aber keine zwei Stunden warten«, sagte Funaki mit einem Seitenblick auf Rebecca Hsu. »Inzwischen wird es hier nämlich tatsächlich wärmer.«

»Gut, dann –«

»Was ist mit den Lüftungsschächten? Wir könnten über die Stiegen nach unten klettern.«

»Die Angaben dazu sind widersprüchlich. Im Ostschacht scheint es zu leichten Druckverlusten gekommen zu sein, möglicherweise ist aber auch nur etwas Rauch eingedrungen. Der Westschacht sieht okay aus. Von den Gästeaufzügen ist E2 ausgefallen, die Kabine steckt im Hals fest, und der Personalfahrstuhl steht im Keller. E1 ist bei uns in der Lobby. Wir haben ihn mehrfach benutzt, ohne Probleme.«

»E1 bringt uns nicht viel«, sagte Funaki. »Er endet im Hals. Wenn überhaupt, können wir nur den Personalfahrstuhl benutzen, er fährt als einziger bis ins SELENE.«

»Einen Augenblick.«

In der Zentrale wurde leise gesprochen. Tims Stimme war zu hören, dann die Walo Ögis.

»Ich will daran erinnern, dass E1 und E2 ein gutes Stück auseinander liegen«, schob Funaki hinterher. »Falls E2 in Mitleidenschaft gezogen ist, muss das E1 nicht tangieren. Der Personalfahrstuhl fährt hingegen zwischen beiden hindurch, er käme E2 sehr nahe.«

»Lynn?« O'Keefe beugte sich über die Sprechanlage. »Kann das Feuer die anderen Fahrstuhlschächte erfassen?«

»An sich nicht.« Sie zögerte. »Die Wahrscheinlichkeit ist sehr gering. Das Schachtsystem ist durch Passagen miteinander verbunden, aber so angelegt, dass Flammen und Rauch nicht so schnell übergreifen können. Außerdem kann der Schacht selbst nicht brennen.«

»Was heißt nicht so schnell?«, wollte Eva Borelius wissen.

»Es heißt, dass wir einen Test riskieren«, sagte Lynn mit gefestigter Stimme. »Wir schicken euch den Personalfahrstuhl hoch. Wenn das System es für unbedenklich hält, müssten sich seine Türen im SELENE öffnen. Danach holen wir ihn wieder her, schauen uns das Innere an, und wenn nichts dagegen spricht, schicken wir ihn ein weiteres Mal nach oben. Dann solltet ihr ihn eigentlich benutzen können.«

O'Keefe tauschte einen Blick mit Funaki, suchte Augenkontakt mit den anderen. Sushma hatte sich im Zustand ihrer Angst häuslich eingerichtet, Olympiada nagte an ihrer Unterlippe, Kramp und Borelius signalisierten Zustimmung.

»Klingt vernünftig«, sagte Nair.

»Ja.« Kramp stieß ein nervöses Lachen aus. »Besser als verqualmte Lüftungsschächte.«

»Gut«, entschied Funaki. »So machen wir es.«

»Mich kann ohnehin nichts mehr schocken«, flötete Winter.

Das belebende Element eines Plans sickerte in die Blutbahn der kleinen Gemeinschaft und veranlasste sie, geschlossen ins SELENE hinabzusteigen, wo deutlich höhere Temperaturen herrschten. Funaki warf einen prüfenden Blick auf die Schotts im Boden. Nichts deutete darauf hin, dass sich Rauch oder gar Flammen ihren Weg nach oben bahnten.

Sie warteten. Nach kurzer Zeit hörten sie den Fahrstuhl kommen. Eine gefühlte Ewigkeit lang blieben die Türen verschlossen, dann endlich glitten sie geräuschlos auseinander.

Die Kabine sah aus wie immer.

Funaki tat einen Schritt ins Innere und schaute sich um.

»Sieht gut aus. Sehr gut sogar.«

»Mukesh.« Sushma umfasste den Oberarm ihres Mannes und sah ihn flehentlich an. »Hast du gehört, was er sagt? Wir könnten doch jetzt schon –«

»Nein, nein.« Funaki, mit einem Bein in der Kabine, drehte sich eilig um und schüttelte den Kopf. »Wir sollen ihn leer runterschicken. So wie Miss Orley gesagt hat.«

»Aber er ist doch in Ordnung.« Sushmas Schultern bebten vor Aufregung. »Er ist intakt, oder nicht? Jedes weitere Mal, das wir ihn hin- und herschicken, kann es nur gefährlicher werden. Ich möchte jetzt runter, *bitte*, Mukesh.«

»Tja, Liebes, ich weiß nicht.« Nair blickte unsicher zu Funaki. »Wenn Michio aber doch sagt –«

»Es ist *meine* Entscheidung!«

Der Japaner verzog das Gesicht und kratzte sich hinter dem Ohr.

»Ich schließe mich an«, sagte Kramp. »Ich bin derselben Meinung.«

»Was denn, du willst *jetzt* runterfahren?«, fragte Borelius. »Hältst du das für eine gute Idee?«

»Was heißt gut? Die Kabine hat's nach oben geschafft, also schafft sie es auch wieder nach unten. Sushma hat recht.«

»Ich komme ebenfalls mit«, sagte Hsu. »Finn?«

O'Keefe schüttelte den Kopf.

»Ich bleibe hier.«

»Ich auch«, sagte Rogaschowa.

Funaki schaute hilflos zu Miranda Winter. Sie fuhr sich durch die versengten Haarspitzen und kniff sich in die Nase.

»Also, ich glaube ja an Stimmen«, sagte sie und rollte die Augen zur Decke. »So Stimmen aus dem Universum, wisst ihr, manchmal muss man ganz genau hinhören, und dann spricht der Kosmos und sagt einem, was man tun soll.«

»Ah«, machte Kramp.

»Man muss natürlich mit dem ganzen Körper hören.«

O'Keefe nickte ihr freundlich zu. »Und was spricht er, der Kosmos?«

»Abwarten. Also *ich* soll abwarten!«, beeilte sie sich zu versichern. »Er kann ja nur für mich sprechen.«

»Klar.«

»Wir verlieren Zeit«, drängte Funaki. »Sie haben den Fahrstuhl schon nach unten beordert, die Anzeige leuchtet.«

Nair ergriff Sushmas Hand.

»Komm«, sagte er.

Vorbei an Funaki betraten sie die Kabine, gefolgt von Hsu, Kramp und der skeptisch dreinschauenden Borelius.

»Du kommst mit?«, wunderte sich Kramp.

»Denkst du, ich lasse dich alleine da runterfahren?«

»Bleibt am besten gleich im Selene«, rief Nair den Zurückgebliebenen zu. »Wir schicken euch den Fahrstuhl umgehend wieder zurück.«

Die Türen schlossen sich.

Bin ich übervorsichtig, dachte O'Keefe. Am Ende ein Angsthase?

Plötzlich beschlich ihn das ungute Gefühl, dass er soeben die letzte Chance in den Wind geschlagen hatte, mit heiler Haut hier herauszukommen.

»Entsetzlich«, sagte Borelius leise. »Wenn ich daran denke, dass Aileen und Chuck –«

»Denk gar nicht erst dran«, sagte Kramp und starrte geradeaus.

Die Kabine setzte sich in Bewegung.

»Fährt«, konstatierte Hsu.

»Ich hoffe nur, er wird auch ein zweites Mal fahren«, sagte Sushma besorgt. »Die anderen hätten mitkommen sollen.«

»Keine Bange«, beruhigte sie Nair. »Er *wird* fahren.«

Das vertraute Gefühl der Gewichtsabnahme setzte ein. Die Fahrt beschleunigte sich, vorbei

an der Kabine von E2, deren Inneres in rotgelber Glut changierte, während der Sauerstofftank unablässig Flammen in die Öde des Halses spie. Heißer und heißer wurde es darin. Trotz ihrer Dicke vermochten sich die Scheiben der Frontverglasung nur mit Mühe gegen das Feuer zu stemmen, noch aber verlagerte sich der Druck ins Innere und zwängte die Kabine langsam aber stetig auseinander. Dünne Längswände trennten die Fahrstuhlschächte voneinander, durchbrochen von quadratmetergroßen Durchlässen. Entgegen ihrem äußeren Anschein waren sie äußerst robust, aus Mondbeton gefertigt und geeignet, auch hohen Belastungen standzuhalten.

Allerdings nicht solchen.

Über eine Dreiviertelstunde lang hatte sich im Kabineninneren ferrostatische Spannung aufgebaut. Jetzt, da das tolerierbare Maximum überschritten war, entlud sie sich mit solch zerstörerischer Wucht, dass eine der Seitenverschalungen unter ohrenbetäubendem Lärm abgesprengt wurde, die Schachtwand in Trümmer schlug und sich schrapnellartig im Nachbarschacht verbreitete, mit dem Ergebnis, dass der Personalfahrstuhl ruckartig zum Stehen kam.

So abrupt stoppte er, dass seine Insassen von den Füßen gerissen wurden, gewichtslos in die Höhe schossen, mit den Köpfen zusammenstießen und wild durcheinanderpurzelten. Im nächsten Moment knallte etwas aufs Dach, das die Kabine heftig erzittern ließ.

»Was war das?« Sushma setzte sich auf und schaute mit aufgerissenen Augen umher. »Was ist passiert?«

»Wir stehen!«

»Mukesh?« Panik kräuselte ihre Stimme. »Ich will raus. Ich will *sofort* raus.«

»Ruhig, meine Liebste, es ist bestimmt alles –«

»Ich will raus. *Ich will raus!*«

Er nahm sie in den Arm, redete schnell und leise auf sie ein. Nacheinander rappelten sie sich hoch, mit bleichen, angstvollen Gesichtern.

»Habt ihr den Knall gehört?« Hsu starrte zur Decke.

»Wir waren doch schon vorbei«, sagte Kramp zu sich selbst, als wolle sie das Gegebene wegdiskutieren. »Schon unterhalb der Empore.«

»Irgendwas hat uns aufgehalten.« Borelius warf einen Blick auf die Anzeigen. Die Lichter waren erloschen. Sie drückte die Taste für die Gegensprechanlage. »Hallo? Hört uns jemand?«

Keine Antwort.

»So ein Mist«, fluchte Hsu.

»Ich will raus«, flehte Sushma. »Bitte, ich will –«

»Geh mir verdammt noch mal nicht auf die Nerven!«, herrschte Hsu sie an. »Du hast uns doch den Floh ins Ohr gesetzt, einzusteigen. Deinetwegen stecken wir fest.«

»Du hättest ja nicht mitfahren müssen!«, gab Nair wütend zurück. »Lass sie in Ruhe.«

»Ach, Scheiße, Mukesh.«

»Hey!«, fuhr Borelius dazwischen. »Kein Streit, wir –«

Etwas knirschte über ihnen. Ein hohles, schleifendes Geräusch schloss sich an, gefolgt von Totenstille.

Ein Ruck ging durch die Kabine.

Dann stürzte sie ab.

»Ihr habt was?«

Lynn stierte die Monitorwand und Funakis Gesicht an, das höchste Bestürzung ausdrückte.

»Sie wollten um jeden Preis einsteigen, Miss Orley«, jammerte der Japaner. Sein Blick war nach unten gerichtet. In schneller Folge ruckte sein Kopf vor und zurück, Gesten der Unterwürfigkeit. »Was hätte ich denn machen sollen? Ich bin kein Feldmarschall, die Leute haben ihren eigenen Willen.«

»Aber es ist schiefgegangen! Und wir haben keinen Kontakt mehr zu ihnen.«

»Sind sie – stecken geblieben?«

Lynn warf einen Blick auf das Schemagramm. Den plötzlichen Stopp der Kabine unterhalb der Empore hatten sie sehen können, doch dann war das Symbol verschwunden.

Niemand sagte etwas. Walo Ögi durchmaß den Raum, Heidrun und Tim starrten auf das Schemagramm, als könnten sie das Symbol kraft ihrer Blicke wieder herbeizaubern.

In Lynns Kopf herrschte der Ausnahmezustand.

Die Drogen hatten ihre narkotisierende Wirkung entfaltet, während das akute Drama sie über die Grenze des Erträglichen hinauspeitschte. Einerseits vernebelt, wie betrunken, gewahrte sie zugleich jedes Detail ihrer Umgebung in ungewohnter, beängstigender Schärfe. Es gab kein Hintereinander und Nacheinander, keine primäre und sekundäre Wahrnehmung mehr. Alles stürmte simultan auf sie ein, während immer weniger nach draußen gelangte. Realitätsebenen verschichteten sich, brachen auf, schoben sich splitternd wieder ineinander und schufen surreale Bühnenbilder zur Aufführung unverständlicher Stücke. In ihren Ohren rauschte das Blut. Zum hundertsten, tausendsten, abermillionsten Male fragte sie sich, wie sie sich bloß darauf hatte einlassen können, Raumstationen und Mondhotels zu bauen, anstatt sich Julian endlich zu widersetzen und ihm klarzumachen, dass sie nicht perfekt, kein Übermensch, nicht mal ein gesunder Mensch war, dass sie an der Aufgabe zerbrechen würde und man zur Erzeugung von Wahnsinn vielleicht eines Wahnsinnigen bedurfte, nicht aber zu dessen Kultivierung oder gar Kommerzialisierung. Denn das, *genau das,* war Sache der Gesunden, der geistig Klaren und Stabilen, die mit dem Wahnsinn kokettierten, unbekümmert mit ihm flirteten, nicht im Entferntesten verstanden, wie er sich anfühlte.

Wie lange würde sie noch durchhalten?

Ihr Kopf dröhnte. Sie schloss die Lider, presste die Fingerspitzen gegen die Schläfen. Sie musste sich aufrecht halten. Durfte nicht zulassen, dass der Damm brach, der die schwarze Flut noch zurückhielt. Sie war die Einzige, die das Hotel in- und auswendig kannte. *Sie* hatte es gebaut.

Alles hing nur an ihr.

Voller Angst öffnete sie die Augen.

Das Symbol war wieder da.

»Hilfe! Hilfe! Hört uns denn keiner?«

Borelius hämmerte zornig auf den Sprechknopf, rief und rief, während Sushma sich gegen die verschlossenen Innentüren warf und versuchte, sie mit bloßen Händen auseinanderzuzwingen. Nair zog sie an den Schultern zurück und drückte sie an sich.

»Ich will hier raus«, wimmerte sie. »Bitte.«

Nur einen Meter war der Fahrstuhl abgesackt, dafür hatte sich alles Blut aus fünf Gesichtern in den Füßen versammelt. Wachsweiß schauten sie einander an, wie eine Gruppe Schlossgespenster, denen plötzlich klar wurde, dass sie schon lange tot waren.

»Okay.« Borelius ließ von der Sprechanlage ab, hob die Hände und versuchte, sachlich zu klingen, was ihr bemerkenswert gut gelang. »Das

Wichtigste ist jetzt, dass wir die Nerven behalten. Auch du, Sushma. Sushma? In Ordnung?«

Sie nickte mit bebender Unterlippe, tränennass.

»Gut. Wir wissen nicht, was da los ist, wir erreichen niemanden, also müssen wir nachsehen.«

»So schlimm kann es doch eigentlich nicht werden«, sagte Hsu. »Ich meine, bei einem Sechstel G –«

»Zwölf Meter auf dem Mond sind wie zwei auf der Erde, das weißt du doch«, versetzte Kramp. »Und wir sind schätzungsweise 120 Meter hoch.«

»Schscht! Hört mal.«

An- und abschwellendes Brausen drang an ihr Ohr. Ein gequältes Jaulen mischte sich mit hinein, wie von hochgradig strapaziertem Material. Borelius hob den Blick zur Decke. Für alle ersichtlich, war dort ein Schott in der Mitte. Jetzt sah sie auch das dazugehörige Bedienelement neben den Anzeigen. Einen Moment zögerte sie, dann betätigte sie den Mechanismus. Sekundenlang tat sich nichts, dass sie schon zu befürchten begann, auch diese Funktion habe Schaden genommen. Wie sollten sie nach draußen gelangen, wenn das Schott streikte? Noch während sie über Alternativen nachsann, geriet es in Bewegung und stellte sich langsam auf. Flackerndes Orangerot drang zu ihnen herein, das Brausen verstärkte sich. Sie ging in die Hocke, federte ab, bekam den Rand der Luke zu fassen, zog sich mit kräftigem Schwung hoch und kletterte aufs Dach.

»Meine Güte«, flüsterte sie.

Rechtsseitig war die Trennwand auf großer Fläche weggerissen worden, sodass sie bis hinauf in den Nachbarschacht sehen konnte. Fünf, vielleicht sechs Meter über ihr hing die glimmende, halb zerstörte Kabine von E2. Die Seitenverschalung fehlte völlig und gewährte Einblick ins Innere, Quell des Brausens, das nun stärker zu hören war. Rötliche Geistererscheinungen huschten über die Decke des brennenden Fahrstuhls hinweg, Schlieren von Ruß sammelten sich weiter oben im Schacht. Wohin sie den Kopf wandte, hatten sich Trümmer verkeilt. Ein bizarr verdrehtes, glühend pulsierendes Stück Metall lag direkt vor ihren Füßen. Sie trat einen Schritt zurück. Soweit erkennbar, hatten die Bremsbacken des Personalfahrstuhls zugepackt und umklammerten die Führungsschienen, doch bei genauerem Hinsehen schienen ihr zwei davon durch Splitter blockiert oder womöglich beschädigt. Die Hitze trieb ihr den Schweiß in dicken Tropfen auf Stirn und Oberlippe.

Und plötzlich verlor sie den Boden unter den Füßen.

Ein kollektiver Schrei drang zu ihr nach oben, als die Kabine einen weiteren Meter absackte. Borelius taumelte, fing sich, sah, dass eine der Backen sich geöffnet hatte. Nein, schlimmer, sie war gebrochen! In Panik suchte sie nach einem Ausweg. Gleich vor ihren Augen lag der untere Rand der Türen, die auf die Empore führten. Sie klemmte die Finger zwischen den Spalt, unternahm einen aussichtslosen Versuch, sie zu öffnen, doch natürlich bewegten sie sich keinen Millimeter. Wie auch? Das hier waren keine gewöhnlichen Fahrstuhltüren, sondern hermetisch verschlossene Schotts. Solange das System nicht entschied, sie zu öffnen, oder jemand anderer sie von außen bediente, machte sie sich nur lächerlich und verlor wertvolle Zeit.

»Eva!«, hörte sie Sushma schluchzen. »Was ist denn?«

Es fiel ihr schwer, der armen Frau keine Beachtung zu schenken, doch sie konnte sich nicht auch noch um die Befindlichkeiten der anderen kümmern. Fieberhaft suchte sie nach einer Lösung. Die noch intakte Wand wies, wie ihr jetzt auffiel, einen quadratmetergroßen Durchlass zum Schacht von E1 auf. Mehrere Meter darüber erblickte sie einen weiteren Durchlass, zu hoch, um ihn zu erreichen, und im unteren spreizten sich die glühenden und qualmenden Fragmente der weggesprengten Kabinenverkleidung. Borelius registrierte einen unangenehmen Druck auf der Brust und wandte sich zur anderen Seite, um den Schacht von E2 in Augenschein zu nehmen. Der komplette obere Teil der Zwischenwand war verschwunden, ein riesiges, klaffendes Loch, dessen schartiger Rand in Höhe ihrer Stirn lag, sodass sie sich ein Stück daran hochziehen musste, um hinüberzuschauen. Senkrechte Führungsschienen erstreckten sich dort in ungewisse Tiefe. Dazwischen verliefen in Abständen Querstreben, breit genug, um sich an ihnen festzuhalten und die Füße daraufzustellen, und auf der gegenüberliegenden Seite des Schachts sah sie –

Eine Passage.

Ein rechteckiges Loch, mündend in einen kurzen, horizontalen Tunnel. Dunkel und geheimnisvoll ruhte er in der Wand, doch Borelius glaubte zu wissen, wohin er führte, und er war groß genug, dass zwei Menschen zugleich hindurchkriechen konnten. Mit etwas Geschick würde man über die provisorischen Laufgänge dort hingelangen.

Unter ihr ächzte die Kabine in ihren Schienen, Metall schrammte über Metall. Mukesh Nair stemmte sich aus der Luke, hob den Kopf und starrte fassungslos auf das glühende Wrack von E2.

»Großer Gott! Was ist denn hier –«

»Alle raus«, sagte Borelius. Sie drängte sich an ihm vorbei und rief nach unten: »Raus, schnell! Aufpassen, hier liegen glühende Trümmer herum.«

»Was haben Sie vor?«, wollte Nair wissen.

»Helfen Sie mir.«

Der Fahrstuhl quietschte, sackte ein winziges Stück ab, während von oben ein Funkenregen auf sie herniederging. Schmerzhaft spürte Borelius die punktgroßen Verbrennungen auf Händen und Oberarmen. Sie hatte für den Abend ein schlichtes, ärmelloses Top ausgesucht, jetzt verfluchte sie sich dafür. In höchster Eile halfen sie Karla, Sushma und der erschreckend hüftsteifen Rebecca Hsu nach draußen, bis alle auf dem Dach versammelt standen.

»Ausziehen«, sagte Borelius, zerrte ihr Top aus der Hose und streifte es über den Kopf. »T-Shirts, Blusen, Hemden, alles, was ihr euch um die Hände wickeln könnt.«

Sushmas Kopf ruckte hin und her.

»Warum denn das?«

»Weil wir uns die Flossen verbrennen werden, wenn wir sie nicht schützen.« Sie wies mit dem Kopf auf den klaffenden Durchlass. »Da müssen wir drüber. Auf der anderen Seite drückt ihr euch an der Wand lang. Es gibt Verstrebungen zwischen den Fahrstuhlschienen, an denen ihr euch festhalten und über die ihr gehen könnt. Nicht nach unten gucken, auch nicht nach oben, einfach immer weiter. Auf der anderen Seite liegt ein Durchgang, ich vermute, er führt in einen der Lüftungsschächte.«

»Das schaffe ich nie«, sagte Sushma in ängstlichem Flüsterton.

»Doch«, sagte Hsu entschlossen. »Das schaffen wir alle, und du schaffst das auch. Und entschuldige wegen vorhin.«

Sushma lächelte mit zuckenden Lippen. Ohne zu zögern zerriss Borelius den dünnen Stoff ihres Tops, das sündhaft teuer gewesen war, egal, wickelte sich die Fetzen um Hände und Handgelenke und half Kramp bei der Dekonstruktion ihres T-Shirts, während Nair seiner Frau assistierte. Hsu, fluchend und nur noch mit Unterwäsche bekleidet, verzweifelte an der Zweckentfremdung ihres Cocktailkleids. Nair reichte ihr Streifen seines Hemdes.

»Gut«, sagte Borelius. »Ich gehe als Erste.«

Die Kabine des Personalfahrstuhls erzitterte. Borelius umfasste den Rand der zerstörten Trennwand, zog sich hoch und schwang ein Bein auf die andere Seite.

Nicht nach unten sehen?

Eva, Eva. Leichter gesagt als getan. Plötzlich wurde ihr mulmig zumute und ihr Mut schrumpfte zusammen. Der ferne Grund des Schachts verlor sich in Unheil verheißender Dunkelheit, auch das Gestänge schien ihr mit einem Mal beunruhigend schmal. Sie zwang sich, den Blick nicht zu der demolierten Kabine von E2 zu heben, langte aus, packte eine der Verstrebungen und fühlte die Hitze durch den Stoff dringen. Mit zusammengebissenen Zähnen kletterte sie ganz auf die andere Seite und setzte die Füße auf den heißen Stahl.

Nicht gerade ein Boulevard. Aber sie stand.

Entschlossen wagte sie einen Seitwärtsschritt, tastete sich voran, bis sie die frontwärtige Schachtwand erreicht hatte, überbrückte mit einem Bein den Winkel, ließ ihre Fußspitze auf die Suche nach Halt gehen. Ihr Oberkörper bog sich nach hinten, der Stoff ihrer provisorischen Bandage rutschte am Stahl der Strebe ab. Einen Moment lang fürchtete sie, den Halt zu verlieren, krallte sich mit wild schlagendem Herzen fest, legte unwillkürlich den Kopf in den Nacken und starrte auf die Unterseite der glühenden Kabine. E2 hing nun direkt über ihr, schwarz und bedrohlich, mit feurigen Rändern.

Wenn das Ding jetzt abstürzt, fuhr es ihr durch den Kopf, muss ich mir jedenfalls keine Gedanken mehr darüber machen, ob sie die Bluse bei LOUIS VUITTON noch mal haben. Dann fiel ihr ein, dass Rebecca Hsu LOUIS VUITTON gekauft hatte, vor Jahren schon.

Da wird Rebecca was einfädeln müssen, dachte sie grimmig.

Sie packte fester zu. Mit einem beherzten Schritt war sie im Gestänge der Frontwand. Schnell jetzt! Durch die Bandagen hindurch begann die Hitze zu schmerzen, Brandblasen waren vorprogrammiert. Allzu lange ließ sich das hier nicht auszuhalten, zudem hegte sie den Verdacht, dass der Rauch nun auch nach unten zog. Die Füße wie eine Ballerina abgewinkelt, schob sie sich am unteren Rand der Fahrstuhltüren vorbei, meisterte auch den zweiten Winkel. Zu ihrer Rechten, kaum einen Meter entfernt, klaffte der Durchgang. Vorsichtig wandte sie den Kopf und gewahrte Karla in Höhe der Türen, dicht gefolgt von Sushma, die das Gesicht zur Wand gedreht hielt und folgsam jeden Blick nach oben und unten vermied. Nair hatte es eben auf die andere Seite geschafft, sicherte sich mit der Rechten und half Hsu, ihren fülligen Körper über die Kante zu wuchten.

»Kümmere dich um Sushma«, sagte Hsu und ignorierte Nairs ausgestreckte Hand. »Ich komm schon allei –«

Ihre Worte gingen in metallischem Kreischen unter. Hastig schwang sie sich über die Kante. Ein Krachen und Scheppern erklang, das sich rasch nach unten entfernte, als der Personalfahrstuhl abstürzte.

»Alles in Ordnung?« Nairs Stimme hallte von den Wänden wider, wurde vom Abgrund absorbiert.

Hsu nickte, zitternd auf ihrer Strebe. »Himmel. Ist das heiß.«

»Warte, ich komme.«

»Nein, es geht schon. Geh. Geh!«

Borelius atmete auf, schob sich bis unter den Durchgang. Die Passage lag höher als gedacht, sodass sie gerade noch über die Kante spähen konnte, doch in die Wand waren zwei schmale Sprossen eingelassen. Mit einem Klimmzug gelangte sie ins Innere, robbte voran und stieß beinahe sofort mit den Händen gegen eine Metallplatte, die den Durchgang nach hinten verschloss. Seitlich davon lag ein kleines Bedienfeld. Auf gut Glück drückte sie ihre Finger darauf, und im selben Moment durchfuhr sie eisiger Schrecken.

Unterdruck! Was, wenn das Feuer und der Rauch schon zu viel Sauerstoff im Fahrstuhlschacht vernichtet hatten?

Zu ihrer grenzenlosen Erleichterung glitt die Platte beiseite und gab den Blick frei auf einen gleichmäßig beleuchteten, rund zwei mal zwei Meter durchmessenden Schacht. Linker Hand verlief eine Leiter. Sie winkelte Arme und Beine an, drehte sich, kroch zurück und streckte Kramp beide Hände entgegen.

»Hier rein«, rief sie mit hallender Stimme. »Dahinter liegt der Luftschacht.«

Kramp glitt neben ihr in die Passage.

»Klettere über die Leiter nach unten«, sagte Borelius. »Irgendwo sollte sich eine Möglichkeit ergeben, nach draußen zu gelangen.«

»Was ist mit dir?«

»Ich helfe den anderen.«

»Okay.«

Sushma wandte ihr das Gesicht zu. Hoffnung und Todesangst rangen darin um die Vorherrschaft.

»Alles in Ordnung, Sushma.« Borelius lächelte. »Jetzt ist alles gut.«

Über ihr knarrte es vernehmlich, dann ertönte ein metallischer Knall, und Funken regneten in dichten Schauern hernieder.

Borelius schaute nach oben.

Feuerschein schimmerte durch einen Spalt. War der vorhin schon da gewesen? Es sah aus, als beginne sich der Boden der brennenden Kabine vom Rest des Rumpfes abzulösen.

Nein, dachte sie. Noch nicht. Bitte!

Auch Hsu blickte alarmiert in Richtung Decke, während sie mit der Überwindung des zweiten Winkels kämpfte. Ihre Knie zitterten heftig.

Sushma begann zu weinen. Hastig zerrte Borelius die Inderin in den Schacht, unterstützt von Nair, der von unten drückte und verharrte, unschlüssig, ob er seiner Frau folgen oder Hsu helfen sollte, die sich zentimeterweise vorantastete.

»Rein mit dir!«, befahl Borelius. »Ich kümmere mich um Rebecca. Los, mach schon.«

Nair gehorchte, drückte sich an ihr vorbei und verschwand im Lüftungsschacht. Erneut knarrte es in der Höhe. Der Glutregen wurde dichter. Hsu schrie auf, als Funken auf ihre nackten Schultern niedergingen. Sie presste sich gegen die Wand, außerstande, weiterzugehen, starr vor Angst.

»Rebecca!« Borelius reckte ihren Oberkörper nach draußen.

»Ich kann nicht«, stöhnte Hsu.

»Du bist beinahe da.« Sie streckte ihre langen Arme nach der Chinesin aus, versuchte, etwas von ihr zu fassen zu kriegen.

»Meine Beine gehorchen mir nicht.«

»Nur noch ein Stück! Halt dich an mir fest.«

Salvenartige Schläge dröhnten durch den Schacht. Der Kabinenboden von E2 wölbte sich, platzte an mehreren Stellen gleichzeitig auf.

Nein, flehte Borelius. Falsch, falscher Zeitpunkt. Noch nicht. Bitte noch nicht!

Sie reckte sich so weit heraus, wie es nur ging. Über die Schachtwände geisterte feuriger Widerschein. Die Chinesin überwand ihre Starre und den Winkel, rang sich einen todesmutigen Schritt ab, rückte näher, gelangte direkt unter sie, ergriff ihre ausgestreckte Rechte, hob die Augen zu Borelius –

Und weiter zur Decke.

Die Zeit gerann.

Mit einem Knall löste sich die Bodenplatte ab. Hsus Züge verzerrten sich, spiegelten die Erkenntnis, dass sie verloren hatte, versteinerten. Einen Herzschlag lang ruhte ihr Blick auf Borelius.

»Nein!«, schrie Borelius. »Nein!«

Die Chinesin stieß ihre Hände weg. Als wolle sie ihr Ende willkommen heißen, breitete sie die Arme aus, ließ sich fallen und kippte rückwärts in den Schacht. Borelius reagierte instinktiv. Blitzartig zog sie sich zurück, schützte ihren Kopf, vergrub ihr Gesicht in den Ellenbeugen. Wenige Zentimeter von ihr entfernt donnerte der Kabinenboden vorbei, spuckte Glutfontänen ins Innere, die ihre Unterarme, Hände und Haare versengten, doch nichts davon spürte sie. Im Fahrstuhlschacht rumpelte, polterte, krachte es. Ungläubig, außer sich, zog sie sich über den Rand, sah die feurige Wolke kleiner und blasser werden, bis sie zu implodieren schien, als der Boden tiefer und tiefer stürzte.

Rebeccas Sargdeckel.

»Nein«, flüsterte sie.

Flammenzungen fielen von oben herab. Borelius schob sich rückwärts in den Lüftungsschacht. Ganz von selbst fanden ihre Füße die Leiter. Ein identisches Bedienfeld wie im Durchgang. Mechanisch berührte sie es, und die Klappe glitt geräuschlos zu. Unter sich hörte sie Stimmen, den Widerhall von Füßen auf metallenen Sprossen. Jede Vorstellung einer Zukunft kam ihr abhanden. Apathisch hing sie in der Hitze des Schachts, auch hier zur Flucht drängende Temperaturen, doch sie schlotterte an allen Gliedern, fror, als pumpe ihr Herz Eiswasser, vermochte keinen klaren Gedanken zu fassen, auch noch nicht, als Tränen über ihre knochigen Wangen zu strömen begannen.

»Eva?« Karla, tief unter ihr. »Eva, bist du da?«

Stumm machte sie sich an den Abstieg. Irgendwohin.

»He!« Heidrun zeigte auf die Monitorwand mit dem Schemagramm der Aufzüge. Durch einen Kanal links von E2 bewegten sich leuchtende Punkte, verschwanden kurzzeitig, erschienen wieder, veränderten ihre Position. »Was ist das?«

»Der Lüftungsschacht!« Lynn strich sich das schweißnasse Haar aus der Stirn. »Sie sind im Lüftungsschacht.«

Inzwischen war der Personalfahrstuhl vom Bildschirm verschwunden. Der Computer meldete ihn als abgestürzt, über E2 lieferte er gar keine Informationen mehr.

»Kommen sie ohne Hilfe da raus?«, fragte Ögi.

»Je nachdem. Wenn das Feuer auf den Lüftungsschacht übergegriffen hat, könnte der Druckabfall die Ausgänge blockieren.«

»Würde es im Lüftungsschacht brennen, wären sie längst tot.«

»Im Schacht von E2 brennt es auch, trotzdem haben sie es hindurch und auf die andere Seite geschafft.« Lynn massierte ihre Schläfen. »Jemand muss in die Lobby, schnell!«

»Ich gehe«, sagte Heidrun.

»Gut. Links von E2 ist eine Wandverkleidung aus Bambus –«

»Kenne ich.«

»Der Kübel sitzt in einer Schiene, schieb ihn einfach zur Seite. Dahinter siehst du ein Schott mit Bedientafel.«

Heidrun nickte und setzte sich in Bewegung.

»Es führt in einen kurzen Gang«, rief Lynn ihr nach. »Sehr kurz, keine zwei Meter lang, dann wieder ein Schott. Von dort –«

»Kommt man in den Lüftungsschacht. Schon kapiert.«

In langen, federnden Sprüngen durcheilte sie die Lobby, unter dem zirkulierenden Modell des Sonnensystems hindurch zu den Fahrstühlen, von denen, wenn überhaupt, nur noch einer zu gebrauchen war, machte sich am Bambustrog zu schaffen, rollte ihn zur Seite, zögerte. Etwas lähmte plötzlich ihre Bewegung. Millimeter über dem Sensor verharrten ihre Fingerspitzen, während ein Heidenbammel ihre Wirbelsäule emporkroch, was hinter dem Schott liegen mochte. Würden ihr Flammen daraus entgegenschlagen? War dies ihr letzter bewusster Moment, würde es ihre letzte Erinnerung an ein Leben in körperlicher Unversehrtheit sein?

Die Angst wich. Entschlossen tippte sie auf das Feld. Das Schott schwang auf, kühle Luft schlug ihr entgegen. Sie betrat den Gang, öffnete das zweite Schott, steckte den Kopf hindurch und schaute nach oben. Eine unwirkliche Perspektive, surreal. Wände, Leiter und Notleuchten strebten einem verhangenen Fluchtpunkt entgegen. Hoch über sich gewahrte sie Menschen auf den Sprossen.

»Hier unten!«, schrie sie. »Hierher!«

Miranda Winter hatte jede Gelassenheit eingebüßt.

»Rebecca?«, schluchzte sie.

In einem Anfall von Distanziertheit dachte O'Keefe, dass sie zu den wenigen Menschen gehörte, die selbst in Tränen aufgelöst noch attraktiv erschienen. Manch gut gestaltete Physiognomie nahm im Zustand quälenden Leids froschartige Züge an, andere sahen aus, als ob sie eigentlich lachen wollten und nicht so recht wüssten, wie. Augenbrauen rutschten unter den Haaransatz, vormals hübsche Nasen schwollen zu nässenden Furunkeln. Jede erdenkliche Deformierung hatte er schon mit ansehen müssen, doch Winters Verzweiflung barg erotischen Reiz, akzentuiert durch ihr streifig verlaufendes, schwarzes Make-up.

Warum gingen ihm solche Dinge durch den Kopf? Er war seiner Gedanken überdrüssig. Alles Ablenkungsmanöver, um ihn am Fühlen zu hindern. Zu welchem Zweck? Weil Trauer Nähe herstellte zu denen, die ebenfalls trauerten, und weil er Nähe mit Misstrauen zu begegnen pflegte? War es denn um so vieles besser, mutterseeelenallein und stockbesoffen aus Madigans Pub auf die Talbot Street zu klatschen, Hauptsache, Distanz gewahrt?

»Also werden wir die Lüftungsschächte benutzen«, resümierte Funaki im Ringen um Gefasstheit.

»Nicht den Westschacht«, sagte Lynns Abbild auf dem Monitor. »Er liegt zu nahe an E2, außerdem melden die Sensoren dort zunehmende Rauchentwicklung. Versucht es auf der anderen Seite, da scheint alles in Ordnung zu sein.«

»Und was –« Funaki schluckte. »Was ist mit den anderen? Geht es ihnen wenigstens –«

Lynn schwieg. Ihr Blick schweifte ab. O'Keefe fand, dass sie furchtbar aussah, nur noch eine Lynn-ähnliche Hülle, aus der etwas anderes herausschaute. Etwas, das er tunlichst nicht näher kennenlernen wollte.

»Es geht ihnen gut«, sagte sie tonlos.

Funaki nickte, ein einziger Selbstvorwurf. »Dann öffnen wir jetzt den Ostschacht.«

»Bis runter in die Lobby, Michio. Sie wissen ja, wo's rausgeht.«

Eigentlich war da gar nichts mehr, was brennen konnte.

Auch der zweite Sauerstofftank ging zur Neige, von den drei Leichen kündeten nur Reste zusammengebackener Asche. Was in Flammen hatte aufgehen können, war verzehrt, dennoch flackerte und glühte es weiter. Nach dem Teilabsturz von E2 war der Rauch in den Schacht des Personalfahrstuhls gestiegen und hatte sich darin gestaut, durch die Stilllegung der Ventilatoren an der Zirkulation gehindert, die ihn sonst überallhin verteilt hätte. Allerdings schufen die Temperaturunterschiede ihr eigenes Umwälzungssystem, außerdem entstiegen den deformierten Materialien immer neue Schwaden, sodass der Fahrstuhlschacht, den Borelius' Truppe keine Viertelstunde zuvor durchquert hatte, inzwischen keinen Atemzug und keinen Zentimeter Sicht mehr zuließ. In Höhe der schwelenden Kabinenreste waren die Dichtungsklappen zum westlichen Ventilationsschacht geschmolzen, auch dieser nun voller Rauch, dafür hielten die Abschirmungen des Ostschachts stand. Immer noch herrschten in GAIAS Hals Temperaturen wie in einem Sonnenofen und erhöhten dramatisch die Viskosität der Stahlträger, die den Kopf der Figur stützten. Erneut neigte sich GAIAS Kinn ein winziges Stück, und diesmal

war es deutlich zu spüren.

»Der Boden hat sich bewegt«, flüsterte Olympiada Rogaschowa und klammerte sich an Winters Oberarm, deren Tränenfluss im selben Moment versiegte.

»Bestimmt elastisch gebaut«, schniefte sie und tätschelte Olympiadas Hand. »Mach dir keine Sorgen, Liebes. Hochhäuser auf der Erde wackeln auch, weißt du, wegen der Erdbeben.«

»*Du* bist vielleicht elastisch gebaut.« O'Keefe starrte mit trockenem Mund nach draußen. »Das GAIA bestimmt nicht.«

»Woher willst du das wissen? Hey, Michio, was –«

»Keine Zeit!« Funaki stand am Treppenabsatz und wedelte heftig mit beiden Armen. »Kommen Sie. Schnell!«

»Vielleicht leiden wir auch unter Massenhysterie«, erklärte Winter der verstörten Olympiada, während sie ihm in die LUNA BAR und von dort hinab ins SELENE folgten. Wieder gab der Boden unter ihnen nach.

»*Chikusho!*«, zischte Funaki.

O'Keefes Kenntnisse des Japanischen gingen gegen null, doch nach mehreren Tagen in der Gesellschaft Momoka Omuras war man mit Kraftausdrücken hinreichend vertraut.

»So ernst?«, fragte er.

»Überaus ernst. Wir sollten keine Sekunde verlieren.« Funaki öffnete ein Regal, entnahm ihm vier Sauerstoffmasken und hastete weiter zu einer von zwei frei stehenden Säulen, die O'Keefe bislang für Dekorationsobjekte gehalten hatte, verkleidet mit Holografien von Sternbildern. Jetzt, als der Japaner eine der Flächen beiseiteschob, kam dahinter ein mannshohes Schott zum Vorschein.

»Der Lüftungsschacht!«

»Ja.« Funaki nickte. »Hier oben beginnt er. Drücken wir uns gegenseitig die Daumen. Die Zentrale meint, das Innere sei rauchfrei, kein Druckverlust.« Er verteilte die Masken. »Trotzdem. Setzen wir die auf, bis wir es genauer wissen. Einfach überstreifen, sodass sie eng anliegen und die Augen hinter der Sichtblende geschützt sind. – Nein, andersherum, Miss Rogaschowa, andersherum!« Seine Hände flatterten umher. »Miss Winter, können Sie ihr bitte behilflich sein? Danke. – Mr. O'Keefe, darf ich mal sehen? Ja, genauso. Sehr gut.«

In Windeseile zog er seine eigene Maske über, überprüfte ihren Sitz und sprach mit gedämpfter Stimme weiter: »Sobald das Schott offen steht, gehe ich hinein. Warten Sie, bis ich das Zeichen gebe, dann folgen Sie mir einer nach dem anderen, zuerst Miss Rogaschowa, dann Miss Winter, als Letzter Mr. O'Keefe. Die Leiter führt uns direkt in die Lobby. Dicht hinter mir bleiben. Noch Fragen?«

Die Frauen schüttelten den Kopf.

»Nein«, sagte O'Keefe.

Funaki tippte gegen den Sensor, trat zurück und wartete. Das Schott schwang auf. Wärme schlug ihnen entgegen. O'Keefe trat neben den Japaner und schaute hinab. Sie blickten in einen matt erleuchteten Schacht, der endlos nach unten abfiel.

»Klare Sicht.«

Funaki nickte. »Warten Sie, bis ich grünes Licht gebe.«

Er stieg ins Innere, setzte beide Füße auf die Sprossen, legte die Hände um die Seitenstreben und begann zu klettern. Brust, Schultern und Kopf verschwanden jenseits der Kante. O'Keefe schaute ihm hinterher. Der Japaner sah sich um, warf kritische Blicke in die Tiefe. Nach etwa fünf Metern stoppte er seinen Abstieg und wandte ihnen sein Gesicht zu.

»So weit alles in Ordnung. Kommen Sie.«

»Olympiada, Schatz!« Winter nahm die Russin in die Arme, drückte sie an sich und küsste sie auf die Stirn. »Gleich ist es geschafft, meine Süße.« Sie senkte die Stimme zu einem Flüstern: »Und danach verlässt du ihn. Hörst du? Du hast das nicht nötig. Verlass ihn. Keine Frau hat das nötig.«

Die molekularen Bindungen brachen auf.

Um Stahl wie Butter zu verflüssigen, hätte es höherer Temperaturen bedurft, doch die Hitze reichte, einige der Träger in eine Art zähen Kautschuk zu verwandeln, der sich unter dem Druck der aufliegenden Tonnen langsam deformierte. Zusehends presste GAIAS Kopf die geschwächten Materialien in sich zusammen und erzeugte dabei Spannungen, denen die strapazierte Fensterfront und die Mondbetonplatten nicht länger gewachsen waren. Zwischen den Scheiben der Doppelverglasung presste das verdampfende Wasser die Strukturen auseinander – und plötzlich brach eines der Betonmodule einfach auf ganzer Breite durch.

GAIAS Kinnlade senkte sich schwer auf die Fensterfront.

Nacheinander zersprangen die innere und die äußere Scheibe. Splitter und Wasserdampf wurden ins Vakuum gewirbelt, instabil gewordene Bauteile, zerfetzte Komponenten der Lebenserhaltungssysteme und Asche in einer Kettenreaktion mitgerissen. Wolkig verteilte sich die künstliche Atmosphäre um GAIAS Hals und verflüchtigte sich in der Hitze der Sonnenstrahlen, doch der überwiegende Teil lag im Schatten, sodass die Luft dort kristallisierte, während die Kälte des Weltraums ins Innere drang, augenblicklich alle Flammen löschte und den glühenden Stahl so rapide abkühlte, dass er sich nicht langsam verfestigen konnte, sondern in spröder Brüchigkeit erstarrte.

Wenige Sekunden noch hielten die Träger stand.

Dann knickten sie ein.

Diesmal sackte GAIAS Kopf ein erhebliches Stück nach vorne, nur noch gehalten vom Hauptstrang des massiven stählernen Rückgrats, das bislang weniger stark in Mitleidenschaft gezogen worden war. Die letzten Reste der Halsfront zersplitterten, das Kinn neigte sich weiter, oberhalb der Schultern barst das Schichtwerk der Isolierung, platzten die Betonmodule weg, und im Lüftungsschacht tat sich eine klaffende Lücke auf.

O'Keefe stürzte rücklings über einen Tisch. Olympiada, die eben Anstalten gemacht hatte, in den Schacht zu klettern, wurde gegen Winter geschleudert und riss sie zu Boden.

Wir stürzen ab, dachte er. Der Kopf stürzt ab!

Voller Entsetzen stemmte er sich hoch, fingerte nach Halt. Seine Rechte bekam den Rand der Schleuse zu fassen.

»In den Schacht«, schrie er. »Schnell.«

Sein Blick fiel ins Innere.

In den Schacht?

Wohl eher nicht! Funaki starrte mit aufgerissenen Augen zu ihm empor, begann wieder nach oben zu klettern, doch etwas hinderte ihn, zerrte an ihm mit aller Gewalt. Er schrie etwas, reckte einen Arm. O'Keefe beugte sich vor, um die ausgestreckte Hand zu ergreifen, als ihn plötzlich das unheimliche Gefühl beschlich, in den Schlund eines lebendigen Wesens zu blicken. Sein Haar, seine Kleidung, alles begann zu flattern. Ein gewaltiger Sog packte ihn, und er begriff schlagartig, was da vonstattenging.

Die Luft wurde aus GAIAS Kopf gesaugt. Irgendwo im Schacht musste ein Leck entstanden sein.

Das Vakuum drohte sie zu verschlucken.

Er klammerte sich an den Rahmen, bemüht, Funakis Hand zu erreichen. Der Japaner versuchte unter äußerster Kraftanstrengung zur nächsthöheren Sprosse vorzudringen. Aus dem Augenwinkel sah O'Keefe, wie sich das Schott in Bewegung setzte und heranfuhr, die verdammte Automatik, aber es war ja richtig so, der Schacht musste sich schließen, damit sie nicht allesamt draufgingen, doch Funaki, er konnte Funaki nicht im Stich lassen! Hände krallten sich in seine Kleidung, Winter und Rogaschowa schrien durcheinander, hinderten ihn daran, eingesaugt zu werden. Das Schott rückte näher. So weit es nur ging, streckte er seinen Arm, fühlte seine Fingerspitzen einen Moment lang die des Japaners berühren – dann wurde Funaki von den Sprossen gerissen und verschwand mit gellendem Schrei in derTiefe.

Die Frauen zerrten ihn weg. Vor seinen Augen knallte das Schott zu. Atemlos halfen sie einander auf die Beine, rangen um Gleichgewicht auf dem schräg stehenden Boden des Restaurants. Spukhaftes Knarren und Ächzen drang aus GAIAS Tiefe zu ihnen empor, Vorboten noch schlimmeren Unheils.

Lawrence hörte dieselben Geräusche unmittelbar über sich. Eine machtvolle Erschütterung hatte sie von den Beinen gerissen, gefolgt von einem vielstimmigen Brausen, das jedoch rasch und vollständig erstorben war. Immer noch schien ihr die Empore vom explosionsartigen Krachen widerzuhallen, das dem Brausen vorangegangen war. Das komplette Gebäude hatte geschwungen wie eine Stimmgabel, war endlich zur Ruhe gekommen, und mit einem Mal herrschte Grabesstille. Bis auf das Jammern und Knarren in der Decke. Laute wie von Katzen, die auf Partnersuche die Nacht durchstreifen.

Sie rannte zum Schott und schlug gegen den Mechanismus. Es blieb verschlossen.

»Lynn«, schrie sie.

Keine Antwort.

»Lynn! Was ist da los? Lynn!«

Niemand in der Zentrale reagierte.

»Kommen Sie schon, reden Sie mit mir! Da oben ist was Größeres zu Bruch gegangen. Ich hab keine Lust, hier drin zu krepieren.«

Sie schaute sich um. Inzwischen war die Sicht auf der Empore wieder weitgehend klar, die Ventilatoren hatten ganze Arbeit geleistet. Bald würde der Druck wiederhergestellt sein, doch wenn dort oben das eingetreten war, was sie befürchtete, drohte auch dieser Bereich über kurz oder lang unter der Last des Kopfes begraben zu werden.

Sie musste hier raus! Musste die Kontrolle zurückerlangen.

»Lynn!«

»Dana.« Lynn klang wie ein Roboter. »Es hat eine Reihe von Unfällen gegeben. Warten Sie, bis Sie dran sind.«

Lawrence ließ sich erschöpft mit dem Rücken gegen die Wand sinken. Dieses verfluchte Miststück! Natürlich konnte man ihr keinen Vorwurf machen, sie hatte allen Grund, sauer zu sein, dennoch entzündete sich in Lawrence blanker Hass auf Julians Tochter. Ganz entgegen ihrer Natur begann sie, die Sache persönlich zu nehmen. Lynn hatte ihr das Desaster eingebrockt. Na warte, dachte sie.

Gegen elf hielt Omura plötzlich an.

»Wenn er abgestürzt ist, dann hier«, sagte sie.

Julian, der vorausfuhr, stoppte ebenfalls. Sie parkten hintereinander auf der sonnenbeschienenen Weite des Mare Imbrium. Zu ihrer Linken türmte sich Kap Heraclides mit den südlichen Ausläufern der Montes Jura aus der Basaltsee, schroffer Vorposten der Sinus Iridum, der Regenbogenbucht. Es fehlte nicht viel, um sich vorzustellen, statt in Rovers in Ausflugsbooten zu sitzen und über windstille See aufs Land zu schauen, eigentlich nur etwas Farbe und die pittoreske Erscheinung eines Leuchtturms auf den felsigen Klippen. Wie um die Illusion perfekt zu machen, zeigten Satellitenaufnahmen weit auseinandergezogene, flache Wogen, mit denen die erstarrte Flut des Mare in die Regenbogenbucht einfiel, ältere Aufnahmen indes, da sich die Wetterlage über Sinus Iridum mit Beginn der Helium-3-Förderung geändert hatte. Inzwischen verschluckte eine ausgedehnte Nebelbank die Wogen und schien landeinwärts zu ziehen. Von ihrem Halteplatz aus konnten sie die Schwaden in der Ferne erkennen, konturloses Grau, das auf der steinernen See lastete.

»Könnte er nicht eine andere Route geflogen sein?«, meinte Chambers.

»Möglich.« Julian richtete den Blick in den Himmel, als habe Locatelli dort etwas für sie hinterlassen.

»Wahrscheinlich sogar«, meinte Rogaschow. »Er hatte Probleme, die Gewalt über den Shuttle zurückzuerlangen. Falls es ihm gelungen ist, könnte er ziemlich weit abgedriftet sein.«

»Wo genau liegt noch mal die Förderstation?«, fragte Amber.

»Im Abbaugebiet.« Julian zeigte mit ausgestrecktem Arm in Richtung Staubbarriere. »Knapp einhundert Kilometer von hier auf der Achse zwischen Kap Heraclides und Kap Laplace im Norden.«

»Nebenbei, wie sieht's mit unserem Sauerstoff aus?«

»Gut, den Umständen entsprechend. Das Problem ist, dass wir uns nicht länger auf die Karten verlassen können.«

Amber ließ ihre Karte sinken. Bis jetzt hatte sie den Vorzug des ungetrübten Ausblicks auf ihrer Seite gehabt. Verlässlich hatte sich jeder Krater, der auf den Mondkarten verzeichnet war, jede Anhöhe irgendwann über den Horizont geschoben und eine genaue Positionsbestimmung gestattet, doch im Staubmeer würde ihr Orientierungsvermögen stark eingeschränkt sein.

»Wir sollten uns also möglichst nicht verfahren«, stellte Chambers nüchtern fest.

»Und Warren?«, drängte Omura. »Was ist mit Warren?«

»Tja.« Julian zögerte. »Wenn wir das wüssten.«

»Ganz qualifizierter Kommentar, danke!« Sie schnaubte. »Wie wäre es, wenn wir ihn suchen?«

»Das können wir nicht riskieren, Momoka.«

»Wieso nicht? Wir müssen doch ohnehin bis an den Fuß des Kaps.«

»Und von da ohne Umschweife zur Station.«

»Wir wissen ja nicht mal, ob er wirklich abgestürzt ist«, gab Chambers zu bedenken. »Vielleicht –«

»Natürlich ist er das!«, explodierte Omura. »Mach dir doch nichts vor! Wollt ihr seelenruhig weiterfahren, während er in einem Wrack festhängt, zusammen mit diesem Quadratarschloch von Carl?«

»Von Seelenruhe kann kaum die Rede sein«, protestierte Chambers. »Das Gebiet ist riesig. Er könnte überall sein.«

»Aber –«

»Wir suchen ihn nicht«, beschied Julian. »Ich kann das nicht verantworten.«

»Du bist echt das Letzte!«

»Es wär echt das Letzte, wegen dir nicht bis zur Förderstation zu kommen«, sagte Chambers, deutlich abgekühlt. »Keinem hier ist Warren egal, aber wir können nicht das komplette Mare Imbrium absuchen, bis uns der Sauerstoff ausgeht.«

»Ein Vorschlag zur Güte.« Rogaschow räusperte sich. »In einem Punkt hat Momoka recht. Wir müssen ohnehin rüber zum Kap, wenn wir auf die verbindende Achse gelangen wollen. Fahren wir doch einfach ein bisschen daran entlang und halten die Augen offen. Keine organisierte Suche, nur drei, vier Kilometer und dann Richtung Förderstation.«

»Klingt vernünftig«, meinte Chambers.

Julian brütete einige Sekunden über dem Vorschlag. Bislang hatten sie die Sauerstoffreserven noch nicht antasten müssen.

»Ich denke, das können wir machen«, sagte er widerstrebend.

Sie bogen ab, hielten auf die Landmasse zu und fuhren ein Stück in die Bucht hinein, den ansteigenden Gebirgszug zur Linken, bis sie nach wenigen Minuten einen flachen Graben erreichten, der sich quer über den Untergrund dahinzog und direkt aus dem Nebel zu kommen schien.

Julian verlangsamte den Rover.

»Das ist kein Graben«, sagte Rogaschow.

Sie starrten auf eine breite Schneise. Wie eine Wunde war sie in den Regolith gerissen, mit aufgeworfenen Rändern.

»Frisch«, meinte Amber.

Omura erhob sich von ihrem Sitz und starrte in die fernen Schwaden, wandte sich zur anderen Seite.

»Da«, flüsterte sie.

Wo sich das Gestade des Kaps zur Gebirgskette emporschwang, lag etwas schräg im Hang. Es reflektierte das Sonnenlicht, klein, länglich, von erschreckend vertrauter Form.

Es markierte das Ende der Schneise.

Ohne ein Wort zu verlieren, gab Julian Gas. Er fuhr mit Höchstgeschwindigkeit, dennoch schaffte es Omura, ihn zu überholen. Das Gelände stieg sanft und flach an, verträglich für die Rovers, die sich dank flexibler Radaufhängung zügig entlang der Schneise hocharbeiteten. Inzwischen bestand kein Zweifel mehr, dass sie das Wrack der GANYMED vor Augen hatten. Beinlos ruhte es inmitten einer Geröllhalde, zwischen größeren Brocken verkeilt. Ihr Laderaum stand weit offen. Unweit der Rampe lag ein Mensch, Kopf und Schultern im Schatten der Felsen. Während Julian noch überlegte, wie er Omura davon abhalten konnte, war sie bereits vom Fahrersitz gesprungen und die Anhöhe hinauf gehastet. Er hörte ihr Keuchen in seinem Helm, sah sie auf die Knie fallen. Ihr Oberkörper wurde von den Schatten verschluckt, dann erklang ein kurzer, etwas gespenstischer Schrei in den Lautsprechern.

»Evelyn«, sagte Julian auf separater Frequenz zu Chambers. »Ich glaube, das kannst du am besten.«

»Okay«, sagte Chambers unglücklich. »Ich kümmere mich um sie.«

SINUS IRIDUM

Im Kontext aller bisherigen Widrigkeiten hätte es Hanna eher gewundert, ohne Probleme bis zur Förderstation zu gelangen. Zu vertraut war ihm das Wesen der Eskalation. Die beschädigte Achse des Buggy *musste* vorzeitig auseinanderbrechen, und genau das tat sie dann auch, der Dramaturgie des Scheiterns verpflichtet fünfzehn Kilometer zu früh. Kein Schlagloch, keine Verwerfung gab ihr den Rest. Auf ebener Fläche ging sie entzwei, mit banaler Endgültigkeit, stoppte das Fahrzeug abrupt ab, zwang es in einen Halbkreis, und das war's.

Hanna sprang in den Schutt. Die Grundregel allen Überlebens lautete, das Positive zu sehen. Etwa, dass die Kiste überhaupt so lange durchgehalten hatte. Dass er über ein außergewöhnliches Orientierungsvermögen gebot, das ihn bislang noch jedes Mal seinen Weg hatte finden lassen. Ungeachtet der miserablen Sichtverhältnisse hatte er Kurs gehalten, dessen war er gewiss. Solange er einfach in gerader Linie weiterging, sollte er die Förderstation in schätzungsweise einer Stunde erreicht haben, auch wenn er ab jetzt höllisch aufpassen musste. Der Staub barg Gefahren, denen man zu Fuß weniger schnell entkam als mit dem Buggy. Es empfahl sich, Abstand zu halten. Zwar waren die Käfer langsam, dafür neigten die filigranen, flinken Spinnen zu unliebsamen Überraschungsauftritten.

Hanna ließ den Blick schweifen. In unbestimmter Ferne sah er einen geisterhaften Schemen dahineilen. Er trat zur Ladefläche, ergriff mit jeder Hand einen Überlebensrucksack und marschierte los.

KAP HERACLIDES, MONTES JURA

Während Chambers ihrer Beistandspflicht nachkam, suchten Julian, Amber und Rogaschow fieberhaft das Innere des Wracks und die nähere Umgebung ab, doch nichts deutete darauf hin, dass Hanna noch in der Nähe war.

»Wie ist er von hier weggekommen?«, wunderte sich Amber.

»Die GANYMED hatte einen Buggy an Bord«, sagte Julian, während er um die Nase des Shuttles herumstapfte. »Und der ist verschwunden.«

»Ja, und ich weiß auch, wohin«, erklang Rogaschows Stimme vom entgegengesetzten Ende des Schiffes. »Vielleicht solltet ihr mal herkommen.«

Sekunden später standen sie in der Schneise versammelt. Hatten sie bislang nur die Verwüstung wahrgenommen, die der notgelandete Shuttle im Regolith hinterlassen hatte, die Brutalität seines Eindringens, fesselte jetzt etwas anderes ihre Aufmerksamkeit: eine Geschichte über jemanden, der sich in den fernen Dunst aufgemacht hatte, erzählt von –

»Reifenspuren«, sagte Julian.

»Dein Buggy«, bestätigte Rogaschow. »Hanna ist durch die Schneise nach unten gefahren und raus auf die Ebene. Ich weiß ja nicht, wie gut er sich in der Gegend auskennt, aber was kann ihn anderes interessieren als der Ort, zu dem wir auch wollen?«

»Ja, die Ratte ist abgehauen!« Omura kam mit Chambers die Anhöhe herunter, auf der Locatelli lag.

»Momoka«, begann Julian. »Es tut mir unendlich –«

»Geschenkt. Keine Kranzniederlegungen, wenn ich bitten darf. Mich interessiert einzig, ihn umzubringen.«

»Wir werden Warren begraben.«

»Dazu ist keine Zeit.« Ihre Stimme hatte jede Modulation eingebüßt. Ein von Rache getriebenes Verkehrsleitsystem. »Ich habe mir Warrens Gesicht angesehen, Julian. Und weißt du was? Er hat zu mir gesprochen. Nicht irgendwelches Gelaber aus dem Jenseits, nicht solcher Scheiß. Er würde auch zu dir sprechen, wenn du dich der Mühe unterziehen wolltest, zu ihm rüberzugehen. Du musst ihm einfach nur ins Gesicht sehen. Er hat sich ein bisschen verändert, aber du kannst ihn laut und deutlich sagen hören, dass Menschen hier oben nichts verloren haben. Nicht das Geringste! Wir nicht – und du auch nicht«, fügte sie feindselig hinzu.

»Momoka, ich –«

»Er sagt, dass wir deine Einladung nie hätten annehmen dürfen!«

Ihr habt sie aber angenommen, dachte Julian, doch er schwieg.

»Carl ist ins Fördergebiet gefahren«, sagte Amber.

»Na bestens.« Omura marschierte zu den Rovers. »Da müssen wir ja sowieso hin, oder?«

»Nein, warte«, sagte Julian.

»Worauf?« Sie blieb stehen. »Ihr hattet es doch vorhin so eilig.«

»Ich habe im Lagerraum des Shuttles zusätzliche Sauerstoffreserven gefunden. Wirklich, Momoka, wir könnten jetzt die Zeit erübrigen, ihn anständig zu –«

»Sehr feinfühlig, aber Warren ist schon begraben. Carl hat ihm den Bauch aufgeschlitzt und den Helm abgenommen. Ich sehe keinen Grund, ihn auch noch zu steinigen.«

Eine Sekunde lang herrschte eisiges Schweigen.

»Was ist jetzt?«, fragte sie. »Können wir?«

»Ich fahre«, sagte Chambers.

»Ich kann auch gerne –«, bot sich Rogaschow an.

»Keiner von euch fährt«, beschied Omura. »Wenn hier einer Grund hat zu fahren, dann ja wohl ich. Ihm *hinterher*zufahren.«

»Bist du sicher?«, fragte Amber vorsichtig.

»Ich war noch nie so sicher«, sagte Omura, und ihre Stimme ließ die Visiere beschlagen.

»Na schön.« Julian schaute hinaus auf die Ebene. »Da wir ohnehin keine Satellitenverbindung haben, werde ich uns vier auf eine Frequenz zusammenschalten. Ab jetzt wird uns niemand mehr hören können, auch Carl nicht, wenn wir ihm zu nahe kommen sollten. Vielleicht nützt es was.«

GAIA, VALLIS ALPINA

»Es muss einen Weg geben!«

Tim hatte jedes Zeitgefühl verloren. Sekunden dehnten sich zu Ewigkeiten, zugleich schrumpfte eine Stunde auf ein entmutigendes Nichts zusammen, eben so viel, um sich nutzlos zu fühlen. Hatten die Todesfälle noch den relativen Vorzug besessen, sie von der Bombe abzulenken, gewann diese, nachdem sie die Eingeschlossenen über den drohenden Kataklysmus ins Bild gesetzt hatten, neue, tyrannische Präsenz. Eigenartigerweise schöpfte Lynn Kraft, je verfahrener die Situation wurde. Nicht dass es ihr wirklich besser ging, doch schienen Katastrophen, *echte* Katastrophen, einen exorzierenden Effekt auf die Dämonen in ihrem Kopf zu entwickeln, und ganz allmählich näherte sich auch Tim deren wahrer Natur. Nichts anderes waren sie als Ausgeburten der Hypothese, Wesen aus der Familie der Waswärewenns, Gattung Könntesein, ausgestattet mit den Folterwerkzeugen des Nichteintretens.

Er bedauerte seine Schwester zutiefst.

Die Angst, ihr Werk könne sich als anfällig und fehlerhaft erweisen, musste sie jeden klaren Gedanken gekostet haben. Inzwischen war Tim allerdings sicher, dass sich sein Unbehagen, genährt durch Dana Lawrences Verdacht, als tragisches Missverständnis erwies. Nicht Lynn versuchte, ihrer eigenen Schöpfung und deren Bewohnern Schaden zuzufügen. Ihr Geist mochte dem Zerfall entgegenstreben, doch für den Moment konnte ihr wohl nichts Besseres passieren, als durch die Gestaltwerdung ihrer Albträume zur Reaktion gezwungen zu sein. Schließlich klärte sie sogar Lawrence, ihre neu gekürte Erzfeindin, über die letzten Entwicklungen auf und sprang über einen gewaltigen Schatten, indem sie die gefeuerte Direktorin um Rat fragte.

»Wir haben uns die Bilder der Außenkameras angesehen«, sagte sie. »Offenbar haben die Flammen einen Teilzusammenbruch des Stahlskeletts in GAIAS Hals herbeigeführt. Der Brand sollte also gelöscht sein, dafür ist jetzt die Statik gefährdet. Da oben klaffen etliche Lecks.«

Lawrence schwieg. Sie schien nachzudenken.

»Los, Dana«, drängte Lynn. »Ich brauche Ihre Einschätzung.«
»Wie sieht denn Ihre aus?«

»Dass es für Miranda, Olympiada und Finn nur einen einzigen Weg nach draußen gibt, und der führt nicht nach unten.«

»Also über die Aussichtsterrasse?«

»Ja. Durch die Luftschleuse im MAMA KILLA CLUB nach draußen.«

»Zwei Probleme müssen wir dabei lösen«, sagte Lawrence. »Erstens, über die Außenseite des Kopfes kann man nicht absteigen.«

»Doch. Für den Fall, dass es notwenig wird, haben wir eine ausrollbare Leiter vorgesehen.«

»Die ist aber nicht installiert.«

»Wieso denn nicht? Laut Sicherheitsbestimmungen –«

»Aus optischen Gründen. Übrigens eine Anweisung von Ihnen«, fügte Lawrence mit hörbarer Genugtuung hinzu. »Natürlich könnten wir die Montage vornehmen, nur wäre es unter den obwaltenden Umständen fürchterlich kompliziert und mit einem erheblichen Aufwand an Zeit verbunden.«

»Das zweite Problem wiegt schwerer«, mischte sich O'Keefe ein, der ihnen zugeschaltet war. Wenigstens die Glasfaserleitungen schienen noch intakt zu sein. »Wir haben keine Raumanzüge da oben. Damit nützt uns die Terrasse wenig.«

»Können wir nicht welche nach oben bringen?«, fragte Ögi. Unablässig durchwanderte er den Raum, mit gleich langen, präzise bemessenen Schritten, wie es Tim schien. Als Einziger war er in der Zentrale verblieben. Die anderen saßen in der Lobby und versuchten sich mit Heidruns Hilfe in den Griff zu bekommen. »E1 scheint noch zu funktionieren.«

»E1 fährt aber nur bis in den Hals«, sagte Tim.

»Vergesst es.« Lynn schüttelte den Kopf. »Der Schacht hat sich hermetisch verriegelt, um uns hier drin vor dem Vakuum zu schützen. Nach den strukturellen Veränderungen da oben würden sich die Türen sowieso nicht öffnen. Es gibt nur eine Möglichkeit.«

»Durch die Luftschleuse«, sagte Lawrence.

»Ja.« Lynn grub die Zähne in ihre Unterlippe. »Von außen. Wir müssen die Anzüge durch die Schleuse der Aussichtsterrasse ins Innere schaffen.«

»Dafür müsst ihr sie erst mal *rauf*bringen?«, sagte O'Keefe. »Hier oben knarrt es in einem fort. Das muss schnell gehen! Ich weiß nicht, wie lange der Kopf noch hält.«

»Die KALLISTO«, sagte Lawrence. »Bringt sie mit der KALLISTO nach oben.«

»Wo ist überhaupt Nina?«, fragte Tim.

Lynn sah ihn überrascht an. Im Eifer des Gefechts hatten sie die dänische Pilotin vollkommen vergessen.

»War sie nicht bei euch in der Bar?«, fragte Lynn.

»Wer, Nina?« O'Keefe schüttelte den Kopf. »Nein.«

»Und hat sie jemand hier unten –« Lynn stockte. »So ein Mist! Um die KALLISTO hochzubringen, braucht man jemanden, der den Riesenvogel präzise steuern kann.« Der letzte Rest Farbe wich aus ihrem Gesicht. »Wir müssen Nina suchen gehen!«

»So lange können wir nicht warten«, drängte O'Keefe.

»Dann –« Sie rang nach Luft, bemüht, den Panikanfall niederzukämpfen. »Wir könnten – wir haben zehn Grasshoppers in der Garage! Fast alle sind schon mal mit so einem Ding geflogen.«

»Ja, dicht über dem Boden«, sagte Lawrence. »Trauen Sie sich das zu? Mit einem Grasshopper mehr als 150 Meter aufzusteigen und eine Punktlandung auf der Terrasse hinzulegen?«

»Die Punktlandung ist kein Problem«, sagte Tim. »Aber die Höhe –«

»Technisch gesehen ist die Höhe das geringste Problem, theoretisch könnte man damit in den offenen Weltraum fliegen.« Lynn fuhr sich über die Augen. »Aber Dana hat recht. *Ich* traue es mir nicht zu. Nicht in meinem Zustand. Ich würde die Nerven verlieren.«

Es war das erste Mal, dass sie sich öffentlich eine solche Blöße gab. Nie zuvor hatte Tim sie so erlebt. Er wertete es als gutes Zeichen.

»Na schön«, sagte er. »Wie viele von den Dingern brauchen wir? Jeder Hopper fasst eine zusätzliche Person, also insgesamt drei, richtig? Drei Piloten. Ich sehe mich dafür aus. Walo?«

»Ich war noch nie so hoch damit, aber wenn Lynn meint, es geht –«

Tim rannte in die Lobby und klatschte in die Hände.

»Einen!«, rief er. »Wir brauchen einen für den dritten Hopper.«

»Ich«, sagte Heidrun, ohne zu wissen, worum es überhaupt ging.

»Bist du sicher? Du musst das Ding auf GAIAS Kopf landen. Traust du dir das zu?«

»Grundsätzlich trau ich mir alles zu.«

»Keine Probleme mit Höhenangst?«

»Ob ich's hinkriege, steht auf einem anderen Blatt.«

»Nein, tut es nicht.« Tim schüttelte den Kopf. »Du *musst* es hinkriegen. Du musst *jetzt* wissen, ob du es packst, andernfalls –«

Sie stand auf und strich das weiße Haar hinter die Ohren.

»Kein andernfalls. Ich packe das.«

Alle Raumanzüge gab es in doppelter Ausfertigung, verborgen hinter einer Wand in der Lobby, sodass sie nicht über die Brücken hoch zu den Etagenspinden mussten. Gegenseitig halfen sie sich in die Panzerungen, stellten die Monturen für Rogaschowa, Winter und O'Keefe zusammen und verpackten sie in Boxen.

»Gibt's Probleme im Korridor?«, fragte Tim.

»Nein, die Sensoren melden konstante Werte.« Lynn ging ihnen voran, führte sie zu einem Durchgang abseits der Fahrstühle und öffnete ein großes Schott. Dahinter lag ein geräumiges Treppenhaus mit weit auseinanderliegenden Stufen.

»Über diesen Weg gelangt ihr nach unten. Ich werde die Garage von der Zentrale aus öffnen.«

Einen solchen Weg hättet ihr vielleicht auch nach oben bauen sollen, dachte Tim, verkniff sich aber die Bemerkung.

»Viel Glück«, sagte Lynn.

Tim zögerte. Dann schlang er beide Arme um seine Schwester und drückte sie an sich. »Ich weiß, was du durchmachst«, sagte er leise. »Ich bin unglaublich stolz auf dich. Keine Ahnung, wie du das aushältst.«

»Wüsste ich selber gern«, flüsterte sie.

»Alles wird gut«, sagte er.

»Was soll noch gut werden?« Sie wand sich aus seiner Umarmung und ergriff seine Hände. »Tim, du musst mir glauben, ich habe nichts mit Carl zu tun, egal was Dana sagt. Ich zerstöre mich nur selber.«

»Das ist alles nicht *deine* Schuld, Lynn. Du kannst *nichts* dafür!«

»Haut jetzt ab.« Ihre Mundwinkel zuckten. »Schnell!«

Dem leeren, kühl beleuchteten Korridor wohnte etwas Beruhigendes inne, geeignet, das Vertrauen in den technologischen Fortschritt wiederherzustellen und zu kräftigen. In seiner Nüchternheit schien er unkorrumpierbar durch leichtfertig herbeigeführte Katastrophen, doch Tim musste daran denken, dass hier gewissermaßen alles seinen Anfang genommen hatte, mit Carl Hanna, dessen Auftauchen Julians Misstrauen geweckt hatte. Er fragte sich, ob die Bombe hier unten versteckt lag. In den wenigen Stunden hatten sie nicht jeden Winkel absuchen können. Wie klein war eine Mini-Nuke? Ruhte sie unter dem Rollband, das sie entlangeilten? Unter einer der Bodenplatten? Hinter der Wand, in der Decke?

Sie hatten Sushma und Mukesh, Eva und Karla vorgeschlagen, mit dem Lunar Express zum Fuß der Montes Alpes zu fahren und dort, in sicherer Distanz, abzuwarten, bis sie die Eingeschlossenen entweder befreit hätten oder mit dem Hotel in die Luft geflogen wären, doch alle bestanden darauf, zu bleiben, selbst Sushma, die tapfer versuchte, ihre Angst niederzuringen. Um der angeschlagenen Moral auf die Sprünge zu helfen, hatte Lynn die Frauen schließlich auf die Suche nach Nina Hedegaard geschickt, sodass sie vorerst beschäftigt waren. Tim hoffte inständig, seine Schwester werde in der Zentrale nicht durchdrehen, doch Nair war bei ihr geblieben, was ihn einigermaßen beruhigte. Sie erreichten die Garage und sahen die Sparren des Rolldachs in ihren Kästen verschwinden. Über ihnen funkelte der Sternenhimmel. Ein Dutzend Buggys wartete auf eine Party, die nicht mehr stattfinden würde. Ihnen gegenüber, in klobiger Selbstbehauptung, als könne man mit ihr zum Mars fliegen, ruhte die Ungestalt der KALLISTO. *Hässlich, aber verlässlich,* wie der arme Chuck noch am Vortag gescherzt hatte. Neben dem Shuttle nahm sich der Flohzirkus der Grasshoppers wie Spielzeug aus.

»Wer fliegt eigentlich voraus?«, fragte Heidrun.

»Tim«, beschied Ögi, während er die Box mit Rogaschowas Anzug auf der kleinen Ladefläche verstaute. »Dann du, dann ich, um aufzupassen, dass du mir nicht verloren gehst.«

»Lynn«, sagte Tim über den Helmfunk. »Wir starten.«

Immer noch konnte er sich nicht an das Fehlen jeglicher Antriebsgeräusche gewöhnen. Lautlos stieg der Hopper empor, hob sich aus der Garage heraus und gewann an Höhe. Von hinten sah das GAIA aus wie immer, erhaben und durch nichts zu erschüttern. Seine Helmkamera schickte Bilder in die Zentrale. Er flog eine Kurve, wie mit Lynn vereinbart, sodass sie einen Eindruck von der Vorderfront gewinnen konnte, verstärkte den Schub, ließ sich vom Rückstoß zur Schulterpartie der riesigen Figur tragen und hielt den Atem an.

»Meine Güte«, stieß Walo in seinem Helm hervor.

Schon von der Seite war offensichtlich geworden, dass einiges nicht stimmte. Teile der Fassade fehlten oder lagen in Trümmern, stellenweise erblickte man den nackten Stahl der Trägerkonstruktion. Jetzt, im direkten Heranflug, offenbarte sich das ganze Ausmaß der Zerstörung. Das konturlose Antlitz fokussierte nicht länger die Erde, sondern schaute knapp darunter hindurch. Wo zuvor der Hals gewesen war, klaffte eine schwärzliche, in sich zusammengesackte Höhle. Die komplette Vorderfront war weggebrochen, GAIAS Kinn so weit abgesunken, dass nur die unteren Hälften der Fahrstuhltüren herauslugten.

Tim steuerte den Hopper näher heran. Überhaupt schien der ganze, gewaltige Schädel nur noch am Genick zu hängen. E2 stand offen, das Innere ein von Flammen zerfressener Schlund. Stahlträger, grotesk deformiert, wanden sich ihm entgegen. Mit Hornissen im Bauch wagte er einen Blick nach unten. Über GAIAS Oberschenkel verteilten sich Trümmer, wenngleich merkwürdig wenige. GAIA schien ihm zuzunicken. O'Keefe hatte recht. Sie kamen keine Sekunde zu früh.

Im Aufsteigen erblickte er das abgeriegelte CHANG'E, bildete sich ein, Rauch und Ruß darin auszumachen, verbranntes Mobiliar, doch die dunklen, goldbedampften Scheiben ließen Details allenfalls ahnen. Unvermutet plagte ihn ein Anflug von Höhenangst. Gegen die geländerlose Plattform des Hoppers avancierte jeder fliegende Teppich zu einer veritablen Tanzfläche. Rasch vergewisserte er sich, dass Heidrun und Walo hinter ihm waren, passierte das SELENE und die LUNA BAR und folgte der Stirnwölbung zur Aussichtsterrasse. Unter ihm gerieten Silhouetten in Bewegung, O'Keefe, Rogaschowa und Winter, strebten der Schleuse zu. Er schwenkte die Düsen, drosselte die Geschwindigkeit, schoss ein Stück über die Terrasse hinaus, wendete und kam dicht am Geländer auf. Keine sonderlich elegante Landung. Der Hopper federte nach. Neben ihm, in gebührendem Abstand, setzte Heidrun auf, als habe sie nie etwas anderes getan. Ögi flog unter Flüchen eine Ehrenrunde, rumpelte mit einem der Teleskopbeine am Geländer entlang und zwang den Hopper herab.

»Eigentlich bin ich ja passionierter Segelflieger und Ballonfahrer«, sagte er entschuldigend, lud seine Box ab und trug sie zur Schleuse, einem doppelten, mehrere Meter durchmessenden Schott im Boden. »Aber die Schweiz ist irgendwie größer.«

Tim sprang von seinem Hopper.

»Finn, wir sind über euch«, sagte er. Lynn hatte den Helmfunk mit dem internen Netz des GAIA verbunden, sodass jeder mit allen gleichzeitig kommunizierte. Einige Sekunden verstrichen, dann meldete sich O'Keefe.

»Alles klar, Tim. Was sollen wir tun?«

»Nichts, fürs Erste. Wir holen den Schleusenlift nach oben, schicken euch die Boxen mit den Raumanzügen runter und –«

Er hielt inne.

Täuschte er sich, oder hatte der Boden unter seinen Füßen zu zittern begonnen?

»Beeil dich!«, rief O'Keefe. »Es geht wieder los!«

Wo war die Steuerkonsole der Schleuse? Da. Mit fliegenden Fingern gab er Befehle ein, quälend langsam wurde die Luft abgesaugt. Das Zittern verstärkte sich, ging in ein Beben über, dann endete der Spuk so unvermittelt, wie er begonnen hatte.

»Der Fahrstuhl kommt hoch«, stieß Ögi atemlos hervor.

Im Boden fuhren die Schleusentore auseinander. Eine gläserne Kabine schob sich heraus, geräumig genug für ein Dutzend Menschen, öffnete ihre Front. Hastig stapelten sie die Boxen hinein.

»Ich fahre mit nach unten«, sagte Heidrun.

»Was?« Ögi wirkte bestürzt. »Warum denn?«

»Um ihnen zu helfen. Mit den Anzügen, damit's schneller geht.« Ehe er protestieren konnte, war sie in der Kabine verschwunden und drückte den Abwärts-Schalter. Der Fahrstuhl schloss sich.

»Mein Schatz«, flüsterte Ögi.

»Mach dir keine Sorgen, Gebieter. In fünf Minuten sind wir wieder da.«

O'Keefe sah den Fahrstuhl kommen, mit jemandem darin, dessen überschlanke Beine ihm selbst durch zentimeterdicke, stahlfaserverstärkte Kunstfaser wohlvertraut waren. Ungeduldig wartete er, bis der Innendruck wiederhergestellt war und das Frontschott zur Seite glitt.

»Hopplahopp!«, sagte Heidrun und warf ihm die oberste Box entgegen.

Rogaschowa, wachsweiß, reichte die zweite Box an Winter weiter und begann, ihre eigene auszuleeren.

»Danke«, sagte sie ernst. »Das werde ich euch nie vergessen.«

In höchster Eile schlüpften sie in ihre Monturen, halfen einander, schlossen Scharniere, zurrten Halterungen fest, wuchteten sich die Tornister auf den Rücken und setzten die Helme auf.

»Wär's zu viel verlangt, wenn wir gleich danach aus dem Hotel abhauen?«, regte Winter an. »Es ist nur, weil, wisst ihr, ich will nicht in die Luft fliegen, und die Minibar hab ich auch leer gemacht, also –«

»Verlass dich drauf«, sagte Lynns Stimme.

»Also versteh mich nicht falsch!«, beeilte sich Winter zu versichern. »Nichts gegen dein Hotel.«

»Doch«, sagte Lynn kalt. »Dreckshotel.«

Winter kicherte.

Im selben Moment kippte der Boden weg.

Einen bizarren Moment lang glaubte Tim, die komplette gegenüberliegende Seite der Schlucht werde von Urgewalten angehoben. Dann sah er die Grasshoppers über die Terrasse hüpfen, Ögi mit rudernden Armen ins Geländer segeln, verlor die Balance, landete auf dem Bauch und schlitterte den Flugmaschinen hinterher.

GAIA neigte ihr Haupt vor dem Unvermeidbaren.

In seinem Helm tobte das Chaos. Wer eine Stimme hatte, schrie mit den anderen um die Wette. Er rollte sich auf den Rücken, kam auf die Beine und streckte sich, was ein Fehler war, denn nun verlor er schon wieder das Gleichgewicht. Schwungvoll wurde er auf das Geländer zugetragen, kippte darüber hinweg und schlug auf die glatte, abschüssige Glasfläche.

Glitt davon.

Nein, dachte er. Oh nein!

In panischer Angst versuchte er sich auf dem spiegelnden Untergrund festzuhalten, doch da war nichts zum Festhalten. Er rutschte weiter, weg von der schützenden Umfriedung der Terrasse. Einer der Hopper segelte ihm hinterdrein und knallte aufs Glas. Tim griff danach, bekam die Lenkstange zu fassen, packte zu und sah ein weiteres Fluggerät in die Tiefe verschwinden. Plötzlich schien er zu schweben, verspürte gar keinen Halt mehr, hing mit strampelnden Beinen über dem Abgrund, die Hand um die Stange der Maschine gekrallt, schrie »Stopp!« – und als habe man sein Flehen, seinen kümmerlichen Wunsch, weiterzuleben, zur Kenntnis genommen, irgendwo dort draußen zwischen den kalt starrenden Sternmyriaden, kam die Bewegung des riesigen Schädels abrupt zur Ruhe.

»Tim! Tim!«

»Alles klar, Lynn«, keuchte er. »Alles –«

Klar? Nichts war klar. Mit beiden Armen – schwer war er ja gottlob nicht – hangelte er sich an dem Fluggerät hoch, erkannte zu seiner Erleichterung, dass es sich mit einem der Teleskopbeine im Geländer verkeilt hatte, und gleich darauf zu seinem Entsetzen, wie dieses langsam daraus hervorglitt.

Ein Ruck ging durch den Hopper.

Fassungslos baumelte Tim im Leeren, unfähig zu entscheiden, ob er den Aufstieg fortsetzen und den Hopper damit endgültig aus seiner Verankerung reißen oder sich nicht rühren sollte, was seinen Tod um einige Sekunden herauszögern würde. Im nächsten Moment tauchte eine Gestalt hinter dem Terrassengeländer auf, kletterte darüber hinweg und ließ sich vorsichtig abwärtsgleiten, beide Hände um das Gitter gebogen.

»Steig an mir hoch«, keuchte Ögi. »Los!«

Seine Füße waren jetzt auf Helmhöhe, unmittelbar neben ihm. Tim schnappte nach Luft, streckte den Arm aus –

Der Hopper löste sich.

Hin und her schwingend hing er an Ögis Stiefel, griff in den Schienbeinschutz, umklammerte die Knie, kletterte an dem Schweizer hinauf wie auf einer Leiter und über das Geländer, half seinem Retter, wieder in Sicherheit zu gelangen. Vor ihren Augen, um geschätzte 45 Grad geneigt, wuchs der Boden der Terrasse in die Höhe, eine glatte Rutsche.

Er hatte es geschafft.

Doch alle drei Grasshoppers waren verloren.

»Nein! Ich fliege rauf.«

Lynn stieß sich vom Kontrollpult ab, knickte ein und klammerte sich an Nair. Entsetzt starrte der Inder auf die Monitorwand, die schrecklichen Bilder vor Augen, die Tims Helmkamera und die Außenkameras auf der gegenüberliegenden Schluchtseite übertrugen. Die Glasfaserverbindung zum MAMA KILLA CLUB war abgerissen, dafür empfingen sie die Stimmen der Eingeschlossenen nun über den Helmfunk.

»Es hat aufgehört.« Winter, außer Atem. »Was machen wir jetzt?«

»Olympiada?« O'Keefe.

»Hier.« Rogaschowa, mitgenommen.

»Wo?«

»Hinter der Bar, ich – bin hinter der Bar.«

»Mein Schatz?« Ögi, aufgelöst. »Um Gottes willen, wo –«

»Weiß nicht.« Heidrun, Luft durch die Zähne ziehend. »Irgendwo. Schädel gestoßen.«

»Alle raus!« Tim. »Ihr könnt da nicht bleiben. Versucht, ob die Schleuse funktioniert.«

Lynns Schläfen pochten hypnotische Rhythmen. Farbige Nebel fanden sich zu Wirbeln. Mit ansehen zu müssen, wie sich GAIAS Schädel unvermittelt neigte, sodass das Kinn nun fast auf der Brust ruhte, hatte ihr Herz zum Stillstand gebracht, jetzt hämmerte es umso heftiger. GAIA sah aus, als schlafe sie. Viel konnte es nicht mehr sein, was ihren Kopf noch auf den Schultern hielt.

»Hier steht alles schräg«, sagte O'Keefe. »Wir sind durcheinandergepurzelt wie die Maikäfer, ich weiß nicht, ob wir überhaupt noch in die Schleuse reinkommen.«

Kopf. Kopf. Kopf. Wie lange würde *ihr* Kopf sich noch auf den Schultern halten?

»Wir kommen euch holen«, sagte sie. »Wir haben immer noch sieben Grasshoppers. Ich fliege.«

»Ich auch«, sagte Nair.

»Wir brauchen jemand Dritten. Schnell! Hol Karla, sie ist von uns allen noch am besten beieinander.«

Nair hastete hinaus. Lynn folgte ihm, plünderte das Depot mit den Ersatzraumanzügen. Mehrere fehlten, darunter ihrer. Plötzlich fiel ihr ein, dass nicht alle Anzüge in der Lobby untergebracht waren. Sie lief zurück in die Zentrale und zu dem verschlossenen Schott in der Rückwand. Dahinter lag ein kleiner Raum für Redundanzen, Feuerlöscher, Anzüge, Equipment und Atemmasken. Sie wartete, bis die Stahltür zur Seite geglitten war, trat ein, verwundert, dass Licht brannte. Ihr Blick fiel auf die Spinde mit der Ausrüstung, auf gestapelte Boxen, auf die toten Gesichter der ordentlich aufgereihten Atemmasken in ihren Regalen, auf das tote Gesicht Sophie Thiels, die aufrecht an der Wand lehnte, die Augen geöffnet, das hübsche Antlitz zweigeteilt von einem Streifen angetrockneten Blutes, der einem Loch in ihrer Stirn entsprang –

Lynn rührte sich nicht.

Einige Atemzüge lang stand sie nur da und glotzte den Leichnam an. Seltsamerweise – *dankenswerterweise,* musste man sagen – löste er nichts in ihr aus. Rein gar nichts. Vielleicht war es einfach das Zuviel und Zuspät seines Erscheinens, die Aufdringlichkeit, mit der er inmitten eines Infernos Dante'scher Prägung sein bisschen Hinwendung beanspruchte, als hätten sie keine anderen Sorgen. Nach einigen Sekunden ignorierte sie Thiel und begann, die Boxen mit den Biosuits nach draußen zu tragen.

»Hallo, Lynn.«

Sie schaute auf, irritiert.

Dana Lawrence stand in der Tür.

Heidrun und O'Keefe hangelten sich, Olympiada stützend, ziehend und schiebend, an Tisch- und Stuhlbeinen hoch zur Luftschleuse. Entgegen ihrer Einschätzung war die Russin beim Absacken des Kopfes nicht hinter die Bar, sondern hinter die Kanzel des DJs gestürzt. Derweil hing Winter wie ein Affe an einer Stange seitlich der Luftschleuse und hatte die Hand auf das Sensorfeld gelegt, um sie offen zu halten.

»Schafft ihr's? Soll ich helfen?«

»Ich komme alleine da hoch«, stöhnte Rogaschowa voller Trotz.

»Kommst du nicht«, sagte Heidrun. »Dein Bein ist lädiert, du kannst kaum auftreten.«

Ein Problem, das sich aus der veränderten Raumlage ergab, war weniger die Neigung des Bodens als die der Schleuse. Die Vorderfront war GAIAS gläsernem Gesicht zugewandt und zeigte nach unten. Nicht nur, dass es auf diese Weise äußerst schwierig war, hineinzugelangen. Wenn sie nicht aufpassten, würden sie oben schneller, als ihnen lieb war, wieder nach draußen purzeln.

»Sobald ihr auf der Terrasse seid«, sagte Tim, »müsst ihr sofort versuchen, hinter den Fahrstuhl zu gelangen. Er gibt euch Halt. Ach ja, bringt was Langes, Spitzes mit. Ein Messer vielleicht.«

»Wozu?«, ächzte O'Keefe, während er Rogaschowa der helfenden Hand Miranda Winters entgegenbugsierte.

»Um die Kabine zu blockieren, damit sie nicht wieder einfährt.«

»Ich sagte, ich komme zurecht.« Rogaschowa umfasste das Kabinengeländer und zog sich mit verbissener Miene in den Fahrstuhl. »Geh dein Messer suchen, Finn.«

Sie verkrallten sich ins Geländer und warteten. O'Keefe blieb eine Minute verschwunden. Als er schließlich mit einem Eispickel zu ihnen zurückkehrte, trug er einen Batzen Stoff über die Schulter drapiert. Winter ließ die Schotts zufahren und die Luft abpumpen.

Die Kabine erzitterte.

»Nicht schon wieder«, stöhnte Rogaschowa.

»Keine Angst«, beruhigte sie Winter. »Es hört gleich auf.«

»Was haben Sie vor?«, fragte Lawrence.

Endlich hatten sich die Schotts öffnen lassen, waren die Panzerungen zurück in die verborgenen Zwischenräume gekrochen. Aus ihrem Gefängnis befreit, war Lawrence von der Empore über die Brücken hinab in die Lobby gesprungen, während sie ihre nächsten Schritte erwog: die Rettungsaktion abbrechen, die KALLISTO kapern, sich davonmachen. Im Laufe der vergangenen eineinhalb Stunden war sie gezwungen gewesen, Vertrauen zurückzugewinnen, indem sie sich Lynn gegenüber einsichtig gegeben hatte, doch damit war jetzt Schluss. Julians verhasste Tochter war allein in der Zentrale. Keine ernst zu nehmende Gegnerin. Der Verlust der Waffe erleichterte ihre Aufgabe nicht unbedingt, aber dann würde sie eben ihre Hände gebrauchen.

»Ich fliege hoch«, sagte Lynn ausdruckslos, ging zurück in den rückwärtigen Raum und schleppte zwei große Boxen mit Raumanzügen nach draußen. Lawrence legte den Kopf schief. Hatte sie Thiel nicht gesehen? Unsinn, sie *musste* die Deutsche gesehen haben, aber warum wirkte sie dann so unbeeindruckt? Der Anblick hätte sie aus der Bahn werfen müssen, doch Lynn legte eine Gleichgültigkeit an den Tag, als werde sie ferngesteuert. Mit leerem Blick streifte sie ihr Jackett ab und begann, ihre Bluse aufzuknöpfen.

»Los, Dana, holen Sie sich auch einen Anzug.«

»Wozu?«

»Sie fliegen einen der *Hopper*. Je mehr wir sind, desto schneller –« Plötzlich hielt sie inne und heftete ihre rot geränderten Augen auf Lawrence. »Sagen Sie mal, sind Sie nicht sogar mit der KALLISTO vertraut?«

Lawrence kam langsam näher, bog und spreizte ihre körpereigenen Mordwerkzeuge.

»Ja«, sagte sie gedehnt.

»Gut. Dann machen wir es noch anders. Keine Hoppers.«

Aus den Lautsprechern drang wirre Konversation, hastig hervorgestoßene Sätze. Schweigend umrundete Lawrence die Konsole.

»He, Dana!« Lynn runzelte die Brauen. »Verstehen Sie, was ich sage?«

Sie ging schneller. Lynn legte den Kopf in den Nacken, taxierte sie unter halb geschlossenen Lidern und wich einen Schritt zurück. Ihr Blick belebte sich. Ein kaum wahrnehmbares Flackern verriet Argwohn.

»Sie werden die KALLISTO fliegen, hören Sie?«

Klar, dachte Lawrence, allerdings ohne dich.

»Nein, auf keinen Fall!«

Wie vom Donner gerührt blieb sie stehen, wandte sich um. Hedegaard betrat in Gesellschaft Kramps die Zentrale. Sie war mit ihrem Raumanzug bekleidet, trug ihren Helm unterm Arm und wirkte überaus zerknirscht.

»Tut mir leid, Lynn, Miss Lawrence, unendlich leid, ich war nicht auf dem Posten. Eingeschlafen im Ruhebereich. Karla ist dreimal an mir vorbeigelaufen, aber dann hat sie mich doch gefunden und mir alles erzählt. Ich fliege natürlich den Shuttle.«

Lawrence zwang sich zu einem Lächeln. Mit Lynn und Kramp fertigzuwerden, hätte sie sich zugetraut, doch Nina Hedegaard war durchtrainiert und reaktionsschnell. Im selben Moment stürmte ein schweißgebadeter Mukesh Nair herbei, und die Seifenblase vom schnellen Abgang zerplatzte.

»Karla«, rief er aufgelöst. »Da bist du ja. – Oh, Nina! Miss Lawrence, dem Himmel sei Dank.«

»Unser Vorgehen hat sich geändert«, sagte Lynn. »Nina fliegt mit dem Shuttle hoch.« Sie trat an die Konsole und sagte ins Mikrofon: »Sushma, Eva. Zurück in die Zentrale. Sofort!«

Lawrence verschränkte die Arme hinter dem Rücken. Hedegaard war die bei Weitem bessere Pilotin. Jeder Einwand wäre sinnlos gewesen.

»Sie haben einiges wiedergutzumachen«, sagte sie streng. »Das ist Ihnen ja wohl klar.«

»Tut mir leid, wirklich!« Hedegaard zog den Kopf zwischen die Schultern. »Ich hole die da oben raus.«

»Ich komme mit. Sie werden Hilfe brauchen.«

Ohne eine Antwort abzuwarten, durchquerte Lawrence die Zentrale, betrat den dahinterliegenden Raum mit Thiels Leiche und prallte zurück. Symptome der Wut und des Entsetzens heuchelnd, fuhr sie zu Lynn herum.

»Verdammt! Warum haben Sie mir *davon* nichts gesagt?«

»Weil es nicht wichtig ist«, erwiderte Lynn gleichmütig.

»Nicht wichtig? Mal wieder nicht wichtig? Sagen Sie mal, sind Sie eigentlich komplett wahns –«

Mit Riesenschritten stürmte Lynn herbei, packte Lawrence am Hals und warf sie gegen den Türrahmen, sodass ihr Kopf zurückschlug und schmerzhaft dagegenprallte.

»Wagen Sie es«, zischte sie.

»Sie *sind* wahnsinnig.«

»Wagen Sie es noch ein einziges Mal, mir Wahnsinn zu unterstellen, und Sie werden einen spürbaren Eindruck davon erhalten, was Wahnsinn *ist*. – Mukesh, Anzug anlegen, die Kiste mit dem XL-Emblem! Karla, Kiste S!«

Lawrence starrte sie mit unverhohlenem Hass an. Ihr ganzer Körper bebte. Mit ein paar unspektakulären Handbewegungen hätte sie Julians Tochter töten können, jetzt in dieser Sekunde. Ohne den Blick abzuwenden, legte sie einen Finger nach dem anderen um Lynns Handgelenk und riss es mit einem Ruck von ihrer Kehle.

»Aber, Lynn«, flüsterte sie. »Doch nicht vor den Gästen. Wie sieht das denn aus?«

Nach GAIAS letztem Nicken ragte die Schleuse so schräg aus der Aussichtsterrasse heraus, dass sie nun wie eine Kanone auf die ferne Erde zeigte. Sie hielten sich am Geländer und aneinander fest, während die Schotts der Kabine zur Seite glitten.

»Na, herzlichen Glückwunsch«, sagte Winter.

Der Blick über die Terrasse hätte nicht beängstigender sein können.

Die Welt war um 45 Grad gekippt, Millionen Tonnen Gestein schienen ihnen von der gegenüberliegenden Schluchtseite entgegenkippen zu wollen. Wo die Terrasse endete, hockten Tim und Ögi ins Geländer gekauert, um, wer immer von ihnen den Halt verlieren sollte, vor dem Sturz in die Tiefe zu bewahren. Winter tastete nach dem Rahmen der offen stehenden Schleuse, umklammerte ihn und zog sich nach draußen. Die Stiefel ihres Biosuits waren mit kräftigen Profilen versehen, sodass sie nicht ausglitt. Ihre Finger fanden Halt in einer Vertiefung. Mit gespreizten Beinen, die entrollte Stoffbahn, mehrere zusammengeknotete Tischdecken aus dem SELENE, um ihre Hüften geschlungen, arbeitete sie sich auf der Schräge nach oben. Glänzender Einfall O'Keefes, das provisorische Tau, dessen anderes Ende an Rogaschowas Brustpanzer befestigt war.

»Okay. Lass sie kommen.«

Heidrun bugsierte die Russin aus der Schleuse, wartete, bis sie den Rahmen fest umklammert hielt, und ließ sie los. Sofort knickte Rogaschowa ein und rutschte die Schräge hinab, doch statt zu fallen hing sie an Winters Nabelschnur, die weiter entlang des Kabinenschachts hochkletterte, bis sie dahinterkriechen konnte. Die Füße gegen die Schachtwand gestemmt hievte sie Rogaschowa nach oben, entknotete das Tuch und ließ es herab. Heidrun eilte geschwind daran empor, gefolgt von O'Keefe, der den Eispickel in die Schleusentür rammte, sodass sie sich nicht mehr schließen und der Schacht nicht mehr einfahren konnte.

»Alles klar bei euch?«, rief Ögi.

»Saubequem!«, sagte Heidrun.

»Gut. Wir kommen zu euch hoch.«

Über das Geländer war es vergleichsweise einfach, nach oben zu gelangen, von dort allerdings ein ziemliches Stück bis zur Schleuse. Winter warf ihnen das Seil zu. Nach zweimaligem Versuch bekam Tim es zu fassen, knotete es um die Gitterstreben, und sie hangelten sich herüber. Zu sechst wurde es fürchterlich eng hinter der Kabine, aber wenigstens hatte sie eine stabile Wand im Rücken, die sie vor dem Abrutschen schützte. Sie klebten nebeneinander und wagten sich kaum zu rühren aus Angst, zu viel Bewegung könne GAIAS Kopf den Rest geben.

»Lynn, alle sind draußen«, sagte Tim.

Die Glaswand erzitterte. Heidrun fingerte nach Ögis Hand.

»Lynn?«

Keine Antwort.

»Seltsam«, seufzte Winter. »Ich hätte nicht gedacht, dass ich es mal bedauern würde.«

»Was denn bedauern?«, fragte Rogaschowa belegt.

»Damals den Badeunfall.«

»Vor Miami?« Sie räusperte sich. »Weswegen sie dich vor Gericht gestellt haben?«

»Ja, genau. Wegen meinem armen Louis.«

»Was konkret bedauerst du denn?«, fragte O'Keefe müde. »Dass er gestorben ist, oder dass du nachgeholfen hast?«

»Ich wurde freigesprochen«, sagte Winter beinahe fröhlich. »Sie konnten mir nichts beweisen.«

Ein neuerliches Beben durchlief GAIAS Schädel und wollte kein Ende nehmen. Rogaschowa stöhnte auf und klammerte sich an O'Keefes Oberschenkel.

»Lynn!«, schrie Tim. »Was ist los bei euch?«

»Tim?« Lynn. Endlich! »Durchhalten. Ich bin auf dem Weg. Wir kommen euch holen.«

Lynn hatte darauf bestanden, das GAIA geschlossen zu verlassen. Im Mahlstrom ihres zerfallenden Verstandes setzte sich die Erkenntnis durch, dass Lawrence irgendwie falschspielte und es keine gute Idee gewesen wäre, sie alleine mit Hedegaard hochfliegen zu lassen. Räumung und Rettung in einem Aufwasch zu erledigen, schien ihr das effizientere Vorgehen zu sein, hatte etwas vom Ordnen letzter Dinge. Huldvoll nahm sie Lawrences mühsam kaschierte Wut, ihren zuschnappenden Hass zur Kenntnis, fühlte sich seltsam ruhig werden und zugleich vom Verlangen getrieben, schallend zu lachen, nur dass sie wahrscheinlich nicht mehr würde aufhören können, wenn sie einmal damit anfinge.

Sie fuhren ein in den bulligen Leib der KALLISTO, und Hedegaard öffnete die Heckluke und zündete die Düsen. Senkrecht stiegen sie hinauf in die sterngesprenkelte Zirkuskuppel, unter der sie als Logenpublikum erschienen waren, zu Zaubertricks und Clownereien, um nun die mörderische Akrobatik der Lebensrettung leisten zu müssen.

»He, ihr da oben«, sagte Hedegaard, »noch da?«

»Nicht mehr lange«, orakelte Heidrun.

»Die Shuttleschleuse können wir vergessen. Zu nah an den Triebwerken, und ich muss den Gegenschub aufrecht halten, um nicht abzuschmieren. Ich nähere mich rückwärts mit offener Heckluke, klar? Werde versuchen, den Kopf nicht zu berühren, also stellt euch darauf ein, Klimmzüge zu machen.«

»Klimmzüge, Purzelbäume, alles, was du willst.«

Sie stiegen höher. GAIAS Rücken war durch die Kanzel des Shuttles zu sehen, dann kam der Nacken in Sicht mit dem bloßliegenden, stählernen Rückgrat, und Lynn musste daran denken, was GAIA in Julians Augen verkörperte, nämlich das überhöhte Ebenbild ihrer selbst. Und tatsächlich, sie wurden einander immer ähnlicher. Zwei Königinnen im Begriff, ihren Kopf zu verlieren.

Langsam hob sich die KALLISTO über die Schädelrundung hinweg.

O'Keefe half den anderen auf die Beine. Zusammengedrängt zwischen Schleusenwand und Terrassenboden hielten sie einander umklammert und winkten den behelmten Silhouetten hinter den Cockpitscheiben zu. Der Shuttle begann sich auf der Stelle zu drehen, wandte ihnen zuerst die Seite, dann das offen stehende Heck mit der abgesenkten Ladeklappe zu.

»Näher ran!«, schrie Tim.

Ein Stoß erschütterte den Kopf. Ögi verlor den Halt und wurde von Heidrun aufgefangen. Die KALLISTO schwenkte zwei ihrer Düsen. Mit äußerster Präzision steuerte Nina Hedegaard das riesige Gefährt rückwärts. Näher schob sich die Ladefläche heran, immer näher, zu nah –

»Stopp!«

Der Shuttle stand unbeweglich im leeren Raum.

»Kommt ihr dran?«, fragte Hedegaard.

O'Keefe hob beide Hände, packte die Kante und zog sich mit kräftigem Schwung auf die Ladeklappe. Sofort legte er sich auf den Bauch und streckte seine Arme nach unten aus.

»Nina? Kannst du den Vogel weiter absenken?«

»Ich versuch's.«

Seine Rechte streifte Heidruns Fingerspitzen. Die KALLISTO sank einen Meter tiefer, schwebte nun auf Helmhöhe der anderen.

»Mehr geht nicht«, sagte Hedegaard. »Ich hab Angst, den Kopf zu berühren.«

»Mehr muss auch nicht.« Heidrun kletterte zu O'Keefe auf die Ladefläche. Rechts von ihr stemmte sich Ögi hoch, ging in die Hocke und nahm Olympiada in Empfang, die ihm von unten angereicht wurde und sich auf seine Schulter stützte. Hände streckten sich Winter und Tim entgegen, halfen ihnen hoch.

»Geschafft«, flüsterte Olympiada –

Und knickte ein, als der angerissene Knochen ihres Schienbeins endgültig brach. Mit einem Aufschrei rollte sie über den Rand der Ladefläche und stürzte zurück in den Winkel zwischen Terrasse und Schleuse.

»Olympiada!«

Beinahe schon oben, ließ Winter sich fallen, kam neben der Russin auf und fasste sie unter den Armen.

»Nein – nicht –«

»Du spinnst wohl! Hoch mit dir, als ob ich dich hier liegen lasse.«

»Ich bin für nichts zu gebrauchen«, wimmerte Rogaschowa.

»Doch, du bist klasse, du weißt es nur noch nicht.«

Winter hob die kleine Frau mühelos in die Höhe und O'Keefe entgegen, der sie zurück auf die Ladefläche zog und an Tim weitergab.

»Yeah!«, rief Winter. »Nichts wie weg!«

Sie lachte und streckte die Arme aus. O'Keefe wollte zupacken, doch ihre Hände waren plötzlich außer Reichweite. Verblüfft beugte er den Oberkörper vor. Sie entzog sich ihm mit immer größerer Geschwindigkeit, sodass er einen Moment lang glaubte, Hedegaard sei ohne sie abgeflogen. Dann wurde ihm klar, dass der Shuttle unverändert auf der Stelle stand.

GAIAS Kopf brach ab!

»Miranda!«, schrie er.

Ersticktes Keuchen war in seinem Helm zu hören, als stünde sie gleich neben ihm, während ihre wankende Gestalt vor seinen Augen schrumpfte. Sie ruderte wild mit den Armen, auf grausige Weise misszuverstehen als Signale der Ausgelassenheit, so wie man sie eben kannte, chronisch gut drauf bis an die Grenze des Erträglichen, doch als sie O'Keefes Namen rief, drückte ihre Stimme die ganze angstvolle Verzweiflung eines Menschen aus, der erkennt, dass nichts und niemand ihn noch retten wird.

»Finn! Finn! – Finn!«

»Miranda!«

Dann fiel sie.

Ihr Körper kippte über den Kabinenschacht, blitzte hell im Sonnenlicht auf und verschwand hinter dem Haupt der geköpften GAIA, das eine halbe Drehung beschrieb, kurz stillzustehen schien, endlich ganz von den Schultern fiel und in das romanisch geschwungene Riesenfenster der Bauchdecke krachte.

»Rein, alle rein!«, schrie O'Keefe mit überschlagender Stimme. »Nina!«

»Was ist los, Finn, wir –«

»Abgestürzt!« Er sprang in den Laderaum. »Miranda ist abgestürzt, du musst nach vorne, zur Vorderseite.«

»Seid ihr drin?«

Sein Blick irrte umher. Neben ihm stolperte Tim über seine eigenen Füße, die stöhnende Rogaschowa im Arm, und fiel der Länge nach auf den Boden des Frachtraums.

»Alle, ja! Schnell, um Gottes willen, mach schnell!«

Er wartete nicht, bis sich das Heck geschlossen hatte, rannte wie von Sinnen zum Verbindungsschott, zwängte sich, kaum dass es einen Spaltbreit aufglitt, hindurch, stolperte den Mittelgang entlang, wurde gegen die Sitze geschleudert, das Aufheulen der Triebwerke im Ohr, als Hedegaard die KALLISTO rückwärts über den zerfetzten Halsstumpf der Figur steuerte, rappelte sich hoch, hastete ins Cockpit.

Schaute nach unten.

Die Bauchhöhle, zerstört. Feuerbälle, im Moment ihres Aufleuchtens schon wieder erlöschend. Trümmer regneten herab, als stockwerkweise der Brustkorb mit den Suiten einbrach, während GAIAS gewaltiger, königlicher Schädel, überraschenderweise noch mit intakter Gesichtsverglasung, über die sanfte Neigung der Oberschenkel dem Tal zurollte, beinahe zögerlich die Knie passierte und 200 Meter tiefer auf dem Plateau zerschellte.

»Geh runter! Runter!«

Der Shuttle sank abwärts, doch von Winter war nichts zu sehen, weder auf der von Splittern übersäten Oberfläche der Schenkel noch auf dem Mondboden drum herum.

»Zum Plateau! Sie ist mit runtergerissen worden! Du musst –«

»Finn –«

»Nein! Suchen! Such sie!«

Widerspruchslos wendete Hedegaard den Shuttle, ließ ihn weiter absinken und kurvte dicht über den weithin verstreuten Überresten des Kopfes umher. Inzwischen drängten sich auch die anderen Geretteten im Innenraum hinter dem Cockpit zusammen.

»Sie kann doch nicht verschwunden sein!«, schrie O'Keefe.

»Finn.«

Er spürte den sanften Druck einer Hand an seinem Oberarm, wandte sich um. Heidrun hatte ihren Helm abgenommen, sah ihn aus geröteten Augen an.

»Sie kann doch nicht verschwunden sein«, wiederholte er leise.

»Sie ist tot, Finn. Miranda ist tot.«

Er starrte sie an.

Dann fing er an zu weinen. Blind vor Tränen sank er vor Heidrun zu Boden. Er konnte sich nicht erinnern, jemals geheult zu haben.

Lynn saß blick- und teilnahmslos in der ersten Sitzreihe. Noch einmal hatte sie gestrahlt wie früher, hatte die Gruppe im Aufglühen des sterbenden Sterns, der sie war, geeint und ihr geleuchtet, hatte Lawrence, ihre Feindin, geblendet und zurückgetrieben, doch der Brennstoff ihrer Lebensenergie war aufgezehrt, der Kollaps unvermeidlich. Alles in ihrem Schädel raste mit maximaler Bewegungsenergie durcheinander, Impressionen, Fakten, Eintrittswahrscheinlichkeiten. Verlässliches Wissen zerrieb sich an Hypothesen. Die nicht enden könnende Verdichtung von Eindrücken bewirkte deren Frakturierung in kleinste und allerkleinste Gedankenpartikel, die keiner Zeit, keiner Wahrnehmungsebene, keiner Geschichte mehr zuzuordnen waren. Immer kürzere Phasen des Denkens, lichtschnell schwirrender Denkstaub, in sich zusammenstürzender Geist, ohne den Gegendruck des Willens unaufhaltsam kollabierend, Unterschreitung des Ereignishorizonts, kein Senden, nur noch Empfangen, fortschreitende Komprimierung, das Ende aller Vorgänge, aller Kontur, aller Gestalt, reiner Zustand, und auch dieser kümmerliche Rest dessen, was einmal Lynn Orley gewesen war, würde sich unter dem Druck seiner selbst zersetzen und verdampfen, ohne etwas zu hinterlassen als unbevölkerten, imaginären Raum.

Jemand war gestorben. So viele waren gestorben.

Sie erinnerte sich nicht.

LONDON, GROSSBRITANNIEN

Yoyo, die Verschollengeglaubte, hatte sich mit Glockenschlag 22.00 Uhr wieder eingefunden, als Diane soeben die datentechnische Exhumierung eines mutmaßlich Verstorbenen vornahm. Mutmaßlich, da nie jemand einen Blick auf die Leiche hatte werfen können, weil sie nach Art aller Objekte, die sich auf nicht bekannten oder berechenbaren Bahnen bewegten, flüchtig war.

»Victor Thorn, genannt Vic«, sagte Jericho, ohne Yoyo der Frage zu würdigen, warum aus den angekündigten fünf Minuten drei Stunden geworden waren und was Tu so trieb in seiner Wut.

»Entschuldige.« Yoyo druckste herum. Irgendeine Kröte saß ihr im Hals und wollte raus. »Ich weiß, ich wollte schon viel früher wieder –«

»Kommandant der ersten Mondbasis-Besatzung. Ein NASA-Mann. 2021 hat er den Laden sechs Monate lang geschmissen.«

»Tian ist eigentlich nicht so, du kennst ihn ja.«

»Offenbar hat Thorn seine Aufgabe gut gemacht. So gut, dass sie ihn 2024 erneut mit einer Halbjahresmission betraut haben.«

»Ehrlich gesagt, wir haben gar nicht viel miteinander gesprochen«, sagte Yoyo etwas schrill. Die Kröte kroch auf ihre Zunge. »Er war nur einfach entsetzlich sauer. Am Ende haben wir uns einen Film angesehen, Normalität gespielt, weißt du, Pfeifen im Walde. Wahrscheinlich der denkbar unpassende Moment, aber du darfst nicht glauben –«

»Yoyo.« Jericho seufzte und zuckte die Achseln. »Das ist eure Sache. Das geht mich nichts an.«

»Doch, es geht dich was an!«

Krötenwanderung.

»Nein, tut es nicht.« Zu seiner Verblüffung meinte er es ernst. Die alte, unbewältigte Kränkung, die ihm so lange wie schlechter Geruch in den Kleidern gehangen hatte, wich der Einsicht, dass weder Tu noch Yoyo Schuld an seiner zerknautschten Laune traf. Wie befreundet sie auch sein mochten, es ging ihn tatsächlich nichts an. »Das ist ganz allein eure Geschichte, euer Leben. Ihr müsst mir nichts erzählen.«

Yoyo schaute unglücklich auf den Monitor. Die Situation ließ an Intimität manches zu wünschen übrig. Der Platz im Lageinformationszentrum war notdürftig abgeschirmt, ringsum arbeiteten Menschen, wie Mikroorganismen in der Bauchhöhle des Big O verdauten und prozessierten sie Information und schieden sie aus.

»Und wenn ich dir was erzählen *will*?«

»Dann wird jeder Zeitpunkt besser sein als dieser.«

»Na schön.« Sie seufzte. »Was ist denn nun mit diesem Thorn?«

»Folgendes: Angenommen, die Explosion der Mini-Nuke wäre *auf alle Fälle* für 2024 vorgesehen gewesen – dann muss zu der Zeit jemand oben gewesen sein, um die Bombe zu bergen, zu platzieren und zu zünden. Oder aber jemand war ausersehen, ihr hinterherzureisen und diese Dinge zu tun.«

»Klingt logisch.«

»Es wurde aber keine Explosion registriert, und die Leute vom MI6 meinen, eine Mini-Nuke zu lange im Vakuum zu lagern, könne das Risiko des vorzeitigen Zerfalls bergen. Warum also wurde sie nicht gezündet?«

Yoyo sah ihn an, eine kleine, steile Falte der Nachdenklichkeit zwischen den Augen.

»Weil die betreffende Person die Zündung nicht wie geplant vornehmen konnte. Weil etwas dazwischenkam.«

»Richtig. Also habe ich Diane auf die Suche geschickt. Im Netz findest du Informationen über sämtliche Weltraummissionen des vergangenen Jahres, und dabei stieß ich auf Thorn. Unfall mit Todesfolge, bei einem Außeneinsatz auf der OSS, am 2. August 2024. Völlig unerwartet, bevor er seinen Dienst in der Peary-Basis antreten konnte, vor allem aber ziemlich genau ein Vierteljahr, nachdem Mayés Satellit gestartet war.«

Yoyo nagte an ihrer Unterlippe.

»Und die Chinesen? Hast du die mal überprüft?«

»Du kannst die Chinesen nicht überprüfen«, sagte Jericho. »Du musst dich mit ihren Stellungnahmen zufriedengeben, und denen zufolge hat es 2024 keine personellen Ausfälle gegeben.«

»Abgesehen von der Mondkrise. Der Kommandant der chinesischen Basis wurde von den Amerikanern inhaftiert.«

»Ich bitte dich! Erst schießen sie im Zuge eines unglaublich aufwendigen und raffinierten Tarnmanövers eine Atombombe auf den Mond, und dann stolpern ein paar Taikonauten durch amerikanisches Förderterritorium, dumm wie Brot, und lassen sich hopsnehmen?«

»Hm.« Yoyo runzelte die Stirn. »Also hat jemand den Fahrstuhl genommen. Dafür mussten sie entweder jemanden in ein autorisiertes Team einschleusen –«

»Oder einen, der schon im Team war, bestechen.«

»Und Thorn *war* im Team.«

»Auf seiner Mission zum Mond, ganz offiziell.« Jericho nickte. »In der Funktion des Kommandanten, mit nahezu unbegrenztem Handlungsspielraum. Vor allem, er kannte sich oben genauestens aus. Er war schon einmal dort gewesen.«

»Hast du Shaw und Norrington schon davon erzählt?« Yoyos Augen leuchteten. Plötzlich war sie wieder ein *Wächter*, infiziert von Wissbegierde.

»Nein.« Jericho stand auf. »Aber ich denke, das sollten wir schleunigst nachholen.«

Shaw und Norrington geisterten mit Delegierten des MI5 irgendwo im Big O herum, doch Edda Hoff schnappte das Filetstück ihrer Ermittlungen hungrig auf. Natürlich wusste sie über den Fall Thorn Bescheid, nur dass niemand bislang auf die Idee gekommen war, der verdiente, zweimalige Kommandant der Peary-Basis könne auserkoren gewesen sein, das GAIA in die Luft zu sprengen. Sie versprach, Informationen über Thorn zusammenzustellen und ihre Vorgesetzten von Jerichos Theorie in Kenntnis zu setzen. Tu Tian erschien in der Zentrale, wirkte aufgeräumt, als sei nichts gewesen, erzählte einen Witz und ließ sich auf den neuesten Stand bringen, bevor er wieder in den Gästetrakt entwich.

»Geschäfte«, sagte er mit entschuldigender Geste. »In China bricht der frühe Morgen an. Armeen fleißiger Konkurrenten wetzen die Messer gegen mich, ich kann nicht so tun, als hätte ich kein Unternehmen mehr. Falls ihr mich also nicht braucht zur Rettung der Welt –«

»Gerade nicht, Tian.«

»Umso besser. *Fenshou!*«

Shaw und Norrington fanden sich wieder ein, dafür ging Hoff in einer Videoschaltung zur NASA verloren. Jericho wollte Shaw auf Vic Thorn ansprechen, als Tom Merrick verkündete, aller Wahrscheinlichkeit nach den Grund für die Kommunikationsblockade gefunden zu haben, ohne sie deswegen beheben zu können.

»Zu wissen, *warum* es nicht klappt, ist auch ein Fortschritt«, meinte Shaw, und sie versammelten sich im großen Konferenzraum.

»Wie schon gesagt.« Merricks Blicke huschten fluchtartig vom einen zum anderen. »Um den Mond von jeder Kommunikation abzuschneiden, müsste man dermaßen viele Satelliten und Bodenstationen stören, dass es praktisch nicht zu bewerkstelligen ist. Ich tippe darum auf eine andere Möglichkeit: *IOF.*«

»IO was?«, sagte Shaw.

Merrick schaute sie an, als sei ihm schleierhaft, warum sich Menschen nicht ausschließlich in Abkürzungen unterhielten.

»*Information Overflow.*«

»Paralyse des Endgeräts durch Bot-Netz-gesteuerte Massenmails«, sagte Yoyo. »Datenverstopfung.«

Einer der anwesenden MI6-Leute runzelte fragend die Stirn.

»Stellen Sie sich vor, in einem Raum sitzt einer, den Sie mundtot machen wollen«, erklärte sie. »Außerdem soll er nichts hören können. Tausend Türen führen hinein. Vorausgesetzt, Sie schaffen es, alle Schlüssel in Ihren Besitz zu bringen, werden Sie versuchen, alle Türen zu verriegeln, um ihn von der Welt abzuschneiden. Die Türen sind die Satelliten und Bodenstationen, bloß können Sie nicht verhindern, dass fortlaufend weitere Türen eingebaut werden, abgesehen davon, dass Sie nicht an alle Schlüssel gelangen werden. Die Alternative ist bestechend einfach. Sie gehen in den Raum und stopfen dem Kerl einen Knebel in den Mund und Watte in die Ohren.«

»Der Kerl, soweit ich das verstehe, ist der Rechner des GAIA.«

»Zwei Kerle«, sagte Merrick. »Der Rechner des GAIA und das System der Peary-Basis.«

»Haben die keine Spiegelsysteme?«, fragte Jericho.

»Dann eben vier Kerle.« Merrick fuchtelte ungeduldig in der Luft herum. »Oder noch mehr, möglich, dass auch die Satellitenempfänger der Shuttles geknebelt wurden. In jedem Fall ist das Verfahren effizienter, weil Sie nur die Endgeräte stören, also die IP-Adressen der Leute, die Sie angreifen wollen. Mit den Satelliten ist alles in Ordnung, Sie können eine Million davon rumfliegen haben, es ändert nichts, im Gegenteil. Satelliten und Bodenstationen fungieren heute zunehmend als Knoten eines IP-Netzwerks, ein Internet im Weltraum! Das Bot-Netz kann von einem Knoten zum anderen springen, um sich seinen Weg zu bahnen.«

Sofort war Jericho klar, dass Merrick recht hatte. Im Grunde waren Bot-Netze ein alter Hut. Hacker brachten möglichst viele Computer unter ihre Kontrolle, indem sie eine spezielle Software einschleusten. Die User wussten im Allgemeinen nicht, dass ihre Rechner auf diese Weise zu Soldaten einer automatisierten Armee wurden, zu Bots. Theoretisch konnte die illegale Software endlos in den infiltrierten Rechnern vor sich hin schlummern, bis sie zu einem vorprogrammierten Zeitpunkt erwachte und ihre Wirtsrechner veranlasste, fortlaufend E-Mails an ein definiertes Angriffsziel zu schicken, völlig legale Anfragen, allerdings in sintflutartiger Menge. Auf dem Schwarzmarkt für Cyberterrorismus wurden Netze mit bis zu 100 000 Bots feilgeboten. Schlug das Bot-Netz los, feuerte es simultan Abermillionen Mails ab und flutete das Ziel mit Daten, bis der attackierte Rechner die Menge nicht mehr bewältigen konnte und unter dem IOF, dem *Information Overflow,* krepierte.

»Was glauben Sie, Tom?«, fragte Shaw. »Wie lange können die ihre Attacke aufrechterhalten?«

»Schwer zu sagen. Für gewöhnlich kann man Bot-Netze nicht stoppen. Man sagt der Software vorher, wann sie loslegen soll, und schmuggelt sie dann ein. Von da an hat man keinen Zugriff mehr auf sie.«

»Kann man der Software nicht auch einprogrammieren, wann sie die Attacke wieder einstellen soll?«

»Ja, sicher, man kann alles. Aber mein Verdacht ist, dass das hier anders lief. Die Attacke erfolgte als direkte Reaktion auf unseren Versuch, Julian und das GAIA zu warnen, also *muss* jemand die Bots individuell gestartet haben.«

»Was bedingt, dass sie seit Installation der Software eine Anfrage an diesen Jemand gerichtet haben«, sagte Yoyo. »Und zwar: Soll ich angreifen? Die betreffende Person musste lediglich Ja sagen, zu jedem beliebigen Zeitpunkt.«

»Und während sie das GAIA und die Peary-Basis attackieren, richten sie schon wieder eine Anfrage an Mister Unbekannt«, nickte Merrick. »Jetzt fragen sie: Soll ich aufhören?«

»Wenn wir also wüssten, wer sie gestartet hat –«, sagte der MI6-Mann.

»Könnten wir ihn dazu bringen, sie zu stoppen.«

»Wo könnte sich die Person aufhalten?«, fragte Shaw.

Merrick starrte sie an. »Woher soll ich das wissen? Es können mehrere Personen sein. Der Typ, der die Attacke in Gang gesetzt hat, kann auf dem Mond sein. Wenn er eine Steuersoftware in den Rechner des GAIA geschleust hat, sollte es kein Problem für ihn gewesen sein, die Bots von dort zu starten, allerdings hat er sich im selben Moment lahmgelegt. Also vermute ich, der Knilch, der den Wahnsinn stoppen könnte, sitzt irgendwo auf der Erde. Meine Güte, Jennifer!« Seine Hände flatterten hierhin und dorthin. »Er kann überall sein! Er kann *hier* sein. Im Big O. Hier in diesem Raum!«

Nicht lange danach erhielten sie Nachricht von Gerald Palstein. Er wirkte niedergeschlagen, als er durch das Monitorfenster von Texas zu ihnen hereinschaute, und Jericho musste daran denken, was Shaw über die unliebsamen Entscheidungen erzählt hatte, die EMCOs Chefstratege täglich zu verantworten hatte.

Dann sah er genauer hin.

Nein, da war noch etwas anderes. Palstein wirkte wie jemand, dem man soeben einen vernichtenden Befund überbracht hatte.

»Ich kann Ihnen den Film jetzt zur Verfügung stellen«, sagte er müde.

»Sie konnten mit Ihrer Kontaktperson sprechen?« Shaws Stimme schlich sich heran, vorsichtig und tastend.

»Nein.« Palstein fuhr sich über die Augen. »Es ist etwas geschehen.«

Kurz geriet seine Stirn ins proportionale Missverhältnis zum Rest des Körpers, als er sich vorbeugte und unterhalb der Übertragungskamera eine Funktion betätigte. Dann änderte sich das Bild, und sie sahen eine Nachrichtensendung von CNN.

»Eine unfassbare Tragödie ereignete sich heute im kanadischen Vancouver«, sagte Christine Roberts, smarte Frontfrau von BREAKING

News. »In einem Akt beispielloser Gewalt wurde praktisch die komplette Führung des Internetportals Greenwatch ausgelöscht. Der ökologisch orientierte Sender, bekannt für seine engagierte und kritische Berichterstattung, hat in den letzten Jahren immer wieder zur Aufklärung von Umweltskandalen beigetragen, dabei mehrfach Klagen gegen Konzerne und Politiker angestrengt, galt andererseits als ausgewogen und fair. – Unser Korrespondent in Vancouver ist uns nun zugeschaltet, Rick Lester, gibt es inzwischen Hinweise, wer hinter dem Blutbad, hinter dem möglichen Aus von Greenwatch stecken könnte?«

Das Bild wechselte. Frühes Abendlicht. Ein Mann vor einem Haus im kanadischen Villenstil, ringsum flatternde Absperrbänder, Fahrzeuge der Polizei, Uniformierte.

»Nein, Christine, und genau das ist es, was das Ganze so gespenstisch erscheinen lässt, bislang gibt es nämlich keinerlei Hinweise darauf, wer diese Morde, man muss schon sagen, Hinrichtungen, zu verantworten hat, und vor allen Dingen, warum.« Rick Lester sprach in einem druckvollen Stakkato, holte hinter jedem Halbsatz Luft. »Greenwatch arbeitete, wie man inzwischen weiß, an einer großen Reportage über die Zerstörung des borealen Waldes in Kanada und anderen Teilen der Welt, am Pranger sollte die Ölindustrie stehen, mehr aber in der Rückschau, also was man über die Jahre so angerichtet hat, ohne es beheben zu können, und da ist auf den ersten Blick nichts, was als Erklärung für ein solches Massaker herhalten könnte.«

»Nun ist die Rede von zehn Menschen, Rick. Was genau ist da geschehen, und wer ist unter den Opfern?«

»Also, man muss dazu wissen, dass es sich hierbei wohl um eine konzertierte Aktion gehandelt hat, denn es ist ja nicht nur das Hauptquartier von Greenwatch betroffen, hier fand man sieben Tote –«, er drehte sich halb nach hinten, »– sondern eine Viertelstunde zuvor kam es auf dem Marine Drive, einer Küstenstraße, die hinaus zum Point Grey führt, zu einer wilden Verfolgungsjagd, man will gesehen haben, wie ein großer Geländewagen einen Thunderbird mit drei Mitarbeitern von Greenwatch mehrfach gerammt und anschließend bewusst einen Unfall herbeigeführt hat. Es scheint, dass zwei der Insassen diesen Crash erst einmal überlebt haben und unmittelbar darauf erschossen wurden, eines der Opfer übrigens, darüber herrscht inzwischen traurige Gewissheit, ist die Chefreporterin von Greenwatch, Loreena Keowa. Die Mörder dürften dann weiter zum Greenwatch-Hauptquartier gefahren sein, hier am Point Grey, haben sich Einlass verschafft und in kürzester Zeit dieses Blutbad angerichtet.«

1090

»Ein Blutbad, das – letzten Meldungen zufolge – auch die Intendantin, Susan Hudsucker, das Leben gekostet hat?«

»Ja, das wurde uns inzwischen bestätigt.«

»Schrecklich, Rick, wirklich unfassbar, aber es sind ja nicht nur die Morde, die den Ermittlern Rätsel aufgeben, es scheint auch einiges verschwunden zu sein –«

»Richtig, Christine, und das wirft ein ganz besonderes Licht auf den Vorfall. Denn tatsächlich findet sich im ganzen Gebäude kein einziger Rechner mehr, das komplette Datenmaterial von Greenwatch wurde entwendet, auch handschriftliche Notizen fehlen, also praktisch das Gedächtnis des Senders.«

»Nun, Rick – deutet aber *das* nicht darauf hin, dass hier jemand versucht hat, die Veröffentlichung möglicherweise brisanter Informationen zu verhindern?«

Lester nickte. »Auf jeden Fall hat er versucht, die Veröffentlichung *hinauszuzögern,* und eben hören wir, dass Kontakt aufgenommen wurde zu freien Mitarbeitern, um mehr über die aktuellen Projekte herauszufinden, allerdings war man bei Greenwatch immer bemüht, heiße Informationen und Storys bis zuletzt im inneren Kreis zu belassen, es könnte also durchaus geschehen, dass die letzten Projekte nie zu rekonstruieren sein werden.«

»Tja, eine schlimme Tragödie, so viel für den Moment aus Vancouver, vielen Dank, Rick Lester. – Und jetzt –«

Die Aufzeichnung endete. Palstein stand wieder alleine vor dem polierten Mahagonitisch seines Konferenzzimmers in Dallas.

»*War* das Ihre Kontaktperson?«, fragte Shaw. »Die Frau im Auto?«

»Ja.« Palstein nickte. »Loreena Keowa.«

»Und Sie glauben, die Ereignisse stehen in direktem Zusammenhang mit dem Attentat in Calgary?«

»Ich weiß es nicht.« Palstein seufzte. »Ein Film ist aufgetaucht, der einen Mann zeigt. Er könnte der Attentäter sein, aber rechtfertigt das ein solches Massaker? Ich meine, auch ich bin im Besitz der Bilder, Loreena sagte, sie hätte sie vielen Menschen gezeigt. Wir wollten gleich nach ihrer Landung in Vancouver telefonieren, ich hatte sie gebeten, auf jeden Fall anzurufen –«

»Aus Sorge.«

»Ja, sicher.« Palstein schüttelte den Kopf. »Sie war ja wie besessen von dem Fall. Ich machte mir allergrößte Sorgen.«

»Mister Palstein«, sagte Jericho. »Wie schnell könnten wir den Film bekommen? Jede Sekunde –«

»Kein Problem. Ich kann Ihnen den Ausschnitt sofort zeigen.«

Erneut änderte sich das Bild. Diesmal war der Eingangsbereich eines Gebäudes zu sehen. Jericho glaubte, die heruntergewirtschaftete Fassade wiederzuerkennen: jener leer stehende Firmenkomplex gegenüber der Zentrale von Imperial Oil in Calgary, aus dem, wie es hieß, der Schuss auf Palstein abgefeuert worden war. Menschen spazierten ziellos umher. Zwei Männer und eine Frau traten aus dem Gebäude ins Sonnenlicht. Die Männer gesellten sich zu einem Polizisten und verwickelten ihn in ein Gespräch, die Frau postierte sich abseits. Von links schlurfte eine Gestalt heran, groß und massig, mit langen, schwarzen Haaren.

Jericho beugte sich vor. Ein Standbild erschien auf dem Monitor, nur Kopf und Schultern. Eindeutig ein Asiate. Eine korpulente, ungepflegte Erscheinung, das Haar fettig, der Bart dünn und zerzaust, doch was ließ sich mit ein bisschen Latex, Schaumstoff und Schminke nicht alles bewerkstelligen?

Auch Yoyo starrte den Asiaten an.

»Fast nicht wiederzuerkennen«, flüsterte sie.

Shaw beobachtete sie aufmerksam. »Sie kennen den Mann?«

»Allerdings.« Jericho nickte. Dann musste er unvermittelt lachen. »Unglaublich, aber er ist es!«

Die Maske war einen Oscar wert, doch schlossen die Umstände, unter denen sie ihm begegnet waren, jeden Irrtum aus. Einmal schon war Jericho auf ihn hereingefallen, ein weiteres Mal würde er sich nicht von ihm täuschen lassen, und wenn der Mistkerl sich in Felle hüllte und auf allen vieren ging.

»Das da«, sagte er, »ist unzweifelhaft der Attentäter von Calgary.«

Shaw hob die Brauen. »Und haben Sie auch einen Namen?«

»Ja, aber er wird Ihnen nicht viel nützen«, sagte Yoyo. »Der Typ ist flüchtig wie Gas. Sein Name ist Xin. Kenny Xin.«

SINUS IRIDUM, MOND

Nebelland.

Erst auf dem Mond hatte Chambers erfahren, wie das Fördergebiet unter Astronauten genannt wurde, und den Begriff als kitschig und unzutreffend empfunden. Ihrer Schulbildung zufolge bezeichnete Nebel ein meteorologisches Phänomen, ein Aerosol, und auf dem Mond konnte von Tröpfchenbildung kaum die Rede sein. Sie hatte herumgefragt, ob die Namensgebung einem prätentiösen Huldigungsbedürfnis an Riccioli und seine historischen Missinterpretationen entsprang, doch keine zufriedenstellende Antwort erhalten. Allgemein wurde über das Gebiet wenig gesprochen. Für den letzten Tag ihres Aufenthalts im GAIA hatte Julian die Vorführung einer Dokumentation angekündigt, ein Besuch der Abbauregion war nicht eingeplant.

Nun, da es sie hierher verschlagen hatte, reichte ein Blick, um zu verstehen, was nüchtern denkende Menschen veranlasste, den Landstrich zwischen Sinus Iridum und Mare Imbrium Nebelland zu nennen. Von Horizont zu Horizont erstreckte sich eine konturlose, irisierende Barriere, über einen Kilometer hoch und nicht im Mindesten geeignet, Chambers' Laune zu heben. Trostlos lastete sie auf dem Land, Staub gewordene Hoffnungslosigkeit. Niemand, der klaren Verstandes war, konnte den Wunsch verspüren, sie zu durchqueren.

Doch Hannas Reifenspuren führten mitten hinein.

Einige hundert Meter war er durch die Schneise gefahren und schließlich in nordöstliche Richtung abgebogen. Julian zufolge bewegte er sich damit auf der imaginären Linie, die Kap Heraclides mit Kap Laplace verband. Der zwiespältigen Hoffnung ergeben, ihr Gegner möge ein Überlebenskünstler und im Zweifel der bessere Pfadfinder sein, hefteten sie sich auf seine Fersen. Amber studierte weiterhin ihre Karten, doch so gute Dienste sie bislang geleistet hatten, erwiesen sie sich hier als nutzlos. Mal nach hundert, meist schon nach zehn Metern endeten alle Blicke im Trüben. Kein Horizont, keine Hügel, keine Ringgebirge mehr, nur Hannas einsame Spur auf seinem Weg ins Ungewisse. Ein Etwas, das sich von Lebensfreude ernährte, schlich aus dem Staub heran, legte sich schwer auf Chambers' Brustkorb und löste das kindliche Verlangen in ihr aus zu weinen. Der Mond war tote Materie, dennoch hatte sie ihn bis jetzt als eigenartig belebt empfunden, wie einen alten und weisen Menschen, einen wunderbaren Methusalem, dessen Falten die Schöpfungsgeschichte konservierten. Doch Geschichte schien an diesem Ort ausgelöscht. Die gewohnt puderige Konsistenz des Regoliths, seine sanften Anhöhen und Miniaturkrater waren bröckeliger Gleichförmigkeit gewichen, als sei etwas darüber hinweggeglitten und habe ihn einer gespenstischen Transformation unterzogen. Kurz glaubte sie den Rand eines kleinen Kraters auszumachen, aber noch während sie darauf starrte, verging er im Dunst, eine bloße Sinnestäuschung.

»Hier ist nichts geblieben, woran du dich orientieren könntest«, sagte Julian zu Amber. »Die Käfer haben die Landschaft nachhaltig verändert.«

Käfer? Chambers stutzte. Sie konnte sich nicht entsinnen, je etwas von Käfern gehört zu haben, die auf dem Mond ihr Unwesen trieben. Doch was immer sie anstellten, erfüllte in ihren Augen den Tatbestand der Schändung. Ringsum sah es aus, als habe man dem Trabanten Gewalt angetan. Dieses bröckelige Zeug war die Asche eines Toten. In parallelen, flachen Wällen zog es sich dahin, gewaltigen Ackerfurchen gleich, als habe etwas den Boden um- und umgepflügt.

»Julian, hier sieht's schrecklich aus«, stellte sie fest.

»Ich weiß. Nicht unbedingt die Traumgegend für Touristen. Menschen kommen überhaupt nur her, wenn es Probleme gibt, denen die Wartungsroboter nicht gewachsen sind.«

»Und was zum Teufel sind Käfer?«

»Schau nach vorne.« Julian hob den Arm und deutete voraus. »Das da ist ein Käfer.«

Sie kniff die Augen zusammen. Zuerst sah sie nur das Flirren des Sonnenlichts auf den Staubpartikeln. Dann, inmitten enigmatischer Grautöne und in kaum zu bestimmender Distanz, wurde eine Silhouette sichtbar, ein Ding von urweltlicher Anmutung. Langsam schob es seinen buckeligen, eigenartig schwerelos wirkenden Leib voran, ließ bizarre Details erahnen, rotierende Fresswerkzeuge unterhalb eines geduckten, abgeplatteten Kopfes, die emsig den Regolith durchwühlten, weit abgespreizte, insektoide Beine. Unablässig gesellte es dem Staub über der Ebene neuen hinzu, den es beim Fressen und Vorwärtsschreiten aufwirbelte. Die mikroskopisch kleinen Schwebstoffe hüllten seinen massigen Körper ein, umgaben kokonartig den Laufapparat. Inzwischen glaubte Chambers zu wissen, was sie da vor sich hatte, nur dass alle Ahnungen unter dem Eindruck verkümmerten, wie unfassbar *gewaltig* der Käfer war. Je näher sie ihm kamen, desto monströser blähte er sich auf, reckte seinen Buckel, auf dem kolossale, schalenförmige Spiegel blitzten, ein mythisches Untier, hoch wie ein mehrstöckiges Haus.

Julian hielt geradewegs auf das Ding zu.

»Momoka, du bleibst hinter mir«, ordnete er an. »Keine Alleingänge. Wenn wir Kurs halten wollen, wird es sich kaum vermeiden lassen, in die Nähe dieser Maschinen zu gelangen. Sie sind träge, aber Trägheit ist relativ, gemessen an der Größe.«

Die Sicht verschlechterte sich. Als sie ein knappes Stück vor dem Käfer wieder samtigen Regolith unter die Räder bekamen, konturierte sich sein Torso dunkel und bedrohlich am diffusen Himmel. Für seine enorme Höhe war er erstaunlich schmal. Laufapparat und Fresswerkzeuge verschwanden hinter aufgewirbelten Schwaden. Chambers schien es, als schwenke der Gigant unendlich langsam seinen tief liegenden Schädel und schaue ihnen hinterher, während er eines seiner kräftigen, mehrgelenkigen Beine hob und einen Schritt nach vorne machte. Der Rover erzitterte leicht. Sie schrieb es einer Bodenwelle zu, die Omura überfahren haben musste, doch eine innere Gewissheit sagte ihr, es sei im Moment geschehen, als der Käfer seinen Fuß in den Regolith gerammt hatte.

»Eine Fördermaschine!« Rogaschow drehte sich zu dem entschwindenden Schemen um. »Fantastisch! Wie konntest du mir das so lange vorenthalten?«

»Wir nennen sie Käfer«, sagte Julian. »Der Form und Fortbewegung halber. Und, tja, sie sind fantastisch. Nur viel zu wenige.«

»Verwandeln sie den Regolith in dieses – Zeug?«, fragte Chambers, der krümeligen Wüste eingedenk.

Julian zögerte. »Wie gesagt, sie verändern die Landschaft.«

»Ich meine ja nur. Ich hatte keine rechte Vorstellung davon, wie die Förderung vonstattengeht. Eigentlich – also, ich glaube, ich habe eher erwartet, so was wie Bohrtürme zu sehen.«

Im selben Moment schämte sie sich, mit Julian über Tagebauliches zu fachsimpeln, als sei Omura nicht vor einer halben Stunde mit Locatellis deformiertem Leichnam konfrontiert worden. Seit ihrer Abfahrt vom Kap hatte die Japanerin kein einziges Wort gesprochen, fuhr den Rover allerdings mit Umsicht. Auf gespenstische Weise war sie ins Hypothetische entrückt. Das Wesen hinter der reflektierenden Visierscheibe, das den Wagen steuerte, hätte ebenso gut ein Roboter sein können.

»Helium-3 kannst du nicht fördern wie Öl, Gas oder Kohle«, sagte Julian. »Das Isotop ist atomar im Mondstaub gebunden. Etwa drei Nanogramm pro Gramm Regolith, gleichmäßig verteilt.«

»Nanogramm, warte mal«, sinnierte Chambers. »Das sind Milliardstel Gramm, richtig?«

»So wenig?«, wunderte sich Rogaschow.

»Nicht *wirklich* wenig«, sagte Julian. »Überlegt mal, das Zeug wurde in Milliarden Jahren durch den Sonnenwind eingelagert. Weit über eine halbe Milliarde Tonnen insgesamt, das Zehnfache aller irdischen Kohle-, Öl- und Gasreserven! Das ist verdammt viel! Nur, um dranzukommen, musst du den Mondboden eben prozessieren.«

So heißt das also, dachte Chambers. Prozessieren. Und heraus kommt eine Krümelwüste. Mit unguten Gefühlen starrte sie in die gleißende Ferne. Weit hinten kroch ein zweiter Käfer durch den Staub, und plötzlich wurde das Terrain wieder hässlich und bröckelig.

»Dennoch eine erstaunlich geringe Sättigung«, beharrte Rogaschow. »Klingt für mich, als müssten *erhebliche* Mengen Mondboden prozessiert werden. Wie tief graben die Dinger denn?«

»Zwei bis drei Meter. Auch in fünf Metern Tiefe lagert noch Helium-3, aber das meiste holen sie oben raus.«

»Und das reicht?«

»Kommt drauf an, wofür.«

»Ich meine, reicht es, um die Welt mit Helium-3 zu versorgen?«

»Es hat gereicht, um den Markt der fossilen Energien auf der Erde zusammenbrechen zu lassen.«

»Der ist vorauseilend zusammengebrochen. Wie viele Maschinen sind zurzeit im Einsatz?«

»Dreißig. Glaub mir, Oleg, Helium-3 wird unser Energieproblem nachhaltig lösen, der Mond gibt das her. Aber du hast natürlich recht. Wir brauchen bedeutend mehr Maschinen, um das Terrain abgrasen zu können.«

»Abgrasen«, echote Amber. »Klingt eher nach Kuh als nach Käfer.«

»Ja.« Julian lachte etwas gezwungen. »Sie ziehen tatsächlich wie eine Herde über das Land. Wie eine Herde Kühe.«

»Beeindruckend«, sagte Rogaschow, doch Chambers glaubte leise Skepsis mitschwingen zu hören. In konturloser Ferne zeichnete sich der Scherenschnitt eines dritten Käfers ab. Er schien stillzustehen. Chambers gewahrte etwas Flinkes, Kleineres, das sich der Maschine von hinten näherte, augenscheinlich ein Fluggerät, bis in ihr der Verdacht aufkeimte, das Ding eile auf hohen, filigranen Beinen heran, und unwillkürlich kam ihr das Bild einer Spinne in den Sinn. Unterhalb des monströsen Hinterleibs verharrte die Erscheinung, duckte sich und schien vorübergehend mit dem Käfer zu verschmelzen. Chambers starrte neugierig hinüber. Am liebsten hätte sie Julian danach gefragt, doch Omuras Schweigsamkeit lag wie Mehltau auf der Gruppe, also hielt sie den Mund, im Innersten beunruhigt. Das Insektarium dort war keineswegs nach ihrem Geschmack. Nicht dass sie Ressentiments gegen Technologien hegte, sie fuhr gewissenhaft ihr umweltschonendes Stromauto, hatte ihr Anwesen auf Locatellis Solartechnologie umgerüstet und ließ brav ihren Müll trennen, ohne sich deswegen einer ausgeprägt grünen Gesinnung rühmen zu können. Phänomene wie Robotik, Nanotechnologie und Raumfahrt fanden ihr Interesse ebenso wie Wasserfälle, Mammutbäume und vom Aussterben bedrohte pinselohrige Kletteräffchen, deren Fortbestand nicht unbedingt als tragende Struktur des ökologischen Unterbaus gelten konnte. Neue Technologien faszinierten sie, doch etwas in diesem Totenreich verbreitete einen Schrecken, dass selbst Rogaschows wenig zimperliche Industriellennatur Antikörper dagegen zu entwickeln schien.

Hannas Spur beschrieb eine ausgedehnte Kurve. Kolossale Abdrücke ließen vermuten, dass er einer der Fördermaschinen hatte ausweichen müssen. Zu den kraterartigen Spuren gesellten sich solche geringeren Durchmessers, weniger tief. Chambers schaute hinter sich und sah den Käfer wie eine Fata Morgana in seinem Staubkokon flirren. Von dem Spinnending war nichts mehr auszumachen. Sie schloss die Augen, und das Bild der riesigen Maschine leuchtete geisterhaft auf ihrer Netzhaut nach.

Der Käfer fraß.

Unentwegt trieb er sein Schaufelgebiss in den Untergrund, lockerte das Gestein, siebte die unverdaulichen Brocken heraus und leitete, was an feinkörniger Materie verblieb, in sein glühendes Inneres, während riesige Reflektoren oberhalb des Buckels dem Verlauf der Sonne folgten, Photonen bündelten und in kleinere Parabolspiegel schickten. Von dort gelangte das Licht in den kybernetischen Organismus und schuf eine 1000° Celsius heiße Hölle, nicht ausreichend, um den Regolith zu schmelzen, jedoch ihn seiner gebundenen Elemente zu berauben. Wasserstoff, Kohlenstoff, Stickstoff und ein vergleichsweises Nichts an Helium-3 stiegen gasförmig im Sonnenofen auf und gelangten von dort in die hochkompressive Gegenwelt des Hinterleibs. Bei -260° Celsius und unter enormem Druck verflüssigten sich die gewonnen Gase und wurden Batterien von Kugeltanks zugeleitet, separiert gemäß ihrer elementaren Zugehörigkeit: quantenweise Helium-3, jeder Tropfen eine sorgsam verwahrte Kostbarkeit, alles Übrige in nicht zu bewältigenden Quantitäten. So riesig der Käfer war, so ideal sich Wasserstoff zur Herstellung von Treibstoff, Stickstoff zur Anreicherung von Atemluft und Kohlenstoff für Baumaterialien eignete, musste er doch das meiste davon wieder ins Vakuum entlassen, wo es augenblicklich evaporierte und rund um die Maschine eine flüchtige, sich zyklisch erneuernde Atmosphäre bildete. Alles veränderte der Käfer auf diese Weise. Den Mondboden, den er zu Krümeln verbacken wieder ausschied, den leeren Raum, da die Entnahme und Exkrementierung seiner Umwelt ihre Entsprechung in der Anreicherung des Vakuums mit Edelgasen fand.

Als Folge der Gasausstöße verdichtete sich der Staub um die Maschine noch mehr. Streng genommen, da keinerlei Luftmoleküle die Gesteinsteilchen in der Schwebe hielten, hätten sie die Kilometer hohe Barriere gar nicht bilden dürfen. Doch eben dem Mangel an atmosphärischem Druck, im Einklang mit der geringen Schwerkraft und Phänomenen elektrostatischer Aufladung verdankten sie ihre extrem hohen und langen Flugbahnen, aus denen sie erst Stunden später beinahe widerwillig herabsanken. Mit der Zeit hatte sich so eine permanente Trübung über das Fördergebiet gelegt. Die Wolken, die der Käfer unter Hochdruck von sich gab, banden zusätzlichen Staub in derartigen Mengen, dass die Fresswerkzeuge und Insektenbeine mitunter völlig dahinter verschwanden, hinzu kam ein polarlichtartiges, changierendes Gleißen auf der kristallinen Struktur der Schwebstoffe, das die Sicht zusätzlich erschwerte.

So geschah es Hanna auf seiner einsamen Wanderung, dass er sich der Nähe einer kreuzenden Fördermaschine erst bewusst wurde, als das Lorenrad ihn fast schon in sich aufgenommen und den Sieben zugeführt hatte, und nur ein rekordverdächtiger Sprung bewahrte ihn davor, industriell weiterverarbeitet zu werden. Hastig brachte er Abstand zwischen sich und den Käfer, fassungslos, eine derartige Masse, die den Boden zum Erzittern brachte, übersehen zu haben. Himmelhoch ragte die Maschine über ihm empor, doch bekanntlich neigten kleine Geschöpfe zu Erblindung, wenn sie großen allzu nahekamen. Er richtete seinen Kurs am Wanderweg der Maschine aus und trabte weiter. Aus dem nie versiegenden Quell der Konspiration wusste er, dass die Käfer den Regolith auf rechtwinkligen Bahnen zur gedachten Linie zwischen Kap Heraclides und Kap Laplace umpflügten und man die Station nicht verfehlen konnte, solange man sich im 90-Grad-Winkel zu den Weiderouten hielt – die einzige Orientierungshilfe in einer Welt, in der mangels Magnetfeld nicht einmal Kompanten funktionierten. Weit über eine Stunde war er nun schon unterwegs, seit der Buggy das Zeitliche gesegnet hatte, in langen, federnden Sprüngen, hatte seine erste Sauerstoffreserve anbrechen müssen. Noch verspürte er keine Anzeichen von Ermüdung. Sofern nichts Unvorhergesehenes mehr dazwischenkam, sollte die Förderstation in 15 bis 20 Minuten vor ihm auftauchen. Falls nicht, steckte er in ernsthaften Schwierigkeiten.

Dann blieb immer noch Zeit, sich Sorgen zu machen.

Völlig unerwartet machten sie die Bekanntschaft einer Spinne.

Sie brach aus dem Schatten eines Käfers hervor und kreuzte ihren Weg mit solcher Geschwindigkeit, dass Julian das Steuer herumreißen musste, um nicht mit ihr zu kollidieren. Einen Moment lang fühlte sich Chambers an H. G. Wells' Tripoden erinnert, jene Marsmaschinen aus *Krieg der Welten*, die vorzugsweise ganze Großstädte mittels Hitzestrahlen attackierten und zu Pulver verbrannten. Doch dieses Ding da hatte acht Beine statt drei, weberknechtdünn und meterhoch, sodass der Körper irgendwo über ihnen schwebte. Gleich hinter den Greiforganen reihten sich Dutzende Kugeltanks aneinander. Was die Spinne außerdem von ihren marsianischen Kollegen unterschied, war ihr völliges Desinteresse an menschlicher Präsenz. Ohne Julians Geistesgegenwart, schätzte Chambers, hätte sie seinen Rover einfach über den Haufen gerannt.

»Was um alles in der Welt war das denn für ein Mistvieh?«, schrie Omura.

Inzwischen kommunizierte sie wieder, allerdings in einer Weise, die wehmütige Erinnerungen an ihre Schweigsamkeit aufkommen ließ. Jeder Anflug von Trauer schien umgehend in Wut katalysiert zu werden. Chambers kam der Gedanke, dass Omuras unerfreuliches Charakterbild weniger von Hochmut als von einer in vielen Jahren konservierten Aggression geprägt war, und es gefiel ihr immer weniger, sie den Rover steuern zu sehen. Mit klopfendem Herzen blickte sie dem davoneilenden Roboter hinterher. Vor ihnen fuhr Julian langsam wieder an.

»Eine Spinne«, sagte er, als hätten daran noch Zweifel bestanden. »Be- und Entladeroboter. Sie entnehmen die vollen Tanks der Käfer, tauschen sie gegen leere, bringen die Ausbeute zur Station und verladen sie für den Weitertransport.«

»Man fühlt sich hier nicht gerade willkommen«, bemerkte Rogaschow.

»Die tun nichts«, murmelte Amber. »Die wollen nur spielen.«

»Ist das Gebiet überwacht?«

»Ja und nein.«

»Soll heißen?«

»Die Überwachung schaltet sich nur zu bei Fehlermeldungen. Ich sagte ja, die Förderung ist automatisiert. Verteilte Intelligenz in Echtzeitvernetzung. Die Roboter reagieren nur aufeinander, in ihrem Innenbild sind wir nicht vorhanden.«

»Scheißdinger!«, fauchte Omura. »Dein verdammter Mond geht mir allmählich auf den Sack.«

»Vielleicht wäre es die Mühe wert, ihr Innenbild um ein paar Daten zu bereichern«, schlug Chambers vor. »Ich meine, wenn im Wirklichkeitskosmos einer Spinne Platz für so was Raumgreifendes wie Käfer ist, kann es doch nicht so schwer sein, auch noch Homo sapiens mit reinzufummeln.«

»Menschen haben im Fördergebiet nichts verloren«, sagte Julian, leicht genervt. »Das Gebiet ist eine in sich geschlossene Technosphäre.«

»Und wie groß ist diese Technosphäre?«, fragte Amber.

»Zurzeit einhundert Quadratkilometer. Auf amerikanischer Seite. Die Chinesen besetzen ein kleineres Feld.«

»Und du bist sicher, dass das amerikanische Maschinen sind?«

»Die Chinesen benutzen Raupenketten.«

»Na dann«, meinte Chambers. »Wenigstens wird man nicht vom Feind zertrampelt.«

Von da an passten sie noch besser auf, was in der Ungewissheit lauerte, und da man im Vakuum nichts hörte, strapazierten sie ihre Augen, bis sie schmerzten. So bemerkte Amber den Buggy schon von Weitem.

»Was ist los?«, wollte Omura wissen, als Julian stoppte.

»Carl könnte da vorne sein.«

»Oh, das ist gut.« Sie lachte trocken auf. »Sehr gut! Für mich, nicht für ihn.« Sie wollte an Julian vorbeiziehen. Rogaschow legte ihr die Hand auf den Unterarm.

»Warte.«

»Wozu denn, verdammt noch mal?«

»Ich sagte, warte.«

Der ungewohnt autoritäre Tonfall bewog Omura dazu, anzuhalten. Rogaschow stemmte sich hoch. Weit und breit ließen sich weder Spinnen noch Käfer blicken. Nur verbackener Regolith kündete davon, dass die Fördermaschinen dieses Teil der Sinus Iridum schon prozessiert hatten. Inmitten der Trostlosigkeit wirkte Hannas Buggy wie das Überbleibsel einer vor Langem verlorenen Schlacht.

»Ich sehe ihn nirgendwo«, sagte Amber nach einer Weile.

»Nein.« Rogaschow drehte den Oberkörper hin und her. »Er scheint tatsächlich nicht da zu sein.«

»Woher willst du das wissen in dem Scheißstaub?«, knurrte Omura. »Er könnte überall sein.«

»Ich weiß es nicht, Momoka. Ich weiß nur, dass bis jetzt noch nicht auf uns geschossen wurde.«

Einige Sekunden herrschte abwartendes Schweigen.

»Gut«, entschied Julian. »Fahren wir hin.«

Wenige Minuten später war klar, dass Hanna nirgendwo auf sie lauerte. Der Buggy war einem Achsbruch erlegen. Stiefelspuren führten in gerader Linie davon weg.

»Zu Fuß weitergegangen«, konstatierte Amber.

»Kann er das schaffen?«, fragte Chambers.

»Kein Problem, solange seine Atemluft reicht.« Julian beugte sich über die Ladefläche. »Hinterlassen hat er jedenfalls nichts, und ich weiß definitiv, dass er die Sauerstoffreserven der GANYMED mitgenommen hatte.«

»Müssten wir nicht bald da sein?« Chambers starrte hinaus. »Ich meine, wir sind seit über einer Stunde unterwegs.«

»Laut Rover sind es noch 15 Kilometer bis zur Station.«

»Eigentlich ein Klacks.«

»Für uns. Weniger für ihn.« Julian richtete sich auf. »Ein bis zwei Stunden wird er ab hier brauchen. Das heißt, er ist noch irgendwo da draußen. Er kann die Station unmöglich schon erreicht haben.«

»Also werden wir ihm begegnen.«

»Schon bald, schätze ich.«

»Und was machen wir dann mit ihm?«

»Die Frage ist wohl eher, was er mit uns macht«, schnaubte Amber.

»Ich weiß jedenfalls, was *ich* mit ihm mache«, zischte Omura. »Ich werde ihn –«

»Nein, wirst du nicht«, unterbrach sie Julian. »Versteh mich nicht falsch, Momoka. Wir trauern mit dir, aber –«

»Spar dir den Scheiß!«

»Aber wir müssen in Erfahrung bringen, was Carl vorhat. Ich will wissen, worum es bei alldem geht. Wir brauchen ihn lebendig!«

»Das wird nicht einfach sein«, sagte Rogaschow. »Er ist bewaffnet.«

»Hast du eine Idee?«

»Na ja.« Rogaschow schwieg einen Moment. »In einigem sind wir ihm voraus. Wir haben die Rovers. Und wir nähern uns ihm *von hinten*. Wenn er sich nicht gerade im entscheidenden Moment umdreht, können wir bis dicht an ihn ranfahren, ohne dass er was davon mitbekommt.«

»Und wie willst du verhindern, dass er uns über den Haufen schießt, sobald er uns bemerkt?«, wandte Amber ein. »Dicht ranfahren, schön und gut. Was dann?«

»Wir können ihn in die Zange nehmen«, überlegte Julian. »Von rechts und links kommen.«

»Dann sieht er uns«, sagte Rogaschow.

»Wie wär's mit freundschaftlich rammen?«, schlug Chambers vor.

»Hm, nicht schlecht.« Julian überlegte. »Angenommen, wir fahren nebeneinander her, hübsch langsam. Dann kann ihn einer von hinten zu Fall bringen, ohne dass er gleich dabei draufgeht, und die aus dem anderen Rover stürzen sich auf ihn, entwaffnen ihn, und so weiter.«

»Und so weiter. Und wer macht den Rammbock?«

»Julian«, sagte Rogaschow. »Wir anderen bilden das Überfallkommando.«

»Und wer fährt?«

»Tja.« Rogaschow wandte sich Omura zu, die reglos dastand, als warte sie, dass jemand ihre Lebensfunktionen aktivierte. »Momoka ist emotional sehr aufgeladen.«

»Mach dir mal bloß keine Sorgen«, sagte Omura tonlos.

»Ich mache mir aber welche«, sagte Rogaschow kühl. »Ich weiß nicht, ob wir dich fahren lassen können. Du wirst es versauen.«

»So?« Omura löste sich aus ihrer Starre und kletterte zurück auf den Fahrersitz. »Was wäre denn die Alternative, Oleg? Wenn du zulässt, dass ich mich auf ihn stürze, riskierst du weit mehr. Zum Beispiel, dass ich sein Visier mit dem nächsten herumliegenden Felsbrocken einschlage.«

»Wir brauchen ihn lebend«, wiederholte Julian eindringlich. »Auf keinen Fall werden wir ihn –«

»Ich hab's kapiert!«, blaffte sie.

»Keine Alleingänge, Momoka!«

»Ich halte mich an die Spielregeln. Wir machen's so, wie ihr vorgeschlagen habt.«

»Sicher?«

Omura seufzte. Als sie weitersprach, bebte ihre Stimme, als müsse sie die Tränen zurückhalten. »Ja. Sicher. Versprochen.«

»Ich traue dir nicht«, sagte Rogaschow nach einer Weile.

»Du traust mir nicht?«

»Nein. Ich glaube, du wirst uns alle in Gefahr bringen. Aber es ist deine Entscheidung, Julian. Wenn du sie fahren lassen willst – bitte.«

Hanna sah die Fördermaschine von links kommen. Staub bauschte sich um Beine und Schaufelräder, gefrierende Wolken drängten aus ihren Seiten und vermischten sich mit Schwebstoffen zu einer dunstigen Camouflage. Er versuchte abzuschätzen, ob es ihm gelingen würde, noch vor ihr die andere Seite zu erreichen. Sie war ziemlich nahe, doch wenn er an Tempo zulegte, sollte es eigentlich zu schaffen sein.

Auf der Erde, dachte er, würde das Ding einen Höllenlärm veranstalten. Hier näherte es sich in tückischer Lautlosigkeit. Alles, was er hörte, war das Rauschen der Klimaanlage und seinen eigenen, disziplinierten Atem. Ihm war bewusst, dass die Stille den Leichtsinn nährte, zumal im diffusen Gleißen kaum Aussagen über Distanzen möglich waren, andererseits verspürte er nicht die geringste Lust, so lange zu warten, bis das Riesending an ihm vorbeigekrochen war. Die Förderstation musste ganz in der Nähe sein. Es reichte ihm, er wollte endlich ankommen.

Den verbliebenen Überlebensrucksack fest unter den Arm gepackt, sprintete er los.

»Ich sehe ihn!«

Verschwommen tauchte die Silhouette des Kanadiers am Horizont auf. Mit langen Sprüngen setzte er über die Ebene, während sich von links der kolossale Leib einer Fördermaschine heranschob. Julian winkte Omuras Rover neben sich und wartete, bis sie auf gleicher Höhe war.

»Ziemlich wagemutig, was er da macht«, flüsterte Amber.

»Ungünstig vor allen Dingen«, knurrte Rogaschow. »Der Käfer ist schon ziemlich nahe. Sollen wir das wirklich riskieren?«

»Ich weiß nicht.« Julian zögerte. »Wenn wir die Maschine passieren lassen, kann das ewig dauern.«

»Wir könnten sie umfahren«, schlug Chambers vor.

»Und dann?«

»Uns ihm von der anderen Seite nähern.«

»Nein, dann sieht er uns. Wir haben nur die Chance, ihn zu überraschen, wenn wir genau hinter ihm bleiben.«

»Dann los«, zischte Omura. »Wenn *er* vor dem Käfer durchkommt, schaffen *wir* das auch.«

»Die Maschine ist wirklich *sehr* nahe, Momoka«, sagte Rogaschow eindringlich. »Sollen wir nicht lieber warten? Carl kann uns doch gar nicht entwischen.«

»Es sei denn, er hätte uns gesehen«, überlegte Chambers.

»Dann hätte er gefeuert.«

»Vielleicht legt er es darauf an, uns abzuschütteln.«

»Nicht Carl. Er ist ein Profi. Ich kenne Leute wie ihn, keiner von denen würde in so einer Lage etwas anderes tun als feuern.« Rogaschow machte eine Pause. »*Ich* würde nichts anderes tun.«

Die Rovers näherten sich der fliehenden Gestalt in gleichbleibendem Tempo. Zugleich verringerte auch der Käfer seine Distanz zu Hanna, der jetzt noch schneller lief. Die stampfende Choreografie der sechs mächtigen Insektenbeine war im Staub nur schattenhaft auszumachen. Der Kanadier nahm sich vor dem Monstrum aus wie Ungeziefer, doch schien er seine Chancen richtig eingeschätzt zu haben.

»Er wird durchkommen«, flüsterte Omura.

»Und wenn schon«, sagte Amber. »Oleg hat recht, er kann uns nicht durch die Lappen gehen. Wir sollten warten.«

»Blödsinn! Das schaffen wir.«

»Warum sollten wir ausgerechnet jetzt ein Risiko eingehen? Wir haben doch seine Spur.«

»Der Käfer wird sie verwischen.«

»Bislang haben wir sie noch jedes Mal wieder gefunden.«

»Momoka«, sagte Rogaschow gefährlich leise. »Du hattest versprochen –«

»Ende der Diskussion«, beschied Julian. »Wir warten.«

»Nein!«

Omuras Rover vollführte einen Satz, als sie das Pedal durchtrat. Regolith spritzte nach allen Seiten auf. Rogaschow, der sich zur Hälfte aufgerichtet hatte, verlor den Halt, wurde aus dem Fahrzeug geschleudert und landete im Staub. Kurz geriet der Rover ins Schlingern, dann drosch er davon.

»Dreckschwein!«, schrie sie. »Du mieses –«

»Momoka, nein!«

»Komm zurück!«

Omura achtete nicht auf die Stimmen, prügelte den Rover voran und dem Laufenden hinterher. Chambers krallte sich auf dem Rücksitz fest, wurde zurückgeworfen und hörte Rogaschow eine Reihe klangvoller russischer Flüche hervorstoßen. Mit maximaler Geschwindigkeit schossen sie auf Hanna zu. Sekunden noch, und er würde von der Wucht des Aufpralls getötet werden.

»Momoka, halt an! Wir brauchen ihn –«

Im selben Moment drehte sich der Kanadier um.

Weder glaubte Hanna an Intuition noch an höhere Eingebung. Soweit er sich erinnerte, hatte keiner seiner Kollegen, die dem sogenannten Bauch vertrauten, sonderlich lange überlebt. Die ordnende Instanz des Intellekts gebot, das Fehlen von Augen am Hinterkopf durch Nachdenken auszugleichen, alles andere war Zufall, wozu auch gehörte, in dieser einen, entscheidenden Sekunde hinter sich zu blicken.

Er sah den Rover auf sich zuschießen.

Lageerfassung: Eine vom Schröter-Raumhafen vertraute Bauart, also hatten sie es vom Aristarchus bis hierher geschafft. Das Fahrzeug und er tangential zur Marschrichtung des Käfers. Zeit bis zum Eintreffen der Fördermaschine: ungewiss. Bis zum Aufprall des Rovers: drei Sekunden. Waffe ziehen und abfeuern: zwecklos. Zwei Sekunden noch. Eine Sekunde –

Er warf sich zur Seite.

Im Abrollen kam er wieder auf die Beine, dem Käfer plötzlich gefährlich nahe. Tonnen von Regolith schossen vor seinen Augen in die Höhe. Dahinter klaffte das in Wolken gehüllte, schartige Maul einer gigantischen Schaufel, die sich randvoll aus dem Untergrund hob, gefolgt von einer weiteren, einer weiteren, einer weiteren. Rasend schnell drehte sich das Förderrad, schwenkte dabei von links nach rechts, beförderte immer neue Massen von Mondgestein in die Siebe und auf die Laufbänder. Der Käfer machte einen Schritt nach vorne, stampfte machtvoll auf, ließ den Boden erbeben.

Wo war der Rover?

Hanna wirbelte herum. Ein Stück weiter sah er den Rucksack liegen, der ihm beim Sturz entglitten war. Er brauchte die Atemreserven, doch das Fahrzeug hatte bereits in einer Fontäne von Staub gewendet und raste erneut heran, und da war ein zweiter Rover, näherte sich von entgegengesetzter Seite. Seine Hand fuhr zum Oberschenkel, riss die Waffe mit den Explosivgeschossen aus dem Futteral.

»Ich wusste es!«, fluchte Rogaschow. »Ich wusste es!«

Er war auf den Sitz hinter Julian geklettert, als Hanna durch die Luft flog, hatte ihn aufschlagen und wieder hochkommen sehen. Der Kanadier förderte etwas Langes, Dünnes zutage, offenbar unschlüssig, auf welches der beiden Fahrzeuge er anlegen sollte. Die Sekunde des Zögerns wurde ihm zum Verhängnis. Omuras Rover erwischte ihn mit einem der mannshohen Räder an der Schulter. Er flog ein beachtliches Stück, landete auf der Seite und kullerte wieder auf die wandelnde Fabrik zu, die sich beängstigend schnell näherte, geradewegs den rotierenden Schaufeln entgegen.

»Genug, Momoka«, schrie Julian. »Lass uns das Schwein einsammeln.«

Doch die Japanerin litt unter plötzlicher Ertaubung. Noch während Hanna sich hochstemmte, sichtlich benommen, riss sie ein weiteres Mal das Steuer herum, zwang den Rover in eine viel zu kleine

Kurve und verlor die Kontrolle. Diesmal ging alles schief. Das Gefährt hob ab, überschlug sich mehrmals hintereinander und pflügte durch aufspritzendes Gestein dem Käfer entgegen. Omura wurde herausgeschleudert, schlitterte mit abgespreizten Armen und Beinen durch den Dreck, wie eine Harpyie schreiend, warf sich herum, schnellte empor, augenscheinlich unverletzt, und stürzte sich auf Hanna. Entsetzt sah Amber den Rover mit den Rädern nach oben liegen bleiben, während sich eine Glocke aus Staub darauf niedersenkte.

»Mein Gott, Evelyn«, stöhnte sie. »Evelyn!«

Chambers einziger Gedanke war, die Verstrebungen der Sitzbank zu umklammern, so fest wie möglich. Unfähig zu schreien, stellte sie sich das Gefährt wie einen Käfig vor, in dessen Innerem sie so lange Schutz finden würde, wie sie es schaffte, nicht loszulassen. Omura war verschwunden. Es gab kein Oben und kein Unten mehr, nur Stöße und Staub und noch mehr Stöße, die nach und nach das Chassis zertrümmerten, und dann ließ sie doch los, stürzte zu Boden und starrte auf ein eierndes Rad.

Der Rover war gestrandet, und sie lebte. Noch.

Umgehend versuchte sie, sich aus dem Wrack zu befreien, doch sie klemmte fest. Wo? Ihre Arme waren frei. Heftig schlug sie mit den Beinen, auch diese ließen sich bewegen, dennoch wollte sie der Schrotthaufen nicht hergeben, während der Boden erzitterte von etwas Kolossalem, das sich in den Regolith rammte, ganz in ihrer Nähe, und mit eisiger Klarheit begriff sie, was da auf sie zukam.

»Evelyn!« Amber. »Evelyn!«

»Eingeklemmt«, schrie sie. »Ich bin eingeklemmt!«

Wieder erzitterte der Boden.

Die Roboter reagieren nur aufeinander, in ihrem Innenbild sind wir nicht vorhanden.

Sie musste raus hier. Nichts wie raus, so schnell es nur ging!

Wie wild begann sie an dem Gestänge zu zerren, in Todesangst, doch es war, als sei sie angewachsen, am Rücken mit dem Rover verschmolzen, und sie begann zu heulen wie ein Wolf in der Falle, weil sie begriff, dass sie nun sterben würde.

Julian brachte den Rover unmittelbar neben dem Wrack zum Stehen. Was immer Hanna und Omura trieben, kümmerte ihn gerade nicht im Mindesten. Die beiden waren zur anderen Seite der Fördermaschine hin verschwunden, weg von den gefräßigen Schaufeln.

Sie mussten Evelyn da rausholen.

Rogaschow und Amber sprangen von ihren Sitzen, hasteten zu dem zertrümmerten Fahrzeug. Chambers reckte ihnen die Arme entgegen. Unschwer war zu erkennen, dass sich ihr Rucksack im grotesk verbogenen Gestänge verkeilt hatte und bedenklich festsaß. Julian riskierte einen sorgenvollen Blick in die Höhe. Der kolossale Leib der Maschine schob sich unerbittlich heran, verdunkelte den Himmel, tauchte Ebene, Menschen und Fahrzeuge in seinen schluchtartigen Schatten. Schemenhaft waren die Verstrebungen von Panzerplatten zu erkennen, Nieten, Nähte und Bolzen, das Trichinenwerk der Rohrleitungen. Die abgeplattete Schädelwölbung mit den Fresswerkzeugen, Sieben und Förderbändern schwenkte bedächtig hin und her, als nehme das Ding Witterung auf. Konisch geformten Hüftgelenken entsprangen abgewinkelte Beine, jedes an die zehn Meter hoch, mehrgelenkig und dick wie Ausleger eines Baukrans.

Der verunglückte Rover lag direkt im Weg.

Und soeben, mehr ahn- als sichtbar, begann sich das zuvorderst liegende Bein träge zu heben.

Hanna rang um Orientierung.

Er hatte sich den Hinterkopf an der Innenverschalung seines Helms gestoßen, beinahe ein Ding der Unmöglichkeit, da die Kopfbedeckung groß genug dimensioniert war, um derartige Unfälle zu vermeiden. Schädel und Nacken schmerzten, auch seine Schulter hatte sich schon wesentlich besser angefühlt, doch wenigstens schien die Panzerung einen Teil der Aufprallenergie abgefedert zu haben. Seine Arme ließen sich bewegen, dafür war ihm die Waffe mit den Explosivgeschossen abhandengekommen.

Er durfte seine Waffe nicht verlieren!

Vor seinen Augen zirkulierten rotgelbe Kreise und versuchten, sein Bewusstsein einzusaugen. Halb blind stolperte er einige Schritte vorwärts, fiel auf die Knie, schüttelte den Kopf, kämpfte einen heftigen Anflug von Übelkeit nieder.

Omura war wenige Schritte hinter ihm.

Sie raste vor Hass. Eine Medea, Elektra, Nemesis, Inkarnation der Vergeltung, ungebremst von jeder Vernunft, furchtlos, planlos. Alle gedanklichen Sortierwerke waren zum Stillstand gekommen, einzig die Fantasie, Hanna zu töten, beherrschte ihr Denken, egal wie.

Etwas lenkte ihre Blicke zu Boden.

Lang und hell. An eine Schusswaffe erinnernd, nur dass der Abzug fehlte, stattdessen gab es irgendwelche Tasten und Felder.

Es *war* eine Schusswaffe.

Hannas Waffe!

»Versuch, den Bügel runterzudrücken.«

»Welchen Bügel denn, verdammt?«

»Da, den da! Bügel, Stange, was immer es ist!«

Was immer es *gewesen* ist, dachte Amber, bevor sich der Rover in einen Haufen Schrott verwandelt hatte. Ein Stück Achse? Die Halterung des Funkempfängers? Sie stemmte sich mit aller Kraft dagegen, während Rogaschow an Chambers' Sitzlehne zerrte. Ein Teil davon hatte sich zwischen Rucksack und Anzug geschoben und ließ sich nicht bewegen.

»Beeilt euch!«, trieb Julian sie an.

Rogaschow trat mit dem Stiefel gegen die Lehne. Sie lockerte sich ein Stück, doch das eigentliche Problem war das verbogene Stangending. Amber blickte auf und sah den Fuß der Fördermaschine wie in einem Albtraum langsam höher und höher steigen.

»Weiter, Oleg«, flehte sie. »Tritt weiter.«

Der Fuß hing über ihren Köpfen. Schubkarrenladungen von Staub und kleinen Steinen prasselten auf sie hernieder. Rogaschow fluchte schon wieder auf Russisch, was Amber als schlechtes Zeichen wertete. Erneut stemmte sie sich gegen den Bügel, grub ihre Stiefelspitzen in den Untergrund, spannte die Muskeln, und plötzlich brach das komplette Ding mittendurch. Rogaschow packte zu, zog die frei gewordene Lehne unter dem Rucksack hervor und schleuderte sie in hohem Bogen davon.

»Ich komm selber raus!«

Blitzartig wand sich Chambers aus den Trümmern, stieß sich ab, sprang auf. Sie rannten los, derweil sich das Bein des Käfers herabsenkte, warfen sich auf die Sitze von Julians Rover. Im Moment, da er anfuhr, krachte der monströse Fuß in das Wrack und zermalmte es mit solcher Wucht, dass ihr Fluchtfahrzeug ein Stück in die Höhe hüpfte.

»Wohin?«, rief Julian.

Amber zeigte in den Staub. »Auf die andere Seite. Sie müssen auf der anderen Seite der Maschine sein!«

Welch ein Fund! Omura bückte sich, umspannte das unverhofft aufgetauchte Instrument ihrer Rache und setzte Hanna nach, der sich aufgerichtet hatte und davontorkelte wie ein Betrunkener. Sichtlich dunkler war es geworden, ein diffuser Schatten hatte sich über sie gelegt, doch Omura schenkte ihm keine Beachtung. Sie setzte zu einem Sprung an und versetzte dem Kanadier einen Tritt, der ihn erneut von den Beinen hebelte.

Hanna kippte auf den Bauch.

Nein, nicht, noch nicht schießen! Er sollte sie ansehen dabei! Ansehen, wenn er starb! Atemlos wartete sie, und als er sich herumrollte, richtete sie die Waffe auf seinen Helm.

»Dreckschwein!«

Drückte auf eines der Felder. Auf ein weiteres.

»Siehst du das? Siehst du das, Dreckschwein?«

Nichts. Wie schoss man mit dem Ding? Ah, hier, das musste es sein, eine Sicherung, der Zünder war durch eine Blende gesichert, einfach hochschieben mit dem Daumen, und da –

Hanna robbte zurück, starrte fassungslos auf die gepanzerte, gesichtslose Gestalt. Nur sie konnte es sein. Rogaschow hätte er ähnlichen Kampfgeist zugetraut, doch diese Person war klein und zierlich, unverkennbar Momoka Omura, und sie schickte sich an, ihm Locatellis Tod heimzuzahlen. Hatte die Sicherungsblende entdeckt. Schob sie hoch. Keine Chance, noch an die Waffe zu kommen. Er musste weg, Abstand bringen zwischen sich und die Japanerin. Schrie sie ihn an? Omura sendete auf einer anderen Frequenz, aber ganz sicher schrie sie ihn an, und plötzlich fühlte er sich ungerecht behandelt. Ich habe deinen Mann nicht getötet, war er versucht zu sagen, als ob das irgendwas geändert hätte, aber er *hatte* ihn nun mal nicht getötet, hatte ihn vielmehr verschonen wollen und ihm sogar das Sterben erleichtert, und ausgerechnet dafür sollte er jetzt bestraft werden?

Sein Blick wanderte zu einem Punkt hoch über ihr.

Um Himmels willen!

Abstand! Er musste Abstand gewinnen!

»Zwischen den Beinen hindurch«, rief Amber.

»Bist du verrückt?« Julian fuhr in hohem Tempo an der Fördermaschine entlang. »Hat dir das vorhin nicht gereicht?«

Sie beugte den Oberkörper zurück und schaute an dem Giganten empor. Julian hatte recht. Es war zu gefährlich. Erst jetzt, aus unmittelbarer Nähe, erkannte sie, wie riesig der Käfer wirklich war. Ein wandelnder Berg. Jedes seiner sechs Beine konnte ihre Existenz auf einen Schlag beenden. Unterhalb des Rumpfes konzentrierte sich der Staub am dichtesten, war die Sicht gleich null, und jetzt brachen zu allem Überfluss auch noch flächige, weiße Wolken aus Öffnungen entlang der Rumpfnaht und breiteten sich rapide aus. Dann waren sie an der Maschine vorbei und umrundeten ihr Hinterteil, aus dem Lawinen verbackenen Regoliths regneten, wichen dem Schuttregen aus und fuhren entlang der anderen Seite zurück.

Zurück zum Kopf des Monstrums.

Omura wollte den Moment auskosten, solange es ging, und so drückte sie nicht gleich ab, sondern sah zu, wie Hanna zurückrobbte, als gäbe es auch nur den Hauch einer Chance, ihr zu entkommen. Ha! Ha! Als bestünde der geringste Anlass zur Hoffnung, dass sie es sich anders überlegen könnte.

»Angst?«, zischte sie.

Oh ja, er sollte Angst haben. So wie Warren Angst gehabt hatte. Wir brauchen ihn lebend, hörte sie Julian jammern, das beschissene, blöde Arschloch, das sie hierher gelockt hatte, auf den verkackten Mond, sie und Warren. Lebend? Fick dich, Julian! *Sie brauchte ihn aber tot!* Und sie würde ihn töten, jetzt, da er sich in die Höhe stemmte, *Sayounara*, Carl Hanna. Guter Moment.

Schlechte Sicht.

Es dunkelte rapide. Was war das schon wieder? Sie bog den Oberkörper zurück, richtete den Blick in die Höhe. Unfassbar! Drecksmond! Wie ging ihr dieser Mond bloß auf den –

»– Sack«, flüsterte sie.

Über ihr hing ein schwarzer Stempel.

Fuhr herab.

Der Käfer beendete Omuras Existenz, ohne dass sie Gelegenheit zu innerer Einkehr fand, was im Übrigen auch nicht zu ihr gepasst hätte. Stattdessen, in Würdigung ihres Temperaments, da man so sterben sollte, wie man gelebt hatte, explodierte sie ein allerletztes Mal, als im Zuge ihrer physischen Verdichtung Hannas Waffe am Brustpanzer ihres Raumanzugs zerschellte und eines der Geschosse entzweiging. Eine chemische Ehe wurde geschlossen zwischen Duschgel und Shampoo. Das Projektil flog auseinander, und mit ihm zusammen gingen die neun verbliebenen hoch und sprengten den Fuß des Käfers einfach weg.

Diesmal erging eine Fehlermeldung an die Zentrale der Mondbasis. Sie setzte die Crew über einen Materialschaden am linken vorderen

Laufapparat von BUG-24 in Kenntnis, weshalb die Maschine ausfall-gefährdet sei und sich abschalten müsse, was sie im selben Moment auch tat. Unmittelbar nach der Explosion stoppte sie jegliche Aktivität, doch es nützte nichts mehr. Die Amputation war vollzogen. Überbelastet durch den Verlust des Vorderbeins knickte auch das mittlere ein, und der Koloss begann sich zu neigen.

Sack. Das letzte Wort, das sie von Momoka gehört hatten.

»Ich sehe sie nicht«, sagte Amber.

Wie denn auch, in all dem Staub, dachte Chambers. Immer noch zitterte sie am ganzen Leibe. In ihrer Vorstellung durchlebte sie gebetsmühlenartig den Augenblick, in dem sie fast zertrampelt worden wäre, eine gespenstische Verzeitschleifung ihres Denkens, ein wahrer Murmeltiergedanke, gekrönt von der Vorstellung, sie werde im nächsten Moment aufwachen und ihre Rettung nur geträumt haben, und der stählerne Fuß würde –

Stählerner Fuß?

Chambers schaute genauer hin. Etwas an dem Käfer irritierte sie. Eine Halluzination? Waren sie der Maschine oder war die Maschine ihnen näher gekommen?

Dann sah sie, wie eines der Käferbeine wegbrach.

»Sie kippt um«, stammelte sie.

»Was?«

»Sie kippt um!« Chambers begann zu schreien. »Sie kippt um! Die Maschine kippt um. Sie kippt um!«

Mit einem Mal schrien alle durcheinander. Unverkennbar war der gewaltige Leib in Schieflage geraten, hatte tatsächlich zu kippen begonnen, und fatalerweise kippte er in die falsche Richtung.

In ihre.

Julian änderte den Kurs, versuchte aus dem Rover herauszuholen, was nicht drinsteckte. Auf ihrem Weg vom Aristarchus waren ihnen achtzig Stundenkilometer oft unzumutbar schnell vorgekommen, nachdem das Fahrzeug, bedingt durch mangelnde Bodenhaftung und Leichtgewichtigkeit, die abenteuerlichsten Sprünge und Sätze vollführte. Nun schien es Chambers, als kröchen sie schneckengleich dahin. Sie schaute hinter sich und sah die Fördermaschine ums Gleichgewicht ringen. Einen gesegneten Augenblick lang schien der Gigant zurück in eine stabile Position zu finden, doch alle Toleranzen waren überschritten. Obschon das hintere Bein der Belastung vorerst standhielt, schwankte er weiter hin und her.

Dann brach er ein.

In einer Springflut aus Staub krachte die Brust des Monstrums in den Regolith, und der gewaltige Leib neigte sich ihnen zu.

»Was ist *das* denn?«, schrie Amber im selben Moment.

Chambers brauchte einen Moment, um zu erkennen, dass ihre Aufregung nicht der Fördermaschine galt, sondern etwas anderem, das aus entgegengesetzter Richtung herbeigeeilt kam.

»Ausweichen! Ausweichen!«

»Ich kann nicht ausweichen!«

Immer schneller stürzte der Käfer, während sie sich mit einer aus dem Nichts erschienenen Spinne konfrontiert sahen, deren Innenwelt offenbar nicht nur keine Menschen, sondern auch keine kippenden Fördermaschinen kannte. Der Laderoboter eilte dem zusammenbrechenden Giganten zielstrebig entgegen und schien dabei wild entschlossen, ihnen den Weg abzuschneiden. Julian verriss das Steuer nach links, und auch der Roboter änderte seinen Kurs.

»Rechts! Rechts!«

Der Boden erbebte. Eine Druckwelle erfasste den Rover und tauchte die Welt in kaltes Grau. Das Fahrzeug schleuderte, begann sich um seine eigene Achse zu drehen, schlug mit dem Heck eines der filigranen Beine weg, und die Spinne geriet ins Taumeln. Rückwärtsfahrend sah Chambers die Fördermaschine niedergehen, ein kollabierendes Gebirge in einem Orkan aus aufgewirbeltem Regolith. Der Rover erhielt einen Schlag, stoppte abrupt und kippte um. Hoch über ihnen verfiel die Spinne dem Wahnsinn, ziellos auf ihren langen Beinen umherstaksend.

»Raus«, schrie Rogaschow.

Sie sprangen von den Sitzen, fielen und stolperten, liefen um ihr Leben. Neue Wolken schossen heran, hüllten sie ein, trugen sie mit sich fort. Ein riesiger Parabolspiegel schoss auf Chambers zu, rotierend wie das Blatt einer überdimensionalen Kreissäge, zerhackte keine Armeslänge von ihr entfernt den Grund und verschwand schlingernd im pyroklastischen Grau. Der Käfer war vollständig zu Boden gegangen, hatte sie um Haaresbreite verfehlt und dafür die beschädigte Spinne erwischt. Mit wedelnden Greifern begab sie sich in eine Arabesque, verlor den Halt und klappte kraftlos in sich zusammen, direkt über dem Rover. Ihr Torso zerschlug Lenkung und Sitze, federte noch einmal hoch, drehte sich und entließ Helium-3-Tanks in alle Richtungen, aggressive Kugelwesen, die hopsend Jagd auf die Fliehenden machten.

Chambers rannte.

Auch Hanna rannte.

Im Moment, als das Bein des Käfers auf Omura niedergefahren war, hatte er um die Katastrophe gewusst. Der Laufapparat der Fördermaschine sah äußerst stabil aus, doch zehn gleichzeitig hochgehende Sprengkapseln waren geeignet, noch die stabilste Struktur in Fetzen zu reißen. Hanna gedachte nicht abzuwarten, ob die verbliebenen Beine den Verlust kompensieren würden. Er war noch nicht weit gekommen, als ein Aufprall den Grund erschütterte und die Antwort lieferte. Um ihn herum stob eine Schicht feinsten Pulvers auf. Ohne innezuhalten, lief er weiter. Erst nach einer geraumen Weile zwang er sich, stehen zu bleiben, keuchend, mit schmerzendem Kopf und pochender Schulter, schüttelte sich und drehte sich zum Schauplatz des Desasters um. Graue Wolken bauschten sich in beträchtlicher Ferne. Von hier hätte er die hochaufragende Silhouette der Maschine noch erkennen müssen. Ihr Verschwinden konnte als Indiz dafür gelten, dass sie tatsächlich umgestürzt war. Mit etwas Glück hatte sie dabei unter seinen Verfolgern gewütet, eine vage Perspektive, wie er sich eingestehen musste.

Was sollte noch alles schiefgehen? Was zum Henker machte er falsch?

Gar nichts machte er falsch. Die Umstände waren, wie sie waren. Als hätte er nicht beizeiten gelernt, wie es sich anfühlte im Flipperkasten der Randbedingungen. Darin umhergeschossen zu werden, für wie clever man sich auch halten mochte. Wie viel schwerer war es, die Kontrolle über sich zu erlangen, als sie anderen zu entziehen. Pläne waren Konstrukte, gedachte Geraden. Am grünen Tisch funktionierten sie ausgezeichnet. In der Praxis ging es darum, auf den Serpentinen des Zufalls nicht aus der Kurve zu fliegen, das alles wusste er, wozu also regte er sich auf?

Gut, schlimmstes angenommenes Szenario: Bis auf Omura waren alle anderen durchgekommen. Er glaubte sich zu erinnern, den Rover der Japanerin in einem Crash gesehen zu haben, doch gesetzt den Fall, sie hatten ihn wieder auf die Räder wuchten können, verfügten sie nach wie vor über zwei Fahrzeuge. Er hingegen war zu Fuß unterwegs, seiner Explosivgeschosse beraubt. Status: bedenklich!

Vorsichtig bewegte er den Arm, streckte ihn, winkelte ihn an. Nicht gebrochen, nicht ausgekugelt. Möglich, dass er sich eine Gehirnerschütterung zugezogen hatte. Darüber hinaus ging es ihm gut, außerdem verfügte er immer noch über die zweite Pistole mit den konventionellen Geschossen, die zwar kleinere Löcher machten, aber nicht weniger tödliche.

In welche Richtung war er gelaufen? Seine kopflose Flucht hatte ihn auf unberührtes Terrain verschlagen. Was schlecht war. Ohne Käferspuren konnte es geschehen, dass er die Station verfehlte. Seine eigene Spur zog sich deutlich sichtbar über den noch nicht prozessierten Untergrund dahin, bislang war allerdings kein Rover aufgetaucht. Möglicherweise suchten sie nach Omura, doch konnten sie ihretwegen riskieren, ihn laufen zu lassen? Sofern sie wirklich über die beiden Rovers verfügten, hätte nicht längst einer von ihnen die Verfolgung aufgenommen?

Vielleicht stand es ja gar nicht so schlecht. Gestärkt von Zuversicht, ging er daran, seine Position zu bestimmen.

Der Reihe nach rappelten sie sich hoch, tapsig, verwirrt, die weißen Monturen verschmutzt, dem Grab Entstiegene. Ringsum sah es aus wie nach einem Bombenangriff oder einer Naturkatastrophe. Der Buckel der Fördermaschine, eben noch in den Himmel aufragend, nunmehr ein Massiv im Regolith. Die zerknickten Spinnenglieder des Laderoboters. Ihr zerschmetterter Rover. Über allem ein Gespenst aus waberndem Staub.

»Momoka?«

Unablässig riefen sie ihren Namen, irrten suchend umher, doch weder erhielten sie Antwort noch fanden sie die geringste Spur von ihr. Omura schien vom Staub verschluckt, und plötzlich hatte Chambers die anderen aus den Augen verloren. Sie blieb stehen. Erschauderte, von etwas Kaltem im Innersten berührt. Der Staub um sie herum bauschte sich, seltsam belebt, bildete eine Art Tunnel, jenseits dessen seine Beschaffenheit anders wirkte, dunkler, bedrohlicher und zugleich einladender, und mit einem Mal war es Chambers, als sähe sie sich in dem Tunnel verschwinden, und mit jedem Schritt, den sie sich von sich selbst entfernte, verwirbelten ihre Umrisse zur Unkenntlichkeit, bis sie sich verlor und ungewisse Zeit später an der Seite der anderen wiederfand.

»Wo bist du gewesen?«, fragte Julian sorgenvoll. »Wir haben dich die ganze Zeit gerufen.«

Wo war sie gewesen? An einer Grenze, der Grenze zum Vergessen. Einen flüchtigen Blick hatte sie in die Schatten getan, zumindest war es ihr vorgekommen, als zerre und sauge etwas an ihr und versuche sie mit dunklen Verlockungen zur Aufgabe zu bewegen. Sie wusste um das Irrationale der Empfindung. Grenzerfahrungen waren mehr als einmal Gegenstand esoterischer Debatten in ihren Sendungen gewesen, ohne dass sie selbst einer Vorstellung vom Jenseits anhing, doch im Moment, da Amber, Oleg und Julian wieder an ihrer Seite auftauchten, wusste sie, dass Momoka Omura tot war. Die Stille, die ihren Rufen entgegenschlug, war die Stille des Todes. Alles, was sie fanden, waren Spuren, die vom Kopf des Käfers wegführten und nur von Hanna stammen konnten.

Doch die Japanerin blieb verschwunden.

Im Folgenden verlor Chambers kein Wort über ihr sonderbares Erlebnis. Nach kurzer Zeit gaben sie die Suche auf und kehrten zum Rover zurück. Er war nicht mehr zu gebrauchen, aber wenigstens gelang es ihnen, die Sauerstoffvorräte zu bergen. Erstmals, seit sie Hanna auf den Fersen waren, schien seine Fährte sie in die Irre zu führen.

Sie erwogen ihre Optionen.

Schließlich beschlossen sie, ihm weiter zu folgen.

31.MAI 2025
[MINI-NUKE]

KALLISTO

O'Keefe schloss die Augen. Er war kein Feigling. Schon gar nicht ängstigte ihn die Abwesenheit von Menschen. Bereits vor Jahren hatte er die kühle, wohltuende Gesellschaft seiner selbst entdeckt und großartige Momente des Alleinseins erlebt, nichts über sich als den puren Himmel und das Geschrei der Seevögel, die, auf salzigen Westwinden reitend, das Meer nach verräterisch aufblitzenden Rücken absuchten. Einsamkeit, die desperate Schwester des Alleinseins, empfand er nur in bevölkerten Räumen. Insofern war der Mond, auch wenn er ihm bislang jede Spiritualisierung schuldig geblieben war, durchaus nach seinem Geschmack. Man konnte hier sehr gut alleine sein, einfach indem man hinter einen Hügel ging, sich aus dem Radiowellengeschnatter ausklinkte und so tat, als gäbe es die anderen gar nicht.

Jetzt, auf dem Flug zur Peary-Basis, wurde ihm sein Selbstbetrug klar. Der Welt den Rücken zuzukehren in der Gewissheit, dass sie da war und man sie in ihrer ganzen lärmenden Zivilisiertheit jederzeit wiederhaben konnte, lächerlich. Selbst in der Weite der Mojave-Wüste, im Hochgebirge des Himalaja, im ewigen Eis teilte man den Planeten mit denkenden Wesen, was dem Alleinsein eine komfortable Grundlage schuf.

Doch der Mond war *einsam*.

Vertrieben aus GAIAS schützendem Leib, abgeschnitten von aller Kommunikation, von der gesamten *Menschheit,* war ihm während der beiden Stunden, die sie nun unterwegs waren, klar geworden, dass Luna auf Homo sapiens keinen Wert legte. Nie zuvor hatte er sich derart ignoriert und bar jeder Bedeutung gefühlt. Das Hotel, dem Verfall preisgegeben. Die Peary-Basis, ins Hypothetische entrückt. Ebenen und Ringgebirge ringsum wirkten mit einem Mal feindselig, nein, weniger als das, da Feindseligkeit ja vorausgesetzt hätte, zur Kenntnis genommen zu werden. Doch im Kontext dessen, was religiöse Menschen als Schöpfung bezeichneten, kam der menschlichen Rasse offenbar noch weniger Bedeutung zu als einer Mikrobe unter einer Fußleiste. Betrachtete man Luna exemplarisch für die Abermilliarden Galaxien des sichtbaren Kosmos, so offenbarte sich, dass all dies *nicht* für Menschen gemacht war – falls es überhaupt *gemacht* war.

Plötzlich fand er Trost in der Gruppe, war dankbar um jedes Wort, das gesprochen wurde. Und obschon er Miranda Winter nicht wirklich gut gekannt hatte, empfand er ihren Tod als persönliche Tragödie, da wenige Zentimeter Griffweite gereicht hätten, ihn zu verhindern. Sie mochte ihren geliebten Louis um die Ecke gebracht, ihren Brüsten Namen gegeben und jeden erdenklichen Schwachsinn geglaubt haben, den angetrocknete Hollywood-Diven wie Olinda Brannigan den Karten und dem Kaffeesatz entnahmen; ihr Selbstverständnis, ihre wild vergnügte Entschlossenheit, sich durch nichts und niemanden die Laune verderben zu lassen, das Erhabene im Lächerlichen, all das hatte er an ihr bewundert und wohl auch ein bisschen geliebt. Und er fragte sich, ob er in seiner Überheblichkeit jemals so ehrlich gewesen war wie Miranda Winter in ihrer Schlichtheit.

Sein Blick wanderte zu Lynn Orley.

Was war *ihr* widerfahren?

Die lebende Tote, wie ausgelöscht. Hedegaard hatte Wachowski gegenüber von einem Schock gesprochen, doch eher schien es ihm, als durchlaufe sie eine Art Selbstzerstörungsprogramm; seit Mirandas Tod hatte sie kein Wort mehr gesprochen. Kaum etwas ließ darauf schließen, dass sie ihre Umwelt überhaupt noch wahrnahm. Nicht das Geringste

drang über den Ereignishorizont hinaus, gelangte nach außen.

Sie war ein Schwarzes Loch geworden.

Zugleich fand sie sich am Grunde des Schwarzen Loches sitzend und fähig, dem Widerhall ihrer Gedanken nachzuspüren. Was ungewöhnlich war für ein Hawking'sches Schwarzes Loch. Irgendwas stimmte da nicht. Wäre sie tatsächlich in ihr kollabierendes Zentrum gestürzt und als Singularität geendet, hätte dies zugleich das Ende aller Kognition bedeutet. Stattdessen war sie *irgendwohin* gelangt. Anders jedenfalls war es nicht zu erklären, dass sie immer noch dachte und Mutmaßungen anstellte, wozu auch gehörte, dass es ihr wahrscheinlich besser ginge, wären nicht gewisse grüne Tabletten verbrannt, als

mit der Zerstörung des Hotels jede Hoffnung auf eine Nachricht Hannas erloschen war. Falls er sich überhaupt noch in der Lage sah, Nachrichten abzuschicken.

Inzwischen, den aus den Fugen geratenen Abend vor Augen, stellten sich bei Lawrence diesbezüglich Zweifel ein. War vielleicht ein wenig Pessimismus angezeigt? Was konnte am Aristarchus nicht alles geschehen sein? Womöglich, natürlich ohne Hanna deswegen gleich abzuschreiben, sollte sie sich mit der Möglichkeit vertraut machen, die

Dinge selber in die Hand zu nehmen. Noch war *ihre* Tarnung nicht aufgeflogen, und was ihre erklärte Gegnerin betraf, so schien sie kaum mehr eine Vorstellung ihrer selbst zu haben. Alle anderen vertrauten ihr. Sogar Tim, der

zunehmend daran verzweifelte, seine Sorge noch gerecht aufzuteilen. Sie galt Amber, sie galt Julian, mehr, als er sich eingestehen mochte, sie galt Lynn und all den anderen im Shuttle und wo immer sie gerade waren, sie galt den Grenzen seiner Leidensfähigkeit, ein einziger Kanon der Angst. Nach nunmehr zwei Stunden Flug mussten sie der Basis ziemlich nahe sein, ohne bislang Kontakt hergestellt zu haben. Lawrence verwies auf das leidige Satellitenproblem, und dass sie Verbindung haben würden, sobald sie in Funkweite gelangten, mit dem Ergebnis, dass sich der Kanon um das Schrecknis einer verödeten und aus irgendwelchen Gründen zerstörten Basis erweiterte. Die Zeit schlich dahin, oder raste sie? Der Mond wies keinerlei Bezugspunkte für menschliche Vorstellungen vom Werden und Vergehen auf, der Zeitbegriff seiner Spezies hatte absurden Bestand nur in der Enklave der KALLISTO, während es drum herum gar keine Zeit gab und sie niemals mehr irgendwo ankommen würden.

Und als der Horror der Vision, genährt durch seine wundgegrübelte Fantasie, ihn zu überwältigen drohte,

brachten drei Worte und ein Gähnen die Erlösung.

»Tommy Wachowski. Peary-Basis.«

»Peary-Basis, hier KALLISTO. Wir sind im Anflug. Erbitten Landeerlaubnis in etwa zehn Minuten.«

»Besuch?«, wunderte sich Wachowski verschlafen. »Du lieber Himmel. Wissen Sie, wie spät es ist? Ich hoffe bloß, wir haben sauber gemacht und die Flaschen weggeräumt.«

»Der Anlass ist nicht lustig«, sagte Hedegaard.

»Moment.« Augenblicklich änderte sich Wachowskis Tonart. »Landefeld 7. Brauchen Sie Hilfe?«

»Wir sind okay. Eine Verletzte, nicht lebensgefährlich, eine Person unter Schock.«

»Warum fliegen Sie nicht zum GAIA?«

»Da kommen wir her. Es gab einen Brand. Das GAIA ist zerstört, aber es gibt noch andere Gründe, nicht ins Vallis Alpina zurückzukehren.«

»Um Himmels willen! Was ist denn passiert?«

»Tommy«, schaltete sich Lawrence ein. »Einzelheiten liefern wir später, in Ordnung? Wir haben vieles zu erzählen und noch mehr zu verarbeiten. Im Augenblick sind wir einfach nur froh, landen zu können.«

Wachowski schwieg einen Moment.

»Gut«, sagte er. »Wir bereiten hier alles vor. Bis gleich.«

AMERIKANISCHE FÖRDERSTATION, SINUS IRIDUM

Nach einer knappen Viertelstunde lichtete sich der Staub, gewährte wieder Blicke auf das ferne Mare Imbrium, auf den Höhenzug der Montes Jura – und auf die Förderstation.

Hanna gönnte sich einen Moment der Rast, bog das Kreuz durch und legte den Kopf in den Nacken. Er war zu weit nordwestlich ausgekommen, doch er hatte es geschafft. Sofern er sein Tempo hielt, würde er binnen Kurzem dort sein. Seine Ahnung, dass die anderen entweder tot oder in ihrer Bewegungsfähigkeit stark eingeschränkt waren, hatte sich zur Gewissheit verfestigt. Mit einem Rover hätten sie ihn jederzeit einholen können, doch niemand war erschienen.

Sein Kopf fühlte sich an wie auswattiert, leichter Schwindel und Übelkeit machten ihm zu schaffen. Wieder begann er zu laufen. Eine Viertelstunde später hatte er die Station erreicht. Im Gegensatz zur Peary-Basis war sie komplett überirdisch angelegt: ein großes, regolithbedecktes Iglu, verbunden mit zylindrischen, druckbeaufschlagten Insektoiden, Kugeltankdepots und Hangars, die u-förmig ein Flugfeld rahmten, an das der Hochbahnhof mit seinen Haupt- und Abstellgleisen grenzte. Stiegen und Fahrstühle führten hinauf zu den Gleisen, Frachtzüge dämmerten ihrer nächsten Fahrt entgegen, simple, miteinander verkoppelte Plattformen. Seitlich des Flugfelds warteten zwei Dutzend zur Bewegungslosigkeit erstarrte Spinnen auf das Kommando zum Einsatz. Zwei weitere hatten unmittelbar neben den Gleisen Position bezogen und beluden einen der Züge mit Kugeltanks, eine dritte, voll beladen, war im Anmarsch. Die Anlage schien im Ausbau begriffen, zugleich fiel auf, dass Hangars, Depots und das igluförmige Habitat auf Raupenfahrwerken ruhten. Sobald das Gebiet durchprozessiert war, würde die komplette Station weiterziehen. Obschon dünne Staubschleier über allem hingen, war die Sicht hier weit besser. Hartes, grelles Sonnenlicht wurde von den kristallinen Facetten der

Schwebstoffe zurückgeworfen und erzeugte eine bedrückende, postatomare Stimmung. Eine Maschinenwelt.

Hanna durchsuchte die Hangars und fand neben diversen Wartungsrobotern vier Grasshoppers robuster Bauart vor, mit vergrößerten Ladeflächen und höheren Landestelzen als jenen, die im GAIA gebräuchlich waren. Von etwas Schnellerem, einem Shuttle gar, keine Spur. Vor Ort selbst gab es nichts, was fuhr, im Fördergebiet war man bemüht, alles auf Beine zu stellen, die weniger Staub aufwirbelten als Räder und damit einen besseren Schutz der mechanischen Komponenten gewährleisteten. Die Wartungsschnittstellen der Käfer saßen im Kopf und im Buckel, sodass Grasshoppers Sinn ergaben. Mit ihnen gelangte man hoch über die Staubdecke und konnte von dort Punktlandungen auf den gewaltigen Leibern hinlegen, und alles Weitere besorgten Roboter. Hanna bezweifelte nicht, dass ihn einer der Hopper ans Ziel bringen würde, sie verbrauchten kaum Treibstoff, nur waren sie entsetzlich langsam. Fast zwei Tage würde er mit so einem Ding unterwegs sein, die Ladefläche voller Sauerstoffreserven, sofern er etwas Derartiges in der Station überhaupt fand. Sein Anzug würde ihn mit Trinkwasser versorgen, ohne dass er jedoch einen Bissen essen konnte. Und selbst das war er bereit hinzunehmen, nicht aber den Zeitverzug.

Innerhalb der nächsten paar Stunden *musste* er handeln.

Er durchschritt die Luftschleuse des Habitats und gelangte in einen Desinfektionsraum, wo unter Hochdruck Reinigungsflüssigkeiten auf ihn versprüht wurden, um seinen Anzug vom Mondstaub zu befreien, dann endlich konnte er seinen Helm abnehmen und das Innere aufsuchen. Es war geräumig und komfortabel genug, dass es sich einige Tage hier aushalten ließ, mit sanitären Einrichtungen, einer Küche, großzügig bemessenen Lebensmittelvorräten, Arbeits- und Schlafräumen, einem Gemeinschaftsraum, sogar einem kleinen Fitnesszentrum. Hanna gestattete sich einen Besuch der Toilette, aß zwei Vollkornriegel mit Schokoladenüberzug, trank so viel Wasser, wie er konnte, wusch sich das Gesicht und suchte nach Kopfschmerztabletten. Die Stationsapotheke war bestens ausgestattet. Anschließend besichtigte er einen der insektoiden Transporter, die mit der Station verkoppelt waren, doch auch der erwies sich als ungeeignet für seine Zwecke, weil noch langsamer als die Hoppers. Wenigstens fand er zusätzliche Sauerstoffreserven, was sein Überleben dort draußen einige Tage lang sichern würde. Nur, wie er zeitnah seinen Auftrag zu Ende bringen sollte, wusste er immer noch nicht.

Er setzte den Helm wieder auf und schleppte alle Sauerstoffreserven, die er finden konnte, aufs Flugfeld.

Sein Blick wanderte zu den Spinnen. Die letzte in der Reihe hievte soeben ihre Tanks auf die fast vollständig beladene Fläche des Güterzuges, dann sicherte sie die Ladung mit rippenartigen Bügeln, die seitlich daraus hervorwuchsen. Alles sah danach aus, als würde der Zug in den nächsten Minuten in Richtung Mondbasis losfahren.

Mit 700 Kilometern in der Stunde!

Seine Gedanken überschlugen sich. Noch etwa ein Dutzend Tanks zu verladen. Vielleicht zehn Minuten, die ihm blieben. Zu wenig, um die Hoppers zu zerstören, wie er es eigentlich vorgehabt hatte, aber die Reserven konnte er mitnehmen. Im Laufschritt brachte er sie zum Fahrstuhl, warf sie hinein. Die vergitterte Kabine setzte sich in Bewegung, enervierend langsam. Durch die Querstreben konnte er die Beine der Spinne sehen, ihren Rumpf, die emsigen Greifer. Drei Tanks noch. Er hastete hinaus auf den Bahnsteig, quetschte die Reserven zwischen die gestapelten Kugeln auf der Ladefläche. Der vorletzte Tank wurde von den gottesanbeterähnlichen Extremitäten herübergereicht und verstaut. Gab es einen idealen Platz? Unsinn, kein Platz war ideal. Das hier war nicht der Lunar Express, sondern ein Güterzug. Allerdings einer, dessen Beschleunigung ein Mensch heil überstehen konnte. Danach war es schnuppe, wie schnell der Zug fuhr. Im Mondvakuum ging es nicht anders zu als im freien Fall, wo man bei 40 000 Stundenkilometern sein Schiff verlassen und sich in aller Ruhe umschauen konnte.

Der letzte Tank wurde gesichert.

Vor den Tanks! Dort war der beste Platz.

Er zog sich auf die Ladeplattform hoch, hangelte sich entlang der metallenen Kugeln und unter den Greifern der Spinne hinweg nach vorne, bis er eine Stelle gefunden hatte, die ihm günstig erschien, einen unbeladenen Übergang zwischen zwei Zugelementen. Dort zwängte er sich hinein, ging in die Hocke, verkeilte seine Füße und lehnte sich an die Tanks in seinem Rücken.

Wartete.

Minuten verstrichen, und er wurde unsicher. Hatte er sich geirrt? Dass der Zug beladen war, musste nicht automatisch bedeuten, dass er auch abfuhr. Doch noch während er darüber nachsann, ruckelte es sacht, und als er den Kopf drehte, sah er die Spinne aus seinem Blickfeld verschwinden. Dann folgte der Druck der Beschleunigung, als der Zug schneller und schneller wurde. Die Ebene flog an ihm vorbei, die Sättigung der Umgebung mit Staub nahm ab. Erstmals seit seiner Enttarnung fühlte Hanna sich nicht mehr in einem Albtraum gefangen, den ein anderer träumte.

»Hoppers«, fluchte Julian. »Lausige Grasshoppers!«

Mit letzter Kraft hatten sie es zur Förderstation geschafft. Lediglich Rogaschow, darauf trainiert, so lange stehen zu bleiben, bis seine Gegner von selber umfielen, ließ keinerlei Anzeichen von Erschöpfung erkennen, hatte seine leise, kontrollierte Sprechart wiedergefunden und verströmte wie gewohnt die Frische eines untertemperierten Zimmers. Dafür war Amber zu schwören bereit, ihr Anzug habe ein bösartiges Eigenleben entwickelt zum Zweck, ihrer Motorik entgegenzuarbeiten und sie der ungewohnten Erfahrung der Klaustrophobie auszusetzen. Klatschnass hing sie in ihrer Montur, gebadet in üblen Gerüchen. Ähnlich ging es Chambers, traumatisiert vom Beinahe-zertrampelt-werden und nicht wirklich sicher auf den Beinen. Selbst Julian schien die überraschende Entdeckung zu machen, dass er sechzig Jahre auf dem Buckel hatte. Nie zuvor hatten sie Peter Pan so sehr schnaufen hören.

Kurze Zeit später wussten sie, dass es in der gesamten Station nicht eine einzige Sauerstoffreserve gab.

»Wir könnten aus den Lebenserhaltungssystemen Luft gewinnen«, schlug Chambers vor.

»Könnten wir, ist aber nicht so einfach.« Sie saßen im Habitat und tranken Tee. Julian hatte den Helm abgenommen. Sein Gesicht war gerötet, sein Bart zerzaust, als habe er stundenlang darin nach Lösungen gewühlt. »Wir brauchen komprimierten Sauerstoff. Dafür müssten wir Verschiedenes umbauen, und offen gestanden –«

»Keine falsche Scheu, Julian. Sag's einfach.«

»– weiß ich im Augenblick auch nicht mehr, wie das geht. Also, ich weiß es in etwa. Aber das löst unser Problem nicht. Wir könnten nur unsere Tanks auffüllen. Alle Reservetanks sind verschwunden.«

»Carl«, sagte Rogaschow tonlos.

Amber starrte vor sich hin. Natürlich. Hanna war im Habitat gewesen. Sie hatten die Station in ständiger Erwartung durchkämmt, von ihm attackiert zu werden, doch er hatte sich aus dem Staub gemacht. Was die Frage nach dem Wie aufwarf, da augenscheinlich keiner der Hopper fehlte – bis Julian die Fahr- und Einsatzpläne entdeckte und herausfand, dass unmittelbar vor ihrem Eintreffen ein Helium-3-Transport zur Peary-Basis gestartet war.

»Also ist er dorthin unterwegs.«

»Ja. Und vom Pol zurück ins Hotel.«

»Gut, ihm nach! Wann geht der nächste Zug?«

»Hm, lass mich mal schauen. – Oh, übermorgen.«

»*Übermorgen?*«

»Leute, die Amerikaner pumpen hier nicht im Stundentakt Ströme von Helium-3! Es sind kleine Mengen. Später einmal werden mehr Züge gehen, aber zurzeit –«

»Übermorgen. Verdammt! Zwei Tage festsitzen.«

Auch die Satelliten blieben unverändert jedes Entgegenkommen schuldig. Amber hockte vor ihrem kalt werdenden Tee, als könne sie durch Hochziehen der Schultern verhindern, dass sich ihr Kopf zu den Füßen gesellte. In ihrem Schädel schien eine Behörde Quartier bezogen zu haben. Einerseits fürchtete sie überzuschnappen vor Angst um Tim, Lynn und die anderen. Zugleich war es, als blicke sie auf den gebirgigen Horizont eines Schreibtischs, der sich unter den Anforderungen ihres eigenen Überlebens bog. Niemand kam, um zu helfen. Anträge auf Trauer und Betroffenheit lagen unbearbeitet herum, die Sektion für Empathie hatte sich geschlossen in die Kaffeepause verabschiedet, im Untersuchungswesen für posttraumatische Syndrome lief der Anrufbeantworter und verwies auf die Geschäftszeiten. Jede zweite Dienststelle hatte wegen Verdrängung geschlossen. Ihr war nach Weinen, wenigstens nach ein bisschen Wimmern, doch Tränen bedurften der Anforderung durch ein gerade nicht auffindbares Formular, während das Dezernat für Dissoziation Überstunden schob. Fluchtpläne wurden geprüft, erwogen und verworfen, derweil ihr schockiertes Selbst in Gesellschaft fünf Verstorbener darauf wartete, dass sich einer der vorbeieilenden Botenstoffe für zuständig erklärte.

»Und wie weit kommen wir mit den Grasshoppers?«, fragte sie.

»Theoretisch bis zum Hotel.« Julian nagte an seiner Unterlippe. »Allerdings würden wir zwei Tage dafür brauchen. Und so viel Atemluft haben wir nicht.«

»Könnte man vielleicht das Steuerungssystem für die Züge umprogrammieren?«, fragte Rogaschow. »Es parken ja welche draußen. Wenn es uns gelänge, einen davon zu starten –«

»*Ich* kann so was nicht. Du?«

»Gehen wir's andersherum an«, sagte Chambers. »Wie lange reichen unsere Reserven noch?«

»Pro Nase drei bis vier Stunden, schätze ich.«

»Das heißt, wie können alle Transportmittel, die länger brauchen, vergessen.«

»Zumindest kommen wir damit nicht bis zum Hotel. Dafür sind wir hier drin nahezu unbegrenzt überlebensfähig.«

»Willst du hier drin versauern, während alles den Bach runtergeht?«, rief Amber zornig. »Was ist mit den Insektoiden? Den komischen Krabbelfahrzeugen. Die sind doch mit Lebenserhaltungssystemen ausgestattet, oder?«

»Ja, und noch langsamer als Hoppers. Damit kämen wir in drei bis vier Tagen bis an den Fuß der Alpen. Der Aufstieg würde länger in Anspruch nehmen, als unsere Reserven reichen.«

»Immer wieder die Atemluft«, konstatierte Chambers bitter.

»Nicht nur die, Evelyn. Selbst, wenn wir genug davon hätten, würde uns die Zeit weglaufen.«

Rogaschow schaute ihn prüfend an. »Was meinst du damit?«

»Womit?«

»Dass uns die Zeit wegläuft.«

Julian erwiderte den Blick des Russen. Mehrfach setzte er zum Sprechen an, wandte Amber schließlich in stummem Hilfeersuchen den Kopf zu. Sie nickte unmerklich, und Julian öffnete die Verliese der Diskretion und erzählte Chambers und Rogaschow endlich die ganze Wahrheit.

Rogaschow verzog keine Miene. Chambers betrachtete wie betäubt ihre Fingerspitzen. Ihre Lippen bewegten sich, als spräche sie unhörbare Gebete.

»Und das ist alles?«, sagte sie schließlich.

»Das ist noch lange nicht alles.« Julian schüttelte düster den Kopf. »Aber mehr weiß ich nicht. Ehrlich nicht! Ich hätte euch doch niemals hierher gebracht, wenn ich auch nur den geringsten Verdacht –«

»Niemand unterstellt dir Leichtfertigkeit«, sagte Rogaschow kühl. »Andererseits, es ist dein Hotel. Also, denk nach. Hast du eine Ahnung, warum jemand das GAIA in die Luft sprengen sollte, noch dazu mit einer Atombombe?«

»Darüber zerbreche ich mir seit Stunden den Kopf.«

»Und?«

»Nicht die geringste.«

»Eben.« Rogaschow nickte. »Es ergibt keinen Sinn. Es sei denn, mit dem Hotel hätte es etwas auf sich, das du selber nicht weißt.«

Oder mit seiner *Erbauerin*, dachte Amber. Julians Verdacht kam ihr in den Sinn. Dummes Zeug, dachte sie im selben Moment, doch das ungute Gefühl blieb.

»Warum das GAIA?«, grübelte Rogaschow. »Warum eine Atombombe? Das ist doch vollkommen übertrieben.«

»Es sei denn, es geht nicht alleine um das Hotel.«

»Haben Mini-Nukes nicht eine geringere Sprengkraft als normale Atombomben?«, fragte Amber.

»Ja, sicher.« Rogaschow nickte. »Auf der Skala des größtmöglichen Desasters. Soll heißen, selbst mit einer Mini-Nuke kannst du noch das halbe Vallis Alpina kontaminieren. Also was ist da? Was hat es mit dem Alpental auf sich, Julian?«

»Noch einmal: Keine Ahnung!«

»Vielleicht ja auch nichts«, meinte Chambers. »Ich meine, wir haben lediglich die Einschätzung dieses Detektivs.«

»Du irrst.« Julian schüttelte den Kopf. »Wir haben fünf Tote und einen aufgescheuchten Killer. Alles, was Carl in den letzten Stunden getan hat, kommt einem Schuldeingeständnis gleich.«

Rogaschow legte die Fingerspitzen aufeinander.

»Vielleicht sollten wir ja aufhören, das Unmögliche zu wollen.«

»Na, das ist mal ein Beitrag.«

»Geduld.« Rogaschow produzierte ein humorloses Lächeln. »Wir kommen auf geradem Wege nicht ins Hotel? Dann sollten wir über Umwege nachdenken. Wisst ihr was?« Er sah sie der Reihe nach an. »Ich werde euch einen Witz erzählen.«

»Einen Witz?« Chambers starrte ihn misstrauisch an. »Muss ich mir Sorgen machen?«

»Den Witz meines Lebens. Mein Vater hat ihn oft erzählt. Eine kleine Geschichte, von der er meinte, sie brächte Menschen auf Ideen.«

»Tja. In Ermangelung Chuckys –«

Julian stützte das Kinn in die Handfläche. »Her damit.«

»Also, zwei Tschuktschen spazieren durch die Serengeti, als plötzlich ein Löwe aus dem Busch gesprungen kommt. Die beiden erschrecken zu Tode. Der Löwe knurrt und ist offenbar sehr hungrig, also rennt der eine Tschuktscha davon, so schnell er kann. Der andere hingegen nimmt seinen Rucksack von der Schulter, öffnet ihn in aller Seelenruhe, holt ein paar Laufschuhe heraus und zieht sie an. Bist du verrückt, schreit der fliehende Tschuktscha, glaubst du im Ernst, mit den Schuhen bist du schneller als der Löwe? Nein, sagt sein Kumpel, das nicht.« Rogaschow verbreitete sein Lächeln. »Aber schneller als du.«

Julian sah den Russen an. Seine Schultern bebten, dann begann er zu kichern. Chambers fiel unentschlossen ein. Amber ließ den Inhalt behördlich prüfen und entschied, mitzulachen.

»Wir brauchen also Laufschuhe«, sagte sie. »Toll, Oleg. Laufen wir eben nach Hause.«

Julians Mimik fror ein. »Moment mal.«

»Was ist?«

»Wir *haben* Laufschuhe!«

»Was?«

»Ich Idiot.« Er schaute sie an, die Augen geweitet vor Verwunderung, dass ihm der Gedanke nicht längst schon gekommen war. »Die Chinesen sind unsere Laufschuhe.«

»Die Chinesen?«

»Die chinesische Förderstation. Aber natürlich! Sie ist bewohnt. Wir können sie binnen einer Stunde mit den Grasshoppers erreichen, ohne dass uns der Sauerstoff ausgeht, es gibt dort Shuttles, sie verfügen über einen eigenen Satelliten –«

»Und sie könnten hinter dem Anschlag stecken«, rief Amber. »Hat das dieser Jericho nicht vermutet?«

»Ja, aber die Leute, denen wir die Warnung verdanken, sind ebenfalls Chinesen.« Plötzlich funkelte wieder Entschlossenheit in Julians Blick. »Ich meine, was haben wir zu verlieren? Wenn es wirklich ein chinesisches Komplott gegen Orley Enterprises gibt, Pech gehabt. Schlimmer können wir es kaum machen. Falls aber nicht, oder falls nicht speziell *diese* Chinesen dahinterstecken – dann können wir nur gewinnen.«

Sie sahen einander an, ließen den Gedanken arbeiten.

»Du solltest mehr Witze erzählen«, sagte Chambers zu Rogaschow.

Der Russe zuckte die Achseln. »Sehe ich aus, als ob ich noch einen kenne?«

»Nein.« Julian lachte. »Also los. Packen wir unsere Sachen.«

LONDON, GROSSBRITANNIEN

Die China-Theorie.

Seit sie in dem fetten Asiaten aus Calgary Kenny Xin erkannt hatten, erfreute sich der Begriff im Big O und beim SIS regen Gebrauchs. Die nie so recht geglaubte und doch schlüssigste aller Erklärungen, dass ein chinesischer Erreger in Orleys Blutbahn wütete, erlebte ihre Renaissance, und warum? Wegen eines chinesischen Attentäters.

Jericho war ratloser denn je.

Nach anfänglichen Momenten des Triumphs, Xin enttarnt und die Rinnsale der Erkenntnis zum Strom zusammengeführt zu haben, verzweifelte er umso mehr an der Paradoxie des Offensichtlichen. Spontan ergab die China-Theorie Sinn. Xin offenbarte sich als Nukleus schandhaften Treibens überall auf der Welt, dessen Aktionen samt und sonders der Durchführung des geplanten Anschlags dienten, auch wenn er für das Massaker in Vancouver kaum verantwortlich gemacht werden konnte. Zwar hätte ihn ein Jet rechtzeitig von Berlin nach Kanada schaffen können, um dort zehn Menschen zu ermorden, doch Jericho bezweifelte, dass der Chinese Europa den Rücken gekehrt hatte. Eher stand zu vermuten, dass er ihnen nach London gefolgt war und das Geschehen in zeckenhafter Starre mitverfolgte, ganz in ihrer Nähe. Vancouver konnte er delegiert haben, und dass einige seiner Helfer Nichtchinesen waren, geschenkt. Mayés Rampe, der Einkauf und die Installation der Mini-Nuke, all dies hatte in chinesischer Hand gelegen. China galt als Provokateur der Mondkrise, Peking grollte den USA, Zheng versuchte in gleicher Weise, Orley zu bekämpfen wie auf seine Seite zu ziehen, kurz, die China-Theorie fügte sich nahtlos ins geheimdienstliche Denken. Nur eines sprach in Jerichos Augen gegen sie: dass nämlich die Sinnhaftigkeit ihrer Versatzstücke unterm Strich Unsinn ergab.

»Na, Sie sind gut«, entsetzte sich Norrington. »Es war Xin, der auf Palstein geschossen hat, das müsste Ihnen doch zu denken geben.«

»Es gibt mir ja auch zu denken«, sagte Jericho.

»Der Kerl ist nicht einfach das Schießgewehr von irgendwem, ich meine, wem erzähle ich das! Er steht in der Organisation ganz oben, und er ist nun mal ein *verdammter chinesischer Geheimdienstler.* Es wäre fahrlässig, China als Urheber auszuschließen.«

Yoyo ließ durchblicken, sie habe es satt, in einem Keller herumzusitzen, so ansprechend er auch gestaltet sei.

»Ich hab Jennifer gefragt. Sie meint, bis morgen früh stünde die atomare Auslöschung Londons nicht zu erwarten, also können wir uns mit Diane ebenso gut in eines der Großraumbüros aufs Dach verziehen.«

In ihrer Schlichtheit die beste Idee seit Langem.

Sie fuhren hoch. London um zwei Uhr morgens war ein Lichtermeer und eben London, vielleicht nicht die modernste, für Jericho aber die schönste und charmanteste Stadt der Welt. Am gegenüberliegenden Ufer der Themse erstrahlte die Kuppel des Millennium Dome, im Westen die Hungerford Bridge, aufgehängt an leuchtenden Spinnennetzen und überragt vom Rund des London Eye. Geheimnisvoll kreiste der orange lumineszierende Mond im Schwerefeld des Big O. Yoyo lehnte mit dem Rücken an den bodentiefen Fenstern, was in ihm den spontanen Impuls auslöste, sie an den Händen zu fassen und festzuhalten.

»Erinnert dich die Sache in Vancouver nicht an Quyu?«

Die Blutleere der Niedergeschlagenheit war aus ihren Zügen gewichen, Rotwein und Kampfgeist zauberten neuen Glanz in ihre Augen.

»Ich glaube nicht, dass es Xin war«, sagte er.

»Aber das Vorgehen ist vergleichbar. Die *Wächter*, Greenwatch, in beiden Fällen wurde Information auf virulente Weise durchs Netz gejagt. Ihre Verbreitung einzudämmen, ist praktisch unmöglich. Also versuchst du dich gar nicht erst am chirurgisch präzisen Eingriff, sondern zerstörst gleich die komplette Infrastruktur und tötest jeden, der als Wissensträger infrage kommt. Und auch das gibt dir keine Garantie, aber du kannst die Verbreitung hinauszögern. Genau darum geht es Kenny. Ich sage dir, er würde dieses Gebäude hier in die Luft sprengen, wenn er sicher sein könnte, dass es ihm einige Stunden verschafft.«

»Weil die Operation unmittelbar bevorsteht.«

»Und wir können nichts tun.« Yoyo schlug mit der Faust in die Handfläche. »Die Zeit spielt gegen uns. Er wird gewinnen, Owen, das Dreckschwein wird gewinnen.«

Jericho trat neben sie und schaute hinaus auf das nächtliche London.

»Wir müssen die Drahtzieher finden. *Bevor* sie den Anschlag durchführen können.«

»Wie denn?«, schnaubte Yoyo. »Wir finden immer nur Xin.«

»Und der MI6 hat sich auf die Chinesen eingeschossen. Der MI5, Norrington, Shaw –«

»Na ja –« Sie spreizte die Finger. »Wir haben es doch auch die meiste Zeit geglaubt, oder?«

Jericho seufzte. Natürlich hatte sie recht. Sie selbst hatten die Nebelbombe der China-Theorie geworfen.

»Andererseits, wie du schon sagtest: Die Mondkrise passt da nicht rein. Warum sollte China einen Streit um Fördergebiete vom Zaun brechen zu einem Zeitpunkt, da es die internationale Aufmerksamkeit am wenigsten gebrauchen kann?«

»Norrington hält es für ein Ablenkungsmanöver.«

»Tolles Ablenkungsmanöver. Es hat Peking den Vorwurf eingetragen, Waffen auf dem Mond zu stationieren! Nicht gerade vertrauensbildend, wenn dann tatsächlich eine Bombe hochgeht. Überhaupt, Owen, warum haben sie nicht einfach einen chinesischen Attentäter in einer chinesischen Rakete nach oben geschickt?«

»Weil Norrington zufolge ein Mitglied der Reisegruppe besseren Zugang zum GAIA hat.«

»Blödsinn, welchen Zugang denn? Um eine Atombombe zu zünden? Dafür brauchst du keinen Zugang, du schleppst sie vor die Tür, suchst das Weite und jagst das Ding in die Luft. Erinnere dich, was Vogelaar sagte. Sein Misstrauen galt nicht Peking, sondern Zheng.«

»Und was hätte Zheng davon, Orley zu töten und sein Hotel zu zerstören?« Jericho sah sie an. »Hilft ihm das, bessere Weltraumfahrstühle zu bauen? Bessere Fusionsreaktoren?«

»Hm.« Yoyo nuckelte an ihrem Zeigefinger. »Es sei denn, Orleys Tod würde das Kräfteverhältnis im Konzern zu Zhengs Gunsten umkrempeln.«

»Vogelaar hatte noch eine Theorie.«

»Dass jemand versucht, die Mondmächte aufeinanderzuhetzen?«

»Es müsste ja nicht gleich zum Äußersten kommen. So schnell brechen die keinen Weltkrieg vom Zaun. Aber Verschiedenes würde sich ändern.«

»Die einen würden geschwächt –«

»Und der lachende Dritte gestärkt.« Jericho schlug mit der flachen Hand gegen die Scheibe. »Verstehst du, genau das ist es, was mir an der Sache so aufstößt. Es ist alles so offensichtlich! Mir kommt alles so – inszeniert vor!«

»Also gut, China beiseitegelassen. Wem würde Orleys Untergang sonst noch nützen?«

»Für ihn selbst würde eine Gewehrkugel reichen. Dafür brauchst du keine Atombombe.« Jericho wandte sich ab. »Weißt du was? Bevor wir uns hier besinnungslos quatschen, fragen wir Tante Jennifer.«

»Der MI6 liebt die China-Theorie«, sagte Shaw wenige Minuten später. »Der MI5 sowieso, und Andrew Norrington würde am liebsten den chinesischen Botschafter einbestellen.«

»Und Sie?«

»Ich bin gespalten. Mir erschließt sich kein Sinn in der Theorie, aber einem Hund will sich ja auch nicht der Sinn erschließen, wenn Herrchen die Packung mit den Hundekuchen aufs oberste Regal stellt. Wir *müssen* China in den Fokus unseres Misstrauens stellen. Was Julian betrifft, gibt es natürlich Heerscharen, die ihn lieber tot als lebendig sähen.«

»Es wird gemunkelt, er will seine Patente der Welt zugänglich machen.«

»Möglich«, räumte Shaw ein.

»Kann das im Interesse Zhengs sein?«

»Definitiv wäre es nicht im Interesse Amerikas. Washington käme ein Wechsel in unserer Führungsetage zurzeit sehr gelegen. Die Chemie ist ein wenig gestört, wissen Sie.«

Jericho stutzte. Der Trieb eines neuen Gedankens reckte sich und entwickelte muntere Seitentriebe.

»Gibt es denn Kräfte im Orley-Konzern, die mit Julian nicht konform gehen?«, fragte er. »Die Washingtons Position vertreten?«

Shaw lächelte grimmig.

»Was glauben Sie denn? Dass wir uns an den Händen halten? Alleine, dass Julian darüber *nachdenkt,* sich aus der Monogamie mit Amerika zu lösen, erfüllt für viele den Tatbestand eines Sakrilegs. Nur, solange der Boss das Sagen hat, murren sie beim Bier und halten ansonsten die Klappe. Sie würden Julian mögen, Owen, einer, mit dem man Spaß haben kann. Darüber verliert man schnell aus den Augen, dass er mit despotischer Energie seinen Willen durchboxt, wenn es sein muss. Kreative und Strategen haben bei ihm alle Freiheiten, solange sie sein Evangelium singen. Palastrevolutionäre können froh sein, dass die Guillotine abgeschafft wurde.«

»Ist seine Tochter nicht Nummer zwei im Konzern? Wie denkt sie über die Sache mit den Patenten?«

»Genau wie ihr Vater. Ich verstehe, worauf Sie hinauswollen. Orley Enterprises zersetzen Sie nicht von innen.«

»Es sei denn –«

»Über Julians Leiche.«

»Gutes Stichwort«, sagte Yoyo ungerührt. »Kräfte im Konzern, die seinen Tod wünschen, aber alleine nichts ausrichten können. Mit wem würden die sich zusammentun?«

»Mit der CIA«, sagte Shaw ohne zu zögern.

»Ach.«

»Ich weiß es. Die CIA entwickelt Szenarien, wie sich eine Partnerschaft *ohne* Julian gestalten würde. Man denkt über alles nach. Die Amerikaner fürchten um ihre nationale Sicherheit.«

»Bekanntlich kann der Staat Patente entziehen, wenn die nationale Sicherheit auf dem Spiel steht«, sagte Jericho.

»Ja, aber Julian ist Brite, kein Amerikaner. Und die Briten haben kein Problem mit ihm, im Gegenteil. Bei den Steuern, die er bezahlt, würde ihn die Premierministerin höchstpersönlich mit ihrem Leben schützen. Außerdem geht es um Wirtschaft, nicht um Krieg. Julian gefährdet niemandes nationale Sicherheit, nur Profite.«

»Der einzige Weg, den Konzern fernzusteuern, wäre demnach, ihn zu enthaupten.«

»Richtig.«

»Könnte Zheng Pang-Wang –«

»Nein. Zhengs ganze Hoffnung ruht doch auf Julian. Dass er ihn eines Tages wenigstens zu einem Joint Venture überreden kann. Sobald andere bei Orley das Sagen hätten, wäre er ganz aus dem Rennen. Da fällt mir ein, Edda hat Ihnen die Daten zusammengestellt, um die Sie gebeten hatten.«

»Ja, es geht um –«

»Vic Thorn, ich weiß. Interessante Idee. – Entschuldigen Sie, Owen, ich bekomme gerade einen Anruf von unserem Kontrollzentrum auf der Isla de las Estrellas. Wir legen Ihnen die Daten auf Ihren Rechner.«

»Die CIA«, sinnierte Yoyo. »Ganz was Neues.«

»Noch eine Theorie.« Jericho stützte den Kopf in die Hände, der plötzlich von bleierner Schwere war. »Den eigenen Geschäftspartner loswerden und es den Chinesen in die Schuhe schieben.«

»Denkbar?«

»Na sicher. Du liebe Güte!«

Eine Weile saßen sie schweigend da. Ein Icon war auf Dianes Monitor erschienen, VICTHORN, doch Jericho überkam die Paralyse der Überforderung. Er brauchte Starthilfe, um wieder anzuspringen. Einen überschaubaren, kleinen Erfolg.

»Pass auf«, sagte er. »Jetzt tun wir mal etwas, das wir schon viel früher hätten machen sollen.«

Er zog das Symbol der ineinander gewundenen Schlangenleiber auf den Monitor und gab ihm den Namen UNBEKANNT.

»Diane.«

»Ja, Owen?«

»Suche im Netz nach Entsprechungen von UNBEKANNT. Worum handelt es sich dabei? Zeig mir die Übereinstimmungen und liefere mir inhaltliche Hintergründe.«

»Einen Augenblick, Owen.«

Yoyo kam zu ihm herüber, verschränkte die Arme auf der Tischplatte und legte das Kinn in die Ellenbeuge. »Ihre Stimme ist zugegebenermaßen sehr schön«, sagte sie. »Wenn sie jetzt noch entsprechend aussähe –«

Der Bildschirm füllte sich mit Darstellungen.

»Möchtest du eine Zusammenfassung hören, Owen?«

»Ja, bitte, Diane.«

»Die Grafik zeigt mit sehr hoher Wahrscheinlichkeit eine Hydra, auch Lemäisches Reptil genannt. Ein schlangenähnliches Monstrum aus der griechischen Mythologie mit neun Köpfen, das in den Sümpfen von Argolis hauste, Raubzüge in die Umgebung unternahm, Vieh und Menschen tötete und Ernten vernichtete. Obwohl der mittlere Kopf der Hydra unsterblich war, wurde sie von Herakles besiegt, einem Sohn des Zeus. Möchtest du mehr über Herakles hören?«

»Erzähl mir, wie Herakles die Hydra besiegte.«

»Das besondere Merkmal der Schlange war, dass ihr für jeden abgeschlagenen Kopf zwei neue Köpfe nachwuchsen, sodass sie im Verlauf des Kampfes immer gefährlicher wurde. Erst als Herakles mithilfe seines Neffen Iolaos begann, die Halsstümpfe auszubrennen, konnten sich keine neuen Köpfe mehr bilden. Schließlich gelang es Herakles, der Hydra auch das unsterbliche Haupt abzuschlagen. Er zerstückelte ihren Leib und tauchte seine Pfeile in ihr Blut, die fortan unheilbare Wunden schlugen. Möchtest du weitere Einzelheiten hören?«

»Danke, Diane, im Moment nicht.«

»Ein griechisches Ungeheuer«, sagte Yoyo mit runden Augen. »In der Darstellung sieht es eher asiatisch aus.«

»Eine Organisation mit vielen Köpfen.«

»Die nachwachsen, wenn man sie abschlägt.«

»Chinesische Verschwörer, die ein Wesen aus der griechischen Mythologie zu ihrem Symbol machen?«

Yoyo starrte auf den Monitor, Diane hatte rund zwei Dutzend Darstellungen der Hydra ausgesucht, Fundstücke aus zwei Jahrtausenden in unterschiedlichsten Darstellungen, die allesamt einen schuppigen Schlangenleib mit neun züngelnden Häuptern zeigten.

»Nie im Leben«, sagte sie.

PEARY-BASIS, NÖRDLICHER POL, MOND

Ein wenig fühlten sie sich wie die Überlebenden eines Trecks weißer Siedler, die es mit knapper Not ins rettende Fort geschafft hatten, auch wenn nirgendwo das Äquivalent von Indianern zu sehen war. Doch im Moment, da die KALLISTO über dem Raumhafen der Basis niederging, hatte sich O'Keefe das Bild einer am Pol stationierten Kavallerie aufgedrängt, eines Trupps Reiter, der zu ihrem Schutz über das Hochplateau herangeprescht käme, Hüte und blitzende Epauletten, Fanfaren, Schüsse in die Luft, Parolen der Vertrautheit: – *Wohlauf, Sergeant?* – *Aye, Sir! 'n Höllenritt. Dachten schon, wir schaffen's nie.* – *Ich sehe Sie ohne die Donoghues.* – *Tot, Sir.* – *Verdammt! Und das Personal?* – *Tot,*

Sir, alle tot. – Bei Gott! Und Winter? – Nicht geschafft, Sir. Haben auch Hsu verloren. – Schrecklich! – Ja, Sir. Entsetzlich. –

Wie eigenartig. Selbst etwas so Exotisches wie Raumfahrt schien nur in der Kultivierung irdischer Mythen zu funktionieren, einfach, indem man Kletterhaken des Gewohnten ins Fremdartige trieb. Was geeignet war, den Geist zu erweitern, wurde mießger Vertrautheit unterworfen und in schmale Assoziationsspektren gezwängt. Vielleicht konnten Menschen nicht anders. Vielleicht half ihnen die Banalisierung des Außergewöhnlichen, nicht an ihrer eigenen Banalität zugrunde zu gehen, und sei es, dass ihr Unterbewusstsein den Western bemühte, jenes Genre, dessen Aufgabe jahrzehntelang darin bestanden hatte, die aus den Fugen geratene Welt wieder in Ordnung zu bringen, unter Zuhilfenahme scharfer Munition und grandioser Landschaften. – *Viel Schlimmes passiert, Sergeant. – Aye, Sir. – So viele gestorben. – Aye. – Aber schauen Sie sich das Land an, Sergeant! Ist es nicht jedes Opfer wert? – Will's nicht missen, Sir! – Großartiges Land! Dafür schlägt unser Herz, fließt unser Blut. Wir mögen sterben, das Land bleibt. – Ich liebe dieses Land! – Bei Gott, ich auch! Reiten wir! –*

Von wegen.

Im Moment, da Hedegaard die KALLISTO am Pol aufgesetzt hatte, waren aller Augen auf die CHARON gerichtet gewesen. Am südlichen Ende des Flugfelds, umflankt von Raumschiffen der Basis, ruhte das Landemodul wie eine kleine, uneinnehmbare Burg auf seinen Stelzenbeinen, und O'Keefe hatte sich ihrer ersten Sprünge und Schritte erinnert, erfüllt von conquistadorischer Eroberungslaune, nicht ahnend, dass sie schon wenige Tage darauf dezimiert und demoralisiert zurückkehren würden. Auch nach dem Desaster im GAIA hatten die monochromen Landschaften und das perlmutterne Sternenmeer nichts von ihrer Schönheit eingebüßt, doch die Blicke hatten sich nach innen gerichtet. Das Abenteuer *war* beendet. Fluchtinstinkt schlug Pioniergeist.

»Also, ich weiß nicht.« Leland Palmer, ein kleiner, irisch aussehender Mann und Kommandant der Basis, schaute skeptisch in die Runde. »Mir scheint das alles keinen Sinn zu ergeben.«

»Dafür, dass es keinen Sinn ergibt, mussten eine Menge Leute sterben«, sagte O'Keefe.

Ein Robotbus hatte sie vom Flugfeld zum Iglu 2 gebracht, einer der beiden Wohnkuppeln, die den Mittelpunkt der Basis bildeten. Iglu 1 barg die Zentrale und wissenschaftliche Arbeitsplätze, sein benachbartes Pendant diente der Freizeitgestaltung und medizinischen

Versorgung. In einer zwischen Gemütlichkeit und Funktionalität oszillierenden Lounge hatten sie der Besatzung ihre Geschichte erzählt, während Kramp, Borelius und die Nairs auf Anzeichen von Rauchvergiftung untersucht wurden und Olympiada Rogaschowa, in Selbstvorwürfen aufgelöst, ihr Bein schienen ließ. Lynn hatte eine Weile stumm zwischen ihnen gesessen, bis Tim, das Gesicht ein Relief der Sorge, ihre Hand genommen und angeregt hatte, sie solle sich hinlegen, schlafen und vergessen, ein Vorschlag, dem sie apathisch Folge leistete.

»Der *Aufwand* ergibt keinen Sinn«, sagte Palmer. »Allein zu sehen, was ein simpler Sauerstoffbrand anrichten kann! Wozu braucht man da noch eine *Atombombe*?«

»Es sei denn, man bezieht den Standort mit ein«, gab Lawrence zu bedenken.

»Sie meinen, die Bombe gilt gar nicht dem GAIA?«

»Nicht ausschließlich, würde ich sagen.«

»Stimmt«, sagte Ögi. »Einige Handgranaten, an den richtigen Stellen platziert, hätten vollauf gereicht. Zufällig weiß ich ein bisschen was über Mini-Nukes –«

»Du?«, staunte Heidrun.

»Aus dem Fernsehen, mein Schatz. Und eigentlich auch nur, dass man sich von der putzigen Begrifflichkeit nicht täuschen lassen sollte, so nach dem Motto, Mini-Rock, Mini-Maus, Mini-Nuke. Von den Mini-Nukes, die Anfang der Neunziger aus den Beständen der ehemaligen Sowjetunion verschwanden, war jede geeignet, Manhattan auszuradieren.«

»Aber was soll dann zerstört werden?«, fragte Wachowski.

»Das GAIA liegt am Rand eines Talkessels«, sagte Tim, den Kopf in die Hände gestützt. »Dort, wo das Vallis Alpina sich rundet.«

»Was würde passieren, wenn man in so einem Kessel eine Atombombe zündet?«, fragte O'Keefe.

»Tja.« Wachowski zuckte die Achseln. »Sie würde ihn kontaminieren.«

»Mehr als das«, sagte Palmer. »Es gibt keine Luft hier, um radioaktives Material weiterzutragen, keinen atmosphärisch bedingten Fallout. Andererseits aber auch nichts, um die Explosionsenergie abzubremsen. Schon die unmittelbaren Zerstörungen wären enorm, ein bisschen wie beim Einschlag eines Meteoriten. Der Druck würde die Ränder des Kessels wegsprengen, die Hitze seine Wände glasieren, eine Unmenge Gestein in die Höhe katapultieren, vor allem aber würde die Detonation getunnelt.«

»Soll heißen?«, fragte Heidrun.

»Dass es, abgesehen von oben, nur eine Richtung gibt, in die sich der Druck entladen kann.«

»Ins Tal hinein.«

»Ja. Die Druckwelle würde das komplette Vallis Alpina entlangrasen, beschleunigt durch die Steilwände. Ich schätze, das gesamte Gebiet wäre danach verloren.«

»Aber zu welchem Zweck? Was ist so Besonderes an dem Tal, außer dass es schön ist?«

Tim verschränkte die Finger und schüttelte den Kopf. »Ich frage mich eher, warum die Bombe nicht längst hochgegangen ist.«

»Bis vor *dreieinhalb Stunden* ist sie nicht hochgegangen«, korrigierte ihn O'Keefe. »Inzwischen kann es da mächtig gerappelt haben.«

»Und wir kriegen es hier nicht mit!«, knurrte Wachowski. »So ein Mist! Was ist bloß mit den Satelliten los?«

Dazu könnte ich euch eine Menge erzählen, dachte Lawrence.

»Wie auch immer«, sagte sie. »Wir werden das Problem hier und jetzt nicht lösen, und ehrlich gesagt interessiert es mich im Augenblick auch nicht. Ich will wissen, was am Aristarchus passiert ist.«

»Die Shuttles müssten bald aufgetankt sein«, versprach Wachowski.

»Hm, Carl.« Heidrun krauste die Stirn. »Was er wohl tun wird?«

»Kommt drauf an. Lebt er, leben die anderen? Konnte er fliehen? Ich tippe eher, dass er im Hotel noch was zu erledigen hat.«

»Und was sollte das sein?«, fragte Tim.

»Die Bombe scharf machen.« Sie sah ihn an. »Was denn sonst?«

»Er muss sie erst scharf machen?«

»Unter Umständen schon«, nickte Wachowski. »Wie wollen Sie das Ding sonst zünden?«

»Per Fernsteuerung.«

»Um sie fernzuzünden, müsste sie über eine ziemlich große Antenne verfügen, die ihr beim Durchforsten des GAIA gesehen hättet. Andernfalls muss er die Zündung selber vornehmen.«

»Was erklärt, warum wir noch leben«, sagte Ögi. »Carl hatte keine Gelegenheit, den Zeitzünder einzustellen. Seine Pläne wurden über den Haufen geworfen.«

»Kümmert uns das?« O'Keefe schaute von einem zum anderen. »Ich würde keine Minute damit verplempern, nach ihm zu suchen! Konzentrieren wir uns auf die GANYMED.«

»Ganz Ihrer Meinung«, nickte Lawrence. »Aber es kann auf dasselbe hinauslaufen. Wenn wir die GANYMED finden, stoßen wir möglicherweise auf Hanna.«

»Das wäre mir recht«, knurrte O'Keefe. »Sehr recht.«

Hedegaard betrat die Lounge.

»Wir sind so weit!«

»Gut.« Lawrence und Palmer hatten vereinbart, gleich zwei Suchtrupps loszuschicken. Hedegaard sollte mit der KALLISTO zum Krater Plato fliegen, den Montes Jura entlang der Fördergebiete folgen und von dort auf Aristarchus zuhalten. Die Io, ein Shuttle der Peary-Basis, würde 15 Minuten später starten, bei Plato ihren südlichen Kurs beibehalten und 500 Kilometer versetzt zur KALLISTO über der Ebene des Mare Imbrium pendeln. Lawrence erhob sich. »Stellen wir die Mannschaften zusammen.«

»Sie können bei mir mitfliegen.«

»Danke, ich schätze, meine Anwesenheit ist hier eher vonnöten. Jemand muss sich um die anderen kümmern. Wie viele Leute können Sie freistellen, Leland?«

Palmer rieb sein Kinn. »Kyra Gore ist unsere Chefpilotin. Sie kann die Io zusammen mit Annie Jagellovsk, unserer Astronomin –«

»Entschuldigung«, schnitt ihm Lawrence das Wort ab. »Ich habe mich nicht korrekt ausgedrückt. Wie viele Leute müssen unbedingt in der Basis bleiben, um den Betrieb zu gewährleisten?«

»Einer. Na, sagen wir, zwei.«

»Ich will, dass Sie sich über die Gefährlichkeit dieses Mannes im Klaren sind. Möglicherweise werden die Suchtrupps gezwungen sein, Hanna anzugreifen. Vielleicht müssen sie die Gruppe aus seiner Gewalt befreien. Jeder Shuttle sollte mit vier, besser fünf Leuten besetzt sein.«

»Wir sind aber nur acht.«

»Ich werde mitkommen«, sagte O'Keefe.

»Ich auch«, sagte Tim.

»Heidrun und ich –«, begann Ögi.

»Tut mir leid, Walo, Sie sind nicht die Idealbesetzung.« Lawrence investierte ein Lächeln. »Weniger, was Ihren Mut angeht, aber wir brauchen jüngere, durchtrainierte Leute. Also, Tim und Finn fliegen mit Hedegaard, plus zwei weitere Leute aus der Basis-Besatzung. Die Io startet mit fünf Mann Basis-Besatzung –«

»Augenblick«, versuchte Palmer die galoppierenden Pferde einzufangen. »Das wäre ein außergewöhnlicher Einsatz.«

»Wir haben auch außergewöhnliche Probleme«, versetzte Lawrence ungnädig. »Falls Ihnen das entgangen sein sollte.«

»Sechs von acht Leuten! Das müsste ich diskutieren.«

»Mit wem?«

»Mit –«

»Sie erreichen niemanden.«

»Schon, aber – das ist nicht so einfach, Dana. Das sind drei Viertel meiner Mannschaft! Und die Shuttles werden die meiste Zeit über keinen Kontakt zur Basis haben.«

»Betrachten Sie *mich* als Verstärkung vor Ort«, sagte Lawrence. »Mir obliegt die Sicherheit Julian Orleys und seiner Gäste. Und offen gesagt, Leland, würde ich wenig Verständnis dafür entwickeln, wenn die Rettungsaktion an fehlendem Einsatzwillen –«

»Schon gut.« Palmer wechselte einen Blick mit Wachowski. »Ich denke, es ist machbar. Tommy, du bleibst hier und – hm, Minnie deLucas.«

»Wer ist das?«, fragte Lawrence.

»Unsere Spezialistin für Lebenserhaltungssysteme.«

»Wäre es nicht besser, wenn Jan hierbleibt?«, meinte Wachowski.

»Und wer ist *das*?«

»Jan Crippen. Unser technischer Leiter.«

»Nicht unbedingt«, sagte Palmer. »Minnie kann seine Aufgaben übernehmen, außerdem werden wir ja nicht ewig weg sein.«

»Mir ist egal, wie lange Sie weg sind«, sagte Lawrence. »Hauptsache, Sie finden Julian Orley.«

Hauptsache, ihr seid während der nächsten paar Stunden von der Bildfläche verschwunden, dachte sie. Mit Wachowski und dieser deLucas werden Carl und ich fertig.

Falls Hanna noch kam.

Endlich, um 02:40 Uhr an diesem Morgen, brachte der Shuttle-Bus die Suchtrupps über den Zubringer zum Flugfeld.

O'Keefe saß auf der Bank des offenen Gefährts und ließ den Blick schweifen. Bemüht, sich keiner Überdosis an Konversation auszusetzen, war er am zweiten Abend ins Multimediazentrum des GAIA entwichen, noch vor dem Dessert, und hatte sich einen Film über die Peary-Basis angesehen. So wusste er, dass sie sich über zehn Quadratkilometer erstreckte und alleine der Flugplatz die dreifache Größe eines Football-Feldes umfasste. Die siloartigen Türme am Westrand waren zurückgelassene Raumschiffe der Mannschaften, die den Nordpol als Erste betreten hatten. Ursprünglich zu Wohneinheiten umfunktioniert, dienten sie nun als Notunterkünfte, überragt von der Konstruktion eines im Bau befindlichen Teleskops, während die Kuppeln im Zentrum, Iglu 1 und 2, das Herzstück bildeten. Beide waren als zusammenlegbare Strukturen zum Pol geschafft, dort zu Wohnhausgröße aufgeblasen und mit einer mehrere Meter dicken Schicht Regolith bedeckt worden, um die Insassen gegen Sonnenstürme und Meteoriten zu schützen. In die Wände hatte man Schleusen geschnitten, den Untergrund ringsum planiert, Fahrzeuge und Gerät in Hangars untergebracht, jenen halbierten Röhren, die Omura in gewohnt defätistischer Weise als Plunder bezeichnet hatte und bei denen es sich tatsächlich um ausgebrannte Treibstofftanks aus der Space-Shuttle-Ära handelte.

Mit den Jahren war die Station gewachsen, hatte sich um Straßen, Anbauten und einen ausgedehnten Tagebau erweitert. In der Ferne, vor der Kulisse automatisierter Fabriken, in denen Regolith prozessiert und zu Bauelementen weiterverarbeitet wurde, ragten die Gerüste riesiger, offener Montageanlagen empor. Auf Schienen fuhren Manipulatoren an den Leibern werdender Fördermaschinen entlang, schweißten, nieteten und passten Teile ein, während humanoide Roboter feinmechanische Arbeiten vornahmen. Seilbahnen und Gleise verbanden die Fabriken mit den Werften, Material wurde in Gondeln und Loren herangeschafft. Wohin man sah, legten Maschinen Geschäftigkeit an den Tag, Unbelebtheit in belebtester Form.

O'Keefe schaute nach Osten, während der Bus dem zwei Kilometer weit ausgelagerten Flugplatz entgegenstrebte. Felder von Sonnenkollektoren, die Paneele zur wandernden, nie untergehenden Sonne gerichtet, bedeckten flaches, geschwungenes Hügelland. Das Kratergestein war durchzogen von Lavakanälen. Dank ihrer verfügte die Peary-Basis über ein weitverzweigtes System natürlicher Katakomben, deren größter Teil noch gar nicht erforscht war. Nur ein einziges Merkmal verriet, was der Untergrund barg, eine Spalte, mehr eine Schlucht. Auf ganzer Breite klaffte sie im Hochplateau, spreizte sich nach Westen und mündete in ein steil abfallendes Tal, dessen Grund nie ein Sonnenstrahl erhellte. Brücken überspannten diese augenscheinliche Hinterlassenschaft eines schweren Bebens, bei der es sich tatsächlich um einen eingebrochenen Lavakanal handelte, durch den vor Jahrmilliarden Ströme flüssigen Gesteins geflossen waren. Einige der Höhlenstränge mündeten, wie O'Keefe aus der Dokumentation wusste, in die Schlucht, und er fragte sich, ob der Untergrund der Basis von dort zugänglich war.

Sie durchfuhren das Tor in der Abschirmung des Flugfelds. Ringsum herrschte mäßiges Treiben. Einer der heuschreckenartigen Gabelstapler korrespondierte lautlos mit einem Manipulator, dessen segmentierter Arm sich wie zu einem letzten Lebewohl in ihre Richtung erhob, um regungslos zu verharren. Soweit erkennbar, lagen die Gleise auf der Bahnhofsempore verlassen da. Im harten, schräg einfallenden Licht wand sich die vereinsamte Trasse ins Tal. Der Aktivität der Maschinen haftete etwas Rituelles an, man konnte auch sagen, postapokalyptisch Sinnfreies, ein Bild von eigenartiger Selbstgenügsamkeit.

Was würden sie vorfinden am Aristarchus? Plötzlich überkam ihn der Wunsch, einschlafen und in der Zeitlosigkeit eines nicht allzu gut beleumundeten Dubliner Pubs aufwachen zu dürfen, dessen Gästen die akkurate Trennung von Schaum zu schwarzem Bier mehr galt als alle Wunder der Milchstraße zusammengenommen, und die über der Erinnerung an vermeintlich bessere Zeiten leise seufzten, wenn sie ihre Gläser an die Lippen setzten.

LONDON, GROSSBRITANNIEN

Die Nacht schlich dahin.

Yoyo rief Chen Hongbing an, Tu erörterte mit DAO IT, dem eben noch bitterbösen, verabscheuungswürdigen Konkurrenten, die Möglichkeiten eines Joint Ventures, Jericho fielen die Augen zu. 300 Meter über London hatte sich sein Hirn in einen Sumpf verwandelt, in dem es gluckerte und blubberte von verfaulenden Theorien, alle Wege im Nichts endeten oder sich im Ungewissen verloren. Immer weniger vermochte er sich zu konzentrieren. Vic Thorn auf seiner Reise in die Ewigkeit. Kenny Xin, zu Palsteins geplanter Ermordung schlurfend. Die neun Köpfe der Hydra. Carl Hanna, in dessen Vita Norrington bislang nicht den kleinsten Kratzer hatte ausfindig machen können. Diane mit immer neuen Meldungen über Calgary und das Massaker von Vancouver. Sinistre Vertreter der CIA, ihr Klischee bedienend. Er sah sich aus großer Höhe in einem Kreis laufen, so riesig, dass man der Illusion erliegen konnte, geradeaus zu gehen, doch alle Spuren führten in sich selbst zurück.

Er war entsetzlich müde.

Yoyo kehrte vom Telefonieren zurück, als er eben davorstand, sich flach auf dem Boden auszustrecken und kurz die Augen zu schließen. Doch dann wäre er womöglich eingeschlafen, und sein überreizter Kortex hätte Verfolger und Verfolgte in seine Träume zitiert. Eigentlich war er froh, dass Yoyo ihn wach hielt, auch wenn ihre quecksilbrige Vitalität ihm zusehends auf die Nerven ging. Seit ihrer Ankunft im Big O hatte sie im Alleingang eine Flasche Brunello di Montalcino leer gemacht, trug das Rubinrot der Sangiovese Grosso auf den Wangen und die Nimmermüdigkeit der Jugend im Blick, ohne Anzeichen von Trunkenheit erkennen zu lassen. Für jede gerauchte Zigarette schienen ihren Fingern zwei neue zu entwachsen. Sie war unberechenbarer als das Wetter von Wales, trübsinnig und grollend im einen, aufgeheitert im nächsten Moment.

»Wie geht's deinem Vater?«, gähnte er.

»Den Umständen entsprechend.« Yoyo ließ sich in einen Drehsessel fallen und sprang gleich wieder auf. »Ganz gut eigentlich. Ich hab ihm natürlich nicht alles erzählt. Die Sache im Pergamon-Museum zum Beispiel, so was muss er nicht wissen, klar? Nur für den Fall, dass du mit ihm sprechen solltest.«

»Ich sehe keinen Grund dazu.«

»Hongbing ist dein Klient.« Sie machte sich an der Kaffeemaschine zu schaffen. »Schon vergessen?«

Jericho blinzelte. Plötzlicher Argwohn befiel ihn, seine Augäpfel beim Blick in den Spiegel durch Computermonitore ersetzt zu finden. Er zwang sich, vom Bildschirm aufzuschauen.

»Ich hab dich ihm zurückgebracht«, sagte er. »Der ehrenwerte Chen Hongbing ist nicht länger mein Klient.«

»Mist.« Yoyo studierte das Angebot der Maschine. »Kaffee in tausend Variationen, nirgendwo Tee.«

»Sperr deine Augen auf. Engländer sind Teetrinker.«

»Wo denn?«

»Rechts unten. Heißes Wasser. Das Kistchen mit den Beuteln steht daneben. Was hast du ihm denn erzählt?«

»Hongbing?« Yoyo durchwühlte die Kiste. »Dass uns Donner in einer von Herzlichkeit geprägten Unterhaltung schlau gemacht und Vogelaar sich als Phantom erwiesen hat.« Sie stellte ihren Becher unter die Düsen, versenkte ein Beutelchen Oolong und ließ kochendes Wasser darüberlaufen.

»Eine Vergnügungsreise also«, spottete Jericho. »Waren wir denn schon bei Madame Tussauds und auf der Kings Road shoppen?«

»Hätte ich ihm besser von der Erfahrung berichten sollen, einem Toten die Augen aus den Höhlen zu drücken?«

»Schon gut. Einen Schokaffee, bitte.«

»Einen was?«

»Einen Kaffee mit Schoko. Linke Reihe, dritter Knopf von oben. Wie weit bist du mit Thorn?«

Sie hatten sich die Aufgaben geteilt, wozu gehörte, dass Yoyo die von Edda Hoff übermittelten Daten auswertete und um Fundstücke aus dem Netz ergänzte.

»Den hab ich in ein paar Minuten durch«, sagte sie, während sie zusah, wie die Maschine ein Gemisch aus Cappuccino und Kakao ausspie. »Kann es sein, dass du müde bist?«

Jericho setzte zu einer Antwort an, wurde gewahr, wie Diane auf einen Schlag 112 neue Meldungen über Calgary und Vancouver bei ihm ablud, und versank in betrübtes Schweigen. Yoyo stellte seinen dampfenden Becher vor ihn hin und ließ sich Tee schlürfend vor ihrem Monitor nieder. Lustlos beschloss er, der Nachricht, die alles in Gang gesetzt hatte, einen ultimativen Blick zu gönnen und schlafen zu gehen.

Im Moment, als der Text auf seinem Bildschirm erschien, pfiff Yoyo leise durch die Zähne.

»Willst du wissen, wer von 2020 bis Ende 2024 Projektleiter für die Peary-Missionen war?«

»So wie du es sagst, werde ich es wohl wissen wollen.«

»Andrew Norrington.«

»Norrington?« Jerichos gerundete Schultern strafften sich. »Shaws Stellvertreter?«

»Warte mal.« Sie runzelte die Brauen. »Es gab mehrere Projektleiter, aber Norrington war auf jeden Fall im Team. Inwieweit und ob er direkt mit Thorn zu tun hatte, geht aus den Einträgen nicht hervor.«

»Und du bist sicher, dass es derselbe Norrington ist?«

»Andrew Norrington«, las sie. »Zuständig für Personal und Sicherheitsfragen, wechselte im November 2024 als Stellvertretender Sicherheitsbeauftragter zu ORLEY ENTERPRISES.«

»Komisch.« Jericho runzelte die Stirn. »Da hätte bei Hoff doch was klicken müssen, als ich sie auf Thorn ansprach.«

»Sie ist Norrington unterstellt. Warum sollte sie mit den Einzelheiten seines Lebenslaufs vertraut sein?«

»Norrington hat aber auch nichts gesagt.«

»Hast du ihn denn auf Thorn angesprochen?«

»Nicht direkt. Shaw und er waren in einer Sitzung. Ich kam hinzu und sagte, dass etwas Außerplanmäßiges die Zündung der Mini-Nuke verhindert haben muss, im vergangenen Jahr.«

»Vorhin wusste Shaw allerdings von deiner Idee mit Vic Thorn.«

»Stimmt, wahrscheinlich von Hoff. Hm. Hätte ihr auffallen müssen, dass Norrington zur gleichen Zeit wie Thorn bei der NASA war. Gut, sie hat entsetzlich viel um die Ohren – Norrington allerdings –«

»Du meinst, er hätte von selbst auf Thorn kommen müssen?«

»Möglicherweise zu viel verlangt.« Jericho stützte das Kinn in die Hände. »Aber weißt du was? Ich gehe ihn jetzt fragen.«

»Victor Thorn –«

Norrington saß in seinem überraschend kleinen Büro, einem der wenigen abgeteilten Räume. Jericho war unangemeldet aufgekreuzt, wie zufällig.

»Ja, Thorn«, nickte er. »Könnte doch unser Mann sein, oder?«

Norrington musterte einen imaginären Punkt im Raum.

»Hm«, machte er deutlich, sehr deutlich. Ein klar zu vernehmendes H, gefolgt von einem Zeit gewinnenden m. »Interessanter Gedanke.«

»Ein Vierteljahr nach dem Launch des Satelliten kam er ums Leben. Zeitlich würde das passen.«

»Sie haben recht. Warum bin ich nicht selber darauf gekommen?«

»Das Naheliegende übersieht man oft.« Jericho lächelte. »Hatten Sie viel mit ihm zu tun?«

»Nein.« Norrington schüttelte langsam den Kopf. »Andernfalls hätte ich kaum auf der langen Leitung gestanden.«

»Keinerlei Kontakt?«

»Meine Aufgabe umfasste die allgemeine Projektsicherheit. Gut, hier und da ist man sich über den Weg gelaufen, aber für die Personalbelange waren andere zuständig.«

»Und was war Thorn für ein Typ?«

»Wie schon gesagt, wir hatten nichts miteinander zu tun. Man hörte, er sei ein Playboy, was vielleicht übertrieben war. Eher einer, der das Leben genoss, andererseits enorm diszipliniert. Ein guter, ein sehr guter Astronaut! So schnell wird man nicht für eine zweite Peary-Mission vorgeschlagen.«

»Gehen Sie in sich, Andrew«, bat Jericho. »Jede Information wäre hilfreich.«

»Natürlich. Obwohl ich fürchte, dass ich nicht viel Erhellendes werde beitragen können. Ist Jennifer schon im Bilde?«

»Hoff scheint es ihr gesagt zu haben. Sie wusste von meinem Verdacht.«

»*Mir* hat sie es nicht gesagt.« Norrington seufzte. »Aber gut, Sie sehen, was los ist, wir hetzen von einem Meeting ins nächste, alles steht kopf. Hanna macht mich schier wahnsinnig. Ich kann in seiner Biografie nichts Verfängliches finden, und es ist ja weiß Gott nicht das erste Mal, dass ich ihm auf den Zahn fühle.«

»Sie waren für die Reisegruppe zuständig?«

»Ja. Über Hanna wussten wir nicht viel, aber Julian wollte ihn unbedingt dabei haben. Glauben Sie mir, ich habe den Kerl regelrecht geröntgt. Nichts. Sauber.«

»Gibt es was Neues von Merrick?«

»Nein. Er versucht, Kontakt herzustellen. Seine Bot-Netz-Theorie trifft wohl zu.« Norrington zögerte. »Owen, ohne Ihrer Spürnase misstrauen zu wollen, aber wir sind gezwungen, in diesen Stunden auch andere Orley-Einrichtungen ins Auge zu fassen. Keiner kann sagen, ob wir es nicht mit einer konzertierten Aktion zu tun haben. Geben Sie mir ein bisschen Zeit mit Thorn. Ich melde mich, sobald ich kann.«

»Er lügt«, sagte Yoyo, als Jericho sich wieder zu ihr gesellte. »Norrington kannte Thorn.«

»Er hat nicht behauptet, dass er ihn *nicht* kannte.«

»Nein, er kannte ihn im Sinne von *kennen*.« Yoyo zeigte auf ihren Monitor. »Thorn hat das Interesse der Medien auf sich gezogen, wegen Peary, außerdem sah er gut aus und quatschte gerne. Du findest etliche Interviews, aber das Beste ist mir ins Netz gegangen, als du weg warst. Ein Special über die Peary-Besatzung von '24, plus eine waschechte Homestory. Vic Thorn, begehrter Junggeselle, schon zum zweiten Mal auf dem Mond, bla bla bla. Sie waren mit der Kamera bei ihm zu Hause und durften dabei sein, als er eine Party zu seinem Geburtstag schmiss, und wer stand da wohl auf der Gästeliste?«

Sie startete das Video. Eine Wohnküche, ausgelassene Stimmung. Vielleicht zwei Dutzend Leute, geschart um Platten mit Fingerfood. Leichte Jazzbrisen über einer See aus Geschwätz, Standards aus der Zeit des Rat Pack. Im Hintergrund wurde getanzt, allseits engagiert getrunken. Thorn lachte in die Kamera, sagte etwas vom wohltuenden Wesen der Freundschaft, dann sah man ihn in angeregter Unterhaltung mit einem Mann, der ihm einige Szenen später vertraulich auf die Schulter schlug.

»Sehen so Leute aus, die keinen Kontakt zueinander pflegen?«

Jericho schüttelte den Kopf.

»Definitiv nicht.«

»– dass einige dieser Männer sehr bald ein halbes Jahr auf einem anderen Himmelskörper verbringen werden«, sagte die Kommentatorin. »Seltsam unwirklich an einem Abend wie diesem, wo –«

»Es kann Zufall sein«, räumte Yoyo ein. »Wir können nicht zwingend voraussetzen, dass Norrington unser Maulwurf ist, nicht mal, dass Thorn etwas mit der Sache zu tun hatte. Reine Spekulation.«

»Trotzdem. Ich will mehr über seine Zeit bei der NASA wissen. Was genau er verantwortet hat, wie eng der Kontakt wirklich war. *Definitiv* hat er gelogen, als er abstritt, Thorn näher zu kennen.«

»– schon seine zweite Mission in die Berge des ewigen Lichts«, sagte die Kommentatorin gerade. »So genannt, weil am lunaren Pol niemals die Sonne untergeht. Ursprünglich spielte dieser Aspekt eine entscheidende Rolle für die Energieversorgung der Peary-Basis, inzwischen hat man auch hier mit dem Bau eines Fusionsreaktors –«

»Berge des ewigen Lichts«, flüsterte Jericho.

Yoyo schaute irritiert zu ihm hoch.

»Ja, weißt du doch. So nennt man die Polregionen.«

In Jerichos Kopf griffen Zahnräder ineinander. Wie in Trance steuerte er seinen Arbeitsplatz an und starrte auf die Textzeilen des Nachrichtenfragments.

Jan Kees Vogelaar lebt in Berlin unter dem Namen Andre Donner. Er betreibt dort ein für afrikanische Privatadresse und Geschäftsadresse: Oranienburger Straße 50, 10117 Berlin. Was sollen wir stellt unverändert ein hohes Risiko für die Operation kein Zweifel, dass er über die Trägerrakete Bescheid weiß. mindest Kenntnis von der haben, ob von, ist fraglich. So oder so würde Aussage nachhaltig Zwar hat Vogelaar seit seinem keine öffentliche Erklärung zu den Hintergründen des Umsturzes abgegeben. Unverändert Ndongos dass die chinesische Regierung den Machtwechsel geplant und durchgeführt hat. Wesen der Operation Berichts hat Vogelaar wenig vom Zeitpunkt der Zudem lässt nichts bei ORLEY ENTERPRISES *und der auf eine Störung schließen. Niemand dort ahnt und nach dem –. ist ohnehin alles gelaufen. Ich zähle weil ich weiß, Dennoch empfehle dringend, Donner zu liquidieren. Es ist vertretbare*

Weniges davon gab ihm noch Rätsel auf. Im Grunde nur ein einziges Wort, hinzuaddiert, bevor das dunkle Netzwerk verstummt war, und auch nur, weil es auf so unmotivierte Weise seinen Platz zwischen *Operation* und *hat Vogelaar* beanspruchte, als gehöre es da nicht hin.

Berichts

Wenigstens hatte er immer angenommen, dass von einem Bericht die Rede war.

»Diane. Fragmentanalyse. Ordne die Textbausteine ihren Herkunftsdateien zu.«

»Farbkennung?«

»Ja bitte.«

Im nächsten Moment verwandelten sich Wörter wie *Trägerrakete*, *unverändert* und *Enterprises* in bunte Buchstabenketten. *Ent erpr ises* etwa war aus drei Dateien zusammengesetzt, in noch mehr Farben zerfiel *u nv erä nde rt*. Andere Begriffe hingegen wie *Operation* und *durchgeführt* entstammten einer einzigen Datei.

Zwei Fragmente ergaben *Berichts*.

»Um Himmels willen«, flüsterte Jericho.

»Was ist los?« Yoyo sprang auf, kam herüber und beugte sich über seine Schulter.

»Ich glaube, wir haben einen Fehler gemacht.«

»Einen Fehler?«

»Einen Riesenfehler.« Wie hatte ihm das bloß entgehen können? Dabei lag es offen zutage. »Möglicherweise haben wir sie auf die falsche Fährte gesetzt. Die Bombe soll gar nicht im GAIA hochgehen.«

»Nicht im GAIA? Aber –«

»Das GAIA ergibt keinen Sinn, und wir haben es die ganze Zeit über gewusst. Ich Idiot! Ich dämlicher, blinder Idiot!«

Operation Ber ichts

Operation Berge des ewigen Lichts.

CHINESISCHE FÖRDERSTATION, SINUS IRIDUM, MOND

Jia Keqiang war kein Politiker. Er war Taikonaut, Geologe und Major, in dieser oder umgekehrter Reihenfolge, je nach Gestimmtheit, doch ganz sicher kein Politiker. Seiner Erfahrung nach unterschieden sich chinesische, amerikanische, russische, indische, deutsche und französische Raumfahrer nur in der Ideologie, die sie instrumentalisierte, und ob vor dem -naut ein Astro-, Kosmo- oder Taiko- stand. Was sie hingegen einte, war der Blick aufs Ganze, den Politiker seiner Erfahrung nach vermissen ließen, sah man von den wenigen ab, die bislang in den Weltraum geflogen waren. Dass Hua Liwei, sein Vorgänger auf dem Mond und zeitweise Gefangener der USA, ein Jahr nach Beilegung der Streitigkeiten immer noch jede offizielle Stellungnahme zum Anlass nahm, die Amerikaner schlimmster Übergriffe zu bezichtigen, konnte Jia nicht von der Überzeugung abbringen, Raumfahrer seien verträgliche und unpolitische Menschen. Jeder spielte eben seine Rolle gemäß Drehbuch, auch Hua Liwei, der nach ein paar privat genossenen Gläsern unverhohlene Sympathie für die Yankees äußerte, die ihn tatsächlich zuvorkommend behandelt und im Übrigen einen ganz großartigen Scotch in den Katakomben des Kraters Peary gelagert hätten.

Hua fand aber auch, die Amerikaner seien an dem ganzen Schlamassel schuld, worin Jia ihm beipflichtete. Dennoch hatte er sich während der Mondkrise um Deeskalation und Verständnis für beide Seiten bemüht, soweit sein Einfluss es gestattete. Die Partei wertschätzte ihn als Hoffnungsträger der chinesischen Raumfahrt: Ein hochdekorierter Pilot der Luftstreitkräfte, zum Taikonauten ausgebildet unter Federführung des legendären Zhai Zhigang, zudem promovierter Geologe mit Schwerpunkt Extraterrestrik, was ihn für den Helium-3-Abbau qualifizierte. Zhai hatte Jia mit seiner Vorliebe für Gesellschaftstänze angesteckt, er selbst pflegte eine zeitraubende Passion für Nautik, explizit für die kurze Blüte der chinesischen Seefahrt im 15. Jahrhundert mit ihren sagenhaften Neunmastern, und hatte in akribischer Kleinarbeit ein drei Meter langes Modell des Flaggschiffs von Admiral Zheng He nachgebaut. Wenn er nicht gerade zu den Sternen flog, segelte er mit Frau und Söhnen, las Bücher über die Eroberung der Meere und übte sich in der Kontemplation des Kochens. Er war stolz auf sein Land, das es als Erstes nach den USA auf den Mond geschafft hatte, verärgert, weil Zheng Pang-Wang keine Fortschritte in der Entwicklung des Weltraumfahrstuhls aufzuweisen hatte, besorgt über Amerikas Vorherrschaft im Weltraum und bedächtig in seiner Beurteilung der Zukunft. Ein perfekter Vertreter Chinas, freundlich, medientauglich, patriotisch, der seine persönliche Meinung für sich behielt, dass nämlich Politiker, diesseits wie jenseits der chinesischen Mauer, merkwürdig retardierte Zeitgenossen waren, und eigentlich – *frankly,* wie die Amerikaner sagten – Vollidioten.

Jetzt allerdings *musste* er sich für Politik interessieren. Zumindest solange er in der Geschichte, deren Nebendarsteller er gerade wurde, nicht die Entscheidungsgewalt einbüßen wollte.

Ihm gegenüber saß Julian Orley.

Alleine der Umstand seines Hierseins war bemerkenswert genug, mehr aber, was Orley ihm gerade erzählt hatte. Vor zwanzig Minuten waren er, seine Schwiegertochter, die amerikanische Talkqueen Evelyn Chambers und ein nicht näher bekannter Russe aus dem Nebelland aufgetaucht, auf Grasshoppers reitend wie ein Scherflein geschlagener Jedi-Ritter, und hatten um Einlass und Hilfe ersucht. Natürlich hatten sie alle geschlafen, es war halb vier in der Frühe, was Orley zu überraschen schien, als Jia ihn darauf hinwies. Umgehend hatten sie für das Wohlergehen des Überraschungsbesuchs gesorgt, heißen Tee ausgeschenkt, dennoch sah sich der Kommandant in einer schwierigen Lage, denn

»– ohne Ihnen nahetreten zu wollen, verehrter Herr Orley, aber letztes Mal, als Amerikaner unser Gebiet betreten haben, waren die Folgen eher problematisch.«

Eine Weile hatten sie es auf Chinesisch versucht, doch Orleys mühsam zusammengestoppeltes Mandarin hielt Jias fließendem Englisch nicht stand. Zhou Jinping und Na Mou, Jias Besatzung, kümmerten sich im Nebentrakt um die anderen. Insbesondere Evelyn Chambers schien wachsende Sympathien für einen Nervenzusammenbruch zu entwickeln.

»Ihr Gebiet?« Orley hob eine Braue. »War es nicht eher umgekehrt?«

»Wir wissen natürlich, dass Amerika das Ganze anders *betrachtet*«, sagte Jia. »Bezüglich dessen, wer auf wessen Territorium vorgedrungen ist. Wahrnehmung ist etwas sehr Subjektives.«

»Ja, sicher.« Der Engländer nickte. »Nur, sehen Sie, Kommandant, mir ist das schnuppe. Weder verantworte ich die hiesige Förderung noch Washingtons Territorialvorstellungen. Ich habe einen Fahrstuhl gebaut, eine Raumstation und ein Hotel.«

»Ihre Aufzählung ermangelt der Vollständigkeit, wenn ich das sagen darf. Sie sind Nutznießer der Förderung, weil in der Lage, Reaktoren herzustellen.«

»Dennoch Privatmann.«

»Die Technologien von NASA und ORLEY ENTERPRISES wären ohne einander nicht denkbar. In chinesischen Augen sind Sie damit mehr als nur ein Privatmann.«

Orley lächelte. »Und warum weist mich Zheng Pang-Wang dann regelmäßig darauf hin, ich sei einer?«

»Vielleicht, um Sie Ihrer Entscheidungsautonomie zu versichern?« Jia lächelte zurück. »Verstehen Sie mich nicht falsch. Ich maße mir nicht an, den ehrenwerten Zheng infrage zu stellen, aber er ist ebenso wenig Privatmann, wie Sie es sind. Sie beeinflussen die Weltpolitik stärker als mancher Politiker. Noch Tee?«

»Gerne.«

»Sehen Sie, mir ist daran gelegen, dass Sie meine Situation verstehen, Herr Orley –«

»Julian.«

Jia schwieg eine Sekunde, unangenehm berührt, schenkte nach.

Noch nie hatte er verstanden, was Engländer und Amerikaner dazu trieb, einem bei jeder sich bietenden Gelegenheit den Vornamen aufzunötigen.

»Die Erweiterung der Abkommen vom November 2024 sieht vor, dass wir uns auf dem Mond gegenseitig helfen«, sagte er. »Wir sind Taikonauten, Sie Astronauten, insgesamt also Vertreter der menschlichen Rasse. Wir sollten einander beistehen. Ich persönlich würde Ihnen sofort unseren Shuttle zur Verfügung stellen, wie Sie es wünschen, doch alleine der Umstand, dass *Sie* es sind, hat eine zutiefst politische Dimension. Obendrein könnten Atomwaffen im Spiel sein.«

»Es wäre nicht das erste Mal, dass Chinesen uns in dieser Sache helfen. Sonst wüssten wir wahrscheinlich gar nichts von diesen Waffen und würden fröhlich mit Hanna um die Mondhäuser ziehen, bis es knallt.«

»Hm, ja –«

»Andererseits –«, Orley legte die Fingerspitzen aufeinander, »– will ich mit offenen Karten spielen. Die Leute, die uns gewarnt haben, schließen eine Beteiligung Chinas an dem geplanten Anschlag nicht aus –«

»Unsinn!«, ließ sich Jia hinreißen. »Welches Interesse sollte mein Land haben, Ihr Hotel zu zerstören?«

»Sie finden das abwegig?«

»Völlig abwegig!«

Julian betrachtete sein Gegenüber. Jia war ein angenehmer Typ, doch er arbeitete für den Konzern Großpeking. Falls das Komplott gegen ORLEY ENTERPRISES tatsächlich von chinesischem Boden ausging, mochte Jia eine Rolle darin spielen. In diesem Fall sprach er mit seinem Feind, was Offenheit umso mehr rechtfertigte, als er dem Mann klarmachen musste, dass seine Hintermänner kurz davorstanden aufzufliegen und es sich vielleicht empfahl, die Sache abzublasen. Irrten sich Jericho und seine Freunde, war jede Karte, die er offen ausspielte, ein Investment in Jias Vertrauen. Er beugte sich vor.

»Die Bombe wurde 2024 hochgeschossen«, sagte er.

»Ja, und?«

»Da hatten wir besagte Krise.«

»Wir haben alles zur Herbeiführung einer friedlichen Lösung unternommen.«

»Unbestreitbar bleibt, dass Peking damals nicht gut auf Washington zu sprechen war. In diesem Zusammenhang könnte es Sie interessieren, dass die Bombe aus koreanischen Schwarzmarktbeständen stammte und von Chinesen eingekauft wurde.«

Jia starrte ihn verwirrt an. Dann wischte er sich über die Augen, als sei er in ein Spinnennetz gelaufen.

»Wir sind eine Nuklearmacht«, sagte er. »Warum sollte die Partei Kernwaffen auf dem Schwarzmarkt einkaufen?«

»Ich habe nicht gesagt, dass der Einkauf durch die Partei erfolgte.«

»Hm. Weiter.«

»Bemerkenswert ist auch, dass die Bombe zwar von afrikanischem Boden zum Mond gelangte, der damalige Machthaber Äquatorialguineas allerdings eine Marionette war, und zwar von *Ihrer* Regierung an die Macht geputscht. Soweit ich es verstehe, stammte die Technologie für das äquatorialguineische Raumfahrtprogramm aus dem Hause Zheng –«

»Moment!«, fuhr Jia auf. »Was reden Sie da? Zheng soll Ihr Hotel mit einer Atombombe zerstören wollen?«

»Überzeugen Sie mich vom Gegenteil.«

»Warum sollte er das tun?«

»Keine Ahnung. Weil wir Konkurrenten sind?«

»Das sind Sie nicht! Sie wetteifern *nicht* um dieselben Märkte. Sie wetteifern um Know-how. Da spioniert, besticht, argumentiert man, versucht, Allianzen zu schmieden, aber man geht einander nicht mit Atomwaffen an den Kragen.«

»Die Bandagen sind härter geworden.«

»Aber mit so einem Anschlag hätte Zheng, hätte mein Land nichts gewonnen! Was würde die Zerstörung Ihres Hotels, selbst wenn Sie persönlich dabei ums Leben kämen, an den herrschenden Zuständen ändern?«

»Ja, eben. Was?«

Eine geraume Weile sagte Jia überhaupt nichts mehr, sondern massierte nur seine Nasenwurzel und schloss die Augen. Als er sie wieder öffnete, stand wie gedruckt eine Frage darin zu lesen.

»Nein«, antwortete Julian.

»Nein?«

»Mein Besuch ist nicht Teil eines Täuschungsmanövers, irgendeines Plans oder einer Operation, werter Jia. Schon gar nicht will ich Sie und Ihr Land beleidigen. Ich hätte Ihnen manches verschweigen können, um Ihre Entscheidung zu beeinflussen.«

»Und was erwarten Sie, das ich jetzt tun soll?«

»Ich kann Ihnen sagen, was ich brauche.«

»Sie wollen, dass ich Sie und Ihre Freunde mit unserem Shuttle zurück ins Hotel bringe?«

»So schnell es geht! Meine Tochter und mein Sohn sind im GAIA, außerdem Gäste und Personal. Wir haben Anlass zu der Befürchtung, dass Hanna auf Umwegen dorthin zurückkehren wird. – Außerdem benötige ich Ihre Satelliten.«

»Meine *Satelliten*?«

»Ja. Hatten Sie in den vergangenen Stunden Probleme damit?«

»Nicht, dass ich wüsste.«

»Unsere sind ausgefallen, wie ich eingangs erzählt habe. Ihre scheinen zu funktionieren. Ich brauche zwei Schaltungen. Eine in meine Londoner Konzernzentrale, eine weitere ins GAIA.« Julian machte eine Pause. »Ich habe Ihnen jedes erdenkliche Vertrauen entgegengebracht, Herr Kommandant, auch unter der Gefahr, dass Sie meine Bitte abschlägig bescheiden. Mehr kann ich nicht tun. Alles Weitere liegt bei Ihnen.«

Wieder schwieg der Taikonaut eine Weile.

»Sie stünden natürlich in chinesischer Schuld«, sagte er gedehnt, »wenn ich Ihnen helfen würde.«

»Natürlich.«

Jias Kopf hätte aus Glas sein können, so genau sah Julian, was darin vonstattenging. Soeben fragte sich der Kommandant voller Beunruhigung, ob sein Besucher recht und seine Regierung irgendeine Schweinerei angezettelt hatte, von der er nichts wusste. Und ob es den Tatbestand des Landesverrats erfüllte, wenn er dem Mann, der den Vorsprung Amerikas verantwortete, ohne Rückversicherung half.

Julian räusperte sich.

»Vielleicht sollten Sie aber auch in Erwägung ziehen, dass jemand versucht, Ihr Land vorzuschieben«, sagte er. »Ich an Ihrer Stelle würde mir das nicht gefallen lassen.«

Jia sah ihn unter gefurchten Brauen an.

»Psychologie, Grundkurs.«

»Na ja.« Julian zuckte die Achseln und lächelte. »Ein bisschen.«

»Gehen sie rüber zu Ihren Freunden«, sagte Jia. »Warten Sie.«

Chambers konnte den Endlosfilm nicht anhalten. Immer wieder sah sie den Fuß des Käfers auf sich herabfahren, und plötzlich begann sie epilepsieartig zu zittern. Wie ein geworfener Lappen rutschte sie an der Wand des Wohnmoduls herab, in dem man sie, Amber und Oleg untergebracht hatte. In der Station war es eng, entsetzlich eng, ganz anders als in den amerikanischen Habitaten. Na Mou, die Taikonautin, versorgte sie mit Tee und scharfem, nach Krabben schmeckendem Gebäck. Während Julian den Kommandanten bearbeitete, hatte Chambers der Chinesin, die möglicherweise besser Englisch verstand als sprach, von den Begebenheiten der letzten Stunden erzählt und sich dabei so sehr vor ihrem eigenen Bericht gegruselt, dass es ihr jetzt die Sprache verschlug.

»Legen hin«, sagte Na freundlich. Sie war eine mongolisch anmutende Frau mit breiten Wangenknochen und stark geschlitzten Augen, der etwas eigenartig Vergangenes anhaftete, etwas von organisiertem Jubel und Kombinat.

»Es vollzieht sich unentwegt«, flüsterte Chambers. »Unentwegt.«

»Ja. Beine hoch.«

»Ob ich die Augen schließe, ob ich sie aufmache, es hört nicht auf.« Sie packte Nas Handgelenk, fühlte eiskalten Schweiß auf Oberlippe und Stirn treten. »In jeder Sekunde werde ich totgetreten. Von einem Käfer! Ist das nicht verrückt? Menschen treten doch Käfer tot, nicht umgekehrt. Aber ich werde das nicht los.«

»Doch, das wirst du.« Amber entwand sich der Neugier Zhou Jinpings, des dritten Besatzungsmitglieds, und setzte sich neben ihr auf den Boden. »Du hast einen Schock, das ist alles.«

»Nein, ich –«

»Das ist okay, Evy. Ich bin auch kurz davor umzukippen.«

»Nein, da war noch was.« Chambers rollte die Augen, ein bisschen wie eine Voodoo-Priesterin in ritueller Trance, eine *Mambo*. »Da war der Tod.«

»Ich weiß.«

»Nein, ich war drüben, verstehst du? Wirklich drüben. Und da war Momoka, und – ich meine, ich wusste, dass sie tot ist, aber –«

Zwei Stauseen der Bestürzung und Trauer traten über die Dämme und ergossen sich über Chambers' schönes Latina-Gesicht. Sie gestikulierte, als wolle sie einen Gegenzauber beschwören, ließ entkräftet die Hände sinken und begann zu weinen. Amber legte ihr einen Arm um die Schultern und zog sie sanft an sich.

»Zu viel«, nickte Na Mou weise.

»Alles wird gut, Evy.«

»Ich wollte sie fragen, was uns als Nächstes bevorsteht«, schluchzte Chambers. »Es war so kalt in ihrer Welt. Ich glaube, sie hat mir das angehext, diese immer wiederkehrende Höllenvision, vielleicht hat sie ja was ähnlich Schreckliches gesehen, bevor sie starb, und –«

»Evy«, sagte Amber leise, aber bestimmt. »Du bist keine Nekromantin. Dir gehen die Nerven durch.«

»Ich hab sie nicht mal sonderlich gemocht.«

»Keiner von uns hat sie sonderlich gemocht.« Amber seufzte. »Bis auf Warren, schätze ich.«

»Aber das ist doch furchtbar!« Chambers krallte sich an ihr fest, von Weinkrämpfen geschüttelt. »Und jetzt ist sie weg, wir konnten ihr nicht mal mehr – nicht noch irgendwas Nettes –«

Muss man das denn?, dachte Amber. Muss man einem ausgewiesenen Miststück nette Dinge sagen, bloß der Möglichkeit halber, dass es in naher Zukunft den Löffel abgibt?

»Ich glaube, sie hat das nicht so empfunden«, sagte sie.

»Meinst du?«

»Ja, meine ich. Momokas Auffassung von Nettigkeit war etwas anders.«

Chambers vergrub ihr Gesicht in Ambers Schulter. Die mächtigste Medienfrau der Vereinigten Staaten, Präsidentenmacherin, weinte noch einige Minuten, bis sie darüber vor lauter Erschöpfung einschlief. Na Mou und Zhou Jinping hatten sich in respektvolles Schweigen zurückgezogen. Rogaschow lag auf einem der schmalen Betten, die Beine übereinandergeschlagen, und kritzelte etwas auf ein Stück Papier, das er sich hatte geben lassen.

»Was machst du da eigentlich?«, fragte Amber müde.

Der Russe drehte den Stift zwischen den Fingern, ohne sie anzusehen.

»Ich rechne.«

Jia Keqiang versuchte sich selbst im Ringkampf zu besiegen.

Aus hinreichender Erfahrung wusste er um die Länge und Steinigkeit offizieller Wege, ebenso wie ihm klar war, dass es in der chinesischen Raumfahrtbehörde haufenweise Paranoiker gab. Andererseits würde ein einziger Anruf genügen, und er wäre jede Verantwortung los. Außer Gefahr, die Fehler zu machen, die zu begehen er *verdammt* war, wenn er sich persönlich für Orley einsetzte! Er musste lediglich die Last auf einen der berufsmäßigen Bedenkenträger abwälzen, und wenn Orleys Hotel dann tatsächlich zerstört würde, wäre es jedenfalls nicht seine Schuld. Dann hätte sich Peking mit Abkommensverletzung, unterlassener Hilfeleistung und was auch immer auseinanderzusetzen, während er sich auf die Position des verhinderten Helfers zurückziehen und weiterhin gut schlafen könnte, ohne um seine Karriere fürchten zu müssen.

Falls er dann noch gut schlafen *konnte.*

Andererseits – was, wenn Orley recht behielt und Peking tatsächlich die Fäden zog?

Nachdenklich drehte er den Becher mit grünem Tee zwischen den Fingern. Was würde geschehen? Er würde seine Vorgesetzten anrufen und über Orleys Vermutungen in Kenntnis setzen, brav wie es sich gehörte, nur um sich unvermittelt im Besitz von Staatsgeheimnissen wiederzufinden. *Echten* Staatsgeheimnissen, die ihn absolut nichts angingen, eben weil ihn niemand eingeweiht hatte. Natürlich würde er sofort als Risikofaktor für die nationale Sicherheit eingestuft werden. Julian Orley mit dem Shuttle zum GAIA zu fliegen, stellte da noch das geringste seiner Probleme dar. Hier oben war Attilas Steppe, im Zweifel hatte es gar keinen Flug gegeben. Den Engländer über einen chinesischen Satelliten kommunizieren zu lassen, bedurfte indes eines ausufernden Genehmigungsverfahrens. Vor der Mondkrise hätte Jia die Entscheidung noch im Alleingang treffen können, doch diese Option war vom Tisch.

Er *musste* anrufen.

Also was würde er denen erzählen?

Er schob seinen Becher von rechts nach links, von links nach rechts. Und plötzlich wusste er es.

Ein Restrisiko blieb bestehen, aber so konnte es funktionieren. Er stand auf, ging zum Kontrollpult, stellte die Verbindung zur Erde her und führte zwei kurze Gespräche.

»Ich fasse zusammen«, sagte Jia, nachdem er Julian wieder in die beengte Zentrale gebeten hatte. »Sie laden Freunde zu einem ganz privaten Ausflug ein. Völlig überraschend entpuppt sich einer Ihrer Gäste als Killer, bringt fünf Menschen um und lässt Sie am Aristarchus-Plateau zurück.«

»Richtig.«

»Dies als Reaktion auf ein seinerseits mitgehörtes Gespräch zwischen Ihnen, dem GAIA und Ihrer Konzernzentrale in London, demzufolge Terroristen möglicherweise eine Atombombe auf den Mond geschmuggelt haben mit dem Ziel, eine amerikanische oder chinesische Einrichtung zu vernichten.«

»Eine chi –« Julian blinzelte verwirrt. Dann begriff er. »Ja. Natürlich. Genau so.«

»Und Sie haben keinerlei Idee, wer dahinterstecken könnte.«

»Jetzt wo Sie es sagen, Kommandant, habe ich in der Tat absolut keinen Schimmer. Ich weiß nur, dass chinesische oder amerikanische Bürger gefährdet sein könnten.«

»Mhm.« Jia nickte ernst. »Verstehe. Damit liegt der Fall klar. Will sagen, es ist auch im Interesse unserer nationalen Sicherheit, dass wir gemeinsam die Sache weiterverfolgen. Ich habe genau diesen Faktenstand weitergeleitet und die Erlaubnis erhalten, den Satelliten für Sie bereitzustellen und Sie anschließend zum Vallis Alpina zu fliegen.«

Julian sah den Taikonauten an.

»Danke«, sagte er leise.

»Es ist mir ein Vergnügen.«

»Sie wissen aber auch, dass im Verlauf der Gespräche, die ich gleich führen werde, einige hässliche Beschuldigungen gegen China laut werden könnten.«

Jia zuckte die Achseln.

»Wichtig ist nur, dass ich es jetzt noch nicht weiß.«

Shaw stand neben dem Tisch des Konferenzzentrums. Sie wirkte derangiert, als habe sie den Tag im Laufschritt verbracht. In ihrer Begleitung befanden sich Andrew Norrington und Edda Hoff. Weiter hinten lehnte ein blonder, leicht zerzaust aussehender Mann im Türrahmen.

»Julian!«, rief sie. »Mein Gott, wie geht es Ihnen? Wir versuchen seit Stunden, Sie zu erreichen! Wo sind Sie?«

»Konntet ihr Kontakt mit dem GAIA aufnehmen?«

»Nein.«

»Wieso denn nicht? Das GAIA könnt ihr mit ganz normalem Funk –«

»Haben wir alles versucht. Niemand antwortet.«

Julian fühlte sein Herz aus dem Takt geraten.

»Vorweg, es hat *keine* Explosion im Vallis Alpina gegeben«, beeilte sich Shaw zu versichern. »So weit kann ich Sie beruhigen.«

»Und die Basis? Konntet ihr zur Mondbasis durchdringen?«

»Fehlanzeige.«

»Ähm, Julian«, schaltete sich Norrington ein. »Wir vermuten, dass jemand die Satelliten zur Störung der Kommunikation benutzt, indem er ein Riesen-Bot-Netz auf den Mond loslässt. Die Endgeräte leiden gewissermaßen an Verstopfung. Tatsächlich sind wir halb blind und vollkommen taub, wir brauchen also dringend Informationen von *Ihnen*.«

»Wie kann denn jemand die Endgeräte lahmlegen?«, schnappte Julian.

»Ganz einfach. Man braucht einen Insider.«

Insider. Insiderin. Großer Gott, warum wurde er den Gedanken nicht los, dass Lynn mit drinsteckte.

»Wir sind dabei, Hanna zu durchleuchten«, sagte Hoff. »Viel lässt sich nicht über ihn sagen, und sein Lebenslauf dürfte sich als Makulatur erweisen. Jedenfalls sind wir uns einig, dass er da oben nicht ganz alleine agieren kann.«

»Noch mal: *Wo sind Sie?*«, insistierte Norrington.

Julian seufzte. In kurzen Zügen schilderte er die Ereignisse vom Moment an, als die Kommunikation zusammengebrochen war. Pro Todesfall halbierte sich der Farbanteil in Shaws Gesicht.

»Jia Keqiang hat freundlicherweise zugesagt, uns ins Hotel zu fliegen«, schloss er. »Vorher werden wir einen Versuch unternehmen, das GAIA über den chinesischen Satelliten zu erreichen, um –«

»Mr. Orley.« Der Blonde stieß sich vom Türrahmen ab und trat einen Schritt vor. »Sie sollten nicht ins GAIA fliegen.«

Julian sah den Mann stirnrunzelnd an. Plötzlich dämmerte es ihm.

»Sie sind Owen Jericho.«

»Ja.«

»Entschuldigung.« Er breitete die Hände aus. »Ich hätte Ihnen längst danken sollen, aber –«

»Ein andermal. Sagt Ihnen der Name Hydra was?«

Julian stutzte.

»Griechische Heldensagen«, überlegte er. »Neunköpfiges Ungeheuer.«

»Keine sonstigen Assoziationen?«

»Nein.«

»Es scheint, dass eine Organisation namens Hydra für all das verantwortlich ist. Die nachwachsenden Köpfe. Viele Köpfe. Unbesiegbar, weltumspannend. Eine Weile waren wir überzeugt, die Drahtzieher in der chinesischen Wirtschaft oder Politik zu finden, aber von welcher Seite man es auch betrachtet, es ergibt keinen Sinn. Übrigens hat auch ein Freund von Ihnen auf Hydras Abschussliste gestanden.«

»Was? Wer denn, um Himmels willen?«

»Gerald Palstein.«

»Wie bitte? Was wollen die denn von Gerald?«

»Das ist noch am einfachsten zu beantworten«, bemerkte Norrington. »Das Attentat auf Palstein hat bewirkt, dass er den Mondtrip kurzfristig absagen musste und ein Platz für Hanna frei wurde.«

»Aber wie –«

»Später.« Jericho kam näher heran. »Das Wichtigste, was Sie im

1158

Augenblick wissen müssen, ist, dass der Anschlag *nicht* dem GAIA gilt.«

»Nicht?«, echote Julian. »Aber Sie sagten doch –«

»Ich weiß. Es sieht so aus, als hätten wir uns geirrt. Wir konnten inzwischen weitere Teile der Nachricht entschlüsseln, und daraus geht hervor, dass die Bombe *nicht* Ihr Hotel vernichten soll.«

»Sondern?«

Eine Sekunde lang herrschte Schweigen, als hoffe jeder im Raum, dass der andere die Katze aus dem Sack lassen würde.

»Die Peary-Basis«, sagte Shaw.

Julian starrte sie mit offenem Mund an. Jia sah aus, als werde ihm der Boden unter den Füßen entzogen.

»So etwas würde Peking niemals –«, begann er.

»Wir sind nicht sicher, ob Peking dahintersteckt«, schnitt ihm Shaw das Wort ab. »Jedenfalls nicht *offizielle* chinesische Kreise. Aber das ist im Moment egal. Hydra will den Krater Peary kontaminieren, die Berge des ewigen Lichts, das ganze Areal! Die wollen nicht wirklich was von uns, sie haben uns nur benutzt, um auf den Mond zu gelangen. Kontaktieren Sie *sofort* die Basis, egal wie Sie das anstellen! Sie sollen das Gelände durchkämmen und notfalls evakuieren.«

»Großer Gott«, flüsterte Julian. »Wer ist diese Hydra?«

»Keine Ahnung. Aber wer die auch sind – sie wollen Amerikas Präsenz am Pol ausradieren.«

»Und Carl ist dorthin unterwegs.« Mit einem Mal wurde ihm alles klar. Er sprang auf und starrte Jia an. »Er will die Bombe zünden. Er will sie zünden und abhauen!«

Doch auch über den chinesischen Satelliten drangen sie nicht zur Peary-Basis vor, was Orleys Sorge auf ein neues Level trieb. Sie versuchten das GAIA zu erreichen, ohne Erfolg. Wieder die Basis. Wieder das GAIA. Um kurz nach vier gaben sie auf.

»An *unserem* Satelliten kann es nicht liegen«, resümierte Jia. »Mit London haben wir schließlich auch gesprochen.«

Orley sah ihn an. »Denken wir beide dasselbe?«

»Dass die Bombe schon hochgegangen ist und wir deswegen niemanden erreichen?« Jia rieb seine Augen. »Zugegeben, der Gedanke ist mir gekommen.«

»Entsetzlich«, flüsterte Orley.

»Aber wie wir hörten, sind die Satelliten nicht das Problem. Es liegt an den Endgeräten. Die Peary-Basis und das GAIA werden angegriffen, wir nicht. Darum können wir kommunizieren, nur eben nicht zum Hotel und zum Pol. Außerdem, eine Atombombenexplosion –« Jia zögerte. »Meinen Sie nicht, man hätte uns davon unterrichtet? Mein Land beobachtet den Mond sehr genau. Ich denke, Ihr Hotel dürfte noch stehen.«

»Die Basis liegt im Librationsschatten, da kann Ihr Land hingucken, bis es schwarz wird!«

»Seien Sie gewiss, China hat nichts damit zu tun.«

»Ich versteh's nicht.« Orley wanderte in der kleinen Zentrale umher. »Ich versteh's einfach nicht. Wozu das alles?«

Jia wandte den Kopf. »Wann wollen Sie eigentlich los?«

»Jetzt. Ich sage den anderen Bescheid.« Orley hielt inne. »Ich bin Ihnen sehr dankbar, Kommandant. Sehr!«

»Keqiang«, hörte Jia sich sagen.

Nanu? Kurz fühlte er sich gedrängt, das Angebot zurückzuziehen, doch der langhaarige, unprätentiöse Engländer gefiel ihm. War er zu streng in seiner Bewertung westlicher Vertraulichkeiten? Vielleicht mochte die Offerte des Vornamens ja der Völkerverständigung zuträglich sein.

»Eines steht jedenfalls fest, Keqiang«, sagte Orley mit säuerlichem Grinsen. »Mit uns beiden hätte es keine Mondkrise gegeben.«

Im selben Moment hörten sie seinen Namen.

Er drang aus den Lautsprechern, Teil einer Endlosschleife, eines automatisierten Funkspruchs:

»KALLISTO an GANYMED. KALLISTO an Julian Orley. Bitte kommen. Julian Orley, GANYMED, bitte kommen. KALLISTO an –«

Jia sprang auf und stürzte zum Pult.

»KALLISTO? Hier spricht Jia Keqiang, Kommandant der chinesischen Förderstation. Wo sind Sie?«

Eine Sekunde drang Rauschen aus den Lautsprechern, dann erschien Nina Hedegaards Gesicht auf dem Bildschirm.

»Wir überfliegen die Montes Jura«, sagte sie. »Wie kommt es, dass –«

»Weil wir die Ohren aufsperren. Suchen Sie Julian Orley?«

»Ja.« Sie nickte heftig. »Ja!«

Julian drängte sich vor den Bildschirm. »Nina! Wo seid ihr?«

»Julian!« Plötzlich hing Tims Gesicht neben ihr. »Endlich! Alles in Ordnung bei euch?«

»Klares Nein.«

»Aber –« Tim zeigte Auflösungserscheinungen.

»Das heißt, Amber geht's gut«, beeilte sich Julian zu versichern. »Was ist mit Lynn? Mit dem GAIA? Tim, was passiert hier?«

»Wir wissen es nicht. Lynn ist – wir leben.«

»Ihr *lebt?*«

»Das GAIA wurde zerstört.«

Julian starrte auf den Bildschirm, unfähig, Worte zu finden.

»Es gab einen Brand, viele sind tot. Wir mussten evakuieren, schon wegen der Bombe.«

Bombe –

»Nein, Tim.« Er schüttelte den Kopf und ballte die Fäuste.

»Mach dir keine Sorgen, wir sind in Sicherheit. In der Mondbasis. Von dort sind wir losgeflogen. Zwei Suchtrupps sind unterwegs, um –«

»Habt ihr Kontakt zur Basis?«

»Nein, sie ist von der Außenwelt abgeschnitten.«

»Tim –«

»Julian, ich bin im Landeanflug«, sagte Nina. »In einer Stunde werden wir wieder am Pol sein. Dann können wir –«

»Zu spät, das ist zu spät!«, schrie er. »Die Bombe ist nicht im GAIA. Hört ihr? Das GAIA spielt bei alledem überhaupt keine Rolle. Sie lagert am Pol, sie soll die Mondbasis zerstören. Wo ist Lynn, Tim? *Wo ist Lynn?*«

Tim erstarrte. Seine Lippen formten lautlos zwei Worte:

Am Pol.

»Das kann nicht wahr sein!« Julian rang die Hände, sah sich gehetzt um. »Ihr müsst irgendwie –«

»Julian«, sagte Nina. »Der zweite Suchtrupp ist nach uns gestartet, sie kreisen über dem Mare Imbrium. Sobald wir euch aufgesammelt haben, steigen wir hoch genug auf, um Verbindung zu ihnen herzustellen, und schicken sie umgehend zurück zur Basis. Sie sind näher dran als wir.«

»Beeilt euch! Carl ist auf dem Weg zum Peary. Er will das Ding scharf machen!«

»Wir sind auf dem Weg.«

PEARY-BASIS, NÖRDLICHER POL

Dana Lawrence saß im Halbdunkel der Zentrale in Iglu 1, inhalierte reinen Sauerstoff aus einer Maske und starrte vor sich hin. Schon im GAIA hatte sie genug Sauerstoff geatmet, um der Vergiftung entgegenzuwirken, aber ein paar Atemzüge mehr würden nicht schaden.

»Wollen Sie vielleicht mal schlafen?«, fragte Wachowski mitfühlend. Das Licht der Kontrollen und Bildschirme tauchte sein Gesicht in anämisches Blauweiß. »Ich wecke Sie auf, wenn es was gibt.«

»Danke, aber ich bin fit.«

Tatsächlich verspürte sie keinerlei Müdigkeit. Ihr ganzes Dasein, seit sie sich erinnern konnte, war auf die Vermeidung von Schlaf gerichtet. In der Krankenstation lagen Kramp, Borelius und die Nairs in komatöser Müdigkeit, ruhiggestellt unter Zuhilfenahme von Sedativen und betreut von deLucas, der Allgemeinmedizinerin und Spezialistin für Lebenserhaltungssysteme. Was genau Lynn brauchte, blieb allerdings auch deLucas unklar. Ein junger Geologe namens Jean-Jacques Laurie hatte vorgeschlagen, sie der Weisheit von ISLAND-I anzuvertrauen, des Vorgängermodells von ISLAND-II. Das Psychologieprogramm stellte die denkbar unoriginelle Diagnose eines Schocks, möglicherweise verbunden mit einer Form späten Mutismus, psychosomatisch bedingter Sprachlosigkeit. Seitdem lag Julians Tochter mit offenen Augen in der Dunkelheit oder wanderte umher, eine Gefangene ihrer selbst, ein Zombie. Als Einzige psychisch wie körperlich unversehrt, hatten die Ögis in einem der Wohntürme am Westrand Quartier bezogen. Die Basis war unterbesetzt, die Überlebenden außer Gefecht gesetzt, die Suchtrupps in der irrigen Annahme unterwegs, Hanna werde versuchen, zurück ins Hotel zu gelangen. Sie hatte weiß Gott alles getan, um eine für ihn günstige Situation herbeizuführen, doch Hanna kam nicht. Inzwischen war es vier Uhr durch, und ihr Glaube, dass er jemals erscheinen würde, versiegte. Der Plan sah vor, dass sie die Aktion gemeinsam durchführten, doch in diesem Geschäft kämpfte man Seite an Seite, bis es unumgänglich wurde, den anderen zu opfern. In zwei bis drei Stunden konnten die Trupps zurück sein. Bis dahin *musste* einer von ihnen gehandelt haben.

Sie erhob sich.

»Ich geh mir die Beine vertreten. Wird helfen, wach zu bleiben.«

»Wir kochen hier auch ganz manierlichen Kaffee«, sagte Wachowski.

»Ich weiß. Ich hatte schon vier Becher davon.«

»Ich mach frischen.«

»Mir reicht die Kontaminierung meines Stoffwechsels mit Rauch, ich brauche nicht auch noch eine Koffeinvergiftung. Ich bin nebenan im Fitnessraum, wenn was ist.«

»Dana?« Wachowski lächelte etwas verlegen.

»Ja?«

»Ich darf doch Dana sagen.«

Lawrence hob eine Braue. »Natürlich – Tommy.«

»Meinen Respekt.«

»Oh.« Sie lächelte erneut. »Danke.«

»Ich mein's ernst. Sie halten sich aufrecht! Nach allem, was geschehen ist, kann Orley froh sein, dass er Sie hat. Sie behalten die Nerven.«

»Ich versuche es wenigstens.«

»Seine Tochter hat ja wohl irgendwie zugemacht.«

»Tja. ISLAND-I sagt, sie steht unter Schock.«

»Ziemlich tief sitzender Schock. Was ist mit ihr? Sie kennen Sie besser, Dana, was hat sie?«

Lawrence schwieg eine kurze Weile.

»Das, was wir alle haben«, sagte sie im Hinausgehen. »Dämonen.«

HANNA

Über 700 Stundenkilometer schnell schoss der Gütertransport mit den Helium-3-Tanks die Talsenke zum Peary-Flugfeld hinauf, doch Hannas Gedanken rasten ihm voraus.

Er musste die Bombe scharf machen, aber zuvor war es geboten, mit Lawrence in Kontakt zu treten. Er hatte nicht die geringste Vorstellung davon, wie sich die Dinge im Hotel entwickelten. Fest stand, dass seine Enttarnung auch ihren Bewegungsspielraum einschränkte. Würde er am Pol auf sie warten, konnten sie zusammen fliehen, doch spätestens auf der OSS wäre der Januskopf seiner Identität Gegenstand eines offiziellen Steckbriefs, und er konnte die Rückkehr zur Erde mit dem Weltraumfahrstuhl vergessen. Die ganze verfahrene Situation erforderte rasches Handeln. Zeitzünder einstellen, mit der CHARON verschwinden. Noch konnte Xins schöner Plan aufgehen. Vielleicht nicht ganz so wie vorgesehen, doch mit identischen Resultaten. Besser, wenn Lawrence in der sicheren Distanz des Vallis Alpina weiterhin die besorgte Direktorin mimte und darauf vertraute, dass die Chinesen sie in getreuer Befolgung des Abkommens auf gegenseitige Hilfeleistung irgendwann mit zur Erde nehmen würden.

Die Hochebene rückte näher. Die Umfriedung des Raumhafens geriet in Sicht, Hangars, Antennen, Ordnungsbilder menschlicher Besiedelung. Er wurde gegen die vor ihm liegenden Tanks gepresst, als die Magnetbahn ihre Geschwindigkeit verringerte, weit rapider als der Lunar Express. Einen Moment lang fürchtete er, sich verschätzt zu haben und im mörderischen Entschleunigungsprozess zerquetscht zu werden, dann ging der Zug mit der Gemütlichkeit eines Seniorendampfers in die letzte Kurve und kam auf der Empore des Bahnhofs zum Stehen. Hanna sprang auf den Bahnsteig, bevor einer der Manipulatoren ihn mit einem Kugeltank verwechseln konnte, darauf bedacht, nicht in den Fokus der Überwachungskameras zu geraten. Ringsum erwachte der Maschinenpark zum Leben, Gabelstapler rollten heran, künstliche Arme begannen mit der Entladung. Er huschte zur Außenseite der Plattform und legte die 15 Meter bis zum Boden in einem einzigen Sprung zurück. Vor seinen Augen erstreckten sich zwei Kilometer unbebauter Ebene, einzig durchschnitten von der Straße, die den Raumhafen mit den Iglus verband. Scharf zeichneten sie sich gegen Hügelkämme und Fabrikgebäude ab, flankiert vom Spalier der Wohntürme, dazwischen, in scheinbar willkürlicher Anordnung, Schuppen und Unterstände. In beträchtlicher Entfernung stach etwas Raumgreifendes aus der versteinerten Woge eines Hügelkamms heraus, die äußere Hülle des im Bau begriffenen Helium-3-Kraftwerks.

Hanna lief los, ohne Hast, hielt sich abseits der Straße im Schutz der Anhöhen, sodass die Basis zu seiner Rechten lag. Bald schon würde eine andere Sonne hier scheinen, kurz nur, dafür von strahlender Helligkeit, und alles verändern. Die Landschaft. Die Geschichte.

LAWRENCE

Mit dem Lift war sie ins Dachgeschoss von Iglu 1 gefahren und hatte die Verbindungsröhre zwischen den beiden Kuppeln betreten. Unter ihr verlief die Straße, die zu den Fabriken im Hinterland führte. Einige kleine Fenster gestatteten Ausblicke auf die Kraterränder, das Industriegebiet und den Raumhafen. Der Sonnenstand malte das Schattenpanorama eines Giorgio de Chirico, doch Lawrence hatte keinen Blick für die surreale Schönheit der Landschaft unter den Milliarden Sternen. Zielstrebig wechselte sie hinüber ins Iglu 2, nahm den Aufzug in die Lounge, legte Panzerungen und Überlebenstornister ihres Raumanzugs an, ergriff ihren Helm, fuhr weiter abwärts, vorbei an Fitnessstudio und Krankenstation, passierte eine Schicht Felsgestein, drang vor in die minotaurische Abgeschiedenheit des Labyrinths aus Höhlen und Gängen, das den Untergrund durchzog. Aus Thorns Plänen und Beschreibungen kannte sie die Peary-Basis bis ins Detail, und so wusste sie, ohne je hier gewesen zu sein, was sie erwartete und wohin sie sich zu wenden hatte, als die Türen des Fahrstuhls auseinanderglitten.

Sie betrat den Grund des Meeres.

Zumindest schien es so. Viele Meter hoch erstreckten sich die gläsernen Wände von Fischzuchten. Reflexe irrlichterten über den Boden und umspielten einander, hervorgerufen durch die veränderliche Natur des Wassers, das Huschen der Lachse, Forellen und Barsche, das gemächliche Patrouillieren der Schwärme. Nach einer Weile verzweigte sich die Höhle, mäanderte größtenteils ins Dunkel, nur aus einigen Gängen schimmerte blaugrünes oder weißes Licht, Plantagen dahinter, Genlabors und Produktionsanlagen zur Veredelung lunaren Obstes und Gemüses. Sie kreuzte einen Gang, durchschritt einen kurzen Korridor und fand sich in einem annähernd kreisförmigen, steinernen Saal gewaltigen Ausmaßes wieder. Ein Fahrstuhl führte von hier direkt in Iglu 1, den sie vorhin hätte nehmen können, doch Wachowski sollte glauben, sie sei nebenan im Fitnessstudio. Ihr Blick suchte die Umgebung nach Kameras ab. Zu Thorns Zeiten hatte es im Saal keine gegeben, und auch jetzt konnte sie nirgendwo welche erblicken. Doch selbst wenn hier inzwischen etwas Derartiges installiert war, würde Wachowski – unterbesetzt, wie die Station war – mehr als genug mit der äußeren Umgebung zu tun haben. Das Letzte, was im Brennpunkt seines Interesses liegen durfte, waren die Fischzuchten und der Gemüseanbau.

Mehrere Gänge zweigten vom Saal ab, führten zu Laboratorien, Vorratsräumen und Unterkünften. Nur einer war mit einer Luftschleuse versehen, jenseits derer sich Hunderte Kilometer Höhle ins Ungewisse fortsetzten, ungenutzt, endlos verzweigt und luftleer. Die meisten der Lavakanäle verloren sich in den Hängen des Peary, andere wanden sich talwärts, verschiedene mündeten in die schluchtartige Verwerfung, welche das Gelände durchzog. Sie setzte ihren Helm auf, betrat die Schleuse und pumpte die Luft ab. Nach einer Minute öffnete sich die rückwärtige Tür. Mit eingeschalteten Helmlampen betrat sie einen unbehauenen, felsigen Gang, dem sie in nachtschwarze Dunkelheit folgte. Nervös zuckten die Lichtkegel über glasierten Basalt. Nach etwa einhundert Metern sah sie zur Linken den Spalt klaffen, von dem Hanna ihr erzählt hatte. Eng, beunruhigend eng. Sie zwängte sich hinein, zog die Schultern ein, ließ sich auf alle viere nieder, da die Decke plötzlich zu ihr abfiel, kroch das letzte Stück auf dem Bauch, und als die Enge kaum noch zu ertragen war, wichen die Wände auseinander, und sie erblickte einen künstlich aufgeschichteten Haufen Geröll, streckte beide Hände aus und räumte die Steine beiseite.

Etwas Flaches, Schimmerndes kam zum Vorschein. Etwas mit einem blinkenden Display und einer Armaturentafel.

Geschickt platziert, das musste man Hanna lassen.

Mit einem Mal wurde ihr klar, dass sie Glück im Unglück gehabt hatten. Plangemäß hätte das Paket aus eigener Kraft den Grund der Verwerfung erreichen sollen, um dort bis zum letzten Tag der Reise zu ruhen. Erst im Zuge der offiziellen Besichtigung der Basis, unmittelbar vor der Rückkehr zur OSS, war geplant gewesen, dass Hanna sich von der Gruppe absetzte, den Inhalt barg und die Bombe in die Höhle schaffte. Noch am selben Abend hätte die CHARON den Mond verlassen, 24 Stunden später wäre die Sprengladung hochgegangen. Doch die Mechanik des Pakets war ausgefallen und Hanna gezwungen gewesen, den Inhalt vorzeitig zur Basis zu schaffen und die Mini-Nuke in diesem Teil des Höhlengedärms unterzubringen. Rückblickend, nachdem seine Enttarnung alles durcheinandergeworfen hatte, war es ein Segen, dass die Umstände ihn dazu gezwungen hatten.

Sie öffnete die Sicherungsblende des Tastenfelds und zögerte.

Auf welchen Zeitpunkt sollte sie den Zünder einstellen? Mittlerweile wusste jeder, dass ein Anschlag geplant war. Noch ging man davon aus, er gälte dem GAIA, ein Glaube, den sie nach Kräften genährt hatte. Doch vielleicht fanden die Suchtrupps am Aristarchus ja zu neuer Einsicht. Was, wenn sie in der Überzeugung zurückkehrten, die Basis selbst sei gefährdet, und eine Suchaktion am Pol in die Wege leiteten?

Sie durfte ihnen keine Zeit geben, die Bombe zu finden.

Also den Zünder knapp einstellen.

Lawrence fröstelte. Tunlichst so, dass sie nicht selbst im nuklearen Blitz verglühte. Das Zerstörung atmende Wunder, über dessen Eingabefeld ihre Finger schwebten, würde den Gipfelkranz des Peary in eine Hölle verwandeln und alles hinwegfegen, was Menschen gebaut hatten, so vollständig, als sei nie jemand hier gewesen. Es empfahl sich, sehr weit weg zu sein, doch wann würde die Suchmannschaft zurückkehren, wann die CHARON starten? Den Zünder auf 24 Stunden zu justieren wäre eine sichere Option für ihr eigenes Überleben. Was aber, wenn die Blockade der Kommunikation vorzeitig zusammenbräche und man erführe, dass die Mini-Nuke *hier am Pol* lagerte?

Darauf *konnten* sie nicht kommen.

Doch, konnten sie. Alleine, dass sie von der Bombe *wussten*, bewies, dass sie auf alles kommen konnten. Inzwischen musste die KALLISTO das Aristarchus-Plateau erreicht haben. Sofern sie dort Überlebende vorgefunden hatten, stand ihre baldige Rückkehr zu erwarten. Falls nicht, würden sie auf unabsehbare Zeit weitersuchen. Sie konnte ihre Entscheidung nicht von den Shuttles abhängig machen. Sie musste das Ding hier scharf machen, die CHARON kapern und zur OSS steuern. Dort würde sie sich zu erklären haben: warum sie ohne die anderen abgeflogen war, warum sie *überhaupt* abgeflogen war, wie sie von der Bombe hatte *wissen* können. Insbesondere, wenn es Überlebende gab, würden diese jedes ihrer Lügenkonstrukte zum Einsturz bringen.

Aber damit musste sie fertigwerden. Sie war ausgebildet worden, um mit so etwas fertigzuwerden.

Ihre Finger zuckten unentschlossen.

Dann gab sie den Zeitcode ein, häufte die Steine wieder vor die Bombe und robbte hastig zurück. Das Inferno war programmiert. Zeit, sich abzusetzen.

IGLU 1

Wachowski erschrak sichtlich zu Tode.

»Was machen Sie denn hier?«

Lynn schaute auf ihn herab, gelinde erstaunt, sich in seinen Augen so zu erblicken, wie er sie sah, ein bleiches, wirrhaariges Gespenst, das lautlos herangetrieben war, als habe der Sturzwind es über die Schwelle geweht, eine von fremden Kräften bewegte Erscheinung: Lady Madeline Usher, Elsa Lanchester als Frankensteins Braut, das personifizierte B-Movie. Ganz und gar verblüffend, mit welcher Klarheit sie solche Bilder und Gedanken in der Dunkelheit aufleuchten sah, nachdem ihr Verstand sich doch hopplahopp davongemacht hatte – offenbar aber nicht ohne Brotkrumen zu hinterlassen, um dem kleinen Mädchen, das sich so böse verlaufen hatte, den Weg zurück in die Normalität zu weisen.

Folge der Spur der Gedanken, raunten astrale Wesen. Ins Licht, ins Licht, Sternenkind, mauschelten höhere Intelligenzen, die keines Körpers bedurften und obskuren Spaß daran fanden, arme Astronauten in Monolithe zu locken und in lächerlichen Kopien von Louis-Quatorze-Zimmern abzusetzen wie den armen Bowman, der –

Bowman? Lady Madeline?

Das ist mein Kopf, schrie sie. Mein Kopf, Julian!

Und der Schrei, tapferer kleiner Schrei, zog los, wackerer Geselle, quälte sich den langen, langen Weg bis zum Ereignishorizont, verlor an Kraft und Courage, stülpte sich nach innen und verging.

»Geht's Ihnen gut?«

Wachowski legte den Kopf schief. Interessant. An seinen Schläfen pumpten geschlängelte Adern fleißig Blut. Das Blut der hellen Aufregung. Lynn sah winzige U-Boote hindurchfahren.

»Ich hab Sie nicht kommen hören.«

U-Boote in Adern. Dennis Quaid in *Die Reise ins Ich*. Nein, Raquel Welch und Donald Pleasance, *Fantastische Reise*. Die Eeeeeerstverfilmung!

Ach ja. 'tschuldige, Daddy.

Sie war verseuchtes Terrain. Julianisch kontaminiert. Ganz klar, er war da, foppte sie, hielt sie zum Narren mit seiner Filmverrücktheit. Wann immer sie glaubte, in sich angekommen zu sein, landete sie doch wieder nur in einer *seiner* Welten, Alice im Orley-Land, die ewige Protagonistin *seiner* Fantasie, *seine* ureigene Erfindung.

Du bist wahnsinnig, Lynn, dachte sie. Am Ende bist du geworden wie Crystal. Erst depressiv, dann wahnsinnig.

Oder hatte Julian ihr auch *diese* Rolle ins Drehbuch geschrieben?

Seine fuchtelnden Hände, sein Funken sprühender Blick, wenn er sie und Tim in sein privates Kino mitgenommen hatte, jeden Meter belichteten Zelluloids, jedes digitale Drama, das die Hirne von Science-Fiction-Autoren und -Regisseuren je ersonnen hatten, waren sie gezwungen gewesen, über sich ergehen zu lassen: Georges Méliès' *Voyage dans la lune*, Fritz Langs *Frau im Mond*, Nathan Jurans *First Men in the Moon*, *This Island Earth* mit Jeff Morrow und Faith Domergue und dem Mutanten – oh Mann, der Mutant! –, *Star Trek*, *Der Mann, der vom Himmel fiel*, *A Space Odyssey*, *Star Wars*, *Alien*, *Independence Day*, *Krieg der Welten*, *Perry Rhodan* mit Finn O'Keefe, dieser Finn O'Keefe, ach ja, war der nicht auch irgendwo in der Nähe, und immer wieder – Täterätää! – Lynn Orley, Hauptrolle in –

»Sie haben mir einen ganz schönen Schrecken eingejagt.«

Wachowski. Mutterseelenallein im Dämmerlicht der Zentrale, umgeben von Bildschirmen und Pulten. Sollte sich mal nicht so haben, der Arsch. Sah selber zum Erschrecken aus.

»Das ist gut«, flüsterte Lynn.

Sie beugte sich zu ihm herab, legte die Hand um seinen Nacken und drückte ihre Lippen auf seine. Mhm, warm, angenehm. Sie war Grace Kelly. War sie doch, oder? Und er –

»Miss Orley, Lynn –« Cary Grant versteifte sich.

Pardon, bin ich hier richtig in *Über den Dächern von Nizza*?

Komisch. Dabei war das gar kein Science-Fiction-Film. Aber Julian mochte ihn.

Klick, sssst, überprüfen.

Du hast das Hotel verloren.

Wieder einer dieser leuchtenden Wegweiser. Was tat sie hier? Was um alles in der Welt tat sie in der Zentrale mit Wachowskis talgigen Ausdünstungen in der Nase? Sie stieß ihn weg, fuhr zurück und wischte sich angewidert über die Lippen.

»Ist alles in Ordnung?«, flüsterte er in fasziniertem Entsetzen.

»Ja, super!«, schnauzte sie ihn an. »Haben Sie was zu trinken?«

Er sprang auf und nickte.

Wuppdiwupp, wurden ihre Gedanken in einen Strudel gesogen. Als er ihr das Glas Wasser in die Hand drückte, konnte sie sich schon nicht mehr erinnern, ihn danach gefragt zu haben.

HANNA

In einem großen Bogen war er an den Wohntürmen vorbeigetrabt, bis an den Rand der Verwerfung. Nicht überall fielen die Wände des eingestürzten Lavakanals steil ab, vielmehr stuften sie sich, bildeten Vorsprünge und natürliche Treppen, sodass Hanna bequem nach unten gelangte. Im Westen öffnete sich die Schlucht zu einem abschüssigen Tal, das die Flanke des Peary-Kraters durchschnitt, rechts zur Basis hin verengte sie sich. Am Grund stehend, konnte Hanna eben noch die sonnenbeschienenen Spitzen zweier Wohntürme erkennen, außerdem zwei Brücken, welche die Verwerfung in einigem Abstand überspannten. Es war dunkel hier unten, der Boden mit Trümmern bedeckt. Er arbeitete sich unter der ersten Brücke hindurch, folgte einer pfadähnlichen Rille über sanft ansteigendes Terrain, gelangte bis kurz unter die zweite Brücke und bog den Körper, um nach oben sehen zu können.

Etwa zehn Meter über ihm klaffte ein Loch in der Wand.

Es gab einige solcher Austritte von Lavakanälen, die in die Verwerfung mündeten, doch speziell dieser interessierte ihn. Er begann zu kraxeln, erreichte die Öffnung, schaltete seine Helmbeleuchtung ein und drang ins Innere der gewundenen Höhle vor, die nach einem kurzen, steilen Anstieg verflachte. Die Scheinwerfer erfassten den schartigen Durchlass, an dessen Ende die Bombe ruhte. Kurz erwog er, sich den Besuch der Zentrale zu sparen und die Programmierung sofort vorzunehmen, doch er musste zuvor mit Lawrence sprechen.

In den vergangenen Stunden konnte etliches passiert sein, was erforderte, alles ganz anders anzupacken, außerdem brauchte er dringend Informationen, um seine persönliche Lage besser einschätzen zu können. Plangemäß sollte die Laserverbindung zwischen Basis und GAIA funktionieren, von Lawrence auf eine Weise manipuliert, dass sein Anruf direkt auf ihrem Handy landen würde.

Er ignorierte den Spalt, ging bis zur Luftschleuse, betrat sie. Licht drang durch das kleine Sichtfenster. Jenseits der Schleuse lag, was im Jargon der Basis der Saal genannt wurde, ein natürliches Gewölbe, von dem Labortrakte, Treibhäuser und Fischzuchten abzweigten. Ein Fahrstuhl verkehrte zwischen dem Saal und Iglu 1 und mündete geradewegs in die Zentrale. Hanna warf einen Blick auf die Uhr. Fast halb fünf. Möglich, dass die Zentrale gar nicht besetzt war. Dennoch zog er seine Waffe, als er den Saal betrat, sicherte nach allen Richtungen und tippte auf den Sensor, um den Fahrstuhl nach unten zu holen.

LAWRENCE

Entschlossen, keine Sekunde länger zu bleiben als unbedingt notwendig, hatte sie einen raschen Blick in die Krankenstation von Iglu 2 geworfen und die gedämpfte Orchestrierung des Schlafes vernommen, mit Mukesh Nair als herausragendem Solisten, wie es ihr schien. Minnie deLucas, eine Schwarze mit Rastazöpfchen, arbeitete an einem der Computer.

»Wie geht es ihnen?«, fragte Lawrence im Ton der Fürsorge.

»Soweit alle wohlauf.« Die Ärztin legte einen Finger an die Lippen und warf einen Blick hinüber zu den Betten. »Nicht so schlimm mit den Rauchvergiftungen, aber die große Deutsche scheint mir stark traumatisiert zu sein. Sie hat erzählt, was in den Fahrstuhlschächten des Hotels passiert ist. Dass sie die Frau nicht retten konnte.«

»Ja«, flüsterte Lawrence. »Wir haben Schreckliches durchlebt. Wo ist denn eigentlich Miss Orley?«

»Die hätte ich festbinden müssen, um sie hierzubehalten.«

»Ist sie fort?«

»Wandert herum. Kann und will nicht schlafen, Ich glaube, sie ist rüber zu Tommy in die Zentrale. Und Sie? Kommen Sie klar?«

»Oh ja. Ich habe in den letzten Stunden so viel reinen Sauerstoff geatmet, dass ich in diesem Leben gar keine Rauchvergiftung mehr bekommen *kann*.«

»Ich meine, seelisch.«

»Geht schon.« Sie zuckte die Achseln. »Befindlichkeiten sind ein Luxus, den ich mir nach Möglichkeit versage.«

»Suchen Sie auf jeden Fall einen Psychologen auf«, riet ihr deLucas.

»Klar.«

»Im Ernst, Dana. Versuchen Sie nicht, das zu verdrängen. Es ist keine Schande, sich Hilfe zu holen.«

»Wie kommen Sie darauf, ich könnte es als Schande betrachten?«

»Sie machen den Eindruck, als seien Sie –« DeLucas zögerte. »Sehr hart mit sich selbst. Mit sich und anderen.«

»Ach.« Lawrence hob interessiert die Brauen. »Tue ich das?«

»Es ist nicht schlimm, sich mal auf die Couch zu legen«, lächelte deLucas.

»Oh, es gibt einige, die der Meinung sind, ich gehöre auf die Couch.« Sie zwinkerte der Schwarzen vertraulich zu. »Bis später. Ich gehe aufs Laufband.«

IGLU 1

Ein Wetterleuchten der Klarheit hatte Lynn veranlasst, die Kaffeeküche der Zentrale aufzusuchen, einen kleinen, durch eine gesandstrahlte Scheibe halb abgetrennten Raum, um ihr leeres Wasserglas zurückzubringen. Etwas in ihr legte plötzlich gesteigerten Wert auf Ordnung, nachdem sie sich Wochen und Monate mit wildesten Zerstörungsängsten herumgequält hatte. Das GAIA lag in Trümmern. So oft hatte sie es in ihrer Fantasie demoliert, dass sie einen drängenden Argwohn zu hegen begann, es selber kaputt gemacht zu haben, doch ganz sicher war sie dessen nicht.

Im Moment, als sie das Glas abstellte, fügte sich plötzlich alles ineinander, und sie erinnerte sich.

Die Rettungsaktion auf GAIAS Schädel. Mirandas Tod.

Sie versuchte zu weinen. Zog die Mundwinkel nach unten. Machte ein Weingesicht. Doch die Tränenkanäle blieben die Produktion schuldig, und solange sie nicht weinen konnte, würde sie weiterhin durch das Labyrinth ihrer Seele irren, ohne Aussicht auf Erlösung. Unschlüssig glotzte sie das Glas an, als sie das Summen des Fahrstuhls hörte.

Jemand kam zu ihnen nach oben.

Ihr Gesicht verzerrte sich zu einer Fratze der Wut. Sie wollte nicht, dass jemand kam. Sie wollte auch Tommy Wachowski nicht in ihrer

Nähe haben. Das Schwein hatte sie geküsst! Oder? Wie kam der dazu, so was zu tun? Als wäre sie irgendeine billige Nutte! Das Basisflittchen. Für jedermann zu ficken, ein Spielzeug, ein Avatar, eine Fantasie anderer Leute!

Fickt euch doch alle selbst, dachte sie.

Fick dich, Julian!

Sie lehnte sich ein wenig zurück, sodass sie am Rand der Scheibe vorbei – und in die Zentrale schauen konnte. Der Fahrstuhlschacht durchzog das Iglu wie eine Achse. Jemand in einem Raumanzug trat heraus, den Helm in der einen, eine Waffe in der anderen Hand. Ganz eindeutig war das Ding eine Waffe, denn er hielt es auf Wachowski gerichtet, der aufsprang und überrascht zurückwich.

»Wer ist noch alles hier?«, fragte der Ankömmling gedämpft.

»Niemand.«

»Bist du sicher?«

Wachowski schaffte es tatsächlich, nicht in Richtung Kaffeeküche zu blicken.

»Nur ich«, sagte er heiser.

»Irgendjemand, der in nächster Zeit aufkreuzen könnte?«

Der Stellvertretende Kommandant zögerte, duckte sich. Er schien zu erwägen, den weit größeren Mann anzugreifen, auf dessen kurz geschorenen Hinterkopf Lynn wie paralysiert starrte, unfähig, einen Finger zu rühren oder den Blick abzuwenden.

Carl Hanna!

»Man weiß nie so genau, wann hier wer aufkreuzt«, taktierte Wachowski. »Es wäre unklug, wenn Sie –«

Ein gedämpftes Plopp erklang. Der Kommandant stürzte zu Boden und rührte sich nicht mehr.

Hanna drehte sich um.

Nichts. Nur das geräumige, dämmrige Rund der Zentrale. Verlassen bis auf den Toten zu seinen Füßen.

Hanna legte den Helm auf die Konsole, behielt die Waffe im Anschlag und umrundete einmal den Fahrstuhlschacht. Keiner der übrigen Arbeitsplätze war besetzt. Hinter einer milchigen Abtrennung glomm schwaches Licht, ein Stück Wandregal geriet in Sicht, vollgestopft mit Kaffeepaketen, Filtern und Bechern.

Er blieb stehen, trat näher heran.

Von dort, wo er den Mann niedergeschossen hatte, drang ein leises Schleifen an sein Ohr. Augenblicklich machte er kehrt, richtete die

Waffe auf den reglosen Körper und ließ sie im selben Moment wieder sinken, als er erkannte, dass der Tote nicht toter hätte sein können. Lediglich der erschlaffte Arm des Mannes war verspätet zur Seite gerutscht. Er steckte die Waffe weg und beugte sich über die Konsole, studierte ihre Bedienelemente. Seine Finger huschten über den Touchscreen, stellten die Verbindung zum GAIA her, *hätten* sie herstellen müssen, doch die Antwort blieb aus.

Erneut versuchte er es. Die Leitung war tot.

Was war da los?

»Dana, verdammt noch mal«, zischte er. »Geh ran.«

Allmählich, nach nochmaligem Versuch, dämmerte ihm, dass es nicht an Lawrence liegen konnte. Der Computer ließ ihn wissen, keine Verbindung zum angewählten Teilnehmer aufbauen zu können, was im Klartext hieß, dass keine Verbindung mehr zum Hotel bestand, auch nicht über den Laserkanal.

Das GAIA antwortete nicht.

Lynn drückte sich gegen die Spüle, zusammengeballt wie eine Faust, machte sich klein und kleiner, das Gesicht zwischen die Knie gedrückt. In letzter Sekunde hatte sie ihre Paralyse überwunden und blitzartig den Kopf zurückgezogen – zu was man doch fähig ist, frohlockte das Mädchen im Wald, das den leuchtenden Brotkrumen folgte, das Wunder der Reflexe bestaunend, während der Körper der erwachsenen Frau in höchster Anspannung verharrte und der angehaltene Atem in ihren Lungen zu schmerzen begann.

Eine neuerliche Kluft spaltete ihr Denken. Da war Carl Hanna, der vielleicht etwas eigenbrötlerische, nichtsdestoweniger aber nette und allseits beliebte Ich-wollte-mal-Popstar-werden-Typ, mit dem sie einen späten Abend im GAIA verquatscht und sich die Andeutung der Vorstellung gestattet hatte, zu was sein muskulöser Körper fähig wäre, welch wohltuendes Werk seine sehnigen Hände an ihr verrichten würden, wenn sie sich nur überwinden könnte, ihn in ihre Suite abzuschleppen. Die ungeliebte Suite, ach je, deren Spiegel leider von einer notorisch missgestimmten, grüne Tabletten fressenden Hysterikerin bewohnt wurde, weshalb sie sich dort nicht gerne aufhielt. Hanna hatte die Contenance gewahrt und sie ihre Truppen zurückgehalten, und danach fehlten einige Kapitel in der Chronologie, geriet Verschiedenes durcheinander. Jemand hatte behauptet, Hanna sei böse und darauf aus, ihr Hotel in die Luft zu sprengen. Mit wenigen Worten war ihre Welt ummöbliert worden, und jetzt hatte derselbe nette Kerl, mit dem sie im MAMA KILLA CLUB geflirtet hatte, den armen Tommy Wachowski erschossen, und sie hatte plötzlich einen Heidenbammel vor dem muskulösen Körper und den sehnigen Händen. Die Angst tauchte ihr Hirn in Eiswasser, sodass sie vorübergehend wieder klar denken konnte, zumindest die Notwendigkeit erkannte, sich nicht zu mucksen und nicht der Versuchung nachzugeben, haltlos zu wimmern und Kleine-Mädchen-im-Wald-Lieder zu pfeifen, weil der Mann, der sich Carl Hanna nannte, dann auch sie töten würde.

Sie hielt den Atem an und lauschte, hörte ihn fluchen, hörte jedes seiner verräterischen Worte.

HANNA

Umdisponieren. Lawrence war aus dem Rennen. Was immer ihr zugestoßen sein mochte, er konnte keine Rücksicht mehr auf sie nehmen.

So waren die Spielregeln.

Den Toten wie einen Sack Weihnachtsgeschenke über die Schulter geschwungen, fuhr Hanna zurück in den Saal, schleppte ihn in die Schleuse und sah zu, wie sich sein Antlitz im Horror Vacui deformierte. Danach zog er Wachowski in den dahinterliegenden Trakt, widmete ihm keine Beachtung mehr, lief zum Spalt, zwängte sich hinein, ließ sich auf Knie und Ellbogen nieder und glitt schlangengleich weiter, bis sich die Passage weitete und der vertraute Haufen Geröll im Scheinwerferlicht erschien. Mit beiden Händen schaufelte er die Steine beiseite, legte die Armaturen der Mini-Nuke frei, schob die Blende zur Seite –

Und erstarrte.

Der Zeitzünder war programmiert.

Einen Moment lang herrschte auch in seinem Schädel ein Vakuum. Er weigerte sich zu glauben, was er sah, doch kein Zweifel, jemand hatte die Bombe aktiviert. Und dieser Jemand konnte nur –

Dana Lawrence sein.

Sie war hier! Nein, sie war weg. So gut wie weg! Sofern Lawrence nicht riskieren wollte, auf dem Gipfel des Peary-Kraters zu verglühen, musste sie die Basis mit der CHARON verlassen, wahrscheinlich in diesen Minuten. Und das bedeutete –

Hastig schob er sich rückwärts aus der Röhre, richtete sich zu früh auf, knallte mit dem Helm an die Decke, fand nach draußen, rannte, den tanzenden Lichtern seiner Helmleuchten folgend, bis zum Durchlass, sprang hinab auf den Grund der Verwerfung, stolperte die Rinne entlang, erkletterte in Höhe der ersten Brücke die Schluchtwand, stemmte sich über den Rand und setzte in langen Sprüngen über die Straße, vorbei an den Wohntürmen, hastete über den Puder des Regoliths.

IGLU 2

Minnie deLucas' Finger glitten über den Touchscreen und komplettierten ein Quartett aus Basen.

Sie war eine Verfechterin der Idee, in den Katakomben des Kraters Peary Mondkälber zu züchten. Hühner, im unbehausten Sein völliger Schwerelosigkeit kaum lebensfähig, vertrugen ein Sechstel Gravitation ganz gut, legten Eier, die brav nach unten fielen und lieferten einen ganz passablen *Lunar Chicken Burger*. Warum sollten nicht auch Kälber und Lämmer am Pol gedeihen? Vielleicht sogar Schweine, wenngleich das Geruchsproblem die Erschließung fernab gelegener Trakte nahelegte. Als Wissenschaftlerin war deLucas gewohnt, Probleme von der praktischen wie der theoretischen Seite her anzugehen, und da es an lebenden Paarhufern zurzeit mangelte, experimentierte sie eifrig mit deren Genomen. Anderer Leute Schlaf zu bewachen, erfüllte nicht eben den Tatbestand einer Herausforderung. Solange keiner aus dem Bett fiel, konnte sie ungestört arbeiten. Gerade hatte sie die Daten einiger Experimente mit Föten von Galloway-Rindern auf den Computer der Krankenstation geladen und sich so intensiv damit beschäftigt, dass sie zuerst nicht begriff, wer gemeint war.

»Peary, bitte kommen. Io ruft Peary. Hier ist Kyra Gore. Wachowski, warum meldest du dich nicht?«

DeLucas schaute auf die Uhr: zehn vor fünf. Die Io war wieder in Funkweite. Überraschend schnell zurückgekehrt, aber warum lief der Anruf bei ihr auf?

»Minnie hier«, bestätigte sie.

»He, was ist los?«, sagte Gore drängend. »Wo hängt Tommy rum?«

»Keine Ahnung. Vielleicht ist er für kleine Jungs.«

»Tommy würde nicht ohne Empfänger für kleine Jungs gehen.«

»Bei mir hat er sich nicht abgemeldet. Wo seid –«

»In fünf Minuten bei euch! Hör zu, Minnie, du musst die Leute da rausschaffen! Raus aus der Basis! Bring alle zum Flugfeld.«

»Was? Wieso das denn?«

»*Bei uns* liegt die Bombe!«

»Bei uns?«

»Sie schlummert irgendwo in der Basis! Der Kerl, der sie zünden soll, ist zu euch unterwegs. Steck die Leute in ihre Raumanzüge und bring sie nach draußen. Und geh Tommy suchen.«

FLUGFELD

Lawrence hatte die Frequenzen ihrer Kommunikationseinheit auf allgemeinen Empfang geschaltet, sodass sie den Funkspruch der Io vernahm, als sie das Tor zum Raumhafen durchschritt.

Sie blieb stehen. Was zum Teufel machten die denn schon hier? Allenfalls hätte sie erwartet, von Tommy Wachowski angefunkt zu werden, was sie vorhabe, nachdem sie sich auf ihrem Weg zum Flugfeld nicht der Mühe unterzogen hatte, ungesehen zu bleiben, doch jetzt befand sich die Io im Anflug. Und was viel schlimmer war:

Sie wussten von der Bombe!

Nun blieben ihr tatsächlich nur noch wenige Minuten.

Lawrence begann zu rennen.

DELUCAS

Um Fassung ringend lief sie nach nebenan und rüttelte die beiden deutschen Frauen und das indische Ehepaar wach. Nicht ganz so einfach, wie sich herausstellte. Zwar fand Mukesh Nair unter Absonderung einer letzten, trompetenartigen Schnarchfanfare in die Wirklichkeit zurück, setzte Karla Kramp sich auf und blickte voller Interesse in die Welt, doch Eva Borelius und Sushma Nair lagen in verwunschenem Schlummer.

»Was ist denn los?«, fragte Kramp.

»Sie müssen sich alle anziehen«, sagte deLucas mit umherirrendem Blick. »Alle in die Raumanzüge. Wir verlassen die Basis.«

»Aha«, sagte Kramp. »Und warum?«

»Eine – eine Vorsichtsmaßnahme.«

»Gegen was?«

»Sushma?« Mukesh Nair focht einen aussichtslos scheinenden Kampf gegen die Sedative. »Sushma, Liebes! Steh doch auf.«

»Ich will's ja nur verstehen«, sagte Kramp, raffte aber folgsam ihr Zeug zusammen.

»Ich auch«, sagte deLucas im Hinaushasten. »Sorgen Sie dafür, dass hier in fünf Minuten alle ausgehfertig sind.«

Statt des Fahrstuhls nahm sie die wenigen Stufen ins Obergeschoss, schaute in die Lounge, hüpfte wieder nach unten, inspizierte das Fitnessstudio. Hatte Lawrence nicht gesagt, sie wolle aufs Laufband? Und wo hing Tommy rum? Wo steckte Lynn Orley? Im Handumdrehen war aus der öden Nachtwache ein Flöhe-Hüten geworden. Erneut flitzte deLucas ins Obergeschoss, durcheilte die Passage zu Iglu 1, betrat die Zentrale. Sie lag im Dämmer der Computerbeleuchtung, augenscheinlich verwaist.

»Tommy?«, rief sie.

Niemand war hier. Nur die Geschwätzigkeit der Maschinen erfüllte den Raum, leises Summen von Transistoren, Ventilationsrauschen, Schnarren, Klicken und Piepsen. Rasch drehte sie eine Runde, schaute auf jeden Bildschirm in der Hoffnung, Wachowski darauf zu erblicken, doch er blieb verschwunden. Im Hinausgehen erfasste ihr Gehör ein neues Geräusch, das sie nicht einordnen konnte, ein leises, hohes Quietschen. Sie verharrte auf der Schwelle, zögernd und voller Unbehagen, drehte sich um.

Was war das?

Jetzt hörte sie es nicht mehr.

Als sie sich erneut abwenden wollte, klang es wieder auf. Kein Quietschen, eher ein Wimmern. Es kam vom rückwärtigen Teil des Raumes und war ihr unheimlich. Mit pochendem Herzen ging sie zurück in die Zentrale, umrundete zur Hälfte den Fahrstuhlschacht. Jetzt war es nah, sehr nah, drang dünn und unglücklich aus dem kleinen, abgeteilten Bereich der Kaffeeküche.

DeLucas tankte Atem und schaute hinein.

Vor der Spüle hockte, die Arme um sich geschlungen, Lynn Orley und stieß Laute der Verlorenheit aus.

DeLucas ging in die Hocke.

»Miss Orley.«

Keine Reaktion. Die Frau schaute durch sie hindurch, als sei sie gar nicht vorhanden. DeLucas zögerte, streckte eine Hand aus und berührte sie sacht an der Schulter.

Ebenso gut hätte sie den Ring von einer Handgranate ziehen können.

FLUGFELD

Lawrence fluchte. Warum musste das Landemodul ausgerechnet am hinteren Ende des Raumhafens stehen? Mit jeder Sekunde, die verstrich, schwand ihre Chance, sich noch absetzen zu können.

Sie musste über Alternativen nachdenken.

Was, wenn sie –

»Warte.«

Jemand packte sie am Oberarm.

Lawrence sprang zur Seite, drehte sich. Ihr Blick erfasste die hochgewachsene Gestalt des Astronauten, kaum zu erkennen hinter dem verspiegelten Visier, doch Statur und Stimme ließen keinen Zweifel. Unverzüglich schaltete sie um auf einen abhörsicheren Kanal.

»Wo bist du gewesen?«, zischte sie.

»Du hast den Zünder eingestellt«, stellte Hanna fest, ohne die Frage zu beantworten. »Wolltest du etwa ohne mich los?«

»Du warst nicht da.«

»*Jetzt* bin ich da. Komm.«

Er setzte sich in Bewegung. Lawrence folgte ihm, als jenseits der Umfriedung der bullige Leib der Io sichtbar wurde. Im nächsten Moment hing der Shuttle über dem Flugfeld, sank mit pumpenden Triebwerken herab, schnitt ihnen den Weg ab.

Hanna blieb stehen, langte zum Oberschenkel, zog seine Waffe.

»Vergiss es«, flüsterte Lawrence.

Die Io setzte federnd auf, der Kanal der Schleuse entwuchs ihrem Bauch. Sie standen zu zweit gegen Leland Palmers Truppe, fünf Astronauten mit geschulten Reflexen und in bester körperlicher Verfassung, unbewaffnet, dafür schnell und im Nahkampf ausgebildet. Vielleicht mochte es gelingen, sie auszuschalten, im Verlauf einer kleinen Schlacht, auf jeden Fall würde Lawrences Tarnung auffliegen, und *das* war etwas, das sie auf keinen Fall zulassen durfte.

Das gab den Ausschlag.

Sie schaltete zurück auf Allgemeinempfang und klinkte den kleinen Spitzhammer aus der Halterung, den jeder von ihnen am Anzug trug, gedacht für Notfälle oder um Gestein in souvenirgerechte Bröckchen zu zerschlagen. Hanna hatte sich breitbeinig aufgestellt, zielte. Der Schleusenschacht fuhr die Rampe aus. Öffnete sich. Astronauten liefen ins Freie. Sie sah den Lauf der Pistole höher wandern, hob den Hammer über ihren Helm –

Und ließ ihn niedersausen.

Die Spitze bohrte sich durch das zähe Anzugmaterial in Hannas Handrücken, drang tief zwischen Knochen und Sehnen ein. Der Kanadier stöhnte auf. Er wirbelte herum und versetzte Lawrence einen Stoß, der sie von den Beinen hebelte.

»Hilfe!«, schrie sie. »Hilfe!«

Stimmen klangen auf. Aus unerfindlichen Gründen hielt Hanna die Waffe noch immer umklammert, presste die Finger der Linken auf das Leck in seinem Handschuh, legte auf Lawrence an. Sie rollte herum, trat gegen seine Knie und brachte ihn zum Einknicken. Im nächsten Moment war sie auf die Beine gesprungen und hatte erneut ausgeholt. Diesmal traf das nadelspitze Ende Hannas Visier und schlug ein winziges Loch ins Sicherheitsglas. Er fuhr zurück und trat sie in den Bauch. Der Hammer wurde ihr aus der Hand gerissen, blieb in der Sichtscheibe stecken. Sie flog davon, schlug einige Meter weiter auf, versuchte hochzukommen. Ein Stück ihres Brustpanzers splitterte, und sie wusste, dass er auf sie geschossen hatte. Über das Flugfeld näherten sich in großen Sprüngen die Besatzungsmitglieder der Io.

Sie musste ein Ende machen. Um nichts in der Welt durfte Hanna den Astronauten lebend in die Hände fallen. Mit einem gewaltigen Sprung katapultierte sie sich gegen ihn, brachte ihn zu Fall und packte den schräg aus der Sichtscheibe ragenden Griff des Hammers.

Einen gespenstischen Augenblick lang, trotz der Verspiegelung, meinte sie seine Augen sehen zu können.

»Dana«, flüsterte er.

Sie bog den Hammer und riss ihn heraus. Stücke brachen aus dem Visier. Hanna ließ die Waffe fallen, hob beide Hände, doch die Luft entwich schneller, als er sie zum Helm führen konnte. Mit ausgestreckten Armen, als umarme er eine unsichtbare Partnerin, blieb er liegen. Lawrence fingerte nach der Waffe, ließ sie in die Tasche an ihrem Oberschenkel gleiten – niemand konnte etwas gesehen haben –, kippte demonstrativ auf die Seite und rief wieder um Hilfe.

Menschen eilten herbei. Halfen ihr hoch. Redeten auf sie ein.

»Hanna«, stieß sie hervor. »Es ist Hanna. Er – ich glaube, er wollte mit der CHARON abhauen.«

»Hat er was erzählt?«, drängte Palmer. »Hat er irgendwas über die Bombe erzählt?«

»Er –« Bloß nicht zu gefasst wirken, Dana! Es empfahl sich, die Situation zu dramatisieren, also knickte sie bühnenreif ein und ließ sich von den anderen stützen. »Ich war draußen. Hab ihn gesehen, er lief von der Basis zum Raumhafen. Erst dachte ich, es ist Wachowski, aber seine Körpergröße, das – das konnte nur Hanna sein –« Sie schüttelte die helfenden Hände ab, atmete mehrmals tief durch. »Da bin ich ihm hinterher, hab ihn angefunkt. Er rannte aufs Flugfeld –«

»Hat er was gesagt?«

»Ja, als – als ich ihn eingeholt hatte. Ich hab versucht, ihn zurückzuhalten, und er schrie, hier würde gleich alles hochgehen, und – dann hat er mich angegriffen. Ist auf mich los, er wollte mich töten, was hätte ich denn machen sollen?«

»Scheiße!«, fluchte Palmer.

»Ich musste mich doch verteidigen«, rief Lawrence und legte ein wenig Hysterie in ihre Stimme. Kyra Gore umfasste ihre Schultern. »Das war gut, Miss Lawrence, das war unglaublich mutig.«

»Ja, war es«, sagte Palmer, ging ein paar Schritte hin und her, blieb stehen und ballte die Fäuste. »Mist, verdammter! Das Schwein ist tot. Was machen wir jetzt? *Was machen wir jetzt?*«

IGLU 1

DeLucas betastete vorsichtig ihr Gesicht. Glänzendes Karmesin überzog ihre Fingerspitzen. Blut. Ihr Blut.

Diese Irre!

Wie ein Schnappmesser war Lynn Orley auseinandergefahren und auf sie losgegangen, hatte ihre Fingernägel einmal quer durch deLucas' Gesicht gezogen und ihr die Wange aufgeschlitzt, bevor sie versucht hatte, aus der Zentrale zu entwischen. Sie hatte der Fliehenden nachgesetzt, sie gepackt und gegen den Fahrstuhlschacht gedrückt.

»Miss Orley, aufhören! Ich bin's. Minnie!«

Dann plötzlich Hilfeschreie in den Lautsprechern, Wortfetzen, Dana Lawrence, Palmers Stimme.

Lynn riss sich los, schwang ihre Arme und traf deLucas so heftig auf die Nase, dass sie vorübergehend in einen roten Strudel blickte. Als sie wieder klar sehen konnte, war Lynn eben im Begriff, die Zentrale zu verlassen. Mit dröhnendem Schädel hechtete deLucas ihr hinterher, bekam sie zu fassen und hielt sie fest, bemüht, dem Trommelfeuer ihrer Schläge auszuweichen. Lynn stolperte gegen Wachowskis vereinsamten Sessel, schaute zum Fahrstuhlschacht und wich mit aufgerissenen Augen zurück.

»Alles ist gut«, keuchte deLucas. »Alles ist gut.«

Lynns Lippen öffneten sich. Ihr Blick flackerte zwischen ihr und dem Schacht hin und her.

»Verstehen Sie mich? Miss Orley? Wir müssen hier weg.«

Behutsam streckte sie die Rechte aus.

Lynn wich zurück.

»Sie müssen mit mir kommen«, sagte deLucas eindringlich, während sie ein warmes Rinnsal dick an der Oberlippe herablaufen spürte. Ihre Zunge schob sich mechanisch heraus und leckte es ab. »Nach nebenan. Ihren Raumanzug anlegen.«

Unvermittelt spiegelten Lynns Augen Klarheit und Erkennen. Sie bewegte weiterhin die Lippen und streckte einen zitternden Finger aus.

»Er ist da rausgekommen«, krächzte sie.

DeLucas folgte ihrer Geste. Offenbar hatte die Frau panische Angst vor dem Fahrstuhlschacht, genauer gesagt vor etwas, das daraus zum Vorschein gekommen war.

»Wer?«, fragte sie. »Wachowski?«

Lynn schüttelte den Kopf. Kaltes Grauen beschlich deLucas.

»Wer, Lynn? Wer ist da rausgekommen?«

»Er hat ihn einfach erschossen«, flüsterte Lynn. »Einfach so. Er hätte auch mich erschossen.« Sie begann eine Melodie zu summen.

»Wer, Lynn? Wer hat wen erschossen?«

»Minnie? Tommy!« Palmers Stimme aus der Lautsprechern. »Meldet euch, wir haben hier ein Problem.«

Lynn hörte auf zu summen und starrte deLucas an.

»Was wollen Sie eigentlich von mir?«, schnappte sie. »Sie blöde Kuh!«

FLUGFELD

»Leland, ich hab Probleme mit Lynn Orley.«

»Super, auch das noch! Was ist mit den anderen?«

»Die müssten fertig sein.«

»Dann raus mit ihnen, Minnie!« Palmer tigerte erregt auf und ab, Hannas Leichnam zu seinen Füßen. »Worauf wartest du noch?«

»Es scheint was mit Tommy passiert zu sein«, sagte deLucas. »Lynn behauptet, jemand sei in der Zentrale aufgetaucht und hätte jemand anderen erschossen, sie hat entsetzliche Angst und –«

»Hanna«, knurrte Palmer.

»Ich fürchte, sie will mir sagen, Tommy sei erschossen worden. Aber er ist nicht hier und auch sonst keiner.«

»Mist«, sagte Gore leise.

»Wir müssen eine Entscheidung treffen«, sagte Palmer. »Dana ist es gelungen, Hanna an der Flucht zu hindern. Sie war gezwungen, ihn zu töten, aber vorher sagte er noch –«

»Ich hab mitbekommen, was er gesagt hat«, unterbrach ihn deLucas. »Dass es gleich knallt.«

»Dann hören Sie auf zu quatschen«, giftete Lawrence. »Sehen Sie endlich zu, dass Sie meine Gäste da rausschaffen!«

»Ich kann nicht überall gleichzeitig sein!«, bellte deLucas. »Sag ihr –«

»Hör zu, Minnie, ich werde die Basis *nicht einfach* opfern, aber sie hat recht, du *musst* die Leute nach draußen bringen.«

Palmer blieb stehen und richtete den Blick zum schimmernden Ozean der Sterne, im Osten überstrahlt vom Gleißen einer tief stehenden Sonne. Er konnte sich einfach nicht vorstellen, dass das alles hier enden sollte.

»Vielleicht bleibt uns ja noch Zeit«, sagte er. »Hanna muss sich eine Frist gegeben haben, um in Ruhe verschwinden zu können.«

»Er hatte es *sehr* eilig«, bemerkte Lawrence.

»Trotzdem. Wir durchkämmen das Terrain, während Kyra die Gäste mit der Io außer Reichweite fliegt.«

»Und wohin soll ich sie fliegen?«, fragte Gore.

»Der KALLISTO entgegen. Sofortige Umkehr. Sobald ihr oben seid, solltet ihr Kontakt haben. Fliegt zurück zur chinesischen Basis.«

»Das ist Wahnsinn«, zischte Lawrence. »Vergessen Sie's. Wie wollen Sie auf dem Riesengelände eine Bombe finden?«

»Wir suchen.«

»Schwachsinn! Sie gefährden nur Ihre Leute.«

»Sie fliegen jedenfalls mit der Io.« Palmer achtete nicht weiter auf sie und wandte sich seiner Truppe zu. »Will noch einer mitfliegen? Steht euch frei, wir sind hier nicht bei der Armee. *Ich* gehe auf die Suche nach dem Ding. Wenigstens eine halbe Stunde *muss* der Kerl für sich eingeplant haben!«

Lawrence breitete ergeben die Arme aus.

»Leland?« Minnie deLucas. »Wenn zutrifft, was Lynn erzählt, dann ist Hanna vielleicht aus dem Untergrund gekommen. Aus dem Saal.«

»Gut.« Palmer nickte grimmig. »Da fangen wir an.«

Hatte er recht gehabt mit seiner Vermutung, oder war mit *Berichts* doch nur ein Bericht gemeint? Im Big O herrschten Uneinigkeit und Aufruhr. Unverändert lag der Mond unter dem FLAK-Beschuss der Bot-Armee. Kein Kontakt zur Peary-Basis und zum GAIA. Merrick wich aus, wich aus, wich aus, von Satelliten auf Bodenstationen, nichts.

Unterdessen stärkten sich die Leute vom MI6 am Nektar der China-Theorie. Sie war zu schön, zu passend, zu verlockend. Das GAIA, gut, warum hätte Peking es auf das GAIA abgesehen haben sollen, aber die Peary-Basis – mit deren Zerstörung wäre ein wesentlicher Teil der amerikanischen Infrastruktur auf dem Mond vernichtet. Kein Schlag gegen Orley, sondern gegen Washingtons Vorherrschaft. Zurückwerfen des Feindes. Schwächung des amerikanischen Helium-3-Geschäfts. Das *mussten* Chinesen sein! Peking oder Zheng oder beide.

Die CIA, kaum in den Stand potenzieller Missetäter erhoben, schied damit schon wieder aus.

»Immerhin«, sagte Shaw, »sind wir auf einem neuen Level der Hilflosigkeit angelangt.«

»Na klasse«, sagte Yoyo.

Aus aller Welt berichteten die Sicherheitsbeauftragten der Orley-Tochterunternehmen ans Lageinformationszentrum in London, ohne dass sich Hinweise auf weitere Anschläge herauskristallisierten. Norrington bestand darauf, der Konzern müsse sich in jeder erdenklichen Weise absichern. Über Thorn hatte er keine weiteren Informationen geliefert. Kenny Xin war zur Fahndung ausgeschrieben anhand eines Fotos, auf dem ihn seine eigene Mutter nicht erkannt hätte. Von der OSS hatte ein Shuttle Kurs auf den Mond genommen, doch es würde noch etwas mehr als zwei Tage brauchen, um zum Krater Peary zu gelangen.

»Norrington kommt mir nervös vor«, sagte Jericho. »Dir auch?«

»Ja, er macht einen Nebenkriegsschauplatz nach dem anderen auf.« Yoyo erhob sich. »Auf die Weise wird er das Arbeitstempo der Truppe noch auf null herunterfahren.«

Wenige Minuten zuvor hatte eine weitere Krisensitzung mit dem MI5 geendet, da man seitens der Behörden nun auch die innere Sicherheit gefährdet sah. Keine Atempause kündigte sich an. Nach dem Palaver war vor dem Palaver. Die Luft resonierte von Austausch, Tatkraft und Engagement. Nur unterschwellig machte sich ein Empfinden breit, als gründe all dies auf dem Missverständnis, bloße Anwesenheit und Umherlaufen führe bereits zu Erkenntnissen.

»Also warum macht er das?«, sinnierte Jericho und folgte Yoyo nach draußen. »Aus lauterer Sorge?«

»Das glaubst du doch selbst nicht. Norrington ist kein Idiot.«

»Natürlich glaub ich's nicht. Er will den Laden lahmlegen.« Jericho schaute sich um. Niemand schenkte ihnen Beachtung. Norrington telefonierte in seinem Zimmer, Shaw in ihrem. »Ich hab bloß keine Idee, mit wem wir vertrauensvoll über ihn reden können.«

»Du meinst, weil jeder mit drinstecken könnte?«

»Wissen wir's?«

»Hm.« Yoyo äugte misstrauisch in Shaws offenes Büro. »Wie ein Maulwurf sieht sie eigentlich nicht aus.«

»Keiner sieht aus wie ein Maulwurf, abgesehen von Maulwürfen.«

»Auch wieder wahr.« Sie schwieg eine Weile. »Gut. Brechen wir ein.«

»Einbrechen? Wo?«

»In den Zentralrechner. In Bereiche, für die wir nicht autorisiert sind. Norringtons Bereich.«

Jericho starrte sie an. Jemand hastete telefonierend an ihnen vorbei. Yoyo wartete, bis er außer Hörweite war, und senkte konspirativ die Stimme. »Ist doch ganz einfach, oder? Wenn du dich und den Feind kennst, brauchst du den Ausgang von hundert Schlachten nicht zu fürchten. Wenn du dich selbst kennst, doch nicht den Feind, wirst du für jeden Sieg, den du erringst, eine Niederlage erleiden.«

»Ist das von dir?«

»Sunzi, Die Kunst des Krieges. Vor zweieinhalbtausend Jahren geschrieben, und jedes Wort trifft zu. Du willst an die Drahtzieher ran? Dann sage ich dir, was wir machen. Deine reizende Diane wird Norringtons Passwort ausspionieren, und wir schauen uns ein bisschen in seiner guten Stube um.«

»Du machst mir Spaß! Wie soll sie das anstellen?«

»Was fragst du mich das?« Yoyo hob unschuldig die Brauen. »Ich denke, du bist der Cyber-Detektiv.«

»Und du die Cyber-Dissidentin.«

»Stimmt«, sagte sie gleichmütig. »Ich bin besser als du.«

»Wieso das denn?«, fragte er überrumpelt.

»Nicht? Dann hör auf zu jammern und mach Vorschläge.«

Jericho ließ den Blick schweifen. Immer noch hatte niemand Augen für sie. Im Grunde hätte es gereicht, schlafen zu gehen und alle zwei Stunden mit einem neuen Menetekel für Aufregung zu sorgen.

»Also gut«, zischte er. »Wenn überhaupt, gibt es nur eine einzige Möglichkeit.«

»Was immer es ist, so machen wir's.«

Zwölf Minuten später verließ Norrington seinen Glaskasten, gesellte sich zu einer der Arbeitsgruppen, die mit der teleskopischen Beobachtung der Mondoberfläche befasst waren, tauschte sich über Verschiedenes aus und ging einen Kaffee holen. Dann schaute er kurz bei Shaw herein und kehrte zurück an seinen Schreibtisch, um zu arbeiten.

Zugriff verwehrt, sagte der Computer.

Verblüfft klickte er die gewünschte Datei ein weiteres Mal an, mit demselben Resultat. Dann erst setzte sich die Erkenntnis durch, dass er nicht mehr im System angemeldet war.

Er hatte sich nicht ausgeloggt, als er den Raum verließ.

Oder doch?

Sein Blick hastete durch die Zentrale. Geschäftigkeit, wohin man schaute, nur die kleine Chinesin stand unweit einer Arbeitsinsel herum, als wisse sie nicht recht, wo sie hingehörte.

Norringtons Unbehagen verstärkte sich. Beklommen fuhr er das System wieder hoch, um sich zu autorisieren.

Yoyo beobachtete ihn aus den Augenwinkeln. Niemand hatte mitbekommen, wie sie in sein Büro gehuscht war und ihn ausgeloggt hatte, eine Sache weniger Sekunden. Scheinbar in die Betrachtung eines Wandmonitors versunken, drückte sie die Sendetaste ihres Handys und schickte ein Signal ins Dach.

Jericho ließ Diane den Mitschnitt starten.

In den Prozessoren des Big O rauschte der Datenfluss. Niemand im Gebäude besaß einen eigenen Computer im Sinne eines autarken Rechners. Lediglich eine genormte Hardware stand den Mitarbeitern zur Verfügung, eine tragbare Variante der containerförmigen Lavo-Bots, wie sie bei Tu Technologies zum Einsatz kamen. An jeder beliebigen Schnittstelle konnte man sich durch Eingabe seines Namens, ein achtstelliges Passwort und den Abdruck seines Daumens mit dem Zentralcomputer des Big O verbinden, allerdings waren nicht alle Bereiche für jedermann zugänglich. Selbst die mächtigen Systemadministratoren, die das Superhirn managten und die Passwörter vergaben, hatten keinen Zugriff auf das große Ganze. In der Bildhaftigkeit einer Metropole kumulierte der allgemeine Datenaustausch des Big O zu einer Art Verkehrsgrundrauschen, und natürlich rauschte es während der regulären Arbeitszeiten am meisten.

Diesem Rauschen konnte man zuhören. Nicht im Sinne inhaltlichen Mithörens. Vielmehr war es die in Bits und Bytes verschlüsselte Information, die durchs Netz rauschte. Wer allerdings den exakten Zeitpunkt kannte, an dem eine Information von A nach B geschickt werden sollte, konnte das Sendeintervall mitschneiden und sich der Mühe unterziehen, die individuellen Daten herauszufiltern und mittels leistungsfähiger Decodierprogramme in Wort und Bild zu transferieren. Augenblicklich war wenig los im System, entsprechend einfach war es, Norringtons Datenfluss zu isolieren im Moment, als er sich einloggte, und Diane begann zu rechnen.

Nach sechs Minuten kannte sie den achtstelligen Code. Weitere drei Minuten reichten ihr zur Entschlüsselung der Software, die Norringtons Scan ans Rechenzentrum weitergeleitet hatte, womit sie im Besitz seines Daumenabdrucks war.

Jericho starrte auf die Fundstücke. Jetzt gab es nur noch eine Hürde zu überwinden. War man im Netz angemeldet, konnte man sich kein weiteres Mal mit denselben persönlichen Daten einloggen, ohne aufzufallen, ebenso wenig, wie man an seiner eigenen Haustür schellen konnte, wenn man bereits im Wohnzimmer vor dem Fernseher saß.

Sie mussten Norrington noch einmal aus dem Netz werfen.

Die Gelegenheit bot sich schon wenig später. Norrington wurde zum Pow Wow beordert, doch trieb er sich auffällig lange im Bereich der Arbeitsinseln herum, von wo aus er sein Büro im Visier hatte. Edda Hoff redete auf ihn ein. Erst nach längerem Hin und Her gab er seine Beobachterposition auf und verschwand in dem Zimmer, nicht ohne einen letzten, misstrauischen Blick hinter sich geworfen zu haben.

Jericho lächelte ihm zu.

Er und Yoyo hatten die Plätze getauscht. Eine der Grundregeln der Überwachung lautete, den Observierten nicht ständig dasselbe Gesicht sehen zu lassen. Nun war sie es, die oben auf *sein* Signal wartete. Die Tür zum Konferenzraum fiel ins Schloss. Ohne Eile begab sich Jericho zu Norringtons Büro, als die Tür sich wieder öffnete und Shaw daraus zum Vorschein kam.

»Owen«, rief sie.

Er stoppte. Seine Entfernung zu Norringtons Büro mochte zehn, zwölf Schritte betragen. Noch konnte er überallhin unterwegs sein.

»Ich denke, Sie sollten an unserem Gespräch teilnehmen. Wir haben weitere Daten aus Vogelaars Dossier ausgewertet, Material, das Ihren Freund Xin und die Zheng Group betrifft.« Sie ließ den Blick schweifen. »Bei der Gelegenheit, wo sind eigentlich Ihre Freunde?«

Jericho kam zu ihr herüber.

»Yoyo ist Vic Thorn auf den Fersen.«

Ihre bärbeißige Miene verzog sich zu einem Lächeln. »Vielleicht sind Sie ja schneller mit Ihren Ermittlungen als der MI6. Und Tu Tian?«

»Wir haben ihm freigegeben. Er geht seinen Geschäften nach.«

»Löblich. Der Herr bewahre uns vor einer chinesischen Wirtschaftskrise. Es reicht, was uns die Amerikaner damals eingebrockt haben. Kommen Sie?«

»Sofort. Geben Sie mir eine Minute.«

Shaw verzog sich wieder ins Innere, ohne die Türe ganz zu schließen. Gelassenen Schrittes wanderte Jericho zurück zu Norringtons Büro. Von einer der Arbeitsinseln schaute jemand zu ihm auf und widmete sich wieder seinen Bildschirmen. Ohne innezuhalten, betrat Jericho den kleinen Raum, warf Norrington aus dem System und pendelte zielstrebig hinüber zur anderen Seite, wo die Konferenzräume lagen. Unmittelbar, bevor er sich zu den anderen gesellte, sandte er das vereinbarte Signal an Yoyo.

Sofort gab sie Norringtons Namen ein. Das System forderte sie auf, sich zu autorisieren. Sie schickte den achtstelligen Code hinterher, überspielte Norringtons Daumenabdruck und wartete.

Der Bildschirm füllte sich mit Icons.

»Da seid ihr ja«, flüsterte Yoyo und gab Diane Anweisung, Norringtons persönliche Daten herunterzuladen.

»Wird gemacht, Yoyo.«

Yoyo? Wie nett. Owen musste sie in die Frequenzerkennung mit aufgenommen haben. Gespannt sah sie zu, wie ein Datenpaket nach dem anderen auf Dianes Festplatte flutschte, und fieberte der Mitteilung *Download abgeschlossen* entgegen.

Mit gleicher Ungeduld wartete Jericho auf das Signal, dass der Transfer erfolgreich gewesen und der falsche Norrington wieder ausgeloggt war. Unmittelbar danach würde er noch einmal handeln müssen: raus aus der Konferenz, rüber ins Büro des Stellvertretenden Sicherheitschefs, ihn wieder einloggen, sodass Norrington später nichts von dem Eingriff merkte.

Im selben Augenblick stand Norrington auf.

»Entschuldigen Sie mich«, sagte er, lächelte in die Runde und ging hinaus.

Jericho starrte den Platz an, auf dem er gesessen hatte. Yoyo, dachte er, was ist los? Warum dauert das denn so lange?

Sollte er Norrington hinterherlaufen? Ihn davon abhalten, sein Büro zu betreten? Welchen Eindruck würde das machen? Schon jetzt verunsichert von der vermeintlichen Eigenmächtigkeit des Zentralcomputers, ihn nach Belieben auszuloggen und vor die Tür zu setzen, musste jede Intervention Norrington augenblicklich Verrat wittern lassen. Mit unguten Gefühlen widerstand er der Versuchung, hoffte auf das erlösende Signal und bemühte sich, ein interessiertes Gesicht zu machen.

Norrington, dessen Ängste, seit er sich erinnern konnte, in rege Korrespondenz mit Magen und Darm zu treten pflegten, suchte die Toilette auf, fand schnaufend Erleichterung und verließ sie wieder. Vor der Tür des Konferenzraums, die Klinke bereits in der Hand, überkam ihn plötzlich das Gefühl, als starre ihm jemand auf den Hinterkopf, eher ein Etwas, ein schadenfroh glotzendes Ich-komm-dich-holen. Er hielt inne und drehte sich blitzschnell zu seinem Büro um.

Niemand darin.

Eine Sekunde zögerte er, doch das Starren wollte nicht enden. Langsam ging er hinüber, betrat den Raum und umrundete seinen Schreibtisch. Augenscheinlich alles in Ordnung. Er tippte auf den Touchscreen und versuchte, eine seiner Dateien zu öffnen.

Zugriff verwehrt.

Norrington prallte zurück, sah sich gehetzt um. Was war hier los? Ein Systemfehler? Nie im Leben! Eisig kroch die Erinnerung seine Wirbelsäule empor, wie Jericho wegen Thorn am Lack gekratzt und wie tölpelhaft er reagiert hatte, anstatt die Bekanntschaft, die *gute* Bekanntschaft, einfach zuzugeben, na und? Was bewies es schon groß, dass er Thorn gekannt hatte, und wenn der Kerl tausendmal ein Terrorist gewesen war?

Er rief das Autorisierungsfenster auf und tippte seinen Namen hinein.

Das System teilte ihm mit, er sei bereits angemeldet.

Download abgeschlossen.

»Endlich«, sagte Yoyo, warf Norrington aus dem System und schickte die Nachricht auf Jerichos Handy.

Norrington starrte auf seinen Bildschirm.

Jemand trieb sich in seinen Daten herum.

Mit zitternden Fingern startete er einen zweiten Versuch. Diesmal akzeptierte das System seine Autorisierung und ließ ihn wieder herein, doch er wusste auch so, dass sie in seinen Bereich eingedrungen waren. Sie hatten sich seiner Zugriffsdaten bemächtigt, spionierten ihn aus.

Waren ihm auf der Spur.

Norrington legte die Zeigefinger zusammen und presste sie gegen die Lippen. Er glaubte ziemlich genau zu wissen, wer *sie* waren, doch was sollte er gegen sie unternehmen? Anweisung geben, Jerichos Computer zu durchsuchen? Der Detektiv würde Zweifel an seiner Loyalität laut werden lassen. Norrington würde einer Durchsuchung seiner Daten zustimmen müssen, wenn er keinen Argwohn erregen wollte, der Anfang vom Ende. Begannen sie erst einmal, seine gelöschten E-Mails zu rekonstruieren –

Moment mal. Jericho saß im Konferenzraum. Der Detektiv mochte ihn ausgeloggt haben, doch was soeben geschehen war, konnte er kaum verantwortet haben. Einer der anderen, Tu Tian oder Chen Yuyun, hockte in diesen Minuten vor dem Computer, den Jericho idiotischerweise Diane nannte. Das Mädchen wahrscheinlich. War sie nicht vorhin durch die Zentrale gestreunt, als hätte sie nichts Besseres zu tun?

Yoyo. Er musste sie loswerden.

»Andrew?«

Er schreckte hoch. Edda Hoff. Blass und ausdruckslos unter ihrem lackschwarzen Pagenschnitt. Ausdruckslos, wirklich? Oder funkelte da die Häme der Fallenstellerin in ihren Augen?

»Jennifer braucht Sie dringend für den weiteren Verlauf der Sitzung.« Sie zog die Brauen ein winziges Stück zusammen. »Alles okay? Ist Ihnen nicht gut?«

»Der Magen.« Norrington erhob sich. »Geht schon.«

Seine Rückkehr an den Konferenztisch brachte in Jericho einen Alarm zum Erklingen. Die Gesichtsfarbe des Mannes changierte ins gallenkrank Gelbe, die Brauen ein einziger, lastender Sorgenbalken. Unverkennbar wusste Norrington Bescheid, doch statt einen anklagenden Finger zu heben und ihn zur Stellungnahme zu nötigen, nahm er stumm leidend Platz. Wenn es noch eines Beweises seiner Unredlichkeit bedurft hatte, dann lieferte Norrington ihn mit seinem Verhalten gerade selber.

»Ich müsste womöglich gleich wieder –«, begann er, als auf der Videowand andere Leute erschienen und der Xin-Fraktion kurzerhand das Wort abschnitten

»Miss Shaw, Andrew, Tom –« Einer der Neuankömmlinge hielt eine dünne Kladde in die Höhe. »Das hier dürfte Sie interessieren.«

»Worum geht's?«, fragte Shaw.

»Um Julian Orleys guten Freund Carl Hanna. Kanadischer Investor, fünfzehn Milliarden schwer, richtig?«

»So hat er sich verkauft«, nickte Norrington.

»Und Sie hatten ihn überprüft?«

»Das wissen Sie doch.«

»Nun, jedem unterlaufen Fehler. Wir haben ein bisschen herumgefragt. Am Ende war es die CIA, die aus der Ahnenforschung plauderte.«

Erwartungsvolles Schweigen.

»Tja.« Der Mann lächelte in die Runde. »Hat jemand Lust, den Kerl besser kennenzulernen? Wohlgemerkt jemanden, den Ihre Abteilung als vertrauenswürdig genug eingestuft hat, um ihn mit Julian Orley auf Reisen gehen zu lassen.«

»Spannend, wie Sie das aufbauen.« Shaw lächelte haarfein zurück. »Meinen Sie, wir müssen noch mit einer Werbepause rechnen, oder kommen Sie gleich zur Sache?«

Der Agent legte die Kladde vor sich hin.

»Ab sofort dürfen Sie ihn Neil Gabriel nennen. Amerikaner, Jahrgang 1981, geboren in Baltimore, Maryland. High School, US-Navy, danach Karriere bei der Polizei als Spezialist für verdeckte Ermittlungen. Zieht das Wohlgefallen der CIA auf sich, lässt sich abwerben und wird für eine Operation nach Neu-Delhi geschickt, wo er so gute Arbeit leistet, dass er gleich mehrere Jahre dort bleibt und sich zum Experten für die Region entwickelt, allerdings Tendenzen zum Alleingang erkennen lässt. Hinsichtlich Indiens hat er also die Wahrheit gesagt, aber das war's auch schon. 2016 verlässt er die Streiter für das Aufrechte und heuert bei *African Protection Services* an.

»Hanna war bei der APS?«, entfuhr es Jericho.

Der Mann blätterte. »Vogelaar nennt so ziemlich alle Namen in seinem Dossier, die 2017 Mayés Machtübernahme exekutierten. Darunter findet sich auch ein gewisser Neil Gabriel, der aber nur kurz bei der Truppe war und sich danach selbstständig machte. Wie es aussieht, hat er auch Aufträge vom *Zhong Chan Er Bu* entgegengenommen, Vogelaar meint jedenfalls, Xin habe großen Gefallen an ihm gefunden.

Nach Rücksprache mit unseren amerikanischen Freunden wissen wir nun, wer dieser Neil Gabriel ist. Offenbar hat damals so etwas wie eine Spaltung der APS stattgefunden. Ein Teil hielt Vogelaar die Treue, einige andere entwickelten sich zu Satelliten Kenny Xins.«

Jericho hörte fasziniert zu, während er Norrington im Auge behielt. Der Stellvertretende Sicherheitsbeauftragte verelendete sichtlich unter dem Ansturm der Fakten.

»Augenblicklich versuchen wir, Hannas, pardon, Gabriels falsche Vita zu zerpflücken. In der Hoffnung, dabei auf die Leute zu stoßen, die ihm etwa seine Beteiligungen bei LIGHTYEARS und Quantime Inc. eingerichtet haben. Leute mit viel Geld. Was bei Weitem nicht so leicht sein wird, wie seine Identität zu knacken.«

»Einen dieser Leute kennen Sie schon«, sagte Jericho. »Xin.«

Der Agent wandte ihm den Kopf zu. »Wir hegen wenig Hoffnung, dass er bei uns vorstellig wird. Scheint sich in Luft aufzulösen, wann immer man glaubt, ihn eingekreist zu haben.«

»Es war leicht, Hannas Identität zu knacken?«, fragte Shaw.

»Na, leicht ist vielleicht zu viel gesagt, wir haben gute Kontakte zu den Kollegen in Übersee, ohne die wär's nicht gegangen. Aber unterm Strich –«, er machte eine Pause und sah Norrington an, »– hätte schon damals ein freundliches Gespräch mit der Central Intelligence Agency gereicht.«

Norrington beugte sich vor.

»Glauben Sie, das hätten wir nicht geführt?«

»Ich will Ihre Kompetenz keineswegs infrage stellen«, sagte der Agent freundlich. »Das zu tun, ist Aufgabe anderer.«

Jerichos Handy schellte. Er warf einen Blick auf das Display, entschuldigte sich, ging nach draußen und zog die Tür hinter sich zu.

»Norrington weiß Bescheid«, sagte er leise.

»Mist.« Yoyo schwieg einen Moment. »Ich dachte –«

»Hat nicht so geklappt wie erwartet. Konntest du wenigstens alle Daten runterladen?«

»Ich war sogar schon fleißig! Über Thorn findet das Suchprogramm nichts in Norringtons Dateien, aber es liegt einiges über Hanna vor. Er war bei Weitem nicht der Einzige, der Palsteins Platz hätte einnehmen können. Da standen noch andere Schlange, Geschäftspartner von Orley, wie's aussieht, und solche, mit denen er noch ins Geschäft kommen will. Durchweg Multimilliardäre, bloß dass Norrington bei jedem ein Haar in der Suppe gefunden hat. Schwaches Herz, Bluthochdruck, einer soll wegen psychischer Beschwerden in Behandlung gewesen sein, ein anderer steuert angeblich auf den Konkurs zu, ein weiterer hat ihm zu intensive Kontakte zur chinesischen Regierung, et cetera, et cetera. Man wird das Gefühl nicht los, als hätte er Geld dafür bekommen, jedem was anzuhängen, was ihn für den Trip disqualifiziert.«

»Vielleicht *hat* er ja Geld bekommen.«

»Hingegen eitel Sonnenschein bei Hanna. Wärmste Empfehlung an Julian Orley.«

»Und das hat keiner gegengecheckt?«

»Norrington ist kein Bereichsleiter, Owen. Er ist der Stellvertretende Sicherheitschef. Wenn jemand wie er Hanna empfiehlt, dann fliegt Hanna mit. Orley wird ihm vertraut haben, schließlich bezahlt er ihm einen Haufen Geld für seine Expertisen.«

»Gut, ich rede mit Shaw. Schluss mit dem Versteckspiel.«

Sie zögerte. »Bist du sicher, dass du ihr vertrauen kannst?«

»Sicher genug, um es zu verantworten. Wenn sich alles als Seifenblase erweist, werfen sie uns achtkantig raus, aber das Risiko gehen wir ein.«

»In Ordnung. Ich rieche dann mal weiter an Norringtons Unterwäsche.«

Die Tür des Konferenzzimmers öffnete sich. Norrington hastete zu seinem Büro. Shaw, Merrick und die anderen Teilnehmer des Treffens machten Anstalten, sich zu zerstreuen.

»Jennifer.« Jericho trat ihr den Weg. »Kann ich kurz mit Ihnen reden?«

Sie sah ihn an, mit unbewegtem Gesicht.

PEARY-BASIS, NÖRDLICHER POL, MOND

Zu guter Letzt hatte deLucas jede Rücksichtnahme fahren lassen, Lynn mit schroffer Gewalt ins Obergeschoss und von dort ins Iglu 2 geschafft, ihr Panzerungen, Überlebensrucksack und Helm hingeworfen und Prügel für den Fall angedroht, dass sie nicht unverzüglich in die Puschen kam. Ihre Geduld war am Ende, Julian Orleys gnädige Frau Tochter hin oder her. Eindeutig fehlten der Frau ein paar Zacken in der Krone. Mal schien sie vollkommen klar zu sein, im nächsten Moment hätte es deLucas nicht gewundert, sie auf allen vieren gehen oder ohne Helm in die Schleuse entwischen zu sehen. Sie warf die Ögis aus den Betten, beide gottlob unkompliziert und schnell von Kapee, doch bis sie die ganze Bande in einen der Robot-Busse verfrachtet und zum

Raumhafen geschickt hatte, waren Palmer und seine Leute schon eingetroffen und hatten begonnen, die Höhlen zu durchsuchen. Wie bei einer Drogenrazzia durchstöberten sie die Laboratorien, rissen in den Schlafräumen die Matratzen aus den Gestellen, schauten in alle Spinde und hinter die Wandverkleidungen, in Aquarien und Gemüsebeete. Schließlich fuhr deLucas, schon im Raumanzug, Helm unterm Arm, hinunter in den Saal, um sich ihnen anzuschließen. Sie hatte nicht die mindeste Ahnung, wie eine Mini-Nuke aussah, nur dass sie klein war und eigentlich überallhin passte.

Wo würde *sie* so ein Ding verstecken? Im Plantagendschungel? Zwischen Forellen und Lachsen?

In der Decke?

Ihre Augen hoben sich zur basaltenen Kuppel des Saals. Ein fieberschubartiges Verlangen überkam sie, sich zusammen mit den Gästen aus dem Staub zu machen. Was sie hier taten, war Wahnsinn! Dass Hanna in der Zentrale aufgetaucht war, musste noch lange nicht bedeuten, dass die Bombe im Untergrund lag. Sie konnte überall sein auf dem Riesenareal.

Unschlüssig spähte sie in die Gänge.

Was ergab *Sinn?*

Was taten Menschen in Zeiten nuklearer Bedrohung? Sie bauten Bunker, unterirdische Schutzzonen. Weil eine Atombombe, die an der Oberfläche explodierte, zwar alles im weiten Umkreis zerstörte, in befestigten Kellern jedoch Aussicht bestand, zu überleben. Sollte also der Untergrund der Peary-Basis erhalten bleiben?

Wohl kaum.

Sie schaute auf die Uhr. Zwanzig nach fünf.

Nachdenken, Minnie! Eine Atombombe war ein alles verzehrendes Ungeheuer, aber auch für solche Monster gab es optimale und weniger optimale Plätze, um hochzugehen. Städte, große Städte, waren Oberflächenphänomene, ungeachtet ihres von Tunneln, Kellern und Kanälen durchzogenen Untergrunds. Um New York mittels einer Atombombe zu vernichten, warf man sie am besten von oben drauf, doch der Mond *verlangte* nach einer Maulwurfsmentalität, wenn man ihn monatelang bewohnte. Um die Basis vollständig, *wirklich* vollständig zu vernichten, empfahl sich eine Zerstörung von innen heraus. Die Bombe musste die Eingeweide des Plateaus zerreißen, um sich sodann als Feuerball über den Krater zu erheben.

Sie *musste* in den Katakomben liegen. Zwischen den Aquarien, Treibhäusern, Unterkünften und Laboratorien.

Ihr Blick wanderte zur Luftschleuse.

Hm. Jenseits der Schleuse brauchte sie nicht zu suchen. Dahinter lag nichts.

Falsch! Dahinter begann der ungenutzte Teil des Labyrinths, und einige der Gänge mündeten in die große Verwerfung.

Wie hatte es Hanna eigentlich ins Iglu geschafft? Durch die oberirdisch gelegenen Luftschleusen? Möglich. Aber hätte Wachowski ihn dann nicht auf den Bildschirmen gesehen? Gut, vielleicht hatte er das. Vielleicht war Hanna ganz offiziell hereinspaziert, aber warum hatte er dann nicht auch die paar Meter vom Erdgeschoss in den ersten Stock, in die Zentrale, zu Fuß zurückgelegt, und stattdessen den Fahrstuhl genommen?

Weil er aus dem Untergrund gekommen war.

»Hier ist nichts«, hörte sie eine angespannte Stimme in ihrem Helm.

»Bei uns auch nicht«, antwortete Palmer.

Und wie war er unbemerkt in die Katakomben gelangt?

Sie ging auf die Schleuse zu. So gut wie nie betrat jemand den dahinterliegenden Bereich. Ab hier mäanderte das Labyrinth endlos in die Hochebene und den Kraterwall hinein. Es in seiner ganzen Ausdehnung zu erforschen, hätte Heerscharen von Astronauten Wochen und Monate beschäftigt, doch deLucas' Verstand forderte dringlich, die Bombe ganz in der Nähe zu suchen, an einem zentralen Punkt direkt unterhalb der Habitate, und dieser Punkt war der Saal und seine unmittelbare Umgebung.

Sie betrat die Schleusenkammer, setzte ihren Helm auf und ließ die Luft abpumpen. Als sich die Schleusentür zur anderen Seite hin öffnete, schaltete sie die Helmbeleuchtung ein, dann betrat sie den verödet daliegenden Gang.

Fast sofort stolperte sie über Tommy Wachowskis Leiche.

»Tommy«, stöhnte sie. »Oh mein Gott!«

Mit zitternden Knien ging sie in die Hocke, ließ die Lichtkegel über den verdreht daliegenden Körper und das deformierte Gesicht streifen.

»Leland!«, rief sie. »Leland, Tommy ist hier und –«

Dann fiel ihr ein, dass der interne Funk jenseits des Schotts nicht funktionierte. Sie war im Niemandsland, abgeschnitten von allem.

Ihr wurde übel.

Keuchend fiel sie auf alle viere. Kalter Schweiß brach ihr am ganzen Körper aus. Nur mit äußerster Willensanstrengung gelang es ihr, sich nicht in ihren Helm zu übergeben, wie ein Tier kroch sie weg von dem

Toten in den Gang hinein, schloss die Augen, atmete schnell und tief durch. Als sie es wagte, die Lider wieder zu öffnen, sah sie ein Stück weiter, im Licht ihrer Helmlampen, den Schatten.

Eine Sekunde lang setzte ihr Herzschlag aus.

Dann wurde ihr klar, dass dort niemand stand, sondern lediglich ein schmaler Durchlass in der Höhlenwand klaffte. Sie blinzelte, die Augen tränend vom Würgen, zog die Nase hoch und zwang ihre Angst nieder. Wie ferngesteuert kam sie auf die Beine, ging zu der Stelle und schaute hinein. Es war weniger ein Gang denn eine Spalte, stellte sie fest. Nicht sehr einladend. Nichts, in das man sich freiwillig hineinzwängte.

Und genau darum, dachte sie, wirst du es tun.

Sie zog die Schultern ein und schob sich voran, bis die Decke stark abfiel und sie kriechen musste. Atembeschwerden machten sich bemerkbar, die Angst suchte sich ihren Weg. Dann reichte es nicht einmal mehr zum Kriechen. Sie musste sich auf den Bauch legen, spürte ihr Herz wie einen Presslufthammer gegen das Gestein schlagen, erwog, umzukehren. Das führte zu nichts. Eine Sackgasse. Allenfalls einen Meter würde sie noch zurücklegen. Keuchend schob sie sich vorwärts, vom huschenden Lichtschein geleitet, stellte sich vor, wie es wäre, lebendig hier drin begraben zu liegen, und mit einem Mal öffnete sich der Gang, und ihre Finger stießen in geschichtetes Geröll.

Das war's. Ende der Fahrbahn.

Oder? Sie verharrte. Komisch sah der Geröllberg aus. Irgendwie künstlich. DeLucas verlagerte ihren Oberkörper, und das Licht wanderte über die Steine und wurde von etwas reflektiert, das dazwischen hervorlugte. Mit einer Hand begann sie die Stelle zu vergrößern, und die Oberfläche eines massiven, metallischen Gegenstands kam in Sicht, glatt und sauber gearbeitet.

Was konnte das anderes sein als –

Wie von Sinnen schaufelte sie das Geröll beiseite, legte das aktenkoffergroße Gebilde frei, zerrte es zu sich heran. Kein Zweifel, jetzt sah sie auch die blinkende Anzeige und den rückwärts laufenden Zeitcode, demzufolge –

»Oh nein«, flüsterte sie.

So wenig Zeit. *So wenig Zeit!*

Aufgelöst, die Bombe mit beiden Händen gepackt, begann sie zurückzurobben. Raus, sie musste raus hier, doch im nächsten Moment verkeilte sich ihr Rucksack in der niedrigen Decke, und sie kam keinen Zentimeter mehr voran, steckte fest.

Eine Sturzsee der Panik schlug über ihr zusammen.

»Sie sind verrückt«, sagte Shaw.

Ihr Arbeitsbereich war eine identische Kopie von Norringtons Büro, bescheiden und funktionell, nur dass sich zudem Hinweise auf ein Leben außerhalb des Big O fanden, Fotos, die davon kündeten, dass Shaw einen Ehemann und erwachsene Kinder hatte und kleinere Geschöpfe Oma zu ihr sagten. Die Diaspora seiner eigenen Existenz vor Augen, fiel es Jericho schwer, sich die grantige Sicherheitsverantwortliche als von Sehnsüchten und Hormonen geleitetes Wesen vorzustellen, das sich an einen anderen Körper schmiegte, seufzte und flüsterte und Crescendi der Lust von sich gab. Er fragte sich, ob Shaw, dieselbe Jennifer Shaw, der Wohl und Wehe des weltgrößten Technologiekonzerns oblagen, auf einen Kosenamen hörte. War sie in der Überschaubarkeit des häuslichen Kosmos, zwischen Fernsehzeitung und Zahnseide, Maus, Bär oder Hase? Rasch warf er einen Blick nach draußen, doch Norringtons Büro war von hier aus nicht einsehbar.

»Das alles gibt Ihnen nicht zu denken?«, fragte er.

»Mir gibt zu denken, dass Sie mein Vertrauen missbraucht haben«, sagte Maus, Bär oder Hase ohne Milde.

»Nein, das sehen Sie falsch. Wir versuchen, den Missbrauch Ihres Vertrauens *zu verhindern*.« Er zog einen Stuhl heran und setzte sich. »Jennifer, ich weiß, wir bewegen uns auf sehr dünnem Eis, aber Norrington hat gelogen, was sein Verhältnis zu Thorn betraf. Offenbar kannte er ihn besser, als er vorgibt. Warum tut er das, wenn er doch nichts zu verbergen hat? Er mag nachvollziehbare Gründe gehabt haben, Hanna zu protegieren, aber wieso war er mit allen Möglichkeiten, die ihm zur Verfügung stehen, nicht in der Lage, einen ehemaligen Agenten der CIA zu enttarnen? *Vor* dem Trip zum Mond! Und als er merkte, dass wir bei ihm eingebrochen sind, ich meine: Was hätten *Sie* an seiner Stelle getan?«

Shaw musterte ihn aus ihren graublauen Augen.

»Ich hätte Sie an die Wand genagelt.«

»Eben!« Jericho schlug mit der flachen Hand auf den Schreibtisch. »Und er? Kommt reingeschlichen, lässt sich von den MI6-Leuten abbürsten und flüchtet wieder nach draußen. Sie erzählten, Edda Hoff habe Sie und die Geheimdienste von meiner Theorie in Kenntnis gesetzt, Thorn sei der gescheiterte Attentäter. Man sollte meinen, sie hätte auch Norrington davon berichtet, oder?«

»Das wird sie getan haben. Edda ist äußerst gewissenhaft.«

»Aber als ich in sein Büro kam, um ihn darauf anzusprechen, gab er sich vollkommen überrascht! Dabei muss er zu diesem Zeitpunkt gewusst haben, auf welcher Spur wir sind. Und haben Sie nicht auch den Eindruck, dass sein Aktionismus das Ermittlungstempo im Big O eher herunterfährt, als es zu begünstigen?«

»Ich habe ihm gesagt, dass wir an zu vielen Fronten kämpfen.« Shaw schaute ihn unverwandt an. »Und was soll ich Ihrer Meinung nach tun? Ihn auf ein paar vage Verdachtsmomente hin von seinen Aufgaben entbinden? Der Durchsuchung seiner Daten zustimmen?«

»Ich glaube, Sie wissen sehr genau, was Sie tun müssen.«

Shaw schwieg.

Zwei Räume weiter wählte Norrington mit zitternden Fingern eine Nummer auf seinem Handy.

Er hatte Fehler gemacht. Unbesonnen reagiert. Die Schlinge zog sich zu, denn sie *würden* Beweise finden, und wenn es erst mal so weit war, dass sie ihn in die Mangel nahmen, würde er sich im Dickicht seiner überreizten Nerven verheddern und pausenlos reden. Er war ein Idiot, sich auf die Sache überhaupt eingelassen zu haben, vom Tag an, da sie ihm Geld geboten hatten, damit er Thorn für eine zweite Mission vorschlug, doch es war so viel, so ungeheuer viel Geld gewesen, und so viel mehr stand zu erwarten, wenn die Operation *Berge des ewigen Lichts* erst vollzogen und die Welt auf einen neuen Kurs gebracht wäre. Gelehrig in seiner Korrumpierbarkeit, war er schließlich in Hydras Planungsstab aufgestiegen, hatte das vielköpfige Ungeheuer mit Detailwissen über die OSS, über das GAIA und die Peary-Basis versorgt und sogar das dunkle Netzwerk ersonnen, in dem die Brandsatzgedanken der Verschwörer, getarnt als Weißes Rauschen, lichtschnell um den Erdball rasten. Hatte Hydras unsterbliches Haupt kennengelernt, die Intelligenz hinter allem, um deren Identität nur sechs weitere Menschen wussten. Sieben waren es gewesen, doch einer hatte kalte Füße bekommen. Bei der Gelegenheit hatte Norrington gelernt, dass die Hydra ihre Köpfe nötigenfalls selber abschlug, sobald einer Tendenzen zur Geschwätzigkeit erkennen ließ.

Er *durfte* dem Geheimdienst nicht in die Hände fallen.

Xin meldete sich.

»Wir fliegen auf, Kenny! Wie ich's prophezeit habe.«

»Und ich habe gesagt, behalten Sie die Nerven.«

»Sie können mich mal mit Ihrer Klugscheißerei! Der MI6 hat Gabriel enttarnt. Jericho und das Mädchen sind in meine Daten eingebrochen. Ich weiß nicht, wann Shaw anrücken wird, um mich in die Zange zu nehmen, möglich, dass ich jetzt schon nicht mehr aus dem Gebäude komme. Holen Sie mich hier raus.«

Xin schwieg einen Moment.

»Was ist mit Ebola?«, fragte er. »Wissen die auch über *sie* Bescheid?«

Norrington zögerte. Aus irgendwelchen Gründen konnte er sich einfach nicht an Lawrences Decknamen gewöhnen.

»Sie wissen nichts von ihr, und alles Weitere auch nicht. Nur von der Bombe am Peary. Aber natürlich werden sie sich demnächst auf meine Daten stürzen und meine Gutachten mit ganz anderen Augen lesen.«

»Sind Sie sicher, dass Jericho mit Shaw über Sie gesprochen hat?«

»Keine Ahnung«, stöhnte er. »Ich hoffe, noch nicht. Unter den gegebenen Umständen ist gar nichts sicher.«

Xin überlegte.

»Gut. Ich bin in fünf Minuten auf dem Flugdeck. Vielleicht sollten Sie versuchen, Jerichos Computer aus dem Gebäude zu schaffen.«

»Vielleicht sollten wir versuchen, den Mond gelb anzustreichen und ein lustiges Gesicht darauf zu malen«, explodierte Norrington. »Die dürfen mich nicht in die Finger bekommen, kapieren Sie das nicht, Kenny? *Ich muss hier raus!*«

»Schon gut, schon gut.« Unversehens wechselte Xins Stimme ins Weiche, Schlangenhafte. »Niemand wird Sie in die Finger bekommen, Andrew. Ich habe versprochen, zur Stelle zu sein, und ich halte meine Versprechen.«

»Beeilen Sie sich, verdammt!«

Während Londons Lichter in der Aureole einer makellosen Morgendämmerung vergingen, beschloss Yoyo, Jericho ein weiteres Mal anzurufen. Sie und Diane waren mittlerweile dicke Freundinnen geworden. Nie zuvor hatte sie mit derart exzellenten Such- und Selektierprogrammen gearbeitet.

»Ich habe Neuigkeiten«, sagte sie. »Wo bist du?«

»In Jennifers Büro. Wir können offen sprechen. Warte mal.« Er lauschte einer leisen Stimme und sagte: »Am besten rufst du noch mal an, direkt auf ihrer Leitung, okay?«

»Du kannst ihr ja schon mal sagen –«

»Sag's ihr selber.«

Er legte auf. Yoyo zappelte unruhig auf ihrem Sitz herum. Wie sehr es sie drängte, ihnen von den Dossiers zu erzählen, die Norrington über die Gäste und das Personal des GAIA angelegt hatte. Im Schnelldurchgang hatte Diane die Recherchen des Sicherheitschefs mit den öffentlich erhältlichen Biografien aus dem Netz verglichen und keine relevanten Abweichungen gefunden, bis auf den Umstand vielleicht, dass Evelyn Chambers höllisch flunkerte, sobald es um ihr Alter ging. Was die Bediensteten des GAIA betraf, zwei Deutsche, eine Inderin und ein Japaner, waren sie von einer gewissen Dana Lawrence eingestellt worden, der Hoteldirektorin, die den Zuschlag ihrerseits aufgrund einer Expertise Norringtons erhalten und damit vier hochkarätige Mitbewerber aus dem Rennen geschlagen hatte. Keinen der vier hatte Norrington rundheraus abgelehnt, im Gegenteil, nur dass Lawrences beruflicher Werdegang alles andere in den Schatten stellte. Lynn Orley, der die ultimative Entscheidung oblag, hätte verrückt gewesen sein müssen, Lawrence den Job angesichts solch erstklassiger Referenzen zu verweigern. Erst bei näherem Hinsehen erwies sich, dass Lawrences offizielle Vitae im Netz auf eigenartige Weise differierten. Verschiedene Positionen, die sie angeblich innegehabt hatten und die sie in besonderer Weise für das GAIA qualifizierten, fehlten oder ließen sich anders interpretieren. Durchweg ergab sich das Bild einer zielstrebig verfolgten Karriere, doch wer Böses annehmen wollte, konnte den Eindruck gewinnen, Norrington habe Lynns Entscheidung mit dichterischer Freiheit auf die Sprünge geholfen, und Yoyo war fest entschlossen, Böses anzunehmen.

Gespannt, wie die anderen ihre Beobachtungen einschätzen würden, gab sie Shaws Namen ein und wollte den Computer eben ihre Nummer wählen lassen, als sie ein Geräusch hörte.

Ein Fahrstuhl hielt draußen auf der Empore. Türen glitten kaum hörbar auseinander.

Yoyo erstarrte. Niemand hatte um diese Zeit im Big O zu sein, bis auf den zyklisch patrouillierenden Wachdienst und die nimmermüde Belegschaft des Lageinformationszentrums. Sie lauschte, während sie erstmals ihr Umfeld bewusst wahrnahm. Irgendjemandes Arbeitsplatz war das, an dem sie saß, austauschbar in seiner Konformität, da die Angestellten persönliche Dinge in mobilen Einheiten verstaut hielten, mit denen sie sich bei Bedarf überall im Gebäude einloggen konnten. Zu ihrer Linken, unterhalb des holografischen Displays, ruhte Dianes schimmernder, kleiner Leib, rechter Hand parkte ein Rollcontainer mit Schubladen, die wahrscheinlich der Unterbringung dessen dienten, was auch 2025 kein Computer erledigen konnte.

Sie zog die obere auf, schaute hinein, öffnete die darunterliegende.

Ihr Blick fiel auf die rundum laufende Fensterfront. Nur zögerlich wich die Dunkelheit über London dem Pastell des frühen Morgens, verteidigte hartnäckig den Westen. Schemenhaft spiegelten die Scheiben das Innere des Büros, die Arbeitsinseln, den Durchgang in der rückwärtigen Wand, der hinaus auf die Empore führte.

Eine Silhouette wurde im Durchgang sichtbar.

Yoyo duckte sich. Die Person verharrte. Ein Mann, von der Statur her. Stand einfach da und starrte herüber.

Er musste sie überraschen. Noch konnte es sein, dass Shaw nichts von dem Einbruch wusste. Yoyo überwältigen und den Computer in seinen Besitz bringen war eines. Blieb Jericho, doch vielleicht gab es einen Weg, ihn nach oben zu locken. Angenommen, die zwei hatten Tu Tian nicht in ihr Handeln einbezogen, mochte es reichen, sich ihrer zu entledigen und den Computer verschwinden zu lassen, und alles wäre überhaupt nicht geschehen, niemand würde je auf die Idee kommen –

Blödsinn! Wunschdenken, starrend von Wenn und Aber. Wie sollte er den Tod der beiden erklären? Die Überwachungssysteme würden alles ans Licht bringen. Wozu Jerichos Computer entwenden, da er nichts enthielt, was sich nicht im System des Big O wiederfand? Shaw konnte sich jederzeit Zugang zu seinen Daten verschaffen, und das *würde* sie, wenn er hier oben einen Doppelmord beging – ganz davon abgesehen, dass er es nicht über sich bringen würde, da er im Gegensatz zu Leuten wie Xin, Hanna, Lawrence und Gudmundsson kein Killer war. Hydra hatte das Spiel nicht verloren, er schon. Allein, dass er floh, kam einem Schuldeingeständnis gleich, nur, wenn er blieb, konnte er sich ebenso gut selber verhaften und abführen. Obsolet, noch Spuren zu verwischen. Er musste weg, untertauchen!

Sein Geld würde reichen für eine neue, komfortable Existenz.

Das Großraumbüro lag im Zwielicht.

Wie viel mochten sie erfahren haben? War es mit der Hilfe von Jerichos Computer möglich, seine gelöschten E-Mails sichtbar zu machen und zu rekonstruieren?

Wo war das Mädchen?

Zwischen die Gäule von Neugier und Fluchttrieb gespannt, schaute er hinüber, dann setzten sich seine Beine wie von selber in Bewegung. Er betrat den Raum. Augenscheinlich leer. Die Deckenbeleuchtung heruntergedimmt. Zwei Arbeitsinseln weiter glimmten Monitore, erblickte er den kleinen, unauffälligen Kasten namens Diane, von Yoyo allein gelassen. Er sollte das Büro durchsuchen. Im Bereich der Inseln gab es etliche Möglichkeiten, sich zu verstecken. Unschlüssig ging er ein Stück in den Raum hinein, tat ein paar Schritte nach hier, nach dort, sah auf die Uhr. Xin musste inzwischen da sein, er sollte sich aus dem Staub machen, doch verheißungsvoll leuchteten die Monitore.

Mit schnellen Schritten war er bei der Arbeitsinsel, bückte sich und legte die Hände um den kleinen Computer, als sich hinter ihm der Raum belebte.

Bei aller Zierlichkeit konnte sich Yoyo durchtrainierter und leistungsfähiger Muskeln rühmen, sodass sie einen mittelschweren Bürostuhl nicht nur zu stemmen, sondern auch zu schwingen vermochte. Die Lehne traf Norrington frontal, als er zu ihr herumwirbelte, erwischte ihn an Kopf und Brust und beförderte ihn mit Schwung über die Schreibtischkante. Er stöhnte und grapschte nach Halt. Yoyo ließ die Lehne seitlich auf ihn herabsausen, und der Mann rutschte ab. Noch während er neben Diane auf den Rücken fiel, schleuderte sie den Stuhl in hohem Bogen von sich, riss die Schere, die sie in einer der Schubladen gefunden hatte, aus dem Gürtel ihrer Jeans und landete mit beiden Knien hart auf seiner Brust.

Es knackte vernehmlich. Norrington ließ ein ersticktes Keuchen hören. Seine Augen traten hervor. Yoyo bog die Finger der Linken um seine Kehle, beugte sich dicht über ihn und drückte die Spitze der Schere gegen seine Eier, so fest, dass er es deutlich spüren musste.

»Eine falsche Bewegung«, zischte sie, »und der Knabenchor von Westminster Abbey wird sich freuen, deine Bekanntschaft zu machen.«

Norrington starrte sie an. Blitzschnell holte er aus. Sie sah seine geballte Faust heranfliegen, duckte sich weg und trieb die Spitze der Schere tiefer in seinen Schritt. Er zuckte zusammen und rührte sich nicht mehr, starrte sie nur weiterhin an.

»Was willst du von mir, du Verrückte«, ächzte er.

»Mich mit dir unterhalten.«

»Du hast sie nicht alle. Ich komme, um zu sehen, ob alles hier oben okay ist, ob es dir gut geht, und du –«

»Andrew, he, Andrew!«, unterbrach sie ihn. »Das ist Schwachsinn. Ich will keinen Schwachsinn hören.«

»Ich wollte –«

»Du wolltest den Computer mitgehen lassen, das hab ich genau gesehen. Noch mehr Beweise brauch ich nicht, also rede. Wer seid ihr, was habt ihr vor? Hatten wir recht mit Peary? Wer sind die Drahtzieher?«

»Ich weiß beim besten Willen nicht, wovon du –«

»Andrew, das wird gefährlich.«

»– redest.«

Etwas brach sich Bahn, glühend und dunkelrot, als bestünde nicht die ernst zu nehmende Möglichkeit, dass der Mann dort unter ihr gar nichts für den Tod ihrer Freunde konnte, dass sie sich hinsichtlich seiner irrten und Chen Hongbings Höllenqualen, als Xin ihn vor die automatische Kanone gebannt hatte, nicht in Norringtons Mitverantwortung fielen. Jede Zelle ihres Körpers kochte über vor Hass. Sie wollte, sie *brauchte* einen Schuldigen, jetzt, hier, endlich, irgendeinen, bevor sie verrückt wurde, einen Unhold stellvertretend für alle die Bestien, die den Menschen, die sie liebte und von denen sie so sehr geliebt werden wollte, Dinge antaten, dass sie darüber verstummten und ihre Gesichter sich in Masken verwandelten. Mit gespanntem Bizeps holte sie aus und rammte Norrington die Schere in den Oberschenkel. Der Stoß erfolgte mit solcher Heftigkeit, dass die Doppelklinge Haut und Muskelfleisch wie Butter durchstieß und gegen den Knochen schabte. Norrington schrie wie am Spieß. Er hob beide Hände und versuchte sie wegzustemmen. Immer noch im Inneren einer roten Woge, riss sie die provisorische Waffe aus der Wunde und versenkte die Spitze wieder zwischen Norringtons Genitalien.

»Weh tut es überall«, flüsterte sie. »Aber beim nächsten Mal sind die Konsequenzen nachhaltiger. Hatten wir recht mit Peary?«

»Ja«, heulte er.

»Wann? Wann soll die Bombe hochgehen?«

»Ich weiß es nicht.« Er wand sich, die Augen Kreuze des Schmerzes. »Irgendwann. Jetzt. Bald. Wir haben keinen Kontakt mehr.«

»Ihr habt das Bot-Netz gestartet.«

»Ja.«

»Kannst du es stoppen?«

»Ja, lass mich los, du Irre!«

»Heißt eure Organisation Hydra? Wer sind die Drahtzieher?«

Unvermittelt fuhr Norringtons Kopf hoch, und Yoyo begriff, dass es ein Fehler gewesen war, sich zu tief zu ihm herabzubeugen. Mit einem Geräusch, als ramme man zwei Holzklötze gegeneinander, traf seine Stirn auf ihre. Sie prallte zurück. Reflexartig stieß sie zu, hörte ihn brüllen, fühlte sich gepackt und zur Seite geschleudert. Kreise drehten sich vor ihren Augen. Ihr Schädel dröhnte, ihre Nase schien auf mehrfache Größe angeschwollen. Rasch rollte sie sich aus Norringtons Reichweite, hielt die Schere von sich gestreckt, doch statt sich auf sie zu stürzen, humpelte er davon.

»Hiergeblieben«, keuchte sie.

Norrington begann zu laufen, soweit es sein verletztes Bein zuließ, hastete in grotesken Sprüngen aus dem Büro. Yoyo rappelte sich hoch. Sofort fiel sie wieder und betastete ihr Gesicht. Blut lief aus ihrer Nase. Von Schwindel geplagt, kam sie endlich auf die Beine, wankte aus dem Raum hinaus auf die Empore und sah Norrington jenseits der gläsernen Brücke, die den westlichen Trakt des Big O mit dem Ostflügel verband, eine Treppe erklimmen.

Der Mistkerl wollte zum Flugdeck.

Eine bedächtige Stimme mahnte sie, ihren Hass niederzukämpfen, die Möglichkeit in Betracht zu ziehen, es könne gefährlich werden dort oben. Sie hörte nicht hin. Ebenso wenig, wie ihr Zweifel an Norringtons Schuld kamen, konnte sie in diesen Sekunden an etwas anderes denken, als dass sie ihn nicht entwischen lassen durfte. Sie setzte ihm nach, warf einen Blick in die dunkle, gläserne Schlucht unter der Brücke, fühlte Übelkeit ihre Speiseröhre empordrängen, zwang sie zurück.

Norrington quälte sich die letzten Stufen hinauf.

Verschwand.

Sie schüttelte sich. Begab sich erneut an die Verfolgung, überwand die Brücke, hastete die Treppe hoch, immer zwei Stufen auf einmal nehmend, in ständiger Gefahr, das Gleichgewicht zu verlieren, schaffte es nach oben und sah eine der Glastüren zugleiten, die aufs Dach führten.

Norrington war da draußen.

Die Schere fest gepackt, marschierte sie ihm hinterdrein, und die Glastüren glitten wieder auf. Vor ihren Augen erstreckte sich das Flugdeck mit seinen Helikoptern und Skycars. Norrington humpelte auf etwas zu, ohne sich umzudrehen, winkte.

»Hier«, rief er.

Sie beschleunigte ihren Gang. Registrierte mit gelinder Verblüffung, dass es auch Airbikes hier oben gab, *ein* Airbike, um genau zu sein, das ihr am Vortag gar nicht aufgefallen war, und mit einem Mal wusste sie auch, warum nicht.

Weil es nicht da gewesen war.

Sie stoppte. Ihr Blick wanderte über das Deck und verfing sich in den verdrehten Gliedmaßen zweier dahingestreckter Wachleute. Eine Gestalt stieg von dem Bike. Norrington knickte ein, fing sich und schlurfte weiter der Maschine entgegen. Die Gestalt richtete eine Waffe auf ihn, und er blieb stehen, die Hand auf seinen Oberschenkel gepresst.

»Kenny, was soll das?«, fragte er unsicher.

»Wir halten Sie für ein Risiko«, sagte Xin. »Sie sind dumm genug, sich schnappen zu lassen, und dann werden Sie Dinge erzählen, die nicht erzählt werden sollten.«

»Nein!«, schrie Norrington. »Nein, ich verspreche –«

Sein Körper wurde ein kleines Stück in die Höhe gehoben, hing kurz wie ein Hampelmann in der Luft, dann flog er mit ausgebreiteten Armen rückwärts und knallte Yoyo vor die Füße.

Wo sein Gesicht gewesen war, breitete sich eine rote Masse aus.

Sie erstarrte. Sank auf die Knie und ließ die Schere fallen. Xin kam auf sie zu und hielt ihr den Lauf der Waffe an die Stirn.

»Wie nett«, flüsterte er. »Ich hatte die Hoffnung schon aufgegeben.«

Yoyo starrte vor sich hin. Sie dachte, wenn sie ihn ignorierte, würde er vielleicht einfach verschwinden, doch er verschwand nicht, und langsam füllten sich ihre Augen mit Tränen, weil es vorbei war. Endgültig vorbei. Diesmal würde niemand zu ihrer Rettung herbeieilen. Niemand konnte sich noch dazwischenwerfen, mit dem Xin nicht gerechnet hatte.

Ganz leise und heiser, kaum, dass sie ihr eigenes Wort verstehen konnte, sagte sie: »Bitte.«

Xin ging vor ihr in die Hocke. Yoyo hob den Blick zu der schönen, ebenmäßig geschnittenen Maske seines Gesichts.

»Du bittest mich?«

Sie nickte. Die Mündung der Waffe drückte sich fester gegen ihre Stirn, als wolle sie ein Loch hineinfressen.

»Um was? Um dein Leben?«

»Um das Leben aller«, hauchte sie.

»Wie unbescheiden.«

»Ich weiß.« Dicke Tränen liefen ihr über die Wangen, ihre Unterlippe begann zu beben. Und plötzlich machte sie die eigenartige Erfahrung, wie die zur Gefährtin gewordene Angst mit den Tränen herausgeschwemmt wurde, sodass nur tiefe, schmerzende Trauer darüber blieb, dass sie nun nie erfahren würde, was Hongbing geschehen und warum ihr Leben so und nicht anders verlaufen war. Kein Xin vermochte sie noch zu erschrecken. Es hätte nicht viel gefehlt, und sie hätte sich ihm an den Hals geworfen, um sich bei ihm auszuweinen, warum nicht bei ihm?

»Yoyo?«

Jemand rief von ferne ihren Namen.

»Yoyo! Wo bist du?«

Jericho? War das Owen?

Xin lächelte. »Tapfere kleine Yoyo. Bewundernswert. Schade, ich hätte gerne ein bisschen mit dir geplaudert, aber du siehst ja, man hat keine ruhige Minute. Sie suchen nach dir, ich fürchte also, ich muss dich verlassen.«

Er stand auf, die Waffe unverwandt auf ihre Stirn gerichtet. Yoyo wandte ihm ihr Gesicht zu. Es war angenehm, wie der Morgenwind die Tränen auf ihren Wangen trocknete. Liebkosend. Versöhnlich.

»Yoyo!«, hörte sie Jericho schreien.

Xin schüttelte den Kopf.

»Tut mir leid, Yoyo.«

PEARY-BASIS, NÖRDLICHER POL, MOND

Die Evakuierten verteilten sich über die Sitzreihen der Io und legten die Gurte an. Kyra Gore war auf dem Weg ins Cockpit, als sie einen Funkspruch der KALLISTO empfing. Das Gesicht der dänischen Pilotin erschien auf dem Bildschirm.

»Wo sind Sie?«, fragte Gore, während sie die Triebwerke heiß laufen ließ.

»Im Anflug.«

»Sofort umkehren! Anweisung von Palmer.«

»Was ist mit unseren Leuten?«

»Bei mir an Bord.« Sie regelte die Schubstärke, richtete die Düsen aus und ließ den Shuttle langsam aufsteigen. »In der Io.«

»Alle?«

»In der Basis sind nur noch Palmer und einige aus unserem Team. Wir hatten Besuch von Carl Hanna. Gleich dürfte uns hier alles um die Ohren fliegen, also seht zu, dass ihr Land gewinnt!«

»Was ist mit Carl?«, schaltete sich Julian Orley ein. »Wo ist er?«

»Tot.«

Routinemäßig wanderte ihr Blick über die Kontrollen. Unter der

Io schrumpfte das Flugfeld, entrückte das verstreute Ensemble der Fabrikhallen, Kuppeln und Röhren und wurde zu Spielzeug, mit dem Wissenschaftler im Dreck spielten. Wie Fugen zogen sich die Straßen durch den Regolith. Winzige Maschinen montierten in putzigen Hangars weniger winzige Maschinen. Auf den Solarpaneelen blendete das Sonnenlicht. Gore flog eine Kurve, stieg weiter auf und steuerte die Io über den Kraterrand nach Westen.

» Tot?«, schnappte Orley.

»Miss Lawrence hat ihn erledigt. Sie ist bei mir, ebenso wie Ihre Tochter und Ihre Gäste. Es geht ihnen gut.«

»Und die Bombe? Was ist mit Palmer und seinen Leuten?«

»Sie suchen das Ding.«

»Wir können die doch nicht einfach –«

»Doch. Kehren Sie um. Wir fliegen zurück zu den Chinesen.«

DELUCAS

Waren Sekunden vergangen? Stunden? DeLucas hätte es nicht zu sagen vermocht, doch ein Blick auf den rückwärts laufenden Zeitcode der Bombe setzte sie davon in Kenntnis, dass die schlimmste Erfahrung ihres Lebens keine Minute beansprucht hatte. Unter Strampeln und Schreien war es ihr schließlich gelungen, sich loszureißen. Darauf bedacht, nicht noch einmal stecken zu bleiben, schob sie sich weiter zurück, nun weniger hastig. Nach einigen Metern verkeilte sich die Bombe in der Wand. Der ständigen Angst überdrüssig, als sei die Mini-Nuke ein renitentes Balg, dem man nur mit Strenge beikommen könne, schrie sie den flachen Kasten an, und folgsam, Wunder der Autorität, löste er sich. Auf Wogen des Adrenalins wurde sie in den Gang geschwemmt, rannte vorbei an Tommy Wachowskis Leiche in die Schleuse, sprang wie elektrisiert von einem Bein aufs andere, während die langsamste Luft des Sonnensystems hereinströmte, sah durch das Sichtfenster Palmer und Jagellovsk die Halle betreten, schlug von innen gegen die Scheibe. Palmer sah sie, stutzte. Das Schott glitt auf. DeLucas stolperte über die Schwelle, schlug der Länge nach hin, und die Bombe rutschte dem Kommandanten geradewegs vor die Füße.

»Sechs Uhr«, keuchte sie. »Noch 35 Minuten.«

Palmer ergriff den Kasten mit beiden Händen und starrte ihn an.

»Raus damit«, sagte er.

Sie fuhren mit dem Lift nach oben, verließen das Iglu und rannten auf die planierte, von Schuppen umstandene Ebene hinaus. Über dem Kraterrand entschwand soeben die Io.

»Wohin jetzt damit?«

»Entschärfen!«

»Witzbold! Kannst du so was?«

»Tausendmal in Filmen gesehen, Mensch. Man muss nur –«

»Roter Draht, grüner Draht? Filme sind Filme, bist du bescheuert?«

»Noch 29 Minuten!«

Klein und garstig lag die Mini-Nuke zwischen ihnen auf dem Asphalt. Unerbittlich zählte die Anzeige zurück, in Umkehrung der Schöpfung dem Urknall zustrebend.

»Stopp!«, rief Palmer und hob beide Hände. »Alle mal Schnauze halten! Nichts wird hier entschärft, gar nichts. Zum Flugfeld damit. Wir müssen sie loswerden.«

»Das schaffen wir nicht«, sagte deLucas. »Wie willst du –«

Palmer schaltete auf die Frequenz der Shuttles.

»Io? Kallisto? Leland Palmer hier, hört mich einer?«

»Kallisto, ich höre Sie.«

»Hier ist Kyra. Was gibt's, Leland?«

»Wir haben das Mistding gefunden! Es geht in 28, nein 27 Minuten hoch. Ich brauche einen von euch hier, sofort!«

»In Ordnung«, sagte Gore. »Wir drehen um.«

»Wir sind näher«, sagte Hedegaard.

»Was? Ihr solltet doch –«

»Da!«, rief Jagellovsk.

DeLucas hielt den Atem an. Aus dem Panorama der Sterne löste sich die Kallisto, flog eine Kurve und stieß auf die Basis herab.

»Sind im Anflug«, sagte Hedegaard.

»Zu Iglu 1!«, schrie Palmer. Er sprang wie ein Derwisch herum, tanzte und wedelte mit den Armen. »Zu Iglu 1, hört ihr? Wir sind hier draußen! Nehmt die Bombe an Bord und schmeißt sie so weit wie möglich von hier in irgendeinen Krater!«

KALLISTO

»Ich sehe sie«, sagte Hedegaard.

Julian beugte sich vor. »Wenn wir das Ding an Bord nehmen –«

»Wenn *ich* das Ding an Bord nehme.« Sie wandte den Kopf und schaute ihn an. »Du steigst aus.«

»Was? Kommt nicht infrage!«

»Doch.«

»Wir werden zusammen –«

»Ihr steigt alle aus«, sagte sie mit ruhiger Autorität. »Du auch.«

Und da. – Da!

Einen zutiefst befriedigenden Moment lang – und war der Moment nicht die Ewigkeit der Genügsamen, war sie nicht *überaus* genügsam gewesen an seiner Seite, hatte sie sich *das* nicht *endlich* verdient? –, für die Dauer dieser Westentaschenewigkeit also erkannte sie in Julians Blick Angst: nicht um seine milliardenschweren Gäste, nicht um seine unüberschaubare Tochter, nicht um sein Hotel. Einzig ihr galt diese Angst, und der Möglichkeit, sie könne Schaden nehmen. Angst, sie könne in seinem Leben eine Lücke hinterlassen, ein Loch in seiner Brust.

Sie bremste und ließ den Shuttle absacken.

Aufgescheucht liefen unten die Astronauten herum, winkten. Sie drosselte den Gegenschub. Die planierte Fläche war vergleichsweise klein, vollgestellt mit Fahrzeugen und Maschinen. Umsichtig navigierte sie die KALLISTO über eine Stelle nahe dem Iglu, die eben genug Platz für eine Landung bot, setzte die Maschine hart auf, fuhr den Schleusenschacht aus und drehte sich zu den Insassen herum.

»Raus mit euch!«, rief sie und klatschte in die Hände. »Das Mistding dafür rein in die gute Stube. Schnell!«

Sie schaute Julian an. Er zögerte. Ein Sonnenstrahl echter, aufrichtiger Zuwendung durchbrach das Sturmtief seiner Laune, dann drückte er sie unvermittelt an sich und gab ihr einen kratzenden Kuss.

»Pass auf dich auf«, flüsterte er.

»So schnell wirst du mich nicht los.« Sie lächelte. »Achtet auf die Triebwerke, wenn ihr aussteigt. Nicht unter die Düsen laufen.«

Er nickte, glitt aus dem Sitz und lief den anderen hinterher. Hedegaard wandte sich den Kontrollen zu. Die Fahrstuhlsymbolik zeigte an, dass die Gruppe nach unten fuhr. Im Cockpitfenster sah sie einen Astronauten herbeieilen, der etwas von der Größe eines Koffers in beiden Händen trug, und unter dem Bauch der KALLISTO verschwinden, dann hörte sie Palmers Stimme:

»Drin!«

»Alles klar.«

»Also los! Schaff sie uns vom Hals! Noch 20 Minuten!«

»Worauf du dich verlassen kannst«, murmelte sie, legte Schub auf die Düsen, ließ den Shuttle wenige Meter steigen, noch während sie den Schacht einfuhr, wendete. Eine Erschütterung durchlief den Leib der KALLISTO.

»Was ist passiert?«, rief sie.

»Du bist mit dem Schacht gegen einen der Schuppen gerasselt«, sagte Julian. »Hast das Dach gestreift.«

Hedegaard fluchte und ging höher. Ihr Blick suchte nach einer Fehlermeldung.

»Fährt er weiter ein?«

»Ja! Scheint gut gegangen zu sein.«

Die Kontrollen zeigten an, dass sich die Schleuse in den Bauch der KALLISTO schob. Hedegaard stieg bis in dreihundert Meter Höhe und beschleunigte so rapide, wie sie es ihren Passagieren niemals zugemutet hätte. Der Druck presste sie in den Sitz. Über zwölfhundert Stundenkilometer schnell schoss die KALLISTO davon. Die Basis geriet außer Sicht. Felskämme, Schluchten und Hochebenen, alles flog wie im Zeitraffer unter ihr hinweg. So rasch es ging, musste sie tieferes Gelände ansteuern, doch endlos schien sich das zerklüftete Gebirge zu wölben, wo die Ränder des Peary und des westlich gelegenen Kraters Hermite zusammengebacken waren. Immer neue Massive schoben sich heran, Höhenrücken und Plateaus, dann endlich tat sich ein schattiger Schlund unter ihr auf.

Hermites Kraterkessel.

Noch zu nahe.

Auch wenn das Gebirgsmassiv die Basis gegen die Explosion schützen würde, blieb die Ausbreitung des Trümmerregens unkalkulierbar. Hedegaard projizierte eine Polkarte auf das holografische Display und suchte nach einer geeigneten Stelle. Die Frage war, wie weit sie die verbleibende Zeitspanne ausreizen konnte. Würde sie zu lange mit dem Abwurf der Mini-Nuke warten, lief sie Gefahr, im nuklearen Blitz draufzugehen, andererseits wollte sie das Ding nicht früher als nötig aus der Schleuse befördern. Unter ihr wichen die Schatten einer sonnenbeschienenen Tiefebene, übersät mit Einschlagstellen kleinerer Meteoriten. So niedrig, wie sie flog, hatte sie zu niemandem mehr Funkkontakt. Der Borduhr zufolge war sie seit nunmehr acht Minuten unterwegs, und immer noch hatte sie Hermite nicht komplett überflogen. In der Ferne sah sie den Westrand des Kraters auftauchen, ein weitläufig geschwungenes Ringgebirge, das schnell anwuchs und näher rückte.

Zwölf Minuten noch.

Ihr Blick wanderte zurück zur Karte. Weiter im Südwesten lag ein kleiner, stark beschatteter Krater, was den Schluss zuließ, dass er ziemlich tief sein musste. Sie bat den Computer um zusätzliche Informationen, und eine Textebene legte sich über die Holografie.

Krater Sylvester, las sie. 58 Kilometer breit.

Tiefe unbekannt.

Der Krater gefiel ihr. Er sah wie gemacht aus, um die Energie einer Atombombe in sich aufzunehmen, und plötzlich musste sie lachen. Sylvester, wie passend. Welcher Platz hätte einem Feuerwerk dieser Größenordnung angemessener sein können? Grinsend korrigierte sie ihren Kurs um wenige Grad Südwest, und die KALLISTO jagte über Hermites Westrand hinweg.

Elf Minuten.

Schroff und von Einschlägen zernarbt fiel die Kraterwand unter ihr ab und verlief sich in einem weiten und flachen Tal, dessen gegenüberliegende Seite schon der äußere Rand Sylvesters sein musste. Hedegaard sprang aus dem Pilotensessel und lief zur Schleuse, von plötzlicher Unruhe getrieben, Palmer könne sich verlesen haben, doch als sie durch die Fenster ins Innere spähte, sah sie die Mini-Nuke auf dem Boden der Kabine liegen und das Zählwerk soeben die Zehn-Minuten-Marke unterschreiten.

Beim Anblick der Bombe wurde ihr schlagartig mulmig zumute.

09:57

09:56

09:55

Schluss jetzt, genug gepokert. Zwischen Bombe und Basis lag genug Entfernung. Sie lief zurück ins Cockpit und befahl dem System, die Schleuse auszufahren.

Der Computer lieferte eine Fehlermeldung.

Ungläubig starrte sie auf die Konsole. Jetzt plötzlich blinkte das Symbol für den Fahrstuhl flammend rot. Erneut versuchte sie ihn auszufahren, ohne Erfolg.

Unmöglich. Völlig unmöglich!

Sie verlangte einen Bericht.

Schleusenschacht nicht vollständig eingefahren, stand da. *Bitte vor dem Ausfahren einfahren.*

Ein Tremor durchfuhr ihre Beine. Rasch gab sie den Befehl, den Schacht einzufahren, obschon er doch eingefahren war, wenigstens hatte es für sie so ausgesehen, aber möglicherweise fehlten ja ein paar Zentimeter. Doch die Anzeige blinkte weiter.

Schleusenschacht kann nicht eingefahren werden.

Kann nicht eingefahren werden?

Neun Minuten.

Weniger als neun.

»Spinnst du?«, schrie sie das System an. »Einfahren, ausfahren! Wie soll ich denn –«

Sie hielt inne. Wie hirnverbrannt musste man sein, um sich mit einem Computer zu streiten. Die Schleuse ließ sich nicht öffnen, und das war's. Was bedeutete, dass sie die Bombe weder abwerfen noch rausholen konnte, um sie aus der Frachtluke zu werfen.

Die Frachtluke!

Mit pochendem Herzen hastete sie ins Heck, öffnete die Schleuse zum Frachtraum, stürmte ins Innere und schaute sich um. Einige Grasshoppers hingen fertig montiert in ihren Vorrichtungen. Noch vor 18 Stunden waren sie mit den Dingern über den legendären Apollo-Landestellen gekreuzt. Sie löste die Halterungen, stellte eines der Geräte auf seine Teleskopbeinchen und überprüfte die Treibstoffvorräte. Ausreichend. Jetzt zurück nach vorne, doch in Höhe der Schleuse konnte sie nicht widerstehen, zögerte. Die Hölle lockte sie, einen faszinierten Blick in ihr Inneres zu werfen, und so schaute sie in den blockierten Schacht, sah die Anzeige rückwärts laufen –

06:44

06:43

– riss sich los. Hechtete ins Cockpit.

Sah hinaus.

Der Kraterwall von Sylvester, immer noch ein ziemliches Stück entfernt, doch an Präsenz gewinnend. Sie musste die Bombe am Boden zur Explosion bringen, tief in seinem Innern. Alles andere würde ihren sicheren Tod bedeuten. Ihre Finger sprangen virtuos über den Touchscreen, berechneten den Neigungswinkel, dessen es bedurfte, um die KALLISTO kontrolliert abstürzen zu lassen, und die Nase des Shuttles senkte sich – halt, zu viel, weniger! – so, ja, so war es gut. Stetiger Abwärtsflug.

Jetzt nichts wie raus. Helm auf.

Ihre Hände zitterten. Warum zitterten *jetzt* ihre Hände?

05:59

Der Helm wollte nicht passen.

05:58

Sie war zu fahrig.

05:57

05:56

Jetzt!

Frachtraum. Handbedienung.

Enervierend träge senkte sich die Heckklappe und gab den Blick frei auf die Sterne und das ferne Massiv von Peary und Hermite. Hedegaard erklomm die Plattform des Hoppers und ließ die Maschine ein kleines Stück steigen. Die Klappe schwang weiter auf. Ohne zu warten, bis sie sich vollständig geöffnet hatte – Hauptsache, es würde mit knapper Not reichen –, navigierte sie den Hopper durch den Frachtraum und aus dem Heck des abstürzenden Shuttles nach draußen.

Illusorisch zu glauben, dass sie in Sicherheit war. Relativ zu ihr schien der Shuttle stillzustehen, was bedeutete, dass auch sie auf ihrem lächerlich winzigen Gefährt immer noch mit 12 000 Stundenkilometern in Richtung Sylvester raste, ebenso schnell wie die KALLISTO. Realistisch betrachtet standen ihre Chancen denkbar schlecht, doch fünf Minuten blieben ihr immerhin, das Unmögliche zu vollbringen, vielleicht auch nur vier. Irgendetwas jedenfalls zwischen 250 und 300 Sekunden. Alle ihre Hoffnungen darauf gerichtet, den Aufprallwinkel des Shuttles richtig eingeschätzt zu haben, kippte sie die Düsen in die Horizontale und entfesselte das Maximum an Gegenschub, das die kleine Maschine aufzubringen in der Lage war.

Der Hopper schüttelte sich, versuchte sie abzuwerfen.

Dann strebte er mit allem, was seine Triebwerke hergaben, fort von der entfliehenden KALLISTO, arbeitete der mörderischen Beschleunigung tapfer entgegen, während er gleichzeitig an Höhe verlor. Vor Hedegaards Augen wurde der Shuttle rasch kleiner. Sie kippte die Düsen noch ein Stück weiter und näherte sich dem Grund, kam dem Mondboden nahe, zu nahe, wie sie im selben Moment feststellte, weil sie immer noch viel zu schnell war. In Gefahr, zu zerschellen, zog sie den Hopper wieder nach oben, quetschte das letzte verfügbare Quantum Schub aus seinen Düsen und sah die KALLISTO den sonnenbeschienenen Hängen Sylvesters zustreben. Der staubige Grund raste nun nicht mehr ganz so schnell unter ihr hindurch, der Hopper kämpfte erfolgreich gegen seinen eigenen Schwung. Er wurde langsamer, doch würde die Zeit reichen, ihn auf Landegeschwindigkeit abzubremsen?

Und was dann? Wie viele Minuten blieben ihr?

Zwei?

Eine?

Ein kleiner Krater nahte heran, zog unter ihr hindurch und geriet außer Sicht. Ein idealer Ort, um sich zu schützen. Sie musste es irgendwie schaffen, zurück zu diesem Krater zu gelangen, doch immer noch war ihr Tempo beträchtlich. Am Horizont stand die KALLISTO als reflektierendes Pünktchen über dem Ringgebirge, so dicht, dass sie einen schrecklichen Moment lang befürchtete, sich verrechnet zu haben, und der Shuttle werde am Kraterrand zerschellen, die Bombe auf seinem Gipfel hochgehen, nichts sie vor der Wucht der Detonation schützen.

Dann verschwand das Pünktchen in Sylvesters Innerem, und sie stieß einen Triumphschrei aus, weil dieser Punkt im Spiel um ihr Leben an sie ging. Immer noch schreiend lenkte sie den Hopper nach unten, stemmte sich gegen die eigene Geschwindigkeit, und ganz allmählich schien das Gefährt den vom Shuttle ererbten Schwung zu überwinden, auch wenn sie für eine Landung noch zu schnell war. Den kleinen Krater von vorhin konnte sie vergessen, schon zu weit weg, doch ein ähnlich dimensionierter schob sich heran, noch etwas kleiner, ein Kraterchen. Sein Ringwall mochte zwei, drei Kilometer durchmessen, war indes erstaunlich hoch, sodass sie es plötzlich mit der Angst bekam, der Hopper werde es nicht über den Grat schaffen und damit kollidieren. Kurz vor dem Aufprall zog sie die Maschine nach oben, schaffte es mit knapper Not über den Wall, schaute nach unten. Bedrohlich warf der Kraterrand seinen schwarzen, hart abgezirkelten Schatten in die Mulde. Weiterhin wurde sie langsamer, überflog den gegenüberliegenden Rand, hatte wieder die Ebene und Sylvester vor Augen, inzwischen beängstigend nah mit seinen klaren, von keinem Dunst eingetrübten Gipfeln.

Etwas geschah dort.

Hedegaard kniff die Augen zusammen.

Der Himmel über Sylvester hellte sich auf.

Sie hielt den Atem an.

Von einem Moment auf den anderen wurden die Sterne verschluckt von einem gleißenden, sich ausbreitenden Licht, als werde im Innern des Kraters eine zweite Sonne geboren. Sofort wandte sie den Blick ab, flog eine 180-Grad-Kurve und stellte fest, dass sie die vollständige Kontrolle über Richtung und Geschwindigkeit erlangt hatte. Ihr Kraterchen lag ein ordentliches Stück hinter ihr, doch der Untergrund entfloh ihr nicht länger. Sie hatte den Kampf gegen die Eigenbeschleunigung gewonnen, musste Schutz suchen. Ringsum erstrahlten Hügel und Felskämme, selbst die fernen Massive des Pols, im Licht der Kernexplosion, das jedoch rasch verging, sodass sie in ihrer Neugier nicht anders konnte, als den Hopper zu wenden.

Das Licht war verschwunden.

Kurz dachte sie, Sylvester habe die Energie der Atombombe vollständig absorbiert, doch irgendetwas war anders als vorher. Zuerst begriff sie nicht, was sie sah, dann überfiel sie der Schock der Erkenntnis.

Der Kraterkamm war verschwunden.

Nein, nicht verschwunden. Verschluckt. Von einer Wand aus Staub, die seine oberen Ränder einhüllte und dem Himmel entgegenwuchs, die Sterne fraß, sich kilometerhoch reckte, höher und immer höher, unwirklich, bizarr, ein Bild des Grauens –

Die Hänge herabkroch.

Kroch?

»Ach du Scheiße«, flüsterte Hedegaard.

Unversehens hatte sich die Wand in eine riesige Welle verwandelt, die nach allen Seiten über den Kraterwall drängte und der Ebene entgegen raste. Hedegaard hatte keine Vorstellung davon, *wie* schnell sie unterwegs war, doch gewiss näherte sie sich zehn, zwanzig, dreißig Mal schneller, als ihr armseliger Hopper fliegen konnte. Einen Moment lang war sie wie gelähmt, unfähig, den Blick abzuwenden, dann riss sie das Gefährt herum und prügelte es zurück zu dem kleinen, namenlosen Krater. Nach der Höllenfahrt aus dem Rumpf der KALLISTO kam es ihr nun vor, als krieche der Hopper dahin. Erneut riskierte sie einen Blick, und Sylvester war verschwunden. Nur noch heranrasender Staub, der den Himmel verschlang und alles, was im Weg lag.

Schneller. Schneller!

Der Kraterwall, ihr Schutzwall!

Verzweifelt zog sie den Grasshopper hoch, der müde die Böschung erklomm, als habe er die Hektik der letzten Minuten satt. Seine Teleskopfüße schrammten über Gestein, er schwankte hin und her, dann tat er einen Satz und schoss über die Kuppe. Hedegaard breitete die Arme aus und sprang von der Plattform. Ihr Körper schlug auf abschüssigen Regolith, kullerte kraterwärts, über einen Vorsprung hinweg. In hohem Bogen fiel sie, landete ein erhebliches Stück weiter unten im Schatten einer fast senkrechten Wand, sah aus den Augenwinkeln den sich überschlagenden Grasshopper. Die Füße ins Geröll gestemmt, schaffte sie es, ihre Talfahrt zu stoppen. Sie robbte in den Schutz eines Überhangs und kauerte sich zusammen.

Über ihr bedeckte sich der Himmel.

Im nächsten Moment war alles grau. Hagelschauer kleiner und

kleinster Steine prasselten in die Kraterebene. Hedegaard machte sich so klein, wie es nur ging, von dem Überhang gegen die Druckwelle und die Trümmer geschützt, doch die einschlagenden Geschosse wirbelten ihrerseits Regolith auf, der in ihre Richtung zurückspritzte. Schützend schlug sie die Arme vor den Helm und hoffte, dass sich der Anzug dem Inferno gewachsen zeigen würde, sah gar nichts mehr, nur noch dichtes, wirbelndes Grau in Grau, schloss die Augen.

Die Wand raste über sie hinweg.

Wie lange sie dagelegen hatte, wusste sie nicht. Als sie es endlich wagte, die Arme vom Visier zu nehmen, hatten die Einschläge aufgehört, und eine trübe und zugleich gleißende Glocke stand über allem.

Sie rappelte sich hoch und streckte die Gliedmaßen. Unfassbar, dass sie noch lebte. Dass nichts gebrochen war. Sie schien tatsächlich vollkommen unversehrt.

Sie hatte eine Atombombe überlebt.

Dafür allerdings saß sie jetzt ohne Fortbewegungsmittel in einem Krater ohne Namen, fernab vom Peary. In ihrem Kraterchen, das ihr Leben gerettet hatte. Mit einem intakten Anzug, Funk und Sauerstoff für die nächsten Stunden, bis die Io sie fand. Wenigstens hoffte sie, dass man sie suchen und ihren Tod nicht voraussetzen würde.

Erst mal, entschied sie, musste sie raus aus dem Krater. Besser für die Funkverbindung, wenn die Io aufkreuzte.

Ergeben machte sie sich an den Aufstieg.

LONDON, GROSSBRITANNIEN

Tut mir leid, Yoyo –

Was Xin dann noch sagte, prägte sich ihr eher als Textur von Gesagtem ein, als bloßer Stimmabdruck, da ihr Nervus Vagus, der so krisenerprobte und am Ende so überforderte Manager, sein regulierendes Werk einstellte und die ihm anbefohlenen Organe ins Chaos stürzte, indem er sie sich selbst überließ. Ohne höhere Befehlsgewalt öffneten die Gefäße Flüchtlingsströmen von Blut Tür und Tor in die Beine, fand das Herz die Truppen desertiert und nichts mehr zu pumpen, wartete das Hirn vergeblich auf Nachschubbataillone mit Sauerstoff, sodass Xins Zusatz: »Ihr werdet verlieren« in den Rang eines elektrochemischen Gerüchts entrückte, er mochte es gesagt haben oder auch nicht. Es war der Moment des großen Stromausfalls. Des Augenverdrehens und Umfallens. Des vorauseilenden Erschossenwerdens. Des universalen Neins.

So hatte Jericho sie gefunden. Als Teil eines Ensembles über das Deck drapierter Körper: zwei tote Wachleute, ein toter Verräter, eine wie tot daliegende Yoyo, puls- und atemlos, über und über bedeckt mit kaltem Schweiß, nachdem sie den Anruf auf Shaws Leitung schuldig geblieben war. Und als er es seinerseits bei ihr versucht hatte, war sie nicht rangegangen. Ein Blick in Norringtons Büro kündete von dessen Abwesenheit. All dies reichte, um voller Besorgnis in den 68. Stock zu fahren, wo Diane mit herausgerissenen Kabeln einen erbarmungswürdigen Anblick bot und augenscheinlich ein Kampf stattgefunden hatte. Weit und breit keine Yoyo, dafür Blutflecken auf dem Boden, auf der Empore, der Brücke und der Treppe nach oben.

Der Rest: Intuition.

Er war aufs Dach hinausgestürmt, eben rechtzeitig, um das Airbike am Himmel entschwinden zu sehen, und einen entsetzlichen Moment lang hatte er Yoyo tot geglaubt. War neben ihr zusammengeklappt, ein Kniefall vor der Allgewalt des Scheiterns, das Leiden vor Augen, das er Tu und Hongbing mit der Nachricht zufügen würde, doch dem kaum messbaren Beben ihres Herzens, das sein Ohr an ihrem Brustkorb vernahm, war ein weiteres gefolgt, ein zerdehnter Rhythmus, der sich beschleunigte und an Kraft gewann, und das Blut hatte seinen Weg zurück in die Schaltstellen des Bewusstseins angetreten. Die Beine hochgelegt, war sie zu sich gekommen, verwirrt, apathisch, gerade noch in der Lage, ein Notprogramm hochzufahren, wer bin ich, Kopfweh, müde, schlafen.

Xin hatte sie leben lassen.

Warum?

Derweil steuerte Shaw auf einen Tobsuchtsanfall zu. Zu beweisen blieb Norringtons Schuld, auch wenn sie nicht länger daran zweifelte. Einem Ansturm von Mutmaßungen ausgesetzt, was der Stellvertretende Sicherheitsbeauftragte alles zum Schaden Orleys angerichtet haben mochte, ordnete sie die Durchsuchung seiner Daten an, ließ ihn filzen, und man stieß auf einen Stick, getarnt als Haustürschlüssel, auf dem ein einziges Programm gespeichert war, visualisiert in der Darstellung eines Schlangenleibes mit neun Köpfen, ein schimmerndes, pulsierendes Indiz seines Verrats.

An diesem Punkt beschloss Jericho auszusteigen.

Sollten sie ihre Probleme alleine lösen. Mehr konnte, mehr wollte er nicht tun, beinahe, als habe eine stille Übereinkunft zwischen ihm und

Xin stattgefunden, nachdem dieser Yoyo verschont und eine ebenso knappe wie unmissverständliche Nachricht hinterlassen hatte: Kümmert euch um eure eigenen Angelegenheiten. Vielleicht hatte Xin auch einfach nur erkannt, dass Yoyos Tod nicht mehr vonnöten war, da zu viele Menschen ihr geheimes Wissen teilten. Sie noch umzubringen, wäre sinnlos gewesen, und Akte der Sinnlosigkeit vereinbarten sich möglicherweise nicht mit Xins – Philosophie?

Wie auch immer.

Er, der Detektiv, hatte sein Versprechen gehalten und seinen beiden Klienten, Tu und Chen, Yoyo zurückgebracht. Alles Weitere war Sache Shaws und der britischen Geheimdienste, *nicht* seine, außerdem war er entsetzlich müde. Zugleich wusste er, dass er kein Auge würde zutun können, auch wenn er noch so ausgiebig gähnte. Tu hingegen, der ohnehin kaum schlief, schien der Schock in immerwährende Wachheit versetzt zu haben, genährt von Schuldgefühlen, Yoyo nicht beigestanden zu haben. Seit zwei Stunden schlummerte sie friedlich in seinem Bett – alle Gästesuiten im Big O verfügten über mehrere Zimmer und boten spektakuläre Ausblicke –, während er zusammen mit Jericho im Wohnzimmer Tee trank und einen manischen Vernichtungswillen an den Tag legte, was die Vorräte an Nüssen und Süßigkeiten anging.

»Ich muss einfach essen«, sagte er halb entschuldigend und rülpste vernehmlich. »Essen und Beischlaf sind die beiden großen Begierden des Mannes –«

»Sagt wer?«, murmelte Jericho.

»Na, Konfuzius, und er meint damit, dass wir ordentlich essen sollen, um unsere Frauen zu schützen. Ich habe also einiges nachzuholen.« Paranüsse mischten sich mit Gummibärchen. »Und sollte ich das Schwein je in die Finger bekommen –«

»Wirst du nicht.«

Tu schlug mit der flachen Hand auf den Tisch. »Wir sind so weit gekommen, *xiongdi*. Glaubst du im Ernst, ich gebe klein bei und lasse das Ungeheuer laufen? Denk daran, was er mit Yoyos Freunden gemacht hat, mit Hongbing. Wie er ihn gequält hat!«

»Nicht so laut.« Jericho warf einen Blick zur halb geschlossenen Schlafzimmertür. »Dein Zorn in allen Ehren, aber vielleicht solltest du dich in Dankbarkeit fügen, nicht tot zu sein.«

»Gut, ich bin dankbar. Und weiter?«

»Nichts weiter.« Jericho breitete die Hände aus und rollte die Augen. »Leben. Weiterleben.«

»Diese Einstellung passt nicht zu dir«, sagte Tu tadelnd. »Das Wesen des Holzwurms ist es nicht, sich mit Betrachtungen über die Maserung zu begnügen.«

»Danke für den Vergleich.«

»Wofür haben wir das alles denn auf uns genommen?«, zischte Tu. »Damit die Lumpen davonkommen?«

»Jetzt pass mal auf.« Jericho stellte seinen Teebecher ab und beugte sich vor. »Du magst ja recht haben, und nächste Woche sehe ich alles ganz anders, aber wohin hat es uns schlussendlich geführt, das endlos expandierende Werk unserer Ermittlungen, all die Killer, Söldnerheere und Geheimdienste, Umstürze in Westafrika, das Machtstreben von Regierungen und Konzernen, heute ausgetragen in Äquatorialguinea, morgen auf dem Mond und übermorgen auf der Venus, kollabierende Ölkonzerne, koreanische Atombomben, Mondhotels und schurkische Astronauten, Attentate auf Ölmanager, die Auslöschung von Greenwatch, China- und CIA-Theorie, neunköpfige Schlangenmonster? Na? Zu einem brütend heißen Tag zwischen unausgepackten Möbelstücken und einem traurigen Mann in Sorge um seine verschwundene Tochter, der mir geholfen hat, zwei Sessel von Noppenfolie zu befreien, damit wir etwas hatten, worauf wir sitzen konnten. Offen gestanden, Xin und seine Hydra gehen mir gerade am Arsch vorbei. Ich weiß beim besten Willen nicht mehr, was wir eigentlich mit ORLEY ENTERPRISES zu schaffen haben. Da drüben liegt ein Mädchen, und dass sie atmet und wir kein Tuch über sie breiten müssen, ist mir näher als alle Weltverschwörungen zusammen, es sieht nämlich danach aus, als wären wir *raus aus der Nummer,* wie immer sie sich vollziehen mag. Wir haben die Drecksbande in die Enge getrieben, Tian, so sehr, dass sie keinen Sinn mehr darin sehen, uns zu töten. Die Geschichte verschwindet in sich selbst. Sie beginnt und endet auf dem Tomson-Shanghai-Pudong Golfplatz, wo du mich gebeten hast, deinem Freund seine Tochter zurückzubringen, lebend und in einem Stück. Hab ich gemacht. Danke, bitte.«

Tu betrachtete ihn sinnend, eine Handvoll Nüsse in der Schwebe.

»Ich bin dir sehr dank –«

»Nein, du hast mich nicht verstanden.« Jericho schüttelte den Kopf. »Wir sind uns alle sehr dankbar, aber jetzt fliegen wir schön nach Hause, du kümmerst dich um dein Joint Venture mit DAO IT, Yoyo geht studieren, Hongbing verkauft den Silver Shadow, von dem er mir erzählt hat, und freut sich seiner Provision, und ich wische Xins Fingerabdrücke von meinen Möbeln und versuche mich in irgendeine Frau zu verlieben, die nicht Diane oder Joanna heißt. Und es wird wunderbar sein, diese Dinge tun zu können! Ein stinknormales Leben zu führen. Wir wachen auf aus diesem beschissenen Traum, reiben uns die Augen, und Schluss, denn *das hier* ist *nicht* unser Leben, Tian! Das sind die Probleme *anderer.*«

Tu kratzte seinen Bauch. Jericho sank zurück in die Geborgenheit des Sofas und wünschte, glauben zu können, was er gesagt hatte.

»Ein stinknormales Leben«, echote Tu.

»Ja, Tian«, sagte er. »Stinknormal. Und wenn ich mir als dein Freund erlauben darf, das hinzuzufügen: Redet mit Yoyo. Reden hilft.«

Unhöflich einem Chinesen gegenüber, auch einem befreundeten. Aber vielleicht, nach zwei Tagen wie diesen – wie viel näher konnte man sich kommen, ohne Nähe zuzulassen? Er schaute hinaus auf das erwachende London und fragte sich, ob er Shanghai verlassen und hierher zurückkehren sollte. Eigentlich war es ihm egal.

»Entschuldige«, seufzte er. »Ich weiß, es geht mich nichts an.«

Tu ließ die Fuhre Nüsse aus seiner Handfläche zurück in die Schale rieseln und rührte mit einem Finger darin herum. Eine ganze Weile sagte niemand etwas.

»Weißt du, was ein Ankang ist?«, fragte er schließlich.

Jericho wandte den Kopf. »Ja.«

»Möchtest du eine Geschichte über einen Ankang hören?« Tu lächelte. »Natürlich nicht. Niemand möchte eine Geschichte über einen Ankang hören, aber du hast es nicht anders gewollt. Sie beginnt am 12. Januar 1968 in der Provinz Zhejiang mit der Geburt des einzigen Kindes. Übrigens nicht in Befolgung der Ein-Kind-Politik, die wurde erst Jahre später verfügt, wie du ja sicher weißt als Beinahe-Chinese.«

12. Januar –

»Definitiv nicht dein Geburtstag«, sagte Jericho.

»Nein, außerdem wurde ich in Shanghai geboren, das Kind hingegen in einer Kleinstadt. Der Vater war Lehrer und als solcher dringend verdächtig, sein Hirn in den Dienst solch verwerflicher Ziele wie Allgemeinbildung oder Herausarbeitung einer intellektuellen Geisteshaltung zu stellen, mit anderen Worten, überhaupt zu denken. Damals reichte es, die Eckdaten der älteren Landesgeschichte aufsagen zu können, um mit Stöcken durch die Straßen geprügelt zu werden, aber der Lehrer hatte sich, als Pekings Horden die Zerstörung unserer Kultur in Angriff nahmen, die sie zu revolutionieren vorgaben, mit den Umständen arrangiert. Vorerst. Das Spinnennest der Roten Garden war ja die Hauptstadt, während die lokalen Parteiführer in den ländlichen Regionen die Gardisten bekämpften. Die dortigen Bauern und Arbeiter profitierten eher von der Politik Deng Xiaopings und Liu Shaoqis. Um nicht als gebildet zu gelten, arbeitete unser Lehrer fortan in einer Landmaschinenfabrik und versuchte auf seine bescheidene Weise, den Sturz Dengs und Lius durch die Maoisten zu verhindern. Eine Absplitterung der Garden hatte in der Stadt Fuß gefasst, das Koordinierte Arbeitskomitee, die offen mit Deng sympathisierten, und der Lehrer dachte, es sei eine gute Idee, sich ihnen anzuschließen. War es auch. Bis '68, als sich das Komitee unter dem Druck der Hardliner auflöste. Denen reichte es schon zu wissen, dass er mal Lehrer *gewesen war,* und er begann um das Leben seiner Familie zu fürchten am Tag, als sein Sohn geboren wurde.«

Jericho nippte an seinem Tee, während ihm ein Verdacht kam.

»Wie hieß dieser Lehrer, Tian?«

»Chen De.« Tu tippte eine Erdnuss mit dem Zeigefinger an und ließ sie über die Tischplatte kullern. »Auf den Namen seines Sohnes solltest du jetzt von selber kommen.«

»Ein Name, der Linientreue ausdrücken sollte. Roter Soldat.«

»Hongbing. Taktisch klug gedacht, es nützte nur nicht viel. Ende '68 kamen sie Hongbings Mutter verhaften, wegen reaktionärer Äußerungen, wie es hieß, tatsächlich, weil viele Gardisten die Kultur unter Zuhilfenahme des Knüppels zwischen ihren Beinen revolutionierten und ihr nicht einleuchten wollte, was es den armen Bauern nützte, wenn sie mit so einem ins Bett ging. Man brachte sie in ein Umerziehungslager, wo sie – na ja, umerzogen wurde. Krank und misshandelt kehrte sie zurück, nicht mehr dieselbe. Sporadisch und unter großen Risiken nahm Chen De seine Lehrertätigkeit wieder auf, meist arbeitete er in der Fabrik und versuchte seinem Jungen im Geheimen so viel Bildung wie möglich zu vermitteln, etwa die Vorzüge eines ethischen Lebenswandels, brandgefährlich, kann ich dir sagen! Mitte der Siebziger – Mao widmete sich jetzt vorzugsweise den jüngeren Töchtern der Revolution, explizit ihrer Entjungferung – trug ihm seine Verbundenheit zum Komitee mit siebenjähriger Verspätung den Vorwurf der Konterrevolution ein, kurzer Prozess, Knast. Zurück blieb Hongbing, ein Kind, das alleine für die angeschlagene Mutter sorgen musste, also übernahm es die Arbeit in der Landmaschinenfabrik.«

Tu machte eine Pause und goss sich Tee nach.

»Nun, Verschiedenes änderte sich, manches zum Besseren, anderes zum Schlechteren. Nacheinander sterben Mutter und Mao, der in Ungnade gefallene Deng wird rehabilitiert, Hongbings Vater darf wieder unterrichten, parteikonform, versteht sich. Der Junge wächst heran zwischen Ideologie und Zweifel. In Ermangelung menschlicher Vorbilder fokussiert er seine Begeisterung auf Autos, damals Objekte von großer Seltenheit. Damit lässt sich auf dem Land jedoch kein Glück machen, also zieht er mit siebzehn nach Shanghai, der lustvollen Variante des knöchernen Pekings, schlägt sich mit Gelegenheitsjobs durch und lernt eine Gruppe Studenten kennen, die im postrevolutionären China das Pflänzchen demokratischen Gedankenguts hochpäppeln und ihn mit den Schriften Wie Jingshengs und Fang Lizhis vertraut machen – Fünfte Modernisierung, Öffnung der Gesellschaft, all das verlockende, verbotene Gedankengut.«

»Hongbing war in der Demokratiebewegung?«

»Oh ja!« Tu nickte eifrig. »An vorderster Front, lieber Owen. Ein Kämpfer! 20. Dezember '86, 70 000 Shanghaier gehen auf die Straße gegen die manipulierte Besetzung der Volkskongresse durch die Partei, und Hongbing bildet die Spitze. Ein Wunder, dass sie ihn damals nicht schon einkassiert haben. Inzwischen hat er Arbeit in einer Reparaturwerkstatt gefunden, macht die Karossen der Kader flott, gewinnt einflussreiche Freunde und verliert seine letzten Illusionen, denn diese Manager des neuen China könnten die Korruption erfunden haben. Aber egal. Erst mal. Sagt dir der 15. April 1989 was?«

»Der 4. Juni sagt mir was.«

»Ja, aber es beginnt früher. Hu Yaobang stirbt, ein Politiker, in dem die Studenten immer einen Freund gesehen hatten, zumal er parteiintern zum Sündenbock für die Unruhen von '86 gemacht worden war. Um seiner zu gedenken, setzen sich Tausende Pekinger in Bewegung und betrauern den Verblichenen auf dem Platz des Himmlischen Friedens, und die vertrauten Forderungen werden wieder laut: Demokratie, Freiheit, womit man alte Männer an der Macht halt ärgern kann. Die regimekritische Stimmung infiziert andere Städte und natürlich auch Shanghai, und wieder reckt Hongbing die Faust und organisiert Proteste. Deng verweigert der Studentenschaft den Dialog, die Demonstranten treten in den Hungerstreik, der Platz des Himmlischen Friedens wird zum Nukleus volksfestartigen Treibens, Aufbruchstimmung, gefühlter Wechsel, ein Happening, das Hongbing mit eigenen Augen sehen will. Eine Million Menschen haben den Platz inzwischen besetzt. Journalisten aus aller Welt sind zugegen, zu allem Überfluss trifft auch noch Michail Gorbatschow ein mit seinen Ideen von Perestroika und Glasnost. Die Partei steckt ganz schön in der Klemme.«

»Und Hongbing mittendrin.«

»Dennoch hätte alles friedlich ausgehen können. Ende Mai will das Gros der Pekinger Studenten die Bewegung auflösen und sich mit Dengs Demütigung zufriedengeben, aber Angereiste wie Hongbing beharren auf der Durchsetzung aller Forderungen, und das lässt die Sache eskalieren. Der Rest ist bekannt, über das Tian'anmen-Massaker muss ich dir nicht viel erzählen. Und wieder hat Hongbing unverschämtes Glück. Nichts geschieht ihm, weil sein Name auf keiner schwarzen Liste zu finden ist. Aller Illusionen beraubt, kehrt er nach Shanghai zurück, beschließt, sich wieder mehr um seinen Job zu kümmern, und bringt es zum Stellvertreter des Werkstattleiters. Über die Jahre ist es eine schöne und große Werkstatt geworden, die neureiche Schicht verschmäht den Tritt in die Pedale, und keiner versteht so viel von Autos wie Hongbing. Hier und da wird ihm die Arbeit im Bordell vergolten, hohe Kader laden ihn zum Essen ein, betuchte Funktionäre hätten nichts dagegen, den gut aussehenden Burschen ihre Tochter schwängern zu sehen.«

»Somit hatte er sich mit den Umständen arrangiert.«

»Bis zum Winter '92, als Chen De den Kopf, den er so oft versucht hat, aus der Schlinge zu ziehen, in eine solche steckt. Depressionen. Wegen seiner toten Frau, weißt du, und weil die Revolution seine Familie zerstört hat. Hongbing entbrennt in Selbsthass. Auf seinen ungeliebten Namen, auf sein schales Tête-à-Tête mit den *Ganbei* schreienden Profiteuren, die sich das Interesse an der Demokratiebewegung haben abkaufen lassen. Er will ein Zeichen setzen. Im Jahr zuvor ist der Dissident Wang Wanxing verhaftet worden, weil er am Jahrestag des Tian'anmen-Massakers ein Transparent für die Rehabilitierung der damals ermordeten Demonstranten entrollt hat, mitten auf dem Platz des Himmlischen Friedens. Und wieder jährt sich Tian'anmen, 4. Juni 1993, und Hongbing demonstriert mit ein paar Gleichgesinnten für Wangs Freilassung, ein kleines, überschaubares Ziel, wie er findet, dem vielleicht bessere Aussichten auf Erfolg beschieden sind, als immer gleich dem ganzen System ans Bein zu pinkeln, und siehe da, ihm wird Beachtung zuteil. Nur leider von der falschen Seite.«

»Er wird verhaftet.«

»Vom Fleck weg. Und nun kommt der perfide Teil, auch wenn du sagen magst, dass es bis hierhin schon perfide genug war, aber das stimmt nicht. Bis hierhin war es nur grausam.«

Tu machte eine Pause, während die Sonne höher stieg und das Bett der Themse mit Licht ausgoss.

»Einige Kilometer außerhalb Hangzhous, idyllisch situiert zwischen Reisfeldern und Teebergen, lag viele Jahre lang ein hübscher, buddhistischer Tempel. Bis man ihn abriss, um an seiner statt etwas zu errichten, wovon man meinte, dass es der chinesischen Gesellschaft dienlich sein könnte.«

»Einen Ankang.«

Jericho fühlte seine Müdigkeit verfliegen. Er hatte von Ankangs gehört, wenngleich nie einen von innen gesehen. Wörtlich bedeutete Ankang *Sicherheit, Frieden und Gesundheit*, tatsächlich handelte es sich um Polizeipsychiatrien.

»Der Ankang von Hangzhou war Chinas erste Psychiatrie ihrer Art«, sagte Tu. »Errichtet auf dem Fundament des Glaubens an die perfekte Ideologie, die infrage zu stellen nur Resultat einer mehr oder minder schweren Geistesverwirrung sein konnte, so wie man geisteskrank sein muss, um zu glauben, die Erde sei viereckig oder der Ehepartner ein verkleideter Hund. Nach dem Vorbild der Sowjetunion wurden auch in China Dissidenten immer wieder für verrückt erklärt, den schmucken Namen Ankang verlieh die Partei den Psychiatrien allerdings erst Ende der Achtziger. Bis dahin waren sie im Geheimen betrieben worden.«

»Sag mal, dieser verhaftete Dissident, dessen Freilassung Hongbing erwirken wollte, Wang Wanxing – wurde der nicht auch in einem Ankang festgehalten?«

»Dreizehn Jahre, und schließlich abgeschoben, 2005. Bis dahin waren über Ankangs nur Gerüchte im Umlauf gewesen, dass sie weniger der Pflege echter Geisteskranker als vielmehr der Demütigung Gesunder dienten. Nun begann, zunächst zögerlich, eine Debatte, was die Partei jedoch nicht daran hinderte, weitere dieser sogenannten Psychiatrien in Betrieb zu nehmen. Es soll ja beständig Leute geben, die der Paranoia der Menschenrechte erliegen oder sich in die schizophrene Vorstellung freier Wahlen verrennen. Die Welt ist voller Verrückter, Owen, man muss fein achtgeben: Gewerkschafter, Demokraten, Religiöse, Menschen mit Petitionen und Beschwerden, die sich beispielsweise gegen die Abrisspolitik Shanghais zur Wehr setzen und solch exotische Dinge fordern wie Mitspracherecht. Nicht zu vergessen die ganz Verwirrten, die meinen, in unserer perfekten Gesellschaft Fälle von Korruption auszumachen.«

Jericho schwieg. Tu schlürfte Tee, wie um den Geschmack des Wortes Ankang aus seiner Mundhöhle zu spülen.

»Nun ja, seit Wanxings Abschiebung haben die Opfer begonnen, sich zu wehren. Anfang 2005 erließ der Volkskongress gar ein Gesetz, das Folter durch die Polizei verbietet, eine Farce natürlich. Immer noch ist es üblich, Verdächtige so lange Repressalien auszusetzen, bis sie irgendein Geständnis unterschreiben, den Beweis ihrer Geisteskrankheit, und von da an darf man Folter mit Fug und Recht Behandlung nennen. Rund einhundert Ankangs gibt es noch in China, Gegenstand öffentlicher Debatten und internationaler Mahnungen, doch als Hongbing in Hangzhou eingeliefert wird, schreiben wir das Jahr 1993, und kein Gesetz sieht die Möglichkeit des Einspruchs vor. In den Platanen auf dem Anstaltsgelände, hübsch anzusehen, hängt eine rote Banderole mit der Aufschrift *Körperliche und seelische Gesundheit: Glück im ganzen Leben,* das ganze zynische Vokabular des Gulags. Hongbing erhält seine Diagnose: Er leide an paranoider Psychose und politischer Monomanie. Vom einen wie vom anderen hat außerhalb Chinas nie ein Arzt gehört, beides findet sich auf keiner internationalen Liste, was wieder mal zeigt, wie dumm die Ausländer sind. Hongbing mache einen guten Eindruck, heißt es in milder Anstaltsdiktion, sein Gemütszustand sei stabil, er gehorche, höre Radio, lese gern und sei hilfsbereit, nur dass er, so wörtlich, *eine massive Behinderung des logischen Denkens* an den Tag lege, sobald die Rede auf Politik komme. Seine Behinderung sei für jedermann ersichtlich, seine mentale Aktivität geprägt von Größenwahn, Streitsucht und einem pathologisch übersteigerten Willen. Die Ärzte halten deshalb eine medikamentöse Behandlung und strenge Überwachung für angezeigt, um den armen Hongbing auf den leuchtenden Pfad geistiger Klarheit zurückzuführen, und somit ist er aller Rechte beraubt.«

»Konnte er nicht wenigstens mit einem Anwalt sprechen?«, sagte Jericho fassungslos. »Irgendeine Möglichkeit muss es doch gegeben haben, einen Prozess zu erwirken.«

»Aber, Owen.« Tu hatte wieder begonnen, Süßigkeiten zu essen, stopfte immer neue Händevoll in sich rein, kaum dass er geschluckt hatte. »Das wäre doch widersinnig gewesen. Ich meine, wie kann ein Wahnsinniger Einspruch gegen den Tatbestand seines Wahns erheben, jeder weiß doch, dass sich die Verrückten für die einzig Normalen halten. Gegen das polizeiliche Urteil, irre zu sein, besteht keine Einspruchsmöglichkeit, die Dauer der Einweisung fällt einzig ins Ermessen der Polizeipsychiater und Funktionäre. Das macht es so unerträglich für die Opfer. Im Gefängnis oder Arbeitslager weißt du, wie viel sie dir aufgebrummt haben, dein Aufenthalt im Ankang unterliegt hingegen der Willkür deiner Peiniger. Aber weißt du, was das eigentlich Perfide ist?«

Jericho schüttelte den Kopf.

»Dass viele Insassen tatsächlich geisteskrank sind. Raffiniert, was? Stell dir die Qual eines gesunden Menschen vor, von psychisch schwer gestörten Straftätern umgeben zu sein, die ihn unentwegt bedrohen. Kein halbes Jahr nach seiner Einlieferung wird Hongbing Zeuge, wie zwei Insassen ermordet werden, und das Personal schaut tatenlos zu. Nächtelang zwingt er sich, wach zu bleiben, aus Angst, der Nächste zu sein. Andere Mithäftlinge, pardon, Patienten, sind wieder völlig normal, so wie er selbst. Spielt keine Rolle. Alle gehen durch dieselbe Hölle. Regelmäßig werden sie *Therapien* unterzogen, chemischen Zwangsjacken, Insulin- und Elektroschocks. Du glaubst ja gar nicht, was alles der geistigen Gesundung dienlich ist! Das Ausdrücken von Zigaretten auf der Haut, bevorzugt auf den Genitalien, Folter mit glühenden Haken, extreme Hitze, Schlafentzug, Untergetaucht-Werden in Eiswasser, und immer wieder Prügel. Aufwiegler werden ans Bett gefesselt und bis zur Besinnungslosigkeit traktiert, etwa, indem man ihnen eine Nadel in die Oberlippe sticht, Stromstöße hindurchjagt und dabei die elektrische Spannung abwechselnd auf hoch und niedrig stellt, damit bloß keiner gegen den Schmerz abstumpft. Manchmal, wenn den Ärzten und Schwestern danach ist, müssen alle Insassen einer Abteilung zur Bestrafung antreten, egal, ob sie was verbrochen haben oder nicht. Unter der wohlmeinenden Fürsorge des Personals sterben mehrere Patienten an Herzinfarkten. Einer, mit dem Hongbing sich angefreundet hat, entschließt sich in seiner Verzweiflung zum Hungerstreik. Auch ihn fesselt man ans Bett, dann müssen geistesgestörte Mitgefangene ihn unter Aufsicht der Pfleger zwangsernähren. Bloß, wie macht man das? Weil es ihnen keiner beibringt, kippen sie dem armen Kerl so lange Flüssignahrung zwischen die aufgezwungenen Kiefer, bis er erstickt, aber wenigstens hat er gegessen. Herzversagen, laut Aktenvermerk. Niemand wird belangt. Hongbing hat Glück im Unglück, die schlimmsten Folterungen bleiben ihm erspart. Es gibt autovernarrte Kader in Shanghai, die sich für ihn einsetzen, dezent genug, um nicht selbst Opfer von Repressalien zu werden, doch es reicht für eine vergleichsweise privilegierte Behandlung. Er bekommt eine Einzelzelle zugewiesen, darf lesen und fernsehen. Dreimal täglich werden ihm Neuroleptika mit starken Nebenwirkungen verabreicht, während ihm manche Ärzte unter der Hand zu verstehen geben, dass sie ihn für völlig gesund halten. Hongbing verbirgt die Pillen unter der Oberlippe und lässt sie im Klo verschwinden, schon gibt's eine Insulinschocktherapie zur Strafe, und er liegt tagelang im

Koma. Ein anderes Mal wird er festgeschnallt, ein Arzt streift Handschuhe mit Metallplatten über, legt sie auf seine Stirn, und dann knallt es, dass ihm Hören und Sehen vergeht. Elektroschocktherapie, diesmal als Strafe dafür, Hongbing zu sein. Fortwährend knallt es im Ankang, vor lauter Wehgeschrei kriegt man kein Auge zu. Die Patienten verstecken sich unter den Betten, in der Toilette, unterm Waschbecken, zwecklos. Wer ausersehen ist, der wird gefunden. – Oh, nichts mehr zu knabbern.«

Jericho brauchte einen Moment, um zu reagieren. In Bann geschlagen stand er auf, ging an die Bar und kehrte mit ein paar Tüten Chips zurück.

»Cheese and Onion«, las er vor. »Oder lieber Bacon?«

»Schnuppe. Im zweiten Jahr versucht Hongbing zu fliehen. Fast ist er draußen, da schleppen sie ihn wieder rein. Davon träumt er heute noch, öfter als von allem anderen. Zur Belohnung für so viel Eigeninitiative verpassen sie ihm Scopolamin, das dich apathisch macht, sodass du über dumme Dinge wie Abhauen nicht mehr nachdenkst. Überflüssig zu erwähnen, dass das Zeug schwerste körperliche und seelische Schäden hinterlässt. Im dritten Jahr seines Aufenthalts, im Sommer '96, wird eine junge Arbeiterin eingeliefert, die den Sohn ihres Fabrikleiters wegen der Entgegennahme von Schmiergeldern angezeigt hatte, woraufhin der Sohn sie bewusstlos schlug und sie ihn erneut anzeigte, eine Unverschämtheit, die der Fabrikleiter, der Polizeichef und der Verwaltungsvorstand des Ankangs zum Anlass nahmen, sie für geisteskrank zu erklären. Ohne ärztliches Gutachten, ohne Anzeige oder Urteil verschwindet sie in der Klinik, während der Schwiegersohn des Ankang-Verwaltungschefs Abteilungsleiter der Fabrik wird. Zufälle gibt's. Tja, und Hongbing? Der verliebt sich in die Frau und kümmert sich um sie, bis sie sechs Monate nach der Einlieferung bei einer Insulinschocktherapie stirbt. Dieses Ereignis bricht seinen letzten Widerstand. Am Tag, als er die Frau verlor, hat Hongbing auch seine Kraft verloren.«

»Das ist schrecklich, Tian«, sagte Jericho leise.

Tu zuckte die Achseln. »Es ist die Geschichte einer falschen Abzweigung, wie man sie im Leben schon mal nimmt. Eine Geschichte des Hätte-ich-doch und Wäre-ich-bloß-nicht. Dann, im Frühjahr '97, erhält die lustige Beklopptentruppe Zuwachs durch einen lebhaften Typen, von Haus aus wohlhabend, pragmatisch und selbstsicher. Erwartungsgemäß nehmen sich die Ärzte erst mal dieser Selbstsicherheit an. In Dissidentenkreisen ist der Mann kein unbeschriebenes Blatt, er gilt als Lokalheld im Kampf gegen die Korruption. Hat Tausende Angestellte einer Fabrik für elektronische Bauteile, in der er Abteilungschef war, zum Protest gegen die Leitung mobilisiert, die sich auf Kosten der Belegschaft bereicherte, ist mit Beweisen zum Pekinger Beschwerdeamt gefahren, nur um inhaftiert und eingewiesen zu werden. Im Ankang geben sie ihm allerlei Zeugs, das ihn krank macht, seine Haare fallen aus, er leidet an spastischen Zuckungen, Schlaflosigkeit, Nervenschwäche und Gedächtnisverlust, doch seinen Überlebenswillen kriegen sie nicht klein. Sein einziges Ziel ist es, schnellstmöglich wieder rauszukommen, und er hat mächtige Freunde in Shanghai, zum Beispiel spielt sein Schwager mit dem Polizeichef Golf. Dieser Mann mag Hongbing. Er verbringt viel Zeit mit ihm, hört ihm zu, baut ihn allmählich wieder auf. Sechs Monate später ist der Mann draußen, bekommt eine leitende Position in einem Softwarekonzern zugeschanzt und plant die Architektur seines Aufstiegs. Als im folgenden Jahr endlich auch Hongbing freikommt, dreißig Jahre ist er nun alt, fünf davon hat er in der Nervenheilanstalt verbracht, verschafft ihm sein Freund aus dem Ankang unter der Hand einen Job bei einem Autohändler und macht es sich zur Aufgabe, ihn fortan zu unterstützen, wo immer er kann.«

Die Sonne war höher gestiegen. Weiches, rosenfarbenes Morgenlicht überzog die Dächer.

»Du bist der Freund aus dem Ankang«, sagte Jericho leise.

»Ja.« Tu nahm seine Brille ab und begann sie an einem Zipfel seines Hemds zu putzen. »Ich bin der Freund. Das ist es, was Hongbing und mich verbindet.«

Jericho schwieg eine Weile.

»Und Hongbing hat nie mit Yoyo über diese Zeit gesprochen?«

»Nie.« Tu hielt die Brille gegen das Licht und schaute prüfend durch die Gläser. »Schau dir dein eigenes Leben an, Owen. Du weißt doch selbst, es gibt Erlebnisse, die legen sich wie Schlösser vor deine Stimmbänder. Die Scham lässt dich verstummen, außerdem denkst du, wenn du nicht darüber redest, verblasst es mit den Jahren, aber es gewinnt nur immer mehr Macht über dich. Nach seiner Freilassung erwog Hongbing, vor Gericht zu ziehen. Ich sagte, bau dir eine Existenz auf, bevor du weitere Schritte unternimmst. Sein Sachverstand für Autos war immens! Wann immer ein neues Modell auf den Markt kam, wusste er binnen Kurzem alles darüber. Er hörte auf mich und stieg zum Verkäufer auf. 1999 lernte er ein Mädchen aus Ningbo kennen und heiratete sie völlig überstürzt. Sie passten kein bisschen zusammen, aber er wollte wohl im Zeitraffer die verlorenen fünf Jahre nachholen und ganz schnell eine Familie gründen. Yoyo wurde geboren, die Ehe scheiterte wie vorhergesehen, weil Hongbing entdeckt zu haben glaubte, er könne nicht mehr lieben, aber tatsächlich konnte er nur sich nicht lieben und kann es bis heute nicht. Das Mädchen zog zurück nach Ningbo, Hongbing erhielt das Sorgerecht und versuchte, Yoyo zu geben, was er nicht hatte.«

»Nähe.«

»Hongbings Problem ist, dass er sich der Nähe für unwert hält. Aber Yoyo hat es falsch verstanden. Dass sie irgendwas verkehrt macht. Durch sein Schweigen hat er ihr einen Riesenschuldkomplex aufgeladen, ganz entgegen seiner Absicht, aber du hast ihn ja kennengelernt. In sich selbst eingemauert.« Tu seufzte. »Vorgestern Nacht in Berlin, als ich mit Yoyo um die Häuser zog und du schmollend im Hotel gesessen hast, habe ich ihr schließlich *meine* Geschichte erzählt, und Yoyo, klug wie sie ist, wollte sofort wissen, ob Hongbing Ähnliches widerfahren ist.«

»Was hast du gesagt?«

»Nichts.«

»Er wird mit ihr reden müssen.«

»Ja.« Tu nickte. »Wenn er seiner Versteinerung Herr wird. Du musst wissen, im Geheimen, ohne dass sie je etwas davon mitbekommen hat, kämpft er immer noch um seine Rehabilitierung.«

»Und du? Bist du je rehabilitiert worden?«

»2002, als ich Manager in dem Softwarekonzern wurde, beschloss ich, Klage einzureichen. Neunmal wurde meine Eingabe abgewiesen. – Dann, vollkommen unerwartet, hieß es, alles sei ein höchst bedauernswerter Irrtum und ich Opfer einer Fehldiagnose gewesen, krimineller Machenschaften gar! Mein Ansehen war wiederhergestellt, meiner Karriere der Weg geebnet. Durch Fürsprache erwirkte ich, dass Hongbing Leiter des technischen Service einer Mercedes-Niederlassung wurde, womit seine Existenz so weit gesichert war, dass auch er endlich vor Gericht ziehen konnte, und seitdem prozessiert er. Hat Kartons voller Unterlagen gesammelt, ärztliche Gutachten, die belegen, dass er nie geisteskrank war, doch bis heute wurde das Urteil gegen ihn nur teilweise revidiert. Ich hatte mich mit einer korrupten Firmenleitung angelegt, mit Verbrechern eben, doch er hatte gegen die Partei opponiert. Und die Partei ist ein Elefant, Owen. Es bleibt also ein Makel an ihm haften, eine tiefe Verwundung. Ich denke, wäre er vollständig rehabilitiert, könnte er sich Yoyo vielleicht anvertrauen, aber so –«

Jericho drehte den Becher zwischen seinen Fingern.

»Yoyo muss die Wahrheit erfahren, Tian«, sagte er. »Wenn Hongbing nicht mit ihr redet, wirst du das übernehmen müssen.«

»Na ja.« Tu nestelte seine Brille wieder auf die Nase und grinste schief. »Nach dem heutigen Morgen hab ich jedenfalls Erfahrung darin.«

»Danke, dass du's mir erzählt hast.«

Tu schaute versonnen auf die leer geplünderten Chipstüten. Dann sah er Jericho in die Augen.

»Du bist mein Freund, Owen. Unser Freund. Du gehörst zu uns. Es geht dich was an.«

2.JUNI 2025

[LYNN]

LONDON, GROSSBRITANNIEN

Die Adresse 85 Vauxhall Cross im Südwesten der Stadt, am Ufer des Albert-Embankments nahe der Vauxhall-Brücke gelegen, erweckte den Eindruck, als habe König Nebukadnezar II. versucht, aus Legosteinen einen babylonischen Zikkurat zu errichten. Tatsächlich barg der sandfarbene Klotz mit den grünen Panzerglasflächen das schlagende Herz der britischen Sicherheit, den Secret Intelligence Service, auch SIS oder MI6 genannt. Der verspielten Anmutung zum Trotz handelte es sich um ein wahres Bollwerk gegen die Feinde des Vereinigten Königreichs, an dem sich zuletzt ein Kommando der IRA die Zähne ausgebissen hatte, vor 25 Jahren, als es vom gegenüberliegenden Ufer eine Rakete darauf abfeuerte, ohne wesentlich mehr ins Wackeln zu bringen als das Geschirr in der geheimdienstlichen Coffee Lounge.

Jennifer Shaw war auf dem Weg zum Geburtstagsdinner ihres Sohnes, als sie einen Anruf von höchster Stelle erhielt. Sie schaltete auf Empfang, und die Stimme Cs füllte das lederduftende Innere ihres frisch restaurierten Jaguars Mark II. In der Vorstellung der meisten Menschen hieß der Kopf des britischen Auslandsgeheimdienstes seit 31 James-Bond-Filmen M, was der Realität ziemlich nahekam, nur dass Sir Mansfield Smith-Cumming, der legendäre erste Direktor, das C eingeführt hatte und seither alle Direktoren C hießen – auch, weil es so schön für *control* stand.

»Hallo, Bernard«, sagte Shaw in der Gewissheit, dass der Abend gelaufen war.

»Jennifer. Ich hoffe, ich störe nicht.«

Eine Floskel. Bernard Lee, dem derzeitigen Direktor, war es herzlich egal, ob und wobei er sie störte. Die einzige Störung, die er als solche empfand, war die der nationalen Sicherheit.

»Ich bin auf dem Weg ins Bibendum«, sagte sie wahrheitsgemäß.

»Oh, immer exzellent. Der Rochenflügel vor allem. Ich war schon lange nicht mehr dort, könnten Sie vorher kurz bei mir reinspringen?«

»Wie kurz ist kurz?«

»Natürlich nur, solange Sie Zeit haben. Andererseits –«

»Der Verkehr ist überschaubar. Geben Sie mir zehn Minuten.«

»Danke.«

Sie rief ihren Sohn auf dem Handy an und teilte ihm mit, dass man die Vorspeise ohne sie in Angriff nehmen, ihr aber auf jeden Fall eine doppelte Portion von dem geeisten Limonensoufflé reservieren sollte.

»Was so viel heißt wie, dass wir dich frühestens zum Nachtisch erwarten können«, mäkelte ihr Sohn.

»Ich versuche, zum Hauptgericht da zu sein.«

»Hat es was mit Orleys Mondurlaub zu tun?«

»Keine Ahnung, Schatz.«

»Ich dachte, die Bombe ist hochgegangen und hat nichts angerichtet, und alle sind wohlbehalten auf dem Heimweg.«

»Ich weiß es wirklich nicht.«

»Na ja. Schätze, die Kinder der Premierministerin sehen ihre Mutter noch seltener.«

»Wie schön, positiv denkende Menschen in die Welt gesetzt zu haben. Seid mir nicht böse. Ich melde mich zwischendurch.«

Bei Wellington Arch bog sie von Piccadilly auf Grosvenor Place ab und folgte der Vauxhall Bridge Road über die Themse. Kurz darauf saß sie in voller Abendgarderobe in Lees Büro, ein Glas Wasser vor sich.

»Wir haben Norringtons gelöschte E-Mails rekonstruiert«, sagte der Direktor ohne Umschweife.

»Und?«, fragte sie gespannt.

»Tja.« Lee schürzte die Lippen. »Sie wissen ja, alles sprach gegen ihn, nur hatten wir keine wirklichen Beweise –«

»Dass Xin ihm das Gesicht zwischen den Ohren weggeschossen hat, finde ich ziemlich beweiskräftig. Haben Sie übrigens schon eine Spur von dem Chinesen?«

»Nicht die geringste. Dafür sind wir auf etwas Alarmierendes gestoßen. Auch die amerikanischen Kollegen fühlen sich beunruhigt. Norringtons Mails ergaben im ersten Moment nicht den geringsten Sinn, er hatte einfach Weißes Rauschen gelöscht, also haben wir es mit dem Hydra-Programm versucht. Und plötzlich hatten wir eine komplexe Korrespondenz vor Augen. Leider geht daraus nicht hervor, wer Hydra ist, ebenso wenig wird ersichtlich, wer die Mails sonst noch erhalten hat. Fest steht, dass Norrington zu einem exklusiven Verteiler gehört haben muss, an den er seinerseits verschlüsselte E-Mails geschickt hat –«

»Und alles vom Zentralcomputer des Big O aus?«

»Sicher. Ohne die Maske, dieses schlangenköpfige Symbol, lässt sich mit den Mails ja nichts anfangen. Niemand wäre je auf die Idee gekommen, dass es welche sind, außerdem war er zu klug, das Decodierprogramm auf seinem Arbeitsplatz zu installieren, sondern trug es als Datenstick mit sich herum. Jedenfalls ergeben sich interessante

Einsichten in die Planung und den Bau der äquatorialguineischen Rampe, und man erfährt Erstaunliches über den Schwarzmarkt für koreanische Atomwaffen, Dinge, die selbst uns noch nicht geläufig waren. – Nun ja, die Bombe ist, wie wir wissen, ohne Schaden anzurichten detoniert.«

»Indirekt hat sie eine Menge Schaden angerichtet«, sagte Shaw. »Aber gut, Julian, Lynn und ein Großteil der Gäste befinden sich auf dem Rückweg. Sie müssten in wenigen Stunden auf der OSS eintreffen.«

»Sehen Sie, und jetzt wäre es wichtig, dass Sie mit Julian reden.«

»Das werde ich.«

»So bald als möglich, meine ich. Innerhalb der nächsten Stunde. Ich brauche seine Einschätzung.«

Shaw hob eine Braue. »Zu was?«

»Norringtons Korrespondenz zufolge ist die Sache noch nicht ausgestanden.«

»Werden Sie deutlich. Ich muss zu der Überzeugung gelangen, dass es sich lohnt, meinen Sohn ohne mütterlichen Beistand dreißig werden zu lassen.«

Lee nickte. »Ich denke, es lohnt sich, Jennifer. Vergangenes Jahr ist nämlich nicht nur eine Mini-Nuke zum Mond geschossen worden.« Er machte eine Pause, nippte an seinem Wasser und stellte das Glas bedächtig vor sich hin. »Es waren zwei.«

»Zwei«, echote Shaw.

»Ja. Kenny Xin hat zwei erstanden, und beide wurden in Mayés Rakete verladen. Und jetzt fragen wir uns: Wo ist die zweite?«

Shaw starrte ihn an. Lee hatte recht, das *war* alarmierend. Definitiv bedeutete es *kein* Limonensoufflé. Was es sonst noch zu bedeuten hatte, daran mochte sie gar nicht denken.

CHARON, WELTRAUM

Evelyn Chambers sah Olympiada Rogaschowa mit einem Ausdruck grimmiger Zufriedenheit aus dem Schlafbereich in den Salon schweben. Das spukhaft Irreale ihrer Erscheinung war verschwunden. Erstmals schien die Russin sich als Hauptindikator ihres eigenen Vorhandenseins wahrzunehmen, als jemand, der nicht kraft der Vereinbarung anderer existierte, sondern auch noch fortdauern würde, wenn die Koordinatengeber ihrer Existenz den Blick von ihr nähmen.

»Ich habe ihm gesagt, er könne mich am Arsch lecken«, verkündete sie und ließ sich neben Heidrun sinken.

»Und wie hat er reagiert?«

»Genau das werde er nicht tun, er wünsche mir aber viel Glück.«

»Im Ernst?«, staunte Heidrun. »Du hast gesagt, du willst ihn verlassen?«

Rogaschowa schaute mit der lustvollen Scheu eines Teenagers an sich herab, der das Neuland seines Körpers erkundet.

»Meint ihr, ich bin zu alt, um noch mal –«

»Blödsinn«, sagte Heidrun entschieden.

Olympiada lächelte, hob den Blick und schweifte ab. Eine imaginäre Miranda Winter schlug Purzelbäume in der Schwerelosigkeit, jauchzte und quiekte. O'Keefe las, um nicht sehen zu müssen, wie ihre rot geschminkten Lippen sich zu einer Blüte der Verheißung stülpten, bevor sie Worte von epochaler Schlichtheit formten. Sie durcheilten den Weltraum in der Allgegenwart Rebecca Hsus, hörten Momoka Omura lustvoll spotten und Warren Locatelli prahlen, Chucky schlechte Witze noch schlechter erzählen, als sie es verdient hätten, Aileen Sträuße kunterbunter Lebensweisheiten binden, Mimi Parker und Marc Edwards Erfüllung im Wir finden und Peter Black das Neueste aus Raum und Zeit erzählen. Selbst Carl Hannas Gitarrenspiel vernahmen sie, das des anderen Carl, der kein Terrorist, sondern ein netter Kerl gewesen war. Walo Ögi klebte Schach spielend unter der Decke und verlor seine dritte Partie gegen Karla Kramp, Eva Borelius strampelte im Hamsterrad der Selbstvorwürfe, und Dana Lawrence, die erklärte Heldin, schrieb einen Bericht.

Chambers schwieg, dankbar für die Leere in ihrem Kopf.

Erstmals, seit sie den Mond verlassen hatten, ging es ihr deutlich besser. Rückblickend war ihr die sogenannte Grenzerfahrung im Fördergebiet peinlich, sodass sie nicht darüber sprach, doch irgendwann würde sie Worte dafür finden müssen. Ein unbestimmtes Grauen hielt sie gefangen, als sei eine monströse Wesenheit im Nebelmeer auf sie aufmerksam geworden und beobachte sie seitdem, doch auch damit würde sie fertigwerden. Sachte stieß sie sich ab, überließ Olympiada sich selbst und schwebte hinüber ins Bistro.

»Wie geht's?«, fragte sie.

»Gut.« Rogaschow, eingeklemmt in eine Halterung, schaute von seinem Computer auf. »Und dir?«

»Besser.« Sie ließ den Zeigefinger über ihrer Schläfe kreisen. »Der Druck lässt nach.«

»Freut mich zu hören.«

»Was dagegen, wenn ich meiner berufsmäßigen Neugier nachgebe?«

»Du darfst alles fragen.« Rogaschows Lächeln schmolz das Eis zwischen seinen blonden Wimpern ein wenig. »Solange du nicht erwartest, auf alles eine Antwort zu bekommen.«

»Was rechnest du da die ganze Zeit?«

»Julian verdient eine Reaktion. Wir verdanken ihm eine fulminante Woche. Wie immer sie geendet haben mag, uns wurde eine Menge geboten. Dafür wird nun einiges von uns erwartet.«

»Du willst investieren?«, fragte Mukesh Nair im Heranschweben.

»Warum nicht?«

»Nach *diesem* Desaster?«

»Na und?« Rogaschow zuckte die Achseln. »Haben Menschen aufgehört, Schiffe zu bauen, bloß weil die Titanic unterging?«

»Ich gestehe, ich bin verunsichert.«

»Du kennst doch die Mechanik des Scheiterns, Mukesh. Immer ist es die *Angst* vor der Krise, die sie auslöst. Am Anfang steht ein überschaubares Problem, aber es zieht eine Psychose nach sich. Eine Hai-Psychose. Ein einziger Hai reicht, um den Tourismus einer ganzen Region zum Erliegen zu bringen, weil keiner mehr ins Wasser geht, obschon die Wahrscheinlichkeit, dass auch er gefressen wird, gegen null tendiert. Das Zusammenbrechen der Wirtschaft, der Kollaps der Finanzmärkte, immer hatten wir es mit Psychosen zu tun. Nicht der einzelne terroristische Anschlag, nicht der Bankrott einer einzelnen Bank, die anschließende allgemeine Paralyse wird zur Bedrohung. Soll ich meine Entscheidung, in Julians Vorhaben, in den Umbruch der weltweiten Energieversorgung zu investieren, von einem Hai abhängig machen?«

»Der Hai war eine *Atombombe,* Oleg!« Nair riss die Augen auf. »Möglicherweise der Beginn eines globalen Konflikts.«

»Oder auch nicht.«

»Jedenfalls kann Julian nichts dafür«, bekräftigte Chambers. »Wir wurden Opfer eines Anschlags, dessen Adressat jemand ganz anderer war. Wir waren einfach nur zur falschen Zeit am falschen Ort.«

»Aber immer noch weiß niemand, wer dahintersteckt!«

»Und was willst du mit deiner Unkenntnis anfangen?«, fragte Rogaschow spöttisch. »Die Raumfahrt einstellen?«

»Du weißt genau, dass ich nicht so denke«, murrte Nair. »Ich frage mich einfach nur, ob ein Investment *sinnvoll* ist.«

»Das tue ich auch.«

»Und?«

Rogaschow wies auf den Computerbildschirm. »Ich hab's ausgerechnet. Rund 600 000 Tonnen Helium-3 lagern auf dem Mond, das Zehnfache der potenziellen Energieausbeute aller irdischen Öl-, Gas- und Kohlevorkommen zusammengenommen. Vielleicht sogar mehr, weil die Konzentration des Isotops auf der Rückseite höher sein dürfte als im Erdschatten. Fünf Meter Regolithschicht gelten als gesättigt, interessant sind die oberen zwei bis drei Meter, das entspricht exakt der Tiefe, die von den Käfern umgegraben wird.« Rogaschow tippte auf seinen Computer. »Den Transport zur Erde außer Acht gelassen, rechnet sich die Energiebilanz wie folgt: ein Gramm Regolith gleich 1750 Joule. Einiges davon geht bei der Erhitzung und Weiterverarbeitung verloren, bleiben, sagen wir, 1500 Joule. Das entspricht einem Areal von 10 000 Quadratkilometern, das jährlich umgegraben und prozessiert werden müsste, um den aktuellen Energiebedarf der Erde zu decken. Ein Tausendstel der Mondoberfläche. Was die Produktionsleistung angeht, arbeiten Käfer mit Sonnenlicht, sind also das halbe Jahr ohne Energie, sprich, man bräuchte doppelt so viele von den Viechern, wie bei durchgehendem Betrieb erforderlich wären.«

»Und wie viele sind das?«

»Einige Tausend.«

»Einige *Tausend*?«, rief Nair.

»Ja, sicher«, sagte Rogaschow ungerührt. »Angenommen, wir hätten so viele im Einsatz, dann würden die Vorräte rund 4000 Jahre reichen, immer vorausgesetzt, die Weltbevölkerung stagniert und der Energiebedarf der Dritten Welt bleibt deutlich unter dem der entwickelten Länder. Beides wird nicht der Fall sein. Realistisch betrachtet sind bis zum Ende des Jahrhunderts 25 Milliarden Menschen zu erwarten und ein flächendeckend gestiegener Stromverbrauch. So gesehen wird uns der Mond maximal 700 Jahre lang mit Energie versorgen.«

»Und dann?«, fragte Chambers.

»Werden wir eine weitere fossile Ressource verheizt haben und da stehen, wo wir heute sind. Der Mond wäre planiert, uninteressant geworden für Hotels und Lustreisen, aber vielleicht ließen sich ja ein paar Naturschutzgebiete rausschlagen. Ob man sie allerdings vor lauter Staub noch sehen könnte, wäre fraglich.«

»Tausende von Fördermaschinen.« Nair schüttelte den Kopf. »Das ist ja Wahnsinn! Dem Aufwand hält doch kein Ertrag stand.«

»Eben doch.« Rogaschow klappte den Computer zu. »Das Problem des Defizits hätten wir bei der konventionellen Raumfahrt gehabt. Der

Fahrstuhl hat alles geändert, und ein paar Tausend solcher Maschinen zu bauen, also, da wäre ich mal nicht so ehrfürchtig. Es werden auch Tausende Panzer gebaut, und ein planierter Mond ist eben ein planierter Mond.«

»Scheiße«, sagte Chambers zu sich selbst.

»Ja, scheiße. Ich weiß, was du denkst. Wieder mal zerstören wir ein Naturwunder kurzfristiger Effekte halber.«

»Aber es rechnet sich, was?«

»Es rechnet sich 700 Jahre lang, und aus der Ferne wird der Mond danach nicht sehr viel anders aussehen als heute.« Rogaschow schürzte die Lippen. »Ich denke also, ich werde mich mit einem Teil der ursprünglich geplanten Summe an ORLEY SPACE beteiligen.«

»Herzlichen Glückwunsch.«

»Auch auf *deinen* Rat hin.« Er hob die Brauen. »Schon vergessen? Isla de las Estrellas?«

»Da war ich noch nicht im Fördergebiet gewesen.«

»Verstehe. Hai-Psychose.«

»Nein, keineswegs. Du hast nur gerade zum Ausdruck gebracht, was mir schon im Nebelland klar geworden war. Die Idiotie des Ganzen. Wenn vom lunaren Bergbau die Rede ist, denken die meisten Leute an ein paar einsame Bagger, die sich auf dem Riesenmond verlieren. Stattdessen verlieren wir den Mond an die Bagger.« Sie schüttelte den Kopf. »Klar ist es besser, den Mond zu zerstören als die Erde, die aneutronische Fusion ist sauber, und wenn's 700 Jahre reicht, na fein. Aber ich darf es trotzdem scheiße finden.«

»Die andere Hälfte des Geldes dachte ich einzusetzen, um Warren Locatellis LIGHTYEARS zu übernehmen.«

»Wie bitte?« Nair rollte die Augen. »Du willst –«

»Ich möchte nicht pietätlos erscheinen.« Rogaschow hob beide Hände. »Warren ist tot, aber Zurückhaltung macht ihn nicht wieder lebendig. Er war ein kleiner Gott, und wie alle Götter hat er ein Vakuum hinterlassen. Meines Erachtens ist LIGHTYEARS der Übernahmekandidat par excellence. Warren hat Bahnbrechendes in der Solartechnologie geleistet, da steht noch einiges zu erwarten, und die besten Köpfe der Branche arbeiten in *seinem* Unternehmen. Machen wir uns nichts vor: Nur mit Solartechnologie werden wir unsere Energieprobleme nachhaltig lösen können!« Er lächelte. »So, dass wir den Mond vielleicht gar nicht mehr planieren müssen.«

»Und du bist sicher, dass LIGHTYEARS sich einfach schlucken lässt?«, fragte der Inder misstrauisch.

»Feindliche Übernahme.«

»Du wirst eine Menge Geld aufbieten müssen.«

»Ich weiß. Machst du mit?«

»Gütiger Himmel, du stellst vielleicht Fragen!« Nair rieb seine fleischige Nase. »Das ist eigentlich nicht mein Geschäft. Ich bin nur ein einfacher –«

»Bauernsohn, ich weiß.«

»Darüber muss ich nachdenken, Oleg.«

»Tu das. Mit Julian habe ich schon gesprochen. Er ist dabei. Walo auch.«

»Der eine kriegt ein Bein, der andere einen Arm«, summte Chambers, als Nair mit Solarzellen in den Augen entschwebte. Rogaschow lächelte sein Fuchslächeln und schwieg eine Weile.

»Und du?«, sagte er. »Wie wirst du dich verhalten?«

Sie sah ihn an. »Julian gegenüber?«

»Immerhin verwaltest du das Kapital der öffentlichen Meinung, wie du so schön sagtest.«

»Keine Angst.« Chambers verzog die Mundwinkel. »Ich werde ihm nicht schaden.«

»Gute Freundin«, spottete Rogaschow.

»Freundschaft tut da wenig zur Sache, Oleg. Ich stand den meisten seiner Vorhaben schon positiv gegenüber, *bevor* ich zum Mond flog, und das tue ich immer noch, ungeachtet dessen, was ich über den Raubbau da oben denke. Er ist ein Pionier, ein Erneuerer. Keine Verbrecherbande wird mir meine Sympathien für ihn so einfach aus dem Schädel bomben.«

»Wirst du denn eine Sendung über die Vorfälle machen?«

»Klar. Bist du dabei?«

»Wenn du willst.«

»Darf ich dich bei der Gelegenheit dann auch zu deinem Privatleben befragen?«

»Nein, das darfst du nur hier.« Er zwinkerte ihr zu. »Als *Freundin*.«

»Aktuell heißt es, du wärest verlassen worden.«

»Ach so.« Sein Blick schweifte ab. »Ja, ich glaube, Olympiada erwähnte etwas in der Art.«

»Mann, Oleg!«

Er zuckte die Achseln. »Was willst du? Seit unserer Eheschließung verlässt sie mich alle zwei Wochen.«

»Diesmal scheint sie es ernst zu meinen.«

»Ich wäre froh, sie würde ihrer Androhung Taten folgen lassen. Immerhin hat sie mich heute erstmals verlassen, ohne sturzbetrunken zu sein. Es besteht also noch Hoffnung.«

»So egal ist dir das?«

»Oh nein! Es ist überfällig.«

»Tut mir leid, aber das geht über meinen Verstand. Warum verlässt *du* sie dann nicht?«

»Das habe ich längst.«

»Offiziell, meine ich.«

»Weil ich ihrem Vater versprochen habe, es nicht zu tun.«

»Ach so. Dieser Macho-Scheiß!«

»Was? Versprechen zu halten?« Rogaschow musterte sie. »Soll ich dir sagen, was sie mir am meisten vorwirft, Evelyn? Willst du's wissen? Was glaubst du?«

»Keine Ahnung.« Sie zuckte die Achseln. »Untreue? Zynismus?«

»Nein. Dass ich mir nie die Mühe gemacht habe, sie zu belügen. Verstehst du? *Die Mühe!*«

Chambers schwieg verwirrt.

»Aber ich lüge nicht«, sagte Rogaschow. »Man kann mir alles Mögliche vorwerfen, und vieles wahrscheinlich zu Recht, aber wenn es etwas gibt, das ich zu keiner Zeit getan habe und niemals tun werde, dann ist es lügen oder wortbrüchig werden. Kannst du dir das vorstellen? Dass dir jemand unter all deinen schlechten Eigenschaften die einzige gute vorwirft?«

»Vielleicht meint sie ja, dass es dann erträglicher –«

»Für wen? Für sie? Sie hätte gehen können, jederzeit. Sie hätte mich gar nicht erst heiraten müssen. Sie kannte mich, wusste genau, wer ich bin, und dass Ginsburg und ich vornehmlich unsere *Vermögen* zu verehelichen trachteten. Aber Olympiada hat eingewilligt, weil sie nichts Besseres mit sich anzufangen wusste, und heute weiß sie nichts Besseres mit sich anzufangen, als zu leiden.« Rogaschow schüttelte den Kopf. »Glaub mir, ich werde sie nicht aufhalten. Ich werde ihr die Trennung aber auch nicht *aufdrängen*. Sie mag es so sehen, dass ich sie entwürdigt habe, aber zurückgewinnen muss sie ihre Würde selbst. Olympiada sagt, sie stirbt an meiner Seite. Schlimm. Aber ich kann nicht ihr Leben retten, sie selbst muss ihr Leben retten, indem sie *endlich geht.*«

Chambers starrte auf ihre Fingerspitzen. Plötzlich sah sie wieder den Fuß des Käfers herabfahren, spürte den fahlen Blick des Wesens aus dem Totenreich auf sich ruhen. Ich sehe dich, sagte es. Ich werde dich jeden Tag beobachten, den du dich auf deinen Tod vorbereitest.

»*Mein* Leben hast du gerettet«, sagte sie leise. »Habe ich dir eigentlich schon dafür gedankt?«

»Ich glaube, du versuchst es gerade«, sagte Rogaschow.

Sie zögerte. Dann lehnte sie sich zu ihm herüber und gab ihm einen Kuss auf die Wange.

»Ich glaube, du hast noch ein paar gute Eigenschaften mehr«, sagte sie. »Auch wenn du ansonsten ein ziemlicher Ignorant bist.«

Rogaschow nickte.

»Ich hätte früher damit anfangen sollen«, sagte er. »Mein Vater war ein tapferer Mann, tapferer als wir alle zusammen, doch sein Leben habe ich nicht retten können. Ich versuche es jeden Tag aufs Neue, indem ich Geld für ihn anhäufe, Firmen für ihn kaufe, Menschen meinem und damit seinem Willen unterwerfe, aber immer wieder wird er aufs Neue erschossen. Immer wieder. Er wird nicht mehr lebendig, und ich weiß nicht, wie ich damit umgehen soll. Es gibt keinen Mittelweg, Evelyn. – Entweder ist man zu weit weg oder zu nah dran.«

»Ihr liegt gar nicht so weit auseinander«, zischte Amber. Sie war zornig, weil Julian und Tim nichts anderes hervorzubringen wussten als Gezänk, mehr aber noch über die fixsternartige Beharrlichkeit, mit der beide ihren Ressentiments anhingen, während Lynn wie chloroformiert die Zeit verschlief. »Jeder von euch hat sie verdächtigt, mit Carl zu paktieren.«

»Weil sie sich so benommen hat«, sagte Tim.

»Lächerlich! Als wäre Lynn ernsthaft imstande, ihr eigenes Hotel zu zerstören!«

»Du hast sie doch selber erlebt«, raunte Julian. »Im Nachhinein mag es uns abwegig erscheinen, aber Lynn ist geistig angeschlagen –«

»Was dir alles so auffällt«, höhnte Tim.

»Schluss jetzt«, fuhr Amber ihn an. »Das ist ja der reinste Kindergarten hier. Entweder ihr lernt, vernünftig miteinander zu reden, oder ihr könnt mir im Dunkeln begegnen. Alle beide!«

Sie hatten sich ins Landemodul zurückgezogen, um den anderen nicht das Schauspiel ihrer Zerworfenheit zu bieten. Keiner mochte sich noch in Zurückhaltung üben. Nackt und eklig lag der angegammelte Kadaver ihres Familienlebens vor ihnen, bereit, geöffnet zu werden. Nachdem die Io Nina Hedegaard aus einer Hölle von Staub geborgen und die verbliebene Gruppe das Modul bestiegen hatte, um den Rückweg zur Wohneinheit anzutreten, war Lynn in einem Weinanfall zusammengebrochen. Unmittelbar nach dem Kopplungsmanöver hatte sie das Bewusstsein wiedererlangt, ohne jemanden zu erkennen, war erneut weggedämmert und auf eine 24 Stunden dauernde, verwunschene Reise gegangen. Seither machte sie einen weitgehend gesammelten Eindruck, nur dass sie sich an das meiste nicht erinnern konnte, was auf dem Mond geschehen war. Augenblicklich schlief sie wieder.

»Um hier mal einiges klarzustellen –«, begann Tim.

»Stopp.« Amber schüttelte den Kopf.

»Wieso?«

»Ich sagte, stopp!«

»Du weißt doch gar nicht, was ich –«

»Doch, du willst deinem Vater an den Kragen! Wie lange noch? Was wirfst du ihm eigentlich vor? Dass er die Raumfahrt erschwinglich gemacht hat? Dass er zigtausend Leuten Arbeit gibt?«

»Nein.«

»Dass er Menschheitsträume verwirklicht? Für saubere Energie, für eine bessere Welt kämpft?«

»Natürlich nicht.«

»Also was?«, bellte sie. »Oh Mann, ich bin es so leid, diesen elenden Grabenkrieg! So leid!«

»Amber.« Tim duckte sich. »Er hat sich nicht gekümmert. Als wir –«

»Worum denn gekümmert?«, unterbrach sie ihn. »Mag ja sein, er war selten für euch da. So wie ich das sehe, kümmert er sich tagein, tagaus um eine kosmische Randerscheinung namens Menschheit, die jede Menge Dreck und Ärger macht. Tut mir leid, Tim, aber diese Larmoyanz, mit der junge Leute von ihren Erzeugern, auch wenn sie das reine Wunder vollbringen, außerdem noch ihren kleinen Heile-Welt-Arsch nachgetragen haben wollen, findet nicht meinen Beifall.«

»Es geht nicht darum, dass er selten da war«, wehrte sich Tim verbissen. »Sondern, dass er zu den wenigen Gelegenheiten, an denen er *hätte da sein müssen*, nicht da war! Dass Crystal darüber den Verstand verl –«

»Du unfaires Arschloch«, schnaubte Julian. »Deine Mutter hatte eine genetische Disposition.«

»Blödsinn!«

»Doch! *Capito, Hombre?* Sie hätte auch den Verstand verloren, wenn ich von morgens bis abends um sie herum gewesen wäre.«

»Du weißt genau, dass –«

»Nein, sie war krank! Sie trug es in ihren Genen, und bevor ich sie geheiratet habe, hatte sie sich schon das halbe Hirn weggekokst. Und was Lynn betrifft –«

»Was Lynn betrifft, hörst *du* jetzt mal zu«, herrschte Amber Julian an. »Denn tatsächlich, und da gebe ich Tim vollkommen recht, bist du unfähig, in jemand anderes Kopf zu gucken. Du denkst, das Leben ist ein Film, du führst Regie, und alle handeln und denken nach Skript. Ich weiß nicht, ob du Lynn wirklich liebst oder nur die Figur, die sie für dich spielen soll –«

»Natürlich liebe ich sie!«

»Geschenkt. Du hast alles für sie getan, du hast ihr eine beispiellose Karriere ermöglichst, aber hast du dich je für sie *interessiert*? Bist du sicher, dass du dich überhaupt für Menschen interessierst?«

»Herrgott, wozu veranstalte ich das alles denn?«

»Nein, nein.« Sie hob einen Finger. »Zuhören, kleiner Julian, was die Tante sagt! Du drehst Filme und besetzt Rollen. Mit zehn Milliarden Statisten und Lynn in der Hauptrolle.«

»Das stimmt nicht!«

»Doch, es stimmt. Du bist unfähig zu erkennen, dass deine Tochter manisch depressiv ist und das Schicksal ihrer Mutter zu erleiden droht.«

»Genau«, rief Tim. »Weil du nämlich –«

»Klappe, Tim! – Schau, Julian, es ist ja keineswegs so, dass du es nicht sehen *willst*, du *siehst* es einfach nicht! Komm in der Wirklichkeit an. Lynn ist außergewöhnlich begabt, sie hat genialische Züge, ganz genauso wie du, aber im Gegensatz zu dir fließt kein Powerdrink durch ihre Adern, sie hat nicht das Naturell eines Stehaufmännchens und nicht die Empfindsamkeit eines Weideochsen. Hör also endlich auf, sie als perfekt zu verkaufen und ihr immer mehr aufzuhalsen, weil sie es nämlich nicht wagen wird, dir zu widersprechen. Nimm den Druck von ihr. Sprich mir nach: Lynn – ist – nicht – wie – ich!«

»Äh – Julian?«

Amber sah auf. Nina Hedegaard, sichtlich unangenehm berührt, hing in der Schleuse zur Wohneinheit. Julian wandte den Kopf und zwang Gelassenheit in seine Züge.

»Komm ruhig rein. Wir tauschen lustige Familiengeschichten aus und besprechen das nächste Weihnachtsfest.«

»Ich will nicht stören.« Sie lächelte scheu. »Hallo Amber. Hi, Tim.«

Seit die CHARON ihre einsame Rückreise zur OSS angetreten hatte, gab Julian sich keinerlei Mühe mehr, die Liaison mit der Pilotin zu verbergen. Amber mochte und bedauerte Nina, die Julians Bekennerlaune insofern aufsaß, als sie eine gemeinsame Zukunft daraus ableitete.

»Was gibt's denn?«, fragte Julian.

»Ich hab Jennifer Shaw in der Leitung.«

»Bin sofort da.« Er schlängelte sich in Richtung Schleuse, allzu bereitwillig, wie es Amber vorkam.

»Gleich danach kommst du zurück«, verfügte sie. »Ich bin noch nicht fertig mit dir.«

»Ja«, seufzte Julian. »Das hatte ich schon befürchtet.«

Tim öffnete den Mund zu einer unfeinen Bemerkung. Amber verengte die Augen und entsandte einen Bannstrahl, sodass er ihn in vorauseilendem Gehorsam wieder zuklappte.

Lynn schärfte die Klinge ihres Argwohns.

Die abschließenden Ereignisse auf dem Mond erschienen ihr als eine einzige, quälende Traumsequenz, und tatsächlich hatte sie Mühe, sich der letzten Stunden im GAIA zu entsinnen. Doch als Dana Lawrence an ihrem Schlafsack vorbeischwebte, zufällig im selben Moment, als sie die Augen öffnete, ihr einen Blick zuwarf und sie fragte, wie es ihr gehe, erstrahlte auf ihrer Großhirnrinde ein synaptisches Feuerwerk, und sie konnte nicht anders. Sie sagte:

»Scheren Sie sich zum Teufel, Sie falsche Schlange.«

Lawrence verharrte, den Kopf zurückgelegt, die Lider schwer von Arroganz. Aus dem Nebenbereich waren die Stimmen der anderen zu hören. Dann kam sie näher.

»Was haben Sie eigentlich gegen mich, Lynn? Ich habe Ihnen doch nicht das Geringste getan.«

»Sie haben meine Autorität infrage gestellt.«

»Nein, ich war loyal. Glauben Sie, es hätte Spaß gemacht, Kokoschka beim Verbrennen zuzusehen, auch wenn er mit Hanna unter einer Decke steckte? Ich musste die Evakuierung anordnen.«

Das Dumme war, sie hatte recht. Inzwischen wusste Lynn, dass sie sich hochgradig paranoid aufgeführt hatte, wenngleich sie sich fragte, in welchem Zusammenhang eigentlich. Beispielsweise war ihr entglitten, warum sie Julian bestimmte Filme nicht hatte zeigen wollen. Auch an ihre wilde Flucht über die gläsernen Brücken, Sekunden bevor das Feuer ausgebrochen war, konnte sie sich nicht erinnern, dafür an Hannas Verrat, an die Bombe und die Rettungsaktion der Eingeschlossenen in GAIAS Kopf. Kurzzeitig hatte sie ihre Führungsqualitäten wiedererlangt, bevor ihr Verstand endgültig kollabiert war. Dass er nun wieder arbeitete, erschien ihr fast wie ein Wunder, ohne sie sonderlich zu freuen, da der Generator ihrer Emotionen offenbar Schaden genommen hatte. Kraftlos und niedergeschlagen konnte sie sich nicht einmal mehr vorstellen, wie es war, Freude zu empfinden. Dafür wusste sie, was sie in all der Wirrnis definitiv *nicht* geträumt hatte. Deutlich stand es ihr vor Augen, klang es in ihren Ohren nach, eine Angelegenheit, in der Lawrence eine unrühmliche Rolle spielte.

»Lassen Sie mich zufrieden«, sagte sie.

»Ich habe meinen Job gemacht, Lynn«, sagte Lawrence gekränkt. »Wenn planerische und bauliche Mängel am GAIA zu einer Katastrophe geführt haben, dürfen Sie nicht mir die Schuld daran geben.«

»Es gab keine Mängel. Wann sind wir eigentlich da?«

»In knapp drei Stunden.«

Lynn begann sich loszuschnallen. Sie hatte Durst. Immerhin. Sogar auf etwas Bestimmtes, auf Grapefruitsaft. Also hatte sie nicht einfach nur Durst, sondern Appetit. In gewisser Weise etwas Emotionales.

»Man hätte weitere Notausgänge bauen müssen«, träufelte Lawrence Säure in die Wunden. »Der Hals war ein Engpass.«

»Hatte ich Sie nicht gefeuert?«

»Das haben Sie.«

»Dann halten Sie den Mund.«

Lynn schob Lawrence beiseite und glitt zur Luke, die in den Nachbarbereich führte. Wie immer würden alle sehr nett und rücksichtsvoll sein. Peinlich, peinlich, schließlich wäre es ihre Aufgabe gewesen, Julians Gäste nach ihren Wünschen zu fragen. Doch sie war krank. Nach und nach, in behutsam verabreichten Portionen, hatte Tim ihr das ganze Ausmaß der Katastrophe enthüllt, und so wusste sie mittlerweile, wer alles gestorben war und unter welchen Umständen. Und wieder hatte sie um Gefühle gerungen, um Trauer oder wenigstens Wut, ohne dass es zu mehr langte als dumpfer Verzweiflung.

»Was wollte sie denn?«

»Was?« Julian nahm den Kopfhörer ab.

»Ich habe gefragt, was sie wollte.«

Tim gab sich Mühe, nicht unfreundlich zu klingen. Julian wandte den Kopf. Die Kommandokanzel der CHARON befand sich im rückwärtigen Teil des Schlafbereichs. Durch das offene Schott konnten sie in den angrenzenden Salon sehen, wo sich Heidrun, Sushma und Olympiada gerade mit Finn O'Keefe unterhielten, während Ögi an einer Rochade Kramps verzweifelte.

»Ganz was Komisches«, sagte Julian leise. »Sie fragte, wie viele Bomben wir in der Mondbasis gefunden hätten.«

»Wie *viele*?«

»Offenbar waren an Bord dieser äquatorialguineischen Rakete *zwei* Mini-Nukes. Da oben liegt noch so ein Ding.«

Er sagte es so ruhig und nebensächlich, dass Tim einen Moment brauchte, um die ganze Tragweite der Nachricht zu begreifen.

»Mist«, flüsterte er. »Weiß Palmer schon davon?«

»Sie haben ihn umgehend benachrichtigt. In der Basis dürfte einige Hektik ausgebrochen sein. Sie wollen die Höhlen ein weiteres Mal inspizieren.«

»Du meinst, für den Fall, dass die eine Bombe gefunden wird –«

»Hat Carl möglicherweise eine zweite versteckt.«

»Puh.«

»Mhm.« Julian legte eine Hand auf Tims Schulter. »Wie auch immer, wir sollten nicht damit hausieren gehen.«

»Ich weiß nicht, Julian.« Tim runzelte die Brauen. »Meinst du im Ernst, er hat die zweite Bombe ebenfalls in den Höhlen deponiert?«

»Du nicht?«

»Nachdem da schon eine lag? Also, ich würde mir für so eine Reserve einen ganz anderen Platz suchen.«

»Auch wieder wahr.« Julian massierte seinen Bart. »Und wenn die zweite Mini-Nuke gar nicht für die Basis bestimmt ist?«

»Für wen denn sonst?«

»Mir kommt da so eine Idee. Bisschen krude vielleicht. Aber stell dir vor, jemand versucht, Chinesen und Amerikaner aufeinanderzuhetzen. Leichte Sache, nachdem sie sich schon vergangenes Jahr gekloppt haben. Was also, wenn die zweite Bombe –«

»Für die Chinesen bestimmt wäre?« Tim ließ langsam den Atem entweichen. »Du solltest Romane schreiben. Aber gut. Es gibt noch eine dritte Möglichkeit.«

»Welche?«

»Das Fördergebiet.«

»Tja.« Julian nagte an seiner Unterlippe. »Und wir können nichts tun.«

»Was dagegen, wenn ich es Amber erzähle?«

»Meinethalben, aber niemandem sonst. Ich spreche noch mal mit Jennifer und sage ihr, wie wir darüber denken.«

Sie näherten sich der Raumstation schrägwinklig, sodass die gewaltige, 280 Meter lange Pilzstruktur in surrealer Schieflage dahing. Inzwischen trugen alle wieder ihre Raumanzüge. Obwohl die Erde immer noch knapp 36 000 Kilometer entfernt war, hatte es etwas von Nachhausekommen, die OSS auf den Bildschirmen größer werden zu sehen: ihre fünf Tori, das ausladende Rund ihrer Werft, die extravaganten Module des KIRK und des PICARD, den ringförmigen Raumhafen mit seinen mobilen Schleusen, Manipulatoren, Frachtshuttles und Phalanxen stummelflügeliger Evakuierungsgleiter. Um 23.45 Uhr durchlief ein hohler Glockenton das Raumschiff, verbunden mit einer leichten Vibration, als Hedegaard am Ring andockte.

»Bitte behaltet eure Anzüge an«, sagte Hedegaard. »Die volle Montur. Euer Gepäck –«

Sie verstummte. Offenbar war ihr im selben Moment klar geworden, dass niemand Gepäck hatte. Alles war im GAIA geblieben.

»Von der CHARON begeben wir uns direkt ins PICARD, wo ein Imbiss bereitsteht. Viel Zeit haben wir nicht, der Fahrstuhl wird gegen Viertel nach zwölf da sein und die OSS gleich wieder verlassen. Wir dachten uns, es ist – ähm, in eurem Sinne, so schnell wie möglich zur Erde zurückzukehren. Eure Helme und Rucksäcke könnt ihr im Torus-2 zwischenlagern.«

Niemand sagte etwas. In wehmütiger Stimmung verließen sie das Raumschiff durch die Schleuse, nahmen Abschied von ihrem engen, fliegenden Hotel und in gewisser Weise verspätet vom Mond, der für all das, was passiert war, schließlich nichts konnte. Nacheinander schwebten sie den langen Korridor hinab zum Torus-2, dem Verteilerring, in dem das Terminal und die Hotelrezeption lagen. Verbindungstunnel zweigten von dort ab, führten runter zu den Suiten und durch die Decke in den professionell genutzten Teil der Station mit ihren Labors, Observatorien und Werkstätten. Die beiden ausfahrbaren Schleusen an der Innenseite des Torus, die zu den Fahrstuhlkabinen führten, waren verschlossen. Drei Astronauten arbeiteten an den Konsolen, kontrollierten die Fahrstuhlsysteme, überwachten das Entladen eines Frachters und Montagearbeiten an einem Manipulator.

O'Keefe dachte an den Diskus der Werft, wo Raumschiffe für kühnere Missionen gebaut wurden, Maschinenwesen die Lautlosigkeit des Alls durchteilten und Solarpaneele in der kalten, weißen Sonne funkelten. Heidrun hatte ihn dort oben aus der Schleuse gestoßen, sich über ihn lustig gemacht, und Warren Locatelli hatte in seinen Helm gekotzt.

Wie lange war das her? Ein Jahrzehnt? Ein Jahrhundert?

Er würde nicht zurückkehren, das wusste er, als er seinen Helm in das dafür bestimmte Regal legte. Hübsch knallige Science-Fiction-Filme drehen, das Universum retten, jederzeit! Was immer das Drehbuch verlangte. Doch keine Rückkehr.

»Nein«, sagte er zu sich selbst.

»Nein?«

Heidrun platzierte ihren Helm neben seinem. Er wandte den Kopf und schaute in ihre violetten Augen. Betrachtete ihr Elbengesicht, sah ihr Haar in der Schwerelosigkeit einen weißen, fließenden Fächer bilden. Fühlte sein Herz wie einen Klumpen in seiner Brust.

»Würdest du zurückkehren?«, fragte er. »Hierher? Auf den Mond?«

Sie dachte einen Moment darüber nach.

»Ja. Ich glaube schon.«

»Also hast du hier oben etwas gefunden.«

»Einiges, Finn.« Sie lächelte. »Manches beinahe. Und du?«

Nichts, wollte er sagen. Nur etwas verloren. Bevor ich es hatte.

»Weiß nicht.«

Auch sie würde er nicht wiedersehen. Es würde sich vermeiden lassen. Die Welt war voller einsamer Plätze, sie *war* ein einsamer Platz. Dafür musste man nicht auf den Mond. Heidrun öffnete die Lippen, hob eine Hand, als wolle sie ihn berühren.

»Im nächsten Leben«, sagte sie leise.

»Es gibt aber nur das hier«, erwiderte er schroff.

Sie nickte, senkte den Kopf und glitt an ihm vorbei. Eine Strähne ihres Haars strich über sein Gesicht und kitzelte seine Nase.

»Mein Schatz«, hörte er Walo sagen. »Kommst du?«

»Ich komme, Süßer!«

Der Klumpen begann zu schmerzen. Finn O'Keefe starrte auf seinen Helm, wandte sich um und trieb den anderen mit leerem Schädel hinterher.

Mitternacht nahte. Niemandem war danach, die mühsam niedergerungene Aufgeregtheit der letzten Tage mit Koffein neu zu beleben, also stürzte sich im Picard alles auf Säfte und Tees. Julian hätte gern eine Suppe gegessen, doch weil Suppen in der Mikrogravitation zu Verselbstständigung neigten, gab es Lasagne. Er säbelte ein Stück davon ab und entschwand in den Tunnel, der hinab zu den Suiten führte, um dort in Ruhe mit der Erde zu telefonieren.

Dana Lawrence schloss sich ihm an.

»Keinen Hunger?«, fragte er.

»Doch. Ich hab nur meinen Bericht in der CHARON vergessen.«

Er stoppte vor seiner Kabine, die Lasagne balancierend. Konnte man klug werden aus dieser Frau? Im GAIA hatte sie Nerven bewiesen, dem Verräter Kokoschka getrotzt und Hanna erledigt. Lynn hätte keine bessere Wahl treffen können, und genau dieses rational Zwingende, dass man klaren Verstandes gar nicht umhinkam, Lawrence für den Posten zu besetzen, irritierte ihn. Vielleicht lag es an seinem Frauenbild, vielleicht auch ganz allgemein an seinem *Menschen*bild, dass er wenig mit ihr anzufangen wusste. Weder konnte er sich vorstellen, sie in Tränen noch in Gelächter ausbrechen zu sehen. Ihr Madonnengesicht mit dem herzförmigen Mund und den prüfenden Augen erinnerte ihn an das einer Replikantin, an die pflanzliche Doppelgängerin von Brooke Adams in *Die Körperfresser kommen* im Moment, als sie den Mund öffnet und der unirdisch hohle Schrei eines Aliens erklingt. Von unverkennbar hoher Intelligenz, in passabler Weise mit den Attributen der Attraktivität ausgestattet, war Dana Lawrence zugleich meilenweit von jeder Leidenschaft entfernt.

»Ich muss Ihnen danken«, sagte er. »Ich weiß, dass Lynn in der Krise nicht immer ganz – auf der Höhe war.«

»Sie hat sich bemerkenswert gut geschlagen.«

»Ich weiß aber auch, dass Lynns anfängliche Begeisterung für Sie in Ablehnung umgeschlagen ist.«

Lawrence schwieg.

»Sehen Sie's ihr nach.« Er zögerte. »An sich ist sie perfekt in – gut in dem, was sie tut. Sie hat ein gutes Urteilsvermögen, aber das war wohl ein wenig getrübt. Sie waren besonnen und mutig, Dana.«

»Ich hab meinen Job gemacht.« Lawrence lächelte, ein mimisches Manöver, das ihre Züge weicher, aber nicht sinnlicher erscheinen ließ. »Würden Sie mich entschuldigen?«

»Sicher.«

Sie schwebte an ihm vorbei und verschwand in der nächsten Abzweigung. Julian vergaß sie im selben Moment. Hungrig schnupperte er an seiner Lasagne, schaute in den Scanner und glitt in seine Kabine.

Lawrence gelangte in Torus-1 mit seinen Bars, Bibliotheken und Aufenthaltsräumen, hangelte sich zur Decke und stieg in dem langen Tunnel nach oben, der das OSS GRAND mit Torus-2 verband. Inzwischen taten nur noch zwei Astronauten im Terminal Dienst.

»Ich bin kurz in der CHARON«, sagte sie. »Unterlagen holen.«

Einer der Männer nickte. »Alles klar.«

Sie wandte sich ab, verschwand im Korridor, der Torus-2 mit dem äußeren Ring des Raumhafens verband, und trieb der Schleuse entgegen, hinter der das Raumschiff in seiner Verankerung ruhte. Noch lief alles nach Plan. Noch hatte Hydra nicht verloren, im Gegenteil. Einzig Lynns Misstrauen irritierte sie, da sie sich dessen Zustandekommen nicht zu erklären vermochte. Aber auch das spielte nicht wirklich eine Rolle. Lawrence öffnete das Schott zur CHARON, blickte hinter sich, doch niemand war ihr durch den Korridor gefolgt. Im Picard erlagen sie Lasagne und Heimweh. Mit Schwung begab sie sich ins Innere der Landeeinheit und weiter ins Wohnmodul, durchquerte das Bistro, den Salon, machte sich im Schlafbereich an der Wandverkleidung zu schaffen.

Hanna hatte ihr genauestens beschrieben, wo.

Und da war sie.

Das Wetterleuchten der Erinnerung. Erstaunlich, wie es inmitten diffuser Bewölkung Zusammenhänge sichtbar machte. Was genau sie in dem Iglu getan hatte, war ihr entfallen, doch Carl Hanna hatte sie deutlich vor Augen, bevor sie in der kleinen Kaffeeküche zu Boden gesunken war, starr vor Angst. Sie sah ihn Tommy Wachowski ermorden, hörte sein leises, verräterisches Fluchen:

Dana, verdammt noch mal. Geh ran!

Dana.

Erst vor wenigen Stunden hatte es in ihrem Kopf geleuchtet, als Lawrence sich scheinheilig nach ihrem Befinden erkundigt hatte, da aber gewaltig. Hanna hatte versucht, Verbindung zu der Schlampe aufzunehmen, auf eine Weise, die nahelegte, dass die Kontaktaufnahme verabredet war. Aus welchem Grund? Die erforderlichen Schlüsse zu ziehen hatte sie ein erhebliches Maß an Kraft gekostet, zu viel, um auch noch Julian davon in Kenntnis zu setzen, zumal sie neuerdings nicht mehr viel mit ihrem Vater sprach. Ihr war aufgefallen, dass es ihr besser ging, sobald sie ihn aus dem Zentrum ihres Denkens verbannte. Zugleich vermisste sie ihn, so wie eine Marionette die Hand vermisst, die sie in Bewegung hält, und dass sie ihn eigentlich vergötterte, war ihr zumindest auf intellektueller Ebene bewusst. Vielleicht *fühlte* sie nicht mehr, was sie fühlte, aber immerhin *wusste* sie noch, was sie fühlte.

Etwas war schiefgelaufen in ihrem Leben, und Dana Lawrence spielte eine unrühmliche Rolle.

Lynn äugte in den Korridor hinein.

Entschlossen, ihre Feindin keine Sekunde mehr aus den Augen zu lassen, war sie Lawrence, als diese das Picard in Gesellschaft Julians wieder verlassen hatte, gefolgt. Die Verschlagenheit des Wahnsinns, dachte sie *beinahe* amüsiert, doch der Wahn hatte von ihr abgelassen. Einige Sekunden ließ sie verstreichen, dann glitt sie Lawrence hinterher. Am Ende des Korridors sah sie das Verbindungsschott der CHARON offen stehen und wusste, dass Lawrence im Raumschiff war.

Ich kriege dich, dachte sie. Überführe dich deiner Schlangennatur, und der schwelende Hass, von dem ich *weiß*, dass du ihn gegen mich nährst, wird dein Untergang sein. Du hättest dich nicht hinreißen lassen dürfen, unnahbare, unangreifbare und kontrollierte Dana, aber du bist nicht unangreifbar. Du hast nicht umsonst versucht, das Vertrauen der anderen in mich zu zerschlagen. Du wirst bezahlen.

Geräuschlos schwebte sie über die Kante des Schotts hinweg, durchquerte das Landemodul, das Bistro, den Salon. Erblickte Lawrence im Schlafbereich, über etwas Eckiges, Aktenkoffergroßes gebeugt, das sie der geöffneten Wand entnommen hatte. Sah, wie ihre Finger flink über ein Tastenfeld hinwegglitten und etwas eingaben:

Neun Stunden: 09:00

So einfach der Plan, so effizient im Kern seiner Durchführung. Eine Rakete zum Mond zu starten und über dem Peary zur Explosion zu bringen, hätte vielleicht funktionieren können, allerdings wäre der Weg unmittelbar zurückzuverfolgen und das Risiko außerdem hoch gewesen, die Basis zu verfehlen. Ein weiteres Geschoss auf die OSS abzufeuern, ob von der Erde oder von einem Satelliten aus, praktisch unmöglich. Die Rakete wäre vorher abgefangen worden, und auch hier hätte die Rekonstruktion der Flugbahn zum Absender geführt.

Doch Hydra hatte die perfekte Lösung ersonnen. Zwei Mini-Nukes, getarnt in einem Kommunikationssatelliten, von dem aus sie unbemerkt zum Mond reisen und in einiger Entfernung von der Basis landen konnten, um dort zu ruhen, bis jemand käme, um sie der Kapsel zu entnehmen und an den richtigen Stellen zu platzieren. Eine in der Basis, die zweite im Raumschiff, das die Bombe und den Attentäter zurück zur OSS brächte. Unmittelbar vor Verlassen der Basis Bombe 1 scharf machen, später dann Bombe 2 in der OSS verstecken, ebenfalls programmieren und ganz offiziell mit dem Fahrstuhl zurück zur Erde reisen, bevor die Zeitzünder beide Explosionen auslösten und sowohl die Peary-Basis als auch die OSS vernichteten. Der perfekte Doppelschlag.

Ein nicht zu rekonstruierender Weg.

Gut, Peary hatten sie verpatzt. Die OSS würden sie nicht verfehlen. Um halb zehn, wenn längst alle auf der Isla de las Estrellas eingetroffen oder schon auf dem Weg zurück in ihre Länder wären, würde die Raumstation verglühen und lediglich einige zigtausend Kilometer federleichtes Kohlenstoffseil in den Pazifik entlassen. Wahrscheinlich war es nicht mal erforderlich, die Bombe aus dem Raumschiff zu schaffen. Die CHARON sollte mindestens zwei Tage vor Anker liegen, wie sie im Terminal erfahren hatte. Ob sie die Mini-Nuke in der Deckenverkleidung der Schleuse unterbrachte oder einfach dort beließ, wo sie war, machte keinen Unterschied.

08:59

08:58

Zufrieden betrachtete sie den blinkenden Kasten. Und während sie noch ihren Triumph auskostete, stellten sich die Haare in ihrem Nacken auf.

Da war jemand.

Gleich hinter ihr.

Lawrence fuhr herum.

Im selben Moment erhielt sie einen Tritt gegen die Brust, der sie gegen die Wand der Kabine schleuderte. Die Mini-Nuke entglitt ihren Händen und segelte davon. Lynn streckte sich danach, verfehlte den Kasten, geriet in Schieflage und begann zappelnd um ihre eigene Achse zu rotieren. Lawrence hechtete der trudelnden Bombe hinterher, fühlte eine Hand ihr Fußgelenk umklammern, wurde zurückgerissen. Vor ihren Augen schoss Julians Tochter in die Höhe, packte den Kasten, floh, beschleunigt vom eigenen Schwung, in den Salon und von dort weiter ins Landemodul.

Sie durfte die CHARON nicht verlassen!

Lawrence schnellte ihr nach. Kurz vor der Schleuse holte sie Lynn ein, packte sie am Kragen und beförderte sie zurück ins Innere der Einheit. Lynn überschlug sich, die Bombe fest umklammert, und verkeilte sich mit gespreizten Beinen im Durchgang zum Wohnmodul. Lawrence riskierte einen Blick über die Schulter. Durch das offene Schott konnte sie in die Schleuse und den Verbindungskorridor blicken. Immer noch war niemand zu sehen, doch sie wusste, dass die Schleuse überwacht wurde. Auf keinen Fall durfte sie zulassen, dass sich der lautlose Kampf außerhalb der CHARON fortsetzte.

Julians Tochter starrte sie an, den Kasten der tickenden Atombombe umschlungen wie etwas Liebgewonnenes, von dem sie sich nie wieder trennen mochte.

»Unschlüssig?«, grinste sie.

»Geben Sie mir das Ding, Lynn.« Lawrence atmete schwer, weniger vor Anstrengung als vor Wut. »Auf der Stelle.«

»Nein.«

»Das ist ein teures, wissenschaftliches Gerät. Ich weiß nicht, was in Sie gefahren ist, aber Sie sind dabei, ein Experiment von hohem Wert zunichtezumachen. Ihr Vater wird toben.«

»Oh, huh!« Lynn rollte gespenstisch die Augen. »Wird er das?«

»Lynn, bitte!«

»Ich weiß, was das ist, Dreckstück. Das ist eine Bombe. Genauso eine, wie ihr sie in der Basis versteckt hattet, Carl und du.«

»Sie sind verwirrt, Lynn. Sie –«

»Komm mir nicht so!«, schrie Lynn. »Ich bin vollkommen in Ordnung!«

»Okay.« Lawrence hob beschwichtigend die Hände. »Sie sind vollkommen in Ordnung. Aber das da ist *keine* Bombe.«

»Dann ist es ja auch kein Problem, mich *rauszulassen!*«

Lawrence ballte die Fäuste und rührte sich nicht vom Fleck, während ihre Gedanken sich überschlugen. Sie musste die Mini-Nuke zurück in ihren Besitz bringen, doch was tat sie mit der Irren, die so irre offenbar nicht war? Wenn sie Lynn leben und zurück zu den anderen ließ, konnte sie die Bombe ebenso gut abliefern und alles gestehen.

»Probleme?« Lynn kicherte. »Ohne mich wird der Fahrstuhl nicht zur Erde zurückkehren, nicht wahr? Sie werden nach mir suchen, stundenlang, und du musst mitsuchen. Du kannst gar nichts tun.«

»Geben Sie mir den Kasten«, sagte Lawrence mühsam beherrscht und schwebte näher.

Lynn ließ die Bombe sinken. Einen Moment schien es, als erwäge sie, Lawrences Aufforderung nachzukommen, dann warf sie sie blitzschnell hinter sich ins Wohnmodul.

»Und jetzt?«, fragte sie.

Lawrence fletschte die Zähne.

Und plötzlich setzte ihr Verstand aus, und sie griff zu der getarnten Tasche am Oberschenkel und förderte Hannas Waffe zutage. Lynns Augen weiteten sich. Mit einem Satz sprang sie der Bombe hinterher. Ihre Hand schlug gegen den Sensor, der das Schott zwischen Modul und Wohneinheit in Bewegung setzte. Lawrence fluchte, doch die

Verbindungstür schloss sich zu schnell, keine Chance, hindurchzugelangen, allenfalls würde sie eingeklemmt werden. Durch den immer schmaler werdenden Spalt sah sie Lynns Oberkörper, ihr fliegendes, aschblondes Haar, das ihr Gesicht halb verdeckte, zielte und schoss.

Das Schott fiel mit dumpfem Poltern zu. Sofort war sie beim Kontrollfeld und versuchte es wieder zu öffnen, doch es rührte sich nicht. Lynn musste von innen die Notverriegelung betätigt haben.

Rasend vor Wut hämmerte sie gegen die Stahltür.

Zu spät.

Ihr Körper trieb, sich überschlagend, durch den Salon.

Spiralen drehten sich vor ihren Augen. Unter Mühen fokussierte Lynn ihre Gedanken auf die Kommandokanzel im rückwärtigen Bereich, brachte sich in die Waagerechte, umfasste den Rand des nächsten Durchgangs und verlieh ihrer Vorwärtsbewegung neuen Schwung, der sie geradewegs zur Kontrollkonsole trug.

Das Terminal. Sie musste das Terminal rufen.

»Lynn Orley«, keuchte sie. »Hört mich jemand?« Nanu? Was war mit ihrer Stimme los? Warum klang sie so kraftlos, so gequetscht?

»Miss Orley, ja, ich höre Sie.«

»Stellen Sie mich zu meinem Vater durch. Er ist in seiner – seiner Suite. – Schnell, machen Sie schnell!«

»Sofort, Miss Orley.«

Etwas hatte seinen Weg mit durch den Spalt gefunden. Etwas, das schmerzte und ihre Sinne trübte. Ihr Atem ging rasselnd, Dunkelheit senkte sich auf sie herab.

»Julian«, flüsterte sie. »Daddy?«

Lawrence war außer sich. Hatte sich hinreißen lassen. Sich wie eine blutige Anfängerin ihren Gefühlen überlassen, anstatt auf Diplomatie zu setzen. Nun blieb nur noch die Flucht. Ob sie Lynn getötet, verwundet oder überhaupt nicht getroffen hatte, war irrelevant, sie musste die OSS verlassen, bevor der Fahrstuhl eintraf. Voller Zorn katapultierte sie sich aus dem Landemodul, schnellte den Korridor hinab und in den Torus hinein, legte an und schoss einen der Astronauten in den Kopf.

Der Mann kippte zur Seite und trieb langsam davon. Mit gestreckten Beinen bremste sie ab und richtete den Lauf der Waffe auf den anderen. Er starrte sie in namenlosem Entsetzen an, die Hände über dem Touchscreen.

»Einen der Evakuierungsgleiter her!«, schrie sie. »Schnell!«

Der Mann zitterte.

»Los! Hol ihn her!«

Wutentbrannt versetzte sie ihm einen Schlag ins Gesicht. Er klammerte sich an der Konsole fest, um nicht den Halt zu verlieren.

»Es geht nicht«, keuchte er.

»Bist du bescheuert?« Natürlich ging es, warum sollte es nicht gehen? »Willst du sterben?«

»Nein – bitte –«

Blödes Arschloch! Versuchte, sie hinzuhalten! Alle Docking-Ports waren über den Ring verschiebbar, das wusste sie. Er würde die CHARON eben woanders parken und an ihrer statt einen der Gleiter zur Schleuse fahren und dort verankern.

»Mach schon«, zischte sie.

»Es geht nicht, wirklich nicht.« Der Astronaut schluckte, leckte seine Lippen. »Nicht während des Startvorgangs.«

»Wieso Startvorgang?«

»Wä – während ein Schiff startet, kann ich den Docking-Port nicht verschieben, dann muss ich warten, bis –«

»Startet?«, schrie sie ihn an. »Was startet denn da?«

»Die –« Er schloss die Augen. Seine Lippen bewegten sich seltsam asynchron zu dem, was er sagte, als bete er nebenher. Speichel glänzte in seinen Mundwinkeln, und er begann sich einzunässen.

»Mach das Maul auf, verdammt!«

»Die CHARON. Es ist die CHARON. – Sie – sie startet.«

»Daddy?«

Julian stutzte. Eben hatte er sich mit Jennifer Shaw unterhalten, als ein zweites Fenster auf der Holowand erschienen war.

»Lynn«, sagte er überrascht. »Entschuldigen Sie, Jennifer.«

»Daddy, du musst sie aufhalten.«

Ihr Gesicht hing extrem dicht vor der Kamera, die das Bild übertrug, eingefallen und wächsern, als stehe sie kurz davor, das Bewusstsein zu verlieren. Kurzerhand schaltete er Shaw auf Stand-by.

»Lynn, ist alles in Ordnung?«

Sie schüttelte kraftlos den Kopf.

»Wo bist du?«

»Im Raumschiff. Ich – ich hab die CHARON gestartet.«

»*Was hast du?*«

»Ich fliege weg – ich bringe – die Bombe von hier weg.« Julian sah ihre Augenlider flattern und ihren Kopf vornüberkippen. »Sie hat eine zweite Bombe an Bord geschmuggelt, sie oder – Carl, ich weiß nicht –«

»Lynn!«

Seine Hände krampften sich um die Konsole. Mit der Verzögerung von Schlangengift sickerte die Erkenntnis in sein Bewusstsein, was in diesen Sekunden geschah. Wo die zweite Bombe war. Natürlich! Es ergab auf entsetzliche Weise Sinn. Das hier war nicht einfach ein Schlag gegen die Amerikaner, es war eine Attacke gegen die Raumfahrt!

»Lynn, das darfst du nicht!«, drängte er. »Bring die CHARON zurück! Das darfst du nicht!«

»Du musst sie aufhalten«, flüsterte sie. »Dana – es ist Dana Lawrence. Sie ist die – sie ist Hannas –«

»Lynn! Nein!«

»Tut mir – leid, Daddy.« Ihre Worte waren kaum noch zu verstehen, ein Hauch. Sie schloss die Augen. »So leid.«

Das Raumschiff entkoppelte. Die mächtigen, stählernen Krallen, die es mit der Schleuse verbanden, öffneten sich und gaben die CHARON frei.

Langsam trieb sie hinaus in den offenen Weltraum.

Julians Stimme drang an ihr Ohr. Er rief ihren Namen, immer und immer wieder, wie von Sinnen.

Lynn legte sich auf den Rücken.

Ach, Quatsch, Rücken, sie war ja schwerelos. Alles eine Frage der Sichtweise, ob sie auf dem Rücken oder auf dem Bauch lag. Vielleicht lag sie ja auch auf der Seite, klar lag sie auf der Seite, alles zugleich, aber aus dieser Perspektive konnte sie die Bombe sehen, die über ihr schwebte und sich gemächlich drehte.

Das Display verschwamm vor ihren Augen.

08:47

Nein, keine 8. Waren das nicht zwei Nullen? 00:47?

00:46

46 Minuten? Minuten natürlich, was sonst. Oder doch Sekunden? Zu knapp, die Zeit! Sie musste Schub geben.

Schub!

Vor ihren Augen eierten rote Kügelchen durch den Raum, manche winzig, andere groß wie Murmeln. Sie griff danach, zerrieb eine zu Schmiere, und plötzlich wurde ihr klar, dass der rote Perlenvorhang ihrer Brust entsprang. Etwas Lästiges steckte dort, das ihre Kraft fraß und ihre Bewegung einschränkte, außerdem war sie entsetzlich müde, doch sie durfte sich nicht der Ohnmacht überlassen. Sie musste das Schiff beschleunigen, um Distanz zwischen sich und die OSS zu legen. Dann, in sicherer Entfernung, die Bombe loswerden. Irgendwie. Über Bord werfen. Oder sich ins Landemodul retten und den Wohnteil mit der Mini-Nuke abkoppeln. Zurückkehren.

Irgend so was.

Fischartig öffneten und schlossen sich ihre Kiefer. Unter Qualen pumpte sie Luft in ihre Lungen und rollte sich herum.

»Haskin«, schrie Julian. Er hatte das Terminal angewählt, ohne Antwort zu erhalten. Jetzt sprach er mit dem Gesamtbereichsleiter Technik. Eigentlich hätte Haskin in dieser Nacht keinen Dienst gehabt, war angesichts der Umstände jedoch bereit gewesen, die Leitung des Bereitschaftsteams zu übernehmen. Unglücklicherweise saß er in Torus-5, im Dachbereich der OSS, weit weg vom Raumhafen.

»Mein Gott, Julian, was –«

»Durchkämmen Sie die Station! Suchen Sie Dana Lawrence, setzen Sie die Frau fest. Möglicherweise ist sie im Terminal!«

»Augenblick. Ich verstehe nicht –«

»Ist mir egal, ob Sie das verstehen! Suchen Sie Lawrence, die Frau ist eine Terroristin. Im Terminal meldet sich keiner. Und halten Sie die CHARON auf. Halten Sie sie auf!«

Er ließ Haskins ratloses, alarmiertes Gesicht auf dem Bildschirm zurück und wirbelte zum Kabinenschott.

»Öffnen!«

Lawrence starrte auf die Kontrollen, den Lauf der Waffe gegen die Schläfe des Astronauten gedrückt, und lauschte dem Funkverkehr. Jedes Wort hatte sie mit angehört. Die rührende Unterhaltung zwischen Lynn und ihrem Vater, Julians Patriarchengeschrei. Lynn schien verletzt, sie hatte die elende Spielverderberin erwischt. Wenigstens ein kleiner Trost, aber sehr bald würden Haskins Männer hier sein.

»Zugänge zum Torus verriegeln«, befahl sie.

»Geht nicht«, keuchte der Astronaut.

»Doch, es geht! Ich weiß, dass es geht.«

»Sie wissen einen Scheiß. Ich kann die Zugänge schließen, aber nicht verriegeln. Die kommen hier rein, ob es Ihnen passt oder nicht.«

»Was ist mit dem Gleiter?«

»Die CHARON ist noch zu nahe. Ich schwöre, das ist die Wahrheit!«

Dann eben anders. Sie brauchte die Außenschleuse nicht. Die Gleiter selbst verfügten über Noteinstiege, scheißegal, wo die Dinger parkten, sie musste nur irgendwie zum äußeren Ring gelangen und eines davon kapern. Das bibbernde Stück Mensch da konnte ihr nicht helfen, aber vielleicht würde sie den Kerl noch brauchen. Lawrence zog ihm ein weiteres Mal die Waffe über den Schädel und überließ den vornüberkippenden Körper sich selbst, während sie auf die Regale mit den Helmen zusteuerte.

Julian war in Sorge aufgelöst. Er stieß sich Schultern und Schädel, als er durch Torus-1 dem Korridor entgegenschoss, der hinauf ins Terminal führte, versuchte sich selbst zu überholen, und das war nicht gut. Nie zuvor hatte er einen der Wege in der Station als lang empfunden, jetzt schien es ihm, als käme er nicht von der Stelle, und permanent eckte er irgendwo an.

Er hatte entsetzliche Angst.

Als flösse das Leben aus ihr heraus, so hatte sie ausgesehen. Ihre Stimme war immer stockender und dünner geworden, sie musste verletzt sein, schwer verletzt. Das Schlimmste aber war, dass Haskin kaum eine Chance blieb, die CHARON zurückzuholen. Das war kein davontreibender Astronaut, sondern ein massives Raumschiff, und wenn Lynn –

Oh nein, dachte er, bitte nicht. Nicht die Triebwerke zünden.

Lynn! Bitte nicht die

Triebwerke zünden.

Immer wieder musste sie gegen die heranflutende Dunkelheit ankämpfen, während ihre Finger umhertasteten, doch solange sie nichts sah, gab es auf dem Touchscreen nicht viel zu ertasten. Sie wusste, dass sie noch zu nah an der OSS war. Der Sicherheitsabstand musste ein Beträchtliches mehr betragen, weil sonst Gefahr bestand, dass die herausschießenden, brennenden Gase Teile der Konstruktion beschädigten. Beim besten Willen wollte ihr nicht mehr einfallen, welche Zeitspanne das Display der Mini-Nuke angezeigt hatte, nur dass es knapp war, scheißknapp!

Sie hustete. Um sie herum, schön und fremdartig anzusehen, trieben die funkelnden, roten Perlen ihres Blutes. Die Schwerelosigkeit hatte den Vorzug, dass man nicht wirklich zusammenbrechen konnte, keine Energie war erforderlich, um sich auf den Beinen zu halten, sodass ihr Organismus in diesen Sekunden eine letzte, unmögliche Kraftreserve mobilisierte. Ihr Blick klärte sich. Entschlossen gingen die eben noch so zögerlichen und verirrten Finger auf Wanderschaft, streckten und bogen sich. Anzeigen leuchteten auf, eine weiche, automatische Stimme begann zu sprechen. Sie zwang ihren Körper in den Pilotensessel, doch um die Gurte festzuzurren, reichte es nicht mehr. Nur noch, um den Beschleunigungsvorgang zu starten.

Lynn streckte ihren rechten Arm aus. Sacht landete die Spitze ihres Zeigefingers auf der glatten Oberfläche des Touchscreens, und die Düsen zündeten, entwickelten maximalen Schub. Sie wurde in die Polster gepresst und verlor das Bewusstsein.

Die CHARON schoss davon.

Den Torus verlassen. Über eine der Innengangways. Zu einem der mächtigen Gittermasten vordringen, die das Rückgrat der OSS bildeten, entlang der Verstrebungen zum Raumhafen klettern, einen der Gleiter startklar machen, abkoppeln, Kurs auf die Erde nehmen. Ein bisschen funktionierten die Dinger wie die guten alten Space Shuttles, denen sie in ihrer äußeren Erscheinung glichen, nur verfügten sie im Gegensatz zu den ausgemusterten Vorgängern über großzügige Treibstoffvorräte, sodass sie das gekaperte Gefährt nach Eintritt in die Erdatmosphäre zu jedem x-beliebigen Platz der Welt steuern und irgendwo landen konnte, wo man sie nicht finden würde.

So weit der Plan.

Lawrence schwebte zu einer der beiden Gangways, während ihr Anzug die Lebenserhaltungssysteme checkte und den korrekten Sitz ihres Helms überprüfte. Hinter dem geschlossenen Schott lag ein kurzer Tunnel, eine mobile Schleuse, deren Segmente noch in sich zusammengeschoben waren. Erreichte der Fahrstuhl das Innere des Torus, würde sie zu voller Länge ausfahren und den Torus mit der Kabine verbinden, sodass die Insassen von dort in die Station wechseln konnten, ganz so, wie es bei ihrer Ankunft geschehen war. Rasch öffnete sie das Schott. Auch das gegenüberliegende Ende der Schleuse war verschlossen, mit einem runden, mittig eingelassenen Fenster versehen, durch das man im Schein der Außenbeleuchtung die Fahrstuhlseile schimmern sah.

Sie war schneller gewesen als Haskin. Brauchte den bewusstlosen Astronauten nicht mehr. Jetzt nur noch die Luft aus der Schleuse pumpen, öffnen und raus, ohne dass einer der Idioten sie noch aufhalten konnte. Die Waffe griffbereit im Futteral, glitt sie in den Tunnel.

Julian flog aus dem Korridor heraus, knallte gegen die Decke, ignorierte den Schmerz, schaute sich wild nach allen Seiten um. Ein Mensch trieb unter ihm hindurch. Offene Augen starrten ins Nichts, Flüssigkeit perlte aus einem kleinen Loch in der Stirn. Wo der bagelförmige Leib des Torus sich bog, zirkulierte langsam ein zweiter Körper, ob tot oder bewusstlos, ließ sich nicht sagen. Julian stieß sich ab, glitt dicht unter der Decke dahin und sah an der Innenseite, gleich unter sich, ein Schott offen stehen.

Eine der Gangways zweigte von dort ab.

Lawrence?

Wut, Hass, Angst, alles vermengte sich. Er stellte sich auf den Kopf, schoss in die Schleuse hinein, prallte gegen eine Person im Raumanzug, die im Begriff stand, den Schließmechanismus zu betätigen, riss sie fort von den Kontrollen und tiefer ins Innere der Schleuse hinein. Deutlich erkannte er Lawrences überraschtes Madonnengesicht, da ihr UV-Visier noch hochgeklappt war, dann schlugen ihre Körper gegen das Außenschott, wurden zurückgeworfen und trudelten, sich überschlagend, wieder in Richtung Torus. Lawrence fuchtelte nach Halt, knallte gegen die Tunnelwand, stieß sich ab und warf sich gegen ihn. Julian sah ihre Faust heranfliegen, versuchte auszuweichen, vergebens. Eine Galaxie explodierte in seinem Kopf. Er wurde herumgeschleudert, ruderte mit den Armen, kämpfte um Kontrolle. Lawrence drängte hinterher. Der zweite Schlag brach ihm den Nasenrücken. Er hätte einen Helm anziehen sollen, verdammter Idiot, zu spät. Rote und schwarze Nebel waberten vor seinen Augen. Mit knapper Not bekam er einen der umlaufenden Haltegriffe zu fassen und trat zu, irgendwohin, traf Lawrences Helm, versetzte sie in rasende Kreiselbewegung.

»Was hast du mit Lynn gemacht?«, schrie er. »Was hast du mit meiner Tochter gemacht?«

Sein Hass explodierte. Noch einmal trat er zu, die Hand um den Griff gekrallt. Lawrence wurde davongewirbelt, stand kopf, fing sich, stürzte sich auf ihn und packte ihn bei den Schultern. Im nächsten Moment flog er davon. Wie eine Flipperkugel touchierte er mal die eine, mal die andere Tunnelseite und wurde aus der Schleuse getragen.

Wo blieb Haskin? Wo blieb die lahmarschige Bereitschaft?

Lawrence streckte sich zum Kontrollfeld. Sie wollte die Schleuse verriegeln, ihn aussperren. Was hatte sie vor? Wollte sie raus? Wozu? Was wollte sie draußen?

Abhauen?

In seiner Nase stockte das Blut, sein Schädel schwang wie eine Glocke, als er in letzter Sekunde zurück in die Schleuse schnellte und ihren

Arm zu fassen bekam. Lawrences Finger erreichten den Schließmechanismus nicht. Ohne sie loszulassen, einem Trommelbeschuss von Schlägen ausgesetzt, die sie mit der freien Hand gegen ihn landete, trieb er sie zurück. Sie begannen sich zu drehen, stießen gegen das Außenschott. Kurz sah Julian durch das runde Fenster die hell erleuchtete, gegenüberliegende Seite des riesigen Ringmoduls, die im Zentrum verlaufenden Seile, nur noch Minuten bis zum Eintreffen der Kabinen, dann rammte Lawrence ihr Knie in seine Magengrube.

Schlagartig wurde ihm übel. Die Luft blieb ihm weg. Er ließ ihren Arm los, erhielt einen Stoß, wurde gegen die Wand getragen und klammerte sich ins Gestänge. Lawrence schwebte aufrecht vor dem Außenschott, drehte sich, wandte sich ihm zu. Ihre Rechte wanderte zum Oberschenkel und zog etwas aus einem Futteral, ein flaches, pistolenähnliches Ding.

Er hatte verloren.

Wie betäubt legte Julian den Kopf zur Seite. So konnte, durfte es nicht enden! Sein Blick fiel auf eine Klappe, gleich neben ihm war sie in die Wand eingelassen. Er brauchte eine Sekunde, um sich ihrer Funktion zu erinnern, genauer gesagt dessen, was dahinter lag, dann durchfuhr ihn die Erkenntnis.

Handbuch der OSS, Buchstabe B:

Bolzensprengung.

In Notfällen kann es erforderlich werden, das äußere Schott einer Schleuse abzusprengen, ungeachtet dessen, ob im Innern ein Vakuum hergestellt wurde oder nicht. Die Maßnahme kann erforderlich werden, wenn sich Schott oder Schleusenmantel im Rumpf der Fahrstuhlkabine oder eines andockenden Raumschiffs verhakt oder verkeilt haben und eine Abfahrt bzw. ein Start dadurch nicht möglich ist, insbesondere, wenn Menschenleben auf dem Spiel stehen. Im Falle einer Sprengung ist darauf zu achten, dass die zum Wohnbereich hin liegende Seite des Schleusenkanals geschlossen wird und die Person, die die Sprengung durchführt, mit einem Raumanzug bekleidet und in der Schleusenwand gesichert ist.

Er war nicht gesichert. Allenfalls durch Muskelkraft, und das Schott zum Torus stand offen. Er trug nicht mal einen Helm.

Und wenn!

Die Linke fest um die Stange geschlossen, riss er die Klappe hoch. Ein leuchtend roter Griff wurde sichtbar. Lawrences Augen hinter dem Visier weiteten sich, als sie begriff, was er vorhatte. Der Lauf der Waffe schnellte nach oben, doch sie war nicht schnell genug. Er zog, zog an dem Griff, zog ihn mit einem Ruck nach unten.

Hielt den Atem an.

Mit ohrenbetäubendem Knall gingen die Ladungen in den Haltebolzen hoch und sprengten das Schott aus seiner Verankerung. Sich überschlagend wirbelte es in den freien Raum hinaus, und im selben Moment setzte der Sog ein, ein heulender, mörderischer Sturm, als die Luft nach draußen strömte und Lawrence mit sich aus der Schleuse riss. Beidhändig packte Julian die Stange. Weitere Luft strömte aus dem Torus nach und nährte den Orkan. In dieser Sekunde, das war ihm bewusst, schloss die Automatik alle Durchgänge zu den angrenzenden Korridoren, und er war schutzlos, trug keinen Helm. Sofern er es nicht in den nächsten Sekunden aus dem Tunnel schaffte und das innere Schott schloss, würde er im Vakuum sterben, also biss er die Zähne aufeinander, spannte die Muskeln und versuchte, sich zurück ins Innere zu hangeln.

Langsam glitten seine Finger von der Stange.

Panik erfasste ihn. Er durfte nicht loslassen, doch der Orkan zerrte an ihm, und ganz besonders zerrte etwas an seinem Bein. Er wandte den Kopf und sah Lawrence einen seiner Stiefel umklammern. Immer stärker wurde der Sog, doch sie ließ nicht los, hing waagerecht in dem brausenden Inferno, mühte sich, die Waffe in Anschlag zu bringen, ihn abzuschießen.

Legte auf ihn an.

Winzig die Mündung, schwarz.

Tod.

Und plötzlich hatte er schlicht und einfach die Schnauze voll von ihr. Seine Wut, seine Angst, alles bündelte sich zu purer Kraft.

»Das ist *meine* Raumstation«, schrie er. »Und jetzt *raus*!«

Trat zu.

Sein Stiefel prallte gegen ihren Helm. Lawrences Finger glitten ab. Blitzschnell wurde sie davongetragen, ins Zentrum des Torus hinein, und noch währenddessen hielt sie die Waffe auf ihn gerichtet, zielte, und Julian wartete auf das Ende.

Ihr Körper passierte die Seile.

Einen Moment lang verstand er nicht, was er sah. Lawrence strebte in die eine wie die andere Richtung. Genauer gesagt hatten sich ihre Schulter, ein Stück des Brustkorbs und der daran hängende rechte Arm mit der Waffe selbstständig gemacht.

Weil der unmittelbare Kontakt mit dem Band ruckzuck ein Körperteil kosten kann. Ihr müsst euch vor Augen halten, dass es bei einer Breite von über einem Meter dünner als eine Rasierklinge ist, dabei aber von unglaublicher Härte.

Seine Worte, unten auf der Isla de las Estrellas.

Um ihn herum brüllte der Sturm. Mit äußerster Kraftanstrengung zog er sich weiter die Stange entlang, ohne sich noch Illusionen hinzugeben. Er würde es nicht schaffen. Es *war* nicht zu schaffen. Seine Lungen schmerzten, seine Augen tränten, in seinem Schädel dröhnte es wie von Presslufthämmern.

Lynn, dachte er. Mein Gott, Lynn.

Eine Gestalt tauchte in seinem Sichtfeld auf, behelmt, mit einer Leine gesichert. Noch jemand. Hände packten ihn, zogen ihn zurück in den Schutz des Torus. Hielten ihn fest. Das innere Schott glitt zu.

Haskin.

Sterne. Wie Staub.

Lynn ist weg, sehr weit weg. Still durchpflügt das Raumschiff die ewige, funkelnde Nacht, eine Enklave der Ruhe und Geborgenheit. Als sie kurz ins Bewusstsein zurückfindet, wundert sie sich eigentlich nur, warum die Bombe nicht explodiert ist, aber vielleicht ist sie auch einfach noch nicht lange genug unterwegs. Nebulös erinnert sie sich eines Plans, den sie gehabt hat, die Mini-Nuke im Wohnmodul zu lassen und mit der Landeeinheit zur OSS zurückzukehren, sich zu retten.

Landeeinheit. Andeleinheit.

Mini-Nuke. Nuki-Duke? Mini-Nuki-Duki, Mini-Irgendwas.

Bruce Dern in *Silent Running.*

Schöner Film. Und am Ende: *Boooouuuuum!*

Nein, sie wird hierbleiben. Ohnehin hat sie keine Kraft mehr. So vieles ist schiefgelaufen. Tut mir leid, Julian. Wollten wir nicht hoch zum Mond? Wie laufen eigentlich die Arbeiten im Stellar Island Hotel? Was? Oh Mist, sie werden nicht fertig, klar, sie hat es gewusst, immer gewusst, sie werden nicht fertig! Sie werden *nie* fertig. Nie, nie, nie!

Kalt.

Der kleine Roboter, der mit Bruce Dern die Blumen gießt. Der ist süß. Auf dieser Plattform im All, die letzten Pflanzen sind da drauf, bevor Dern sich in die Luft sprengt, und dazu singt diese entsetzliche Ökotussi, Joan Baez, von der Julian sagt, wenn er sie hört, hat er jedes Mal das Gefühl, man meißelt ihm den Schädel auf, und dass sie das ganze schöne Finale versaut mit ihrem hysterischen Sopran.

»Lynn?«

Da ist er ja.

»Bitte antworte! Lynn! Lynn!«

Oh! Weint er etwa? Warum denn das? Ihre Schuld? Hat sie was falsch gemacht?

Nicht weinen, Julian. Komm, wir gucken uns noch einen von diesen alten, schön schrottig getricksten Streifen an. *Armageddon.* Nein, den mag er nicht, an dem ist einfach alles falsch, sagte er, zu vieles falsch, dann lieber Ed Wood, *Plan 9 aus dem Weltall,* oder wie wär's mit *It came from outer space?* Komm, das ist cool! Jack Arnold, der alte Märchenonkel. Immer gut für Gruseln und Schenkelklopfen. Die Außerirdischen mit den großen Gehirnen. So sehen die nämlich aus.

Echt? Quatsch. Stimmt ja gar nicht!

Stimmt wohl!

Daddy! Tim glaubt nicht, dass die so aussehen.

»Lynn!«

Ich komm ja schon. Ich komme, Daddy.

Bin ja da.

3.-8.JUNI 2025
[LIMIT]

XINTIANDI, SHANGHAI, CHINA

Ein ganz normales Leben –

Bilder aufhängen, einen Schritt zurücktreten, die Hängung korrigieren. Bücher einräumen, Sitzmöbel anordnen, zurücktreten, neu anordnen. Kleine Veränderungen vornehmen, wieder zurücktreten, sich den Dingen nähern, indem man Distanz zu ihnen schuf, Harmonie herstellen, die konfuzianische Universalformel gegen die Mächte des Chaos.

Wenn es das war, was ein normales Leben ausmachte, hatte Jericho sich übergangslos wieder in die Normalität eingefügt. Sein Loft war nicht von Xin niedergebrannt worden, alles stand an seinem Platz oder wartete darauf, einen zugewiesen zu bekommen. Der Fernseher lief, ein Kaleidoskop des Weltgeschehens ohne Ton, weil es ihm weniger um Gehalt der Information als um deren Ornamentik ging. Er hatte das dringende Bedürfnis, nichts mehr wissen zu müssen. Er wollte keine Zusammenhänge mehr verstehen, nur noch den kleinen Teppich ausrollen, der *so* liegen musste – oder doch besser *so*? Jericho zog ihn in die Diagonale, trat einen Schritt zurück, betrachtete sein Werk und fand, es mangele ihm an Ausgewogenheit, weil dadurch eine Stehleuchte in Bedrängnis geriet. Nicht harmonisch, sagte Konfuzius, und betonte das Anrecht der Leuchte.

Wie mochte es Yoyo gehen?

Am Mittag ihrer Wiedergeburt von Xins Gnaden war sie aufgewacht, von starken Kopfschmerzen geplagt, die sich zum Teil der Bekanntschaft mit Norringtons Schädel verdankten, sicher auch einem unpfleglichen Übermaß an Brunello di Montalcino, letztlich aber wohl der Erfahrung, so gut wie erschossen worden zu sein. Die daraus resultierende emotionale Verkaterung brachte es mit sich, dass sie auf dem Heimflug nicht viel redete. Um die Mittagszeit hatte Tu die Aerion Supersonic gestartet, vier Stunden später war der Jet auf dem Pudong Airport gelandet, und sie waren wieder zu Hause gewesen. Natürlich gab es in den darauffolgenden Tagen kein Entkommen vor der Berichterstattung. Nachdem die CHARON in die Einflusszone irdischen Funks gelangt war, hatte man Messungen bestätigt gefunden, wonach es im Niemandsland des lunaren Nordpols zu einer nuklearen Explosion gekommen war und der Ausflug der Reisegruppe in einem Desaster geendet hatte, mit teils prominenten Toten. Und obschon die Geheimdienste den Mantel des Schweigens über die Vorfälle zu breiten versuchten, sickerten Gerüchte über eine Verschwörung durch, deren Ziel es gewesen sei, die amerikanische Mondbasis zu zerstören, mit China als möglichem Urheber – eine völlig unreflektierte, gleichwohl freudig durchs Netz summende Information.

Fallwinde des Misstrauens bliesen antichinesisches Gedankengut in alle Welt. Tatsächlich gab es nicht den geringsten konkreten Hinweis auf die wirklichen Drahtzieher. Orley selbst hatte den Verdächtigungen noch auf dem Rückweg zur OSS den Stachel genommen, indem er verkündete, nur mit Hilfe des Taikonauten Jia Keqiang und der chinesischen Raumfahrtbehörde habe der Anschlag überhaupt verhindert werden können. Ungeachtet dessen bemühten britische, amerikanische und chinesische Medien das Vokabular der Aggression. Nicht zum ersten Mal habe China Attacken auf ausländische Netzwerke gefahren, und dass Peking Kim Jong-uns militärisches Erbe verwalte, sei ja schon Schulwissen. Mahnende Stimmen, die raumfahrenden Nationen sollten endlich an einem Strang ziehen, mischten sich mit Befürchtungen über die Aufrüstung des Alls. Zheng Pang-Wang geriet in Erklärungsnot, als Details über die Rolle der Zheng Group beim Bau der äquatorialguineischen Rampe laut wurden. Vorauseilend erklärte der Zhong Chan Er Bu, weder wisse man von einem Kenny Xin noch einer Einrichtung namens Yü Shen, die ihre Rekruten angeblich aus Hirnkliniken, Psychiatrien und Haftanstalten beziehe und zu Killern ausbilde. Falls dieser Xin aber existiere, handele er eindeutig gegen die Interessen der Partei. Und worüber sich Herr Orley und die Amerikaner eigentlich wunderten, die der Welt wichtige Technologien vorenthielten und die Völkergemeinschaft durch fortgesetzte Verletzungen des Mond- und Weltraumvertrags vor den Kopf stießen. All dies klang so vertraut nach der Diktion der Mondkrise, dass seriöse Überlegungen wie die, was den Chinesen die Zerstörung der Peary-Basis eigentlich nütze (nichts nämlich, so das Fazit besonnener Analytiker), in den Hintergrund rückte.

Stehleuchte und Teppich. Partout wollte sich keine Harmonie einstellen zwischen den beiden.

Obschon ihre Wohngemeinschaft sich nach Grand Cherokee Wangs Ableben um ein nutzbares Zimmer erweitert hatte, war Yoyo zu Tu gezogen. Vorübergehend, wie sie betonte. Möglicherweise wollte sie Hongbing zur Seite stehen, der bis zur Wiederherstellung seines Appartements ebenfalls in der Villa logierte, eher vermutete Jericho jedoch, dass sie sich von der durchlässig gewordenen Stimmung der letzten Tage das Kondensat einer Lebensbeichte erhoffte. Sie bereitete sich darauf vor, ihr Studium wieder aufzunehmen. Daxiong schraubte in Missachtung ärztlicher Ratschläge an seinen Bikes, als klaffe nicht ein frisch genähter Riss in seinem Rücken und ein noch größerer in seinem Herzen, Tu widmete sich dem Dampflokrhythmus seiner Geschäfte, und auf Jericho warteten wohltuend langweilige Fälle von Webspionage. Nachdem die blutig gehütete Operation *Berge des ewigen Lichts* ihr unrühmliches Ende gefunden hatte, waren sie übereingekommen, von Hydra drohe ihnen keine Gefahr mehr. Noch standen Befragungen durch die chinesische Polizei an, der sie nicht auf die Nase zu binden gedachten, unter welchen Umständen Yoyo auf das Nachrichtenfragment gestoßen war, zumal die Staatssicherheit allen Grund hatte, ihnen dankbar zu sein: Was eignete sich schließlich besser, Peking von den grassierenden Vorwürfen zu entlasten, als dass der Anschlag durch das beherzte Wirken zweier Chinesen und eines in China lebenden Engländers vereitelt worden war? Unspektakulär hatten sich die ersten drei Junitage davongemacht, und Patrice Ho, Jerichos hochrangiger Polizistenfreund aus Shanghai, hatte angerufen, um seine Beförderung und seinen damit verbundenen Umzug nach Peking bekannt zu geben.

»Ich weiß natürlich, dass die Stoßrichtung deiner Ermittlungen meiner Karriere sehr förderlich war«, sagte er. »Solltest du also eine Idee haben, wie ich dir deine Hilfe vergelten kann –«

»Betrachten wir es als Guthaben«, sagte Jericho.

»Hm.« Ho machte eine Pause. »Vielleicht sehe ich ja eine Möglichkeit, dein Guthaben noch zu vergrößern.«

»Aha.«

»Wie du weißt, waren auch unsere Ermittlungen in Lanzhou von Erfolg gekrönt. Wir konnten ein Nest Pädophiler ausnehmen, und dabei stießen wir auf Hinweise, die vermuten lassen –«

»Augenblick! Ich soll weiter in der Pädophilenszene rumstöbern?«

»Deine Erfahrung könnte uns sehr von Nutzen sein. Peking setzt überaus große Hoffnungen in mich. Nach dem Doppelerfolg in Shenzhen und Lanzhou könnte es zu Irritationen führen, wenn die Siegesserie plötzlich abrisse –«

»Verstehe«, seufzte Jericho. »Auf die Gefahr hin, mein Guthaben zu verspielen, aber ich habe beschlossen, solche Aufträge nicht mehr anzunehmen. Vor wenigen Tagen bin ich in eine größere Wohnung gezogen, und sie ist jetzt schon wieder zu klein für all die Gespenster, die bei mir zur Untermiete wohnen.«

»Du sollst ja nicht an die Front«, beeilte sich Ho zu versichern.

»Du weißt, dass man *immer* an der Front landet.«

»Natürlich. Verzeih, wenn ich dich unter Druck gesetzt haben sollte.«

»Hast du nicht. Darf ich darüber nachdenken?«

»Aber selbstverständlich! Wann gehen wir mal ein Bier trinken?«

»Wie wär's kommende Woche?«

»Wunderbar.«

Gar nichts war wunderbar. Der Teppich und die Stehleuchte verstanden sich nämlich ausgezeichnet. Der Punkt war, dass beide keine Harmonie *zu ihm* herstellen wollten. Zu nichts wollte sich Harmonie einstellen, und schon gar keine Normalität. Wie zur Bestätigung zürnte Julian Orleys Gesicht überlebensgroß auf der Holowand, vor freiem Himmel und umringt von Leuten. Er sagte etwas und bahnte sich seinen Weg durch die Menge, gefolgt von dem Schauspieler Finn O'Keefe und einer aufregend fremdartig anmutenden Frau mit schneeweißen Haaren. Offenbar war die Reisegruppe zur Erde zurückgekehrt. Jericho stellte den Ton lauter und hörte den Kommentator sagen:

»– erfolgte die Explosion der zweiten Mini-Nuke um neun Uhr mitteleuropäischer Zeit in 45 000 Kilometer Entfernung zur OSS, zu deren Zerstörung sie offenbar gedacht war. Inzwischen werden Befürchtungen laut, die Serie nuklearer Anschläge könne sich weiter fortsetzen. Julian Orley, der Quito in diesen Minuten schon wieder verlassen will, verweigerte bislang –«

Jericho stutzte und stellte den Ton lauter, doch das Wichtigste schien er verpasst zu haben. Ein Newsticker am unteren Bildrand transportierte die Nachricht von einem versuchten Nuklearanschlag auf die OSS, und dass die Zahl der Opfer im Dunkeln liege. Jericho zappte sich durch die Kanäle. Offenbar war im Shuttle, das die Überlebenden vom Krater Peary zur Raumstation gebracht hatte, eine zweite Atombombe versteckt gewesen, rechtzeitig entdeckt worden und in beträchtlicher Entfernung zur OSS detoniert. Orley selbst sagte, dass er nicht beabsichtige, überhaupt etwas zu sagen. Er kam Jericho um Jahre gealtert vor.

»Hast du das mitgekriegt?« Yoyo rief an. »Das mit der zweiten Bombe?«

Er schaltete von CNN auf einen chinesischen Nachrichtensender, der jedoch eine Hochschulreform thematisierte. Ein anderer mühte sich, neue uigurische Aufstände in Xinjiang runterzureden.

»Unverständlich«, sagte er. »Vogelaar hat in seinem Dossier keine zweite Bombe erwähnt.«

»Dann hat er eben nur von einer gewusst.«

»Wahrscheinlich.« Die BBC widmete dem Vorfall eine Sondersendung. »Gottlob nicht mehr unsere Sache.«

»Ja, du hast recht. Oh Mann, bin ich froh, dass wir da raus sind! Dass sie uns in Ruhe lassen. – Andererseits, ich meine, das ist schon der Hammer, oder? Das ist *wirklich* der Hammer!«

Jericho starrte auf das rote Band des Newstickers.

»Mhm«, machte er. »Sonst alles klar bei dir?«

»Ganz okay.« Sie zögerte. »Tut mir übrigens leid, dass ich mich noch nicht gemeldet habe, aber es passiert so viel im Augenblick, ich – versuche halt, wieder Tritt zu fassen. Alles nicht so einfach. Es stehen Beerdigungen von Freunden an, Daxiong gibt den Helden, und mein Vater – also, wir hatten ein längeres Gespräch, ich schätze, du weißt schon, worüber –«

Solche Äußerungen hatten immer etwas von rohen Eiern.

»Und?«, fragte er vorsichtig.

»Schon gut, Owen, wir können offen darüber reden. Du kannst mir nichts mehr verraten, was ich inzwischen nicht selber weiß. Was soll ich sagen? Ich bin froh, dass er es mir erzählt hat.«

So wie sie es sagte, klang es seltsam lapidar. Ein Leben lang hatte sie unter Hongbings Schweigen gelitten, und jetzt fiel ihr nichts anderes ein, als dass sie *froh* war über seine plötzliche Mitteilsamkeit.

»He!«, rief sie unvermittelt. »Ist dir eigentlich klar, dass *wir* diese Anschläge verhindert haben? Ohne uns gäbe es keine Mondbasis mehr und auch keine OSS.«

Ein deutscher Sender. Dieselben verwackelten Bilder von Orley und seiner Reisegruppe geisterten über die Holowand. Ein Journalist mit einem Mikrofon in der Hand und dem Pazifik im Hintergrund wollte gehört haben, die Bombe sei an Bord eines Raumschiffs explodiert, eines Mondshuttles, und möglicherweise habe es entgegen ersten Meldungen *doch* Opfer gegeben, wenigstens eines.

»Überleg mal, das hätte die amerikanische Raumfahrt um Jahrzehnte zurückgeworfen«, konstatierte sie. »Oder? Was meinst du? Kein Weltraumfahrstuhl mehr, kein Helium-3. Orley hätte seine Fusionsreaktoren einmotten können.«

»Sieht beinahe so aus, als wären wir Helden«, sagte er säuerlich.

»Na ja. Wir können ja mal ganz behutsam damit anfangen, stolz auf uns zu sein, oder? Was hast du heute Abend noch vor?«

»Möbel rücken. Schlafen.« Jericho warf einen Blick auf die Uhr. Halb elf. »Hoffentlich. Seit drei Tagen bin ich todmüde und kann nicht einschlafen. Immer erst gegen Morgen für zwei, drei Stunden.«

»Geht mir genauso. Nimm eine Tablette.«

»Keine Lust.«

»Selber schuld. Bis später.«

Danach sah er sich außerstande, weiter in Kategorien konfuzianischer Raumgestaltung zu denken. Allem um ihn herum schien der Sinn abhandengekommen zu sein, jede und zugleich keine Konstellation seines Mobiliars war vorstellbar. Eine gläserne Wand hatte sich zwischen ihn und die Dinge geschoben, Harmonie und Normalität entrückten ins Akademische, als referiere ein Blinder über Farben. Er schaltete den Fernseher aus und fand seine Kiefer zu einem löwenartigen Gähnen geweitet, das nicht enden wollte, dazu Schopenhauer, Held seiner Jugend: *Das Gähnen gehört zu den Reflexbewegungen. Ich vermute, dass seine entferntere Ursache eine durch Langeweile, Geistesträgheit oder Schläfrigkeit herbeigeführte momentane Depotenzierung des Gehirns ist.*

War ihm langweilig? Erschlaffte sein Geist? War er depotenziert? Nichts davon. Er war beunruhigend wach, legte sich angezogen auf die Couch, löschte das Licht und schloss probehalber die Augen. Vielleicht, wenn er auf offizielle Handlungen wie ausziehen oder zubettgehen verzichtete, würden sich Körper und Geist überlisten lassen, da sie dem Schlaf ja offensichtlich umso mehr entgegenarbeiteten, je eindeutiger er sich darum bemühte.

Eine weitere halbe Stunde später wusste er es besser.

Es war nicht vorbei. Die Hydra hielt ihn unverändert umschlungen, ihr Gift würde in ihm wüten, bis er endlich Klarheit über ihre Natur erlangt hatte. Er konnte nicht so tun, als ginge ihn das alles nichts mehr an, nur weil gerade niemand versuchte, ihn umzubringen. Man konnte Normalität nicht *beschließen*, nichts endete, was man in der Vergangenheit verscharrte. Der Albtraum dauerte an.

Wer war Hydra?

Er fuhr die Beleuchtung wieder hoch. Yoyo hatte recht. Sie hatten ungeheuer vieles herausgefunden, die Pläne der Verschwörer vereitelt, Grund, stolz zu sein. Zugleich kam es ihm so vor, als hätten sie die ganze Zeit über verkehrt herum in ein Fernrohr geschaut. Das Naheliegende war in weiteste Ferne entrückt, in die vermeintliche Bedeutungslosigkeit, doch tatsächlich musste man das Rohr nur umdrehen und die Wahrheit würde sich in den Vordergrund schieben. Er öffnete eine Flasche Shiraz, goss sich ein und strich systematisch alle bisherigen Verdächtigen von der Liste, Peking, Zheng Pang-Wang, die CIA. Alle diese Spuren hatten bei näherer Betrachtung in sich selbst zurückgeführt, doch womöglich verlief eine geradeaus, mit der sie sich bislang noch nicht hinreichend befasst hatten.

Das Greenwatch-Massaker.

Die komplette Führungsriege des Umweltsenders, ausgelöscht. Warum? Niemand vermochte zu sagen, woran Greenwatch zuletzt gearbeitet hatte, auch wenn mehrfach von einer Reportage über Umweltzerstörungen durch Ölkonzerne die Rede gewesen war. Keowas Ehrgeiz, den Anschlag von Calgary aufzuklären, hatte den Fokus schließlich auf jenen Film gelenkt, der Gerald Palsteins mutmaßlichen Attentäter zeigte. So schnell allerdings, wie diese Bilder in Umlauf geraten waren, konnte das Massaker kaum erfolgt sein, um ihre weitere Verbreitung einzudämmen.

Er ließ Diane die Filmsequenz noch einmal abspielen. Gegen Ende, als die Kamera auf die Bühne schwenkte, sah man, dass der Platz voller Menschen mit Handys und umstanden von Fernsehteams war. Ein Wunder eigentlich, dass Xin in seinem Fatsuit nicht öfter aufs Bild geraten war, jedenfalls hatte Hydra damit rechnen müssen und es wohl billigend in Kauf genommen, aber vielleicht lag hier schon der erste Denkfehler.

Vielleicht hatten sie ja darauf *gesetzt!*

Je länger Jericho über die Sequenz nachdachte, desto mehr schienen ihm Xins bizarre Verkleidung und sein behäbiges Daherschleichen Teil einer Inszenierung zu sein mit dem Ziel, den Ermittlern einen asiatischen Attentäter zu präsentieren für den Fall, dass er abgelichtet wurde – so wie auch Zhengs augenfällige Präsenz in Äquatorialguinea eine regelrechte Elefantenspur ins Reich der Mitte gelegt hatte. Man erblickte Lars Gudmundsson beim doppelten Spiel, Palstein überlebte dank glücklicher Fügung, musste den Weg für Carl Hanna frei machen, Loreena Keowa kam dahinter, was zehn Menschen ihr Leben kostete und Greenwatch das Gedächtnis.

Ergab das Sinn? Nicht richtig.

Außer sie hatten bei Greenwatch Dinge herausgefunden, die Hydra *wirklich* in Bedrängnis brachten!

Keowa war aus Calgary angereist. Möglicherweise im Besitz brisanten Wissens. Hatte sich umgehend zur Redaktionskonferenz begeben, eine Zusammenkunft, die Hydra im letzten Moment hatte verhindern können, wodurch die Verschwörer allerdings immer noch nicht wussten, wie viel der unliebsamen Recherche schon auf den Festplatten des Senders lagerte, denn Keowa konnte im Vorfeld – E-Mails verschickt haben!

Das war es.

Jericho stürzte sich in die Arbeit. Während es in Shanghai auf Mitternacht zuging, stand auf der anderen Pazifikseite die Morgensonne am Himmel. Er ließ Diane eine Liste aller infrage kommender Web-Provider erstellen und begann sie der Reihe nach durchzutelefonieren, immer unter demselben Vorwand: er rufe im Auftrag Loreena Keowas an, unter ihrer Web-Adresse ließen sich keine E-Mails mehr empfangen und abschicken, und man möge doch bitte so freundlich sein, mal nachzuschauen, warum das nicht klappe. Elfmal bekam er zur Antwort, eine Loreena Keowa sei als Kundin nicht gespeichert, drei der Gesprächspartner kannten Keowa aus dem Netz, hatten von ihrem Tod erfahren und gaben ihrer Bestürzung Ausdruck, wofür Jericho mit Grabesstimme dankte. Erst beim zwölften Anbieter hatte er Glück. Man bat ihn um Autorisierung per Passwort, was bedeutete, dass sie dort angemeldet war. Jericho versprach, zurückzurufen. Dann hackte er sich ins System des Web-Providers und ließ Diane Keowas Passwort decodieren. Der Datenfluss jedes Verbindungsaufbaus war mitgeschnitten worden, sodass er binnen weniger Minuten Aufschluss über Keowas Mail-Provider erhielt. Dort rief er an, autorisierte sich und fragte, ob die in den letzten vierzehn Tagen versandten E-Mails noch im System gespeichert seien. Man speichere sie bis zu sechs Wochen, wurde ihm mitgeteilt, und welche er denn zur Ansicht wünsche.

Alle, sagte er.

Eine halbe Stunde später hatte er etliche Dokumente über Umweltskandale gesichtet, die unter dem Titel *Das Erbe der Ungeheuer* den Kern jener dreiteiligen Sendereihe hatten bilden sollen, von der in den vergangenen Tagen mehrfach die Rede gewesen war. Eine Menge Namen wurden darin genannt, doch keine Sekunde glaubte Jericho an einen Zusammenhang. Das Massaker war als Reaktion auf die zuletzt verschickte E-Mail erfolgt. Sie barg die Antwort auf alle Fragen.

Die Identität der Hydra.

<u>Gerald Palstein</u>
Leiter Strategisches Management EMCO (USA), Opfer eines Attentats in Calgary am 21. 4. 2025, wahrscheinliches Ziel, ihn am Flug zum Mond zu hindern (Fakten über Palstein liegen vor).
Attentäter Asiate, möglicherweise Chinese.
(Chinesische Interessen bei EMCO? *Ölsandgeschäft?)*

Alejandro Ruiz
Strategischer Leiter (seit Juli 2022) von Repsol YPF *(spanisch-argentinisch), Spitzname Ruiz El Verde, verheiratet, zwei Kinder, geordneter Lebenswandel, schuldenfrei.*

2022 in Lima während einer Inspektionsreise verschwunden (Verbrechen?). Zuvor mehrtägige Konferenz in Peking, u. a.: Joint Venture mit Sinopec. Letztes Treffen außerhalb Pekings am 1. 9. 2022: Thema und Teilnehmer unbekannt (Repsol will Unterlagen durchsehen, ich erwarte Rückruf). 2. 9. Weiterflug nach Lima, Telefonate mit seiner Frau. Ruiz bedrückt und ängstlich. Auslöser offenbar Treffen vom Vortag.

Gemeinsamkeiten Palstein, Ruiz:
Beide haben versucht, die Geschäftsfelder ihrer Konzerne in neue Richtung zu erweitern, z. B. Solarkraft, ORLEY ENTERPRISES. *Ethische Standpunkte. Gegen Ölsandabbau. Gegner im eigenen Lager.*

Zu strategischen Leitern ernannt, als der drohende Bankrott ihrer Firmen ihnen kaum noch Handlungsspielraum lässt.

Allerdings: Kaum Berührungspunkte zwischen EMCO *und Repsol. Laut Palstein kein persönlicher Kontakt zwischen ihm und Ruiz.*

Lars Gudmundsson
Palsteins Leibwächter, freiberuflich tätig für texanisches Sicherheitsunternehmen Eagle Eye.

Werdegang: Navy Seal, Ausbildung zum Scharfschützen, Wechsel nach Afrika zu Privatarmee Mamba, von dort zu APS *(African Protection Services), möglicherweise an Putsch in Westafrika beteiligt, seit 2000 wieder in den USA.*

Treibt falsches Spiel: sorgte mit seinen Leuten dafür, dass Palsteins Attentäter ungehindert das Gebäude gegenüber Imperial Oil betreten konnte (Habe Palstein über Gudmundssons Verrat informiert und mich bei Eagle Eye über G. erkundigt. G. daraufhin samt Team untergetaucht).

Gudmundsson –
Der Name löste etwas in Jericho aus. Einem Verdacht folgend, nahm er sich Vogelaars Dossier noch einmal vor, und tatsächlich: Lars Gudmundsson hatte zu jener Spezialeinheit gehört, die Mayé an die Macht geputscht hatte – zusammen mit dem als Carl Hanna bekannten Neil Gabriel. Beide schienen sich bestens mit Kenny Xin verstanden zu haben, so gut, dass sie verschiedentlich für ihn gearbeitet und schließlich

den Dienst bei der APS quittiert hatten. Keowas E-Mail enthielt außerdem den Film vom Tatort, eine Durchwahl von Repsol und die Privatnummer der mutmaßlich verwitweten Señora Ruiz. Er ließ Diane weitere Fakten über den Spanier zusammenstellen, doch viel mehr als das, was die Journalistin bereits zusammengetragen hatte, ergab sich nicht. In Filmausschnitten und auf Bildern machte der Mann einen sympathischen Eindruck, positiv, energiegeladen.

Doch nach dem Treffen in Peking hatte er Angst gehabt.

Und dann war er verschwunden.

Wie erklärte sich seine plötzliche Wesensveränderung? Weil er auf dem Treffen etwas erlebt oder erfahren hatte, das ihn belastete? Richtig, mehr aber wohl, weil er seines Lebens nicht mehr sicher sein konnte. Falls Alejandro Ruiz tatsächlich einem Verbrechen zum Opfer gefallen war, dann, weil jemand hatte verhindern wollen, dass die Inhalte des Treffens an die Öffentlichkeit gelangten.

Hatte die Hydra Ruiz ermordet, weil er von der Operation *Berge des ewigen Lichts* wusste? Aber was war dann mit Palstein? Keowa fand auffällige Gemeinsamkeiten zwischen den beiden. Gehörte dazu auch, dass Palstein über Hydras Pläne informiert war?

Jericho nahm einen Schluck Shiraz.

Unsinn. Die Gäule der Hypothese gingen mit ihm durch. Ruiz war *unmittelbar* nach dem Treffen verschwunden. Bevor er den Mund aufmachen konnte. Warum hätten sie Palstein drei Jahre Zeit lassen sollen, sein Wissen unter die Leute zu bringen? Eindeutig hatte Calgary dem Zweck gedient, einen Agenten in Orleys Reisegruppe zu schleusen, außerdem *lebte* Palstein, wenn auch dank eines Zufalls. Seitdem war kein Versuch mehr erfolgt, ihn umzubringen, dabei hätten sich etliche Gelegenheiten geboten. Gudmundsson etwa, von Berufs wegen ständig um ihn herum, hätte ihn jederzeit mit einem Schuss aus nächster Nähe töten können.

Und warum hatte er es dann nicht getan?

Nicht *vorher* schon? Vor Calgary!

Hydra war es gelungen, Palsteins engstes Umfeld, seine Leibgarde, zu infiltrieren. Wozu dieser Aufwand? Eine öffentliche Veranstaltung. Agenten, die Polizisten ablenkten. Kenny Xin, der aus einem leer stehenden Gebäude schoss? Warum so *umständlich*?

Weil es nach etwas hatte aussehen sollen, was es nicht war.

Kein Zweifel, die Verbindung zwischen Lima und Calgary, zwischen Ruiz und Palstein, existierte. Keowas Recherchen führten direkt zur Hydra, andernfalls hätten die Schlächter von Vancouver nicht zehn

Menschen ermordet und ihre Computer verschwinden lassen. Was also war *wirklich* am 21. April in Kanada geschehen?

Das Treffen in Peking lieferte den Schlüssel.

Eben wollte er bei Repsol in Madrid anrufen, als es an der Haustür klingelte. Verwundert schaute er auf die Uhr. Zwanzig nach eins. Betrunkene? Es klingelte erneut. Einen Moment spielte er mit dem Gedanken, es zu ignorieren, dann ging er zur Gegensprechanlage und schaute auf den Bildschirm.

Yoyo.

»Was machst du denn hier?«, fragte er verblüfft.

»Wie wär's, wenn du erst mal aufdrückst«, fuhr sie ihn an. »Oder muss ich meine Besuche vorher schriftlich anmelden?«

»Es ist nicht gerade die Zeit, zu der man Besuch erwartet«, sagte er, als sie, den Motorradhelm unter den Arm geklemmt, sein Loft betrat. Yoyo zuckte die Achseln. Sie platzierte den Helm auf dem Küchenblock, schlenderte in den Wohnbereich und warf neugierige Blicke nach allen Seiten. Er folgte ihr.

»Hübsch.«

»Noch nicht ganz fertig.«

»Trotzdem.« Sie deutete auf die angebrochene Flasche Shiraz. »Gibt's dazu ein zweites Glas?«

Jericho kratzte sich irritiert hinterm Ohr, während sie aus ihrer Lederjacke schlüpfte und sich auf sein Sofa warf.

»Natürlich«, sagte er. »Warte.«

Er schaute zu ihr herüber und förderte ein weiteres Glas zutage. Im Dämmerlicht der Sitzinsel kündete rötliches Glimmen davon, dass sie sich eine Zigarette angezündet hatte. Nachdem er ihr eingegossen hatte, saßen sie einige Minuten da, tranken und schwiegen, und Yoyo ließ Rauchzeichen aus ihren Mundwinkeln quellen, verschlüsselte Begründungen für ihr Hiersein. Ihre Augen ruhten im Nichts. Von Zeit zu Zeit schienen die schweren Wimpernvorhänge das Gesehene wegwischen zu wollen, doch wann immer sie sich hoben, lag die gleiche Verlorenheit in ihrem Blick wie zuvor. Mehr denn je erinnerte sie ihn an das Mädchen auf dem Videofilm, den Chen Hongbing ihm vor anderthalb Wochen vorgespielt hatte.

Anderthalb Wochen?

Ebenso gut hätte es ein Jahr sein können.

»Und was machst du gerade?«, fragte sie mit Blick auf Diane.

»Ich wundere mich, was dich herführt.«

»Wolltest du nicht ins Bett? Endlich mal schlafen?«

»Ich hab's versucht.«

Sie nickte und nebelte sich ein.

»Ich auch. Ich dachte, es wäre einfacher.«

»Schlafen?«

»Weitermachen, wo man aufgehört hat. Aber es ist, als ob ich ins Leere greife. Manches existiert nicht mehr. Die Zentrale im Stahlwerk. Die *Wächter.* Dann Grand Cherokees Zimmer mit seinen Sachen drin, als käme er gleich zurück, gespenstisch. Andererseits, die Uni ist die Uni. Dieselben Hörsäle und Professoren. Dasselbe Korrektorat, das sich deiner annimmt, damit du später nicht auf zu viele eigene Ideen kommst. Derselbe Hühnerhof, dieselben Kämpfe und Nichtigkeiten. Ich höre Musik, gehe aus, sehe fern, sage mir, wie beschissen es anderen geht, dass ich tot sein könnte, und dass die Banalität des Alltäglichen durchaus ihr Gutes hat. Ich rede mir ein, wie erleichtert ich sein müsste.«

Jericho legte die Beine übereinander. Er saß vor ihr auf dem Boden, den Rücken gegen einen Sessel gelehnt, und schwieg.

»Und dann passiert, worauf ich mein Lebtag gewartet habe. Hongbing nimmt mich in den Arm, sagt, wie lieb er mich hat, und schüttet kübelweise Tragödien über mir aus. Die ganze entsetzliche Geschichte. Und ich weiß, ich müsste ein Feuerwerk abbrennen für diesen Moment, vor Mitleid vergehen, zerfließen vor Glück, ihm um den Hals fallen, die Schweine haben keine Macht mehr über uns, jetzt wird alles gut, wir können endlich miteinander reden, wir sind eine Familie! Stattdessen –«, sie malte Rauchschlangen in die Luft, »– denke ich, mein Kopf ist eine Kommode mit tausend Schubladen, jeder stopft rein, was ihm gerade gefällt, und jetzt kommt auch noch mein Vater! Ich denke, Yoyo, du mieser kleiner Krüppel, warum fühlst du denn nichts? Los jetzt, du musst *fühlen*, du hast dir doch gewünscht, dass –«

Sie fingerte nach ihrem Glas, stürzte den Inhalt herunter und sog den Rest Leben aus ihrer Zigarette. »So sehr gewünscht, dass er mit dir redet! Noch als Kenny seine verdammte Waffe an meinen Kopf gehalten hat, dachte ich, nein! Ich will nicht sterben, ohne erfahren zu haben, was *sein* Leben so aus der Bahn geworfen hat. – Aber jetzt, wo ich es weiß, komme ich mir einfach nur – vollgestopft vor.«

Jericho drehte sein Glas zwischen den Fingern.

»Und zugleich ausgehöhlt«, fuhr sie fort. »Das ist doch widersinnig, oder? Nichts berührt mich! Als ob das nicht die Welt ist, wie ich sie kannte, sondern eine bloße Kopie davon. Alles kommt mir vor wie aus Pappe.«

»Und du denkst, es wird nie wieder normal werden.«

»Das macht mir Angst, Owen. Vielleicht ist ja alles in Ordnung mit der Welt, und *ich* bin die Kopie. Vielleicht ist die echte Yoyo ja *doch* von Xin erschossen worden.«

Jericho starrte auf seine Füße.

»In gewisser Weise ist sie das wohl.«

»Xin hat was gestohlen in jener Nacht.« Sie sah ihn an. »Mitgenommen. Mir *weggenommen*. Ich kann nicht mehr fühlen, was ich fühlen sollte. Ich bin nicht mal mehr in der Lage, meinem Vater den nötigen Respekt zu erweisen. Nicht mal, bühnenreif zusammenzubrechen.«

»Weil es noch nicht vorbei ist.«

»Ich will es zurückhaben. Ich will wieder ich sein.«

Sie setzte eine weitere Zigarette in Brand. Erneut schwiegen sie eine Weile, verloren in Rauch und Gedanken.

»Wir sind noch nicht aufgewacht, Yoyo.« Er legte den Kopf in den Nacken und sah an die Decke. »Das ist unser Problem. Seit drei Tagen rede ich mir ein, dass ich von Hydra nichts mehr wissen will. Nichts von Xin und den ganzen Freaks, die sich auf meinen Augenlidern vergnügen, wenn andere schlafen. Ich möbliere mein Leben mit Krimskrams, versuche es so normal und unspektakulär wie möglich zu gestalten, aber es fühlt sich falsch an. Als sei ich in einem Bühnenbild gelandet –«

»Ja, genau!«

»Und vorhin, nachdem wir telefoniert haben, ist es mir klar geworden. Wir sind immer noch in diesem Albtraum gefangen, Yoyo. Er gaukelt uns vor, wir wären wach, aber wir sind es nicht. Wir sitzen einer Illusion auf. Es ist längst nicht zu Ende.« Er seufzte. »Tatsächlich bin ich besessen von Hydra! Ich *muss* weiter an dem Fall arbeiten. Den Keller ausmisten, in dem ich seit Jahrzehnten immerzu Scheintote verscharre. Hydra entwickelt sich zum Exempel für mein Leben, für die Frage, wie es weitergehen soll. Ich muss mich diesen Gespenstern stellen, um sie loszuwerden, und wenn es bedeutet, darüber den Mut oder den Verstand zu verlieren, nur, *so* kann ich, will ich nicht weitermachen. Ich halte es nicht mehr aus, so zu leben, verstehst du? Ich will endlich aufwachen.«

Sonst werden wir für alle Zeit in der Scheinwelt gefangen bleiben, dachte er. Dann werden wir keine richtigen Menschen sein, sondern immer nur die Echos unserer unaufgelösten Vergangenheit.

»Und – hast du weiter an dem Fall gearbeitet? An unserem Fall?«

»Ja.« Jericho nickte. »Während der vergangenen beiden Stunden. Bevor du kamst, wollte ich gerade in Madrid anrufen.«

»In Madrid?«

»Bei einem Ölkonzern namens Repsol.«

Er sah, wie sich ihre Züge belebten, also erzählte er ihr von seinen Nachforschungen, machte sie mit Keowas letzter E-Mail vertraut und ließ sie an seinen Theorien teilhaben. Mit jedem Wort schlängelte sich die Hydra tiefer hinein in das nächtliche Loft, reckte ihre Hälse, richtete ihre fahlgelben Augenpaare auf sie. Im Bemühen, das Ungeheuer loszuwerden, riefen sie es herbei, doch etwas hatte sich geändert. Das Monster kam nicht, um sie aus dem Hinterhalt zu überfallen und sie zu jagen, sondern weil sie es lockten, und erstmals fühlte Jericho sich der Schlange überlegen. Schließlich wählte er die Nummer des spanischen Konzerns.

»Natürlich!«, sagte ein Mann. »Loreena Keowa! Ich habe mehrfach versucht, sie zu erreichen, warum geht sie nicht ran?«

»Sie hatte einen Unfall«, sagte Jericho. »Einen tödlichen Unfall.«

»Wie schrecklich.« Der Mann machte eine Pause. Als er weitersprach, klang leichtes Misstrauen mit. »Und Sie sind –«

»Privatdetektiv. Ich versuche, Miss Keowas Arbeit fortzuführen und die Umstände ihres Todes aufzuklären.«

»Verstehe.«

»Sie hatte Sie um Informationen gebeten, richtig?«

»Ähm – nun ja.«

»Über ein Treffen in Peking, an dem Alejandro Ruiz teilnahm, bevor er verschwand?«

»Ja. Ja, genau.«

»Dieser Spur gehe ich nach. Möglicherweise sind es dieselben Leute, die Ruiz und Keowa auf dem Gewissen haben. Sie würden mir sehr helfen, wenn Sie mir die Informationen zur Verfügung stellten.«

»Nun –« Der andere zögerte. Dann seufzte er. »Sicher, warum nicht. Halten Sie uns auf dem Laufenden? Wir wüssten auch gerne, was mit Ruiz geschehen ist.«

»Selbstverständlich.«

»Also, wir sind hier die Unterlagen durchgegangen. 2022 war Ruiz gerade zum Chef der strategischen Abteilung ernannt worden. Er setzte Himmel und Hölle in Bewegung, um neue Geschäftsfelder zu erschließen. Einige der Ölmultis dachten damals verstärkt über Joint Ventures nach, und so fanden in Peking Gespräche statt, eine ganze Woche lang –«

»Warum gerade dort?«

»Kein besonderer Grund. Ebenso gut hätte man in Texas oder Spanien tagen können. Vielleicht, weil ein Projekt zwischen Repsol, EMCO und der chinesischen Ölgesellschaft Sinopec im Vordergrund stand, also einigte man sich auf Peking. Der Initiator des Joint Ventures schlug vor, das Ganze zu einem Branchengipfel auszuweiten. Fast alle großen Konzerne sicherten ihre Teilnahme zu, sodass eine Woche lang ohne Unterlass getagt wurde. Ruiz begrüßte das. Er meinte, vielleicht ließe sich was verändern.«

»Haben Sie eine Ahnung, was er damit gemeint haben könnte?«

»Eher nicht, um ehrlich zu sein.«

»Und wo tagte der Gipfel?«

»Im Sinopec-Kongresszentrum am Rande von Chaoyang, das ist ein Stadtbezirk im Nordosten Pekings.«

»Und Ruiz war guter Dinge?«

»Die meiste Zeit ja, obwohl sich herauskristallisierte, dass der Zug abgefahren war. Andererseits, schlimmer konnte es kaum noch werden. Am letzten Tag des Gipfels rief er an und meinte, die Woche sei zumindest nicht verschwendet gewesen, außerdem stünde gegen Abend eine letzte Konferenz an, mehr ein inoffizielles Treffen. Ein paar von ihnen wollten noch mal zusammenkommen und irgendwelche Ideen erörtern.«

»Und das Treffen fand ebenfalls im Kongresszentrum statt?«

»Nein, weiter außerhalb. Im Stadtbezirk Shunyi, wie er sagte, in einem Privathaus. Am folgenden Tag machte er einen niedergeschlagenen und fahrigen Eindruck. Ich fragte ihn, wie das Treffen verlaufen sei. Er reagierte komisch. Meinte, nichts sei dabei herausgekommen, und er habe es vorzeitig verlassen.«

»Wissen Sie, wer daran teilnahm?«

»Nicht explizit. Ruiz hatte angedeutet, Vertreter der ganz großen Läden seien zusammengekommen, ich schätze, wir waren der kleinste Fisch im Teich. Russen, Amerikaner, Chinesen, Briten, Südamerikaner, Araber. Ein richtiges Gipfeltreffen. Scheint nur wenig dabei herausgekommen zu sein.«

Da wäre ich mir keineswegs sicher, dachte Jericho.

»Ich bräuchte eine Liste der offiziellen Teilnehmer des Gipfels«, sagte er. »Falls so was noch existiert.«

»Schicke ich Ihnen. Nennen Sie mir eine E-Mail-Adresse.«

Jericho gab seine Daten durch und dankte dem Mann. Er versprach, sich zu melden, sobald Neuigkeiten vorlägen, beendete das Gespräch und schaute Yoyo an.

»Was denkst du?«

»Ein Treffen, an dem hochrangige Vertreter von Ölfirmen teilnehmen«, sinnierte sie. »Inoffiziell. Ruiz wartet das Ende nicht ab. Warum
geht er?«

»Könnte sich unwohl gefühlt haben. Die harmlose Erklärung.«

»An die wir nicht glauben.«

»Natürlich nicht. Er ging, weil er zu dem Schluss gelangte, das
Ganze führe zu nichts, weil es Streit gab, oder weil er das, was dort beschlossen wurde, nicht mittragen wollte.«

»Wäre er bloß wütend gewesen, hätte er seinen Leuten oder seiner
Frau die Gründe genannt. Stattdessen schwieg er.«

»Fühlte sich bedroht.«

»Fürchtete, sie könnten ihn mundtot machen, weil er mit ihnen
nicht an einem Strang ziehen wollte.«

»Was sie ja auch getan haben, wie es aussieht.«

»Und wer sind *sie*?«

»Tja.« Jericho schürzte die Lippen. »Wir denken dasselbe, oder?«

In dieser Nacht blieb Yoyo bei ihm, ohne dass mehr passierte, als dass
sie zusammen eine weitere Flasche Wein leerten und er sie in den Armen
hielt, gelinde erstaunt, sie nur trösten zu wollen: ein vom Erwachsen-
sein überfordertes Mädchen, intelligent, talentiert und wunderschön,
das mit seinen 25 Jahren schon Keile der Verunsicherung in den Panzer
der Partei getrieben hatte und zugleich das Verhalten eines Teenagers
konservierte, eine mitunter strapaziöse, unreife Rotzigkeit, die so wenig erotisch war wie jedes gegen die Biologie konzentrierte Bemühen,
nicht erwachsen zu werden. Ihm schien, als wolle Yoyo auf ewig in der
Adoleszenz verbleiben, so lange, bis sich die Umstände bequemten, ihr
eine friedvollere Jugend zu gewähren, als sie gehabt hatte. Er hingegen wollte nichts mehr, als diese Phase seines Lebens auszulöschen, die
tristen Jahre des Übergangs. Kein Wunder, dass sie beide nicht fühlten,
was sie hätten fühlen *sollen,* wie Yoyo es ausgedrückt hatte.

Darüber dachte er nach, und plötzlich, ganz unerwartet, wurde ihm
leichter.

Noch jemand war mit ihnen im Raum. Er schaute auf, und der
schüchterne, so oft verletzte Junge hockte im Dämmerlicht des Lofts
und sah zu, wie seine Finger durch Yoyos Haar glitten. Betäubt von
Rotwein und Kummer starrte sie vor sich hin, während dem Jungen Tränen der Enttäuschung in den Augen standen, dass Mädchen
wie Yoyo seinesgleichen immer nur zum *Reden* missbrauchten. Seine
Nase, früh als Vorhut der zögerlich einsetzenden Pubertät unpropor-

tional angeschwollen, war immer noch zu groß für das immer noch zu kindliche Gesicht. Seine Haare hätten eine Wäsche vertragen müssen, und natürlich trug er das Zeug, das er jeden Tag trug, ein Mensch, der alles und jeden mehr liebte als sich selbst. Wie sehr hatte Jericho den kleinen Scheißer gehasst, der nicht verstand, warum der erwachsene Mann dort dem Mädchen in seinen Armen, das er nun hätte haben können, keine Liebeserklärungen machte, warum er sie auf einmal nicht mehr *begehrte,* er *hatte* sie doch begehrt, oder?

Hatte er?

Jericho sah den Jungen dasitzen, fühlte seine lähmende, an ihm nagende Angst, nicht zu genügen, zu versagen, abgewiesen zu werden. Und plötzlich hasste er ihn nicht länger. Schloss stattdessen auch ihn in seine Umarmung mit ein, erteilte ihm Absolution und versicherte ihm, er trüge an nichts, aber auch gar nichts Schuld. Bekundete sein Mitleid. Machte ihn mit der Notwendigkeit vertraut, endgültig aus seinem Leben verschwinden zu müssen, da er rein physisch schon lange verschwunden sei, und versprach ihm, dass sie beide irgendwann Ruhe finden würden.

Der Junge verblasste.

Er würde zurückkommen, so viel stand fest, doch in dieser Nacht hatten sie sich versöhnt. Die Welt wurde greifbarer und farbiger. Gegen Morgen, als Yoyo auf seinem Bauch leise schnarchte, melodiös und versöhnlich, hatte er noch keine einzige Sekunde geschlafen und war dennoch kein bisschen müde. Vorsichtig hob er ihren Oberkörper an, glitt vom Sofa und ließ sie wieder zurücksinken. Sie murrte, drehte sich auf die Seite und rollte sich zusammen. Jericho betrachtete sie. Gespannt fragte er sich, wer zum Vorschein kommen würde, wenn sie das Narrengewand des ewigen Teenagers erst einmal abgestreift hätte. Jemand sehr Aufregendes, vermutete er. Und sie *würde* erwachsen und glücklich werden. Sie wusste es nur noch nicht. Alles würde sie fühlen können, nicht, was sie *sollte,* nicht, was sie *wollte,* schlicht, was sie eben fühlte.

Kurz vor neun. Er nahm sein Handy, ging in den Küchenbereich und setzte einen starken Kaffee auf. Er wusste nun, was er zu tun hatte, und wie sie die Schweine drankriegen konnten.

Zeit, einen Anruf zu machen.

»Ich habe über dein Angebot nachgedacht«, sagte er.

»Oh.« Patrice Ho schien überrascht. »Ich hatte nicht damit gerechnet, so früh von dir zu hören.«

»Manche Entscheidungen fallen eben schnell.«

»Owen, bevor du was sagst –« Ho druckste herum. »Es tut mir leid, wenn ich mich unziemlich verhalten habe. Ich wollte dich nicht unter Druck setzen, du musst ja glauben, ich bekäme den Hals nicht voll.«

»Ich will doch schwer hoffen, dass du ihn nicht vollbekommst«, sagte Jericho. »Im Interesse der Ergebnisse. Also werde ich dich weiter in der Pädophilensache unterstützen.«

»Du wirst –?« Kurze Pause. »Du bist ein Freund! Ein wahrer Freund. Ich bin dir mehr denn je verpflichtet.«

»Schön. Dann würde ich jetzt gern was von meinem Guthaben abheben.«

»Und ich werde glücklich sein, dir helfen zu können!«

»Wart's ab. Es wird dir möglicherweise nicht gefallen.«

»Davon gehe ich aus«, sagte Ho trocken.

»Gut, pass auf. In der letzten Augustwoche 2022 fand in Peking, genauer gesagt im Sinopec-Kongresszentrum im Stadtbezirk Chaoyang, eine Zusammenkunft internationaler Ölkonzerne statt. Die Teilnehmerliste lasse ich dir noch zukommen. Am letzten Tag des Gipfels, am Abend des 1. September, trafen sich einige dieser Leute inoffiziell im Bezirk Shunyi. Wer an dem Treffen teilnahm, weiß ich nicht, es scheint aber ein illustrer Kreis gewesen zu sein. Ebenso wenig weiß ich, wo das Treffen stattfand.«

»Und das soll ich rausfinden. Verstehe.« Ho machte eine Pause. »Das klingt nach Ermittlungsroutine. Was sollte mir daran nicht gefallen?«

»Der zweite Teil meiner Bitte.«

»Der da wäre?«

»Kann ich dir erst sagen, wenn die Antwort auf Teil eins vorliegt.«

»In Ordnung. Ich kümmere mich drum.«

Jericho fühlte das Leben in seine Adern zurückfließen. Der Gejagte war zum Jäger geworden! In gespannter Erwartung sichtete er seine E-Mails und sah, dass der Repsol-Mann das komplette Programm des Gipfels geschickt hatte, und tatsächlich: Alle waren in Peking versammelt gewesen, Vertreter nahezu jedes Konzerns, der im Öl- und Gasgeschäft eine Rolle spielte oder gespielt hatte, fast ausnahmslos Strategen.

Er ging die Liste durch und stutzte.

Natürlich! Das war eigentlich zu erwarten gewesen. Und dennoch –

Rasch leitete er die Unterlagen an Ho weiter, schaute nach Yoyo, die fest schlief, setzte sich wieder an den Küchenblock und begann, Theorien auszuspinnen.

Und mit einem Mal passte alles zusammen.

Am späten Nachmittag – Yoyo war schlaftrunken ihrer Wege gezogen, nicht ohne ihn zur Berichterstattung verdonnert zu haben – rief Patrice Ho wieder an.

»Drei Jahre sind eine lange Zeit«, sagte er im Bemühen, es spannend zu machen. »Aber möglicherweise bin ich fündig geworden. Wer an dem Treffen teilnahm, kann ich dir noch nicht sagen, mit einiger Sicherheit aber, wo es stattfand und wer der Gastgeber war.«

»Eine Privatwohnung?«

»Richtig getippt. In Shunyi gibt es keine Einrichtungen von Sinopec, dafür wohnt der Strategische Leiter des Konzerns dort. Großes Anwesen. Wir haben ihn spaßeshalber gleich mal durchleuchtet und herausgefunden, dass er notorisch über seine Verhältnisse lebt, aber gut, das tun viele. Sein Name ist Joe Song. Er hat Sinopec während des Gipfels vertreten. Kannst du damit was anfangen?«

»Schätze, schon.« Ein Name, ein weiterer Name! Jetzt kam es darauf an, ob er recht behielt. »Danke! Das ist schon mal gut.«

»Verstehe. Jetzt kommt die Sache, die mir nicht gefallen wird.«

»Ja. Ihr müsst euch in Songs Computer hacken.«

»Hm.«

»Kann sein, dass ich mich irre und der Mann nichts zu verbergen hat. Falls aber doch –«

»Owen, pass mal auf. Versprochen ist versprochen, okay? Aber bevor ich das tue, brauche ich mehr Informationen. Ich muss wissen, worauf deine Nachforschungen hinauslaufen.«

Jericho zögerte. »Möglicherweise auf die Ehrenrettung der chinesischen Regierung.«

»Aha.«

»Du versprichst, mir auf jeden Fall zu helfen?«

»Wie schon gesagt –«

»Also hör zu. Ich liefere dir die Hintergründe. Danach sage ich dir, wonach du zu suchen hast.«

Zwanzig Minuten später, als er sicher sein konnte, dass der Repsol-Mann seinen ersten Café con leche getrunken hatte, rief er ein weiteres Mal in Madrid an.

»Darf ich Sie noch mal behelligen?«

»Sicher.«

»Sie sprachen davon, das damals geplante Joint Venture zwischen Sinopec, Repsol und EMCO sei auf eine Initiative hin erfolgt. Wissen Sie noch, wer der Initiator war?«

»Klar.« Der Mann nannte ihm den Namen. »Er war es übrigens auch, der das Ganze zu einem Gipfel aufblähte und vorschlug, die Sache in Peking steigen zu lassen. Sinopec gefiel das. Die Chinesen mögen es, wenn die Welt auf ihrem Staatsgebiet verhandelt wird.«

»Danke. Sie haben mir sehr geholfen.«

Der Initiator –

Jericho lächelte grimmig. Er sah die Hydra ihre Hälse recken, ihre Köpfe vorschießen, ihre Fänge entblößen. Sie zischte ihn an, doch der gewaltige Schlangenleib krümmte sich und begann langsam zurückzuweichen.

In dieser Nacht schlief er tief und traumlos.

Der folgende Tag. Funkstille bis zur Mittagszeit. Dann meldete sich Ho, und er klang ebenso aufgeregt wie vor zweieinhalb Wochen, als Jericho ihm die Nachricht von der Ergreifung Animal Ma Lipings überbracht hatte.

»Unglaublich«, stieß er hervor. »Du hattest recht.«

Jerichos Herzschlag legte einen Trommelwirbel ein.

»Was genau habt ihr gefunden?«

»Das Symbol. Dieses Schlangending, wie heißt das Viech noch?«

»Hydra.«

»Auf Songs Firmencomputer! Versteckt zwischen anderen Programmen. Um seine gelöschten E-Mails wieder sichtbar zu machen, müssen wir allerdings an die Festplatte ran.«

»Kein Problem. Ihr habt Grund genug, ihn offiziell zu verhaften.«

»Owen, das könnte –« Ho schnappte nach Luft. »Das könnte meinen Einstieg in Peking –«

»Ich weiß«, lächelte Jericho. »Nimm den Kerl hoch. Ihr werdet auf Daten stoßen, die wie Weißes Rauschen anmuten, aber mithilfe des Symbols sollte schnell eine Nachricht daraus werden.«

»Ich rufe dich an. Ich rufe dich an!«

»Warte!« Jericho begann umherzuwandern, von Adrenalin in Bewegung gehalten. »Wir brauchen die anderen Teilnehmer des Treffens. Das ist nur augenscheinlich ein Branchenkomplott, tatsächlich eine Konspiration einiger weniger. An die müssen wir ran. Gezielt und schnell, damit keiner von denen Gelegenheit findet, sich abzusetzen. Vielleicht schaffst du es ja, unserem Freund ein Geständnis zu entlocken, indem du ihm mildernde Umstände in Aussicht stellst.«

»Die darin bestehen, dass er seinen Kopf auf den Schultern behält«, knurrte Ho.

»Ach was. Ich dachte, die Todesstrafe sei 2021 abgeschafft worden.«

»Ist sie auch. Aber ich könnte ihm androhen, sie extra für ihn wieder einzuführen. Bald werden wir wissen, wer die anderen Teilnehmer waren, verlass dich drauf!«

»Gut. Wenn er nicht redet, müssen wir eben jedes einzelne Alibi überprüfen. Ich weiß, das wird mühsam.«

»Nicht wirklich. Ich schätze, die Konzerne werden großes Interesse daran bekunden, die Wahrheit ans Licht zu bringen. In Zeiten wie diesen will man sich nicht auch noch das Renommee versauen.«

»Wie auch immer. Das muss eine konzertierte Aktion werden. Soll heißen, ihr bezieht den MI6 ein und den amerikanischen Secret Service, außerdem die Geheimdienste aller betroffenen Länder. Ich werde im Anschluss mit ORLEY ENTERPRISES telefonieren, versprich mir also, dass die chinesische Polizei nicht mauert. Ihr werdet auch so ruhmreich sein.«

»*Du* wirst ruhmreich sein, Owen!«

Jericho schwieg.

Wollte er das? Ruhmreich sein? Ein bisschen stolz vielleicht, wie Yoyo angeregt hatte. Das schon. Das hatten sie sich verdient, Yoyo, Tian und er. Darüber hinaus würde es schon reichen, eine weitere Nacht ebenso gut zu schlafen wie in der vorangegangenen.

Am frühen Nachmittag wurde der Ölstratege Joe Song in seinem Büro festgenommen, stellte sich ahnungslos, und die Spurenleser begannen ihr Werk. So wie sich Restaurateure durch Schichten von Farbe arbeiteten, um weit ältere Kunst freizulegen, förderten sie Songs gelöschte E-Mails aus dem Vergessen zutage, vermeintliches Weißes Rauschen, das sich unter sachkundiger Anwendung des Decodierprogramms zu einem Dokument gestaltete, dessen Inhalt geeignet war, Song für den Rest seines Lebens ins Gefängnis zu bringen.

Dennoch leugnete er. Einen Abend und eine Nacht lang stritt er ab, etwas mit den Anschlägen zu tun zu haben, weder wisse er von einer Organisation namens Hydra, noch, wie das Symbol und die Nachricht auf den Sinopec-Computer gelangt seien. Währenddessen wütete eine Abordnung der Polizei unter den Blicken seiner erstarrten Ehefrau in seinem Haus und fand auf Songs Privatrechner eine weitere kleine, schimmernde, pulsierende Hydra, und immer noch wollte der Manager von nichts wissen. Eine Nacht im Gefängnis und zwei Konsultationen seiner Anwälte mussten verstreichen, bis Patrice Ho ihm am Nachmittag des 6. Juni – in einem schalldichten Zimmer – die Trostlosigkeit seines weiteren Daseins auf eindringliche Weise vor Augen führte, nicht, ohne ihm einen Ausweg aufzuzeigen für den Fall, dass er in vollem Umfang gestand.

Danach kam Joe Song aus dem Reden gar nicht mehr heraus.

Jericho lauschte entzückt, was Ho anschließend zu berichten hatte. Gleich darauf wählte er Jennifer Shaws Nummer. In London war es neun Uhr morgens, und fast freute er sich, sie wiederzusehen.

»Owen! Geht es Ihnen gut?«

»Inzwischen wieder. Und Ihnen?«

»Ein Ameisenhaufen ist ein Zen-Kloster gegen das Big O. Sämtliche Ermittlungen laufen bei uns zusammen, jeder entrollt den Faden seiner Theorie, dass man keinen Schritt tun kann, ohne sich hoffnungslos zu verheddern.«

»Klingt nicht unbedingt, als hätten Sie Klarheit erlangt.«

»Inzwischen wissen wir immerhin, dass die Hoteldirektorin des GAIA eine ehemalige Mossad-Agentin war. Wie auch immer, gut, dass Sie anrufen. Julian hat sich verdreifacht. Er ist rund um die Uhr im Einsatz, aber ich weiß, dass er Sie bei der nächsten sich bietenden Gelegenheit anrufen wollte.«

»Ist er denn da?«

»Schwirrt herum. Soll ich versuchen, Sie durchzustellen?«

»Ich hätte einen viel besseren Vorschlag, Jennifer. Holen Sie ihn her.«

Shaw hob eine Spock'sche Braue.

»Ich vermute, Sie haben mehr auf dem Herzen, als Hallo zu sagen.«

Er lächelte. »Es wird Ihnen gefallen.«

Wenig später saßen sie in seinem Loft versammelt, plastisch und lebensgroß projiziert auf Tus Holowand, und Jericho spielte seine Karten aus. Orley unterbrach ihn kein einziges Mal, während sich seine Brauen zusammenzogen, bis sie wie Felsmassive über seinen hellblauen Augen lasteten, doch als er Shaw schließlich den Kopf zuwandte, klang seine Stimme ruhig und gelassen.

»Machen Sie einen Helikopter zum Flughafen klar«, sagte er. »Von dort nehmen wir den Jet. Wir statten ihm einen Besuch ab.«

»Jetzt?«, fragte Shaw.

»Wann denn sonst?«

»Offen gestanden, ich habe nicht die geringste Ahnung, wo er sich gerade aufhält. Aber gut, das lässt sich natürlich –«

»Brauchen Sie nicht.« Orley lächelte grimmig. »Ich weiß, wo er ist. Er hat's mir erzählt, gleich nach unserer Rückkehr. Als er anrief, um seiner *Bestürzung* Ausdruck zu verleihen.«

»Selbstverständlich«, sagte Shaw ergeben. »Wann wollen Sie fliegen?«

»Geben Sie mir eine Stunde fürs Handgepäck. Verständigen Sie Interpol, den MI6, aber sie sollen uns nicht die Schau stehlen. – Owen –« Orley stand auf. »Wollen Sie mitkommen?«

Jericho zögerte. »Wohin?«

Orley nannte ihm den Namen der Stadt. Es war tatsächlich nicht sonderlich weit – für einen gut motorisierten Engländer.

Plötzlich musste er lachen.

»Ich bin in Shanghai, Julian.«

»Na und?« Orley schaute sich um, wie um zu beweisen, dass keine Probleme in Sicht waren. »Das ist *Ihr* Moment, Owen! Wen scheren Distanzen? Mich nicht. Nehmen Sie den nächsten Hochgeschwindigkeitsjet, ich buche Ihnen ein Ticket.«

»Sehr freundlich, aber –«

»Freundlich?« Orley legte den Kopf schief. »Ist Ihnen eigentlich klar, was ich Ihnen verdanke? Notfalls trage ich Sie auf meinen Schultern hin! Nein, wir machen's noch anders, haben wir nicht einen von unseren Mach-4-Jets in seiner Nähe? Finden Sie das mal raus, Jennifer, ich glaube, in Tokio steht einer, oder? Wir holen Sie ab, Owen. Und bringen Sie Tu Tian mit und dieses wunderbare Mädchen –«

»Julian, warten Sie mal.«

»Das ist kein Problem. Wirklich nicht.«

Jericho schüttelte den Kopf. Ich habe Wichtigeres zu tun, lag es ihm auf der Zunge. Ich muss eine Stehleuchte und einen Teppich konfuzianisch verehelichen, das ist nämlich *mein* Leben, doch er wollte Orley nicht beleidigen, zumal er ihn, ganz wie Shaw vorausgesagt hatte, tatsächlich mochte. Der Brite strahlte etwas aus, dass man vorbehaltlos bereit war, sich mit ihm ins nächste Abenteuer zu stürzen.

»Ich kann hier nun mal nicht weg«, sagte er. »Ich habe Klienten, und Sie wissen ja – man soll niemanden im Stich lassen.«

»Nein, da haben Sie recht.« Orley kraulte seinen Bart, merklich unzufrieden mit der Situation. Dann richtete er seine meerblauen Augen wieder auf Jericho. »Aber vielleicht gibt es eine Möglichkeit, in Shanghai zu bleiben und trotzdem dabei zu sein – mal ehrlich, Owen, können Sie ruhig schlafen, ohne *das hier* abgeschlossen zu haben?«

»Nein«, sagte Jericho müde. »Aber es ist nicht mehr mein –«

Er stockte, suchte nach dem passenden Begriff.

»Feldzug?« Orley nickte. »Schon klar, mein Freund. Ich weiß. Sie müssen Ihre Geschichte abschließen, nicht meine. Trotzdem, hören Sie sich meinen Vorschlag an. Es läuft auf einen Kurzauftritt hinaus, aber den sollten Sie sich gönnen, Owen. Den sollten Sie sich *wirklich* gönnen!«

VENEDIG, ITALIEN

Um den Rang des größten je von Menschenhand geschaffenen Spiegels der Welt wetteiferten das Binocular Telescope Observatory in Arizona auf der Spitze des Mount Graham – zwei Einzelspiegel, um genau zu sein, je achteinhalb Meter durchmessend und 16 Tonnen schwer – sowie das Hobby-Eberle-Telescope in Texas mit einer Grundfläche von rund zehn mal elf Metern, zusammengesetzt aus reflektierenden Waben. Hingegen bestand über den schönsten Spiegel der Welt kein Zweifel. In Zeiten globaler Überflutungen schlug die Piazza San Marco in Venedig alles Dagewesene.

Gerald Palstein saß vor dem Caffè Florian, umtost vom nie versiegenden Strom der Touristen, der ihm ebenso zuwider war, wie ihn die Schönheit des überfluteten Markusplatzes magisch anzog. Seit einigen Jahren stand die Piazza fortlaufend unter Wasser. Ihretwegen nahm er das invasive Spektakel in Kauf, zumal sich im Besuchergebaren langsam etwas veränderte. Selbst japanische Reisegruppen ließen nun eine gewisse Scheu erkennen, den Platz an sonnigen Tagen wie diesem zu überqueren und die Ruhe des knöchelhohen Binnengewässers zu stören, das die Basilica di San Marco, ihren vorgelagerten Campanile und die umliegenden Prokuratien perfekt spiegelte, eine auf Wasser gegründete und zugleich darin memorierte Welt, ein symbolischer Blick in die Zukunft. So unausweichlich, wie die Lagune anstieg, sackte die Stadt ins Meer, einer uralten Logik folgend, wonach Liebende einander zustrebten, und sei es um den Preis des Ineinander-Vergehens.

Darüber hinaus hatte sich nichts in der Stadt verändert. Wie eh und je zeigte der Uhrenturm schräg gegenüber mit seiner Einmündung zur Merceria auf lapislazuliblauem Grund die Mond- und Sonnenphasen und Tierkreiszeichen an und entsandte bronzene Wächter, um Erde und Universum mit dröhnenden Glockenschlägen in Stunden zu segmentieren, während kaum merkliche Brisen über den anderthalb Quadratkilometer großen Spiegel strichen und die Architektur kräuselten, ohne sie aufzulösen, als vergnügten sich die Geister Dalis und Hundertwassers damit.

Palstein kratzte mit einem Löffelchen den klebrigen, köstlichen Zuckerrest vom Grund der Espressotasse. Seine Frau hatte nicht mitkommen wollen, bereitete ihre Abreise zu einem indischen Ashram vor, den sie in immer kürzeren Zyklen aufsuchte, seit sie auf einer Vernissage einen Guru kennengelernt hatte, der Seele und Bankkonto gleichermaßen Fundamentales zu entlocken verstand. Tatsächlich war es ihm lieber so. Allein musste er nicht reden, kein Interesse heucheln, nichts wahrnehmen, was er lieber ausblendete. Er konnte ganz in der wohltuenden Stille des gespiegelten Venedigs leben, das keinen Wandel kannte, so wie Alice sich hinter die Spiegel begeben hatte, und die kopfstehende Gegenwelt durchstreifen.

Lärm. Geschrei. Lachen.

Im nächsten Moment verging die Illusion, als eine Gruppe Jugendlicher mitten durch die Wasserfläche patschte und alles in eine wilde Kleckserei verwandelte.

Schwachköpfe, die ein Meisterwerk zerstörten!

Die Illusion eines Meisterwerks.

Palstein sah ihnen nach, zu müde, um noch Zorn zu entwickeln. War es nicht immer so? Man baute und baute an etwas, entwickelte es bis zur Perfektion, und dann machten ein paar Dahergelaufene alles zunichte. Er entrichtete das exorbitant überhöhte Salär für Espresso und Kammermusik, schlenderte unter den Arkaden der Piazzetta hindurch bis zum Bacino di San Marco, wo der Dogenpalast an tieferes Wasser grenzte, und folgte den Stegen zu den Biennale-Gärten. Dort, an einem kleinen Kanal im beschaulichen Viertel Castello, nahm er ein frühes Abendessen in der Hostaria Da Franz ein, unter Kundigen gerühmt als Venedigs bestes Fischrestaurant, unterhielt sich ein wenig mit Gianfranco, dem alten Patron, dessen Leben einer Humboldt'schen Erkundung der Welt auf geraden wie ungeraden Pfaden glich und den nichts aus der Ruhe zu bringen vermochte außer vielleicht leere Gläser, umarmte zum Abschied ihn und Maurizio, seinen Sohn, und bestieg ein Wassertaxi, das ihn zum Canal Grande und zum Palazzo Loredan brachte. EMCO hatte den Prachtbau aus der Frührenaissance in besseren Zeiten erworben und über dem Wahnsinn seines systematischen Niedergangs vergessen, ihn abzustoßen. Nach wie vor stand das Gebäude den Führungskräften offen, war allerdings lange schon nicht mehr genutzt worden. Doch weil Palstein Venedig liebte und fand, nichts sei seiner Lage angemessener als das Sinnbild aller Vergänglichkeit, war er für eine Woche hierhergeflogen.

Inzwischen stand die Sonne tief über dem Canale. Das Scheppern und Tuckern der Vaporetti und Lastkähne mischte sich mit dem Schnurren eleganter Motorboote, Akkordeonklängen und den Tenorstimmen der Gondolieri zu einer Geräuschkulisse, wie sie kein anderer Ort der Welt zu bieten hatte. Nachdem das Erdgeschoss unter Wasser stand, betrat er den Palazzo durch einen höher gelegenen Eingang und gelangte über das hölzerne Treppenhaus ins Piano nobile des ersten Stockwerks. Wo das späte Sonnenlicht durch die Scheiben drang, gruppierten sich Sofas und Sessel um einen flachen Glastisch.

In einem der Sessel saß Julian Orley.

Palstein stutzte. Dann beschleunigte er seinen Schritt, durcheilte die kathedralenartige Weite des Saals und breitete die Arme aus.

»Julian«, rief er. »Was für eine Überraschung!«

»Gerald.« Orley erhob sich. »Mit mir hättest du nicht gerechnet, was?«

»Nein, wirklich nicht.« Palstein drückte den Engländer an seine Brust, der seine Umarmung erwiderte, ein wenig fest, wie es ihm schien.

»Seit wann bist du in Venedig?«

»Vor einer Stunde eingetroffen. Dein Verwalter war so freundlich, mich einzulassen, nachdem er zu der Überzeugung gelangte, dass ich nicht die Muranoleuchter klauen will.«

»Warum hast du nicht angerufen? Wir hätten essen gehen können. So musste ich mit dem besten Steinbutt meines Lebens im Alleingang fertig werden.« Palstein schritt zu einer kleinen Bar, entnahm ihr zwei Gläser und eine Flasche und drehte sich um. »Grappa? Prime Uve, weich und in großen Mengen verträglich.«

»Her damit.« Julian setzte sich wieder. »Wir müssen anstoßen, alter Freund. Es gibt was zu feiern.«

»Ja, deine Rückkehr.« Palstein betrachtete sinnend das Etikett, goss die Gläser zur Hälfte voll und nahm Julian gegenüber Platz. »Trinken wir aufs Überleben«, lächelte er. »Auf *dein* Überleben.«

»Gute Idee.« Der Engländer prostete ihm zu, nahm einen kräftigen Schluck und stellte sein Glas ab. Dann öffnete er eine Tasche, förderte einen Laptop zutage, klappte ihn auf und schaltete ihn ein. »Denn auf deines zu trinken, wäre gleichbedeutend damit, die Zukunft eines Gehenkten zu feiern. Wenn du verstehst, was ich meine.«

Palstein blinzelte, immer noch lächelnd.

»Offen gestanden, nein.«

Der Bildschirm leuchtete auf. Eine Kamera übertrug das Bild eines Mannes, der Palstein bekannt vorkam. Im nächsten Moment erinnerte er sich. Jericho! Natürlich! Dieser verfluchte Detektiv.

»Guten Abend, Gerald«, sagte Jericho freundlich.

Palstein zögerte.

»Hallo, Owen. Was kann ich für Sie tun?«

»Was Sie schon einmal getan haben, im Big O. Uns helfen. Damals haben Sie uns sehr geholfen, wissen Sie noch?«

»Natürlich. Ich hätte gerne noch mehr getan.«

»Fein. Dazu haben Sie jetzt Gelegenheit. Julian würde gerne Verschiedenes wissen, aber zuvor möchte ich Ihnen etwas erzählen. Es wird Sie freuen, dass wir den Anschlag von Calgary aufgeklärt haben.«

Palstein schwieg.

»Und das, obwohl ich schon fürchtete, mir die Zähne daran auszubeißen.« Jericho lachte, wie in Erinnerung an ein überwundenes Hindernis. »Denn, sehen Sie, Gerald, wenn jemand Sie aus dem Weg hätte räumen wollen, dem es gelungen war, Ihre Leibgarde mit einem Lars Gudmundsson zu infiltrieren – wozu hatte er dann noch ein Spektakel wie Calgary nötig? Warum hat Gudmundsson Sie nicht einfach in aller Stille über den Haufen geschossen? Schon im Big O drängte sich mir der Eindruck auf, der komplette Anschlag sei eine einzige Inszenierung gewesen, aber zu wessen Gunsten? Irgendwann dachte ich, Hydra – eine Organisation, die ich Ihnen nicht näher vorstellen muss – habe Wert darauf gelegt, der Welt einen chinesischen Attentäter zu präsentieren, für den Fall, das Xin in Calgary von einer Kamera erfasst würde. Und sicher war das *einer* der Gründe, so wie Hydra unentwegt Spuren nach China legte, einerseits, weil die Chinesen den idealen Sündenbock abgaben, wohl aber auch, weil ein offener Konflikt die Weltraummächte nach der erfolgreich durchgeführten Operation *Berge des ewigen Lichts* weiterhin in ihren Mondplänen behindert hätte. Doch selbst unter diesen Gesichtspunkten ergab der Anschlag keinen Sinn. Wer so intime Bekanntschaft mit Kenny Xin gemacht hat wie wir, weiß beispielsweise, dass er ein fast liebevolles Verhältnis zu Flechettes-Munition pflegt. In Quyu, in Berlin, auf dem Dach des Big O, immer hat er sich solcher Kaliber bedient. Doch in Calgary begnügte er sich mit dramatisch kleineren Geschossen. Ihre Verwundung wird schmerzhaft, aber völlig harmlos gewesen sein, ein Gespräch mit Ihren Ärzten sollte uns das bestätigen.«

Palstein schaute in sein Glas.

»Des Weiteren haben wir Xin zwar verschiedentlich ausgetrickst, allerdings jedes Mal um den Preis großer Opfer, und in Berlin und London war er uns überlegen. Er ist ein meisterhafter Schütze! Ganz bestimmt niemand, der bei freier Sicht jemanden verfehlt, bloß weil der stolpert. Doch selbst wenn wir annehmen wollen, Ihr kleiner Fehltritt hätte den ersten Schuss statt in den Kopf in die Schulter gelenkt, hätte der zweite Sie erwischt, bevor Sie auf dem Boden aufgeschlagen wären.« Jericho machte eine Pause. »Dennoch sind Sie getroffen worden, Gerald. Aber ganz sicher, soviel Sie auch riskiert und investiert haben, kann es nicht in Ihrem Interesse gewesen sein, eine *ernsthafte* Verletzung davonzutragen. Und ich kenne nur sehr wenige Schützen, die einen Präzisionsschuss zuwege bringen wie den von Calgary: einen Mann zu treffen, während er einen Ausrutscher simuliert, ohne ihm mehr zuzufügen als eine vollkommen ungefährliche, schnell heilende Fleischwunde. Ein Meisterstück, nachdem beim besten Willen niemand mehr vermuten konnte, Sie hätten Gabriel – oder wollen wir ihn Hanna nennen? – den Weg in Julians Gruppe frei gemacht. Selbst für den unwahrscheinlichen Fall, dass jemand Einzelheiten über die Operation in Erfahrung brachte, hatten Sie damit vorgesorgt. Keowas Entdeckung des Videos kann Sie vor diesem Hintergrund kaum beunruhigt haben, oder? Auch dieser Fall war einkalkuliert.«

»Ich habe Loreena für ihren Scharfsinn bewundert«, sagte Palstein. Er lauschte dem Vortrag mit großem Interesse.

»Sicher haben Sie das«, sagte der Detektiv. »Nur, dass sie Ruiz ausgräbt und eine Verbindung zu einem ganz bestimmten Treffen in Peking vor drei Jahren herstellt, damit hatten Sie in Ihren kühnsten Träumen nicht gerechnet. Denn jetzt wurde es eng, wirklich eng.«

»Ich habe Loreena gewarnt«, seufzte Palstein. »Mehrfach. Sie werden es vielleicht nicht glauben, aber mir war sehr daran gelegen, ihr dieses Ende zu ersparen. Ich mochte sie.«

»Und Lynn?«, sagte Julian mit leiser Schärfe. »Was ist mit Lynn? Hast du sie nicht gemocht?«

»Ich war bereit, Opfer zu bringen.«

»Meine Tochter.«

Palstein ließ versonnen den Zeigefinger über den Rand seines Glases gleiten.

»Sieben Menschen in Quyu«, resümierte Jericho. »Zehn Menschen in Vancouver, Vogelaar, Nyela. Auch Norrington dürfte sich die Zusammenarbeit mit Ihnen anders vorgestellt haben. – Rein interessehalber, wer hat sich eigentlich um Greenwatch gekümmert?«

»Gudmundsson.« Palstein straffte sich. »Wir mussten verhindern, dass es zu einer Redaktionskonferenz kam. Ich wies ihn an, gleich im Anschluss an die Aktion unterzutauchen.«

»Was wieder mal auf wunderbare Weise Ihren Opferstatus bestätigte. Gerald Palstein, von allen verraten. Darf ich bei der Gelegenheit auch fragen, was mit Alejandro Ruiz geschehen ist?«

»Wir mussten uns von ihm trennen.«

Sollte er ihnen erzählen, wie Xin und Gudmundsson den Spanier im nächtlichen Lima auf ein Boot gebracht und der verwertenden Gesellschaft marinen Lebens anvertraut hatten? Was Haie, Krebse und Bakterien von ihm übrig gelassen hatten, ruhte im verschwiegenen Dunkel des peruanischen Tiefseegrabens, zu viele Details. Auf diese Weise würden sie hier nie fertig werden.

»Er war ein Schwächling«, sagte er. »So lange Feuer und Flamme, etwas gegen Helium-3 zu unternehmen, wie er dem Glauben anhing, wir würden uns damit begnügen, ein paar Fördermaschinen in die Luft zu sprengen. Als sich Hydra am Abend des 1. September in Songs Haus traf, erwies sich, dass ich ihn falsch eingeschätzt hatte. Im Gegensatz zu allen anderen übrigens. Ich habe die Köpfe der Hydra über Monate sehr genau ausgesucht. Sie mussten über Einfluss und die nötigen Vollmachten verfügen, größere Summen in Scheinprojekte fließen zu lassen, ohne dass jemand Fragen stellte, vor allem aber zum Äußersten bereit sein. Erwartungsgemäß waren alle begeistert, als Xin und ich die Operation *Berge des ewigen Lichts* vorstellten, nur Ruiz fiel aus allen Wolken. Er war vollkommen schockiert. Wurde aschfahl. Stürmte hinaus.«

»Er hat gedroht, Hydra auffliegen zu lassen?«

»Sein nächster Schritt war absehbar.«

»Sein Schicksal damit auch.«

Palstein fuhr sich über die Augen. Er war müde. Entsetzlich müde.

»Und wie wollen Sie das jetzt alles beweisen?«, fragte er.

»Es wurde schon bewiesen, Gerald. Joe Song hat gestanden. Wir kennen die Köpfe der Hydra, und alle erhalten in diesen Stunden Besuch von Vertretern der jeweiligen Landesbehörden. Man wird Schlangensymbole und Weißes Rauschen auf den Computern einiger der weltgrößten Ölkonzerne finden. Wahrhaft titanisch, Gerald. Grenz- und ideologieübergreifend. Sie waren der Initiator des Joint Ventures zwischen Sinopec, Repsol und EMCO, haben das Treffen in Peking zum Gipfel ausgeweitet, aber mit Hydra werden Sie in die Geschichte eingehen.« Jericho machte eine Pause. »Nur wird man Ihren Namen in wenig schmeichelhaften Zusammenhängen nennen. Bei der Gelegenheit, wie sind Sie eigentlich an Typen wie Xin geraten?«

»Die Frage ist falsch gestellt, Owen.« Julian, der bis dahin mit übereinandergeschlagenen Beinen dagesessen hatte, beugte sich vor. »Sie muss lauten, wie Xin an Typen wie Gerald geraten konnte.«

»In Afrika«, sagte Palstein ruhig. »In Äquatorialguinea, 2020, als Mayé für EMCO noch von Interesse war.«

»Warum das alles, Gerald?« Julian schüttelte den Kopf. »Warum?«

»Warum was?«

»Warum bist du so weit gegangen?«

»Das fragst du mich ernsthaft?« Palstein starrte ihn entgeistert an. »Um meine Interessen durchzusetzen. So wie du deine durchsetzt. Die Interessen meiner Branche.«

»Mit Atombomben?«

»Glaubst du im Ernst, ich hätte nicht alles unternommen, um die Probleme auf verträgliche Art zu lösen? Jeder weiß, wie sehr ich dafür gekämpft habe, den Dinosaurier in eine andere Richtung zu lenken als die, in die er fröhlich marschierte und wo der Meteorit herunterkommen würde, der sein Aussterben besiegelte. In den meisten alternativen Branchen hätten wir mithalten können. Doch wir haben alle Gelegenheiten verstreichen lassen, haben es versäumt, LIGHTYEARS zu kaufen, Locatelli auf unsere Seite zu ziehen, obschon sich abzeichnete, dass Helium-3 das Aus für uns bedeuten würde. Und selbst im Helium-3-Geschäft habe ich versucht, Fuß zu fassen, wie du weißt, nur dass man mir keine Erlaubnis gab, bei dir einzusteigen.«

»Was du demnächst aber tun wolltest.«

»Im Falle des Scheiterns, ja. Nicht, wenn zwei Atombomben die Infrastruktur des Helium-3-Abbaus um Jahrzehnte zurückgeworfen hätten.«

Und plötzlich, erbittert über das so erbärmlich verschenkte Potenzial seines Plans, sprang er auf und ballte die Fäuste.

»Ich habe es ausgerechnet, Julian! Welche Konsequenzen es gehabt hätte, nur den Weltraumfahrstuhl oder nur die Peary-Basis zu zerstören, doch erst der Doppelschlag versprach optimale Ergebnisse. Ebenso wie China hätten die Amerikaner wieder konventionelle Raketen einsetzen müssen, um Helium-3 zur Erde zu schaffen, was niemals geschehen wäre! Jeder weiß, wie hochgradig defizitär Chinas Förderung verläuft. Doch selbst wenn sie sich zu einem solchen Schritt entschlossen hätten, wären die geförderten Mengen jämmerlich gering geblieben. Ihr hättet einen neuen Weltraumfahrstuhl bauen müssen, eine neue Raumstation, undenkbar unter zwanzig Jahren. So schnell wie beim ersten Mal hättet ihr das nie finanziert bekommen. Und erst, wenn wieder Shuttletransporte aus dem Orbit zum Mond möglich geworden wären, hättet ihr die dortige Infrastruktur neu aufbauen können, und auch das hätte Jahre und Jahrzehnte in Anspruch genommen.«

»Aber in vierzig, fünfzig Jahren ist ohnehin Schluss. Dann seid ihr am Ende, *weil nichts mehr da ist!*«

»Vierzig Jahre, ja!«, schnaubte Palstein. »Vierzig Jahre Geschäft, das uns geblieben wäre. Vier Jahrzehnte des Überlebens, innerhalb derer wir hätten gutmachen können, was die Idioten, zu denen meine Vorgänger gehörten, vermasselt haben. Uns neu ausrichten. Schon 2020 habe ich Szenarien erstellen lassen für den Fall, dass die angestrebte Helium-3-Förderung im definierten Zeitrahmen realisiert und von Erfolg gekrönt sein würde, und es bedeutete unsere *Vernichtung!* Wir *mussten* euch zurückwerfen!«

»Wir?«, flüsterte Julian. »Du und dein Haufen Verrückter maßt euch an, für eure Branche zu sprechen? Für Zigtausende anständige Menschen?«

»Zigtausende Menschen, die ihren Job verloren hätten«, schrie Palstein. »Eine geschädigte *Weltwirtschaft!* Sieh dich doch um! Wach auf! Wie viele Länder, wie viele Menschen, die vom Öl leben, *schädigt* dein Helium-3? Hast du darüber mal nachgedacht?«

»Und dich hat man mal das grüne Gewissen der Branche genannt.«

»Weil es meine *Überzeugung* ist!«, keuchte Palstein. »Aber manchmal muss man *gegen* seine Überzeugungen handeln. Glaubst du, vier weitere Jahrzehnte der Ölwirtschaft würden den Planeten schlimmer schädigen, als es schon der Fall ist? Wir mögen ein Haufen Verrückter sein, aber –«

»Nein«, sagte Jerichos Stimme aus dem Laptop. »Sie sind nicht verrückt, Gerald. Sie sind berechnend, und das ist das Schlimme an Ihnen. Sie finden wie jeder Lump einen Grund, Ihre Verbrechen auf die Umstände abzuwälzen. Sie sind einfach nur gewöhnlich.«

Palstein schwieg. Langsam ließ er sich zurück in die Polster sinken und starrte auf seine Füße.

»Warum dieser Mondflug?«, fragte Julian leise.

»Weil 2024 was dazwischenkam.« Palstein zuckte die Achseln. »Ein Astronaut namens Thorn hätte –«

»Das meine ich nicht. Warum *dieser* und nicht der nächste? Warum der, an dem meine Kinder und ich teilnahmen, Menschen wie Warren Locatelli, die Donoghues, Miranda Winter –«

»Deine Gäste waren mir egal, Julian«, seufzte Palstein. »Es war die erste sich bietende Gelegenheit seit Thorns Scheitern. Wann hätte denn der nächste Trip stattgefunden? Doch erst zur offiziellen Eröffnung.

Dieses Jahr noch? Nächstes Jahr? Wie lange hätten wir noch warten sollen?«

»Vielleicht haben Sie aber auch einkalkuliert, dass Julian dabei sterben könnte«, sagte Jericho.

»Blödsinn.«

»Sein Tod hätte die konservativen Kräfte bei Orley erstarken lassen. Solche, die einem Ausverkauf der Technologien ablehnend gegenüberstehen. Und je weniger Nationen einen Fahrstuhl bauen können, desto geringer die Chance, dass schnell ein zweiter –«

»Sie fantasieren, Jericho. Wenn Sie nicht alles verdorben hätten, wäre Julian zum Zeitpunkt der Explosionen längst wieder auf der Erde gewesen. Und sein Sohn und seine Tochter auch.«

Gedämpft drang das Tuckern und Stampfen der Boote zu ihnen herein. Direkt unter den Fenstern sang jemand mit geschäftsmäßiger Inbrunst *O Sole Mio*.

»Wir waren aber nicht auf der Erde«, sagte Julian.

»Es war anders geplant.«

»Scheiß auf deinen Plan. Du bist übers Limit gegangen, Gerald. In jeder Beziehung.«

Palstein hob den Blick.

»Und du? Du und deine amerikanischen Freunde? Was tut ihr denn anderes, als was wir jahrzehntelang getan haben? Ihr holt etwas aus dem Boden, bis es alle ist und ihr bei der Gelegenheit einen Himmelskörper zerstört habt. Über welches Limit geht ihr? Über welches gehst du, wenn du deinen Konzern wie einen Staat führst, der echten Staaten die Spielregeln diktiert? Du hältst dich für sozial? Die Ölkonzerne dienten wenigstens ihren Ländern. Wem dienst du, außer deiner Eitelkeit? Sozialstaaten sind ohne Staatsorgane nicht zu machen, du aber gebärdest dich wie ein moderner Kapitän Nemo und spuckst auf die Welt, wie sie nun mal funktioniert. Wir haben lediglich das Spiel gespielt, das die Umstände erforderten. Schau dir die Menschen doch an, ihre so sauberen und gerechten Kriege, den zyklischen Zusammenbruch ihrer Finanzsysteme, den Zynismus ihrer Profiteure, die Skrupellosigkeit und Dummheit ihrer Politiker, die Pervertiertheit ihrer religiösen Führer, und erzähl mir nichts vom Limit.«

Julian kraulte seinen Bart.

»Du wirst wohl recht haben, Gerald.« Er nickte und stand auf. »Aber es ändert nichts. – Owen, danke, dass Sie Zeit für uns hatten. Wir gehen.«

»Machen Sie's gut, Gerald«, sagte Jericho. »Oder auch nicht.«

Das Bild auf dem Monitor erlosch. Julian klappte den Laptop zu und verstaute ihn wieder in seiner Tasche.

»Vorhin«, sagte er, »beim Betreten deines schönen Domizils, ist mir unten eine kleine Gedenktafel aufgefallen: im Mezzanin eines Quergebäudes dieses Palazzos sei Richard Wagner gestorben. Weißt du was? Das hat mir gefallen. Ich mag den Gedanken, dass große Männer in großen Häusern sterben.« Er griff in sein Jackett, förderte eine Pistole zutage und legte sie vor Palstein auf den Tisch. Seine hellblauen Augen blickten eindringlich, fast freundlich und ermunternd. »Sie ist geladen. Im Allgemeinen reicht ein Schuss, aber du bist ein großer Mann, Gerald. Ein sehr großer Mann. Du könntest zwei brauchen.«

Er drehte sich um und durchschritt ohne Eile den Saal. Palstein sah ihm nach, bis Julians graublonder Schopf jenseits des Treppenabsatzes verschwunden war. Wie von selbst fanden seine Finger den Weg zu seinem Handy und wählten eine Nummer.

»Hydra«, sagte er mechanisch.

»Was kann ich tun?«

»Mich rausholen. Ich bin enttarnt.«

»Ent –« Xin schwieg einen Moment. »Wissen Sie, Gerald, ich glaube, soeben ist mein Vertrag ausgelaufen.«

»Sie lassen mich hängen?«

»Falsche Vokabel. Sie kennen mich, ich bin loyal und scheue keinerlei Risiko, aber in aussichtslosen Fällen – und Ihr Fall ist leider *vollkommen* aussichtslos.«

»Was –« Palstein schluckte. »Was wollen Sie tun?«

»Tja.« Xin schien darüber nachzudenken. »Offen gestanden, es war eine anstrengende Zeit. Ich denke, ich brauche erst mal ein bisschen Urlaub. Machens Sie's gut.«

Machen Sie's gut. Der Zweite, der das zu ihm sagte.

Palstein erstarrte. Langsam ließ er das Handy sinken. Von unten drangen Stimmen zu ihm empor.

Sein Blick wanderte zu der Pistole.

Im Treppenhaus erwarteten ihn die Leute von Interpol und vom MI6. Shaw sah ihn fragend an.

»Geben Sie ihm eine Minute«, sagte Julian.

»Also, ich weiß nicht.« Einer der Agenten runzelte die Brauen. »Er könnte sich was antun.«

»Ja, eben.« Julian drängte sich an ihm vorbei. »Jennifer, wir hauen ab. Ich muss mich um meine Tochter kümmern.«

LONDON, GROSSBRITANNIEN

Sterne wie Staub.

Im Schlaf war sie verloren gegangen, und der Traum hatte sie in die Stille des Raumschiffs zurückversetzt, das die funkelnde Nacht durcheilte, zusammen mit ihr und der Bombe. Alles hatte sie erneut durchlebt. Wieder den Plan gefasst, die Mini-Nuke ins Wohnmodul zu verfrachten, es abzukoppeln und mit der Landeeinheit zurückzukehren zur OSS. Zu Tim und Amber und zu Julian, der so sehr geweint hatte, als er ihren Namen rief. In Gedanken hatte sie ihm versprochen, ihn niemals alleinezulassen, doch ihre Gedanken waren alles gewesen, was sie noch hatte mobilisieren können, und das war nicht eben viel.

Dann der Moment, als die umhertrudelnde Bombe, beleuchtet von einem Aufflackern ihres ersterbenden Bewusstseins, die Wahrheit offenbart hatte, dass es noch *Stunden* waren bis zur Detonation, nicht Minuten oder Sekunden, wie sie geglaubt hatte. Dass sie eine Chance gehabt hätte.

Im Perlenregen ihres Blutes war sie eingeschlafen.

Ich komm ja schon. Ich komme, Daddy.

Bin ja da.

Klonk!

Eines dieser Geräusche, die man als Störung empfindet, selbst wenn sie die Rettung verheißen, da man ja *eigentlich* seinen Frieden gemacht hat. In Ermangelung einer Wahl natürlich. Aber sie *hatte* ihren Frieden gemacht, bevor der Shuttle, mit dem Julian, Nina, Tim und Amber ihr gefolgt waren, an der CHARON andockte – an ihrem einsamen Raumschiff, das auf der OSS nicht mehr hatte aufgetankt werden können, weshalb ihm schließlich der Treibstoff ausgegangen war. Noch vor Erreichen der Spitzengeschwindigkeit.

Doch davon hatte sie schon nichts mehr mitbekommen.

Stimmen um sie herum. Menschen in Raumanzügen.

»Lynn? Lynn!«

Ohnmacht. Wortfetzen. Wie durch Watte.

»Wie lange noch?«

»Etwas weniger als fünf Stunden. Genug Zeit, um beide Shuttles zurückzubringen.«

»Ich glaube, Lynn ist stabil.« Nina. »Sie hat sehr viel Blut verloren, aber mir scheint –«

Wieder Stille. Dann eine Stimme in Endlosschleife:

»Und jetzt raus mit dem Ding!«

Raus mit dem Ding, raus mit dem Ding, raus mit dem ding, rausmit-demding, rausmitdemdingrausmitem –

»Lynn.«

Sie blinzelte. Das Krankenhauszimmer. Zurück in der Gegenwart. Augenblick mal, hieß so nicht ein Film mit –

Scheißegal, was für ein Film!

»Wie geht's dir?«, sagte Julian.

»Hab geträumt.« Sie setzte sich auf. Ihre linke Seite schmerzte, aber mit jedem Tag ging es ihr besser. Lawrence, das Miststück, hatte ihr Leben um Haaresbreite verfehlt. »Wir sind wieder im Raumschiff gewesen.« Himmel, hatte sie Hunger. Einen Wahnsinnshunger! Sie hätte das Bett fressen können. »Ein Albtraum, ehrlich gesagt. Immer der gleiche Albtraum.«

»Er ist vorbei.«

»Ach, egal. Ganz so schlimm war er auch wieder nicht.« Sie gähnte. »Irgendwann werde ich hoffentlich was anderes träumen.«

»Nein. Er ist *vorbei*, Lynn.« Julian nahm ihre Hand und lächelte, ganz der Magier ihrer Kindheit. »Der Albtraum ist vorbei.«

XINTIANDI, SHANGHAI, CHINA

»Yoyo könnte wirklich mal anrufen«, beschwerte sich Jericho.

Tu förderte einen verklebten Strang Nudeln aus der Pappschachtel zutage, die sein Mittagsgeschirr ersetzte.

»Und du könntest mal wieder *vorbeikommen*«, sagte er kauend. »Anstatt immer nur zu telefonieren. Vergräbst dich in deinem blöden Loft.«

»Ich hab zu tun. Ehrlich.«

Tu schaute ihn missbilligend über den Rand seiner Brille hinweg an. Der Mittelsteg erweckte den Anschein, als wolle er sich demnächst über dem Nasenrücken entzweien.

»Du hast Freunde zu bewirtschaften«, tadelte er. »Wie wär's mit heute Abend? Wir gehen in ganz großer Runde essen. Trinken vor allen Dingen.«

»Wer ist wir?«

»Alle möglichen Leute. Yoyo auch, wenn sie mit Heulen fertig ist. Seit zwei Tagen heult sie am laufenden Band, ich denke schon darüber nach, Staudämme im Gästetrakt einzuziehen. Entsetzlich! Sie produziert nichts als Tränen. Ein Tränentier.«

»Und Hongbing?«

»Der heult auch. Sie sind sich einig wie nie.«

»Klingt doch gut.«

»Ja, prima«, knurrte Tu. »Du musst dir das ja nicht antun. Was ist nun mit heute Abend?«

»In Ordnung.«

»Gut. Alles andere hätte ich dir auch nicht durchgehen lassen. *Xiongdi*!«

Jericho saß eine Weile da.

Dann ging er hinüber in den Küchentrakt, um der Kaffeemaschine einen Cappuccino zu entlocken. Sein Weg führte ihn vorbei an dem Ensemble, das er sich angewöhnt hatte, *The Odd Couple* zu nennen, Jack Lemmon und Walter Matthau in der Manifestation einer Stehleuchte und eines Teppichs, die im Streben nach konfuzianischer Eintracht scheiterten, scheiterten, scheiterten, in welcher Konstellation auch immer.

Einen Moment lang betrachtete er die beiden.

Dann räumte er sie beiseite, schaffte sie in den Keller und nahm die Ecke aufs Neue in Augenschein. Und endlich, nur von Licht durchflutet, klar und aufgeräumt, gefiel sie ihm.

Das war ihm wichtig gewesen!

[PERSONAL]

Anand, Ashwini	Mitarbeiterin im Mondhotel GAIA, zuständig für Unterbringung, Technologie und Logistik.
Black, Peter	Reiseleiter im Mondhotel GAIA, Pilot des Mondshuttles CHARON. Kennt alle Mondkrater mit Namen.
Borelius, Eva	Wissenschaftlerin und CEO des deutschen Forschungs-Konzerns BORELIUS-PHARMA. Hanseatisch trocken. Liebt klassische Musik, Pferde und Schach. Verheiratet mit der Chirurgin Karla Kramp. Mitglied der Reisegesellschaft Mond.
Bruford, Skip	Ehemaliger Ölarbeiter bei EMCO IMPERIAL OIL, Kanada, arbeitslos. Träumt von einer Karriere als Schauspieler.
Chambers, Evelyn	Prominenteste und einflussreichste Talklady der USA, Gastgeberin der Show *Chambers*. Latina, deren – Bisexualität sie zur Hassfigur der Republikaner machte. Brillante Analytikerin, aufmerksam und neugierig. Mitglied der Reisegesellschaft Mond.
Chen »Yoyo« Yuyun	Studentin, Tochter von Chen Hongbing. Gründerin der Internet-Dissidenten-Truppe *Die Wächter*, Mitglied des Motorradclubs *City Demons*. Singt in einer Neo-Prog-Band, liebt Partys und exzessiven Lebenswandel. Bildschön und ziemlich anstrengend.
Chen Hongbing	Autoverkäufer, Yoyos Vater. Höflich, aber verschlossen, mit unklarer Vergangenheit. Beauftragt Owen Jericho, seine verschwundene Tochter zu suchen.
Crippen, Jan	Technischer Leiter der amerikanischen Peary-Basis, Mondnordpol
»Daxiong« Guan Guo	Gründungsmitglied und Vize der Internet-Dissidenten-Truppe *Die Wächter*, Chef des Motorradclubs *City Demons* und Inhaber der Motorradwerkstatt *Demon Point*. Riese mit Bärenkräften und Frankreich-Spleen.
DeLucas, Minnie	Ärztin und Spezialistin für Lebenserhaltungssysteme der amerikanischen Peary-Basis, Mondnordpol. Erforscht die Möglichkeit der Aufzucht von Nutztieren auf dem Mond.

Diane	Owen Jerichos Computer.
Donner, Andre	Besitzer des afrikanischen Restaurants Muntu in Berlin. Unklare Vergangenheit in Äquatorialguinea.
Donner, Nelé	Westafrikanerin, Mitbesitzerin des afrikanischen Restaurants Muntu in Berlin, Ehefrau Andre Donners.
Donoghue, Chuck	Hotelmogul, Gründer und CEO des Hotel- und Casino-Konzerns XANADU, Hobbyboxer und strammer Republikaner. Laut und jovial. Erzählt unbekümmert die schlechtesten Witze. Mitglied der Reisegesellschaft Mond.
Donoghue, Aileen	CEO und Künstlermanagement des Hotel- und Casino-Konzerns XANADU. Ehefrau von Chuck Donoghue. Mütterlich dominant. Mitglied der Reisegesellschaft Mond.
Edwards, Marc	Gründer und CEO des Mikrochip-Konzerns QUANTIME INC., Extremsportler und Taucher, kreationistisches Weltbild. Ehemann von Mimi Parker. Mitglied der Reisegesellschaft Mond.
Funaki, Michio	Zweiter Koch und Barmann im Mondhotel GAIA, Sushi-Spezialist.
Gore, Kyra	Shuttle-Pilotin der amerikanischen Peary-Basis, Mondnordpol.
Gutmunsson, Lars	Bodyguard, beschützt mit seinem Team im Auftrag der Sicherheitsfirma *Eagle Eye* den Ölmanager Gerald Palstein.
Hanna, Carl	Kanadischer Großinvestor, Schwerpunkt alternative Energien. Typ Einzelgänger, Macho, aber sympathisch. Hat immer seine Gitarre im Gepäck. Mitglied der Reisegesellschaft Mond.
Haskin, Ed	Leiter Gesamtbereich Technik der Orley Space Station OSS.
Hedegaard, Lisa	Reiseleiterin im Mondhotel GAIA, Pilotin des Mondshuttles. Patent und romantisch. Hat sich mit Julian Orley auf ein Verhältnis eingelassen.
Ho, Patrice	Hochrangiger Shanghaier Polizeibeamter und Karrierist, Freund Owen Jerichos. Jericho hat Ho mehrfach bei Ermittlungen unterstützt und dafür einen Gefallen frei.

Hoff, Edda	Projektbeauftragte, Abteilung Zentrale Sicherheit, ORLEY ENTERPRISES. Blass, ausdruckslos und äußerst zuverlässig.
Holland, Sid	Redakteur für politische Geschichte beim Umwelt-Sender *Greenwatch*. Liebt es, Freunde und Mitarbeiter in seinem alten Thunderbird zu kutschieren.
Hsu, Rebecca	Gründerin und CEO des taiwanesischen Luxuskonzerns REBECCA HSU, Workaholic, unfähig, allein zu sein. Kämpft einen aussichtslosen Kampf gegen ihr Übergewicht. Mitglied der Reisegesellschaft Mond.
Hui Xiao-Tong	Mitglied des Motorradclubs *City Demons*.
Hudsucker, Susan	Intendantin des Umwelt-Senders *Greenwatch* und direkte Vorgesetzte von Loreena Keowa. Besonnen, mitunter zögerlich.
ISLAND-II	Psychotherapeutisches Hilfsprogramm
Jagellovsk, Annie	Astronomin und Pilotin der amerikanischen Peary-Basis, Mondnordpol.
Jericho, Owen	Cyber-Detektiv aus Großbritannien, den eine unglückliche Liebe nach Shanghai verschlagen hat. Hervorragender Ermittler, Einzelkämpfer und Sprachgenie. Leidet unter seiner Einsamkeit und Albträumen. Von seinem Freund Tu Tian damit beauftragt, Yoyo zu suchen.
Jia Keqiang	Kommandant der chinesischen Helium-3-Förderstation, Sinus Iridum, Mond. In gleicher Weise Patriot wie Freund der Völkerverständigung.
Jin Jia Wei	Student, Mitglied der Internet-Dissidenten-Truppe *Die Wächter* und des Motorradclubs *City Demons*.
Keowa, Loreena	Reporterin des Umwelt-Senders *Greenwatch*, Indianerin vom Stamme der Tlingit. Grüne Gesinnung, elegante Erscheinung. Wild entschlossen, den Mordversuch an Gerald Palstein aufzuklären.
Kokoschka, Alex	Chefkoch im Mondhotel GAIA. Genie am Herd, in Gesellschaft anderer schüchtern, wortkarg und tapsig.
Karla Kramp	Deutsche Chirurgin, analytisch und kritisch. Stellt hartnäckige Fragen. Ehefrau von Eva Borelius. Mitglied der Reisegesellschaft Mond.

Lau Ye	Rechte Hand Daxiongs, Mitarbeiter der Motorrad-werkstatt *Demon Point* und Mitglied des Motor-radclubs *City Demons*. Klein, schmächtig, aber unerschrocken und treu ergeben.
Laurie, Jean-Jacques	Geologe der amerikanischen Peary-Basis, Mond-nordpol.
Lawrence, Dana	Direktorin und Sicherheitschefin des Mondhotels GAIA. Kühl, unnahbar und gründlich.
Lee, Bernard »C«	Direktor des britischen Auslandsgeheimdienstes MI6, London.
Leto	Ehemaliger Söldner, Freund Jan Kees Vogelaars, Berlin.
Liu, Naomi	Chefsekretärin bei TU TECHNOLOGIES, stilvolle Erscheinung mit Vorliebe für Erdbeertee.
Locatelli, Warren	Gründer und CEO des Photovoltaik-Konzerns LIGHTYEARS. Amerikaner algerisch-italienischer Abstammung, aufbrausend und egozentrisch, wenngleich nicht ohne Charme. Liebt Fluchen, Autorennen und Segelregatten, Gewinner des America's Cup. Verheiratet mit Momoka Omura, Mitglied der Reisegesellschaft Mond.
Lurkin, Laura	Fitnesstrainerin auf der Orley Space Station OSS.
Ma »Animal« Liping	Pädophiler Gewalttäter, Initiator des Kinderporno-Rings »Paradies der kleinen Kaiser«. Trotz Hüft- und Augenleiden äußerst gefährlich.
Ma Miao Miao	Mitglied des Motorradclubs *City Demons*.
Maas, Svenja	Attraktive Doktorandin in der Charité, Berlin.
Mayé, Juan Alfonso	Westafrikanischer General und zeitweise Machthaber Äquatorialguineas. Nachfolger von Teodoro Obiang, 2017 durch Putsch an die Macht gekommen. Korrupt und größenwahnsinnig.
Merrick, Tom	Spezialist für Kommunikation und Nachrichten-übermittlung, Abteilung Zentrale Sicherheit, ORLEY ENTERPRISES. Introvertiert.
Moto, Severo	Äquatorialguineischer Oppositionspolitiker zur Amtszeit Teodoro Obiangs.
Na Mou	Besatzungsmitglied der chinesischen Helium-3-Förder-station, Sinus Iridum, Mond.

Nair, Mukesh	Gründer und CEO des Nahrungsmittelkonzerns TOMATO. Reich gewordener Bauernsohn mit Vorliebe für das einfache Leben, sieht in allem das Schöne und Gute. Mitglied der Reisegesellschaft Mond.
Nair, Sushma	Kinderärztin, Ehefrau Mukesh Nairs, warmherzig, mitunter etwas ängstlich. Mitglied der Reisegesellschaft Mond.
Ndongo, Juan Aristide	Machthaber Äquatorialguineas nach dem Sturz General Mayés. Versucht, das Land auf anständige Weise wieder aufzubauen.
Norrington, Andrew	Stellvertretender Leiter der Abteilung Zentrale Sicherheit, ORLEY ENTERPRISES. Verantwortlich für die Sicherheit der Reisegesellschaft Mond.
Obiang, Teodoro	Machthaber Äquatorialguineas bis 2015.
O'Keefe, Miles	Irischer Schauspieler, zum Weltstar geworden mit *Perry Rhodan*. Kritikerliebling, Frauenschwarm, einzelgängerisch und scheu, mit exzessiver Vergangenheit. Pflegt sein Rebellenimage. Mitglied der Reisegesellschaft Mond.
Omura, Momoka	Japanische Schauspielerin, Kunstfilmstar, exzentrisch und arrogant. Ehefrau Warren Locatellis. Mitglied der Reisegesellschaft Mond.
Orley, Amber	Tim Orleys Frau, Lehrerin. Patent und unkompliziert, versucht zwischen Tim und seinem Vater zu vermitteln. Mitglied der Reisegesellschaft Mond.
Orley, Julian	Ehemaliger Filmproduzent, Gründer und CEO des Technologieimperiums ORLEY ENTERPRISES und reichster Mann der Welt. Typ Rockstar. Unkonventionell, charismatisch, mit ausgeprägtem Machtinstinkt und ausgewiesener Abneigung gegen Nationalstaaten. Erfinder des Weltraumfahrstuhls und Gastgeber der Reisegesellschaft Mond.
Orley, Lynn	Julian Orleys Tochter und CEO von ORLEY TRAVEL, der Touristik-Gruppe von ORLEY ENTERPRISES. Perfektionistin, psychisch labil. Architektin des Mondhotels GAIA und Mitglied der Reisegesellschaft Mond.
Orley, Tim	Julian Orleys Sohn, Lehrer. Steht auf Kriegsfuß mit seinem Vater. Versucht, Lynn vor dem Absturz zu bewahren. Mitglied der Reisegesellschaft Mond.

Shaw, Jennifer	Leiterin der Abteilung Zentrale Sicherheit, ORLEY ENTERPRISES. Kompetent und autoritär, mit trockenem Humor.
Sina	Redakteurin für Gesellschaft und Vermischtes beim Umwelt-Sender *Greenwatch*. Hilft Loreena Keowa bei der Recherche.
Song, Joe	Strategischer Leiter des chinesischen Ölkonzerns SINOPEC, Peking.
Sung, Tony	Student, Mitglied der Internet-Dissidenten-Truppe *Die Wächter* und des Motorradclubs *City Demons*.
Tautou, Bernard	CEO des französisch-britischen Wasserkonzerns SUEZ, Politiker. Charmeur mit Hang zur Selbstgefälligkeit. Mitglied der Reisegesellschaft Mond.
Tautou, Paulette	Fremdsprachenkorrespondentin, Ehefrau von Bernard Tautou, herablassend, schwacher Magen. Mitglied der Reisegesellschaft Mond.
Thiel, Sophie	Stellvertretende Direktorin des Mondhotels GAIA, zuständig für Hausmeisterei und Lebenserhaltungssysteme. Fröhlich und ungeniert, detektivisches Gespür.
Thorn, Vic	Kommandant der ersten Besatzung der amerikanischen Peary-Basis am Mondnordpol. Fähiger Astronaut und Playboy. 2024 bei einem Unfall auf der OSS ums Leben gekommen.
Tu, Joanna	Malerin, Ex-Freundin Owen Jerichos und Ehefrau Tu Tians. Elegant und weltgewandt, betrachtet die Welt aus spöttischer Distanz.
Tu Tian	Gründer und CEO von TU TECHNOLOGIES, einem Shanghaier Unternehmen für Holografie und virtuelle Ambiente. Begnadeter Golfer und Geschäftsmann, ausgestattet mit beispiellosem Selbstbewusstsein. Vertrauter Yoyos, Weggefährte Chen Hongbings und enger Freund Owen Jerichos.
Vogelaar, Jan Kees	Söldner, zeitweiliges Mitglied der Regierung Äquatorialguineas unter General Mayé. Äußerst gerissen. Besonderes Merkmal: Glasauge.
Voss, Marika	Direktorin des Instituts für Gerichtsmedizin der Charité, Berlin.
Wachowski, Tommy	Stellvertretender Kommandant der amerikanischen Peary-Basis, Mondnordpol.

Wang, Grand Cherokee	Student, Mitbewohner in Yoyos WG, Selbstdarsteller, charakterschwach. Bedient die Achterbahn *Silver Dragon* im Shanghaier World Financial Center WFC.
Winter, Miranda	Ex-Model, Milliardenerbin und Gelegenheitsschauspielerin. Naiv und ungebildet, von herzlicher, lautstarker Wesensart. Gibt ihren Brüsten Namen. Mitglied der Reisegesellschaft Mond.
Woodthorpe, Kay	Leiterin der Forschungsgruppe für bioregenerative Systeme, Orley Space Station OSS.
Xiao »Maggie« Meiqi	Studentin, Mitglied der Internet-Dissidenten-Truppe *Die Wächter* und des Motorradclubs *City Demons*.
Xin, Kenny	Agent, Ästhet und Neurotiker.
Yin Ziyi	Studentin, Mitglied der Internet-Dissidenten-Truppe *Die Wächter* und des Motorradclubs *City Demons*.
Zhang Li	Student, Mitbewohner in Yoyos Wohngemeinschaft.
Zhao Bide	Bekannter und zeitweiliger Helfer Owen Jerichos aus Quyu, ebenso wie Jericho auf der Suche nach Yoyo.
Zheng Pang-Wang	Gründer und CEO des chinesischen Technologie-Konzerns ZHENG GROUP, Hoffnungsträger der chinesischen Raumfahrt.
Zhou Jinping	Besatzungsmitglied der chinesischen Helium-3-Förderstation, Sinus Iridum, Mond.

[DANK]

Etliche Fachbücher, Dokumentationen, Artikel, Fotos und Filme waren mir beim Schreiben eine große Hilfe – so viele, dass ich sie an dieser Stelle unmöglich alle auflisten kann. Den Autoren, Journalisten, Wissenschaftlern, Fotografen und Regisseuren, deren Erkenntnisse in meine Recherche eingeflossen sind, möchte ich umso ausdrücklicher für ihre Arbeit danken.

Dennoch wäre Limit nicht entstanden, hätten sich nicht einige bemerkenswerte Menschen Zeit für mich genommen.

Mein Wissen über Astronauten, Raumstationen, Raumschiffe, Mondbasen, Satelliten, interplanetare Kommunikation, lunare Helium-3-Vorkommen und Fördertechnologien, Weltraumrecht, letztlich über den Mond selbst und die Zukunft der bemannten Raumfahrt, hat sich maßgeblich erweitert durch:

Thomas Reiter, ISS- und Mir-Astronaut und Vorstand des Deutschen Zentrums für Luft- und Raumfahrt DLR, Köln-Porz

Kerstin Rogon, Büro Thomas Reiter, DLR Köln-Porz

Dr. Wolfgang Seboldt, Weltraummissionen und -technik, DLR Köln-Porz

Dr. Reinhold Ewald, Mir-Astronaut und Physiker

Prof. Ernst Messerschmidt, Astronaut und Physiker

Dr. Eva Hassel-von Pock, Leiterin Kommunikation, ESA-Kontrollzentrum Darmstadt

Dr. Paolo Ferri, Flugleiter für Sonnen- und Planetenmissionen, ESA-Kontrollzentrum Darmstadt

Dr. Frank-Jürgen Dieckmann, Flugleiter für Envisat und ERS-2, ESA-Kontrollzentrum Darmstadt

Dr. Manfred Warhaut, Leiter für Missionsbetrieb, ESA-Kontrollzentrum Darmstadt

Prof. Dr. Tilman Spohn, Leiter des Instituts für Planetenforschung, DLR, Berlin

Dr. Marietta Benkö, Anwältin für Weltraumrecht, Köln

Ranga Yogeshwar, Physiker und Wissenschaftsmoderator

Die Erdöl- und Erdgasbranche, Konzernstrukturen und Prognosen, aber auch der wachsende Markt der alternativen Energien, wurden mir näher gebracht durch:

Werner Breuers, Vorstand der LANXESS AG

Wahida Hammond, Skywalker, Köln – mit Extra-Dank für Kontakte und *simply being Why*

Viel gelernt über moderne Kommunikationstechnologien, das Internet von morgen, IT-Sicherheit, Holografie und virtuelle Ambiente habe ich von:

Dr. Manfred Bogen, Abteilungsleiter Virtual Environments am Fraunhofer-Institut für Intelligente Analyse- und Informationssysteme, Sankt Augustin

Paul Frießem, Bereichsleiter Sichere Prozesse und Infrastrukturen am Fraunhofer Institut für Sichere Informationstechnologie, Sankt Augustin

Thorsten Holtkämper, Projektleiter Virtual Environments am Fraunhofer-Institut für Intelligente Analyse- und Informationssysteme, Sankt Augustin

Roland Kuck, Projektleiter Virtual Environments am Fraunhofer-Institut für Intelligente Analyse- und Informationssysteme, Sankt Augustin

Thomas Tikwinski, Projektleiter NetMedia am Fraunhofer-Institut für Intelligente Analyse- und Informationssysteme, Sankt Augustin

Jochen Haas, Simply Net Datendienste, Köln

Meine Kenntnisse über Architektur und Städteplanung, insbesondere über die Stadtentwicklung in China, aber auch über Slums, konnte ich vertiefen durch:

Prof. Dr. Eckhard Ribbeck, Städtebau-Institut der Universität Stuttgart

Ingeborg Junge-Reyer, Berliner Bürgermeisterin und Senatorin für Stadtentwicklung

Wie es in der Gerichtsmedizin zugeht und zugehen wird, wurde mir hautnah vermittelt von:

Dr. Michael Tsokos, Leiter des Instituts für Rechtsmedizin der Charité Berlin

Informationen über das vergangene, gegenwärtige und zukünftige China, über die Besonderheiten der chinesischen Umgangsformen und Namen sowie über den Status Quo chinesischer Popmusik erlangte ich durch:

Mian Mian, Schriftstellerin und Szene-Ikone, Shanghai

Wei Butter, Master of Art, asiatische Sprachen, Bonn

Fakten über Söldner, private Sicherheitsdienste, Waffentechnologien, Polizei- und Detektivarbeit vermittelten mir:

Peter Nasse, Leiter der Personenschutzagentur Security Management Services, Köln

Uwe Steen, Öffentlichkeitsarbeit der Polizei Köln

Ein besonderer Dank geht an

Gisela Tolk, Richterin und passionierte Sinologin, die unermüdlich Material über China für mich gesammelt hat

Maren Steingroß, die Übersicht in meine China-Recherchen und damit in meinen Kopf gebracht hat

Jürgen Muthmann, der in einer Woche mehr Zeitungen liest als ich in einem ganzen Jahr und mich auf vieles aufmerksam gemacht hat, was mir sonst entgangen wäre

Larissa Kranz für die nette Tischgesellschaft

Man wird ein bisschen unsozialisiert beim Schreiben dicker Bücher, was auf eine gefühlte Verzerrung von Raum und Zeit zurückzuführen ist. Beispielsweise könnte man schwören, erst vergangene Woche mit seinem besten Freund um die Häuser gezogen zu sein, bis er am Telefon erwähnt, man habe sich seit einem halben Jahr nicht mehr gesehen. Liebe Menschen, die einem wichtig sind, treten in Austausch miteinander über die Frage, in welcher Galaxie der geistig wie physisch verschollene Freund, Verwandte und Ehemann wohl gerade unterwegs sein mag. Tatsächlich habe ich mich eine ganze Weile rar gemacht, doch nie fiel ein Wort des Vorwurfs. Stattdessen genoss ich zwei Jahre lang Verständnis, Unterstützung und Geduld. Dafür schulde ich meinen Freunden und meiner Familie großen Dank! Mehr als alles andere freue ich mich, wieder mehr Zeit mit euch verbringen zu können – zumal ich es hasse, einsam am Schreibtisch zu sitzen! Gäbe es keine Laptops, leistungsfähige Akkus und Verlängerungsschnüre, Schriftsteller wäre der denkbar falsche Beruf für mich. Ich bin einfach zu gerne unter Menschen, also habe ich mir angewöhnt, in der Öffentlichkeit zu schreiben, bei Musik, Gesprächs- und Straßenlärm. Als Folge sind große Teile von Limit in den Lokalitäten befreundeter Gastronomen entstanden, deren Fürsorge einigen Einfluss auf das Resultat genommen hat.

Mein ganz besonderer Dank gilt Thomas Wippenbeck und seinem grandiosen Team vom Restaurant Fonda in der Kölner Südstadt, wo ich so häufig gesessen habe, dass ich am Ende Gefahr lief, mit Mobiliar verwechselt und nachts zusammen mit den Stühlen hochgestellt zu werden. Gut umsorgt wurde ich auch im Spitz, dessen freundliche Mitarbeiter meinen Stammplatz mit Messer und Gabel gegen andere Gäste verteidigt haben. Immer eine Heimat boten mir die Sterns in der Vintage und Romain Wack im Wackes. Manchmal musste ich einfach raus aus Köln, fuhr nach Sylt und wurde beim Schreiben perfekt umsorgt, sowohl von Johannes King und seinem Team im Söl'ring Hof als auch von Herbert Seckler, Ivo Köster und ihrem Team in der Sansibar.

Danken möchte ich den tollen und engagierten Mitarbeitern meines Verlags, stellvertretend und ganz besonders dir, Helge, für deine Freundschaft und dein unschätzbares Vertrauen.

Der ultimative Dank aber gebührt dir, Sabina. So sehr ich es genossen habe, in Gedanken zum Mond zu reisen – das Schönste daran war immer der Blick zurück zur Erde. Denn dort bist du.

Frank Schätzing. Der Schwarm. Roman. Gebunden

Das Meer schlägt zurück – in Frank Schätzings meisterhaftem Thriller erwächst der Menschheit eine unvorstellbare Bedrohung aus den Ozeanen.

»Ein gigantischer Thriller.« *Die Welt*

»So spannend und bildhaft, kompositorisch meisterhaft wie er hat in Deutschland schon lange niemand mehr erzählt.« *Focus*

»Dieses Buch will gelesen werden, vom Anfang bis zum Ende, morgens, abends, nachts.« *die tageszeitung*

Auch erhältlich als »Fischer«-Taschenbuch

Kiepenheuer & Witsch

www.kiwi-verlag.de